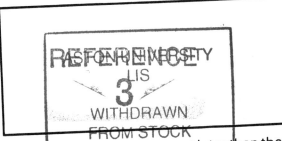

THÉMA

Arts et Culture

LITTÉRATURE

BEAUX-ARTS

MUSIQUE

CINÉMA

DANSE

MÉDIAS

LAROUSSE

17 Rue du Montparnasse 75298 Paris cedex 06

ISBN 2-03-152270-I (édition complète)
ISBN 2-03-152274-4 (Volume 4)

LE PROBLÈME DE L'HOMME D'AUjourd'hui n'est pas le manque mais le trop-plein d'informations. Il est de moins en moins possible de saisir un fil conducteur dans le flux des événements et des idées que répandent chaque jour aussi bien les voix des médias que les documents de plus en plus spécialisés de la vie professionnelle. Les révolutions des sciences et des techniques s'accompagnent de profondes mutations économiques, sociales et culturelles. Pour comprendre cet univers éclaté, il est utile sinon indispensable de disposer d'un guide qui trace des pistes claires et rapides dans les multiples territoires de la connaissance. **Théma**, encyclopédie à la dimension du monde moderne, est ce guide qui permet de se reconnaître dans le nouveau paysage du savoir contemporain.

Mais l'homme d'aujourd'hui, qu'il poursuive ses études, qu'il soit engagé dans la vie active ou qu'il cherche simplement à comprendre le monde dans lequel il vit, est un homme pressé, sollicité de toute part. Il ne lui suffit pas de disposer d'un quelconque stock de données. Il lui faut y avoir accès rapidement, sous une forme immédiatement utilisable et facilitant la mémorisation. Pour être vivante, une encyclopédie doit donc faire ressortir l'essentiel du savoir dans une présentation structurée et imagée, qui permette à la fois un repérage rapide de l'information et la claire compréhension, dans leur continuité et dans leurs relations, des événements, des faits, des concepts. **Théma** est une encyclopédie qui utilise de nouvelles formes de communication pour rendre accessibles les données de base de la connaissance et de la culture.

La connaissance d'aujourd'hui est en effet à plusieurs dimensions et à plusieurs voix : on montre autant qu'on démontre ; images et mises en scène participent à toute information comme à toute pédagogie ; le message et son support sont indissociables. **Théma** est une encyclopédie qui accorde aux moyens visuels, à l'illustration et à la signalétique une place capitale.

Théma communique le savoir avec une efficacité nouvelle parce qu'elle le structure et le synthétise. **Théma** brosse ainsi un panorama complet de la pensée et de l'activité humaines, en les rassemblant en cinq grands « territoires » cohérents :
– **l'histoire de l'humanité** saisie dans ses grandes périodes, dans ses croyances, ses idées, ses manifestations politiques ;
– **le monde actuel** décrit dans ses aspects géographiques, démographiques, économiques, géostratégiques, sociaux, ethniques et linguistiques ;
– **les sciences exactes** et leurs applications qui concourent à l'interprétation et à la transformation de l'Univers ;
– **les créations artistiques,** qui, par l'écrit, la peinture, le son, etc., donnent à voir et à comprendre les représentations que se font du monde les diverses civilisations ;
– **la vie** et l'ensemble des mécanismes par lesquels la vie apparaît et se développe, les connaissances modernes que la médecine a apportées sur l'homme et sur sa santé, l'exploitation que fait celui-ci des espèces végétales ou animales pour se nourrir, se vêtir.

À l'intérieur de chacun de ces grands territoires de la connaissance, **Théma** isole les temps forts du savoir. Parce que, pour bien se guider dans le détail de la connaissance, il faut d'abord en posséder l'essentiel.

Théma reconnaît ainsi quelque 1 250 thèmes fondamentaux, qui représentent chacun un concept de base, un moment d'une discipline scientifique ou culturelle.

Et, pour que ces thèmes soient saisis avec le plus de netteté et de force, ils sont systématiquement présentés dans l'espace d'une double-page : un seul coup d'œil permet d'appréhender l'ensemble d'une question.

Vision globale, essentielle, rapide : l'information dans **Théma** trouve une force neuve dans sa mise en forme.

Théma répond donc aux trois exigences d'une encyclopédie moderne. Elle embrasse la totalité du savoir ; elle organise la multiplicité des idées et des faits autour des disciplines fondamentales et des grands domaines d'activité : c'est une encyclopédie thématique ; elle offre l'essentiel du savoir sous la forme la plus dense et la plus visuelle : c'est l'outil idéal d'information et de formation intégré à la vie familiale, scolaire et quotidienne. •

THÉMA EST UNE ENCYCLOPÉ- die thématique : les connaissances y sont classées et ordonnées selon un ordre logique qui se retrouve à plusieurs niveaux.

Chacun des cinq volumes de la collection est tout entier consacré à un grand territoire de la connaissance et l'ensemble de ces cinq territoires couvre la totalité du champ du savoir contemporain.

À l'intérieur de chaque volume, chacun de ces cinq grands territoires est lui-même divisé en domaines correspondant à des disciplines classiques ou à des types de questions plus récents.

CHACUN DE CES DOMAINES est exposé en un certain nombre de thèmes. Le thème est, en effet, dans Théma, la véritable unité de traitement de l'information.

Chaque thème, présenté sur une double page, permet d'appréhender, d'un seul coup d'œil, l'ensemble d'une question. Pour cela, le texte comme l'illustration sont organisés de façon rigoureuse.

Le texte comprend toujours une ouverture, qui présente une synthèse du thème et une série de modules traitant le thème en profondeur. Chaque module, titré, est précédé d'un court chapeau qui en résume le contenu.

Dans de nombreux thèmes sont donnés des repères chronologiques, biographiques, lexicaux, etc., sous la forme de dates clefs, de personnages clefs, de mots clefs ou d'œuvres clefs.

Chaque illustration est accompagnée à la fois d'un numéro, d'un élément d'identification et fait l'objet d'un commentaire, dans lequel sont rappelés, le cas échéant, les numéros des documents référencés.

Cinq volumes : cinq territoires

Les Hommes et leur Histoire

Le Monde d'Aujourd'hui

Sciences et Techniques

Arts et Culture

Sciences de la Vie

Chaque volume : des domaines

Histoire	HIST
Systèmes politiques	POLIT
Histoire des idées	IDÉES
Religions	RELIG
Géographie régionale	GEO. REG
Démographie	DEMOGR
Géographie économique	GEO. ECO
Économie	ECO
Géostratégie	GEOSTRAT
Ethnies, peuples et États	PEUPLES
Société	SOCIO
Langues	LANGUES
L'Univers	UNIV
La Terre	TERRE
Mathématiques	MATHS
Physique	PHYS
Chimie	CHIM
Techniques	TECHN
Littérature	LITTER
Beaux-arts	ARTS
Musique	MUS
Danse	DANSE
Cinéma	CINE
Médias	MEDIAS
Biologie	BIOL
Médecine	MED
Agriculture	AGRI
Agroalimentaire	ALIM

Domaines :
Rappel en titre courant du domaine dans le volume.

Titre :
Titre du thème traité. Peut être accompagné d'un surtitre.

Ouverture :
Mise en place des éléments essentiels du thème.

Module :
Titre : L'ensemble des titres des modules donne à lui seul les points essentiels du thème.
Chapeau : Résumé des idées-forces du module. L'ensemble des chapeaux constitue le *squelette* du sujet.
Texte du module : Exposé synthétique, clair et précis.

Éléments clefs :
Repères chronologiques, biographiques, lexicaux, etc., relatifs au thème, c'est-à-dire :
– dates clefs
– personnages clefs
– mots clefs
– œuvres clefs, etc.

POUR LES THÈMES OÙ CELA se justifie, on propose, en fin d'article, un prolongement de lecture par le biais d'un système de renvois à d'autres thèmes du même volume – ou d'autres volumes – de la collection. Ce système organise dans l'ouvrage un guide de parcours et de circulation et met en évidence les liens logiques entre les différents thèmes. Chaque renvoi comprend : le titre du thème auquel on renvoie, une abréviation du domaine où figure ce thème, les numéros de la double-page correspondante. Les titres des domaines, qui correspondent de façon simple avec les abréviations, figurent sur le dos de chaque volume.

CHAQUE VOLUME EST PRÉcédé d'une table des matières détaillée. Celle-ci fournit, avec la pagination correspondante, les titres des thèmes constituant les domaines. Sous le titre de chaque thème figure l'ensemble des titres des modules qui le composent. Cette table permet un repérage rapide et facilite la consultation. Elle donne, en outre, une vue d'ensemble des domaines et ce à deux niveaux : la succession des titres des thèmes met en évidence la manière dont s'articulent les diverses disciplines ; le récapitulatif des titres des modules permet de dégager, d'un seul coup d'œil, les idées-forces relatives à un thème.

Un index à la fin de chaque volume permet de localiser rapidement telle information précise recherchée par le lecteur.

LITTÉRATURE

Dostoïevski et le roman russe

L'ŒUVRE ROMANESQUE DE Dostoïevski apparaît comme un premier aboutissement du roman moderne, celui qui, depuis le *Don Quichotte* de Cervantès, a consacré l'irréductible divorce entre l'homme et le monde. Pour autant, Dostoïevski n'est pas un romancier « européen » : il est slave et revendique cette slavité, de sorte que l'œuvre est aussi le couronnement de la littérature « russe ». Il a fallu, moins de soixante-dix ans pour que cette littérature, dont Pouchkine et Lermontov avaient été les véritables initiateurs, devienne, grâce à Dostoïevski, un modèle de référence universel.

L'itinéraire d'un Russe

TOUTE L'ŒUVRE, COMME LA VIE, DE DOSTOÏEVSKI, OSCILLE ENTRE L'ORGUEIL ET L'HUMILIATION, ENTRE L'EXALTATION ET LE DÉSESPOIR.

Dostoïevski et les autres

APRÈS L'ÉCHEC DES DÉCABRISTES, DANS LA RUSSIE QUI A ADOPTÉ LA DEVISE « AUTOCRATIE, ORTHODOXIE, PRINCIPE NATIONAL », LA LITTÉRATURE EST LA SEULE EXPRESSION DE L'INTELLIGENTSIA.

L'âme russe

Une nouvelle poétique

AU BOUT DU JEU PHYSIQUE ET MATHÉMATIQUE DES PASSIONS CONTRAIRES, IL NE RESTE QU'UNE TRACE, SEULE PREUVE QUE L'AVENTURE A EU LIEU : LE ROMAN.

Œuvres clefs

- 1823 Pouchkine, *Eugène Onéguine*.
- 1834 Pouchkine, *la Dame de pique*.
- 1835 Gogol, *le Journal d'un fou*.
- 1842 Gogol, *les Âmes mortes*.
- 1852 Tourgueniev, *Récits d'un chasseur*.
- 1858 Aksakov, *Chronique de famille*.
- 1858 Pissemski, *Mille Âmes*.
- 1859 Gontcharov, *Oblomov*.
- 1862 Tourgueniev, *Pères et Fils*.
- 1865- Tolstoï, *Guerre et Paix*.
- 1872 Leskov, *Gens d'Église*.
- 1875- Tolstoï, *Anna Karénine*.
- 1880 Saltykov-Chtchedrine, *la Famille Golovlev*.
- 1891 Tolstoï, *la Sonate à Kreutzer*.
- 1892 Tchekhov, *la Salle n° 6*.
- 1899 Tolstoï, *Résurrection*.

Chronologie de Dostoïevski

- 1821 30 oct. Naissance à Moscou.
- 1837 Mort de sa mère.
- 1838 Entrée à l'École des ingénieurs militaires de Saint-Pétersbourg.
- 1849- Mort de son père, probablement assassiné par ses paysans.
- 1846 *Les Pauvres Gens*, premier roman de Dostoïevski.
- 1849 Arrestation pour conspiration et condamnation à mort commuée en quatre années de bagne.
- 1849-1853 Déportation en Sibérie.
- 1857 Incorporation dans un régiment sibérien.
- 1857 Premier mariage, avec Maria Dmitrievna Issaïeva.
- 1859 Retour à Saint-Pétersbourg.
- 1862 Publication du *Souvenir de la maison des morts*.
- 1862 *Humiliés et Offensés*.
- 1864 Mort de sa femme et de son frère.
- 1864 *Mémoires écrits dans un souterrain*.
- 1866 *Crime et Châtiment*, *le Joueur*.
- 1867 Épouse Anna Grigorievna Snitkina.
- 1868 *L'Idiot*.
- 1871- *l'Éternel Mari*.
- 1875 *l'Adolescent*.
- 1878 Le tsar lui demande d'être le conseiller de ses enfants.
- 1880 *les Frères Karamazov*.
- 1881 27 janv. Mort à Saint-Pétersbourg. Foule immense à ses obsèques solennelles.

1. Dostoïevski.
2. L'isba et la troïka.
3. Tolstoï en moujik.
4. Le cabaret des villes tristes et la vodka.
5. La misère paysanne.

· 88 ·

→ **Voir aussi :** L'évolution de la pensée russe vers la révolution, IDÉES, p. 406-407.

Illustration :

Organisée en un ensemble homogène, cohérent permettant une lecture autonome et transmettant un message direct et porteur d'information ou/et d'émotion.

Des légendes d'identification accompagnent les divers types de documents. Le commentaire aide à « lire » et à comprendre les images.

Voir aussi :

Système de renvois assurant une circulation dans la collection.

Patrice Maubourguet
Direction de la publication

François Demay et Henri Serres-Cousiné
Jacques Demougin
Conception et réalisation

Responsables de domaine

Jacques Demougin, Sylvie Compagnon, *Littérature*
Astrid Bonifacj, Gilbert Gatellier, *Beaux-Arts*
Alexandra Laederich-Coustou, *Musique*
Nathalie Lecomte, *Danse*
Michel Dansel, *Cinéma*
Cécile Méadel, *Médias*

Suivi éditorial et indexation

Michèle Beaucourt, Marie-Thérèse Eudes
Philippe Lacrouts
Jacques Florent

Composition et informatique éditoriale

Joaquín Suárez-Prado
Michel Vizet, Jocelyne Rébéna, Gabino Alonso
Monique Roux, Martine Penin

Correction

Bernard Dauphin
Pierre Aristide, Monique Bagaïni, Nicole Chatel
Claude Dhorbais, Marie-Pierre Gachet, René Louis
Françoise Mousnier, Madeleine Soize, Annick Valade

Fabrication

Gérard Weymiens
Martine Toudert

Suivi de la réalisation

Brigitte Laurent
Sophie Godeau

Secrétariat

Anne-Marie Diény,
Nelida Fortunato, Marie-Thérèse Sobusiak

François Demay et Yves Garnier
Direction éditoriale

Directeurs artistiques

Frédérique Longuépée
Daniel Leprince, François Weil

Couverture et reliure

Gérard Fritsch

Documentation iconographique

Anne-Marie Moyse-Jaubert
Viviane Seroussi, *responsable du projet*
Étienne Collomb, Nanon Gardin
Jacques Grandremy, Nathalie Lasserre, Sophie Letellier
Marianne Prost, Marie-Annick Réveillon

Dessins et cartographie

Luciana Chiaravalli, Michel Loppé, *directeurs artistiques*
Lucien Lallemand
Brigitte Alloppé, *préparation cartographique*

Mise en pages

Frédérique Cartalade-Delfaut, Alix Colmant
Henri François Serres-Cousiné
Guy Calka, *préparation typographique*

Secrétariat de la documentation iconographique

Monique Gouix, Danielle Jacquemain
Marie Vorobieff

Secrétariat des services graphiques

Gisèle Rucq, Michèle Stromberg

Henri Serres-Cousiné et Alain Joly
Direction des services artistiques

L'image graphique de l'ouvrage a été donnée par Yan Pennor's

Arts et Culture

CE VOLUME DRESSE LE BILAN DES moyens employés par l'humanité pour s'approprier le monde autrement que par l'activité quotidienne utilitaire et parcellaire : le penser, le décrire, le mimer, le représenter ; non plus le transformer localement par des techniques, mais le recréer d'un seul coup par la magie de l'art, dans la dureté du marbre ou la fugacité de la mélodie, dans l'immobilité du tableau ou dans les arabesques de la danse, dans le grand silence de la page ou la fébrilité sonore des médias.

Le domaine **Littérature** se déploie ainsi entre deux interrogations : comment la notion de littérature s'est-elle dégagée de la parole consacrée, aux origines des sociétés, à perpétuer le savoir et les valeurs d'une communauté pour devenir l'expression irréductible du moi d'un individu unique ? Comment la nouvelle culture audiovisuelle peut-elle faire encore sa place à une activité qui s'identifie aujourd'hui à l'écriture ? Entre ces deux pôles, le domaine dessine un double parcours dans l'espace et dans le temps : à travers les grandes aires culturelles (européenne, américaine, indienne, arabo-persane, extrême-orientale, etc.) qui se définissent par une sensibilité particulière, l'insistance de thèmes privilégiés, le développement de genres spécifiques ; en s'arrêtant aux temps forts que composent les grands mouvements et les grandes périodes de l'histoire littéraire (de la poésie courtoise au théâtre de l'absurde en passant par le classicisme), incarnés par quelques génies (de Dante à Kafka).

Le domaine **Beaux-Arts** brosse le panorama d'une aventure qui va de la préhistoire au postmodernisme. Il met en lumière les conditions politiques, économiques et sociales d'apparition des techniques et des thèmes en peinture, sculpture et architecture, du mystère de l'art néolithique à l'ironie du néo-dadaïsme, de la figuration à la simulation. Il trace les grandes lignes de l'évolution de l'art européen, à travers ses manifestations majeures, de la renaissance carolingienne aux nouvelles avant-gardes des années 1980. Il fait comprendre comment le style se met au service d'une vision par l'analyse détaillée de quelques œuvres phares (de Saint-Marc de Venise à *Guernica* de Picasso). Il introduit à la sensibilité et à l'esthétique des civilisations anciennes, de l'Égypte pharaonique à l'art des Andes ou de la haute Asie.

Le domaine **Musique** entrelace une double histoire : des instruments et des formes musicales, des styles et des théories. Il explicite les caractéristiques des musiques primitives et extra-occidentales et fait comprendre l'évolution complexe d'un art qui va des chants liturgiques du Moyen Âge à la culture rock de la jeunesse urbaine des métropoles modernes.

Le domaine **Danse** définit la nature et le rôle de l'art chorégraphique dans les diverses formes de société, de la danse magique et religieuse au divertissement des bals bourgeois et populaires. Outre les aspects sociaux de la danse, il met en valeur la transformation continue des techniques, des danses de la Renaissance et des ballets de cour à la virtuosité corporelle des troupes contemporaines.

Le domaine **Cinéma** entreprend l'histoire, courte mais particulièrement riche, du septième art. Des inventions techniques des bricoleurs isolés à l'organisation d'une industrie planétaire, le cinéma est étudié à travers ses grands genres (du western au documentaire et au film de science-fiction) et ses grandes manifestations nationales : du star-system d'Hollywood à l'inspiration mythologique de l'Inde et à l'émergence du cinéma du tiers-monde et des nouvelles nationalités.

Le domaine **Médias**, enfin, passe en revue les différentes composantes d'une culture nouvelle qui redonne la primauté à l'image et à la parole : de la presse à la radio, de la publicité à la télévision, elle bouleverse nos façons de voir et de communiquer et participe à la gestation, pour le meilleur et pour le pire, de l'homme du XXIe siècle. ●

Ont collaboré à cet ouvrage

François **Baratte**, *conservateur au département des antiquités grecques, étrusques et romaines du musée du Louvre.*

Marie-Anne **Barbéris-Grasser**, *agrégée de l'Université, professeur de chaire supérieure.*

Marie-Claire **Beltrando-Patier**, *professeur à l'université de Lille-III, directeur de recherche à l'université de Paris-IV*

Jean-Yves **Bosseur**, *compositeur, directeur de recherche au C.N.R.S.*

Jean-François **Bouchard**, *chargé de recherche au C.N.R.S.*

Sylvie **Bouissou**, *chargée de recherche au C.N.R.S.*

Jérôme **Bourdon**, *chercheur à l'Institut national de l'audiovisuel.*

Alain **Charre**, *historien d'art et enseignant.*

Maguy **Charritat**, *chargée de cours à l'école du Louvre, documentaliste à la section islamique du musée du Louvre.*

Myriame **Chimènes**, *chargée de recherche au C.N.R.S, conservateur du centre de documentation Claude Debussy.*

Annie **Cloulas-Brousseau**, *professeur d'histoire de l'art à l'université de Lille-III.*

Damien **Colas**, *chargé de recherche documentaire au département de la musique de la Bibliothèque nationale.*

Claire **Constans**, *conservateur au Musée national des châteaux de Versailles et de Trianon.*

Olivier **Cullin**, *musicologue, professeur agrégé à l'université de Toulouse-Le Mirail.*

Michel **Dansel**, *écrivain, docteur en littérature et en civilisation française.*

Francette **Delaleu**, *historienne de l'art.*

Adélaïde **De Place**, *musicologue, ingénieur de recherche au ministère de la Culture.*

Colette **Deremble**, *maître de conférences à l'université de Paris-X.*

Georgette **Durosoir**, *docteur ès lettres, professeur d'histoire de la musique à l'université de Paris-IV.*

Jakline **Eid**, *attachée à la section Afrique au Musée national des arts de l'Afrique et de l'Océanie.*

Bernard **Gagnepain**, *professeur au Conservatoire national supérieur de musique de Paris.*

Gilbert **Gatellier**, *secrétaire général de la rédaction Larousse.*

Françoise **Gaultier**, *conservateur au musée du Louvre, département des antiquités grecques, étrusques et romaines.*

Véronique **Gérard-Powell**, *maître de conférences à l'université de Paris-IV.*

Jean-Jacques **Glassner**, *chargé de recherche au C.N.R.S.*

Georges **Guillard**, *organiste.*

François **Heber Suffrin**, *maître de conférences à l'université de Paris-X.*

Carol **Heitz**, *professeur à l'université de Paris-X.*

Michel **Jacq Hergoualc'h**, *docteur ès lettres, chargé de recherche au C.N.R.S.*

Jacques-Bernard **Hess**, *chargé de cours à l'U.F.R. de musique et musicologie de Paris-IV.*

Michel **Hochman**, *maître de conférences à l'université de Grenoble-II.*

Jean-Rémy **Julien**, *professeur de musicologie à l'université de Lyon-II.*

Alexandra **Laederich-Coustou**, *enseignante.*

Anne **Lavondès**, *ethnologue, ingénieur de recherche à l'Institut français de recherche scientifique pour le développement en coopération.*

Nathalie **Lecomte**, *docteur en esthétique des arts musicaux, historienne de la danse.*

Gilles **Léothaud**, *directeur du laboratoire de musicologie de l'université de Paris-IV.*

Gérard **Le Vot**, *maître de conférences en musicologie médiévale et comparée à l'université de Lyon-II.*

André **Lischké**, *professeur d'histoire de la musique au Conservatoire russe de Paris.*

Anne-Marie **Loth**, *docteur en art et archéologie, professeur à l'école du Louvre.*

Gottfried **Marschall**, *maître de conférences à l'université de Paris-IV.*

Cécile **Méadel**, *chercheur au Centre de sociologie de l'innovation de l'École des mines de Paris.*

Mady **Ménier**, *professeur d'histoire de l'art contemporain à l'université de Lyon-II.*

Sophie **Monneret**, *historienne d'art.*

Alain **Pasquier**, *conservateur en chef du département des antiquités grecques, étrusques et romaines du musée du Louvre.*

Anne **Pénesco**, *maître de conférences à l'université de Metz, chargée de cours à Paris-IV.*

Danièle **Pistone**, *professeur à l'université de Paris-IV.*

Jean-Jacques **Rouveroux**, *critique musical.*

Jean-Bernard **Roy**, *conservateur des musées de Nemours.*

Michel **Rutschkowsky**, *conservateur des musées nationaux, professeur à l'école du Louvre.*

Philippe **Sénéchal**, *maître de conférences à l'université de Paris-IV.*

Marie-Anne **Sire**, *inspecteur des monuments historiques.*

Heather-Marie **Stoddard**, *maître de conférences à l'Institut national des langues et civilisations orientales.*

Gérard **Streletski**, *chef d'orchestre et musicologue, professeur d'analyse et des classes d'orchestre à l'École nationale de musique d'Issy-les-Moulineaux.*

Éric **Taladoire**, *maître de conférences, responsable du Centre de recherches en archéologie précolombienne à l'université de Paris-I.*

Pierre **Vaisse**, *professeur à l'université de Paris-X.*

Pascal **Vernus**, *directeur d'études à l'École pratique des hautes études.*

Marc **Vignal**, *musicologue, producteur à Radio France.*

TABLE DES MATIÈRES

LITTÉRATURE

BEAUX-ARTS

MÉDIAS

Qu'est-ce que la littérature ?

TOUT LE MONDE COMPREND aujourd'hui le mot « littérature ». Même s'il est susceptible de deux emplois contradictoires : tantôt il signale la plus belle création de l'esprit, tantôt il met en garde contre une expression superficielle, voire peu sincère de la réalité : « ce n'est que de la littérature ».

Or, dans son sens moderne, le mot « littérature » est récent. Pour l'Antiquité latine, la littérature n'est que l'art de tracer les lettres. Pour le XVIIᵉ siècle français, c'est l'ensemble du savoir livresque, la culture du lettré : on *a* de la littérature comme d'autres ont du goût. Tout change, en 1800, lorsque Mme de Staël publie *De la littérature considérée dans ses rapports avec les institutions sociales* : désormais la littérature désigne la production des écrivains d'une nation ou d'une époque. On n'a plus de littérature : on *fait* de la littérature ou on *étudie* la littérature.

La littérature conçue comme une activité autonome qui s'incarne dans un livre est aussi un phénomène tardif. Les premières civilisations, qui ignoraient l'écriture, ont transmis oralement leur patrimoine émotionnel et culturel : ces contes, ces récits sont la mémoire d'un groupe, le répertoire sacré des règles d'un peuple. Avant d'être le cri d'un individu solitaire, la littérature a été le chant d'un conservateur des traditions de la communauté.

La littérature se constitue comme telle à travers un triple processus de désacralisation, de différenciation culturelle et d'individualisation du public. De ses origines magico-religieuses, la littérature gardera son pouvoir incantatoire et l'ambition de représenter la totalité du monde et de la vie. Mais sa laïcisation s'accompagne d'une évolution des genres (de l'épopée au roman, de l'éloquence au lyrisme) et d'un partage entre la poésie et la prose (la littérature ne cessera de se désincarner, de s'éloigner du chant et de la musique). La constitution de grandes aires culturelles puis des littératures nationales conduira à l'élaboration de thèmes spécifiques et à la pratique de formes privilégiées.

L'individualisation du public naît de la fixation de la littérature par l'écrit et de la diffusion du livre. Le double rapport entre l'écrivain et son public, entre l'écrivain et la tradition s'en trouve bouleversé : il n'est plus défini par le souci du bien de tous, il devient personnel. Il en découle trois conséquences : les illettrés sont rejetés de la littérature ; la littérature se casse en deux : il y aura une littérature savante, reconnue, et une littérature populaire, dédaignée ; l'écrivain n'a plus sa place marquée dans la cité.

Aujourd'hui, la littérature s'interroge. D'abord sur son rôle : doit-elle être un moyen de lucidité ou de divertissement face aux problèmes du monde moderne ? Ensuite sur ses méthodes : doit-elle accentuer son parti pris de réalisme ? ou dévoiler ses artifices et montrer qu'elle n'est qu'un univers de papier ?

La littérature orale

LA LITTÉRATURE ORALE, MÉMOIRE DES CIVILISATIONS SANS ÉCRITURE ET DES CULTURES POPULAIRES, EST LE BIEN ET L'ŒUVRE DE TOUS.

La littérature des civilisations primitives n'est pas d'abord une forme d'art. Elle a pour charge de codifier et de transmettre les multiples relations de l'homme à son milieu naturel, social, technique. La littérature orale est la mémoire du savoir traditionnel d'une société. Le contenu de la littérature orale est donc triple : mythologique, épique, didactique.

Le *mythe* est le récit fondateur qui explique l'origine du monde, la nature des dieux, l'ordre des choses. La forme la plus primitive de l'*épopée* s'incarne dans les listes énumératives d'ancêtres, de longues généalogies qui magnifient un lignage royal ou aristocratique : elles rappellent la légitimité d'un pouvoir. La littérature orale est enfin un guide dans la vie quotidienne : elle offre le modèle des conduites à tenir et des actions à exécuter. Cette fonction proprement pédagogique s'exprime sous la forme de proverbes, de sentences, d'énigmes et surtout de fables et de contes.

Un texte qui est un rythme.
Le texte de style oral répond à deux conditions réciproques : il actualise la volonté d'un groupe de conserver un ordre de faits et de valeurs ; il obéit dans sa composition à des principes de mnémotechnie et de reproduction auditive. La structure profonde du texte oral est donc un rythme. Le rythme est une manifestation primitive de l'homme (il répond à une pulsion viscérale, physiologique) et de l'humanité (il y a 40 000 ans, sur les parois des grottes, les représentations des marques rythmiques précèdent celles de figures reconnaissables). Le rythme est à la fois l'inconscient et la préhistoire de l'art. Le style oral se fonde donc sur la scansion (scander, à l'origine, c'est battre la mesure avec son pied), la répétition de formules et d'épisodes, le retour de sons et d'accents qui jouent le rôle d'une véritable ponctuation, enfin sur le soutien éventuel d'un instrument de musique.

Un interprète privilégié.
La littérature orale est le réceptacle de l'âme de la communauté. La parole qui l'actualise doit être dépourvue d'erreurs et d'errements. L'erreur, c'est l'infidélité involontaire à la tradition ; l'errement, c'est la tentation de l'originalité : deux sources personnelles d'altération du patrimoine qui peuvent attirer le malheur sur la collectivité. Celui qui a pour rôle de parler la culture de son groupe doit donc posséder la claire conscience de sa responsabilité et la pleine maîtrise de son art. Aussi, dans de nombreuses civilisations, la charge de perpétuer la religion, l'histoire et la science a été confiée à des corporations spécialisées, dont les membres étaient formés non seulement à une tech-

1. Page d'un traité arabe d'astrologie.

Les grandes aires littéraires

L'ESPACE GÉOGRAPHIQUE ET CULTUREL SE DIVISE EN AIRES LITTÉRAIRES QUI SE DÉFINISSENT PAR UNE SENSIBILITÉ PARTICULIÈRE, L'INSISTANCE DE THÈMES PRIVILÉGIÉS, LE DÉVELOPPEMENT DE GENRES SPÉCIFIQUES.

On distinguera successivement le continent indien, le monde arabo-persan, la Chine et le Japon, le domaine américain et l'Europe.

Le continent indien.
Il se caractérise par sa diversité linguistique (on y dénombre aujourd'hui 1 652 langues) et son unité culturelle, qui détermine une attitude mentale et un mode de vie : croyance en un être absolu dont la création est une émanation et que l'homme doit chercher à appréhender, principalement par la *bhakti,* amour que l'individu vit dans sa relation avec Dieu et qui inspire aussi bien les chants collectifs et individuels que les poèmes et les méditations.

Le monde arabo-persan.
Depuis les origines, la littérature arabo-persane se place sous le signe de la poésie. Et cette poésie se partage en deux courants : une poésie amoureuse et bachique, qui célèbre les femmes, le vin, les plaisirs de la vie ; une poésie guerrière, qui s'attaque aussi bien aux ennemis privés du poète qu'à ceux du prince qu'il soutient, et qui chante les hauts faits des héros du clan ou de la dynastie. Le *Coran* ouvrira cette source d'inspiration en la transfigurant : l'amour se sublimera en mysticisme ; le combat sera celui de l'expansion de l'islam.

La Chine et le Japon.
Isolées par la nature et la langue, les cultures de ces deux empires ont fini par prendre des caractères communs : coexistence d'une littérature de lettrés, écrite dans une langue savante, et d'une littérature populaire, orale ; imbrication étroite de la peinture et de la poésie, unies dans la calligraphie exécutée avec un pinceau ; goût des variations infinies sur des formes poétiques et prosodiques fixées, à travers un jeu subtil d'allusions ; expression des idées personnelles à l'aide de thèmes et d'événements traditionnels, connus de tous ; passion d'une écriture qui condense pensées et sentiments et qui stylise la représentation de la réalité.

Le domaine américain.
L'obsession du Nouveau Monde est l'accord de l'individu isolé et de l'espace d'un continent ouvert, dont la « frontière » a fui continûment à l'horizon, jusqu'à l'aube du XXᵉ siècle. La littérature américaine dessine une cartographie avec ses points cardinaux (la Prairie, le Grand Nord, le Sud, la Californie) et s'organise autour d'un thème lancinant (la quête de l'identité) et d'une tâche sans cesse reprise : assurer la somme harmonieuse d'un univers aux composantes naturelles et humaines antinomiques.

L'Europe.
L'Europe présente un agrégat humain, historique, culturel d'une rare diversité. Chacun des peuples et des États qui la composent est un monde avec ses traditions et ses contradictions. Mais, à plu-

nique oratoire et mémorielle virtuose, mais aussi à une ascèse morale : aèdes grecs, bardes gaéliques ou finnois, scaldes islandais, griots africains. Aujourd'hui encore subsistent des conteurs professionnels en Afrique noire, des poètes traditionnels en Polynésie, des chanteurs d'épopées au Tibet et au Kurdistãn.

Un temps pour la littérature.
Il y a un temps et un cérémonial de la littérature orale. C'est d'ordinaire la période libérée des activités économiques. C'est surtout la nuit, lorsque, tous les travaux étant achevés, on se regroupe sur la place du village ou dans la grande maison commune autour du récitant. L'assistance connaît déjà les textes, et son attention est garante de toute déformation. Les auditeurs participent donc activement au rituel littéraire. Et le prestige qui entoure le vainqueur d'une joute oratoire se reporte sur tout le groupe auquel il appartient. Mais le temps profond de la littérature est un temps immémorial, qui donne aux événements racontés un caractère exemplaire et arrache la société à l'incertitude des jours. La littérature orale place le quotidien dans la perspective de la destinée. ●

3. *Les Liseuses*, de J. Raoux.

4. Griot africain.

5. La bibliothèque publique de la Part-Dieu à Lyon.

Des choses aux signes

Le manuscrit ancien (1) se déploie dans un univers concret et plastique, créant un « espace littéraire » dont les poètes modernes, comme Mallarmé ou aujourd'hui les spatialistes, auront la nostalgie. Le livre imprimé (2) déroule une écriture abstraite fondée sur une pure combinatoire alphabétique : la page ne parle qu'à l'intellect et les images ne surgissent que comme la musique s'élève d'une partition.

2. Épreuve d'un roman de Balzac corrigée par l'auteur.

De la parole du groupe au silence du lecteur

Au milieu du cercle des auditeurs, le griot africain (4) profère une parole attendue qui conserve et fait vivre les traditions essentielles de la communauté. Repliée dans son fauteuil, la liseuse de romans (3) éprouve une jouissance éphémère et personnelle à la lecture d'un livre qui recherche l'effet et la surprise. Dans la mise en scène de son récit, le conteur africain tire de sa mémoire intérieure les formules et les images qui assurent la conception de l'univers du petit groupe auquel il appartient. Dans le cloisonnement silencieux de la bibliothèque (5), le lecteur a accès, à travers les livres ou sur l'écran de l'ordinateur, à une immense mémoire extérieure qui le met en contact avec la culture universelle et qui relativise sa vision du monde.

sieurs reprises, l'Europe s'est rassemblée autour de quelques croyances ou idées-forces, créant un « espace spirituel » ou imposant son ordre par la conquête : elle a ainsi proposé sa vision du monde, diffusé ses modèles esthétiques, popularisé ses mythes, enseigné des comportements à la fois sociaux et littéraires. La littérature européenne s'articule autour de deux grands couples conflictuels : celui de l'amour et de la mort – la vraie passion ne peut être que fatale ; celui de l'homme et du monde – on ne parvient à la conscience de soi qu'à travers un apprentissage fait d'errances, d'expériences et de ruptures : la vie est un roman, et le monde est fait pour aboutir à un livre. ●

Le partage prose/poésie

LA POÉSIE S'OPPOSE DOUBLEMENT À LA PROSE : COMME UN LANGAGE RYTHMÉ À UN DISCOURS PLAT, COMME L'IMAGINATION, QUI OPÈRE DES CONNEXIONS SURPRENANTES DANS LA RÉALITÉ, À UN INSTRUMENT PRATIQUE.

Traditionnellement, la prose se définit négativement par rapport à la poésie. La poésie est le domaine du rythme, de l'image qui s'adresse au sentiment, du détour stylistique ; la prose met en œuvre un langage sans règles précises, un discours rationnel. La poésie est assimilée au *vers* : en latin, *versus* désigne le mouvement que fait la charrue qui tourne au bout du sillon ; la prose est à l'inverse le langage « tourné vers l'avant », *prorsus*, le discours droit. La poésie est ainsi liée à une double contrainte : recherche d'un sens qui dépasse les catégories de l'intelligible ; raffinement de l'expression qui introduit un écart de plus en plus grand avec le langage utilitaire. Ces oppositions ne sont cependant pas universelles : la Bible ignore la distinction entre prose et poésie et ne connaît que celle du « chanté » et du « parlé ». D'ailleurs, la pratique de la « prose poétique » (Rousseau, Chateaubriand, Hugo) et celle du « poème en prose » (Baudelaire, Rimbaud, Reverdy) ont fait éclater les formes traditionnelles.

La poésie est-elle démocratique ?
Le partage prose/poésie a parfois été fait au nom de critères culturels et même politiques. Pour les Grecs, la prose, placée du côté de la raison, de la réflexion, donc du mensonge possible, s'opposait à la parole poétique, proférée par tous et pour tous : la poésie, parole sans auteur, est un bien commun, analogue au mythe. Au contraire, pour un historien comme Michelet, le « génie démocratique » d'un peuple se reconnaît à son caractère prosaïque, à l'usage du discours le plus proche de l'action. Pour Sartre, la prose est un instrument de progrès qui, contrairement au monologue poétique, est un moyen de transparence sociale : « Il y a prose quand le mot passe à travers notre regard comme le verre au travers du soleil. » Péguy a tenté une conciliation des deux langages en faisant de la « probité » de la prose le creuset d'une poésie à la dimension des exigences du monde moderne.

Une aventure fondatrice

LA PLUS VIEILLE ÉPOPÉE DU MONDE TRADUIT
D'EMBLÉE LES GRANDES INQUIÉTUDES DE L'HOMME DE TOUJOURS :
ACCEPTER LA MORT, RECONNAÎTRE L'AUTRE.

L'épopée de Gilgamesh

C'EST PARADOXALEMENT parce que les bibliothèques de la Mésopotamie ancienne ont brûlé que les textes qu'elles contenaient ont pu être conservés. En effet, trois mille ans avant Jésus-Christ, entre le Tigre et l'Euphrate, les scribes écrivaient avec un roseau taillé sur des tablettes d'argile crue : les flammes des villes dévastées lors des guerres incessantes qui ont ravagé l'Orient antique ont cuit ces supports fragiles et les ont préservés. C'est ainsi que nous connaissons les quelque 5 000 ouvrages qui formaient, au VIIe s. av. J.-C., la bibliothèque du roi Assourbanipal à Ninive.

La littérature que pouvait lire un monarque éclairé, et plus généralement un prêtre ou un fonctionnaire cultivé de cette époque, est la plus ancienne du monde. Elle appartient à la culture sumérienne et consiste pour l'essentiel en textes religieux, divinatoires ou moraux. Mais, plus de 2 000 ans avant notre ère, apparaissent les premiers poèmes lyriques et les premiers récits épiques.

La littérature sumérienne fut reprise, entre le XXe et le XVIIe siècle av. J.-C., par la culture akkadienne dans une perspective plus philosophique, qui témoigne d'un effort d'explication du monde, et dans une composition plus dramatique. En même temps se constituait une prosodie qui influencera la poésie de la Bible.

Deux thèmes majeurs se partagent cette littérature : le désespoir pour l'homme d'être mortel ; la difficile conduite de la vie dans un univers énigmatique et sous des régimes impitoyables. Les textes traduisent deux attitudes devant la mort : la quête passionnée de l'immortalité – c'est le sujet de l'épopée de Gilgamesh ; la préparation minutieuse de l'au-delà : ce sera l'obsession de l'Égypte pharaonique. La vision de la vie s'incarne dans la double transmission des exploits publics (c'est l'ambition des *Annales* des rois assyriens) et des expériences privées (c'est le propos des *Sagesses* égyptiennes).

À travers ces grands poèmes mythologiques déclamés lors des fêtes religieuses et ces proverbes laconiques qui véhiculent un bon sens populaire, se dévoile une même préoccupation de l'homme qui entre péniblement dans l'histoire : trouver sa place dans la création et surtout le bon usage des dieux.

Gilgamesh serait un très ancien roi d'Ourouk. Autour de ce personnage s'est créée, dans la société sumérienne de la fin du IIIe millénaire, une tradition mythique orale qui donna naissance, quelques siècles plus tard, à un cycle de poèmes que les scribes akkadiens rassemblèrent en une épopée de 12 chants.

Une amitié virile.
Les six premiers chants développent un grand thème héroïque dans une perspective triomphale. Pour mettre un frein à la tyrannie du roi Gilgamesh, les dieux font naître dans le désert un être sauvage et fort, Enkidou, que l'amour d'une femme attirera dans Ourouk (évocation probable du passage de la vie nomade à la vie sédentaire). Mais les deux hommes deviennent amis et réalisent de multiples exploits, qui annoncent les travaux d'Hercule : entre autres, ils triomphent du géant Houmbaba, gardien de la Montagne des cèdres, et tuent le Taureau céleste, envoyé sur terre par la déesse Ishtar, furieuse que Gilgamesh ait repoussé ses avances. Ce thème des rivaux qui deviennent amis et ce besoin des héros de s'apparier restera une constante de l'épopée : la *Chanson de Roland* connaîtra le célèbre couple formé par Roland et Olivier.

La quête de l'immortalité.
Les six autres chants sont d'une tonalité inverse. Les excès des deux héros outragent les dieux qui décident de les punir. Enkidou a des rêves de mauvais augure, tombe malade et meurt. Désespéré, Gilgamesh prend conscience de la fragilité de la vie humaine et part à la recherche du secret de l'immortalité. Au terme d'un épuisant voyage, il découvre, dans l'île des Bienheureux, Outanapishtim, le survivant du Déluge, le seul être auquel les dieux ont accordé la vie éternelle. Ce Noé babylonien donne au héros plusieurs conseils, qui tous se soldent par un échec, notamment lorsqu'un serpent lui ravit l'herbe magique porteuse du souffle vital. Gilgamesh rentre à Ourouk et, après avoir évoqué l'ombre d'Enkidou, qui lui décrit la vie dans l'au-delà, se résigne à sa condition de mortel.

Un répertoire thématique.
L'épopée de Gilgamesh développe trois thèmes qui connaîtront dans les littératures religieuses et profanes une étonnante postérité : le Déluge, la descente aux Enfers, le rêve prémonitoire.

Le Déluge inscrit son désastre fécond dès le début de la Bible. Il symbolise toutes les catastrophes désirées par espoir de résurgence et de retour à la pureté originale.

La descente aux Enfers sera une expérience obligée du héros épique (Ulysse, Énée) et des poètes visionnaires (Orphée, Dante), voire des dieux (Ishtar précède Perséphone chez les morts).

Quant au rêve, il sera longtemps la meilleure prise sur la réalité : l'Antiquité gréco-romaine en fera un oracle privé, un instrument de connaissance, pourvu que l'on distingue bien, comme le fait Virgile dans l'*Énéide*, la porte de corne du sommeil, qui livre passage aux visions vraies, de la porte d'ivoire qui laisse s'échapper les songes trompeurs. Le rêve prémonitoire persistera jusque dans les sagas scandinaves et les contes religieux et édifiants du Moyen Âge. •

1. Gilgamesh.

2. Enkidou.

La littérature de l'Orient ancien

v. 3200-3000 av. J.-C.	La cité sumérienne d'Ourouk. L'Égypte est unifiée par la dynastie thinite.	Développement de l'*écriture pictographique* et des *hiéroglyphes*.
v. 2800	IIIe dynastie égyptienne : le roi Djoser fait construire à Saqqarah, par son architecte Imhotep, une pyramide à degrés.	*Enseignement d'Imhotep :* première manifestation d'une littérature morale, qui assure l'équilibre de l'individu, la solidarité de la famille, l'ordre de l'État.
v. 2400	Premières dynasties sumériennes.	*Instructions de Shouroupak :* l'ordre du monde et des jours – la préfiguration de l'entreprise didactique du Grec Hésiode.
v. 2300	L'empire d'Agadé (Akkad) en Mésopotamie. IXe et Xe dynasties égyptiennes.	*Reine au cœur sans faille,* d'Enheduanna, la première femme poète. – *Textes des sarcophages :* un guide pour l'au-delà. – Début de l'*écriture cunéiforme.*
v. 2000-1950	XIIe dynastie égyptienne. IIIe dynastie d'Our.	*Enseignement d'Amménémès Ier à son fils Sésostris.* – Une tradition poétique orale se forme autour du personnage de Gilgamesh. – *Histoire de Sinouhé :* premier roman historique égyptien.
v. 1800-1750	Abraham émigre de la Basse Mésopotamie en Canaan. La première dynastie de Babylone : le siècle d'Hammourabi.	Période « classique » de la littérature mésopotamienne : les mythes de Gilgamesh sont rassemblés en un récit unique.
v. 1450-1400	La XVIIIe dynastie égyptienne : l'apogée du Nouvel Empire.	*Le Livre des Morts :* une théologie portative à l'usage d'initiés.
v. 1360	Akhenaton, le pharaon monothéiste. L'Empire hittite.	L'*alphabet* d'Ougarit.
v. 1300	Ramsès II règne pendant 67 ans.	*Poème de Pentaour :* l'évocation de la bataille de Qadesh, entre Égyptiens et Hittites : un avant-goût de l'*Iliade* et des chansons de geste.
v. 1230	L'apogée du premier Empire assyrien.	La victoire du roi Toukoulti-Ninourta Ier sur Babylone est célébrée par la première épopée historique.
v. 1110	Nabuchodonosor Ier, roi de Babylone, bat les Élamites et rapporte dans sa capitale la statue de Mardouk.	Mise en forme du *Poème de la Création :* la gloire de Mardouk ; l'alliance d'une théogonie et d'une cosmogonie.
v. 1010-970	David roi des Hébreux.	Composition des premiers *Psaumes*.
v. 850-650	XXIIIe à XXVe dynastie égyptienne. Dernière grande période de l'Assyrie. Début des Olympiades en Grèce (776).	*Annales néo-assyriennes :* l'invention de l'histoire. – Composition des poèmes homériques. – Hésiode fonde la poésie didactique. – Début en Grèce du lyrisme choral. – La bibliothèque d'Assourbanipal (669 - v. 626) rassemble les éléments d'une culture deux fois millénaire.

Les cycles modèles

TOUS LES POÈMES MYTHOLOGIQUES ONT POUR BUT DE DÉCOUVRIR DANS LE COMPORTEMENT DES DIEUX DES SIGNES ET DES MODÈLES POUR L'HOMME.

Baal est la figure divine la plus connue des Sémites de l'Ouest. C'est aussi le héros d'un cycle de poèmes qui se sont propagés, durant deux millénaires, de Tyr à Carthage, dans les littératures ougaritique, phénicienne, punique.

Baal, ou le cycle de la végétation.

Dieu de la Pluie fécondante, Baal doit livrer combat à deux adversaires acharnés. D'abord à Yam, le dieu de la Mer : l'enjeu de leur lutte est la construction d'un palais, qui symbolise la souveraineté. La victoire de Baal incarne à la fois la sauvegarde de la côte fertile contre les assauts sauvages de la mer et la protection accordée aux navigateurs dans leurs entreprises maritimes. Le second compétiteur de Baal est Môt, personnification de la Mort, de la sécheresse et du monde souterrain. Baal peut compter sur l'aide de sa sœur et amante, la déesse Anat, maîtresse des sources. Mais, chaque année, Baal est mis à mort par Môt : il disparaît dans la gueule de Môt, c'est-à-dire dans le sol ; alors la végétation peut croître. Le cycle de Baal transpose ainsi le cycle des saisons et le retour, après l'été desséché, de la pluie d'automne qui assure la fertilité de la terre et le renouvellement annuel du règne végétal.

Koumarbi, ou l'engendrement des dieux.

Koumarbi est le dieu-magicien d'Ourkirsh, l'une des principales cités de la civilisation hourrite, qui connut des fortunes diverses du XXIVᵉ au XIIIᵉ siècle av. J.-C. et qui s'épanouit un temps dans l'empire du Mitanni. Le principal intérêt de Koumarbi est d'avoir été contesté par son fils, Teshoub, dieu de l'Orage, qui le détrôna. Il inaugurait ainsi la longue série des familles divines, où le pouvoir se transmet à la fois selon un processus légitime (la filiation directe) et illégitime (le coup de force qui chasse un dieu ancien). Ce mythe que l'on retrouve dans la culture grecque, où il marque le passage d'Ouranos à Cronos puis à Zeus, symbolise le rejet d'un univers fondé sur la violence et l'accession à un monde de justice et d'harmonie.

Mardouk, ou l'organisation du Chaos originel.

Vers la fin du XIIᵉ siècle av. J.-C., sous le règne de Nabuchodonosor Iᵉʳ, Mardouk, dieu de Babylone, s'impose à la tête du panthéon mésopotamien. Le *Poème de la Création* évoque le Chaos originel, immense masse liquide, d'où sont nées deux générations successives de dieux. La première reste attachée à l'immobilité, au silence et aux ténèbres de l'univers primordial ; la seconde aspire au mouvement, au chant, à la lumière : entre les deux le conflit est inévitable. Mardouk, champion des jeunes dieux, fait reconnaître sa suprématie, préside à l'organisation de l'univers et, à partir de l'argile et du sang d'un dieu sacrifié, procède à la création de l'homme. ●

3. Gilgamesh affronte des fauves. Cylindre akkadien, 2500-2000 av. J.-C.

L'affirmation des héros dans l'épreuve

Agent civilisateur, le héros instaure une rupture entre le chaos des origines et les règles qui établissent les différenciations politiques et sociales. Ses épreuves symboliques permettent à l'homme de trouver la bonne distance entre le monde des dieux et l'univers animal.

4. Gilgamesh combattant deux taureaux à tête humaine. Our, 3000-2500 av. J.-C.

Les princes poètes

L'HISTOIRE A GARDÉ LE NOM DE QUELQUES POÈTES ANTIQUES, DONT LA NAISSANCE ILLUSTRE S'ACCOMPAGNAIT D'UNE RARE FAMILIARITÉ AVEC LES DIEUX.

Le plus ancien poète dont l'histoire ait gardé le souvenir est une femme.

Enheduanna, la première femme poète.

Enheduanna était la fille de Sargon, fondateur, vingt-trois siècles avant Jésus-Christ, d'Agadé, capitale du pays d'Akkad. Son père l'avait instituée grande prêtresse du dieu-Lune à Our. Elle vivait encore sous le règne de son neveu, Narām-Sin, qu'une célèbre stèle de grès rose, au Louvre, représente foulant aux pieds ses ennemis vaincus. Elle est l'auteur d'un éloge des temples de Sumer et d'Akkad qui mêle la virtuosité lyrique à l'érudition théologique. Elle s'exprime également à la première personne dans deux poèmes fameux, *Reine de tout ce qui existe* et *Reine au cœur sans faille*. Les scribes mésopotamiens, épris de la tradition, ont attribué bien d'autres œuvres à cette figure hors du commun, et Enheduanna, à partir du XVIIIᵉ siècle av. J.-C., était devenu le nom générique des prêtresses du dieu Sin.

David, le poète à la harpe.

David, mot qui désignait à l'origine un chef de guerre, est devenu le nom de la personnalité la plus attachante de l'Ancien Testament. Ce jeune écuyer, qui calme la mélancolie du roi Saül en jouant de la harpe, a tous les traits et les attraits du héros de légende : brave jusqu'à la témérité, meneur d'hommes, fidèle dans l'amitié, grand dans l'adversité, inconsolable de la mort de son fils révolté, sensuel et passionné jusqu'à machiner la mort du mari de la femme qu'il convoite, capable du plus profond repentir devant Dieu. Un des manuscrits découverts dans la grotte de Qumrān en 1946 lui attribue 4 050 poèmes et chants. La Bible hébraïque reconnaît à ce roi musicien la paternité, ou du moins l'inspiration, de 73 psaumes. Ces chants d'action de grâces ou de supplications sont non seulement l'expression la plus achevée de la foi d'Israël mais, à travers leur inscription dans le christianisme et leur adaptation en latin puis dans les langues occidentales, ils ont exercé une influence capitale sur toute la culture européenne. ●

→ **Voir aussi :** La Mésopotamie, HIST, p. 22-23.

5. Gilgamesh maîtrisant un lionceau, détail. Khursabâd, VIIIᵉ s. av. J.-C.

Le mythe d'Homère

L'EXISTENCE DE LA PREMIÈRE grande figure de la littérature est controversée, voire mythique. Sept cités ont prétendu être sa ville natale. On le disait aveugle : mais cette cécité n'est peut-être que le symbole du regard intérieur du créateur tourné vers l'univers de l'esprit. Les dates de sa vie sont conjecturales : l'historien grec Hérodote le plaçait quatre cents ans avant lui, vers le milieu du IXe s. av. J.-C.

Homère cache ainsi probablement des êtres multiples. Et il n'est même pas le premier, l'inventeur d'un genre, mais l'aboutissement d'une longue tradition orale. Dès le Xe s. av. J.-C. en effet, dans les villes ioniennes d'Asie Mineure, des conteurs musiciens, les aèdes, allaient de ville en cour seigneuriale chanter les exploits des héros légendaires.

La tradition attribue à Homère deux poèmes, l'Iliade et l'Odyssée, divisés chacun en 24 chants, appelés « rhapsodies » par les Grecs et désignés par les 24 lettres de leur alphabet. Ces poèmes seraient d'époques différentes – l'Iliade étant une œuvre de jeunesse, l'Odyssée un poème de la maturité. Ils sont, en tout cas, de sujet, de tonalité et de technique dissemblables : l'Iliade se fonde tout entière sur une situation morale, la colère d'Achille, outragé pendant le siège de Troie par Agamemnon, le chef des Grecs ; l'Odyssée déroule les aventures d'un héros, Ulysse, livré à l'arbitraire des dieux et aux caprices du destin. De l'Iliade à l'Odyssée, on passe de l'expression de l'âme collective d'un peuple au roman de l'homme solitaire.

Avant que son existence soit mise en doute au XVIIe s., Homère fut à la fois un modèle littéraire et un maître de sagesse. L'épopée resta le genre noble des littératures européennes de Virgile à Voltaire, en passant par le Tasse, Ronsard et Milton. Mais Homère fut aussi un guide dans la vie spirituelle et sociale : on le lisait à Athènes lors des grandes fêtes civiques des Panathénées et les enfants apprenaient à lire dans l'Iliade, leur premier manuel de civilité à l'égard des dieux et des hommes.

Qu'il ait existé ou non, Homère est resté une référence majeure de la culture occidentale, et l'on a pu ainsi avancer qu'aux origines de toute création nationale ou personnelle il y a soit une Iliade, soit une Odyssée.

L'Odyssée, ou le roman de la ruse

L'ODYSSÉE EST LE POÈME D'ULYSSE, LE LIVRE DE L'ÊTRE ISOLÉ DANS LA CHASSE IMPITOYABLE QUE LE DESTIN LIVRE À L'HOMME.

Consacré au retour d'Ulysse dans sa patrie, Ithaque, après la guerre de Troie, le poème, au lieu de relater de façon linéaire les pérégrinations du héros pendant dix ans sur les côtes de la Méditerranée, est centré sur les derniers jours de son périple. Par le procédé des retours en arrière, ainsi que par le récit parallèle des voyages du fils d'Ulysse, Télémaque, le poète donne à l'épopée une profondeur qui renouvelle constamment l'intérêt.

L'Odyssée se partage donc en trois parties, d'ampleur inégale : la Télémachie, les Récits d'Ulysse, la Vengeance d'Ulysse. Dans la Télémachie, les dieux discutent du sort d'Ulysse et décident de favoriser son retour : ils ordonnent donc à la nymphe Calypso, qui retient le héros depuis dix ans, de le laisser partir. Pendant ce temps, à Ithaque, de nombreux prétendants à la femme d'Ulysse, Pénélope, se sont installés dans le palais royal. Le fils d'Ulysse, Télémaque, entreprend de chercher des renseignements sur son père à Pylos, auprès de Nestor, et à Sparte, auprès de Ménélas, malgré une embuscade que lui tendent les prétendants.

Les Récits d'Ulysse s'ouvrent sur la navigation d'Ulysse de l'île de Calypso à l'île des Phéaciens, où le jette une tempête. Trouvé sur le rivage par Nausicaa, la fille du roi Alcinoos, Ulysse est bien accueilli : au cours d'un banquet, en entendant un aède chanter l'épisode du cheval de Troie, Ulysse avoue son identité et raconte à son hôte ses aventures. Le héros a dû affronter les Lotophages, le cyclope Polyphème, les Lestrygons anthropophages, la magicienne Circé, une descente aux Enfers, les Sirènes, les écueils mortels de Charybde et de Scylla, enfin la nymphe Calypso.

La Vengeance d'Ulysse débute lorsque, reconduit par un vaisseau phéacien, le héros aborde à Ithaque, déguisé en mendiant. Dans son palais, Ulysse n'est reconnu que par son chien et sa nourrice. Pénélope a promis d'épouser celui qui serait capable de tendre l'arc d'Ulysse. Les prétendants s'y essaient en vain et laissent, sous les sarcasmes, le mendiant tenter sa chance : les flèches d'Ulysse non seulement remportent le concours mais massacrent les prétendants. La paix est rétablie à Ithaque.

Une aventure romanesque.
Face à l'univers de l'Iliade, où s'affrontent des âmes nobles dans un perpétuel dépassement, l'Odyssée, avec ses notations familières, son pittoresque exotique, ses épisodes burlesques, a une allure romanesque. On a même vu dans le poème la transposition des connaissances des navigateurs de l'Antiquité, et des érudits ont prétendu avoir identifié toutes les escales d'Ulysse autour de la Méditerranée. Plus profondé-

L'Iliade, ou le culte du héros

L'ILIADE EST LE POÈME D'ACHILLE, LE LIVRE DU HÉROS SANS NUANCES ET SANS CALCUL, LE COURAGE ET L'ÉNERGIE TENDUS VERS UN BUT CLAIR.

Toute l'action de l'épopée s'organise autour de la colère d'Achille qui, dans le camp des Grecs qui assiègent la ville de Troie pour venger le rapt d'Hélène, s'est retiré sous sa tente : Agamemnon, le roi des rois, chef de l'expédition, lui a ravi sa captive Briséis. Thétis, divinité marine et mère d'Achille, obtient, en représailles, que la victoire abandonne les Grecs. Après un dénombrement détaillé des forces en présence (le fameux « catalogue des vaisseaux » du chant II), la lutte se déroule au rythme des combats singuliers (Ménélas et Pâris, Diomède et Énée, Hector et Ajax) et des mêlées générales auxquelles les dieux prennent une part active (Aphrodite sauve Pâris, Arès est blessé par Dio-

mède). Alors que les Troyens sont sur le point d'incendier la flotte grecque, Achille prête ses armes à Patrocle qui, s'avançant témérairement, est tué par Hector. Pour venger son ami, Achille se fait forger par Héphaïstos de nouvelles armes (c'est la célèbre « description du bouclier » du chant XVIII), reprend le combat et tue Hector. Les deux derniers chants sont consacrés aux funérailles de Patrocle et d'Hector, dont Achille a rendu le cadavre à Priam.

La vie est un combat.
La première œuvre littéraire grecque n'est pas une œuvre de paix. Le monde qu'elle évoque est livré aux impulsions contradictoires mais tout aussi violentes de l'amour et de la mort. Désir de tuer et désir d'aimer, nécessités

élémentaires de la vie, mouvements issus de l'inconscient, coups d'épée et élans du cœur font de l'univers humain un combat quotidien. L'homme doit perpétuellement affronter l'homme. Or, pour Homère, cette lutte brutale ne repose pas sur la haine. Le droit est dans les deux camps : les Grecs vengent l'honneur de Ménélas, les Troyens défendent leur sol natal. La vie a le goût du sang et des larmes, mais c'est la condition humaine.

La victoire de l'homme sur lui-même.
Livre de guerre, l'Iliade est cependant moins l'épopée de l'affrontement des civilisations grecque et asiatique que le poème de la victoire de l'homme sur lui-même : Achille triomphe de sa colère (contre Agamemnon), de son désespoir (après la mort de Patrocle), de sa rancune (il rend le corps d'Hector à son père), de son destin (il accepte la mort précoce qui lui est prédite). L'Iliade, où se bousculent tant de dieux, est un poème de l'homme, marqué par des scènes d'intimité et de ten-

dresse (comme les adieux d'Hector à Andromaque ou l'apparition d'Hélène sur les remparts de Troie), mais, surtout, par la présence constante de la mort : l'engagement des immortels habitants de l'Olympe a quelque chose de dérisoire face à la fin inéluctable de tous les exploits humains et à l'acceptation de leur sort par Hector ou Achille ; à travers le bruit et la fureur de la guerre, ils se retournent vers les amours passées et apprennent le renoncement.

Doublement exemplaire par sa vision morale et par sa cohérence esthétique (cristallisation d'un conflit de dix ans en une intrigue unique, action se déroulant logiquement en quelques jours et en un seul lieu), l'Iliade a été présentée par les théoriciens grecs (Aristote) et latins (Horace) comme le modèle de l'épopée.

L'art, métaphore du monde.
L'épopée homérique a légué à la littérature un procédé emprunté à la technique des conteurs et qui s'imposera comme la marque même du langage poétique : la

comparaison. De même nature que l'épithète mécaniquement accolée au nom d'un héros et qui permet aussitôt à l'auditoire de le reconnaître et de situer son profil physique et psychologique (« Achille aux pieds légers », « Athéna, la déesse aux yeux pers », « l'Aurore aux doigts de rose »), la comparaison, développée sur plusieurs vers, entre un épisode de l'intrigue et une situation de la vie quotidienne tisse un réseau d'analogies qui abolit la distance entre le monde et l'art et compose, à l'arrière-plan du récit épique, un tableau continu de la nature familière et de l'existence domestique. L'auditeur de l'Iliade entendait comparer les guerriers troyens tombant sous la lance d'Ajax aux peupliers disparaissant dans l'herbe d'un grand marécage : il appréhendait ainsi la diversité du monde comme le signe d'une unité plus profonde, et les accidents de l'Histoire, à commencer par les troubles de l'action guerrière, comme l'éclat passager d'un ordre caché et d'un temps réconcilié. •

ment, *l'Odyssée* oppose deux univers distincts : le monde de la *culture* (la culture grecque, où l'on mange du pain, où l'on a une famille, où l'on sacrifie aux dieux) et celui de la *nature*, qu'il soit inhumain (les Lestrygons qui se nourrissent de chair humaine) ou surhumain (Circé, Calypso). Ulysse refusera l'immortalité pour conserver sa misérable, mais acceptée, condition humaine. Cette opposition établit également un clivage entre les dieux : d'un côté les Olympiens, avec Athéna, déesse de l'intelligence pratique et protectrice d'Ulysse ; de l'autre Poséidon, maître des eaux et de la nature indifférenciée, qui s'acharne à la perte du héros.

L'Odyssée fait aussi appel à des images qui hantent depuis toujours la sensibilité individuelle et collective. La femme est, ainsi, omniprésente dans le poème, sous les aspects les plus variés : incarnation de la fidélité conjugale avec Pénélope, fraîcheur de la jeune fille avec Nausicaa, mère attentive avec la nourrice Euryclée, amoureuse passionnée avec Calypso, magicienne onirique avec Circé, qui gouverne les bêtes féroces, sans parler des servantes débridées d'Ithaque et des déesses, plus ou moins farouches.

Ulysse, en revanche, a un côté, un peu monotone, de Superman. Il y a un décalage entre l'inextricable difficulté des situations où se trouve le héros et la façon, subtile, dont il se tire d'affaire. C'est qu'il y a du recul chez Ulysse et du « jeu » dans son aventure : il se raconte, il se met en scène, il se voit évoluer. On comprend pourquoi il est resté, de Dante à Joyce, le patron des vies que l'on conte avec humour, quand on est « revenu » de tout. •

1. Sirène charmant Ulysse. Lécythe en terre cuite.

3. Athéna. Amphore provenant d'une tombe de la seconde moitié du VIᵉ s. av. J.-C.

4. Circé. Vase à figures ocre du Vᵉ s. av. J.-C.

Figures de femmes

La colère d'Achille est à la source de *l'Iliade*. Et la raison de cette colère est l'enlèvement par Agamemnon de Briséis, l'esclave favorite du héros. Dans le poème guerrier, les femmes n'apparaissent guère que sous l'aspect de captives ou d'épouses soumises. *L'Odyssée*, au contraire, est le grand roman de la séduction. Chaque étape du périple d'Ulysse est marquée par une figure de femme. C'est une déesse, Athéna (3), qui protège le héros au milieu des périls qui l'assaillent. Et le récit des aventures du modèle de tous les errants est encadré par deux visages bénéfiques : celui de Nausicaa, fraîche jeune fille qui découvre le naufragé sur le rivage de l'île des Phéaciens ; celui de Pénélope (2), l'épouse qui a gardé pendant dix années sa fidélité à l'absent. Entre ces deux havres, Ulysse aura connu toutes les facettes de la passion trompeuse et destructrice, des philtres ensorceleurs de Circé (4) aux chants mortels des Sirènes (1) et aux rêves de Calypso qui distillent l'oubli. Les poètes postérieurs ajouteront même des épisodes galants, comme celui de la brève passade de Polyméla, fille d'Éole, pour le héros vagabond, à une épopée qui est aussi celle de l'amour conjugal.

La question homérique

ON A VU SUCCESSIVEMENT EN HOMÈRE LE POÈTE GÉNIAL DES ORIGINES, PUIS LE PRÊTE-NOM D'UNE CRÉATION COLLECTIVE.

Dès le VIIIᵉ s. av. J.-C. se forment des groupes d'« Homérides », aèdes qui se prétendent descendants du poète. Au VIIᵉ s. se développent des cycles épiques rattachés à la guerre de Troie, des *Hymnes homériques* et des poèmes burlesques (comme le *Combat des Grenouilles et des Rats*), que les Grecs attribuent à Homère. Aux IIIᵉ-IIᵉ s., en revanche, les érudits alexandrins entreprennent d'éliminer de chaque poème les vers qui leur semblent avoir été ajoutés à tort. Certains, appelés les *Chorizontes* (les « Séparateurs »), soutiennent que seule *l'Iliade* est l'œuvre d'Homère. La question homérique ne se pose vraiment qu'aux XVIIᵉ-XVIIIᵉ s. : l'abbé d'Aubignac voit dans *l'Iliade* une suite de poèmes différents réunis par les rhapsodes ; F. A. Wolf fait des deux épopées des textes dus à des aèdes distincts, transmis d'abord oralement et fixés tardivement par l'écriture. À l'époque moderne, on revient à l'idée d'un auteur unique, mais placé à deux extrémités différentes des œuvres : les uns le voient inventer le thème principal des deux poèmes, « la Colère d'Achille » et « le Retour d'Ulysse », sur lesquels auraient brodé, à des époques différentes, d'habiles arrangeurs ; les autres le considèrent comme le rassembleur génial de textes antérieurs dispersés. Une dernière thèse campe un poète exprimant, à cinquante ans de distance, une évolution culturelle : le passage de l'âme collective d'une société guerrière à l'affirmation de l'individu solitaire qui affronte la vie avec les seules ressources de sa volonté et de son intelligence. •

2. Pénélope. Vase attique, v. 440 av. J.-C.

L'autre pilier de la culture grecque : Hésiode

HÉSIODE FUT, DE SOLON À PLATON, UN RÉPERTOIRE DE MODÈLES POUR PENSER L'ORGANISATION POLITIQUE ET SOCIALE.

Né vers le milieu du VIIIᵉ s. av. J.-C. en Béotie, Hésiode vécut en paysan, en cultivant péniblement un petit domaine familial. Après avoir été dépouillé de sa part de l'héritage paternel par son frère, il composa *les Travaux et les Jours* pour inciter le spoliateur à respecter la justice et à honorer le travail. On lui attribue aussi une *Théogonie*, qui établit la généalogie des dieux et tente d'expliquer l'origine du monde. Hésiode a joué un rôle capital dans la constitution de la culture grecque, à travers l'expression du « mythe des races » et du « mythe de Prométhée ».

Les trois âges de l'humanité.

Le mythe des races combine cinq races (d'or, d'argent, de bronze, des héros, de fer) se déployant dans un temps cyclique divisé en trois périodes, chaque période mettant en présence deux couples opposés et complémentaires. La race d'or s'oppose à la race d'argent, comme la Justice à la Démesure, dans un univers politique et théologique : les deux races deviennent des « démons » immortels, objets d'un culte. La race de bronze s'oppose aux héros, comme la violence brute au courage réfléchi, dans un monde voué à l'activité guerrière : la race de bronze disparaît dans l'anonymat des Enfers, les héros survivent dans la mémoire des hommes. La race de fer englobe deux types de vie humaine : l'une conforme à àla justice et au travail, l'autre au mensonge et aux querelles.

Ces trois stades correspondent à trois âges de l'humanité (or et argent, jeunesse ; bronze et héros, maturité ; fer : monde usé) qui recoupent la structure ternaire de la pensée européenne (puissance religieuse et juridique ; fonction militaire ; activité matérielle nécessaire à la vie).

Invention du sacrifice, don du feu.

Le mythe de Prométhée met en scène le fils d'un Titan dont le nom signifie « le Prévoyant », et qui fait couple avec son frère Épiméthée, « le Maladroit », qui agit d'abord et pense ensuite. Sacrifiant un bœuf aux dieux, Prométhée place d'un côté la chair et la verte de la peau, de l'autre les os cachés sous la graisse. Trompé par cette présentation, Zeus choisit les os. Il se venge en cachant le feu aux hommes : Prométhée le dérobe à la roue du Soleil et le ramène sur Terre. Zeus envoie alors aux hommes une femme, Pandore, porteuse d'une jarre où résident tous les maux, et enchaîne Prométhée sur le Caucase, où un aigle vient lui dévorer le foie, qui repousse sans cesse.

Prométhée est donc un double médiateur : par l'invention du sacrifice, il assure la distinction entre l'humain et le divin ; par le don du feu, il arrache l'humanité à la vie sauvage. •

→ **Voir aussi :** De la Crète des palais à la Grèce des cités, HIST, p. 32-33. Les cités antiques, POLIT, p. 306-307.

Le théâtre grec

La tragédie

LA TRAGÉDIE SE DÉVELOPPE
ET DÉGÉNÈRE À ATHÈNES, EN MOINS D'UN SIÈCLE,
ENTRE L'AFFADISSEMENT DE L'ÂGE DE L'ÉPOPÉE
ET LA FLORAISON DE LA PHILOSOPHIE.

LE THÉÂTRE EST FILS DE LA Cité. C'est dans les villes de l'Attique, qui rompent avec l'espace et le temps ruraux, où le brassage permanent des hommes sur les places publiques bouleverse les rapports personnels et hiérarchiques des domaines seigneuriaux, où la violence physique du plus fort cède devant la discussion et la loi, c'est dans cet univers nouveau que naît l'esthétique théâtrale.

Le mot *théâtre,* en grec, désigne le lieu d'où le public regarde une action qui lui est présentée dans un autre endroit. Le théâtre signifie donc qu'on prend un point de vue, du recul, sur un événement. C'est bien ce que fait le spectateur grec du v⁻ᵉ siècle av. J.-C., lorsqu'il voit représenter sur la scène les colères des dieux, les violences des monarques, les vengeances patriarcales. Le monde dans lequel il vit maintenant n'obéit plus aux règles de la vendetta ni aux décrets incompréhensibles d'un rite archaïque. Il est passé des lois des dieux et des lois du clan à celles que rendent les tribunaux organisés par la Cité.

Certes le théâtre est un acte religieux : il est né du dithyrambe, cantique chanté et dansé en l'honneur de Dionysos. Mais c'est surtout un acte civique, auquel participent tous les citoyens, spectateurs des concours dramatiques réglés par les hauts magistrats et financés par un impôt spécial, la chorégie.

En moins d'un siècle, dans l'Athènes démocratique qui s'épanouit entre le triomphe des guerres médiques et le désastre de la guerre du Péloponnèse, la tragédie et la comédie donnent leurs chefs-d'œuvre et les modèles qui domineront à jamais le théâtre classique : Eschyle, Sophocle, Euripide, Aristophane.

Dès que disparaît la Cité, c'est-à-dire dès qu'elle s'étend, avec Alexandre puis Rome, aux dimensions d'un Empire, s'efface le souvenir de la constitution de l'homme nouveau, du citoyen. La violence symbolique du théâtre se métamorphose en violence réelle du cirque et de l'arène.

Mais cette expérience fulgurante, qui fut d'abord celle de sa propre individualité par le peuple grec, a fait du théâtre, d'Œdipe à Hamlet, l'image même de la condition de l'homme et le laboratoire où se révèle l'inexorable alchimie de son destin.

Dans le double passage qui s'opère de la loi du talion à la justice rendue selon les lois et du pouvoir des grandes familles aux institutions démocratiques, la tragédie se révèle l'expression critique d'un déséquilibre.

Une histoire de famille.
Ce déséquilibre naît de l'effacement progressif des points d'ancrage de l'individu dans la société patriarcale et de la constitution fascinante mais angoissante de nouveaux rapports sociaux : ce n'est pas un hasard si les auteurs tragiques ont choisi dans la mythologie les sujets qui avaient trait à la famille et au comportement des enfants à l'égard de leurs parents : fils qui égorge sa mère pour la venger (Oreste), fils qui tue son père et devient l'amant de sa mère (Œdipe), fille qui brave un oncle pour rendre ce qu'elle doit à un frère (Antigone). La tragédie exprime ce déséquilibre parce que le passé, livré aux dieux et aux héros, est encore suffisamment proche pour que le spectateur saisisse d'un même regard les deux images du monde entre lesquelles s'établit une tension. Mais cette expression est critique, c'est-à-dire qu'elle implique un jugement et un recul, parce que ce passé est suffisamment éloigné pour que sa représentation soit sans conséquence sociale ou politique, sinon dans la prise de conscience sécurisante des valeurs nouvelles.

Une structure croisée.
Dans son schéma général, la tragédie présente un *héros* opposé à un ensemble (une foule, une structure sociale, un impératif moral), incarné par le chœur tragique ; ce héros doit *souffrir,* mais les péripéties de son épreuve se réduisent à un *discours* organisé, selon des formes quasi *rituelles*.

La tragédie compose un réseau d'oppositions binaires mais entrecroisées : le héros est masqué, mais toute la pièce consiste à dévoiler sa véritable nature, tandis que le chœur, qui évolue à visage découvert, profère une voix anonyme ; le héros parle le langage de l'homme ordinaire dans une métrique proche de la prose, alors que le chœur s'exprime sur le mode très élaboré du lyrisme choral.

D'autre part, la tragédie puise ses thèmes dans les mythes, mais en les renversant : le mythe apporte des réponses sur l'ordre du monde et prescrit des conduites sans jamais formuler explicitement les problèmes posés ; la tragédie utilise le mythe pour poser des problèmes qui ne comportent pas de solution, sinon dans l'élaboration des nouveaux principes de la Cité.

La tragédie ne naît pas tout armée : elle connaît une longue évolution. Elle est issue du dithyrambe des fêtes de Dionysos : un chœur représentant les compagnons du dieu, les satyres, dansait, au son de la flûte, en donnant la réplique à un chanteur, le coryphée. La tradition attribue à l'Athénien Thespis l'idée, au milieu du vi⁻ᵉ siècle av. J.-C., de remplacer le coryphée par un véritable acteur qui peut, face au chœur, jouer plusieurs rôles. Eschyle ajoute un acteur au protagoniste, puis Sophocle porte à trois le nombre des acteurs. Ainsi l'élément dramatique ne cesse de se développer au détriment du lyrisme choral. De son côté, le chœur, limité à quinze personnes à partir de Sophocle, va, à travers des avertissements ou des supplications, se borner à un commentaire marginal de l'action.

Une représentation codifiée.
En 535 av. J.-C., le tyran d'Athènes Pisistrate, institue un concours dramatique incorporé aux Grandes Dionysies. Désormais le théâtre sera une institution d'État. Les archontes sont chargés d'organiser les concours qui opposent trois poètes dramatiques, préalablement sélectionnés. Chaque concurrent doit présenter quatre pièces : une trilogie tragique et un drame satyrique. Ces pièces sont achetées par l'État et les frais des représentations sont couverts par une contribution imposée aux citoyens les plus riches : la chorégie. En principe, chacune des dix tribus athéniennes doit fournir un chorège qui s'occupe du recrutement, de la formation et de l'entretien des artistes. Le chorège dont le spectacle a été proclamé vainqueur reçoit un trépied de bronze qu'il consacre au dieu avec une inscription commémorative.

La trilogie tragique évolua d'une trilogie *liée,* où les trois pièces évoquaient un même héros ou une même légende, parfois selon un plan chronologique, à une trilogie *libre,* dont les pièces étaient indépendantes les unes des autres.

Le drame satyrique mettait en scène les personnages hérités du dithyrambe (satyres et bacchantes) dans des situations bouffonnes, qui déridaient l'atmosphère tendue par la crise tragique.

Des 1 200 tragédies représentées en Grèce au v⁻ᵉ siècle, il n'en subsiste qu'une trentaine, et le théâtre classique se résume pour nous à trois noms, qui correspondent à trois étapes de l'art dramatique : Eschyle, Sophocle, Euripide. Eschyle choisit ses sujets parmi les légendes les plus sombres,

1. *Les Perses,* d'Eschyle : choreute. (Mise en scène de Jean Prat pour l'O.R.T.F. en 1966.)

Dates clefs

La grande époque d'Athènes : le succès des guerres médiques
490 Marathon
480 Salamine
La guerre du Péloponnèse
429 La peste d'Athènes – Mort de Périclès
423 Trève d'un an
421 Paix de Nicias
415 Expédition de Sicile
411 Révolution oligarchique à Athènes
406 Victoire athénienne aux Arginuses
La défaite d'Athènes et la suprématie de Sparte
405 La flotte athénienne est battue à Aigos-Potamos
401 Athènes capitule

Le théâtre au Vᵉ s. av. J.-C.

Eschyle (v. 525-456)
472 *les Perses*
467 *les Sept contre Thèbes*
463 *les Suppliantes*
458 *le Prométhée enchaîné, l'Orestie*

Sophocle (496-405)
468 *Triptolème*
v. 445 *Ajax*
441 *Antigone*
v. 425 *Œdipe roi*
v. 420 *les Trachiniennes*
409 *Philoctète*
401 *Œdipe à Colone*

Euripide (480-406)
438 *Alceste*
431 *Médée*
428 *Hippolyte*
427 *les Héraclides*
426 *Andromaque*
424 *Hécube Héraklès furieux*
421 *les Suppliantes*
418 *Ion*
415 *les Troyennes*
414 *Iphigénie en Tauride*
413 *Électre*
412 *Hélène*
409 *les Phéniciennes*
408 *Oreste*
405 *Iphigénie à Aulis les Bacchantes*

Aristophane (v. 445-v. 386)
v. 425 *les Acharniens*
424 *les Cavaliers*
423 *les Nuées*
422 *les Guêpes*
421 *la Paix*
414 *les Oiseaux*
411 *les Thesmophories Lysistrata*
405 *les Grenouilles*
392 *l'Assemblée des femmes*
388 *Ploutos*

2. *Les Bacchantes,* à la Comédie-Française, en 1977.

3. *Les Perses,* au festival d'Épidaure en 1976.

Le châtiment de la démesure

La tragédie grecque condamne inlassablement la folie humaine qui consiste à dépasser les bornes de son pouvoir ou de sa raison. *Les Perses* d'Eschyle (1 et 3), qui évoquent le désastre de Xerxès à Salamine, comme *les Bacchantes* d'Euripide (2), qui relatent la mort de Penthée, déchiré par les sectatrices de Dionysos pour s'être opposé au culte des mystères, proposent au fond la même leçon : il faut porter un regard critique sur la violence humaine, et la lucidité de l'homme ne doit pas se fermer aux appels du surnaturel.

l'histoire des Atrides ou le supplice de Prométhée. Pour lui, l'homme est précaire et les empires sont fragiles. C'est qu'il existe des décrets éternels, antérieurs à toute volonté divine et humaine : « Nécessité » *(Anangkè),* « Lot fatal » *(Moïra),* « Malédiction du destin » *(Atè).* L'orgueil de l'homme et sa démesure *(Hybris)* lui font passer les bornes de sa condition et rompent l'équilibre naturel, que rétablit le châtiment de la Vengeance divine *(Némésis).*

Sophocle fonde son drame sur une volonté inébranlable manifestée par le héros. L'homme s'épuise à choisir un destin imposé par les dieux. Isolé dans sa misère, il use de l'adversité pour édifier sa propre grandeur.

Euripide rompt avec la netteté du débat instauré par Sophocle comme avec la gravité religieuse du théâtre d'Eschyle. Son œuvre est une œuvre de doute, parce qu'il n'affronte plus l'homme à des puissances extérieures mais qu'il place le conflit en lui-même.

Le théâtre d'Euripide se penche sur l'humanité quotidienne et les forces qui l'agitent : contradictions du cœur, pulsions d'amour et de mort, sentiments obscurs et secrets, zones d'ombre de la conscience.

La conception du tragique a évolué dans l'univers grec à mesure que s'imposait l'idée d'une justice fondée sur la qualité objective des actes. Mais, dans l'espace de la tragédie, le sentiment du tragique ne peut jaillir que d'une opposition entre le divin et l'humain, saisis à la fois comme distincts et comme inséparables. Le héros tragique, qui accepte d'être châtié pour un crime inévitable, affirme à la fois la fatalité et la liberté de son acte : sa destinée paradoxale provoque chez le spectateur une « épuration des passions » *(la catharsis)* en lui faisant éprouver à la fois la terreur et la pitié. La philosophie mettra fin à ce paradoxe en définissant une religion et des lois en accord avec la morale.   •

🦋

La comédie

LA COMÉDIE EST L'ANTIDOTE DU MÉCANISME TRAGIQUE. ELLE MET EN JEU LES SYSTÈMES DE DÉFENSE DONT DISPOSE L'HOMME CONTRE SES ANGOISSES PROFONDES.

La comédie se rattache, comme la tragédie, au culte de Dionysos. Mais elle n'est pas aussi nettement ni aussi tôt définie, parce qu'elle se présente moins comme une représentation de la vie que comme sa manifestation naturelle sous son aspect le plus spontané et le plus populaire. Un concours de comédie n'est institué à Athènes qu'en 460 av. J.-C., soit trois quarts de siècle après la création du concours de tragédie. D'autre part, la comédie ne puise pas dans le fonds mythologique ou historique ; elle se consacre à la réalité quotidienne et prosaïque des petites gens. Son dénouement ne laisse pas de victimes désenchantées, encore moins de cadavres ; il débouche sur une conclusion optimiste : mariage, réconciliation, reconnaissance. Le rire du spectateur est soit de complicité, soit de supériorité. Le public se sent protégé contre la bêtise ou l'infirmité du personnage comique. La comédie joue le rôle, contre l'angoisse tragique, d'une anesthésie affective.

La comédie grecque connaît une évolution qui aboutit à la distinction de genres spécifiques. En effet, après une naissance dorienne, à Mégare dans le Péloponnèse, la comédie se développe à Athènes en trois stades.

La *comédie ancienne* est conçue comme une satire violente de la réalité contemporaine : elle s'attaque au pouvoir, politique et intellectuel, qu'elle pourchasse nommément à travers ses détenteurs. Elle est principalement illustrée par Aristophane dans la première partie de sa carrière.

La *comédie moyenne* s'attache à une critique générale des mœurs. Elle accorde moins d'importance à l'élément lyrique et davantage d'intérêt aux sujets mythologiques : c'est la forme cultivée par Aristophane à la fin de sa vie, après les désastres de la guerre du Péloponnèse.

La *comédie nouvelle* est le genre favori de la Grèce hellénistique (Ménandre, Diphile). Elle crée des types (le fils de famille, la courtisane, l'esclave rusé, le parasite, l'entremetteuse) et, à travers son imitation par les auteurs latins (Plaute, Térence), elle survivra jusque dans la commedia dell'arte italienne.

Aristophane.

Dans son œuvre et dans son évolution, Aristophane résume l'histoire de la comédie. Son œuvre est résolument une œuvre de combat. Conservateur de la tradition, Aristophane est hostile à l'esprit nouveau qui anime Athènes, sous l'impulsion du parti démocratique, et qui lance la cité dans les guerres ruineuses et dans l'exploitation de ses alliés. Ennemi des sophistes qui trompent la jeunesse et qui minent les vertus paysannes de l'Attique, il attaque violemment Socrate, qu'il juge responsable de la décadence des mœurs, et Euripide qui, selon lui, a dégradé l'idéal de la tragédie.

Cette satire des gouvernants et des gouvernés, des maîtres à penser et à dépenser d'Athènes, nourrit un véritable théâtre de l'absurde, où des situations fantastiques s'enchaînent dans une logique implacable. La progression de chaque comédie se fonde sur une invention verbale prodigieuse (calembours, néologismes), qui unit le pittoresque le plus trivial à l'invocation lyrique la plus poétique. Le chœur, affublé de déguisements burlesques (guêpes, oiseaux ou grenouilles), mêle les joutes oratoires avec l'acteur principal aux truculentes prises à partie de l'auditoire : le tout dans le plus salutaire irrespect à l'égard des idées reçues et des pouvoirs subis.   •

La littérature latine

ROME EST UNE MÈRE. DEUX repères ont servi, en Occident, à fixer un point de départ à l'histoire : la fondation de Rome, la naissance du Christ. Le Christ n'est pas né à Rome, mais Rome est devenue la capitale de la chrétienté. Elle résume en elle les deux origines de notre culture.

Rome est un guide. Elle a fourni les modèles de tout pouvoir. À travers ses institutions : César, figure du conquérant et du monarque – le kaiser, le tsar ; la Ville, prototype de toutes les capitales ; l'Empire, idéal de tout État organisé. À travers aussi sa langue : le latin, mode d'expression et instrument de communication universels, à l'épreuve de l'espace et du temps.

Or la culture de Rome est une culture d'emprunt : au IVᵉ s. av. J.-C., Rome apparaît dans l'histoire comme un satellite du monde grec. En un sens, elle le restera, et sa littérature, d'Ennius au siècle des Scipions, de Cicéron à saint Ambroise, peut se définir comme le déferlement de vagues d'hellénisation successives.

La définition d'une littérature latine implique donc une double reconnaissance : celle d'un génie d'assimilation, celle d'un choix opéré parmi des formes et des thèmes étrangers. L'assimilation est illustrée par l'épopée (où *l'Énéide* de Virgile s'inspire à la fois de *l'Iliade* et de *l'Odyssée*), par le théâtre (où le procédé de la « contamination » consiste à réunir en une seule comédie les éléments de plusieurs pièces hellénistiques), par le syncrétisme philosophique que les Latins (Cicéron) réalisent entre les différents courants de la pensée grecque. Mais la sensibilité latine a pratiqué une sélection dans la panoplie littéraire de l'hellénisme. Peu portés vers les spéculations métaphysiques, les écrivains latins ont trouvé trois terrains de prédilection : *la constitution de l'État* – dans le temps court de l'action (César), sous l'aspect de la leçon de l'histoire (Tite-Live, Tacite) ou de la vision transfigurante de l'épopée (Virgile) ; *l'expression de la loi :* publique, avec l'élaboration du droit dont la défense s'exprime dans l'éloquence de l'orateur (Cicéron), et privée, avec l'exposé d'une morale et d'une sagesse pratique (Horace, Sénèque, Marc Aurèle) ; la *vision réaliste du monde :* en témoignent le foisonnement du théâtre comique (Plaute, Térence) et la vigueur de la satire (Lucilius, Martial, Juvénal), genre national par excellence.

Dans tous les cas, la culture latine recherche la valeur exemplaire, le souci de la collectivité. On comprend qu'elle ait été le modèle et, à travers sa langue (dont l'Église d'Occident et l'Université assureront la survie plus d'un millénaire après la chute de l'Empire), l'instrument de tous les mouvements de pensée qui ont prétendu à l'universalité : la révolution du christianisme, l'enthousiasme de la Renaissance, la communauté des savants jusqu'aux approches des Temps modernes.

Le modèle de la culture classique : Cicéron

PHILOSOPHE ÉCLECTIQUE ET ÉCRIVAIN ARTISTE, CICÉRON FUT POUR LA RENAISSANCE ET LE CLASSICISME EUROPÉEN LE MODÈLE DE L'ÉLOQUENCE FONDÉE SUR LES VERTUS MORALES ET CIVIQUES.

Les troubles de la République romaine, au Iᵉʳ s. av. J.-C., ont bien servi la littérature. Les dissensions politiques et sociales ont permis le développement des grands talents oratoires ; les guerres civiles ont suscité les réflexions théoriques et juridiques sur la nature et la destinée de l'État ; les événements quotidiens ont été matière à témoignages savoureux pour des acteurs de premier plan ou à interrogations sur le sens de l'histoire pour des chroniqueurs psychologues ; toutes ces crises ont poussé l'individu à rechercher sa vraie place dans un univers en mouvement : il l'a fait en recourant aux multiples visions du monde proposées par les philosophes grecs – stoïcisme, épicurisme, néoplatonisme.

Cicéron s'est trouvé placé dans l'œil de ces cyclones sociaux et intellectuels. Homme-carrefour, il a voulu comprendre son temps ; il en a été le résonateur. Issu d'une famille provinciale et devenu l'avocat à la mode de la capitale, chevalier de fraîche date et exécuteur de la politique des grandes familles patriciennes, enclin à la clémence et noyant dans le sang la conjuration de Catilina, hésitant entre Pompée et César, puis entre Octave et Antoine et finalement victime de la réconciliation passagère des deux adversaires, Cicéron a passé sa vie entre deux ordres, entre deux chaises, mais il a trouvé le chemin de la postérité.

Une morale et une esthétique du juste milieu.
Cicéron a toujours rêvé d'équilibre. Équilibre entre l'autorité des lois et la puissance militaire, entre la force d'expansion de Rome et sa capacité d'ouverture aux cultures et aux hommes nouveaux (Cicéron a souvent plaidé pour les naturalisés de fraîche date) ; entre l'ordre sénatorial et l'ordre équestre ; entre la conquête rapace des généraux et l'exploitation rationnelle des banquiers et des marchands. Cicéron est l'homme des synthèses dans une époque d'oppositions et de dissociations. Synthèse philosophique, qui combine la rigueur du stoïcisme et le doute méthodique de Socrate ; synthèse politique, au nom du rassemblement des « honnêtes gens » (le *consensus bonorum*) ; synthèse esthétique, au nom de l'adaptation du discours au sujet et aux circonstances. L'éclectisme de pensée de Cicéron s'appuie ainsi sur une écriture artiste, qui résume un style de vie.

Un modèle de style.
Pour l'Antiquité, art de penser et art de dire se recouvraient exactement dans le cadre d'une culture essentiellement orale fondée sur l'éloquence de l'orateur ; et cette éloquence était étroitement codifiée selon le rapport qu'elle entretenait avec la vie politique et sociale. Adaptant les manuels grecs de rhétorique, Cicéron distingue trois types de style : le *style bas* ou simple, qui convient à l'histoire ; le *style moyen* ou tempéré, instrument du poète ; le *style élevé* ou sublime, expression de la grandeur d'âme et apanage de l'orateur. Il définit également les qualités nécessaires de l'expression : correction *(latinitas)*, convenance *(decorum)*, clarté, rythme, harmonie. Contre les deux courants an-

---

Les grandes œuvres de la littérature latine

Plaute (v. 254-v. 184) : *le Soldat fanfaron.*
Ennius (239-169) : *les Annales.*
Caton (234-149) : *De l'agriculture.*
Térence (v. 185-159) : *l'Andrienne.*
Lucilius (v. 180-105) : *Satires.*
Cicéron (106-43) : *les Catilinaires, l'Orateur, les Tusculanes, Lettres à Atticus.*
César (101 ou 100-44) : *la Guerre des Gaules.*
Lucrèce (v. 98-55) : *la Physique.*
Catulle (v. 87-v. 57) : *Élégies.*
Salluste (86-35) : *la Guerre de Jugurtha.*
Virgile (v. 70-19) : *les Bucoliques, les Géorgiques, l'Énéide.*
Horace (65-8 av. J.-C.) : *Satires, Épîtres.*
Tite-Live (v. 60-17 apr. J.-C.) : *Histoire romaine.*
Tibulle (v. 50-v. 18 av. J.-C.) : *Élégies.*
Properce (v. 47-15 av. J.-C.) : *Élégies.*
Ovide (43-v. 17 apr. J.-C.) : *l'Art d'aimer.*
Sénèque (v. 2 av. J.-C.-65) : *Lettres à Lucilius.*
Lucain (39-65) : *la Pharsale.*
Pétrone (m. en 66) : *le Satiricon.*
Pline l'Ancien (23-79) : *Histoire naturelle.*
Martial (v. 40-v. 104) : *Épigrammes.*
Juvénal (v. 65-v. 130) : *Satires.*
Tacite (v. 55-v. 120) : *Annales, Histoires, la Germanie.*
Pline le Jeune (v. 62-v. 114) : *Lettres.*
Apulée (v. 125-v. 170) : *les Métamorphoses (ou l'Âne d'or).*
Claudien (v. 370-v. 404) : *la Guerre des Goths.*

Conscience nationale et morale privée

LE SIÈCLE D'AUGUSTE A FIXÉ DEUX TYPES DE COMPORTEMENT HUMAIN : CELUI DU CITOYEN CONSCIENT D'APPARTENIR À UN ÉTAT CAPABLE DE DONNER UN SENS À L'HISTOIRE DU MONDE ; CELUI DE L'INDIVIDU QUI A SU ÉLABORER UN ART DE VIVRE.

Rome était sortie des guerres civiles exsangue mais transfigurée. La République en mourant avait accouché de l'Empire. L'État s'était démesurément étendu, du Rhin à l'Euphrate, du Sahara à la mer du Nord. Lorsque, en 27 av. J.-C., Octave prend le nom d'Auguste, la consécration du nouveau régime apparaît, après tant de violences et d'angoisses, comme une nécessité politique et comme la réalisation d'un ordre du destin.

Virgile, ou un monument à l'Empire.
Un poète, dont l'avenir allait faire, plus qu'un écrivain, un sage (il sera, dans *la Divine Comédie*, le guide spirituel de Dante, de l'En-fer au Paradis), dressa le bilan de sept siècles d'histoire et de soixante-dix ans de troubles et traça une ligne de conduite : le triptyque de Virgile, *Bucoliques, Géorgiques, Énéide*, rappelle à l'homme ses points d'ancrage. Les *Bucoliques* adossent l'homme à la nature, les *Géorgiques* au travail, *l'Énéide* à la fortune de l'Empire. Les *Bucoliques* évoquent la splendeur et l'agrément du monde naturel, mais elles dénoncent aussi sa fragilité et ses dangers, s'il n'y a pas accord de l'homme et de l'univers qui l'accueille. Si elle n'est pas humanisée, domestiquée, la nature ramène l'homme à l'animalité. L'homme doit donc façonner la nature : les *Géorgiques* composent le poème de l'homme

Deux histoires pour une philosophie

DE PART ET D'AUTRE DU DÉBUT DE L'ÈRE CHRÉTIENNE, DEUX EXPÉRIENCES, PORTANT L'UNE SUR LE MONDE PHYSIQUE, L'AUTRE SUR LE MONDE POLITIQUE, ABOUTISSENT À UNE MÊME LEÇON : IL FAUT CULTIVER SON JARDIN.

tagonistes de l'éloquence de son temps – la subtilité et l'abondance outrée des *asiatiques,* la transparence et la sécheresse des *atticistes* –, Cicéron défend le style *rhodien,* enseigné par son maître le Grec Molon de Rhodes : il lie philosophie et éloquence et établit une harmonie profonde entre l'art et la nature (il compare par exemple le rythme de la prose libre à celui des gouttes de pluie), entre l'imagination et l'expression.

La Renaissance retrouva en Cicéron la pureté de la langue latine. L'humanisme romain du XVIᵉ s. fit de l'équilibre cicéronien l'idéal d'un style nouveau qui unirait la langue des Apôtres au latin purifié des philologues. Cicéron s'installa ainsi comme le double patron de l'expression et du goût : par ses discours juridiques et ses traités moraux, où l'on étudiait la structure des caractères comme celle de la phrase, il régna sur les exercices scolaires ; par sa correspondance, il modela l'écriture sans pédantisme de l'« honnête homme » du classicisme.   •

Cette leçon se dégage des œuvres d'un poète philosophe, Lucrèce, et d'un historien, Tacite.

Lucrèce, ou la mécanique des fluides.

Le but de Lucrèce, aristocrate campanien du Iᵉʳ s. av. J.-C., fut de faire comprendre à ses contemporains la doctrine d'Épicure, éclairée par la physique d'Archimède. Tout l'enseignement de son grand poème, *De natura rerum* (« la Nature des choses », c'est-à-dire « la Physique »), a pour objectif de libérer le lecteur de la crainte des dieux et de la peur de la mort en lui expliquant la formation et le fonctionnement du monde.

Le monde tout entier est fait d'éléments indécomposables, les atomes, qui tombent dans le vide en un mouvement sans fin. Dans cette chute, une petite inclinaison variable (le *clinamen*) produit des turbulences locales qui donnent naissance à des agrégats de particules, à la vie. Le monde naît ainsi par le *déclin* : le temps n'est que le déclin de la matière, qui crée la vie mais promet du même coup l'être à la mort. La connaissance des choses naturelles implique donc celle du destin de l'homme. Le corps est un vase qui contient l'âme, comme un fluide. Agité, le vase peut se fêler, se briser, se répandre : d'où les rêves et la mort. L'âme est un flux contenu temporairement dans un autre flux, promis lui aussi à la dissolution. Lucrèce place dans la même perspective la biologie (de la génération spontanée des origines à la reproduction sexuée dont la vigueur décroît graduellement) et l'histoire (chaque progrès culturel provoque une dérive qui suscite à son tour un nouvel équilibre provisoire, grâce au travail et aux arts).

La vie humaine est donc, littéralement, un trouble. Tout l'effort du philosophe est de donner le moins d'accélération possible à la trombe de l'existence : il doit vivre de peu, désirer peu, atteindre à l'*ataraxie,* la tranquillité de l'esprit. Le sage doit donc connaître ses limites, trouver son lieu. La science et le bonheur sont dans le point fixe : l'homme doit cultiver son jardin.

Tacite, ou le tragique de l'Histoire.

Tacite fut un sénateur sous l'Empire des Iᵉʳ et IIᵉ siècles apr. J.-C. : il connut la clémence et les catastrophes du règne de Titus, le despotisme de Domitien, la sagesse de Nerva, la prospérité de Trajan, la paix universelle d'Hadrien. Dans ce déroulement prodigieux et chaotique, il s'efforce de trouver un sens. Or son diagnostic est sans appel : l'État est rongé par un mal profond, l'Empire ; l'Histoire est une tragédie.

Sous l'Empire, le sénat n'est qu'un décor. Le sénateur Tacite est un politique frustré qui, au milieu de ses charges honorifiques, rêve à la République romaine et aux carrières de ses patriciens. Comme il ne peut plus faire l'Histoire, Tacite va faire de l'histoire. L'éloquence, qui ne sert plus aux grands débats politiques, peut encore être utile à évoquer les grands exploits et les grands crimes, les délires des tyrans et les révoltes de leurs légions. C'est ce que fait Tacite dans ses *Annales* et dans ses *Histoires* : de la mort d'Auguste à la mort de Néron, il dévoile les mécanismes du pouvoir, le passage de l'enthousiasme conquérant à la dictature intérieure, l'hypocrisie cruelle des princes, la lâcheté du sénat, la servilité et la férocité de la plèbe qui applaudit aux combats de rue comme aux jeux du cirque. Dans le bruit et la fureur de l'Histoire, il reste à l'observateur à la fois fasciné et horrifié qu'est Tacite un espoir et un terrain.

L'espoir, il le place dans la simplicité des lois et la pureté des mœurs des Barbares, les Germains, qui campent aux frontières de l'Empire et qui devraient être un modèle pour ceux qui les dominent par un décret incompréhensible du Destin. Mais son vrai jardin, c'est sa prose : toutes les turpitudes du monde aboutissent à une phrase rythmée, imagée, elliptique, qui fait de Tacite un grand écrivain baroque. Le sens de l'Histoire, Tacite l'a trouvé dans son style.   •

→ **Voir aussi :** Rome. Des origines à la fin de la République, HIST, p. 38-39 et suiv. Stoïcisme et épicurisme. Le bonheur en ce monde, IDÉES, p. 352-353.

1. Trajan sacrifie un taureau à Neptune avant de s'embarquer pour conquérir l'Orient.

2. Trophée célébrant la victoire de Rome sur les Daces.

au travail, l'éloge lyrique de l'agriculteur. L'homme ne réalise pas sa condition dans la seule contemplation de la nature, mais dans l'effort pour la transformer. Le mythe d'Orphée qui clôt le poème est significatif. Orphée, aux Enfers, perd Eurydice ; ce n'est pas le poète qui triomphe de la mort, c'est Aristée, l'homme des champs : de la pourriture des victimes qu'il offre en sacrifice naissent les essaims d'abeilles.

Les douze chants de l'*Énéide,* en se plaçant délibérément dans le temps long de la culture grecque (les six premiers s'inspirent de l'*Odyssée,* les six derniers de l'*Iliade*), dévoilent l'originalité de l'aventure romaine. Synthèse de toutes les légendes hellénistiques et italiennes, le destin d'Énée, fils de Vénus, qui rassemble Troyens et Latins dans un même peuple, greffe l'histoire humaine sur l'éternité divine et préfigure l'œuvre de réconciliation nationale réalisée par Auguste.

Horace, ou la morale du loisir.

Ami de Virgile, Horace composa pour les Jeux de 17 av. J.-C. le fameux *Chant séculaire* qui célébrait un État raffermi et un univers purifié, repartant sur de nouvelles bases. Mais son destin n'était pas celui d'un poète national. Attentif aux choses et aux plaisirs éphémères, il a résumé l'épicurisme dans une formule lapidaire : *Carpe diem,* « Cueille le jour ! » Sa morale du loisir, qu'il exprime sur un ton familier et ironique, dans ses *Satires* et ses *Épîtres,* ne se réduit cependant pas à se ménager une jouissance banale et superficielle. Elle cherche la liberté de l'esprit dans la mise à distance de l'angoisse de la vieillesse et de la mort, dans l'observation amusée des tracas dérisoires de la vie de tous les jours, dans la délectation des manifestations fugaces de la beauté. Morale esthète, dont Horace a défini, en esthète, l'expression : c'est en effet comme théoricien littéraire qu'Horace a influencé le classicisme occidental. Son *Art poétique,* cent fois repris et imité, est resté un des modèles de la réflexion sur l'art : il a posé les règles de la poésie épique et dramatique, établi la séparation des genres, affirmé la responsabilité du poète.

Derrière Virgile et Horace, ou plus exactement en leur compagnie, un personnage a présidé à la grandeur littéraire de Rome et a fait de son nom une institution : Mécène, chevalier romain originaire d'une vieille famille d'Étrurie, qui aida Auguste à prendre le pouvoir et à le conserver. Il négocia les traités de Brindes et de Tarente, il organisa les mariages d'Auguste avec Scribonia et d'Antoine avec Octavie, il fit échouer le complot de Lepidus. Mais il reste pour l'histoire le modèle du protecteur des lettres et des arts, le soutien des poètes et des artistes qu'il recevait dans son palais de l'Esquilin et dans sa maison de campagne de Tibur.   •

Le meurtre fondateur de la cité et de la culture

Rome a été baptisée dans le sang : Romulus tue son frère jumeau Remus, qui a méprisé le sillon sacré qui trace l'enceinte de la ville future. Fondée sur le meurtre, Rome prospère par la guerre. Mais la malédiction du fratricide originel pèse sur toute son histoire. Rome, qui restera l'idéal de toute organisation politique, des États bâtis « pour mille ans », deviendra aussi par ses ruines, ses temples et ses marbres envahis par les animaux et les herbes folles le signe de toutes les vanités humaines.

Les littératures chrétiennes

L'AVÈNEMENT DU CHRISTIA-nisme fut salué comme la fin de la culture. Les premiers à avoir répondu à l'appel de l'Évangile considéraient l'univers de la connaissance païenne et son expression littéraire comme illégitimes, donc interdits. La pratique de la charité, ouverture spontanée à autrui, disqualifiait les splendeurs et les ruses de la rhétorique.

Or, très vite, une littérature chrétienne s'élabora et se développa, pour trois raisons majeures et à travers trois grandes phases.

Dans sa première période, la littérature chrétienne fut à usage externe. Les chrétiens avaient à répondre aux accusations des païens. Ils se devaient aussi de les éclairer et, si possible, de les convertir. La première Église croyait que le retour du Christ était proche. Sa littérature fut donc militante et apologétique : elle s'efforça de réfuter les erreurs du paganisme, de montrer que le christianisme transcendait et abolissait la philosophie, de définir l'originalité du message chrétien face au gnosticisme et aux religions à mystères.

La seconde phase de la littérature chrétienne est celle des débats internes. Du temps a passé depuis les apôtres, la fin de l'histoire s'estompe dans un avenir indéterminé, le Christ apparaît moins comme un juge que comme un médiateur entre l'homme et son Père. C'est la période théologique de la littérature chrétienne, l'ère des grandes controverses à l'intérieur de l'Église, notamment sur la Trinité et la nature du Fils.

Un moment, l'union des contraires semble réalisée en un esprit exceptionnel, saint Augustin : il établit une vision du salut, une doctrine de la grâce et une interprétation de la liberté de l'homme qui nourriront la pratique et la méditation chrétiennes jusqu'aux querelles de la Réforme et du jansénisme.

Mais la pensée unitaire du christianisme ne résiste pas à la grande cassure entre l'Orient et l'Occident, provoquée par des vues différentes sur les rapports du pouvoir et de la religion, sur la relation entre la hiérarchie ecclésiastique et le peuple, sur le rôle de l'ascétisme et de l'illumination mystique.

La troisième phase de la littérature chrétienne voit la diffusion généralisée du christianisme dans la culture. C'est sa période philosophique. La culture occidentale n'est autre que le fruit du croisement de la Bible et de la pensée grecque. L'Histoire tend à devenir le jugement dernier du monde. L'Église cherche à contrôler l'évolution politique, sociale et morale, tandis que la raison et la science réduisent le domaine de la foi. De Grégoire le Grand à saint Bernard, de saint Thomas à Pascal, la littérature chrétienne ne cessera d'hésiter entre la « docte ignorance » et les séductions du savoir. C'est à la littérature profane (Chateaubriand) qu'il reviendra de découvrir le « génie » proprement esthétique du christianisme.

2. Le Chef de la milice chrétienne ; relief germanique du VIIe s.

3. L'Homme nouveau ; peinture de la catacombe romaine

Saint Augustin

L'ŒUVRE DE SAINT AUGUSTIN ASSURE LE PASSAGE ENTRE DEUX MONDES, LA ROME PAÏENNE ET LE NOUVEL UNIVERS CHRÉTIEN À LA RECHERCHE DE SA CULTURE.

Le cœur de la pensée de saint Augustin réside dans sa conception de la grâce. Le premier état de l'homme est la misère spirituelle. La prise de conscience de cette misère n'est autre que l'humilité : l'homme comprend qu'il ne peut triompher de la menace permanente du péché que par la grâce du Christ. Cette grâce ne se réduit ni à un acte de volonté humaine ni à un code moral : c'est un mystère de la foi.

Le bien l'emporte sur le vrai.
Pour saint Augustin, la science sera toujours soumise à la sagesse, la philosophie s'absorbera dans la théologie, le droit naturel de l'État sera subordonné au droit surnaturel de l'Église, le désir d'union avec Dieu sera toujours plus fort que la passion de l'intelligence du monde, la notion de bien l'emportera sur celle de vrai.

C'est dans cette perspective qu'il réalise, avec *la Cité de Dieu* (413-427), la première synthèse de l'action divine sur le monde et sur l'histoire : ce sera la référence fondamentale dans la querelle entre la papauté et l'empire aux XIIe-XIIIe siècles, le ferment de la réflexion historique de Bossuet et de la méditation morale de Pascal et de Kierkegaard.

Le détournement de la culture païenne.
Qu'il enseigne, qu'il combatte ou qu'il prie, saint Augustin le fait dans une langue et un style qui font de son œuvre l'apogée de la littérature chrétienne latine.

Il a d'ailleurs beaucoup réfléchi sur le langage et les modes d'expression dans son traité sur *la Musique* (386-389) et dans son exposé de *la Doctrine chrétienne* (397-427).

Saint Augustin a d'abord justifié le recours à la culture profane. Il compare les chrétiens usant de la littérature et de la rhétorique païennes aux Hébreux emportant, lors de l'Exode, les vases d'or et d'argent des Égyptiens : le christianisme s'approprie l'héritage de l'Antiquité, les richesses du paganisme servent désormais à célébrer la gloire de Dieu.

La Doctrine chrétienne constitue l'une des sources majeures de la culture européenne du XVe au XVIIe siècle. Saint Augustin y donne une méthode d'analyse et d'explication de la Bible, il définit le statut du sermon (qui doit concilier la ferveur intérieure de la prière et les exigences de la prédication de masse), il propose le modèle du style chrétien, qui doit unir les qualités que Cicéron demande à l'orateur (« instruire, plaire, émouvoir ») à celles que Sénèque exige du philosophe (épouser le rythme de la méditation et mépriser les artifices).

L'aveu d'une âme passionnée.
L'œuvre de saint Augustin qui a le plus de résonances dans la conscience moderne est le récit de son aventure spirituelle : les *Confessions,* écrites de 397 à 401. Il y évoque ses erreurs et ses enthousiasmes de jeunesse, son attirance passagère pour le manichéisme, sa découverte de l'art d'écrivain de Cicéron, la crise mystique qui débute par la lecture, par hasard, de l'Épître de saint Paul aux Romains et qui s'achève par sa conversion. Il avoue sa fascination pour Virgile (il se reproche d'avoir pleuré sur Didon et Énée) et son étonnement devant saint Ambroise lisant simplement des yeux un texte au lieu de le psalmodier à la mode antique.

L'évocation sans complaisance de ses faiblesses et de ses doutes, la finesse de ses notations psychologiques, la volonté de tracer l'évolution intérieure de son âme ont fait des *Confessions* de saint Augustin le modèle de toutes les autobiographies. ●

Docteur de l'Église et modèle littéraire

Longtemps séduit par les plaisirs du monde et la pensée manichéenne, ordonné prêtre malgré lui, Augustin fut très vite un maître de doctrine, un modèle de vie religieuse, un créateur de l'éloquence sacrée. Sa pensée théologique a marqué la spiritualité chrétienne jusqu'au XIXe siècle.

1. Saint Augustin, dans son cabinet de travail, imaginé par Carpaccio au début du XVIe siècle.

de Domitille, IVe s.

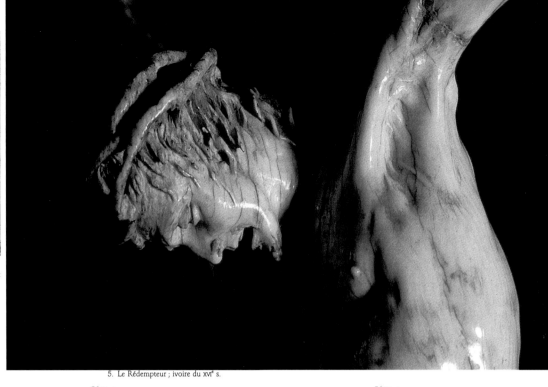

4. Le Pantocrator ;
mosaïque du couvent grec
de Dháfni.

5. Le Rédempteur ; ivoire du XVIe s.

La figure du Christ

Ses diverses représentations (2-5) marquent bien l'évolution du christianisme dans sa conception de Dieu et sa manifestation dans l'histoire.

La patristique

La patristique est l'ensemble des œuvres des écrivains chrétiens qui répondent aux critères d'ancienneté, d'orthodoxie doctrinale et de sainteté de vie.

Une conception restreinte de la patristique comprend, pour l'Occident, les auteurs chrétiens jusqu'à Isidore de Séville (m. en 636) et, pour l'Orient, jusqu'à Jean Damascène (m. v. 749).

Une vision plus large de cette littérature permet de distinguer : les *Pères de l'Église,* eux-mêmes divisés en *Pères apologistes,* défenseurs du christianisme face aux païens (Justin, Cyprien), et *Pères dogmatiques,* gardiens de l'orthodoxie face aux hérésies (Athanase, Grégoire de Nazianze, Basile le Grand, Jean Chrysostome, Ambroise, Augustin, Jérôme) ; les *docteurs de l'Église* (Grégoire le Grand, Bernard de Clairvaux, Thomas d'Aquin, Bonaventure, François de Sales) ; les *écrivains ecclésiastiques* (Origène, Eusèbe de Césarée).

La spiritualité orientale

MARQUÉE PAR SES RAPPORTS AVEC L'EMPIRE BYZANTIN ET L'IMPORTANCE DU MONACHISME, LA SPIRITUALITÉ DES ÉGLISES ORIENTALES S'EXPRIME DANS UNE LITTÉRATURE QUI JOINT LA MÉDITATION INTÉRIEURE À LA SPLENDEUR ORATOIRE.

Le poids de l'institution impériale, les pressions des coteries mondaines, les rivalités inexpiables des écoles théologiques ont incité les écrivains grecs à affirmer avec force que la vocation chrétienne est hors des contingences et des préoccupations du monde.

Ce qui entraîne deux comportements opposés et complémentaires dans un même souci de « divinisation » de la vie : l'Église anticipe par sa liturgie le royaume des cieux et s'efforce de placer la marque du sacré sur tous les événements de la vie quotidienne ; le chrétien, qui méprise le monde et se méfie de ses pièges, refuse de jouer plus longtemps son jeu : il renonce à ses biens et à ses plaisirs et se fait ermite au désert, stylite immobile au sommet d'une colonne, dendrite perché sur un arbre, errant perpétuel pour imiter Moïse à la recherche de la Terre promise ou le Christ, qui n'a pas une pierre où reposer sa tête.

Mais, une fois passé le premier élan, on ressent le besoin de codifier cette fuite du monde. C'est à quoi s'employa Basile le Grand, personnage exceptionnel dans une famille hors série : deux de ses grands-parents ont été des martyrs ; sa sœur, Macrine, est honorée comme sainte et trois de ses frères furent évêques. Ses *Grandes Règles* et ses *Petites Règles,* rédigées entre 356 et 364, organisent la vie des moines et des ascètes, ces athlètes de Dieu. Traduites en latin,

elles formeront les bases du monachisme occidental à travers Cassien et saint Benoît.

Saint Basile a également composé un commentaire du récit de la Création dans la *Genèse :* cet *Hexaméron* fut le modèle des interprétations allégoriques et historiques de la Bible et des guides de morale pratique à l'usage du chrétien.

Une éloquence inspirée.
Le christianisme avait retenu de l'Antiquité païenne sa conception de l'éloquence : c'est l'orateur qui fait l'usage le plus noble de la parole ; l'éloquence s'identifie au concept même de littérature.

Le premier devoir de l'évêque, puis du prêtre, est d'enseigner publiquement la doctrine. Cette prédication se manifeste à la fois par l'énoncé des principes d'un catéchisme simple (la *catéchèse*) et par l'explication des passages de l'Évangile lus à la messe (les *homélies*).

Ce nouvel emploi de la rhétorique, cette nouvelle forme de persuasion sont illustrés par l'évêque persécuté de Constantinople, saint Jean surnommé Chrysostome, c'est-à-dire « Bouche d'or ». Petit, effacé, de santé délicate, il faisait passer sa ferveur intérieure dans ses sermons, qui dénonçaient la corruption des mœurs et défendaient l'orthodoxie, et arrachait les applaudissements de son auditoire. Il est resté l'idéal de l'éloquence chrétienne qui vient du cœur. ●

Le monastère, conservatoire de la culture

DANS L'UNIVERS ÉCLATÉ DU HAUT MOYEN ÂGE, LE MOINE EST LA FIGURE INTELLECTUELLE MAJEURE DE LA CHRÉTIENTÉ OCCIDENTALE.

Dans un Occident où le réseau de communications romain est désorganisé, où les structures administratives antiques ont disparu, où les villes tombent en ruine, où la forêt gagne sur les champs cultivés, le monastère rural est le seul centre civilisateur.

Du bon usage de la pénitence.
La règle de saint Benoît, qui l'emportera au VIIe siècle à la fois sur l'érémitisme oriental et sur l'ascétisme des moines irlandais, accorde une place importante au travail intellectuel à côté de la méditation et de l'activité manuelle. Le cœur culturel du monastère est le *scriptorium,* où les moines copient les manuscrits anciens ; c'est un travail de pénitence : les copistes évaluent leurs années de purgatoire au nombre de fautes qu'ils commettent en transcrivant les textes latins. Et les ouvrages qu'ils réalisent, richement enluminés, sont considérés comme des trésors : en période de famine, on les vend pour distribuer des aumônes.

Une culture orientée vers l'action.
La première occupation du moine est la lecture de la Bible, qui soutient la méditation. Lecture à haute voix ou du moins en remuant les lèvres, qui met en jeu l'être tout entier dans la pratique du texte divin. L'abbé de Cluny, Pierre le Vénérable, assimile cette mémoire auditive et musculaire à la « rumination ».

La culture monastique s'élabore, grâce à la « renaissance carolingienne », à travers un latin christianisé et dynamique : Grégoire le Grand pensait déjà qu'il était indigne d'enfermer la parole de Dieu dans les règles grammaticales antiques. Ce latin, simple et musical, est au latin de Cicéron « ce que Notre-Dame est au Parthénon ».

Un mauvais héritage pour une bonne cause.
Les catalogues des bibliothèques des couvents révèlent la présence d'une littérature en accord avec le propos d'édification chrétienne : Quintilien, Sénèque, Cicéron, Lucain, Virgile. En réalité, la culture monastique a pratiqué une conversion en masse de la littérature antique : Ovide et Horace ont été traités comme des moralistes qui préfiguraient la charité, et Virgile est le sage suprême à la charnière des temps : on lisait l'épisode fameux de la Sibylle, au Ve livre de l'*Énéide,* comme l'annonce explicite du Christ. D'ailleurs, les moines imiteront consciemment les écrivains antiques : au Xe siècle, la nonne allemande Roswitha écrira des comédies à la manière de Térence et, au début du XIIIe siècle, Ithier de Wassy expliquera dans un long poème, respectueux de la métrique latine, qu'il ne convient pas au moine de faire des vers. ●

→ **Voir aussi :** Moyen Âge L'Église et les chrétiens, HIST, p. 76-77.

La poésie arabo-persane

Les genres majeurs

L'INSPIRATION POÉTIQUE ARABE SE COULE DANS UNE MÉTRIQUE LIMITÉE ET DES GENRES TRADITIONNELS. CE RESPECT DES FORMES CLASSIQUES VA DE PAIR AVEC UNE RARE VIRTUOSITÉ DANS LES VARIATIONS SUR LES THÈMES CONNUS.

À L'ORIGINE DE LA LITTÉRAture arabe est la poésie. Et la poésie est la voix du désert et de la tribu. Dans une nature hostile, l'homme seul n'est rien. La poésie exalte les valeurs du groupe, dans la forme noble de la *qaṣīda*. Le poète est le héraut du clan, il en est parfois le chef. Il ranime les courages dans les combats, il célèbre les héros morts, il appelle à la vengeance. Sa parole est aussi un acte magique, car son inspiration passe pour venir d'un djinn.

Le Coran éclatera comme un coup de tonnerre sur ce petit monde combatif et coloré : d'abord du fait de la méfiance de Mahomet à l'égard des poètes qui détournent une parole qui ne devrait se mettre qu'au service de Dieu ; ensuite parce que l'islam ouvre à un mode d'expression confiné aux solitudes arides l'ensemble du monde oriental et méditerranéen.

Des Bédouins nomades la poésie passe alors aux cours sédentaires de Damas, puis de Bagdad. De chantre d'une royauté minuscule, le poète va devenir le panégyriste du calife souverain. Mais l'explosion de la vie urbaine, les contacts avec les cultures grecque et persane bouleversent les thèmes de cette poésie : d'un côté art de cour et de salon, elle célèbre les plaisirs de la vie, le vin, l'amour, plus débridé ou plus courtois ; d'un autre, et par réaction, elle traduit une inspiration édifiante marquée d'accents mystiques ; face, enfin, aux ethnies englobées dans l'islam et qui résistent à l'hégémonie arabe, elle participe au débat sur la tradition et à la définition du code culturel nouveau, l'*adab*. Les deux extrémités du monde musulman se signaleront cependant par une expression originale : l'Espagne, à travers une poésie sensible à l'évocation de la nature ; l'Iran, avec la veine plus ample de l'épopée.

Les chefs-d'œuvre de la période classique marqueront à ce point les poètes qu'ils figeront la novation pour des siècles : l'infinie subtilité des variations sur des thèmes consacrés et la virtuosité formelle tiendront lieu d'inspiration à des cohortes de rimeurs raffinés.

Avant la renaissance du XIXe siècle, la *Nahda*, la poésie restera cependant le modèle de toute expression et aujourd'hui encore c'est par rapport à elle que se définit, dans le monde arabe, la modernité littéraire.

Le rythme de la poésie arabe est fondé sur la durée des syllabes dans la prononciation (brève ou longue) et sur l'accent tonique des mots. Le vers est divisé en deux hémistiches de deux à quatre pieds, où alternent les temps forts et les temps faibles : les temps forts tombent en général sur les syllabes longues, les syllabes brèves correspondant aux temps faibles étant sujettes à élisions ou à contractions. Le vers se termine par une rime riche qui est d'ordinaire la même pour tout le poème. À l'époque archaïque, les Bédouins nomades n'employaient que cinq mètres. Les poètes du Hedjaz en ajoutèrent sept autres, particulièrement destinés aux pièces lyriques ou bachiques chantées. À la fin de la période classique, la poésie arabe disposera de seize formules métriques différentes.

Les mu'allaqāt.
La tradition littéraire arabe rassemble sous le titre de *mu'allaqāt*, qui signifie « les Pendentifs », une série de sept à dix poèmes, composés avant la naissance de l'islam, entre la première moitié du VIe siècle et la fin des trente premières années du VIIe. L'authenticité de ces poèmes a été âprement discutée et a donné lieu à de querelles littéraires fameuses, notamment en 1926. Il est sûr que cette poésie se distingue de l'expression des cultures voisines de son époque (notamment des œuvres byzantines et syriaques) et se rapproche du Coran par son foisonnement thématique et sa composition en entrelacs. Mais les motifs qu'elle met en œuvre remontent à une tradition orale ancienne et très élaborée, que la révélation coranique a niée et refoulée, sa morale spiritualiste ne pouvant admettre la véhémence sensuelle et la complaisance ludique qui s'expriment d'un bout à l'autre de cette poésie.

Les textes des mu'allaqāt, aussi douteux et mutilés qu'ils soient, laissent transparaître trois puissantes personnalités de poètes : Zuhayr ibn Abī Sulmā, dont les vers sur les horreurs de la guerre sont passés en proverbes ; 'Antara al-'Absī, dont la bravoure est à la source d'une véritable « chanson de geste », *le Roman d'Antar* ; Imru' al-Qays surtout, dont la légende veut qu'il ait consacré sa jeunesse à venger le meurtre de son père. Son poème du « Prince errant », qui mêle les évocations sensuelles aux descriptions grandioses de la nature, notamment de l'orage, est le trésor le plus fameux du patrimoine arabe.

La qaṣīda.
La *qaṣīda* est le mot courant en arabe pour désigner un poème.

Mais c'est d'abord l'ode de la poésie des Bédouins nomades d'avant l'islam. La *qaṣīda* comporte traditionnellement trois parties : la déploration du campement abandonné par la tribu et la bien-aimée du poète ; un chant de prouesses qui unit des thèmes descriptifs, à propos notamment du cheval du poète, à l'évocation de la quête de l'aimée ; une célébration du clan et une satire des ennemis. Ces trois parties ne sont pas toujours présentes, certaines sont réduites à quelques vers, mais la qaṣīda se développe toujours autour de trois thèmes principaux : l'orgueil du poète devant ses exploits et ceux de son groupe, la défaite et la veulerie de l'adversaire (c'est le *fakhr*) ; le destin qui, à l'improviste, frappe l'homme, jeune ou vieillard, puissant ou faible (le *dahr*) ; l'acceptation de sa condition, mêlée de courage et de ténacité (le *sabr*).

Le classicisme des IXe-Xe siècles fera souvent de la qaṣīda un poème d'apparat, qui tend à donner la plus grande importance au panégyrique final, à la louange obligée du prince. Mais par son ouverture élégiaque, l'expression douloureuse de la séparation de l'être unique au milieu de l'errance perpétuelle de la tribu, la qaṣīda est à l'origine des analyses raffinées sur la psychologie de l'amour et de la constitution de l'esprit « courtois ».

Le ghazal.
Poème d'amour et expression du moi, le *ghazal* est une forme complexe : il unit, dans son inspiration, l'équivalent de l'amour courtois médiéval et de la « galanterie » du siècle classique français. S'il plonge dans le lyrisme farouche de la poésie bédouine, il se complaît souvent dans la verve insolente d'une inspiration hédoniste et dans l'évocation d'une sensibilité passionnée. Au IXe siècle cependant, le ghazal se teinte d'une vision néoplatonicienne : la passion se vit dans le renoncement à la possession et le tourment devient source de joie.

Le ghazal passa à la littérature persane, où il prit une forme rigoureuse (entre 10 et 20 distiques, le nom du poète apparaissant dans le dernier vers) et une coloration mystique. Il fut en faveur dans la littérature turque (du poète légendaire du XIIIe siècle Yunus Emre à l'animateur du mouvement libéral du XIXe siècle Ziya Paşa) et aux Indes, dans la littérature de langue ourdou où, avec le père spirituel du Pakistan, Mohammad Iqbal, il s'adapte à l'expression des idées philosophiques et des débats politiques et sociaux modernes. ●

1. Moḥammad Tabadkami dans une danse extatique. Miniature persane du XVe s.

Les grands poètes classiques

Arabes

al-Akhṭal (v. 640-v. 710) : né et resté chrétien, il fut le poète des califes de Damas. Ses polémiques avec ses deux rivaux Djarīr et al-Farazdaq furent pendant des siècles un thème favori de la critique littéraire.

Bachchār ibn Burd (v. 714-785) : aveugle de naissance, poète à l'âge de dix ans, ses célèbres vers d'amour unissent l'érotisme réaliste à l'esprit courtois.

Abū al-'Atāhiya (748-825) : le maître du thème de la mort, dans un style marqué par la simplicité du ton et la vigueur de la formule.

Abū Nuwās (v. 762-v. 815) : le poète de la vie raffinée de Bagdad, en rupture avec la tradition bédouine : une verve insolente pour chanter le vin et l'amour.

Ibn al-Mu'tazz (861-908) : une conspiration de palais le proclama souverain à Bagdad, mais, « calife d'un jour », il fut arrêté et exécuté ; un théoricien de l'art poétique.

al-Mu'tanabbī (915-965) : chef de bande, prétendant à la prophétie, porte-parole de la cause arabe contre Byzance ; un maître des images et un découvreur de rythmes.

al-Ma'arri (973-1058) : aveugle à quatre ans, ascète révolté ; une langue virtuose au service d'une ironie « voltairienne ».

Persans

Ferdowsī (v. 932-v. 1020) : auteur de l'épopée nationale et de l'œuvre mère du classicisme persan, les 60 000 vers du *Livre des rois*.

Omar Khayyām (v. 1047-v. 1122) : mathématicien, astrologue, il réforma le calendrier et exposa dans ses *Quatrains* une philosophie désabusée de la vie.

'Aṭṭār (v. 1119-v. 1190) : auteur mystique, son *Colloque des oiseaux* évoque la quête de la sagesse qu'on finit par trouver en soi-même.

Nezāmī (v. 1140-v. 1209) : le créateur de l'épopée romanesque avec *Khosrow et Chirin* et *Laylā et Madjnūn*.

Sa'di (v. 1213-1292) : son *Jardin des roses* révèle son attrait pour le soufisme et sa morale indulgente. Il symbolisa pour l'Occident la poésie persane.

Ḥāfez (v. 1325-1390) : le maître du ghazal, considéré aussi comme un guide spirituel et moral de la vie quotidienne.

Djāmi (1414-1492) : savant et mystique, auteur de poèmes didactiques et allégoriques *(Yūsuf et Zulaykhā),* c'est le dernier grand classique.

2. Miniature persane du *Livre des rois* de Ferdowsi.

Guerre et amour

Prouesses guerrières et amoureuses : la double inspiration poétique. De ses lointaines origines, la poésie arabo-persane a conservé deux sources majeures de création : la célébration des exploits du clan dans les combats ; les plaisirs et les tourments de l'amour, dans les chevauchées bédouines ou le raffinement des cités califales.

Les innovations espagnoles

DANS LES JARDINS D'ANDALOUSIE, DES POÈTES
RAFFINÉS SE SONT LAISSÉ ALLER À UN DOUBLE PLAISIR :
LE CHARME D'UNE NATURE CONSTRUITE COMME UN PALAIS,
LA VIGUEUR IMAGÉE DE LA LANGUE VULGAIRE.

Reprenant la tradition de la Mésopotamie et de la Perse antiques, les souverains musulmans, et tout particulièrement ceux des royaumes d'Espagne ont fait d'un espace clos, le jardin, co-loré par les fleurs et animé par l'eau, un monde impressionniste de senteurs et de murmures, propice à la méditation et à la rêverie. Cet art raffiné, qui joue sur la combinatoire subtile et infinie d'éléments d'une grande simplicité, se retrouve dans la poésie des cours de Cordoue, de Séville, de Grenade, et s'incarne dans deux genres spécifiques.

L'adab

Le mot *adab* désigna à l'origine une coutume consacrée par la tradition. Le mot prit rapidement le sens de règle appliquée aux divers domaines de la vie collective : il y eut un adab de la discussion, du vêtement, des manières de table, etc. L'adab se développa et se codifia dans les grandes villes de l'Iraq : l'homme de l'adab, séden-taire et raffiné, rompait donc avec la tradition bédouine.

Entre le VIIIe et le Xe siècle, l'adab évoluera encore et caractérisera la culture profane (il s'op-pose alors à 'ilm, la « science religieuse ») de l'« honnête homme » qui intègre au patrimoine les héritages grec et iranien. Code d'une élite, l'adab finira par s'identifier à son expression suprême, la littérature.

Le muwachchah utilise la langue et la métrique classiques, mais repose sur une combinaison strophique originale, le quatrième vers d'une strophe reprenant la rime des deux vers du prélude. Le poème s'achève par un « envoi » (*khardja*). Cette ode nouvelle sera théorisée et illustrée par Sanā 'al-Mulk, qui lui donnera au XIIe s. sa forme définitive.

Le *zadjal* est issu du muwachchah, mais il innove en recou-rant systématiquement à l'arabe dialectal. Sa vogue sera grande à partir du XIIe siècle. S'il fait place encore à la louange du prince ou du mécène, le zadjal s'attache surtout aux plaisirs de la vie, le vin et, par-dessus tout, l'amour. Il a ainsi exercé une influence capitale sur la poésie des troubadours. ●

3. Miniature arabe des *Fables de Bidpay*.

Le souffle épique et mystique de la poésie persane

LES ÉCRIVAINS PERSANS USÈRENT SOUVENT
DE LA POÉTIQUE ET DE LA MÉTRIQUE ARABES.
MAIS ILS TENDIRENT À LEUR DONNER UNE COLORATION
NATIONALE ET RELIGIEUSE, ET FINIRENT
PAR CRÉER DES GENRES ORIGINAUX.

Du Xe au XIIIe siècle, sous les souverains samanides, seldjoukides puis mongols, les poètes empruntèrent à la littérature arabe la qasîda et le ghazal. Ils les employèrent ainsi au pané-gyrique des princes, mais très vite aussi pour des œuvres plus profondes, des poèmes philosophiques ou religieux : c'est ce que fit Nâsser-e Khosrow (v. 1003-1088) pour célébrer sa foi ismaélienne ou l'expérience acquise dans ses voyages.

Le masnavi.
Cependant, les poètes persans ne se sentirent vraiment à leur aise que dans un genre bien à eux, le masnavi. Poème de grande ampleur, de tonalité narrative, le masnavi témoigne d'une originalité métrique : la rime n'est plus unique tout au long du poème, elle se place, au niveau du distique, à la fin de chaque hémistiche. Le masnavi a donné sa forme à trois grandes inspirations : l'épo-pée nationale, la méditation mystique, le romanesque amoureux.

L'épopée nationale s'incarne dans l'œuvre phare du classicisme persan, le *Livre des rois*, qui réunit les mythes et l'histoire du passé national et définit les idéaux sur lesquels s'est édifiée la culture iranienne. La méditation mysti-que est un élément fondamental de la poésie persane. Elle a ainsi joué un grand rôle dans la diffusion du soufisme, méthode de recherche de l'union avec Dieu qui se fonde sur un double mouvement d'anéantissement et de découverte de soi. Les trois grands noms du masnavi mystique sont Sanā'i (v. 1080-v. 1131), 'Attār (v. 1119-v. 1190) et Djalâl al-Din Rumi (1207-1273). Le roman d'amour, lui, reprend les thèmes de la Perse antique avec le drame de l'amour fatal de *Wis et Rāmin* de Gorgāni (XIe s.) et l'hymne à l'amour fou de *Laylâ et Madjnûn* de Nezāmi (XIIe s.).

Le robā'i.
Le *robā'i*, c'est le quatrain, dont on a voulu faire un genre typiquement persan. On attribue son invention à Rudaki (m. en 940), poète officiel du roi Nasr II. Ce serait plutôt une forme populaire d'avant l'islam. Composé de deux distiques qui riment ensemble, le quatrain sert à l'expression de multiples sentiments, y compris religieux, et fut illustré par l'astro-logue-poète Omar Khayyām.

Les grandes épopées sanskrites

L'INDE SE DISPERSE À travers quinze langues littéraires, près de deux mille dialectes, des religions diverses, des classes sociales tranchées, des ethnies souvent antagonistes. Mais l'Inde possède un patrimoine culturel qui assure à ses différentes composantes, par-delà les divisions, les invasions, les colonisations, une unité et une permanence fondamentales.

Ces croyances, ces idées et ces préceptes où l'Inde moderne plonge encore ses racines sont conservés dans les textes sanskrits, fixés dans la langue érudite des prêtres, mais que les nécessités de la prédication, qui les fit adapter en langues vulgaires, ont rendu familiers à toute la population. Les *Veda*, les *Purāṇa*, les épopées du *Mahābhārata* et du *Rāmāyaṇa* ont véhiculé ainsi des concepts communs qui ont déterminé une vision du monde et des règles de comportement.

Cette vision réside dans la croyance en un être absolu, dont la création est une émanation, et que l'homme doit chercher à saisir et à rejoindre en respectant un code moral adapté à sa condition terrestre *(dharma)*. L'homme doit assumer cette condition, en ayant toujours présents à l'esprit la conséquence inéluctable de ses actes *(karma)* sur sa destinée, et le désir de libération finale *(mokṣa)* par le renoncement aux liens et aux biens terrestres.

Ces grandes œuvres du passé sont la source de toute la spiritualité de l'Inde et, à travers leur traduction dans les multiples langues du continent, l'origine des littératures régionales. Les épopées sanskrites ont également suscité, à travers des adaptations et des commentaires plus tardifs (XIᵉ-XVIIᵉ s.), de nouveaux courants philosophiques et littéraires, notamment dans les domaines tamoul, télougou, marathi et bengali.

La rencontre de l'Inde avec la civilisation occidentale à partir du XVIIᵉ siècle a renouvelé les moyens d'expression et de diffusion, proposé de nouveaux modes de pensée, accéléré le syncrétisme religieux, mis en cause la hiérarchie sociale. Mais les fêtes populaires et religieuses, le drame musical traditionnel, le théâtre de marionnettes, les motifs de la danse classique perpétuent aujourd'hui encore le trésor de valeurs accumulé depuis le passé quasi mythique du monde indo-européen.

La Bhagavad-Gītā

C'EST AVANT UNE BATAILLE SANS MERCI QUE LE DIEU KRIṢṆA A LIVRÉ LE SECRET DE LA PAIX DÉFINITIVE DANS LE DÉSIR DE DIEU, QUI EST RENONCEMENT À TOUT DÉSIR.

La *Bhagavad-Gītā*, le « Chant du Divin Seigneur », est un poème de 700 vers, divisé en 18 chapitres, et qui forme l'épisode le plus célèbre du *Mahābhārata*. Avant de s'engager dans la grande bataille contre les Kaurava, l'un des Pāṇḍava, Arjuna, confronté à l'obligation de massacrer ses cousins et ses amis, demande au dieu Kriṣṇa, qui conduit son char, de l'éclairer sur son devoir. Le dieu lui explique alors les conditions et les finalités de l'action humaine. Il précise également les rapports de l'homme à Dieu, saisis dans une relation quasi personnelle, et ceux du moi et du non-moi (le *sāmkhya*).

L'homme doit accomplir son devoir sans s'attacher aux fruits de ses actes. Au lieu de renoncer à l'action, il doit renoncer au désir qui s'attache à l'action. Pour l'homme qui atteint ce détachement intérieur, il n'y a plus ni bien ni mal. Libéré du désir, l'homme peut atteindre à la perfection en saisissant Dieu dans un élan d'amour vécu et partagé, la *bhakti* : c'est alors qu'il pourra prétendre à échapper au cycle des renaissances.

Ce poème, véritable abrégé de la spiritualité hindoue, a exercé une influence religieuse et littéraire considérable et suscité d'innombrables commentaires et traductions, notamment au XIIIᵉ siècle, celui de Jñāneśvar en marathi, au XVᵉ siècle celui de Kabīr en hindi, et au XVIᵉ siècle ceux de Śaṅkaradeva en assamais et de Tulsī Dās en hindi.

1. Couple divin enlacé. Grès du XIᵉ s.

Le Mahābhārata

LA PLUS GRANDE ÉPOPÉE INDIENNE EST UNE ŒUVRE JAMAIS ACHEVÉE ET TOUJOURS ACTUELLE.

La « grande guerre des Bhārata » reste un des textes majeurs de la civilisation indienne. La tradition lui donne comme auteur le poète Vyāsa, qui serait lui-même une incarnation du dieu Viṣṇu. En réalité, le poème est le fruit d'une lente élaboration qui s'étend du IVᵉ siècle av. J.-C. au IVᵉ siècle de notre ère. Il existe deux grandes aires de diffusion de l'épopée, celle du Nord et celle du Sud. Les versions du Nord comptent 90 000 vers de 32 syllabes, répartis en 18 livres ou *parvan* (« articulations »). La composition du poème répond à un procédé favori de la littérature indienne : le récit du narrateur principal est sans cesse interrompu par des épisodes secondaires, souvent de grande ampleur.

Le sujet du *Mahābhārata* se présente comme l'histoire d'une dynastie, une lutte de cousins pour la souveraineté. Il était une fois trois frères : Pāṇḍu (le Pâle), Dhritarāṣṭra (l'Aveugle), Vidūra (le Sang-Mêlé). Les Kaurava, fils de Dhritarāṣṭra, réclament indûment la royauté, qui doit revenir à Yudhiṣṭhira, l'aîné des cinq Pāṇḍava, fils de Pāṇḍu et qui possèdent une unique épouse, Draupadi. Une partie de dés pipés permet aux Kaurava de régner pendant treize ans. Le terme échu, les Pāṇḍava réclament en vain leur tour. S'engage alors un combat universel, qui s'achève par une série de duels où chacun des Pāṇḍava rencontre un des Kaurava. Seuls survivent les Pāṇḍava et trois hommes. Alors s'établit un règne merveilleux de justice et de concorde. À leur mort, les héros se retrouvent au ciel et se réconcilient avec leurs ennemis.

Le Rāmāyaṇa

FACE AU FOISONNEMENT DU MAHĀBHĀRATA, LE RĀMĀYAṆA SE CARACTÉRISE PAR L'UNITÉ DU STYLE ET DU SUJET : LES PORTRAITS DU GUERRIER IDÉAL ET DE LA FEMME VERTUEUSE.

La « Geste de Rāma » est un poème plus court (24 000 vers, répartis en 7 livres) et plus structuré que le *Mahābhārata*. Aussi l'a-t-on souvent attribué à un auteur unique, Vālmīki. Sa composition s'étalerait en fait du Vᵉ siècle av. J.-C. au IIIᵉ siècle apr. J.-C. L'épopée relate les aventures de Rāma, prince d'Ayodhyā, et de Sītā, fille du roi Janaka. Victime des intrigues de sa belle-mère, Rāma part pour l'exil avec son épouse et son frère cadet, Lakṣmaṇa. Sītā est enlevée par le roi-démon Rāvaṇa, souverain de l'île de Laṅkā. Rāma se lance à sa poursuite, aidé par le roi des singes Hanumant. Rāma tue Rāvaṇa, incendie Laṅkā et ramène Sītā dans son pays, où son frère Bharata lui a conservé son trône. Mais Rāmā ayant émis des doutes sur la fidélité de Sītā, celle-ci se jette dans les flammes d'un bûcher : le dieu Agni la sauve alors du brasier et la remet à son mari.

Le *Rāmāyaṇa* a connu une renommée exceptionnelle en Inde et dans toute l'Asie du Sud-Est. Accessible à toutes les couches de la population, il fait appel aux sentiments les plus spécifiquement indiens : l'amour de la nature conçue comme une émanation du divin, la puissance des liens familiaux, le goût de la beauté, la capacité de renoncement.

Le style du *Rāmāyaṇa* marque une étape importante dans la constitution d'un art classique. La langue y est plus pure que dans les récits antérieurs et l'on y découvre les procédés de rhétorique et de prosodie qui seront ceux des grandes œuvres des littératures indiennes, cette « science des ornements » *(alaṃkāra-śāstra)* qui régit le jeu virtuose des images, des métaphores, des assonances et le bon usage des manières et des sentiments.

Riche en éléments folkloriques, l'épopée reconstitue toute une ambiance de réjouissances et de coutumes qui se perpétuent encore aujourd'hui. Sa récitation mimée fait l'objet d'une grande fête annuelle dans le nord de l'Inde, le *Rāmlīlā* ; elle offre les thèmes du théâtre dansé du Sud, le *kathākali*.

Le *Rāmāyaṇa* a été adapté dans toutes les langues de l'Inde : le tamoul de Kampan et le kannara de Nāgacandra (XIIᵉ s.), le bengali de Krittivās (XVᵉ s.), le malayalam d'Eluttaccan, le marathi d'Ekhnātha, le hindi de Tulsī Dās (XVIᵉ s.). Les Indiens de toujours y ont trouvé matière à leçons et commentaires historiques, moraux, ritualistes, philosophiques et métaphysiques.

Le sanskrit

LE SANSKRIT A SERVI À TRANSCRIRE
LES TEXTES MAJEURS DE LA CIVILISATION INDIENNE ET
SA REDÉCOUVERTE, À LA FIN DU XVIIIᵉ S., EST À LA SOURCE
DE LA LINGUISTIQUE MODERNE.

Langue de civilisation de l'Inde ancienne, le sanskrit a été inscrit, dans la Constitution de l'Inde moderne, parmi les quinze langues principales du pays. L'histoire de la langue sanskrite est attestée par une littérature ininterrompue pendant près de quatre millénaires.

Les premiers documents sont l'ensemble des *Veda*, dont les textes les plus anciennement conservés remontent à 2000 av. J.-C. : le *Rigveda* regroupe 1 028 hymnes *(sūkta)*, répartis en 10 « cercles » *(maṇḍala)*, à la louange des puissances de la nature, déifiées sous les noms d'Agni, d'Indra et de Sūrya ; le *Ya-jurveda* rassemble des formules sacrificielles ; le *Sāmaveda* est un recueil de chants liturgiques ;

l'*Atharvaveda* contient des formules magiques. À ces textes de base se rattachent des commentaires en prose, les « interprétations du brahmane » (les *Brāh-maṇa*), les « traités de la forêt » *(Āraṇyaka)* de caractère ésotérique, les *Upaniṣad*, qui témoignent d'une interrogation métaphysique appelée à se développer dans la philosophie hindoue.

Vers le début de l'ère chrétienne commencèrent à être mises en forme les deux grandes épopées du *Mahābhārata* et du *Rā-māyaṇa*, tandis qu'étaient rédigés les *Purāṇa*, « histoire des temps anciens », qui évoquent la création du monde, sa destruction et sa régénération, ainsi que la généalogie des dieux. Le sanskrit se divisa alors en un sanskrit brah-

manique, fidèle à l'idéal du grammairien Pāṇini (vᵉ-ivᵉ s. av. J.-C.), et un sanskrit moins formalisé, qui est la langue de la poésie, de l'épopée et des textes scientifiques et techniques.

La langue sanskrite a en effet été employée à la rédaction d'ouvrages juridiques *(Dharmaśāstra)*, économiques ou politiques *(Ar-thaśāstra)*, de morale ou de conduite amoureuse *(Kamaśā-stra)*. Les adeptes du bouddhisme et du jaïnisme ont d'abord préféré utiliser, pour propager leur religion et leur pensée, le *pali* (dialecte qui deviendra langue de culture à Ceylan, en Birmanie et dans le Sud-Est asiatique) et les *prakrits* (qui se développèrent à

partir du vᵉ s. av. J.-C. et qui sont à l'origine des langues indoaryennes modernes). Mais dès le début de notre ère les textes religieux bouddhiques et jaïns sont rédigés de plus en plus en sanskrit : c'est le cas notamment des œuvres du poète et musicien bouddhiste Aśvaghosa (iiᵉ s.) et de l'érudit jaïn Hemacandra (xiiᵉ s.).

Parmi les œuvres sanskrites qui ont eu le plus de résonance en Inde, mais aussi en Occident, il faut noter le *Pañcatantra*, recueil de fables qui mettent en scène des animaux, et le drame *Śakuntalā* du prince-poète Kālidāsa, qui se livre à une analyse raffinée de l'amour dans une société à la fois pieuse et chevaleresque.

Du cycle de la violence à l'anéantissement dans la paix

Les luttes inexpiables que peignent le *Mahāb-hārata* et le *Rāmāyaṇa* débouchent sur une leçon de sagesse et de détachement. Son expression la plus haute se manifeste dans le culte de la *bhakti*, amour dévotionnel intense que le fidèle voue à Dieu, identifié tantôt à Viṣṇu, tantôt à Śiva, comme l'incarnation de la plénitude de l'être. Dans la pierre et le bronze des temples, les héros, qui modèlent encore l'âme indienne, semblent avoir échappé au cycle infernal des renaissances et trouvé l'immortalité.

2. Le combat des Pāṇḍava et des Kaurava.

3. Viṣṇu, bronze cambodgien.

4. L'univers du *Rāmāyaṇa* : temple indonésien de Śiva.

La poésie chinoise classique

DEPUIS PLUS DE VINGT-CINQ siècles, les Chinois écrivent dans la même langue. Si les langues parlées en Chine ont beaucoup évolué, la langue écrite s'est maintenue semblable à elle-même : cette pérennité traduit une volonté têtue de conservation, dans son fonds et dans sa forme, d'un patrimoine culturel, image de la permanence et de la stabilité des structures de l'Empire et de l'ordre du monde.

La littérature chinoise se définit à travers trois couples d'oppositions : d'abord, entre une littérature savante rédigée par des lettrés et une littérature populaire transmise par la tradition orale ; ensuite, entre une langue classique, mode d'expression de la poésie et des grands genres en prose (le *wenyan*), et une langue parlée (le *baihua*), qui est la langue du théâtre et du roman ; enfin, entre deux sources d'inspiration, le confucianisme, préoccupé de morale, d'action et d'éducation de la collectivité, et le taoïsme, attaché à la méditation et à la réalisation personnelle.

La poésie est l'essence même de la littérature chinoise. Du couplet qui rythme les travaux du paysan à la correspondance du mandarin et à l'élégie impériale, la poésie a assumé un rôle social capital, assurant prestige et pouvoir. D'autre part, la poésie est indissociable des autres arts, particulièrement de la musique (les genres fondamentaux de poèmes étaient destinés à être chantés) et de la peinture, par le biais de la calligraphie : l'idéal du poète est d'inscrire son œuvre avec son pinceau sur une peinture.

Les deux grandes visions du monde qui se partagent la Chine marquent la poésie dès ses origines : le confucianisme, qui définit l'essence de l'homme et ses règles de conduite, dans le *Shijing*, ou *Classique des vers* ; le taoïsme, qui affirme la valeur de l'existence de l'individu, dans le *Chuci*, ou *Élégies du pays de Chu*. Le bouddhisme y ajoutera une sensibilité spéciale à l'égard de la nature.

La poésie chinoise n'appartient pas seulement à l'histoire, elle relève d'une pratique toujours actuelle : Mao Zedong lui-même, dont la Révolution culturelle détruisit les livres anciens et les pagodes de porcelaine, écrivait des poèmes à chanter et un *Éloge du prunier* selon les règles du xe siècle.

Le ci

LIÉ D'ABORD À LA MUSIQUE DES BANQUETS ET AUX SUJETS FRIVOLES, LE CI EST CAPABLE D'EXPRIMER TOUS LES SENTIMENTS.

Le ci est le « poème à chanter ». Il consiste à inventer des paroles sur des mélodies existantes. Il n'a donc pas vraiment une forme fixe, mais environ deux mille possibilités de structure et de rythme, correspondant à des airs différents. Chaque air choisi impose la composition du poème : nombre de couplets, nombre de vers par couplet, nombre de pieds par vers, disposition des rimes et des tons.

Le ci se caractérise par une certaine liberté dans le ton comme dans les sujets. Ses thèmes principaux tournent autour de la femme et de l'amour, dans une tonalité plus sentimentale avec Wen Tingyun (812-v. 870) et Ouyang Xiu (1007-1072), plus sobre avec Wei Zhuang (836-910), plus musicale et plus nostalgique avec Liu Yong (v. 987-v. 1053). Le ci fut rénové par Su Shi, qui s'efforça de le libérer des contraintes musicales : il créa l'« école libre et hardie », illustrée par le général Xin Qiji (1140-1207), qui mêle à l'évocation de ses amours et de sa délectation de la nature familière, le regret de son pays natal, et par le héros malheureux de la lutte contre l'invasion mongole, Wen Tianxiang (1236-1282). Le ci classique fut pérennisé par la poétesse Li Qingzhao (v. 1081-v. 1141) – qui déplore sa vie brisée par l'invasion des Jin et la mort de son mari – et par le lettré bohème Jiang Kui (1155-1221), dont l'œuvre, très appréciée aujourd'hui pour sa beauté musicale, vaut surtout par ses impressions de voyage et son sentiment de la nature.

Le jeune aristocrate mandchou Nalan Xingde (1655-1685), membre de la garde personnelle de l'empereur Kangxi, forme, avec ses poèmes sur ses amours contrariées et ses rêves brisés, un jalon dans la longue destinée du ci que la Révolution culturelle de Mao Zedong, qui ne dédaigna pas lui-même d'en composer, n'a pas pu interrompre. •

Le fu

LE FU EST L'EXERCICE DE STYLE FAVORI DES POÈTES DE COUR : C'EST UN ORNEMENT DE PLUS DANS LA VIE BRILLANTE DES EMPEREURS HAN.

Dès le IIe s. av. J.-C. se développe à la cour des Han une sorte de récitatif descriptif combinant la prose rythmée et les vers. La forme métrique la plus courante est le distique de vers de quatre ou six pieds. La longueur du poème varie entre quelques dizaines et quelques centaines de vers. Le style combine des mots rares et musicaux. Les sujets favoris sont la relation des chasses de l'empereur ou l'évocation de la splendeur des capitales.

Le maître du genre est Sima Xiangru (179-117 av. J.-C.), gentilhomme de la cour célèbre pour son aventure avec la belle Zhuo Wenjun, qui s'enfuit avec lui après l'avoir entendu jouer de la cithare, et qui est devenue un thème traditionnel de la poésie chinoise. Son *Fu de la Grande Porte*, écrit à la demande de l'impératrice délaissée, ramena l'empereur à son épouse.

À partir du Ve s. apr. J.-C., le fu sera plus court et fera place aux notations réalistes : il célébrera les objets quotidiens, les sentiments intimes. Sous les Tang, il ne sera plus guère qu'un exercice de style pour les examens de l'administration, avant de revivre sous les Song dans une forme légère et presque prosaïque. •

Le yuefu

LA POÉSIE EST D'ABORD UN RYTHME : LES BALLADES POPULAIRES, CHANTÉES ET DANSÉES, REPRISES PAR LES LETTRÉS DE LA COUR IMPÉRIALE, DEVIENNENT DES POÈMES AUX FORMES FIXES ET AUX SENTIMENTS STYLISÉS.

Le yuefu tire son nom du bureau de la Musique (*Yuefu*) créé en 120 av. J.-C., et réformé par Li Yannian, frère de la concubine favorite de l'empereur Wudi. Cet organisme était chargé de collecter et de rassembler les chants populaires. C'est Guo Maoquian qui en établit, au XIIe s., la plus importante collection. Les volumes conservés regroupent peu de poèmes véritablement populaires : ce sont surtout des hymnes dynastiques au style pompeux. Les plus typiques chantent, en vers irréguliers et, plus tard, de cinq pieds, la guerre, la passion, les saisons. Certains

Grands poètes et grandes œuvres classiques

Des origines au « Premier Empereur » (221 av. J.-C.).

v. 600 Le *Classique des vers* (*Shijing*), la pierre angulaire de la conception confucéenne du monde ; le modèle de toute poésie, populaire ou aristocratique.

v. 300 Les *Élégies du pays de Chu* (*Chuci*), l'inspiration taoïste, individualiste et lyrique.

Des Han au désastre des Sui (*206 av. J.-C. à 618 apr. J.-C.*).

179-117 Sima Xiangru, le maître du *fu*.

Ier s. apr. J.-C. *Dix-Neuf Poèmes anciens*, le répertoire thématique de la poésie classique.

155-220 Cao Cao, homme de guerre cruel, connu dans la légende et l'histoire comme le « Prince des traîtres » ; il a donné au lyrisme personnel et au *yuefu* leurs lettres de noblesse.

IIIe s. Les Sept Sages de la forêt de bambous, groupe de poètes qui se réunissaient loin des intrigues de la cour et des malheurs du monde : le plus notable est Ruan Ji (210-263), chantre excentrique du vin.

Les Tang : l'âge d'or de la poésie (*618-907*)

699-759 Wang Wei, calligraphe inventeur de la peinture monochrome à l'encre et de la méthode des *cun* (« rides »), coups de pinceau qui rendent la texture de la matière. Le maître du paysage.

701-762 Li Bo, le « Génie de la poésie ». Une vie extravagante, un art qui atteint un équilibre unique. Le grand spécialiste du *jueju*.

1. Calligraphie, XIe s.

712-770 Du Fu, le « Sage de la poésie ». Un réalisme qui traduit les malheurs des temps et les échecs de sa vie. Le modèle du *lüshi*.

772-846 Bo Juyi, poète « engagé » qui réagit contre l'art érudit et peint la vie quotidienne du peuple.

Les Song (*960-1279*)

1036-1101 Su Shi fait éclater les cadres de la pensée (il combine confucianisme, taoïsme et bouddhisme) et de l'art (il mêle les qualités de la prose et de la poésie). Le rénovateur du *fu*.

Les Yuan (*1279-1368*)

v. 1230-v. 1300 Guan Hanqing, acteur, auteur dramatique, peintre de la femme qui unit force et tendresse.

v. 1260-v. 1321 Ma Zhiyuan, l'un des maîtres du *sanqu*, dernière création originale de la poésie chinoise.

Le sanqu

LE SANQU EST LA DERNIÈRE
FORME POÉTIQUE ISSUE DU GÉNIE CRÉATEUR
CHINOIS. APRÈS LUI, LA POÉSIE SE CANTONNERA DANS
L'IMITATION ET LA RÉPÉTITION DE RYTHMES
ET DE PASSIONS FIGÉS.

Aux XIIIe-XIVe siècles, sous les Yuan, le genre à la mode était un poème chanté sur des airs connus répartis en neuf modes, le sanqu. Le sanqu est formé d'un « petit air » *(xiaoling),* couplet de quelques vers à rime unique, et d'une « suite » *(taoshu)* de plusieurs couplets chantés sur des airs différents.

La collection complète des sanqu des Yuan rassemble environ 3 000 œuvres de 237 poètes. Avant 1290, le sanqu est essentiellement en faveur dans le Nord : il use du langage parlé, d'un style naturel, et recourt aux émotions fortes. Il est pratiqué par des poètes qui sont aussi auteurs dramatiques, comme Guan Hanqing (v. 1230-v. 1300) et Ma Zhiyuan (v. 1260-v. 1321). Après 1290, le sanqu se développe dans le Sud, et il perd progressivement de sa grandeur et de sa force au profit de l'élégance avec Qiao Ji (1280-1345) et Zhang Kejiu (v. 1270-v. 1349). Le sanqu est, au fond, la dernière création originale du génie poétique chinois. Après lui, les poètes ne feront plus qu'imiter et répéter les formes consacrées. ●

L'écriture poétique

LA POÉSIE CHINOISE EST
INDISSOLUBLEMENT LIÉE AU SYSTÈME D'ÉCRITURE
QUI LA TRANSCRIT ET L'ÉCRITURE CHINOISE EST CONÇUE
COMME UNE EMPREINTE DU MONDE DANS LAQUELLE
LA NATURE ENFERME ET LIVRE SES SECRETS.

La structure de la langue chinoise rend sa poésie littéralement intraduisible. Les caractères idéographiques ont en effet un pouvoir immédiat de suggestion, indépendant de la prononciation. Dans le choix d'un caractère interviennent des critères comme la beauté graphique, ses résonances personnelles, les correspondances avec les caractères voisins.

Les cinq tons distinguent chaque syllabe de la langue, donc, en langue classique, chaque mot, par leur modulation. La musicalité d'un poème dépend de leur répartition. On les classe habituellement en tons plats et tons obliques, et les poètes jouent de leurs oppositions, répétitions et alternances selon un code strictement établi. D'autre part, la langue chinoise, qui ne connaît que des termes monosyllabiques et invariables, tire de cette imprécision des effets de flou et de généralité impossibles à rendre dans une langue européenne.

Enfin, à la symétrie des tons s'ajoute le parallélisme des mots. Le parallélisme tient en Chine une place essentielle, et même dans la vie courante : on inscrit ainsi des sentences parallèles de chaque côté de la porte de la maison ou sur les colonnes des temples. Ce goût du parallélisme est d'ailleurs renforcé par la conception dualiste de l'existence. Les deux vers d'un distique peuvent donc opposer terme à terme, dans une disposition rigoureusement symétrique, des mots qui sont de même nature mais de sens contraire ou complémentaire. ●

→ Voir aussi : Chine Le classicisme, ARTS, p. 184-185. Le chinois, LANGUES, p. 494-495.

L'errance, entre la sagesse et le vin

Le poète chinois est perpétuellement déchiré entre l'appel de la nature et la tentation des splendeurs de la cour. Dans les œuvres de l'âge d'or des Tang, et surtout avec Du Fu (2), domine cependant l'amertume devant l'impossibilité de faire vivre la beauté, ou un sentiment vrai, dans la société viciée qui entoure le prince. D'où le retrait vers un lieu de méditation, ermitage dans la forêt ou monastère bouddhiste (3), ou la recherche de l'extase solitaire dans l'ivresse (4). Mais cette poésie n'est pas un art désincarné. Elle ne se conçoit que dans un rapport étroit à la musique et à la calligraphie (1). La poésie est donc un acte qui engage non seulement un individu isolé, mais l'ensemble des moyens dont dispose l'homme pour rendre compte de la nature de sa place dans l'ordre du monde.

Le shi

LE SHI EST LA FORME POÉTIQUE CHINOISE
LA PLUS IMPORTANTE PAR SA DURÉE ET PAR LE NOMBRE
DE SES CRÉATEURS. LE TERME DE « SHI » DÉSIGNE
D'AILLEURS À LUI SEUL LA POÉSIE.

Le shi apparaît dès le *Classique des vers* (le *Shijing*), avec des vers de quatre pieds. Vers le IIIe s. se généralise le vers de cinq pieds *(wuyan shi)* qui, au VIe s., avec le vers de sept pieds *(qiyan shi),* entre dans la composition du jinti shi. Le jinti shi, « poésie de forme moderne », est en réalité l'une des expressions les plus raffinées de la littérature savante. Le poème doit comporter un nombre de vers limité (4, 8 ou 12), un nombre de pieds par vers à choisir pour tout le poème (5 ou 7), une seule rime par poème au vers pair. Le jinti shi doit, en outre, respecter le contrepoint tonal, et un schéma de composition fondé, la plupart du temps, sur le distique.

Le jinti shi se divise lui-même en deux genres. Le jueju (« phrase coupée »), de quatre vers de cinq ou sept pieds, atteint, dans ses vingt ou vingt-huit caractères, les sommets de la concision et de la densité : forme phare de la poésie par distiques et respecte le parallélisme des termes dans le deuxième et le troisième distique. Sous les Tang, le lüshi que les candidats mandarins devaient composer comptait douze vers. Mais certains poètes pratiquèrent le « lüshi en série » *(pailü)* allant jusqu'à cent vers. Le lüshi, dont Du Fu a donné les modèles incontestés, a survécu jusqu'à nos jours grâce à sa grande faculté d'adaptation à tous les sujets : descriptifs, lyriques, circonstanciels.

Le shi a cependant subsisté sous une forme libre, le gushi (« poème à l'ancienne »), qui se caractérise par sa liberté dans le choix du nombre des vers, du nombre de pieds (4, 5 ou 7, constant dans un même poème) et de la rime : une forme pentasyllabique prédomina sous les Six Dynasties (avec Cao Zhi, Tao Yuanming, Xie Lingyun) avant de devoir céder la place à une structure heptasyllabique sous les Tang (Du Fu, Li Bo). ●

2. Du Fu. Gravure de Chengdu.

3. Le poète sur le chemin de la solitude contrainte ou acceptée. Peinture du XVe s.

4. Le vin, exil intérieur du poète. Peinture anonyme du XIIe s.

poèmes sont d'une certaine ampleur, comme les *Dix-Huit Couplets sur la flûte barbare* attribués à la poétesse Cai Yan, prisonnière des hordes du Nord et rachetée par l'empereur Cao Cao ; d'autres sont brefs, comme les *Ziye ge,* mélancoliques chants d'amour du Sud. Tous ces thèmes se retrouvent dans les *Dix-Neuf Poèmes anciens,* œuvre anonyme du Ier s. apr. J.-C. Avec une grande discrétion de ton, ils évoquent la douleur de l'éloignement de l'être cher, la vanité des plaisirs et l'inconstance des passions. Sommet de la littérature poétique, ils incarnent le double héritage du *Shijing* et du *Chuci,* et inaugurent ainsi l'ère de la poésie régulière, qui atteindra son apogée sous les Tang.

Le yuefu, qui exprima d'abord les sentiments simples en un style sobre et concis, s'enferma bientôt dans une poésie de cour où le poète-chansonnier composait, sur un air connu, des paroles dont les thèmes (la séparation, le temps qui passe, la jouissance de l'instant) étaient eux-mêmes stéréotypés. Le genre fut renouvelé par Yuan Zhen (779-831) et Bo Juyi (772-846), qui tentèrent de retrouver la sincérité de l'inspiration et la simplicité réaliste des modèles de l'époque des Han. ●

Le théâtre chinois

L E THÉÂTRE EST LE DERNIER genre littéraire apparu en Chine : la première pièce complète ne date que du début du XIIIe siècle. Mais il débute par des chefs-d'œuvre. C'est qu'il a été préparé par toute une littérature orale, chantée et accompagnée de musique : ainsi, dès les XIe-XIIe siècles, ces séries de poèmes, sur des modes différents *(zhugong diao),* interprétés par un artiste s'aidant du luth (le *pipa*), ou ces récits d'aventures guerrières, rythmés par le tambour et le violon, qui donneront naissance au *guci.*

Sous les Song, la vie urbaine donne aux arts du spectacle un essor sans précédent : les quartiers de plaisirs des villes comme les milieux lettrés et élégants raffolent des ballets chantés, des théâtres d'ombres et de marionnettes, des farces et des pantomimes des conteurs publics. Le théâtre va ainsi affirmer progressivement ses traits caractéristiques : une alternance de parties en vers chantées et de dialogues en prose ; des gestes et des jeux de scène stéréotypés ; un orchestre dont le rôle est de souligner les moments forts.

Le théâtre connaît son âge d'or sous les Yuan (1279-1368) : la dynastie mongole, passionnée de spectacles, n'a pas le mépris des lettrés chinois pour la scène et les acteurs. Deux styles coexistent alors : dans le nord de la Chine, un théâtre fortement structuré, au rythme souvent poétique, qui cherche à camper des personnages et des caractères universels (le *zaju*) ; dans le Sud, une construction plus diffuse et plus attentive à l'accompagnement musical (le *nanxi*).

Le théâtre chinois évoluera ensuite dans deux directions opposées : une première voie, réductrice, tendra à restreindre l'action dramatique et à privilégier la beauté littéraire du texte (ce sera le *chuanqi*) ; une seconde conception théâtrale, extensive, mettra l'accent sur la virtuosité gestuelle et la vigueur lancinante d'un rythme musical simple et omniprésent (ce sera l'*opéra de Pékin*). Aujourd'hui, le théâtre est un genre bien vivant en Chine : si les intellectuels marquent leur intérêt pour le théâtre parlé à l'occidentale, le *huaju,* introduit en Chine en 1922 et dont l'œuvre la plus célèbre reste *l'Orage* (1933) de Cao Yu, le public populaire demeure fidèle aux formes traditionnelles.

Le zaju : « le Pavillon de l'Ouest »

LE ZAJU DEVINT, SOUS LES YUAN ET DANS LE NORD DE LA CHINE, UN GENRE À PART ENTIÈRE PAR LE RÉALISME DE SES PERSONNAGES, LA VÉRACITÉ DE SES DIALOGUES, L'UNIVERSALITÉ DE SES THÈMES.

S 'il porte un nom flou (« zaju » signifie « pièces mélangées »), ce théâtre est rigoureusement composé. Il comporte quatre actes, plus un acte plus court et facultatif. Les parties chantées sont aussi importantes que les parties déclamées : elles sont interprétées par le seul personnage principal, qui peut chanter les quatre actes. Le choix des mélodies est strict : un seul mode *(diao)* par acte, une seule tonalité *(taoshu)* pour tous les airs. Sous les Song, la partie chantée était la seule écrite. Les dialogues étaient laissés à l'improvisation des acteurs. Sous les Yuan, les dialogues et les monologues prennent une place de plus en plus importante.

Le premier grand auteur de zaju est Guan Hanqing (v. 1230-v. 1300) : il aurait été lui-même acteur et dans la pratique des planches il aurait compris l'importance d'un dialogue vivant. Son œuvre mêle comédies de mœurs, pièces historiques, drames judiciaires (mettant en scène le fameux juge Baocheng) et évoque l'ensemble de la société de son temps. La plupart de ses personnages principaux sont des femmes, jeunes, modestes, persécutées, courageuses : son héroïne la plus célèbre, Du E, la veuve incorruptible compromise dans un crime qu'elle n'a pas commis parce qu'elle a refusé ses faveurs à un riche marchand, est de-

venue un personnage proverbial.

Le chef-d'œuvre du zaju est une longue pièce romantique, *le Pavillon de l'Ouest,* de Wang Shifu (XIIIe s.). C'est l'évocation des amours contrariées d'une jeune fille de haute noblesse, promise à un fils de ministre, et d'un pauvre étudiant. Les deux amants se rencontrent chaque nuit au Pavillon de l'Ouest, grâce à la complicité d'une servante. Leur constance triomphera de l'adversité, et les chants qui scandent leurs incessantes séparations et retrouvailles sont encore populaires aujourd'hui.

Beaucoup de sujets de zaju sont pris dans le fonds légendaire des conteurs des Song (les *huaben*), mais aussi dans l'histoire : la dramatique aventure de Yang Guifei, la favorite de l'empereur Xuanzong qui, lors de la rébellion d'An Lushan, est contrainte de se pendre avec son écharpe de soie blanche, forme le thème du célèbre *Pluie sur le tilleul* de Bo Ren-fu. Sous les Ming, le zaju cessa d'être à la mode et le public lui préféra le *chuanqi.* •

Le nanxi : « l'Histoire du luth »

FACE AU RÉALISME DU THÉÂTRE DU NORD, LE SUD DE LA CHINE A DÉVELOPPÉ UNE FORME QUI PRIVILÉGIE LA MUSIQUE.

L e *nanxi,* c'est le « théâtre du Sud ». De structure assez libre, il peut compter jusqu'à cinquante scènes. Il est chanté non par le seul protagoniste mais par plusieurs personnages. Sur les 170 titres qui ont été conservés, il ne reste que douze pièces complètes, dont cinq sont encore jouées de nos jours : *le Lièvre blanc, le Pavillon du salut à la lune, l'Épingle de bois, le Chien tué,* d'auteurs anonymes, et la célèbre *Histoire du luth* (le *Pipa ji*) de Gao Ming.

La pièce de Gao Ming a été écrite vers 1350, sur un thème connu. En 42 tableaux, elle déroule l'histoire édifiante d'une jeune femme, modèle des épouses et des belles-filles. En effet, son mari l'a quittée, au len-

demain de ses noces, pour aller passer des examens : brillamment reçu, il est remarqué par le Premier ministre, qui décide d'en faire son gendre. L'épouse délaissée travaille pour venir en aide à ses beaux-parents tombés dans la misère et, à leur mort, elle vendra jusqu'à sa chevelure pour les enterrer dignement. Elle part alors sur les routes, mendiant en jouant du luth. Elle finit par retrouver son mari, et l'empereur la récompense pour sa fidélité et pour sa piété filiale.

Après avoir rivalisé avec le zaju, le nanxi évolua vers une forme plus poétique et plus musicale, détachée des contraintes du déroulement d'une intrigue dramatique : le chuanqi. •

1. Un acteur, au début du siècle, de l'opéra de Pékin.

Le chuanqi : « le Pavillon des pivoines »

LE CHUANQI COMMENÇA PAR CHARMER LES ÂMES ROMANTIQUES ET FINIT PAR DEVENIR UN ART VIRTUOSE POUR MÉLOMANES AVERTIS.

C'est au début du règne des Ming que le nanxi se modifia peu à peu pour donner naissance à une forme nouvelle, qui devait s'imposer pendant plus de quatre siècles, le chuanqi. Le chuanqi repose sur une double élégance : celle du texte, qui recherche la beauté formelle et qui exprime la délicatesse des sentiments ; celle de la musique et de l'interprétation du chant. Le style musical du chuanqi est le style *kunqu,* dont les mélodies raffinées sont accompagnées de flûtes et d'instruments à cordes. C'est le musicien Wei Lianfu qui, en 1550, écrivit la première partition pour chuanqi. Un trait remarquable de cette musique, c'est qu'elle donne la primauté aux voix de fausset, peu importe que les rôles soient féminins ou masculins.

Trois pièces de chuanqi sont toujours au répertoire : le *Palais de la vie éternelle* (1688) de Hong Sheng, qui reprend le thème sempiternel des amours tragiques de Yang Guifei et de Xuanzong ; l'*Éventail aux fleurs de pêcher* (1699) de Kong Shangren, qui conte la dramatique histoire d'une courtisane au noble cœur et d'un lettré fidèle ; le *Pavillon des pivoines,* (1598) de Tang Xianzu, la plus ancienne et la plus célèbre.

Le Pavillon des pivoines c'est l'histoire, en 55 actes, d'un amour conçu en rêve et plus fort que la mort. Un jour de printemps, une jeune fille de bonne famille songe qu'un bel étudiant vient la voir, lui révèle l'amour dans le Pavillon des pivoines et disparaît en jurant de revenir un jour. La jeune fille sombre alors dans la mélancolie et meurt. On place sur sa tombe son portrait. Un jeune homme passe et reconnaît celle dont il a aussi rêvé. La belle ressuscite et le mariage a lieu. La jeunesse chinoise s'est toujours attendrie sur cette miraculeuse revanche des laissés-pour-compte qui peuplent sa foule solitaire.

Vers la fin de la dynastie Ming, le chuanqi devint un pur passe-temps de lettrés, indifférent aux nécessités de la scène. C'est alors que se développèrent des formes plus frustes de théâtres régionaux et populaires, les *difangxi.* ●

L'opéra de Pékin

ART POPULAIRE ET SPECTACLE COLORÉ, L'OPÉRA DE PÉKIN EST CEPENDANT UNE FORME DRAMATIQUE TRÈS ÉLABORÉE. SON SYMBOLISME PLONGE AU PLUS PROFOND DE LA CULTURE CHINOISE.

L'opéra de Pékin est né, dans les vingt premières années du XIXe siècle, de la combinaison de plusieurs styles locaux de théâtres chantés (*xipi* du Nord, *erhuang* du Sud). C'est un spectacle total : il associe le chant, le dialogue, les gestes symboliques, le combat acrobatique. La musique est simple : l'orchestre de bois et de cordes est soutenu par une percussion omniprésente. Tous les rôles de l'opéra de Pékin sont tenus par des hommes, et les acteurs ont le choix entre quatre types spécialisés : masculin lettré, masculin guerrier, féminin, fou. Les costumes sont ceux de l'époque Ming, et les grimaces des visages, violemment peints, dévoilent a priori l'âme du personnage. Le répertoire puise dans les romans à épisodes et dans les aventures amoureuses ou policières de la tradition littéraire.

L'opéra de Pékin s'imposa grâce à un auteur comme Cheng Zhanggeng (1811-1880), qui codifia les mimiques, les jeux de scène, le style des voix, tout un ensemble de conventions dont la connaissance est indispensable pour saisir la signification de l'œuvre représentée. Entre les deux guerres mondiales, le genre connut une faveur extraordinaire, grâce à deux acteurs de génie : Zhou Xinfang (1895-1975) dans les rôles masculins, et, surtout, dans les rôles féminins, Mei Lanfang (1894-1961), qui triompha en représentant Yang Guifei ivre. C'est en observant sa technique de jeu que Brecht élabora son concept de *distanciation,* c'est-à-dire le point de vue critique que l'acteur adopte sur son personnage et qui permet de démonter le mécanisme de l'illusion dramatique.

Mao Zedong et les intellectuels communistes réfléchirent très tôt sur un spectacle qui bénéficiait d'une si grande audience populaire : ils proposèrent un opéra de Pékin nouvelle manière, dont le modèle fut *la Fille aux cheveux blancs,* créée en 1942 et publiée en 1945. La pièce, composée collectivement puis rédigée par He Jingshi et Ding Yi et mise en musique par Ma Ke, fut définie comme le chef-d'œuvre de la littérature socialiste : elle illustrait la lutte des classes à partir d'un épisode d'un roman du XVe siècle et mêlait les techniques savantes à la légende populaire. Elle fut l'une des rares pièces du « théâtre modèle » (le *yangbanxi*), résidu du répertoire dramatique qui avait été autorisé par Jiang Qing, femme de Mao Zedong, pendant la Révolution culturelle. Depuis 1976, l'opéra de Pékin a repris une nouvelle vigueur et a même stimulé le renouveau de théâtres locaux, comme celui de Canton. ●

« Avec l'ancien, faire du nouveau »

Ce slogan de la Révolution culturelle résume l'évolution continue du théâtre chinois, qui adapte sans cesse ses formes et ses thèmes aux sensibilités et aux modes nouvelles.

2. Masque de l'opéra de Pékin : le Dragon vert.

3. Formes classiques, sujets modernes : « le Détachement féminin rouge », une des huit pièces modèles composant le répertoire de la Chine de Mao Zedong.

La littérature japonaise

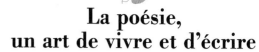

La poésie, un art de vivre et d'écrire

LA POÉSIE INCARNE DEUX CARACTÉRISTIQUES FONDAMENTALES DU JAPON : LA FORME MODÈLE LA PENSÉE ET LE COMPORTEMENT, LE NOUVEAU SE GREFFE TOUJOURS SUR L'ANCIEN.

ARCHIPEL ISOLÉ PAR UNE mer difficile, politiquement morcelé et confiné dans une tradition orale, le Japon s'est ouvert au monde, aux premiers siècles de notre ère, en empruntant à la Chine sa langue et sa culture. Langue du gouvernement, de la religion, des lettrés, le chinois a donc d'abord imposé au japonais ses structures et ses thèmes.

Lorsque s'affermit le pouvoir central, au VIIe siècle, les empereurs eurent pour premier souci de codifier, dans la langue du pays, les mythes fondateurs du monde et de la dynastie (le *Kojiki,* 712), les premiers événements historiques (le *Nihongi,* 720), les traditions et les rituels (les *Fudoki,* 713-735). La première anthologie littéraire, le *Manyô-shū* (v. 760), fut le fruit d'une initiative privée. Ce recueil porte en germe toute la littérature nationale : il donne avec le *tanka* le modèle du poème japonais par excellence, et les préambules chinois aux poèmes cités, une fois traduits en japonais, formeront le moule de genres appelés à se développer pendant des siècles, le *nikki,* journal intime, et le *monogatari,* qui évoluera du conte au roman-fleuve et à l'épopée.

La littérature japonaise s'épanouit sous la forme d'un art de cour, où les femmes jouèrent un rôle capital : elles sont à la source à la fois du « roman courtois » (le *Genji-monogatari*) et de la notation elliptique de moments saisis sous l'aspect de leur beauté plastique, les *zuihitsu,* une des définitions les plus durables de l'âme et de l'art japonais. Les guerres civiles du XIIe siècle eurent une double conséquence : elles ouvrirent à la culture de nouvelles couches sociales ; elles firent prévaloir le goût pour l'histoire, considérée dans la perspective critique des *kagami* (les « miroirs ») ou dans le foisonnement épique de textes récités par des moines aveugles s'accompagnant du luth à quatre cordes (le *biwa*). De la plus célèbre de ces épopées, le *Heike-monogatari,* datent la nouvelle langue littéraire, dont procède le japonais moderne, et l'unification de la tradition nationale.

C'est dans l'épaisseur temporelle et la plasticité graphique de cette littérature que les écrivains d'aujourd'hui cherchent la cohérence d'une culture contaminée par tous les prestiges et toutes les angoisses de l'Occident.

La capacité à composer et à apprécier la poésie a été, jusqu'à l'époque moderne, une des conditions de la réussite dans la société. Cette compétence se fondait sur un paradoxe : couler des émotions intimes et originales dans des formes fixes et connues de tous. Cette émulation et cette contrainte permanentes ont été entretenues jusqu'à nos jours par la publication des anthologies impériales (21 entre 905 et 1439) et par les concours de poésie *(uta awase)* institués en 913.

Le waka.

À l'origine les lettrés pratiquaient le *kanshi,* le « poème à la chinoise ». Mais parallèlement se développait une poésie en langue autochtone, le « chant du Yamato ». Le poème japonais (le *waka*) a été codifié dès la première anthologie établie au siècle de Nara, le *Manyô-shū.* Le *Manyô-shū* ou « Recueil de dix mille feuilles », en 20 livres, a été rassemblé vers 760 et publié en 808. Ses 4 500 poèmes, reposant sur une métrique très simple faite de la succession ou de l'alternance d'éléments de cinq et sept syllabes, se répartissent entre trois formes : les *sedô ka* (« chants alternés »), les *chôka* (« longs poèmes », parfois suivis d'un « envoi » ou *hanka*), les *tanka* (« poèmes courts », les plus nombreux : 4 000).

Les plus anciens poèmes passaient pour avoir été composés au IVe siècle sous l'empereur Nintoku. En réalité, ils ne remonteraient guère qu'au début du VIIe siècle par la spontanéité de l'inspiration et un vif sentiment de la nature. Une seconde période (fin VIIe s.) est dominée par Kakinomoto no Hitomaro (m. v. 710), le maître de l'élégie funèbre et du panégyrique de cour. Les poèmes de la dernière période (milieu du VIIIe s.) sont plus formalistes : la plus grande partie est attribuée à Ōtomo no Yakamochi, en qui l'on a voulu voir l'auteur du recueil. Les 31 syllabes du tanka (5-7-5/7-7) deviendront la forme classique de la poésie japonaise.

1 et 2. Illustrations du XIIe s. pour le *Genji-monogatari.*

Le renga.

Les auteurs du *Manyō-shū* étaient non seulement des aristocrates, mais des moines, des soldats, des paysans. Or, à partir de l'époque de Heian, dans la société policée de la nouvelle capitale (la future Kyōto), une élite hypercultivée constitue un monde clos dont l'étiquette et la poésie sont les préoccupations dominantes. Le renga, « poème lié », exprime l'esprit et la virtuosité de cette caste de courtisans lettrés.

On distingue le « renga court » – sorte de dialogue poétique, dont le jeu consiste à compléter un verset initial, énoncé par une première personne, par un second verset et le « renga en chaîne » dont le nombre des versets variait de 100 à 10 000.

Forme favorite des joutes littéraires où moines et jeunes seigneurs avaient à cœur de se distinguer, le renga se présente comme une suite d'impressions brillantes, d'images surprenantes, sans véritable liaison. Coup de projecteur sur la vie et la nature, le renga connut un succès inouï jusqu'au XVIII<sup> siècle et finit par gagner les masses populaires.

Haikai et haiku.

À côté du tanka et du renga, qui devaient répondre à tous les critères de raffinement et d'élégance, apparut un genre, présent dès le IX<sup> siècle mais reconnu seulement dans le *Recueil de Tsukuba* (1358) :

le *haikai*. Le terme, qui signifie « plaisant », désigne un poème qui sacrifie tout au jeu de mots, à l'amour, voire à la satire de la vie quotidienne. Comme il n'exigeait aucune érudition particulière, il fut l'objet de l'engouement de la nouvelle société de guerriers et de marchands qui domine la période des Tokugawa. Mais, comme, d'un point de vue formel, il ne se différenciait pas du renga, le haikai tendit à se rapprocher des conventions des poèmes traditionnels. Le haikai connut son sommet au XVII<sup> siècle, dans deux tonalités opposées : la peinture allègre de la vie populaire avec Ihara Saikaku (1642-1693), l'évocation dépouillée de l'harmonie entre l'homme et la nature avec Matsuō Bashō (1644-1694).

Le haikai s'affadit ensuite jusqu'au XIX<sup> siècle, où il se réduisit à son premier verset de 17 syllabes (le *haiku*) et se dégagea des règles formelles avec Masaoka Shiki (1867-1902). Le haiku reste aujourd'hui la forme privilégiée de la poésie japonaise. ●

Le goût de l'histoire et du romanesque

Les jeux raffinés de la cour de Heian, aux X<sup>-XI<sup> siècles, comme les luttes pour le pouvoir, au XII<sup> siècle, entre les clans Taira et Minamoto, ont nourri les « monogatari », récits où la peinture concrète d'une société féroce s'allie à l'évocation des intrigues subtiles et des sentiments courtois qui font toute la vie d'aristocrates cultivés et de dames de compagnie qui se révèlent des écrivains de génie.

3. Peinture du XIII<sup> s. pour un rouleau du *Heiji-monogatari*.

🐚

Le journal intime

NÉ D'UN EFFORT POUR GARDER LA MÉMOIRE D'UN PASSÉ PERSONNEL, RECOMPOSER UNE ÉVOLUTION, LE JOURNAL INTIME DEVIENDRA VITE UNE COLLECTION DE SENSATIONS RARES QUI FONT CONSIDÉRER LA VIE COMME UNE ŒUVRE D'ART.

Dès le VIII<sup> siècle des hauts fonctionnaires et des moines ont laissé des chroniques, des récits d'expériences personnelles, des souvenirs rédigés en chinois et mêlés de poèmes.

Les nikki.

Au X<sup> siècle apparaît le « journal poétique » *(uta-nikki),* où la prose japonaise s'unit aux nouvelles formes du *waka*. Consacré par le *Journal de Tosa* (935) du gouverneur Ki no Tsurayuki, le genre sera en fait illustré par des femmes : *Journal d'une éphémère* (954-974) ; *Journal d'Izumi Shikibu* (v. 1003) ; *Journal de Murasaki Shikibu* (1008-1010), œuvre mutilée où se peint la créatrice du *Genji-monogatari ; le Journal de Sarashina* (1020-1059), où une bonne provinciale rêve à la lecture des romans d'aventures et d'amour. Après l'âge d'or des X<sup>-XI<sup> siècles, le genre du nikki suscitera encore des chefs-d'œuvre, comme *la Sente étroite du bout du monde* (1702) de Matsuō Bashō.

Les zuihitsu.

Dérivés des nikki, mais avec une totale liberté de forme, les *zuihitsu,* « écrits au fil du pinceau », permettent d'exprimer, au gré de son humeur, impressions, opinions, sensations. Le premier modèle du genre a été donné, à la fin du X<sup> siècle, par Sei Shōnagon, dame d'honneur de l'impératrice Sadako : ses *Notes de chevet* épinglent, au hasard, des « choses vues », des scènes prises sur le vif, un trait d'esprit ou un ridicule, un oiseau dans l'air du soir, la grâce fugitive d'une fleur de pêcher ou de la tunique d'un courtisan. Les *Notes de ma cabane de moine* (XIII<sup> s.), de Kamo no Chōmei, et *les Heures oisives* (XIV<sup> s.) de Kenkō Hōshi ont fait des zuihitsu le mode d'expression privilégié de la fragilité des êtres et des choses, de la réflexion sur la destinée humaine. ●

🐚

Du roman à l'épopée

DE L'ANECDOTE À LA CHRONIQUE, DU CONTE MERVEILLEUX AU ROMAN COURTOIS PUIS À L'ÉPOPÉE POPULAIRE, LE JAPON A FORGÉ SA TRADITION NATIONALE DANS LA TOURMENTE DES GUERRES CIVILES.

Les premiers « dits » ou contes romanesques ont pour prototype les cent vingt-cinq anecdotes des *Contes d'Ise (Ise-monogatari)* rapportées par le poète Ariwara no Narihira (824-880). Au début du X<sup> siècle, le *Conte du coupeur de bambou* relate les aventures terrestres de la princesse de la Lune, découverte dans une tige de roseau et qui regagnera son royaume céleste après avoir refusé l'amour humain. Au milieu du X<sup> siècle, le *Dit de la cave* traite sur le mode comique et réaliste le thème de Cendrillon. Mais, vers 970, le *Dit de l'arbre creux (Utsubo-monogatari)* peut revendiquer le titre de premier roman moderne du monde : si le merveilleux traverse encore toute l'œuvre (sous la forme de la musique d'un instrument céleste, le *koto*), les intrigues de cour et la vie paysanne et seigneuriale de l'époque sont peintes avec vigueur.

Ces préludes annonçaient la fresque magistrale des 54 livres du *Dit du Genji (Genji-monogatari)* de Murasaki Shikibu (v. 978-1020) : autour du héros, le Genji, fils d'un empereur et d'une favorite, une galerie de plus de 300 personnages évoque cinquante années de la cour de Kyōto, les intrigues et les plaisirs d'une société raffinée et décadente.

L'épopée, creuset de la société nouvelle.

Le succès même du *Dit du Genji* fit considérer ce récit de fiction comme un roman historique. Au XI<sup> siècle, on poursuivit le genre

en prenant les héros parmi les personnages du passé récent : ainsi le *Dit de Magnificence (Eiga-monogatari)* retrace deux siècles de l'histoire du Japon. D'autres ouvrages, reprenant la même matière, en tirent, sous forme de dialogue (*Ō-kagami,* « le Grand Miroir »), une leçon à la fois politique et morale.

Mais ce sont les troubles contemporains qui changèrent la conception du temps et la manière de le conserver. Les luttes des clans Taira et Minamoto, la création du shogunat, le brassage des populations et des couches sociales nourrissent les deux chroniques majeures : le *Dit de Hogen* (pour les années 1156-1184), le *Dit de Heiji* (de 1158 à 1199), et surtout la *Geste des Heike (Heike-monogatari),* dont on connaît 70 versions et que des moines aveugles narraient de château en château en jouant du biwa. Le succès de ces récitations amena l'intégration dans le texte d'épisodes improvisés par ces aèdes et l'extension indéfinie de l'ouvrage, dont témoignent les 48 volumes du *Gempei-Seisuiki* (fin du XII<sup> s.).

Œuvre étonnamment populaire, le *Heike-monogatari* a fixé le mélange de merveilleux et de réalisme qui définit l'épopée. Il a permis la diffusion d'une langue plus variée et plus accessible que le langage de la cour. Il a popularisé le thème de la précarité des ouvrages et des exploits terrestres : la vie humaine n'est que « le songe de la nuit de printemps ». ●

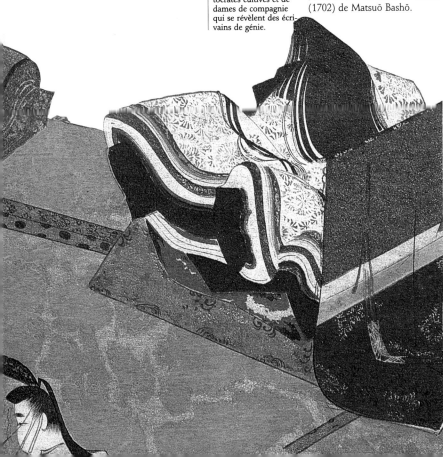

Le théâtre japonais

LE THÉÂTRE JAPONAIS EST un mode d'expression tardif, né des danses populaires et religieuses et nourri des thèmes de l'épopée, qui se développe en deux temps et donne naissance à trois genres.

Jusqu'au XIIIe siècle, dans le cadre de festivités religieuses, on adapte des divertissements chinois et coréens, processions de masques et danses mêlées aux cérémonies bouddhiques : c'est le *gigaku*. Les chants et les airs de ces fêtes, codifiés dans la musique du *gagaku* (dès 701), accompagnent un répertoire de danses stylisées (les *bugaku*) que l'on exécute, aux ères de Nara et de Heian (VIIIe-XIIe s.), à l'occasion de célébrations liturgiques ou de réjouissances impériales. Cet art sacré d'origine étrangère se combine alors avec un art populaire typiquement japonais : le *dengaku,* ou « divertissement des rizières ». Le dengaku va faire la conquête du public des lettrés, à travers sa recherche d'une expression plus raffinée (le *yūgen :* le « charme subtil »), au moment même où se développe le goût pour la farce et les « danses de démons » (le *sarugaku*). Réalisant l'union de l'élégance du den-gaku et de la force du sarugaku, Kanami crée le *nō,* à la fin du XIVe siècle, sur des sujets empruntés aux contes classiques ou à l'épopée. Théorisé par son fils Zeami, le genre se figea très vite dans sa forme et dans son répertoire.

Au XVIIe siècle, la récitation des légendes épiques, où le dialogue tient une grande place, est rendue plus vivante, pour plaire à la nouvelle petite bourgeoisie des villes, par une déclamation accompagnée d'une guitare à trois cordes (le *shamisen*) et par l'incarnation des personnages principaux dans des marionnettes : c'est le *ningyō-jōruri,* le « théâtre de poupées ». Enfin, à la même époque, les intermèdes comiques (*kyōgen*) qui découpaient une « journée » de nō donnent naissance à un théâtre plus réaliste, reposant sur la performance des acteurs : le *kabuki*.

Le théâtre est toujours bien vivant dans le Japon moderne : le public populaire se plaît à la richesse des intrigues et des décors du kabuki, les intellectuels et les jeunes retrouvent leurs racines dans le spectacle hiératique du nō, tandis que le théâtre à l'occidentale cherche dans ses thèmes une voie originale.

1. Acteur de nō.

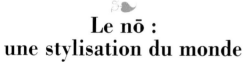

Le nō : une stylisation du monde

SPECTACLE TOTAL QUI MET EN ŒUVRE LE CHANT, LA MUSIQUE, LE MIME, LA DÉCLAMATION, LA DANSE, LE NŌ EST CEPENDANT LE CONTRAIRE D'UN ART RÉALISTE : IL SE CARACTÉRISE PAR LE RECOURS AU SYMBOLE ET L'APPEL À L'IMAGINATION.

Le nō est né de la rencontre d'un acteur de génie, Kanami (1333-1384), et d'un mécène amateur d'art, le shogun Ashikaga Yoshimitsu (1358-1408). Kanami sut adapter la virtuosité de la danse populaire aux chants et dialogues littéraires en vogue à la cour. En moins de dix ans, il créa un genre original que son fils Zeami (1363-1443) commenta et théorisa : ses traités constituent la « tradition secrète » (*hiden*) du nō, transmise scrupuleusement à travers des générations d'acteurs et qui ne sera redécouverte qu'en 1909.

Une esthétique à trois temps.
Schématiquement, le nō peut être défini comme un poème déclamé, mimé et dansé par un acteur principal (le *shite*), qui dialogue avec un personnage secondaire (le *waki*) et un chœur qui soutient de ses chants l'action des héros et qui commente les situations. L'accompagnement musical comprend une flûte, deux tambours à main, et parfois un tambour à baguettes.

Esthétiquement, une pièce de nō s'organise selon un rythme ternaire fondamental : l'introduction (*jo :* « début ») doit susciter l'émotion ; le développement (*ha :* « rupture ») la fait progresser en trois phases ; le final (*kyū :* « rapide ») la porte à son comble et amène le dénouement.

Une pièce de nō est classée dans l'une des cinq catégories déterminées d'après le statut du shite, le personnage principal : divinité, âme de guerrier mort au combat, âme d'héroïne passionnée, être vivant agissant dans le monde, démon.

Le nō est représenté au cours de « journées » qui mettent en scène cinq pièces entrecoupées de farces, les *kyōgen,* qui tournent en dérision les femmes, les moines et parfois le nō lui-même et qui assurent une détente psychologique indispensable. L'ensemble des cinq pièces est lui-même construit suivant les principes du *jo-ha-kyū :* la première pièce, à shite divin, consacre la rupture avec le réel et constitue le *jo* de la journée ; les trois suivantes composent les trois phases du *ha :* virilité du guerrier, violence amoureuse de la femme, angoisse des tourments du monde ; la cinquième pièce, le *kyū* de la journée, évoque la puissance des forces démoniaques.

Le répertoire du nō rassemble 241 pièces, classées dans l'une des cinq catégories et adaptées à une saison : 39 pièces à divinités, 16 à guerriers, 38 à femmes, 95 à personnages du monde réel, 53 à démons ; 77 pièces de printemps, 30 d'été, 77 d'automne et 12 d'hiver ; 45 pièces peuvent être représentées à tout moment de l'année.

La mise à distance du monde.
Une pièce de nō comporte généralement trois parties : dans la première, le waki, le plus souvent un moine itinérant, voit le shite lui apparaître sous l'aspect d'un personnage masqué (un vieillard, un pêcheur, etc.) qui évoque des événements tragiques dont le lieu où il se manifeste fut le témoin. Dans la deuxième partie, un habitant de l'endroit confirme, souvent sur le mode comique, le récit du shite. La troisième partie consiste en un rêve du waki à qui le shite se présente dans la tenue qu'il portait durant sa vie : il évoque ses passions, ses drames, ses luttes, il revit ses combats contre d'autres ombres. Le nō offre donc ainsi trois versions d'un même événement ; il se place, comme le veut sa théorie, à l'intersection du plan divin et du plan humain, au « carrefour des songes ».

En donnant du monde une image à plusieurs faces, le nō fait appel à l'imagination du spectateur et à sa capacité à relier des signes : un rameau de pin évoque la forêt, quelques pas sur la scène évoquent un long voyage, un éventail figure tour à tour un bouclier, un luth ou une coupe. La mimique elle-même, très stylisée,

2. Marionnette et son manipulateur.

3. Scène de kabuki.

Un univers stylisé

Dans l'infinie variété de la vie, dans la fragilité des êtres et des choses, la sensibilité japonaise retient des attitudes, des formes brèves, des fragments de réalité qui, brusquement figés dans la lumière de l'art, introduisent aux vérités profondes et éternelles. Le théâtre est la fine pointe de cette stylisation généralisée de l'existence et de sa représentation. Du hiératisme du nô à la violence du kabuki, le théâtre japonais place les passions immuables et les accidents de l'histoire dans la même perspective et le même détachement esthétiques.

se réduit souvent à l'esquisse symbolique des gestes : ainsi, la main levée à plat à hauteur des yeux suggère les larmes. Les pas sont glissés sur le plancher poli, le corps adoptant une attitude cassée, le buste porté en avant. Mais le lent tournoiement du *mai,* vieille danse extatique, traduit l'emprise de la passion et de la folie.

La disposition de la scène du nô s'inspire, depuis le XVIIᵉ siècle, de celle du château shogunal d'Edo. Ce théâtre s'élevait dans une cour bordée de petits bâtiments en bois : le nô était donc un spectacle de plein air. Aujourd'hui, les lieux scéniques originels sont intégralement reconstitués à l'intérieur de la salle de spectacle. L'ensemble comprend notamment une passerelle qui relie l'estrade où évoluent les acteurs à une pièce, la « pièce du miroir », dans laquelle l'acteur principal, le shite, se coiffe, se masque et se met en condition avant d'entrer en scène en se contemplant dans un miroir : quand il se sent prêt, il s'avance sur la passerelle et le spectacle commence. ●

Le kabuki

CRÉÉ PAR UNE FEMME ET DEVENU UN THÉÂTRE D'HOMMES, EXHIBITION DE SALTIMBANQUES ÉVOLUANT EN SPECTACLE TOTAL, LE KABUKI FUT, JUSQU'À L'APPARITION DE LA TÉLÉVISION, LE DIVERTISSEMENT LE PLUS POPULAIRE AU JAPON.

Ce théâtre joué, dans sa forme classique, uniquement par des hommes a été inauguré, en 1605, par une danseuse, Okuni, interprétant à sa manière (*kabuki* veut dire « contorsions ») des danses d'origine bouddhique : le succès de ces représentations sensuelles provoqua de tels excès que la scène fut interdite aux femmes jusqu'en 1907. Genre populaire, le kabuki ne prit place parmi le théâtre convenable qu'en 1887, lorsque l'empereur Meiji tennô accepta d'assister à une de ses représentations.

Un théâtre total.
Le kabuki met en œuvre toutes les ressources du spectacle : machinerie complexe, orchestre varié, alternance du chant et du dialogue, chorégraphie savante.

Le kabuki se présente comme une succession de tableaux et de scènes plastiques ; les personnages incarnent des types tranchés : bon/méchant, vieillard d'expérience/jeune homme impétueux ; héros vaillant/traître bouffon. Les scènes sont sans nuances, volontiers violentes. Le réalisme est outré, mais des effets spéciaux (apparitions de fantômes, brusques changements de costumes) créent souvent un climat d'irréalité.

Le kabuki emprunte ses sujets aux drames qui ont agité les grandes familles de la noblesse comme aux faits divers du monde bourgeois : jalousies amoureuses, ruptures, calomnies sont prétexte à des scènes spectaculaires, où les acteurs font preuve de leur virtuosité. Depuis la fin du XVIIIᵉ siècle, les pièces parmi les plus populaires ont pour thème des histoires de brigands.

La scène comporte un long prolongement, le *hanamichi,* qui permet aux comédiens d'évoluer au milieu même du public. La musique cherche à recréer les bruits naturels du torrent ou de la pluie.

Un succès constant.
D'abord illustré dans le genre héroïque par Chikamatsu, le kabuki prit une tonalité fantastique avec Tsuruya Nanboku (1755-1829), puis s'orienta vers la peinture des bas-fonds avec Kawatake Mokuami (1816-1893), qui tenta également de créer des « pièces d'histoire vivante » : ce « nouveau kabuki » fut pratiqué à la fin du XIXᵉ siècle et dans la première moitié du XXᵉ par Tsubouchi Shôyô (1859-1935) et Mayama Seika (1878-1948).

Malgré la concurrence du théâtre à l'occidentale et de la télévision, le kabuki reste un spectacle vivant avec des théâtres permanents et des acteurs-vedettes popularisés par les médias. ●

Le théâtre de poupées

NÉ DE DEUX ANCIENS DIVERTISSEMENTS POPULAIRES, LES MARIONNETTES ET LES ADAPTATIONS MÉLODRAMATIQUES D'ÉPOPÉES, LE THÉÂTRE DE POUPÉES EST À LA SOURCE DE LA DRAMATURGIE JAPONAISE MODERNE.

Le théâtre de poupées est né de l'alliance d'un spectacle ancien – venu d'Asie centrale au Xᵉ siècle et pratiqué par des artistes vagabonds puis attachés au service des temples –, les marionnettes *(ningyô),* et des histoires chantées avec accompagnement de shamisen (une sorte de mandoline à l'accent mélancolique) et tirées des légendes épiques : la plus célèbre d'entre elles, qui relatait les amours de la belle Jôruri et du vaillant seigneur Yoshitsune, donna son nom au genre *(ningyô-jôruri).* Le théâtre de poupées devint un véritable genre dramatique lorsque, en 1686, le chanteur virtuose Takemoto Gidayû (1651-1714) s'associa avec un auteur génial, Chikamatsu Monzaemon (1653-1724). Poète, créateur de pièces pour le kabuki, il fit des marionnettes, à partir du succès de *Double Suicide à Sonezaki* en 1703, le modèle de la scène moderne tant par ses sujets que par sa technique. Son œuvre se partage, en effet, entre des pièces historiques qui évoquent l'aristocratie guerrière *(jidaimono)* et des drames contemporains et bourgeois *(sewamono).*

Un art très élaboré.
En un demi-siècle, le théâtre de poupées connut une complication croissante, dans ses textes et dans sa mise en scène. Les poupées, d'abord simples marionnettes à manchon, devinrent des mécanismes si lourds et si perfectionnés (bouche, yeux et sourcils mobiles, mains articulées) qu'il fallut trois manipulateurs pour les mouvoir. Le simple tréteau des premiers spectacles céda la place à des décors somptueux, peints sur des rouleaux descendant des cintres, ce qui permet des changements aussi rapides que celui des marionnettes : on transporte la tête de la poupée sur un corps tout habillé apporté par un aide du manipulateur principal.

Une pièce de jôruri repose non seulement sur l'habileté des marionnettistes, mais aussi sur la qualité du récitant qui interprète tous les rôles et qui, rapidement exténué, est remplacé toutes les demi-heures. Sa déclamation est soutenue par une guitare à trois cordes (le *shamisen)* tendue de peau de chat et frappée d'un plectre d'ivoire ; cet instrument est parfois remplacé par le *kokyû,* qui comporte un archet, ou par une cithare à 13 ou 19 cordes, le *koto.*

Un modèle dramaturgique.
Le théâtre de poupées a laissé des chefs-d'œuvre comme *les Batailles de Coxinga* (1715) de Chikamatsu et *le Trésor des vassaux fidèles* (1748) de Takeda Izumo. Mais la qualité littéraire du texte et la cohérence de l'intrigue cédèrent bientôt le pas à la prouesse technique. Le genre a cependant donné au kabuki, qui le supplante à la fin du XVIIIᵉ siècle, son répertoire, ses costumes, sa dramaturgie. La vérité et la violence des sentiments exprimés par les poupées mobiles, dominées par les manipulateurs masqués et vêtus de noir, figures inexorables du destin, offrent un bon résumé d'une conception de l'art et de la vie toujours vivante dans la culture japonaise. ●

Indiens d'Amérique

LORSQUE LES CONQUISTA- dores se ruèrent, au XVIe siècle, sur un continent qu'ils considéraient comme un « Nouveau Monde », ils avaient en réalité en face d'eux des cultures vieilles de plusieurs millénaires. De l'île de Baffin à la Terre de Feu, des peuples – de dix à vingt millions d'individus – vivaient selon des comportements codifiés, publics et privés, parfois fort complexes, et ils exprimaient leur vision du monde dans des mythes, des contes, des poèmes qui témoignaient d'une tradition vivace et d'une longue élaboration littéraire.

La violence de la pénétration européenne, puis les ravages de la colonisation n'ont laissé subsister que des bribes de ce qui fut le patrimoine culturel des Précolombiens. Les mythes des Indiens d'Amérique du Nord, reconstitués à l'aide de récits oraux et de pictographies sur des rouleaux d'écorce, les fragments de légendes épiques et de poèmes religieux conservés par les missionnaires espagnols dans l'Amérique latine permettent cependant d'entrevoir les caractéristiques essentielles de ces « littératures ».

Les littératures indiennes sont, pour la plus grande part, des littératures orales qui, figées dans un texte écrit, perdent l'étonnante qualité musicale et plastique des langages indiens, qui se fondent sur les métaphores, les assonances, les répétitions, les modulations.

Comme toutes les littératures orales,

les littératures indiennes ont pour première mission de conserver et de transmettre l'identité culturelle et le savoir du groupe. Ces littératures ont donc un caractère officiel et rituel, et leur pratique est souvent réservée à des individus à qui l'on reconnaît des pouvoirs magiques, les chamans.

Chaque tribu a son répertoire d'épopées cosmogoniques, qui rappellent l'origine et les raisons de l'ordre du monde. Mais deux grands thèmes sont communs à tous les peuples amérindiens : l'animal totem et les jumeaux divins. Qu'elles s'incarnent dans des hymnes, des prières, des contes et des fables, les littératures indiennes sont parcourues par le sacré. L'Indien vit sous le regard des dieux. Et les questions qu'il se pose sur le cours de l'univers ou sur sa propre destinée suscitent un langage imagé, symbolique, fréquemment soutenu par la danse et la musique.

Le monde moderne pose aujourd'hui, par les yeux de ses ethnologues, un regard à la fois curieux et coupable sur des cultures exterminées ou métissées, alors que les Indiens s'efforcent de trouver une nouvelle cohérence à leur personnalité hybride, qui traîne toujours les séquelles du traumatisme de la conquête. Des « cannibales » qui faisaient l'admiration de Montaigne au « bon sauvage » qui faisait rêver Rousseau et à la grande orchestration des mythes indiens par Claude Lévi-Strauss, les littératures indiennes témoignent du péché originel de l'Histoire.

Indiens d'Amérique du Nord

LA LITTÉRATURE DES INDIENS D'AMÉRIQUE DU NORD N'A ÉTÉ VRAIMENT RECUEILLIE QU'AU DÉBUT DU XXe SIÈCLE ALORS QUE LEUR CULTURE LIBRE ET FIÈRE N'ÉTAIT PLUS QU'UN SOUVENIR.

La parole proférée à la face du clan, de la tribu est rituelle et symbolique. C'est la parole du chef qui harangue le groupe lors des funérailles des guerriers, de l'officiant qui prie pour faire tomber la pluie, du chaman qui évoque les esprits protecteurs. La parole est un acte qui transmet une vertu ou qui écarte une malédiction.

Lorsqu'elle est dispensée à la communauté rassemblée, un jour qui convient aux ancêtres et dans une saison favorable, la parole sert à la cimenter en lui rappelant son passé, tel qu'il s'incarne dans la sagesse des anciens mais tel aussi qu'il se perd dans la nuit des temps.

Rassembler les hommes, comprendre le monde : ce sont les deux fonctions de ces mythes, dont la récitation, souvent scandée par des chants et des danses, est parfois facilitée par des pictogrammes tracés sur des supports végétaux ou des peaux, comme chez les Ojibwa du Minnesota, ou accompagnée de la réalisation de peintures de sable coloré, comme chez les Navaho du Nouveau-Mexique.

Des histoires pour faire un monde.
Exemple privilégié de la « pensée sauvage » en action, le mythe représente un effort sans cesse repris, réactualisé par des rituels périodiques (les Zuñi mettent en scène chaque année la venue de Katchina, qui leur apporte le maïs nourricier), pour rationaliser sinon le monde, du moins sa représentation : il établit moins des supports logiques qu'il ne cherche à concilier des contraires.

Les mythes, à travers la relation des exploits des héros civilisateurs, des métamorphoses des animaux-ancêtres, des multiples combinaisons entre les êtres qui

aboutissent à l'établissement définitif des structures de parenté, tentent une médiation permanente entre la nature et la culture.

Cette théorie de l'univers naturel et humain se prolonge, sur le plan pratique, dans les contes que les vieillards racontent aux enfants pour leur enseigner les bonnes manières à l'égard des puissances matérielles et surnaturelles : le serpent, l'araignée rouge, le lièvre blanc, l'oiseau-tonnerre jouent ainsi un rôle pédagogique dans de nombreux récits d'où l'humour et la notation réaliste ne sont pas absents et qui rendent compte des activités économiques traditionnelles (pêche du saumon, chasse du bison, cueillette des baies sauvages), des institutions sociales, des pratiques religieuses. Parmi eux surgit souvent la figure du « décepteur », divinité qui contrarie les projets et les réalisations du démiurge organisateur du monde et qui apparaît volontiers sous les traits du corbeau ou du coyote : le « Renart » de la littérature médiévale européenne est l'un des lointains avatars de ce « décepteur ». •

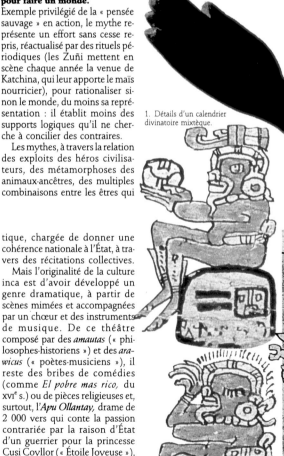

1. Détails d'un calendrier divinatoire mixtèque.

Indiens d'Amérique du Sud

LE DOMAINE INDIEN DE L'AMÉRIQUE DU SUD EST UNE TERRE DE CONTRASTES, PARTAGÉE ENTRE LES MYTHES DES PEUPLES MISÉRABLES DES PAMPAS ET LA SPLENDEUR DE LA CIVILISATION INCA.

Quelques milliers d'individus, répartis sur les territoires du Brésil, de l'Uruguay et du Paraguay, ont farouchement sauvegardé pendant quatre siècles les croyances et les traditions orales des Guarani. Aujourd'hui, où les dernières tribus se délitent, des ethnologues ont recueilli deux types de textes : des mythes, qui évoquent pour l'ensemble de la communauté le déluge universel, causé par l'inceste

des deux premiers habitants de la Terre, ou la conquête du feu, dérobé aux vautours par les héros civilisateurs. D'autres textes, les « Belles Paroles », prières et chants magiques, ne sont connus que des sages de la tribu, qui peuvent ainsi entrer en contact avec les divinités.

Le théâtre des Incas.
L'Empire inca, dont la langue est le quechua, a engendré une littérature officielle, religieuse et dynas-

tique, chargée de donner une cohérence nationale à l'État, à travers des récitations collectives.

Mais l'originalité de la culture inca est d'avoir développé un genre dramatique, à partir de scènes mimées et accompagnées par un chœur et des instruments de musique. De ce théâtre composé par des *amautas* (« philosophes-historiens ») et des *arawicus* (« poètes-musiciens »), il reste des bribes de comédies (comme *El pobre mas rico*, du XVIe s.) ou de pièces religieuses et, surtout, l'*Apu Ollantay*, drame de 2 000 vers qui conte la passion contrariée par la raison d'État d'un guerrier pour la princesse Cusi Coyllor (« Étoile Joyeuse »), fille de l'empereur Pachacútec. •

Les Eskimo

S'ils sont dispersés sur un territoire immense, les Eskimo possèdent des mythes d'une grande homogénéité. Ils se signalent par leur indifférence pour les grandes explications du monde, sauf en ce qui concerne l'apparition du Soleil et de la Lune – l'« Homme de la Lune » étant, avec la « Vieille de la Mer », le grand dispensateur du gibier.

Les contes eskimo évoquent avec pittoresque la vie quotidienne (les chasseurs héroïques, les pêches miraculeuses, les vendettas) ou le monde fabuleux des esprits, géants ou nains, qui entretiennent avec les humains des rapports difficiles.

L'originalité profonde des Eskimo est de recourir au chant pour célébrer les événements importants de la tribu : la « fête du chant » suscite, dans la maison commune, de véritables duels oratoires et artistiques.

Indiens d'Amérique centrale

L'AMÉRIQUE CENTRALE ÉTAIT, AVANT COLOMB,
LE BERCEAU DE LITTÉRATURES PARTICULIÈREMENT RICHES.
C'EST AUSSI LE DOMAINE OÙ LES RAVAGES DE
LA CONQUÊTE FURENT LES PLUS PROFONDS.

Un monde qui baigne dans le sacré

L'Indien vit dans un univers où la frontière entre le ciel et la terre, les vivants et les morts, l'homme et les animaux doit être sans cesse assurée par la profération authentique des mythes garants de l'ordre du monde (1, 2).

L'Amérique centrale fut le berceau des civilisations précolombiennes les plus brillantes. C'est là que se développèrent les seuls exemples connus d'écriture dans les sociétés indiennes. C'est là aussi que fut reçu avec le plus de violence le choc de la conquête espagnole. Les vainqueurs se livrèrent à une véritable entreprise d'amnésie culturelle, détruisant les manuscrits en fibres végétales ou en peaux de cervidés (les *codex*) réalisés par les *tlacuilos* (les scribes-peintres). Quelques missionnaires, aidés d'Indiens alphabétisés, tentèrent cependant de transcrire ou de recopier les témoignages lacunaires d'une culture énigmatique.

La « parole fleurie » des Aztèques.

Les Aztèques imposèrent leur langue, le nahuatl, à l'empire qu'ils dominaient. Leur écriture n'est déchiffrée qu'en partie, mais elle permet de comprendre que la littérature, orale et écrite, jouait un grand rôle dans l'éducation et la vie sociale. Leur langue et son expression littéraire, désignées par un terme qui signifie « parole fleurie », se caractérisent par leur caractère poétique. On a conservé des poèmes mythologiques qui content les cinq créations successives du monde et le vol du maïs par Quetzalcóatl, des chroniques historiques, des hymnes religieuses chantées avec accompagnement d'instruments à percussion. Les Aztèques affectionnaient les tournois poétiques et les joutes oratoires, dont les longs discours servaient à la formation civique et morale de la jeunesse.

La vision prophétique des Mayas.

La culture maya pose nombre de problèmes aux historiens et aux archéologues. Les Mayas édifièrent des temples prodigieux sans connaître l'usage du métal ni des animaux de trait. Ils inventèrent un système mathématique vicésimal et une écriture qui tient tous les déchiffreurs en échec.

Leur littérature rassemble des épopées mythiques, des récits fabuleux, des annales qui traduisent une même obsession du temps : souci de conserver le passé, croyance dans des signes qui permettent d'anticiper l'avenir. Deux textes de la culture maya ont une importance toute particulière.

Le *Popol-Vuh,* ou « Livre du Conseil », est le poème à la fois cosmogonique et historique de la tribu des Quiché. Il relate notamment avec quelles difficultés les dieux parvinrent à créer l'homme, tentative qui n'aboutit que lorsqu'ils eurent l'idée de combiner le maïs blanc et jaune avec le cœur de l'épi.

Le *Chilam-Balam* est une chronique qui note les événements remarquables de la vie des habitants du Yucatán, en y mêlant des observations astronomiques et des conseils de médecine. ●

2. Totem de Colombie britannique.

Une écriture fascinante et hermétique

Les manuscrits indiens, appelés *codex,* sont encore incomplètement déchiffrés. Leurs pictogrammes évoquent, dans un graphisme parfois curieusement moderne, un monde fantastique, ironique et cruel (3).

3. Codex maya du XIIIe siècle.

L'Europe et la diffusion de ses modèles

LA PLUS PETITE DES CINQ parties du monde offre, sous le nom d'Europe, un panorama humain et historique d'une exceptionnelle richesse.

Dans la rare diversité de ses manifestations culturelles, les historiens ont tenté de déterminer les éléments qui constitueraient le patrimoine commun de l'Europe : le christianisme et la Bible, l'Antiquité et ses philosophes, l'Empire romain et son appareil politique et juridique, la démocratie et la révolution industrielle des Temps modernes.

La littérature traduit, elle, moins une histoire de l'Europe qu'une tradition intellectuelle et morale. Dans la multiplicité de ses langages et dans le foisonnement de ses écrivains, elle définit un « espace spirituel ».

L'espace de l'Europe apparaît ainsi comme un domaine à la fois conquérant – animé par la foi puis par le progrès – et ouvert : il témoigne de la faculté de mettre à distance ses propres structures et ses propres croyances, sous les regards conjoints de l'homme de science et de l'ethnologue, et de proposer des méthodes de compréhension et d'action qu'il estime universelles.

Les littératures européennes se sont rassemblées selon trois axes. D'abord en élaborant un répertoire de mythes et de règles de comportements à l'égard du monde qui, de *l'Odyssée* au théâtre de l'absurde, mettent l'accent sur l'aventure personnelle. Ensuite en marquant une adhésion unanime à de grands courants capables de traverser les aires politiques et linguistiques : il y a eu une Europe de l'amour courtois, incarnée par le chevalier, comme il y avait eu une Europe de la foi, incarnée par le moine ; il y a l'Europe de la scolastique et des clercs, comme il y a l'Europe de la Renaissance et des humanistes, l'Europe des Lumières et des philosophes. Le romantisme, le naturalisme, le symbolisme ont suscité également une communauté d'aspirations et de visions. Enfin, la littérature européenne a mis au point des instruments de production et des codes d'évaluation de l'écriture : la rhétorique, la métrique, la stylistique, la poétique.

Ces expériences et ces modèles ont marqué profondément le développement de nombreuses littératures, de l'Amérique latine à la Russie, de l'Afrique décolonisée au Japon moderne.

Les grands mythes européens

L'EUROPE A FAIT DE QUELQUES FIGURES LITTÉRAIRES DE VÉRITABLES MODÈLES OPÉRATOIRES DE LA CONDITION HUMAINE, CONSIDÉRÉE DANS SES RAPPORTS AVEC LA NATURE, LES DIEUX ET SES PROPRES MYSTÈRES.

La littérature européenne prend appui sur un certain nombre de mythes fondamentaux et de motifs qui, à travers des perspectives historiques différentes, relèvent d'un fonds culturel commun.

Prométhée : la conscience de la place de l'homme entre les dieux et la nature.

Ce fils d'un Titan apparaît, dès Hésiode, comme le centre de la réflexion sur la double distance entre l'homme d'une part, la nature et l'univers d'autre part. Créant le sacrifice en l'honneur des dieux, mais trompant Zeus sur la qualité de l'offrande et volant le feu pour arracher l'homme à la vie sauvage, Prométhée est le premier martyr de la justice (enchaîné sur le Caucase, un aigle ronge son foie, qui repousse sans cesse) face à l'arbitraire des puissances d'en haut. Ovide en fera même le créateur de l'humanité, et saint Augustin verra dans ce révolté briseur d'idoles un annonciateur du Christ. Démon bénéfique pour le romantisme, solitaire préfigurant l'absurde pour Kafka et Camus, Prométhée devient, pour Gide, l'image même du créateur qui nourrit son œuvre (l'aigle) de sa propre vie (son foie) – jusqu'à ce qu'il fasse un retour sur lui-même, mange l'oiseau et garde les plumes, symbole encore de l'écrivain.

Œdipe : de la surconscience à l'inconscient.

Cet enfant abandonné qui devient roi de Thèbes témoigne d'une extraordinaire clairvoyance à l'égard du monde et d'une totale cécité sur lui-même. Pour les Grecs et notamment Sophocle, il est le type même du héros tragique, prisonnier de son destin. Ses parents, le roi Laïos et la reine Jocaste, s'étaient débarrassés de lui à sa naissance sur la prédiction de l'oracle de Delphes : il devait tuer son père et épouser sa mère. Recueilli par le roi de Corinthe, Œdipe est taraudé par le mystère de sa naissance. Il va consulter l'oracle et, en chemin,

1. *Don Juan*, vu par Byron et Ford Madox Brown (détail).

La poétique

La première *Poétique* connue dans la tradition occidentale est celle d'Aristote (v. 330 av. J.-C.). Elle se présente comme un *art*, c'est-à-dire un traité technique, de *l'imitation en vers* de la réalité : elle précise les moyens, les sujets, les styles des différents genres. Reprises par Horace dans son *Épître aux Pisons* (v. 20 av. J.-C.), ses théories seront à la base de la bible du classicisme qu'est l'*Art poétique* (1674) de Boileau.

La poétique fut considérée, à partir de Valéry, non plus comme un arsenal pratique mais comme une activité critique, qui s'applique à comprendre le fonctionnement de l'écriture poétique.

Aujourd'hui, la poétique s'efforce de distinguer une fonction utilitaire et une fonction esthétique du langage et de répondre à la question : comment reconnaît-on une œuvre littéraire ? Quel est le critère de *littérarité* d'un texte ?

Un genre européen le roman

LE ROMAN EST L'ÉPOPÉE PROSAÏQUE D'UNE CIVILISATION CONQUÉRANTE QUI DÉCOUVRE L'ÉCART ENTRE SES DÉSIRS ET LA RÉALITÉ.

Dans la littérature de l'Europe médiévale, le roman se définit d'abord comme un phénomène de langue : est « roman » ce qui n'est pas écrit en latin. Le roman de chevalerie apparaît cependant surtout comme un dérivé des poèmes épiques, qu'il met à la portée d'un public plus vaste, et c'est dans les fabliaux qu'il faut chercher la peinture de caractère et de mœurs qui formera un des traits fondamentaux de la littérature romanesque.

Parodie nostalgique du roman de chevalerie, le *Don Quichotte* de Cervantès ouvre l'ère du roman moderne. Le roman met en scène une aventure personnelle, celle de la quête désespérée des valeurs menée par un héros problématique dans un univers dégradé. Le système romanesque repose depuis lors sur la reconnaissance d'une distance entre l'homme et le monde, entre l'homme et l'objet de son désir : écrire un roman, c'est révéler cette distance. Le roman traduit l'écart entre l'imagination et la réalité ; il se fonde donc sur un processus essentiellement négatif : le roman dit le malheur, l'échec ; mais le bonheur, comme le notera Stendhal, c'est l'inénarrable.

De Mme de La Fayette à Thomas Mann et à Beckett, le roman s'est révélé une forme d'une remarquable souplesse. Il transpose le dépouillement de la tragédie racinienne (Senancour, Benjamin Constant) aussi bien qu'il traduit le foisonnement réaliste et picaresque (de Quevedo à Fielding) ;

il fait le bilan d'une expérience humaine (le « roman d'apprentissage » de Goethe comme le « roman de la désillusion » de Flaubert) ; il passe de la confession personnelle (Chateaubriand) à l'observation visionnaire (Balzac) et à l'analyse scientifique des écrivains naturalistes ; il se replie sur l'introspection du moi (Fromentin, James) ou s'évade dans l'aventure (de Verne à Stevenson et à Conrad) ; il évoque le passé (Scott, Vigny) ou se fait miroir du présent (Stendhal, Malraux) ; il se limite à une « tranche de vie » (les Goncourt, Zola) ou aspire à la totalité (Proust, Joyce, Musil).

La mise en cause des valeurs morales et esthétiques dans l'Europe d'après la Seconde Guerre mondiale a pu être comprise, avec l'apparition d'un « antiroman » puis d'un « nouveau roman », comme l'annonce de la mort de la littérature, désormais sans prise sur le monde. Mais c'est bien plutôt la réalité qui s'est réfugiée dans le roman lui-même, qui « n'est plus le récit d'une aventure, mais l'aventure d'un récit ». •

se prend de querelle avec un vieillard, qu'il tue (c'était Laïos). Arrivé aux portes de Thèbes, il triomphe du Sphinx, monstre qui terrorisait la cité : en récompense, on lui offre le trône et il épouse la reine (c'était sa mère).

Être ambigu, Œdipe a provoqué, dès l'Antiquité, des commentaires multiples : certains, mettant l'accent sur l'inceste, aboutiront à Freud et à la psychanalyse – le « complexe d'Œdipe » sera le noyau de toutes les névroses ; d'autres s'attacheront au sacrifice du fils par le père, crime plus angoissant ; d'autres encore verront dans le mythe un rite initiatique et une allégorie de la conquête du pouvoir.

Œdipe apparaît surtout comme l'envers inquiétant du héros civilisateur, qui établit les différenciations naturelles et humaines : Œdipe, par le parricide et l'inceste, ruine toutes les distinctions qui permettent la vie en société. En revanche, il rétablit par son sacrifice l'unité de la cité.

Enfin, par sa recherche obstinée de la vérité, Œdipe, grand débroussailleur d'énigmes, s'affirme partout comme la figure primordiale de l'enquêteur, voire du détective.

Don Juan : une éthique de la quantité et de l'impuissance.

Personnage légendaire, qui plonge ses racines dans le Moyen Âge espagnol, Don Juan Tenorio aurait tué le commandeur Ulloa après avoir enlevé sa fille ; et la statue du commandeur aurait entraîné en enfer Don Juan qui venait l'insulter sur son tombeau. Ce châtiment d'un séducteur impénitent a inspiré de nombreux écrivains, de Tirso de Molina à Molière, de Byron à Max Frisch, de Pouchkine à Montherlant.

Don Juan passe du rôle de trompeur cynique à celui d'un personnage angoissé en quête de pureté. Pour les romantiques, s'il accumule les passades et les passions éphémères, c'est par désir profond de salut et de durée. Contre la délivrance aléatoire du temps par le renoncement et l'ascèse, Don Juan propose une « éthique de la quantité » : l'infinie possibilité des amours rend la vie inépuisable. Mythe du désir et de la mort (l'impuissance s'abritant derrière la conquête perpétuelle), Don Juan traduirait une obsession fondamentale de l'homme, celle d'unité et d'union face à la réalité de la division des sexes et de la rupture entre le temps vécu et l'éternité rêvée.

Faust : le divorce entre la pensée et l'action.

L'imagination populaire a très vite donné une forme mythique, à la fin du XVIᵉ siècle, à la silhouette imprécise d'un humaniste allemand, un peu sorcier, qui vivait cinquante ans auparavant. Faust incarne ainsi d'emblée le savant dévoyé par son appétit de jouissances matérielles et spirituelles.

Faust ne croit pas en Dieu, mais suffisamment au Diable pour lui vendre son âme en échange du savoir et des biens terrestres. Faust est un être impatient, que les limites de l'homme et des sciences irritent. De l'aventure colorée d'un sceptique amateur de plaisirs, qui use de la magie comme d'une religion à l'envers, le mythe de Faust prend l'allure d'un drame de la connaissance.

Après le théâtre forain allemand et la tragédie de Marlowe, les écrivains des Lumières feront de Faust le héros de la conquête de la science contre les puissances obscures. Les romantiques projetteront sur lui leurs angoisses, l'avancée dans le savoir s'accompagnant de la progression de la solitude et du doute.

Goethe, qui sera toute sa vie fasciné par la figure de Faust, donnera une vision panoramique de la légende, comprise comme le déchirement du savant entre sa « tour d'ivoire » et le monde, entre la pensée et l'action, attisé par la médiation ironique du Diable. À l'époque moderne, de Thomas Mann à Valéry et à Butor, Faust apparaît surtout comme un matériau malléable dans lequel chacun peut façonner son mythe personnel.

●

LA LITTÉRATURE SE FONDE À L'ORIGINE SUR LA PAROLE. LES PREMIÈRES STRUCTURES LITTÉRAIRES SONT ORATOIRES. ET LA MAÎTRISE DE CES STRUCTURES PASSE PAR LA PRATIQUE D'UN CODE.

Pour l'Antiquité, art de penser et art de dire se recouvraient exactement dans le cadre d'une culture orale, fondée sur un art de la mémoire et dont l'expression la plus haute était l'éloquence de l'orateur, politique et judiciaire. Cette éloquence, liée à la vie sociale, était strictement codifiée : ce code, c'est la rhétorique, qui peut se définir ainsi comme une théorie de la communication.

Au Moyen Âge, la rhétorique s'inscrit dans le programme des *arts libéraux* : elle fait partie du *trivium* (avec la grammaire et la dialectique) et s'oppose aux disciplines du *quadrivium* (arithmétique, musique, géométrie, astronomie). La rhétorique est divisée en 5 opérations : *memoria* (méthodes de conservation du discours), *pronuntiatio* (conditions d'exécution du discours), *inventio* (répertoire des arguments), *dispositio* (ordre de l'argumentation), *elocutio* (variations, sur une expression commune, qui déterminent le degré d'éloquence).

Un art d'écrire.

Une double révolution – la généralisation du livre imprimé et la constitution des États monarchiques modernes – fera passer la rhétorique d'un art de parler à un art d'écrire, et d'un art de persuader à un art de plaire. La rhétorique est alors devenue, du XVIᵉ au XIXᵉ siècle, une théorie de la littérature.

L'enseignement de la rhétorique subsista jusqu'en 1885. Il avait, pendant près de trois siècles, privilégié, au détriment des autres opérations d'élaboration du discours, deux parties qui furent les deux piliers de la formation des littérateurs, sinon des écrivains : la *disposition (dispositio),* dont l'ordre naturel consistait à séduire l'auditoire *(exorde),* faire connaître l'objet du discours *(proposition* et *division),* exposer les faits *(narration),* apporter des arguments *(confirmation),* repousser les objections des adversaires *(réfutation),* résumer l'ensemble en faisant appel aux sentiments des auditeurs *(péroraison) ;* l'*élocution (elocutio),* qui définit les qualités générales (correction, clarté, harmonie) et particulières (adaptation du style au sujet) de l'expression. L'élocution détermine les divers aspects que peuvent revêtir les différentes expressions de la pensée à travers les *figures de style :* figures de *diction* (allitération, métathèse, paronomase, etc.), de *construction* (anacoluthe, chiasme, ellipse, zeugma, etc.), de *mots* (allégorie, métaphore, métonymie, synecdoque, etc.), de *pensée* (antithèse, gradation, litote, périphrase, etc.).

Abandonnée par les écrivains à l'aube du romantisme, alors qu'ils cherchent leurs modèles non plus dans les règles antiques mais dans les chefs-d'œuvre contemporains, la rhétorique connaît aujourd'hui une nouvelle faveur dans l'analyse scientifique des textes littéraires.

●

2. *Œdipe et le Sphinx,* par Ingres, 1808 (détail).   3. *Prométhée,* par Gustave Moreau, 1868 (détail).   4. *Faust,* par Enrico Sartori (détail).

L'incarnation du drame humain

Depuis l'Antiquité, la littérature européenne a cherché le sens de la destinée humaine à travers des héros qui incarnent une des grandes questions que l'homme se pose sur sa place dans l'univers : acceptation de sa nature mortelle dans le défi lancé aux puissances d'en haut (Prométhée [3]) ou dans l'épreuve intérieure de son propre mystère (Œdipe [2]), soif de totalité dans la possession du monde (Faust [4], Don Juan [1]).

Les chansons de geste

Une épopée chrétienne et politique

LES CHANSONS DE GESTE
SURGISSENT DANS LES SOCIÉTÉS COMPORTANT
UNE CLASSE DE GUERRIERS ET UN ORDRE DE PRÊTRES, DONT
LES MYTHES ET LES RITES SONT À LA FOIS
ANTAGONISTES ET COMPLÉMENTAIRES.

ENTRE DEUX RENAISSANCES, celle de Charlemagne – qui s'élabore autour de la structure de l'Empire et de la langue latine retrouvées – et celle du XIIᵉ siècle – qui voit s'établir les monarchies nationales et s'épanouir la philosophie dans les écoles cathédrales –, quatre siècles de turbulences créatives font éclater les cadres politiques et linguistiques de l'Europe. Le pouvoir passe de l'empereur au roi, puis aux comtes et aux barons. Le latin se métamorphose en langues « romanes ».

La féodalité triomphante s'incarne dans une littérature à la fois dynamique et nostalgique. Dynamique, parce qu'elle célèbre des chevaliers fondateurs de lignages ; nostalgique, parce qu'elle ne cesse de ressasser le souvenir de l'unité perdue, que symbolise la figure omniprésente de « l'empereur à la barbe fleurie », guidant ses preux dans la lutte victorieuse, mais toujours recommencée, contre les Barbares et les Infidèles. Aux confins de ce qui fut son empire subsiste d'ailleurs toujours quelque chose du chaos originel : les ombres sanglantes de la mythologie païenne s'étendent sur les tableaux farouches des exploits des héros germaniques et scandinaves. Cette littérature héroïque se constitue en partie contre la culture monastique. Au cloître fermé sur une méditation apaisée s'oppose l'espace de l'aventure guerrière. Mais le moine priant au milieu de ses frères comme le chevalier soudé à ses compagnons dans la ligne de bataille participent au même combat pour la plus grande gloire de Dieu. Et la vie du saint comme la chanson de geste stylisent et idéalisent leur héros.

Les chansons de geste se déploient selon un double mouvement : linéaire et circulaire. Linéaire, parce qu'elles sont récitées et popularisées dans les sanctuaires qui jalonnent les chemins du pèlerinage à Saint-Jacques-de-Compostelle ; circulaire, parce que, comme le clan se forme autour du chef et les vassaux se rassemblent autour du suzerain, elles se groupent en cycles autour d'une figure majeure.

En faveur tout au long du Moyen Âge, les chansons de geste évoluèrent avec le goût littéraire : enrichies d'éléments romanesques, transcrites en prose, elles finirent par former le fonds de la littérature de colportage.

Quels que soient le temps et le milieu où apparaît l'épopée, celle-ci présente un ensemble de caractères constitutifs et permanents.

Une forme permanente.
L'épopée est un récit, dit ou chanté, qui relate des actions de héros jugés, même dans leurs fautes, exemplaires, donc représentatifs de l'idéal d'une large communauté. Ce récit s'enracine dans des événements historiques, ou estimés tels, plus ou moins éloignés dans le temps, ce qui autorise les auteurs à les styliser et à y introduire la présence de puissances surnaturelles, relevant de la magie ou de la Providence. Ces récits sont tenus, par les auditeurs, pour vrais : en cela, ils se différencient des romans et des contes.

Une thématique spécifique.
Le mot *geste* de l'ancien français vient du latin *gesta*, qui désigne les actions d'un homme ou d'une famille. Les chansons de geste ont donc pour fonction de chanter les exploits de héros que leur nom rattache à l'histoire de la féodalité et de la monarchie françaises.

La chanson de geste enracine la légende dans le sol ancestral : les guerres étrangères, les croisades sont menées pour assurer l'honneur et la vie d'un pays que menacent aussi des rivalités internes, contre lesquelles le héros doit réagir. La chanson de geste est ainsi liée à des préoccupations idéologiques : c'est une véritable épopée politique.

Mais l'aventure véritable, pour l'homme médiéval, est l'expédition paradoxale qui le conduit hors des limites de la chrétienté pour en retrouver l'origine et le cœur : d'abord pacifique, le pèlerinage à Jérusalem se transforme en lutte contre l'Infidèle, fin dernière de l'idéal chevaleresque.

Un récitatif raffiné.
Une chanson de geste se présente comme une série de *laisses*, groupes de dix à douze vers qui s'achèvent sur la même voyelle accentuée (cette rime imparfaite s'appelle *assonance*). Le passage d'une laisse à l'autre est signalé, en plus du changement d'assonance, par une formule (reprise, parallélisme, etc.). Le rythme, qui est généralement celui du vers de dix syllabes avec une césure fortement marquée, implique une déclamation solennelle et une intonation plus proche du récitatif que du chant.

La chanson de geste témoigne ainsi des structures caractéristiques de la littérature orale. Mais ces effets ont été figés dans les textes écrits et sont devenus, dans l'art des jongleurs – poètes-musiciens errants qui interprétaient les chansons de geste –, un procédé d'archaïsme.

•

1. *La mort de Roland.* Miniature du XVᵉ s.

2. *Le Cid,* en combat singulier. Miniature du XIVᵉ s.

Trois héros, trois rapports à la légende et à l'histoire

DES BRUMES ET DES PHILTRES
DU PAGANISME À LA LUTTE POUR LA FOI, DE LA MYTHOLOGIE
À L'HISTOIRE CONTEMPORAINE, LA CHANSON DE GESTE S'EST
INCARNÉE EN TROIS HÉROS FONDATEURS
DE TRADITIONS NATIONALES.

La légende transfigure l'exploit, mais dans une coloration qui varie suivant le contexte historique et culturel.

Roland, le martyr de la foi.

La Chanson de Roland, qui se clôt sur une signature énigmatique (*Turoldus* peut être l'auteur, le récitant ou le copiste du poème), donne, dès la fin du XIe siècle et en 4 002 décasyllabes, le chef-d'œuvre de la chanson de geste. Elle amplifie et métamorphose un événement historique rapporté par le chroniqueur Éginhard : le massacre, le 15 août 778, de l'arrière-garde de l'armée de Charlemagne par les Basques dans le défilé de Roncevaux.

La chanson exalte la fidélité au suzerain, l'amour du sol natal, l'enthousiasme religieux de la chrétienté face à l'islam, la gloire des héros, qui ne peuvent être vaincus que parce qu'ils ont été trahis.

Elle campe aussi un couple antithétique, dont le prototype remonte à l'épopée mésopotamienne de Gilgamesh et aux grands poèmes sanskrits : Gilgamesh et Enkidou, Vāyu et Arjuna ont précédé Roland et Olivier dans l'opposition dramatique du présomptueux et du sage, de l'orgueil démesuré et du courage stoïque.

Le mélange des scènes épiques (la mort de Roland et d'Olivier, le combat de Charlemagne et de l'émir Baligant, le châtiment du traître Ganelon) et sentimentales (la mort de la belle Aude) a fait d'emblée de *la Chanson de Roland* le modèle du poème héroïque.

Le Cid, symbole de la fidélité vassalique.

Le *Poème du Cid,* qui remonte à 1140, rapporte les dernières années d'un petit noble espagnol, Rodrigo Díaz de Vivar (1043-1099), capitaine du roi de Castille, banni par des intrigues et qui offre ses services au roi maure de Saragosse contre l'émir de Valence. Il devient pour ses soldats musulmans le *sidi,* le « seigneur » par excellence, le Cid. En 1095, il prend Valence, où il règne jusqu'à sa mort.

Double symbole de la reconquête de l'Espagne sur les Arabes et de la fidélité vassalique, même à l'égard d'un suzerain injuste, le Cid a suscité un poème qui fait une grande place aux détails historiques contemporains (rivalité entre Castille et León, célébration de familles qui prétendent descendre du Cid).

L'œuvre est encore à l'origine d'une autre épopée (la *Chronique rimée,* qui évoque la jeunesse du héros) et de poèmes lyriques, les *romances,* qui se développent à partir du XVe siècle et qui composent un cycle appelé le *Romancero du Cid.*

Siegfried, la valeur au risque du destin.

Le *Chant des Nibelungen,* composé vers 1200 dans la région danubienne entre Passau et Vienne, par un auteur autrichien anonyme, est l'aboutissement d'une double tradition mythologique et littéraire. Charlemagne avait ordonné de faire un recueil des poèmes épiques allemands (il n'en reste aujourd'hui que les 68 vers du *Chant de Hildebrand*), et la figure de Siegfried perpétue, sous un christianisme de surface, l'univers mythique des anciens Germains. Le poème mêle le thème légendaire du meurtre de Siegfried et le massacre historique des Burgondes par les Huns en 437.

Pour épouser Kriemhild, sœur de Gunther, roi de Burgondes, Siegfried doit aider Gunther à conquérir la farouche reine d'Islande, Brünhild : il y parvient grâce à sa cape magique et en prenant la place de Gunther. Les deux mariages sont conclus, mais Brünhild, apprenant la vérité, fait assassiner Siegfried. Kriemhild, pour se venger, accepte alors d'épouser Attila, le roi des Huns, et, après avoir attiré les Burgondes à la cour de son époux, les fait massacrer jusqu'au dernier ; mais elle meurt elle-même dans le guet-apens.

Cette grandiose histoire d'amour et de mort trouve son unité dans une perpétuelle tentative de conciliation des contraires, symbolisée par le nom du héros : *Sieg* (victoire) et *Fried* (paix).

Siegfried ne se réalise que dans le néant. D'un bout à l'autre du poème, la passion et le crime s'entrelacent dans la fureur des haines ethniques et familiales. Le trésor et le secret, sitôt possédés, échappent et se diluent. La valeur trouve toujours devant elle le destin. •

Les grands cycles épiques

DÈS LE MOYEN ÂGE, LES CHANSONS DE GESTE
ONT ÉTÉ RÉPARTIES EN TROIS GROUPES, DOMINÉS PAR
UN HÉROS ET MARQUÉS PAR UNE INSPIRATION PARTICULIÈRE.
EXALTATION D'UN LIGNAGE, LA GESTE FORME
AINSI UNE LIGNÉE LITTÉRAIRE.

La *Geste du Roi* raconte la guerre sainte menée par Charlemagne contre les musulmans. Elle rassemble : *la Chanson de Roland* (fin du XIe s.) ; *le Pèlerinage de Charlemagne* (début du XIIe s.), qui mêle aux motifs héroïques des scènes burlesques et des éléments merveilleux empruntés aux contes orientaux ; *Fierabras* (XIIe s.), qui voit un géant maure affronter Olivier à propos du vol des reliques de la Passion ; *Aspremont* (fin du XIIe-début du XIIIe s.), qui oppose, à Aspromonte en Calabre, la cour de Charlemagne à la cour du Sarrasin Agolant : Roland y gagne son épée (Durandal), son cheval (Vaillantif) et son olifant.

La *Geste de Garin de Monglane* relate la lutte de Girart de Vienne et de sa famille contre les Sarrasins. Mais le personnage central du cycle est Guillaume d'Orange. L'ensemble regroupe notamment, outre la *Chanson de Garin de Monglane* (XIIIe s.) : *le Charroi de Nîmes* (première moitié du XIIe s.), qui, à l'occasion d'une ruse de Guillaume d'Orange pour prendre Nîmes, peint le monde pittoresque des voyageurs et des marchands ; *la Chanson de Guillaume* (XIIe s.), marquée par les deux personnages de Guibourc, l'épouse du héros, et du géant Rainouart, qui manie une gigantesque massue ; *les Aliscans* (XIIe s.) ; *Aimeri de Narbonne* (v. 1220), qui inspira Victor Hugo dans *la Légende des siècles.*

La *Geste de Doon de Mayence* peint des féodaux qui se révoltent contre leur suzerain pour venger une injure reçue. Les principales chansons de ce cycle sont : *Raoul de Cambrai* (seconde moitié du XIIe s.) ; *Renaud de Montauban* (XIIe s.), qui décrit la lutte de Charlemagne contre les « Quatre Fils Aymon » ; *Girart de Roussillon* (XIIe s.), chanson écrite en franco-provençal et qui s'achève par l'évocation de la construction de la Madeleine de Vézelay. •

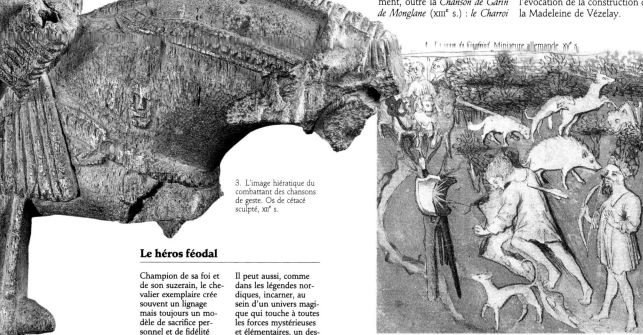

3. L'image hiératique du combattant des chansons de geste. Os de cétacé sculpté, XIIe s.

4. La mort de Siegfried. Miniature allemande, XVe s.

Le héros féodal

Champion de sa foi et de son suzerain, le chevalier exemplaire crée souvent un lignage mais toujours un modèle de sacrifice personnel et de fidélité vassalique.

Il peut aussi, comme dans les légendes nordiques, incarner, au sein d'un univers magique qui touche à toutes les forces mystérieuses et élémentaires, un destin inexorable.

Les sagas

Poésie scaldique et poésie eddique

EXPRESSION POÉTIQUE DES PAYS SCANDINAVES, ENTRE LE VIIIe ET LE XIVe SIÈCLE, LA POÉSIE SCALDIQUE SURGIT, DÈS SES PREMIÈRES MANIFESTATIONS, SOUS LA FORME D'UN ART ORNEMENTAL ET HERMÉTIQUE.

LES « HOMMES DU NORD », les Vikings, ont laissé aux populations du Moyen Âge, pillées, rançonnées, vendues comme esclaves, le souvenir effrayant d'une calamité quasi naturelle (« Délivrez-nous, Seigneur, du mal et des Normands », priait-on à la fin du « Notre Père »). Mais ils ont donné à la littérature de tous les temps le récit à la fois allègre et féroce de leurs expéditions aventureuses et guerrières des IXe et Xe siècles : les sagas.

Paradoxalement, les sagas, témoins de la fureur guerrière de l'histoire, et portées par une tradition orale née, pour ainsi dire, au milieu des combats et des luttes de clans, ont été élaborées dans le calme des monastères d'Islande. Deux prêtres des XIe-XIIe siècles, Saemund Sigfússon le Sage et Ari Thorgilsson, ont donné, dans leurs chroniques en latin et en islandais, les modèles d'écriture et de composition de tous les récits historiques et légendaires.

La saga est un récit en prose de longueur variable (de 15 à 500 pages), orné de poèmes scaldiques, dont la structure révèle un texte destiné à être récité : phrases courtes et simples, formules répétées, dialogues vigoureux et concis. La saga ne s'embarrasse ni de considérations morales ni de subtilités psychologiques : les personnages font preuve d'une grande constance de caractère et c'est par le biais de rêves prémonitoires que l'on connaît leurs débats intérieurs ; l'honneur est leur idéal : son intégrité justifie toute vengeance.

En trois siècles, les sagas ont beaucoup évolué. On passe des « sagas des rois » et des « sagas des familles islandaises », qui évoquent les exploits des premiers chefs scandinaves, aux « sagas de contemporains » puis aux « sagas légendaires », et le genre finit dans les « sagas des chevaliers », qui adaptent les chansons de geste et les romans courtois.

La saga n'a cessé d'inspirer les grands écrivains nordiques modernes, d'Ibsen à Strindberg et à Laxness : ils en ont conservé la figure, à la fois héroïque et ironique, de l'homme seul qui défie le destin. Ailleurs, c'est l'image du clan qui a prévalu : le terme de saga désigne aujourd'hui communément le cycle romanesque qui brosse l'évolution, et surtout la décadence, d'une famille.

La poésie des scaldes, ces poètes de cour islandais et norvégiens du Moyen Âge, repose sur un triple principe : l'allitération, c'est-à-dire la répétition de sons identiques à l'intérieur d'un vers ou d'une strophe ; l'accentuation dynamique ; l'alternance des syllabes longues et brèves. Ces trois principes sont renforcés par les assonances finales, la pratique systématique des jeux de sonorités et, dans les textes écrits, par le retour de graphies identiques.

La contrainte la plus remarquable de cette poésie tient à un tabou, probablement d'origine religieuse : il est interdit de nommer les êtres et les choses par leur nom et on doit leur substituer des sortes de synonymes, les *heiti* (on dira, par exemple, « voile » ou « quille » pour « bateau »), et des périphrases parfois compliquées, les *kenningar* (on dira ainsi « le cavalier du coursier de la mer » pour le « marin »).

Le parti pris d'archaïsme de la poésie scaldique en fait d'autre part un document précieux sur la vie religieuse et sociale ancienne.

Les scaldes étaient avant tout les chantres attitrés d'un grand seigneur, un jarl ou un roi. Mais les plus grands poètes, comme Egill Skallagrímsson, Sigvatr Thórdarson ou Kormakr Ogmundarson, n'ont pas hésité, au milieu de leurs chants de gloire, à exprimer leurs sentiments personnels.

La poésie eddique : idéal héroïque et mythologie païenne. La poésie eddique est contenue dans un recueil, l'*Edda*, dont le principal manuscrit, datant de la fin du XIIIe ou du début du XIVe siècle, a été découvert en 1643.

La signification du nom d'*Edda* est obscure : le terme viendrait soit d'*eidha* (« aïeule »), soit du foyer culturel islandais Oddi, soit encore du latin *edere*, « composer de la poésie ».

Les poèmes eddiques sont rédigés dans une langue d'une grande élaboration technique, dont les règles sont apparentées à celles de la poésie scaldique et qui mettent en œuvre les mêmes figures de style (métonymies, métaphores, etc.). La strophe eddique la plus courante est formée de quatre vers, chaque vers étant divisé en deux hémistiches comptant chacun un temps fort.

Si l'on met à part quelques poèmes proprement didactiques ou magiques, l'ensemble de la poésie eddique se répartit en deux grandes catégories : les fresques mythologiques et les compositions épiques.

Les textes mythologiques les plus anciens se présentent sous la forme de dialogues qui rappellent les questions et les réponses d'un catéchisme : les interrogations s'adressent à un grand initié, en général le dieu Odin qui a pris l'apparence d'un mortel ; les réponses, stéréotypées, délivrent des notions cosmologiques, dressent un catalogue des divinités, ou bien édictent des préceptes de savoir-vivre.

Le poème consacré au dieu Thor est resté vivant longtemps dans la tradition populaire. Un géant a dérobé le marteau de ce dieu du Tonnerre : il ne le rendra que si Thor réussit à épouser Freyja, déesse de la Fécondité et de l'Amour. Thor, déguisé en Freyja, se présente chez les géants et les invite à son repas de noces : après un banquet gargantuesque, il retrouve son marteau et assomme tous les convives.

Le chant mythologique le plus célèbre est la *Völuspá*, la « Vision de la Voyante ». Dans une assemblée des dieux, une sorte de Sibylle prédit le destin du monde, après avoir évoqué son origine : elle montre les dieux donnant leurs noms à la nuit, au matin et au soir, insufflant la chaleur vitale au premier couple humain ; elle décrit le frêne Yggdrasil, dont les racines abritent les trois mondes : des morts, des géants et des hommes ; elle peint la succession des ères : des épées, des vents, des loups. Elle prophétise enfin la bataille finale contre le loup Fenrir et le serpent Midgardsorm et le « crépuscule des dieux » (le *Ragnarök*), qui prélude à l'apparition d'un nouvel univers, prospère et pacifique.

Les chants épiques sont surtout consacrés à la famille des Völsung et à l'histoire de Sigurd en particulier, qui deviendra le Siegfried des légendes germaniques : un premier ensemble de poèmes décrit la jeunesse du héros (il venge son père Sigmund, il tue le dragon Fáfnir, il traverse le mur de flammes pour délivrer la Walkyrie piquée par l'épine du sommeil) ; un second groupe évoque la lutte des deux femmes (Brunhild et Gudrun) qui se disputent son amour, et sa mort par trahison. ●

Œuvres

Les sagas des rois

Saga de Sverre (fin du XIIe s.) : une évocation admirative, mais sans idéalisation, du roi de Norvège Sverre Sigurdsson.
Saga des rois de Norvège : recueil de 16 sagas, composé vers 1230 par Snorri Sturluson.

Les sagas des familles islandaises

Saga d'Erik le Rouge (début du XIIIe s.) : le héros, proscrit pour meurtre, découvre et colonise le Groenland ; ses exploits sont prolongés par ceux de son fils Leif, que conte le *Récit des Groenlandais :* autour de l'an mille, Leif aborde en Amérique du Nord, qu'il baptise « Terre des vignes ».
Saga d'Egill Skallagrímsson (début du XIIIe s.) : la vie d'un personnage exceptionnel, guerrier cruel, magicien redouté et le plus grand poète islandais.
Saga des habitants du Val-au-Saumon (v. 1250) : une biographie familiale qui met l'accent sur un conflit amoureux et qui témoigne de la première influence des littératures courtoises française et allemande.
Saga de Snorri le Godi (fin du XIIIe s.) : l'ascension d'un parvenu sur fond de pittoresque quotidien, où paganisme et christianisme font bon ménage.
Saga de Grettir le Fort (fin du XIIIe s.) : un Islandais, célèbre pour sa force physique, connaît les tribulations de l'exil et succombe aux maléfices d'une sorcière.
Saga de Hrafnkel (fin du XIIIe s.) : une composition rigoureuse et symétrique

souligne la déchéance puis le rachat d'un chef de l'Islande de l'Est au Xe siècle.
Saga de Njáll le Brûlé (fin du XIIIe s.) : les malheurs d'un héros, Gunnar, dont le meilleur ami, le sage Njáll, périt brûlé vif mais sera vengé par ses fils. Des portraits inoubliables, un dialogue dramatique, une méditation tragique sur la condition humaine.

Les sagas des contemporains

Saga des évêques (XIIe-XIIIe s.) : ensemble de récits consacrés à la vie des trois saints islandais du Moyen Âge (Thórlákr Thórhallsson, Jón Ogmundarson, Gudmund Arason) et qui constituent un document précieux sur la vie quotidienne de l'époque.
Saga des Sturlung (fin du XIIIe s.) : un document de premier ordre sur les XIIe et XIIIe siècles, et notamment sur l'effondrement de l'ordre politique et social islandais sous les coups des Norvégiens.

Les sagas légendaires

Saga des Völsung (milieu du XIIIe s.) : l'évocation de Sigurd, héros des poèmes de l'*Edda* et vainqueur du dragon Fafnir.
Saga de Frithiof (fin du XIIIe-début du XIVe s.) : un jeune vassal de deux rois, aimé de la sœur de ses suzerains, triomphe dans l'amour et dans la guerre après une série d'épreuves. Un héros qui fascinera les romantiques.
Saga de Ragnar Lodbrok (début du XIVe s.) : les expéditions aventureuses du roi danois Ragnar et de ses fils.

Les sagas des chevaliers

Saga de Tristan et Iseut (v. 1230) : la légende celtique adaptée par un clerc à la demande du roi de Norvège.
Saga de Perceval (première moitié du XIIIe s.) : une transposition en prose du roman en vers de Chrétien de Troyes.
Saga de Charlemagne (v. 1250) : un mélange des chansons de geste et notamment de la *Chanson de Roland*.

1. Normands attaquant une ville. Détail d'un coffret en os de baleine.

Snorri Sturluson, le conservateur des antiquités scandinaves

POLITICIEN D'ENVERGURE, PHILOSOPHE, MYTHOLOGUE, POÈTE, IL A TIRÉ DE L'OUBLI UNE CULTURE QUI SANS LUI SERAIT RESTÉE ÉNIGMATIQUE.

Snorri Sturluson, né vers 1179 à Hvammur, sur la côte nord-ouest de l'Islande, est issu de la grande famille des Sturlung. Son père adoptif, Jón Loptsson, est le plus puissant chef de son temps.

Un homme d'action.
Poète précoce, il est deux fois (1215-1218, 1222-1231) président de l'Assemblée législative de son pays. Il séjourne, de 1218 à 1220, en Norvège, où le roi Haakon IV et le jarl Skúli l'accueillent chaleureusement, espérant qu'il convaincra ses compatriotes d'accepter la suzeraineté norvégienne. Snorri s'en tirera par une pirouette et un poème flatteur pour ses hôtes. En 1237, il reviendra en Norvège, mais le roi Haakon lui interdit de rentrer en Islande. Sur son refus, Haakon le fait assassiner par son gendre le 23 septembre 1241.

Un maître de l'histoire.
On attribue à Snorri la *Saga d'Egill Skallagrímsson,* qui peint avec réalisme la vie de ce Viking poète du xe siècle. L'œuvre, qui abonde en événements sanglants et pathétiques, ne brosse pas de son héros un portrait sympathique. Ce serait bien dans la manière de Snorri, mais les sagas que l'on peut légitimement lui accorder suffisent amplement à sa gloire.

Snorri débuta par une *Saga de saint Olav* qui, appuyée sur une reconstruction lucide du passé légué par les traditions orales, évoque les deux aspects du roi évangélisateur mort en 1030 : le guerrier ambitieux, le saint faiseur de miracles.

Ce premier récit, Snorri l'intégra à sa monumentale *Saga des rois de Norvège,* qui embrasse l'histoire de ce pays, des origines mythiques et de Halfdan le Noir (mort v. 880) à Magnus Erlingsson (1177). Dans le prologue de son recueil, qu'on appelle souvent l'*Heimskringla* (des deux premiers mots du manuscrit : « le cercle du monde »), Snorri explique la méthode quasi rationaliste qu'il a appliquée à l'examen critique des vieux poèmes scaldiques et comment il corrige une source par une autre.

Un théoricien poétique.
Snorri Sturluson doit une large part de sa célébrité à un manuel de poésie à l'usage des scaldes, intitulé l'*Edda prosaïque* ou *Edda nouvelle.* Il le composa entre 1220 et 1230, pour conserver la mémoire d'une technique et d'un patrimoine culturel qui commençaient à s'estomper.

La poésie scaldique repose non seulement sur une métrique très élaborée, mais la règle qui interdit de nommer les choses et les gens par leur nom imposait aux apprentis scaldes une connaissance approfondie de la mythologie païenne, qui avait tendance à disparaître après deux siècles de christianisme.

La première partie de l'*Edda* de Snorri, la « Fascination de Gylfe », résume la mythologie ancienne : le roi suédois Gylfe pénètre dans un palais où trois divinités répondent tour à tour à ses questions sur les dieux, l'origine et l'organisation du monde.

La deuxième partie, la « Poétique », définit les termes techniques de la poésie scaldique, notamment ceux qui concernent la pratique du « kenning », ces expressions figurées qui sont utilisées pour désigner les objets les plus simples.

La troisième partie, le « Dénombrement des mètres », énumère, avec de nombreux exemples, les 101 formes métriques proposées à la virtuosité des scaldes. Elle met également en scène les Ases et le dieu Bragi qui s'explique sur la nature et la signification de la poésie.   ●

La fureur guerrière

Pendant deux siècles, les « hommes du Nord » firent régner la terreur de l'Angleterre à l'Ukraine. Remontant les fleuves sur leurs bateaux légers non pontés, à la proue ornée de figures fantastiques, ils assaillaient brutalement villes et villages, au matin d'un dimanche ou d'un jour de fête, tuant, pillant, brûlant champs et maisons. Les chroniques des monastères et des historiens carolingiens ou byzantins ont gardé la mémoire de ces temps de fer. Mais les Normands eux-mêmes ont exalté l'épopée guerrière qui les lançait si loin de leur pays et qui fit d'eux pour toute l'Europe des génies du mal, instruments de la colère de Dieu : les inscriptions runiques évoquent, en quelques notations laconiques, des aventures individuelles ; les poèmes scaldiques chantent les exploits des chefs prodigieux ; les sagas unissent la mythologie à l'histoire pour camper le destin exemplaire d'un peuple soumis à la loi de l'honneur et de la vengeance.

2. Guerriers vikings sur leur drakkar. Pierre gravée (ixe s.), île de Gotland (Suède).

Poésie et vérité

On a souvent mis en doute les étonnantes navigations des Vikings et la réalité historique des prouesses exaltées par les sagas. Or ces récits ont trouvé un garant inattendu de leur véracité dans la science moderne, et tout spécialement dans la climatologie.

En 1966, un institut américain, le *Cold Region Research and Engineering Laboratory,* extrait à Camp Century, au Groenland, une carotte de glace de 12 cm de diamètre et de 1 390 m de long : plus de mille siècles de glaces empilées jusqu'à nos jours.

La mémoire des fluctuations du climat peut être ressuscitée grâce à l'isotope de l'oxygène O 18, contenu en plus ou moins grande quantité dans la glace des glaciers : la concentration en O 18 des pluies et des neiges fossilisées est d'autant plus grande que la température de l'époque a été plus élevée.

Or on constate, dans la carotte de glace, une période chaude d'un demi-millénaire, du viie au xie siècle. Les « hommes du Nord » ont donc profité, à cette époque, de mers et de rivages beaucoup plus libres de glaces, icebergs et banquises qu'aujourd'hui : c'est ainsi que la colonisation de l'Islande au ixe siècle, puis celle du Groenland au xe ont été possibles.

Les exploits d'Erik le Rouge et de son fils Leif, qui découvrit l'Amérique autour de l'an mille, se trouvent ainsi confirmés.

L'aventure chevaleresque

AUX ENVIRONS DE L'AN mille, la société européenne se pense selon une structure tripartite : trois « ordres » rassemblent ceux qui prient *(oratores)*, ceux qui travaillent *(laboratores)* et ceux qui combattent *(bellatores)* dans une hiérarchie à la fois tranchée et complémentaire, sur laquelle se fonde l'imaginaire de la féodalité.

Au cœur de l'ensemble des guerriers, qui défendent prêtres et paysans « des ennemis comme des loups », les chevaliers, les spécialistes du combat à cheval, forment l'arme absolue du monde féodal.

Attaché à un chef qui l'entretient et le « chase » (c'est-à-dire lui accorde une terre à titre viager), le chevalier apparaît d'abord dans les textes littéraires comme un jeune trublion qui s'oppose au seigneur, au père qui le nourrit. Puis, à la faveur des luttes entre Capétiens et Plantagenêts, le chevalier devient le membre d'un ordre quasi initiatique, consacré par la cérémonie de l'adoubement et qui enveloppe nobles et souverains dans une équivoque égalité de droits et de vertus : c'est ce que symbolise la table ronde du roi Arthur.

Très vite, face aux réalités de la vie de cour et de la pratique de la guerre, le chevalier va se construire un monde imaginaire. La cour est en effet une communauté policée, régie par des lois rigoureuses mais placées sous le signe de la séduction ; dans la guerre, comme dans la chasse, le chevalier est toujours étroitement intégré dans une équipe : l'imaginaire chevaleresque crée le mythe de l'aventure solitaire qui se déploie dans l'« antimonde », sauvage et livré aux puissances magiques, de la forêt.

L'aventure chevaleresque se définit comme une « quête », une recherche continue, dont l'objet peut varier (la Dame, la Vérité, le Salut), mais dont les parcours se croisent. L'aventure est nécessaire au chevalier, car il n'y a pas de valeur sans risque, pas d'initiation sans épreuve. L'idée s'imposera cependant qu'il appartient à un chevalier élu de mettre fin aux aventures et aux enchantements du monde.

Tout l'esprit de la chevalerie s'est incarné dans deux mythes fondamentaux, celui du Graal, celui de Tristan et Iseut, et dans une œuvre modèle, celle de Chrétien de Troyes, qui montre l'identité des lois de l'amour et de la société.

Les chevaliers de la Table ronde

LA MYTHOLOGIE CELTIQUE ET L'AIRE CULTURELLE BRETONNE ONT LÉGUÉ AU MOYEN ÂGE DES RÉCITS OÙ LE MERVEILLEUX PAÏEN SE MÊLE À LA CULTURE CHRÉTIENNE, ET CENTRÉS AUTOUR DE LA FIGURE LÉGENDAIRE DU ROI ARTHUR.

Les pays de langue celtique ont gardé, pendant tout le haut Moyen Âge, leur unité culturelle. Leurs récits mythologiques survivent, dans les contes et les poèmes musicaux (les *lais*) du XIe siècle, à travers un répertoire d'images fantastiques, de symboles, d'allusions à des coutumes étranges où les monstres et les magiciens interviennent à tout moment dans la vie quotidienne. Les écrivains ont repris et réadapté ces motifs mythiques pour constituer trois grands schémas narratifs, désignés habituellement sous le nom de « légendes » : d'Arthur, de Tristan, du Graal.

Arthur, arbitre de toutes les prouesses.

La figure du chef de la résistance des Celtes à la conquête anglo-saxonne s'est trouvée placée dans le double éclairage des traditions de Grande-Bretagne et de la civilisation courtoise de France.

Sa légende, qui repose sur des souvenirs épiques écossais et gallois (conservés dans le *Livre rouge* d'Hergest, le *Livre blanc* de Rhydderch et l'*Historia Britonum* de Nennius), a reçu une forme livresque en 1135 avec l'*Historia regum Britanniae* de l'évêque gallois Geoffroi de Monmouth. Traduite en 1155 par le clerc normand Wace, cette histoire va servir de point d'ancrage à l'imaginaire de romans qui vont unir une atmosphère magique et surnaturelle, qui caractérise les sagas, aux thèmes de l'amour chevaleresque et de la quête initiatique.

Les personnages vont garder leurs noms bretons, adaptés à la phonétique romane ou germanique : Gween-Hwywar devient Guenièvre, « Blanc Fantôme » ; Gwalchmei, c'est Gauvain, « Faucon mâle » ; Myrddin sera Merlin, « Forteresse de la mer » ; Peredur, « Chaudron d'acier », sera glorifié sous le nom de Perceval ; Lancelot, en gallois Llenlleawc, serait le dernier avatar du dieu solaire Lug, qui donna son nom à Lyon *(Lugdunum)*.

Mais beaucoup d'éléments de ces mythes seront rationalisés et christianisés : le thème de la recherche du chaudron de résurrection et celui de la tête coupée baignant dans son sang sur un plat seront transposés dans la quête du Graal, vase sacré contenant le sang du flanc du Christ percé par la lance du centurion et recueilli par Joseph d'Arimathie.

L'ensemble de ces sources d'inspiration littéraire constitue la « matière de Bretagne », qui se distingue ainsi de la « matière de France » (thème des chansons de geste) et de la « matière de Rome » (les romans à sujet antique).

Arthur apparaît dans tous les récits comme le modèle de la vaillance et de la courtoisie. Il est le suzerain de douze valeureux chevaliers, qui prennent place autour d'une table ronde afin d'éviter les querelles de préséance, mais parmi lesquels se distinguent Lancelot, Yvain et Perceval, animés non seulement par le désir de briller aux yeux de la Dame de leurs pensées, mais aussi par l'aiguillon de la foi mystique.

La mort d'Arthur sera évoquée dans un roman anonyme français (1230), puis dans l'œuvre nostalgique de Thomas Malory (1485). Arthur est blessé à mort par Mordret, ravisseur de son épouse Guenièvre et fils incestueux du roi ; son épée, jetée dans un lac, est saisie par une main mystérieuse qui jaillit de l'eau : dans le glas du monde merveilleux de la Table ronde résonne l'idée lancinante de la faute originelle et de l'inexorable destin. ●

2. Combat de Tristan et de Palamède.

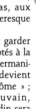

La quête du Graal

CETTE LÉGENDE EST DEVENUE CELLE DE L'AVENTURE CHEVALERESQUE PAR EXCELLENCE, QUI PASSE DE L'AMOUR ADULTÈRE À L'ASCÈSE MYSTIQUE.

Le Moyen Âge a nommé « Graal » l'objet précieux dont le mystère et la recherche orientent l'aventure des chevaliers de la Table ronde. Le mot, attesté au XIe siècle sous sa forme latine *gradalis*, existe également en provençal *(grazal)* et se confond souvent avec le terme qui désigne la corbeille où lève la pâte *(cratis)*, la coupe *(crater)* et même la pierre philosophale.

Au début de la tradition littéraire, dans les romans de Chrétien de Troyes, le Graal est un objet orné de pierres précieuses qu'une jeune fille porte dans un cortège où figurent également des chandeliers, ainsi qu'une lance qui saigne et un tailloir.

La christianisation d'un rite obscur.

Le Graal est ainsi promené dans le château d'un monarque étrange, le Roi pêcheur, frappé d'une blessure incurable dans un pays condamné à la stérilité. Perceval, jeune chevalier inexpérimenté, voit se dérouler ce rituel sans poser la question qui libérerait d'un coup la vérité du monde et les forces de la vie. Il apprendra plus tard qu'on apporte ainsi une hostie, seule nourriture du vieux père du roi. Le mystère chrétien prend alors la place du merveilleux celtique. Le Graal devient le calice de la Passion.

Le *Haut Livre du Graal* ou *Perlesvaus*, roman en prose du début du XIIIe siècle, consacrera la conversion de l'imagination barbare des origines, tout en unissant l'élucidation du désir charnel et le mystère de la Révélation.

Mais c'est à Galaad, fils de Lancelot, que sera donné le mot de l'énigme : la coupe présentée comme un nouveau symbole mystique, comme le sujet d'une parabole, dont le sens enfin dévoilé met fin aux aventures terrestres où s'épuise la chevalerie.

La quête du Graal, sous l'influence de saint Bernard et des moines de Cîteaux, s'achève en un antiroman qui invite la chevalerie à abandonner les labyrinthes des prouesses profanes pour la voie droite de l'ascèse spirituelle.

La recherche de la contemplation du Graal s'opposera désormais à la conquête de la Dame (ou de la Rose) comme objet du désir chevaleresque. ●

1. Le Graal, dont la contemplation et le secret sont réservés au plus pur des chevaliers. Miniature du XVe s.

Chrétien de Troyes, du romanesque arthurien au roman moderne

C'EST AVEC LUI QUE LE MOT AVENTURE, QUI SIGNIFIAIT JUSQU'ALORS « COUP DU SORT », A PRIS LE SENS D'ÉPREUVE METTANT EN VALEUR LE SENTIMENT HÉROÏQUE DE LA VIE.

Chrétien de Troyes était un clerc lettré, originaire de Champagne (sa langue le prouve), peut-être chanoine à Troyes, en tout cas doté d'une forte personnalité, qui transparaît dans son œuvre.

Le premier homme de lettres.

Il fit, entre 1160 et 1190, une carrière d'écrivain mondain, protégé par Marie de Champagne puis par le comte de Flandre.

Il a lui-même énuméré, au début de son roman *Cligès* (v. 1175), ses ouvrages de jeunesse : un *Art d'aimer* inspiré d'Ovide ; un *Livre du roi Marc et d'Iseut la Blonde* ; une histoire des amours tragiques de Térée et de Philomèle, *Philomena*. On lui attribue aussi un récit hagiographique inspiré par la légende de saint Eustache, *Guillaume d'Angleterre*.

Son œuvre incontestée et conservée consiste en cinq romans : *Érec et Énide* (v. 1170), *Cligès* (v. 1175), *Lancelot ou le Chevalier à la charrette* (v. 1170-1180), *Yvain ou le Chevalier au lion* (v. 1177), *Perceval ou le Conte du Graal* (v. 1190).

Du roman du couple à celui de l'individu.

La conception que Chrétien de Troyes a de l'amour est un antidote à la passion selon Tristan et Iseut. L'amour, pour lui, se fonde non sur la fatalité mais sur une volonté libre.

Chrétien a d'abord été le romancier du couple. *Érec et Énide* est ainsi le roman de l'amour conjugal : la difficulté de concilier la prouesse chevaleresque et la joie d'amour est vaincue par Érec au terme d'une série de sept épreuves qui condamne le plaisir égoïste. Honneur et bonheur ne

peuvent exister en dehors du groupe social.

Ce qui ne signifie pas que le chevalier doive sacrifier à un protocole d'amourettes mondaines sans consistance. Dans *Lancelot*, puis dans *Yvain*, Chrétien campe en face des deux héros le personnage de Gauvain, chevalier frivole, repoussoir des vraies valeurs. L'expérience que fait Chrétien des difficultés de la chevalerie passe du couple légitime et heureux, qui fait oublier la prouesse, au couple adultère, qui provoque l'émulation, puis à l'individu solitaire, qui se dépasse lui-même pour le bien de tous.

La mission du chevalier est, en effet, de rétablir l'ordre courtois – politique et amoureux – dans un monde agité par les passions mauvaises et les sortilèges. C'est la leçon de *Perceval* : si le chevalier pose les bonnes questions, il libérera la « terre gaste » de la malédiction qui pèse sur elle. Alors, par le courage et la vertu d'un seul, l'aventure aura trouvé tout son sens et sa fin.

●

Le mythe de Tristan et Iseut

LE COUPLE LÉGENDAIRE LE PLUS CÉLÈBRE D'OCCIDENT A IMPOSÉ LE THÈME DE LA PASSION FATALE, PLUS FORTE QUE TOUTES LES CONTRAINTES SOCIALES ET MORALES ET CAPABLE DE VAINCRE L'ULTIME OBSTACLE, LA MORT.

Il n'existe aucun récit complet de ce grand mythe européen, dont les éléments sont dispersés dans de multiples textes en vers et en prose des XIIᵉ et XIIIᵉ siècles.

Une inspiration celtique.

On devine à l'origine du mythe une légende celtique où une reine-fée s'attache, par un pouvoir magique, l'amour d'un jeune homme, soucieux de ne pas déshonorer son roi.

Telle qu'elle a été reconstituée par les historiens de la littérature, et notamment Joseph Bédier au début du XXᵉ siècle, l'intrigue témoigne d'une grande force dramatique : Tristan de Léonois est élevé par son oncle Marc, roi de

Cornouailles, qui l'envoie en Irlande demander pour lui la main d'Iseut la Blonde. Par une erreur fatale, il boit avec elle un philtre magique qui a la propriété d'allumer un amour irrésistible et éternel. Désespérés de tromper le roi Marc, qu'ils vénèrent, Tristan et Iseut se séparent. Tristan s'enfuit en Petite Bretagne, où il épouse Iseut aux Blanches Mains ; mais, lorsqu'une grave blessure met ses jours en danger, il envoie son fidèle Kaherdin chercher Iseut la Blonde. Le messager ramène celle-ci dans une nef à voile blanche, signe de la réussite de sa mission. Mais la femme de Tristan lui annonce que la voile est noire. Tristan expire et Iseut, arrivée trop tard, meurt de douleur aux côtés de son amant.

Une double interprétation littéraire.

La mise en forme littéraire de la légende a été réalisée, outre les brefs récits de Marie de France (le *Lai du chèvrefeuille*, v. 1160), par les deux romans incomplets de Béroul (entre 1150 et 1195) et de Thomas d'Angleterre (entre 1170 et 1190).

Le roman de Béroul se rattache à la tradition dite « commune », qui reste proche de la légende originelle : le philtre y a toute sa force de fatalité irrationnelle ; l'amour de Tristan et d'Iseut est donc incompréhensible aux yeux de la société du roi Marc ; du jour où cesse l'action du breuvage magique, Tristan et Iseut ne comprennent plus rien à leur comportement et déplorent leur vie manquée.

Le roman de Thomas relève, lui, de la tradition « courtoise ». Le philtre n'est plus qu'un symbole. Le mariage de Tristan est un raffinement dans le renoncement. La mort de Tristan, qui conjugue tous les maléfices du destin, est signe que la miséricorde de Dieu s'est lassée. La moralité est que la passion est mortelle par sa seule intensité. Mais la fidélité triomphe, symbolisée par l'union, sur la tombe commune des amants, de la vigne et du rosier.

●

La passion fatale

Le mythe de Tristan et Iseut incarne la conception fondamentale de l'amour en Occident : la passion ne peut être qu'irrationnelle et fatale ; elle ne peut exister que dans le défi aux conventions sociales et d'abord au mariage.

3. Le vaisseau, sur lequel les deux amants boivent le philtre qui les unira malgré eux. Miniature du XVᵉ s.

4. Le roi Marc surprend Tristan et Iseut endormis dans la forêt. Miniature du XIIIᵉ s.

5. La mort de Tristan. Miniature du XVᵉ s.

La courtoisie

LA COURTOISIE EST UN phénomène de civilisation. Le mot « courtois » dérive de deux mots latins : *curtis,* qui désigne la demeure noble au centre d'un domaine agricole ; *curia,* qui est le groupe d'hommes que le chef réunit autour de lui pour prendre conseil. La courtoisie plonge ses racines à la fois dans la seigneurie rurale et la compagnie militaire.

La courtoisie est un système social. Elle implique à la fois une gravitation et une exclusion : la noblesse, dont tous les gestes prennent sens et valeur par rapport à la Cour, s'oppose aux « vilains », au monde de la peine et de la brutalité. La courtoisie s'épanouit dans un ordre et une société fermés. Elle joue d'abord le rôle d'une formation continue pour les cadets de famille, les jeunes célibataires sans fief qui vivent en permanence à la cour du seigneur ; elle s'efforce ensuite de donner à la passion adultère les couleurs de l'amour conjugal ; elle masque enfin, derrière l'amour de la Dame, l'amitié virile des combattants.

La courtoisie est une théorie des rapports entre l'homme et la femme. Cette théorie repose sur la conception du service de la Dame, élevé à la hauteur d'une religion, avec ses rites et ses interdits. Maîtresse du destin du parfait chevalier, à la fois incitatrice et but de toute quête, la Dame polarise les désirs de la turbulente jeunesse de la Cour et en même temps les tient à distance grâce à une discipline amoureuse codée dans une littérature raffinée.

La courtoisie connaît une expansion géographique. Elle naît, au début du XIIe siècle, dans l'entourage des seigneurs du Midi, en pays de langue d'oc, avec les troubadours ; elle gagne ensuite le Nord, la France de langue d'oïl, avec les trouvères ; elle conquiert enfin les cours de l'Allemagne médiévale avec les *minnesänger.*

Une œuvre résume toute l'aventure de la courtoisie : le *Roman de la Rose,* qui réunit sous un même titre deux fictions allégoriques, composées à quarante ans de distance par deux poètes de tempéraments opposés. Au long du XIIIe siècle, la courtoisie a connu une évolution, mais elle a poursuivi un même but profond : domestiquer le mythe de la passion fatale de Tristan et Iseut. Et la Rose a opposé son mystère à celui du Graal.

Les deux faces du Roman de la Rose

CONSERVÉ DANS PLUS DE 300 MANUSCRITS, IMPRIMÉ DÈS 1480, LE « ROMAN DE LA ROSE » EST, À LUI SEUL, UNE ÈRE DE LA LITTÉRATURE FRANÇAISE.

Le *Roman de la Rose* se présente comme un poème allégorique et didactique en deux parties. La première, écrite vers 1230, est un *Art d'aimer* selon les règles de la société courtoise, dû à un certain Guillaume, natif de Lorris-en-Gâtinais : elle décrit en 4 058 vers, et dans le cadre fictif d'un songe, la tentative d'un amant pour s'emparer de l'objet aimé, représenté par une rose au cœur d'un verger. La seconde partie, le *Miroir aux amoureux,* a été composée entre 1270 et 1280 par Jean Chopinel, dit Jean de Meung, qui ajouta 17 723 vers au texte de Guillaume de Lorris : c'est, pour l'essentiel, une encyclopédie des connaissances et une satire de la société du temps, dans laquelle la délicatesse précieuse fait place à l'ironie et à la verve gauloise.

À la disproportion et à l'écart chronologique considérable entre les deux parties s'ajoute une opposition de dessein et de ton. Le premier *Roman de la Rose* est poétique, allusif ; le second est érudit, digressif. Le premier constitue l'œuvre courtoise la plus originale et l'aboutissement d'un siècle de raffinement aristocratique et littéraire ; le second est le produit type de l'esprit scolastique et le chef-d'œuvre de la rhétorique érudite qui triomphe dans les débats des clercs.

Un miroir de la société.
Le *Roman de la Rose* est né dans un pays, l'Île-de-France, où la croissance rurale et le pouvoir politique avaient connu une ascension particulièrement vigoureuse depuis plus d'un siècle.

La courtoisie s'épanouit au lendemain de la victoire de Bouvines et de la conquête du Languedoc, au moment où se déploient les rosaces de l'art gothique et les subtilités de la polyphonie musicale, alors que les croisades ont refoulé au-dehors de l'Europe la violence chevaleresque et que les tournois proposent à la jeunesse, porteuse des valeurs nobles, une guerre jouée.

La courtoisie affirme son indépendance à l'égard de deux cultures dominantes : celle des prêtres d'abord – le verger de la première partie du roman est un lieu interdit à Pauvreté et à Papelardie, c'est-à-dire à Dévotion ; celle du roi ensuite – la courtoisie est un moyen pour les féodaux de marquer une distance à l'égard de la culture royale restée fidèle aux traditions carolingiennes, militaires et liturgiques.

La courtoisie, telle que la peint Guillaume de Lorris, est d'abord un jeu d'hommes. La Cour est une école de chevalerie, entretenue par la largesse du seigneur et animée par une compétition sans cesse renouvelée entre les jeunes gens « non chasés », qui n'ont ni terre ni famille.

À la base de la courtoisie, il y a la stratégie matrimoniale de l'aristocratie : pour conserver l'in-

1. Adenet le Roi chante pour le comte de Flandres, la reine de Brabant et Blanche, fille de Saint Louis.

L'amour en un jardin

Dans un univers clos, à l'abri des angoisses et des laideurs du monde, une jeunesse élégante et raffinée, désireuse de briller dans les jeux de l'esprit comme dans les exercices du corps, trouve sa joie dans l'obéissance à un code rigoureux des sentiments et des manières : l'amour n'est plus un combat mais une ascèse.

2. Le verger du *Roman de la Rose,* où la fantaisie accompagne la grâce.

tégrité du fief et en accroître la puissance, il faut marier l'aîné seul, doter les filles – qui abandonnent ainsi leur prétention à l'héritage –, maintenir les cadets dans le célibat. Le jeune « bachelier » attend de la munificence du maître – qui, en récompense de ses exploits, lui donnera en mariage une orpheline ou une veuve – le droit de fonder une maison et un lignage. Dépendant du seigneur, il va alors jouer à dépendre de la Dame, l'épouse du seigneur. Le verger du *Roman de la Rose* est un lieu désarmé, où les chevaliers brillent par autre chose que leur force physique et leurs qualités guerrières ; la véritable distinction réside dans le raffinement des manières.

Quarante ans plus tard, le roman de Jean de Meung se déroule dans un autre monde. À la fin du règne de Saint Louis, l'élément moteur de l'économie n'est plus la campagne mais la cité. Les conquérants sont les marchands et non plus les défricheurs. Dans Paris, capitale qui unit la cour et la ville, règne l'administration. Un nouveau public s'est formé, mélange de chevaliers, de clercs et de bourgeois, moins soucieux de rêve, plus curieux de vie. Le christianisme est revivifié dans une piété populaire où la Nature s'offre à l'homme pour qu'il en jouisse, comme Adam au Paradis. Dans les écoles triomphe Aristote, revu par les Arabes et la scolastique : les intellectuels donnent le ton dans les joutes de l'esprit qui réclament toujours plus d'étude et de savoir. Le verger de la seconde partie du *Roman de la Rose* est une nature faite moins pour le seul plaisir des yeux que pour exciter le désir de connaître, de comprendre et pour inciter au

respect : l'amour est au cœur du rythme naturel.

Un itinéraire initiatique et poétique.
Le rêveur de Guillaume de Lorris a la vision, dans un songe prophétique, de son destin amoureux. Au milieu d'un verger paradisiaque, il découvre dans la fontaine de Narcisse, miroir magique, un buisson de roses. Fasciné par un bouton, il s'approche pour le cueillir, mais ce désir va rencontrer des obstacles de plus en plus difficiles jusqu'à la construction du château de Jalousie. Le récit s'arrête au moment où l'amoureux se désespère de ne pouvoir prendre le château. L'allégorie résume le postulat de base de la courtoisie : elle exalte la force du désir, mais elle refuse la jouissance ultime qui le comblerait et le détruirait en même temps.

Le propos de Jean de Meung va à l'encontre de cet ascétisme amoureux. S'il s'adresse aux amants c'est pour les libérer de l'illusion courtoise (les femmes, chez lui, exposent en termes crus des exigences qui n'ont rien d'éthéré) et aussi de quelques idées reçues sur l'ordre social, la vie religieuse (il s'attaque aux ordres mendiants qui dominent l'université et la conscience du roi) et l'activité scientifique (toute connaissance doit être utile). Raison joue désormais un plus grand rôle qu'Amour. Tout cela au milieu d'innombrables références historiques et mythologiques, de digressions érudites où s'entassent les souvenirs de lectures d'un étudiant boulimique, d'une rhétorique foisonnante servie par un langage truculent, libéré des censures de la courtoisie initiale. Le mythe de la rose s'achève en démystification.   ●

Troubadours et trouvères

LA COURTOISIE S'EST INCARNÉE
DANS L'ART RAFFINÉ DES TROUBADOURS
DES COURS MÉRIDIONALES, PUIS DES TROUVÈRES
DE LA FRANCE DU NORD, MAIS DANS
DEUX TONALITÉS DIFFÉRENTES.

La *fine amor,* cet amour qui exige un long service amoureux jamais certain de sa récompense, est née dans les cours seigneuriales du Midi, en pays de langue d'oc, où se mêlaient les influences de la poésie liturgique latine, des chants populaires, du lyrisme des poètes arabes d'Andalousie. Cet amour est signe de la *cortezia,* la courtoisie, qui se caractérise par la *jovenz* (les qualités de la jeunesse), le *joi* (tantôt compris comme une *joie* quasi mystique, tantôt comme un *jeu*) et la *mesura* (la maîtrise de soi).

Paradoxalement, le premier chantre de l'amour épuré, le premier troubadour, est un grand seigneur débauché et désabusé, Guillaume IX, duc d'Aquitaine et comte de Poitiers (1086-1127). S'il écrivit des chansons libertines, il évoqua aussi une passion idéale pour une femme si parfaite qu'on peut douter de son existence. Ce n'est pas un hasard si le plus beau mythe amoureux de la poésie des troubadours est celui de l'« amor de lonh », l'amour lointain que Jaufré Rudel, prince de Blaye, éprouva pour la prin-

cesse de Tripoli, sans jamais l'avoir vue : il se croisa pour elle et mourut dans ses bras en débarquant en Terre sainte.

Ce que dit la poésie courtoise, au milieu de quelques retours de gaillardises et de désirs brutaux, c'est que la fin de l'amour tue l'amour : le bonheur est dans l'inassouvissement ; il culmine ainsi dans l'épreuve de l'*assag,* la chasteté acceptée en présence de la dame nue.

Un art hermétique et varié.
Le troubadour est un *trouveur,* c'est-à-dire un « faiseur de tropes », d'ornements mélodiques et littéraires. *Trobar,* en langue d'oc, signifie « trouver », « créer », au sens poétique et musical, car dans l'art du troubadour les deux pratiques sont inséparables. Beaucoup de manuscrits des troubadours sont pourvus d'une notation musicale qui souligne les textes. Souvent le poète s'accompagne lui-même de la vielle. Le *trobar* connaît divers degrés : *trobar leu* (« poésie ouverte »), *trobar clus* (« poésie fermée ») hermétique, *trobar ric,* qui cultive l'expression rare.

Cet art élaboré s'incarne en une multitude de formes et de genres : la *canso,* chanson d'amour qui se termine souvent par un envoi *(tornada)* dédiant le poème à une personne désignée par un pseudonyme (le *senhal*) ; la *tenson,* débat entre plusieurs poètes sur une question de discipline amou-

reuse ; l'*alba,* ou chanson d'aube, qui évoque la séparation des amants au petit jour ; l'*estampida,* l'estampie, composée sur un rythme de danse ; le *planh,* complainte funèbre ; le *sirventès,* pièce polémique et satirique qui s'attaque aussi bien aux ennemis politiques qu'à la décadence de la courtoisie.

**Les trouvères :
des amoureux doués de raison.**
Les poètes des pays de langue d'oïl imitèrent d'abord les troubadours : ils leur empruntèrent la grande chanson courtoise en cinq strophes, leurs artifices de versification, leurs sujets. Le premier foyer courtois important dans le Nord fut la cour de Champagne ; suivirent les cours et les villes de la Picardie et de l'Artois.

Le répertoire des trouvères s'est bientôt diversifié avec des chansons de croisade, des ballades, des pastourelles, des motets, des rondeaux ; il reprend aussi les thèmes plus anciens des chansons d'histoire et de toile, qui mettent en scène une jeune femme filant sa quenouille et évoquant celui qu'elle aime. D'une façon générale, la courtoisie des trouvères met l'accent sur la *mesure,* la modération. Le poète jauge son idéal à l'aune de la raison, en même temps que son accompagnement musical se rapproche de la veine populaire, du rythme de la chanson folklorique.

L'art des trouvères ne disparaîtra pas, il se transformera à travers l'inspiration dramatique et pastorale d'Adam de la Halle (seconde moitié du XIIIᵉ s.) et il se fondra dans la polyphonie virtuose du musicien-poète Guillaume de Machaut (v. 1300-1377) : à cette date, musique et poésie voient diverger leurs destins.   ●

3. Jeunesse et Amant s'embrassant.

Les minnesänger

ADAPTATEURS DES TROUBADOURS
ET DES TROUVÈRES, LES POÈTES COURTOIS ALLEMANDS ONT
CEPENDANT DONNÉ UNE INTERPRÉTATION ORIGINALE DU SERVICE
D'AMOUR ET CRÉÉ UN STYLE MUSICAL QUI LEUR EST PROPRE.

Les chantres de l'amour en pays germanique (*Minne* veut dire « amour », dans la langue médiévale) ont fait de leur mieux pour respecter le code inhumain de l'amour sublimé, qui fait de la femme la maîtresse inaccessible et de l'amant son fidèle vassal. Ils ont poussé tous les cris et toutes les plaintes de convention, appliqué les règles de composition, reproduit tous les stéréotypes. Ainsi ont fait Reinmar l'Ancien, Heinrich von Morungen, Wolfram von Eschenbach, Hartmann von Aue, Hendrik Van Veldeke. Mais, lorsqu'ils se laissent aller à leur tempérament propre, ils témoignent de sentiments moins convenus : chez le sire de Kürenberg, la femme parle un langage hardi, elle n'hésite pas à renverser les

rôles et à solliciter l'amour du bien-aimé trop réservé ou peu attentionné ; Walther von der Vogelweide (v. 1170 - v. 1230) apporte à sa poésie d'amour la même vigueur et le même naturel qui animent ses poèmes politiques et ses méditations lyriques ou religieuses : il chante avec fraîcheur sa passion pour sa Dame (c'est le genre de la *hohe Minne,* l'amour noble), mais il lui arrive de préférer la bergère (la *niedere Minne,* le « menu amour »).

Maniérisme et réalisme.
Les minnesänger se forgèrent un style musical particulier, syllabique et scandé, qu'on retrouve plus tard dans le lied. Mais ils y coulent jusqu'à satiété les thèmes et les formes éprouvés, en les outrant jusqu'au maniérisme : Konrad von Würzburg se

complaît dans sa virtuosité de versificateur (il la prouve durant 90 000 vers) ; Ulrich von Lichtenstein, dans son *Service de la Dame* (1255) qui est aussi un autobiographie, déplore le déclin de l'art qu'il est en train de pratiquer. Certains vont jusqu'à la parodie, tel Tannhäuser (v. 1205-v. 1270), devenu dès le XVᵉ s. un personnage mythique, que les romantiques redécouvriront et que Wagner immortalisera. Une réaction ramènera l'amour courtois sur terre, plus précisément au village, avec Neidhart von Reuental, qui se divertit à peindre dans un langage raffiné les amours des filles de ferme et les combats des chevaliers qui se réduisent à des rixes de taverne.

Malgré la volonté d'Heinrich von Meissen (v. 1250-1318) de restaurer l'inspiration du minnesang dans un style élaboré jusqu'à l'obscurité, la poésie courtoise survivra dans l'art sensuel et musical d'Oswald von Wolkenstein (v. 1377-1445), où le rythme de la chanson à boire se mêle à la confession passionnée.   ●

Le théâtre religieux du Moyen Âge

Le drame liturgique

NÉ DE LA MESSE, LE DRAME LITURGIQUE A VOULU RETROUVER L'ORIGINE CONCRÈTE D'UN ÉVÉNEMENT – LE SACRIFICE DU CHRIST – QUI A BOULEVERSÉ LE SENS ET LA SIGNIFICATION DU TEMPS HUMAIN.

LE MOYEN ÂGE A MIMÉ l'histoire sainte, pour l'édification et la joie des fidèles. La découverte du sépulcre vide au matin de Pâques est d'ailleurs l'archétype du coup de théâtre.

Il y a d'abord, dans les monastères du xᵉ s., une animation du texte latin de la liturgie de l'Incarnation et de la Résurrection. On illustre les messes de Noël et de Pâques à travers la mise en acte des passages dialogués du texte sacré, ou qui évoquent un dialogue : c'est le *drame liturgique.* Ensuite le drame quitte le chœur pour le parvis de l'église ; il intègre des éléments profanes et des textes en langue vulgaire : c'est le *jeu liturgique.* Ce spectacle croise alors un genre issu des cantiques et des contes pieux qui célèbrent l'intervention d'un saint ou de la Vierge : l'« exemple » édifiant du sermon devient le *miracle,* joué par des « écoliers » puis par des confréries.

Le théâtre religieux prend une nouvelle dimension au xvᵉ s. avec la représentation des *mystères.* Le mystère a l'ambition de donner une vision totale de la vie humaine dans ses rapports avec les puissances divines. Le surnaturel y côtoie le réalisme le plus trivial. L'action repose sur un texte, parfois d'une grande ampleur (certains mystères comptent plus de 20 000 vers), généralement écrit en octosyllabes, et bien rythmé (les vers sont groupés en couplets, dont le premier vers rime avec le dernier du précédent) ; elle transporte sans cesse le spectateur dans le temps et dans l'espace ; elle est coupée d'intermèdes musicaux ou de ballets et se déroule sur plusieurs journées. Les acteurs, qui sont groupés en confréries, évoluent d'abord dans un espace circulaire entouré par le public, puis dans des décors fixes et simultanés.

L'évolution du goût tua les mystères : on leur reprocha de faire trop de place à la vie terrestre dans l'évocation de l'autre monde, de se complaire dans le burlesque et la grossièreté. Les attaques de la Réforme précipitèrent le déclin du genre, qui fut interdit en 1548.

Paradoxalement, plusieurs tentatives de reconstitution de ce théâtre religieux ont été faites au xxᵉ s. et les habitants d'une petite ville de Bavière, Oberammergau, ne cessent de représenter, tous les dix ans depuis 1634, la Passion du Christ.

Au début du xᵉ s., dans certaines communautés monastiques (à Saint-Benoît-sur-Loire et au Mont-Cassin, à Saint-Gall et à Verceil), les chantres introduisent dans la messe de Pâques un commentaire mimé et chanté de la découverte par les saintes femmes du tombeau vide. Cette dramatisation de la liturgie s'étend rapidement (à la messe de Noël, puis de l'Épiphanie) et s'étoffe ; vers 1100, un manuscrit de Saint-Martial de Limoges contient un dialogue construit à partir de la parabole des Vierges sages et des Vierges folles : ce *Sponsus* (« Drame de l'époux ») est composé d'un texte en latin entrecoupé de vers écrits en dialecte limousin.

Cette technique de « farciture » (dialogue latin, refrains en langue vulgaire) se généralise au xiiᵉ s., notamment dans deux drames célèbres, l'un qui relate la résurrection de Lazare, l'autre qui évoque les miracles de saint Nicolas, très en faveur dans la piété populaire et patron des étudiants. Un pas de plus est franchi, à la même époque, avec les 31 tercets de *Quant li solleiz,* destiné à la fête de l'Assomption et qui mêle une paraphrase du texte biblique du *Cantique des cantiques* à des motifs tirés de poèmes d'amour.

Du chœur au parvis et des clercs au peuple.
Dès le milieu du xiiᵉ s., la part d'éléments profanes ne cesse de s'accroître dans ces représentations religieuses. Les textes en langue vulgaire l'emportent aussi sur le latin. Le drame va quitter l'enceinte sacrée du chœur, près de l'autel et de l'Évangile, pour trouver, devant le portail de l'église qui lui offre un décor naturel, plus d'espace et plus de liberté. Le drame liturgique est maintenant devenu un jeu.

Cette évolution s'incarne, dès 1150-1170, dans un texte de 942 vers, composé en terre anglo-normande, dans la mouvance de la cour d'Henri Plantagenêt : le *Jeu d'Adam.* L'œuvre, qui s'adresse à un public cultivé et aristocratique, condense le récit de la Genèse en trois tableaux : tentation et châtiment d'Ève et d'Adam ; meurtre d'Abel par Caïn ; défilé des onze prophètes annonciateurs du Christ et de la rédemption. Le jeu s'achève par un long poème de 362 octosyllabes sur les signes du Jugement dernier. Le *Jeu d'Adam* fut représenté au milieu d'une explosion hérétique violente, qui prônait entre autres l'égalité de l'homme et de la femme : le drame se présente résolument comme une œuvre anticourtoise (c'est Satan qui s'adresse à Ève avec la galanterie d'un troubadour), qui défend une conception féodale traditionnelle du mariage. L'épouse se lie à son mari par un contrat vassalique dont la Bible offre le modèle et l'image : Dieu est suzerain

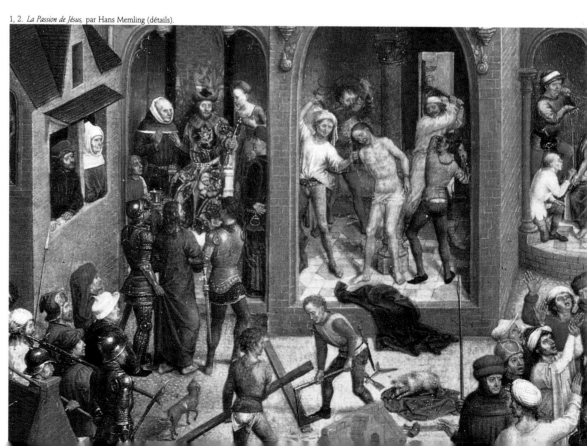

1, 2. *La Passion de Jésus,* par Hans Memling (détails).

Les miracles

Fidèles à la leçon que leur avait donnée Grégoire le Grand dans ses *Dialogues,* les prêtres du Moyen Âge farcissaient leurs prêches de petits contes moraux, qui avaient l'avantage d'illustrer une idée abstraite par l'exposition d'un cas concret. Ces historiettes montraient ainsi dans leur réalisme que les plus humbles circonstances de la vie manifestent la présence divine.

Parmi ces contes dévots, aucun ne touchait plus le cœur du peuple que ceux qui évoquaient une intervention de la Vierge. Dès 1218, un moine de Saint-Médard de Soissons, Gautier de Coincy, avait réuni les 30 000 vers de 58 *Miracles de Notre-Dame.* On y trouve la matière de presque toutes les représentations dramatiques qui allaient faire vibrer pendant deux siècles des chrétiens délicieusement terrorisés. Le miracle le plus célèbre reste *le Miracle de Théophile* de Rutebeuf.

d'Adam, tout comme Adam est suzerain d'Ève.

Techniquement, le *Jeu d'Adam* est une œuvre très élaborée. Le dialogue, entièrement en langue vulgaire, était parlé d'un bout à l'autre. Le manuscrit comporte des indications, en latin, pour la mise en scène, sur l'échafaud qu'on doit dresser sous le porche de l'église, sur la « bouche d'enfer » qui doit vomir de la fumée. Le *Jeu d'Adam* marque une étape décisive dans l'évolution de ce premier théâtre d'expression française : on passe insensiblement de la représentation de l'histoire sacrée à la peinture des actions humaines ; on quitte le cadre musical primitif pour un style parlé et un rythme gestuel.

Machinerie et mise en scène.

Du XIIᵉ au XIVᵉ s., le jeu liturgique va profondément se transformer. Il devient une véritable entreprise de spectacle, ordonnée par les chantres, les diacres et les chanoines. Les premières confréries d'acteurs amateurs se constituent. Même les nobles ne dédaignent pas d'interpréter des rôles où le comique prend de plus en plus de place. De vastes tréteaux supportent des « mansions » qui forment le décor des lieux successifs de l'action. Dans les coulisses, une machinerie peut faire apparaître l'étoile de Noël ou illuminer d'éclairs la scène de la Résurrection.

Ce développement est inégalement sensible dans les jeux anonymes qui subsistent du XIIIᵉ et du XIVᵉ s. : si les jeux de Pâques, notamment à destination des couvents de femmes (*Ludus pascalis* d'Origny-Sainte-Benoîte), valent surtout encore par la saveur du texte, la complexité du dialogue fait tout l'intérêt de ce qui va deve-

nir un genre à part entière, la *Passion,* dont la plus célèbre est celle du *Palatinus,* du nom du manuscrit du début du XIVᵉ s. qui la conserve.

Le chef-d'œuvre de la dramatisation liturgique reste cependant un jeu signé et daté : le 5 décembre 1200, dans l'émotion causée par la prédication de la IVᵉ Croisade, le trouvère Jean Bodel fit représenter à Arras, dans le local de la confrérie des Ardents, le *Jeu de saint Nicolas*. Thème connu, mais que l'auteur traite avec une belle audace inventive : il fait d'Arras une ville sarrasine, où un émir païen va se convertir grâce à une statuette miraculeuse qui le remet en possession de son trésor volé. Des personnages dessinés avec une grande sûreté de trait se détachent sur un fond d'actions épiques (batailles entre païens et chrétiens), surnaturelles (apparitions des anges et de saint Nicolas) et comiques (dans de truculentes scènes de taverne).

Désormais, le théâtre religieux s'éloigne à la fois du texte biblique et de l'espace de l'église : sur les planches des salles de spectacle, la béatitude sereine du paradis, dont le chant des moines voulait donner un avant-goût dans le recueillement du chœur, s'estompe derrière le gros rire que suscitent la diversité du monde réel et la difformité, inquiétante, de l'univers quotidien. •

Du théâtre en peinture

Dressée sur une place publique, la scène où se joue le mystère déroule des espaces conventionnels et juxtaposés : les acteurs passent de l'un à l'autre suivant les besoins de l'action. Les peintres médiévaux, qui collaboraient aux mystères, non seulement comme réalisateurs des décors mais comme acteurs, se sont inspirés de ces grandes machineries dramatiques pour représenter les scènes religieuses des tableaux qui leur étaient commandés : ainsi Memling dans *la Passion de Jésus* de la galerie Sabauda à Turin. Les détails de l'œuvre montrent quatre moments du drame figurés côte à côte : Jésus devant Pilate, la Flagellation, le Couronnement d'épines, le départ pour le Calvaire.

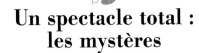

Un spectacle total : les mystères

LE MYSTÈRE, ABOUTISSEMENT D'UNE ÉVOLUTION DRAMATURGIQUE, RASSEMBLE TOUT UN PEUPLE AUTOUR D'UN SPECTACLE QUI UNIT LE SACRÉ AU PROFANE ET OCCUPE LA CITÉ PENDANT PLUSIEURS JOURS.

Le mystère dérive du drame liturgique et des multiples formes de spectacles édifiants qui se sont succédé pendant près de cinq siècles. Comme eux, il a pour mission essentielle d'incarner l'histoire sainte. Mais il s'en distingue par deux caractéristiques majeures. Il ne s'adresse plus à une communauté restreinte, fidèles dans l'église ou membres d'une confrérie dans leur local attitré : il parle, sur la place publique, à l'imagination de tout un peuple. D'autre part, les acteurs qui en assurent la représentation sont avant tout des mimes et des jongleurs : le texte du mystère se déroulera donc comme un récitatif accompagnant une série de tableaux vivants. Avec ses personnages passant d'un lieu scénique à un autre, le mystère constituera la version animée des fresques qui couvrent les murs des églises paroissiales.

Plusieurs cycles, un thème majeur.

Forme englobante, le mystère a eu l'ambition de représenter non seulement l'ensemble de l'aventure terrestre du Christ, mais encore tous les événements qui l'annoncent et la nouvelle histoire qu'elle inaugure. On groupe ainsi les mystères en cycles suivant le sujet traité : cycle de l'Ancien Testament, illustré par un *Mystère du Vieil Testament* (v. 1450) qui, en près de 50 000 vers, brosse un panorama de la création des anges à l'histoire d'Esther ; cycle du Nouveau Testament et des Apôtres, qui suscita les chefs-d'œuvre d'Eustache Marcadé et d'Arnoul Gréban ; cycle des Saints, qui évoque aussi bien les martyrs des premiers jours comme sainte Apolline (dont Jean Fouquet a gardé

dans son *Livre d'heures* la mémoire de la représentation de la pièce qui lui était consacrée) que les élus les plus récents (le *Mystère de Saint Louis,* v. 1470). Certains mystères traitent même de sujets antiques (*la Destruction de Troie,* v. 1450), parfois même de l'histoire contemporaine (le *Siège d'Orléans,* 1438).

Mais le thème de prédilection des mystères est celui de la Passion. De 1374, date assurée d'un spectacle de Rouen, à la dernière représentation de Valenciennes en 1547, la Passion du Christ inspire des œuvres de plus en plus considérables : 25 000 vers et quatre journées pour la *Passion d'Arras* (av. 1440) d'Eustache Marcadé ; 35 000 vers pour la *Passion* (v. 1450) de Gréban ; 45 000 vers et dix journées pour *la Passion* (1486) de Jean Michel ; 25 journées pour le *Mystère de la Passion de Valenciennes.* Il est vrai qu'au siècle suivant le *Mystère des Actes des Apôtres* atteindra la longueur de 62 000 vers.

Le théâtre dans la cité.

Tout était bon à l'origine pour présenter un mystère : carrefour, cour de château ou de couvent, cimetière même. Très vite, le mystère conquiert la plus belle place de la ville, souvent devant la cathédrale. La préparation du spectacle coûte fort cher (on fait appel à la générosité des corporations) et dure parfois plus d'un an. L'architecture de la place est intégrée au système scénique : on construit le paradis entre les pignons de deux maisons, les fenêtres et les balcons servent de loges. Le public s'entasse sur des tréteaux, tandis que les grands seigneurs se font aménager de véritables appartements

pour supporter le nombre de jours que dure la représentation.

Au début, acteurs (en moyenne 150 pour 300 à 400 personnages) et spectateurs du petit peuple ne sont pas séparés : les premiers se détachent du cercle formé par les seconds pour intervenir selon leur rôle. Plus tard, on jouera sur des scènes frontales surélevées pouvant mesurer 50 mètres de long. Le décor s'aligne dans un ordre immuable : à droite, par rapport aux acteurs, le Paradis, avec Dieu le Père, barbe blanche et manteau de pourpre, entouré d'anges en bois qu'une machinerie fait sans cesse passer devant lui ; à gauche, l'Enfer, figuré par une gueule de crapaud d'où s'échappent de vraies flammes alimentées par des démons hurlants. Entre les deux, les lieux conventionnels, les « mansions » (la mer, la montagne, le palais, le temple, etc. : il y en aura jusqu'à 70), évoqués très simplement par des toiles peintes ou des écriteaux. La mise en scène joint le surnaturel (une mécanique transporte Jésus sur le toit du temple de Jérusalem) au réalisme le plus cru (on verse de grands baquets d'eau au moment du Déluge, on torture des mannequins qui représentent des martyrs).

Une leçon ambiguë, une communauté d'idéal.

Les mystères voyaient se presser les représentants de toutes les classes sociales, sans les confondre mais en les unissant dans les mêmes aspirations. La leçon de ce spectacle est complexe. On célèbre la Création ; on dénonce la malignité de ceux qui, poussés par le Démon, refusent de louer le Créateur. On évite soigneusement de magnifier Satan, dans l'affrontement du bien et du mal : le diable sera toujours grotesque. On vulgarise aussi de grands débats théologiques, à travers des personnages symboliques : Judas et l'argent, Hérode et le pouvoir, Marie-Madeleine et l'amour. Le procès et la mort de Jésus mettent souvent à mal l'image de la puissance temporelle.

Mais, avant d'être condamnés comme sacrilèges par le parlement de Paris en 1548, parce qu'ils s'attachaient avec trop de complaisance au burlesque et au trivial, les mystères étaient déjà morts dans leur force vive : ce spectacle de participation, cette grande manifestation collective était devenue le privilège de professionnels (les Confrères de la Passion) qui faisaient payer les places, séparant nettement les spectateurs suivant leur bourse et leur rang. Le plus rentable était de les enfermer dans une salle. Les Confrères de la Passion venaient précisément d'acheter l'hôtel de Bourgogne quand les mystères furent interdits. Mais ils conservaient leur privilège et avaient le droit de représenter des farces. Abandonnant le sacré, le théâtre s'engageait désormais sur une autre voie. •

2.

Dante et *la Divine Comédie*

L'avant-garde poétique

DANTE EST PASSÉ DE L'IDÉAL CHEVALERESQUE DE L'AMOUR COURTOIS À UN MYSTICISME AMOUREUX PUIS À LA DÉCOUVERTE DU BON USAGE DE LA PASSION.

L'ŒUVRE DE DANTE EST l'origine de la littérature italienne. Elle est aussi la fin de toutes les aspirations du « Beau Moyen Âge », pour qui le service du suzerain et de la Dame se sublimaient dans l'amour de Dieu.

L'itinéraire de Dante est doublement exemplaire : par l'épuration continue de sa vision du destin humain à travers l'épreuve des passions terrestres, des malheurs publics, des douleurs privées ; par la création permanente d'instruments d'expression qui offrent, à ses compatriotes d'abord puis à l'Europe entière, le moyen de traduire les nostalgies et les sentiments nouveaux que suscite le passage d'un univers tendu vers l'au-delà à un royaume qui s'accommode de plus en plus de ce monde.

Cet itinéraire, Dante l'a parcouru en trois étapes et sur trois plans : amoureux, culturel, politique.

Le jeune Dante fait d'abord l'expérience de la chevalerie et de l'amour courtois et il participe à l'avant-garde poétique du « dolce stil nuovo ». Mais la mort de Béatrice Portinari, la passion exclusive de sa vie, et la méditation philosophique qu'elle entraîne le conduisent à une conception désincarnée de l'amour, dont il fait l'histoire et la théorie dans l'autobiographie spirituelle de la *Vita nuova*.

Dante tente ensuite d'élaborer consciemment une culture laïque moderne, fondée sur la science et la vertu et qui, débarrassée des interdits cléricaux, serait apte à rénover les structures et la vie de la cité : c'est là le rêve du *Banquet*. Dante illustre du même coup cette vision révolutionnaire en écrivant son traité, non plus en latin, mais en toscan, langue libérée des pesanteurs de la grammaire antique et dont il fait l'éloge dans *l'Éloquence vulgaire*.

Enfin, Dante, acteur et victime des luttes civiles de Florence – partagé entre son regret du monde féodal et le sentiment de la nécessité d'une puissance fédérative des cités italiennes –, tire de ses échecs politiques une vue analytique du pouvoir (son essai sur *la Monarchie* précise la mission providentielle dévolue dans l'histoire de l'humanité à l'institution impériale) et apocalyptique de l'Histoire : c'est la leçon de *la Divine Comédie,* « le poème sacré auquel ciel et terre ont mis leur main ».

L'apprentissage poétique de Dante, commencé sous l'égide des troubadours provençaux, s'est parachevé à travers les leçons de l'école sicilienne, les innovations métriques de Guittone d'Arezzo, et l'amicale émulation du groupe poétique du « doux style nouveau ».

Le dolce stil nuovo.

Dans son traité de l'*Éloquence vulgaire,* Dante célèbre la première école poétique proprement italienne, l'école sicilienne liée aux brillantes cours de Palerme et de Messine réunies autour de l'empereur Frédéric II. L'empereur lui-même, son fils Enzo, roi de Sardaigne, les poètes Pier della Vigna, Giacomo da Lentini, Cielo d'Alcamo ont renouvelé la tradition provençale par l'emploi d'images réalistes et de métaphores scientifiques. Ils ont également opéré un choix parmi les formes métriques des troubadours, en privilégiant la canzone courtoise et en créant le genre du sonnet. Ils se sont enfin écartés de la vision féodale de l'amour : la femme-suzeraine a cédé la place à la femme-ange.

C'est dans *la Divine Comédie* (au chant XXVI du *Purgatoire*) que Dante rend hommage à Guido Guinizzelli, père du nouveau style poétique. Celui-ci repose sur une conception de la noblesse qui trouve son critère dans l'intelligence, définie elle-même comme intuition amoureuse. Cette intuition prendra chez Guido Cavalcanti une forme douloureuse, l'amant étant écartelé entre la claire vision de son amour et la totale aliénation que lui fait subir la passion. Dante infléchit lui-même la « douceur » et la « nouveauté » de ce langage, en le chargeant de notations philosophiques et métaphysiques empruntées à saint Augustin et au théologien mystique français Hugues de Saint-Victor.

Une autobiographie poétique.

La grande originalité de Dante est d'avoir fondu les trois aspects de l'aventure amoureuse (événement historique, expérience spirituelle, matière poétique) dans une méditation narrative qui constitue à la fois une innovation littéraire et la découverte d'un être nouveau.

La *Vita nuova* est bien la révélation d'une « vie nouvelle » que traduit le commentaire en prose des poèmes qui y sont insérés et qui scandent le dévoilement progressif d'une vérité humaine et poétique.

Dans ce parcours temporel et mondain, tout est signe d'une réalité plus haute : les lieux où s'élabore la passion (la ville de Florence, le fleuve Arno) deviennent l'espace idéal où s'inscrivent des messages prophétiques. La béatitude amoureuse est préfiguration du Salut. La mort de l'aimée est un accomplissement.

Dante va alors se replier sur lui-même et en tirer deux conclusions : le vrai bonheur de l'amour est dans son expression ; le véritable amour anime non l'individu mais le monde.

Une triple évolution.

En attendant que germe la somme poétique qui devait occuper les quinze dernières années de sa vie, le lyrisme de Dante allait passer par une grave crise morale et intellectuelle.

Sa poésie va encore se déployer et s'affiner au gré de ses engagements politiques, de ses doutes philosophiques, de ses recherches techniques. Elle suivra ainsi, pendant les dix ans qui précèdent son exil, trois directions bien différentes : d'abord elle édifiera le mythe de l'amour pour la « donna gentile », symbole de la sagesse, synthèse de la beauté et de la vérité ; elle polémiquera ensuite, notamment dans son affrontement avec Forese Donati et les guelfes noirs, sur le ton de la satire politique et personnelle la plus violente et la plus comique ; elle s'apaisera, enfin, dans la contemplation tendue d'un univers énigmatique qu'une expression dense et virtuose cherche à traduire dans la lignée de l'art labyrinthique du troubadour Arnaut Daniel. ●

2. L'Enfer : Dante rencontre, au 8e cercle, les

Une vie de colère, d'exil et de génie

1265 Naissance à Florence, dans une famille de petite noblesse guelfe (du parti du pape, opposé aux gibelins, partisans de l'empereur), les Alighieri.

1287 Fréquente probablement l'université de Bologne. A pour maître Brunetto Latini.

1289 Participe à la bataille de Campaldino.

1290 Mort de Béatrice Portinari. Dante fréquente les écoles théologiques des dominicains et des franciscains de Florence.

1293 Dédie la *Vita nuova* à Guido Cavalcanti, le chef de l'école poétique du « dolce stil nuovo ».

1294 Fait partie des chevaliers qui accueillent le prince capétien Charles Martel, duc de Calabre et roi de Hongrie.

1295 S'inscrit, pour avoir accès aux charges publiques, à la corporation des médecins et apothicaires. Se rapproche des guelfes blancs, hostiles à l'ingérence du pape (soutenu par les guelfes noirs) dans les affaires florentines.

1296 Membre du Conseil des Cent.

1300 Ambassadeur à San Gimignano. Nommé au Conseil des prieurs, magistrature suprême de Florence.

1301 Ambassadeur à Rome auprès de Boniface VIII, qui vient d'appeler à son secours Charles de Valois. Les guelfes noirs s'emparent du pouvoir et bannissent leurs adversaires.

1302 Le 10 mars, Dante est condamné par contumace à être brûlé vif. Il ne reviendra jamais à Florence.

1304-1307 Entreprend, au milieu d'une vie errante à Vérone, en Vénétie, à Bologne, à Lucques, le *Banquet* et le traité de l'*Éloquence vulgaire*.

1306 Commence *la Divine Comédie.*

1310 Soutient les prétentions d'Henri VII de Luxembourg qui veut se faire couronner à Rome. Condamne l'hostilité des Florentins à l'égard de l'empereur. Dante est exclu de l'amnistie accordée aux exilés. Il entreprend son essai sur *la Monarchie.*

1315 Refuse deux offres d'amnistie de Florence. Sa condamnation à mort est renouvelée et étendue à ses enfants.

1316 Dédie le *Paradis,* troisième partie de *la Divine Comédie,* à Cangrande Della Scala, tyran de Vérone, qui le protège.

1319 Dante est à Ravenne, à la cour de Guido Novello da Polenta.

1320 Lit dans une église de Vérone un traité scientifique et philosophique, *Quaestio de aqua et terra.*

1321 Le 14 septembre, Dante meurt à Ravenne, au retour d'une ambassade à Venise.

1. Le regard visionnaire du poète jeune n'est pas encore assombri par les déceptions politiques ni les douleurs de l'exil.

La Divine Comédie

« POÈME SACRÉ » SELON L'EXPRESSION
MÊME DE DANTE, *LA DIVINE COMÉDIE* POURSUIT
LA RECHERCHE D'UN ORDRE CACHÉ À TRAVERS
LES CONTRADICTIONS DE L'HISTOIRE.

Le thème du poème consiste en une vision que Dante aurait eue pendant la semaine sainte de l'an 1300, déclarée « année jubilaire » par le pape Boniface VIII. Guidé par Virgile, en qui le Moyen Âge voyait un sage beaucoup plus qu'un poète, Dante entreprend, dans la nuit du jeudi au vendredi saint, un voyage dans l'au-delà. Il cherche d'abord sa route dans les profondeurs de l'Enfer, puis il fait l'ascension du Purgatoire, au sommet duquel il rencontre Béatrice, qui le conduit au Paradis.

Le poème se compose de 100 chants, répartis en 1 prologue et en 3 parties de 33 chants chacune. Chaque chant comporte de 130 à 140 vers environ, disposés en *terza rima,* rimes ordonnées par groupes de 3 vers, de telle sorte que le vers central rime avec le premier et le troisième du groupe suivant.

Les cercles de l'Enfer.

L'Enfer est un gouffre provoqué par la chute de Lucifer. Il a la forme d'un gigantesque entonnoir dont la plus large circonférence a pour centre Jérusalem (lieu de la passion du Christ) et dont la pointe inférieure se trouve au centre de la Terre (lieu le plus éloigné de la lumière divine). L'Enfer est divisé en 9 cercles concentriques.

Virgile, qui est venu au secours de Dante égaré dans l'obscure forêt du péché, va aider le poète à descendre les « terrasses » du séjour infernal, qui sont autant de degrés dans la gravité des fautes et la sévérité du châtiment.

Dans le vestibule de l'Enfer, demeure des esprits lâches, Dante a placé, sous une nuée d'insectes qui le harcèlent, le pape Célestin V, le saint ermite Pietro del Morrone, qui abdiqua au bout de cinq mois de règne et abandonna la chrétienté à Boniface VIII. Cette rigueur impitoyable, Dante va la porter d'un bout à l'autre de son périple dans l'autre monde. Il n'y a pas de colère qui se soit si peu dominée devant la mort. Au milieu des flammes de l'Enfer,

Dante entretient sa fureur comme un feu plus inextinguible, qui ne s'apaise jamais.

Après avoir traversé les Limbes, Dante rencontre successivement les luxurieux (ce qui lui permet d'évoquer le drame récent de Francesca et de Paolo Malatesta de Rimini), les gourmands, les avares, les hérétiques (au nombre desquels il compte son ami Guido Cavalcanti et l'empereur Frédéric II), les meurtriers, les suicidés, les blasphémateurs, les sodomites, les usuriers, les séducteurs, les simoniaques, les hypocrites, les voleurs, les mauvais conseillers (représentés par Ulysse), les fauteurs de discordes et de schismes (Mahomet).

Un puits où croupissent des géants (Antée, Briarée, Nemrod) précède le neuvième et dernier cercle qui rassemble, pris dans la glace, les traîtres : envers leurs parents (Mordred, fils du roi Arthur), envers leur patrie (Ganelon, Ugolin), envers l'autorité des hommes et de Dieu (Lucifer broie, dans ses trois bouches, Brutus, Cassius et Judas).

La montagne du Purgatoire.

Aux antipodes de Jérusalem se dresse l'île montagneuse du Purgatoire, dont la masse correspond à celle de la terre déplacée par la chute de Lucifer.

La base de cette montagne, l'Antépurgatoire gardé par Caton d'Utique, baigne dans l'atmosphère terrestre. La cime s'échelonne en 7 degrés ou girons.

Au premier niveau du Purgatoire, les orgueilleux portent de lourds blocs de pierre sous la surveillance de l'Ange de l'humilité. Près de l'Ange de la charité, les envieux, les paupières cousues de fil de fer, sont assis côte à côte. Les coléreux suffoquent au milieu

d'une épaisse fumée, sous les regards de l'Ange de la paix.

Aux indolents, aux prodigues, aux gloutons succèdent les débauchés (comme Guido Guinizzelli et Arnaut Daniel, deux des maîtres de Dante en poésie) qui clament, au milieu d'un feu ardent, des exemples de chasteté. C'est à ce moment que Virgile prend congé de Dante.

Les ciels du Paradis.

Au sommet du Purgatoire s'étend un luxuriant plateau : le Paradis terrestre. Béatrice y accueille Dante, qui est plongé dans une extase où lui apparaissent un aigle, un renard, un dragon.

Dante comprend qu'il a une mission auprès des vivants. Comme Énée, descendu avant lui aux Enfers, pour y chercher la preuve de la destinée providentielle d'Auguste et de sa race, comme saint Paul, qui y trouvait le gage de la loi chrétienne, Dante a obtenu le privilège de parcourir le royaume d'outre-tombe, afin de rappeler à une humanité oublieuse de ses devoirs l'unité des deux institutions voulues par Dieu : l'Église et l'Empire.

Alors Dante s'envole avec Béatrice à travers les 9 ciels du Paradis. Les trois premiers engendrent les trois premières disciplines des arts libéraux du Moyen Âge : la grammaire, la dialectique, la rhétorique. Ils réunissent les âmes de ceux qui ne purent accomplir leurs vœux, qui firent le bien par désir de la gloire (ainsi Justinien), qui furent toujours soumis à l'amour (ainsi Charles Martel, l'évêque-poète Folquet de Marseille).

Dans les quatre ciels suivants, qui suscitent la connaissance du quadrivium, la seconde phase des arts libéraux, Dante retrouve les sages (qui entourent saint Thomas, saint François d'Assise, saint Bonaventure, Boèce, Isidore de Séville, saint Jean Chrysostome, Joachim de Flore), ceux qui ont combattu pour la foi (dont Judas Maccabée, Charlemagne et le trisaïeul de Dante, Cacciaguida), les esprits justes et pieux (David, Trajan, Constantin), les contemplatifs (saint Benoît, saint Pierre Damien).

Les huitième et neuvième ciels produisent la philosophie, la physique, la métaphysique, la morale et regroupent, comme des milliers de points lumineux éclairés par le Christ, les esprits triomphants et les chœurs angéliques. Dante y subit un triple examen : de saint Pierre sur la foi ; de saint Jacques sur l'espérance ; de saint Jean sur la charité.

Dante atteint enfin l'empyrée, le séjour de Dieu. Saint Bernard est ici son dernier guide. Dante baigne dans un fleuve de lumière en forme de rose immaculée, où Adam côtoie saint Augustin et Moïse, mais où dominent les figures féminines : Marie, Ève, Rachel, Sarah, Judith, sainte Anne, sainte Lucie et, au-dessus de toutes, Béatrice. •

3. Dante et Béatrice, au Paradis, contemplent l'univers céleste et terrestre et les esprits triomphants qui forment comme des astres illuminés par Jésus-Christ.

...oniaques plantés la tête en bas et les pieds en feu.

4. Dante rêve au seuil du Purgatoire.

Un parcours initiatique

Le voyage dans l'au-delà que Dante entreprend dans la semaine sainte de l'an 1300 est à la fois un tour du propriétaire et une exploration : bilan de la vision d'un monde placé dans la seule lumière de Dieu, la *Divine Comédie* cherche, à travers l'évocation des vices des hommes et des contradictions de l'Histoire, la vérité ultime, qui se dévoile dans un système allégorique qui accomplit mais transcende la rhétorique médiévale.

Le Moyen Âge carnavalesque

IL Y A UN ENVERS DU MOYEN Âge. Un antimonde qui prend le contrepied des aspirations spirituelles et des valeurs de la courtoisie. Ce désir de mettre sens dessus dessous les hiérarchies dont on subit le poids quotidien, de transgresser les lois et les normes, d'échapper aux contraintes matérielles d'un monde livré à la misère, à la maladie, à la mort, s'incarne dans des mythes, des comportements sociaux, voire des institutions. Le mythe majeur d'un univers de pauvreté, c'est celui du pays de Cocagne, où les ruisseaux charrient vin, lait et miel, où les mets tout préparés viennent d'eux-mêmes se présenter sur la table.

La société médiévale est une société fermée et compartimentée, fortement ancrée dans des lieux stables dont l'appartenance est claire et délimitée. Ceux qui, par les malheurs des temps ou un irrépressible besoin d'indépendance, ne peuvent plus trouver leur place dans cet espace bien ordonné, ceux-là n'ont qu'une issue : la route. C'est elle que prennent les goliards, les clercs vagants, tout un peuple marginal courant les universités, les foires et les pèlerinages de toute l'Europe, et dont la liberté d'allure et d'esprit transparaît dans des chansons à la fois hérétiques et gaillardes.

Univers de signes et de rites, le Moyen Âge a tout institutionnalisé, y compris la critique de ses institutions : la Fête des fous, célébrée à l'intérieur même des églises entre Noël et l'Épiphanie, consacrait le grand renversement des règles et des dignités et la libération des instincts. La littérature a traduit ce défi aux interdits et cette contestation des barrières sociales. C'est une littérature bourgeoise et populaire qui projette sur la société féodale et religieuse un rire énorme, tantôt plus spontané, tantôt plus acerbe. Les fabliaux, les farces, les moralités, les sotties ont tout parodié : l'autorité du roi, les coutumes juridiques, les querelles d'Église, l'esprit chevaleresque, les romans courtois.

Une figure résume ce massacre contenu, mais sans cesse repris, des structures et des idées reçues : Renart, dont le roman né dans la franche gaieté et la fable bon enfant s'achève en satire morale et politique et qui devient le symbole de la corruption qui a étendu son empire sur le monde.

Les fabliaux

LIÉ PAR CONTRASTE AU ROMAN COURTOIS, LE FABLIAU TRAITE DE L'AMOUR AVEC UNE FRANCHE OBSCÉNITÉ ET, S'IL AIME JOUER SUR LES MOTS, IL NE DÉDAIGNE PAS D'ÉGRATIGNER LES CHOSES.

C'est dans la seconde moitié du XIIᵉ s. qu'apparaît, dans les écoles urbaines du val de Loire, un genre désigné par le terme de « comédie latine ». Une intrigue, empruntée aux pièces de Plaute ou de Térence, aux fables de Phèdre ou à des manuels en usage dans les écoles-cathédrales, est prétexte à un récit et à des dialogues en hexamètres de forme savante, mais de fond burlesque, voire osé. Sur cet arrière-plan de plaisanterie cléricale se détache, vers 1170, un texte composé en français, *Richeut,* histoire colorée d'une entremetteuse.

Un genre à part entière.
Le XIIIᵉ s. va voir fleurir des œuvres du même type. On les appelle indistinctement « fabliau », « exemple », « dit » ou même « lai ». Le fabliau peut se définir comme un récit bref ou de faible ampleur (de 50 à 1 500 vers), écrit généralement en octosyllabes et relatant une aventure unique. On a recensé 150 fabliaux qui proviennent pour l'essentiel du nord de la France. Une vingtaine d'auteurs se nomment dans leurs textes : clercs ou, le plus souvent, jongleurs comme Gautier le Leu. Le fabliau restait donc lié à la tradition orale et chaque récitant pouvait l'adapter et le remanier suivant les besoins de son public. Certains cependant, comme Henri d'Andely (*le Lai d'Aristote*), lui donneront une allure plus strictement littéraire.

Amours et équivoques.
Si les sujets des fabliaux sont fort divers et si certains se contentent de camper le portrait satirique d'un type humain (*les Dames de Paris*), la plupart exploitent le thème de l'amour, dans une tonalité qui va de la badinerie à l'érotisme le plus cru. Le jeune clerc et le chevalier y ont le beau rôle ; sont bernés le mari, la bourgeoise cupide, le curé paillard. Les querelles de ménage abondent : la plus célèbre, celle du *Vilain mire*, inspirera Molière dans *le Médecin malgré lui.* Nombreux sont les fabliaux qui sont construits sur une duperie, parfois aux limites de la cruauté comme dans *les Trois Aveugles de Compiègne.*

Mais la véritable originalité des fabliaux réside dans les jeux de langage. Les auteurs aiment à prendre au pied de la lettre les expressions de la langue commune : ainsi, dans *la Vieille qui oint la paume au chevalier,* une femme, qui a appris que pour obtenir des faveurs d'un puissant il est bon de lui « graisser la patte », s'évertue à frotter de lard la main d'un seigneur. D'autres jouent sur des quiproquos phoniques : les appels répétés d'un chien nommé *Estula* provoquent un dialogue burlesque avec un visiteur. ●

La farce

LE RIRE DE LA FARCE NAÎT DE LA PEINTURE SATIRIQUE DE LA VIE QUOTIDIENNE ET DE LA PRIMAUTÉ DONNÉE AU JEU CORPOREL DES ACTEURS.

La farce est née dans l'ambiance de la fête carnavalesque. Lorsque, au milieu de l'éclat de rire libérateur, le récitant d'une parodie d'ordonnance royale, de testament, de prêche édifiant ou de scène de ménage vient à s'identifier au personnage qu'il représente, le théâtre naît. D'imitateur le jongleur devient acteur ; le sketch se transforme en monologue dramatique.

Un même thème, jouant dans deux univers différents, fera la joie des spectateurs : la vantardise, qu'elle se manifeste dans le domaine guerrier (c'est le thème du soldat fanfaron, incarné au XVᵉ s. par le personnage détesté du franc-archer) ou sur le terrain de l'amour (c'est le personnage du jeune galant, toujours à la dernière mode et toujours déçu ou rossé). Un pas de plus, et l'on passe d'un jeu fondé sur un échange entre un jongleur et un public, qui réagit et participe à l'action, à une représentation organisée devant laquelle les spectateurs n'ont plus qu'un rôle passif. C'est le temps de la *parade*, où deux farceurs se parlent bon tour, où un mari et une femme se déchirent à belles dents, où l'on met en acte et en tableaux vivants des proverbes populaires (*Farce des femmes qui font accroire à leurs maris que vessies sont lanternes*) avec une préférence affirmée pour les sous-entendus et surtout les scènes érotiques (*Farce des femmes qui font rembourrer leur bas*).

Puis, au lieu de chercher uniquement à provoquer un rire fugitif, on essaie de créer l'illusion de la vie, c'est-à-dire qu'on découvre la vie scénique : on construit une véritable intrigue, le monologue se fragmente en dialogues, l'action linéaire initiale s'enrichit de retournements de situation. On évolue à la fois vers plus de vraisemblance et plus d'efficacité, vers plus de naturel et plus d'expressivité. On y parviendra en adaptant à la scène les débats rhétoriques (*Débat du marié et du non marié*), en usant des jeux sur les mots chers aux fabliaux, en exploitant les procédés scéniques du déguisement, de la cachette imprévue, des retours répétés d'un niais ou d'un gêneur. Le thème inépuisable est celui des malheurs conjugaux et de la ruse féminine, rarement mise en défaut comme dans *la Farce du cuvier.*

Un chef-d'œuvre : la Farce de Pathelin.
Le chef-d'œuvre de la farce est en même temps la première manifestation de la comédie psychologique : *la Farce de Maistre Pathelin,* composée entre 1461 et 1469, connut seize éditions avant le milieu du XVIᵉ s. Sur trois thèmes traditionnels (le marchand volé, le délire simulé, l'avocat pris à ses propres arguments), l'auteur anonyme a construit une véritable comédie de caractère en deux parties. Pathelin, avocat sans causes, obtient du drapier Guillaume, contre la promesse d'un paiement en or et d'un bon repas, une pièce de tissu à crédit ; rentré chez lui, il se met au lit et fait le malade, puis le fou ; le drapier, venu réclamer son dû, ne peut croire que cet homme à l'article de la mort soit son débiteur et repart effondré. Dans la seconde partie de la pièce, le drapier, qui traîne devant le tribunal son berger coupable de fraude, découvre dans le défenseur de son employé un Pathelin en pleine possession de ses moyens : celui-ci a conseillé à son client de répondre par « bêe » à toutes les questions du juge. Le drapier, sous le coup de l'ahurissement, mêle les deux affaires, son drap et ses moutons : le berger est acquitté, mais lorsque l'avocat lui réclame son salaire, il le paie de même monnaie. ●

L'envers de la foi et de la chevalerie

Renart a commencé par réjouir le bon public qui rit aux farces et aux fabliaux, qui s'amuse des savoureuses tromperies et des grasses plaisanteries du monde paysan et du bon peuple. Mais très vite il s'est glissé dans l'armure du chevalier et dans le froc du moine, plongeant dans le trouble toute une société qui se prend à douter des valeurs féodales en découvrant la facilité avec laquelle l'hypocrisie et la scélératesse peuvent jouer la comédie de la dévotion et de l'honneur.

La sottie

LE THÉÂTRE A FOURNI
AU MOYEN ÂGE UNE TRIBUNE CONTESTATAIRE :
LA SOTTIE FAIT PASSER LA SOCIÉTÉ ENTIÈRE DEVANT
UN TRIBUNAL ET ELLE ENTEND MONTRER
QUE LA FOLIE MÈNE LE MONDE.

La sottie est l'héritière directe de l'esprit parodique, de la liberté de parole et du goût scatologique qui présidaient à la Fête des fous. D'un point de vue technique, la sottie dérive des « causes grasses », ces jeux qui permettaient aux futurs magistrats d'exercer leur talent en procédant, avec tout le cérémonial de la justice et selon les rites d'une séance de tribunal, au jugement de causes burlesques. Enfin, la sottie se caractérise par la satire qu'elle fait, dissimulée sous un masque allégorique, de l'actualité historique et sociale.

La sottie est un moyen pour les clercs de la Basoche et les « écoliers » de l'université de dénoncer les exactions du pouvoir. Mais c'est aussi un instrument au service du pouvoir : ainsi, le *Jeu du Prince des sots* (1512) de Pierre Gringore a défendu la politique de Louis XII contre le pape Jules II. La contestation des autorités établies l'emportait cependant largement et la sottie fut l'objet de multiples réglementations : en 1442, les auteurs furent emprisonnés ; Louis XI établit de nouveaux contrôles en 1474 et 1476 ; François Ier, en 1536, défendit aux acteurs de porter les masques évoquant des personnages vivants ; en 1538, le texte de la pièce dut être soumis au parlement quinze jours avant la représentation ; en 1582, la sottie fut définitivement interdite.

Un spectacle codé.

La sottie se présente comme un spectacle plus dépouillé et plus statique que la farce, mais plus réglé dans son déroulement. Le pivot de la pièce est le personnage du sot. Le sot est vêtu d'une simple robe grise et d'un capuchon à oreilles d'âne qui symbolise la folie. Une sottie met toujours en scène un groupe de sots, dirigé par un meneur de jeu, la Mère Sotte. Devant ce tribunal comparaissent des institutions, des métiers, des classes sociales (le Monde, la Chose Publique, le Marchand, etc.), dans un décor très sobre (en général un siège sur une estrade entre deux portes) et selon un rythme gestuel et verbal bien défini, qui a pour but de souligner les oppositions.

La sottie dénonce la folie du monde, le règne de la futilité et de l'apparence, la décadence de la hiérarchie ecclésiastique, la quête effrénée de l'argent, la vénalité des fonctionnaires, l'incompétence et la malhonnêteté des conseillers du roi. Plus ou moins ouvertement, la sottie propose un remède à ces maux : le recours à la classe des jeunes intellectuels, des futurs parlementaires, ces Basochiens qui jouent la pièce. Théâtre politique, porte-parole d'une conscience collective qui ébauchait le programme d'une monarchie éclairée, la sottie inquiéta le pouvoir : elle ne devait pas survivre. •

Le Roman de Renart

PARODIE BOUFFONNE DE L'UNIVERS DES
CHANSONS DE GESTE ET DE LA SOCIÉTÉ CHEVALERESQUE,
LE ROMAN DE RENART A FINI PAR PRÉTENDRE OFFRIR UNE
VÉRITABLE RADIOGRAPHIE DE LA SOCIÉTÉ LIVRÉE AU
MENSONGE ET À L'HYPOCRISIE GÉNÉRALISÉS.

Les contes d'animaux sont nombreux dans la tradition populaire et la littérature antique. Au Moyen Âge, beaucoup étaient rassemblés dans des recueils à l'usage des écoles, les *isopets,* du nom du fabuliste grec Ésope. La littérature latine érudite connaît également deux poèmes qui mettent en scène des animaux : *l'Évasion d'un captif,* composé au Xe s. par un moine de Toul ; l'*Ysengrimus,* écrit vers 1150 par le clerc flamand Nivard : dans cette dernière œuvre, aux côtés d'Ysengrimus, le loup, apparaît Reinardus, le goupil. L'originalité décisive des conteurs des XIIe-XIIIe s. a été de mettre Renart au premier plan de toutes les histoires et d'organiser une société animale sur le modèle de la société féodale.

Le *Roman de Renart* se présente comme une collection de petits poèmes indépendants, appelés « branches » au Moyen Âge, mais tous centrés sur la rivalité du goupil et du loup. Renart, dans le roman, est le nom propre de l'animal, le goupil : c'est le succès même de l'œuvre qui fera de ce nom un nom commun. Les plus anciennes branches du roman (une quinzaine) ont été écrites entre 1170 et 1205 et réunies au début du XIIIe s. ; les autres (une douzaine) s'échelonnent sur les cinquante années suivantes. Des suites au roman, dans une tonalité bien différente, seront données entre 1270 et 1320.

De la gaieté à l'amertume.

Les premières branches du roman ont la légèreté de la fable et la verdeur des contes populaires. Renart est le rusé compère, inventeur de bons tours aux dépens du niais qu'est Isengrin le loup, du coq Chantecler, du chat Tibert, du corbeau Tiécelin : Renart vole des jambons, une andouille, des anguilles, fait pêcher le loup dans un étang gelé et le fait surprendre par des chasseurs – toutes facéties qui ont pour cadre et limites le monde quotidien des paysans et des marchands. Renart n'est encore que la terreur des poulaillers.

Dans un deuxième temps, Renart apparaît comme un vassal frondeur à la cour du roi Noble le lion. Il détourne tous les rites de la société féodale et courtoise. Renart est devenu un félon, qui ne respecte ni Dieu ni roi. Il révèle la précarité d'un système qui repose sur la foi et l'honneur, qu'on peut si bien contrefaire.

Les prolongements du roman font de Renart le héros d'un monde de convoitise et de méchanceté. Dans *le Couronnement de Renart* (apr. 1251), Renart se retire au couvent des Frères mineurs pour mieux préparer sa succession illégitime au trône de Noble. Dans *Renart le Bestourné* (1270), le poète Rutebeuf reproche aussi aux ordres mendiants l'appétit de domination qu'ils cachent sous leur pauvreté affichée. *Renart le Nouvel* (1288) de Jacquemart Giélée montre le héros devenu le mentor d'Orgueil, fils dévoyé de Noble et revêtu de l'armure de Lucifer : Renart, en froc de franciscain, siège au sommet de la roue de Fortune, symbole diabolique de la décadence morale et spirituelle. *Renart le Contrefait* (v. 1320) enfin, dont l'auteur se prétend « épicier », ajoute quelques études de cas à la satire du clergé et de la noblesse et offre à Renart l'occasion de faire la théorie de la « renardie » qui désormais mène le monde. •

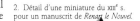

2. Détail d'une miniature du XIIIe s.
pour un manuscrit de *Renart le Nouvel.*

1. Détail de la « *Kermesse paysanne* » de Pieter Balten.

L'humanisme

L'HUMANISME EST L'UNE DES deux faces de la Renaissance : celle du philologue et de l'écrivain tourné vers l'âge d'or des lettres antiques, celle qui se déploie dans le temps et dont le héros est le Romain. L'autre face, celle du Conquistador et du découvreur attiré par l'or et les épices, a pour territoire l'espace des explorations maritimes et pour figure de proue l'Indien.

L'humanisme tient donc, dans la constitution du monde nouveau, une place bien délimitée. Sauf de rares exceptions, les humanistes sont étrangers aux sciences de leur temps et à l'activité économique : la comptabilité en partie double aura de plus grandes conséquences que la redécouverte de Plutarque, et les véritables savants, comme Bernard Palissy ou Ambroise Paré, n'écrivent ni en grec ni en latin et récuseront l'autorité des Anciens pour se fonder sur l'expérience.

D'autre part, la rupture de l'humanisme avec la tradition médiévale et catholique – dont on fait souvent sa caractéristique essentielle – n'est pas une attitude originelle. Les lettres latines avaient été cultivées, après les invasions barbares, dans les abbayes de toute l'Europe occidentale. Et dès le XIVe siècle Pétrarque et Boccace avaient entrepris l'étude des œuvres antiques pour elles-mêmes. C'est l'afflux des manuscrits grecs apportés par les érudits byzantins fuyant les Turcs après la prise de Constantinople en 1453 qui accélérera le mouvement.

Mais la logique de l'humanisme se développa rapidement en marge des institutions officielles. Les voyages des érudits à travers l'Europe, leurs abondantes relations épistolaires, la diffusion du livre imprimé, qui permit le contact direct avec une pensée par-delà le commentaire oral d'un maître, tout cela répandit et amplifia la grande entreprise de rénovation de l'homme qu'est l'humanisme.

L'humanisme a opéré une reprise totale des objectifs religieux et moraux, des méthodes d'éducation, du rôle du prince et de l'individu dans la cité, de l'expression des sentiments et des idées. Il a, à la fois, retrouvé la dimension du passé (contre la seule perspective du Jugement dernier) et traduit, dans de multiples utopies, son impatience d'un avenir de raison et de fraternité.

Thomas More, ou l'évasion dans l'utopie

LA FIGURE DU CHANCELIER MARTYR D'HENRI VIII, AMI D'ÉRASME ET SAINT DANS LE SIÈCLE, EST ATTACHÉE À L'UNE DES TENTATIONS LES PLUS DURABLES DE L'HUMANISME : L'UTOPIE, DÉSIR D'UNE RÉNOVATION TOTALE DE L'HOMME.

En 1516, alors qu'ambassadeur en Flandres il entame une carrière qui le conduira au faîte des honneurs (il sera en 1529 le premier laïc nommé chancelier d'Angleterre) et au fond de la déréliction (il sera décapité pour avoir désavoué le divorce d'Henri VIII d'avec Catherine d'Aragon et sa rupture avec le pape), Thomas More écrit un petit ouvrage qui fonde un genre : *Utopie*.

L'architecte du rêve.

L'utopie, étymologiquement, c'est le « non lieu », l'espace de nulle part, le pays imaginaire qui n'est que l'envers d'un État bien réel que l'on subit et que l'on voudrait réformer. L'utopie naît parce que les grands rêves spatiaux du Moyen Âge – Cipango (le Japon), les îles Fortunées (les Canaries) – se dissipent au rythme des découvertes des navigateurs espagnols et portugais. L'utopie unit une vision globale de la société et de son devenir à une attention tatillonne aux détails du quotidien. Rien n'échappe à l'imagination du démiurge humaniste qui se donne carte blanche pour refaire le monde.

L'*Utopie* de Thomas More se compose de deux parties antithétiques : la première peint, sous les plus sombres couleurs, une nation, l'Angleterre d'Henri VIII, livrée à la conspiration des riches contre les pauvres ; la seconde évoque une île radieuse, en forme de croissant (c'est le havre idéal pour les navires). Cette île compte 54 villes, de 6 000 familles chacune. Chaque famille rassemble 40 personnes qui vont à tour de rôle cultiver les champs, dont la propriété est collective. Six heures de travail par jour suffisent pour satisfaire les besoins matériels et assurer une production contrôlée par le gouvernement. Il n'y a pas de monnaie : l'or sert à faire des chaînes pour les prisonniers. Car il y a des peines et des exclus sur cette île bienheureuse : l'esclavage existe (y sont assujettis les condamnés de droit commun) ; l'adultère y est puni de mort. Et il faut une permission officielle et un passeport pour quitter l'île : les déserteurs sont rattrapés et condamnés. On ne peut fuir le bonheur.

Couvents, casernes ou cités radieuses ?

Au moment même où l'humanisme précise la notion d'individu, où dans l'Europe de la Renaissance s'affirment les particularismes culturels et religieux, où se développent le capitalisme et les littératures nationales, les utopies se signalent, en effet, par leurs caractères collectiviste et universel. Ce n'est pas un hasard si le « lieu » favori de l'utopie est une île : ces cités-États imaginaires, sans tradition et sans passé, bâties suivant un tracé géométrique sans rapport avec les contraintes de l'espace et les affinités de la vie, ignorent les poussées et les turbulences de la Renaissance.

L'abbaye de Thélème, que Rabelais construit, en 1534, dans son *Gargantua* pour frère Jean des Entommeures, a beau prendre le contrepied de toutes les habitudes et de toutes les règles monacales : c'est une abbaye de joie, un couvent inverse, mais cela demeure un couvent. On n'organise pas une vie nouvelle, on se contente seulement de renverser les faits, les gestes, les décors d'une vie séculaire qui pèse de tout son poids sur l'imagination d'un moine en rupture de froc.

L'utopiste échoue ainsi à concevoir un univers nouveau. Il ne peut créer à partir de rien. •

Érasme, et le retour à l'Évangile

LA VIE ET L'ŒUVRE D'ÉRASME INCARNENT UN RÊVE QUI APRÈS LUI SE BRISA : L'UNION D'UN IDÉAL DE LIBERTÉ AVEC UNE FOI RÉNOVÉE ET MAINTENUE PAR UNE ÉGLISE UNIE.

Image même de la mobilité, souvent inquiète, de la Renaissance, Érasme a cherché toute sa vie son lieu et sa place : en Hollande, où ce fils naturel d'un prêtre, né à Rotterdam vers 1469, orphelin à quatorze ans, fit des études hétéroclites à Gouda, à Utrecht, à Deventer, à Bois-le-Duc, avant d'entrer au couvent de Steyn (1487) ; en France, où il fut boursier au collège de Montaigu ; sur les routes d'Allemagne, où il passe pour avoir écrit, en chevauchant, son *Éloge de la folie* ; en Angleterre, où il séjourna à trois reprises et où il subit l'influence de John Colet et de Thomas More ; en Italie, où il parcourut fébrilement les bibliothèques de Venise, Padoue, Ferrare et Rome ; à Louvain, où il organisa le Collège trilingue ; à Bâle enfin, qu'il fuira un temps pour Fribourg-en-Brisgau mais où il reviendra en 1536 pour mourir.

Errant, il le fut aussi dans le domaine spirituel, cherchant à préserver sa neutralité et son indépendance entre l'Église romaine et la Réforme de Luther, entre les contraintes d'expression d'un latin antique retrouvé et les exigences de la pensée dans un monde en pleine évolution.

Le père de l'évangélisme.

La méthode d'Érasme conduit d'un même mouvement à la redécouverte de la lettre du texte des Évangiles et de l'esprit de la charité chrétienne. Par sa profonde assimilation de la culture gréco-latine, par ses recherches philologiques, qui ont pour but d'atteindre à l'authentique enseignement du Christ, dénaturé par des siècles de théologie scolastique, et qui culminent dans son édition gréco-latine du Nouveau Testament dédiée en 1516 au pape Léon X, Érasme a cherché à la fois à purifier la religion et à baptiser la culture.

La « philosophie du Christ » telle que la dénomme Érasme lui-même tient en quelques principes simples : connaissance de la réalité du message divin grâce à la critique textuelle et historique, primauté de la foi et de la dévotion intérieure sur le culte et les rituels, spiritualité centrée sur la personne du Sauveur.

Cette philosophie, Érasme l'exprime dans son *Manuel du soldat chrétien* (1504), exposé des principes et des règles de la théologie nouvelle et de ses conséquences intellectuelles et morales, dans son *Institution du mariage chrétien,* qui revalorise l'état laïc au sein de l'Église, dans l'*Institution du prince chrétien* (1515), écrite pour le futur Charles Quint et qui, contre les thèses de Machiavel, définit l'idéal du souverain éclairé et tolérant, dans son *Traité de l'éducation des enfants* (1529), qui intègre les femmes dans son programme d'instruction. Son *Essai sur le libre arbitre* (1524), qui l'oppose radicalement à Luther, y ajoute l'affirmation de la liberté de l'homme.

Toute sa pensée, Érasme la reprend selon une pédagogie qui lui est chère : celle de l'ironie, dont témoignent la suite des *Colloques* (1518) et surtout l'*Éloge de la folie* (1511), qui dissèque ce que les hommes appellent raison (dogmes imposés, idées reçues, préjugés de classe, fanatisme religieux) et qui n'est qu'une folie qui s'ignore : en regard, il propose comme sagesse suprême la folie paradoxale de la Croix.

Quant à ses *Adages,* recueil de maximes tirées de la Bible et des auteurs grecs et latins qu'il remania de 1500 à 1536, ce fut un des plus grands succès d'édition du XVIe siècle : réemploi des éléments de la pensée et de la littérature païennes pour composer une culture chrétienne, curiosité pour les lettres de l'Antiquité finissante, érudition et humour s'y mêlent pour composer un véritable traité d'art oratoire et de stylistique, qui fait de l'ornement du discours un élément inséparable de la vérité du fond. •

2. *Thomas More,* par Holbein le Jeune. 3. *Rabelais,* école française du XVIIe s.

Montaigne, ou l'essai de soi-même

L'ŒUVRE DE MONTAIGNE EST PEUT-ÊTRE LA PLUS RÉVOLUTIONNAIRE QU'AIT PRODUITE L'HUMANISME FINISSANT : AVEC ELLE, LE MOI SURGIT EN INTRUS DANS LA LITTÉRATURE.

À un âge (38 ans) et à une époque (les guerres de Religion) où tout homme bien né réussissait par la politique ou les armes, Michel de Montaigne entra en littérature comme on entre en religion : il se retira dans sa « librairie » (sa bibliothèque) et célébra cet événement par deux inscriptions latines que l'on peut lire encore aujourd'hui.

Ce retrait du monde avait de quoi étonner d'un riche négociant qui avait décidé de vivre en gentilhomme, enfant prodige et cultivé (son précepteur allemand ne lui parlait qu'en latin), conseiller au parlement de Bordeaux, il s'était empressé de vendre sa charge (1570) après la mort de son père. Pour se consacrer apparemment à deux œuvres de piété : la traduction de la *Théologie naturelle* de Raymond de Sebonde, entreprise à la demande paternelle ; l'édition des œuvres de son ami Étienne de La Boétie, poète et théoricien politique nourri d'Antiquité, mort à 33 ans.

En réalité, Montaigne n'était poussé à la retraite ni par dégoût des affaires publiques (il sera maire de Bordeaux en 1581, réélu en 1583, et il servira Henri de Navarre dans plusieurs négociations) ni par haine du mouvement (il fera, de juin 1580 à novembre 1581, des eaux de Plombières à celles de Lucques, un long périple qu'il relate dans un *Journal de voyage* qui ne sera publié qu'en 1774) : paradoxalement, son insatiable curiosité l'entraînait dans une exploration intérieure. Son expérience de la vie et sa culture humaniste le confortaient dans l'idée que l'âme humaine contient plus d'espaces que toute activité mondaine n'en peut faire découvrir.

Montaigne part à la découverte de lui-même, avec une méthode et un guide : tout événement, tout objet, toute idée le ramène, plus ou moins directement, à lui ; le chemin qui mène au secret de ses opinions et de ses humeurs passe toujours par l'« Autre » : la mémoire de l'ami disparu, l'émerveillement devant le « cannibale » rapporté d'Amérique, la sentence de l'écrivain antique, autant de catalyseurs ou de pierres de touche où il « s'essaie », se met en perspective, ébauche les diverses facettes d'un même portrait.

Montaigne s'observe et se représente au naturel, notant tous les détails spécifiques de son être physique et intellectuel (la couleur de sa barbe, sa manière de se servir d'une cuiller ou d'une fourchette, etc.) et étudiant les répercussions de la vie du corps sur celle de l'esprit : il analyse l'influence sur son caractère des aléas de la digestion, du sommeil, d'une chute de cheval... Jusqu'alors, les vies particulières dont on tirait des leçons générales étaient les vies des saints et – plus récemment, grâce à la traduction de Plutarque par Amyot des *Vies des hommes illustres* – des grands personnages de l'Antiquité : leur profil idéalisé bannissait toute vision subjective d'une vérité extérieure. Montaigne, lui, fait de son portrait intime, de ses opinions et de ses humeurs l'expérience de la relativité des croyances et des savoirs. D'un siècle à l'autre, d'un pays à un autre, tout change ; chaque opinion et son contraire peuvent s'appuyer sur de bons exemples. Gardons-nous d'imposer nos croyances, nos idées, nos coutumes. Contentons-nous de tirer de notre réflexion un art de vivre et de mourir : telle est la philosophie de Montaigne.

Parti d'un héroïsme livresque et stoïcien, Montaigne éprouve donc peu à peu que son calcul biliaire a plus d'importance que les convulsions de la Réforme. « Je ne sais pas » ou « Que sais-je ? », dit Montaigne : mais il introduit le « je » comme sujet de la phrase. Cette ethnologie à usage interne, que condamna si violemment Pascal, constitue un des plus étonnants tests projectifs jamais proposés à un lecteur : Rousseau devait s'en souvenir. ●

La cité idéale

L'humanisme est né et s'est épanoui dans les cités de l'Europe des XVᵉ et XVIᵉ siècles gouvernées par les marchands ou régies par les princes. La ville est le terrain de toutes les aventures politiques, économiques et intellectuelles de la Renaissance. Aussi philosophes et écrivains (2, 3) s'empressent-ils de forger des cités qui répondent à leur idéal d'ordre et de totalité (1). L'espace rêvé de ces utopies unit les modèles de l'architecture antique à une vision de la vie qui, dans son souci de perfection, ne laisse rien au hasard ni au caprice. Beaucoup cependant trouvent le lieu véritable de la pensée dans l'errance, comme Érasme (4), ou comme Montaigne (5) dans le territoire encore inexploré du moi.

1. *La Cité idéale*, peinture attribuée à Luciano Laurana (seconde moitié du XVᵉ s.).

Rabelais, ou l'ivresse du langage

RABELAIS A LAISSÉ PLUS QU'UNE ŒUVRE, UN ADJECTIF : « RABELAISIEN » ÉVOQUE TOUT UN UNIVERS DE GAIETÉ LIBRE, DE SATISFACTION GLOUTONNE, DE TRUCULENCE VERBALE.

La postérité a porté sur Rabelais des jugements contradictoires. De grands écrivains l'ont condamné (Calvin, Voltaire, Lamartine), d'autres l'ont admiré (Balzac, Hugo, Flaubert, Michelet). Chateaubriand, qui voit en lui un des « cinq ou six écrivains qui ont suffi aux besoins et aux aliments de la pensée », le place aux côtés de Shakespeare et de Dante et en fait l'ancêtre de La Fontaine et de Molière. Il met ainsi le doigt sur la singularité de l'œuvre de Rabelais : elle se situe au carrefour d'une culture savante et d'une culture populaire, au moment même où va se décider leur profonde séparation.

Le dernier hommage à la culture populaire.

L'œuvre de Rabelais s'inscrit en effet ouvertement dans la lignée de la littérature populaire : par sa présentation matérielle (format, caractères gothiques) ; par le style de ses titres, habituel dans la littérature d'almanach *(Horribles et épouvantables faits et prouesses...)* ; par les précédents auxquels se rattachent explicitement ses prologues (romans de chevalerie, chroniques de géants issues du folklore et qui appartiennent au fonds de la littérature de colportage) ; par la présence insistante de la matérialité du corps humain, évoqué dans ses fonctions digestives, excrétives, sexuelles ; par les procédés narratifs (généalogies interminables, énumérations, calembours répétés).

Or on n'a pas abandonné Rabelais aux opuscules de foire, mais on a pris la peine de le discuter, de le réfuter, voire de l'interdire. C'est que Rabelais a une autre face, celle d'un savant à la triple culture : culture religieuse, acquise chez les Cordeliers et les Bénédictins ; culture juridique, élaborée dans le cercle de l'évêque Geoffroy d'Estissac, puis en marge des affaires diplomatiques menées en Italie par les frères du Bellay ; culture médicale, confirmée par ses grades universitaires à Montpellier et son activité professionnelle à Lyon.

Si le rire de Rabelais participe bien de cette seconde vie des hommes du Moyen Âge et de la première Renaissance qui, à dates fixes – et notamment lors de la Fête des fous et du Carnaval –, mimaient le renversement des rôles religieux et sociaux officiels, il a lui-même comparé ses livres à un os qu'il faut briser pour en retenir la « substantifique moelle ».

Il faut voir, derrière la farce du *Pantagruel* (1532), du *Gargantua* (1534), du *Tiers Livre* (1546), du *Quart Livre* (1548) et de *l'Isle sonante* (1562), un appel au renouveau philosophique et moral et une profession de foi dans la nature humaine et dans la science.

Mais, précisément, dans la nouvelle société humaniste et bourgeoise, cette affectation de bouffonnerie sent le fagot. Malgré les proclamations de liberté, les institutions ont une nette tendance à se fixer, à n'admettre plus qu'une seule interprétation : celle du sérieux. Il faut choisir son camp : Rabelais est suspecté, par les catholiques, de sympathie pour la Réforme ; il est accusé de paganisme par les protestants. « Dans les deux cas, la moelle condamne l'os. »

Le vrai géant : le langage.

Le véritable géant rabelaisien, c'est moins son héros, qui s'assied à l'aise sur les tours de Notre-Dame, ou son incroyable programme d'éducation, qui résume toute la boulimie intellectuelle des humanistes : c'est son langage, l'un des plus riches de la littérature française. Outre le latin, le grec et le français, Rabelais met en œuvre, dans ses livres, l'italien, l'espagnol, l'anglais, le basque, le turc, l'écossais, le flamand, le breton, le haut allemand, l'arabe, l'hébreu ; il parle l'argot et les dialectes ; il use de tous les termes de métiers : fauconnerie, navigation, guerre, architecture, botanique, etc. Et comme tout cela ne lui suffit pas, il s'amuse à créer des mots : c'est moins la signification du texte qui lui importe que la musique de la phrase.

Et ce langage s'ordonne selon trois qualités fondamentales : vérité, variété, fantaisie. Rabelais a été le premier à pratiquer un véritable réalisme du style, faisant parler à ses personnages le langage de leurs conditions et de leurs caractères. Il a su passer de la facétie la plus triviale à l'éloquence la plus élevée. Enfin, il s'est laissé porter par une inspiration débridée où le libre jeu des mots crée l'événement et le personnage. En témoignent deux épisodes majeurs. C'est sous l'aspect d'un polyglotte que Panurge apparaît pour la première fois à Pantagruel : il demande à manger en quatorze langues ; et, au *Quart Livre*, le mythe des « paroles dégelées » donne l'une des clefs les plus sûres de l'œuvre : comme les clameurs et les bruits d'une bataille hivernale, saisis par le froid, sont libérés par la fonte des glaces et se font brusquement entendre, de la même manière le sens du livre ne se laisse entrevoir qu'avec le temps, à l'aide de circonstances favorables et à force d'expérience. ●

4. *Érasme*, par Holbein le Jeune.
5. *Montaigne*, portrait anonyme.

L'avènement du livre

Manuscrits et best-sellers

D'ABORD PERPÉTUATION ANONYME
ET SANS CESSE REPRISE D'UN ORIGINAL À JAMAIS
PERDU, LE MANUSCRIT EST AUJOURD'HUI LA TRACE UNIQUE
ET LA PLUS INTIME QUE PUISSE
LAISSER UN ÉCRIVAIN.

LE LIVRE, INCARNATION À LA fois la plus durable et la plus maniable de la pensée, représente souvent l'essence même d'une civilisation : c'est le cas de la Bible pour le monde chrétien, du Coran pour le monde arabe et les multiples populations converties à l'islam ; ce fut celui de la Chine, qui plaça dans ses *Cinq Classiques* le fondement d'une tradition immuable et dans le *Petit Livre rouge* de Mao Zedong l'ambition éphémère d'une culture et d'une morale totalement nouvelles.

Le livre a longtemps coexisté avec une transmission orale dominante du savoir : c'est l'état normal des civilisations anciennes où une classe de lettrés et une masse analphabète mènent des vies parallèles ; c'est la situation actuelle des exclus du tiers-monde, privés de moyens d'instruction et livrés à la voix creuse des médias audiovisuels.

L'invention de l'imprimerie à la Renaissance et la diffusion massive du livre ont changé la mémoire de l'homme. L'individu qui assimile un ensemble de connaissances n'est plus sa principale bibliothèque. Les livres forment autour de lui comme autant de cases de sa mémoire, dans lesquelles il puise selon ses besoins et ses goûts. Le livre a aussi instauré un nouveau rapport à l'espace et au temps : à la différence de l'univers de l'oralité, où une parole, considérée comme un acte, scandée et psalmodiée devant une communauté d'auditeurs, évoque le temps selon un schéma circulaire et l'espace comme une série de lieux fragmentés, le livre implique une conception linéaire du temps et cumulative de l'espace, un rythme qui ne connaît plus d'autres lois que celles que l'individu impose à sa lecture.

Le livre n'a pas toujours été reçu comme un bienfait. Saint François d'Assise condamnait le riche manuscrit comme la possession d'un trésor. Et l'apparition du livre imprimé fut dans le monde de l'enseignement l'objet de deux critiques majeures : plus cher que les copies traditionnelles des cours circulant parmi les étudiants, il fut dénoncé comme « antidémocratique » ; instrument utilisé solitairement et dans le silence, il fut accusé de rompre l'échange direct entre le maître et l'élève.

La « Galaxie Gutenberg », univers totalitaire et fragile, est aujourd'hui jugée en voie de désagrégation. Le livre est menacé dans sa place au sein des pratiques culturelles quotidiennes, voire dans son existence même, par les techniques modernes de fabrication, qui en font un objet de plus en plus périssable, par les censures politiques ou religieuses, qui le condamnent à l'oubli et à la destruction. Aussi le livre est-il à l'origine d'un mythe insistant, de Mallarmé à Joyce et à Borges : celui du Livre absolu, réceptacle de tous les langages et dont la création équivaudrait à la parole première aux origines du monde.

1. Page du *Bréviaire de Belleville* de Jean Pucelle, XIVᵉ s.

Pendant des millénaires, les textes littéraires n'ont été conservés et diffusés que par les copies que l'on faisait à la main d'un état sinon original, du moins antérieur d'une œuvre.

Cette méthode de reproduction impliquait deux types d'infidélités : involontaire (confusion de lettres, omissions, sauts d'une ligne à l'autre, etc.) et volontaire (rajeunissement de l'orthographe, voire du vocabulaire, additions, suppressions pour des raisons de convenances morales ou politiques, corrections de style, etc.).

Malgré la généralisation de l'imprimerie à partir du XVIᵉ siècle, l'édition manuscrite subsista jusqu'à la fin du XVIIIᵉ siècle pour les ouvrages de grand luxe et les textes qui étaient diffusés clandestinement de manière à échapper à la censure.

Le manuscrit était l'œuvre conjointe d'un copiste et d'un enlumineur. Chez les Hébreux, le copiste était un savant et le mot désignait souvent l'interprète des textes sacrés. Chez les Grecs et les Romains, les copistes de profession étaient des esclaves lettrés, signes extérieurs de richesse particulièrement recherchés de l'aristocratie patricienne et des affranchis nouvellement enrichis. Au Moyen Âge, le copiste est d'abord le moine qui exerce une double activité, économique et religieuse : le livre est considéré comme un produit de haut luxe, un trésor ; d'autre part, la fonction du copiste est interprétée, dans sa minutie et dans son angoisse de la faute – censée provoquée par un démon spécifique, Titivillus –, comme une pratique expiatoire. À partir du XIIIᵉ siècle, le copiste fut souvent l'étudiant pauvre, travaillant pour payer ses études. Au XVᵉ siècle, les copistes de Paris formèrent une corporation. Au XIXᵉ siècle encore, certains écrivains, comme Flaubert, eurent recours à des copistes pour rendre leurs manuscrits plus lisibles pour la composition.

L'enluminure fait indissolublement partie du manuscrit médiéval. Elle se déploie dans des miniatures qui comptent parmi les chefs-d'œuvre des artistes du temps. Dans les manuscrits du XIIᵉ siècle, on peut remarquer le passage constant du mot à l'expression plastique (le nom du Christ ou de la Vierge est remplacé dans la ligne par une image peinte) tandis que l'écriture participe dans son tracé même, notamment dans celui des initiales, de l'espace pictural.

L'enluminure subsista longtemps sous la forme des lettres ornées au début des chapitres et des paragraphes. Ces lettres continuèrent même à être peintes à la main sur les premiers textes imprimés et elles ont donné lieu à une grande activité créatrice, de Holbein à Salvador Dalí.

Incunables et grands tirages. Les incunables (d'un terme latin qui signifie *berceau, origine*) sont les livres imprimés au début de la typographie, dans la seconde moitié du XVᵉ siècle. Ils sont rares parce que tirés à un petit nombre d'exemplaires, non pour des raisons techniques, mais pour satisfaire une demande limitée, qui considéra d'abord le livre comme un simple substitut du manuscrit. En 1469, les *Lettres* de Cicéron furent imprimées à Venise en 100 exemplaires. Au XVIᵉ siècle, on tirait habituellement entre 500 et 1 200 exemplaires.

Les éditions prirent lentement plus d'ampleur : *les Caractères* de La Bruyère furent tirés à 1 800 exemplaires ; Balzac et Hugo connaissaient des premières éditions de 2 000 exemplaires.

Les grands tirages apparaissent au XIXᵉ siècle et aux États-Unis : *la Case de l'oncle Tom* fut en 1852 le premier livre américain à dépasser le million d'exemplaires. Le best-seller devient alors un élément caractéristique des littératures modernes et de la culture de masse, qu'il réponde à une pratique « obligée » (la Bible, les œuvres de Marx ou de Staline, le *Petit Livre rouge* de Mao, diffusé à

2. Première page de la *Bible de Gutenberg*, 1455.

2 milliards d'exemplaires pendant la Révolution culturelle) ou à un choix délibéré (les œuvres d'Agatha Christie, de Georges Simenon ou d'Enid Blyton).

L'œuvre autographe.
Les premiers lecteurs de livres imprimés regrettaient volontiers que l'utilisation de caractères produits de façon mécanique ait supprimé le « tremblé » du copiste, la trace affective d'une main humaine peinant ou s'attachant à la sauvegarde du texte.

Mais on ne s'intéressa que fort tard aux manuscrits d'auteurs. D'abord parce que l'habitude de réaliser des copies successives pour rendre la lecture plus claire entraînait la disparition du texte original. Ensuite parce que la curiosité critique ne s'exerçait que sur le livre définitif et ne prenait en compte ni les brouillons ni les états successifs d'un texte en cours d'élaboration, au contraire des spécialistes modernes de l'histoire littéraire.

Le goût pour les textes autographes est né au XIXᵉ siècle avec la mode de l'ancien, la passion pour les vestiges du passé, la constitution des musées. Rousseau avait déjà pris le soin de conserver ses manuscrits (dans une crise d'angoisse, il avait même voulu les déposer sur l'autel de Notre-Dame de Paris) ; Hugo gardait les siens dans une armoire de fer et des coffres de banque ; Balzac offrait libéralement ses textes pleins de corrections et de repentirs à ses égéries ou à ses amis. Considérés comme des reliques par les admirateurs passionnés d'un écrivain, les manuscrits sont surtout aujourd'hui des jalons irremplaçables dans la compréhension du processus créateur. •

Les bibliothèques : d'Assour à Beaubourg

D'ABORD TRÉSOR DE PRÉCEPTES ET DE RECETTES AU SERVICE D'UN POUVOIR RELIGIEUX ET POLITIQUE, LA BIBLIOTHÈQUE EST DEVENUE L'INSTRUMENT DE DIFFUSION D'UN SAVOIR RATIONNEL ACCESSIBLE À TOUS.

Les plus anciennes collections de textes ont été réunies, il y a plus de quatre mille ans, dans les « maisons des tablettes » de Mésopotamie, dans les cités de Sumer et d'Akkad, où les fonctionnaires s'efforçaient de conserver la mémoire des prédictions tirées de l'observation des astres et des événements exceptionnels (naissances monstrueuses, rêves prémonitoires, catastrophes naturelles) et les données administratives et politiques nécessaires à la gestion des biens des souverains et des temples ainsi qu'à l'organisation de l'État.

Les exercices du scribe.
Le support de ces textes était l'argile crue, incisée avec un roseau taillé. Il était essentiellement précaire. Le rôle des premières bibliothèques était donc non pas de conserver les textes mais de les régénérer continuellement. Les scribes passaient leur temps à recopier des tablettes altérées et les novices s'exerçaient dans leur art en copiant non seulement des lettres royales, des contrats juridiques, mais aussi des œuvres littéraires, à commencer par les épopées qui résumaient les mythes fondamentaux des civilisations antiques. Dès qu'ils découvraient une tablette cassée ou partiellement effacée, ils effectuaient aussitôt une nouvelle copie et l'original abîmé était mis au rebut.

De ces contraintes et de ces pratiques inhérentes aux premières sociétés utilisant l'écriture résultent deux caractéristiques majeures des bibliothèques primitives : sur un site habité pendant des siècles, on ne possède que des textes datant de l'époque d'occupation la plus récente ; la date d'une tablette ne permet absolument pas la détermination de la période de création du texte qu'elle transcrit.

Les deux bibliothèques les plus anciennes qui aient été conservées sont celle que le roi Assourbanipal (669-v. 627 av. J.-C.) constitua à Ninive et qui était placée sous la protection de Nabou, dieu de l'Écriture, et la bibliothèque dite « de Sultantepe », du nom d'un champ de fouilles archéologiques qui révéla la collection de tablettes appartenant à un prêtre nommé Qourdi-Nergal et dont les textes les plus récents datent de la chute de l'Empire néo-assyrien (612 av. J.-C.).

Conservation et communication.
Les bibliothèques ont rassemblé successivement des tablettes d'argile, des textes sur papyrus (dans l'Égypte ancienne, dans la Grèce hellénistique, à Rome), des parchemins (à la fin de l'Antiquité latine et grecque, dans les couvents du Moyen Âge), des livres sur papier et, de nos jours, des microfilms, des disques, des bandes magnétiques, etc. La bibliothèque doit remplir deux fonctions principales : la conservation et la communication.

Le rôle de conservation est capital pour la sauvegarde des patrimoines culturels : c'est celui qu'assurèrent les bibliothèques médiévales – tout particulièrement celles qui, dans les monastères, étaient liées à un atelier de copistes (le *scriptorium*) – en reproduisant les textes de l'Antiquité grecque et latine. La fonction de communication fait de la bibliothèque autre chose qu'un cimetière intellectuel ou un trésor à la seule disposition d'une caste qui y trouve un instrument essentiel de son pouvoir. Les bibliothèques de lecture publique avec leurs salles de recherche et d'étude, leurs classements précis, leurs catalogues détaillés, leurs services de prêt, leurs moyens informatiques et audiovisuels ont bouleversé les conditions de la lecture et de l'accès au savoir. Les textes littéraires sont conservés dans les bibliothèques nationales, qui détiennent en principe un exemplaire de toute production imprimée parue dans le pays, et dans de nombreux fonds d'archives privés consacrés à un écrivain, un genre, une période.

Le mythe du Livre absolu.
Le livre est au cœur d'un mythe qui se développe de Rabelais (« la Librairie de Saint-Victor » dans *Pantagruel*) à Borges (« la Bibliothèque de Babel » dans *Fictions*) et dont Mallarmé a donné l'expression la plus systématique : l'écrivain poursuit le rêve du Livre unique et absolu qui est en lui-même une bibliothèque, le Livre qui achève tous les livres et qui résume tous les langages, le Livre auquel aboutit le monde tout entier, dans un mouvement inverse de la parole qui engendra la Création.

Ce projet est bien une chimère, au moment où se multiplient et se diversifient les littératures, les genres, les styles, les conditions de lecture. La Renaissance confondait dans un même « livre du monde » les signes de la nature et les langages des hommes. Cette croyance en l'unité du discours et du réel est aujourd'hui abolie. Le livre ne réunit plus les hommes en une vision commune ; chaque lecture, au contraire, fait surgir de la lettre un univers nouveau, unique et, à la limite, proprement incommunicable. •

La typographie : le signe qui fait sens

LA TYPOGRAPHIE ET LA MISE EN PAGES PARTICIPENT TOUTES DEUX À LA MISE EN SCÈNE DE L'ÉCRITURE.

Ce sont les poètes qui les premiers ont réfléchi sur la forme que le livre donnait à la pensée. Ils ont d'abord cherché à mimer le mieux possible le réel, disposant leurs textes suivant la forme des objets qu'ils évoquaient : ce sont les calligrammes des Grecs Théocrite et Simmias de Rhodes, les *carmina figurata* du théologien germanique du IXᵉ siècle Raban Maur, le poème en forme de bouteille du *Cinquième Livre* de Rabelais – tout un art que retrouva Apollinaire.

D'autres écrivains ont joué sur les caractères d'imprimerie, leurs types et leurs grosseurs, pour obtenir des effets esthétiques. Ainsi, Restif de La Bretonne, qui composait lui-même ses ouvrages, employait le *cicero* pour les scènes de passion, la *gaillarde* pour le simple récit, le *petit romain* pour les descriptions détaillées. De nos jours, Michel Butor usera (dans *Boomerang*, 1978) d'encres de couleur.

Enfin, la « calligraphie animée » par ordinateur (*Deux Mots*, 1983, de Michel Bret et Roger Laufer) réalise les rêves d'écriture des surréalistes, prouvant que les fameux caractères « mobiles » de Gutenberg ont en réalité figé les formes écrites.

L'art de disposer un texte dans la page n'est pas sans conséquence sur la compréhension d'une œuvre. Valéry notait que, devant une composition soignée, des lignes bien proportionnées, l'auteur ressent d'une façon neuve son langage et son style : il croit entendre une voix plus nette que la sienne articuler ses paroles et « détacher dangereusement tous ses mots ».

Dans les manuscrits, la mise en pages était très dense et les premiers livres reproduisirent cette présentation compacte. Dès le XVIᵉ siècle, la page s'aéra avec des titres et des alinéas.

Claudel estimait qu'il fallait juger de la prose dans l'espace du livre, et de la poésie dans celui de la page. Les poètes modernes font des blancs de la page le signe poétique fondamental, à la suite de Mallarmé, qui, dans son célèbre *Coup de dés* (1897), chercha une « dispersion » de la lecture pour rendre compte de la « mobilité » de la parole. Cette recherche veut faire de la page une partition analogue à celle de la musique symphonique, où plusieurs lignes se développent simultanément et où divers motifs se superposent. L'écoulement temporel et linéaire du texte est remplacé par la « vision simultanée » de la page.

Reverdy construit volontiers ses poèmes en carrés, comme des blocs, Maurice Roche abolit l'écart entre le texte et l'image, introduisant dans ses lignes des photographies et des dessins. Le spatialisme aujourd'hui entend donner la liberté non seulement aux mots, mais aux lettres se déployant à l'état sauvage dans le grand « théâtre spatial d'une typographie gestuelle ». •

L'espace littéraire

Le livre est d'abord une projection du monde. L'écriture est la trace même des choses : l'aleph, première lettre de l'alphabet phénicien, n'est que le profil de la tête du bœuf. Les manuscrits, ornés d'enluminures et de miniatures, ont mêlé longtemps les éclats du réel sensible au système abstrait des mots. L'imprimerie a fait d'un texte compact et uniforme un message qui ne parle aux sens qu'après le détour de l'esprit. Les poètes cherchent aujourd'hui de nouveau à faire de leur écriture moins une partition qu'une empreinte immédiate des êtres et des objets.

3. Mise en page et en scène d'un poème du *Bestiaire fabuleux* de Patrice de La Tour du Pin, par Jean Lurçat.

La littérature baroque

Le monde est un théâtre

LE BAROQUE EST UNE ATTITUDE THÉÂTRALE DEVANT LA VIE. LE THÉÂTRE EST, EN RETOUR, UN BON « MODÈLE RÉDUIT » DE LA VIE.

SI LE MOT BAROQUE EST aujourd'hui un terme vague que l'on applique aussi bien à une idée bizarre qu'à la peinture de Rubens ou au théâtre de Claudel, il a une origine technique et précise : en joaillerie, baroque désignait une perle irrégulière ou une pierre mal taillée. Au XVIIIe siècle, le baroque représente en architecture une surabondance dans l'ornementation poussée jusqu'au mauvais goût. Le baroque s'est donc d'abord défini négativement : il était l'anormal, l'exubérant, le décadent – le contraire du classique.

Au début du XXe siècle, les historiens de l'art ont fait du baroque un concept d'esthétique générale pour caractériser le style de la période qui sépare la Renaissance du classicisme : l'art baroque, pictural et ouvert, s'oppose à l'art classique, linéaire et fermé. Cette vision plastique s'étendit à la musique et à la littérature.

Le baroque est lié à l'idéologie de la Contre-Réforme : il domine, de la fin du XVIe siècle au milieu du XVIIe, dans les pays catholiques et dans les classes extérieures à la bourgeoisie : le clergé et l'aristocratie.

Le baroque littéraire, théorisé en Espagne par Baltasar Gracián et illustré par la poésie labyrinthique de Góngora, anime en Italie les subtilités de Marino, en Allemagne le pathétique d'Andreas Gryphius et l'humour picaresque de Grimmelshausen, en Angleterre les délicatesses de l'euphuisme. Il inspira en France l'hermétisme de Maurice Scève, les raffinements macabres de Jean de Sponde, la mythologie sensuelle de Théophile de Viau, les violences visionnaires d'Agrippa d'Aubigné.

Art du reflet et de l'apparence, à travers les thèmes favoris de l'eau, du miroir et du masque, le baroque est en réalité un style fortement structuré qui se fonde sur un système d'antithèses et de symétries. Les métaphores et les périphrases y jouent le même rôle que les volutes et les spirales dans l'organisation des volumes architecturaux, tout en assurant la présence constante de l'imagination et de la surprise.

Phénomène d'ostentation généralisée, prônant la validité morale et artistique de l'artifice contre le naturel, le baroque ne connaît que des êtres de métamorphose qui, acteurs ou héros, sont en perpétuelle représentation.

La période baroque est l'âge de la mise en scène. De la Rome des papes au Versailles de Louis XIV, des fêtes italiennes aux pompes funèbres du Grand Siècle se déploie le « grand théâtre du monde », se déroulent les splendeurs de la puissance et de la gloire. Tout est prétexte à représentation : la liturgie, avec la messe et l'éloquence sacrée ; la vie quotidienne du monarque ; les manifestations collectives des corps constitués et des corporations ; les fêtes publiques et privées. L'art lui-même se théâtralise : gestes dramatiques, compositions fougueuses, contrastes lumineux, chatoiements et trompe-l'œil font de l'architecture (Borromini), de la sculpture (le Bernin), de la peinture (du Caravage à Tiepolo) les éléments d'une vaste scénographie.

En revanche, le théâtre est le mode d'expression privilégié de l'âge baroque : ballets de cour, qui connaissent une faveur inouïe des derniers Valois à la jeunesse de Louis XIV comme à la cour d'Élisabeth Ire ; drames héroïques et tragi-comédies de Robert Garnier à Corneille ; pastorales dramatiques du Tasse et de Mairet ; drames élisabéthains, qui calquent le foisonnement de la vie ; opéra, qui dès sa naissance s'affirme un spectacle total.

Une dramaturgie de l'ambiguïté.
Le théâtre est un miroir où se réfléchit l'image du monde, mais une image qui obéit moins aux lois physiques de la perception qu'aux fantasmes de l'imagination. Le miroir baroque est un miroir déformant. Dans les décors et les mécanismes qui assurent une interpénétration continue des lieux et des êtres, le théâtre baroque illustre une conception unitaire et vitaliste de la nature. Trois figures emblématiques résument le baroque : le Paon, symbole de l'ostentation, Protée, le dieu capable de prendre toutes les formes, et enfin Circé, la magicienne dont les métamorphoses exaltent ou ravalent à volonté la nature humaine.

Le songe et le réel, le masque et le visage, l'homme et son double s'avancent, dans ce théâtre, en couples égaux et fraternels. On ne sait qui est l'un et qui est l'autre. L'âge baroque est une époque de doute. La pensée classique, à la suite de Descartes, fera de ce doute une étape dans l'élaboration de principes intellectuels assurés. Le baroque, lui, se maintient au cœur de l'illusion. Montaigne et Pascal en tireront des effets semblables et des conclusions opposées. Si le monde est simulation et dissimulation, c'est que quelque chose se cache derrière l'apparence. Pour mettre un masque, il faut avoir un visage. Mais lequel des deux est le plus réel ? Tout le théâtre classique sera une recherche de l'image authentique. Le théâtre baroque restera une dramaturgie de l'ambiguïté.

Violence de la passion, passion de l'absolu.
L'âge baroque est une époque de violence. Des guerres de Religion à la guerre de Trente Ans, le courant du temps apparaît, à travers les métaphores des poètes, comme un torrent déchaîné. La mort est présente sur la scène baroque comme elle l'est dans les vicissitudes des individus et le destin des nations, et c'est le théâtre élisabéthain qui lui ouvrira le champ le plus large et le plus spectaculaire.

Cette cruauté ne disparaîtra pas dans le théâtre classique, simplement elle s'intériorisera. Les supplices et les agonies baroques étalés au grand jour de la scène deviendront les tourments inexpiables de la conscience. La mort classique reste en coulisse.

Le héros baroque joue son destin non seulement dans l'univers feutré du discours, mais dans les apprêts fastueux d'une mort à grand spectacle. Chez lui, la volupté de la souffrance n'est que la volonté d'aller jusqu'au bout de lui-même : la démesure est la dimension habituelle du héros baroque, grand dans l'abjection comme dans l'orgueil. Le baroque est sans cesse à la conquête de l'absolu. •

Conceptisme et cultisme : Góngora

RAFFINEMENT DANS LE JEU DES IDÉES ET PRÉCIOSITÉ DU STYLE COMPOSENT TOUT LE FONDS DE LA RHÉTORIQUE BAROQUE.

La démarche poétique de Góngora, l'écrivain le plus audacieux de la littérature espagnole, est à l'inverse de sa conduite dans la vie. Étudiant passant son temps dans les tripots au lieu de faire son droit canon, doté de confortables bénéfices ecclésiastiques sans être prêtre, s'amusant aux courses de chevaux ou de taureaux plus qu'aux cérémonies du chapitre, protégé du duc de Lerme et chapelain de Philippe III, mais rimant plus d'épigrammes que de panégyriques, vite célèbre sans s'occuper du sort de son œuvre, il rusa avec toutes les règles et parodia toutes les contraintes mondaines : il fut un marginal à l'aise dans toutes les couches de la société.

En revanche, il lança, en tant que poète, un double défi à lui-même et au langage : quels objets littéraires peut-on construire lorsqu'on enferme la plus grande liberté d'esprit dans l'arbitraire des règles les plus sévères ? La structure du langage peut-elle résister aux contraintes proprement poétiques d'un esprit qui fait fi de la syntaxe courante et utilitaire de la communication quotidienne ?

Une poésie sans corps, à qui il manque une âme ?
Les contemporains de Góngora furent à la fois éblouis et déconcertés. Góngora a écrit 23 000 vers pour exercer sa plume, pour aiguiser son esprit, pour voir jusqu'où l'on pouvait pousser la machine poétique. Il a composé des romances, des couplets pour guitaristes des rues, des hymnes religieux, des chansonnettes satiriques, des sonnets italianisants, des chants funèbres, des odes d'apparat, des dizains burlesques. Góngora pastiche toutes les formes, se moque de tous les styles, persifle toutes les idées. On le célèbre comme le seul à aller aussi loin dans le labyrinthe de la pensée (le conceptisme) et surtout comme le grand maître d'une écriture à ruptures et à surprise (le cultisme).

Ses admirateurs, qui avaient commencé par être ses critiques, ne pouvaient cependant se défendre d'un certain malaise devant ce style sans repères, cet étalage de tous les sentiments qui semblait révéler une absence totale de sensibilité : sa poésie n'a ni corps ni âme, disait Juan de Jáuregui, en 1624, dans sa critique des *Solitudes* – poème hermétique sur la vie paysanne que Góngora n'acheva jamais – avant de célébrer, l'année suivante, le style baroque. C'est une des raisons qui poussèrent Baltasar Gracián à donner une armature morale et idéologique aux adeptes du « gongorisme », qui s'étendit comme une maladie à toutes les lettres espagnoles. Car si les jésuites testaient l'intelligence de leurs élèves en leur faisant commenter *la Fable de Polyphème et Galatée* (1613), les littérateurs usaient sans discernement d'un jargon ampoulé, qui gagnait la scène et la chaire.

Chez Góngora, la métaphore est vive, l'image toujours nouvelle et hardie, l'architecture nette et nécessaire. Chez ce praticien capable de tous les discours, brodant sur tous les thèmes, il y a un sujet unique : le langage, corps du poème, le seul rêve qui soit à la dimension de la réalité. Le verbe seul donne leur signification aux données confuses de la sensibilité et de l'entendement. Et ce roué de talent se fait une âme neuve, une âme d'enfant découvrant les signes sonores qui balisent sa découverte du monde. La syntaxe disloquée de ses pièces « extrêmes » fit scandale : on lui reprocha son obscurité. Elle était en réalité à l'exacte mesure d'un monde énigmatique, dont elle épousait le mouvement. •

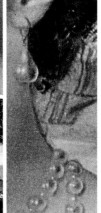

1. *Vénus*, peinture de Jan Metsys (1561). Ensemble et détails.

La notion de baroque est empruntée aux arts plastiques et le baroque littéraire transpose des catégories picturales : mise en valeur des figures, recherche de l'expressivité, décentrement des compositions, importance accordée aux détails – œil, fleur ou bijou –, usage d'une mythologie revue par l'humanisme contemporain, évocation de l'actualité sous le déguisement d'une allégorie qui confine à l'hermétisme. Les poètes baroques sont souvent proches des peintres maniéristes : dans le perpétuel mouvement de toutes les choses, dans le jeu de reflets des idées, des croyances, des modèles artistiques, le créateur se découvre sans repères stables, il fait l'épreuve d'une liberté à la fois merveilleuse et insupportable.

Joie des yeux, extase du cœur, jouissance de l'esprit : dans le désordre des sens et la diversité des impressions, le réel se distend et se disloque. C'est la mise en éclats de la beauté. Mais l'écrivain, comme le peintre baroque, veut croire quand même à un ordre du monde, ne serait-ce que comme une hypothèse esthétique. La conscience, inquiète de vivre dans un univers d'apparences trompeuses et de splendeurs éphémères, se mue en mise en scène provocante de la fête des illusions. Le poème baroque, comme le tableau, donne à voir, et tout particulièrement cette association, que reprendra Baudelaire, de la nudité du corps féminin et des parures d'orfèvrerie, la chair et la perle échangeant leurs courbes et leurs couleurs.

Une esthétique de l'émerveillement : Marino

GIAMBATTISTA MARINO,
LE POÈTE LE PLUS CÉLÈBRE DE SON SIÈCLE,
EST MOINS UN INVENTEUR QU'UN COLLECTIONNEUR QUI
SOUMET SON ŒUVRE À UNE ESTHÉTIQUE
DE LA VIRTUOSITÉ ET DE LA MERVEILLE.

Si, entre sa naissance et sa mort à Naples (1569-1625), l'existence de cet aventurier des lettres témoigne de quelques fuites prudentes ou forcées (de la maison paternelle, pour se dérober à des études de droit ; de Naples, pour éviter un procès d'adultère) et d'un séjour en prison (à Turin en 1614), que lui valut son arrogance à la cour de Charles-Emmanuel Iᵉʳ, ses contemporains furent surtout frappés par la protection royale que lui assura à Paris Marie de Médicis et par la fabuleuse fortune qu'il sut tirer de sa plume.

Marino est loin cependant d'être le plus surprenant des poètes baroques. Mais il a su, par son registre stylistique, son érudition éclectique, l'extrême variété des genres qu'il pratique (des poèmes de *la Lira* aux sermons laïques des *Dicerie Sacre*, des idylles de *la Sampogna* au musée imaginaire de *la Galeria*, des pamphlets de *la Murtoleide* aux vers d'amour de *l'Adonis*), persuader son public qu'il était l'aboutissement d'une évolution séculaire.

La révolution copernicienne comme stratégie amoureuse.
Le sujet du grand poème que Marino entreprit en 1596 et qu'il publia à Paris en 1623 en le dédiant à Louis XIII, *l'Adonis,* est bien connu : il décrit les artifices par lesquels Vénus tente de séduire Adonis qui, victime de la vengeance de Mars, est éventré par

un sanglier ; Vénus lui fait de somptueuses funérailles et métamorphose en anémone le cœur de son amant.

Les 20 chants et les 45 000 vers du poème révèlent une structure complexe qui s'apparente aux romans baroques contemporains. Plus curieusement, ils dévoilent le sensualisme philosophique de Marino et son adhésion à la révolution copernicienne. Ces traits sont sensibles à travers la description du *Jardin des plaisirs* (aux chants VII et VIII), inspirée de Lucrèce, et dans le vibrant éloge de Galilée (au chant X).

L'érotisme de *l'Adonis,* s'il dépasse parfois les limites de la décence, est le plus souvent culturel, nourri de fables, d'évocations d'objets d'art et de citations encyclopédiques. La stratégie amoureuse de Vénus culmine dans le spectacle de l'harmonie des sphères, où tous les arts sont tour à tour sollicités par la déesse pour venir en aide à ses charmes sans pouvoir sur Adonis : la célébration des mille instruments qui composent la voix du rossignol forme ainsi un véritable manifeste de la poésie baroque.

Moins préoccupé d'inventer que de fondre en une œuvre unique les beaux vers et les beaux objets, Marino réunit en lui deux êtres : le poète virtuose, l'amateur hédoniste.

 ●

Le tragique visionnaire : d'Aubigné

EN PLAÇANT L'HISTOIRE DANS
LA PERSPECTIVE DE L'ÉTERNITÉ, AGRIPPA D'AUBIGNÉ
A TOURNÉ TOUTES LES FIGURES ET TOUS LES PROCÉDÉS DU
BAROQUE AU SERVICE DU DIEU VENGEUR
QUI COURONNE LES PROTESTANTS.

Compagnon incorruptible d'Henri IV, Agrippa d'Aubigné n'acheta jamais carrière ni honneur au prix d'une messe : voué par son père, à l'âge de huit ans, devant le spectacle des suppliciés de la conjuration d'Amboise, à la défense de la religion réformée, il sera compromis, à près de soixante-dix ans, dans la conspiration contre le duc de Luynes et ira finir ses jours à Genève.

Une œuvre multiple, une foi unique.
L'œuvre témoigne d'une grande diversité de registres : historique *(Histoire universelle depuis 1550 jusqu'en 1601),* autobiographique *(Sa vie à ses enfants),* satirique *(les Aventures du baron de Faeneste, la Confession catholique du sieur de Sancy),* lyrique *(le Printemps),* épique *(les Tragiques).* Mais elle révèle une même source d'inspiration : le combat pour la Réforme. Même les vers d'amour que lui inspira Diane Salviati, la nièce de la fameuse Cassandre chantée par Ronsard, usent de la même symbolique et de la même rhétorique

que l'épopée militante : les thèmes du meurtre et du sacrifice, les images du sang, du fer et du feu, la rhétorique de l'antithèse et des images accumulées traduisent aussi bien l'angoisse de la passion que la certitude de la foi.

« Les Tragiques » : un récit ouvert sur le surnaturel.
On a décelé – à commencer par ses contemporains – dans ce poème épique, « Divine Comédie huguenote », conçu dans la chaleur du combat de Casteljaloux en 1577, achevé en 1589, publié seulement en 1616, une combinatoire fondée sur une symbolique des nombres. Un : le chiffre de Dieu, origine et fin de tout. Deux : le chiffre de l'homme, créé et déchu, déchu et racheté. Sept : le nombre de la Création.

L'œuvre comporte en effet sept livres. Le livre I (« Misères ») évoque la patrie déchirée. Les livres II (« Princes ») et III (« la Chambre dorée ») stigmatisent les vices de la Cour et d'une justice meurtrière. Les « Feux » et les « Fers » (livres IV et V) décrivent les bû-

chers de la persécution et les massacres des guerres civiles. Le livre VI (« Vengeances ») montre que la justice divine se manifeste dans le cours même de l'histoire humaine, mais la rétribution des justes ne leur sera acquise qu'au jour du « Jugement » (livre VII), avec la résurrection des corps.

La structure globale des *Tragiques* consiste dans l'entrecroisement d'un plan horizontal (celui des faits historiques) et d'un plan vertical (la situation de ces faits dans une perspective divine). C'est donc une épopée à deux niveaux, dont le héros collectif (le peuple protestant) voit son destin s'inscrire dans l'aventure infinie du peuple de Dieu, qui commence aux tribulations des Hébreux aspirant à la Terre promise et qui s'incarne, à l'époque des guerres de Religion, avec la saisie, pour ainsi dire en direct, du point de vue de Dieu sur les vicissitudes terrestres : la narration des événements anticipe sans cesse sur leur signification ultime, ce qui fait voir dans chaque défaite des élus la gloire future du paradis, et dans chaque victoire des persécuteurs la condamnation infernale.

Jamais le jeu des antithèses et des renversements de la stylistique baroque n'a eu plus de pertinence que dans cette entreprise de « rétablissement » de la vérité.

 ●

Le théâtre élisabéthain

Un théâtre de justiciers

SOIF DU POUVOIR, JALOUSIE, CUPIDITÉ,
ET SURTOUT VENGEANCE, LE THÉÂTRE ÉLISABÉTHAIN
NE MANQUE PAS DE RAISONS POUR SUER
LE CRIME PAR TOUTES SES SCÈNES.

SI LE NOM DE LA « REINE vierge », de la protestante passionnée que fut Élisabeth Ire, a été donné à la période la plus truculente et la plus violente de l'histoire de la scène anglaise, c'est qu'il symbolise, comme dans les domaines politique et spirituel, le plein épanouissement des caractéristiques nationales.

De la représentation de *Gorboduc,* de Sackville et Norton, en 1562 à la fermeture des salles de spectacle par le Parlement en 1642, le théâtre anglais – dépassant à la fois la farce médiévale, les interludes des divertissements royaux et les adaptations universitaires des tragiques et des comiques latins – a fait preuve, pendant plus de trois quarts de siècle, d'une vitalité et d'une originalité tout à fait exceptionnelles.

Malgré la méfiance et les condamnations des puritains, le théâtre unit dans une même passion l'aristocratie de la Cour, la plèbe des faubourgs, la bourgeoisie marchande. Le théâtre élisabéthain est un succès commercial et populaire (en 1629, Londres comptera dix-sept théâtres jouant tous les jours, contre un seul à Paris), animé par des troupes d'acteurs protégées par de nobles mécènes et suscitant l'imagination et la verve d'une foule d'auteurs dominés par la stature de Shakespeare, qui semble les résumer tous.

Dans son exubérance et sa diversité, le théâtre élisabéthain laisse apparaître quelques lignes de force : stylisation du décor, imbrication du tragique et du bouffon, prédilection pour la violence et le thème de la vengeance, angoisse métaphysique dissimulée sous un appétit forcené de jouissance et de connaissance, mélange de grossièreté verbale et de raffinement poétique.

Le théâtre élisabéthain rassemble des voix multiples : délicatesse de Lyly, outrance de Marlowe, sentimentalité de Dekker, cynisme de Marston, franchise de Jonson, subtilité de Ford, pathétique de Webster, satire sèche de Middleton, élégance romanesque de Beaumont et Fletcher, force rhétorique de Massinger, hermétisme poétique de Chapman... Cette variété, qui est la variété même de la vie, explique que le théâtre élisabéthain, par-delà une aventure historique et nationale, ait atteint d'emblée à une vérité humaine et universelle.

Le théâtre élisabéthain rappelle que la représentation d'un personnage imaginaire chargé d'émotions actuelles est une expérience inquiétante. Le sujet mythologique ou historique, l'habillage poétique ne peuvent masquer la surprenante galerie de criminels, de fous, de monarques dévoyés qu'offre la scène anglaise. La nature humaine y est étudiée dans ses cas les plus aberrants, ses formes de déviance. La passion à l'état sauvage est inoculée à l'animal vivant. Le théâtre est le banc d'essai d'une humanité malade, considérée de l'œil pessimiste du puritanisme, qui veut se tenir à l'écart de la scène mais dont la vision marque l'air du temps.

L'expérience de l'excès.

Le théâtre élisabéthain montre jusqu'où on peut aller trop loin. Il joue à plaisir de la transgression : des lois du mariage *(Arden de Feversham),* de la piété *(le Roi Lear),* du pouvoir légitime *(Macbeth),* de l'ordre de Dieu *(la Tragique Histoire du docteur Faust),* de l'amour permis, surtout. La tentation du viol et de l'inceste obsède toute la scène élisabéthaine. À l'univers forcené et éclaté qu'elle présente répondent les tentatives aberrantes de recherche de l'unité perdue : mais on ne peut unir Roméo et Juliette, pas plus lorsqu'ils appartiennent à deux familles ennemies (Shakespeare) que lorsqu'ils sont frère et sœur (John Ford). Au bout de la furie d'aimer ou de connaître, il y a le châtiment.

Une justice sauvage.

Dans le théâtre élisabéthain, le châtiment suit de près le crime. Les héros ne cessent de punir et les cœurs sanglants fleurissent à la pointe des épées. De Marlowe à Tourneur, de Kyd à Webster, de Chapman à Shakespeare, le drame élisabéthain peut être compris comme un théâtre de la vengeance. Le père venge le fils *(la Tragédie espagnole),* le fils venge le père *(Hamlet),* l'amant venge sa fiancée trahie *(la Tragédie du vengeur),* les frères vengent sur leur sœur l'honneur de la famille *(la Duchesse d'Amalfi).*

Le drame du vengeur est celui de la justice sauvage, parce qu'il y a de la sauvagerie dans toute justice. Justiciers impatients, les vengeurs élisabéthains ne s'en remettent ni à Dieu ni au roi pour rétablir une loi violée, une foi bafouée, une dignité perdue. La vengeance dessine un cercle sans fin. Le vengeur veut effacer une tache, mais il ne le peut qu'au prix d'une autre souillure, celle du sang, celle de la mort, qui efface tout. ●

1 *Édouard II* de Marlowe, avec Philippe Clévenot, au théâtre de Gennevilliers.

Les grandes œuvres et leurs auteurs

La Tragédie espagnole (1586), de Thomas Kyd. Dans le style de Sénèque, c'est un drame de la vengeance qui utilise le théâtre dans le théâtre, comme le fera Shakespeare dans *Hamlet.* Le rôle de Hieronimo, qui erre en chemise sur la scène et se coupe la langue avec les dents, fut le plus populaire de l'époque et le plus recherché des acteurs. Le reste de l'œuvre de Kyd évolue entre la copie de Sénèque par l'intermédiaire de Robert Garnier *(Pompée le Grand et Cornélie,* 1595), et le réalisme contemporain *(le Meurtre de J. Brewer, joaillier,* 1595). Shakespeare se serait inspiré dans *Hamlet* de son *Fratricide puni* (1589).

Arden de Feversham (1586), pièce anonyme, parfois attribuée à Thomas Kyd. C'est un drame bourgeois, inspiré d'un fait divers authentique de 1551. Alice, femme du riche bourgeois Arden, est la maîtresse d'un personnage grossier, Mosbie, qui exerce sur elle un véritable envoûtement. La folie des sens, qui pousse Alice, et celle de l'or, qui anime Mosbie, nourrissent des tentatives d'assassinat qui finissent par aboutir. Mais le crime est découvert et les coupables sont exécutés.

La Tragique Histoire du docteur Faust (1588), de Christopher Marlowe. S'inspirant de l'imagination populaire et du théâtre forain allemand, Marlowe fait du magicien qui se voue au diable pour obtenir science et pouvoir un jeune épicurien utopiste et passionné, qui passe du culte de la beauté au désespoir devant la mort et la promesse de l'enfer.

Holà, vers l'orient ! (1605), pièce signée par John Marston, George Chapman et Ben Jonson. Cette comédie illustre une des caractéristiques du théâtre élisabéthain : la collaboration successive ou simultanée d'auteurs dont il est impossible de délimiter les contributions.

Volpone ou le Renard (1606), de Ben Jonson. Sur les conseils de son parasite favori, Mosca, un vieux Vénitien avide et cynique, Volpone, feint d'être à l'article de la mort pour se faire couvrir de cadeaux par de faux amis espérant être désignés comme héritiers. Le scandale éclate devant le sénat de Venise, mais les victimes des deux compères, pour sauver leur propre honneur, s'efforcent de les disculper. À la fin, Volpone est pris à son propre piège et jeté à la rue par Mosca.

Ben Jonson (v. 1572-1637) est une des incarnations les plus riches de l'époque élisabéthaine. Fils posthume d'un prédicateur écossais, maçon, soldat, comédien, ami de Shakespeare, il tue en duel un acteur, est marqué d'infamie, trois fois emprisonné, compromis dans la Conspiration des poudres. Auteur de tragédies inspirées des Latins *(Séjan, Catilina)* et de comédies qui illustrent la « théorie des humeurs » de Burton, il usa d'une franchise impitoyable contre le pouvoir et ses confrères.

La Courtisane hollandaise (1605), de John Marston. Une courtisane machine la perte d'un jeune seigneur qui l'a abandonnée pour se marier. Mais celui qu'elle a choisi pour ce forfait prévient la future victime – qui se cache –, ce qui désespère sa fiancée, qui le croit infidèle. Tout finit par s'arranger dans cette curieuse comédie, qui offre une vigoureuse peinture d'une société de prostituées et de renégats.

La Tragédie du vengeur (1607), de Cyril Tourneur. Dans une ville d'Italie, où règnent la débauche et la cruauté, Vendice (le Vengeur) entre au service du duc qui a empoisonné sa fiancée et cherche à suborner sa sœur. Avide d'expérience, Vendice joue le jeu du duc auprès de sa sœur, qui résiste, mais il a la surprise de voir que sa mère entreprend de fléchir sa fille. Il faudra la menace du poignard pour remettre la mère dans le droit chemin. Et la vengeance suivra son cours.

Bussy d'Amboise (1607), de George Chapman. Le héros de la pièce est le fameux duelliste, amant de la comtesse de Montsoreau, que Dumas devait rendre populaire. Chapman (v. 1559-1634), traducteur d'Homère et de Pétrarque, est le plus humaniste des dramaturges élisabéthains : il se prétendait inspiré par un démon poétique et se posa en rival de Shakespeare. Génie extravagant, il fit l'éloge de la Saint-Barthélemy et des maris trompés.

La Duchesse d'Amalfi (1614), de John Webster. Cette tragédie en cinq actes reprend une nouvelle de Bandello. Une duchesse épouse son majordome. Considérant cette mésalliance comme un affront, les deux frères de la duchesse (le cardinal et le duc de Calabre) commencent par massacrer leur sœur, puis le cardinal la fait étrangler. Mais l'étrangleur se retourne contre son maître et s'entre-tue avec lui duc devenu fou. Derrière ce drame de l'honneur se profile un double désir incestueux.

Dommage qu'elle soit une putain (1626), de John Ford. Giovanni est amoureux de sa sœur Annabelle. Celle-ci, enceinte, décide d'épouser un de ses nombreux prétendants, Soranzo, qui se rend compte qu'il est trompé. Soranzo décide de se venger au cours d'une grande fête. Giovanni accepte l'invitation, mais, avant d'y répondre, il tue sa sœur. Il entre dans le salon où se donne la réception, portant le cœur de sa sœur à la pointe de son poignard. Attaqué par Soranzo, il le tue, mais succombe sous les coups du valet de Soranzo.

John Ford (1586-v. 1639) a collaboré à plusieurs drames (notamment *la Sorcière d'Edmonton,* en 1621, avec Webster et Rowley) qui témoignent tous de la sauvagerie pathétique de ses onze tragédies. Ses vers et ses écrits en prose révèlent un philosophe convaincu de la fatalité des passions et de la justification que l'amour trouve en lui-même.

2.

La passion d'un peuple

AUX CÔTÉS D'UNE REINE RESPECTÉE
ET D'UNE MARINE REDOUTABLE, LE THÉÂTRE ÉLISABÉTHAIN
A CRISTALLISÉ LES ENTHOUSIASMES
DE TROIS GÉNÉRATIONS.

L'Angleterre d'Élisabeth Iʳᵉ est un pays assuré qui a maîtrisé ses querelles dynastiques, réduit à néant les prétentions de l'Empire espagnol en anéantissant l'Invincible Armada de Philippe II, et dont la marine, aux ordres de corsaires et d'amiraux audacieux, est présente sur tous les océans. Aventuriers et marchands voient s'ouvrir à eux les pays lointains, leurs trésors, leurs marchés. L'Angleterre vibre à la promesse de l'espace et de la richesse.

Les dramaturges se feront l'écho de ces certitudes et de ces espérances. Les tragédies historiques constitueront un appel permanent à l'unité nationale et un commentaire constant de la politique royale.

La reine joue aussi un rôle plus concret dans l'expansion du théâtre : l'arrêté du lord-maire de Londres en 1570 reléguait les représentations dramatiques, en compagnie de la prostitution et des spectacles brutaux, dans les faubourgs de la cité. Les acteurs vont trouver refuge sur les « libertés », les terrains de l'Église catholique expropriés qui appartiennent à la Couronne : en 1576, James Burbage ouvre son théâtre à Shoreditch ; en 1583 se crée une troupe de la Reine.

Totalité de la vie, unité du public.

À une époque où il n'y a pas de journaux, où les romans sont rares, où le nombre des lecteurs est infime, le théâtre est la seule lunette braquée sur le monde. Le problème pour l'auteur dramatique est qu'il doit satisfaire la vision de l'aristocrate raffiné, comme le lord chambellan, qui ne dédaigne pas d'aider les acteurs à s'installer et à prospérer, aussi bien que celle du public populaire friand de combats d'ours et de chiens. Le dramaturge élisabéthain doit plaire au jeune seigneur amateur de sonnets subtils et au marin formé aux plaisanteries de tavernes, aux cabrioles des bateleurs, à la violence et à la dureté du quotidien : il trouve la solution à ce problème en peignant la totalité de la vie, en passant de la poésie la plus délicate à la trivialité la plus obscène. Au milieu de l'atmosphère la plus émouvante, les pitreries du bouffon – rôle essentiel dans les pièces élisabéthaines, interprété par les acteurs les mieux payés – surgissent pour faire chuter la tension entre les êtres, jeter un clin d'œil ironique sur leur affrontement, prendre une distance avec le spectacle du monde : la farce est toujours l'envers du drame.

En ce sens, le théâtre élisabéthain a gardé le caractère fondamental du théâtre religieux du Moyen Âge, des mystères : rendre compte de tout l'être de l'homme, en montrer les vertus qui le tirent vers le haut comme la pesanteur de ses vices. À ce prix, le théâtre élisabéthain sauvegarde l'unité du public : il ne se scinde pas, comme en France, entre une coterie de lettrés érudits puis de courtisans précieux et la masse populaire abandonnée aux pantomimes de la foire.

L'appel à l'imagination.

Ce public hétérogène est doué d'une étonnante faculté de participation. En effet, l'espace théâtral est d'une grande simplicité. La plupart du temps, une cour à ciel ouvert, dans une auberge, fait office de parterre ; une vaste plate-forme, portée par des tréteaux, forme la scène, plus profonde que large et bordée de trois côtés par le public. Au fond, entre deux portes qui servent pour l'entrée et la sortie des acteurs, une arrière-scène, fermée par un rideau, est couverte d'un toit, qui peut figurer un balcon ou des remparts. Peu d'accessoires : une table, une chaise, parfois seulement un écriteau pour désigner le lieu où se passe l'action.

Sur cette scène rudimentaire évoluent, dans des costumes magnifiques, des comédiens qui possèdent un art consommé de la déclamation. Autre tour de force : il n'y a pas d'actrices sur la scène anglaise avant 1660, les rôles de femmes sont tenus par de jeunes acteurs. Et, pour les besoins de l'intrigue, ces « femmes » sont souvent déguisées en garçons, créant ainsi une cascade de superpositions et d'équivoques. Tous ces artistes triomphent dans les tirades à effet : ils offrent au public à un penny de la romance, du sang et des larmes, mais surtout ces vers qui ronflent, ces « phrases de taffetas », comme dit Shakespeare, qui fondent les éléments hétéroclites de la vie dans l'unité de l'œuvre d'art. ●

→ **Voir aussi :** Shakespeare, LITTER, p. 60-61.

3.

Sang et splendeur

Dans l'Angleterre élisabéthaine, drames historiques et comédies, pièces noires et pièces roses connaissent un égal succès, avec toutefois une certaine prédilection pour ce qui est sanglant, fantastique, démesuré. Une atmosphère surnaturelle enveloppe ainsi *Macbeth* (4), qui en appelle aux « ministres du meurtre dont les formes invisibles président aux crimes de la Nature ». Mais ce théâtre se complaît aussi aux passions les plus troubles qui s'achèvent dans les dénouements les plus triviaux, ainsi d'*Édouard II,* déchiré entre les contraintes du pouvoir et son amour homosexuel pour le parvenu Gaveston, et qui sera assassiné d'un coup de broche et jeté aux latrines (1, 2, 3).

4. *Macbeth,* interprété par Catherine Ferrand, dans une mise en scène de J.-P. Vincent.

Shakespeare

La couronne creuse du pouvoir

LA PUISSANCE ET LA PASSION
SE FONDENT SUR UN MÊME SYSTÈME DE COMPENSATIONS :
ON INFLIGE LA TERREUR QUAND ON NE PEUT INSPIRER L'AMOUR.
LE POUVOIR DÉTRUIT TOUT, À COMMENCER
PAR CELUI QUI L'EXERCE.

UNE VIE MYSTÉRIEUSE : la vie de Shakespeare est si plate et si banale, en regard du foisonnement et des couleurs de son théâtre, qu'on est allé jusqu'à lui dénier l'existence pour en faire le prête-nom de contemporains illustres et cultivés comme le chancelier Francis Bacon, le comte d'Oxford ou lord Derby.

Une œuvre éclatante : l'œuvre de Shakespeare porte toutes les marques de la civilisation élisabéthaine et résume toute la complexité d'une période riche et mouvementée. Elle unit ainsi à une vision poétique et raffinée, qui est celle de la Cour et de l'aristocratie, un rituel populaire où meurtres, trahisons, viols et incestes sont les moindres ingrédients d'un public qui consent à abandonner pour quelques pence les combats d'animaux qui font ses délices habituelles.

Un parcours contrasté : les quelque 38 pièces attribuées à Shakespeare semblent se répartir en trois périodes de tonalités bien différentes. La première, de 1590 à 1600, est celle des fresques historiques et des comédies légères ; la deuxième, de 1601 à 1608, marquée par les chagrins personnels et les désillusions politiques, est celle des grandes tragédies ; la troisième, de 1608 à sa mort, voit se dessiner un nouvel équilibre à travers les pièces romanesques. Certes, depuis le début, il y a partout ombre et lumière, mais une autre évolution aussi est certaine, celle du style : Shakespeare passe d'une rhétorique baroque, outrée et fleurie, à un lyrisme dépouillé.

Une philosophie profonde : le théâtre de Shakespeare compose une méditation sur le spectacle du monde. La vie est un théâtre sur lequel se joue la comédie de l'amour et de la mort, mais ce théâtre n'est lui-même qu'illusions et ambiguïtés. Deux procédés témoignent de cette conception fondamentale, commune à la saisie de la réalité et à celle de sa représentation : le travestissement perpétuel des acteurs qui jouent les rôles de femmes et se complaisent à se déguiser en garçons ; le recours au théâtre dans le théâtre : Hamlet prouve que la seule communication possible est celle que l'on joue. Le rapport à autrui n'est que pantomime.

Conclusion, désabusée et superbe, du magicien de *la Tempête* : « Nous sommes de l'étoffe dont les rêves sont faits. »

Dès ses deux premières pièces, *Henri VI* et *Titus Andronicus,* le drame national et la tragédie romaine, Shakespeare annonce la couleur : celle de la vie politique est sombre. Dans l'Angleterre déchirée par les révoltes populaires et les ambitions féodales comme dans la Rome décadente livrée aux caprices des favoris, le pouvoir n'est que prétexte à la mise en scène des fantasmes et des cruautés latentes. Les grands seigneurs comme la plèbe insurgée portent la même livrée, celle des tueurs. Shakespeare, fidèle à l'horreur élisabéthaine, se complaît dans un bain de meurtres et de mutilations.

Mais son intérêt va à la manière dont le monarque, roitelet humilié ou despote orgueilleux, ressent l'absurdité de la tragédie et dont il la « réfléchit » dans sa personne : la monstruosité de l'histoire s'incarne dans des tyrans difformes, qui ont conscience de leur laideur morale et physique. Ainsi Richard III, qui séduit la veuve du prince de Galles, qu'il a fait assassiner, alors qu'elle suit le cercueil de son époux, laisse percer son désespoir au milieu du succès de sa ruse : boiteux, il ne peut plaire ; retors, il ne peut servir mais trahir. Sa force même, il ne la doit qu'à la faiblesse des femmes qu'il subjugue ou des enfants qu'il dépouille. La nature profonde du pouvoir est satanique.

Shakespeare en fera l'illustration tout au long de son œuvre, qu'il s'inspire du chroniqueur anglais Holinshed ou du moraliste grec Plutarque, qu'il déroule la tapisserie bariolée de l'histoire récente, dans le fracas de la guerre des Deux-Roses et de la guerre de Cent Ans, ou qu'il sculpte les figures quasi mythiques des grands hommes de l'Antiquité, César, Antoine et Coriolan.

La fonction royale est aliénante, c'est ce que disent les grandes « études de cas » que composent *Richard II, Henri IV* et *Henri V*. Si la figure du vainqueur d'Azincourt se place dans la perspective positive de la gloire nationale, le fond de l'âme du souverain est bien le mensonge et la duplicité : il ne se donne à la débauche que pour tirer un plus grand bénéfice d'une conversion spectaculaire à une vie morale. Quant à Richard II, détrôné et assassiné par son cousin, il passe de la faiblesse à la violence, jouant son rôle de roi comme un acteur. Il se regarde agir, il se voit finir, tempérant l'amertume de son échec par la constatation qu'il poursuivait une chimère : son

nom n'a pas plus de consistance que sa couronne. Chez Shakespeare, ce sont les vaincus qui font prendre la mesure des victoires.

Aussi vain que soit le pouvoir, il ne fait pas bon l'abandonner. La royauté gît dans quelques colifichets et quelques signes sans épaisseur, mais qui tient ces marques tient le royaume : les mépriser, s'en débarrasser, comme le roi Lear, c'est aller à sa perte ; on n'atteint ni la réalité ni l'authenticité, mais le néant. Attendre, comme Lear, la reconnaissance de ses filles ou, comme Timon d'Athènes, l'applaudissement de ses compatriotes est une folie. Le pouvoir enchaîne celui qui le détient, ou celui qui le convoite, comme un ours à un poteau face aux chiens (Macbeth). Son exercice ne relève pas d'un traité d'éducation du prince ou d'un manuel de diplomatie ; il renvoie au conflit des grandes forces élémentaires, cosmiques : ainsi, on a pu voir dans le roi Lear un dieu marin, dans ses filles dénaturées les tempêtes, et dans la fidèle Cordelia la bonne brise qui fait les navigations heureuses. Le pouvoir doit être pratiqué et subi comme une fatalité. ■

1. Détail d'un portrait de Shakespeare peinture anonyme du XVIᵉ s., détail.

Dates clefs

1564	Naissance, à Stratford-on-Avon, de William Shakespeare. Son père, commerçant prospère, sera bailli de sa ville en 1568.
1577	Ruine du père.
1582	Shakespeare épouse Anne Hathaway, de huit ans son aînée. Elle lui donnera trois enfants.
1587-1588	Shakespeare arrive, seul, à Londres. C'est l'époque des grands événements : Marie Stuart est décapitée ; l'Invincible Armada est mise en déroute. Shakespeare aurait fait ses débuts au théâtre en tenant par la bride les chevaux des spectateurs.
1590-1592	*Henri VI,* première pièce, en collaboration.
1594	Shakespeare est acteur, et actionnaire, de la troupe du lord Chambellan.
1596	Ses affaires sont prospères : il relève la fortune familiale et fait anoblir son père. Mais son fils Hamnet meurt.
1597	Shakespeare achète une belle demeure dans sa ville natale, New Place.
1598	Il installe sa troupe au théâtre du Globe.
1601	Mort de son père. La conspiration d'Essex et l'emprisonnement du comte de Southampton privent Shakespeare de deux protecteurs influents.
1603	La troupe de Shakespeare prend le nom de « Comédiens du Roi ».
1608	Les Comédiens du Roi jouent désormais dans la salle aristocratique des Blackfriars.
1612	*Henri VIII,* dernière pièce, en collaboration, peut-être avec John Fletcher.
1616	Le 23 avril, mort de Shakespeare, à Stratford, des suites, dit-on, d'un banquet avec Ben Jonson. Le même jour, Cervantès meurt à Madrid.

L'œuvre

Henri VI (v. 1590-1592) ;
Titus Andronicus (v. 1592) ;
Richard III (v. 1592) ;
la Comédie des erreurs (v. 1592) ;
la Mégère apprivoisée (v. 1593) ;
Peines d'amour perdues (v. 1594) ;
les Deux Gentilshommes de Vérone (v. 1594) ;
Roméo et Juliette (v. 1595) ;
Richard II (1595) ;
le Songe d'une nuit d'été (v. 1595) ;
le Roi Jean (1596) ;
le Marchand de Venise (v. 1596) ;
Henri IV (v. 1597) ;
Beaucoup de bruit pour rien (1598) ;
Henri V (v. 1599) ;
les Joyeuses Commères de Windsor (v. 1599) ;
Comme il vous plaira (v. 1599) ;
la Nuit des rois (v. 1599) ;
Jules César (v. 1600) ;
Hamlet (v. 1601) ;
Troïlus et Cressida (1601) ;
Tout est bien qui finit bien (v. 1602) ;
Othello (v. 1603) ;
Mesure pour mesure (v. 1604) ;
le Roi Lear (v. 1605) ;
Macbeth (v. 1606) ;
Antoine et Cléopâtre (1606) ;
Timon d'Athènes (v. 1607) ;
Coriolan (1607) ;
Périclès (1608) ;
Cymbeline (1609) ;
Conte d'hiver (1609) ;
la Tempête (1611).

Les caprices de l'amour

IL Y A DES AMOURS HEUREUSES
DANS SHAKESPEARE, MAIS IL N'Y A PAS
D'AMOUR SIMPLE. DÉFIANCES INJUSTIFIÉES, CONFIANCES
MAL PLACÉES, MACHINATIONS AMBIGUËS :
L'AMOUR EST UN PIÈGE.

Shakespeare a multiplié les situations où la sympathie entre deux êtres se mue insensiblement en amour, puis où la passion commune se brise, se déplace sur un autre être et finit par revenir à son état initial. Ce chassé-croisé des tendresses et des antipathies révèle, outre une véritable guerre des sexes, que le langage du cœur ne saurait être traduisible dans celui de la raison.

Shakespeare débute par une expérience radicale. Le roi de Navarre de *Peines d'amour perdues* a fait vœu, avec trois compagnons, de se consacrer à l'étude et d'ignorer les femmes pendant trois années : la princesse de France survient avec trois suivantes, et chacun, en cachette des autres, de trahir aussitôt sa promesse. Les quatre amoureux transis se découvrent les uns les autres, rient d'eux-mêmes, se déguisent en Russes pour faire leur déclaration d'amour aux princesses, qui se sont elles-mêmes travesties. En contrepoint, une idylle rustique entre un berger, une paysanne et un noble espagnol parodie l'intrigue principale. La folie du refus de l'amour ne peut être guérie, ou châtiée, que par l'amour. D'entrée de jeu, l'amour est placé sous le signe de la déraison, du mensonge et de la mascarade.

Poursuivant l'expérience, Shakespeare ajoute à ces ingrédients la trahison et la jalousie : *les Deux Gentilshommes de Vérone,*

Valentin et Proteus, amis de toujours, vont se disputer la même femme tandis que l'insensible Julia se déguise en page pour rejoindre Proteus, qu'elle a dédaigné, et lui servir de messager auprès de celle qu'il aime. Le plaisir des feintes et des surprises se transmue ici en volupté de sacrifice.

Un pas de plus et la comédie finit mal. Roméo et Juliette appartiennent à deux clans ennemis : c'est poser en principe que le jeu des décalages et des compensations ne trouvera jamais son équilibre. La passion pure, absolue, de Juliette change les règles du jeu. La tragédie et la mort sont inscrites génétiquement dans cette histoire d'amour.

Au vrai, les lois de l'amour transcendent toutes les règles que la courtoisie ou ce qu'on appellera le marivaudage peuvent édicter. C'est la leçon du *Songe d'une nuit d'été,* où les amours croisées et persécutées s'achèvent dans le délire érotique d'une nuit où la petite fée Titania s'éprend d'un manant affublé d'une tête d'âne. C'est aussi celle d'*Antoine et Cléopâtre* : le conquérant romain abdique tout entre les mains de son amante, y compris sa volonté de puissance et son génie militaire, qui apporteraient à la reine d'Égypte la domination de l'Orient. L'amour, comme le pouvoir, apparaît comme un ferment sinon d'autodestruction, du moins de métamorphose. ●

Malentendu et quiproquo

L'IMPOSSIBLE ACCORD AVEC L'HARMONIE DE LA
NATURE COMME LA COMMUNICATION TOUJOURS ROMPUE AVEC
AUTRUI FONT DU MONDE DES HOMMES CELUI DU MALENTENDU,
SUR LE MODE TRAGIQUE, ET DU QUIPROQUO
DANS LE REGISTRE COMIQUE.

La vie et le théâtre pourraient se définir comme une *Comédie des erreurs* : comment reconnaître le Bien du Mal, le vrai du faux ? Le cas extrême est d'avoir à discerner l'autre dans le même, c'est-à-dire d'avoir affaire à des jumeaux. Vieux procédé du théâtre comique grec et latin, que Shakespeare réactive en insérant dans la farce traditionnelle juste ce qu'il faut d'angoisse.

Si l'on ne veut pas aller jusqu'à la duplication, la substitution peut suffire. C'est un lieu commun du conte et du fabliau médiévaux que l'homme qui prend la place d'un autre dans un lit. Chez Shakespeare, ce sont plutôt les femmes qui trompent l'amant sur la marchandise : c'est ainsi que, contre son gré, Bertrand épouse Hélène dans *Tout est bien qui finit bien* ; inversement, dans *Mesure pour mesure,* le même stratagème permet à Isabella d'échapper à Angelo.

Mais le plus inquiétant réside dans la variation des sentiments d'un même être qui, sous une apparence immuable, présente sans cesse une nouvelle facette de son caractère : c'est le drame de Troïlus, désespéré de voir la changeante Cressida offrir à Diomède les mêmes gages d'amour qu'à lui-même ; dans cette amante effrontée, il ne reconnaît plus la jeune fille de son enfance, pas plus que son amoureuse de la veille. On n'aime donc qu'une image et il n'y a de franchise que dans l'émotion présente.

Lorsqu'on est placé dans une relation incertaine, politique, sociale ou amoureuse, on tente souvent de se situer en reconstituant la vision que les autres ont de vous. C'est le vertige d'Othello, déstabilisé à la fois par la trahison de Iago et la maladresse du père de Desdémone. Pourquoi m'aime-t-elle ? Peut-être seulement pour ma gloire. Pourquoi ne m'aime-t-elle plus ? Parce que je suis noir, ou rustre. Othello n'est plus que l'imagination d'une Desdémone qu'il a lui-même imaginée. Othello ne tue donc pas sans raison, mais pour retrouver son être, pour supprimer l'image qui a fait de lui un reflet.

L'homme est un rêve, la vie est un songe. C'est ce que pense Sly, le rétameur de *la Mégère apprivoisée*. Endormi ivre mort à la porte d'une auberge, il est ramassé par un seigneur qui l'emmène chez lui, le couche dans un lit somptueux et le traite comme s'il était un gentilhomme relevant d'une longue maladie. Sly essaie de persévérer dans son être, mais il succombe bientôt à la persuasion de son entourage et au témoignage de ses sens : puisque tout semble prouver qu'il est de noble extraction, il recomposera patiemment son identité.

La question de l'identité est un thème lancinant du théâtre shakespearien. Si un rétameur accepte de ne pas trop l'approfondir, un prince comme Hamlet ne peut supporter le doute. Le fantôme de son père assassiné l'a chargé de le venger. Hamlet, détective improvisé, se heurte à l'énigme des êtres ou, plutôt, des apparences. Il se meut dans un univers de conventions, qui ne recouvrent que des mensonges. Pour faire éclater la vérité, retrouver la réalité, Hamlet a alors recours à une double méthode : il devient lui-même énigmatique – il simule la folie ; il se fait le reflet des autres en reproduisant sur le théâtre les circonstances mêmes du crime dont son père a été la victime. Hamlet atteint la vérité, mais il y laisse la vie, entraînant dans la mort coupables et victimes. On ne peut vivre qu'à condition de ne pas savoir qui l'on est. On ne vit que dans la peau et dans les mots d'un autre. Le langage, créateur de toute illusion, est la seule vérité. ●

→ **Voir aussi :** Le théâtre élisabéthain, LITTER, p. 58-59.

3. *Le Songe d'une nuit d'été.*

2. *Macbeth,* avec Orson Welles.

Fureur et mystère

Le secret de la vie de Shakespeare rejoint celui de son œuvre. Dans le crime comme dans le plaisir, un même regard, une même angoisse : sous ma défroque d'âne ou de roi, d'amoureux ou d'aventurier, qui suis-je ? Et pour me retrouver dans ce problème d'identité, je ne dispose que d'un instrument qui fausse toutes les mesures : le langage.

4. *Le Roi Lear.*

Le Siècle d'or espagnol

Faire son chemin dans le monde : l'anti-héros picaresque

POUR COMPRENDRE LA GESTATION DU MONDE NOUVEAU, LES ÉCRIVAINS ESPAGNOLS ONT INVENTÉ LE ROMAN, VÉRITABLE LABORATOIRE D'ANALYSE DES TRANSFORMATIONS SOCIALES.

L'ESPAGNE DE CHRISTOPHE Colomb, de Charles Quint, puis de Philippe II enfante un nouveau monde, l'Amérique, et impose à l'élite européenne sa politique et ses modes, avant de chercher dans la littérature un remède à ses désillusions.

À travers ses aventuriers, marins découvreurs de terres, d'or et d'épices, soldats d'Italie et des Flandres, jésuites missionnaires compagnons d'Ignace de Loyola, l'Espagne prend conscience de ses vertus propres : le *Romancero,* qui rassemble les poèmes populaires et les vieilles légendes, devient le conservatoire des caractères nationaux – noblesse, galanterie, mais aussi forfanterie et ostentation.

Dans sa période dynamique et militante, l'Espagne préfère la poésie épique, qui exalte les combattants de la foi contre les Turcs ou les conquistadores qui matent les Indiens révoltés, aux romans de chevalerie qui célèbrent les prouesses mythiques des chevaliers errants. Mais les écrivains vont jeter un regard sans complaisance sur une société instable où les traditions féodales se dissolvent dans les pratiques mercantiles et en tirer des conclusions diverses.

Les uns vont dénoncer l'immoralité du monde en traçant l'épopée inverse de héros picaresques qui, d'échec en échec, s'attachent davantage à l'observation des règles de la corruption et du vice qui devraient leur permettre de réussir dans un univers truqué.

D'autres ne perdront pas l'espoir de changer le monde : c'est la folle entreprise de Don Quichotte, qui fait revivre la figure du chevalier redresseur de torts.

D'autres encore chercheront à échapper au monde : la subtilité des intrigues de cour suscitera en contrepartie l'utopie des bergeries et des pastorales ; la violence et la rapacité d'une société suspendue à l'arrivée des galions de la flotte des Indes provoqueront l'aspiration nouvelle vers le royaume qui n'est pas de ce monde : c'est l'extase mystique de Thérèse d'Ávila et de Jean de la Croix.

Le théâtre, enfin, en donnant à travers ses drames, ses comédies et ses « représentations du Saint Sacrement » une vision d'ensemble du monde, résume le génie d'un siècle où l'Espagne a su donner à ses interrogations particulières des réponses universelles.

Dans une société en pleine décomposition, dans laquelle les repères traditionnels s'effacent, où les hiérarchies se délitent, où les parvenus font éclater de toute part les cloisons protégeant les castes et les classes, l'écrivain entreprend de saisir les nouvelles lignes de force, les courants porteurs de nouveaux types humains. Pour y parvenir, il va utiliser un « marqueur », un héros capable de traverser toutes les situations et toutes les couches sociales et de révéler ainsi la mécanique du monde.

La confession d'un marginal.
Pour suivre les fluctuations d'un univers troublé, il faut une forme fluide, souple : le roman répond parfaitement à ce critère avec son ampleur variable, sa composition indéterminée, son rythme varié, ses sujets sans contraintes. Et, pour s'adapter à toutes les structures, il faut un héros qui n'appartienne à aucune. C'est le cas du *pícaro,* marginal perpétuel qui tente à tout prix de se faire une place dans la société, qui la parcourt en tout sens par ses mouvements vibrionesques, mais qui ne trouve son lieu nulle part.

L'aventure du héros picaresque dessine en creux le spectacle du monde. Mais elle porte aussi sur ce spectacle un jugement : l'auteur fait parler le pícaro à la première personne, le héros se raconte, mieux, il se confesse. Le récit de ses errements se confond avec l'aveu de ses erreurs. Il ne dévoile ses turpitudes que pour mieux édifier le lecteur, le mettre en garde contre les faux désirs, le rappeler au sens de la réalité.

2. *Le Duc d'Olivares,* par Velázquez, détail.

1. *Le Bouffon Calabacillas,* par Velázquez, détail.

Auto sacramental

L'auto sacramental, ou « représentation du Saint Sacrement », est une pièce édifiante jouée le jour de la Fête-Dieu, sur des tréteaux ambulants dressés dans les rues. Il s'inspire de la Bible, des légendes des saints et est souvent consacré à la Vierge.

L'auto sacramental, avec ses personnages allégoriques (Démon, Chair, Innocence, etc.), s'apparente aux *mystères* médiévaux français ou aux *miracle plays* anglais. Mais, alors que la Renaissance et la Réforme ont pour conséquence, en France et en Angleterre, le déclin du théâtre religieux, l'Espagne catholique de la Contre-Réforme fait de l'auto sacramental (jusqu'à son interdiction en 1765) une institution nationale : les 1 000 ou 2 000 vers d'une action intemporelle qui met en scène le conflit des vices et des vertus culminent dans le triomphe du Christ véritablement présent dans l'hostie consacrée.

Morale et romanesque.

À l'origine, les intentions sont claires : l'auteur anonyme du *Lazarillo de Tormes* (1553) semble se placer dans le courant moralisateur de la Contre-Réforme ; son héros n'évoque tous les métiers qu'il a exercés et tous les milieux qu'il a fréquentés que pour mieux mettre en valeur sa sagesse, ou sa résignation, finale. Il établit, du même coup, le portrait-robot du pícaro : un homme de basse extraction, voire de naissance infamante, et dont l'éducation a été négligée, se lance à la découverte du monde ; il trouve un initiateur en la personne d'un individu qui le dupe ; le pícaro passe alors de l'état de trompé à celui de trompeur ; mais, au terme d'un parcours où il aura connu la faim, l'errance, la prison, les succès passagers et les chutes brutales, il dressera un bilan négatif. Mystificateur professionnel, le héros picaresque se livre à la démystification du monde. Dans le théâtre du monde (et le roman picaresque déroule moins une intrigue qu'une succession de tableaux), il ne s'intéresse qu'aux coulisses.

Mais l'addition des crimes peut-elle avoir pour résultat la morale ? Et le héros trouve-t-il, finalement, sa cohérence à travers la multiplicité de ses expériences ?

Le roman picaresque répond par la négative. Le héros de Mateo Alemán, *Guzman d'Alfarache* (1599-1603), au milieu des actes les plus infâmes, ne cesse de pleurer sur ses victimes, d'entendre la messe et de communier : il reste pourri, dans un monde pourri. Condamné aux galères, il trahira un complot de la chiourme : en récompense, on lui enlèvera ses fers et il sera « libre » d'aller de bâbord à tribord. C'est

tout le salaire qu'on peut espérer quand on transgresse les lois divines et les règles sociales.

Même leçon dans *la Vie de l'aventurier Don Pablo de Ségovie* (1626) de Quevedo. Son pícaro est capable de morceaux de bravoure, de coups d'éclat : il finit toujours par la bastonnade. Dans son *Diable boiteux* (1641), Vélez de Guevara ira jusqu'à assimiler les savants et les négociants aux vicieux et aux grotesques que son démon Asmodée découvre en soulevant les toits de Madrid.

Roman de l'apprentissage ou roman de l'échec ?

Le roman picaresque enregistre les mutations historiques, économiques et sociales d'un monde déboussolé. Il aura de ce fait une longue postérité : il traduira les traumatismes de la guerre de Trente Ans dans l'Allemagne de Grimmelshausen (*Simplicius Simplicissimus,* 1669), l'affairisme de la France au seuil de la Régence (*Histoire de Gil Blas de Santillane,* 1715, de Lesage), les contradictions de la bourgeoisie anglaise écartelée entre le puritanisme et le capitalisme (*Moll Flanders,* 1722, de Defoe ; *Roderick Random,* 1748, et *les Aventures de Peregrine Pickle,* 1751, de Smollett ; *Tom Jones,* 1749, de Fielding).

Mais le roman picaresque se présente comme le contraire du « roman de formation », de ce récit qui se développera avec la génération de Goethe et où l'épreuve du monde aboutit à l'épanouissement de la personnalité du héros. Déclassé, le héros picaresque restera inclassable. Ses métamorphoses ne l'auront pas enrichi. Inadapté au monde, il révèle que ce monde ne présente plus aucun ordre qui puisse légitimer une action.
•

3. Thérèse d'Ávila écrivant sous l'inspiration du Saint-Esprit, détail.

À nouveau monde, société nouvelle

L'Espagne des XVIᵉ et XVIIᵉ siècles, qui ploie sous le poids de son rôle mondial, jette un regard critique sur les conséquences de la découverte du Nouveau Monde : la première est la naissance d'une société nouvelle, oublieuse des traditions et avide de jouissances. Et l'Empire « sur lequel le soleil ne se couche jamais » entreprend de durer non par l'action héroïque, mais par une bureaucratie proliférante. Toute une génération hésite entre la participation à la curée et le repli dans l'introspection. Face aux splendeurs éphémères de la richesse et du pouvoir, mais à la profondeur de la misère matérielle et morale, les grands mystiques enseignent le mépris des fausses lumières d'ici-bas et le bon usage de la « nuit intérieure ».

Trouver sa voie hors du monde : berger ou mystique

LE RÊVE ÉPERDU D'INNOCENCE S'EST INCARNÉ DANS DEUX UNIVERS BIEN DIFFÉRENTS : LA FRAÎCHEUR DE LA PASTORALE OÙ DIALOGUENT DES BERGERS DE CONVENTION ; LA RENCONTRE AVEC DIEU EN UN FACE-À-FACE INDICIBLE.

Lorsqu'on est condamné aux intrigues de cour et à l'expression de sentiments artificiels, on conçoit la vie au contact de la nature comme le domaine de la simplicité, de l'authenticité, de la passion épurée.

Verts pâturages et amours platoniques.

C'est ce dépaysement spirituel que cherche déjà dans ses *Églogues* (1543) Garcilaso de la Vega, empruntant même le chant alterné à Virgile, l'ode à Horace, l'hendécasyllabe aux poètes italiens pour mieux protéger son univers bucolique des vanités et des fureurs de l'Espagne de son temps.

Jorge de Montemayor est moins soucieux du cadre naturel : les bergers de sa *Diane* (1559) s'occupent moins de leurs troupeaux que de leurs amours, toujours malheureuses. Leurs mutuelles confidences composent un véritable traité des rapports entre la passion sensuelle et l'amour spirituel, qui influencera la société de cour et la littérature européennes pendant deux siècles.

Amour de Dieu et amour courtois.

La vie est le chemin de la réalisation de l'individu : les uns le conçoivent comme un parcours jalonné de plaisirs éphémères ; les autres en font la voie vers un but unique : l'amour qui dure éter-

nellement et ne déçoit jamais.

Saint Jean de la Croix et sainte Thérèse d'Ávila sont tous deux possédés de Dieu. Ils proposent à l'homme trompé par les mensonges des relations mondaines d'entrer dans un rapport exclusif avec la vérité par l'intermédiaire

du Christ. *La Nuit obscure* (1579) et le *Cantique spirituel* (1584) de Jean, le *Chemin de perfection* (1583) et le *Château intérieur* (1588) de Thérèse fondent les images bibliques en un style marqué par le pétrarquisme et l'amour courtois. La lumière divine ne parvient qu'au terme d'une nuit conçue comme un passage des ténèbres de l'esprit à l'illumination du cœur. L'intimité avec le Christ s'obtient par l'oraison, prière qui va au cœur des mots pour Jean de la Croix, et au-delà des mots pour Thérèse d'Ávila. Mais chez tous les deux il n'est question que d'amour, ce qui situe bien l'expérience mystique aux antipodes de l'aventure picaresque.
•

Représenter le spectacle du monde

MIME VIRTUOSE ET INLASSABLE DE LA RÉALITÉ, LE THÉÂTRE RASSEMBLA L'ESPAGNE DANS UN RÊVE DE GRANDEUR ET DE COMMUNION.

Dans une période d'effervescences et de doutes, le théâtre a constitué en Espagne le creuset où s'est fondue la culture nationale.

Le théâtre simulateur du monde : Lope de Vega.

Outre des poèmes, des essais, des romans, Lope de Vega (1562-1635) a revendiqué la paternité d'environ 1 500 pièces. La critique moderne en reconnaît 179 pour authentiques : drames historiques (*la Belle Esther,* 1610), comédies héroïques (*le Dernier des Goths,* 1617 ; *les Célèbres Asturiennes,* 1623), comédies de mœurs surtout (*l'Alcade de Zalamea,* 1600 ; *la Nuit de Tolède,* 1612 ; *Peribañez et le commandeur d'Ocaña,* 1614 ; *le Chien du jardinier,* 1618 ; *Font-aux-cabres,* 1618 ; *Aimer sans savoir qui,* 1630 ; *le Châtiment sans vengeance,* 1634 ; *Le meilleur alcade c'est le roi,* 1635 ; *le Cavalier d'Olmedo,* publié en 1641).

Lope de Vega fait appel à toutes les sources et à tous les sujets : la mythologie, la Bible, l'histoire antique, le passé national, le roman de chevalerie, les fables orientales, les nouvelles italiennes, les vies de saints, les chansons populaires, les grandes questions de politique contemporaine, les petits faits de la vie paysanne ou urbaine. Tout cela, Lope de Vega en a fait l'aliment de la conscience naissante d'une nation, aussi prompte à s'enflammer qu'à désespérer, orgueilleuse de ses succès mais inquiète de l'avenir.

Le théâtre de Lope de Vega véhicule ainsi un bon sens commun : sexes et classes sociales ne cesseront jamais de se combattre et de se réconcilier ; l'homme sera toujours à la fois avide de vanités et de vérités ; les fautes, au fond, ne sont que des erreurs ; l'honneur, chose en Espagne mieux partagée

que le pain, est l'incarnation même du courage et de la courtoisie, du goût du risque et du respect des règles sociales.

Inventeur de langages dont se dégagea un espagnol commun, élégant sans préciosité et vigoureux sans vulgarité, Lope de Vega a cherché à réconcilier toute une génération en invitant chacun de ses représentants à monter sur la scène pour faire rire, à tour de rôle, à ses dépens. De ce tour de force, l'Espagne a toujours gardé la nostalgie.

La vie est un songe : Calderón.

La mort de Pedro Calderón de la Barca (1600-1681) marque la fin du Siècle d'or.

La carrière dramatique de Calderón comprend elle-même trois périodes : après avoir fait jouer pour la jeunesse dorée de Madrid des comédies de cape et d'épée (*Aimable Fantôme,* 1629), il entreprend l'analyse de conflits moraux et de débats spirituels (*le Médecin de son honneur,* 1635 ; *À secret outrage, vengeance secrète,* 1637 ; *le Magicien prodigieux,* 1642) ; puis, lorsqu'il n'écrit plus que pour la Cour, il crée sur des thèmes mythologiques ou chevaleresques une sorte d'opéra dont le livret est une comédie psychologiquement et scéniquement élaborée (*Écho et Narcisse,* 1661).

Mais les trois moments de ce théâtre reposent sur une vision du monde unique : la vie est un conflit qui ne trouve sa raison et sa solution que dans l'au-delà ; le monde n'est fait que d'apparences dont joue la Providence pour la plus grande gloire de Dieu (*La vie est un songe,* v. 1636). Or, si la vie n'est qu'un rêve, le théâtre n'est lui-même qu'illusion : la vérité est ailleurs, dans *la Dévotion à la Croix* (v. 1633).
•

→ **Voir aussi :** Cervantès, LITTER, p. 64-65.

Cervantès

🐍

Don Quichotte, ou la pédagogie de l'échec

DÉFENSEUR D'IDÉAUX PÉRIMÉS,
DON QUICHOTTE FAIT LA PREUVE
DE LA SOLIDITÉ DE SES PRINCIPES NON PAR LE SUCCÈS
DE SES ENTREPRISES, MAIS EN LES MAINTENANT
À TRAVERS DES DÉFAITES RÉPÉTÉES.

CERVANTÈS A FAIT DANS SA vie comme dans son œuvre l'épreuve du passage d'un monde fondé sur des principes cimentant une communauté à une société qui fait de la satisfaction forcenée des appétits de l'individu la base d'une aliénation et d'une solitude généralisées.

Cervantès est d'abord un témoin et un acteur de son temps. Il vit dans un empire paradoxal qui reçoit le choc de la modernité. Les structures rurales et féodales de l'Espagne craquent sous l'afflux de l'or du Nouveau Monde et l'inadaptation d'une machine politique incapable d'intégrer une république moderne, urbanisée et industrielle comme les Pays-Bas. L'État espagnol s'épuise à faire un barrage militaire et idéologique au protestantisme et aux Turcs et s'enlise dans la chasse aux chrétiens d'origine juive. Cervantès participe à cette folle aventure : il combat à Lépante et y perd la main gauche ; il joue dans la préparation de l'Invincible Armada un rôle financier qui le conduit à la misère ; il sera esclave à Alger et prisonnier pour dettes ; excommunié, il mourra dans l'habit du tiers ordre de saint François.

Cervantès est ensuite un écrivain célèbre mais inaccompli. Il connaît le succès dans les petits formats et auprès du public des auberges, alors qu'il s'acharne à triompher dans les genres nobles : l'églogue, le théâtre, le récit allégorique et encyclopédique. Génie marginal, Cervantès fait figure de réactionnaire : au beau milieu d'une période de désenchantement, il garde les idéaux périmés de la Renaissance, il s'entête à croire à l'amélioration du monde par la science et la littérature. Il s'efforce même de donner une allure neuve à des formes éprouvées : il reprend la structure des nouvelles italiennes de Boccace et de Bandello, l'habille à l'espagnole puis l'affuble d'un dénouement qu'il croit capable de séduire à la fois les lettrés érudits et les censeurs ecclésiastiques.

Cervantès est enfin le créateur d'un genre nouveau, l'épopée inverse d'un héros qui s'attache, envers et contre tout, à la pratique de règles que personne ne respecte plus. Cette quête obstinée des valeurs dans un monde dégradé a fait de Don Quichotte un nom commun pour désigner une générosité rare et de son auteur le père du roman moderne.

Cervantès a fait du neuf avec du connu. Le schéma de l'histoire du roman « ingénieux hidalgo », Don Quichotte de la Manche, retourne comme un doigt de gant l'aventure épique et chevaleresque.

Une épopée dérisoire.

Un gentilhomme campagnard passe son temps à lire des romans de chevalerie et finit par s'identifier aux héros de ses légendes favorites. Revêtu de vieilles armes, il part chercher la prouesse et redresser les torts, mais il est rossé par des muletiers qu'il a voulu persuader qu'une paysanne des environs, élue dame de ses pensées sous le nom de Dulcinée, est la plus belle du monde. Ramené chez lui, il voit le curé et le barbier brûler solennellement les livres qui lui ont tourné la tête. Mais sa folie est incurable : Don Quichotte reprend le cours de ses exploits, monté sur son vieux cheval Rossinante et accompagné de son fidèle serviteur Sancho Pança, dont le bon sens terre à terre s'efforce de remédier aux désastres provoqués par l'imagination de son maître. Vaincu, à la fin, en combat singulier par le bachelier Carrasco, contraint par serment de renoncer à l'aventure, Don Quichotte découvre la vanité de ses chimères et meurt, laissant à Sancho la réalité peu enviable d'une existence dépourvue d'héroïsme et de poésie.

Autocritique et autodafé.

Le roman de Cervantès repose sur une véritable théorie de la littérature, dont témoignent le chapitre 47 de la première partie et l'épisode fameux de l'autodafé de la bibliothèque du héros.

Dans une société qui refuse l'harmonie divine et la communion sociale, qui ignore les exigences de la justice, de la vérité et de la beauté, il ne peut exister ni épopée ni poésie. Le roman est donc une forme abâtardie et composite, une épopée en prose mêlée d'éléments dramatiques et lyriques. Le roman prosaïque ne vise plus à la vérité, mais se cantonne dans la vraisemblance. Son cours n'est pas plus rectiligne que les tribulations de son héros, dont le mélange d'imaginaire et de réel trouve son origine dans les livres d'aventures dont se nourrissait toute la génération de Cervantès : dans leur entreprise de destruction, le curé et le barbier ne pourront d'ailleurs pas se résoudre à

2. *Don Quichotte*, par Daumier, détail.

Une vie de personnage de roman

1547	Baptême à Alcalá de Henares. Son père est un chirurgien qui mène une vie errante. Cervantès poursuit des études désordonnées à Valladolid, à Séville, à Madrid.
1569	Cervantès entre au service du cardinal Acquaviva, légat du pape en Espagne. Il obtient le certificat attestant qu'il est de sang pur, non mêlé de Juif ou de Maure.
1570	Soldat en Italie, à la solde des Colonna.
1571	Participe à la bataille de Lépante contre les Turcs ; il y perd la main gauche. Il n'en combat pas moins jusqu'en 1574 en Grèce et en Tunisie.
1575	La galère qui le ramenait en congé en Espagne est prise par les corsaires turcs. Cervantès sera cinq ans captif à Alger, malgré six tentatives d'évasion.
1580	Au moment d'être emmené à Constantinople, il est racheté par un moine trinitaire.
1583	Il mène une carrière obscure d'homme de lettres ; se lie avec une comédienne qui lui donne une fille.
1584	Il épouse Catalina de Salazar y Palacios : elle a 19 ans et une bonne dot.
1585	Il trafique dans la finance et s'occupe de l'approvisionnement de la grande flotte, l'Invincible Armada, que Philippe II veut lancer contre l'Angleterre. Il publie sa *Galatée*.
1589	Accusé d'exactions, il est emprisonné et excommunié.
1592	Incarcéré de nouveau pour vente illicite de blé.
1597	Arrêté pour avoir déposé des fonds publics chez un banquier qui s'est enfui avec sa caisse.
1601	Suit la cour à Valladolid ; il obtient une charge au recensement des impôts du royaume de Grenade.
1605	Un assassinat lié à une affaire de mœurs, sur le seuil de sa maison, lui vaut un nouvel emprisonnement. Il publie la première partie de *Don Quichotte*.
1610	Il adhère au tiers ordre franciscain.
1613	Publication des *Nouvelles exemplaires*.
1615	Publication de la seconde partie de *Don Quichotte*. Huit Comédies et huit intermèdes nouveaux.
1616	Quatre jours avant de mourir (23 avril), Cervantès achève un long roman encyclopédique, *les Travaux de Persiles et de Sigismonde aux régions septentrionales*.

1. Détail d'un portrait par Juan de Jáuregui.

Un chevalier en rupture de roman

Cervantès (1) a combattu pour sa foi et pour son roi. Il a participé, en première ligne ou dans les coulisses, à toutes les grandes et toutes les folles entreprises du règne de Philippe II, aux luttes contre les Turcs (3), les Maures et l'Angleterre. Il y a gagné la prison, l'esclavage et la misère. Il y a perdu une main mais pas son idéal. Il est bien le modèle vivant de son héros de papier, Don Quichotte (2), qui résiste à l'évidence insolente d'un monde corrompu.

supprimer l'*Amadis de Gaule,* prototype de tous les romans de chevalerie, pas plus que la *Diane,* de Montemayor, modèle de toutes les utopies pastorales.

Cervantès prétend en finir avec les admirations de sa jeunesse. Mais le héros qu'il propose n'est ni le banquier, ni le conquérant brutal, ni le politique bureaucrate – toutes incarnations bien concrètes des forces et des passions de son temps. Cervantès croit encore, comme Thérèse d'Ávila ou Ignace de Loyola, à la vertu pédagogique du chevalier qui cherche à se dépasser lui-même. Mais sa grande innovation est de montrer la puissance des valeurs morales non à travers une suite d'obstacles franchis victorieusement, mais dans l'acceptation des échecs successifs et dans le mépris de l'hostilité d'une société sordide.

Une leçon de sagesse, un modèle littéraire.

Cervantès, comme Don Quichotte, n'a jamais désespéré, malgré toutes les bonnes raisons qu'il aurait eues de le faire. Il s'est même payé le luxe de l'humour, quatre jours avant sa mort, en dédiant, « le pied déjà à l'étrier », son dernier roman au comte de Lemos. Évocateur sans complaisance de son temps, il a gardé sa croyance naïve dans le retour de l'âge d'or, conçu comme l'abondance de l'âme dans un monde de violence et de désirs matériels. D'où l'étonnant dynamisme de la forme instable dont il est l'initiateur : avec la même candeur, Rousseau fera un pas de plus et créera le roman d'éducation ; avec un optimisme plus mûr, Goethe en fera le roman d'apprentissage d'un individu encore capable de tirer de ses expériences, heurs et malheurs une possibilité d'enrichissement et de définition de soi ; un dernier pas enfin et Balzac fera du roman le drame de l'usure vitale, l'histoire de la corruption de la noblesse, de la jeunesse et de l'innocence dans un univers irrémédiablement pourri, où la réussite personnelle ne peut passer que par l'échec d'autrui. ●

Le roman de chevalerie, ou la bibliothèque de Don Quichotte

DU MOYEN ÂGE AU XIXᵉ SIÈCLE, LE ROMAN DE CHEVALERIE EST PASSÉ DE LA BIBLIOTHÈQUE DES PRINCES À CELLE DES COLPORTEURS.

De 1550 au milieu du XVIIᵉ siècle, la référence majeure d'un lecteur de romans était l'*Amadis de Gaule.* Le héros du récit, publié en 1508 à Saragosse, Amadis, fils de Périon, roi fabuleux de France, obtient la main d'Oriane, fille du roi de Danemark, à l'issue d'une série d'épreuves qui font du « Beau Ténébreux » le modèle des chevaliers errants et des amants fidèles.

Du best-seller des rois au livre du peuple.

Le roman, qui dès 1510 connut une suite (les aventures d'Esplandian, fils d'Amadis), fut lu dans toute l'Europe. François Iᵉʳ le fit traduire en français, Louis XIV en fit tirer un opéra par Quinault et Lully. Il fut la matrice de tous les romans de chevalerie.

Le roman de chevalerie connut en Espagne et au Portugal une faveur inouïe. La bibliothèque de Don Quichotte est pleine des œuvres de Fernando Basurto (*Don Florindo,* 1526), de Bernardo Vargas (*Don Cironglio de Tracia,* 1543), de Jerónimo Fernández (*Don Belianis de Grecia,* 1547), de Jerónimo de Huerta, de Juan de Silva y Toledo, sans compter la foule des récits anonymes.

En France, si Du Bellay traite toute cette littérature d'« épiceries » et si Montaigne se vante de n'avoir même pas connu les noms des héros de ces livres à la mode, La Fontaine et Mᵐᵉ de Sévigné y font couramment référence et l'aristocratie de cour en fait une composante essentielle de sa culture contre le pédantisme érudit des milieux parlementaires. Au XVIIIᵉ puis au XIXᵉ siècle, les colporteurs populariseront dans les campagnes, à travers les livrets de la « Bibliothèque bleue », les exploits de *Huon de Bordeaux,* des *Quatre Fils Aymon,* de *Jean de Paris* ou de *Robert le Diable.*

Du roman de chevalerie au roman moderne.

Le schéma type du roman de chevalerie met en scène un héros, obscur ou fils de roi ignoré (il est reconnu lors du dénouement), qui, après de multiples exploits menés au cours de voyages dans des pays lointains, obtient la main d'une princesse. Pour faire l'amour, le héros doit d'abord faire la guerre. Le mariage met fin à la fois aux risques des combats et aux incertitudes du cœur.

Le roman moderne renverse toute cette thématique. Le mariage se place en général non à la fin, mais au début du roman : le héros est amoureux d'une femme mariée, et son amour est voué à l'échec (de la *Princesse de Clèves* de Mᵐᵉ de La Fayette à l'*Éducation sentimentale* de Flaubert). D'autre part, les scènes de guerre les plus célèbres de la littérature sont des défaites (Fabrice à Waterloo, dans la *Chartreuse de Parme,* de Stendhal ; le prince André à Borodino, dans *Guerre et Paix,* de Tolstoï). Le seul apprentissage que propose le roman moderne est celui des signes : s'il se fonde sur un amour, c'est celui de l'art (c'est la leçon d'*À la recherche du temps perdu,* de Proust), même s'il met à la source des aventures de ses héros des livres trop grands ou trop subtils pour leur conscience : c'est le rôle que jouent les *Confessions* de Rousseau et le *Mémorial de Sainte-Hélène* de Las Cases pour Julien Sorel dans *le Rouge et le Noir,* ou *Paul et Virginie,* de Bernardin de Saint-Pierre, et les romans sentimentaux du XVIIIᵉ siècle pour Emma dans *Madame Bovary.* ●

Un aventurier dans les genres nobles

CERVANTÈS A MANQUÉ LE GRAND BOULEVERSEMENT DU THÉÂTRE DE SON TEMPS, MAIS IL A RÉVOLUTIONNÉ LA NOUVELLE.

Connu tout au plus comme un amuseur, Cervantès a eu l'ambition de réussir dans les genres sérieux. Il s'y est essayé durant toute sa vie.

Le rêve pastoral : « Galatée ».

Cervantès, qui n'a jamais failli à l'espoir de transformer le monde, n'en a pas moins sacrifié à la mode de la construction d'un anti-monde de beauté et de fraternité. Celle de ses œuvres qu'il préférait entre toutes était la *Galatée* (1585), églogue en prose et en six livres, où des couples de bergers dialoguent au bord du Tage, sous le patronage de Calliope, muse de la Poésie épique et de l'Élo-quence. En réalité, sous des défroques empruntées au modèle de la « bergerie », la *Diane* de Montemayor, comme aux œuvres de Castiglione, Cervantès fait vivre des allégories (Amour, Connaissance, etc.) qui incarnent une philosophie néoplatonicienne dans un langage raffiné.

Le drame historique : « Numance ».

Entre un théâtre de salon, inspiré de Sénèque, qui faisait les délices des lettrés, et les mises en scène trépidantes que Lope de Vega offrait à la folle jeunesse de Madrid, la traduction dramatique de l'histoire de l'Espagne que proposait Cervantès avait peu de chances de trouver son public. De fait, mis à part la conversion, bien dans l'air du temps, du *Truand béatifié,* ou la satire malicieuse de la société villageoise que fait *le Retable des merveilles,* seul a survécu un drame en quatre actes, *le Siège de Numance :* cette évocation de la résistance et de la destruction de la ville assiégée, en 133 av. J.-C., par Scipion Emilien a été célébrée par les romantiques comme une préfiguration de leurs théories dramaturgiques ; elle a connu aussi une résonance nouvelle à chacune des périodes cruciales pour la nation espagnole, notamment lors de l'opposition à Napoléon et pendant la guerre civile de 1936-1939. Cervantès a interprété cette lutte héroïque et malheureuse comme un exemple de courage et un gage d'espoir.

Les « Nouvelles exemplaires ».

De tonalités différentes, picaresques, réalistes ou fantastiques, ces nouvelles sont « exemplaires » parce que la morale y est toujours sauve. Quand Cervantès les réunit en recueil, en 1613, il alla jusqu'à remanier le dénouement de certaines d'entre elles dans un sens plus édifiant.

Cervantès est parti de la tradition italienne qui conte une aventure galante avec tous les ingrédients des histoires d'amour : séparations, retrouvailles, malentendus, dissimulations, trahisons, travestissements. C'est là ce qui fait le fond d'*Un amant généreux,* de *la Force du sang,* de *Dame Cornélia.* Puis Cervantès utilise le thème rebattu du voyage pour en faire le prétexte à une étude de mœurs : c'est le cas de *la Petite Gitane,* d'*Une Espagnole d'Angleterre* ou des *Deux Jeunes Filles.* Dans un troisième temps, Cervantès accède à une véritable analyse de caractères, qui introduit d'infinies variations dans le débat conventionnel sur la condition humaine et le respect des catégories sociales : en témoignent les personnages colorés de *Rinconete et Cortadillo,* de l'*Illustre Servante* ou du *Jaloux d'Estrémadure.* Enfin, Cervantès abandonne toute intrigue de convention dans *le Licencié de verre,* étudiant-soldat qui se croit cassable et ne vit que dans des meules de foin. Quant au *Colloque des chiens,* il s'agit d'une revue acerbe des vices de l'époque, brossée en une nuit par la conversation de deux chiens de garde qui évoquent leurs maîtres successifs.

Exemplaires, les nouvelles de Cervantès le sont donc aussi parce qu'elles ont donné son autonomie à ce genre littéraire et l'ont fait sortir de la frivolité de l'exercice de salon. ●

→ **Voir aussi :** Le Siècle d'or espagnol, LITTER, p. 62-63.

3. *La Bataille de Lépante,* peinture du palais des Doges à Venise.

Le classicisme

Les principes du classicisme

LE CLASSICISME RÉUNIT NON PAS LES PARTISANS D'UNE ÉCOLE, MAIS DES ÉCRIVAINS UNIS PAR UNE COMMUNAUTÉ DE GOÛTS.

LE CLASSICISME DÉFINIT À l'origine les caractéristiques d'une œuvre ou d'un écrivain considérés comme des modèles à l'usage des classes. Le mot désigne plus particulièrement une période de la littérature et de l'art français, qui correspond à la phase heureuse du siècle de Louis XIV et qui s'incarne dans la génération des écrivains de 1660 à 1680.

Le classicisme est l'aboutissement d'une triple évolution : évolution linguistique, qui voit le français s'imposer contre le latin ; évolution sociale et politique, qui plie une société bigarrée et féodale aux idées et aux manières de la cour d'une monarchie absolue ; évolution scientifique : la géométrie classique se construit autour de la notion de point stable et la physique des solides décrit un monde lisse et bien délimité, dont les principes se retrouvent dans toutes les formes de représentation. Les règles de Vaugelas sur le beau langage, la vision de l'histoire de Bossuet, l'étiquette de Versailles, les jardins à la française, la musique de la Chapelle royale témoignent d'une même conception de la vie et de l'espace. Le cristal est le modèle de la science et du style classiques.

Le classicisme littéraire a pris très tôt conscience de lui-même à travers une série d'oppositions et de débats : contre les « doctes » de la caste parlementaire, qui défendaient le rôle moral et civique de l'écrivain face à une littérature de divertissement aristocratique ; contre les « libertins », qui contestaient les règles de pensée et d'écriture au nom de l'indépendance d'esprit et de la liberté de création ; contre les auteurs qui ne respectaient pas la hiérarchie des genres et qui à l'épopée ou à la tragédie s'obstinaient à préférer la tragi-comédie et le roman. Le classicisme a d'ailleurs clarifié ses théories et dressé un premier bilan de ses manifestations à l'occasion de la querelle des Anciens et des Modernes sur les mérites comparés des écrivains de l'Antiquité et de ceux du XVIIᵉ siècle français.

Hors de France, le classicisme marque moins un moment de la création littéraire qu'une catégorie esthétique. S'il existe des périodes phares dans les littératures étrangères, elles sont soit antérieures au siècle de Louis XIV (pour l'Italie, l'Espagne, l'Angleterre), soit postérieures (pour l'Allemagne). Et, dans de nombreux pays, le renouvellement de la littérature sera le plus souvent le fruit d'une réaction contre le classicisme français.

L'idéal de clarté et de stabilité du classicisme sera bouleversé par deux crises majeures de la pensée et de la sensibilité : la révolution scientifique qui, à la suite de Newton, révèle l'existence et la cohérence de mondes infinis ; la découverte romantique des abîmes intérieurs de la personnalité. Mais l'institution scolaire fera du classicisme un événement fondateur que la postérité a pour mission de célébrer et de reproduire.

Les écrivains classiques sont d'accord sur un certain nombre de principes. Et d'abord sur l'imitation des Anciens. « On s'égare en voulant tenir d'autres chemins », dit La Fontaine ; toutes les pièces de Racine, sauf *Bajazet*, puisent leur matière dans l'Antiquité. On estime que les Anciens ont tout expérimenté, tout compris et tout dit. Comme les écrivains du Moyen Âge, les classiques se considèrent encore, par rapport aux auteurs de l'Antiquité, comme « des nains sur les épaules de géants ».

D'autre part, si l'on veut satisfaire l'individu policé aux sentiments aristocratiques, qui est le symbole de la société du temps, on ne peut y parvenir qu'en restant soucieux de la *vérité* et du *naturel*, et, inversement, en se détournant du singulier et de l'exceptionnel : il s'agit de chercher l'homme permanent par-delà ses variétés et ses manifestations éphémères.

Les écrivains classiques recherchent tous la simplification, la stylisation. Aucune envolée de l'imagination, nul dérèglement, nulle fabulation, mais une « action simple chargée de peu de matière », puisque « toute l'invention réside à faire quelque chose de rien », comme le proclame Racine. Écrire, c'est ainsi moins s'exprimer que se dominer, dompter ses tentations, corriger ses faiblesses. Le style est d'abord une vertu. Cette rigueur et cette discipline, cette éloquence maîtrisée sont inséparables de la certitude qu'il est un *beau absolu*. Lorsque La Bruyère écrit qu'« il y a dans l'art un point de perfection », il se fait l'interprète de tous les écrivains du temps : plus que des auteurs, ils se veulent des artistes. De là une avidité laborieuse pour le métier d'écrire, une sorte de culte du travail bien fait. Bénies soient les règles qui obligent le créateur à se contraindre : les difficultés ne brisent l'élan que de ceux qui manquent de souffle.

On comprend donc que l'idéal classique ait trouvé sa parfaite expression au théâtre – lieu clos, strictement déterminé par définition – et singulièrement dans la

1. *La Mort de Saphire*, de Nicolas Poussin.

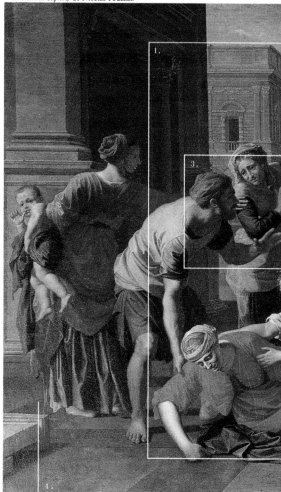

Dates clefs

règle des trois unités qui régit le bon fonctionnement de la tragédie : concentration et simplification des événements ; isolement des temps forts du drame ; utilisation du récit pour décrire tout ce qui dépasse le cadre des unités de lieu, de temps et d'action ; intériorisation et abstraction de l'événement dans la conscience des personnages.

Mais la vérité, c'est-à-dire la réalité de la nature humaine, se plie-t-elle vraiment à ce cadre séduisant et rigide ? Les théoriciens du classicisme comme le père Rapin (*Réflexions sur la poétique*, 1674) et Boileau constatent que « le vrai peut quelquefois n'être pas vraisemblable » (*l'Art poétique*, III, 48). Ce qui veut dire que l'écrivain classique ne peut se contenter de copier servilement la nature. Il doit, au moyen des règles de son art, opérer une *transposition*, se référer moins à la réalité brute qu'à la lumière selon laquelle le public peut recevoir cette réalité. L'esthétique classique ne tend donc pas au réalisme. C'est un idéalisme fondé sur une conception de la vraisemblance comme pédagogie de la vérité. ●

Les concepts clefs du classicisme

LE CLASSICISME EST UNE IMMENSE ENTREPRISE DE CODIFICATION CULTURELLE, FONDÉE SUR LES IDÉES DE CONVENANCE ET D'IMITATION.

Les comportements littéraires du classicisme répondent à une double convenance du style au sujet choisi, du contenu de l'œuvre aux usages d'une société – et à une double imitation : de la Nature, modèle de régulation ; des Anciens, source d'une vérité immuable et universelle.

Les bienséances.
Le concept a été élaboré, dès le XVIe siècle, par les humanistes réfléchissant sur les principes de la rhétorique de Cicéron. Il repose sur l'idée que ce qui est vrai dans les rapports sociaux et la vie quotidienne l'est dans la vie intellectuelle. Être bienséant pour un écrivain, c'est non seulement avoir le respect de la décence, c'est d'abord avoir le sentiment que la littérature ne se réduit pas à un jeu de l'esprit. Plus techniquement, c'est être en conformité avec les conventions d'un genre, le caractère d'un personnage, les particularités d'une situation (bienséances « internes »), les capacités de compréhension ou la sensibilité d'un public (bienséances « externes »). Les bienséances sont alors inséparables de la notion de *règles* et jouent un rôle décisif dans l'appréciation du théâtre classique.

Les règles.
Les règles sont des conseils, des préceptes, parfois des ordres, formulés par un théoricien à l'intention des écrivains et tout spécialement des auteurs dramatiques. Leur justification est tantôt d'aider le poète par des techniques éprouvées, tantôt de lui fournir les moyens d'émouvoir, de produire une illusion dramatique parfaite. Mais certains pensent que l'on peut arriver à ses fins sans

les règles, voire contre les règles. La « querelle du *Cid* » a ainsi marqué le conflit maximal entre une réussite pratique en dépit des défauts « théoriques » et de l'observation des règles.

Racine rappelle, dans sa préface de *Bérénice*, que « la principale règle est de plaire et de toucher : toutes les autres ne sont faites que pour parvenir à cette première ». Cette position témoigne à la fois d'un certain scepticisme à l'égard de la régulation de l'art dramatique et du désir de ne pas heurter de front le *goût*, notion esthétique qui prendra, à la fin du XVIIe siècle, le relais de toutes les règles classiques.

L'esprit.
Cette notion capitale du siècle classique a le flou de tous les concepts littéraires de l'époque. On peut la saisir à travers son opposition au *jugement*. Pascal oppose esprit et jugement (« La finesse est la part du jugement, la géométrie est celle de l'esprit », *Pensées*, 513) : le jugement est la faculté de penser juste à propos de choses qui ne se démontrent pas – il relève de l'intuition ; l'esprit appartient à l'univers de la démonstration et de la logique et met en jeu des principes simples, même s'ils ne sont pas toujours évidents. C'est ce qu'exprime La Rochefoucauld : « On est quelquefois un sot avec de l'esprit, mais on ne l'est jamais avec du

jugement. » D'un autre côté, l'esprit s'oppose à la raison.
L'honnête homme.
Ce type humain s'est élaboré en opposition au « cavalier » des règnes d'Henri IV et de Louis XIII, indépendant, tapageur et agressif. Il prend corps dans les salons mondains, comme celui de l'hôtel de Rambouillet, qui, dans les exercices de la préciosité, affinent le langage et les attitudes d'une génération. L'honnête homme est d'abord un gentilhomme, qui joint à la naissance les dons du corps et les qualités de l'esprit. Mais il ne cherche pas à se distinguer outre mesure des autres (« le vrai honnête homme est celui qui ne se pique de rien », La Rochefoucauld) : il s'oppose ainsi au pédant érudit. Progressivement, sous l'emprise de l'« air de la cour » et suivant une double évolution politique (vers la monarchie absolue) et sociale (le phénomène courtisan), l'« honnêteté » se déplacera du caractère vers l'intelligence, de la réflexion morale individuelle vers l'« usage du monde » : l'homme n'a de consistance que sociale ; l'art de plaire implique le sacrifice de sa personnalité. L'honnête homme, idéal des débuts de la société classique, cédera alors la place au *bel esprit*.
La distinction des genres.
C'est un des dogmes majeurs du classicisme. Boileau dans son *Art poétique* distingue les *grands genres* : l'épopée, la tragédie, la comédie, et les *petits genres* : l'idylle, l'élégie, l'ode, le sonnet, l'épigramme, le rondeau, la ballade, le madrigal, la satire, le vaudeville. Cette distinction est fondée sur une double classification qui remonte à Aristote.

D'abord une classification formelle : la poésie étant imitation du monde, la distinction des genres est fonction de la nature de cette imitation. L'épopée est une imitation narrative ; la tragédie, l'imitation d'une action par des personnages agissants. Cette classification est précisée par la position du poète dans chacun des genres : le poète est soit auteur (dans la poésie lyrique), soit narrateur (dans le poème épique), soit dissimulé derrière ses personnages (dans l'œuvre dramatique).

L'autre élément de classification est une hiérarchie des sentiments : l'épopée provoque l'admiration de la grandeur morale ; la tragédie, la terreur et la pitié ; la comédie, la dérision des vices.

L'écrivain classique doit respecter les formes d'organisation propres à chaque genre : structure de la pièce, types de vers, types de personnages, style du discours. Il ne doit pas mêler le noble et le léger, moins encore le trivial. C'est cette distinction fondamentale que le romantisme voudra abolir, en réunissant, comme le proclame Hugo dans la *Préface de Cromwell*, les « deux tiges de l'art », le grotesque et le sublime. ●

→ **Voir aussi :** Molière, LITTER, p. 68-69.

Un discours monumental

Le classicisme est une architecture du discours qui culmine dans la tragédie. La tragédie se fonde sur une passion obsédante, qui ne

peut se porter qu'aux extrêmes mais dont l'élan est condamné à se briser sur des barrières qu'on ne franchit que par la mort. D'où

l'aisance avec laquelle le théâtre classique se meut dans un lieu clos et dans les unités d'action, de temps et de lieu. Le tableau de

Poussin, *la Mort de Saphire,* traduit le parti de stylisation et le caractère oratoire, qui fait le fonds de l'art classique.

1. Une tragédie est une construction rigoureuse : ses cinq actes sont autant de plans qui, du plus lointain au plus proche, de l'exposé le plus général à la fine pointe de la crise, enserrent le héros dans un piège progressif et mortel.

2. L'échappée sur la vie est un leurre. Les héros sont confinés dans l'espace tragique : le monde extérieur ne leur apparaît qu'à travers les rapports et les récits des messagers, des serviteurs, des confidents qui, passant d'un univers à l'autre, restent en dehors de la crise qui se noue.

3. Le geste souligne le mot sur la scène classique. La véritable purgation des passions que le spectateur attend de la représentation dramatique passe par la mise en forme poétique des sentiments et des événements. La vie bat au rythme de l'alexandrin. Il faut même parler pour mourir sur le théâtre, et réussir sa mort n'est pas autre chose qu'en affiner l'expression.

4. La poétique classique condense le monde entier dans la scène du théâtre, véritable échiquier où le héros joue contre le Destin une partie perdue d'avance.

Molière

MOLIÈRE EST EN FRANCE une institution nationale. De son vivant même, sa gloire égalait celle des grands auteurs de tragédies – seul genre dramatique alors considéré comme noble. Boileau, répondant à une question de Louis XIV, l'avait assuré que c'était l'auteur du *Misanthrope* qui honorait le plus son règne. La Comédie-Française, couramment appelée la « maison de Molière », a donné en trois siècles trois fois plus de représentations de son œuvre que de celle de Racine. Et Molière reste pour les élèves de l'enseignement secondaire un élément essentiel au cours de leur apprentissage du français et de la littérature.

Molière a été victime de son succès : sa position privilégiée s'accompagne d'une schématisation de son œuvre. Derrière le peintre des « caractères » et des « types » éternels d'humanité, on oublie de voir le créateur du « théâtre total », si éloigné du propos reconnu de la dramaturgie classique : treize pièces de Molière sur trente-deux sont pourtant « mêlées de musique et de danse », et il n'est pas une de ses œuvres qui ne témoigne d'une recherche technique.

Molière n'est pas qu'un auteur de théâtre. Il est le premier metteur en scène qui ait dirigé avec précision le jeu de ses acteurs : on lui reprochait de « compter toutes leurs œillades » et de ne plus laisser place à leur liberté d'humeur ni d'interprétation.

Molière, ce n'est pas non plus une conception unique du comique. Molière s'est adapté au public des villes provinciales comme à celui des fêtes royales. Il a fait rire les courtisans et les honnêtes gens du parterre, il les a même fait réfléchir, il est allé jusqu'à les choquer.

Molière est enfin le grand révélateur de son époque. À travers des antihéros que ses contemporains s'efforcèrent d'exorciser – Tartuffe, Dom Juan, le Misanthrope –, il a montré que, si le ridicule du personnage comique naît de son écart avec la norme sociale, c'est la société qui en réalité produit cet écart. Molière avait une vue très nette du carcan des structures sociales, de la cabale des dévots à l'obscurantisme des médecins. Le rire, en fin de compte, aura été pour lui le réflexe de défense d'une conscience qui a pris le parti de refuser l'espace tragique.

Un créateur de formes dramatiques

MOLIÈRE EST UN HÉRITIER DE LA TRADITION COMIQUE : IL NE RENIERA JAMAIS LA FARCE. MAIS IL A VOULU AUSSI ÉTENDRE LE REGISTRE DE LA COMÉDIE À AUTRE CHOSE QU'AUX QUIPROQUOS ET AUX CABRIOLES.

Molière s'inscrit d'abord dans une double tradition : celle du rire populaire, celle du plaisir aristocratique. Pour faire rire la foule qui se presse autour des tréteaux ambulants de Molière, à Pézenas, à Lyon, à Rouen, il faut des pièces allègres, faciles, où des types connus mettent en acte plaisanteries et situations quotidiennes : mari trompé, femme rusée, paysan lourdaud, valet subtil – de la verve et des coups de bâton.

Molière connaîtra son premier triomphe avec une pièce, *les Précieuses ridicules,* qui a le rythme et la structure de la farce. C'est à l'occasion d'une farce, *le Cocu imaginaire,* qu'il donne une véritable consistance à son personnage favori, Sganarelle. À l'intérieur de ses comédies soutenues, il ne cessera d'introduire des types farcesques : servantes fortes en gueule, valets poltrons, etc. Et, au faîte de son succès, il n'hésitera pas, malgré Boileau, à « s'envelopper dans le sac ridicule » de Scapin.

Mais plaire, c'est avant tout plaire aux grands seigneurs, qui protègent les acteurs, et au roi, qui distribue les pensions. Or il n'y a pas de divertissement princier sans musique ni danse ; il n'y a pas de fête royale sans ballet. Molière entre délibérément dans le genre du ballet de cour, où les entrées des danseurs, évoluant sur des thèmes allégoriques et mythologiques, sont liées par des tirades ou des couplets chantés et des madrigaux qui louent les nobles acteurs désireux de se mettre en valeur dans de somptueux costumes. Mais il lui donne un statut particulier.

L'invention de la comédie-ballet.

La grande innovation de Molière consiste à articuler danse et musique sur un récit fortement structuré. Le ballet se règle sur la comédie. La première tentative du genre est une gageure : en 1661, dans l'ensemble magnifique des fêtes de Vaux que le surintendant Fouquet offre au jeune Louis XIV, Molière conçoit un intermède qui n'a en principe pour but que de

2. Charles Dullin, dans le rôle d'Harpagon.

Une vie pour le théâtre

1622 Baptême le 15 janvier, à Paris, de Jean-Baptiste Poquelin, fils aîné d'un tapissier du roi, chargé de fournir et d'entretenir le mobilier royal.

1635 Externe au collège de Clermont, tenu par les Jésuites.

1642 Études de droit à Orléans ; il obtient le titre d'avocat.

1643 Renonce à la charge paternelle et crée, avec Madeleine Béjart et la famille de l'actrice, la troupe de l'Illustre-Théâtre.

1644 Le 28 juin, prend le nom de Molière et la direction de la troupe.

1645 Faillite de l'Illustre-Théâtre ; Molière est emprisonné pour dettes, puis part pour la province avec sa troupe.

1658 Retour à Paris ; la troupe de Molière devient « troupe de Monsieur », frère du roi. Le 24 octobre, première représentation à la cour.

1659 Le 18 novembre, *les Précieuses ridicules* sont le premier grand succès de Molière.

1662 Mariage avec Armande Béjart, sœur ou fille de Madeleine.

1664 Naissance et mort du premier enfant de Molière : Louis XIV est le parrain. Interdiction du *Tartuffe.* Début de la collaboration avec Lully.

1672 Mort de Madeleine Béjart. Brouille avec Lully, qui a obtenu le monopole des spectacles avec musique et ballets.

1673 Le 17 février, Molière meurt après la quatrième représentation du *Malade imaginaire.*

1. Molière, par Mignard, vers 1670.

L'œuvre

La farce
la Jalousie du Barbouillé, 1646
Sganarelle ou le Cocu imaginaire, 1660
l'École des maris, 1661
le Médecin malgré lui, 1666
les Fourberies de Scapin, 1671

La comédie d'intrigue
l'Étourdi, 1655
le Dépit amoureux, 1656
Amphitryon, 1668

La comédie-ballet
les Fâcheux, 1661
le Mariage forcé, 1664
l'Amour médecin, 1665
le Sicilien ou l'Amour peintre, 1667
les Amants magnifiques, 1670

La comédie du temps
les Précieuses ridicules, 1659
l'École des femmes, 1662
Monsieur de Pourceaugnac, 1669
la Comtesse d'Escarbagnas, 1671
les Femmes savantes, 1672

La comédie autocritique
la Critique de « l'École des femmes », 1663
l'Impromptu de Versailles, 1663

La comédie amère
Tartuffe, 1664
Dom Juan, 1665
le Misanthrope, 1666
George Dandin, 1668

La comédie « à maniaque central »
l'Avare, 1668
le Bourgeois gentilhomme, 1670
le Malade imaginaire, 1673

Comédies-limites et limites du comique

Dans la préface du *Tartuffe,* Molière définit la comédie comme « un poème ingénieux qui par des leçons agréables reprend les défauts des hommes ». Or, Molière a peint avec des personnages comme l'Avare, le Bourgeois gentilhomme, le Misanthrope ou Dom Juan des caractères tout d'une pièce et des passions sans frein qui, comme le remarquait Hegel dans ses *Leçons sur l'esthétique,* n'ont rien à proprement parler de comique. Qu'il porte un masque d'hypocrite (Tartuffe) ou qu'il affiche son cynisme (Dom Juan), qu'il sacrifie sa famille, et tout particulièrement ses enfants, à son avarice (Harpagon) ou à sa vanité (M. Jourdain), le héros en proie à son idée fixe n'est capable d'aucun retour sur soi : il n'y a pas de salut pour ceux qui vivent une passion « chimiquement pure ». La nature et la société ne seront sauves que parce que l'individu anormal sera mis entre parenthèses (dans *l'Avare,* Harpagon reste en marge des retrouvailles finales) ou éliminé par des interventions extérieures (la justice du roi dans le *Tartuffe,* voire surnaturelles (*Dom Juan*), ou encore parce qu'il se retire lui-même du jeu (*le Misanthrope*). On ne corrige pas en riant les vices de monstres psychologiques qui relèvent de la pathologie mentale. Le comique a trouvé là ses limites, et Molière dévoilé ses fascinations.

donner aux danseurs du ballet le temps de changer de costume. Sur un thème banal – des importuns viennent sans arrêt s'interposer entre deux amoureux –, *les Fâcheux* brossent un savoureux panorama de l'entourage du roi. Louis XIV est ravi (il signale même à Molière quelques courtisans oubliés, qui seront intégrés à la pièce dès la deuxième représentation). La comédie-ballet est née.

En moins de dix ans, Molière va produire treize pièces comprenant des intermèdes musicaux, qui sont aussi de grandes comédies, comme *le Bourgeois gentilhomme* et *le Malade imaginaire*.

Les nouveaux axes de la comédie.

Molière n'a cessé de gauchir et de dilater l'armature de la comédie, comme s'il voulait faire entrer toute la diversité du spectacle du monde dans une forme unique, qui, elle-même résume tout le théâtre. Il a tenté la *comédie héroïque* avec *Dom Garcie de Navarre*, qui peint la jalousie dans une tonalité espagnole et romanesque ; il a placé la *comédie galante (la Princesse d'Élide)* dans une perspective bouffonne ; il a essayé, sans vraiment y réussir, de construire une intrigue autour d'une *pastorale* dans le goût de Mlle de Scudéry *(Mélicerte, la Pastorale comique)* ; il s'est risqué dans l'attirail spectaculaire des *pièces à machines* avec *Psyché*. Il s'est attaché à passer des *saynètes en prose* liées par l'intrigue la plus lâche aux « grandes comédies » en cinq actes et en vers.

Mais son apport spécifique à la comédie a été d'en faire un instrument capable de rendre sensibles deux domaines, différents mais complémentaires : les travers de son siècle, les aberrations de l'esprit humain.

●

Un révélateur des « vraies natures »

MOLIÈRE A HABILLÉ LES VICES DE LA NATURE HUMAINE AUX COULEURS DE SON TEMPS ET CONCENTRÉ SON REGARD SUR LE FOND ÉNIGMATIQUE DE L'ÂME HUMAINE.

La farce tire de sa boîte des figurines immuables qui viennent s'insérer immanquablement dans une scène convenue : la femme infidèle trompe, le cocu s'aveugle, le valet fripon vole, le pédant fait étalage de son ignorance. Tous offrent le même visage d'un bout à l'autre de la pièce. Tous remplissent l'attente des spectateurs.

Avec Sganarelle, qui apparaît tantôt en mari, tantôt en valet, le comique se nuance : moins de culbutes, plus de jeux de physionomie ; moins de lazzi, plus d'échanges construits. D'abord simple défilé de masques, la pièce va se présenter comme un match entre des adversaires portant leur type humain comme un dossard, puis elle évoluera au gré de l'opposition des caractères et selon une progression logique.

Molière tend consciemment vers l'élaboration de personnages complexes, qui incarnent d'autant mieux les ridicules et les vices dont l'homme est capable qu'ils sont vêtus à la mode du temps, parlent le langage des rues et des salons, témoignent des préjugés et des idées reçues des contemporains. Les peintures qu'on expose sur le théâtre sont, dit Molière, des « miroirs publics ». Le devoir de l'auteur de théâtre est de peindre d'après nature.

Un point de vue privilégié.

S'il s'intéresse à tout son siècle, Molière a cependant un terrain de prédilection. En effet, destinant d'abord son théâtre à la cour et à une société aristocratique, il place l'essentiel de ses intrigues dans un monde bourgeois. Certes, il ne manque pas d'égratigner la noblesse : courtisans déchus de tout rôle politique et voués aux commérages des salons *(le Misanthrope)* ; hobereaux rustiques exploitant les paysans de manière éhontée *(George Dandin)* ; et *Dom Juan* montre qu'« un grand seigneur méchant homme est une terrible chose ».

Mais il suffit de faire l'inventaire des matériaux les plus constants du comique de Molière : la condition féminine, l'arbitraire et

les fantasmes paternels, les mariages forcés, les prétentions à la noblesse et aux beaux usages. Tous ces problèmes révèlent une classe en pleine mutation : la bourgeoisie, qui se collette avec les aristocrates dans les allées du pouvoir, qui rechigne à voir ses femmes être savantes – c'est-à-dire avoir le droit de faire des études – et ses filles choisir leurs maris. La bourgeoisie est pour Molière un terrain dramatique exceptionnel, un bouillon de culture. Tout particulièrement, une classe sociale qui vit une réalité et en conçoit une autre est spécialement portée à s'incarner dans des héros à deux faces : d'où la place capitale des hypocrites dans le théâtre de Molière.

Les limites de la comédie.

Pour l'« honnête homme » du classicisme, il n'est pas de pire défaut que d'ignorer les bienséances, de sortir des règles acceptées et suivies par ceux qui sont en accord avec l'air du temps, c'est-à-dire l'« air de la cour ». Faire un écart, c'est se mettre à l'écart. Or la comédie qui prétend imiter la nature ne représente que des êtres dénaturés. Ce qui explique que dans bien des cas la comédie frise le drame. Ce personnage n'est pas dans la norme : il est drôle, d'abord ; il est fou, bientôt. Le rire peu à peu s'estompe pour faire place à l'interrogation, voire à l'inquiétude.

4. Louis Jouvet, dans le rôle de Dom Juan.

La comédie-ballet connaît des situations forcées, mais elle réalise la combinaison heureuse de tous les accidents de la vie : le grand ballet final fait danser tout le monde à l'unisson. Mais *Tartuffe* et *Dom Juan ?* La preuve que ces pièces atteignent les limites de la comédie, c'est qu'elles ne peuvent se dénouer que par des interventions extérieures à l'intrigue : le prince qui confond l'imposteur, l'effigie du mort qui vient terrasser l'impie. Déjà, la première « comédie du siècle », *l'École des femmes*, ne trouvait une fin heureuse que par le retour inopiné d'un père. Et que dire de *l'Avare ?* Le dénouement (qui rassemble une famille dispersée depuis 20 ans) ne change absolument rien au vice d'Harpagon, à son amour pathologique de l'or.

Quand le hasard favorable n'est pas au rendez-vous, on hésite sur le sens à donner à l'aventure : le Misanthrope n'a pas convaincu Célimène, mais Célimène ne sait plus si elle aime ou n'aime pas ; héros d'une comédie de mœurs, Alceste refuse les fondements mêmes du genre : les contraintes de la vie sociale. C'est peut-être la leçon ultime du rire ambigu de Molière.

●

3. Jean Le Poulain, dans le rôle du Bourgeois gentilhomme.

L'art de la conversation

Libertinage
et marivaudage

ROMANCIERS ET DRAMATURGES
FONT DE LA GALANTERIE LA TRAME D'UN JEU
FONDÉ SUR LES PIÈGES DU DÉSIR ET LES HASARDS DE
LA PASSION ET OÙ LE MORALISME
ACCOMPAGNE L'IMMORALITÉ.

L'ÉCRIVAIN N'EST JAMAIS seul devant sa page blanche. Même « maudit », même criant son désespoir devant l'incommunicabilité des êtres, il appartient à un système de communication, à un environnement social, économique et culturel qui conditionnent la conception, la diffusion et la réception de son œuvre.

La mort de Louis XIV donne le signal d'un grand bouleversement de l'esprit social et de l'espace littéraire. Versailles, dépouillé du grand acteur de la monarchie, n'est plus qu'un décor sans âme ; la Cour perd son rôle d'animatrice et de juge de la vie intellectuelle. La ville, Paris, prend le relais. Un public formé de parlementaires, de commerçants enrichis, de rentiers bourgeois, indépendant de l'entourage royal, assure à l'écrivain une plus grande autonomie : on voit apparaître les premiers gens de lettres qui réussissent à vivre de leur plume. La vie littéraire s'élabore dans des lieux nouveaux : les cafés et les clubs, où se réunissent les hommes pour commenter les informations et les bruits qui courent sur la politique, le théâtre, la musique ; les salons, où des femmes de tête pilotent une société mêlée qui réunit aristocrates, philosophes, artistes.

Dans cette société qui exacerbe les traditions de civilité s'épanouit un nouvel art de la conversation, fondé sur le trait qui fait mouche, la formule spectaculaire : véritable escrime de l'esprit. Avant que Rousseau ne campe la figure du génie ombrageux et fermé sur lui-même, l'écrivain est d'abord un homme de bonne compagnie et un causeur. Raffinement mondain, libération intellectuelle, indépendance morale, tout cela compose un nouveau code de conduite, le libertinage, qui définit un univers régi par les lois d'une séduction généralisée.

Ce désir passionné de l'échange, qui s'accompagne d'une réflexion obsessionnelle sur ses émotions, s'incarne dans une floraison de romans épistolaires qui, à travers la recherche avouée de l'authenticité et de la transparence des sentiments, révèle les intermittences du cœur et la discontinuité du monde.

Dans ce nouvel espace, sur ce nouveau théâtre de l'esprit, les écrivains auront engagé tout leur être dans la composition d'un masque, que la génération suivante s'emploiera à arracher.

Le libertinage du siècle des Lumières bénéficie du double héritage de l'épicurisme érudit, scientifique et clandestin du siècle de Louis XIV et de l'anticonformisme tapageur et matérialiste de Théophile de Viau et de son groupe.

Un roman libertin.
Le libertinage du XVIIIe siècle s'incarne dans une littérature composite qui va de l'inspiration légère et idyllique (de l'abbé de Chaulieu à Parny) aux audaces licencieuses, voire pornographiques. La tradition du conte en vers, à la manière de La Fontaine, subsiste pour le récit d'anecdotes piquantes, mais le genre principal du libertinage est le roman. Son originalité est de ne pas se contenter d'évoquer l'accumulation des bonnes fortunes à travers lesquelles toute une société s'efforce de remplir le vide du temps, mais de procéder à l'analyse et à la mise en système de ce style de vie. Le maître du genre est Crébillon fils : ses Égarements du cœur et de l'esprit (1736-1738) lancent dans le monde de jeunes héros dont un « roué » ou une femme du monde entreprennent l'éducation ; ils apprennent ainsi les règles qui, du salon au boudoir, permettent de réunir la collection la plus agréable de femmes vertueuses et libertines.

Le roman libertin culmine cependant dans deux œuvres de tonalité plus désabusée et qui touchent au pathétique : la Vie de Marianne (1731-1741), de Marivaux, et Manon Lescaut (1731), de l'abbé Prévost, remplissent parfaitement le programme de prise en charge par la conscience de l'impression sensible qui définit l'art du XVIIIe siècle. Cet art de la remémoration et de la confession prendra une forme paroxystique dans les obsessions de Restif de La Bretonne (le Paysan perverti, 1775) et le délire de Sade (Justine ou les Malheurs de la vertu, 1791).

Marivaux ou l'art de la fugue.
L'amour est une surprise, dont un jeu complexe doit s'efforcer de retrouver le premier mouvement. À l'origine, il y a le trouble, et tout le parcours qu'accomplissent les amoureux de Marivaux consiste à découvrir au-delà de cette turbulence initiale la preuve de la stabilité profonde de leur amour. Un grand détour pour revenir au point de départ. Si l'on s'est reconnu dans la fulgurance du premier instant, qu'a-t-on vraiment découvert ? Qu'est-ce que la vérité de l'être qu'on aime ? Et quelle est notre propre vérité qui nous a valu son amour ?

Le marivaudage est un composé subtil d'intrigues, de mensonges, de déguisements (de maîtres en valets et de valets en maîtres), de dissertations sur les

Les salons, carrefours de l'esprit

Au début du XVIIIe siècle, les salons de la philosophie succèdent à ceux de la préciosité. De Mme de Rambouillet à Mme de Lambert, au centre du cercle, il y a toujours une marquise mais, si les manières de la sociabilité aristocratique sont restées les mêmes, l'esprit de ces réunions a changé. Les salons du siècle de Louis XIV étaient des foyers de politesse, raffinant sur l'élégance des attitudes et du langage. Chacun, dans cet espace clos, jouait son rôle comme au théâtre – femmes du monde, seigneurs à la mode, poètes – ou comme dans les scènes pastorales des romans baroques. Les madrigaux, les maximes, les portraits étaient des jeux littéraires qui prenaient place, dans les divertissements de la société, à côté d'autres jeux d'esprit – ou d'argent.

Le règne des femmes sur la littérature.
À partir de 1715, dans le nouveau style de vie mondaine qui se développe à Paris, gens de qualité et auteurs de talent prennent l'habitude d'abord de se croiser (Mme de Lambert reçoit les écrivains le mardi et la noblesse le mercredi) puis de se réunir. Le moteur de la vie du salon est la conversation. Si les potins mondains et les dessous de la politique y sont commentés, dans les strictes limites des bienséances mais avec une causticité qui peut aller jusqu'au rire amer de Chamfort et de Rivarol, les querelles littéraires et esthétiques y trouvent un terrain de prédilection. Cha-

que salon a son style et ses préférences intellectuelles. Cinq d'entre eux ont joué un rôle important dans l'évolution des idées et des lettres.

La marquise de Lambert réunit de 1710 à 1733 Fontenelle, Marivaux, Montesquieu et les représentants de la noblesse éclairée dans la double tradition du rationalisme cartésien et de la finesse de l'expression : son salon prit parti pour les Modernes dans la dernière phase de la fameuse querelle contre les Anciens.

À la mort de Mme de Lambert, Mme de Tencin recueillit sa succession mondaine. Sa célébrité était tout autre : religieuse échappée de son couvent, maîtresse du Régent, de Law et d'autres personnages connus, elle fit de son frère un cardinal et de Marivaux un académicien. Elle reconnut volontiers les quelques romans qu'elle commit (Mémoires du comte de Comminges, 1735 ; les Malheurs de l'amour, 1747) mais non le fils qu'elle eut d'une de ses liaisons et qu'elle fit abandonner sur les marches d'une église : ce fut d'Alembert. Elle aida notamment

au lancement de l'Esprit des lois.

Plus discrète dans sa vie agitée mais plus audacieuse dans ses partis pris intellectuels, la marquise du Deffand anima de son esprit sceptique, à partir de 1730, un cercle où les aristocrates côtoyaient les philosophes (elle préférait à tous Voltaire et méprisait l'optimisme des Encyclopédistes) et les célébrités étrangères, anglaises surtout. Elle-même se prit, à soixante-huit ans, d'une passion folle pour Horace Walpole : toute sa correspondance traduit une hantise maladive de l'ennui et la crainte de l'enlisement de sa sensibilité dans un art de la formule qu'elle pratique en virtuose.

La fille naturelle de son frère, Mlle de Lespinasse, qui lui tenait lieu de demoiselle de compagnie depuis que sa vue s'affaiblissait, avait pris l'habitude de recevoir ses familiers avant qu'ils ne montent chez elle : Mme du Deffand la chassa et provoqua ainsi en 1764 la création d'un nouveau salon. Julie de Lespinasse fut courtisée par d'Alembert (Diderot met en scène leur couple dans le Rêve

de D'Alembert), mais c'est pour le comte de Guibert qu'elle éprouva un amour impossible. Elle se laissa mourir l'année même (1776) où était traduit en français le Werther de Goethe, prototype du suicide romantique.

Mais le salon le plus caractéristique de l'évolution du goût et des mœurs du temps est celui de Mme Geoffrin. Fille d'un valet de chambre de la Dauphine et épouse d'un riche bourgeois, elle ouvrit en 1749 un salon qui devint rapidement une institution européenne. Elle régentait ses réunions d'artistes avec la même autorité qu'elle dirigeait les débats des Encyclopédistes qui se pressaient à ses mercredis. Un signe de faveur était d'être « grondé » par elle : en 1766, elle alla jusqu'en Pologne gronder un de ses familiers, le roi Stanislas Auguste Poniatowski, qui la reçut en souveraine. Elle réunit une importante collection de tableaux (Van Loo, Vernet, Hubert Robert) et fit de son « bureau d'esprit » le centre de diffusion le plus efficace des valeurs bourgeoises.

Le roman épistolaire

LE XVIIIᵉ SIÈCLE, QUI A JOUÉ
LA COMÉDIE DE TOUS LES SENTIMENTS, EST UN SIÈCLE OBSÉDÉ
PAR LA VÉRITÉ ET L'AUTHENTICITÉ.

pièges de l'amour, à commencer par ceux que l'on se tend à soi-même. L'art de Marivaux est un art de la fugue, et doublement : parce que ses personnages passent leur temps à se fuir et à se dissimuler sous un masque social qui doit faire apparaître la vérité du désir ; parce que toutes ses pièces (*la Surprise de l'amour,* 1722 ; *la Double Inconstance,* 1723 ; *le Jeu de l'amour et du hasard,* 1730 ; *les Fausses Confidences,* 1737 ; *l'Épreuve,* 1740) sont des variations sur un même thème : comment trouver la vérité de la passion sans accepter la cruauté de l'amour (la guerre des sexes) et l'infranchissable barrière des classes sociales. •

Au début du siècle foisonnent les récits à la première personne qui – Mémoires, correspondances, confidences ou confessions. – rapportent des aventures du cœur ou des odyssées de l'esprit.

La lettre, relation en principe directe et spontanée qui s'adresse à un destinataire concret, donne bientôt naissance à un genre romanesque particulier : le roman épistolaire. Celui-ci naît de la rencontre de deux types de lettres : les lettres polémiques (dont le modèle avait été donné par *les Provinciales,* de Pascal) ou philosophiques (*Lettres anglaises,* de Voltaire) et les lettres amoureuses (dont la tradition va de la correspondance entre Héloïse et Abélard aux *Lettres de la religieuse portugaise*). Les *Lettres persanes* de Montesquieu combinent les deux courants en mêlant un roman d'amour dans le sérail à un reportage satirique sur la France vue à travers la fausse naïveté de deux Persans. Le roman épistolaire a d'abord été un roman à une voix, confession, le plus souvent, d'un amour malheureux : ainsi les *Lettres d'une Péruvienne* (1747), de Mᵐᵉ de Graffigny, ou le *Werther* (1774) de Goethe. Mais bientôt cette forme monodique fut concurrencée par la multiplicité des registres et des tons issus du croisement des lettres échangées par plusieurs correspondants.

Une nouvelle technique romanesque.

En donnant continûment la parole aux personnages, le roman par lettres permet à l'auteur de s'effacer complètement derrière ses créatures. Il en résulte un puissant effet de réel : la lettre ne fait qu'un avec son rédacteur, dont elle dit les actions, les opinions, les sentiments. Mais ce qui fonde la structure du roman épistolaire, c'est non pas la continuité de la communication, mais précisément son parasitage par les délais entre événement, écriture de l'événement, réception, réaction écrite à la lettre. Le roman épistolaire transmue en acte la remarque intellectuelle comme l'indication d'un sentiment. En revanche, il limite l'échange à la relation de deux subjectivités et s'interdit du même coup les deux caractères fondamentaux du roman moderne : la représentation réaliste d'un ensemble social et humain, la vision totale et impersonnelle de cet ensemble.

L'écriture : maîtrise de soi ou domination de l'autre ?

Le roman épistolaire enflamma une génération, de la *Paméla* (1740) de Richardson et des *Lettres de mistress Fanni Butler* (1757) de Mᵐᵉ Riccoboni à *la Nouvelle Héloïse* (1761) de Rousseau, et son succès se prolongea bien avant dans le xixᵉ siècle (*Delphine,* 1802, de Mᵐᵉ de Staël ; *Jacques,* 1834, de George Sand ; *les Mémoires de deux jeunes mariées,* 1842, de Balzac).

Le chef-d'œuvre du genre reste *les Liaisons dangereuses* (1782) de Laclos. Le scandale causé par l'intrigue et les clefs de l'œuvre, que le public cherchait passionnément à découvrir, portait en réalité à faux. Le roman épistolaire avait pour objectif avoué de mettre à nu le cœur humain dans sa vérité. Laclos, en entrecroisant les fils des dialogues vertueux et libertins, montrait la fausseté de tous les discours. Le couple pervers de la marquise de Merteuil et du vicomte de Valmont s'acharne à corrompre la jeune Cécile, qui sort du couvent, et son amant Danceny. Mais Valmont tombe amoureux de la vertueuse présidente de Tourvel et se détache de sa complice. Celle-ci se venge en faisant tuer Valmont en duel par Danceny, mais Valmont a le temps de dévoiler au public la correspondance de la marquise et sa scélératesse.

Les libertins sont punis non par manque de morale, mais par défaut de maîtrise de soi et parce qu'ils ont eu le tort de se confier à l'écriture. Sade poussera l'audace jusqu'à faire de cette faiblesse sa principale force : à une jeune comtesse qui veut organiser une orgie, sa Juliette recommande d'en élaborer d'abord le plan précis sur le papier, et, à un libertin qui cherche le crime capable, par une réaction en chaîne, d'engendrer une corruption générale, elle suggère : « Essaie du crime moral auquel on parvient par écrit. » Avec Sade, double monstrueux de Rousseau, le siècle qui annonce la liberté pour tous conçoit finalement une société qui n'a pour règle que la transgression. •

1. Une soirée chez Mᵐᵉ Geoffrin, peinte par ACG Lemonnier.

2. Conversation galante, vue par J.-F. de Troy.

Une sociabilité

La littérature du xviiiᵉ s. est à l'image d'une société en mutation, qui multiplie les marques de civilité. Les livres se font l'écho des assauts d'esprit dont s'emplissent les sa-

3. Le café Manoury à Paris.

généralisée

lons (2) et les boudoirs. Les cafés (3) et les clubs résonnent des éloges et, plus souvent, des critiques qui soulignent la parution de chaque ouvrage nouveau.

La littérature des Lumières

L A PENSÉE DU SIÈCLE DES Lumières se développe autour de deux thèmes majeurs : le retour à la nature, la recherche du bonheur. Les philosophes dénoncent dans les religions et les pouvoirs tyranniques des forces obscurantistes responsables de l'apparition du mal dans un monde où l'homme aurait dû être heureux. Ils réhabilitent donc la nature humaine qui n'est plus entachée par un péché originel ou une tare ontologique ; ils substituent à la recherche chrétienne du salut dans l'au-delà la quête ici-bas du bonheur individuel. À la condamnation des passions succède leur apologie : l'homme doit les satisfaire, à condition qu'elles ne s'opposent pas au bonheur d'autrui.

Cette nouvelle vision de l'homme et du monde, les philosophes la défendent en écrivains militants. Leur combat s'incarne dans la pratique de formes brèves, faciles à lire et susceptibles d'une vaste diffusion : lettres, contes, pamphlets. Création littéraire et réflexion philosophique se nourrissent mutuellement.

Les idées des Lumières se mêlent et s'affinent dans un creuset : l'*Encyclopédie* de Diderot, œuvre qui met à la portée de l'homme nouveau – le bourgeois, l'intellectuel – une synthèse des connaissances conçue comme un instrument pour transformer le monde et conquérir le présent.

Les écrivains-philosophes ne marchent pas cependant du même pas. Des lignes de partage se dessinent entre un courant déiste (Voltaire) et un matérialisme convaincu (Diderot, d'Holbach), entre une revendication générale de liberté (Voltaire encore) et un souci d'égalité et de justice sociale (Rousseau). À la fin du siècle, une nouvelle génération – celle des idéologues – tentera d'articuler théorie et pratique et de définir une science de l'homme qui, par la mise en œuvre de réformes politiques et culturelles, assure le progrès de l'esprit humain.

Mais, en réaction à l'affirmation de cette raison collective, le moi sensible revendique ses droits : Rousseau, qui a posé dans le *Contrat social* les conditions de légitimité de toute autorité politique, donne avec ses *Confessions* le modèle de l'expression authentique d'un être unique et fait de la remontée aux sources de l'enfance et du passé l'origine de toute création littéraire.

Un écrivain militant : Voltaire

ESPRIT FRONDEUR EN POLITIQUE ET CONFORMISTE EN ART, VOLTAIRE A ÉTÉ LE PORTE-DRAPEAU DES LUMIÈRES DANS TOUS SES ENTHOUSIASMES ET SES CONTRADICTIONS.

V oltaire est le produit spirituel d'un croisement bizarre entre l'humanisme jésuite (il fit de brillantes études au collège de Clermont) et le libertinage à la Ninon de Lenclos (il fut très tôt introduit dans la société du Temple). Désireux de faire rapidement son chemin, il n'en débute pas moins par des vers contre le Régent, qui le fait embastiller. Une altercation avec le chevalier de Rohan lui vaut une bastonnade, un nouvel emprisonnement et trois ans d'exil en Angleterre. Un moment historiographe du roi, il célèbre la victoire de Fontenoy, mais traite de fripons les partenaires du jeu de la reine ; il se cache et accepte l'invitation à Berlin de Frédéric II, qui fait de lui un chambellan et un correcteur de ses poèmes français.

Mais les relations ne tardent pas à se détériorer entre le monarque et le philosophe : Voltaire s'enfuit, est arrêté et incarcéré à Francfort. Il réussit à gagner l'Alsace, mais on lui interdit de s'approcher de Paris. Il trouve alors un refuge dans la république de Genève, mais les représentations théâtrales qu'il donne dans sa maison des « Délices » et ses tentatives pour convertir des pasteurs au déisme alarment les rigoristes. Voltaire fuit encore et s'installe dans le pays de Gex, à l'abri de toutes les polices : à Ferney, il cultivera sinon son jardin, du moins son personnage.

Voltaire accompagne de son œuvre les grands événements de son temps, ainsi du *Poème sur le désastre de Lisbonne,* détruite par un tremblement de terre, ou de sa comédie de l'*Écossaise,* en réponse à l'offensive antiphilosophique, ou encore de son immense correspondance qui crée dans la haute société européenne un snobisme de la philosophie. Mais il prend une nouvelle dimension en intervenant publiquement dans toutes les affaires judiciaires où éclate l'injustice des préjugés. Il fait appel à l'opinion en faveur de l'amiral anglais Byng comme du gouverneur français des Indes, Lally-Tollendal. Il fait réhabiliter les protestants Calas et Sirven. Il se bat pour sauver le chevalier de La Barre qui sera décapité pour avoir insulté une procession : sur le corps du supplicié, on brûlera son *Dictionnaire philosophique.*

Voltaire a dit son mot sur tout : système politique, interprétation de l'histoire, intolérance religieuse, oppression sociale, débats scientifiques. Il l'a fait à travers de brefs récits incisifs et ironiques, des contes écrits le plus souvent sans nom d'auteur et en manière de passe-temps, et qui sont autant de petites thèses habillées de picaresque, de féerie ou d'exotisme. Curieusement, Voltaire est passé à côté de presque toutes les grandes idées et s'est moqué de presque tous les grands hommes de son siècle ; il s'est gaussé des cataclysmes du globe terrestre évoqués par Buffon, comme de l'idée du « bon sauvage » : il a ainsi manqué les débuts de la géologie, de la biologie, de la sociologie, de l'anthropologie. Il travailla à « écraser l'infâme », le fanatisme religieux, mais il s'indignait que « dans les temples les petits soient égaux aux grands » et il reprocha aux frères des Écoles chrétiennes d'apprendre à lire aux paysans, qui, instruits, ne veulent plus labourer.

La leçon que l'on tire d'un jaillissement d'esprit continuel – qui va de *Micromégas* (écrit dès 1739) à l'*Histoire de Jenni* (en 1775), en passant par *Zadig, Candide* et l'*Ingénu* – est finalement assez plate : « cultiver son jardin », c'est-à-dire renoncer à l'angoisse métaphysique, aménager son bonheur au sein d'une petite société à sa mesure.

Rousseau : l'inventeur du moi

CÉLÈBRE MAIS INCOMPRIS, ROUSSEAU A FAIT DE SON EXPÉRIENCE DE L'INCOMMUNICABILITÉ LE FONDEMENT DE L'ANALYSE DU MOI.

R ousseau avait raison de dire qu'il avait formé un projet sans exemple : décrypter le secret de son être intime et livrer le résultat de cette recherche à ses contemporains.

Or, cette analyse lucide révèle que la vérité du cœur est obscure à déchiffrer (« Rien n'est si dissemblable à moi que moi-même »), difficile à exprimer, dangereuse à dire : le tragique et l'ambiguïté de cette situation préfigurent étonnamment non seulement le désenchantement romantique, mais aussi les angoisses de la foule solitaire du monde moderne.

On a eu beau jeu, à commencer par Voltaire, de souligner les contradictions de cette entreprise. D'un Bernardin de Saint-Pierre (« Il a vécu et il est mort dans l'espérance, commune à tous les hommes vertueux, d'une meilleure vie ») ou d'un La Harpe (« Rousseau est le plus subtil des sophistes, le plus éloquent des rhéteurs, le plus impudent des cyniques »), qui a saisi Rousseau, comme il le désirait, « dans la vérité de sa nature » ? Pourtant, Rousseau n'a cessé de donner pathétiquement la clef de son œuvre ; lui qui était doué d'une double intelligence, critique et créatrice, il tenait l'intelligence pour rien : « Je veux que tout le monde lise dans mon cœur » – le cœur, la conscience, lieu de l'unité perdue et désirée. Ce besoin d'unité, d'harmonie, de communion est la vérité de Rousseau que reprennent tous ses livres, dans des registres différents : critique des fondements de la société et de la conscience (les deux *Discours*), exposé des principes qui doivent régler la vie publique *(Du contrat social)* et privée *(Émile),* expérimentation sociologique et démonstration romanesque de la théorie *(la Nouvelle Héloïse),* contre-épreuve autobiographique *(Confessions* et *Rêveries du promeneur solitaire).*

Malgré les calomnies de Voltaire, Rousseau n'a nullement prétendu qu'il fallait revenir à l'« état de nature ». Il a simplement affirmé l'ambivalence du progrès, c'est-à-dire que la civilisation (« L'homme qui pense est un animal dépravé ») détruit la morale et corrompt l'harmonie naturelle entre les hommes (la propriété engendre l'inégalité et les luttes sociales). Réinterprétant Machiavel et Montesquieu, il démonte en sociologue le jeu des filtres politiques et culturels dans la société d'inégalité : les mécanismes chargés de la conservation (la religion) et de la représentation (le roman, le théâtre) de la vie et du bien engendrent eux-mêmes le mal et la dégradation ; la mobilité sociale, née du désir personnel de parvenir, aboutit à l'aggravation des inégalités et à la perte de l'identité, par suite d'une dissociation dans la connaissance de la morale (saisie chez les dominants par la raison politique, chez les dominés par l'affectivité liée aux mœurs). Seule la classe moyenne, intellectuelle et douée de compétences techniques, est capable d'une connaissance scientifique et expérimentale (ce qui révèle, derrière l'opposition peuple/aristocratie, le rôle moteur d'une nouvelle classe économique). D'autre part, contre la satire voltairienne à courte vue, Rousseau fait des sociétés historiques européennes et de leur rapport à la « pensée sauvage » une analyse que ratifieront les anthropologues modernes. Idées trop neuves, exprimées dans un style tout aussi surprenant (le Rousseau théoricien de l'*Essai sur l'origine des langues* anticipe sur bien des recherches linguistiques) : « Il faudrait, pour ce que j'ai à dire, inventer un langage aussi nouveau que mon projet. » Ce langage, ce musicien venu tard à la littérature le concevait sur le mode du chant (une langue qui « persuaderait sans convaincre et peindrait sans raisonner... L'on chanterait au lieu de parler ») : c'est précisément ce dernier rêve qui, à travers ce auteurs comme Chateaubriand et Stendhal, a acquis le plus de réalité.

●   ●

1. Planche de l'*Encyclopédie* : les marbreurs de papier.

Archaïsme et progrès

Les philosophes n'ont pas seulement combattu toutes les formes d'obscurantisme, du fanatisme religieux à la barbarie judiciaire, ils ont dressé, à travers l'entreprise encyclopédique dirigée par Diderot, le bilan de toutes les forces de progrès technique et intellectuel.

2. L'interrogation de Damiens par les juges du Châtelet.

L'*Encyclopédie* de Diderot

DIDEROT N'A PAS INVENTÉ LE CONCEPT D'ENCYCLOPÉDIE, MAIS IL A FAIT DE LA COLLECTION TRADITIONNELLE DES MERVEILLES DU MONDE UN LEVIER POUR AGIR SUR CE MONDE ET L'OUTIL D'UNE VÉRITABLE RÉVOLUTION CULTURELLE.

Diderot a bénéficié d'un triple héritage, dans la constitution du bilan des connaissances de son temps : celui de l'Antiquité, celui de l'Europe médiévale, enfin celui de la Renaissance humaniste.

C'est l'Antiquité qui a imposé, à travers les œuvres d'Aristote et de Pline l'Ancien, la notion d'encyclopédie comme idéal culturel. La connaissance de toutes les disciplines du savoir formait le parfait philosophe (c'était l'idéal grec) ou le parfait orateur (c'était l'idéal romain).

L'Europe médiévale reprit ce projet en l'appliquant à la constitution d'une culture chrétienne. Pour les monastères du haut Moyen Âge comme pour les universités scolastiques, le monde est un ensemble achevé mais incomplètement découvert à l'homme. Il s'agit donc de répertorier le plus de signes possibles et de les interpréter pour permettre à celui qui s'efforce de les déchiffrer, l'homme, de mieux saisir son destin. C'est là l'objet de toutes les sommes théologiques, comme celui de tous les « miroirs » qui brossent un panorama de la Création et de l'Histoire. Et les signes les plus riches qui puissent solliciter l'imagination d'un commentateur médiéval, ce sont les mots, dont on cherche à percer le sens mystique. Dans les 20 livres de ses *Étymologies*, l'évêque Isidore de Séville propose, dès le début du VIIᵉ siècle, une démarche qui prévaudra jusqu'à la Renaissance : trouver la raison des choses dans l'origine des mots.

L'érudition humaniste s'inscrit dans le droit fil de ces préoccupations. La Renaissance, de Pétrarque à Juste Lipse, commencera et finira par des travaux de philologues. Mais derrière cette volonté tenace de « restituer les bonnes lettres » se profile un gigantesque appétit de connaissance. Ce n'est pas un hasard si le mot « encyclopédie » est employé pour la première fois par Rabelais, au vingtième chapitre de son *Pantagruel*. L'encyclopédie, c'est le programme d'études et de recherches d'un géant.

Diderot avait enfin devant lui les essais récents de vision d'ensemble de la culture, du *Dictionnaire historique et critique* (1697) de Pierre Bayle au *Spectacle de la nature* (1732-1750) de l'abbé Pluche, et les multiples monographies sur les arts et les métiers qui florissaient depuis le début du siècle.

L'*Encyclopédie* de Diderot introduit cependant une rupture décisive en ce qu'elle n'entreprend plus de chercher le sens caché du monde à travers une explication de mots, mais qu'elle veut donner un sens à ce monde en se procurant les moyens de le transformer par la maîtrise des techniques. L'attention de Diderot se porte non plus sur l'essence intime des choses enfermée dans un système de signes, mais sur la matière concrète des objets façonnée par le travail humain.

L'*Encyclopédie* de Diderot opère un double renversement par rapport à la description traditionnelle du spectacle du monde. Elle place, en effet, les merveilles de ce monde non dans les phénomènes naturels et une harmonie préétablie qu'on admire passivement, mais dans les productions du génie industrieux de l'homme : les prouesses des horlogers, des passementiers, des ingénieurs ; l'*Encyclopédie* réalise donc un changement de signe entre les arts libéraux et les arts mécaniques, entre l'esprit et la main : elle réhabilite le travail manuel.

Diderot prend même par rapport à l'activité scientifique une position originale : pour lui, si un objet est contemplé sous différents aspects, la collection des observations relatives à cet objet et les dispositions techniques qu'elles entraînent relèvent de la *science* ; mais, si l'objet s'exécute, l'ensemble des règles qui président à sa réalisation se définit comme un *art* : « l'histoire des arts, écrit-il, n'est que l'histoire de la nature employée ».

L'*Encyclopédie* a pour raison profonde l'abolition de ce péché contre l'esprit qu'est la dissociation de la matière et de la pensée. Elle montre que le travail crée une véritable unité organique entre la matière et l'âme, le corporel et le spirituel. Le geste qui change le monde est inséparable de l'entendement qui l'analyse. C'est la leçon qui court à travers l'œuvre de près d'un quart de siècle (1751-1772), qui fit vivre 1 000 ouvriers et enrichit quatre libraires : 17 volumes de texte, 11 de planches, 2 d'index, 5 de suppléments, 2 de table analytique ; 71 818 articles, 2 885 gravures ; 24 000 collections diffusées à travers l'Europe à la veille de 1789. ●

→ **Voir aussi :** Le siècle des Lumières Encyclopédie et Contrat social, **IDÉES**, p. 384-385.

La nouvelle littérature allemande

Le siècle des Lumières est pour la littérature allemande l'époque de la constitution d'une véritable littérature nationale qui atteint d'emblée les sommets : c'est le « temps des génies », celui de Schiller et de Goethe, qui, de 1730 à 1790, s'épanouit en trois phases.

D'abord, l'*Aufklärung*, les Lumières proprement dites, que Kant définira comme « l'effort de l'homme pour sortir de l'immaturité dont il est lui-même responsable » : c'est un courant rationaliste, illustré par Gottsched, qui prend ses modèles dans le théâtre classique français.

Ensuite, l'*Empfindsamkeit* met au premier plan la sensibilité. Ouvert au sentiment religieux du piétisme, ce courant subit l'influence des revues anglaises et des romans de Richardson et de Goldsmith. Ses mots d'ordre sont : expression de l'émotion intérieure, célébration de la vie familiale, souci de la moralité. Il s'incarne dans les odes de Klopstock.

Enfin, le *Sturm und Drang*, dont le nom, « Tempête et élan », témoigne de la volonté de rupture. Les mots clefs du mouvement sont vérité, individualité, nature. Les grandes œuvres du Sturm und Drang ont été données par Goethe *(Werther)*, Klinger et le jeune Schiller *(les Brigands, Intrigue et Amour)*.

Robinson et Gulliver

Le sauvage,
ou le paradis perdu

DE PLATON À ROUSSEAU, EN PASSANT PAR
MONTAIGNE, LE SAUVAGE EST CELUI QUI, DANS SON INNOCENCE
ABSOLUE, ÉCHAPPE AUX CONTRAINTES DE L'HISTOIRE.

À LA FIN DU XVIIIᵉ SIÈCLE, le bonheur apparaît comme « une idée neuve en Europe ». Celui qui fait ce constat, Saint-Just, « l'Archange de la Terreur », a poussé jusqu'à ses dernières conséquences les idées des Lumières : la satisfaction des besoins et des inclinations de l'homme est inscrite dans l'ordre naturel ; plus encore, chaque créature doit réaliser la fin qui lui est assignée dans l'ordre du monde : ainsi comprise, l'aspiration au bonheur est un devoir. L'homme n'est pas libre de ne pas vouloir être heureux. Le bonheur raisonné et planifié des révolutionnaires épris de démocratie sociale rejoint les utopies collectivistes des humanistes de la Renaissance. Comme elles, elles sont à contre-courant de l'Histoire.

La société idéale est en effet conçue, par les républicains réformateurs aussi bien que par la reine dans sa bergerie, comme une communauté de paysans vertueux dans une nature accueillante et féconde. Or, le XVIIIᵉ siècle européen est tout entier placé sous le signe de la ville en expansion. De la Londres industrieuse et conquérante des *Lettres philosophiques* de Voltaire aux concentrations de violence et d'injustice qui révoltent Candide, la cité moderne aspire et broie l'homme. Zadig corrige Babylone, mais le tremblement de terre détruit Lisbonne. La ville picaresque et inquiétante, la ville « vaste désert d'hommes » comme la définira Chateaubriand, devient un « personnage » littéraire.

D'où le désir de repartir de zéro, dans un lieu vierge – l'île déserte. Robinson Crusoé démontre que le courage et la maîtrise des techniques assurent la domination du monde et l'indépendance de l'être humain. Robinson, ou la foi dans l'homme.

Mais il ne peut y avoir une île pour chacun. La réalité de la vie est dans la relation et dans la dépendance. Les expériences multipliées des luttes absurdes et de l'intolérance faites par Gulliver détruisent les prétentions de l'humanité : au bout du compte lui resteront le désespoir et la solitude. Gulliver, ou la haine de l'homme.

L'Histoire jouera successivement ces deux actes. La Révolution datera une nouvelle ère, proclamera sa volonté de changer l'homme et la vie : elle s'achèvera dans le sang, le despotisme, le retour aux vieilles lunes, les désillusions du romantisme.

Le sage, comme Candide, trouvera son île dans son jardin. Celui que tenaillera la conviction de la vertu et de l'innocence rêvera, comme Rousseau, à un homme d'avant l'Histoire, le « bon sauvage », indifférent au temps orienté et accéléré du progrès.

Quant aux deux livres, celui de la vision rose (Robinson) et celui de la vision noire (Gulliver) de la vie, ils seront récupérés par ou plutôt pour la jeunesse : l'aventure pour l'aventure. Le bonheur est dans l'action. Il est aussi dans le récit qu'on en fait, dans l'écriture.

Au XVIIIᵉ siècle, la vision intemporelle que le classicisme avait de l'homme se défait : les récits de voyages qui se multiplient montrent la relativité des cultures ; les tensions et les blocages de la société font naître le désir de retrouver la vraie nature humaine par-delà les conventions et les déguisements sociaux, religieux et politiques.

Voyageurs, philosophes, écrivains ont d'abord cherché l'étrange dans l'étranger : c'est l'évasion dans le pittoresque. Mais bientôt la comparaison des mœurs conduit l'Européen à faire un retour sur lui-même. L'étrange, c'est le familier : pour le regard d'un Persan, dit Montesquieu, c'est le Français qui est exotique.

D'où la question fondamentale que pose Rousseau et qui fonde l'ethnologie moderne : « Que suis-je ? » remplace le « Que sais-je ? » de Montaigne. Et cette identité n'est-elle pas à découvrir dans l'homme des origines, avant que les sciences, les arts, la culture, ne l'aient altéré et diversifié ?

Dans son *Discours sur l'origine et les fondements de l'inégalité parmi les hommes*, Rousseau campe « l'homme de la nature », sans pudeur et sans préjugés, au plus près de l'animalité, connaissant un bonheur pur, celui du corps. Insouciant du lendemain, ayant pour seul désir la satisfaction de ses besoins immédiats – auxquels la nature pourvoit généreusement –, l'homme vit dans l'équilibre et le calme des passions. Il n'est ni bon ni méchant, puisqu'il ne sait ni le bien ni le mal. Il aime sa solitude sans être misanthrope.

La genèse de la société, à travers la division du travail puis l'institution des lois, entraînera les inégalités parmi les hommes : celle du riche et du pauvre, celle du maître et de l'esclave. De la nature à la société civile, l'histoire de l'homme est celle d'une chute.

Si l'homme peut encore faire fond sur sa bonté originelle et sa créativité, ce n'est pas pour retrouver la nature, mais *sa* nature. C'est dans cette perspective que Rousseau prescrit à son Émile la lecture de *Robinson Crusoé*. ●

3. Gulliver au pays de Lilliput.

Fable et contre-fable du monde moderne

Au beau milieu du siècle des Lumières coexistent deux visions opposées de l'avenir de l'homme. L'une, optimiste, s'incarne dans le Robinson de Defoe (1, 2, 4) : le monde peut être transformé et amélioré, il suffit de faire preuve de courage et de compétence. L'autre, pessimiste, est celle que traduit l'odyssée du Gulliver de Swift (3) : l'univers est aux mains d'un animal dégradé, l'homme, qui conçoit la liberté comme le droit de plier la nature et autrui à ses fantasmes et à ses ca-prices. Aussi l'image d'un âge d'or où l'être humain se comportait en « bon sauvage » ne cesse-t-elle de hanter les utopies du temps, la philosophie de Rousseau.

1. Robinson, entre le naufrage et la reconstruction de son univers.

2. Vendredi remercie Robinson de l'avoir délivré des cannibales.

Robinson,
ou le paradis reconquis

D'UN FAIT DIVERS QUI ENCHANTAIT UN PEUPLE DE
MARINS AVENTUREUX ET DE BOUTIQUIERS CONQUÉRANTS,
DEFOE A FAIT LE GRAND MYTHE DE LA SOLITUDE VIRILE.

Tout le monde connaissait, en 1719, l'odyssée d'Alexander Selkirk, marin querelleur débarqué en 1704 par son capitaine dans une île inhabitée de l'archipel Juan Fernández, où il devait survivre cinq ans avant de retrouver l'Angleterre. Or, à soixante ans, après une vie où il connut plus la misère et la prison que le succès, Daniel Defoe, en publiant *la Vie et les Étranges Aventures de Robinson Crusoé,* va faire rêver des millions d'hommes.

Faites vous-même votre monde. C'est que l'œuvre contient en elle non seulement les certitudes d'une époque de dynamisme économique et politique (la puissance de l'Angleterre, le bon droit colonisateur de l'homme blanc), mais aussi tous les désirs inassouvis de l'enfance et de la jeunesse.

Surtout, Robinson est un extraordinaire manuel de volonté et d'optimisme. Celui qui ne se laisse pas aller au découragement sur le rivage désolé, comme devant toute tâche à accomplir, celui-là appartient au petit nombre des élus à qui la Terre est promise. L'artisanat et les techniques chassent l'angoisse et la métaphysique. La théologie de la grâce se mue en culte du succès.

L'autre grande leçon de Robinson est que l'exploit n'existe vraiment que si l'on en garde la mémoire. Robinson commence par écrire son « livre de raison », par tenir son journal. L'île déserte, où vont s'imprimer les traces du découvreur, c'est aussi la page blanche devant l'écrivain.

La robinsonnade.
L'année même de sa publication, *Robinson Crusoé* paraît en édition abrégée. La littérature de colportage s'en empare. Puis les multiples collections de livres pour la jeunesse.

Le mythe de Robinson se confond avec celui de l'enfant abandonné qui lutte pour retrouver une famille. Roman de la rupture avec un monde imparfait, Robinson devient le roman du rejet de la filiation imposée par la nature et de la famille que l'on se forge soi-même. Mais le fond de la robinsonnade est la réconciliation avec la communauté filiale et la nature : c'est ce que dit, dès 1813, le fameux *Robinson suisse* de Wyss.

Marx a rendu célèbre le terme de robinsonnade en définissant toutes les utopies réductrices du XIXᵉ siècle, tous les rêves d'autarcie communautaire : « la révolution sur cinquante kilomètres carrés ». C'est que la robinsonnade s'oppose profondément à la révolution collective, qui se fie au jugement de l'Histoire. La foi de Robinson repose sur la confiance dans l'inventivité humaine, la plasticité de la nature, la vertu de la conscience individuelle. Avant de changer le monde, elle change l'homme. À chacun de bricoler un univers à sa mesure. •

Gulliver,
ou l'enfer de l'Histoire

AVEC GULLIVER, SWIFT A FAIT LA CONTRE-ÉPREUVE
DE ROBINSON, À SEULE FIN DE PROUVER QUE PAR SA DÉRAISON
L'HOMME TRAHIT SA NATURE ET SA MISSION.

Les plus grands esprits du siècle – Pope, Montesquieu, Voltaire, Marivaux – ont célébré la vivacité et l'ingéniosité qui président aux incroyables aventures de ce touriste moyen qu'est le brave chirurgien Gulliver, naufragé d'un navire marchand. Swift, en 1726, a en effet imposé à ses lecteurs des images immortelles : Gulliver enchaîné sur la plage de Lilliput par des nains de six pouces de haut ; Gulliver transformé en poupée par la jeune géante de Brobdingnag, dont les habitants ont la taille d'un « clocher ordinaire » ; Gulliver ahuri par les vêtements géométriques des savants ridicules de Laputa ; Gulliver fuyant les femelles Yahoos, humanoïdes dégradés, auprès des Houyhnhnms, chevaux doués de raison. Images poétiques aussi, comme celle des dames de la cour de Brobdingnag faisant de la brise avec leurs éventails pour propulser la barque de Gulliver, ou comme celle des habitants de Laputa, l'île volante, pêchant des oiseaux sur les bords de leur monde. Mais derrière l'esprit et la légèreté du conte philosophique se profile toute la pesanteur de l'univers réel.

De l'ironie à l'humour noir.
Seule la jubilation morose d'un luthérien convaincu de la folie humaine a pu nourrir cette allégorie monstrueuse d'une époque qui prétend marcher sous le double emblème de la lucidité et de la liberté. La vision va bien au-delà de l'évocation de l'Angleterre du XVIIIᵉ siècle, bien qu'on reconnaisse l'affrontement des whigs et des tories dans celui des « talons bas » et des « talons hauts » ou la querelle entre les Églises dans le différend qui oppose les « gros-boutistes » et les « petits-boutistes » sur la façon d'ouvrir les œufs.

L'œuvre de Swift est une entreprise de dérision des croyances, des idées et de l'activité humaine : les lois sont faites pour accabler et non pour protéger, l'économie est un système d'oppression, la science une source de confusion et d'erreur, à l'image du savant de Logado qui cherche à obtenir des rayons de soleil à partir de citrouilles. Au quatrième et dernier voyage de Gulliver, l'homme, le Yahoo, se révèle un fort méchant animal que son maître, le cheval, a bien du mérite à conquérir. De la satire plaisante des premières aventures aux détails scatologiques de la dernière partie du récit, Swift ne cesse de clamer sa haine de l'humanité. « Je déteste cet animal nommé Homme, écrivait-il à Pope, bien que j'aime de tout cœur Jean, Pierre, Thomas et les autres. » De Robinson à Gulliver, les naufrages se suivent mais ne se ressemblent pas. Celui qu'a peint Swift, de façon prémonitoire, est celui de la raison. •

4. Robinson,
aidé de Vendredi, cultive son jardin.

Le romantisme

La génération des illusions perdues

LE ROMANTISME EST UN courant littéraire et artistique européen qui se manifeste dès la fin du XVIIIe siècle en Angleterre et en Allemagne, puis au XIXe siècle en France, en Italie, en Espagne et dans les pays scandinaves. C'est, à l'origine, un mouvement proprement révolutionnaire qui prend au pied de la lettre les mots d'ordre philosophiques et politiques du siècle des Lumières : libre expression de la sensibilité, affirmation des droits de l'individu.

Le romantisme est d'abord révolutionnaire avec son temps : la première génération romantique anglaise célèbre la Révolution française ; il l'est ensuite contre son temps : la croisade française pour la liberté des peuples s'achève en conquête impériale et la bourgeoisie victorieuse proclame la fin de l'Histoire. Dans une période où dominent les nouvelles féodalités de l'industrie et de l'argent, le romantisme persiste à dire le tragique de la vie. En ce sens, romantisme et réalisme ne sont que les deux aspects indissolubles d'une même attitude à l'égard de l'existence : la conscience de l'intolérable réalité.

Le romantisme dépasse donc infiniment la simple opposition à l'esthétique du classicisme. On a trop souvent mis l'accent sur ses attitudes de fuite (dans le rêve, le passé, l'exotisme, le fantastique) sans voir ce à quoi il voulait échapper : moins au carcan des règles classiques qu'à la fausse liberté fondée sur la propriété bourgeoise ; moins à la raison des moralistes qu'au rationalisme positiviste ; moins aux chimères de la jeunesse qu'à la coalition des vieillards qui barrait la route à toute ambition neuve. Si le héros romantique cherche une retraite forestière ou un exil aventureux, ce n'est pas par goût, mais par frustration. La génération romantique est la génération des « illusions perdues », l'« école du désenchantement ». Son culte du moi naît plus d'une prise de conscience critique que d'un complaisant repli sur soi.

Avant d'être un art d'échapper au réel et de se perdre dans le « vague des passions », le romantisme a eu la salutaire folie de croire que la vie pouvait être changée. Il est resté, comme le définit Baudelaire, une nouvelle « manière de sentir » : il a enseigné le bon usage de la souffrance et du désespoir.

Les « styles » romantiques

L'ESPOIR DE TRANSFORMER LE MONDE EST UNE AMBITION COMMUNE À TOUTE LA GÉNÉRATION ROMANTIQUE, MAIS SUIVANT DES TRADITIONS CULTURELLES BIEN DIFFÉRENTES.

Contre le poids de la société, les exigences de la nation, la dictature de l'argent, le premier réflexe est de s'insurger. Mais, devant la résistance du réel, l'échec de l'assaut frontal, on décide souvent de transporter la lutte sur un autre terrain : s'arracher au cycle de la puissance, parier sur les ressources intérieures, exploiter l'espace du dedans. Moins libérer le monde que se libérer au monde. *Se romantiser* : c'est le *style anglais*, les visions cosmiques de Blake, la solitude hautaine de Byron. Toutes les insurrections spirituelles sont bonnes pour forger la conscience nouvelle du destin humain dans une âme dilatée par les expériences visionnaires, parfois aidées par la drogue. Le romantisme anglais fait ainsi de la plus spontanée des créations, le rêve, une extase douloureuse. Contre les utopies volontaristes du bonheur, le romantisme anglais prime la sagesse passive, la réceptivité créatrice.

D'autres fondent leur espérance sur la prise de possession du monde (par la science) et sur son interprétation (par la philosophie), capables d'animer non seulement l'art, mais toute la vie matérielle et sociale : rêve d'un savoir et d'une réconciliation universels. *Romantiser le monde* : c'est le *style allemand*, du moins celui du « premier romantisme », dit d'Iéna, qui rassemble autour des frères Schlegel des philosophes comme Schleiermacher et Schelling et des écrivains comme Tieck et Novalis, marqués par la *Doctrine de la science* de Fichte. Le romantisme allemand ne s'est jamais défini en termes de mouvement ou d'école. Il a préféré les concepts de groupe ou de famille d'esprit. La richesse du romantisme allemand vient de ce qu'il n'est pas seulement un courant littéraire, mais avant tout un mode de vie, une conception globale du monde, à la limite une religion.

Enfin, il est une saisie plus pratique et immédiate de la situation. On met « un bonnet rouge au vieux dictionnaire », faute de le placer ailleurs et notamment sur la tête des gérontocrates (émigrés restaurés ou conventionnels défenseurs du classicisme) qui ont repris les affaires en main. *On romantise l'expression du monde* : c'est le *style français*, qu'illustrent, dans des tonalités diverses, Chateaubriand, Lamartine, Hugo. Le romantisme français est un mouvement d'emprunt : à commencer par le mot même de « romantique ». La sensibilité française, longtemps à l'avant-garde, est désormais en retard sur l'Europe. C'est à l'Allemagne et à l'Angleterre que la génération des jeunes Hugo, Vigny et Deschamps est redevable de son émoi bucolique devant des lieux privilégiés, de son attention aux traditions populaires, de son besoin d'ancrage historique. Mais tous ces désirs vagues et ces curiosités pittoresques aboutiront à un beau livre. •

Le « mal du siècle »

LE ROMANTISME A ÉTÉ LA JEUNESSE DU MONDE MODERNE, POLITIQUE ET ESTHÉTIQUE. LE ROMANTISME A ÉTÉ AUSSI LA VIEILLESSE D'UNE GÉNÉRATION TRAHIE PAR L'HISTOIRE, TROMPÉE PAR SES PASSIONS.

La trajectoire du romantisme va de l'enthousiasme à l'ennui. À la fin du XVIIIe siècle, le vieux monde éclate de toutes parts : dans la société civile qui se brise, les corps et les états, lieux traditionnels de l'expression publique des individus, se délitent ; on est à la recherche d'un nouveau « contrat social ». Philosophes, écrivains, « intellectuels » deviennent les relais de la nouvelle communication sociale. On célèbre la raison, la liberté, le droit, la recherche d'une communauté nouvelle. Dans le même temps, les conventions littéraires et plastiques, qui avaient présidé à un art de cour et à une société immuablement hiérarchisée, s'effondrent : la mesure, le naturel, la clarté, la maxime et le vers bien frappés cèdent la place au sentiment, aux états d'âme diffus, aux scènes nocturnes et morbides, à la plainte passionnée. Alors qu'Encyclopédistes et idéologues font appel aux Lumières, la littérature s'enfonce dans les ténèbres, la nuit des cimetières, la délectation des ruines.

Cette évolution croisée explique sans doute le formidable malentendu qui est à la base de l'échec de la recomposition sociale. Le romantisme est le fruit, et la victime, d'une triple ambiguïté : le contrat social, fondé sur le droit et la volonté de la masse (le peuple), a été élaboré par l'inventeur du moi, Rousseau ; l'aventure révolutionnaire (les droits de l'homme, pour tous les hommes) débouche sur la trajectoire d'un individu d'exception (Napoléon) qui fonde non une nouvelle idée du bonheur, mais un nouveau mythe ; l'avènement de la société industrielle et capitaliste en Angleterre n'assure pas la domination de la nature pour favoriser la libération de l'homme : il déstabilise l'une et l'autre et s'incarne dans la figure du paria.

Dans les marges de la société « révolutionnée » se développe une jeunesse décentrée, déboussolée, qui prend ses rêves au sérieux. Une jeunesse qui a lu avant d'avoir éprouvé, qui parle et tranche des mystères de la vie avant d'avoir vécu.

Confrontée à l'intolérable – l'« usure » comme loi de la vie, la « morale des intérêts » comme guide de la société –, cette jeunesse va adopter deux attitudes contraires : le retrait ou la fusion. La première attitude nourrit la *révolte*, qui s'incarne dans les grandes figures mythiques de Caïn (Byron, Hugo) et de Prométhée (Michelet, Shelley). La seconde attitude inspire la *passion de la totalité* (de la sensation, de la connaissance), qui suscite le recours aux grands modèles dont l'art a fait le tour de la destinée humaine (Dante, Shakespeare) ; elle exacerbe aussi le *désir de communion* avec le monde (matière et esprit) : c'est la quête inassouvie de Faust ; ou avec les hommes : c'est l'angoisse perpétuellement renouvelée de Don Juan.

L'expression littéraire de ces grandes obsessions romantiques, de ce « vague des passions », est théorisée dans deux œuvres affrontées et complémentaires : *De la littérature* (1800), de Mme de Staël ; le *Génie du christianisme* (1802), de Chateaubriand. La littérature désormais ne se fonde plus sur des choix rhétoriques, sur un ensemble de règles issues des poètes et orateurs antiques que l'œuvre ne fait qu'illustrer ; elle a pour critères et garants les sentiments que font naître les chefs-d'œuvre des écrivains modernes. Et ces œuvres s'articulent autour d'un nouveau faisceau de thèmes et de modèles : le sublime a détrôné la raison, le génie a disqualifié le goût, le respect des bien-séances classiques a été balayé par la libre expression du moi. On cherche des leçons non plus dans la clarté superficielle et raisonneuse des littératures du Midi, mais dans les exaltations sombres et passionnées des littératures du Nord, dont Ossian est l'ancêtre prophétique. Que le romantisme se soit reconnu dans ce barde gaélique, qui n'était qu'une supercherie née de la nostalgie d'un petit maître d'école écossais, n'est sans doute pas un hasard. Les romantiques ont été floués : ils ont commencé par se proclamer « enfants du siècle » (comme le firent Victor Cousin et Balzac), et ils ont fini par avouer le « mal du siècle », la mélancolie inexpiable, l'automne, le deuil de l'âme et de la nature. C'est ce qui donne sa coloration unique à toute une génération, bien qu'on ait cru pouvoir distinguer des moments successifs dans la manifestation du malaise, aristocratique d'abord (au moment des catastrophes révolutionnaires), bourgeois ensuite (avec la marginalisation sociale). •

1. *Le Grand Dragon aux ailes rouges,* de William Blake.

Les stratégies romantiques

L'ÉVANOUISSEMENT DES AMBITIONS
SPIRITUELLES QUI AVAIENT NOURRI LE PREMIER
ÉLAN ROMANTIQUE A SUSCITÉ DES RÉACTIONS DIVERSES
SUIVANT LES TEMPÉRAMENTS.

Lassés du monde, désireux d'échapper aux contraintes sociales, les romantiques s'embarquent pour le pays de la Différence. Ne pouvant changer la vie, on change d'air, on *voyage* au long de périples touristiques en Amérique ou en Orient (Chateaubriand, Lamartine, Nerval), qui se prolongent parfois en exil (Byron). Le romantique est souvent un émigré, à tous les sens (politique, social et esthétique) du terme, comme le jeune Chateaubriand dans sa mansarde de Londres. Pour assouvir ses désirs vertigineux, il faut au romantique des espaces immenses : l'exaltation vague devant le désert, l'océan, ou devant les forêts du Nouveau Monde a remplacé l'analyse psychologique dans le jardin à la française.

On peut aussi changer d'époque. Si le paysage est un état d'âme, l'*histoire* est un paradis perdu. Le romantique cherche au fond des âges une authenticité primitive : les poètes écrivent des histoires, littéralement (Schiller, Lamartine) ou symboliquement (*la Légende des siècles,* de Hugo). Le « style troubadour » met à la mode les formes gothiques et un Moyen Âge romanesque.

Les romantiques ont aussi tenté de prendre le pouvoir littéraire. Ils se sont organisés en groupes à Iéna, à Heidelberg, à Paris ; ils se sont rassemblés en salons (comme celui de Nodier à l'Arsenal), en cénacles (comme celui qui entoure Hugo). Ils ont eu leurs revues et leurs journaux pour défendre leurs théories (l'*Athenäum* des frères Schlegel, la *Muse française* de E. Deschamps), leurs militants pour soutenir leurs manifestations dramatiques : les « Jeune-France » ont monté la première représentation d'*Hernani* comme une opération de commando.

La « dérive » est cependant inscrite dans le programme (génétiquement parlant) du romantisme. Des ambitions trop vastes et trop vagues ou des obsessions trop précises distendent la vie aux dimensions du rêve (De Quincey : *les Confessions d'un Anglais mangeur d'opium*) ou font « s'épancher le rêve dans la vie réelle » (Nerval : *Aurélia*). Marginalisé, le romantique sera, en retour, fasciné par tout ce qui a franchi les limites : de l'inceste (Byron) au fantastique (Hoffmann).

La nostalgie de la communauté manquée (des hommes entre eux, de l'écrivain et de son public) se fixe, en fin de compte, dans deux figures. Celle de l'incompris, du poète martyr refusé par le monde moderne : c'est le désespoir de Chatterton. Celle de celui qui a tout compris, dont le désenchantement a conduit à la prise de conscience des limites (du monde, de soi) dans la saisie du « moi parodique » : c'est l'ironie de Jean-Paul. Le romantisme s'achève et s'abîme dans la volupté de l'échec.   •

Héritage et destinée du romantisme

LE ROMANTISME S'ÉTAIT DÉFINI AVEC BAUDELAIRE
COMME « L'EXPRESSION LA PLUS ACTUELLE DU BEAU ».
IL NE DÉSIGNE PLUS QU'UN DÉCOR PASSÉISTE.

Le romantisme, ce fut tout simplement, de Mme de Staël à Stendhal, l'art moderne, l'art vrai, vivant, vigoureux. Aujourd'hui, le romantisme n'est plus qu'« un de ces détestables mots qui ont plus de valeur que de sens » (Valéry), un mot galvaudé qui éveille des tendresses fades et des idées mélancoliques. Plus scolairement, le romantisme se situe comme le second pôle d'opposition au classicisme (l'autre pôle étant le baroque).

Peut-on tirer de cet affrontement une vérité du romantisme ? Le drame du héros tragique classique est donné en spectacle afin de « purger les passions », c'est-à-dire de réconcilier la société avec elle-même. Le destin problématique du héros romantique a finalement été donné à lire, dans la pratique individuelle et solitaire de la lecture, pour apporter une compensation à un monde décevant.

Le classicisme était un code social et moral, une façon de vouloir le monde. Le romantisme est une sensibilité, diffusée et pratiquée comme une mode, une manière de supporter la vie.

La maladie existentielle qu'est le romantisme ne peut être saisie et comprise que par un écrivain qui fait porter son analyse non seulement sur ses héros, mais sur sa propre conscience : ce qui explique que la vérité du romantisme soit dans le roman.   •

→ **Voir aussi :** La peinture romantique, ARTS, p. 276-277.

2. *L'Abbaye dans un bois,* de Caspar David Friedrich.   3. *Byron,* par Géricault.

De l'onirisme au satanisme

La sensibilité romantique est volontiers excitée par les clairs de lune et les atmosphères fantastiques (1, 2). Mais peintres et poètes voient dans ces décors inquiétants repris par le mélodrame autre chose qu'une spectaculaire toile de fond à l'épanchement de leur moi. Ils y lisent une transcendance de la réalité et de la matière, qui fait de la nature le hiéroglyphe d'une révélation divine. À ces hantises et à ces visions, lord Byron (3) a donné, à travers les modèles conjoints de sa vie et de ses héros rebelles, le sombre éclat de la révolte du Titan ou du premier des anges qui ose se mesurer à Dieu.

Le romantisme
L'éveilleur des consciences nationales

1. *La Ballade de Lénore,* par H. Vernet, 1839.

LE CLASSICISME ASPIRAIT à l'universel, le romantisme recherche l'authenticité. Le classicisme analysait une nature humaine modélisée par les Anciens pour aboutir à une sorte de « moyenne psychologique » qui définit un homme social en relation avec autrui suivant un système de conventions ; le romantisme exprime un moi unique qui cherche la communion immédiate avec la nature, l'être, une conscience qui le dépasse mais qui l'accueille.

Les trente premières années du XIXᵉ siècle ont vu ainsi un double mouvement de conquête de l'identité : personnelle (c'est le lyrisme et le romanesque romantiques), nationale (les droits de l'individu se fondent sur la reconnaissance de ses racines historiques, linguistiques, littéraires).

A travers la figure du peuple, le romantisme favorise la renaissance de la littérature ancienne, la résurgence des formes populaires, mais conduit aussi à la prise en compte d'espaces spécifiques : les maigres bois de pins de la Prusse n'inspirent pas la même poésie que la forêt amazonienne.

Dans le grand élan romantique, et souvent en liaison avec des actions politiques de réveil national ou de conquête de l'indépendance, des littératures vont se ressourcer (c'est le cas de l'Allemagne, de l'Italie, de la Scandinavie), se redéfinir (les littératures latino-américaines), ou même se créer (la littérature russe moderne sort tout armée de l'œuvre de Pouchkine).

Ainsi, le romantisme, qui s'oppose à la tradition, incarnée par les genres et les règles classiques, s'inscrit en revanche volontairement dans l'histoire.

L'Allemagne des frères Grimm

LE ROMANTISME ALLEMAND
A LIBÉRÉ LA GRANDE VOIX ANONYME
DE TOUT UN PEUPLE.

La première vague du romantisme allemand tendait à l'universalité. Le grand choc de la Révolution française donnait le signal d'un immense brassage d'idées, de l'extériorisation de sympathies secrètes entre les hommes et les cultures.

Mais, dans l'Allemagne tenue en tutelle par Napoléon, occupée par les armées françaises qui ont écrasé la Prusse, les membres du second groupe romantique, réuni à Heidelberg, cherchent des raisons d'espérer dans la résurrection des sources de l'esprit national. L'Allemagne, morcelée et asservie, ne trouve plus son identité dans la structure politique du Saint Empire aboli, mais dans une vaste communauté de langue et de culture qui plonge ses racines tout à la fois dans le passé et dans le peuple.

A eux seuls, les frères Grimm, Jacob et Wilhelm, incarnent toutes les facettes du mouvement : ils ont publié la première grammaire complète de l'allemand, ils ont entrepris un dictionnaire historique de la langue allemande (qui ne sera achevé qu'en 1961),

ils ont réuni le trésor de l'âme populaire dans leurs *Contes d'enfants et du foyer* (1812-1815) et leur recueil des *Légendes allemandes* (1816-1818).

À leurs côtés, Joseph von Görres fait revivre dans ses *Livres populaires allemands* (1807) les grands moments de l'histoire médiévale, tandis que les chants populaires qu'Achim von Arnim et Clemens Brentano rassemblent dans le *Cor merveilleux de l'enfant* (1805-1808) exaltent les légendes des pays du Rhin.

Ce romantisme a laissé aux historiens la notion de *Volksgeist* : « âme du peuple » ou « génie national ». Chaque nation s'exprime conformément à son génie propre et la seule littérature authentique est celle qui naît de la « voix vivante du peuple », selon l'expression de Herder. Cette voix est une parole anonyme qui transmet, de génération en génération, les formes et les thèmes originels. Cette littérature est à la fois un produit spécifique de l'âme germanique et un témoignage sur l'enfance de l'humanité.
•

L'Italie du Risorgimento

LE ROMANTISME EST UN FERMENT
DE RUPTURE. EN ITALIE, IL EST UN ÉLÉMENT
DE CONTINUITÉ.

Produit d'importation, le romantisme s'adapte à la réalité politique et culturelle de la péninsule : dans un pays privé de liberté, il s'allie au patriotisme ; sur une terre de tradition classique, il saisit la nature profonde des êtres et des événements en faisant appel à la raison.

Le romantisme prend naissance dans le groupe des libéraux milanais rassemblés autour de la revue *le Conciliateur,* dirigée par Silvio Pellico. Il admire les écrivains classiques tout en rejetant les normes fondées sur l'autorité ; il condamne les abus de l'imagination ainsi que la propension à la mélancolie et se propose une tâche concrète dans l'édification d'un monde social et politique nouveau.

Le romantisme et le réveil national, le Risorgimento, sont liés dès l'origine, c'est-à-dire dès les *Dernières Lettres de Jacopo Ortis* (1798-1802) de Foscolo, dont le héros est accablé à la fois par une passion malheureuse et par la servitude de son pays. Poètes et romanciers considèrent qu'il est de leur devoir d'éduquer le peuple et de lui inculquer l'amour de la patrie : toutes les œuvres du temps

se font l'écho des conspirations, des exécutions, des exils qui jalonnent la longue lutte contre la domination étrangère.

Explicites dans le récit autobiographique de Silvio Pellico (*Mes prisons,* 1832), les malheurs et les espérances de la génération romantique s'incarnent dans les romans historiques, dont le chef-d'œuvre *les Fiancés* (1825-1842), d'Alessandro Manzoni, cherche également à résoudre le problème capital de l'identité linguistique à travers une fusion, sans cesse reprise, de la langue littéraire classique et du toscan parlé (*Sur la langue italienne,* 1845 ; *Lettre au marquis de Casanova,* 1871).

C'est avec Leopardi que le romantisme patriotique des débuts, se fondant sur l'exaltation de la grandeur des héros classiques mais aussi sur le matérialisme des philosophes antiques, aboutit à une double critique de la situation politique et de l'idéalisme romantique : une vision pessimiste de l'histoire et une méditation douloureuse sur la destinée humaine (*Amour et mort,* 1832 ; *Aspasie,* 1834) retrouvent le registre de l'universel dans une tonalité désespérée.
•

2. *La Saga de Frithiof.*
Illustration de A. Malström.

Les poètes romantiques, en proie aux angoisses vagues et aux désirs insatisfaits, ont réveillé dans l'esprit des peuples des figures historiques ou fantastiques, racines à la fois de la conscience nationale et de l'inconscient personnel. Ainsi, María (3), la fragile héroïne de Jorge Isaacs, incarne la plus belle histoire d'amour du romantisme latino-américain, tandis que Frithiof (2) voit revivre les guerriers farouches des sagas scandinaves. Quant au romantisme allemand, il laisse avec complaisance, comme en témoigne *la Ballade de Lénore* (1), échapper ses monstres.

3. María, l'héroïne du roman de J. Isaacs.

L'Amérique latine : indianisme et costumbrisme

LE ROMANTISME LATINO-AMÉRICAIN
EXPRIME LE DOUBLE DÉSIR D'INDÉPENDANCE
POLITIQUE ET LITTÉRAIRE.

Le romantisme qui s'épanouit pendant un demi-siècle, de 1830 à 1880, dans les jeunes républiques de l'Amérique latine répond à la volonté des nouvelles générations de faire coïncider l'autonomie culturelle et l'indépendance politique.

Ce romantisme s'affirme donc comme une double réaction à la littérature néoclassique et aux modèles européens. Il puise sa force et ses thèmes dans une évocation idéalisée de l'Indien, dans l'exaltation de la nature américaine (grandes plaines, fleuves interminables, forêt amazonienne, montagnes andines), dans une peinture pittoresque des mœurs (le *costumbrismo*), qui passera progressivement d'une description amusée des coutumes régionalistes à la satire féroce de l'ensemble de la société du temps.

L'aspiration à la liberté et à l'harmonie que traduisent les jeunes littératures américaines est d'autant plus passionnée que la domination espagnole n'a disparu que pour faire place aux tyrannies des despotes locaux, les caudillos. C'est d'ailleurs la dictature de l'Argentin Juan Manuel de Rosas qui favorisa, par ses persécutions d'écrivains, la diffusion de la littérature nouvelle dans l'ensemble des pays hispano-américains. Le groupe des « Proscrits » a donné au romantisme ses premiers chefs-d'œuvre : *La cautiva* (1837), hymne à la pampa d'Esteban Echeverría ; *Facundo* (1845), de Domingo Faustino Sarmiento, première célébration de Buenos Aires et définition exhaustive de la psychologie nationale ; *Amalia*, (1851-1855) de José Marmol, prototype des « romans de la dictature ».

Le romantisme s'assagira dans la peinture des réalités quotidiennes, des scènes de mœurs, plus idylliques avec *Clemencia* (1869), du pur Indien mexicain Ignacio Manuel Altamirano, et *María* (1867), du Colombien Jorge Isaacs, plus esthètes avec les *Traditions péruviennes* (1872), de Ricardo Palma, plus humoristiques avec les tableautins signés « Jotabeche », écrits par le Chilien José Joaquín Vallejo. •

La Russie de Pouchkine et de Lermontov

LE ROMANTISME A RÉVÉLÉ
LA LITTÉRATURE RUSSE À ELLE-MÊME :
LA RÉVOLTE DE SES POÈTES PLONGE SES RACINES
AU PLUS PROFOND DE L'ÂME
SLAVE ET POPULAIRE.

La littérature russe moderne a débuté par deux écrivains de génie. Tous deux furent tués en duel, tous deux eurent la passion des héros. Mais l'un, Pouchkine, unit toutes les influences, tous les courants et tous les thèmes dans une œuvre qui est une merveille d'équilibre ; l'autre, Lermontov, « Byron à l'âme russe », fera de ses poèmes et de ses nouvelles autant de cris de révolte.

Pouchkine est à la source des deux inspirations majeures de la littérature russe : le roman en vers *Eugène Onéguine* (1825-1833) inaugure le réalisme poétique qui imprégnera Gontcharov, Tourgueniev et Tolstoï ; le *Cavalier de bronze* (1833) et *la Dame de pique* (1834) révèlent une tentation fantastique, qui sera celle de Gogol, Dostoïevski et Remizov.

Pouchkine est romantique par son expression du tragique de la vie ; il est classique par sa sérénité d'artiste, par la sublimation qu'il fait de la souffrance et de la colère dans le culte de la beauté, par la force et la simplicité d'une langue qui traduit avec les mots de tous les jours les sentiments les plus complexes. Poète européen, « panhumain » comme le définit Dostoïevski, Pouchkine appartient bien au courant romantique par une intuition qui se nourrit des traditions populaires les plus profondément russes.

Lermontov, lui, comme Petchorine, le personnage central de son roman *Un héros de notre temps* (1839-1840), est un « homme de trop », que la mort de Pouchkine révélera à lui-même (*la Mort du poète,* 1837). Il ne pourra se faire comprendre des autres sous le masque tapageur d'une célébrité passagère, ira de scandales en exils et cultivera l'insolence jusqu'à la mort. Toute son œuvre inaboutie (*le Boyard Orcha,* 1835 ; *le Novice, le Démon,* 1841) campe la silhouette d'un être solitaire, désespéré mais qui garde au fond du cœur la nostalgie de l'idéal et le goût de la liberté. •

La Scandinavie : langues nouvelles, mythologies anciennes

LES PAYS SCANDINAVES ONT TROUVÉ
DANS LE GOÛT ROMANTIQUE POUR LEUR PASSÉ COMMUN
UN FERMENT DE DIFFÉRENCIATION.

C'est dans les pays nordiques que le rôle de catalyseur de la conscience nationale joué par le romantisme a été le plus marqué. Il a contribué à la définition réciproque des lettres danoises, suédoises, norvégiennes, islandaises, finnoises et animé le courant de recherches et d'études du passé historique et littéraire de la Scandinavie.

En 1802, un Norvégien, Henrik Steffens, qui s'était établi à Berlin, vient prononcer à Copenhague une série de conférences sur la philosophie allemande. L'un de ses auditeurs, le jeune Adam Oehlenschläger, lui demande au cours d'un entretien de seize heures des précisions sur Fichte, Schelling, Schlegel, Goethe. Quelque temps après, il lui apporte la preuve qu'on peut être danois et écrire des poèmes romantiques : *les Cornes d'or* (1803) s'inspirent des vieux thèmes scandinaves et redécouvrent l'amour et la nature. Le lyrisme nouveau et les traditions nationales nourrissent le prophétisme évangélique du pasteur Nikolai Grundtvig, promoteur d'un christianisme communautaire qui veut retrouver l'esprit de l'Église primitive.

Le romantisme danois se teintera très vite d'ironie, avec les vaudevilles de Johan Ludvig Heiberg, les poèmes d'amour et l'épopée populaire de Christian Winther, ou d'une sensualité plus trouble avec les vers érotiques d'Emil Aarestrup. Mais son angoisse profonde sur le sens de l'existence persiste, dans des tonalités différentes, à travers la philosophie de Kierkegaard (*le Concept de l'angoisse,* 1844), les romans en vers de Paludan-Müller (*Adam Homo,* 1841-1848) et la poésie qu'Andersen donne au quotidien (*Contes,* 1835-1872).

Le romantisme suédois est foncièrement conservateur. Erik Gustaf Geijer anime la « Société gothique », qui remet à l'honneur la rude conception de la vie des Vikings, tandis qu'Esaias Tegnér s'inspire des vieux poèmes islandais dans sa *Saga de Frithiof* (1825) et que l'érudit Afzelius édite les *Chants populaires suédois des anciens temps* (1814-1816). Per Daniel Atterbom prend modèle sur Schelling dans sa revue *Phosphoros* et ses longs poèmes mystiques (*l'Oiseau bleu,* 1814 ; *l'Île de Félicité,* 1824-1827). La figure la plus conventionnellement romantique reste celle du poète Stagnelius, fils d'évêque qui traîne entre l'opium et l'alcool une vie misérable, qui s'achèvera à trente ans par la tuberculose, et dont les poèmes (*les Lys de Saron,* 1821-1822) et les drames poursuivent une quête gnostique sur le thème platonicien de la libération de l'âme prisonnière de la matière.

La Norvège, qui obtient sa propre Constitution en 1814, trouve dans l'enthousiasme romantique le moyen de se donner une vie culturelle propre. Deux grands poètes, d'idées diamétralement opposées, marquent cette renaissance : Henrik Wergeland, qui professe un « norvégianisme » outré (*la Création, l'Homme et le Messie,* 1830), Johan Sebastian Welhaven, qui s'efforce de préserver un certain idéal de mesure et d'universalité (*l'Aube de la Norvège,* 1834). Cependant, l'intérêt pour les traditions ancestrales conduit Jørgen Moe et Peter Christen Asbjørnsen à parcourir les fjords et les vallées pour recueillir les *Contes populaires norvégiens* (1841-1852) : ils remettent à la mode les trolls et la figure du paysan rusé et hâbleur, Peer Gynt. Quant au philologue Ivar Aasen, il entreprend de bâtir, à partir des textes anciens et des parlers dialectaux (*Grammaire de la langue populaire norvégienne,* 1848-1864 ; *Dictionnaire,* 1850-1873), une langue norvégienne authentique, le *landsmål* (« langue du pays »), par opposition au *riksmål* (« langue de l'État »), le norvégien courant, contaminé par le danois. Ce « néo-norvégien » a été reconnu officiellement en 1885.

La Finlande, dont le tsar a fait un grand-duché autonome en 1809, entreprend de rompre avec le rationalisme et le classicisme suédois. Le doyen de l'université de Turku milite pour l'emploi du finnois comme langue nationale (cette campagne n'aboutira qu'en 1863), des revues littéraires comme *Otava* éveillent l'intérêt pour les poésies populaires, les *runot*. C'est Elias Lönnrot qui donne à la Finlande sa grande épopée nationale et romantique : les 22 795 vers du *Kalevala* célèbrent la rivalité des tribus Kalevala et Pohjola pour la possession du *sampo*, objet magique qui doit assurer le bonheur des peuples mais qui provoque toutes les guerres ; ils ont été recueillis, de 1828 à 1834, en Carélie, de la bouche de bardes itinérants. Cette épopée présente l'originalité, au-delà des épisodes épiques et surnaturels traditionnels, de glorifier les vertus familiales et la magie créatrice du verbe. •

Goethe

🕊
Le roman de formation

DANS LE DOMAINE DE LA CONQUÊTE
DE SOI, GOETHE A CRÉÉ UN NOUVEAU TYPE DE ROMAN :
CELUI DU BON USAGE DE L'ÉPREUVE.

GOETHE A NOTÉ AU DÉBUT de son autobiographie qu'il était né sous une bonne étoile, dans le plein été de l'année 1749 : ce sera un trait fondamental de son tempérament et de son œuvre que cet accord avec la nature et l'amour de l'ordre qui en découle.

Goethe a très tôt des passions sérieuses : la Bible, qui lui fournit les thèmes de ses premiers vers ; *la Messiade*, l'épopée piétiste de Klopstock. Mais il accepte d'entrer dans le monde réel : il étudiera le droit à Leipzig et non l'hébreu à Göttingen.

Goethe témoigne aussi précocement de talents divers : il hésitera longtemps entre la plume et le pinceau, entre la littérature et le dessin. Il en gardera le goût de la description et l'horreur du vague, qui le détournera du romantisme.

Cette formation marquera toute sa vie : il sera l'homme à tout faire du duc de Weimar, s'occupant des mines, des ponts et chaussées, des finances, du théâtre, et restera un esprit curieux de tout. Il se frottera à la géologie, à la botanique, à la biologie ; il prouve l'existence de l'os intermaxillaire chez l'homme, critique l'analyse newtonienne et le rôle des mathématiques, invente le mot « morphologie », élabore une théorie de la perception des couleurs. Mais Goethe situe toujours ses études et son action dans la perspective d'un devenir patient, et non pas dans celle d'une révolution.

Ses passions de jeunesse – pour une religion qui passe par la sensibilité, pour l'architecture gothique – l'ancrent cependant dans le génie national et la vision du monde du « Sturm und Drang » : *Werther* prouvera à Frédéric II qu'il y a une littérature allemande.

Goethe incarne ainsi une époque, une génération, un peuple. Mais il n'aura de cesse d'atteindre au temps long de l'histoire et de l'humanité, d'abandonner les engouements passagers pour le culte de la beauté éternelle : il ne s'engagera pas dans la croisade antinapoléonienne et antifrançaise.

La philosophie « démonique » de sa jeunesse fera place à un idéal classique d'harmonie et de compréhension, à une marche continue vers la lumière doublée par la tension permanente du côté nocturne de la vie, l'insatisfaction de Faust. *Poésie et Vérité* : c'est son autobiographie.

Dès 1775, Goethe avait esquissé l'histoire d'un jeune bourgeois, attiré par le théâtre et par Shakespeare, qui avait l'ambition de participer à la définition et à l'illustration d'une dramaturgie nationale dont les sujets et la forme auraient été spécifiquement allemands.

Il ne mènera à bien ce projet que vingt ans plus tard : en 1796, *les Années d'apprentissage de Wilhelm Meister* montrent bien un jeune homme se mêlant à une troupe de comédiens, mais l'accent s'est déplacé de la vocation théâtrale à la recherche de la place que l'on peut et que l'on doit occuper dans l'univers social si l'on veut n'être ni le jouet des événements ni l'esclave de sa tâche. Wilhelm reçoit la réponse à ses interrogations : à la fin du roman, il découvre le château des Sages, qui lui proposent des maximes de conduite auxquelles il se conformera et qui lui offrent l'épouse avec laquelle il vivra en parfaite harmonie.

Un quart de siècle plus tard, *les Années de voyage de Wilhelm Meister* (qui ne seront publiées dans leur version définitive qu'après la mort de Goethe, en 1837) sont surtout le prétexte à l'exposé de théories pédagogiques : Wilhelm entreprend l'éducation de son fils Félix. Entre le spectacle de l'activité de l'artisan et les premières manifestations du machinisme, Wilhelm cherche une voie à l'aide des théories de Rousseau et de Pestalozzi. L'individu doit comprendre qu'il ne se réalise que dans la collectivité ; le destin communautaire passe par l'acceptation de la souffrance et du sacrifice. Le modèle ici n'est plus le théâtre ; la passion n'est plus un jeu, c'est celle du Christ.

Le roman de formation ne met pas en scène un homme fait, qui se confronte soit à un univers figé, soit à un monde en mutation et qui dans l'un et l'autre cas ne peut trouver son lieu. Le roman de formation a une vision positive de la vie : l'évolution est bonne pour l'individu comme pour la société ; la vie est un champ d'expérience, où le héros et le monde se modèlent réciproquement.

Goethe a établi les phases de cette double métamorphose : émergence d'une vocation chez un adolescent désireux de développer ses possibilités ; rupture avec son existence antérieure, qui se traduit par un conflit de générations et l'incompréhension familiale ; voyage initiatique qui fait découvrir à la fois un maître spirituel et la femme idéale ; retour au lieu de départ et établissement d'un bilan qui révèle l'enrichissement intérieur. Cet itinéraire, qui est aussi celui de la conquête de soi dans *la Phénoménologie de l'esprit* de Hegel, sera celui d'un courant permanent de la littérature de langue allemande, de Novalis (*Henri d'Ofterdingen*, 1802) à Gottfried Keller (*Henri le Vert*, 1854-1855) et à Hermann Hesse (*le Jeu des perles de verre*, 1943). ●

Œuvres clefs

Œuvres poétiques
Annette (1767) ;
Nouveaux Lieder (1769) ;
Élégies romaines (1788-1790), éd. 1795 ;
Divan oriental-occidental (1819) ;
Trilogie de la passion (1823), éd. 1827.

Œuvres dramatiques
Les Complices (1769), nouv. version représentée en 1776 ;
Prométhée (1773) ;
Götz de Berlichingen, Clavigo (1774) ;
Iphigénie (1779) ;
Egmont (composé entre 1775 et 1787), éd. 1788.
Torquato Tasso (1789), représenté en 1807 ;
La Fille naturelle (1803) ;
Faust (1775-1808 ; 1826-1832).

Romans et récits :
Les Souffrances du jeune Werther (1774) ;
Les Années d'apprentissage de Wilhelm Meister (1796) ;
Hermann et Dorothée (1797) ;
Les Affinités électives (1809) ;
Voyage en Italie (1816-1817) ;
Les Années de voyage de Wilhelm Meister (1821-1829), éd. 1837 ;
Poésie et vérité (1811-1833).

Essais scientifiques :
La Métamorphose des plantes (1790) ;
La Théorie des couleurs (1810).

🕊
Faust, ou la fascination des démons

GOETHE, CET HOMME ÉPRIS DE CLARTÉ ET
DE MESURE, A AVOUÉ SON ATTRAIT IRRÉSISTIBLE
POUR LES ÊTRES « DÉMONIQUES » QUI EXERCENT SUR LES
PERSONNES ET LES ÉLÉMENTS UNE FORCE QUI ÉCHAPPE À TOUTE
CONTRAINTE PHYSIQUE OU MORALE.

Goethe a connu le mythe de Faust par une même voie – celle du théâtre –, mais dans deux registres différents : celui d'abord des spectacles de marionnettes découverts à la foire de Francfort et qu'il essayait de reconstituer dans le grenier paternel ; celui ensuite de la dramaturgie de Lessing, qui voulait faire du magicien populaire un héros de la recherche de la vérité.

L'œuvre d'une vie.
Dès 1774, Goethe esquisse une série de scènes (un monologue de Faust, l'épisode de la taverne d'Auerbach, le drame de Marguerite) qui, retrouvées en 1887, constituent l'*Urfaust*, le « Faust originel ».

En 1790, après son voyage en Italie, Goethe publie, sous le titre de *Faust, fragment*, la première partie d'un drame, moitié en vers, moitié en prose, où l'atmosphère médiévale et fantastique sert de cadre à une méditation sur l'incarnation et l'humanisation du Mal.

En 1808, le « fragment » de 1790 est remanié et enrichi de scènes nouvelles : c'est *Faust, première partie*, la pièce la plus jouée du répertoire allemand et qui se fonde tout entière sur la lutte qui se livre à l'intérieur de l'homme entre les aspirations célestes et les pesanteurs de la Terre.

En 1832, après la mort de Goethe, parut un *Faust. Deuxième partie de la tragédie en cinq actes*, fruit de vingt-cinq ans de retouches et de repentirs. De bouleversements du sens du drame aussi : Faust apparaît dès lors comme l'inventeur des assignats, le législateur d'un État nouveau et le maître des éléments ; il épouse la belle Hélène, scellant de la sorte le mariage de l'Antiquité et du monde germanique.

Une tentation permanente.
Goethe a pris les premiers éléments de son œuvre dans la panoplie thématique du « Sturm und Drang » : l'ambition prométhéenne, qu'il attribue à Faust (le personnage mélodramatique de la fille mère infanticide. Entre la tragédie de la science frustrée et celle de l'innocence trompée, un lien : Méphistophélès, le prototype des entremetteurs.

Savant qui a quitté sa tour d'ivoire pour obtenir la puissance et la vérité, Faust n'agit que par des leurres et cause la mort de Marguerite. Parti de l'espace étriqué de son laboratoire gothique, il goûte à tous les plaisirs de la chair et de l'esprit, il tente toutes les expériences, de la manipulation biologique aux visions démiurgiques : il fertilise la terre, il conquiert Hélène, mais il n'étreint que des ombres. Faust restera insatisfait, mais sera sauvé par l'amour de Marguerite. Après l'ultime vision des « Quatre Femmes en gris » – Dette, Souci, Pauvreté et Détresse –, auxquelles se joint leur « frère », la Mort, Faust, en effet, perd la vue mais gagne la lumière intérieure. Échappant à Méphistophélès, son âme s'élève auprès de la Vierge, au milieu d'un chœur mystique.

Le vieux Goethe, qui au cours de sa longue existence a joué tous les rôles, qui a vu la fin de tous les empires, de tous les systèmes de pensée, de toutes les écoles esthétiques de sa jeunesse, a mis beaucoup de sa vie dans cette œuvre. En revanche, Faust n'a cessé de l'accompagner comme un double énigmatique qui représente le côté nocturne de son être. La véritable rédemption, c'est Goethe qui la connaîtra : la « dédicace » de *Faust* place la réconciliation de toutes les contradictions vécues dans la parole poétique. ●

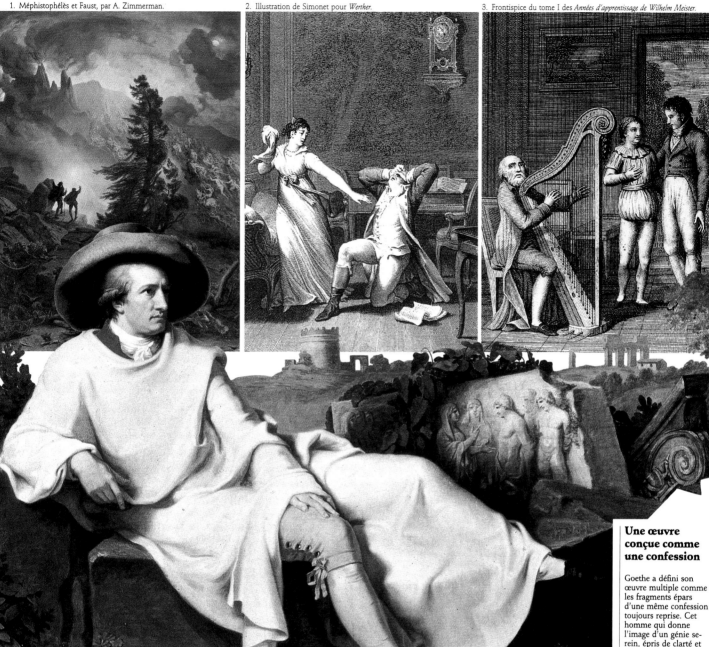

1. Méphistophélès et Faust, par A. Zimmerman. 2. Illustration de Simonet pour *Werther*. 3. Frontispice du tome I des *Années d'apprentissage de Wilhelm Meister*.

4. *Goethe dans la campagne romaine,* par J.H.W. Tischbein (1787).

Une poésie de circonstance

TOUTE LA VIE DE GOETHE EST PLACÉE
SOUS LE SIGNE DE LA CRÉATION POÉTIQUE, MAIS C'EST
PARCE QUE TOUTE SA POÉSIE S'ENRACINE
DANS LA VIE, DANS LA RÉALITÉ.

« Toutes mes poésies, affirmait Goethe en 1823 à son confident Eckermann, sont des poésies de circonstance : elles ont été suscitées par des réalités, elles y trouvent leur fondement et leur consistance. »

Une poésie au quotidien.
Cela est vrai de tout ce qu'écrivit Goethe pour les fêtes du duc de Weimar. Organisateur des fastes et des divertissements de la cour, Goethe a rempli des volumes entiers d'œuvrettes, de divertissements dramatiques, de comédies accompagnées de musique, de textes d'apparat.

Mais cela est plus vrai encore de tout ce qui touche à son inspiration la plus profonde, à ses impressions devant le spectacle de la nature, dans les forêts de Thuringe comme dans la campagne romaine, à ses réactions devant les bouleversements sociaux et politiques et les révolutions du goût et des mœurs qui, tout au long de sa vie, changèrent la face de l'Allemagne et de l'Europe.

Goethe, imperméable à l'idéalisme de Fichte comme à la fantaisie de Novalis et à l'ironie de Jean-Paul, a toujours refusé la poésie « qui tombe des nues ». Le rôle du poète, pour lui, n'est pas de libérer ses fantasmes, mais de transfigurer la réalité. Un cas particulier et quotidien est poétique par le seul fait que le poète le prend pour sujet de son œuvre.

Poésie et parabole.
L'attachement au concret et l'amour de l'expérience ont éloigné Goethe de la spéculation philosophique. Mais ils ont donné à sa poésie une étonnante qualité plastique et une grande charge symbolique. Plus Goethe avance en âge, plus sa poésie prend la forme d'« études de cas » où un événement singulier ajoute une touche à la leçon qu'il tire de la tension permanente entre une passion toujours jaillissante et la force sereine du renoncement. C'est ce qu'il dit aussi bien dans le dépouillement de l'*Élégie à Marienbad* que dans les fastes persans du *Divan oriental-occidental*.

Chaque jour est l'image de la vie. Chaque poème célèbre cette résurrection quotidienne du monde. Chaque matin est une renaissance pour le poète, qui se dépouille, dira Goethe, de ses heures et de ses œuvres comme le serpent de sa peau. Poésie : éternelle jeunesse.

●

Une œuvre conçue comme une confession

Goethe a défini son œuvre multiple comme les fragments épars d'une même confession toujours reprise. Cet homme qui donne l'image d'un génie serein, épris de clarté et de mesure, n'a cessé de s'incarner dans des [...] et déchirées par les tourments de l'amour, le désir d'absolu ou simplement la curiosité inlassable pour l'énigme quotidienne du monde. S'il reste surtout, dans la campagne romaine de 1787 (4), le contemplateur apaisé des vicissitudes de l'histoire et des témoignages de la faculté créatrice de l'esprit humain, il porte avec lui les impatiences de Faust et Méphistophélès (1) en marche vers le Blocksberg pour le grand rendez-vous démoniaque de la nuit de Walpurgis. Et s'il a donné avec le chagrin de Werther (2) le modèle de tous les désespoirs romantiques, il a créé, avec Wilhelm Meister (3), le seul héros qui s'enrichit de ses errances et de ses erreurs.

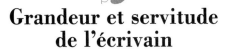

L'écrivain roi et maudit

Grandeur et servitude de l'écrivain

ORDONNATEUR DES DIVERTISSEMENTS
DU PRINCE, PUIS PORTE-PAROLE DE LA SOCIÉTÉ
MODERNE, L'ÉCRIVAIN, QUI SE PENSE À L'AVANT-GARDE
DE SON TEMPS, A GLISSÉ PROGRESSIVEMENT
DANS SES MARGES.

LA RECONNAISSANCE PAR la communauté de la dignité de l'écrivain ne va pas de soi. Pour que l'écrivain, au sens moderne de ce titre, apparaisse, il a fallu que la littérature s'impose comme valeur éminente et conquière son espace autonome. L'écrivain est donc apparu fort tard dans le champ culturel occidental : d'abord scribe, il s'occupe des écritures avant d'être voué à l'écriture. Cette vocation est ambiguë : signe distinctif de l'écrivain qui la revendique aux époques qui le consacrent, elle peut devenir calvaire dès lors que les conditions d'exercice de sa fonction font se heurter l'écrivain aux pouvoirs.

C'est au milieu du XVIIe siècle seulement qu'a été assurée l'autonomie du domaine littéraire au sein du champ culturel européen. Jusqu'alors, on parlait plutôt d'hommes de lettres, de poètes et d'auteurs, l'« auctor » étant le garant de l'exactitude de l'écrit et de sa conformité avec les normes morales et esthétiques en vigueur. Il faisait « autorité ».

L'histoire de l'écrivain commence alors : elle se confond avec la quête d'un statut impossible. La professionnalisa-tion croissante de l'activité littéraire, l'entrée des écrivains sur la scène politique au cours du XVIIIe siècle transforment profondément leur situation : s'ils exercent le plus souvent un second métier pour survivre, les écrivains du siècle des Lumières existent d'abord par leurs textes au cœur de la collectivité nationale. Devenus des références et souvent des maîtres à penser (on songe à Voltaire, retiré à Ferney et que l'Europe entière consulte en lui écrivant), ils n'ont cependant pas une place déterminée dans le champ social.

Le romantisme va sacrer l'écrivain : mage, prophète qui voit l'avenir et le dévoile, au cœur des révolutions, il est roi sans doute. Mais de quelle royauté ? Car son sacre même procède à sa marginalisation : malchanceux ou poursuivi par l'impitoyable malédiction des dieux et des hommes, l'écrivain, à partir du moment romantique, est plus souvent maudit que roi. Entre ces deux pôles, l'écrivain moderne vit la déchirure : génie et malade, il est un être différent, oraculaire et suspecté, et les consécrations médiatiques du XXe siècle n'ont fait qu'exhiber son superbe isolement.

L'image de l'écrivain a connu une évolution extrêmement rapide : du poète malheureux et qui a raison, dont Vigny fait le héros de son drame *Chatterton*, jusqu'à l'écrivain d'aujourd'hui qui doit parler de tout par la vertu de sa fonction même, son trajet paraît fulgurant. L'écrivain conquiert sa grandeur à l'âge romantique : il parle et il se jette dans les combats. Il montre la voie à suivre, tantôt en manifestant dans l'histoire une confiance que sa plume rend contagieuse, tantôt en optant pour la solitude. Son âge d'or est à coup sûr la première moitié du XIXe siècle, même si cet âge est aussi celui de sa malédiction : il ne sait pas où il est, il oppose ses valeurs de prince au règne des marchands, il revendique hautement son isolement et accuse la société qui le marginalise. Dans la conscience même de son éviction, il se construit : l'écrivain romantique est son propre juge et le juge du monde. C'est de son moi que tout procède, à son moi que tout revient. Ce que la société maudit en lui (en Chateaubriand comme en Vigny, en Stendhal, le méconnu qui savait qu'on ne le lirait guère avant 1930, en Verlaine détruit par l'alcool comme en Rimbaud « aux semelles de vent »), c'est qu'il en démasque les vraies passions et qu'il lui tend un miroir où elle se voit hideuse, chargée de médiocrités, de bassesses et soumise à la morale des intérêts. Elle le pourchasse alors en le trahissant, en l'oubliant après sa mort, en rendant à la nuit les œuvres si chèrement arrachées à sa vie. L'écrivain est une figure sulfureuse. On le flétrit pour des raisons éthiques, religieuses, politiques, et parfois tout simplement littéraires : on ne comprend pas ce qu'il fait, ses œuvres sont trop atypiques, ou trop anticipatrices. L'écrivain est maudit, mais il est fait pour cet ostracisme : c'est le romantisme qui a défendu l'idée de l'art comme contestation de l'ordre des choses. À bien des égards notre époque vit de cette même certitude et l'écrivain, pour être reconnu comme génie, a besoin d'avoir traversé l'enfer sur la terre : qu'on songe aux surréalistes, à Artaud, à Genet, à Beckett, et on soupçon qui s'attache à ceux qui ont trop bien réussi selon l'ordre de la société en place.

Ce soupçon est constitutif de la situation équivoque de l'écrivain : tout le temps qu'il dépend des institutions pour vivre, l'écrivain est un parasite, et la contestation, la marginalité sont pour lui des suicides. Mais, quand il est soumis à l'asservissement, à la lecture qu'impose le droit d'auteur, aux pressions idéologiques de ceux qui le publient, se l'arrachent et lui demandent compte du rôle qu'il prétend jouer, qu'en est-il ? Le professionnalisme croissant, loin de libérer l'écrivain, accentue sa dépendance. Qu'il le veuille, et il se trouve absorbé par une « structure écrivante » (celle de tous les professionnels, de l'éditeur au critique, en passant par tous les médias) ; qu'il ne le veuille pas, et il se marginalise, devient souterrain. Publier, c'est aussi devenir public, accepter le compromis social. Économique, sociologique, la dépendance de l'écrivain est aussi linguistique : l'écrivain n'est pas libre, il hérite une situation sociolinguistique spécifique incontournable.

Grandeur et servitude : aucun écrivain n'échappe à cette déchirure. Écho sonore d'un public avec lequel il n'a en réalité aucun contact direct, l'écrivain ne trouve de légitimation que dans des instances de plus en plus lointaines. Il accède sans doute au pouvoir symbolique, mais son rapport aux pouvoirs réels, avec lesquels cependant il ne cesse de flirter, demeure celui d'un marginal, qui vit de plus en plus de contestation manifeste et d'intégration vraie. ●

La conquête d'un titre

DES COUVENTS MÉDIÉVAUX À LA COUR
DES PRINCES, PUIS AUX MANSARDES ROMANTIQUES,
LA LITTÉRATURE CONQUIERT SON AUTONOMIE
ET L'ÉCRIVAIN SA DOULOUREUSE INDIVIDUALITÉ.

Contraint, pour subsister, à recevoir d'un noble protecteur une pension, un bénéfice ecclésiastique ou des gratifications, l'auteur du *Siècle de Louis XIV* se trouve dans un état de totale dépendance : que le mécénat (qui doit son nom à Mécène, conseiller d'Auguste et protecteur d'Horace, et qui implique une double relation au clan qui patronne et au prince qui surveille) soit privé ou public (projet de Colbert) ne change pas grand-chose. La création de l'Académie française, sous l'impulsion de Richelieu, est un emblème : le pouvoir veut organiser et normaliser ses rapports avec les écrivains. En même temps, l'Académie permet la « naissance de l'écrivain » parce qu'elle lui offre les voies ambiguës d'une consécration littéraire – ce que les académies de province autorisent également à la même époque, en se constituant peu à peu comme des instances de légitimation et en commençant à organiser les carrières de leurs membres. La conquête de la spécificité de l'écrivain commence là, dans ces lieux nouveaux de sociabilité, de formation et d'information. Toutefois, tant que la dépendance économique de l'écrivain est absolue, la définition de sa fonction sociale et sa place dans la hiérarchie sont problématiques : le XVIIe siècle esquisse une première et timide formulation de la notion de « propriété littéraire » qui n'existait pas. Mais c'est après la Révolution qu'une législation nouvelle établit le droit d'auteur. Les droits de l'écrivain sont donc fort tardivement reconnus (alors que ses « devoirs », et notamment sa responsabilité pénale, sont tôt codifés). L'augmentation de la demande culturelle est forte après la Révolution : les chiffres de tirage s'accroissent, et en même temps les revenus des auteurs – à l'époque précisément où l'immense développement de la presse au début du XIXe siècle fait de l'écrivain un personnage public, sous les apparences du journaliste (il publie des feuilletons) et du critique. Le XXe siècle a développé les sociétés et les clubs qui prennent en main la défense du statut d'écrivain : la Société des gens de lettres, fondée en 1838, a été suivie du Pen-Club (1921) et de l'Union des écrivains (1968). La conquête de son titre et de sa dignité passe pour l'écrivain par celle de son indépendance financière. Mais elle n'est nullement assurée : faut-il rappeler qu'en France aujourd'hui seuls six cents écrivains vivent réellement « de leur plume » ? ●

L'écrivain dans tous ses lieux

BOUFFON OU MAGE,
ENGAGÉ DANS SON ÉPOQUE OU RETIRÉ
DANS SON ÉCRITURE, L'ÉCRIVAIN TÉMOIGNE AUJOURD'HUI
DE L'INCOMMUNICABILITÉ GÉNÉRALISÉE D'UNE
SOCIÉTÉ LIVRÉE AUX MÉDIAS.

Comme pour compenser cette perpétuelle situation de porte-à-faux qui a été la leur depuis le XVIIe siècle, les écrivains ont multiplié les lieux de rencontre, d'échanges, de recherche, dans lesquels ils s'associent selon des goûts, des affinités esthétiques et créatrices ou, tout simplement, des intérêts institutionnels.

Les plus anciens de ces lieux de l'écrivain furent les académies (elles-mêmes dérivées des sociétés de concours littéraires) et les salons, espaces de communication et d'élaboration majeurs des œuvres au XVIIe et au XVIIIe siècle. À partir du moment où il est perçu comme exerçant une fonction sociale spécifique, l'écrivain hante des lieux qu'il contribue à définir par sa présence même : salons nobles du temps des romans héroïques et précieux (Mme de Rambouillet, la Grande Mademoiselle, Mme de Sablé), salons aristocratiques ou bourgeois de la philosophie des Lumières (Mme de Lambert, Mme de Tencin, Mme du Deffand), ils sont dominés par une personnalité féminine ouverte et séduisante. Au XVIIIe siècle, les salons sont parallèles aux cafés et aux clubs, plus masculins, et où on sait que s'est élaborée une partie de la pensée politique révolutionnaire.

La Révolution porta un coup mortel aux salons (celui de Mme de Staël, à Coppet, est le dernier lieu de ce genre). Mais le romantisme plaça trop haut l'écrivain pour ne pas lui inventer de nouveaux espaces de socialité, les « cénacles », plus fermés et plus dynamiques, peut-être parce que s'y assemblaient des écrivains et des philosophes liés par un projet intellectuel moins diffus : le modèle fictif en reste le Cénacle de D'Arthez, dans *Illusions perdues* de Balzac, qui se présentait comme un véritable contre-pouvoir.

Ces groupes structurent l'institution littéraire : les soirées de Médan autour de Zola, les mardis de Mallarmé, toutes les avant-gardes qui ont pris forme autour d'une revue (le *Mercure de France* pour les symbolistes, *Littérature* pour les surréalistes, *Tel Quel* pour le courant théorique et formaliste des années 1960-1970) sont autant de signes de la nécessité pour l'écrivain de briser sa solitude et de travailler avec les autres.

Il est d'autres modes encore de cette maîtrise du champ culturel moderne : le développement massif de la critique au XIXe siècle et son expansion au XXe (combien d'écrivains qui sont critiques et de critiques qui tentent de passer à une autre « écriture » !) assurent une sorte de contrôle interne de la production littéraire par ses inventeurs mêmes. Enfin, l'écrivain se sacre et se consacre : telle est bien la fonction, du côté de l'institution scolaire et surtout universitaire, des débats, rencontres, colloques (Journées de la Sorbonne, colloques de Cerisy), et, du côté de l'édition et du grand public, des prix littéraires (du Goncourt destiné à couronner le « meilleur ouvrage d'imagination en prose » au Femina et au Médicis). Outils de promotion mais aussi événements médiatiques et commerciaux, les prix littéraires manifestent encore l'ambiguïté fondamentale du livre dans nos sociétés : il est à la fois marchandise et pensée. D'où l'effet de scandale quand un Julien Gracq refuse en 1951 le Goncourt attribué à son *Rivage des Syrtes,* en dénonçant la « littérature à l'estomac ».

Notre civilisation a fait de l'écrivain un amuseur : aux côtés de Bernard Pivot, sur le plateau d'« Apostrophes », se rejoue la pièce à un seul personnage pour deux rôles, le roi et le maudit, le maître et le bouffon. •

1. *Un coin de table* (1872), de Fantin-Latour.

2. Arthur Miller et Bernard Pivot sur le plateau d'« Apostrophes », le 15 avril 1988.

3. Le jury du prix Goncourt en 1975.

Le réalisme

SI LITTRÉ DÉFINISSAIT LE réalisme en termes d'art et de littérature comme l'attachement à la reproduction de la nature sans idéal, l'un de ses représentants, Champfleury, considérait plus prudemment que le mot de réalisme était un terme équivoque, qui pouvait servir à la fois de « couronne de laurier et de couronne de choux… ». De fait, pris entre deux autres concepts flous, celui de romantisme et celui de symbolisme, insuffisamment défini en face du naturalisme plus rigoureux, le réalisme apparaît surtout comme un terme propre à rallier tous ceux qui, dans les années 1850-1870, conçurent l'œuvre d'art dans un rapport nouveau avec le réel naturel, historique ou social.

L'adjectif « réaliste » s'est d'abord trouvé appliqué par ses adversaires aux tableaux de Gustave Courbet et notamment au fameux *Enterrement à Ornans,* qui fit scandale au Salon de 1850, d'abord par son sujet, ensuite par son refus de la symbolisation. Courbet peignait seulement ce que « ses yeux pouvaient voir » et cherchait à traduire les mœurs, les idées, l'aspect de son époque selon son appréciation. À sa suite, la génération qui se proclama « réaliste », lassée des mensonges versifiés des romantiques, se tourna vers l'observation de la nature, s'affranchit du « beau langage », qui convenait mal à certains des sujets qu'elle traitait (les mœurs des « classes les plus basses », des cas parfois médicaux), et se débarrassa de l'idée qu'il pouvait y avoir des sujets littéraires et d'autres qui ne le seraient pas.

Les écrivains et les « militants » du réalisme des années 1850 s'inscrivaient consciemment dans une double lignée : celle de Balzac et de son réalisme mythologique, celle de Stendhal. Ils allaient bientôt reconnaître Flaubert pour chef de file et pour maître. En fait, tout le xixᵉ siècle et tout le xxᵉ – à supposer qu'on ne veuille prendre en compte ni le roman picaresque, ni le roman de mœurs du xviiiᵉ siècle – revendiquent leur « réalisme » : le réalisme est un drapeau que chacun brandit. C'est bien le monde réel qui intéresse la majorité des romanciers et le réalisme apparaît de ce point de vue comme un mot d'ordre sans cesse repris : celui des romantiques contre les classiques, celui des naturalistes contre les romantiques, celui des surréalistes même, qui prétendaient ne s'occuper que du monde réel… Dès qu'on sort du cadre de définition historique, le réalisme devient insaisissable, puisque chacun a de la réalité des idées parfaitement différentes : le minimum commun pourrait tenir dans l'ambition de la « mimésis », c'est-à-dire d'une reproduction attentive et pourtant personnalisée des choses, du monde, de l'histoire. Le réalisme se présente donc toujours comme une rupture avec ce qui précède et comme une plus grande adéquation à ce qui est. Il a ses moyens propres à produire un effet de réalité, sinon à reproduire la réalité.

1. Détail de *l'Enterrement à Ornans,* de Gustave Courbet.

La mimésis

L'ÉCRIVAIN, COMME L'ARTISTE, EST L'IMITATEUR D'UNE RÉALITÉ QUI DÉPASSE DE TOUTES PARTS SON IMAGINATION ET SA FICTION. MAIS LE RÉEL QU'IL COPIE OU QU'IL TRANSFIGURE N'EST PAS TOUJOURS LE MÊME.

Au sens strict où Aristote la définit dans *la Poétique,* la « mimésis » consiste en littérature à imiter, par le moyen du langage, ce qui existe, soit en racontant par la bouche d'un autre ou par la sienne propre, soit en présentant tous les personnages comme en acte. Le réalisme use en effet du récit comme du discours pour représenter les objets et les personnages. Il suppose par conséquent que le mot et l'objet soient en relation de concordance ou, si l'on préfère, il repose sur l'illusion selon laquelle on pourrait imiter par un système de signes (le langage) ce qui n'est pas immédiatement organisé comme système signifiant (le monde). Dans cette entreprise, c'est le roman qui semble l'instrument le plus efficace et le plus souple : solidement appuyé sur ce pilier du réalisme qu'est la description (paysages, personnages, objets), racontant la destinée d'un héros identifié à sa biographie – ce qui permet une localisation spatio-temporelle et garantit une identité constante du personnage –, motivant les actions et ordonnant impeccablement la chaîne causale (ce qui est raconté avant est compris du lecteur comme ce qui cause ce qui suit), le roman fait, tout au long du xixᵉ siècle, une concurrence déloyale à l'état civil et à une réalité conçue comme s'inscrivant, au-delà des conventions psychologiques, dans le concret historique et social.

●

Une esthétique de rupture et d'adéquation

CONTRE TOUTES LES DISTANCES ACADÉMIQUES, LE RÉALISME A PROCLAMÉ SA VOLONTÉ DE COLLER AU RÉEL. D'OÙ VIENT QU'IL S'Y EST PARFOIS ENGLUÉ.

Le réalisme constitue une rupture pour la génération de 1850 d'abord, mais aussi une rupture en général : les révolutions littéraires se sont en réalité toujours accomplies au nom du réalisme, puisqu'elles supposent toujours, devant les recettes et les académismes morts, la recherche de formes nouvelles capables d'explorer autrement le réel.

Autour de Courbet, autour de *Madame Bovary* ensuite, flotte un parfum de scandale : Champfleury (*Chien-Caillou,* 1847 ; *les Bourgeois de Molinchart,* 1855), Duranty, qui fonde en 1856 une revue éphémère (*le Réalisme*), les frères Goncourt (*Sœur Philomène,* 1861 ; *Germinie Lacerteux,* 1865 ; *Manette Salomon,* 1867), Feydeau, Labiche, Augier au théâtre explorent la vie privée (le mariage, la femme, l'amour), le « bas et le laid » (en grande partie contre l'optimisme critique de Balzac ou de Stendhal), attachent aux détails une importance fétichiste, débattent des questions d'argent, des humbles, du monde « moderne », parce que le « Beau » moderne existe, qu'il n'est qu'une « question de creusage », et qu'on peut trouver des grandeurs dans le ménage et la saleté des choses contemporaines. La rupture est consommée avec la génération romantique d'abord, et donc aussi avec le « réalisme » romantique du Père (Balzac), avec les illusions d'une Histoire porteuse du sens et de la valeur ensuite : le réalisme se comprend sur le fond de l'échec de la révolution de 1848 et sur le triste spectacle des intérêts triomphants dans le second Empire. Reste le « vrai », dont beaucoup d'écrivains français considèrent que ce sont les Anglais (Dickens, Thackeray) et les Russes (Gogol, Tourgueniev, Tolstoï) qui l'ont montré de la meilleure façon.

Comme cette recherche du vrai rencontre la misère sociale, les bas-fonds, comme il est devenu impossible de ne pas nommer le sexe, l'argent, les luttes de classe, le réalisme se trouve certes en adéquation parfaite avec les sujets contemporains, mais il est devenu prisonnier d'un réel qu'il a cru capable de donner tout seul du sens : Balzac était mythologue autant que réaliste, Stendhal soumettait la réalité aux jeux de son ironie distanciée et Flaubert se noyait dans la Bibliothèque, l'océan de la culture, qui transformait à son tour son rapport au monde. Les réalistes au sens strict de 1850 ont trop oublié que l'écriture était aussi une médiation : à la scène, le vaudeville a réduit le théâtre à l'image que le public bourgeois était censé se faire de la réalité. Dans les romans de Duranty, de Champfleury, des Goncourt, la réalité, saisie à travers une méthode qui redécouvre l'étymologie de l'histoire : *l'enquête* n'est qu'un plat relevé de lignes et de surfaces ou dérape dans le pittoresque sordide.

●

Le monde est explicable

À CÔTÉ DE LA PHYSIOLOGIE
NAISSANTE ET DE L'HISTOIRE QUI CHERCHENT
À COMPRENDRE LES MÉCANISMES DU CORPS OU DE
LA SOCIÉTÉ, LE RÉALISME LITTÉRAIRE VISE AUSSI
À LA CLARIFICATION DU MONDE.

Le credo du réalisme est là : le monde est compréhensible, il est explicable et la littérature (singulièrement le roman) est l'instrument de cette explication. À l'arrière-plan de tout réalisme, il y a donc le positivisme et la volonté pédagogique : l'Histoire est lisible, le moi est relativement simple, le langage peut et veut dire quelque chose. Le roman développe donc tout un arsenal de techniques qui permettent de réaliser ce programme : le procédé du retour en arrière, en exposant l'origine de tel événement ou de tel choix, met tout en lumière ; les études socio- et géopolitiques inscrivent un parcours individuel dans un ensemble plus vaste et qui en rend compte ; l'omniscience du romancier, sa maîtrise totale du jeu évitent tout tremblement et autorisent une représentation aussi exhaustive que possible du monde.

Au « romanesque », le réalisme préfère toujours le réel (le romanesque, c'est bien sûr tout ce qui est censé ne pas pouvoir arriver, l'idéalisation, le mensonge). Même s'il laisse place à l'imagination, le réalisme vise à l'objectivité (la fameuse « impersonnalité » flaubertienne relève du projet réaliste), fondée sur une documentation (références livresques, enquêtes, notes, qui se multiplient par exemple les Goncourt et Flaubert) qui sert de caution à l'œuvre : « Tout est vrai, rien n'est inventé. » Le modèle d'approche et de démarche est naturellement la science et l'écriture réaliste doit se rapprocher du compte rendu méthodique et rigoureux de l'homme de science.

Décrire le réel, c'est décrire tout le réel, en commençant par celui [...] le populisme et le misérabilisme

du roman réaliste français et étranger). De source ou de point de départ qu'il avait pu être pour Balzac ou pour Stendhal, le document devient matière pour la génération de 1850 : le romancier est ainsi défini par les Goncourt comme le raconteur du présent, à l'instar de l'historien, raconteur du passé. Parmi ces documents sont privilégiés ceux qui mettent en lumière de la façon la plus nette l'interaction constante de l'homme et de son milieu (sciences expérimentales et sociologie sont ici les modèles) : paradoxalement, les romanciers réalistes en viennent donc à choisir des cas spectaculaires mais pathologiques, qui sont sans doute significatifs mais qui apparaissent comme des exceptions monstrueuses.

La littérature réaliste est ainsi devenue la description de parcours et de pratiques personnels d'êtres qui étaient les laissés-pour-compte de l'aventure scientifique et culturelle moderne : elle a surtout « expliqué » le monde de ceux qui n'avaient ni mots pour se dire ni lieu pour s'inscrire. ●

L'effet de réel

LE RÉALISME A UN TALENT
D'IMITATEUR, MAIS AUSSI D'ILLUSIONNISTE :
IL MONTRE ET IL DÉCRIT, MAIS IL CADRE ET IL COMPOSE,
EN GOMMANT LES GUILLEMETS QUI DÉCOUPENT
SA CITATION DU MONDE.

Bien que la référence à la réalité fasse partie intégrante, et même obsessionnelle, de la culture occidentale, le statut de l'imitation du réel par l'art n'est pas clair : le débat reste ouvert entre une conception venue d'Aristote – toute littérature est imitation – et la certitude (celle de Lessing dans le *Laocoon*) selon laquelle la langue ne peut copier le réel. Cette hésitation entre la mimésis comme fait de culture (donc changeante) et la mimésis comme fait de nature (un certain type de discours) nourrit ainsi la réflexion de Michel Foucault lorsqu'il écrit une « histoire de la ressemblance » et pose la question de la contrainte ou de la non-contrainte du discours réaliste : le discours réaliste est-il le non-déterminé, l'amorphe, l'arbitraire par excellence (et Valéry condamne le roman réaliste pour sa gratuité apparente : pourquoi « La marquise sortit à cinq heures » plutôt que la duchesse à onze heures ?) ou est-il un discours normé, donc contraint et esthétique ? On peut sans aucun doute décrire avec précision les codes et les conventions qui régissent le discours réaliste, tel que le XIXᵉ siècle nous l'a légué. De ce point de vue, le réalisme est un choix esthétique comme un autre et procède à une construction de ce qu'il fait prendre à son lecteur pour la réalité : production d'une illusion référentielle, réel structuré dans le récit fictif sur un modèle intelligible, le tout aboutissant à un « effet de réel » qui est d'abord un effet de vraisemblance et d'acceptabilité.

Mais cet effet de réel produit par l'esthétique réaliste est évidemment soumis aux changements que l'histoire elle-même impose à la perception de la réalité : le monde se transforme, la connaissance de ce qui est en nous et de ce qui nous entoure a modifié profondément, en se modifiant, les relations subjectives que nous avons avec le monde. Le réalisme est donc « condamné » à s'adapter et le romancier qui, aujourd'hui, imagine qu'il peut appréhender le monde avec les moyens définis par le roman bal-

zacien ou zolien est le plus idéaliste qui soit ! La façon même dont chaque culture adapte – à partir du modèle positiviste du XIXᵉ siècle – le réalisme à ses nécessités va dans le même sens : les réalistes anglais et américains ont identifié la « moyenne humaine » à une moyenne morale (Howells, William James). Thackeray dénonce la comédie sociale, Eliot greffe son réalisme sur l'analyse du jeu psychologique de l'avidité. Le réalisme russe a toujours été inséparable de l'analyse politique des mouvements sociaux qui ébranlaient l'empire : servage et socialisme traversent, comme des appels lancinants, les romans de Gogol, de Gorki, de Tourgueniev, de Tolstoï ou de Tchekhov. On observe de même le travail spécifique des écrivains réalistes latino-américains pour développer, dans des romans à thèse, une technique européenne au service de thèmes autochtones : Carlos María Ocantos analyse, à la lumière de ce qu'il a retenu de Balzac, les problèmes économiques de l'Argentine entre 1890 et 1910 ; A. Blest Gana écrit une « comédie humaine » chilienne ; N. Aguirre décrit les masses révoltées de Bolivie dans des romans qui revendiquent leur appartenance au réalisme européen.

La modernité consiste peut-être en la conscience prise de l'impossibilité même de faire le portrait du monde, dans la découverte que le langage ne peut se faire l'encyclopédie du réel. La littérature se méfie, saisie du « soupçon » et sûre du « peu de réalité » de ce qui l'entoure et que le réalisme du siècle dernier avait cru pouvoir embrasser. L'écrivain sait qu'il porte le monde des mots, qu'il est un médiateur, un échangeur des langages qu'il lui appartient peut-être de construire et de choisir, mais qu'il ne peut prétendre à un contact immédiat du réel, parce que les mots ne « disent » pas les choses mais leur font signe.

→ **Voir aussi :** Le réalisme, ARTS, p. 284-285.

2. *L'Enterrement à Ornans.*

Le réalisme : un reflet...

Le réalisme littéraire vient de loin et les peintres lui ont ouvert la voie. En tant que mouvement conscient et organisé, le réalisme – le mot fut d'abord une injure – est né de la querelle autour de Courbet et de son *Enterrement à Ornans*. Et c'est sous invocation que se place, en 1855, Champfleury dans sa *Lettre à Mme Sand*, qui est le vrai manifeste du réalisme. Courbet hausse la laideur du quotidien à

... ou un effet ?

l'universalité historique. Chacun des personnages de sa toile, qu'il connaissait et qu'il pouvait nommer, s'insère à la fois dans une scène villageoise et familière (1) et dans une composition monumentale (2). L'art donne ainsi le sentiment de la vie plus fortement que le daguerréotype (3), qui place la nudité de l'événement et le tragique des barricades des journées de juin dans une atmosphère irréelle.

3. Daguerréotype de 1848.

Le siècle du roman

Un genre d'après la Révolution

LE ROMAN TRADUIT, À TRAVERS DES HÉROS FRUSTRÉS, LA DÉSILLUSION DE LA GÉNÉRATION D'APRÈS L'ÉPOPÉE RÉVOLUTIONNAIRE.

IL Y A TRÈS LONGTEMPS QUE le roman existe : les écrivains du XVIIᵉ siècle faisaient remonter l'art du roman à la Grèce antique, à Aristide de Milet et à Longus. Et faire du XIXᵉ siècle le « siècle du roman » paraît d'abord peu distinctif : *Don Quichotte* et *la Princesse de Clèves*, *Robinson Crusoé* et *Manon Lescaut* sont des romans, comme l'étaient aussi *le Satiricon* et *le Petit Jehan de Saintré*.

En dehors d'un constat quantitatif sûr – le XIXᵉ siècle est en Europe celui qui a produit le plus de romans –, on désigne en réalité un changement qualitatif, que l'abondance même de la production explique assez : tant de textes, et si divers, s'écrivent alors et entendent s'appeler « romans » qu'il est impossible que le nombre ne transforme pas le contenu. Ou plutôt, à force de souplesse, d'invention, d'imagination, ce contenu se perd et il devient au moins certain que le roman ne saurait se définir par ses seuls thèmes. D'autre part, les typologies d'autrefois ne sont plus adéquates : tout le monde croyait savoir ce qu'était un roman de chevalerie ou un roman héroïque et précieux. Mais quand on parle de « roman historique », par exemple, peut-on ranger sous ce même ensemble générique les romans de Walter Scott, de Stendhal et de Dumas ? Quant aux « romans d'amour », mieux vaut renoncer à une expression aussi floue : *Werther* de Goethe, *la Chartreuse de Parme* de Stendhal et *Anna Karenine* de Tolstoï sont des romans d'amour.

À chercher du côté des bouleversements historiques et sociaux, on trouverait sans doute des points d'appui plus solides pour l'analyse : la société révolutionnée a accouché de réalités nouvelles, de possibles neufs et de monstres inconnus. Le roman a été l'instrument de leur représentation, de leur exploration et d'abord de leur nomination. Son dynamisme même lui a permis de constituer tout le XIXᵉ siècle en siècle romanesque : au lieu de « puiser » sa matière en dehors de lui, le roman a bien plutôt fait passer son siècle au miroir de sa forme et des contenus qu'il avait déployés. Aux bouleversements d'une histoire particulièrement nerveuse, aux mouvements sociaux, aux bouillonnements des idées et des idéologies, il a fourni un cadre pour se penser, des mots pour se dire. Il est devenu l'instrument protéiforme de la classe dont la Révolution française avait consacré le triomphe : la bourgeoisie.

Le jeu de ses combinaisons est infini, mais des constantes, pourtant, se dessinent : le roman raconte une histoire en prose qui, même lorsqu'elle s'affiche comme délibérément fantastique, se coupe rarement, au XIXᵉ siècle, d'une évolution politique ou historique. Dans cette histoire, un ou des héros cherchent leur vérité au cœur d'un monde hostile qu'ont déserté les valeurs. Et cet affrontement est « épique », puisqu'il s'agit d'une conscience dilatée qui éprouve, paradoxalement, la finitude de l'univers.

La société d'Ancien Régime est une société d'ordres, même si un ordre unique n'y règne pas. Des repères y existent, des bornes ; des légitimités aussi et des solidarités. Si elle a jeté les bases d'une autre organisation, la Révolution française a également ruiné tout cela. Elle a proclamé la liberté et les droits de chacun. Mais – et c'est la déchirure romantique – chacun n'a pas, au début du XIXᵉ siècle, exercé magiquement sa liberté ni ses droits. Les Émigrés, les premiers romantiques, ont tressé dans l'exil et la solitude les thèmes du roman européen pour le premier quart du siècle : mélancolie, nostalgie, charmes de la mémoire, constat du vide et découverte de la ville, par exemple, est un grand désert d'hommes ; partout, vertige. Bientôt les jeunes libéraux, héritiers pourtant de la bourgeoisie révolutionnaire, vont dire qu'ils sont frappés du même « mal du siècle », dégoût blasé de tout, fascination de la mort, échec. René et Werther, mais aussi Julien Sorel *(le Rouge et le Noir)*, Raphaël de Valentin *(la Peau de chagrin)*, Lucien de Rubempré *(Illusions perdues)* sont les héros de ce nouveau roman où un jeune homme – car le jeune homme devient l'acteur privilégié – qui veut réussir, aimer, être aimé, vivre enfin, bute sur les pouvoirs des hommes en place, sur l'argent, sur le mensonge. Il lui arrive de rencontrer quelques hommes, quelques femmes aussi mal servis que lui par le monde révolutionné : ainsi se construit le trio du roman romantique (qui perdurera bien après la fin historique du mouvement), jeune homme en quête de quelque chose, femme humiliée, marginal (personnage populaire ou criminel qui a défié la société). Ils aspirent à la vérité de l'être et n'en rencontrent que les masques ; ils cherchent les valeurs et le monde ricane, les renvoyant à leur isolement : le roman du XIXᵉ siècle raconte l'histoire de solitudes qui jamais ne se rejoignent – sauf dans la mort –, et qui éprouvent, même quand la relève révolutionnaire pointe à l'horizon, la pesanteur d'un monde sans grâce. ●

2. La femme et le monde du travail : les nouveaux sujets du roman.

Les dates clefs du roman du XIXᵉ siècle

1805	Chateaubriand : *René.*	1865	E. et J. de Goncourt : *Germinie Lacerteux.*
1814	W. Scott : *Waverley.*		
1816	B. Constant : *Adolphe.*	1866	Dostoïevski : *Crime et Châtiment.*
1826	F. Cooper : *le Dernier des Mohicans.*		
1827	Manzoni : *les Fiancés.*	1877	Zola : *l'Assommoir.*
1830	Stendhal : *le Rouge et le Noir.*	1884	Huysmans : *À rebours.*
1835	Balzac : *le Père Goriot.*	1885	Maupassant : *Bel-Ami.*
1837	Dickens : *Oliver Twist.*		
1842	Gogol : *les Âmes mortes.*	1891	Th. Hardy : *Tess d'Urberville.*
1846	G. Sand : *la Mare au diable.*		
1847	E. Brontë : *les Hauts de Hurlevent.*	1892	G. Rodenbach : *Bruges-la-Morte.*
1851	Melville : *Moby Dick.*		
1852	Mrs Beecher-Stowe : *la Case de l'oncle Tom.*		
1854	G. Keller : *Henri le Vert.*		
1857	Flaubert : *Madame Bovary.*		
1860	G. Eliot : *le Moulin sur la Floss.*		
1865	Tolstoï : *Guerre et Paix.*		

1. La bourgeoisie style second Empire.

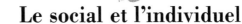

Le jeu des possibles

LE ROMAN PEINT UN UNIVERS AUX REPÈRES FLOTTANTS,
AUX MILLE PARCOURS POSSIBLES. MAIS IL DIT SURTOUT L'ÉCHEC
DE LA QUÊTE. LE BONHEUR, C'EST L'INÉNARRABLE.

Omnivore et boulimique, le roman apprend à ses lecteurs que la réalité peut être saisie sous de multiples angles. L'un de ces angles est, au XIXᵉ siècle, celui de l'histoire. C'est alors en effet que le roman historique s'invente et connaît en Europe un succès qui durera pendant tout le siècle, même si les données esthétiques évoluent en même temps que l'histoire elle-même. La vogue des romans de Walter Scott a été immense. Elle a entraîné, en France, notamment, nombre d'écrivains à élaborer leur propre conception du roman historique : il s'agit tout à la fois de raconter l'histoire, en choisissant des époques suffisamment lointaines pour posséder un minimum de maîtrise des processus en cours, de s'interroger sur cette histoire et sur son sens, de comprendre un moment historique et de se donner les moyens de saisir une destinée – celle du héros – sur le fond d'un destin collectif. Mais, si Walter Scott racontait les luttes des Normands et des Saxons, donc le passé lointain de l'Angleterre, Balzac *(les Chouans),* Stendhal *(le Rouge et le Noir, la Chartreuse de Parme* – qui commence à l'entrée de Bonaparte à Milan), Hugo *(les Misérables),* Tolstoï *(Guerre et Paix)* joueront sur un décalage chronologique beaucoup moins important et montreront, par là même, que le roman est un instrument exceptionnel pour saisir l'histoire la plus contemporaine. En même temps, le passé est peuplé de héros porteurs de valeurs perdues : ainsi se comprennent le mythe napoléonien ou les rêves stendhaliens des époques où l'énergie n'était pas morte (la Renaissance italienne).

Le roman historique a donc contribué, au XIXᵉ siècle, à réfléchir l'histoire. Comme tel, il devait permettre la naissance d'autres possibles romanesques : le roman-feuilleton, qui utilise l'histoire comme cadre pittoresque ou exotique d'aventures mystérieuses ou exaltantes (sagas historiques d'Alexandre Dumas) et où le roman d'aventures peut se doubler d'une dimension sociale (les romans d'Eugène Sue) ; le roman social, tantôt venu du socialisme humanitaire (George Sand, Hugo), tantôt plus directement « sociologique » et qui présente l'analyse, notamment, des misères et des frustrations enfantées par la société industrielle naissante (Dickens, Zola, Dostoïevski). Car, qu'il s'en vante ou s'en défende, le romancier du XIXᵉ siècle doit compter avec la réalité et donc se situer par rapport au réalisme. Cela ne signifie pas que tous les romanciers « imitent » la réalité, mais que, tous, ils prétendent la construire et la faire signifier : Balzac la confond avec la Société ; Stendhal, tout en n'hésitant pas à placer ses romans dans le monde qui est exactement le sien, la plie sans cesse à sa propre subjectivité ; Dickens la juge aux enfants qu'elle abandonne et aux « classes dangereuses » qu'elle fait proliférer ; Flaubert s'en détourne, alors même qu'il y semble englué, au profit de la forme belle...

À l'autre extrémité, le roman post-révolutionnaire explore les zones les plus secrètes du sujet : autobiographique *(Mémoires d'outre-tombe,* de Chateaubriand ; *Souvenirs d'égotisme, Vie de Henri Brulard,* de Stendhal ; trilogie de Vallès : *l'Enfant, le Bachelier, l'Insurgé),* sentimental *(Indiana, Lélia,* de G. Sand ; *Dominique,* de Fromentin), noir et fantastique quand le sujet perçoit plutôt le trouble et la confusion menaçante du monde (Poe, Nodier, Nerval, Gogol). Mais que le pôle privilégié semble la réalité sociale, avec ses luttes, ses promesses, ses misères, ou l'individu avec ses illusions, ses doutes et ses échecs, le roman emporte tout dans un dynamisme puissant : il produit du sens, il donne à voir, il fait comprendre et il émeut parce que, pour la première fois dans l'histoire du monde, il parle de tous et voudrait s'adresser à tous. ●

3. La révolution de 1830 : la prise du Louvre.

Le social et l'individuel

LE ROMAN S'ACHARNE, SANS Y CROIRE,
À RÉDUIRE L'INTERVALLE ENTRE UN MONDE
CONÇU ET UN MONDE VÉCU.

Il paraît simple de considérer le roman comme le champ d'opposition de deux pôles : le social et l'individuel, et cette simplification semble justifiée par la place que l'individu occupe, en effet, dans le roman du XIXᵉ siècle. La forme « biographique », qui est celle de tant des plus grands romans, va dans le même sens : ce qui est raconté, c'est une existence dont la durée n'excède pas celle, perçue comme vraie parce que vraisemblable, d'une vie humaine. Les étapes de cette existence ont été justement marquées par le roman lui-même : nous avons pris l'habitude de considérer comme « naturelle » l'importance accordée à l'enfance, à la crise adolescente, à la lecture, au premier amour, au premier grand choc intellectuel ou politique, alors même que c'est le roman qui a effectué ce découpage... Dès lors, comment ne pas percevoir dans la forme romanesque l'actualisation pure de cette « biographie » avec laquelle la vie se confond ?

Pourtant, l'antagonisme entre le social et l'individuel, ou leur nécessaire complémentarité, n'existe que pour des visions du monde positivistes et déterministes : s'il est exact que, pour Balzac, tout ce qui est individuel est social et inversement, ce n'est déjà plus vrai pour Stendhal. L'individu peut être membre d'un groupe, mais non celui qui a découvert – comme Julien Sorel, comme Emma Bovary, comme le Narrateur d'*À la recherche du temps perdu* – que c'était son Moi qui l'avait séparé des autres. Cet attachement au Moi comme à la seule « valeur authentique » consomme la rupture du révolté romantique avec le monde qui l'entoure : le Moi est bien devenu, dans le roman, la mesure de toute chose, au point de vouloir même contraindre, quand le temps en sera venu, les forces collectives (le prolétariat) à lui ressembler.

Cette question des rapports entre une subjectivité et une société est de loin la plus importante et c'est l'histoire de ses crises que raconte le roman. Tantôt le héros, en effet, se présente comme un rêveur irréductible, qui dort debout et ne traite le monde social que comme un prétexte au déploiement de son imaginaire. Ro-man des origines, paradis perdu qui gît dans l'enfance ou dans n'importe quel passé, pourvu qu'il s'agisse d'un passé, justement : les valeurs, pour ce héros, appartiennent toutes à un âge d'or qu'il est vain de vouloir retrouver, sauf par l'imaginaire. Roman donc, nécessairement, nostalgique et critique. Tantôt le héros, bâtard social, entreprend de construire sa propre légitimité et de l'imposer au monde : ses rapports aux autres sont alors ceux de l'action et de la conquête pour réaliser un véritable projet de maîtrise (Rastignac, chez Balzac). Mais le héros peut bien voyager, quadriller les espaces sauvages, être le sujet d'un roman d'aventures, ses aventures réelles se passent en lui-même, puisque c'est sa conscience qui est le miroir du social, loin de s'y refléter. Dès lors, les jungles à explorer seront plutôt celles des villes ; l'apprentissage de la plus haute solitude se fera dans l'illusoire « communauté » des hommes, que déchirent les luttes de classes dont le roman se fait l'écho. Quelles que soient ses espérances, le roman, même lorsqu'il montre des groupes humains en lutte pour leur liberté et leur dignité, ne peut pas ne pas montrer à l'œuvre le travail de déchirure entre un sujet qui voit et qui juge et un univers entraîné par des forces incontrôlables. ●

De Stendhal à Proust

LES ÉPREUVES DU HÉROS
ROMANESQUE PEUVENT LUI PERMETTRE DE
RECOLLER AU MONDE. MAIS LA VÉRITABLE LEÇON
DU ROMAN EST QUE TOUTE LA RÉALITÉ
S'IDENTIFIE AU LIVRE LUI-MÊME.

S'il est vrai que le roman a posé la question du mal à vivre et de l'emploi qu'on pouvait faire de soi, force est de constater que son histoire est celle d'une lente dégradation.

Déjà, les héros de Stendhal cherchaient des modèles auxquels ils pussent s'identifier dans des ailleurs spatiaux (Italie) ou temporels (Renaissance) pour échapper à l'univers des fétiches et de la marchandise que la bourgeoisie leur désignait comme seul espace pour vivre. Déjà, Stendhal faisait l'impitoyable procès de l'échange, du paraître et de la sotte vanité mondaine : Julien Sorel se distinguait parce qu'il acceptait de mourir et que la mort était encore, en 1830, la seule chose qui ne s'achetait pas ; Fabrice del Dongo trouvait le bonheur en prison et possédait la femme qu'il aimait dans la nuit et dans le silence, puisque le langage aussi constitue une intolérable médiation. Mais, dans le monde stendhalien, il y avait encore, quelque part, des valeurs.

La fin du romantisme européen enterre cette dernière illusion : les personnages de Flaubert (mais aussi ceux de Gogol) sont entièrement définis par la répétition des modèles qu'ils reproduisent sans le savoir et qui sont, justement, des romans : Emma Bovary, Don Quichotte en jupons, meurt d'avoir trop cru aux mots des romans sentimentaux qu'elle a dévorés au collège ; Frédéric Moreau, le pâle « héros » de *l'Éducation sentimentale,* rate sa vie pour s'être pris sans cesse pour un héros balzacien et romantique. Le roman avait décrit les moments d'un apprentissage *(Bildungsroman,* roman de formation) qui pouvait être celui des illusions perdues, mais qui avait une forme. Chez Flaubert, il n'y a pas d'apprentissage, et *l'Éducation sentimentale* montre, justement, qu'il n'y a rien à apprendre, que l'Histoire se répète et que le monde est désespéré.

Reste au créateur le salut individuel par le travail exigeant de son art. Proust reprend le roman là où Flaubert l'avait laissé comme impossible même à écrire *(Bouvard et Pécuchet* est inachevé) et, faisant du Moi de son narrateur le filtre par quoi tout devra passer, récrit *la Comédie humaine,* les *Mémoires* de Saint-Simon et *les Mille et Une Nuits* dans une œuvre qui sauve – momentanément – les rapports du Moi et du monde, car le Moi créateur proustien transmue toutes choses en beauté pure et proclame que la mort n'est pas sûre, puisque l'art existe. ●

→ **Voir aussi :** Dostoïevski et le roman russe, **LITTER,** p. 88-89.

Le miroir d'un siècle

D'un bout du siècle à l'autre, du romantisme au naturalisme, de Balzac à Zola, du héros solitaire à la foule anonyme, le roman est passé du récit d'une aventure unique, exaltante ou tragique, à la dissection plus ou moins froide du fonctionnement d'une société, d'une famille, d'ensembles d'hommes étudiés comme un entomologiste le fait pour une population d'insectes. Mais, dans une société éclatée, le roman aspire, lui, à la totalité, qu'il fasse concurrence à l'état civil ou aux dénombrements des sciences exactes. Et, par sa double complicité entre le héros et le monde et l'auteur et sa création, le roman s'affirme aussi comme le dernier « acte de sociabilité ».

Dostoïevski et le roman russe

L'ŒUVRE ROMANESQUE DE Dostoïevski apparaît comme un premier aboutissement du roman moderne, celui qui, depuis le *Don Quichotte* de Cervantès, a consacré l'irréductible divorce entre l'homme et le monde. Pour autant, Dostoïevski n'est pas un romancier « européen » : il est slave et revendique cette slavité, de sorte que son œuvre est aussi le couronnement de la littérature « russe ». Il a fallu moins de soixante-dix ans pour que cette littérature, dont Pouchkine et Lermontov avaient été les véritables initiateurs, devienne, grâce à Dostoïevski, un modèle de référence universel.

La société russe apparaît en effet déchirée par une contradiction fondamentale : entre la modernité, issue des réformes de Pierre le Grand, les débuts de l'urbanisation à l'occidentale et le sentiment intense de la tradition, incarné par le moujik rivé à sa glèbe, l'élite intellectuelle se trouve coupée de tout rapport vrai au réel. Il revient à Pouchkine d'avoir « inventé » un héros qui est toujours en trop, qui est « de trop » et qui devait devenir le héros central de la littérature russe dans la première moitié du xixe siècle. Il lui appartient aussi d'avoir saisi les grandes forces à l'œuvre dans l'histoire russe et d'avoir célébré le peuple russe comme l'une d'entre elles. Dans l'hommage qu'il lui rend un an tout juste avant de mourir, Dostoïevski reconnaissait sa dette.

Il devait, quant à lui, aller bien plus loin. Réaliste et visionnaire, fou du Christ mais recherchant avec délices les créatures les plus dépravées, goûtant intensément la volupté du crime et celle du châtiment, confondu avec les plus imprévisibles et les plus dérangeants de ses héros, Dostoïevski, humilié et offensé, saint et possédé, a créé un nouveau modèle littéraire du monde, caractérisé par la multiplicité de voix et de consciences indépendantes qui se croisent en conservant chacune leur monde et leur autonomie propres comme en un concert, en une polyphonie, où il est impossible de décider quelle voix domine les autres ou quel instrument l'emporte. Ainsi, alors même que ses sujets étaient profondément liés à une terre et à une culture, Dostoïevski a-t-il pu devenir un guide lumineux pour tous les aventuriers du roman du xxe siècle.

L'itinéraire d'un Russe

TOUTE L'ŒUVRE, COMME LA VIE, DE DOSTOÏEVSKI, OSCILLE ENTRE L'ORGUEIL ET L'HUMILIATION, ENTRE L'EXALTATION ET LE DÉSESPOIR.

Pour l'imaginaire européen, Dostoïevski incarne volontiers « le Russe », celui d'avant la révolution d'Octobre, et il faut convenir que son itinéraire singulier justifie presque cette image d'Épinal. Tôt malheureux, tôt humilié : un père médecin, tyrannique et bientôt alcoolique, brutal et si détesté de ses paysans qu'il est bien probable qu'ils l'assassinèrent ; une mère phtisique, perdue lorsque Dostoïevski avait seize ans. Une santé chancelante : épileptique, épuisé par trop d'épreuves affreuses et rongé par un sentiment de culpabilité intense (selon Freud, il se sentait complice de la mort de son père, pour l'avoir souhaitée) ; empêché de suivre sa voie et, pour avoir rejoint un groupe de jeunes libéraux conspirateurs, arrêté à 28 ans, condamné à mort, grâcié quelques instants avant l'exécution, mais pour être envoyé au bagne en Sibérie. Incorporé dans un régiment sibérien, après quatre années de souffrances physiques et morales, Dostoïevski répète l'histoire familiale : il épouse une veuve tuberculeuse qui meurt peu de temps après. Il se tue à écrire, il est couvert de dettes, il fuit vers l'Europe avec sa nouvelle épouse ; de casino en casino, il se ruine, il se flagelle, il voit mourir l'un de ses trois enfants. Terrassé par ses crises d'épilepsie, il travaille dans la misère et il meurt reconnu, son cercueil accompagné par une foule immense.

Mais, quand on a mis l'adjectif « russe » à côté de ce mystère, qu'a-t-on compris ? Rien, si russe veut dire « bizarre » ou « exotique ». Tout, si essentiellement il s'agit de désigner une culture, un peuple, une terre : au bagne, Dostoïevski a appris que le salut pouvait venir des humbles et des criminels ; dans ses misères, il a rencontré le Christ, qu'il aime avec son corps entier : « Si quelqu'un me démontrait que le Christ est hors de la vérité, et qu'en effet la vérité n'est pas dans le Christ, je préférerais rester avec le Christ plutôt qu'avec la vérité. » En Occident, enfin, il a vu le règne détestable de l'argent, les progrès du socialisme devenu athée : assez pour exalter la Russie contre cette Europe-là.　●

3. Tolstoï en moujik.

Œuvres clefs

1823	Pouchkine, *Eugène Onéguine*.
1834	Pouchkine, *la Dame de pique*.
1835	Gogol, *le Journal d'un fou*.
1842	Gogol, *les Âmes mortes*.
1852	Tourgueniev, *Récits d'un chasseur*.
1856	Aksakov, *Chronique de famille*.
1858	Pissemski, *Mille Âmes*.
1859	Gontcharov, *Oblomov*.
1862	Tourgueniev, *Pères et Fils*.
1865-1869	Tolstoï, *Guerre et Paix*.
1872	Leskov, *Gens d'Église*.
1875-1877	Tolstoï, *Anna Karénine*.
1880	Saltykov-Chtchedrine, *la Famille Golovlev*.
1891	Tolstoï, *la Sonate à Kreutzer*.
1892	Tchekhov, *la Salle n° 6*.
1899	Tolstoï, *Résurrection*.

Chronologie de Dostoïevski

1821	*30 oct.* Naissance à Moscou.
1837	Mort de sa mère.
1838	Entrée à l'École des ingénieurs militaires de Saint-Pétersbourg. Mort de son père, probablement assassiné par ses paysans.
1846	*Les Pauvres Gens*, premier roman de Dostoïevski.
1849	Arrestation pour conspiration et condamnation à mort commuée en quatre années de bagne.
1849-1853	Déportation en Sibérie.
1854	Incorporation dans un régiment sibérien.
1857	Premier mariage, avec Maria Dmitrievna Issaïeva.
1859	Retour à Saint-Pétersbourg.
1861	Publication de *Souvenirs de la maison des morts*.
1862	*Humiliés et Offensés*.
1863-1864	Mort de sa femme et de son frère.
1864	*Mémoires écrits dans un souterrain*.
1866	*Crime et Châtiment*, *le Joueur*.
1867	Épouse Anna Grigorievna Snitkina.
1868-1869	*L'Idiot*, *l'Éternel Mari*.
1871-1872	*Les Démons*.
1875	*L'Adolescent*.
1878	Le tsar lui demande d'être le conseiller de ses enfants.
1879-1880	*les Frères Karamazov*.
1881	*27 janv.* Mort à Saint-Pétersbourg. Foule immense à ses obsèques solennelles.

1. Dostoïevski.

2. L'isba et la troïka.

Dostoïevski et les autres

APRÈS L'ÉCHEC DES DÉCABRISTES, DANS LA RUSSIE QUI A ADOPTÉ LA DEVISE « AUTOCRATIE, ORTHODOXIE, PRINCIPE NATIONAL », LA LITTÉRATURE EST LA SEULE EXPRESSION DE L'INTELLIGENTSIA.

Face à une élite cultivée, acquise aux idéaux des Lumières, le pouvoir se fait de plus en plus autoritaire. Vie intellectuelle étroitement surveillée, censure impitoyable : penser, écrire sont, à eux seuls, des signes d'opposition à l'absolutisme et au servage. Ainsi est née l'*intelligentsia,* divisée pourtant en deux tendances contradictoires : l'occidentaliste-libérale, athée, qui rêve d'une Russie « européanisée » ; la slavophile, traditionaliste, orthodoxe, qui cherche dans les classes pauvres (les paysans surtout) les sources spirituelles vives du pays. C'est dans ce cadre idéologique que Pouchkine, Gogol et Lermontov (plus poète que romancier) d'abord, Tolstoï, Tchekhov et Tourgueniev ensuite ont, aux côtés de Dostoïevski, doté la Russie de sa littérature moderne.

Aucun de ces écrivains n'a pu ruser avec l'exil, l'ailleurs et l'amour passionnel de la Russie.

Pouchkine a évité le bagne, mais a connu l'exil au sud ; Gogol a perpétuellement fui ; une grande partie de la vie de Tchekhov s'est déroulée en Europe et Tolstoï a vécu dans un porte-à-faux déchirant. Preuve qu'il n'était pas facile d'écrire alors et que la situation de l'écrivain n'allait pas de soi. Au sud de la Russie, Pouchkine découvre l'exotisme, l'Orient, au moment même où il lit Byron. Son premier grand héros, Eugène Onéguine, porte en lui, mais déjà détaché, ironique, la blessure du mal du siècle : dandy pétersbourgeois, il repousse l'amour naïf de Tatiana, rêveuse, douce, lectrice de romans français, mais profondément accordée à la terre russe. Tatiána deviendra la reine de Saint-Pétersbourg, Onéguine comprendra qu'il n'a pas de place, qu'il est de trop devant Tatiana, malheureuse et fidèle à la patrie qu'il a perdue. *Eugène Onéguine* est le premier roman russe

moderne. Pouchkine développe ensuite un réalisme social et humanitaire marqué de figures archétypales (le héros de *la Dame de pique,* soif de l'or et de la puissance), qui vient encore approfondir une réflexion neuve sur l'histoire : question de la légitimité avec Boris Godounov, affrontement entre le cosmos, l'ordre (incarné par Pierre le Grand et par la ville monumentale) et le chaos, dont le cosaque Pougatchev, symbole des forces chthoniennes élémentaires, est une métaphore.

Les qualités d'un jeune écrivain, Gogol, rencontré en 1830, Pouchkine les avait aussitôt perçues : verve, drôlerie des *Soirées du hameau* ou de *Mirgorod.* Mais, malgré un brio satirique que sa comédie du *Revizor* porte à la perfection, Gogol apparaît d'abord comme l'auteur d'étranges récits où le rêve et le réel s'opposent et s'interpénètrent. S'il est vrai que tout le roman russe est sorti du *Manteau* (1842) – bref récit où l'on voit un petit fonctionnaire s'acheter un manteau au prix d'immenses sacrifices : on le lui vole et il en meurt –, c'est que compte moins ici l'injustice sociale que l'étrangeté radicale d'une réalité

maléfique, déformée par le fantastique et qui vire au cauchemar. Le chef-d'œuvre de Gogol, *les Âmes mortes,* porte cette déformation à son paroxysme, au point que les personnages, outres vides définies par leurs manies dérisoires, préfigurent les corps beckettiens.

Après avoir cherché un engagement personnel dans les œuvres (*Journal d'un homme de trop, Roudine, À la veille*) qui reviennent toutes sur la question de l'action et de ce qu'on peut faire pour être utile (à sa patrie, aux autres), Tourgueniev dans *Pères et Fils* (1862) choisit le passé patriarcal russe et raille les nihilistes autant que les révolutionnaires qui idéalisent naïvement le peuple, considérant que l'avenir n'appartient pas à ces « romantiques du réalisme », mais à des hommes plus pratiques. Attentif, comme Gogol, au mystère, aux signes du destin, pris par l'angoisse de la mort, Tourgueniev est le témoin malheureux des bouleversements politiques de son pays.

Deux maîtres enfin, Tolstoï,

pour le roman épique, Tchekhov, pour la nouvelle dense et brève, ont donné de la réalité russe des images aussi complémentaires que contradictoires : déchiré entre un appétit de vie puissant et une exigence rationaliste, grand seigneur qui tenta de vivre comme un moujik, Tolstoï écrit *Guerre et Paix* comme un hymne à la vie, que suit bientôt le pessimisme d'*Anna Karénine,* sensuelle et tragique héroïne. Les œuvres ultérieures – *la Mort d'Ivan Ilitch, la Sonate à Kreutzer, Résurrection* – aggravent le désespoir et enrichissent la quête d'un être écartelé qui passe à bon droit pour un maître spirituel du monde moderne. Tuberculeux, hanté par la misère des autres, Tchekhov, quant à lui, se fait le chantre de la désespérance ; discrète, son écriture saisit la fêlure intime de chaque être derrière les silences ou le babil de la vie ordinaire : *les Groseilles à maquereaux* (1898), *la Dame au petit chien* (1899) disent les désespoirs ténus d'existences doucement finissantes. ●

4. Le cabaret des villes tristes et la vodka.

L'âme russe

Les écrivains russes n'ont cessé d'exprimer le poids d'une nature immense et souvent hostile, la torpeur d'une masse paysanne attachée à la terre et à ses routines, le pessimisme blasé d'une aristocratie jouisseuse et cosmopolite, tout en conservant l'espoir d'une régénération qui serait avant tout spirituelle.

5. La misère paysanne.

Une nouvelle poétique

AU BOUT DU JEU PHYSIQUE ET MATHÉMATIQUE DES PASSIONS CONTRAIRES, IL NE RESTE QU'UNE TRACE, SEULE PREUVE QUE L'AVENTURE A EU LIEU : LE ROMAN.

L'homme dostoïevskien ne saisit le réel que par le détour d'un certain nombre de modèles (sociaux, idéologiques) qui lui montrent l'objet de son désir et lui interdisent en même temps de l'atteindre. Il y a un sujet désirant, un modèle fascinant, un objet du désir, mais, en réalité, l'objet n'a ici aucune importance et seule compte la relation du sujet à son modèle : le modèle déçoit toujours, qu'il soit trop parfait ou qu'au contraire il démente l'image idéale que le héros se faisait de lui. Mais l'une des lois de l'univers dostoïevskien est que le besoin d'admiration est toujours plus fort que la réalité : c'est pourquoi le héros se déprécie plutôt que de reconnaître que son idéal était médiocre. L'humiliation est nécessaire : elle fonde l'existence ; c'est l'enfer qui justifie Dieu, et, pour qu'il y ait des victimes, il faut bien des bourreaux, des esclaves pour qu'il y ait des maîtres, des amants pour qu'il y ait des êtres aimés. Le même mouvement, et non les caprices ou l'étrangeté de « l'âme russe », explique que le salut viendra des créatures les plus criminelles et les plus dépravées (la prostituée est sainte). L'offense est nécessaire – elle est indispensable au pardon –, et la souffrance aussi : pour être racheté, il faut avoir souffert. La question principale est évidemment celle de l'existence de Dieu et bien des personnages dostoïevskien refont la montée au Golgotha. Dieu est le lien néces-

saire entre la souffrance innocente et la connaissance de la vérité, mais c'est un Dieu d'angoisse, dont on doute désespérément. Des créatures étranges, pervers, débauchés, simples d'esprit, prostituées, criminels, nihilistes, mystiques, fous, se croisent dans un univers « réaliste » (la plupart des romans de Dostoïevski sont bâtis autour d'un fait divers policier, mais l'énigme en est métaphysique) qui aborde les problèmes de son temps : la misère, la marginalité, le pouvoir de l'argent, la révolution, dans le lieu trouble et maléfique de la grande ville. Mais, perdus dans leurs mansardes ou dans leurs bouges, ou au contraire à l'aise dans le monde, les personnages parlent tous du fond du « souterrain » et leur maison est bien cette « maison des morts », puisque c'est la condition humaine que figurent le bagne réel et le bagne reconstruit par la littérature.

La nouveauté radicale de cette poétique, c'est sa polyphonie. Démêler le monde – et tout simplement le montrer – signifie penser tous les possibles comme simultanés et trouver leurs relations dans un moment unique : le roman. Cette complexité accueille toutes les contradictions : l'autre est ici sujet, non objet. Si Dostoïevski est un écrivain moderne, c'est qu'il a définitivement renoncé à détenir la vérité. ●

→ **Voir aussi :** L'évolution de la pensée russe vers la révolution, IDÉES, p. 406-407.

La littérature populaire

LA LITTÉRATURE NE PEUT se définir comme populaire qu'à travers un système d'oppositions qui varie suivant les époques et les cultures.

Cette opposition peut être nettement tranchée et séparer une littérature savante de genres et de formes pratiqués par le peuple : c'est le cas en Chine, où la langue et la littérature des lettrés ont mené pendant des siècles une existence parallèle aux parlers et aux modes d'expression populaires.

La distinction peut être plus nuancée, quand la littérature populaire se confond avec une tradition orale, qui subsiste elle-même aux côtés d'une littérature écrite. La culture mondaine du XVIIe siècle français a ainsi intégré, face à l'érudition de l'université et de la caste parlementaire, les « histoires du temps passé » où le merveilleux des contes de nourrices rejoignait les aventures extraordinaires des romans de chevalerie.

La littérature populaire est le plus souvent assimilée à une littérature fabriquée, destinée au divertissement d'un public de masse, par opposition à la littérature authentique, constituée à la fois par les classiques reconnus et par les œuvres nouvelles qui témoignent explicitement de préoccupations formelles.

La littérature faite pour le peuple se distingue alors par son contenu (fait de moralisme et de sentimentalisme), par sa forme (mélodramatique et rocambolesque), par son mode de diffusion (du colportage au feuilleton puis à la série).

Contre cette conception de la littérature qui offre au peuple une image dévoyée de lui-même, on a tenté de définir et d'illustrer une littérature qui soit en même temps une expression fidèle de la vie populaire et un instrument capable de la transformer : c'était là l'ambition du populisme.

Enfin, la véritable littérature populaire est peut-être celle qui est faite par le peuple : c'est l'objectif que se fixèrent les écrivains prolétariens en U.R.S.S. et dans les pays scandinaves ; c'est ce que prétendit réaliser la Chine de la Révolution culturelle avec ses « équipes populaires d'art et de littérature ».

Mais la réalité de la littérature populaire se situe aujourd'hui pour l'essentiel dans les marges de la littérature établie, dans le domaine stéréotypé des para- et des sous-littératures.

Le feuilleton

AU MILIEU DU XIXe SIÈCLE, CE N'EST PAS LA VIE RÉELLE QUI FAIT LE SUCCÈS DES JOURNAUX, MAIS LA FICTION : LE HÉROS DU FEUILLETON, S'IL PLAÎT AU PUBLIC, APPORTE LA FORTUNE AU PUBLICISTE ET À L'AUTEUR.

En un quart de siècle, entre 1836 et 1863, le journal est passé de 20 000 abonnés par an à un demi-million de lecteurs quotidiens. Il y a deux raisons techniques à ce prodigieux développement : le recours aux ressources de la publicité, qui n'est encore que la « réclame » ; la transformation des techniques d'impression, par l'utilisation des rotatives. Mais le véritable moteur du succès est littéraire, c'est la généralisation du feuilleton.

Lorsque, le 1er juillet 1836, Émile de Girardin et le financier Dutacq lancent respectivement l'un contre l'autre, faute d'avoir pu s'entendre, la Presse et le Siècle, la littérature est déjà présente dans les colonnes des journaux, mais sous forme de comptes rendus critiques. Le Siècle commence par publier quelques chapitres de romans d'auteurs obscurs. La Presse systématise aussitôt le procédé : la Vieille Fille, de Balzac, paraît en 19 feuilletons ; le Siècle s'assure alors l'exclusivité du Capitaine Paul, de Dumas – ce qui lui vaut 5 000 nouveaux abonnés en trois semaines. La bataille du feuilleton va faire rage pendant soixante-quinze ans.

Le feuilleton est une très grosse affaire financière. Émile de Girardin achète 100 000 F les Mémoires d'outre-tombe, de Chateaubriand. Eugène Sue, en 1842, sauve le Journal des débats en y publiant ses Mystères de Paris, et fait monter le tirage du Constitutionnel de 4 000 à 24 000 avec son Juif errant. En 1845, le Constitutionnel et la Presse s'associent pour se réserver la production du roi du feuilleton, Alexandre Dumas : 18 volumes de 22 feuilletons, rapportant à l'auteur 63 000 F par an. C'est payer très cher chaque ligne, y compris celles des dialogues, qui déroulent parfois des séries d'onomatopées !

Le feuilleton devient une folie : on loue le journal dix sous la demi-heure, le temps de lire le nouvel épisode d'Eugène Sue ; ceux qui ne savent pas lire se le font réciter par une concierge. Le roman-feuilleton divise les lecteurs dans toutes les classes de la société.

Dans son offensive moralisatrice, la IIe République frappera d'une très lourde taxe, en juillet 1850, le feuilleton, « cette industrie qui déshonore la presse et qui est préjudiciable au commerce de la librairie ». Mais la disparition de la presse d'opinion donnera le second souffle au feuilleton : le tirage des grands quotidiens comme le Petit Journal (le premier quotidien à un sou lancé en 1863), le Petit Parisien (qui tirera à 1 500 000 exemplaires en 1910), le Matin variera de plusieurs dizaines de milliers d'exemplaires selon que le héros a su ou non capter l'intérêt du lecteur dans l'aventure du jour. Lecteur qui influe d'ailleurs de plus en plus sur le déroulement de l'intrigue, par le courrier admiratif ou indigné qu'il fait parvenir au journal : Ponson du Terrail, qui plongea son Rocambole dans les péripéties les plus invraisemblables, n'hésita pas, pour tenir son public en haleine, à revenir sur l'enchaînement de ses récits à cascades, au mépris de toute logique. ●

La littérature de colportage

PENDANT TROIS SIÈCLES, DES MARCHANDS AMBULANTS SUSCITÈRENT L'ATTENTE PASSIONNÉE DU PETIT PEUPLE DES VILLES ET DES CAMPAGNES ET L'INQUIÉTUDE DES POUVOIRS PUBLICS.

Les colporteurs tenaient leur étalage sur la poitrine, maintenu par une cordelette reposant sur le cou ; plus souvent, c'est dans une hotte qu'ils portaient une pacotille qui faisait figure de trésor aux yeux des paysans : boutons, rubans, étoffes imprimées, miroirs, images pieuses, almanachs, articles de ménage, papier à beurre et à chandelle. C'est sur ce mauvais papier qu'étaient imprimés de petits livres, d'un format presque carré, illustrés de gravures sur bois, parfois coloriées : les colporteurs les proposaient aussi bien dans les villes (où ils servaient souvent d'entremetteurs et où leur activité était réglementée) que dans les campagnes, où ils répandaient aussi des ouvrages interdits, soit par leur format (les grands formats étaient réservés aux libraires), soit par leur contenu (pamphlets politiques ou antireligieux).

Toléré et prospère au XVIIIe siècle, le colportage fut soumis, dès le premier Empire, à une réglementation, qui devint draconienne à partir de 1852 : les colporteurs devaient faire estampiller leurs ouvrages par la préfecture du département dans lequel ils exerçaient leur activité et ils étaient contrôlés par la gendarmerie. Malgré ces contraintes, la littérature de colportage représentait des millions d'exemplaires, alors que les écrivains vedettes comme Flaubert et Hugo tiraient entre 3 000 et 10 000.

Le développement conjoint des chemins de fer et de la presse à bon marché eut raison du colportage à la fin du XIXe siècle.

Dans la boîte du colporteur, il y a d'abord des livres pratiques : des traités de médecine pour les bêtes et les gens ; des calendriers mêlant fêtes religieuses, dates des foires, notions d'astronomie et d'astrologie ; des précis de jardinage ; des modèles de correspondance ; des manuels d'éducation ; des livres de piété ; des ouvrages didactiques à l'usage des écoles rurales ; des livrets qui expliquent les songes ou enseignent des tours de prestidigitation.

Il y a aussi des contes et des récits dans la lignée des fabliaux du Moyen Âge, qui se caractérisent par la grossièreté de leurs plaisanteries et leur antiféminisme résolu.

Il y a enfin tout un fonds romanesque qui s'est constitué en trois étapes : d'abord les romans de chevalerie, sans cesse réédités depuis les débuts de l'imprimerie (Huon de Bordeaux, les Quatre Fils Aymon, le Roman de la Belle Hélène de Constantinople, Robert le Diable, l'Histoire de Jehan de Paris, Pierre de Provence et la belle Maguelonne) ; puis les contes de fées (Perrault notamment, à qui on attribue également les œuvres de Mme d'Aulnoy et de Mme Le Prince de Beaumont) ; la dernière vague étant formée à la fois d'œuvres sentimentales (Paul et Virginie, de Bernardin de Saint-Pierre ; Estelle et Némorin, de Florian ; tous les romans pathétiques de Mme Cottin, où la passion fatale se mêle à une religiosité vague : Claire d'Albe, Malvina, Élisabeth ou les Exilés de Sibérie) et de récits spectaculaires qui unissent les procédés du mélodrame à ceux du roman noir anglais (Victor ou l'Enfant de la forêt, les Petits Orphelins du hameau, de Ducray-Duminil).

Le plus célèbre ensemble de livres de colportage fut la « Bibliothèque bleue » lancée à Troyes au XVIIe siècle, publiée ensuite à Rouen et à Caen, et qui devait connaître le succès jusqu'à la fin du XIXe siècle. ●

Qu'est-ce que le peuple ?

La littérature a successivement considéré le peuple comme un grand enfant à instruire et à distraire avec des contes et des récits passés de mode – les romans de chevalerie diffusés par les colporteurs –, puis comme un consommateur naïf qui cherche dans un sentimentalisme préfabriqué l'oubli de la dureté du monde réel.

Le populisme

LA LITTÉRATURE QUI « VA AU PEUPLE »
S'EFFORCE MOINS DE COMPRENDRE ET
D'EXPRIMER SA RÉALITÉ QUE D'EN FINIR AVEC
L'IMAGE QU'EN DONNENT LES
ÉCRIVAINS BOURGEOIS.

Le 17 février 1930, la première émission radiophonique consacrée à la littérature brosse un panorama d'un nouveau courant littéraire à travers une interview de Léon Lemonnier. L'école nouvelle se réclame du naturalisme, plutôt celui de Maupassant que celui de Zola, mais condamne l'intrigue romanesque : en ce sens, le populisme se place à l'opposé de la littérature populaire.

Le mot « populisme » est emprunté au vocabulaire politique russe, où il désigne un mouvement d'intellectuels qui, vers 1870, « allaient au peuple ». Le populisme français se veut sans dessein politique, religieux ou social. Il faillit d'ailleurs se nommer « humilisme ». L'écrivain populiste refuse les outrances mélodramatiques comme les nuances psychologiques : il se contente de montrer une « tranche de vie » des petites gens – ceux, précisément, qui n'ont ni le temps ni le goût de réfléchir sur leur existence.

Les écrivains populistes reconnaissent pour leurs meilleurs représentants Lucien Descaves (les Emmurés, 1894 ; l'Hirondelle sous le toit, 1924), Jules Renard (Poil de Carotte, 1894 ; les Philippe, 1907), André Thérive (le Charbon ardent, 1929 ; Noir et Or, 1930), Ernest Pérochon (Nêne, 1920 ; la Parcelle 32, 1922). Par la suite, le populisme annexera, après Anatole France (pour Crainquebille, 1901), Pagnol (pour Topaze en 1928) et Eugène Dabit (Hôtel du Nord, 1929).

Si le prix du Roman populiste récompense pour la première fois Tristan Remy en 1931 pour Faubourg Saint-Antoine, il couronnera, en 1940, d'une manière plus discutable, Jean-Paul Sartre pour son recueil de nouvelles le Mur.

Le roman populiste, lors de sa première et plus significative floraison, a été influencé par le cinéma, notamment celui de René Clair (Sous les toits de Paris, 1930 ; le Million, 1931) et de Marcel Carné, qui adapta en 1938 Hôtel du Nord, de Dabit : l'écrivain, comme le metteur en scène, colle à la réalité quotidienne la plus banale en faisant de la rue et de son peuple son personnage privilégié. •

La littérature prolétarienne

LA LITTÉRATURE PEUT ÊTRE PROLÉTARIENNE
EN DEUX SENS : ELLE PEUT PEINDRE LA VIE DES PROLÉTAIRES ;
ELLE PEUT ÊTRE L'ŒUVRE D'OUVRIERS.

Le développement du capitalisme industriel avait suscité en Angleterre l'apparition de la « poésie chartiste » d'Ebenezer Jones, de W. J. Linton, de G. Massey, diffusée par les journaux syndicalistes. Parallèlement, des récits peignent les mouvements populaires : cette tradition se perpétuera dans les pays de langue anglaise, aux États-Unis avec Upton Sinclair, Sinclair Lewis, John Steinbeck, et en Grande-Bretagne jusqu'à Alan Sillitoe (la Solitude du coureur de fond, 1959).

La France a connu, sous la Restauration et la monarchie de Juillet, des poètes et des prosateurs populaires autodidactes, issus le plus souvent du milieu artisan : ainsi Agricol Perdiguier, sauvé de l'oubli par George Sand, Pierre Dupont, célébré par Baudelaire, ou encore Eugène Pottier, parolier de l'Internationale.

C'est en U.R.S.S. que, dès 1917, la littérature prolétarienne apparaît comme un mouvement de masse, organisé par le Proletkoult, dont le théoricien, Aleksandr Aleksandrovitch Bogdanov (1873-1928), souhaite instaurer une culture nouvelle en rupture avec le patrimoine aristocratique et bourgeois : le prolétariat doit élaborer des modes de pensée et d'expression originaux.

Il y eut ainsi des poètes (A. K. Gastiev : Poésie de l'élan ouvrier, 1918 ; M. P. Guerassimov : l'Usine au printemps, 1919) et des dramaturges prolétariens (S. M. Tretiakov : Entends-tu Moscou ?, 1923), qui se rassemblèrent dans l'Association russe des écrivains prolétariens (la fameuse RAPP) : ses membres devaient être nés dans le prolétariat et se distinguaient aussi bien des simples écrivains « révolutionnaires », ralliés à la révolution, que des bourgeois « compagnons de route ».

En Allemagne, le mouvement prolétarien s'incarne principalement dans le théâtre d'agit-prop qui, dans les années 1918-1933, mobilise Brecht et Piscator et s'appuie sur une dramaturgie simpliste inspirée du cirque, de la pantomime, de la commedia dell'arte, pour faire passer des mots d'ordre et une vision révolutionnaire des événements d'actualité.

C'est dans les pays scandinaves que la littérature prolétarienne a trouvé son expression la plus riche et la plus durable, particulièrement dans le domaine suédois. Le groupe des « Écrivains prolétaires » réunit des auteurs sortis du peuple, autodidactes, qui avouent leur foi dans les forces sociales et morales du monde du travail en un style pittoresque et naïf, dont le rythme est calqué non sur la rhétorique, mais sur la vie : A. Lundkvist (Vie nue, 1929), I. Lo-Johansson (Bonne Nuit, Terre, 1933), J. Kjellgren (l'Émeraude, 1933-1940), E. Johnson (le Roman d'Olof, 1934-1937), V. Moberg (les Émigrants, 1949-1959).

L'expérience la plus radicale de littérature prolétarienne a été vécue par la Chine de Mao Zedong, dans les premières années de la Révolution culturelle. Des « écrivains de temps épargné », suivant l'expression officielle, rassemblaient sur le terrain (l'usine, la coopérative de production) les matériaux d'un roman, d'une pièce ou d'un poème ; ils élaboraient ensuite l'œuvre en commun, avec l'aide de conseillers : écrivains professionnels et cadres politiques. C'est ainsi que, dans les années 70, la Chine put annoncer la production annuelle de quelque 800 millions de textes « littéraires ». •

1. Un incunable du colportage : le roman de chevalerie Pierre de Provence et la belle Maguelonne, imprimé à Lyon avant 1490.

2. Le quotidien de la Belle Époque aux couleurs du mélodrame.

3 et 4. Peines de cœur des années 50 ou 80 : il faut toujours payer le prix.

Le mélodrame

ENTRE LE DRAME
BOURGEOIS ET LE DRAME ROMANTIQUE,
LE MÉLODRAME EST LA FORME DRAMATIQUE À LA
DIMENSION DU BRUIT, DE LA FUREUR ET DES
MASSES RÉVOLUTIONNAIRES.

À l'origine, le mélodrame est un genre où le texte et la musique, au lieu de se combiner, se font entendre successivement : vieux procédé, qui est celui du théâtre grec antique et, dans une certaine mesure, des mystères médiévaux.

Mais très vite le mélodrame privilégia la pantomime, pour faire d'un théâtre à grand spectacle une forme dramatique qui s'adresse aux yeux et au cœur plus qu'à l'esprit.

Le maître du mélodrame, Guilbert de Pixerécourt, a écrit, suivant sa propre expression, « pour ceux qui ne savent pas lire », ceux qui ont vécu dix ans de bouleversements politiques et sociaux dans la passion, le sang et les larmes. C'est dire que ses pièces (Victor ou l'Enfant de la forêt, 1798 ; les Orphelins du hameau, 1801 ; le Chien de Montargis, 1814), comme celles de ses concurrents (l'Auberge des Adrets, 1823, de Antier, Saint-Amand et Paulyanthe ; Trente Ans ou la Vie d'un joueur, 1827, de Victor Ducange), tournent résolument le dos à la dramaturgie classique : finis la simplicité de l'intrigue, le dépouillement de l'action, la peinture nuancée des caractères ! Les héros, empruntés au monde brutal et mystérieux du Moyen Âge ou aux affaires énigmatiques ou violentes de l'histoire contemporaine, sont nettement séparés en bons et en méchants ; pétris de bons ou de mauvais sentiments, ils ne connaissent que des certitudes et des évidences : le choix tragique leur est étranger. Ils réagissent par des gestes et des discours outrés à des situations invraisemblables, qui ont pour cadre un décor fantasmagorique (forêt sauvage, souterrains, château, île déserte) animé par une machinerie très élaborée. Leur malheur et leur bonheur également absolus firent tressaillir et pleurer des générations dans les salles du boulevard du Temple, le « boulevard du crime », où triomphait l'acteur Frédérick Lemaître.

Le succès du mélodrame se prolongea jusqu'à la fin du XIXe siècle avec Anicet-Bourgeois (la Bouquetière des innocents, 1862), Dennery (les Deux Orphelines, 1874), Xavier de Montépin (la Porteuse de pain, 1884). •

Le naturalisme

L'aventure d'un groupe

ZOLA FUT L'ÉLÉMENT
FÉDÉRATEUR DU GROUPE NATURALISTE,
PARCE QU'IL SUT FAIRE PASSER UNE VISION DU MONDE
COHÉRENTE DANS SES ESSAIS CRITIQUES
ET SES ŒUVRES DE CRÉATION.

DU RÉALISME AU NATURA-lisme, la littérature ne prétend plus seulement procéder à une description minutieuse de la réalité, elle a l'ambition de se donner les moyens de son investigation scientifique. La science apparaît, à l'aube du dernier tiers du XIXᵉ siècle, comme le modèle absolu. Fascinés par le développement des sciences naturelles, les écrivains naturalistes ne doutent pas que leurs instruments à eux – singulièrement le roman – puissent se rendre maîtres d'un monde qu'ils vont comprendre et expliquer. Maître d'œuvre et maître à penser du mouvement, Zola le proclame : l'homme métaphysique est mort, il faut le remplacer par l'homme physiologique. Échappant alors à la sphère strictement esthétique, la littérature glisse dans le champ global de l'expérience humaine. C'est de la médecine expérimentale de Claude Bernard, des découvertes contemporaines en matière d'évolution et d'hérédité que se réclame Zola, non du romanesque antérieur. C'est ainsi que le « naturalisme » du XIXᵉ siècle se charge du sens que la philosophie matérialiste du XVIIIᵉ avait attaché à cette notion, excluant toute causalité surnaturelle et se fondant sur l'observation de ce qui revient à la seule « nature ».

Novateur, le naturalisme se pense d'abord comme rupture : il s'agit, dit encore Zola, de rejeter le romantisme, « comme un jargon que nous n'entendons plus », puis de s'inscrire dans l'évolution générale du siècle, dont la vision dominante est profondément positiviste. Au cœur de cette entreprise, Zola, vingt ans durant, s'est identifié au mouvement dont il fut le théoricien et le principal illustrateur. L'esprit qui l'anime, le rêve d'une littérature du « procès-verbal », la volonté de peindre la réalité triste et plate, Zola a trouvé des disciples pour les partager : réunis autour de lui dans sa maison de campagne de Médan, il y a des obscurs (Céard, Hennique) et des étoiles (Maupassant, Huysmans). Ce sont moins les œuvres « naturalistes » sorties de leurs plumes que leur existence même comme groupe et le débat qu'ils animent qui comptent. Vingt-cinq ans de vie culturelle française se polarisent autour d'eux. Par ailleurs, le naturalisme très tôt se réfléchit et se théorise : beaucoup des préfaces de Zola à ses romans lui serviront ainsi de tribunes, outre son exposé sur le *Roman expérimental.*

Ce souci permanent de se décrire en train d'écrire, de dévoiler sans cesse ses enjeux et ses principes finit par perdre le naturalisme. La « débâcle du naturalisme » est cependant un phénomène français ; car la vision zolienne du roman s'est fort bien exportée : elle a rencontré, en Russie, le populisme et le réalisme à la Gorki, le vérisme de Verga en Italie ; en Allemagne et dans les pays scandinaves, elle a renouvelé le théâtre ; à l'Amérique latine elle a donné, enfin, un nouvel angle d'attaque du monde et un instrument critique nouveau.

Ceux qui se laissèrent emporter par la force de conviction et le système romanesque de Zola (Huysmans et Maupassant, Daudet, Mirbeau, Vallès même, avec des formes d'adhésion enthousiaste ou distante et une interprétation plus ou moins fidèle des préceptes du naturalisme) partageaient au moins avec lui beaucoup de refus : rejet du romantisme, bien mort d'avoir tourné en un sentimentalisme bête et en un idéalisme auquel les données brutales de la société industrielle infligeaient un démenti cinglant ; refus lucide de croire que la littérature pourrait encore se penser hors du politique et hors de l'histoire ; refus de toujours fermer les yeux sur les réalités nouvelles qui cognaient à la porte : celle des foules, laborieuses, exploitées, misérables ; celle des villes sales et tristes ; celle de l'hérédité physiologique, avec son cortège de tares, de déchéances, de crimes. Souvent engagés à gauche, sceptiques au moins, athées et matérialistes presque toujours, les naturalistes se réclamaient en outre d'une conception déterministe des comportements et des rapports sociaux : Zola lui-même était positiviste, grand admirateur de Littré et de Taine – auquel il avait emprunté son analyse du tempérament (par la race, le milieu, le moment, et la faculté maîtresse) –, et fasciné par l'esprit de déduction et de rationalisation. Tous enfin, hantés par le modèle médical, croyaient devoir s'intéresser aux maladies du corps et de l'état social, guettés par l'ombre de la folie menaçante et travaillés par l'instinct de mort dont, bien avant Céline, les naturalistes ont dit qu'il était au fond de tout.

Le *Manifeste des Cinq* (Bonnetain, Rosny, Paul Margueritte, Descaves et Guiches), première déchirure dans le mouvement naturaliste, procède en réalité de cette profonde unité de pensée : en reprochant à Zola de s'être, dans *la Terre*, vautré dans l'ordure et l'immondice, les jeunes signataires, qui étaient aussi des disciples, avouaient simplement que la logique des choix zoliens allait trop loin : les incestes, les adultères, les parricides engloutissaient tout, et d'abord la littérature, dans le sordide et la désespérance.

Ce qui appartenait alors moins au projet naturaliste qu'à la mythologie personnelle de Zola finit par avoir raison du système : le naturalisme semblait voué à ne découper que des tranches de vie saignante et pourrie, à ne jamais parler de la beauté des choses uniformément recouvertes de la crasse du monde industriel, à ne saisir de l'enfant que l'éclair louche par lequel, inexorablement, se marquait son appartenance aux damnés... Huysmans chercha ailleurs, et retrouva Dieu. Moins loin, Maupassant creusa l'étrange sillon que Zola avait dessiné et montra le pouvoir effrayant de la folie et de la mort. En 1891, on pouvait en effet parler de la « débâcle du naturalisme ». Mais *les Rougon-Macquart* étaient presque achevés et beaucoup des disciples de Zola avaient trouvé dans la commune aventure ce qu'il leur fallait pour devenir eux-mêmes. ●

Tout le réel

Aux côtés des représentants de la politique et de l'affairisme (1), le peuple entre vraiment en littérature par le naturalisme. Côté loisir (3), le billard, auquel jouent hommes et

Manifestes et manifestations du naturalisme

Un projet scientifique, un instrument littéraire

Avant Zola, les Goncourt avaient défini le roman comme la grande forme sérieuse, passionnée, vivante, de l'étude littéraire et de l'enquête sociale. C'est aussi au roman, organisé en un grand cycle, que Zola confie la double tâche de suivre le destin d'une famille sous le second Empire et d'évoquer, à travers le destin des personnages, la névrose morale et sociale qui secoue le siècle. Maintenant qu'il a fait la preuve qu'il était le genre souverain (puisqu'il contient tous les autres), le roman accueillera les renseignements sur les milieux sociaux, les conditions de vie de ceux qu'il veut peindre, leur environnement. Au romancier d'organiser ensuite les données de cette enquête de terrain : convaincu qu'il existe des mécanismes qui rendent compte des enchaînements – les lois de l'hérédité d'une part, le déterminisme du milieu d'autre part –, le romancier naturaliste « monte » une expérience sur laquelle il raisonne à partir de la méthode hypothético-déductive. Ainsi *les Rougon-Macquart* montreront-ils le jeu de la race modifiée par les milieux sociaux, avec pour fil directeur l'hérédité. Le roman devient alors un système rigide. Zola, pourtant, a écrit de vrais romans, parce qu'il n'a jamais perdu de vue que l'œuvre d'art, si scientifique qu'il la voulût être, demeurait « un coin de la création vu à travers un tempérament » : la « matière sociale » impose des thèmes sordides, mais elle peut aussi être une matière esthétique. ●

Une doctrine
pour une fin de siècle

LE NATURALISME, QUI AVAIT ÉTÉ
À L'ÉCOUTE DE LA CONNAISSANCE DE POINTE
DE SON TEMPS, A DÉRAPÉ DANS LE SCIENTISME ET
A PERVERTI LE ROMAN, QU'IL AVAIT
DÉCLARÉ SOUVERAIN.

Les thèses et la méthode qui se découvrent dans *les Rougon-Macquart* sont fidèles à ce qu'il y a de meilleur dans les travaux dits scientifiques du xixe siècle. Si Zola ne vérifie pas tout, si sa documentation peut être prise en défaut, il a introduit une volonté de précision et de rigueur dans la littérature qui a eu pour effet de développer ses pouvoirs authentiquement « sociologiques ». Ce faisant, Zola ne répétait pas la « leçon » de Balzac qui centrait tout sur l'individu : plutôt que de montrer des singularités et des aventures individuelles, Zola peignait ce qui détermine, ce qui constitue, ce qui aliène – indéfi-

niment – ces singularités. Ou encore : les structures et leurs interactions. Sous la plume naturaliste, le « héros » change de statut : conçu dans la complexité de son insertion sociale, doté d'un tempérament passif devant les fatalités (physiologiques et sociales) qui l'assaillent, il ne réagit qu'à peine et un impitoyable déterminisme l'emporte. Alors que naissait la foule moderne, qu'il fallait penser le rapport de l'homme à la machine, qu'une modernité technologique agressive s'imposait, le naturalisme s'est montré à la hauteur du monde nouveau.

Mais, du coup, il a multiplié

les marionnettes, accusé les contrastes, développé un manichéisme plus simpliste que celui des antiques épopées. Des deux faces du « réel » qu'il prétendait atteindre, il n'a finalement retenu que la plus délétère et la plus désespérée. Il a très vite lassé le goût d'un public rebuté par une esthétique qui semblait s'abâtardir en poncif de la crudité. Flaubert avait bien vu cet écueil en voyant dans ce mouvement, volontiers doctrinaire, une « préciosité à l'envers ». Surtout, amoral, sinon « immoral » comme le disaient ses adversaires, le naturalisme a démoralisé en montrant que son rêve était de dissoudre le littéraire dans le réel, donc qu'on pourrait peut-être se passer du littéraire. Dans son désir de dire toute la vérité, il a oublié de se demander « quelle » vérité la médiation de l'écriture permettait de dire, et, en cette fin du xixe siècle grosse de menaces, il a fini par ne plus rien voir que ce qu'il avait déjà vu et qu'il se bornait à répéter jusqu'à s'autodétruire. •

Le modèle français
et les autres naturalismes

ALORS MÊME QU'IL S'ESSOUFFLAIT
EN FRANCE, LE NATURALISME GAGNAIT DU TERRAIN
DANS LE MONDE ENTIER.

Il y a, sans doute possible, un avant- et un après- naturalisme : si le roman naturaliste a développé une « psychologie » simpliste, réduite le plus souvent à un comportementalisme mélodramatique ; si sa passion descriptive a souvent tourné à la logorrhée ; si la présence de son narrateur, non seulement omniscient mais capable de tout expliquer, a fini par laminer ses intrigues, il s'est révélé cependant l'instrument exemplaire d'une prise de conscience sociale et historique, où l'aliénation, la présence obsédante des choses, la déshumanisation des êtres et la perte du sens de la vie ont été cruellement montrées. C'est ce qui reste de « l'esprit de Médan »,

ce qu'en a retenu la postérité française (le cinéma populiste des années 30, autant que la littérature poussée au noir par Céline), mais aussi ce que les autres naturalismes lui ont emprunté.

Pour des raisons historiques (c'est la phase ascendante de son unité politique, de sa puissance économique et militaire), l'Allemagne a particulièrement bien accueilli le naturalisme. Les écrivains naturalistes allemands se proposent pour idéal littéraire la conformité au réel ; ils critiquent la médiocrité et l'hypocrisie de la bourgeoisie à laquelle tout profite, et le passage à Berlin, en 1887, du Théâtre-Libre d'Antoine, qui révèle Zola, précipite les choix : les écrivains allemands portent sur scène la « tranche de vie » qui donne l'impression du vécu, ainsi Arno Holz et Johannes Schlaf, avec *la Famille Selicke* (1890), et Gerhart Hauptmann, qui déclenche avec son drame *Avant l'aurore* (1889) la « bataille d'Hernani » du naturalisme allemand.

L'Europe du Nord, avec les pays scandinaves, fut une vraie terre d'accueil pour le naturalisme et c'est notamment Strindberg pour la Suède et Ibsen pour la Norvège qui donnèrent au naturalisme son expression dramatique la plus achevée.

En revanche, malgré l'intérêt porté au naturalisme par l'Espagne (*la Question palpitante* d'Emilia Pardo Bazán introduisait, en 1883, en Espagne les thèses de Zola), il y a peu de véritables œuvres naturalistes espagnoles : l'allergie de cette terre catholique aux modèles de Darwin et de Claude Bernard l'explique assez. Le vérisme italien au contraire – représentation de l'aliénation populaire dans les cités industrielles – procède directement du naturalisme français et anticipe, dans son constat objectif de la désespérance quotidienne, sur l'esthétique néoréaliste du xxe siècle.

Mais c'est peut-être, dans sa diversité irréductible, l'Amérique latine qui trouva dans le naturalisme les éléments dont elle avait alors le plus urgent besoin : en démontant le mécanisme de la société dans laquelle il vit, le roman hispano-américain vise à la faire évoluer vers plus de justice. Il se veut donc à la fois scientifique et engagé : la question indienne, l'avènement d'une bourgeoisie financière impitoyable qui supplante l'ancienne aristocratie terrienne, la mutation économique violente qui transforme des sociétés rurales en sociétés minières et pétrolières le nourrissent aujourd'hui encore. •

1. Lucien Murat, par Daumier.

2. Un atelier de verrerie vers 1880.

dans un regard

femmes ; ouvriers et petits employés ont posé pour cette scène, qui s'ordonne comme un tableau, mais qui est déjà une photographie, c'est-à-dire un mode d'expression résolument moderne et bien fait pour plaire aux naturalistes. Côté travail (2), la scène est toujours posée, mais elle est brutale dans son exactitude : des hommes et des enfants, dans un atelier sale, et les regards des enfants, gênants dans leur fixité conforme.

3. Une partie de billard en 1860.

Les littératures scandinaves

L**E ROMANTISME AVAIT PER**mis à la Scandinavie de constituer des littératures, et même des langues, originales.

La percée naturaliste dans le dernier tiers du XIXᵉ siècle ouvre les pays scandinaves aux courants de pensée et d'expression européens, grâce à un intercesseur, Georg Brandes, qui guidera l'évolution littéraire de toute son époque : son intérêt pour la réalité quotidienne fera place, peu à peu, à une passion de l'absolu et à la fascination pour les êtres d'exception.

En retour, de grands écrivains nordiques vont s'imposer à l'Europe, et ils vont le faire par le théâtre. Les premiers essais dramatiques scandinaves s'inscrivaient dans le grand mouvement de mise en valeur des traditions historiques et d'ancrage à la fois patriotique et folklorique. Mais, très vite, les plus lucides des dramaturges norvégiens et suédois vont dépasser la peinture de leurs réalités nationales pour atteindre à l'universalité. Ils se livrent à une analyse, à la fois impitoyable et angoissée, des hypocrisies sociales et des profondeurs de la conscience, de l'ambiguïté de la condi-

tion féminine, de la définition problématique d'une morale de l'individu. Ibsen clame sa foi dans l'amour et son exécration de la médiocrité. Strindberg dénonce toutes les forces obscures, condensées dans la Femme, qui font obstacle à l'épanouissement des esprits supérieurs.

Quant au roman, il passe d'une vision pessimiste de la société bourgeoise, qui s'oppose à la réalisation des fantasmes qu'elle fait naître, à l'exaltation naïve des forces populaires : les « écrivains prolétaires » s'efforcent de comprendre et de traduire les divers bouleversements sociaux et humains d'un monde en cours d'industrialisation.

La recherche d'une écriture qui rende compte de cette totalité mouvante, qui enregistre les moindres frissons du cœur et de l'esprit et qui soit en même temps sensible au plus grand nombre de stimulations du monde extérieur aboutit à un chef-d'œuvre prémonitoire : *la Faim,* de Knut Hamsun, préfigure à la fois la littérature du « courant de conscience » (de Joyce à André Breton) et la littérature de l'« absurde » (de Beckett à Thomas Bernhard).

Un initiateur : Georg Brandes

BRANDES A RÉSUMÉ LES ASPIRATIONS D'UNE GÉNÉRATION ET FUT LE MAÎTRE IMPRÉVISIBLE DE LA LITTÉRATURE MODERNE.

L**es** engouements et les mots d'ordre successifs de Georg Brandes (1842-1927) relèvent d'une même attitude intellectuelle : la passion de la critique, nourrie d'une sensibilité exacerbée aux bonnes consciences satisfaites et aux réputations usurpées. Il n'a ainsi cessé de brûler ce qu'il avait adoré : Kierkegaard a cédé, comme intercesseur philosophique et esthétique, la place à Taine, lui-même supplanté par Nietzsche ; Brandes a adopté, et traduit, les thèses de Stuart Mill sur l'oppression de la femme, mais il s'est brouillé avec Bjørnson en défendant l'irrépressible instinct sexuel de l'homme ; il a tracé dans un premier cycle de conférences, en 1871 (*Principaux courants de la littérature européenne du XIXᵉ siècle,*

publiés de 1872 à 1890), un programme d'action naturaliste dans les domaines philosophiques et littéraires ; quelque vingt ans plus tard, dans un second cycle (*Radicalisme aristocratique),* il fait du culte de l'homme exceptionnel le centre de sa pensée et de son esthétique.

Brandes, à travers des variations continues sur la colère et l'indignation, est ainsi passé d'une attention critique pour la réalité quotidienne et collective à la célébration passionnée des génies et de l'épanouissement total de l'individu. En cela, il devait faire école.

Si Brandes a tiré une méthode de ses contacts avec Sainte-Beuve et Taine, elle se traduit par son mot d'ordre : « Soumettre les pro-

blèmes à la discussion. » Garder sa capacité d'étonnement devant les situations et les écoles assises ; exprimer un constat dans un langage concret qui touche aussi bien le grand public des lecteurs que les écrivains ; reprendre la lecture des gloires consacrées avec un regard nouveau : c'est cette opération de décapage que Brandes fait subir au romantisme, avant de retrouver en César, Shakespeare ou Michel-Ange l'équivalent de la figure de Byron.

L'œuvre de Brandes devait avoir une postérité durable dans l'univers culturel nordique par deux de ses aspects de tonalité nietzschéenne : la violente dénonciation du judéo-christianisme (*la Légende de Jésus,* 1925 ; *le Christianisme primitif,* 1927) – auquel il opposait l'esprit de la Grèce, alors que d'autres générations chercheront le salut dans le passé germanique – et la condamnation de l'incompréhension des masses, qui empêchent le développement du génie artistique ou politique, quand elles ne lui font pas obstacle délibérément.   ●

La vérité qui tue ou le mensonge qui fait vivre ?

À TRAVERS DES SITUATIONS SYMBOLIQUES, IBSEN N'A CESSÉ DE POSER UN SEUL PROBLÈME : DOIT-ON SACRIFIER LA VIE À L'IDÉE ?

A**u** cœur de l'œuvre de Henrik Ibsen (1828-1906) se dressent deux drames affrontés : *Brand* (écrit en 1866, représenté en 1885), *Peer Gynt* (1867). Dans la réalisation d'une destinée humaine, *Brand* représente la ligne droite, *Peer Gynt,* la ligne courbe.

Une seule vocation : être.
Le pasteur Brand veut régénérer l'humanité par l'exaltation de la volonté et l'intransigeance d'une passion unique. L'homme ne peut qu'être tout entier à Dieu ou au Diable. Un tel refus du compromis sèmera la mort autour de lui, à commencer par sa propre famille : Brand comprend trop tard que le cœur de la foi est la charité et que l'on ne trouve Dieu que par l'amour.

Peer Gynt est un paysan rusé, qui pense que les petites astuces valent bien les grandes idées. Sur le mode ironique, il reprend la problématique de Brand. Peer Gynt s'efforce de vivre en autarcie psychologique : il repousse les conseils de sa mère, l'amour tranquille de la jeune Solveig. Il se complaît dans des rêves de pacotille : un Orient de convention, l'amour fou de la capiteuse Anitra, le désir de puissance qui le fera marchand d'esclaves. Au bout du compte, il sera prophète dans une tribu de sauvages, couronné empereur des fous dans un asile égyptien, naufragé alors qu'il tente de regagner sa patrie. Comme le lui dit le mystérieux compagnon de son dernier voyage, « le Fondeur de boutons », il n'est qu'un élément raté de la tunique de l'univers, il est bon à « repasser au moule » : la fidélité de Solveig le sauvera.

On ne peut être sans avoir un sens, il n'y a pas de vie sans vocation, mais l'existence n'est pas un « one man show » : il faut être deux, au moins, pour aller au bout du chemin.

Des symboles à double sens.
Ibsen utilise constamment les mêmes symboles, mais la force qu'ils incarnent est tantôt d'attraction, tantôt de répulsion. Ainsi la mer : étendue sans limite, espace de liberté, elle est aussi le miroir maléfique où s'engloutit symboliquement Hedvig (*le Canard sauvage*) et littéralement le *Petit Eyolf.* L'ascension (de son édifice, par Solness le Constructeur, de la pente enneigée par *Jean Gabriel Borkman,* de la montagne par Rubek et Irène dans *Quand nous nous réveillerons d'entre les morts*) est le signe de la libération des contraintes, mais c'est aussi le tremplin qui projette par-delà la vie ceux qui ont voulu rompre avec la société : Solness tombe du haut de sa tour, une main de glace

saisit le cœur de Borkman, Irène et Rubek sont engloutis par une avalanche. La mort apparaît chez Ibsen comme une modalité du suicide : union avec une réalité qui dépasse l'être dans la fin tragique des ascensions qui symbolisent la voie de l'élévation spirituelle ; affirmation, au contraire, d'une individualité irréductible, pour *Hedda Gabler,* ou d'une fusion purificatrice pour Rosmer et Rebecca (*Rosmersholm*).

Ainsi la vie n'apparaît-elle que comme le domaine du non-sens, de la médiocrité, du compromis. La lumière qui éclaire le difficile chemin de la réalisation de soi est tout intérieur. La vie est faite pour l'héroïsme, mais l'héroïsme ne peut conduire qu'à la mort.   ●

1. Strindberg, photographié en 1891.

La Femme, obstacle à l'avenir de l'Homme ?

À TRAVERS L'AMOUR TOUJOURS POURSUIVI
ET LE CONFLIT CONJUGAL TOUJOURS ÉPROUVÉ, STRINDBERG
CAMPE UN HOMME PERPÉTUELLEMENT « DÉSACCORDÉ ».

August Strindberg (1849-1912) est l'auteur d'une œuvre autobiographique unique qui, de *Lui et Elle* (1875-1876) à *Seul* (1903) en passant par *le Fils de la servante* (1886), ne comprend pas moins de douze livres. Mais l'on peut dire que l'ensemble de son théâtre, de ses romans, de ses nouvelles et de ses essais compose une confession continue et ressasse une même obsession : nous rêvons sans cesse la Vie, nous idéalisons la Femme, mais ni la Vie ni la Femme ne se montrent à la hauteur de nos désirs de perfection et d'absolu. La masse, envieuse et vile, et le destin ironique savent s'unir.pour écraser ou dissoudre la personnalité de l'être d'exception, dont la lucidité croît à proportion de son angoisse. D'où le drame de la vérité, qui ne s'atteint qu'au point de la rupture d'équilibre : la « lutte des cerveaux » s'achève en « assassinat psychique », en folie pour l'homme qui a entrepris d'échapper au mensonge commun.

C'est en France que Strindberg découvrit le naturalisme et c'est en français qu'il fit le récit de ses plus douloureuses expériences psychologiques (*le Plaidoyer d'un fou*, 1887 ; *Inferno*, 1897). Mais cette étiquette littéraire ne sera jamais pour lui qu'un prétexte.

S'il reconnaît la justesse de la dénonciation des tares congénitales du monde moderne, à laquelle se livre l'école de Zola, Strindberg utilise la méthode beaucoup plus pour disséquer les « fantômes du moi » que les vices de la société.

Tout l'édifice de Strindberg, vie et œuvre, se fonde sur une conviction quasi alchimique que confirment son intérêt pour Swedenborg et ses recherches sur l'occultisme : le monde est fait de correspondances et d'appels qu'il faut interpréter si l'on veut qu'un jour soient réunies les deux parties qui font l'être complet, le terrestre et le céleste, le masculin et le féminin. En attendant – et par la faute essentielle de la perfidie dont la Femme use pour conforter un univers mesquin –, l'existence n'est qu'un *Songe* (1902) où, pour échapper au mal de vivre, l'homme entreprend de se dédoubler, ou une *Sonate des spectres* (1907) où la vie et la mort ne cessent d'échanger leurs signes.

Si la souffrance est libératrice, alors il n'est pas d'être plus libre que Strinberg, ce « pèlerin de l'absolu » dont la difficulté à être sincère traduit tout simplement la difficulté d'être. ●

La femme et l'écrivain

Toute l'illustration de l'antagonisme entre la vie et l'idée, le génie et les forces qui le persécutent chez Strindberg (1) et Ibsen par leurs personnages féminins. Hedda Gabler (3), femme frustrée d'idéal et d'amour, joue, jusqu'au suicide, la comédie de l'héroïsme. Nora (2), symbole du mouvement féministe, ne veut plus être traitée en « poupée » et quitte mari et enfants pour partir à la recherche de sa liberté et d'un amour désintéressé.

3. *Hedda Gabler*, interprétée en 1956 par Domitilla Amaral et Pascale de Boysson.

« La Faim » de Hamsun : la richesse du dénuement

LES ALLÉES ET VENUES
D'UN HOMME AFFAMÉ DANS UN PORT
OÙ IL VA S'EMBARQUER POUR L'AMÉRIQUE OUVRENT
LA VOIE AU SIÈCLE DE L'ABSURDE.

Gide a fait de la publication du roman de Knut Hamsun (1859-1952) l'acte de naissance d'une nouvelle littérature : celle qui se meut dans un monde vide, par rapport à l'univers plein et balisé de la culture méditerranéenne, pétrie d'optimisme et de classicisme.

Dire le rien.
Le roman de Hamsun ne veut rien prouver. Il ne trace pas un cadre précis : le port où le journaliste rongé par la faim poursuit son itinéraire chaotique ne relève d'aucune description réaliste. C'est l'épure d'un lieu, comme le héros n'est que l'esquisse d'un être. Mais l'estomac vide va faire le plein de l'imagination.

La faim qui mure le héros dans sa solitude lui donne une extraordinaire sensibilité aux mouvements internes de son corps. Ce corps évidé devient une étonnante caisse de résonance. La relation de ses événements intimes, de la violence de ses réactions internes à la moindre vibration extérieure, est moins psychologique que cénesthésique. Pulsions aberrantes et associations d'idées bizarres semblent naître directement des organes, symptômes cliniques qui s'imposent sans passer par le filtre d'une réflexion ni d'une composition.

Un art minimal.
Le rythme du récit calque l'activité ralentie du corps. Avec de brusques sautes du sismographe, comme lorsque le héros met en gage son gilet pour faire l'aumône à un mendiant, qu'il insulte. D'où, dans un style « blanc » qui accumule les annotations physiologiques et les modifications psychiques, les brutales poussées de lyrisme : la musique des nerfs.

Cette technique littéraire devait être reprise par Joyce, Virginia Woolf, Faulkner, et admirée par les surréalistes : elle permet de restituer la coexistence tumultueuse de tous les éléments de la conscience (perceptions, idées, fantasmes, sentiments) sans leur dicter une hiérarchie, de transcrire l'intégralité du psychisme dans la liberté et l'imprévisibilité de la vie qui s'impose à l'esprit et aux sens. ●

2. *Maison de poupée* (1879), dans une mise en scène norvégienne.

Le symbolisme

L'EXCLAMATION DE Verlaine : « Symbolisme ? Connais pas ! Ce doit être un mot allemand ! », et la boutade de Valéry : « Le symbolisme est l'ensemble des gens qui ont cru que le mot symbole avait un sens », disent assez combien la définition de ce mouvement est introuvable. Mouvement de rupture, de révolte même, mouvement moderne s'il en fut, entre autres pour son culte exclusif de la Littérature, le symbolisme ne se comprend que dans le contexte français des années 1880, c'est-à-dire de la décennie qui suivit la défaite de 1870 et l'éclair de la Commune. Nombre de ceux qui, sans se déclarer symbolistes, partageaient une vision assez commune du monde pour qu'en sortît une esthétique nouvelle venaient en réalité du mouvement décadentiste d'après la Commune et étaient aussi volontiers anarchistes en politique qu'ils étaient esthètes et dandys en matière d'art et de goût. Face au positivisme triomphant, au naturalisme englué dans la « réalité » qu'il prétendait reproduire, contre le Parnasse même et son amour jaloux de la forme rigide, des poètes (Verlaine et Mallarmé, mais Laforgue aussi, Ghil, Moréas, Verhaeren, Merrill), des dramaturges (Maeterlinck), des musiciens (Debussy, Fauré, Ravel) proclament les droits de l'idéalisme et du mysticisme, cherchent dans le rêve et la surréalité de quoi assouvir leur faim de mystère, esquissent les contours d'un art de l'inquiétude et de la suggestion.

Marqués par la philosophie de Schopenhauer *(le Monde comme volonté et comme représentation)* et par les premières approches de l'inconscient, les symbolistes refusent de réduire le monde à la matière : loin d'être un pauvre relevé de lignes et de surfaces, une extériorité objective et générale qui serait pour chacun à peu près la même, ils le voient comme constitué des représentations que nous en avons, des signes dont nous le parsemons. À la matière et au « réel », les symbolistes préfèrent les idées et les signes ; à la reproduction, ils substituent l'art de la suggestion et la conscience de l'obscur et de l'ineffable, aux règles de la prosodie, la musique et l'harmonie. Dans une esthétique qui rejette la science et la rationalité, la logique et la certitude, tout se charge d'un sens complexe, pluriel : tout devient *symbole,* terme fédérateur, dont la définition se perd, mais qui signifie au moins la conscience des correspondances entre des ordres séparés, entre les sensations, entre le dehors et le dedans, l'homme et le monde, et rend possible une poétique de l'analogie et de la métaphore.

Dix ans durant, le symbolisme a existé comme conscience et refus communs. Ses terres littéraires de prédilection ont été la poésie et le théâtre : trop prisé des naturalistes, le roman lui parut suspect. Mais, au moment où la France l'abandonnait, l'aventure européenne du symbolisme commençait, et même sa destinée mondiale.

1. Autoportrait de James Ensor.

Une aventure européenne

LE SYMBOLISME A COLORÉ
DE SA SENSIBILITÉ BIEN DES MOUVEMENTS FONDATEURS
DE LA MODERNITÉ AU XXᵉ SIÈCLE.

Les fondements philosophiques du symbolisme sont cosmopolites : influencés par Schopenhauer, les symbolistes français l'ont également été par Wagner, après qui ils ont développé l'idée d'une solidarité fondamentale entre les arts et aux talents dramatiques de qui ils ont rendu hommage. Un même goût des mythes et des légendes (surtout ceux de l'Europe du Nord) et des personnages allégoriques, le sens du merveilleux et un certain mysticisme encore les rapprochaient du maître de Bayreuth. Pénétrés de l'idée selon laquelle l'univers n'est que le signe d'un autre monde, profondément idéalistes, les poètes et les dramaturges symbolistes ont cherché leur bien dans l'ensemble des doctrines ésotériques de l'Europe, même s'ils ont divergé sur la définition du symbole : simple « allégorie » pour les uns, formulation du mythe pour les wagnériens, correspondance et universelle analogie pour les héritiers de Baudelaire, déchiffrement de l'énigme par la suggestion pour les disciples de Mallarmé.

Malgré le flou, ou grâce à ce flou, bien des mouvements intellectuels européens ont trouvé dans le symbolisme français de quoi se structurer : le plus proche – et qui donna quelques-unes des plus belles œuvres symbolistes – fut le groupe symboliste belge. G. Rodenbach, M. Maeterlinck et E. Verhaeren en sont les figures marquantes. Verhaeren, sans renoncer à une vision intime hallucinée du monde, a fait passer le symbolisme d'un côté qui lui paraissait fort étranger : celui de l'art social et des villes modernes, avec *les Villes tentaculaires* (1895) et *la Multiple Splendeur* (1906).

En traduisant les poètes symbolistes français, Stefan George avait assuré une bonne diffusion du mouvement en Allemagne. Mais les Allemands avaient Wagner et c'est plutôt en Autriche que l'influence fut profonde sur les poètes de la « Jung-Wien » et sur les deux plus grands poètes de cette époque : Hugo von Hofmannsthal et Rainer Maria Rilke.

Grande influence encore en Europe centrale : en Tchécoslovaquie, grâce à la « Modernírevue », en Pologne autour du mouvement de la « Jeune-Pologne ».

En Europe du Sud, le modernisme espagnol, par son cosmopolitisme, son aristocratisme, son goût pour la musique, est proche du symbolisme. Mais c'est en Italie, par Gabriele D'Annunzio et par ceux qu'on nomma les « crépusculaires », que semblent s'être répandus le plus directement des thèmes plus décadents que symbolistes.

Cette aventure devait être mondiale : aux États-Unis, par le biais de la critique anglaise, les œuvres des poètes français furent tôt traduites. Un mouvement comme l'imagisme (F. S. Flint et Ezra Pound) doit beaucoup au symbolisme. La Russie impériale aussi lut les symbolistes français. Comme toute esthétique dérangeante, le symbolisme venait partout donner à la quête de la modernité, et parfois de la liberté, des mots pour se dire. •

Un nouvel art poétique

À PARTIR DES ANNÉES 1880,
UNE ANGOISSE ET UN MALAISE TRÈS « FIN DE SIÈCLE »
CHERCHENT LEUR EXPRESSION, QUI PRENDRA FORME AUTOUR
DE L'ART MUSICAL ET ÉNIGMATIQUE
DE VERLAINE ET DE MALLARMÉ.

Des clubs aux noms bizarres – « Hirsutes », « Je m'en-foutistes », « Zutistes », « Hydropathes » – se réunissaient vers 1880 dans des cafés comme *le Chat noir* : s'y croisaient Alphonse Allais et Charles Cros, Jules Laforgue aussi, auteur de *Complaintes* (1885) fragiles et tendres. Sentiment de l'absurde et inquiétude vague, goût de l'artifice, des raffinements, culte des sensations rares et fascination absolue pour l'art les rapprochent. En 1884, Verlaine fait connaître, dans *les Poètes maudits,* les textes alors inconnus de Mallarmé, de Corbière, de Rimbaud. Cette même année, Huysmans invente, avec le héros d'*À rebours* – Floréas des Esseintes –, le type de l'es-thète décadent qui vit de poésie et de beauté, mais que sa lucidité voue à une angoisse sans remède. En publiant un essai sur Baudelaire, dans *les Taches d'encre,* sa revue, le jeune Barrès ajoute ainsi aux deux maîtres dont se réclameront les symbolistes, Verlaine et Mallarmé, l'inventeur des « correspondances ». Si une sensibilité nouvelle fait bientôt place à ce désenchantement élégant, c'est qu'autour de Verlaine et de Mallarmé se cherche un nouvel art poétique : celui que propose Verlaine, dans la pièce de *Jadis et Naguère* (1884) qui cultive l'indécis, le « fouillis », la nuance qui « fiance le rêve au rêve et la flûte au cor », rejette l'ironie et l'éloquence, s'en prend à la rime, enfin, ce « bijou d'un sou ». Les *Poèmes saturniens* (1866), les *Fêtes galantes* (1869) et plus encore les *Romances sans paroles,* pourtant bien antérieures au mouvement symboliste proprement dit, avaient déjà actualisé cet art : l'esthétique verlainienne est toute de suggestion et de résonances musicales ; ignorant la distinction entre le moi et le monde, entre le symbole et le signe, elle les fait se pénétrer avec une infinie douceur, en usant de toutes les possibilités de la gamme sonore et des rythmes impairs, et compose le paysage intérieur de l'âme dispersée et rêveuse.

S'ils n'ont rien perdu de la fluidité subtile de la poésie verlainienne, les jeunes poètes qui fréquentent les mardis de Mallarmé, rue de Rome, se tournent pourtant vers une conception extrêmement différente et très rigoureuse de la poésie. Il y a là René Ghil et Gustave Kahn, Valéry, Gide, Claudel, Verhaeren, Wilde. Et Mallarmé avait beau dire à Manet qu'on faisait de la poésie non avec des idées mais avec des mots, sa tentative poétique est bien d'ordre philosophique : loin de tout « message » à transmettre, de toute fiction à inventer, il s'agit de parvenir à faire figurer l'absolu des choses dans l'espace pur des mots et des vers. La poésie est pour Mallarmé l'instrument d'une analyse des rapports entre le langage et la réalité, et la chance unique de retrouver, par la perfection du Verbe, un état d'unité et de transparence perdu. Depuis Babel, les langues sont imparfaites, parce que plusieurs : la poésie corrige ce défaut. La quête mallarméenne, mystique à cet égard, est celle de la Transposition : transposition d'un « fait de nature » en sa vibration musicale, pour qu'en émane la notion pure. La fleur mallarméenne est, à jamais, « l'absente de tous bouquets », ni nommée (« nommer un objet, c'est supprimer les trois quarts de la jouissance du poème qui est faite de deviner peu à peu »), ni décrite : *suggérée,* pour que demeure l'énigme constitutive de la poésie. Car la poésie est réservée aux initiés : elle ne peut être qu'hermétique, comme son aboutissement, ce « Livre » dont Mallarmé disait que le monde était fait pour y conduire, entendant par là que, si le Monde avait la cohérence et la nécessité du Livre, il serait enfin compréhensible et déchiffrable.

Valeur suggestive du langage, emploi savant du mot médiateur entre le réel et l'idée ; libération du vers, de son rythme et de sa rime ; musicalité, obscurité revendiquée : des œuvres symbolistes, la poésie est sortie à jamais transformée et s'est imposée à part entière comme un instrument de connaissance du monde. •

2. *L'Oiseau bleu* de Maeterlinck.

Les fêtes intérieures de l'esprit

Le symbolisme, qui s'est manifesté par une infinité de créations visuelles, plastiques et théâtrales, adresse en réalité son message à l'esprit et au regard du dedans. Se déployant entre l'esthétisme décadent du héros mallarméen, qui progresse « à rebours » de son époque, et l'avènement des « nourritures terrestres », il trouve son espace privilégié dans le rêve, l'élégie assourdie et désabusée. Au-delà de l'écorce des choses, il cherche à atteindre les multiples plans de l'être profond de l'homme et des choses.

Le théâtre symboliste

LES SYMBOLISTES ONT RÊVÉ D'UN THÉÂTRE
TOTAL, PROCHE DE CELUI DE WAGNER, QUI S'ADRESSE
À L'ESPRIT PLUS QU'AU REGARD.

Pour Mallarmé, le théâtre est le lieu absolu : sur la scène, monde mental, il veut déployer les charmes d'un acte dramatique pur, c'est-à-dire vide et abstrait. À son *Hérodiade* (1869), inspirée de la légende de Salomé (légende « symboliste », s'il en est, que Huysmans dans *À rebours,* le peintre Gustave Moreau, le compositeur Richard Strauss reprendront), à son faune (*l'Après-midi d'un faune,* 1876), il avait donné une forme scénique. Mais théâtraliser le drame de la poésie, dans un espace confondu avec la « Page », désincarnait trop l'acte dramatique pour réussir. Il appartint à d'autres, sur les scènes parisiennes qui s'ouvrirent à eux (le Théâtre des Arts, de Paul Fort, en 1890, le Théâtre de l'Œuvre, de Lugné-Poe, en 1893), de créer le théâtre symboliste. *Axel,* de Villiers de L'Isle-Adam, représenté en 1894, *la Fille aux mains coupées* (1893), de Pierre Quillard, *la Légende d'Antonia* (1891-1893), d'Édouard Dujardin, inaugurèrent ce théâtre poétique, le plus souvent situé hors de l'espace et du temps, qui renouait avec les mystères du Moyen Âge et affirmait le goût des symbolistes pour les mythes et les légendes contre les tranches de vie naturalistes et l'ordre rigoureux des pièces classiques. Saint-Pol Roux, poète lui aussi, composa avec *la Dame à la faulx* (1899) l'une des plus belles pièces symbolistes. Mais c'est Maurice Maeterlinck qui est sans conteste « le » dramaturge symboliste : *la Princesse Maleine* (1889), *l'Intruse* (1890), *les Aveugles* (1890) expriment, dans une atmosphère angoissée et tragique, le mystère de ces puissances inconnues qui régissent le monde et sur lesquelles l'homme n'a d'autre prise que l'incantation. Avec *Pelléas et Mélisande* (1893), Maeterlinck devait donner une forme parfaite à cette moderne « tragédie du destin », ce « vieux mélodrame » (Mallarmé) d'amour et de mort.

Très proches de *Pelléas* sont les opéras de Richard Strauss, et notamment *la Femme sans ombre* (1919), servi par l'intense poésie du livret de Hofmannsthal. En revanche, *Ubu roi,* d'Alfred Jarry, monté en décembre 1896 par Lugné-Poe, n'est symboliste que par sa surcharge en « symboles » anarchiques et énormes et par son refus délibéré du monde réel. •

3. *Le Miroir de Vénus* de Burne-Jones.

Le cosmopolitisme

COSMOPOLITE, « CITOYEN du monde », est un mot qui apparaît au XVIᵉ siècle. Il traduit le sentiment des humanistes de la Renaissance d'appartenir à une culture universelle qui transcende les particularités nationales. Le mot prend une nouvelle force au XVIIIᵉ siècle, où la langue française est le moyen d'expression des élites européennes et notamment des philosophes, qui se rassemblent autour d'une définition abstraite de l'homme ignorant les différences ethniques et culturelles. Le cosmopolite est libéré des préjugés et des racines. La Révolution française transformera le cosmopolitisme des intellectuels et des grands seigneurs en sentiment de solidarité des hommes et des peuples libres.

La montée des consciences nationales et des sentiments patriotiques fait passer le cosmopolitisme de la condensation élitiste, qui établit une certitude et des moyens de reconnaissance universels, à une totalisation culturelle, qui relativise les points de vue et les discours. L'étranger et le familier s'équilibrent.

Le déracinement est toujours au cœur du cosmopolitisme, mais il mène moins à la constitution d'une nouvelle communauté qu'à la pratique d'exils, effectifs ou symboliques. L'homme est toujours le centre d'un cercle dont la circonférence se déplace constamment. L'écrivain se définit alors comme un être qui possède tous les langages et tous les spectacles du monde. Il peut ainsi établir un jeu de culture à culture, de langue à langue : il traduit – c'est Valery Larbaud – où il entrelace : c'est Borges. Il peut aussi chercher une expression, voire une langue, qui réduise et résume la diversité babélienne des visions et des pratiques créatrices – ce sont, dans des perspectives inverses, Pound et Joyce.

Le cosmopolitisme n'est plus la curiosité désabusée des grands bourgeois esthètes, qui promenaient leur monocle et leur ennui dans les trains de luxe et les paquebots de la Belle Époque. Il est aujourd'hui vécu sous l'aspect négatif de la standardisation des cultures. Face à une « civilisation » du travail et du loisir organisés et de la marchandise universelle, l'écrivain cherche à être le réceptacle de la culture concrète, intransmissible, marginalisée, ou le déplorateur de son inéluctable disparition.

1. Le regard acéré d'Ezra Pound à 80 ans.

Du bon usage du déracinement

Le cosmopolitisme est un mouvement de totalisation culturelle qui réunit mais relativise les visions du monde et les habitudes d'expression. Au cœur du cosmopolitisme, il y a, pour les écrivains, l'épreuve du voyage (2), voire de l'exil, qui introduit à la recherche d'une langue (Joyce [3] et Pound [1]) ou d'une forme (Borges [4]) capables de résumer la diversité babélienne des visions quotidiennes et des pratiques créatrices.

Joyce, ou la synthèse de Babel

JOYCE A PRIS SES DISTANCES AVEC SON PAYS, SA FAMILLE, SA RELIGION ET AVEC LA LITTÉRATURE : SON ŒUVRE EST UNE PARODIE DES ŒUVRES ET DES FORMES CONSACRÉES.

JOYCE est le grand maître de l'exil. Il a fait l'épreuve de tous les abandons avant de trouver le seul lien capable de réunir les morceaux de son univers éclaté : le langage.

Un moment dans une stratégie éprouvée.
La tentation ou la malédiction de l'exil ont toujours pesé sur la littérature, d'Ovide à Hugo et à Soljenitsyne, de Henry James à Gertrude Stein et à Ionesco. De l'émigration douloureuse, à la Chateaubriand ou à la Kundera, à la fuite dans les bars de Paris et les chasses en Afrique chers à Hemingway et à la « génération perdue » de l'Amérique de l'entre-deux-guerres, du déracinement amer de Du Bellay à Rome ou à Gombrowicz à Buenos Aires au vagabondage doré de l'ambassadeur (Paul Morand, Octavio Paz, Alejo Carpentier), l'expatriation ne laisse à l'écrivain qu'un seul territoire : son œuvre. Joyce a entrepris de reconstruire dans la sienne la totalité du monde en ne traitant jamais qu'un seul sujet : à Trieste, à Zurich, à Paris, Joyce ne cessera de vivre et de dire l'Irlande.

Un « coup de réalité ».
La technique créative de Joyce se fonde sur l'« épiphanie », sentiment brutal qu'un élément de la vie (une attitude, un geste, une parole, une intonation) possède une qualité spirituelle qui ouvre sur une vérité capitale : une notation concrète et un instant d'émotion intense s'unissent dans l'extase du plaisir esthétique qui procure un événement unique dont on saisit la valeur universelle. Ce prélèvement fulgurant de réalité profonde, Joyce l'opère d'abord sur la trivialité du quotidien, dans les nouvelles de *Gens de Dublin* (1914). Mais, dès son premier « autoportrait », *Dedalus* (1916), il le pratique sur le langage : *Dedalus,* qui à la fois explicite la genèse de l'exil et en élabore la théorie, place la réalité de la vie et de l'art non dans « les jeux de l'ardent univers sensible » mais dans une « prose lucide et souple » qui traduit le monde intérieur des émotions individuelles et qui capte toutes les voix et tous les bruits en provenance du monde.

L'alchimie du langage.
Joyce constitue ainsi la littérature en un ensemble autonome : c'est le sens de l'entreprise d'*Ulysse* (1922), roman qui, à travers le récit d'une journée du courtier Leopold Bloom, fait du Juif errant, dépossédé et aliéné, l'image même de l'artiste ; mais qui tente aussi, en pratiquant tous les modes possibles de narration, d'unifier tous les procédés de style en un langage total. Le réalisme d'*Ulysse* est d'abord un réalisme verbal, les personnages se construisent à travers ce qu'ils disent, faisant coïncider exactement temps de l'action et temps du récit.

Joyce est allé plus loin avec *Finnegans Wake* (1939), livre d'une nuit, comme *Ulysse* était le livre d'un jour : *Ulysse* s'achevait d'ailleurs sur le long monologue de Molly, qui dans son insomnie faisait défiler les images les plus hétéroclites, nées d'une conscience incertaine entre le songe et l'éveil. *Finnegans Wake* compose un drame cosmique à travers le rêve d'un tavernier de Dublin qui a eu un peu trop de familiarité avec la bière. Désormais, ce n'est plus le « courant de conscience » qui organise le langage, c'est le flux verbal qui structure l'activité onirique du héros. Bien avant que les psychanalystes ne pensent que l'inconscient est structuré comme un langage, Joyce voit dans le langage la seule réalité du subconscient et de la conscience. Et ce langage totalisateur, il l'obtient en faisant de son écriture une sorte de monstrueux « mot-valise » qui intègre à l'anglais plusieurs dizaines de langues, même l'espéranto.

Le cosmopolitisme de Joyce est ainsi tout entier dans la création de ce langage nouveau : il avait mis dix-sept ans à écrire son livre, disait-il, et il ne voyait pas pourquoi on ne consacrerait pas le même temps à le lire. S'absorbant dans la réalité du langage, les hommes échapperaient ainsi au « cauchemar de l'histoire ». •

Borges,
ou l'identité des contraires

À L'ORIGINE DE L'ŒUVRE
DE BORGES SE DRESSE AUSSI LA FIGURE DE DÉDALE.
MAIS MOINS CELLE DE L'ARTISAN LÉGENDAIRE
QUE CELLE DE SON LABYRINTHE.

À travers les multiples langues, cultures et littératures qu'il a pratiquées, Borges s'est toujours montré qu', derrière ces réseaux de représentation enchevêtrés, il y avait un peu de réalité.

Le monde : un rêve de bibliothécaire.

Borges a passé sa vie dans les bibliothèques : il a vécu sa jeunesse, à Buenos Aires, dans celle de son père, et il a terminé sa carrière comme directeur de la Bibliothèque nationale argentine. D'autre part, confié à des gouvernantes anglaises ou françaises, il a appris leurs langues en même temps que l'espagnol. En 1914, à l'âge de 15 ans, il vient à Genève, où il apprend l'allemand, avant de se lancer à Madrid dans l'avant-garde poétique (*Ferveur de Buenos Aires*, 1923 ; *Lune d'en face*, 1925). À l'inverse de Mallarmé, pour qui « le monde est fait pour aboutir à un beau livre », le monde, pour Borges, part des livres. Placé au cœur du labyrinthe dessiné par les rayons de la bibliothèque, confronté à une infinité d'images et d'interprétations contradictoires des objets extérieurs, le lecteur doit reconstituer la réalité à partir de ses témoignages divergents. Borges est ainsi conduit à se poser une question proprement scientifique : y a-t-il une réalité objective, indépendante de ses observateurs mais dont la description et l'analyse sans cesse reprises nous font entrevoir peu à peu la vérité ? Ou bien les visions esthétiques n'ont-elles que la valeur que certains physiciens reconnaissent à leurs théories et aux modèles mathématiques : une combinatoire plus ou moins réussie qui n'a de sens que par la cohérence et l'élégance avec lesquelles elle intègre ses composants ?

La bibliothèque : le rêve de l'écrivain.

L'écrivain, comme le mathématicien, manie des symboles. Il agit non sur le monde, mais sur ses signes. Sa réalité se réduit à un jeu de l'esprit et de l'imagination. C'est dire que l'irréalité est la condition de l'art, mais une irréalité qui, à force de rigueur, de logique interne, de lucidité dans la saisie des relations, donne l'illusion de la compacité du réel. Il n'y a rien de plus fantastique que l'univers conçu comme un déroulement implacable du principe de causalité. C'est ce que démontrent les essais critiques et les contes de Borges, dans lesquels une érudition fabuleuse est utilisée comme un moyen de subversion de la connaissance (*Enquêtes*, 1925 ; *Histoire de l'infamie*, 1935 ; *Histoire de l'éternité*, 1936 ; *l'Aleph*, 1949 ; *Rose et bleu*, 1977).

Deux figures emblématiques, présentes dans le recueil de *Fictions* (1944), résument la conception paradoxale que Borges a de la réalité et du langage : un critique, Pierre Ménard, qui recrée les conditions qui ont rendu possible l'écriture de *Don Quichotte*, est conduit à réinventer mot pour mot l'œuvre de Cervantès ; un homme veut donner à ses rêves une puissance créatrice en imaginant un autre homme et en l'intégrant à la réalité : il réussit, mais il découvre qu'il n'est lui-même que le rêve d'un autre.

On n'échappe pas au labyrinthe : la bibliothèque, comme le monde, est faite non pour se retrouver, mais pour se perdre. La circularité est parfaite, la réversibilité du temps et des conduites, de la raison et de la déraison, absolue : l'identité des contraires appelle l'interpénétration et la totalisation des œuvres et des temps. Significativement, le désir de totalité, qui est au fond de toute attitude cosmopolite, se traduit chez Borges, comme chez Joyce ou Flaubert, par la saisie de l'homme du point de vue d'« une blague supérieure, c'est-à-dire comme le bon Dieu les voit ».

•

Pound,
ou le monde sans « usure »

À LONDRES, À PARIS, À VENISE,
CE COW-BOY SOPHISTIQUÉ, QUI NE PARVINT JAMAIS À PERDRE
SON ACCENT DE L'IDAHO, FUT LE GRAND ANIMATEUR
DE LA POÉSIE DES AMÉRICAINS EXPATRIÉS.

Obsédé par les âges classiques et les cultures homogènes, Ezra Pound a imposé au poète un objectif moral : garder aux mots la valeur perdue par le seul moyen d'échange d'une société mercantile, l'argent.

L'image poétique contre le signe monétaire.

De la bohème tapageuse des années 20 à la solitude de l'asile psychiatrique de Washington, où il fut enfermé de 1945 à 1958 pour avoir collaboré à la radio mussolinienne, Ezra Pound a encombré, pendant plus d'un demi-siècle, la littérature d'une Amérique qu'il avait quittée dès 1908.

Pound a essayé, sur la littérature américaine anémiée, deux traitements de choc : l'« imagisme » puis le « vorticisme ». Son but avoué est de faire de l'art, et de la poésie en particulier, « une sorte d'énergie proche de l'électricité ou de la radioactivité, une force capable de transfuser, de souder ». Il a d'abord proposé à ses contemporains une « méthode de lecture » qui rende à la littérature son rôle primordial : inciter l'humanité à continuer à vivre. Pound est un rassembleur, comme critique (*l'Esprit des littératures romanes*, 1910) et comme poète (*A Lume Spento*, 1908 ; *Personae*, 1909 ; *Hugh Selwyn Mauberley*, 1920). Sa culture unit Dante et les troubadours limousins aux métaphysiciens anglais, aux symbolistes français et aux poètes chinois. Ce retour aux sources et cette curiosité exotique témoignent d'un même refus : celui d'une civilisation corrompue, dont l'usure capitaliste est à la fois le moteur et le symbole.

Le langage correct.

Contre cette désagrégation du monde et du langage qui l'exprime, Pound a entrepris ses *Cantos*, œuvre de toute une vie, puisque, les ayant commencés en 1915, il y travaillait encore l'année de sa mort, en 1972. Conçus sur le thème de la descente aux Enfers, telle qu'on la trouve chez Homère, et sur un schéma inspiré de *la Divine Comédie*, les *Cantos*, écrits en plusieurs langues sur des rythmes variés et des tonalités différentes, composent la double chronique de l'écroulement d'un monde et de la recomposition d'un langage. Dans le poète, à la fois laboratoire et oracle, la culture la plus élaborée et la sensibilité la plus quotidienne s'unissent pour former, en un double mouvement venu des origines de l'humanité et des profondeurs de l'être, la matière du « langage correct », au sens où l'entendait Confucius : c'est ce que signifient les deux idéogrammes chinois placés au centre des *Cantos*. Le langage vrai est celui qui rassemble la beauté plastique et la valeur morale. C'est en lui seul que l'humanité peut se reconnaître et se réconcilier. Ultime utopie encore que celle qui propose à l'humanité comme langue nouvelle la somme même des discours de ses livres.

•

3. Joyce, en 1939, vu par Gisèle Freund.

2. Les départs de la Belle Époque.

4. Le regard aveugle de Borges, tourné vers le seul espace du dedans.

Le futurisme

LE FUTURISME EST UN courant littéraire et artistique qui parcourt l'Europe d'avant la Première Guerre mondiale, entre deux pôles privilégiés, l'Italie et la Russie.

Il est, pour l'essentiel, une réaction aux formes surannées de sensibilité et d'expression qui persistent au milieu du bouleversement de la société du début du XXᵉ siècle : les phénomènes de masse, la ville industrielle, le développement du machinisme, la vitesse qui transforme la conception de l'espace et du temps ne sont traduits ni par les symbolistes, ni par les décadents, ni par les esthétiques néoclassiques.

Le futurisme se fonde sur une vision dynamique de la vie, créatrice de rapports surprenants et paradoxaux. Son action est une agitation qui s'incarne dans des manifestes provocants et des manifestations tapageuses, dont les modèles proposés par l'initiateur du mouvement, Filippo Tommaso Marinetti, seront « la gifle et le coup de poing ».

Le futurisme, parti de la littérature en 1909, gagne rapidement tous les arts et toutes les formes de comportement : il y aura un Manifeste de la peinture futuriste (1910), un Manifeste des musiciens futuristes (1911), un Manifeste de la femme futuriste et un Manifeste technique de la sculpture futuriste (1912), un Manifeste futuriste de la luxure, un Manifeste du bruitisme et un Manifeste du music-hall (1913), une définition de l'Architecture futuriste et un Programme politique futuriste (1914). Le futurisme jouera même un rôle bien au-delà du domaine esthétique, puisque l'intervention de ses membres pèsera d'un poids décisif dans l'entrée en guerre de l'Italie contre l'Allemagne et l'Autriche.

En littérature, le futurisme se fixe des objectifs à la fois thématiques (rejet du patrimoine culturel, exaltation des forces collectives, célébration des produits de la technique moderne) et techniques : donner la « liberté aux mots », en abandonnant les contraintes de la syntaxe et de la graphie traditionnelles. La suppression de la ponctuation, la substitution des signes mathématiques aux termes de liaison, le jeu sur les dimensions des caractères typographiques rapprochent l'écriture des idéogrammes et appellent à une « visibilité » émotionnelle du texte plus qu'à son parcours logique.

Marinetti : une déclaration de guerre au passé

LE CRÉATEUR DU FUTURISME VOULUT METTRE L'ART DE SON TEMPS À LA HAUTEUR DU MONDE QUI L'ENVIRONNAIT, FÛT-CE AU PRIX D'UNE GUERRE ATROCE.

Entre des débuts traditionnels d'homme de lettres dans le Paris fin-de-siècle et une fin de pontife nationaliste en marge des liturgies mussoliniennes, Marinetti a eu l'intuition de l'agonie d'un monde et de l'inadaptation de l'art à dire la modernité : avant de chercher la vérité dans le « tactilisme » qui transforme « le baiser et l'accouplement en des transmissions continues de la pensée », il a préconisé des solutions plus radicales.

La guerre, hygiène du monde.
Au cœur du *Manifeste du futurisme*, qui paraît en français dans *le Figaro* du 20 février 1909 sous la signature de Marinetti, il y a la guerre et la destruction. Il faut raser les musées, les bibliothèques, les académies : mot d'ordre qui fait d'autant plus scandale qu'il est proféré par un Italien et s'adresse d'abord à ce pays-musée qu'est l'Italie. Finie la poésie qui chante l'harmonie, l'équilibre, la paix de la nature, ou qui se fait l'écho de l'intimité de l'individu solitaire. La littérature doit exalter le mouvement, un mouvement agressif, d'audace et de révolte. Elle doit chanter les foules et, singulièrement, les masses au travail ou dans la colère des sursauts révolutionnaires. Elle doit magnifier les locomotives, les bateaux, les avions, tout ce qui crève les vieilles cloisons de l'espace et du temps. « La voiture de course est plus belle que la Victoire de Samothrace. » La littérature futuriste est une littérature de la vitesse, qui seule permet de retrouver « la fer-veur des éléments primordiaux ».

Pour réaliser ce programme, Marinetti se donne dix ans : après quoi les pionniers futuristes seront balayés par une génération plus jeune et encore plus exigeante, « car l'art ne peut être que violence, cruauté et injustice ».

Les mots en liberté.
Dans sa recherche de la plus grande liberté d'expression, Marinetti s'était d'abord fait le défenseur du vers libre, théorisé et illustré par les symbolistes. Mais le désir de rapprocher la littérature de la peinture et des arts du mouvement l'incite à aller plus loin dans l'innovation technique.

Pour mettre le mot en prise directe sur l'objet réel en mouvement, Marinetti est conduit à définir et à préciser une méthode : le *Manifeste technique de la littérature futuriste* (1912) suivi du *Manifeste de la cinématographie futuriste* (1916) puis des *Mots en liberté futuristes* incitent à la subversion de la syntaxe, à l'abolition des adjectifs, à l'élimination des signes de ponctuation ; le verbe doit être employé à l'infinitif, le substantif suivi d'un double : ainsi le poète sera capable d'exprimer des analogies de plus en plus profondes et ramifiées ; celles-ci traceront à travers le monde des circuits transversaux qui mineront les voies classiques de la représentation de la beauté.

Les mots futuristes se disposant dans la page comme les éléments d'une formule chimique, la typographie devenant par elle-même expressive permettent ainsi de saisir de nouvelles relations entre les objets et les signes et font de la création littéraire une « imagination sans fils ».   ●

L'apocalypse...

Le futurisme a brutalisé le monde décadent qui n'en finissait pas d'agoniser dans les mélancolies esthètes des symbolistes. Gifles et coups de poing poétiques et plastiques ont fait du

Maïakovski : un chant d'amour à la Révolution

MAÏAKOVSKI A VÉCU JUSQU'AU SUICIDE
LE DÉCHIREMENT ENTRE L'INSTAURATION D'UNE BUREAUCRATIE
COLLECTIVISTE ET L'IMPATIENCE D'UNE IMAGINATION
CRÉATRICE TOUJOURS EN AVANCE SUR LE RÉEL.

Le futurisme fut révélé en Russie en décembre 1912 par le scandale d'un manifeste, *la Gifle au goût du public,* lancé par le groupe « Hylea » et signé par un jeune étudiant de l'École des beaux-arts de Moscou connu pour son militantisme au sein du parti bolchevik, Vladimir Maïakovski.

Une tradition d'anticonformisme.

Le mouvement a emprunté à l'avant-garde italienne son sens de la provocation et son mépris pour les écoles poétiques périmées (symbolisme, acméisme russe). Mais il se réclame d'une tradition critique slave et païenne, dont les multiples composantes s'incarnent dans des groupes rivaux : « égofuturistes » de Saint-Pétersbourg, « cubofuturistes » de Moscou, « centrifuges » moins iconoclastes à l'égard du passé culturel.

Le futurisme se répand rapidement grâce à des récitals en province (en Ukraine, dans le Caucase, à Vladivostok), au cours desquels se font remarquer la haute silhouette et les dons d'orateur d'un poète qui se met lui-même en scène dans un véritable happening : *Vladimir Maïakovski. Tragédie* (1913).

Il va d'ailleurs résumer dans les quatre points du *Nuage en pantalon* (1915) l'idéologie du futurisme russe : « À bas votre amour, à bas votre art, à bas votre système, à bas votre religion ! »

De la révolution poétique à la poésie de la révolution.

Dans leur désir de créer un nouveau langage poétique, une langue « transmentale » comme la souhaite Khlebnikov (*l'Incantation par le rire,* 1909), les futuristes lient l'abolition des cloisons esthétiques et celle des classes sociales. La saisie immédiate de la réalité les pousse à user de matériaux bruts qu'ils insèrent dans le tissu poétique (collages, extraits de journaux) ; elle les conduit aussi à chercher à intervenir sur le réel social, le quotidien.

En 1917, la plupart des futuristes se rallient à la Révolution. Maïakovski lance une série de poèmes-manifestes : *Ordre du jour de l'armée de l'art, le Poète-ouvrier.* Avec ses compagnons du *Journal des futuristes* (qui n'aura qu'un seul numéro, le 15 mars 1918), puis de *l'Art de la Commune,* il s'efforce de faire reconnaître une cellule de « communistes-futuristes » : Lénine, choqué par leur rejet du patrimoine esthétique et par leur tendance au monopole littéraire, ne le permettra pas. Jamais Maïakovski ne sera considéré comme un « compagnon de route » parfaitement sûr.

Il célèbre pourtant le premier anniversaire de la révolution d'Octobre avec un *Mystère-bouffe* inspiré du théâtre médiéval, puis il exalte les *150 000 000* (1921) qui construisent le monde nouveau. Il participe à la propagande politique en unissant ses quatrains aux dessins satiriques des affiches de l'Agence russe Rosta. Il compose sur commande des slogans et des poèmes de circonstance ; il entreprend une carrière de journaliste (à Berlin, à Paris, à New York, à Cuba) qui lui permet, dans le plus pur style futuriste, d'évoquer les prouesses techniques de l'Occident, tout en les opposant aux tares de sa société bourgeoise (*le Pont de Brooklyn,* 1925).

Mais il ne pourra refréner sa vigueur satirique ni son inspiration contenue : l'écart de plus en plus grand entre son idéal révolutionnaire et la réalité politique lui inspire une comédie (*la Punaise,* 1929) sur les prolétaires embourgeoisés et un « drame en six actes avec cirque et feux d'artifice » (*les Bains,* 1930), qui dénonce la nouvelle bureaucratie. Il cherche à faire partager sa conception de la littérature en fondant le LEF (« Front gauche de l'art ») et en définissant sa poétique dans *Comment faire des vers* (1926). En février 1930, il est contraint d'adhérer à la RAPP (« Association russe des écrivains prolétariens »), qui réduit l'art à une esthétique industrielle. Le 14 avril, il se suicide.

Maïakovski a cherché consciemment à abolir toute frontière entre son moi intime et son personnage littéraire puis politique. Mais cette recherche reposait sur la démesure d'une personnalité poétique impatiente de remodeler le monde à son image : sa vie et son œuvre ardentes composent une hyperbole monumentale qui déforme le réel selon les catégories du grandiose ou du grotesque.

●

L'avenir du futurisme

LE FUTURISME A SURVÉCU À TRAVERS
D'INNOMBRABLES RECHERCHES GRAPHIQUES : IL A MOINS DOMINÉ
LES CHOSES QU'IL N'A SUBVERTI LA LETTRE.

Intimement lié aux avant-gardes plastiques de son époque, le futurisme a donné naissance à de multiples courants poétiques, qui ont cherché la plus grande authenticité de l'expression dans la liberté la plus absolue des éléments du langage.

Le lettrisme.

Lancé à Paris par Isidore Isou, le lettrisme se veut une poésie des lettres et non des mots, qui inaugure une réforme totale des moyens d'expression (*Introduction à une nouvelle poésie et à une nouvelle musique,* 1947 ; *Traité d'économie nucléaire,* 1948 ; *Essai sur la définition et le bouleversement total de la prose et du roman,* 1950).

Le lettrisme privilégie les éléments matériels des mots au détriment de leur unité significative. Il rejoint par là certaines recherches musicales contemporaines sur l'autonomie des sons, des hauteurs et des timbres.

La poésie concrète.

Se plaçant dans la lignée du poète russe Khlebnikov, du dadaïste allemand Hugo Ball, du peintre

Kurt Schwitters, des calligrammes d'Apollinaire, la poésie concrète s'attache à la matière graphique, sonore, voire tactile de l'expression. Théorisée par le philosophe allemand Max Bense (*Aesthetica,* 1954-1965) et, à partir de 1953, par l'écrivain suisse Eugen Gomringer (*Constellation,* 1969), la poésie concrète s'est particulièrement développée en Allemagne (avec Helmut Heissenbüttel, Claus Bremer), l'Autriche (H. C. Artmann, Ernst Jandl) et la Suisse (Diter Rot) des années 50, en réaction à la fois contre les condamnations artistiques du nazisme et le néoréalisme du roman.

La poésie concrète a également suscité des expériences originales au Brésil, avec le « concrétisme » d'Haroldo et Augusto de Campos et Décio Pignatari et le *Plan-Pilote pour la poésie concrète* (1958) du groupe de São Paulo.

La spatialisme.

Le spatialisme, défini par Pierre Garnier (*Manifeste pour une poésie nouvelle visuelle et phonique,* 1963 ; *Spatialisme et poésie concrète,* 1968), place la poésie dans un univers débarrassé des mythes, des religions et des philosophies et qui se déploie dans l'entière liberté des mots, livrés à l'état sauvage. La langue poétique n'est plus utilisée pour traduire des idées, des sentiments : elle devient un espace de sensations qui ne transmet pas de signification, mais sa propre réalisation. Le « poème spatial » impose une conversion du regard, moins une lisibilité qu'une visibilité de la page.

●

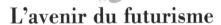

2. Les « mots en liberté », de Marinetti.

3. *Vitesse d'automobile* + *Lumières* + *Bruit,* de G. Balla (1913).

...désirée

terrorisme l'un des beaux-arts et ont servi de préface à la fois au cauchemar de la Première Guerre mondiale et à l'espoir vite déçu de la Révolution russe.

L'expressionnisme

L'EXPRESSIONNISME N'EST pas d'abord une école littéraire. C'est une vague d'angoisse et de révolte qui submerge toute une génération prise dans la tourmente du premier conflit mondial.

Esthétiquement, l'expressionnisme est une réaction à l'impressionnisme de l'art et de la littérature, aux conceptions aussi bien naturalistes que néoromantiques qui font de l'écrivain un réceptacle de la nature et des comportements humains, une « machine à décrire ». L'expressionnisme est une nouvelle attitude face à la vie. Cette attitude est réfléchie et volontaire. Elle plonge ses racines dans les domaines de la religion, de la philosophie, de la politique, des rapports sociaux. Elle se manifeste dans toutes les formes de l'art : littérature, peinture, musique, danse, cinéma. Elle se propose pour objectif d'exprimer la nature profonde de la condition humaine, de révéler l'homme à lui-même en le transformant.

Car, si l'expressionnisme fait le même constat que le futurisme (expansion urbaine et industrielle, puissance de la foule, gigantisme des créations humaines), il en tire une conclusion opposée : pour lui, la ville est un monstre qui, dans ses usines, ses casernes et ses prisons, enferme et broie un peuple d'automates. L'expressionnisme s'insurge contre cette situation intolérable, génératrice de violence et de servitude, qui préfigure la fin du monde. Il évoque pathétiquement un avenir meilleur. Il

appelle de ses vœux un retournement des consciences et une révolution de la société. Contre le culte de la forme prôné par le dandysme fin de siècle et l'Art nouveau, l'expressionnisme incarne un idéal missionnaire qui veut régénérer les valeurs essentielles à la vie.

S'il y a une unité des thèmes de l'expressionnisme une grande diversité se manifeste, en revanche, dans leur incarnation littéraire. La poésie est marquée par un nihilisme radical et traversée par l'évocation de catastrophes. Le roman privilégie une vision intérieure que traduit une phrase au rythme éruptif. Le théâtre, particulièrement apte à rendre sensibles les conflits, a élaboré une dramaturgie originale et joué un rôle quasi pédagogique dans la définition de l'« homme nouveau ».

L'expressionnisme s'inscrit pour l'essentiel dans la période 1910-1925, entre les événements avant-coureurs de la guerre de 1914 et les premières conséquences de la révolution russe, et sur un territoire, l'Allemagne, qui a vécu plus dramatiquement que d'autres l'effondrement d'un ordre politique et social. Et l'idéalisme de l'expressionnisme s'est brisé sur la réalité de l'Europe en crise, dans les deux utopies monstrueuses et affrontées du communisme et du nazisme. La désillusion finale d'une génération décimée sur les champs de bataille, persécutée par les totalitarismes, exilée à travers le monde se traduira par l'humour noir, le grotesque et l'absurde.

La poésie expressionniste

ENTRE LE CRI SOLITAIRE ET LE PAMPHLET QUI APPELLE À L'ACTION, L'EXPRESSIONNISME A PROCLAMÉ L'URGENCE D'UNE ENTREPRISE DE SAUVETAGE QUI PASSE PAR LE LANGAGE.

Face à la détresse de l'existence, ce furent les poètes qui, les premiers, sonnèrent l'alarme.

Au cœur de la ville, la morgue. La poésie expressionniste frappe d'abord par sa variété. Elle joue sur le pathétique (Heym) ou la précision clinique (Benn), le rythme emphatique (Stadler) ou la densité (August Stramm), la vision morbide (Trakl) ou la violence dynamique (Becher). Mais elle s'ancre dans un lieu unique : la ville. La nature est le champ rouge que laboure le dieu des combats ou l'humus qui se nourrit de la pourriture universelle. Le territoire expressionniste, c'est la cité. Mais il n'est pas plus accueillant.

Dans une grisaille indifférenciée se dressent des édifices symboliques : la caserne, l'usine avec ses hautes cheminées, la prison, les boucheries ; dans les rues, déchets et ordures font prospérer des troupeaux de rats, que croisent des troupeaux de robots poussés alternativement de l'atelier vers le logement misérable : les hommes. Univers concentrationnaire. Au centre de la cité, l'hôpital et la morgue : fièvres, cancers, souffrances sans espoir. Les chairs se décomposent, la civilisation aussi.

Gottfried Benn, ou la résignation. Lorsque la réalité se désagrège et qu'il ne reste plus que ses « grimaces », que peut faire le poète ? Se tourner vers son être intérieur, s'assurer de son domaine, y puiser une force créatrice qui est tout au plus un moyen de survie. L'itinéraire de Gottfried Benn est exemplaire. Ce fils de pasteur protestant étudie la théologie puis se tourne vers la médecine et devient, quasi symboliquement, un spécialiste des maladies vénériennes. En 1912, son bref recueil poétique, *Morgue,* fait du cadavre le « moteur » de l'Histoire, et du nihilisme le seul « sentiment de bonheur » possible. Un moment tenté par le national-socialisme (*l'État nouveau et les intellectuels,* 1933), Benn revient vite à ses premières convictions : les poètes ne peuvent pas changer le monde ; l'homme ne se différencie du chaos qu'en donnant forme à ses visions ; l'attitude de l'artiste ne peut être que contemplative et passive (*Être et devenir,* 1935). Benn sera condamné au silence par les nazis, puis par les Alliés.

Avec Gottfried Benn, l'expressionnisme s'achève en « statisme » : le poète « se retire sur la mesure et sur la forme » ; il abandonne toute idée d'évolution et de communion ; il s'affirme antihistorique et antifaustien. Pour lutter contre un monde qui s'épanche et se délite, il n'y a que la structure du vers. Consistance éphémère, à la dimension de cette « affaire temporaire » qu'est l'homme. •

1. Représentation de *Die Wandlung,* d'Ernst Toller, en 1919.

Les trois phases de l'expressionnisme littéraire

La conscience de la crise : l'angoisse	L'expérience de la guerre : la révolte	La construction de l'homme nouveau : la désillusion
1905 Ernst Stadler : *Préludes.*	**1914** Carl Hauptmann : *Guerre. Un Te Deum.* Georg Trakl : *Poèmes.*	**1919** Ernst Toller : *le Changement.* Hanns Johst : *le Jeune Homme.*
1906 Frank Wedekind : création de *l'Éveil du printemps.*	**1915** Alfred Döblin : *les Trois Bonds de Wang-Lun.* Kasimir Edschmid : *les Six Embouchures.*	**1920** Fritz von Unruh : *Place.*
1910 Fondation de la revue *Der Sturm.*		**1921** Ernst Toller : *l'Homme-masse.*
1911 René Schickelé : *Blanc et Rouge.* Georg Heym : *le Jour éternel.* Fondation de *Die Aktion.*	**1916** Georg Kaiser : *Du matin à minuit.* Gottfried Benn : *Cerveaux.* Walter Hasenclever : *le Fils.*	**1923** Georg Kaiser : *À côté l'un de l'autre.* Ernst Toller : *Wotan déchaîné.* Bertolt Brecht : *Baal.*
1912 Gottfried Benn : *Morgue.* Johannes R. Becher : *Terre.*	**1917** Georg Kaiser : *les Bourgeois de Calais.* Reinhard J. Sorge : *le Mendiant.*	**1929** Alfred Döblin : *Berlin, Alexanderplatz.*
	1918 Georg Kaiser : *Gaz.* Fritz von Unruh : *Une race.* Ernst Weiss : *Animaux du monde.*	

Une génération sacrifiée

L'expressionnisme est une forme d'art, mais c'est avant tout une nouvelle manière de ressentir et de concevoir la vie. Les divers modes de représentation de la réalité moderne traduisent un même spasme de révolte qui saisit une génération tout entière. Oskar Kokoschka en témoigne ainsi par l'affiche (2) qu'il compose pour sa pièce *Assassin, espérance des femmes,* en 1909, comme Ernst Toller par son drame *Die Wandlung* (1).

Le théâtre expressionniste

LE THÉÂTRE EXPRESSIONNISTE
S'EST MIS AU SERVICE D'UNE IDÉE : LA RÉALISATION
DE L'« HOMME NOUVEAU ».

Le théâtre expressionniste propose un parcours initiatique, souligné par une mise en scène et un jeu d'acteurs qui refusent par principe le naturel et l'identification, au bénéfice d'un grossissement symbolique des caractères et de l'action.

Chemin de Damas ou chemin de croix ?

Le théâtre expressionniste se fonde, comme la poésie, sur le refus de la société des robots. Il y ajoute une violente satire du monde de la petite bourgeoisie, qui prend souvent la forme d'un conflit de générations et de l'opposition entre un fils et son père. Mais il propose en regard une méthode pour hâter la constitution d'une communauté nouvelle.

Le héros expressionniste est à la fois lamentable et exemplaire : son aventure se déroule selon une progression qui remplace les rebondissements de l'intrigue par une succession de « photographies » d'instants privilégiés, de « stations » analogues à celles du chemin de croix ou aux tableaux du théâtre médiéval. Le modèle de cette dramaturgie *(le Stationendrama)* a été donné par Strindberg dans son *Chemin de Damas* (1898) : l'Inconnu, qui incarne le poète déchiré par ses fantasmes, connaît sept expériences successives de dédoublement et des assauts sans nombre de démons qui cherchent à l'empêcher de retrouver sa Dame, rencontrée, perdue, retrouvée. L'anonymat des personnages (l'Inconnu, le Mendiant, le Confesseur, le Fou, etc.) souligne la volonté du théâtre de se libérer de la réalité pour n'être que le représentant de la pensée et du destin. En règle générale, le héros expressionniste échoue dans ses tentatives de renouveau. Mais il est justifié, sinon sauvé, parce qu'il a voulu échapper au mensonge et à la mesquinerie.

Georg Kaiser, un bouffon pessimiste.

Saisissant d'emblée l'insolite et le dérisoire, Kaiser est un démythificateur : il débute en 1913 par une parodie de Tristan et Iseut, *le Roi cocu*. Mais il pense que le drame doit être un « jeu d'idées » *(Denkspiel)*. C'est dans cette perspective que la désinvolture avec laquelle il traite l'Histoire est une provocation à la réflexion : il fait de Judith une « veuve juive » et de Jeanne d'Arc la maîtresse de l'inquiétant Gilles de Rais.

Prenant acte de la dépersonnalisation de l'humanité moderne (dans certaines pièces, les personnages, rassemblés de manière grégaire comme dans le chœur antique, ne se distinguent que par la couleur de leurs vêtements), il entreprend de véritables études de cas qui projettent hors de leur monde des héros qui ont, un moment, le désir d'échapper à leur destin. Ainsi dans le curieux diptyque que forment *Du matin à minuit* (1916) et *le Corail* (1917). Dans la première pièce, un employé de banque est tenté par la grande vie ; dans la seconde, un milliardaire a soif de l'existence conviviale des humbles. L'employé puise dans la caisse et, au terme d'une demi-journée de folie, se suicide ; le milliardaire commet un crime, qui le coupe définitivement de la société. Tous deux parcourent le cercle : leur aventure les ramène inéluctablement au point de départ. Malédiction qui fait le fond de la condition humaine : dans *Gaz,* lorsque l'usine explose, les citoyens s'acharnent à la reconstruire, car ils préfèrent produire n'importe quoi, plutôt que de se tracer un programme de vie raisonnable. Au bout du chemin, quel qu'il soit, le sens de l'existence n'est pas au rendez-vous. •

Le roman expressionniste

LE ROMAN A PARTICIPÉ AUX DEUX
CHANTIERS OUVERTS PAR L'EXPRESSIONNISME :
DÉMOLITION DU MONDE BOURGEOIS, INSTAURATION
D'UNE HUMANITÉ AUTHENTIQUE.

Comme les poètes et les dramaturges, les romanciers expressionnistes avaient une grande ambition et, s'ils n'ont pas changé la vie, ils n'en ont pas moins bouleversé la prose.

La vie aléatoire des êtres et des choses.

La prose expressionniste offre un éventail de styles aussi large que la poésie : orgie de mots d'Alfred Döblin, concision elliptique de Hans Henny Jahnn, intrigue touffue de Leonhard Frank, rigueur scientifique de Gottfried Jung, ironie froide de Carl Einstein. Le récit expressionniste reprend les thèmes et les objectifs du mouvement. Mais il cherche à créer des formes originales et s'attache à un renouvellement de la langue. C'est ainsi que Kurt Adler mêle les temps et les lieux *(Notamment,* 1915 ; *la Flûte enchantée,* 1916) et qu'Einstein *(Bebuquin ou les Dilettantes du miracle,* 1912) construit un roman philosophique où la logique traditionnelle n'a plus sa place : personnages et événements se diluent, reste le surgissement imprévisible d'aperçus fugitifs des mouvements de la conscience et de la présence des objets.

Alfred Döblin, ou la force des faibles.

Défenseur et illustrateur de l'expressionnisme, Kasimir Edschmid a défini Döblin comme « un maçon lent : il va et vient avec des moellons et n'ajoute pas de mortier ; il ne superpose que des éléments larges, carrés, exactement mesurés sur des éléments identiques. C'est ainsi qu'il fait un roman ». Ce mortier que dédaigne Döblin, c'est la psychologie. En revanche, il brasse les thèmes fondamentaux de l'expressionnisme (révolte ou soumission, édification d'un monde idéal, expression profonde du moi qui rejoint l'attente collective) dans des récits à grand spectacle. Le modèle du genre est un roman, écrit en 1912-1913 et publié en 1915, *les Trois Bonds de Wang-Lun. Le sujet en est la insurrection des chercheurs d'or de la Léna au soulèvement de Wang-Lun dans la Chine de 1774 ; dans cet espace mythique, les Wu-wei, les « Vraiment-Faibles », renoncent aux biens du monde et à la violence pour adorer l'« âme de l'univers » : ils seront écrasés.

Döblin laisse entendre que leur sacrifice n'a pas été vain. Mais on ne sait si c'est parce qu'ils ont montré que toute révolte est une étape vers un avenir meilleur, ou parce que l'échec de leur tentative pour instaurer un ordre nouveau prouve qu'il est illusoire de prétendre agir sur les forces inconscientes et les énergies secrètes qui gouvernent l'homme et le monde. Le chaos que met en scène Döblin dans son grand roman de la jungle des villes *(Berlin, Alexanderplatz,* 1929), où le personnage central ne se relève d'un malheur que pour essuyer un nouveau désastre, permet d'entrevoir la réponse. •

2. Affiche de O. Kokoschka.

Kafka

Le poids des minorités

KAFKA S'EST VÉCU COMME UN MARGINAL,
UN PERDANT. C'EST CETTE INCURABLE MINORITÉ
QUI A FAIT SA LUCIDITÉ ET SA FORCE.

LA VIE ET L'ŒUVRE DE KAFKA sont emblématiques. Dressées au seuil d'un siècle de persécutions et de massacres, elles résument les interrogations et les angoisses qui rongent l'homme de notre temps.

Kafka a réussi le tour de force de réunir les caractéristiques de toutes les minorités : il est juif en pays chrétien, écrivain dans une famille hostile à toute activité artistique, et sa langue est l'allemand alors qu'il vit dans la capitale tchèque de la Bohême.

Kafka conçoit l'existence comme un combat, mais un combat perdu d'avance : la tuberculose le mine, son emploi de bureaucrate dans une compagnie d'assurances empêche l'épanouissement de sa création littéraire, ses cinq tentatives de mariage se soldent par un échec, il laissera inachevée la plus grande partie de ses récits et son œuvre ne lui survivra que contre sa volonté.

Kafka a été placé par les historiens allemands parmi les représentants de l'expressionnisme : s'il est vrai qu'il rencontre certains thèmes du mouvement dans sa vision de la société, son pessimisme ironique est bien plus radical que la satire expressionniste.

Kafka a vu dans Kierkegaard et Flaubert des préfigurations de son propre destin : la solitude irrépressible, le sens de la culpabilité, l'assouvissement du désir d'unité et d'union cherché désespérément dans l'art. Frustration, culpabilisation, dépersonnalisation : Kafka joue la trilogie de la « comédie humaine » moderne.

Kafka décrit avec de plus en plus de précision, dans un style qui évolue du fantastique des œuvres de jeunesse au réalisme minutieux, des parcours dont on ne peut saisir ni l'origine ni le but. Le héros du *Procès* ignorera toujours le motif de son arrestation et de sa condamnation à mort ; l'arpenteur du *Château* s'épuisera dans la recherche de la nature du monstre bureaucratique et architectural qui le fascine. Les principaux personnages de Kafka ne sont désignés que par l'initiale de son propre nom (Joseph K. dans *le Procès,* l'arpenteur K. dans *le Château*) – simple matricule dans l'univers pénitentiaire, signe d'une insupportable transparence : le monde indifférent leur dénie identité et consistance.

Le rapport de Kafka à son père est le modèle de toutes ses relations au monde et à l'écriture. Dans une machine politique et sociale dont on ne comprend pas les rouages et dont on n'admet pas la finalité, on se sent coupable a priori : c'est ainsi que Kafka permettra de lire l'univers totalitaire et concentrationnaire. Dans des échanges humains qui passent par des langues de bois et des comportements stéréotypés, on répète indéfiniment les mêmes gestes et les mêmes mots : on entre dans l'univers du « multiple », au sens où l'art, qui prétend à la création, reproduit en série un même objet. Kafka prophétise ainsi l'incommunicabilité généralisée de l'univers des médias.

Artiste dans un milieu d'affaires, malade face à un père débordant de santé, incapable de s'intégrer à une communauté sociale ou linguistique, Kafka est un être perpétuellement « à côté ».

Un vilain petit corbeau.
En 1881, le père de Franz, Hermann Kafka, ouvre à Prague une boutique de mode à l'enseigne du Choucas (*Kavka,* en, tchèque). Cette petite corneille noire qui se mêle aux corbeaux et partage leurs migrations est symbolique : Hermann Kafka est l'un de ces membres de communautés juives des campagnes tchèques qui cherchent la réussite sociale en se germanisant dans les villes ; il s'imposera dans les affaires et enverra ses enfants à l'école allemande.

Kafka, malgré ses efforts, ne pourra jamais vraiment se couler dans la peau d'un autre : pas plus celle du bureaucrate ponctuel que celle de l'industriel familial, pas plus celle du bourgeois satisfait que celle du fidèle sujet de la monarchie austro-hongroise. D'où ce double sentiment d'admiration et de mépris pour son père-caméléon, en qui il voit le fondement de son mythe personnel et qu'il explicite dans la *Lettre au père,* cent pages dramatiques écrites en décembre 1919 mais qui ne parviendront jamais à leur destinataire.

C'est aussi en pensant à cette relation manquée que Kafka écrira les derniers mots du *Procès* : « c'était comme si la honte devait lui survivre » (il a perdu à la fois la confiance paternelle et sa propre confiance en lui) et l'ironique *Rapport pour une académie,* qu'il dédiera à son père et où un chimpanzé raconte son ascension vers l'humanité.

Dans le domaine social, Kafka fait l'épreuve du même refus : il est repoussé par les Tchèques, dont il abandonne la langue et les pratiques culturelles, par les Allemands, auxquels il tente de s'intégrer et qui le considèrent comme un intrus, par les Juifs, qui lui reprochent de trahir sa foi et ses traditions en cherchant à s'assimiler.

La « métamorphose » est impossible : c'est ce que démontre le récit publié sous ce titre en 1915 et qui devait, avec le *Verdict* et le *Soutier* (paru en 1927 sous le titre *Amerika*), constituer une trilogie de la révolte des fils contre le monde des pères. Dans *la Métamorphose,* la protestation du héros, Grégoire Samsa, est triple : contre l'oppression de l'autorité paternelle, contre le dépérissement de la vie affective, contre l'exploitation économique.

Grégoire, qui subvient par son travail aux besoins de sa famille ruinée par la faillite de son père – et qui permet notamment à sa sœur de poursuivre ses études de violon –, se trouve, au terme d'une nuit de cauchemar, transformé en un énorme cancrelat. Objet de dégoût et de honte pour les siens, Grégoire continue à penser et à sentir en être humain : attiré un soir par le son du violon de sa sœur, il se risque hors de la cachette où il se terre et entre dans le cercle familial ; battu et rejeté, il se laisse mourir dans un coin et ses restes seront balayés comme un tas d'ordures par la domestique. Ce texte, où la souffrance et l'aliénation sont décrites comme s'il s'agissait d'événements banals et quotidiens, illustre parfaitement la raison que Kafka fixait dans son *Journal* en 1897, à l'âge de quatorze ans, au besoin d'écrire : « le désespoir ».

Une littérature mineure.
Kafka a doublement le sentiment de pratiquer une littérature mineure : il appartient à une minorité (tchèque) qui use d'une langue majeure (l'allemand) ; mais cette langue est parlée à Prague par une minorité germanique isolée au milieu des Tchèques. L'allemand de Prague est coupé des masses : c'est une langue de papier.

D'autre part, Kafka note dans son *Journal* (25 décembre 1911) : « La mémoire d'une petite nation n'est pas plus courte que celle d'une grande, elle travaille donc plus à fond le matériel existant. » Dans le petit espace d'une littérature mineure, ce que dit l'écrivain résonne plus qu'ailleurs et prend tout de suite figure d'acte commun. Dans cette situation, on ne peut donc jamais mener à bien son aventure individuelle.

En réalité, la condition de l'écrivain en « état de minorité » n'est pas autre chose que la figure exemplaire du créateur dans toute collectivité, et l'image de toute littérature nouvelle face aux formes établies. En regard des systèmes de conventions reconnus et des modes d'expression à la rentabilité éprouvée, l'écrivain novateur est toujours « en voie de développement ».

Mais, en revanche, l'œuvre de Kafka ne se laisse nullement ramener aux interprétations réductrices, voire régionalistes, qu'elle a suscitées. Elle n'est pas, comme le croyait Max Brod, un panorama de la situation du judaïsme ; elle n'est pas non plus une théologie moderne parce qu'on y décèle les influences de Kierkegaard et de Dostoïevski ; elle n'est pas davantage une vision surréaliste parce que ses images proviennent le plus souvent du rêve. Née d'une expérience psychologique singulière, l'œuvre de Kafka est universelle – ne serait-ce que dans sa déréliction.

Une vie perdue d'avance

La souricière universelle

LES ROMANS DE KAFKA SONT DES MIROIRS
PROMENÉS LE LONG DES CHEMINS. MAIS CES CHEMINS
NE MÈNENT NULLE PART.

L'inachèvement des récits de Kafka, ou leur incertitude finale, ne révèle pas une défaillance de son génie créateur : cette œuvre, à jamais « ouverte », mime rigoureusement la recherche, sans résultat, mais sans cesse reprise, d'une vérité qui se dérobe.

C'est l'accusé qui bâtit sa prison.

Les efforts que l'individu fait pour trouver un sens à son existence ont pour conséquence inéluctable de rendre plus opaque le mystère de sa destinée. Kafka a repris ce thème tout au long de son œuvre, singulièrement dans les deux grands romans parus après sa mort, *le Procès* (1925) et *le Château* (1926).

Dans *le Château*, l'arpenteur K., venu dans un village pour travailler, ne peut prouver qu'il y a été appelé : il multiplie sans succès les tentatives pour pénétrer dans le château qui domine de sa masse et de sa bureaucratie les villageois à la fois apeurés et complices. Plus la législation édictée par les seigneurs mythiques est absurde, plus elle paraît naturelle et digne d'être observée. K. essaie de se défaire du réseau d'allusions et de sous-entendus où l'enserrent les habitants du village. Au moment même où, épuisé, il rencontre par hasard un fonctionnaire qui s'offre à l'aider, il s'endort et le récit s'interrompt. Le champ des conjectures est illimité quant à la nature de la vérité inconnue que poursuit K. Il semble qu'il y ait chez l'arpenteur un côté « *Bouvard et Pécuchet* » (c'est l'œuvre de Flaubert que Kafka admirait le plus), un « défaut de méthode ». Mais il y a, plus profondément, la conviction intime et désespérante que l'ordre que l'on saisit dans les choses n'est que le reflet de la méthode : une fausse hypothèse rigoureusement développée mène à un objet ou à un être qui existe et s'offre à vous pour des raisons qui vous échapperont toujours.

L'angoisse matérielle.

Dans *le Procès*, le drame de Joseph K. se joue entre deux anniversaires : le trentième et le trente et unième, l'âge de Kafka lorsqu'il publie en 1913 *le Verdict*, dédié à Felice Bauer. En 1914, c'est sous le coup de la rupture de ses fiançailles avec Felice qu'il entreprend *le Procès*.

Le matin de ses trente ans, Joseph K. voit entrer dans sa chambre, au lieu de sa logeuse et de son petit déjeuner, deux personnages en uniforme qui lui notifient son état d'arrestation sans lui révéler le crime dont on l'accuse.

Joseph K. se trouve dans une situation bien particulière et révélatrice : il est libre de poursuivre ses occupations, à condition de répondre à toutes les convocations que lui adressera le tribunal. Joseph K. pense d'abord à une plaisanterie montée par ses collègues de bureau, puis à une erreur de l'administration judiciaire, enfin à une malédiction du destin.

En réalité, c'est sa propre obsession de la faute et de la justification qui jette Joseph K. dans un piège dans lequel il cessera bientôt de se débattre : des mansardes qui abritent les rouages subalternes de la machine administrative à l'immeuble sordide où siège le tribunal, comme dans les lieux familiers où son procès semble être l'unique sujet de conversation, Joseph K. traîne sa solitude, son impuissance, sa résignation. Ce « prévenu libre » s'est façonné un personnage de condamné idéal. Les deux exécuteurs en redingote noire qui viennent un soir le chercher pour le conduire dans une carrière au bout de la ville ouvrent le cortège interminable des « promenades » nocturnes ou matinales que vont organiser dans l'Europe entière, de Dachau à la Sibérie, les régimes totalitaires.

L'originalité de Kafka est d'avoir évoqué la montée de l'angoisse non par le biais de l'analyse psychologique, mais en plaçant la réalité dans un éclairage inattendu, en faisant des objets concrets et des rapports quotidiens le signe de l'inquiétude métaphysique.

Au XVe siècle, alors que le monde médiéval trouvait à la vie des couleurs d'autant plus vives que la présence et la peur de la mort se faisaient plus lancinantes, des artistes, les peintres flamands, avaient jeté sur le réel un regard nouveau en plaçant l'espace et l'existence de tous les jours dans la lumière de la foi mystique. Kafka a opéré une révolution semblable, mais de signe contraire, alors que l'Europe perçoit les indices annonciateurs du cataclysme : la netteté et la simplicité des choses que baigne son style limpide et dépouillé invitent, par leur clarté obsédante, à voir derrière les fantasmes et les ténèbres de l'esprit des relations de force. ●

Le fiancé perpétuel

Kafka a, toute sa vie, voulu se persuader que le mariage était une porte de salut possible, la santé physique et spirituelle. Mais ses aventures amoureuses ne sont qu'une longue suite de fiançailles manquées.

1. Milena Jesenská.   2. Felice Bauer.   3. Dora Dymant.   4. Kafka en 1910.

Le surréalisme

AU CONTRAIRE D'AUTRES mouvements artistiques auxquels un discours critique postérieur donne leur cohérence, le surréalisme commence par sa définition : « Automatisme psychique pur, par lequel on se propose d'exprimer, soit verbalement, soit par écrit, soit de toute autre manière, le fonctionnement réel de la pensée. Dictée de la pensée, en l'absence de tout contrôle exercé par la raison, en dehors de toute préoccupation esthétique ou morale. » En insistant, dans le même *Manifeste du surréalisme* (1924), sur le jeu désintéressé de la pensée, la toute-puissance du rêve, la croyance à la réalité supérieure de certaines formes d'associations jusqu'alors négligées, André Breton, chef de file du mouvement, mettait l'accent sur le double enjeu, philosophique et critique, du surréalisme.

Inconcevable sans l'esprit de révolte et de révision radicales qui lui fait décaper impitoyablement les valeurs du monde ancien sur fond de ruines – celles de la Première Guerre mondiale –, le surréalisme ne peut que se penser par rapport au politique, ce qui ne signifie pas qu'il ait été l'agent d'une politique. En même temps, parce qu'il vise la connaissance des mécanismes de la pensée en acceptant toutes les conséquences qui peuvent procéder de l'exploration de ces terres inconnues, le surréalisme se heurte aux assises de l'humanisme traditionnel et construit une autre conception de la vie en lutte contre tout ce qui dépasse l'homme et voudrait l'assujettir : Dieu d'abord, mais aussi la matière et la raison. À cette fin, il invente une nouvelle mythologie, propre elle-même à ouvrir les voies d'une esthétique neuve.

L'esprit de révolte

LE SURRÉALISME SE FAIT UN DOGME DE LA RÉVOLTE ABSOLUE PARCE QU'IL REPREND À SON COMPTE LE MOT D'ORDRE DE RIMBAUD : « CHANGER LA VIE. »

Le surréalisme est né de la Première Guerre mondiale, du désespoir et du dégoût provoqués par la boucherie de 1914-1918. Entre 1916 et 1922, sous l'impulsion d'un jeune Roumain, Tristan Tzara, se développe le mouvement Dada : parti de Zurich et animé par Hugo Ball, Hans Arp, Richard Huelsenbeck, et vite devenu international, il proclame la nécessité d'en finir avec toute contrainte, morale, esthétique ou idéologique. Iconoclaste, volontiers terroriste, Dada prône le doute, la confusion, la démoralisation absolue. *La Première Aventure céleste de monsieur Antipyrine*, parue en 1916, est le premier manifeste dada. En 1920, Tzara arrive à Paris : Breton et quelques-uns de ses amis se rallient à ses thèses. Le groupe multiplie les provocations et les scandales. La rage destructrice de Dada s'exerce dans tous les domaines et atteint tout particulièrement la poésie, qui se trouve partout sauf dans les poèmes, puisqu'elle est l'expression absolue d'une manière d'être au monde. « La pensée se fait dans la bouche » profère Tzara, qui invente la poésie phonétique, chi-

mique ou optique, et poursuit une patiente destruction de tous les langages (verbal et plastique). Paradoxalement, ce travail aboutit à la création d'œuvres durables et à l'invention de techniques artistiques (collage, frottage, photomontage, ready-made) dont devait se réclamer tout l'art moderne. Le surréalisme doit beaucoup à Dada : non seulement le goût ostentatoire du scandale et de la violence, mais aussi la contestation des valeurs de la civilisation occidentale (patrie, institutions, logique...), l'apologie de la révolte (on a toujours raison de se révolter) et de la liberté, confondue avec la vie même.

Mais la dette s'arrête là : la rupture de Breton et de Tzara en 1922 est claire. Breton reprochait à Tzara son nihilisme gratuit, plaçant le débat exactement où il s'était : le dadaïsme conduisait logiquement au suicide, puisque pour lui il n'y avait aucune valeur. Bien qu'il ait très sérieusement agité cette question du suicide (et que de jeunes surréalistes – Jacques Vaché, René Crevel – aient franchi le pas), Breton avait choisi une révolte constructive. Sous son in-

fluence, le surréalisme s'est cherché un passé, certes marginal (le roman noir anglais, le romantisme allemand, Sade, Nerval, et les marginaux du romantisme français Lautréamont, Rimbaud, qu'on ne lisait guère alors) mais « culturel » tout de même. S'il a liquidé la logique et le positivisme bêtes (d'où le procès parodique de Barrès, le pamphlet contre Anatole France : *Un cadavre*), il a cru à la formidable productivité de l'arbitraire, aux pouvoirs de l'imaginaire, de l'onirisme, de l'irrationnel. Pendant un demi-siècle, il a inventé une autre vie. ●

L'iconoclasme de Dada

Dans cette manifestation du groupe Dada en 1921 (1), devant l'église Saint-Julien-le-Pauvre à Paris, on reconnaît, entre autres, A. Breton, P. Eluard, T. Tzara, Ph. Soupault. On remarque surtout que la contestation la plus radicale de la société, de son expression et de ses conventions, s'accommode fort bien d'un conformisme vestimentaire et d'une civilité, dont l'uniformité semble vouloir illustrer le mot d'ordre égalitaire du mouvement : « Tous les Dada sont présidents. »

Surréalisme et politique

LA CONJONCTION DU POÉTIQUE ET DU POLITIQUE DANS LE SURRÉALISME CONDUISIT LE MOUVEMENT LITTÉRAIRE À S'ORGANISER COMME UN PARTI.

Politiquement, Dada est anti-bourgeois et antinationaliste. Le surréalisme est plutôt libertaire : Breton, très tôt, revendique l'héritage des socialistes utopiques et des anarchistes et se montre très attiré par la révolution bolchevique de 1917. Dans la France des années 1920, les clivages étaient nets : qui crachait sur les valeurs patriotiques et sur les anciens combattants, qui hurlait que la bourgeoisie était aussi monstrueuse que bête croisait inévitablement le marxisme. Pour Breton, la révolte des esprits devait se développer avec la révolte des sociétés. Mais il ne subordonnait pas la première à la seconde. Passé la méfiance à l'égard de l'action politique, les surréalistes se rapprochèrent du groupe Clarté (intellectuels communistes) à la faveur du commun désaveu de la guerre du Rif. Aragon, Breton, Éluard, Péret, P. Unik adhérèrent même au P.C.F. En 1930, dans le *Second Manifeste,* Breton reconnut la validité du matérialisme dialectique et créa une revue : *le Surréalisme au service de la révolution.* Mais, outre que certains ne suivaient pas (notamment les animateurs du *Grand Jeu,* comme René Daumal ou R. Gilbert-Lecomte, beaucoup plus mystiques), l'histoire allait montrer que les surréalistes et les communistes n'avaient pas la même idée de l'engagement ni de l'action révolutionnaire. Dès 1936, Breton dénonçait les procès de Moscou et le stalinisme. En 1938, sa rencontre avec Trotski lui permit de faire le point sur l'art et la révolution (c'est l'objet du manifeste : *Pour un art révolutionnaire indépendant*).

En réalité, le malentendu avec le parti communiste avait été complet : l'un disait propagande, l'autre rêvait d'inventer de nou-

veaux modèles mythiques, à l'appel desquels répondaient les sociétés modernes comme jadis les sociétés primitives. Les surréalistes avaient de l'art une idée révolutionnaire, mais en ce sens que pour eux la révolution seule permettrait à la poésie de devenir cet acte absolu d'être au monde. Élément d'explication et de transformation de l'homme et du monde, l'art devait demeurer totalement autonome. Mais comment œuvrer à la libération de l'homme sans recourir à des moyens non artistiques (Benjamin Péret, dans *le Déshonneur des poètes,* posera cette question en 1945 contre tous les « poètes engagés ») ? Peut-être en suivant le précepte de Lautréamont : « La poésie doit être faite par tous. » ●

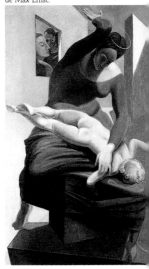

2. *La Vierge corrigeant l'Enfant Jésus,* de Max Ernst.

1. Manifestation dada en 1921.

Une nouvelle mythologie

LE SURRÉALISME CHERCHE À CAPTER LES SIGNAUX DU MYSTÈRE, À RENCONTRER CES MOMENTS PONCTUELS ET PRIVILÉGIÉS QUI, DANS L'ÉPHÉMÈRE DU QUOTIDIEN, INTRODUISENT L'ÉTERNITÉ DE L'ART.

Le surréalisme a réinventé le monde. Au cœur de ce monde, Éros, la grande force du désir contre toutes les forces sociales de répression : le Libertinage (Aragon, 1924), l'Âge d'or (Dalí et Buñuel, 1930), la Liberté ou l'Amour (Desnos, 1927), l'Amour fou (Breton, 1937), exalte l'amour comme la puissance transgressive par excellence, celle qui inscrit l'être le plus profondément au creux de l'univers, tout en l'ouvrant à toutes les formes possibles de liberté. La passion, parce qu'elle rend surattentif à l'autre, développe la capacité de capter les signes et de les déchiffrer, d'être disponible pour l'insolite – ce décalage subtil entre le donné et le prévu d'où surgit le merveilleux, clé de voûte de la mythologie surréaliste. Or, l'amour est d'abord une rencontre, et la rencontre est toujours porteuse de merveilleux potentiel : un « plus fort que lui » empoigne l'être, le jetant à son corps défendant dans l'immortel. Le surréalisme est l'écoute passionnée de ces jeux mystérieux du « hasard objectif », de ces pétrifiantes coïncidences qui défient la pseudo-continuité logique du monde et rendent à l'irrationnel, à l'imprévisible, à l'anormal les droits immenses qu'ils n'auraient jamais dû perdre.

De toutes les rencontres, celle de la Femme est sans doute la plus riche : médiatrice et révélatrice de la nature, détentrice de secrets, un peu sorcière, un peu voyante, la femme irradie sur le monde de toute la douceur sensuelle de son corps. Nadja (1928) guide, dans le bref récit qui porte son nom, le narrateur-Breton au travers d'un Paris insolite, dans un dédale de lieux étranges, au milieu d'objets bizarres. Elle est folle et fée, elle connaît l'avenir. À sa suite, le narrateur tente de déchiffrer les signes dont l'univers est plein, car l'univers surréaliste est un vaste cryptogramme. Les femmes, les fous, les primitifs, les enfants, les objets saugrenus ou dévoyés de leur fonction, les villes, les spectacles les plus dérisoires peuplent un univers qui récuse les vieilles dichotomies entre le réel et l'irréel, le jour et la nuit, le rêve et la réalité et qui introduit à la signification cachée des êtres et des choses.

Les voies d'une nouvelle esthétique

POUR LE SURRÉALISME, LA POÉSIE EST UN MODE DE VIE. L'ÉCRITURE PARTICIPE DE LA MAGIE QUOTIDIENNE. SUR LA PAGE BLANCHE COMME SUR LA TRAME DES JOURS SE PROJETTE LE MERVEILLEUX.

Fixer les données d'une esthétique qui a parié sur la découverte permanente est assez paradoxal, d'autant qu'un lieu commun tenace veut que « surréaliste » désigne en vrac le bizarre, l'étrange, le kitsch, ou tout ce qui « ne ressemble à rien » ! Pourtant, les surréalistes ont fondé leur esthétique sur une série de refus autant que sur des méthodes de création positives qu'ils ont minutieusement décrites.

En poésie comme en peinture, le surréalisme s'est défendu de toute préoccupation plastique ou esthétique. Il ne s'agit pas de produire des œuvres belles (selon quels critères ?) ni des œuvres ornementales. Il a refusé les codes usuels, qui tous brident plus ou moins l'imagination, la faculté de réalisation par excellence. Être artiste, c'est donc laisser s'exprimer les tendances profondes de l'être et tout subordonner au désir. Il n'y a émotion poétique que s'il y a émotion érotique : la Beauté ne peut être que bouleversante et convulsive, proclame Breton dans l'Amour fou, arrachement au monde des apparences, choix de l'existence totale. Au cœur de cette esthétique, la fameuse théorie surréaliste de l'image (largement empruntée à Pierre Reverdy) comme rapprochement révélateur de deux réalités sans rapport logique entre elles : de cette rencontre naît la merveille, comme de l'intuition, de l'association libre, du rêve, du sommeil provoqué, des simulacres de délire (l'Immaculée Conception, 1930) ou encore de la méthode « paranoïa-critique » chère à Dalí (« méthode spontanée de connaissance irrationnelle basée sur l'objectivation critique et systématique des associations et interprétations délirantes »). Max Ernst a développé, quant à lui, divers procédés hallucinatoires et abondamment pratiqué, comme tous les artistes surréalistes d'ailleurs, la technique du collage.

Les surréalistes ont donné, dans leurs recherches esthétiques, une place de choix à des formes d'expression marginales : ils ont montré la beauté étrange des œuvres des malades mentaux (dessins de Nadja, dans le roman de Breton), l'insolite des dessins d'enfants, la force d'envoûtement d'objets qu'ils allaient découvrir aux puces ou tout simplement dans le quotidien. Toute l'esthétique surréaliste a peut-être été la mise en application de ce mot d'ordre de Rimbaud : « Être voyant, se faire voyant », c'est-à-dire d'abord être capable de voir ce qui est là comme de la désirer sans mesure.

→ Voir aussi : Dadaïsme et surréalisme, ARTS, p. 304-305.

3. Le Modèle rouge, de Magritte.

L'image comme stupéfiant

Les surréalistes voient dans l'image une fulgurance produite par le rapprochement aléatoire de deux réalités hétérogènes. Entre deux pôles, constitués par deux fragments de l'univers concret qu'un collage réunit fortuitement, passe le courant de l'imagination. Le surréalisme sait saluer la beauté dans ces manifestations improbables qu'il interprète comme l'incarnation plastique des métaphores de Lautréamont.

4. Buste de femme rétrospectif, de Dalí.

5. Une scène du Chien andalou, de Buñuel.

L'engagement

L'ENGAGEMENT, EN TANT qu'il suppose une forte implication dans une situation donnée, s'oppose à l'indifférence, au retrait, à toutes les formes de non-participation. Avant même d'être un acte, l'engagement apparaît comme le choix d'un certain style d'existence, comme une certaine façon de se situer par rapport au monde, aux autres, à soi-même. S'engager, c'est accepter – voire revendiquer – sa responsabilité dans une action ou un processus dont on n'est pas l'auteur, qui vous a précédé et qui peut vous survivre. C'est donc nouer un lien entre une individualité et une collectivité, en se rapportant à l'avenir puisque tout engagement est une anticipation : à l'horizon, l'idéal, le sens, la valeur sont là qui infléchissent toute conduite et toute intervention.

Pour l'écrivain, il s'agit de prendre en compte une situation, la situation toujours spécifique à l'intérieur de laquelle il se trouve, au lieu de choisir la tour d'ivoire, la sécession dédaigneuse ou la solitude jalouse de la création. En ce sens, on peut soutenir que tout écrivain a toujours dû répondre pour lui-même à la question de savoir où il était, pour quoi faire et ce qu'il adviendrait de l'œuvre qu'il jetterait un jour au cœur de la cité. La notion d'engagement, en littérature, serait donc transhistorique, en ce sens qu'à n'importe quel moment de l'histoire, devant lui-même et devant les pouvoirs, l'écrivain aurait toujours su que la parole est action et qu'on n'est pas censé ignorer ce qu'on fait quand on écrit quelque chose.

L'engagement de l'écrivain est d'ailleurs compris le plus souvent comme un *engagement contre* un pouvoir dont on conteste la nature et les modalités ; mais c'est oublier l'allégeance réclamée et obtenue des artistes – à quelques rares exceptions près – par la France de Louis XIV comme par la Russie soviétique ou la Chine de la Révolution culturelle. S'engager, c'est alors « donner des gages » ou « être aux gages », seule attitude que, depuis Platon, toute « république » (c'est-à-dire tout pouvoir organisé) peut tolérer du poète, quand elle ne le bannit pas, voire l'emprisonne ou l'exécute, sur sa seule qualité.

La manière la plus féconde de poser le problème de l'engagement est d'y voir l'établissement d'un nouveau rapport entre l'auteur et le lecteur, entre l'écrivain et la communauté à laquelle il appartient et qui le reçoit. Entre l'écrivain mage et prophète, selon une conception romantique toujours vivante, et l'écrivain qui se dissout dans un collectif populaire (les écrivains prolétariens chinois, mais déjà Lautréamont : « la poésie doit être faite par tous, non par un »), l'écrivain engagé marque une étape intermédiaire : acteur encore privilégié, à l'écoute de ses propres pulsions, mais aussi celui qui prête l'oreille aux désirs des autres, et qui, consciemment, cherche à ces deux aventures la note et le rythme communs.

Un mot pour beaucoup de choses

EN S'ENGAGEANT, L'ÉCRIVAIN VEUT QUE SON DISCOURS SOIT UN ACTE. CETTE MISE EN JEU TOTALE DANS LA PAROLE PROFÉRÉE A UN CARACTÈRE FAUSTIEN.

En défendant le protestant Calas, Voltaire s'engageait. Norman Mailer aussi, en luttant contre le maccarthysme puis contre la guerre du Viêt-nam, et Sartre en manifestant contre la guerre d'Algérie et Soljenitsyne en racontant les bagnes de Sibérie... Entre eux, une ressemblance au moins : ils se sont battus contre des pouvoirs dominants et leur combat a été politique. Mais, entre un engagement existentiel et un engagement poétique, il y a bien des différences : l'écrivain peut être engagé, à titre personnel, comme n'importe quel citoyen. La forme de ses interventions alors, bien qu'elles soient plus retentissantes que celles des obscurs, est semblable à celle de tous : adhésion à un parti, pétitions, manifestations et manifestes, signatures, appels... Mais que signifie « engager » la littérature ? À quelles conditions les actes publics débordent-ils donc la personne et entraînent-ils les œuvres dans leur mouvement ?

Il semble qu'ici le relais soit l'image de l'*intellectuel* : lorsque Zola écrit « J'accuse », ce n'est pas sans doute l'ensemble du naturalisme qui choisit le parti de la révision du procès de Dreyfus. Mais cette démarche est celle d'un écrivain qui a conquis des droits à une parole plus puissante. Ces droits, d'où lui viendraient-ils sinon de la valeur qui s'attache désormais à la

2. Sartre haranguant les ouvriers des usines Renault.

1. Malraux avant un départ en mission en 1936, à Barajas, en Espagne.

Œuvres clefs

1927	Benda, *la Trahison des clercs.*
1932	Nizan, *les Chiens de garde.*
1933	Malraux, *la Condition humaine.*
1934	Aragon, *Hourra l'Oural.* J. Guéhenno, *Journal d'un homme de quarante ans.*
1934- 1951	Aragon, *le Monde réel.*
1937	Malraux, *l'Espoir.* Céline, *Bagatelles pour un massacre.*
1938	Bernanos, *les Grands Cimetières sous la lune.*

1941	Brasillach, *Notre avant-guerre.* Drieu La Rochelle, *Notes pour comprendre le siècle.*
1942	P. Emmanuel, *Combats avec tes défenseurs !* Vercors, *le Silence de la mer.*
1945	R. Wright, *Black Boy.*
1945- 1949	Sartre, *les Chemins de la liberté.*
1947	Sartre, *Qu'est-ce que la littérature ?* Camus, *la Peste.*
1948	Sartre, *les Mains sales.* N. Mailer, *les Nus et les Morts.*
1951	Camus, *l'Homme révolté.*
1953	E. Wiechert, *Missa sine nomine.*
1962	Soljenitsyne, *Une journée d'Ivan Denissovitch.*
1973- 1976	Soljenitsyne, *l'Archipel du goulag.*

littérature comme témoignage et comme intervention spécifique ? À partir de cet acte fondateur, il est devenu impossible à l'écrivain de ne pas répondre, même pour des choix que son œuvre en tant que telle n'engageait pas. L'écrivain est intronisé comme conscience de son temps et prophète, souvent incommode, de ses contemporains. Reste que sous l'expression de « littérature engagée » ont été mises des choses fort différentes : pour Sartre, son « inventeur », la littérature engagée est nécessairement « à gauche ». Mais qui soutiendrait que Drieu La Rochelle, Brasillach, Céline n'ont pas écrit d'œuvres engagées, clairement « à droite » cette fois ? Selon les situations historiques et les tempéraments enfin, l'engagement a pu être physique (militantisme politique, combat direct : on songe à Malraux dans les Brigades internationales) ou idéologique, sous la forme de textes qui mêlaient philosophie, politique et littérature.

●

Gager ou donner des gages ?

Lorsque l'écrivain pénètre dans un univers modelé par des événements et des concepts qui ne relèvent pas entièrement de la nécessité intérieure de son écriture, il ne fait que proclamer la séparation de la vie et de l'imaginaire. Aussi est-il toujours enclin à corriger sa pratique par sa théorie, ou inversement : Balzac prétend ainsi écrire son œuvre révolutionnaire à la lumière de la monarchie et de la religion ; Malraux cherche à triompher de sa tentation esthétique dans les combats de la guerre d'Espagne ; Sartre [...] court le pardon de sa mauvaise conscience bourgeoise.

De l'engagement de l'écrivain au désengagement de la littérature

L'ÉCRIVAIN ENGAGÉ PENSE QUE LUI-MÊME,
COMME SES LECTEURS, A DROIT AU FUTUR IMMÉDIAT.
MAIS LA LITTÉRATURE, COMME L'ART, SE PLACE
DANS LA PERSPECTIVE DE L'ÉTERNITÉ.

L a problématique de l'engagement date des années 1930. Les guerres accumulées (1914-1918, guerre d'Espagne, 1939-1945, guerres coloniales), la crise mondiale de 1929, le Front populaire, le développement des fascismes et du communisme ont convaincu beaucoup d'écrivains qu'un message social même généreux ne suffisait plus et qu'il leur fallait repenser les fonctions de la littérature. Dans la Trahison des clercs, Julien Benda avait, dès 1927, lancé une offensive contre tous ceux (notamment Bergson) qui soutenaient que le sujet connaissant devait être engagé dans l'objet qu'il étudie. Pour Benda, l'une des fonctions de l'intellectuel est justement d'être à l'écart du monde et de méditer sans se croire obligé d'intervenir : autrement dit, le clerc trahit quand il engage plus que son corps dans la vie active.

À Benda s'oppose le Nizan des Chiens de garde, qui considère au contraire que la vraie trahison est dans la désertion du monde réel. Toute la question de l'engagement est là, dans la conviction des uns que la pensée peut rester spectatrice, dans celle des autres que toute pensée est située et doit nécessairement s'incarner « ici et maintenant » : on est très proche alors de la problématique chrétienne de l'incarnation, et la revue Esprit, revue d'intellectuels chrétiens, fondée par Emmanuel Mounier en 1932, fait précisément de l'engagement son mot d'ordre. Le monde moderne est sans doute désert et sans âme ; l'histoire est une vilaine cuisine, mais ce n'est pas une raison pour refuser de s'en mêler. On comprend comment l'existentialisme naissant, pour lequel être c'est être-au-monde et être situé dans ce monde, a pu théoriser radicalement la nécessité de l'engagement de la littérature.

Jusqu'à Sartre en effet les écrivains avaient des opinions et choi-

sissaient leur camp d'hommes et de citoyens. Avec la fondation des Temps modernes, au lendemain de la Libération, c'est la littérature en tant que telle qui se trouve engagée : pour Sartre, et pour nombre d'écrivains et d'intellectuels de la seconde moitié du XXe siècle, en Europe comme aux États-Unis, la littérature jette l'homme dans la bataille, parce qu'écrire c'est une certaine façon de vouloir la liberté. Écrire engage, parce qu'on ne peut pas écrire sans se demander pour qui on écrit : on écrit pour l'homme universel et l'écriture est la médiation par excellence entre l'homme et la conscience qu'il peut prendre de la société où il se trouve. Dévoilement, l'écriture est nécessairement changement. La fonction de l'écrivain est de faire en sorte que nul ne puisse ignorer le monde et que nul ne s'en puisse dire innocent. La poésie de la Résistance (celle d'Éluard, d'Aragon, de Desnos) a donné l'exemple d'une littérature directement politique, dont les contenus mais aussi les formes optent pour la France libre : en recourant aux ballades, aux odes, formes traditionnelles de la poésie française, et en remettant à l'honneur l'alexandrin classique, Aragon milite pour « une certaine idée » de la France. Après la guerre, les romans de Sartre (les Chemins de la liberté), ceux de Camus (la Peste) et plus encore les

œuvres destinées à la scène (Antigone, d'Anouilh ; les Mains sales, de Sartre ; Caligula, de Camus) développent des thèses politiques et représentent autant d'appels à réfléchir sur les choix idéologiques fondamentaux.

Le risque pourtant est réel pour la littérature, mortel peut-être. Car, si l'écrivain se fait maître à penser, les textes eux deviennent ou des fables politiques transparentes ou de fades romans réalistes socialement utiles » (le « réalisme socialiste », théorie officielle du P.C.F., refuse toute innovation littéraire, jugée bourgeoise et décadente, et considère toute préoccupation esthétique comme un luxe).

La littérature engagée n'a pas survécu en Europe, ni aux États-Unis (Norman Mailer écrit aujourd'hui contre la récupération idéologique, le théâtre d'Arthur Miller est plus proche des thèmes de l'absurde que de ceux de l'engagement), aux grandes remises en cause et à la crise des idéologies. Plus les écrivains se sont clairement engagés, plus la littérature s'est superbement détournée : que l'on songe au « nouveau roman », au « nouveau théâtre », aux recherches formelles de plus en plus aiguës. Le débat reste ouvert : pour être vraiment « utile », la littérature, comme tout art, ne doit-elle pas d'abord, se soucier d'être neuve et belle ?

●

3. Norman Mailer emprisonné à la suite d'une manifestation contre la guerre du Viêt-nam, en 1967.

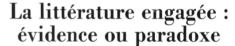

La littérature engagée : évidence ou paradoxe

PEUT-ÊTRE L'ÉCRIVAIN ENGAGÉ
OUBLIE-T-IL QUE L'ARTISTE PARVIENT À L'OBJECTIVITÉ
PAR LE MAXIMUM DE SUBJECTIVITÉ ?

L 'évidence, pour les hommes de cette fin de siècle, de l'idée d'engagement en art ne doit pas dissimuler son caractère paradoxal et hautement problématique : une certaine représentation, généreuse et confuse, de l'intellectuel de gauche dans les démocraties occidentales, le combat désespéré des dissidents soviétiques, le sort tragique fait à tous ceux qui, de l'Est à l'Amérique du Sud en passant par la Chine, ont mobilisé leur plume contre la violence de l'État ont fini par faire oublier que dans l'histoire les écrivains ont été plus souvent aux gages des pouvoirs qu'engagés contre eux et que, par ailleurs, certaines formes de l'engagement moderne s'apparentent plus à la propagande qu'à l'effort d'une conscience malheureuse et nuancée pour penser les contradictions et les déchirures de son temps. La subordination de l'art à des fins autres qu'esthétiques, sa soumission, dans le pire des cas, à des mots d'ordre étroits stérilisent la création et mélangent dangereusement les genres : il y a peut-être plus à attendre des métamorphoses que la vision

de l'artiste propose du monde, même sans une perspective révolutionnaire, que de la pérennisation des clichés et des idées reçues. La littérature engagée, quand elle n'a pas produit quelques pamphlets décapants, s'est trop souvent prise à l'immédiat et à la mousse de l'événement pour dépasser cet événement même. L'équilibre est difficile entre un écrivain prophète, capable, par des moyens proprement artistiques, d'anticiper sur son époque, et l'écrivain qui se dissout dans une collectivité (écrivains prolétariens chinois par exemple). Et, finalement, ce sont peut-être les artistes les moins tapageusement engagés, qui permettent à leurs lecteurs les interrogations les plus fécondes sur leur société et sur eux-mêmes si la réalité profonde d'un être ou d'une situation se dévoile dans la fulgurance d'un geste ou d'un mot involontaire. La grande littérature inquiète : la fonction de l'écrivain n'est-elle pas de maintenir cette inquiétude à son point de tension le plus extrême par l'originalité radicale d'un regard ?

●

4. Heinrich Böll accueillant Soljenitsyne chassé d'U.R.S.S., en 1974.

Le théâtre de l'absurde

Les années cinquante

APPARU, COMME LE « NOUVEAU ROMAN »,
AU DÉBUT DES ANNÉES CINQUANTE, LE NOUVEAU
THÉÂTRE SE CARACTÉRISE PAR UNE DOUBLE RUPTURE
AVEC LE THÉÂTRE BOURGEOIS ET
LE THÉÂTRE IDÉOLOGIQUE.

IL EXISTE UNE PHILOSOPHIE DE l'absurde : elle procède du sentiment d'une existence injustifiée. La conscience alors du défaut d'être se substitue à celle de la plénitude, toute finalité s'absente et le langage, privé de ses fins communicatives et signifiantes, se consume en lui-même et se défait.

Cette problématique n'est certes pas étrangère au théâtre de l'absurde, mais ce théâtre ne consiste pas en une mise en scène de ce qu'on appelle la philosophie de l'absurde : c'est même le contraire qui est vrai. Le théâtre des années 1950 rejette précisément les pièces – celles de Sartre et de Camus notamment – qui tenaient ce discours : suspicion jetée sur l'action, mais, tout de même, il faut agir *(les Mains sales)* ; affirmation didactique de la solitude et de l'illusoire communication *(Caligula, le Malentendu)*. Le théâtre de l'absurde, ou le « nouveau théâtre », s'inscrit en faux contre les discours idéologiques parce qu'il ne croit pas qu'ils puissent avoir un sens : tant qu'on raisonne pour dire qu'il est vain de raisonner, rien de fondamental n'est mis en cause. C'est pourquoi le « théâtre de l'absurde » doit s'entendre comme l'acte dramatique par lequel des silhouettes sans épaisseur ni identité exhibent la totale impuissance de la parole et non comme un ensemble d'œuvres qui auraient pour enjeu d'exposer les raisons que l'homme peut avoir de trouver sa vie insignifiante et sa condition tragique.

Le théâtre de l'absurde construit donc un rapport radicalement autre au langage : sur la scène se dévident des discours qui semblent tourner sur eux-mêmes, sans capacité de désigner quoi que ce soit d'extérieur ni de s'adresser à quiconque. Les mots ne sont plus gagés sur les choses : ils viennent du rien et vont se perdre dans le vide. La communication impossible ruine tout rapport entre les créatures qui sont là : « ça parle », mais elles ne parlent pas. Le théâtre de l'absurde dénie au langage tous ses pouvoirs. Mais, en même temps qu'il travaille à rendre le langage exsangue, le théâtre de l'absurde s'y confie tout entier : dans ces pièces dénuées d'intrigue, déconstruites, où des corps – qui sont souvent des loques – assistent à l'éclosion en eux de la négativité, il n'y a justement que des mots.

En 1950 est représentée aux Noctambules *la Cantatrice chauve*, d'Eugène Ionesco. *La Grande et la Petite Manœuvre* d'Arthur Adamov suit et surtout, en 1953, *En attendant Godot*, d'un écrivain à peu près inconnu bien que son œuvre romanesque soit alors achevée : Samuel Beckett. Le succès, relatif, est pourtant décisif : les intellectuels s'enthousiasment et la scène traditionnelle est durement secouée. C'est que, si le théâtre du XXe siècle a déjà connu des tentatives de renouvellement et de dépoussiérage radicales, il semble qu'on se trouve alors devant autre chose : Piscator et Brecht avaient « inventé » le théâtre « épique », qui éclairait d'un jour matérialiste les rapports sociaux ; Sartre, Camus et bien d'autres avaient « engagé » le théâtre et avaient décrit l'homme en proie à l'angoisse de sa condition. Mais ce nouveau théâtre, ni marxiste ni existentialiste, ne prêchait pas, n'analysait rien : il balayait tout, et d'abord la certitude qu'il y a « de l'humain » quand même. Il semblait s'installer délibérément dans l'horreur, dont on pouvait alors penser que les totalitarismes avaient touché le fond. Ses « maîtres » n'étaient ni Brecht ni Sartre : c'était plutôt Artaud – qui, dans *le Théâtre et son double* (1938), avait proclamé la nécessité d'un retour à la scène comme lieu physique – et Pirandello, l'inventeur du « théâtre dans le théâtre », dont la trilogie *Six Personnages en quête d'auteur* (1921), *Comme ci (ou comme ça)* [1924], *Ce soir on improvise* (1930) était la représentation d'une représentation impossible. ●

2. *Ce soir on improvise*, de Pirandello.

1. *La Sainte Trinité*, de Warmerdam.

Dates clefs

Une nouvelle dramaturgie

LE THÉÂTRE DE L'ABSURDE
DÉMANTÈLE TOUS LES PRINCIPES QUI, DEPUIS
ARISTOTE, RÉGISSENT LE THÉÂTRE OCCIDENTAL
ET REFLÈTE LA CRISE PROFONDE
DE L'APRÈS-GUERRE.

Les spectateurs qui assistèrent à la première de *la Cantatrice chauve* attendirent longtemps et ne virent ni cantatrice ni chauve. Ceux qui coururent à la deuxième pièce de Ionesco représentée, *la Leçon*, purent avoir quelques inquiétudes sur les enseignants puisque le Professeur – qui n'apprend évidemment rien à sa jeune élève – la viole et la tue (elle est sa quarantième victime de la journée). Que dire de ceux qui, avec les clochards de Beckett, attendent encore un Godot qui ne viendra jamais ? Le théâtre de l'absurde se soucie peu de construire une action et de la mener à son terme : pas d'intrigue ici, des rencontres, des hasards, des répétitions sans rime ni raison. Pas de personnages non plus, pas de héros psychologiquement cohérents et qui ressembleraient à des « personnes » : des corps, souvent repoussants, sales, à peu près interchangeables, soit qu'ils ne tirent un peu d'existence que du conformisme social (souvent petit-bourgeois) qui les compose, soit que leur existence dépende strictement de leur capacité à bavarder. Les premiers peuplent les premières pièces de Ionesco, les seconds traversent l'univers tragique de Beckett. Ils sont de surcroît le lieu de toutes les contradictions et de toutes les aberrations (en cas de besoin, ils peuvent se métamorphoser, s'envoler : le théâtre de l'absurde s'en prenant, notamment, à l'illusion réaliste). Ils se déplacent (à moins, comme chez Beckett, qu'ils ne soient frappés d'immobilité : *Fin de partie, Oh les beaux jours*) dans un espace scénique singulièrement bouleversé. Prenant au pied de la lettre l'injonction d'Artaud, pour qui la scène est un lieu concret et physique, les dramaturges des années 50 s'en servent pour rendre visibles les fondements mêmes de leurs pièces : dans *la Cantatrice chauve*, la porte (on sonne mais il n'y a personne), la pendule qui retentit de 28,35 coups sont autant de signes du dérèglement et de la sottise ; dans *l'Invasion*, d'Adamov, l'épouvantable désordre qui règne dans la chambre ne fait que traduire le désordre des pensées ; dans *les Chaises*, le vide, l'absence de tout le monde, et notamment de Dieu, sont rendus sensibles par les chaises qui occupent tout l'espace mais que personne n'occupe. Mais c'est dans l'univers de Beckett que la puissance de l'espace et des choses est sans doute la plus terrifiante : sur fond noir, quelques objets-réceptacles (jarres où sont coincés les personnages de *Comédie*, poubelles de *Fin de partie*) « accueillent » des corps aux positions larvaires, tas de membres difformes, paralysés, mutilés, menacés par l'absorption dans la matière (terre, boue) et le retour à l'inerte et à l'informe. Les choses font peur parce que l'homme n'est plus leur maître.

Le rêve d'un théâtre qui serait pure présence sur la scène, seul et scandaleux fait « d'être là », mais là pour rien, c'est sans doute le théâtre de l'absurde qui l'a accompli. Car les corps qui se déplacent sous la lumière – quand il en reste – n'ont rien à dire, rien à faire, rien à prouver. C'est en effet le langage, et donc les fondements mêmes de l'humain (« je parle, donc je suis »), qui est ici décomposé : à côté des lieux communs éculés que serinent à l'infini les Smith et les Watson de *la Cantatrice chauve*, des propos incohérents ou des hurlements, il y a l'usage dérisoire et tragique que font de la parole les personnages beckettiens : la langue, étranglée, ricoche, revient sur elle-même, haletante. Le langage est une excrétion qui suinte ; personne n'en dirige le flux puisqu'on n'ose parler du « sens ». L'être n'est ici que l'écho de bruits insensés. Un pas encore et Beckett s'attaque à la voix (Krapp, dans *la Dernière Bande*, écoute sa voix sur un magnétophone), puis au souffle même, spasmodique, devenu un râle (*Acte sans paroles, Paroles et musique, Dis Joe*).

Loin des bavardages prétentieux sur la condition humaine, ce théâtre de la crise des valeurs et du sens occupe le seul lieu possible après le nazisme et le goulag : celui de l'horreur. •

3. En attendant Godot, de Beckett.

Parler pour dire le rien

Des acteurs de Pirandello, qui éprouvent leur impuissance à devenir les personnages que le metteur en scène prétend leur faire interpréter, aux clochards de Beckett, qui sont là pour manifester une présence à l'état pur, sans finalité, le langage dramatique naît et prolifère comme un cancer verbal : plus il se développe, moins il y a de sens, moins il y a de vie.

4. Oh les beaux jours, de Beckett.

La raison de l'absurde

LE THÉÂTRE DE L'ABSURDE
EST UN THÉÂTRE DÉSESPÉRÉ DONT L'OBJET
SEMBLE ÊTRE DE MONTRER L'AGONIE D'UN MONDE QUI VIT
DE SE CONTEMPLER EN TRAIN DE MOURIR.

Face à une négation aussi absolue de tout, les réactions furent vives : les uns haussèrent les épaules (surtout les disciples de Brecht et les écrivains engagés), les autres se détournèrent parce qu'ils avaient trop bien compris, les plus malins récupérèrent : il était finalement commode de redonner du sens à tout cela, de voir dans *Godot* la parabole de l'homme en attente de Dieu (d'où les réductions et les étymologies rassurantes – il y a God dans Godot) ou dans le théâtre de Ionesco l'héritage de l'aigre critique flaubertienne de la bêtise bourgeoise. On chercha à inscrire l'absurde dans la tradition théâtrale : on lui trouva des ancêtres dans le comique outré d'Aristophane ou de Plaute, dans la farce médiévale, dans les parades et les intermèdes grotesques de Shakespeare ou du théâtre romantique, dans les pirouettes de la commedia dell'arte ou dans les dramaturgies bouffonnes de Jarry et d'Apollinaire. Bien des dramaturges du reste se prêtèrent à cette interprétation : Ionesco vira au prédicateur, Adamov se tourna vers un théâtre historique *(Printemps 71)*, Beckett résista, mais au prix du silence.

Un dramaturge capital, qu'il n'est pas habituel de rattacher à l'absurde et qui en effet ne procédait que de lui-même, éclaire les difficultés et les impasses de ce courant : il s'agit de Jean Genet. Si *le Balcon, les Nègres, les Paravents* relèvent dans leur conception première d'une autre perspective – dans la mesure pourtant où ces pièces manifestent l'impossibilité de toute représentation et où elles contestent la possibilité de tout ordre (social, politique, esthétique même) – ils participent de la même désespérance profonde : le monde occidental meurt et, tandis qu'il agonise, il peut se donner la fête somptueuse de sa propre mort. Ce théâtre est un ordonnateur des pompes funèbres. Comme tel, il exhibe la raison de l'absurde : exilé, aliéné dans son langage, privé dès lors de sa pensée, qui lui permettait de distinguer les temps et d'avoir une mémoire et une histoire, l'homme du théâtre de l'absurde est atteint de la maladie de la mort, d'autant plus pernicieuse que c'est invisiblement qu'elle ronge l'identité et sape les valeurs. Ce théâtre ne représente plus rien (pour cela, il faudrait qu'entre les mots et les choses le rapport ne soit pas suspect), ne raconte rien : il montre, mais le spectacle n'est pas réjouissant qui est le cauchemar d'un monde dont il ne faut pas espérer pouvoir se réveiller. •

→ **Voir aussi :** Kafka, LITTER, p. 104-105. La modernité, L'effondrement des valeurs ?, IDÉES, p. 442-443.

Les nouveaux continents littéraires

NAGUÈRE, C'EST-À-DIRE IL Y A une génération, le territoire de la littérature s'étendait dans un espace bien défini et bien balisé. Sur la carte littéraire, on repérait deux types de domaines distincts : des centres organisés, où l'on reconnaissait des mouvements, des écoles, des auteurs, des genres ; des périphéries incultes, que la grâce des pôles créateurs visitait d'une manière tout aléatoire. Sur cette carte, des chemins nettement tracés dessinaient des parcours à sens unique : de l'Europe et des grandes littératures vers des peuples imitateurs. Des cultures malhabiles à manier des instruments d'expression étrangers attendaient que les pays à histoire littéraire longue se soient exprimés sur un sujet pour prouver qu'elles éprouvaient, elles aussi, des sentiments et formaient des idées cohérentes.

Depuis la fin des années 50, l'espace littéraire s'est trouvé bouleversé sous la pression de phénomènes culturels et politiques. D'une part, les procédés de diffusion massive de l'information, les médias, ont modifié profondément à la fois les pratiques de lecture et le style des systèmes de représentation. D'autre part, l'accès à l'indépendance de pays colonisés et la prise de conscience par des minorités ethniques ou culturelles de leur spécificité sont à la source de la résurgence de traditions littéraires ou de la création de nouveaux moyens d'expression. Trois grands ensembles se signalent ainsi par leur vitalité retrouvée : les pays latino-américains, le monde arabe, l'Afrique noire.

L'écriture, concurrencée par le cinéma, la radio, la télévision, n'est plus seule à rendre compte du monde, comme elle le faisait depuis Gutenberg, et elle s'interroge sur ses buts et ses pouvoirs : par là, le champ de la littérature se restreint. Mais, en revanche, en mettant en cause ses propres limites, la littérature tend à annexer des territoires qu'elle excluait jusque-là de sa juridiction : littérature orale et populaire ; littératures des minorités linguistiques ; littérature pour enfants ; « art brut » (écrits de déviants, de malades, de fous) ; littératures de grande consommation : romans policiers, d'espionnage, de science-fiction, séries sentimentales – tout ce que l'on rassemble sous les étiquettes de « para- » ou de « sous-littérature ».

1. Une grande avenue à Yamoussoukro (Côte-d'Ivoire).

Une culture, une langue, une littérature

LA LITTÉRATURE EST AUJOURD'HUI MOINS L'EXPRESSION D'UNE VÉRITÉ UNIVERSELLE QUE L'INCARNATION DE L'HISTOIRE D'UN PEUPLE.

La littérature a été longtemps placée dans un cadre universel, réunissant dans le temps figé de l'œuvre d'art les modèles de l'Antiquité et les dociles imitateurs du présent. Par-delà les frontières et les époques, tous les écrivains étaient contemporains et compatriotes dans une même « république des lettres ».

Une littérature peut-elle être nationale ?
La Révolution française puis le romantisme favorisèrent la prise de conscience des particularités nationales, des traditions populaires retrouvées derrière un classicisme de convention. Mais cette constitution d'imaginaires nationaux s'accompagna de la reconnaissance de langues dites « de civilisation » : celles-ci, par leur richesse morphologique et syntaxique, par la multiplicité des œuvres à travers lesquelles elles s'étaient affinées, étaient censées pouvoir traduire un univers matériel et mental dans toute sa complexité, au contraire des langues vernaculaires, des parlers des minorités, dont le territoire limité révélait une compétence bornée dans l'expression des idées et des sentiments. Il y eut donc des littératures nationales qui se distinguèrent par leur pouvoir de totalisation et d'assimilation, retrouvant ainsi un statut universel (l'anglaise, la française, l'espagnole, l'allemande).

La littérature aujourd'hui sait que toute pratique de l'écriture croise les niveaux de langue et des codes multiples, les écrivains contemporains, comme Pound et Joyce, ont tenté d'apparenter les qualités plastiques et sémantiques de langues différentes, et les langues mineures réclament l'entière reconnaissance de leur dignité. Les nombreux bouleversements politiques et sociaux du monde moderne ont ainsi animé la littérature de deux mouvements inverses, qui tous deux se manifestent hors du cadre national hérité du XIXe siècle : le premier tend à la constitution de grands ensembles culturels fondés sur une thématique spécifique (c'est le cas de la renaissance de la littérature arabe), le second répond, en réaction à la standardisation des moyens d'expression et de diffusion, à un besoin d'ancrage immédiat, à la recherche de racines profondes dans la terre et dans l'histoire (c'est le phénomène du régionalisme).

Le réveil de la littérature arabe.
Replié sur lui-même pendant trois siècles, dans le commentaire incessant d'un passé prestigieux et le respect scrupuleux des formes poétiques anciennes, le monde arabo-islamique reçoit l'expédition de Bonaparte comme un choc, qui s'avère bénéfique. C'est le début de la *Nahḍa*, le « Réveil » d'une culture qui va se redéfinir en prenant ses mesures par rapport à l'Occident : l'ouverture aux courants de pensée européens nourrit des débats passionnés sur les rapports de la tradition et du modernisme et sur l'évolution de la langue arabe, qui doit accueillir les concepts nouveaux issus de la vie technique et industrielle, du monde des affaires et de la politique.

Marquée par les remises en cause provocatrices de Ṭaha Ḥusayn (*Sur la littérature païenne,* 1927), la première génération moderne de la littérature arabe est d'abord poétique avec l'Égyptien Aḥmad Chawqī (1868-1932) et les Libanais Khalīl Muṭrān (1872-1949), animateur du « Groupe Apollo », dont l'influence sera sensible jusque vers 1960, et Djubrān Khalīl Djubrān (1883-1931). Mais l'ère du roman réaliste s'ouvre avec Muḥammad Ḥusayn Haykal (*Zaynab,* 1914). Les influences du réalisme anglais, du naturalisme français et du roman russe s'exercent à tour de rôle sur les nouvelles des frères Taymūr, Muḥammad (*Ce que voient les yeux,* 1917) et Maḥmūd (*le Cheikh Djum'ā,* 1925), les romans de Tawfīq al-Ḥakīm (*Journal d'un substitut de campagne,* 1937) et de Charqāwī (*la Terre,* 1954).

Aujourd'hui, alors que la poésie réfléchit avec Adūnīs (*le Théâtre et les Miroirs,* 1968) toutes les facettes d'un monde en crise et que le constat romanesque de ces bouleversements reçoit avec Nadjīb Maḥfūz la consécration du prix Nobel en 1988, le monde arabe vit l'une des plus grandes mutations de son histoire à travers le drame palestinien. Poètes (Maḥmūd Darwīch) et romanciers (Djabrā Ibrahīm Djabrā, Ghassān Kanafānī) de Palestine expriment, de la manière la plus dramatique, le problème de l'identité culturelle et de l'affrontement entre la tradition religieuse et le désir d'une révolution intellectuelle et sociale.

2. Indiens d'Amérique : des « souvenirs », mais plus de mémoire.

3. Palestiniens dans les territoires occupés par Israël, en 1988.

**Voix de
la communauté,
cris des peuples**

Le monde d'aujourd'hui voit éclater ses cadres politiques et culturels : des peuples accèdent à l'indépendance, d'autres se battent pour une terre (3) ; certains sont aux prises avec le difficile passage des traditions patriarcales à l'univers industriel (1) ; d'autres (2) n'ont plus que les musées comme gardiens de leur histoire et de leur identité perdues.

Une ethnologie littéraire

L'ETHNOLOGUE S'EFFORCE DE RENDRE
AUDIBLE LES VOIX ÉTOUFFÉES DE CIVILISATIONS MEURTRIES ;
L'ÉCRIVAIN PROJETTE SA PAROLE SUR LE MONDE,
QU'IL VEUT FAÇONNER À SON IMAGE.

L'ethnologie est née de la littérature, des « enquêtes » curieuses d'Hérodote aux récits de voyages qui, de Marco Polo à Bougainville, nourrissent la fascination pour les horizons lointains. Mais la découverte du Nouveau Monde, les comparaisons faites par les missionnaires et les administrateurs des mœurs et des croyances des « sauvages » avec la culture occidentale ont relativisé l'univers européen. L'intérêt que porte Montaigne aux « cannibales » (au troisième livre de ses *Essais*) est le signe d'un nouveau regard que l'écrivain va porter sur son monde et sur lui-même : au XVIIIᵉ siècle, Montesquieu va s'efforcer de regarder la société française en Persan, Voltaire en Chinois, Marmontel en Inca. Et Rousseau, avec son *Discours sur l'origine et les fondements de l'inégalité parmi les hommes* (1755), instaure un nouvel humanisme, attentif aux structures universelles de l'esprit humain. La redécouverte passionnée du folklore et des traditions populaires, de Perrault aux frères Grimm, a enrichi la littérature de genres nouveaux (contes de fées, légendes épiques).

Mais l'ethnologie occupe aujourd'hui une place originale par rapport à la littérature. Ethnologie et littérature semblent échanger leurs signes depuis que la poésie de Segalen (les *Immémoriaux*, 1907 ; *Stèles*, 1912) a révélé une compréhension profonde de l'âme des peuples maori et chinois et que l'essai ethnographique de Michel Leiris l'*Afrique fantôme* (1934) se déroule comme une quête de l'identité de son auteur. Un nouveau partage s'établit aujourd'hui entre l'ethnologie et la littérature. Alors que l'ethnologie conduit Leiris à l'autobiographie (l'*Âge d'homme*, 1939 ; la *Règle du jeu*, 1948-1976), Artaud cherche la dissolution de son moi dans *Un voyage au pays des Tarahumaras* (1937). Le travail ethnologique, pour Claude Lévi-Strauss, s'apparente à l'activité « mytho-poétique » de la « pensée sauvage » (*Tristes Tropiques*, 1955 ; le *Regard éloigné*, 1983) ; la poésie est un voyage à l'intérieur du moi, avec tous les périls de la randonnée en territoire inexploré (c'est tout le sens de l'œuvre d'Henri Michaux). L'expression la plus étonnante de soi-même à travers le silence de l'autre est peut-être dans l'œuvre de Fernand Deligny, spécialiste des enfants autistes, qui a tenté de rendre avec des mots l'enfermement qui échappe par définition au langage : en évoquant le drame des autres, l'écrivain découvre peu à peu qu'il ne peut parler que pour lui seul (*Traces d'être et bâtisse d'ombres*, 1983).

Ethnologie et littérature tendent ainsi à se fondre dans une anthropologie d'un type nouveau où les itinéraires, qu'ils partent de la littérature (René Girard : la *Violence et le Sacré*, 1972) ou de l'ethnologie (Marc Augé : *Génie du paganisme*, 1982), se croisent dans l'œuvre à jamais inachevée du portrait de l'homme par lui-même. ●

Le régionalisme

LE RÉGIONALISME LITTÉRAIRE TRADUIT
UN PROFOND BESOIN DE RESSOURCEMENT DANS DES TRADITIONS
LOCALES ET DES PRATIQUES COMMUNAUTAIRES.

Le régionalisme s'oppose doublement à l'ensemble national. D'abord comme l'évocation d'un territoire restreint avec ses particularités physiques, ses aspects pittoresques, les coutumes de ses habitants, dont l'esprit s'oppose souvent à l'évolution générale des mœurs et des usages. Ensuite comme la revendication d'une microculture ignorée, voire réprimée par la culture nationale, qui a parfois interdit la langue dans laquelle elle s'exprimait.

Mais les littératures nationales se sont élaborées à partir des littératures régionales, parallèlement à la constitution d'une langue officielle normalisée. À l'origine, dans un ensemble national en gestation, coexistent des littératures dialectales (c'est le cas de la Grèce ancienne et de la France médiévale), qui peuvent subsister comme des modes d'expression unissant la mémoire des traditions aux thèmes modernes partagés par la communauté nationale des écrivains : c'est le cas, dans l'Italie des XIXᵉ et XXᵉ siècles, des littératures du Piémont, de la Sicile, de la Sardaigne, du Frioul.

Le régionalisme ne devient un procédé esthétique que lorsqu'il se concentre sur des sujets qui mettent l'accent sur la couleur locale et la description d'ensembles humains particuliers. Le régionalisme est alors un exotisme de l'intérieur, qui s'incarne dans le « roman du terroir » (de George Sand à Ramuz) et une littérature du réenracinement dans la campagne en opposition à la déshumanisation des villes tentaculaires (le *Heimatkunst* allemand du début du XXᵉ siècle).

Cette littérature des provinces devient rapidement une littérature de la province, conçue comme un territoire privilégié du réalisme et capable, par là même, de susciter une vision du monde à vocation universelle. Cette évocation se fait d'abord dans une tonalité négative (de Balzac à Thomas Hardy) : la province est une contrée attardée, livrée à des intérêts et des passions sordides. Elle se mue ensuite en nostalgie d'un âge d'or : la province est le lieu des joies saines, des grands sentiments, du travail qui ennoblit l'homme, aussi bien pour Giono que pour le « mouvement agrarien » (Allen Tate, John Crowe Ransom) des années 20 dans le sud des États-Unis.

Le régionalisme a pris récemment une allure plus militante. Devant l'effondrement des idéologies qui avaient assuré la cohésion nationale et le brouillage des modèles culturels et littéraires, l'affirmation d'une expression régionale dépasse la simple prise de position symbolique : elle se veut génératrice de valeurs et programme d'action pour l'avenir, dans le cadre d'une écologie qui à la fois sauvegarde un domaine naturel et permette l'épanouissement de l'individu. En témoignent, dans des contextes bien différents, la réhabilitation de la civilisation paysanne par le mouvement de la « prose du village » en U.R.S.S. (Astafiev, Abramov, Raspoutine) et le renouveau de la langue d'oc, qui, contre un « colonialisme intérieur », sous-tend la revendication d'un droit à la différence et définit – à travers les études linguistiques et sociologiques animées par l'Institut d'études occitanes, la création de revues (*Oc*, en 1923 ; *Occitania*, en 1934), la publication de poèmes et de romans – le contenu de la « révolution régionaliste ».

Alors que les grands mouvements géopolitiques et économiques contemporains tendent tous à façonner un être culturel moyen, indéfiniment traduisible et interchangeable, le régionalisme fait de chaque communauté et de chaque être doué de langage un miracle unique. ●

La crise d'identité américaine

L'AMÉRICAIN A TOUJOURS été face à un « autre » : le Visage pâle devant le Peau-Rouge, le Wasp (Blanc, Anglo-Saxon, protestant) devant le Noir, le Yankee devant le sudiste, Henry James devant Hemingway. L'écrivain a d'abord redoublé la littérature anglaise, puis s'est défini par contraste avec la culture européenne : depuis Washington Irving, le Vieux Continent apparaît comme le domaine des formes établies dans un espace plein, par opposition au territoire vaste et vierge dont tous les repères sont à inventer.

L'Américain est aujourd'hui face à lui-même. La singularité nationale, qui résidait dans la totalisation et l'assimilation des différences, voire des contraires, est désormais mise en cause : la bonne conscience du juste combat de la démocratie a subi le traumatisme du Viêt-nam ; après les luttes engendrées par le problème noir, une nouvelle communauté, hispanique et catholique, s'enkyste sans s'intégrer vraiment à l'ensemble nord-américain : les Chicanos.

L'écrivain, qui fait de l'opposition entre l'individu et la collectivité le moteur du progrès et des institutions démocratiques, qui voit dans le contestataire (le *dissent*) l'image même du dynamisme américain, cherche donc une « Nouvelle Frontière ». La quête de l'ailleurs est une constante de la littérature américaine : les uns l'ont poursuivie dans une nature sauvage (J. London) ou affranchie des lois du profit (Thoreau), les autres dans le voyage ou l'aventure symbolique (Melville), d'autres encore l'ont cherchée dans la perspective de l'exil (la « génération perdue », H. Miller). Comment donc offrir aux Américains un nouvel horizon commun ?

Ce rêve de l'unité a été durement critiqué, à partir de 1960, par un théâtre (Albee) qui a mis en scène les ruptures de l'Histoire à travers les obsessions et les divorces de la famille américaine.

Deux attitudes sont particulièrement significatives : la reprise de la « route » par la Beat Generation ; le rôle emblématique de l'« école juive américaine ».

De toute façon, la littérature américaine ne renie pas ses origines « protestantes » : l'individu, centre de toutes choses, ne cesse d'opposer son besoin de bonheur, de dignité et même de folie aux entraves d'une société rationalisée.

La Beat Generation

LA BEAT GENERATION EST UNE MANIFESTATION DE L'ANGOISSE PROFONDE D'UNE JEUNESSE INCAPABLE DE S'INTÉGRER DANS LA NOUVELLE SOCIÉTÉ ÉCONOMIQUE ET SCIENTIFIQUE.

Lancée en 1952 dans le *New York Times*, l'expression « Beat Generation » désigne, par analogie avec la « génération perdue » des années 20, un mouvement qui rassemble des troupes d'adolescents nomades et inadaptés : on les appellera, à partir de 1958, des *beatniks*, sans que l'on sache si le suffixe « nik » est emprunté au yiddish ou au spoutnik soviétique qui inquiétait alors les États-Unis.

Cette nouvelle vague romantique proclame l'impossibilité de son insertion dans la société moderne (*beat* viendrait de *to beat*, battre : elle serait la « génération battue ») et son désir exaspéré (*beat* évoquerait le rythme du batteur de jazz) d'absolu (*beat* serait l'abréviation de *beatific*).

Le premier mouvement du beatnik est de partir, sur les chemins, vers l'Ouest : *Sur la route* (1957) de Jack Kerouac sera la bible de la génération. Mais très vite l'espace américain se révèle insuffisant : il appelle d'autres parcours, d'autres fuites, notamment dans la drogue.

Littérairement, la Beat Generation rassemble des poètes (Charles Olson, Allen Ginsberg, Gregory Corso), des romanciers (Kerouac, William Burroughs, Alexander Trocchi) et des peintres de l'Action Painting : ils trouvent un lieu de réunion dans la maison d'édition City Lights, fondée à San Francisco par l'éditeur-poète Lawrence Ferlinghetti.

L'esthétique du mouvement, illustrée par Ginsberg (*Hurlement*, 1956) et théorisée par Olson (*Essai sur la poésie projective*, 1959), mêle aux expériences hallucinatoires (*le Festin nu,* 1959, de Burroughs) les références au surréalisme et aux philosophies orientales, et le rappel des grands exemples de la recherche de la pureté originelle dans la nature et dans une poésie qui est projection immédiate de l'être (H. Thoreau, W. Whitman).

Si elle refuse les gadgets dont est gavée la « foule solitaire », la Beat Generation a fort bien su utiliser un des attributs majeurs de la société de consommation : les médias audiovisuels. Radio, télévision et publicité lui ont servi à faire de l'expression poétique et dramatique un « happening », la traduction physique de fantasmes et d'obsessions.

Retour à une simplicité évangélique ou institutionnalisation de la délinquance, révolte utopique ou soupape de sûreté d'une société bien programmée, la Beat Generation aura été, entre le début de la guerre de Corée et la fin de la guerre du Viêt-nam, un signe majeur du bouleversement du mode de vie américain. •

La littérature afro-américaine

LA LITTÉRATURE NOIRE DES ÉTATS-UNIS CAMPE DES HÉROS QUI CHERCHENT DANS LA CONSCIENCE DE LEURS ORIGINES LE CHEMIN DE LA LIBERTÉ.

La littérature noire est l'héritière de la plantation. Elle s'efforce de conserver le rythme du parler des esclaves et du chant des spirituals (que transcrivait déjà J.C. Harris dans *Oncle Remus,* 1880), le répertoire des formes orales – comme les « dozens », insultes rituelles entre jeunes gens –, les thèmes des contes où un animal rusé triomphe d'un puissant et des ballades où des personnages légendaires (l'Esclave Jean, John Henry, Shine) se tirent à leur avantage des pièges du monde des Blancs.

Face au portrait du nègre brutal ou infantile que propose la « littérature de plantation » longtemps après la guerre de Sécession (*Roche-Rouge,* 1898, de Thomas Nelson Page), les écrivains noirs passent de l'évocation de l'esclave souffrant et fugitif (*Clotel,* 1853, de W. W. Brown) à celle de l'Africain dont la force physique et morale n'a pas encore été corrompue par la civilisation.

Revendiquant leur « négritude », à l'exemple de James Waldon Johnson (*Autobiographie d'un ex-homme de couleur,* 1912), les écrivains du mouvement « Nouveau Noir » (c'est le titre, en 1925, d'une anthologie d'Alan Locke) chantent à la fois une Afrique mythique et idéalisée et les rues de Harlem (*Couleur,* 1925, de Countee Cullen ; *Banjo,* 1929, de Claude McKay). Tout ce courant de la « Harlem Renaissance » suscite de nouveaux stéréotypes, qui sont confortés par les romans historiques d'Arna Bontemps (*Tonnerre noir,* 1936) et les récits imprégnés de folklore de Zola Hurston (*Moïse, l'Homme de la montagne,* 1939).

La crise de 1929 puis les années de guerre font basculer les écrivains noirs dans la dénonciation violente de la société capitaliste et raciste et dans une esthétique réaliste (*Black Boy,* 1945, de Richard Wright). Ralph Ellison (*Homme invisible, pour qui chantes-tu ?,* 1952) fait du Noir non pas un être identifié par la couleur de sa peau, mais une chose que les Blancs refusent de voir. James Baldwin (*les Élus du seigneur,* 1953 ; *Personne ne sait mon nom,* 1961) exprime l'autonomie créatrice du Noir et son amertume devant l'intégration manquée.

Cette intégration est radicalement refusée par LeRoi Jones, dont les drames (*Métro fantôme,* 1964) proclament la rupture avec les « diables blancs ». La littérature afro-américaine épouse cependant les tentations et les expériences qui parcourent les années 1960-1970, dans les domaines culturels et politiques : exigence du « black power », attrait pour l'islam, recherche d'un nouvel ancrage – ne serait-ce que pour pouvoir s'affirmer dans l'affrontement – devant l'effondrement des valeurs occidentales, analyse des rapports entre les cultures des Caraïbes et celles du tiers-monde, retour à une écriture plus attentive à la forme.

Si la quête des origines ancestrales et africaines se fait toujours insistante (*Racines,* 1976, d'Alex Haley ; *la Chanson de Salomon,* 1977, de Toni Morrisson), les écrivains noirs ne peuvent éviter cependant de se définir par rapport à la nation qui est la leur et par rapport à une « américanité » dont ils forment une composante essentielle. •

1. Jack Kerouac.

L'école juive

DANS LES ANNÉES 1950-1960,
UNE IDÉE SE FAIT JOUR CHEZ DES ROMANCIERS
D'ORIGINE JUIVE : L'APPARTENANCE À UNE MINORITÉ
EST LA CONDITION DE LA MAJORITÉ DES
HABITANTS DES ÉTATS-UNIS.

À la retombée des illusions économiques et politiques qui mettent un terme à la Seconde Guerre mondiale, des sociologues et des psychologues font un constat désabusé : pour David Riesman *(la Foule solitaire),* Allen Wheelis *(la Crise d'identité),* Peter Viereck *(l'Homme désadapté),* il semble bien que le progrès aliène autant qu'il libère. Entre un univers technologique proliférant et une conscience individuelle de plus en plus déshabitée, l'écart va grandissant.

Des romanciers ont parfaitement ressenti et traduit cette situation : Bernard Malamud *(l'Homme de Kiev,* 1966), Saul Bellow *(les Aventures d'Augie March,* 1953 ; *Herzog,* 1964), Philip Roth *(Goodbye Columbus,* 1959). Ils doivent leur lucidité à leur origine : nés dans la communauté juive, vivant dès l'enfance l'inquiétude du « minoritaire », ils ont senti, avant tout le monde, monter l'angoisse générale.

La nation, où chacun, en quête de son identité, est devenu étranger à soi-même et aux autres, a éclaté en une infinité de petits ghettos. La conscience juive, modèle de la « conscience malheureuse », est devenue le type même de la conscience américaine.

Dans les romans apparaît donc un nouveau genre de héros : il n'incarne plus les vertus de dynamisme et d'entreprise dans une compétition où la réussite est obligatoire ; le nouveau cobaye du laboratoire littéraire américain est un être hésitant, isolé, inquiet, qui ne pense pas que la société soit l'élément naturel de l'homme. Il refuse le jeu ou il le joue mal. Son champ d'action n'est pas le monde des affaires où l'on cherche à convaincre le client, mais sa

prouver que la vie a un sens. Refuser ainsi d'adhérer à la mythologie nationale n'est pas choisir la facilité : « La vie sans explication, dit Herzog, le héros de Samuel Bellow, ne vaut pas la peine d'être vécue ; mais la vie avec explication est insupportable. »

Reste alors l'humour – et l'humour juif, passé par l'épreuve multiséculaire des persécutions et des pogroms, est d'une qualité toute particulière. Deux récits ironiques brossent ainsi le destin emblématique de la communauté américaine. Dans *la Victime* (1947), Bellow met en scène un Américain non juif qui s'acharne à persécuter un juif : il lui prend son emploi, sa maison, sa femme ; mais il finit par lui prendre ses complexes et à s'identifier totalement à sa victime. Le héros du *Commis* (1957) de Malamud est un Italien qui n'admet pas d'être au service d'un petit épicier juif : il le vole, il le bat, il viole sa fille ; mais peu à peu il se prend de pitié, puis de sympathie pour ses souffre-douleur : il devient un employé modèle, il se convertit à la religion juive, et l'amour commence à poindre entre lui et la fille de son patron.

C'est sur ce sourire crispé que s'achèvent tous ces nouveaux « romans de formation », dont la morale est unique : tout Américain, et même tout homme, dans ce monde de cruauté et de souffrance, est juif. ●

2. Juifs à Manhattan.

3. Jeunesse et misère de Harlem.

Les fantasmes du Sud

LE SUD EST LE PÉCHÉ ORIGINEL
DES ÉTATS-UNIS, LE LIEU MAUDIT OÙ SE SONT
CONSOMMÉS LE MEURTRE DE L'INDIEN DES FLORIDES,
L'ESCLAVAGE DU NOIR, LA DÉCHIRURE
DE LA GUERRE DE SÉCESSION.

Il y a une géographie mythique et littéraire des États-Unis. L'Est de Hawthorne, où s'enracine la malédiction puritaine et la tragédie du remords ; le Nord de Curwood, où la nature sauvage est le terrain du combat pour la survie ; l'Ouest de Mark Twain, promesse d'espace et de prospérité qui s'est déplacé avec « la Frontière » et ses figures légendaires (Davy Crockett, Kit Carson et Billy the Kid) jusqu'à la Californie de Steinbeck ; le Midwest de Sherwood Anderson, englué dans ses conventions provinciales ; le Sud enfin, de Faulkner, de Thomas Wolfe, de Caldwell et de Styron.

L'Amérique n'en finit pas de revenir au Sud comme à l'origine de toutes ses ruptures. En cela, une littérature fortement régionaliste a su prendre valeur nationale et même universelle.

Mais le Sud mythique est moins celui de la vision idéalisée du passé, des vieilles demeures coloniales et des fières aristocrates adorées de leurs vieilles nourrices noires : c'est celui de la terre des iniquités et des tares. Les romans de Faulkner *(Sartoris, le Bruit et la Fureur,* 1929 ; *Tandis que j'agonise,* 1930 ; *Absalon ! Absalon !,* 1936), comme ceux d'Erskine Caldwell *(la Route au tabac,* 1932 ; *le Petit Arpent du Bon Dieu,* 1933), ne cessent de dire la déchéance morale d'une société et l'épuisement physique d'une terre qui, jadis, fut nourricière. Le rêve d'une vie d'innocence dans une nature libre tourmente sans relâche les damnés que sont les habitants du Sud, Noirs et Blancs pour une fois confondus dans la même déréliction. Le Sud, c'est la condition humaine après la Chute et avant la Rédemption. Ainsi le drame de chacun (viols, incestes, meurtres, folies, qui sont au cœur de tous les récits) n'est que le signe du drame collectif, refoulé mais présent, dont la littérature du Sud, psychanalyste de la nation, repère inlassablement l'origine. ●

La contestation comme ferment d'unité

L'Amérique, c'est l'espace. L'espace du continent, ouvert à l'aventure individuelle. Mais aussi l'espace irréductible de fascination et de haine entre les communautés affrontées. Un univers de contrastes et de fusions, perpétuellement travaillé par ses luttes internes et les combats qu'il doit livrer à l'extérieur pour préserver son hégémonie, c'est-à-dire sa cohérence. D'où vient que ses écrivains les plus lucides et les plus vulnérables ont toujours choisi la route, l'errance, l'exil.

4. L'enfer du Viêt-nam.

La littérature hispano-américaine

IL Y A UNE AMÉRIQUE LATINE, définie par deux biens communs : la nature, dont l'emprise s'impose d'un bout à l'autre du continent ; la langue, l'espagnol, malgré les variantes nationales et la présence du portugais au Brésil.

La nature latino-américaine est marquée par le gigantisme. Pampas aux horizons infinis, sommets andins vertigineux, océans des forêts vierges, villes titanesques : l'homme apparaît comme un « accident » dans ce décor sauvage, et un critique a pu dire que « chaque écrivain hispano-américain agit comme un somnambule sous la magie du paysage ».

L'Amérique latine est livrée à un extraordinaire fractionnement linguistique : partout abondent les dialectes ; dans les Andes, la plupart des Indiens ne connaissent que le quechua, et, dans des pays comme le Paraguay, le guarani concurrence le castillan. Mais l'espagnol vient partout, en surimpression, assurer l'identité culturelle du continent.

La littérature a, en effet, repris le rêve des libérateurs des guerres d'indépendance : constituer du Rio Grande à la Terre de Feu un ensemble unifié et libre. La littérature hispano-américaine témoigne donc du double défi de l'homme à la nature, qui l'écrase, et au puissant, qui l'opprime.

Ce témoignage s'exprime au milieu d'un « désordre émotionnel » qui suscite un appel au fantastique et un style baroque : c'est le « réalisme magique », qui caractérise les grands romanciers de l'Amérique latine moderne.

Car la littérature hispano-américaine a su se libérer de sa dépendance à l'égard de l'Europe et, notamment, des lettres espagnoles et françaises. Si le modernisme de la fin du XIXᵉ siècle a commencé par adapter les thèmes et les techniques du symbolisme européen, si le surréalisme français a connu une résonance profonde dans une sensibilité en prise directe sur les forces oniriques et telluriques, les écrivains hispano-américains ont su trouver leur propre voie dans les courants étrangers : ils les accueillent volontiers, mais les plient à leur usage.

En retour, la littérature hispano-américaine a su donner une force nouvelle à des préoccupations universelles de notre temps. Ce qui explique que, à travers la peinture d'une réalité spécifique – la défense de l'Indien, la dénonciation de la dictature, ce « caudillismo » qui ronge l'Amérique latine depuis l'indépendance –, la littérature hispano-américaine ait obtenu, depuis la fin des années 60, une audience internationale.

Cette lucidité va de pair avec une étonnante originalité d'expression. Les mots d'ordre révolutionnaires sont plus radicaux dans le domaine littéraire que sur le terrain politique : « Incendier le langage » réclamait Cortázar. Ce brasier est le feu d'artifice de l'esprit qui accompagne, pour Gabriel García Márquez, toutes les « fêtes de l'imagination ».

Le caudillismo

LA DICTATURE APPARAÎT COMME UN MAL ENDÉMIQUE DONT LES RACINES PLONGENT AU PLUS PROFOND DES MENTALITÉS.

La confiscation du pouvoir au profit d'un dictateur ou d'un groupe oligarchique est un phénomène politique qui remonte aux lendemains de l'éclatement de l'empire colonial espagnol.

Cacique et caudillo.
Avant la conquête, le cacique est le chef d'une tribu indienne. Après l'implantation espagnole, le cacique est un notable local, le chef d'une communauté au pouvoir patriarcal.

Le caudillo est un chef militaire qui devient chef de bande puis chef d'État. Après le succès des luttes pour l'indépendance, bien des généraux acceptèrent mal de rentrer dans le rang : ils profitèrent de leur puissance pour se tailler de petits empires qu'ils n'abandonnaient que lorsqu'un autre caudillo les renversait.

Le caudillismo désigne à la fois un pouvoir acquis par la violence et un type de rapport social fondé sur la seule force. Le caudillismo peut être un phénomène local, mais il prend souvent une dimension nationale à travers des personnages dont le charisme du cacique et la brutalité du caudillo mêlés font d'étonnants héros de roman.

Une vision mythique d'une réalité vécue.
Tous les personnages de caudillo reposent sur une expérience vécue par les écrivains et, bien souvent, sur la douloureuse épreuve personnelle de la prison et de l'exil. Parfois, le dictateur réel apparaît directement dans le roman : c'est le cas de Facundo Quiroza dans *Facundo* (1845), de Sarmiento ; de l'Argentin Rosas dans *Amalia* (1855), de José Marmol ; du Mexicain Carranza dans *l'Aigle et le serpent* (1928), de M. L. Guzmán ; du Paraguayen Francia dans *Moi, le Suprême* (1974), de A. Roa Bastos.

Mais le plus souvent le romancier campe un caudillo fictif qui sévit dans un pays à la situation spatiale et temporelle indécise mais qui fonctionne comme un « modèle réduit » de l'Amérique latine tout entière. Le roman du dictateur devient alors le roman de la dictature, conçue moins comme un régime inique que comme une dépravation profonde de la nature humaine, qui trouve dans le pouvoir absolu l'occasion de libérer et de satisfaire ses fantasmes.

Monsieur le Président (1946), de M. Á. Asturias, où le caudillo est au fond une réincarnation du dieu Tohil des Mayas Quiché, ouvre ainsi cette fresque mythique sur laquelle se détachent des personnages contrastés : le petit coq de village de *Pedro Páramo* (1955), du Mexicain Juan Rulfo ; le tyran éclairé qui parle peinture et musique dans les salons parisiens de la Belle Époque (*le Recours de la méthode*, 1974, du Cubain Alejo Carpentier) ; ou encore le despote inculte et ubuesque du Colombien Gabriel García Márquez (*l'Automne du patriarche*, 1975), qui pourrit dans son palais envahi par les charognards.

1. Désoccupation traditionnelle sur la place d'un petit village mexicain.

Œuvres clefs

1909	Mariano Azuela (Mexique) : *Mala Yerba*.
1919	Alcides Árguedas (Bolivie) : *Race de bronze*.
1924	José Eustasio Rivera (Colombie) : *la Vorágine*.
1929	Martín Luis Guzmán (Mexique) : *l'Ombre du caudillo*.
1934	Jorge Icaza (Équateur) : *la Fosse aux Indiens*.
1935	Romulo Gallegos (Venezuela) : *Canaïma*.
1941	Ciro Alegría (Pérou) : *Vaste est le monde*.
1946	Miguel Ángel Asturias (Guatemala) : *Monsieur le Président*.
1950	Juan Carlos Onetti (Uruguay) : *la Vie brève*.
1955	Juan Rulfo (Mexique) : *Pedro Páramo*.

1958	José María Arguedas (Pérou) : *Fleuves profonds*.
1962	Carlos Fuentes (Mexique) : *la Mort d'Artemio Cruz*.
1963	Julio Cortázar (Argentine) : *Marelle*.
1966	José Lezama Lima (Cuba) : *Paradiso*.
1967	Gabriel García Márquez (Colombie) : *Cent Ans de solitude*. Guillermo Cabrera Infante (Cuba) : *Trois Tristes Tigres*. Ernesto Sábato (Argentine) : *Alejandra*.
1970	Mario Vargas Llosa (Pérou) : *Conversation à la cathédrale*. José Donoso (Chili) : *l'Obscène Oiseau de la nuit*.
1979	Alejo Carpentier (Cuba) : *la Harpe et l'ombre*.

L'ombre des caudillos

La littérature latino-américaine fixe volontiers son attention sur les regards : pupilles sans éclat des Indiens taciturnes (1 et 2), œil froid et méprisant du dictateur (3). Deux visions insaisissables pour une même interrogation sur une identité culturelle et sur cet « accident » qu'est l'homme, perdu dans le décor sauvage des Andes et des pampas.

L'indigénisme

L'INDIANISME ROMANTIQUE A IDÉALISÉ
L'INDIEN. L'INDIGÉNISME DU XXe SIÈCLE A MIS L'ACCENT
SUR SA MISÈRE MATÉRIELLE ET MORALE.

La littérature latino-américaine a d'abord prêté à l'Indien une noblesse naturelle et une psychologie raffinée. Puis elle a dénoncé son exploitation par les bourgeoisies locales et les entreprises multinationales.

Une servitude attendue.
L'Indien a une conception fataliste de la vie. Ses mythes évoquent un monde gouverné par des forces magiques et des lois inexorables. Le *Chilam Balam* et le *Popol Vuh* des Mayas annoncent des catastrophes inévitables. Les premiers missionnaires étaient frappés par la tristesse des chants aztèques. Pour Octavio Paz, l'indifférence du Mexicain devant la mort s'explique par son indifférence devant la vie. Passé les premiers et inégaux affrontements avec les conquistadores, l'Indien allait se renfermer dans une résignation stoïque et promener sur son univers, désormais baptisé « latin », le regard de ses « pupilles sans éclat » que le poète péruvien José Chocano interroge avec angoisse.

L'alerte des consciences.
C'est le Bolivien Alcides Árgüedas qui le premier attira l'attention sur les souffrances d'un peuple muet : son roman *Race de bronze* (1919) unit une idylle à la Chateaubriand dans le décor sublime des Andes à une dénonciation à la Zola de l'exploitation des Indiens dans les haciendas. Désormais, l'« indigénisme », que théorise José Carlos Mariátegui (*Sept Essais d'interprétation de la réalité péruvienne,* 1928), va inspirer une série de récits violents, où un lyrisme de combat se fonde sur des analyses ethnographiques et économiques de la vie quotidienne : *la Fosse aux Indiens* (1934), de l'Équatorien Jorge Icaza, peint les tribus du versant est des Andes, chassées par les compagnies pétrolières ; *Vaste est le monde* (1941), du Péruvien Ciro Alegría, défend le droit de l'Indien à vivre sur les terres où il est enraciné depuis des millénaires ; *Tous sangs mêlés* (1964), de José María Arguedas, montre que la décomposition de la culture des Indiens de la Sierra est contagieuse : la disparition des traditions, des rites et des tabous des indigènes asservis entraîne l'effondrement du sens de la vie des maîtres indignes.   •

Le réalisme magique

LES ÉCRIVAINS, S'ILS ONT
ABANDONNÉ LE CULTE DE LA BEAUTÉ
FORMELLE, ONT CHOISI DE DÉCRIRE LA RÉALITÉ
LA PLUS SORDIDE DANS LA PROSE
LA PLUS GRANDIOSE.

La littérature hispano-américaine est une littérature sociale poétisée. Ce que l'Uruguayen Eduardo Galeano dit de son pays s'adapte largement à l'ensemble du continent : « Vivre est un danger ; penser, un péché ; manger, un miracle. » Mais la revendication de justice sociale se double de la volonté de sauver la culture indigène des agressions de la civilisation moderne. Aussi les aventures des miséreux dans les bidonvilles sont-elles parsemées d'épisodes fantastiques et les Indiens travaillant dans les mines ou les banareraies ont-ils l'air de sortir d'un bas-relief maya.

Dans toute l'œuvre du Guatémaltèque Miguel Ángel Asturias (des *Hommes de maïs,* en 1949, à *Trois des quatre soleils,* en 1971), la nature tropicale semble faire jaillir l'irrationnel : les plantes parlent, les squelettes marchent, les femmes se métamorphosent en cerfs-volants et les hommes en tamanoirs. Le Péruvien Manuel Scorza, décrivant la lutte désespérée des Indiens des hauts plateaux contre les grands propriétaires (*Roulements de tambour pour Ran-* *cas,* 1970 ; *le Tombeau de l'éclair,* 1978), fait intervenir des personnages fantastiques, donne la parole aux chevaux et la plus grande place aux rêves puisque, dit-il, « ils occupent un tiers de notre vie ». Dans *Cent Ans de solitude* (1967), du Colombien Gabriel García Márquez, la pluie inonde pendant quatre ans, onze mois et deux jours le fabuleux village de Macondo, apparu dans l'imaginaire hispano-latin avec *les Étrangers de la banane* (1955) et où l'on peut voir un enfant pourvu d'une queue de cochon et un daguerréotype de Dieu.

Cette veine fantastique est probablement la caractéristique la plus générale de la littérature de l'Amérique latine. Elle est même sensible chez des écrivains dont les préoccupations sociales sont moins affirmées, voire absentes : c'est le cas aussi bien de Jorge Luis Borges, dont l'œuvre entière n'est qu'un immense jeu de l'esprit, de Julio Cortázar, maître du « fantastique du quotidien », que de Carlos Fuentes (*Terra Nostra,* 1975), dont les récits brassent tous les mythes de l'humanité.   •

2. Jeune Indien du Pérou.   3. Le général Pinochet et son état-major.

L'Afrique noire

L'AFRIQUE NOIRE, DANS SA réalité culturelle profonde, c'est aujourd'hui 1 500 langues et dialectes et une esthétique de la parole, fondée sur une tradition orale qui s'efface inexorablement : « Un vieillard qui meurt, dit Amadou Hampaté Bâ, c'est une bibliothèque qui brûle. »

Le double processus de transformation de la structure des groupes sociaux et de la mentalité des individus, amorcé lors de la conquête européenne au XIXᵉ siècle, se poursuit en effet dans les États indépendants de l'Afrique contemporaine. Les mutations les plus spectaculaires touchent la vie matérielle et les échanges commerciaux, mais aussi les cadres de la vie familiale et locale et les rapports que l'individu entretient avec les valeurs ancestrales dans un univers qui se désacralise peu à peu. Vivant dans deux mondes à la fois, contraint d'user de leurs signes inconciliables, à commencer par les langages qui les traduisent, l'Africain poursuit la quête désespérée de son identité.

Toute une génération d'écrivains a pensé retrouver cette identité dans la revendication de la « négritude » : acceptation du fait d'être noir, mais aussi reconnaissance d'une histoire et d'une culture, qui permet de définir un ensemble de valeurs et de formes propres à la civilisation africaine. La négritude a joué un rôle capital dans l'émancipation politique et intellectuelle des pays d'Afrique, mais elle n'a pu donner de réponse satisfaisante aux multiples problèmes posés dès le lendemain de la décolonisation.

La constitution de littératures « nationales » dans des pays qui évoluent séparément, selon leurs caractéristiques humaines, leur potentiel économique, leurs affinités idéologiques, met en cause aussi bien la notion de « personnalité africaine » capable de transcender les différences ethniques et linguistiques que la manière dont les Africains peuvent se situer par rapport à un monde occidental qui connaît une formidable évolution technologique, sociale et politique avec l'ouverture des pays de l'Est.

La première difficulté de l'écrivain africain réside dans le choix de son objectif : s'il veut être compris, il doit user de l'idiome de ses compatriotes ; s'il veut être reconnu, il doit publier dans l'une des grandes langues européennes, l'anglais, le français, le portugais ou l'espagnol, qui sont les langues des anciens colonisateurs.

Le grand problème des littératures de l'Afrique actuelle est moins dans l'affrontement d'une culture africaine à une civilisation étrangère et dominatrice que dans l'opposition entre une littérature orale, populaire et fragmentée, et une littérature écrite, réservée à une élite et prétendant à l'universalisme. C'est l'expression dramatique de ce déchirement de tout un continent qui a valu en 1986 au Nigérian Wole Soyinka de recevoir le premier prix Nobel décerné à un écrivain africain.

Créer une conscience

LE CONCEPT DE « NÉGRITUDE » S'EST AFFIRMÉ D'ABORD D'UNE MANIÈRE DOULOUREUSE, PUIS D'UNE FAÇON MILITANTE, AVANT DE S'ESTOMPER DANS LA DÉSILLUSION QUI SUIT L'ENTHOUSIASME DE L'INDÉPENDANCE.

Le terme de « négritude » est apparu à Paris, au lendemain de l'Exposition coloniale de 1931, dans un groupe d'étudiants et d'intellectuels noirs réunis autour d'Aimé Césaire et de Léopold Sédar Senghor. Le mouvement de la négritude est l'aboutissement d'une longue réflexion psychologique, politique et littéraire sur les composantes de l'âme noire. Commencée dès le XIXᵉ siècle par les voyageurs et les missionnaires, cette réflexion se poursuit à travers les travaux des ethnologues européens (*Und Afrika sprach*, 1913, de l'Allemand Leo Frobenius ; *les Flambeurs d'hommes*, 1934, du Français Marcel Griaule) et l'admiration que les peintres du début du XXᵉ siècle (notamment Derain, Vlaminck, Picasso, Matisse) éprouvent pour les arts plastiques de l'Afrique noire.

Lorsqu'en 1921 Blaise Cendrars publie son *Anthologie nègre* et que le prix Goncourt couronne *Batouala* de René Maran, évocation de la destruction des sociétés traditionnelles de l'Oubangui-Chari par l'exploitation des grandes compagnies européennes, le sentiment d'une personnalité africaine est déjà vif chez les premiers écrivains noirs de langue française des Antilles et de Haïti. Cependant, malgré les efforts de Jean Price-Mars (*Ainsi parla l'oncle*, 1928), l'expression de ce sentiment reste très conventionnelle et la poésie antillaise se place dans le sillage du romantisme ou du Parnasse français.

L'acte de naissance de l'« africanisme » est daté du 1ᵉʳ juin 1932, lorsque paraît le manifeste de *Légitime Défense*, dont l'unique numéro prend position contre les efforts d'assimilation et d'imitation des écrivains de la *Revue du monde noir* (1931-1932). Les aspirations à une renaissance culturelle se cristallisèrent, à partir de 1934, autour du journal *l'Étudiant noir*, fondé par L. Senghor, A. Césaire et L. Damas, qui provoqua une remarquable floraison poétique, centrée sur le thème du retour aux sources.

De la découverte par André Breton, à la Martinique, de la revue *Tropiques* (1941) à la parution en 1947, à Paris et à Dakar, du premier numéro de *Présence africaine,* la Seconde Guerre mondiale a influé profondément sur la définition de la négritude. L'apogée du mouvement peut être daté de la publication par Senghor, en 1948, de l'*Anthologie de la nouvelle poésie nègre et malgache de langue française,* précédée d'une préface de J.-P. Sartre, *Orphée noir,* qui eut un immense retentissement dans le monde noir, de l'Afrique aux États-Unis.

Cette conception de la négritude, reprise dans les colonies anglaises sous la dénomination d'*African Personality,* anima le grand courant de libération politique et culturelle, couronné, de 1960 à 1975, par la proclamation de l'indépendance des colonies européennes. Mais, dès le Congrès panafricain d'Alger en 1969, nombreux sont les écrivains et les sociologues à juger la négritude comme un concept périmé, à résonance folklorique et qui pousse à « voir nègre quand il faut voir juste ». Pour définir les valeurs africaines, bien des termes ont été proposés (*mélanisme, négrisme, négrité, panafricanisme*) sans qu'aucun puisse prévaloir. La négritude, dit le Congolais Tchicaya U Tam'si, est « une affaire de génération ». Cette génération est aujourd'hui dépassée et la conscience de l'Afrique est de nouveau fragmentée entre ses langues, ses ethnies, ses nations, ses élites, qui s'efforcent de suivre le rythme du monde occidental, et ses masses, qui ont perdu leurs repères ancestraux sans pouvoir se reconnaître dans un univers dont la modernité leur parvient sous la forme lacunaire d'objets sophistiqués et de médias destructeurs.

Entre l'espoir et la colère

1921 René Maran (Martinique) : *Batouala.*

1938-1939 Aimé Césaire (Martinique) : composition des *Cahiers d'un retour au pays natal* (publiés en 1947).

1947 Birago Diop (Sénégal) : *Contes d'Amadou Koumba.*

1953 Camara Laye (Guinée) : *l'Enfant noir.*

1956 Léopold Sédar Senghor (Sénégal) : *Éthiopiques.*
Mongo Beti (Cameroun) : *le Pauvre Christ de Bomba.*
Ferdinand Oyono (Cameroun) : *Une vie de boy.*
Bernard Dadié (Côte-d'Ivoire) : *Climbié.*

1957 Tchicaya U Tam'si (Congo) : *Feu de brousse.*

1958 Chinua Achebe (Nigeria) : *Le monde s'effondre.*

1960 Sembene Ousmane (Sénégal) : *les Bouts de bois de Dieu.*

1961 Cyprian Ekwensi (Nigeria) : *Jagua Nana.*
Cheikh Hamidou Kane (Sénégal) : *l'Aventure ambiguë.*

1968 Ahmadou Kourouma (Côte-d'Ivoire) : *les Soleils des indépendances.*

1971 Jean Pliya (Bénin) : *l'Arbre fétiche.*

1973 Amadou Hampaté Bâ (Mali) : *l'Étrange Destin de Wangrin.*

1976 Seydou Badian (Mali) : *le Sang des masques.*

1981 Wole Soyinka (Nigeria) : *Aké, les années d'enfance.*

1. Au Sénégal, membres d'une association féminine de soutien au gouvernement assistant à un défilé.

Créer une langue

L'ÉCRIVAIN AFRICAIN EST FACE
À UN CHOIX CRUEL : IL DOIT DÉCIDER
ENTRE ÊTRE COMPRIS DE SA SEULE COMMUNAUTÉ OU ÊTRE
APPLAUDI PAR LES ÉTRANGERS À SA CULTURE
QUI SONT SES ANCIENS MAÎTRES.

L'espace littéraire africain reste problématique. En effet, l'écrivain ne peut satisfaire ses deux désirs contradictoires d'enracinement et d'universalisme. S'il écrit dans sa langue maternelle, il se condamne à l'audience de sa seule tribu. S'il écrit dans une langue européenne, son public est pour l'essentiel extérieur à l'Afrique. D'autre part, bien des poètes et des romanciers africains emploient à contrecœur la langue de leurs anciens colons parce qu'ils ne maîtrisent pas leur propre langue maternelle. Et, parmi le millier et demi de langues parlées en Afrique, deux seulement, le swahili d'Afrique orientale et le haoussa du Nigeria septentrional, concernent plus de 10 millions de personnes.

L'objectif des nouvelles générations d'écrivains est de capter la richesse rythmique de la tradition orale et de l'intégrer à une langue neuve qui serait issue de la greffe d'un parler africain sur une langue d'Europe. C'est ce qu'a tenté l'Ivoirien Ahmadou Kourouma dans son célèbre roman *les Soleils des indépendances* (1968), où il unit les prestiges du discours oral malinké à l'efficacité de la technique narrative occidentale. D'autres de ses compatriotes incrustent le créole parlé par les habitants des quartiers populaires d'Abidjan, « le français de Moussa », dans la langue cultivée des élites ministérielles et universitaires.

Des préoccupations identiques marquent les œuvres des écrivains d'expression portugaise, notamment en Angola, où les poèmes surréalistes d'Agostinho Neto usent d'un portugais qui a « dégorgé sa blancheur », et au Mozambique, où José Craveirinha amalgame pidgin, créole et portugais sur le tempo des negro spirituals pour peindre la confusion politique et morale.

D'une façon générale, les écrivains africains sont aujourd'hui moins préoccupés que leurs aînés par l'analyse et la théorie d'une situation culturelle globale : ils cherchent les moyens concrets de retrouver le contact avec leurs auditeurs naturels, origine et finalité de leur activité créatrice. ●

Créer une littérature

LA CONSTITUTION D'UNE LITTÉRATURE
ADAPTÉE À L'AFRIQUE CONTEMPORAINE PASSE
PAR LA RÉSOLUTION DE LA CONTRADICTION ENTRE LE
MAINTIEN DE LA TRADITION ET L'EXPRESSION
DE LA MODERNITÉ.

La première prise de conscience des valeurs africaines se traduit simultanément dans une double thématique : la dénonciation du système colonial (*Ville cruelle*, 1954, de Mongo Beti ; *Une vie de boy*, 1956, de Ferdinand Oyono ; *Le monde s'effondre*, 1958, de Chinua Achebe ; *les Bouts de bois de Dieu*, 1960, de Sembene Ousmane) et la restitution du passé ancestral à travers des chroniques, des récits légendaires, des contes (*Contes d'Amadou Koumba*, 1947, de Birago Diop ; *la Légende de M'Pfoumou Ma Mazono*, 1954, de Jean Malonga ; *Crépuscule des temps anciens*, 1962, de Nazi Boni). Mais très vite un mouvement de défiance parcourt la nouvelle littérature africaine à la fois à l'égard de la tradition littéraire et de la modernité politique.

Les gardiens de la culture traditionnelle, comme le Malien Amadou Hampaté Bâ (*Koumen*, 1961) ou le Nigérien Boubou Hama (*Kotia-Nima*, 1969), déplorent l'effritement de la cohésion des communautés rurales, fondée sur la transmission, par les griots, de la sagesse immémoriale : le classicisme africain est dans les mythes cosmogoniques, les généalogies dynastiques, les contes, les proverbes, les devinettes. Nombreux sont les romanciers qui adoptent cette vision dans la peinture d'une Afrique jusqu'alors immuable et brutalement dégradée (Camara Laye, Seydou Badian, Amadou

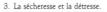

3. La sécheresse et la détresse.

Écrire entre deux mondes

Le problème de l'expression littéraire de l'Afrique et de son identité culturelle réside dans la triple opposition entre conservation des traditions et intégration dans le monde moderne, entre modèles européens et thématiques africaines, entre audience ethnique et représentation nationale. Les rites politiques (1 et 2), empruntés aux régimes libéraux ou totalitaires, n'ont que peu à voir avec la réalité du continent (3). L'écrivain qui publie dans la langue des anciens colons est tout aussi loin de ses racines.

Koné), et L. S. Senghor confirme, pour les auteurs de sa génération, le poids de la tradition : « Nous sommes les hommes de la danse dont les pieds reprennent vigueur en frappant le sol dur. » Mais la nouvelle vague des écrivains (Ahmadou Kourouma, Olympe Bhêly-Quénum, Tchicaya U Tam'si) et des philosophes (Marcien Towa, Stanislas Adotévi) témoigne d'une position beaucoup moins sereine : elle cherche à harmoniser un besoin profond de retour aux sources avec une attitude critique à l'égard d'un passé qui bloque toute velléité de progrès.

D'autre part, si le contact avec l'Europe coloniale et l'impossible assimilation à sa vision de l'homme et de l'histoire ont nourri une abondante littérature du déracinement, l'organisation de l'Afrique indépendante a suscité une non moins proliférante littérature de la désillusion. La littérature africaine s'incarne ainsi de façon privilégiée dans une série de « romans d'apprentissage » qui dessinent trois types d'attitude à l'égard de la vie. Dans le cas le plus rare, le héros réussit le passage d'une culture à une autre, au risque d'une assimilation totale. Plus fréquemment, l'Africain acculturé pratique l'alternative et modifie son comportement en fonction du groupe et de la situation dans lesquels il évolue, au risque de plonger dans la schizophrénie. Le plus souvent, il vit ce « dialogue » entre les cultures comme un insupportable déchirement (Camara Laye, Bernard Dadié, Cheikh Hamidou Kane, Cyprian Ekwensi), que la conquête de l'autonomie politique n'a pas apaisé : écrivains francophones (Alioum Fantouré, Mongo Beti, Sembene Ousmane, Maxime N'Debeka) et anglophones (Chinua Achebe, Kofi Awoonor, Timothy Aluko, Wole Soyinka) d'Afrique ne cessent de condamner les abus perpétrés par les bourgeoisies héritières de l'ordre colonial ou les dictatures qui réactivent les luttes tribales et réduisent l'avenir de tout un pays à une aventure personnelle. ●

2. Le président Diouf adapte les traditions occidentales : l'hermine de la magistrature, les spahis d'escorte et les G-men de protection.

Les paralittératures

IL Y A LA LITTÉRATURE ÉTAblie, incarnée dans des genres traditionnels, consacrée par les éditeurs, les critiques et les prix littéraires, enseignée à l'école, destinée à des lecteurs aussi sensibles à la manière de l'écrivain qu'au sujet du livre.

Et puis il y a une littérature parallèle ou souterraine, qui se fonde à la fois sur la culture populaire et l'idéologie de la société de consommation. Cette littérature se caractérise par la primauté de l'intrigue sur le récit, par des situations et des personnages stéréotypés, par l'effacement de l'auteur derrière des héros qui se répètent identiques à eux-mêmes tout au long d'une série d'ouvrages, par la contamination du texte par l'image : roman policier, roman d'espionnage, science-fiction, bande dessinée, roman-photo sont, dans la galaxie littéraire, autant de planètes de plus en plus éloignées du foyer de la « grande littérature ». Cette littérature ne s'adresse pas à une élite, mais à la masse qui vit de best-sellers.

Le roman-photo, qui réunit les héritages du drame larmoyant du XVIIIᵉ siècle, du roman sentimental, de la littérature populiste et du cinéroman, peut se définir comme l'inverse du roman moderne tel qu'il est apparu avec Cervantès : au lieu d'exprimer la faille insurmontable entre l'âme d'un héros et la réalité du monde, le roman-photo est entièrement tendu vers une fin heureuse. Ses personnages typés, ses situations

mélodramatiques offrent à un immense public, en très grande majorité féminin, un bonheur d'occasion à bas prix.

La bande dessinée a connu, elle, une destinée inverse : d'abord divertissement innocent des magazines pour enfants et de la presse dominicale, elle procure, à travers un graphisme sophistiqué et des thèmes de plus en plus contestataires, un plaisir distancié à des coteries d'intellectuels blasés.

Deux genres, qui s'appuient déjà sur une tradition séculaire, forment les deux piliers de la paralittérature : le roman policier et la science-fiction. Un même succès populaire, sanctionné par des tirages qui atteignent rapidement des millions d'exemplaires ; mais une démarche contraire : à partir d'un événement qui s'inscrit déjà dans le passé – le crime –, le roman policier remonte vers l'origine des êtres et des choses, vers le temps où les destinées qui se sont rassemblées pour constituer la masse critique de la catastrophe étaient encore séparées ; le récit de science-fiction, lui, part d'un réseau de connaissances actuelles pour rêver un avenir, qui n'est le plus souvent qu'un présent hypertrophié.

Dans l'un et l'autre cas, l'art de raisonner se confond avec une mythologie de l'imagination. C'est la raison pour laquelle les surréalistes comme les adeptes du nouveau roman ont vu dans les paralittératures une véritable « réserve », au sens à la fois écologique et technologique, de la littérature.

1. Sherlock Holmes, incarné par Jeremy Brett, et Watson, interprété par David Burke, en 1984.

La science-fiction

CONTRAIREMENT À LA FICTION TRADITIONNELLE, LA SCIENCE-FICTION TROUVE SON RESSORT DANS LE CHANGEMENT, SPATIAL ET TEMPOREL, ET DANS L'INFINIE VARIÉTÉ DES POSSIBLES.

La science-fiction se place volontiers dans la perspective d'une vision critique du monde que l'on vit et que l'on subit – et qui pousse à concevoir un univers meilleur, ou simplement différent. Elle a ainsi salué parmi ses précurseurs Lucien de Samosate et son *Histoire vraie* (IIᵉ s. apr. J.-C.), Thomas More et son *Utopie* (1516), Cyrano de Bergerac et son *Histoire comique des États et Empires de la Lune* (1657), Swift et ses *Voyages de Gulliver* (1726), Louis-Sébastien Mercier et son *An 2440 ou Rêve s'il en fut jamais* (1771), Mary Shelley et son célèbre *Frankenstein* (1818).

Plus précisément, l'ancêtre direct de la science-fiction est le récit d'anticipation qui échappe au merveilleux facile et au fantastique pour postuler un état non encore réalisé des sciences et des techniques. C'est ce que font Jules Verne (*De la Terre à la Lune*, 1865) et H. G. Wells (*la Machine à explorer le temps*, 1895). La science-fiction est en réalité contemporaine de la révolution scientifique et industrielle moderne. Le terme même de « science-fiction » date de 1926 et il est dû au journaliste scientifique américain Hugo Gernsback.

Dans son aspect le plus significatif, la science-fiction n'est pas la plate projection dans des mondes parallèles ou des temps illimités des caractéristiques techniques, sociales et politiques du monde quotidien. « Courant avant-cou-

reur de la raison », la science-fiction est souvent un moyen de prédire l'avenir technique et social à partir des hypothèses les plus audacieuses et les plus marginales du savoir contemporain. C'est ainsi que le célèbre roman de Gernsback *Ralph 124 C 41 +* contient, en 1911, une description du radar ou que E. E. Smith imagine, dans *Gray Lensman* (1940), une radiosource provenant de la collision de deux galaxies, quinze ans avant la découverte scientifique du phénomène. C'est aussi ce qui explique que les auteurs de science-fiction sont parfois d'authentiques savants comme le biochimiste Isaac Asimov ou le paléontologue Iefremov.

Née dans une période de foi dans le progrès et l'action uniformément bénéfique de la recherche scientifique, la science-fiction connaît aujourd'hui la même crise et les mêmes interrogations que la communauté des savants et le grand public devant les « retombées » de la physique nucléaire ou des manipulations génétiques. Aussi l'évocation du futur prend-elle souvent la forme d'une vision nihiliste d'un monde qui se décompose au milieu de cataclysmes galactiques et psychiques (J. Wyndham, *les Triffides*, 1951 ; B. Malzberg, *Croix de feu*, 1982), contre lesquelles les seuls remèdes sont la dérision et l'humour (R. Sheckley, *le Temps meurtrier*, 1958 ; R. Lafferty, *Archipelago*, 1979).   •

2. Humphrey Bogart dans
le *Grand Sommeil,*
d'Howard Hawks, en 1946.

3. Jean Gabin dans la peau
de Maigret, en 1963.

Le roman policier

LE ROMAN POLICIER
COMMENCE AU POINT OÙ SE TERMINE
LE PHÉNOMÈNE CRIMINEL: L'ENQUÊTE FONDÉE
SUR UN ASSAUT D'INGÉNIOSITÉ ENTRE
L'AUTEUR ET LE LECTEUR.

Le roman policier s'est cherché des ancêtres prestigieux, comme le *Zadig* de Voltaire (où le héros décrit le chien de la reine et le cheval du roi à partir d'indices et sans jamais les avoir vus) et surtout les nouvelles d'Edgar Poe (*la Lettre volée, Double Assassinat dans la rue Morgue,* 1841). Si Émile Gaboriau (*Monsieur Lecoq,* 1869) a créé le personnage du policier occasionnel, c'est Conan Doyle (*les Aventures de Sherlock Holmes,* v. 1891-1925) qui a donné sa forme définitive à la première manière du roman policier : un jeu d'esprit fondé sur une énigme à résoudre, dont le héros est un détective privé ou amateur.

Le roman policier se présente comme l'envers à la fois de la littérature en général et du roman réaliste en particulier. Le roman policier, en effet, ne fonde pas son succès sur l'inattendu d'une création littéraire, mais sur la régularité et la reconnaissance immédiate d'une production éditoriale. Il s'inscrit dans la série homogène et stable d'une collection bien définie par un format et la présentation de la couverture des ouvrages, chaque livre comportant un nombre de pages et de chapitres généralement prédéterminé. Le lecteur de romans policiers achète moins le livre d'un écrivain que le numéro d'une série qui lui garantit un office précis et limité. Les auteurs de romans policiers disparaissent derrière leurs créatures : Simenon derrière Maigret, comme Fleming derrière James Bond. Et la littérature s'estompe derrière l'objet de grande consommation : Agatha Christie et Georges Simenon ont été publiés, chacun en un demi-siècle, à plus de 300 millions d'exemplaires ; les Français lisent chaque année plus de 20 millions de romans policiers.

Le roman policier apparaît d'autre part comme le reflet inversé du roman traditionnel. C'est un récit à l'envers qui va de la fin (le crime) au début (les raisons du crime), qui exclut les événements dramatiques habituels (les descriptions du crime et du châtiment) et dont le seul personnage réel est le mort. De plus, le roman policier a connu une évolution diamétralement opposée à celle du roman moderne : alors que le « nouveau roman » adopte une structure de plus en plus floue, refuse les personnages bien campés et les nuances psychologiques, le récit policier devient un genre de plus en plus codifié, aux héros monolithiques – l'ambiguïté ne porte que sur les indices destinés à égarer le lecteur.

Dans sa forme classique, le roman policier n'est qu'un rébus présenté sous l'aspect d'une narration, un jeu dont on peut apprendre les règles : S. S. Van Dine (*les Vingt Règles,* 1928) pose comme première condition du récit que « le lecteur et le détective doivent avoir des chances égales de résoudre le problème ». Dans *Murder off Miami* (1936), de D. Y. Wheatley, le roman est même constitué par un simple rapport de police sans élément narratif : le policier (et le lecteur), situé à plusieurs centaines de kilomètres du lieu du crime, découvre le coupable sur le seul examen du dossier.

À partir des années 30, le roman policier connaît cependant, et d'abord dans le domaine américain, une transformation profonde sous la double influence des bouleversements économiques et sociaux et des techniques cinématographiques (notamment la systématisation du *suspense*). L'intrigue policière se complique de péripéties violentes (c'est le *thriller*) et se charge d'une sorte de réalisme noir qui englobe non seulement un univers où l'agressivité du criminel et celle du policier finissent par se confondre, mais aussi l'environnement qui sert de toile de fond au récit : pour Raymond Chandler (*The Simple Art of Murder,* 1950), le roman policier moderne est celui qu'on lit même si la fin manque ; l'auteur se moque que le crime soit élucidé et que justice soit faite : il peint une atmosphère, un milieu. Le roman policier retrouve alors les objectifs du roman balzacien, mais en jouant d'une combinatoire savamment dosée où se mêlent l'action, plus brutale ou plus subtile, le pittoresque, l'exotisme, l'érotisme.

Cette littérature « préfabriquée » qu'est le roman policier a suscité sa propre parodie, fantastique avec Jorge Luis Borges et Adolfo Bioy Casares (*Six Problèmes pour don Isidro Parodi,* 1942), burlesque avec le San Antonio de Frédéric Dard (*le Standinge selon Bérurier,* 1965), érudite avec Umberto Eco (*le Nom de la rose,* 1982). •

La bande dessinée

LA BANDE DESSINÉE EST UN art de l'instant. Même si la représentation d'une action par une succession d'images remonte aux origines les plus lointaines de la civilisation, les peintures pariétales des grottes de la préhistoire, et se prolonge à travers le *Livre des morts* de l'Égypte ancienne, les reliefs de la colonne Trajane, les motifs de la tapisserie de Bayeux, les enluminures des manuscrits médiévaux, les gravures satiriques anglaises du XVIIIᵉ siècle.

Art de diffusion de masse, destiné à la lecture immédiate, la bande dessinée ne prend sa forme et sa fonction qu'avec le développement de la grande presse et notamment avec la lutte que se livrent, au début du XXᵉ siècle, les deux magnats américains, J. Pulitzer et W.R. Hearst, à travers le supplément dominical en couleurs de leurs journaux : il y a 65 titres de bandes dessinées en 1900, 165 paraissent en 1909.

D'abord simple illustration d'un récit, la bande dessinée se crée très vite un espace spécifique : le dessin inclut des taches blanches cernées d'un trait et destinées à recevoir le texte – les « ballons » ou les « bulles ».

À l'origine, la bande dessinée est exclusivement humoristique (d'où son nom de *comics* aux États-Unis) et trouve son domaine de prédilection dans l'univers des enfants. Mais elle va rapidement rendre compte de la totalité de la vie, participant aux côtés du cinéma et bien avant la télévision à la constitution d'une civilisation de l'image.

La bande dessinée a ainsi connu une évolution constante dans sa structure, dans son public, dans ses héros. Longtemps méprisée comme un art mineur réservé à des mineurs, réglementée dans les pays occidentaux, interdite dans le monde socialiste, la bande dessinée a accédé à la reconnaissance au cours des années 1960, devenant même un instrument pédagogique.

En dépit de son audience, la bande dessinée reste encore par rapport à la littérature ce que la musique de variétés est à l'œuvre de Bach ou de Beethoven. Mais, après avoir recueilli et traduit tous les courants esthétiques et sociaux d'un siècle, la bande dessinée influence aujourd'hui en retour tous les domaines de la création et de la communication : presse, publicité, peinture, cinéma.

Le mythe au quotidien

La bande dessinée est un art essentiellement paradoxal. Alors qu'il se déploie dans l'instant, il prétend remonter aux peintures rupestres du néolithique ; il reste longtemps proche des images d'Épinal avant d'aboutir à un graphisme sophistiqué ; il débute comme un divertissement pour enfants et devient un instrument de critique sociale. Tardivement reconnue comme mode d'expression spécifique, la B.D. a influencé tous les domaines de la représentation et de la communication modernes.

1. Tintin, le capitaine Haddock et le professeur Tournesol.

Du jeu d'enfant au neuvième art

NÉE DE LA RENCONTRE ALÉATOIRE D'UN TEXTE ET D'UNE IMAGE, LA BANDE DESSINÉE FONDE AUJOURD'HUI UNE VÉRITABLE RHÉTORIQUE.

La bande dessinée a commencé par être muette. C'est-à-dire que ses origines sont à chercher dans des histoires en images, proches des « images d'Épinal », où des dessins sont expliqués par une brève légende : c'est le cas des *Histoires en estampes* (1846-1947) du Suisse Toepffer, de *Max und Moritz* (1865) de l'Allemand Wilhelm Busch, de *la Famille Fenouillard* (1889) du Français Christophe.

L'originalité de la bande dessinée sera de se déployer dans une série de plans courts, dynamiques, immédiatement compréhensibles. Elle réside surtout dans l'intégration du texte (paroles, bruits, dialogues) à l'intérieur de l'espace graphique. Les mots contenus dans des « bulles » semblent s'échapper de la bouche des personnages, voire de l'intérieur des objets. L'image n'illustre pas la parole, elle s'y dissout, tandis que la parole s'appuie sur un véritable code idéographique : une bulle tracée en pointillé signale la réflexion intérieure ou l'aparté ; une bulle en dents de scie indique la voix retransmise ou enregistrée ; l'épaisseur et la hauteur variables des lettres mesurent l'intensité sonore, la violence du ton ; l'introduction dans la bulle de signes divers (nuages noirs, têtes de morts, couteaux, fleurs, etc.) précise ou renforce la gamme des sentiments suggérés.

D'abord série de neuf à douze images en couleurs dans l'édition hebdomadaire d'un journal *(sunday page),* la bande dessinée devient quotidienne en 1907 (*Mr. Augustus Mutt,* de Bud Fisher) avec des séquences de quatre images en noir et blanc *(daily strip).* Les agences de distribution (les *syndicates*) qui se créent aux États-Unis, à partir de 1916, assurent la diffusion des bandes dessinées à travers toute la presse américaine (en 1934, *Mandrake le magicien,* publié chaque jour dans 450 journaux, touche près de 100 millions de lecteurs), puis dans tous les pays de langue anglaise et, dès 1929, dans le monde entier. En 1936, une forme nouvelle de diffusion, le *comic-book,* fascicule contenant une histoire complète, connaît un succès foudroyant. En Europe, la bande dessinée se répand d'abord dans la presse enfantine : le *Journal de Mickey* popularise, à partir de 1934, les aventures de *Félix le Chat.* La première bande dessinée française qui réponde à la stricte définition du genre est *Zig et Puce* (1925) d'Alain Saint-Ogan, tandis que le *Professeur Nimbus* d'André Daix est, en 1934, le premier personnage quotidien de la presse.

Mais c'est l'« école belge », de Bruxelles (avec Hergé) et de Marcinelle (avec Jigé, Peyo, Franquin), qui fonde la véritable bande dessinée francophone : un récit, rigoureusement découpé en petites cases bien définies ; un dessin réaliste et clair, des couleurs vives ; des publications dans les hebdomadaires pour jeunes rassemblées ensuite en albums.

La maîtrise des dessinateurs conduit rapidement les créateurs à chercher un autre public que celui des jeunes, capable de comprendre leurs prouesses graphiques (composition en spirale, disposition radiale des images, utilisation de la plongée et de la contre-plongée, cadrage en losange, en cercle, etc.) et de les suivre dans leurs inventions débridées : la revue *Mad* (1952) aux États-Unis, le magazine *Pilote* (1959) et le mensuel *Hara-Kiri* (1960) en France abandonnent le vert paradis des imaginations enfantines pour les fantasmes d'un monde adulte que traversent les événements socio-politiques et les pulsions de la sexualité (*Barba-*

rella, 1962, de J.-C. Forest ; *Jodelle,* 1966, de G. Pellaert). À travers les publications de l'« Underground » américain (Crumb, Shelton, Vaugh Bodé) et les séries « intellectuelles » (*Pogo,* 1949, de Walt Kelly ; *Peanuts,* 1950, de Charles Schultz), la bande dessinée couvre le même champ que le roman, la peinture et le cinéma contemporains.

D'ailleurs, si Winsor McCay (*Little Nemo in Slumberland,* 1905) s'inspirait du modern style du début du siècle et si Burne Hogarth faisait référence à Michel-Ange en reprenant en 1937 la bande de *Tarzan* (créée par Hal Foster en 1929), la bande dessinée marque, à son tour, de son rythme les cinéastes (Alain Resnais, Fellini, J.-L. Godard, Steven Spielberg), les peintres (le pop art), les écrivains (Queneau).

Aujourd'hui, des pédagogues voient même dans la bande dessinée (qu'ils utilisent aussi bien pour traiter de l'histoire que de la catéchèse biblique) le dernier instrument de sauvetage de la culture traditionnelle. •

2. Mandrake le magicien.

3. Astérix, le héros de Goscinny et Uderzo.

4. Charlie Brown, ou le monde des Peanuts.

5. Popeye et Olive.

Du rire
au grincement de dents

LA BANDE DESSINÉE EST DEVENUE
LE MIROIR SANS COMPLAISANCE DES CRISES SOCIALES
ET CULTURELLES CONTEMPORAINES.

La doyenne des bandes dessinées existantes, *The Katzenjammer Kids* (en français *Pim, Pam, Poum*), créée en 1897 par Rudolph Dirks, qui la poursuivit jusqu'à sa mort en 1968, décrit les bons et les mauvais tours de trois garnements, dans le joyeux sabir américano-germanique des belles années du « melting pot ». L'enfant sera longtemps le personnage central de la bande dessinée, qu'il évolue dans une atmosphère heureuse ou qu'il connaisse très tôt les cruautés de la vie, notamment comme orphelin (*Little Orphan Annie,* d'Harold Gray).

Mais l'intérêt des dessinateurs et des scénaristes va bientôt s'élargir à la famille tout entière (c'est la naissance du *family strip*) : évocation d'abord de la famille bourgeoise (*The Gumps,* de Sidney Smith), puis des nouveaux riches que l'on raille sans trop de méchanceté (*la Famille Illico,* 1913, de Geo McManus), l'attention étant souvent centrée sur la jeune fille de la maison (*Polly,* de Cliff Sterrett) qui, seule ou en compagnie de son frère, fait de son univers quotidien un monde d'aventures : *Winnie Winkle* (1920), de Martin Branner, jeune Américaine de l'après-guerre, cède ainsi la vedette dans l'adaptation de la bande en français à son frère Perry, connu sous le nom de *Bicot.*

Mais cette peinture idyllique des joies du foyer est contredite par l'apparition de personnages de voyous (*Moon Mullins,* de Frank Willard) ou de fantoches (*Barney Google,* de Billy De Beck) et par l'évolution de l'insouciante *Blondie* (1930) de Chic Young, qui, en se mariant en 1933, se débat avec les problèmes de la Grande Dépression.

La bande dessinée enregistre alors avec une fidélité remarquable les événements économiques et sociaux : l'Amérique des jours noirs de Wall Street et du difficile New Deal de Roosevelt se moque de la dégradation de son propre mode de vie (*Li'l Abner,* 1934, d'Al Capp) et se console avec la débrouillardise et la vigueur irrépressible de *Popeye* (1929, d'Elsie Segar), les exploits fantastiques de *Superman* (1938, de Siegel et Shuster) et de *Batman* (1939, de Bob Kane), l'évasion dans l'espace (en Afrique avec *Jungle Jim,* dans le cosmos avec *Flash Gordon,* deux bandes d'Alex Raymond, en 1934) ou dans le temps (*Prince Valiant,* 1937, d'Harold Foster).

Les héros de bande dessinée combattront contre l'Allemagne et le Japon bien avant l'engagement des G.I. et resteront mobilisés pendant toute la durée de la guerre froide (*Male Call,* 1942, et *Steve Canyon,* 1947, de Milton Caniff). Les Américains chercheront à oublier les incertitudes de l'après-guerre dans les épisodes mélodramatiques du *soap opera* (l'« opéra savonneux »), illustré par *Juliette de mon cœur* (1953) de Stan Drake. Mais la crise se reflète dans toute sa brutalité dans les *horror comics,* rapidement interdits pour leur violence.

L'Italie fasciste avait employé la bande dessinée pour célébrer les exploits de son armée (*Luciana serra pilota,* 1939). Les pays en voie de développement, et qui se recommandaient du socialisme, l'utilisèrent, à l'exemple des *lianhuanhua* de la Chine de Mao, pour expliquer la politique gouvernementale (ce fut le cas notamment à Cuba et en Algérie).

Mais la bande dessinée moderne se situe plus volontiers du côté de l'entreprise de démolition que sur le chantier de construction d'une vie nouvelle. C'est ainsi qu'elle donne une vision acide de la société de consommation et qu'elle use d'une férocité décapante à l'égard des nantis (Wolinski), des intellectuels (Bretécher), des blocages administratifs et culturels (Cabu), des préjugés et des manies de M. Tout-le-Monde (Sempé).

Si le sourire accompagne encore les aventures du cow-boy solitaire et désenchanté *Lucky Luke* (1947), de Morris, ou les exploits du dernier Gaulois, *Astérix* (1959), de R. Goscinny et A. Uderzo, le rictus l'emporte de beaucoup dans les bandes « bêtes et méchantes » de Reiser, alors que d'autres à l'inverse cherchent à échapper au sentiment de l'absurde qui les tenaille en s'évadant dans le fantastique (Fred, Gotlib, Mandryka, Druillet). ●

→ **Voir aussi :** Le dessin animé, CINE, p. 470-471.

6. Lucky Luke, le cow-boy ironique et solitaire.

La littérature pour l'enfance et la jeunesse

Le conte

LE CONTE SE FONDE SUR LES SCHÉMAS PROFONDS QUI STRUCTURENT À LA FOIS LA PERSONNALITÉ INDIVIDUELLE ET L'INCONSCIENT COLLECTIF : IL RÉPOND AINSI AUX MULTIPLES ATTENTES DE L'IMAGINAIRE ENFANTIN.

LA LITTÉRATURE POUR L'ENfance et la jeunesse est une invention récente. Car, pendant longtemps, il n'y a pas eu de public pour la recevoir : non parce qu'il n'y avait pas d'enfants, mais parce que l'enfance n'avait pas de statut reconnu.

Dans le monde antique et médiéval, où l'enfant est livré aux famines, aux épidémies et aux guerres, la mortalité infantile est énorme. La mort d'un enfant est un événement banal, naturel. Dans une société d'hommes, l'enfant, élevé par les femmes, n'a pas de consistance sociale. Il ne suscite l'intérêt que lorsqu'il témoigne d'aptitudes intellectuelles ou physiques qui lui permettent de s'intégrer à la société des clercs, des laboureurs ou des guerriers. Adulte en miniature, on ne lui propose – hors les contes de nourrice et les vieux romans de chevalerie – que des exemples et des vertus d'homme accompli.

Vers 1750, tout change. Moins parce que le siècle des Lumières est aussi celui des théories éducatives qui prennent en compte les capacités spécifiques de l'enfant (l'*Émile* de Rousseau) que parce qu'apparaissent des collections de livres (la *Juvenile Library* de John Newbery) et des journaux pour enfants (l'*Ami des enfants,* de Christian Felix Weisse, puis d'Arnaud Berquin). Surtout, les jeunes « récupèrent » des œuvres écrites pour les adultes : c'est le cas du *Robinson Crusoé,* de Defoe, et des *Voyages de Gulliver,* de Swift. Les aventures qui passionnent

les adolescents sont désormais moins celles du jeune Anacharsis, qui accomplit, avec l'abbé Barthélemy, un périple scolaire autour de la Méditerranée classique, que celles du *Dernier des Mohicans,* de Fenimore Cooper. Le rythme de la littérature pour enfants passe très vite du galop des *Trois Mousquetaires* à la vitesse du train et du vapeur qui emportent Phileas Fogg pour un *Tour du monde en 80 jours.* Les « Voyages dans les mondes connus et inconnus » de Jules Verne composent un immense « roman de formation » où la foi dans les progrès de la science coexiste avec les pulsions les plus obscures de l'âme enfantine.

Le désir confus d'affirmer son identité se déploie, pour l'enfant, dans des aventures initiatiques qui se déroulent dans un univers primitif – le Grand Nord de London, la jungle de Kipling – où la soif d'espace et la volonté de liberté s'incarnent dans des animaux qui ont des êtres et des choses une connaissance instinctive et profonde. Mais les merveilles les plus rares jaillissent non de la découverte du monde mais de l'exploration de l'univers intérieur : c'est la leçon de l'Alice de Lewis Carroll.

Les écrivains n'ont cessé – de Chateaubriand à Mark Twain, de Gorki à Sartre, de Stevenson à Proust – de rêver à l'enfance comme à un paradis perdu et à l'humus de leur mémoire créatrice. Pour la littérature, un homme n'est pas un enfant qui a grandi, mais il est un enfant qu'on a tué.

Dans les sociétés primitives puis rurales, le conte est un instrument de transmission de la culture immémoriale. Il est ainsi un outil éducatif de premier ordre dans la mise en garde des jeunes enfants contre les pièges du monde : bêtes sauvages, eaux trompeuses, forêts hostiles. Charles Perrault a condensé, en 1697, dans ses *Contes de ma mère l'Oye,* les obsessions universelles de l'humanité et les tentations permanentes de l'enfance : la cruauté, le merveilleux, la familiarité y sont savamment dosés grâce à une technique du récit qui subordonne toujours la démonstration à l'évocation et qui sait faire affleurer le fantastique dans la réalité de tous les jours.

Tout proche de ce « conte d'avertissement », le conte de fées atteint, lui aussi, aux couches obscures de l'inconscient – par le schématisme de ses situations, la séparation tranchée des personnages en « bons » et en « méchants », le plaisir de l'angoisse maîtrisée : c'est ce qui fait le charme de *la Belle et la Bête,* de Mme Le Prince de Beaumont, et des *Illustres Fées,* de Mme d'Aulnoy.

Mais le souci pédagogique du rationalisme bourgeois fera bientôt considérer le conte avec suspicion : Chénier voit en lui le produit de l'esprit humain « quand il marche à quatre pattes », Marmontel s'attache à le moraliser

(*Contes moraux,* 1761 ; *Nouveaux Contes moraux,* 1789-1792). Cette littérature bien-pensante va devenir le pain quotidien de l'enfance, des œuvres de Mme de Genlis à celles de Zénaïde Fleuriot : on se tient bien droit sur sa chaise, on ne dérange pas sa crinoline, on vit dans un monde bien rythmé par la cloche du goûter et les rappels à l'ordre de la gouvernante.

Cependant, dans les pays nordiques et anglo-saxons, une attention plus précise à l'évolution de la société et à la psychologie de l'enfant ouvre le conte à une nouvelle inspiration : la fantaisie et l'humour animent le monde des objets et de la nature pour faire naître du quotidien une féerie riche d'émotions – c'est là le génie de R. Southey et surtout d'Andersen, dont l'œuvre (publiée de 1835 à 1872) rejoint le fonds mythique des contes. Avec moins de naïveté et plus d'amertume, Marcel Aymé tentera de retrouver l'innocence enfantine dans les « histoires simples, sans amour et sans argent » de ses *Contes du chat perché* (1934-1958).
•

3.

2 et 3. Alice jette un regard sur le pays des merveilles.

1. Mowgli, le héros de Kipling.

2.

La littérature récupérée

LA LITTÉRATURE POUR LA JEUNESSE
EST FAITE D'ŒUVRES LITTÉRAIRES ADAPTÉES
PAR LES ADULTES DANS UN OBJECTIF PÉDAGOGIQUE
ET DE TEXTES CONFISQUÉS PAR LES JEUNES
POUR LEUR SEUL PLAISIR.

L'enfance est une période de maturation intense et d'apprentissage de longue durée. La littérature pour enfants, élaborée par les adultes, est donc toujours, de quelque manière, pédagogique. Elle est aussi profondément liée aux courants de pensée et aux symboles du monde adulte et d'abord à l'idée que les adultes se font de l'enfant.

L'adulte pense plaire à l'enfant en lui offrant des héros, des situations, des livres qui semblent s'adapter à son âge et à ses possibilités. Mais, en cherchant à le guider, à l'orienter, l'adulte tue souvent le plaisir de l'enfant : il lui demande d'anticiper sur l'homme qu'il est appelé à devenir ; il le pousse ainsi à s'abstraire de l'univers qui est le sien.

Les « classiques pour la jeunesse », qui composent la bibliothèque idéale conçue pour les enfants du XVIe au XIXe siècle, rassemblent essentiellement des manuels de civilité, des fables moralisatrices, des récits religieux, des essais historiques, des romans dans lesquels un jeune héros reçoit une formation sociale et morale. Les valeurs les plus sûres de cette bibliothèque sont les *Quatrains* (1574), de Pibrac, sentences d'inspiration stoïcienne et chrétienne, le *Discours sur l'histoire universelle* (1681), de Bossuet, les *Aventures de Télémaque* (1699), de Fénelon, le *Voyage du jeune Anacharsis en Grèce* (1788), de l'abbé Barthélemy, le *Robinson suisse* (1813), de J.-D. Wyss, les *Petites Filles modèles* (1858), de la comtesse de Ségur, le *Tour de la France par deux enfants* (1877), de G. Bruno, le *Livre de la jungle* (1894-1895), de R. Kipling, le *Merveilleux Voyage de Nils Holgersson* (1907), de S. Lagerlöf.

Les ouvrages dérobés par la jeunesse à la grande littérature, c'est-à-dire à la littérature des « grands », sont pour l'essentiel des récits d'aventures dans lesquels un héros découvre, à travers une série d'expériences plus ou moins pénibles ou exaltantes, la conscience profonde de son être. Les jeunes se sont ainsi approprié successivement les romans de chevalerie (et leur mise en scène critique : *Don Quichotte*), les deux grandes visions contradictoires du destin humain à l'aube de la modernité (l'optimiste *Robinson Crusoé* et les pessimistes *Voyages de Gulliver*), les romans où l'on part à la recherche d'une fortune ou d'un secret (*l'Île au trésor*, 1883, de Stevenson), les récits de science-fiction. Cette quête peut se placer sous le signe de la fantaisie bénéfique héritée du conte oral (les *Aventures de Pinocchio*, 1883, de Collodi) ou, au contraire, dans la perspective d'une poursuite désespérée (*Moby Dick*, 1851, de Melville).

Un personnage clef, celui de l'enfant-victime – orphelin, abandonné ou martyrisé –, résume l'image de la condition de l'enfant : il s'affirme en recomposant ses propres racines. C'est ce qui fonde le succès durable de Dickens (*Oliver Twist*, 1838), de Daudet (*le Petit Chose*, 1868), de Mark Twain (les *Aventures de Tom Sawyer*, 1876), d'Hector Malot (*Sans famille*, 1878), de Jules Renard (*Poil de carotte*, 1894). ●

4.

Le roman d'aventures

L'ENFANCE TRACE DEVANT ELLE
UN TERRAIN DE JEU DONT LA LIMITE EST
SANS CESSE REPORTÉE À L'HORIZON : CET ESPACE
EST CELUI DU RÊVE, DE LA PROJECTION
DE L'ÉLAN INTÉRIEUR.

Le roman d'aventures offre à la jeunesse une identification – dans le cas d'un récit d'événements fictifs dont le héros est un enfant – ou un modèle – quand il s'agit de la relation d'aventures réelles vécues par un adulte : ainsi *Vol de nuit* (1931), d'Antoine de Saint-Exupéry, ou *Premier de cordée* (1941), de Roger Frison-Roche.

Le roman d'aventures s'inscrit d'abord dans la lignée du conte moral, et son cadre géographique, historique et social présente un intérêt documentaire : ainsi des *Mésaventures de Jean-Paul Choppart* (1836), de Louis Desnoyers, ou de *Pierre le Baleinier* (1851), de W. H. G. Kingston.

L'aventure pour l'enfant naît avec les récits de James Fenimore Cooper, qui évoquent la Prairie américaine, les trappeurs et les pionniers affrontés à la nature hostile et à la civilisation indienne (le *Dernier des Mohicans*, 1826 ; la *Prairie*, 1827 ; *Tueur de daims*, 1841), et qui lancent la mode du « roman d'Indiens » : les *Enfants de la Nouvelle Forêt* (1847), de F. Marryat, les *Chasseurs de scalp* (1851), de Mayne Reid, le *Coureur des bois* (1853), de Gabriel Ferry, les *Trappeurs de l'Arkansas* (1858), de Gustave Aimard, *Winnetou* (1893-1910), de Karl May. Le mystère du cœur enfantin trouve son terrain de prédilection dans les terres vierges du Grand Nord, le silence absolu des champs de neige, l'appel lancinant des pôles (*Croc-Blanc*, 1905, de J. London ; *Nomades du Nord*, 1919, de J. O. Curwood).

Un cas particulier du récit d'aventures est celui dont le héros est un animal et qui allie ainsi la thématique romanesque au documentaire naturaliste : il est à la source de quelques succès universels de la littérature pour la jeunesse – *Maïa l'abeille* (1912), de Waldemar Bonsels, *Bambi* (1923), de Felix Salten. ●

→ **Voir aussi :** L'éducation au XVIIIe siècle, **IDÉES**, p. 388-389. La nouvelle image de l'enfant, **IDÉES**, p. 438-439.

5.

Entre la soif d'espace et les désirs du cœur

Si la littérature enfantine est de relativement fraîche date, c'est que pendant longtemps « il n'y eut pas d'enfants » : dans le monde antique et médiéval, et même jusqu'au milieu du XVIIIe s., l'enfant .... connu ; il n'était qu'un adulte en puissance et en miniature, et l'être le plus précaire dans un univers où la vie était plus courte que l'espérance. Aussi, les modèles littéraires qui lui étaient proposés allaient tous dans le sens de la vertu et de la raison. Mais la jeunesse a délibérément pris le parti de l'aventure, du rêve et de l'affabulation. Ce que recherche l'enfant dans l'évocation de la forêt mystérieuse ou de la mer immense, dans le retournement de la logique comme dans l'exploration anxieuse de son moi, c'est la double affirmation de son identité et de sa liberté. Avec, pour lier le tout, un peu d'amour.

4 et 5. John Hawkins,
le jeune aventurier
de *l'Île au trésor*.

Y a-t-il une littérature féminine ?

VOICI VINGT-SIX SIÈCLES, une femme, Sappho de Lesbos, écrivait les plus beaux poèmes d'amour de la littérature grecque. De Marie de France à Doris Lessing, de Sei Shônagon à Simone de Beauvoir, de Mme de La Fayette à Virginia Woolf, on n'a aucune peine à suivre le développement d'une littérature « féminine », si l'on entend par là que ce sont des femmes qui l'ont composée. De même est-il facile de repérer les limites du vaste territoire « féministe » : précieuses et révolutionnaires, communardes et militantes des années 70 en Europe et aux États-Unis, elles ont laissé derrière elles des textes violents, engagés, leur situation de marginales les ayant toujours conduites à concevoir l'écriture comme l'arme de leur combat.

Mais, quand on parle de « littérature féminine », est-on beaucoup plus avancé que si l'on parlait de « littérature masculine » (idée qui n'est jamais venue à personne) ? Et, lorsque, à l'intérieur du continent de l'écriture féminine, on ne s'intéresse qu'au pays féministe, ne court-on pas le risque d'identifier littérature féminine et militantisme, ce qui est historiquement peu légitime et esthétiquement appauvrissant ?

Ce qu'on interroge est en réalité d'une autre nature : il s'agit de savoir s'il existe une thématique et des structures communes aux écrits de femmes, par-delà les différences que l'espace et l'histoire instituent nécessairement dans cette tapisserie continue et inachevée qu'ont brodée depuis toujours toutes les « écrivaines ». Il s'agit de trouver des critères propres à différencier justement les « femmes écrivains », à distinguer celles qui se sont emparées, sans les mettre à distance, des prérogatives masculines en matière de texte – encore faut-il prendre garde que ce choix même, à certaines époques, était en tant que tel un acte de liberté –, et celles qui ont cherché à moduler une autre voix : voix « égotiste » d'un sujet féminin en perpétuelle quête de lui-même, trop souvent nié pour ne pas demander à l'écriture une fugitive cohérence ; voix pulsionnelle et passionnelle à l'écoute des demandes d'un corps inachevé et qui attend de l'autre une impossible complétude ; voix du passé et de l'enfance, voix enfin « du dedans ».

Une littérature de combat

LA LITTÉRATURE FÉMININE POSE MOINS LE PROBLÈME D'UNE POLITIQUE DE L'ÉCRITURE QUE CELUI D'UNE ÉCRITURE POLITIQUE, QUI DÉFINIT LA PLACE DE LA FEMME DANS LA SOCIÉTÉ MODERNE.

La réalité de l'histoire littéraire – et de l'histoire tout court – conduit à identifier, dans un premier temps, littérature féminine et littérature de combat. Faute, en effet, de pouvoir décrire des spécificités esthétiques, on est conduit à repérer des thèmes : dès le Moyen Âge, les femmes qui écrivent disent leur désir, veulent être des acteurs dans la passion amoureuse, prennent parti pour l'autonomie des femmes. On sait assez que le courant précieux fut d'abord un combat pour la reconnaissance – dont les hommes se vengèrent : qu'on songe aux « précieuses ridicules », aux « femmes savantes » et autres « bas bleus », accusées, à peu près, de faire l'amour en latin !

Le XIXe siècle vit, en Europe, la naissance du militantisme au féminin : le féminisme mystique du Père Enfantin, qui attendait une Femme-Messie, la création de revues *(la Femme libre, la Tribune libre)*, la personnalité de Flora Tristan, qui prêche l'émancipation ouvrière et féminine (« la femme est la prolétaire du prolétaire même »), orientent de façon durable le combat féministe vers le combat social. Et il est alors impossible de séparer texte féminin et texte militant.

Il appartient au XXe siècle d'avoir concilié, peut-être, littérature de combat et littérature « tout court » : car la littérature de combat suppose des sujets, des formes (pamphlets, essais, discours politiques), un ton même, parfaitement codés. Les femmes qui écrivent, depuis le début du siècle, le savent et elles n'ont pas trahi : minorité opprimée, elles ont commencé dans les années 1950, puis 1970, par proclamer leur solidarité avec tous les exploités et les colonisés de la planète (il y a une « féminitude »

1. Christine de Pisan, d'après un manuscrit français du XVe siècle.

Femmes écrivains

À L'ORIGINE DE MULTIPLES LITTÉRATURES, OBJET DE LA QUÊTE COURTOISE, FIGURE CENTRALE DES SALONS ET DE LA SOCIÉTÉ POLICÉE, LA FEMME A LONGTEMPS HÉSITÉ À SE RECONNAÎTRE DANS L'ÉCRITURE.

Si écrire, dans l'histoire, n'a jamais eu le même sens pour aucun écrivain, c'est sans doute plus vrai encore pour les femmes : l'Occident ne leur a pas, à toutes les époques, reconnu le même droit à écrire, et la nature de leurs textes s'en est trouvée singulièrement changée. Favorisées par l'idéal courtois et bénéficiaires, à la Renaissance, des lumières nouvelles et du retour à l'Antiquité gréco-latine, les femmes qui écrivent ne sont pas rares au Moyen Âge et jusqu'au XVIe siècle. On ignore presque tout de Marie de France qui composa, dans la seconde moitié du XIIe siècle, de superbes « lais » largement inspirés de la matière de Bretagne, mais on en sait assez de Christine de Pisan pour esquisser, à partir de son exemple, un « itinéraire » de femme écrivain : veuve, chargée de trois enfants, elle écrit pour vivre des ouvrages lyriques et d'autres didactiques, un texte politique *(le Livre du corps de Policie)* et ses *Cent Ballades d'amant et de dame.* Elle ne dédaigne pas l'actualité *(Ditié de Jeanne d'Arc)* et prend parti dans la querelle du *Roman de la Rose.* Les poétesses de Lyon, Pernette du Guillet et Louise Labé *(Sonnets,* 1555), Marguerite de Navarre *(l'Heptaméron,* 1559) attestent de la vitalité d'une littérature écrite par des femmes et illustrent chacune un certain rapport à l'écriture que d'autres femmes entretiendront à leur tour : Christine de Pisan « vit de sa plume » comme George Sand et tant de femmes écrivains au XXe siècle ; les Lyonnaises, qui sont des bourgeoises, sont des modèles de femmes cultivées et malheureuses, qui n'ont trouvé d'autre issue au mal d'amour que l'écriture ; la reine de Navarre écrit comme une grande dame que sa noblesse laisse libre de son temps : les grands écrivains féminins du XVIIe siècle – Mlle de Scudéry, Mme de Sablé, Mme de La Fayette – ont à leur écriture ce rapport de plaisir dilettante.

À quelques exceptions près cependant (encore n'est-ce en général valable que pour une partie de leurs œuvres), ces femmes écrivent comme les hommes. Elles s'illustrent toutefois dans des genres que les hommes dédaignent alors (le roman), elles mettent sans doute plus dans leurs œuvres que les hommes qui disposent d'autres réalisations d'eux-mêmes, elles font entendre quelques-unes des « revendications » féminines de leur temps : Louise Labé veut son amante plutôt qu'aimée, active et non plus passive ; les précieuses parlent pour la culture et l'éducation des femmes, donc pour leur liberté.

Mais il faut attendre que l'histoire ait ouvert d'autres débats pour que les femmes, quand elles écrivent, commencent à revendiquer leur spécificité : c'est le cas de Mme de Staël (encore sa différence est-elle plus politique que féminine) ou de George Sand. La Révolution avait très relativement libéré les femmes, le Code Napoléon les a aliénées : c'est sur ce fond qu'est née la conscience moderne de la femme, qui ferait comprendre autrement la phrase fameuse de Simone de Beauvoir « On ne naît pas femme, on le devient ». Pourtant, au XIXe siècle encore, les distinctions esthétiques des œuvres féminines paraissent bien fragiles : le lyrisme de Marceline Desbordes-Valmore est celui de tout le romantisme, les romans de Sand ne sont « féminins » que par leurs sujets. Et, dès qu'on cherche des différences, on les trouve – justement – dans le combat féministe des socialistes utopistes, de Flora Tristan à Séverine, plus tard des Communardes, comme Louise Michel. ●

Écrire femme

CAMPÉE DANS UNE MARGINALITÉ
SUBVERSIVE, LA FEMME QUI ÉCRIT, POUR
REFUSER LA MARGINALISATION, PASSE DES MYSTÈRES
DU « CŒUR INNOMBRABLE » AUX PULSIONS
DU CORPS MULTIPLIÉ.

comme il y a une « négritude »). Elles ont décrit, impitoyablement, leur aliénation par le biais de la littérature (la femme n'est-elle pas l'objet éperdu de la quête de l'homme, royauté dérisoire et si chèrement payée), mais aussi par féminité interposée : car les ennemis sont aussi « à l'intérieur » et les féministes ont durement épinglé les autres femmes trop prêtes à incarner les idéaux masculins. Le tout a donné une littérature polémique, une presse qui ne l'est pas moins : *Lettre ouverte aux hommes* (F. Parturier, 1968) ; *les Guérillères* (M. Wittig, 1969) ; *les Parleuses* (M. Duras, X. Gauthier, 1974) ; *Parole de femme* (A. Leclerc, 1974). ●

Entre le refus de leur différence et la revendication de cette différence, les femmes ont oscillé. C'est le deuxième choix qui l'a emporté : balisée par des personnalités exceptionnelles – Doris Lessing, bien plus encore Virginia Woolf –, défrichée par des femmes qui avaient fait des choix politiques clairs (Simone de Beauvoir, toutes les féministes des années 70 et les Américaines qui les avaient précédées, dont Kate Millett), la voie s'est peu à peu dégagée. Alors les femmes ont pu parler d'un lieu qui était vraiment « autre », le fameux « continent noir » que Freud leur avait laissé en partage. Aux marges du politique, du psychanalytique (elles ont redéfini l'inconscient comme « le féminin censuré de l'histoire ») et du linguistique, elles ont inventé un territoire littéraire en cherchant des mots pour se dire, se faisant, à cette fin, « voleuses de langue ». Ce que leurs ancêtres avaient cru dire (mais su dire, aussi) avec les mots des hommes, elles ont tenté de le dire avec des mots de femme : ce n'est pas pour rien que le combat féministe a d'abord été un combat pour le langage et que les femmes, faisant le procès du phallocentrisme, ont rencontré le logocentrisme ; l'univers du discours était aussi celui du Père, de l'Ordre, de la Loi, du Sens. Le travail douloureux de V. Woolf pour nommer les terrifiantes intermittences d'une intériorité tissée d'abandons, d'exils et de deuils, reste à cet égard exemplaire. Les textes de Monique Wittig *(le Corps lesbien),* d'Hélène Cixous *(la Jeune Née),* ceux de Jeanne Hyvrard *(les Prunes de Cythère, Mère la Mort),* toute l'œuvre de Marguerite Duras (et particulièrement *le Ravissement de Lol V. Stein, Dix Heures et demie du soir en été)* sont d'authentiques créations qui valent pour leur écriture et non seulement pour les thèmes qu'ils déploient. Quand la littérature féminine existe, c'est qu'elle a répondu à la question précisément du « Qu'est-ce qu'écrire femme ? ». Or, écrire femme, c'est toujours tâcher de nommer une absence, de construire une mémoire là où, des millénaires durant, il n'y a eu que l'histoire des hommes et l'oubli des femmes, de dire la déchirure et la béance sur lesquelles toute femme a dû apprendre à se constituer. Alors le texte devient une aventure où les « écrivaines » ont voulu se perdre souvent en tant que sujets pour parler d'une voix anonyme, prosaïque, quotidienne, celle de chacune et d'aucune à la fois. Elles ont cherché l'effet de foule et rejeté le « dogme » de l'originalité, pour ce qu'il traînait après lui de narcissisme et de volonté de puissance. Et, peu à peu, ce qu'elles ont trouvé, ce sont moins des thèmes que des formes, moins des sujets « typiquement féminins » que des rythmes : écrire femme, c'est écrire fluide et souple, comme le sang, les larmes, la pulsation d'une vie que les femmes épousent avec leur sexe entier. C'est dire le désir – désir de l'homme, de l'enfant, de la nature, mêlés – en sachant que, trop longtemps tu ou masqué, ce désir possède un arrière-goût de mort : si les femmes ont repris en compte bien des mythes « négatifs » (comme la sorcière ou la folle), c'est qu'elles se connaissaient isolées sur leur île noire, à bout de souffle et de voix. Mais, les ayant apprivoisés, elles leur ont fait dire la vérité de l'autre, celle de la femme, irrationnelle et rêveuse, positive et amoureuse, sensuelle et rompue, qui accueille, comme son écriture, l'éphémère et le fragmentaire, la déchirure. ●

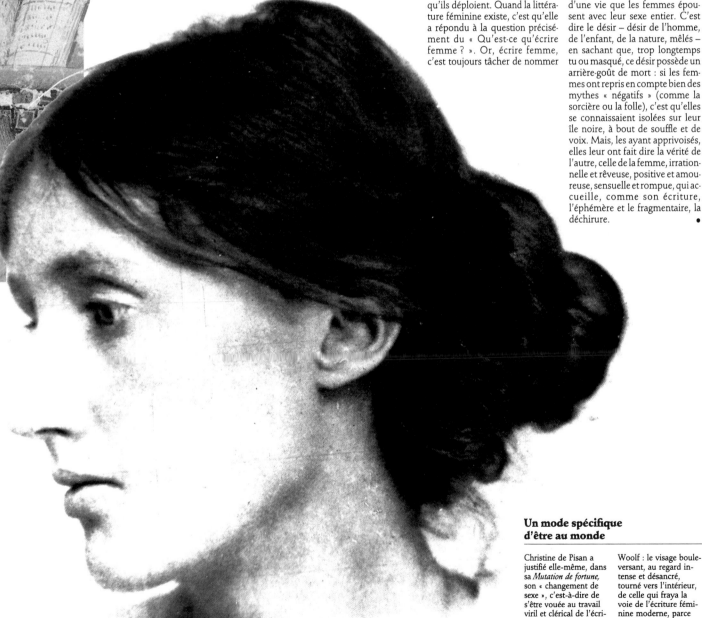

2. Virginia Woolf.

Un mode spécifique d'être au monde

Christine de Pisan a justifié elle-même, dans sa *Mutation de fortune,* son « changement de sexe », c'est-à-dire de s'être vouée au travail viril et clérical de l'écriture. Elle apparaît ici, belle et cernée de livres, comme si les deux justement n'étaient pas incompatibles. Virginia Woolf : le visage bouleversant, au regard intense et désancré, tourné vers l'intérieur, de celle qui fraya la voie de l'écriture féminine moderne, parce qu'elle sut saisir un mode spécifiquement féminin d'être au monde et le prit au piège des mots.

Littérature
et culture nouvelle

LA LITTÉRATURE A-T-ELLE encore sa place dans le monde à l'aube du XXIe siècle ? Les brassages humains et politiques qui font apparaître des sociétés multiculturelles et plurilinguistiques, la standardisation des comportements, accélérée par les médias, l'importance grandissante des disciplines scientifiques et technologiques dans la formation des individus, les préoccupations du tiers- et du quart-monde qui sont de l'ordre de la survie, l'angoisse généralisée devant un destin humain qui échappe à tout contrôle et qui ne se réfère plus à aucune valeur universellement admise : tous ces bouleversements peuvent-ils être encore traduits avec des mots, peuvent-ils faire l'objet d'une expression esthétique ?

La littérature s'interroge aujourd'hui sur sa nature et sur son rôle. On ne peut plus écrire, on ne peut plus lire comme autrefois. Or cette crise de la modernité vient de loin. Les premiers soupçons sur la pertinence de la projection du monde dans l'univers d'un langage codé selon des clefs poétiques, dramatiques ou romanesques remontent à la grande rupture du dernier tiers du XIXe siècle. Les poètes maudits, chantés par Verlaine, se retirent alors dans leurs mansardes et dans les marges de la société. Le siècle s'achève, littéralement, comme il a commencé : dans le mal et le malaise. Trois figures préludent à la grande déploration de la finalité créatrice qui forme encore le bruit de fond de la littérature contemporaine : Flaubert, qui fait œuvre originale de la répétition de lieux communs ; Lautréamont, qui fait de la parodie la matière même de son écriture ; Rimbaud, qui incarne la faillite acceptée de l'art.

La manifestation la plus spectaculaire de la crise a été l'éclatement de la forme typiquement moderne de l'écriture : le roman. Le « nouveau roman » a cherché une nouvelle cohérence à l'entreprise littéraire en plaçant le monde dans la perspective d'un regard qui s'attache d'autant mieux aux apparences qu'il sait que le fond des êtres et des choses lui est impénétrable. Mais la forme la plus rigoureuse de la modernité littéraire est à chercher dans la tentative de créer un nouveau rapport entre le temps et l'espace de l'écriture : prenant ses modèles en dehors d'elle-même, de la musique à l'informatique, la littérature se veut expérimentale et s'offre comme le graphe d'une totalité qui n'est plus faite, comme le pensait Mallarmé, pour « aboutir à un beau livre ».

Sartre, faisant le bilan de son œuvre, estimait que « face à un enfant qui meurt » ses romans ne faisaient pas le poids. Artaud appelait à fonder le théâtre et la littérature modernes sur « des idées qui aient la force de la faim ». La littérature apparaît aujourd'hui comme un blanc incertain dans le déferlement des images du monde, comme un soliloque plutôt que comme un moyen de communication.

La projection d'un univers éclaté

La littérature d'aujourd'hui se cherche en dehors d'elle-même. Sous l'égide du grand ancêtre de la modernité, Rimbaud (3), elle emprunte à d'autres modes d'expression, comme la peinture ou la musique, leurs possibilités spécifiques, mais elle explore aussi des techniques particulières qui vont jusqu'à l'utilisation de l'ordinateur (1) et à la création d'un nouvel espace de l'imaginaire et de l'écriture (2).

1. Mémoire d'un ordinateur Control Data.

Le nouveau roman

DANS LES ANNÉES 1950,
DES ÉCRIVAINS ONT INAUGURÉ L'« ÈRE
DU SOUPÇON » EN LITTÉRATURE.

Le « nouveau roman » est une invention des critiques et des journalistes littéraires. Cette étiquette collective ne rassemble pas, en effet, les membres d'un groupe cohérent : elle signale un certain nombre de refus à l'égard du roman traditionnel, refus plus ou moins partagés par l'avant-garde littéraire dans les années 50 et 60.

Le nouveau roman a été précédé par l'« antiroman », tel qu'il est défini par Sartre, en 1949, dans sa préface au *Portrait d'un inconnu*, de Nathalie Sarraute. Né à la fois de la crise des valeurs morales et culturelles et du développement des moyens de communication de masse au lendemain de la Seconde Guerre mondiale, l'antiroman exprime la perte de la belle confiance réaliste et naturaliste dans la compréhension du monde et dans la possibilité de le traduire en langage. L'écrivain s'interroge alors sur ses conventions et ses techniques, et découvre qu'il a été devancé, dans la mise en cause des fins et des moyens de l'art, par les musiciens et les peintres. Le romancier entreprend alors, comme le note Sartre, de créer une fiction qui soit aux grandes œuvres de Dostoïevski et de Proust ce qu'est aux tableaux de Rembrandt et de Rubens la toile de Miró intitulée *Assassinat de la peinture*.

Le nouveau roman frappe d'interdit le personnage type du roman « balzacien », sa psychologie, son évolution. Il condamne la conception d'un auteur omniscient, Dieu caché derrière ses créatures et qui saisit tout l'enchaînement des faits, des pensées et des sentiments. D'autre part, il refuse l'engagement, l'idée que l'écriture ait un quelconque pouvoir sur le monde et sur l'Histoire.

Le nouveau roman, tel qu'il apparaît dès les premiers livres d'Alain Robbe-Grillet (*les Gommes,* 1953 ; *le Voyeur,* 1955 ; *la Jalousie,* 1957), de Michel Butor (*Passage de Milan,* 1954 ; *l'Emploi du temps,* 1956 ; *la Modification,* 1957), de Claude Simon (*le Vent,* 1957 ; *l'Herbe,* 1958 ; *la Route des Flandres,* 1960), met en œuvre une littérature « optique » : seul le regard permet de connaître le monde, et ce regard ne peut que glisser à la surface des choses. Le romancier va donc procéder à une description des êtres et des objets qui relève de la technique du procès-verbal ou de l'observation de l'entomologiste. S'il y a des variations, des évolutions, des nuances, c'est dans les points de vue que l'observateur prend par rapport à ce qu'il place dans son champ de visée. La perception se multiplie et se dilue dans le miroitement infini des « prises de vue ».

Objet d'une réflexion théorique continue – de *Pour un nouveau roman* (1963), de Robbe-Grillet, à *Pour une théorie du nouveau roman* (1971), de J. Ricardou –, le nouveau roman, qui fait du monde un miroir qui renvoie au romancier son propre regard, a contribué à affirmer l'autonomie de l'écriture par rapport au réel et à toute signification imposée de l'extérieur. Il a fait du roman « non plus le récit d'une aventure, mais l'aventure d'un récit ». ●

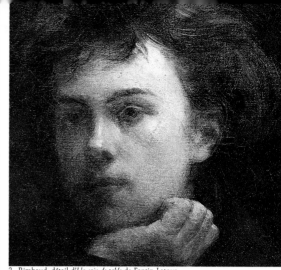

3. Rimbaud, détail d'*Un coin de table* de Fantin-Latour.

La littérature expérimentale

EN TOUTE RIGUEUR, TOUTE
LITTÉRATURE QUI TÉMOIGNE D'INNOVATION
FORMELLE EST EXPÉRIMENTALE.

2. La littérature prend place dans les « effets spéciaux » d'un univers médiatique.

La littérature face aux médias

LE LIVRE SEMBLE AUJOURD'HUI
VICTIME D'UN RETOUR DE LA CIVILISATION
DE LA PAROLE ET DE L'IMAGE.

Chaque nouveau moyen de communication modifie la culture d'une société. L'imprimerie avait banni la transmission directe du savoir, le rapport humain entre maître et élève, au bénéfice du média froid et abstrait qu'est la page du livre. Aujourd'hui, écrivains, éducateurs, sociologues pensent que la « Galaxie Gutenberg » est en train de mourir sous les assauts des procédés de diffusion massive de l'information : radio, cinéma, télévision.

Le livre a amplifié la résonance des écrivains « classiques » proposés à la lecture des élèves et des étudiants, il a contribué à fixer la langue à partir d'un modèle écrit et littéraire, il a imposé la notion d'orthographe. Mais, aujourd'hui, alors que la place prise par la télévision dans l'emploi du temps des adolescents ne cesse de grandir, les références classiques s'estompent, la langue s'ouvre à toutes les pratiques orales et s'imprègne des argots et des parlers étrangers, l'écriture sort de l'usage quotidien, et la reproduction d'un modèle de langage écrit devient de plus en plus « fautive ».

Le reproche principal fait à la télévision dans ses rapports avec la littérature est de standardiser la pensée et de tuer l'imagination. Les mots seuls déclencheraient des images, qui diffèrent d'un lecteur à l'autre, alors que la télévision impose à tous une vision unique d'un événement ou d'un personnage. Face au lecteur actif,

qui participe à la révélation du sens de l'œuvre – comme un metteur en scène pour un texte dramatique –, le téléspectateur passif enregistre une signification préfabriquée et s'incorpore des émotions qui lui sont étrangères.

Malgré les espérances de certains spécialistes, notamment dans les pays anglo-saxons, la télévision n'a pas engendré une forme d'expression audiovisuelle originale possédant les qualités esthétiques de l'œuvre littéraire – au contraire de la radio, qui, en Grande-Bretagne et en Allemagne surtout, a produit une forme théâtrale spécifique. Les adaptations de romans ou de pièces de théâtre jouent sur l'effet de reconnaissance qui sécurise le spectateur, et le résultat de la transposition de l'écrit à l'écran est proche de celui de la littérature de colportage, arrangeant les romans de chevalerie pour un public rural et populaire, ou de la littérature pour la jeunesse, qui réduit et rééquilibre des textes célèbres dans une perspective pédagogique. L'adaptation télévisuelle d'une œuvre peut cependant aider à sa découverte ou à sa résurgence, surtout lorsqu'elle s'appuie sur une opération promotionnelle et éditoriale consciente et organisée.

La caractéristique la plus remarquable de la télévision est qu'elle imbrique étroitement la fiction et la réalité. Les informations sont conçues comme

« le feuilleton de la vie », selon l'expression d'un présentateur célèbre, et la fiction se fonde sur un étonnant « effet de réel » : les séries, américaines surtout, livrent en direct une tranche de vie au point que la confusion est constante entre l'acteur et le personnage qu'il incarne, journaux et magazines entrelaçant sans cesse pour le public les caractères et les aventures de l'un et de l'autre.

Le rôle le plus évident joué par la télévision – et la radio – à l'égard de la littérature est celui d'une information, dont les conséquences sont aléatoires, à travers des émissions critiques où l'auteur joue l'audience de son œuvre sur ses qualités photogéniques et médiatiques. On s'est battu pour « passer à Apostrophes » comme on se battait naguère pour entrer à l'Académie. Un auteur, poète ou essayiste érudit, peut ainsi disposer en une heure de dix fois plus d'auditeurs qu'il n'aura de lecteurs dans toute sa vie. Mais, s'il est possible de faire comprendre l'objet et les méthodes d'une recherche d'historien, d'anthropologue, de zoologiste ou d'astrophysicien, il est beaucoup plus difficile de « donner à voir » son recueil de poèmes ou son roman, sauf à se perdre dans des anecdotes qui introduisent peut-être au monde des gens de lettres, mais pas à l'univers de la littérature. Devant les caméras, l'auteur s'efface devant l'interprète, l'écrit devant la parole. Les médias modernes rejoignent ainsi la rhétorique la plus éculée, qui dissociait le « fond » de la « forme », et l'écrivain n'a plus que le choix entre jouer le rôle d'un discoureur de salon ou aller, solitude multipliée par les écrans innombrables, jusqu'au bout d'un happening incommunicable. ●

Le concept de littérature expérimentale appartient, en réalité, à la modernité. Il répond moins à un élan vers des terres inconnues qu'à l'essai par les écrivains de divers modèles qui ont fait leurs preuves complètement en dehors de la pratique littéraire.

La littérature expérimentale évolue entre la recherche de la plus grande liberté et l'acceptation de la plus grande contrainte. Dans la première voie, nombreux sont ceux qui – de Thomas De Quincey à William Burroughs, et de Rimbaud à Artaud et Michaux – ont cherché le ferment d'une écriture nouvelle dans le « dérèglement raisonné » des sens et des facultés de perception, par la drogue, la reconquête du corps, la conduite de la raison au-delà de ses limites. Dans la seconde direction s'inscrivent aussi bien les poètes qui s'expriment à l'aide de formes fixes comme le sonnet que les adeptes de la « littérature potentielle » qui pratiquent le lipogramme (Georges Perec, en 1969, a écrit avec *la Disparition* un roman qui ne contient pas la voyelle *e,* la plus fréquente en français). Raymond Queneau, pour sa part, a combiné les deux formules, liberté et déterminisme, dans le parcours aléatoire mais calculé qu'il propose au lecteur de ses *Cent Mille Milliards de poèmes* (1961).

La littérature a souvent pris ses références dans les modes d'expression en prise plus directe sur la sensation : la peinture (les *logogrammes* de Christian Dotremont, le *cut-up,* ou « méthode de pliage », de Brion Gysin), la musique (« De la musique avant toute chose » réclamait Verlaine). La littérature a prétendu jaillir sans intermédiaire de la pensée spontanée (l'écriture automatique des surréalistes) ou de la réalité brute

(le « collage » à la Dos Passos ou à la Denis Roche).

Dans ses objectifs généraux, la littérature expérimentale a volontiers pour point de mire les sciences exactes : la biologie avec Zola et son *Roman expérimental,* les mathématiques avec l'Oulipo (« Ouvroir de Littérature Potentielle ») – le recueil poétique ∈ (1967) de Jacques Roubaud se fonde sur la théorie des jeux et ses 361 textes renvoient aux 180 pions blancs et aux 181 pions noirs du jeu de go.

Dans ses techniques particulières, la littérature expérimentale fait appel à des procédés capables de générer un nouvel espace littéraire, des variations sur la typographie (des calligrammes à la liberté graphique du spatialisme) aux ressources combinatoires de l'informatique : *la Machine à écrire, recueil de vers libres* rédigés par un ordinateur publié en 1964 à Montréal par Jean Baudot ; recherches, à partir de 1982, de l'ALAMO (« Atelier de Littérature Assistée par la Mathématique et l'Ordinateur ») ; programmes d'engendrement de haïku japonais par Jean-Pierre Balpe ; travaux de l'ARTA (« Atelier de Recherches Techniques Avancées » du Centre Georges-Pompidou).

La publication en 1984 d'un roman télématique et interactif, *ACSOO* (« Abandon Commande Sur Ordre de l'Opérateur »), de Camille Philibert et Guillaume Baudin, a révélé l'existence d'un processus original de création, qui évolue avec les recherches sur l'« intelligence artificielle », et la possibilité d'un nouveau type de rapports entre l'écrivain et l'écriture et entre l'écrivain et son lecteur – qui peut réagir « en temps réel » aux éléments de l'intrigue qui lui sont proposés. ●

Préhistoire de l'art

LES PREMIÈRES TRACES DE l'art préhistorique n'apparaissent pas avant 40 000/35 000 années avant notre ère, lors de la transition entre le paléolithique moyen et le paléolithique supérieur. Elles sont liées, semble-t-il, à l'apparition de l'ancêtre direct de l'homme actuel, l'*Homo sapiens sapiens* (l'homme de Cro-Magnon), dont l'activité artistique se manifeste au châtelperronien d'Arcy-sur-Cure (Yonne), époque pendant laquelle il doit cohabiter avec l'homme de Néandertal, toujours présent (Saint-Césaire, Charente). À partir de l'aurignacien, vers 30 000/25 000 années avant notre ère, tandis que les productions de cet art deviennent plus nombreuses, l'homme de Néandertal, lui, disparaît définitivement.

Après une difficile reconnaissance de l'ancienneté de l'homme préhistorique,

au milieu du XIXe siècle (Boucher de Perthes), l'existence de l'art préhistorique ne devait être définitivement acceptée qu'à la fin du XIXe siècle.

En 1834, un objet paléolithique gravé, une plaquette osseuse ornée de deux biches provenant de la grotte du Chaffaud (Vienne), a été classé comme « antiquité celtique » au musée de Cluny et lorsque, en 1879, Don Marcelino de Santuola découvre les peintures d'Altamira en Espagne, il se heurte à l'incrédulité des préhistoriens de son temps. La découverte spectaculaire de Lascaux, en 1940, marque un regain de l'intérêt porté à l'art pariétal. À la suite des travaux de l'abbé Henri Breuil, « le pape de la préhistoire », ceux de A. Laming-Emperaire et d'André Leroi-Gourhan vont renouveler considérablement notre vision de l'art préhistorique.

1. Chronologie et styles du paléolithique supérieur.

Évolution de l'art du paléolithique

André Leroi-Gourhan a proposé une interprétation chronologique de l'art préhistorique, fondée essentiellement sur l'étude des œuvres de l'art pariétal, celui des grottes ornées. Au style I apparaissent des contours partiels d'animaux, avant-trains re-

présentés de manière malhabile et accompagnés de représentations sexuelles fortement stylisées (vulves). Les animaux du style II, de formes stéréotypées, sont « accrochés » à une « ligne cervico-dorsale ». Les nombreuses statuettes

féminines du gravettien appartiennent également à cette phase. Au style III, les animaux ont souvent des proportions très particulières : ventres gonflés, têtes petites et effilées, extrémités des pattes arrondies. Le style IV, enfin, marque

une forte tendance au réalisme des formes, les canons de l'animal se rapprochant de plus en plus des proportions réelles. Les figurations féminines, nombreuses, abstraites, deviennent presque un signe et tendent vers le losange ou le triangle.

L'art pariétal, de l'animal au signe

LA SIGNIFICATION DE L'ART PRÉHISTORIQUE EST BEAUCOUP PLUS COMPLEXE QU'ON NE L'A IMAGINÉ AUTREFOIS, MAIS ON NE SAURA JAMAIS TOUT À FAIT À QUEL SYSTÈME DE PENSÉE IL SE RÉFÈRE.

Succédant aux interprétations des années 1870-1880 fondées sur les théories de « l'art pour l'art », les travaux de la fin du XIXe siècle à propos de l'art préhistorique sont fortement influencés par les débuts de l'ethnographie (*le Rameau d'or* de J. Frazer). Le comparatisme entre les représentations des peintures préhistoriques et les données de l'ethnographie devient la règle : suivant le cas, on fait appel tantôt à la magie de la chasse ou de la fécondité, tantôt au totémisme, voire au chamanisme. Ce folklore pseudo-scientifique né de « l'urgence d'une démonstration » aujourd'hui fait long feu. L'existence des signes abstraits accompagnant les animaux n'a pas manqué de stimuler l'imagination des premiers préhistoriens. Après E. Piette, pour qui ces signes seraient la « signature de l'artiste », ils y voient des huttes ou des pièges, dans le cas des rectangles cloisonnés (travaux de H. Breuil à El Castillo, La Pasiega) – on distingue même les détails de la charpente dans la hutte de la Mouthe –, des boomerangs, pour les claviformes, ou encore des propulseurs, dans certains des signes de Lascaux. Le signe fléché oblitérant un animal devient la représentation symbolique du désir de s'approprier un gibier convoité, l'expression d'un rite de magie de la chasse. En réalité, sur

l'ensemble des grottes ornées, seulement 10 % des animaux sont associés à une flèche. À Lascaux, les chasseurs consommaient essentiellement du renne et, sur les peintures de la grotte, cet animal ne figure pour ainsi dire jamais : la théorie de la magie de la chasse ne peut expliquer l'art pariétal.

André Leroi-Gourhan réfute cette interprétation d'un art exécuté au coup par coup, figure après figure. Il met en évidence l'organisation complexe des grottes ornées par une étude systématique de l'ensemble des sites, y effectuant le relevé statistique et topographique de toutes les œuvres et, en les comparant avec les pièces de l'art mobilier, propose une chronologie. Certains sanctuaires sont situés à la lumière du jour, sous les abris ou à l'entrée des grottes ; ils possèdent des parois sculptées (Bourdeilles, Roc de Sers, Laussel, Angles-sur-l'Anglin, etc.). À l'inverse, les autres, dits « sanctuaires profonds », se trouvent au fond des grottes, très difficiles d'accès grâce aux nombreux obstacles naturels ; on y trouve des parois peintes, gravées, plus rarement des modelages d'argile. L'impossibilité de travailler très longtemps à la lumière des lampes à graisse explique probablement cette répartition.

L'économie générale de ces sanctuaires profonds, les plus

Visage de l'homme, image de la femme

DÉFORMATIONS VOLONTAIRES DES APPARENCES, CERTES, MAIS POUR QUELLES FINALITÉS ? NOS LOINTAINS ANCÊTRES NOUS INTRIGUENT.

Au sein des représentations animales, qui constituent le thème majeur de l'art préhistorique, les figurations humaines, images de l'homme et de la femme, possèdent manifestement un statut à part, parfois, même, semblent frappées d'interdit : images partielles, déformées, bestialisées ou fantomatiques, stylisées selon d'étranges conventions.

Quelques figurations réalistes existent, comme l'étonnant profil masculin au nez camus sculpté, peint et gravé tout à la fois dans un bloc rocheux (Roc-aux-Sorciers à Angles-sur-l'Anglin, Vienne) ou encore les gravures enchevêtrées des plaquettes gravées de la grotte de la Marche à Lussac-les-Châteaux (Vienne), patiemment déchiffrées et publiées par

le Dr L. Pales. Lorsque le visage est représenté de face, il évoquerait plutôt des oiseaux polaires (Font-de-Gaume, Dordogne) ou des chouettes (aux Combarelles, Dordogne). À la grotte des Trois-Frères (Ariège), le célèbre « sorcier » se présente sous la forme d'un homme incontestablement sexué dont la tête semble porter le masque d'un cervidé à ramure. Cette célèbre figure a contribué aux interprétations fondées sur la magie de la chasse.

Certaines figurations sont ithyphalliques, comme l'homme peint de la grotte du Portel (Ariège) ou encore celui qui est gravé sur le galet de la Madeleine (Dordogne), mais il n'existe pour ainsi dire pas de scènes d'accouplement explicites. Seuls les

nombreux, correspond à des compositions où l'absence de symétrie apparente, suivant les règles classiques de l'histoire de l'art, ne permet pas de voir immédiatement. Au centre, on trouve les grands animaux de la chasse, le cheval, le bison, le bœuf ; rejetés à la périphérie, le bouquetin, le cerf, le mammouth et le renne ; les animaux « dangereux », félins, rhinocéros, sont au fond des grottes, tout comme les représentations avec des humains (scène du puits de Lascaux, le « sorcier » des Trois-Frères, le Gabillou). Certains animaux pourraient posséder une valeur mâle, d'autres une valeur femelle ; ce système, fondé sur une dualité comparable à celle du yin et du yang chinois, serait applicable non seulement aux représentations animales, mais aux signes, eux-mêmes masculins, féminins et complémentaires.

Les lignes de points ou de tirets fréquemment situées à l'entrée, à la sortie ou dans les passages des grottes entre des ensembles différents possèdent une valeur mâle et sont associées aux fentes, alvéoles, signes en creux peints en rouge, à valeur femelle. La grotte elle-même pourrait avoir une valeur symbolique féminine. On retrouve alors la vieille interprétation animal-blessé, mais dans un tout autre contexte, celui de l'homme-cheval-sagaie s'opposant à la femme-bison-blessure ou encore l'équivalence sagaie-pénis et blessure-vulve. Le système de pensée complexe sous-jacent à ces représentations pourrait être une sorte de métaphysique de la mort, expression, qui demeure énigmatique pour nous et qui restera probablement impénétrable, de la « religion » des hommes préhistoriques. •

signes masculins et féminins plus ou moins réalistes pourraient relever d'une mythologie complexe et symbolique du domaine de la sexualité, selon l'hypothèse avancée par A. Leroi-Gourhan.

L'image de la femme nous est offerte entre 25000 et 20000 environ avant notre ère, au gravettien, grâce à une série nombreuse de statuettes dont le domaine géographique s'étend du sud-ouest de la France jusqu'en Sibérie. Trouvailles isolées ou datées par leur position stratigraphique dans des sites préhistoriques, ces œuvres possèdent un canon relativement stéréotypé : développement marqué des seins et du ventre ainsi que de la région postérieure, jambes effilées et tête stylisée. Qualifiées de « Vénus stéatopyges », ces statuettes ne sont pas toutes obèses à l'image de la plus célèbre d'entre elles (Willendorf, Autriche) ; certaines sont plutôt graciles, comme celles de Sireuil ou de Tursac en Dordogne, ou de Bouret, en Sibérie. Au magdalénien, vers 15000/10000 avant notre ère, apparaît un second groupe

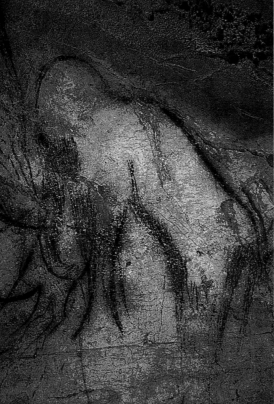

2. Mammouth peint de la grotte du Pech-Merle, Cabrerets (Lot).

3. Cheval gravé de la grotte du Gabillou, Sourzac (Dordogne).

de figurations, auquel appartient la Vénus impudique de Vibraye (Laugerie-Haute, Dordogne), d'une stylisation très proche des Vénus gravées sur paroi du Roc-aux-Sorciers à Angles-sur-l'Anglin (Vienne), où le triangle pubien est fortement marqué et la tête absente. Les profils de silhouettes féminines deviennent de plus en plus stylisés à Gonnersdorf (R.F.A.) ou aux Combarelles (Dordogne) et rejoignent les signes sexuels féminins du dernier style (le style IV évolué d'André Leroi-Gourhan). •

L'art et ses techniques

L'animal, qu'il soit sculpté dans la pierre, modelé dans l'argile ou peint de manière monochrome ou polychrome ou bien encore gravé, constitue le thème de prédilection de l'art pariétal. La mixité des techniques est très fréquente : peintures surgravées ou utilisation des reliefs naturels dans le rendu

des formes. La peinture emploie des colorants naturels (charbon de bois, noir de manganèse, ocres jaunes ou rouges, à l'état naturel ou oxydés par le feu). Projetée ou soufflée, la couleur produit de beaux effets « à l'aérographe », ou, appliquée au pinceau ou à la brosse, elle pénètre toutes les anfractuosités

de la roche. Caches ou pochoirs ménagent certains effets. Gravés ou taillés en ronde bosse, l'os et l'ivoire sont les matériaux privilégiés de l'art mobilier, où les figurations humaines, surtout féminines, sont fréquentes au gravettien et au magdalénien, mais sont bannies ou presque du domaine pariétal.

L'art mobilier

FABRIQUÉS PAR L'HOMME PRÉHISTORIQUE, QUANTITÉ DE PETITS OBJETS, UTILITAIRES OU NON, CONSTITUENT LA PREMIÈRE VERSION DES ARTS DÉCORATIFS.

De nombreux petits objets de matière osseuse ou de pierre, très souvent décorés – et qui méritent, pour certains d'entre eux, de figurer au rang des chefs-d'œuvre de l'art préhistorique –, intéressent beaucoup les préhistoriens. En effet, leur situation d'origine, dans les couches d'habitat, donc attribuable à des groupes humains définis du paléolithique supérieur, permet de les dater et d'effectuer des comparaisons stylistiques avec les œuvres d'art pariétal, qui, elles, ne sont pas directement datables.

Ces objets peuvent être d'usage précaire ou prolongé : utilitaires, ils appartiennent à l'outillage et aux instruments de chasse ou de pêche ; d'autres sont destinés à la parure ou encore d'usage indéterminé – « non utilitaire » –, tels les blocs ou les plaquettes que leur décor apparente plus directement à l'art pariétal. (Au Roc de Sers, en Charente, une petite plaquette, décorée d'une figure de

cheval, a été découverte à proximité des blocs sculptés d'une frise d'animaux de grandes dimensions.) Les pendeloques, canines de renard percées ou rainurées pour la suspension (grotte du Renne à Arcy-sur-Cure, Yonne) sont, avec les coquilles perforées, les plus anciens éléments de parure recensés.

Certains objets sont souvent décorés :
– les spatules, palettes osseuses soigneusement polies en forme de poissons (Les Eyzies, Dordogne) ou, parfois, striées de motifs géométriques (Laugerie-Basse, Dordogne) ;
– les baguettes demi-rondes, qui sont ornées de motifs abstraits ;
– les pointes osseuses, d'ivoire ou tirées du bois de renne (sagaies), ainsi que les harpons ;
– les bâtons perforés, prélevés sur un bois de renne tronqué à la bifurcation d'un andouiller et percés d'un trou circulaire (curieusement considérés autrefois comme bâtons de commandement, ils sont plutôt destinés à redresser à chaud les baguettes osseuses tirées des bois de renne pour en faire des sagaies) ;
– les propulseurs pour lancer les sagaies, qui possèdent, en général, un crochet avec lequel le trait est envoyé en direction de l'animal chassé (ce crochet peut être le bec d'un oiseau sculpté, comme le propulseur des Trois-Frères, Ariège) ;
– les contours découpés, obtenus à partir d'une mince plaquette de l'os hyoïde (têtes de bouquetin, de bison à Labastide, Hautes-Pyrénées ; cheval d'Isturits, Pyrénées-Atlantiques) ;
– les rondelles percées, qui peuvent porter un animal sur chaque face de l'objet (percée et ornée à Laugerie-Basse, Dordogne).

D'autres objets utilitaires, les lampes de pierre, deviennent parfois des œuvres d'art mobilier. Par exemple, celle retrouvée à Lascaux, en grès rose, est de forme arrondie très régulière, prolongée par un manche gravé d'incisions. Celle de la Mouthe porte au revers, gravée, une tête de bouquetin aux longues cornes. •

→ **Voir aussi :** Histoire de la préhistoire, HIST, p. 14-15. L'homme et l'outil, HIST, p. 16-17.

4. Statuette féminine de Laugerie-Basse (Dordogne).

Néolithique et chalcolithique

L<small>ES CHASSEURS-CUEILLEURS</small> deviennent agriculteurs, éleveurs et métallurgistes pour mieux dominer leur milieu. Ainsi, le néolithique et sa civilisation agro-pastorale, qui sait exploiter les ressources naturelles, se caractérise par le passage d'une économie de prédation à une économie de production et aussi par de nouveaux types d'habitat et de nouvelles pratiques funéraires.

L'agriculture a pris naissance en Asie du Sud-Ouest, dans le Croissant fertile, entre la côte méditerranéenne et la plaine du Tigre et de l'Euphrate. Au VIIe millénaire, les cultures céréalières du blé *(Triticum),* de l'orge et des plantes légumineuses sont généralisées dans le Proche-Orient. L'élevage des animaux domestiques a peut-être débuté au VIIIe millénaire.

Parmi d'autres éléments matériels, la céramique joue un rôle important. La forme et le décor des poteries, facteurs d'identité, permettent aux archéologues d'individualiser les différents groupes humains, de localiser leurs migrations et d'apprécier les influences réciproques.

Avec le IVe millénaire, on assiste à la dislocation de l'ensemble culturel rubané au profit de cultures comme celle de Lengyel venue de Hongrie qui se retrouve en Autriche et en Moravie, ou encore celle de Rössen à céramique à décor poinçonné en Alsace ou celle du Bassin parisien à céramique ornée de faisceaux d'incisions. En Europe centrale et septentrionale, le groupe des « gobelets à entonnoirs » est défini par une poterie sans décor.

À la fin du IVe millénaire, le chasséen (du camp de Chassey, en Saône-et-Loire) recouvre une grande partie de la France, possédant des affinités méridionales ; cette culture est contemporaine du Cortaillod suisse et du Lagozza du nord-ouest de l'Italie.

Vers 2500 av. J.-C. apparaît dans la vallée de la Seine, de l'Oise et de la Marne le groupe dit de Seine-Oise-Marne, contemporain du Horgen, de Suisse, avec une poterie de facture et de forme peu soignées.

Silex du Grand Pressigny ou petits objets de cuivre, produits dans le Midi et les Alpes du Nord, témoignent par leur lointaine dispersion de l'intensification des échanges commerciaux au néolithique final.

Architecture des morts : le mégalithisme

SOIGNEUSEMENT ARCHITECTURÉS, DE VASTES
MONUMENTS FUNÉRAIRES MATÉRIALISENT TRÈS TÔT
L'HOMMAGE RENDU AUX MORTS.

E<small>ntre le Ve et le IIe millénaire</small> avant notre ère apparaissent de nombreuses constructions à usage funéraire, érigées principalement le long de la façade atlantique de l'Europe et dans le monde méditerranéen. Considérés autrefois comme originaires de l'Orient méditerranéen, ces monuments mégalithiques pour lesquels on possède maintenant des datations très anciennes (V^e millénaire en Bretagne et au Portugal) ne peuvent avoir pour modèle, par exemple, les « tholos » de Crète qui ne sont pas antérieures au IIIe millénaire. Au néolithique déjà, les sépultures en coffre de Téviec (Morbihan), entourées de dalles de pierre, témoignent d'une volonté d'architecture funéraire.

Au Portugal, foyer possible de l'origine des constructions mégalithiques, on peut suivre au Ve millénaire le passage de la tombe individuelle bordée de pierres à des aménagements collectifs aux proportions plus vastes : chambres avec couloir d'accès ceinturées de dalles de pierre.

Un groupe de sépultures de la vallée de l'Essonne sous de vastes dalles de pierre, avec un menhir à La Chaise (Malesherbes, dans le Loiret) ou dans une nécropole à Orville (Loiret), révèle l'existence d'un mégalithisme précoce dans le néolithique de Cerny.

Les chambres funéraires construites de gros blocs en forme tabulaire, les dolmens, sont les architectures les plus connues et les plus répandues ; la couverture peut être réalisée en encorbellement de pierre ou à l'aide d'une ou de plusieurs grosses dalles. L'ensemble est généralement recouvert d'un tertre (tumulus), ou cairn, parfois architecturé.

Au IIIe millénaire, les chambres funéraires allongées, à un ou plusieurs couloirs d'accès, existent dans toute l'Europe ; la région de Carnac dans le Morbihan et le Nord-Finistère sont des foyers de grande culture dolménique ; les tertres de dimensions colossales incluent fréquemment plusieurs dolmens à couloirs (12 à Barnenez Plouézoch dans le Finistère). Les offrandes consenties aux défunts sont d'une richesse exceptionnelle, haches en roche dure au poli parfait et au tranchant évasé parfois accompagnées d'un anneau-disque en serpentine ou de colliers en perles de callaïs, sorte de turquoise ou de variscite de forme biconique ou en olive.

Plus tardives, les allées couvertes du Bassin parisien, très denses au nord (Val-d'Oise, allée couverte de La Pierre Turquoise), sont généralement dotées d'une antichambre. Elles recevaient des inhumations nombreuses – plusieurs centaines d'individus – accompagnées d'offrandes funéraires : vases, armatures de flèches, outils de pierre taillée ou polie et objets de parure. •

1. Dolmen de Fontanaica, Corse, IIIe millénaire.

Architecture des vivants : les villages

LA STABILITÉ DES PREMIERS
VILLAGES DANUBIENS EST RAPIDEMENT REMISE EN CAUSE
PAR L'ACCROISSEMENT DÉMOGRAPHIQUE.

L<small>e processus de sédentarisation</small> débute au Proche-Orient vers 9000 avant notre ère avec des habitations circulaires à soubassements de pierres liées par un mortier, dans les villages natoufiens de Palestine. C'est ensuite vers 7500 avant notre ère, sur le moyen Euphrate, à Mureybat, qu'apparaissent les premières constructions sur plan rectangulaire ; elles possèdent plusieurs pièces.

Les agglomérations de 5 ou 6 maisons des colons danubiens, qui peuplent l'Europe en progressant depuis l'Ukraine et la Pologne, jusqu'aux Pays-Bas et dans le Bassin parisien, sont reconstruites à proximité de l'emplacement précédent. Les villages révèlent une population de faible densité qui pratique agriculture et élevage sur brûlis en défrichant la forêt au fur et à mesure de ses déplacements. De plan stéréotypé, la maison danubienne se reconnaît partout – en Tchécoslovaquie, en France (Cuiry-les-Chaudardes dans l'Aisne, Marolles-sur-Seine en Seine-et-Marne, Charmoy dans l'Yonne).

En Europe centrale et dans les régions alpines, les habitats, longtemps qualifiés de « cités lacustres », sont des habitats de bois, rectangulaires, érigés sur la terre ferme et en position surélevée pour éviter l'humidité, à proximité du rivage des lacs ou des cours d'eau (occupation des villages littoraux du lac de Chalain et de Clairvaux, Jura, à partir de 3700 avant notre ère).

Dès la fin du Ve millénaire, on assiste dans toute l'Europe occidentale (Danemark, Belgique, Allemagne, Grande-Bretagne et France) à une expansion généralisée des communautés villageoises néolithiques. Accompagnant cet essor démographique, des contacts périphériques nombreux se produisent entre les divers groupes et certains phénomènes nouveaux liés à des besoins de sécurité apparaissent. Sur les hauteurs de plateaux, d'imposants remparts de pierre barrent les éperons rocheux (camp de Catenoy, Oise). En plaine, les villages sont fréquemment protégés par des fossés doublés d'une palissade, dispositif qui de plus est souvent adossé à un fleuve (site de Noyen-sur-Seine en Seine-et-Marne).

Au IIIe millénaire, l'habitat se disperse, il n'est plus concentré au fond des vallées, des territoires sont organisés autour des monuments funéraires des membres dominants de la société, qui annoncent le pouvoir héréditaire des chefs de l'âge du bronze. •

Art et pensée religieuse

SOUS-JACENTE DANS LES OBJETS CONSIDÉRÉS COMME « ŒUVRES D'ART », LA PENSÉE RELIGIEUSE PARAÎT OBSÉDÉE PAR L'IDÉE DE LA FÉCONDITÉ, FONCTION INDISPENSABLE À LA SURVIE DE TOUTE SOCIÉTÉ.

Le vaste répertoire des statuettes féminines, masculines ou animales, nous introduit dans le monde religieux du néolithique. Les concepts avancés pour comprendre et interpréter la finalité de ces figurines – fécondité féminine, force virile du taureau, etc. – s'avèrent peu satisfaisants en raison de leur caractère approximatif ou trop général et les preuves archéologiques manquent singulièrement pour attester l'existence de cultes véritables.

À Mureybat, en Syrie, vers 8300 avant notre ère, des bucranes de taureaux sont enfouis dans les murs des maisons, puis vers 7500 les cornes seulement, dans une phase correspondant à un proto-élevage où la chasse à la gazelle demeure primordiale pour la subsistance ; il s'agit peut-être là d'une préfiguration de la future stratégie de l'élevage. Dans le même site, au VIIIe millénaire

également, les premières figurines anthropomorphes au sexe bien indiqué, aux fesses proéminentes, font leur apparition. Elles vont être largement diffusées dans tout le Levant, jusqu'en Iran. Au VIe millénaire, à Çatal Höyük, les statuettes isolées coexistent avec les représentations féminines associées aux animaux : « déesse » en haut relief enfantant des taureaux, sous la forme de bucranes qu'elle domine. Ce serait l'apparition du thème de la déesse mère orientale, maîtresse des animaux.

Dans tout le néolithique de la Grèce et des Balkans comme de l'Europe centrale, on retrouve des milliers de figurines anthropomorphes stylisées, décorées d'incisions ou de peinture. Si la plupart de ces figurines possèdent d'incontestables caractères féminins rendus avec naturalisme ou avec le schématisme le plus

extrême, nombre d'entre elles sont de caractère masculin, sans aucune ambiguïté possible. Dans une maison du néolithique récent de Sabatinovka, en Moldavie soviétique, une vingtaine de statuettes ont été retrouvées dans un édifice rectangulaire construit en torchis sur une armature de poteaux et de clayonnage en bois. Cet édifice, aux mêmes dimensions qu'un habitat, a été considéré comme un sanctuaire... par la présence même de ces statuettes, certaines ayant été placées sur une plate-forme située près du foyer. Frappés par les conditions de ces découvertes, certains archéologues vont jusqu'à penser qu'il pourrait s'agir tout simplement de jouets d'enfants, mais cette explication n'est pas suffisante, comme le montre la série occidentale, et plus récente, retrouvée dans un contexte « chas-

séen » se rattachant au néolithique moyen vers 4300 av. J.-C.

L'Europe occidentale est pauvre en statuettes mais on connaît néanmoins un groupe important centré sur le Bassin parisien et la Bourgogne (le Fort-Harrouard à Sorel-Moussel dans l'Eure-et-Loir, Jonquières dans l'Oise, Noyen-sur-Seine en Seine-et-Marne et Maizy dans l'Aisne, etc.). Des formes très stylisées en « tour Eiffel » et qui sont les plus anciennes avaient été déposées dans des sépultures (Passy-sur-Yonne), les autres, plus récentes, dépourvues de têtes lors de leur découverte, étaient le plus souvent associées aux abondants vestiges mis au jour dans les fossés d'enceintes, avec des vases entiers, intacts ou écrasés, des ossements humains ou d'animaux domestiques. Ces dépôts intentionnels, plus d'une centaine d'animaux,

jeunes moutons, bœufs et porcs, dans les fossés de l'enceinte de Boury-en-Vexin (Oise), font penser à une manifestation cultuelle vouée à l'élevage.

En effet, certaines enceintes du néolithique moyen sont vides de tout vestige interne, et l'on n'y trouve pas de traces de maisons ou d'occupation durable ; à Bazoches-sur-Vesle (Aisne), quatre ou cinq rangées de fossés concentriques interrompus, avec une ou deux palissades internes, délimitent une superficie de 10 hectares. Ces structures non utilitaires, sorte d'enclos monumentaux, auraient donc été destinées à remplir une fonction « cultuelle » au sens large du terme. Elles seront abandonnées dans le courant du IIIe millénaire.

●

→ **Voir aussi :** L'apparition de l'agriculture, HIST, p. 18-19.

Deux vocations à l'art de bâtir

L'architecture des morts l'emporte largement en investissements matériels sur celle des vivants : constructions de pierres appareillées d'une part – du simple dolmen (1) aux grandes sépultures mégalithiques collectives – et d'autre part bâtiments de bois, clayonnage et torchis à couverture de chaume (2). L'une est destinée à l'éternité, l'autre à l'occupation temporaire de ces populations toujours à la recherche de nouvelles terres cultivables. Les grandes maisons de la première vague de colonisation néolithique danubienne sont parmi les structures d'habitat les mieux connues, avec leur cinq rangées de poteaux peu espacés. Témoins de la culture matérielle et spirituelle, les objets ont été retrouvés dans les fosses de construction des maisons (4) ou dans les structures de défenses (fossés entourant les villages) pour les statuettes féminines (3).

2. Scène de la vie quotidienne dans le nord de la France (reconstitution).

3. Statuette féminine en terre cuite de Maizy (Aisne).

4. Céramiques chasséennes de Noyen-sur-Seine (Seine-et-Marne).

La métallurgie du bronze

DÉJÀ COMPLEXE, LA MÉTALLURGIE DU BRONZE
ET SES PROCÉDÉS : CUIVRE ARSENIÉ PUIS ALLIAGE DE
CUIVRE ET D'ÉTAIN, SONT LES PROMESSES
DU MONDE INDUSTRIEL MODERNE.

L'âge du bronze

DÈS LE NÉOLITHIQUE, AU
Proche-Orient, on travaille le cuivre et l'or, à l'état « natif », par marte-
lage, mais c'est au VIᵉ millénaire qu'apparaissent les techniques de fusion des
minerais de cuivre et d'étain pour la production du bronze. La diffusion est analogue à celle de la néolithisation antérieure, et suit la voie égéenne par les
Balkans, le Danube ; ainsi la métallurgie
parvient en Europe occidentale.

Vers 2500 av. J.-C., le groupe campa-
niforme diffuse une véritable métallurgie
du cuivre. Des courants commerciaux se
créent à partir d'anciennes routes,
comme celle de l'ambre de la Baltique,
ou bien en rapport avec les lieux de production des précieuses matières premières (cuivre, étain) comme la route de
l'étain depuis les îles Cassitérites des
Grecs et des Phéniciens (peut-être l'île de

Wight). La recherche des métaux devient
aussi source de rivalités. Entre 2000 et
1500, deux centres importants de production existent : la façade atlantique de
la France, avec la Bretagne, le sud de la
Grande-Bretagne, et l'Europe centrale.
Les sépultures des « princes » qui dominent alors la société sont d'importants
« tumulus ». Ensuite, la production métallurgique s'intensifie et le rite funéraire
de l'incinération l'emporte, avec des sépultures souvent familiales et recouvertes de tertres.

Vers 1000, une grande partie de l'Europe – la Suisse, le sud-ouest de l'Allemagne et la moitié orientale de la France
– possède une civilisation commune pratiquant l'incinération : le dépôt des cendres dans des vases biconiques enterrés
dans de vastes nécropoles (autrefois appelées « champs d'urnes »).

Des contacts entre Troie et
les Balkans ont permis la
naissance des premiers centres
métallurgiques yougoslaves, hongrois, grâce au cuivre des massifs
de Transylvanie. D'autres centres
primitifs sont nés dans le Caucase, les îles Lipari, la péninsule
Ibérique et en France, dans l'Hé-
rault. À l'âge du bronze ancien
(IIᵉ millénaire avant notre ère), la
métallurgie se répand jusqu'en
Scandinavie, qui pourtant ne possède pas de matières premières.
À ce premier stade, le métal est
constitué d'un alliage de cuivre et
d'arsenic, d'abord naturel et obtenu par simple réduction des minerais puis par l'adjonction volontaire d'arsenic (jusqu'à une teneur
d'environ 23 %).

Entre 2000 et 1800 se développe l'une des plus anciennes et
des plus importantes civilisations
du bronze ancien européen à Unetice, près de Prague. Cet essor est
dû à la proximité des ressources
minières du centre de l'Europe.
Unetice est d'autre part situé au
débouché des routes de l'ambre
de la Baltique acheminé vers la
Méditerranée.

La production de lingots de
bronze (dont la forme imite les
torques), de poignards à manche
de bronze, de haches à rebords,
de hallebardes est destinée principalement à l'exportation. Le
bronze véritable, alliage binaire à
peu près pur de cuivre et d'étain,
n'apparaît qu'au IIIᵉ millénaire au
Proche-Orient et seulement vers

1700 en Europe de l'Ouest. Les
centres de production du bronze
moyen vers 1500 utilisent le
minerai d'étain de Bretagne et
de Cornouailles. À l'époque du
bronze final, l'adjonction parfois
massive de plomb réduit les qualités du métal produit, qui se
trouve alors en concurrence avec
le fer. Dans certains centres métallurgiques actifs, débris de moules,
de creusets, de tuyères, jets de fou-
lée, etc., nous renseignent sur les
techniques utilisées. Le métal préparé pour la fusion se présente en
lingots ; on peut aussi refondre les
objets hors d'usage, cassés au
préalable en de nombreux fragments. L'air est insufflé dans le
foyer à l'aide de tuyères et de
soufflets, pour porter les char-
bons à incandescence. Lorsque le
métal est en fusion, vers 1 000 °C,
l'artisan bronzier le verse du creuset dans le moule bivalve qui peut
être en argile cuite, en pierre ou
quelquefois en bronze. Après re-
froidissement, l'objet est extrait
du moule, brut de coulée pour
être ensuite élaboré, poli et affûté ;
chaque débris métallique est
récupéré en vue d'une refusion.
Les techniques de chaudronne-
rie, de dinanderie, qui interviennent alors, sont attestées grâce
aux outils que l'on a pu retrouver
dans certaines cachettes. La technique de la fonte à cire perdue
était employée pour des pièces
complexes comme les roues de
bronze ou de petits objets de
parure. ●

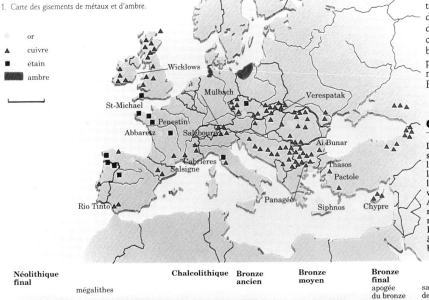

1. Carte des gisements de métaux et d'ambre.

- ○ or
- ▲ cuivre
- ■ étain
- ▬ ambre

Wicklows

Mülbach

Verespatak

St-Michael

Penestin

Abbaretz

Salzbourg

Ai Bunar

Cabrières

Thasos

Salsigne

Pactole

Panagée

Rio Tinto

Siphnos

Chypre

Gisements de métaux et d'ambre

La répartition des res-
sources métallifères de
l'Europe fait apparaître
la rareté relative de
l'étain, minerai allu-
vionnaire, exploité en
Armorique, Cor-
nouailles et, dans une
moindre mesure, en
Bohême. Indispensable
à la composition du
bronze, son achemine-
ment vers les centres
de production constitue
l'un des grands pro-
blèmes de la métallur-
gie protohistorique. Les
cuivres travaillés à
l'état natif ou les mine-
rais sont recherchés
dans le Caucase, en Eu-
rope centrale, dans le
midi de la France, la
péninsule Ibérique et la
Grande-Bretagne.
L'or, trouvé sous
forme de pépites, a
donné naissance très
tôt à une riche orfèvre-
rie. L'ambre de la Balti-
que fait l'objet d'un
commerce intense dont
les voies de diffusion
principales sont diri-
gées vers le Midi
méditerranéen.

Néolithique final		Chalcolithique	Bronze ancien	Bronze moyen	Bronze final		Age du fer				
mégalithes					apogée du bronze nordique	sacrifice des tourbières			Gundestrup influence romaine		
ZONE SEPTENTRIONALE											
Chalcolithique		Bronze ancien Unetice		Bronze moyen tumulus	Bronze final Rhin-Suisse France Orientale métallurgie atlantique sites lacustres	groupe normand	Premier Age du fer (Hallstatt) Hochdorf	Deuxième Age du fer Vix (La Tène) Waldalgestein Gournay-sur-Aronde		Époque romaine	Époque des migrations
ZONE TEMPÉRÉE											
Bronze ancien		Bronze moyen		Bronze final	Age du fer	époque orientalisante			Empire romain		Époque des migrations
Cyclades		Cnossos		Mycènes		époque géométrique	époque archaïque	époque classique	époque hellénistique		
ZONE MÉDITERRANÉENNE											

−3 000 −2 500 −2 000 −1 500 −1 000 −500 0 500

−1240 guerre de Troie

−850 ? Homère ?

−600 fondation de Marseille

−390 sac de Rome par les Celtes

−27 Auguste

465/511 Clovis

−750 fondation de Rome

−495/-429 Périclès

−356/-323 Alexandre

−52 chute d'Alésia

−44 mort de César

306/337 Constantin

La production métallurgique

OUTILS, OBJETS DE PARURE, ARMES
EN BRONZE DEVIENNENT DE PLUS EN PLUS PERFECTIONNÉS,
SURTOUT EN CE QUI CONCERNE L'ARMEMENT
DE PRESTIGE DES CHEFS.

De nombreux objets de bronze regroupés ont été découverts fortuitement : la cachette de Vénat à Saint-Yriex (Charente) ne contenait pas moins de 2 700 objets ! La plupart de ces dépôts rassemblent des pièces fragmentées et destinées à la refonte, d'autres, moins nombreux, contiennent des objets neufs. La cachette de Villethierry (Yonne) peut être interprétée comme une cachette de colporteur : 913 objets étaient disposés par paquets séparés dans un grand vase enterré ; 867 pièces neuves, dont 488 épingles de types différents et 379 objets de parure (pendentifs en forme de rouelle, bracelets, bagues, fibules).

À la fin de l'âge du bronze se développe en Armorique une production intensive de haches à douille creuse ; leur forte teneur en plomb les rend totalement inutilisables, leur tranchant est inexistant et on ne peut les affûter. Ces haches, non fonctionnelles mais de formes parfaitement calibrées, ont pu être utilisées certes comme lingots, mais aussi, peut-

être, comme des ancêtres de la monnaie. Généralement retrouvés dans les sépultures ou dans des cachettes (Villethierry, Yonne), objets de parure et bijoux sont destinés à la femme ou à l'homme, dès le chalcolithique. Les épingles, souvent très longues, dans les nécropoles de la forêt de Haguenau en Alsace, ferment le vêtement (ou le linceul dans certaines inhumations des tourbières du Danemark). Les colliers, torques, anneaux de chevilles, boucles d'oreilles, bagues, bracelets, d'or et de bronze, peuvent être obtenus à partir de tiges enroulées donnant une section hélicoïdale, ou de tiges à section ronde ou ovalaire. Le décor ciselé est toujours à base de motifs décoratifs géométriques non figuratifs. Certaines pièces comme les jambières, couvertes de fines gravures, se terminent par de longs fils de bronze enroulés en spirale (Bourgogne, Rhénanie) ; les grandes ceintures à maillons avec des pendeloques en tôle de bronze sont connues de la région alpine à la Loire.

Hormis la hache de pierre po-

lie – largement figurée sur les monuments mégalithiques, perforée et portée en pendeloque, déposée dans les sépultures –, et qui a pu servir d'arme dans certains cas, on ne connaît que fort peu d'objets d'usage guerrier avant l'âge du bronze. L'apparition d'un armement véritable traduit les composantes nouvelles de la hiérarchie sociale, dès l'âge du bronze ancien, et surtout le rôle des chefs, cavaliers dotés d'armes de prestige de plus en plus performantes (épées). Sur les statues-menhirs masculines du midi de la France ou de Corse, sur les gravures rupestres du mont Bego, poignards et hallebardes révèlent les armes du bronze ancien. La panoplie du guerrier va se diversifier ensuite avec les pointes de lance en bronze et surtout l'épée, le casque, le bouclier, la cuirasse et les jambières. Les casques ronds, à crête, comme celui qui a été dragué dans la Seine à Paris, possèdent généralement deux bossettes frontales en saillie (pour évoquer les yeux ?). Les cuirasses sont d'abord fabriquées en cuir recouvert de phalères de bronze, modèle dont dérivent les six exemplaires de Marmesse (Haute-Marne) en tôle de bronze décorée de bossettes et l'unique jambière récupérée dans une cachette de refonte à Cannes-Écluse (Seine-et-Marne), qui porte un décor de type mycénien. •

L'art et la religion du soleil et de l'eau

QU'ILS PRATIQUENT L'INHUMATION OU L'INCINÉRATION,
L'UNITÉ DE PENSÉE DES GROUPES ETHNIQUES SE MANIFESTE
AVEC LE CULTE DU SOLEIL ET DU FEU,
DES EAUX ET DES MARAIS.

De nombreux éléments permettent de conclure à l'existence d'un « culte » des eaux et des marais à l'âge du bronze : des coffrages de bois en rondins entourent les sources de Saint-Moritz, en Suisse, fréquemment un menhir se dresse à proximité d'une source (Quaillouan à Plesidy, Côtes-d'Armor) ; dans d'autres sites, des puits « sacrés » ont été creusés dans le sol (à Wilsford dans le Wiltshire, en Grande-Bretagne), où l'on a retrouvé à plus de 100 m de profondeur un crâne de bœuf, une urne de l'âge du bronze, des bijoux d'ambre et de jais et des épingles en os. Il existe d'autres dépôts d'objets de bronze que les cachettes d'objets neufs et intacts, de lingots ou de débris rassemblés pour la refonte : ceux des marais et cours d'eau – vaisselle d'or décorée au repoussé, chaudrons de bronze, grandes trompes (lurs) des tourbières scandinaves – probablement liés à des sacrifices humains, bien que les hommes retrouvés dans ces mêmes tourbières soient datés d'une période postérieure à celle de ces dépôts.

Dans les eaux vives, à l'emplacement des gués et des confluents ou le long des cours d'eau, ce sont des armes qui ont le plus souvent été jetées intentionnellement (épées, haches, casques, cuirasses et épées), comme le casque retrouvé dans la Seine, à Paris, ainsi que d'autres trouvailles effectuées en amont et en aval de Paris ou bien dans le Rhône, dans la Loire et jusque dans des fleuves côtiers bretons (épée associée à

des bois de cerf dans le Trieux, Côtes-d'Armor).

Reflet possible de la métallurgie du bronze : le culte du feu et du soleil apparaît dans de nombreuses représentations géométriques dont les formes sont dérivées du disque solaire, roues, rouelles, svastikas. Des rangées de cercles concentriques estampés ouvrent l'énigmatique cône d'or d'Aventon (Creuse). Jetées volontairement dans les marais, les roues de bronze, comme celle découverte récemment à Coulon (Deux-Sèvres), témoignent d'un culte de la roue.

Les symboles liés au néolithique et à d'éventuels « cultes agraires » – statuettes féminines dont la réputation est d'être vouées à la « fécondité » – ne sont pas abandonnés mais tendent à être supplantés par des thèmes « masculins » : des stèles comme les statues-menhirs de Corse avec leurs guerriers portant casque, baudrier et écussons, courts poignards ou longues épées égéennes. On retrouve également le culte néolithique du taureau sous la forme des cornes, chenets en argile disposés sur des plats et retrouvés dans les enclos (Courtavant, Aube) et dans le territoire Rhin-Suisse-France orientale-Allemagne du Sud, à la fin de l'âge du bronze. Les mêmes cornes de taureau ornent des casques de bronze comme ceux de Viksø (Danemark). Les grands lurs scandinaves, trompes en forme de cornes, sont fréquemment associés à des grelots, qui ont la forme des parties sexuelles du taureau. •

3. Le temple de Stonehenge (Grande-Bretagne).

4. Char du soleil, Trundholm (Danemark).

Le culte solaire

En parfaite continuité avec le mégalithisme apparu au néolithique, le monument de Stonehenge (3) en Grande-Bretagne n'est que l'ultime transformation d'une construction plus ancienne en temple solaire, orienté selon l'axe du solstice d'été. Les alignements (Carnac, Morbihan) sont, eux aussi, disposés en fonction des solstices. Les enclos circulaires, qu'ils entourent ou non des

sépultures, sont d'autres références possibles au disque solaire. Culte du soleil encore avec le char de Trundholm (4), réplique probable et miniaturisée d'un grand char processionnel, peut-être l'ancêtre du char d'Apollon. Jeté volontairement dans un marais, ne devient-il pas le signe d'une convergence probable entre le culte des eaux et celui de l'astre solaire ?

L'âge du fer

LES CONTACTS ENTRE LES populations « barbares » de l'Europe protohistorique et le monde méditerranéen sont attestés par des textes d'auteurs grecs et latins ainsi que par de nombreux témoignages archéologiques, à partir des VIIIe-VIIe siècles av. J.-C., avec l'émergence d'une entité « celte » parmi la mosaïque des peuples européens à laquelle on doit renoncer à attribuer une unité d'origine « indo-européenne ». La fin de l'âge du bronze et les débuts de l'âge du fer sont marqués par une période de crise. Certains sites bourguignons renforcent leurs fortifications.

Connu chez les Hittites à la fin du IIe millénaire, l'usage du fer se répand en Grèce vers 1000 et atteint l'Europe occidentale au VIIe siècle av. J.-C. Des sites sont abandonnés : les axes du transport des lingots de bronze sur les routes de l'étain et du cuivre perdent leur rôle dans une économie qui adopte l'usage du fer, surtout pour les armes.

La civilisation du premier âge du fer (Hallstatt) possède une composante orientale avec les Vénètes, les Illyriens, les Scythes, etc., et occidentale avec les Celtes. Dans le domaine occidental, de la Bourgogne à la Bohême, apparaît une caste militaire redoutable qui commerce avec les Grecs (Marseille) et les Étrusques, par la voie des Alpes.

Au déclin de cette aristocratie guerrière apparaît la deuxième phase de l'âge du fer, La Tène, dont les centres sont situés cette fois en Champagne, en Rhénanie, en Bohême et dans les Ardennes. Les chefs de ces contrées semblent moins puissants. À La Tène II, vers 450, apparaît un art exceptionnel, qui prend d'abord modèle sur les Grecs et joue sur des motifs curvilinéaires d'une grande beauté, tout en s'opposant radicalement au vocabulaire géométrique de l'ornementation hallstattienne. Au IIIe siècle, ils établissent des rapports directs avec les monarques hellénistiques, successeurs d'Alexandre, en se plaçant comme mercenaires à leur service et ils s'installent en Anatolie (les « Galates »).

Les Romains, en Gaule du Sud, dans la région de Marseille, organisent des expéditions militaires, prélude à la fondation de la Narbonnaise et à la conquête militaire du pays tout entier, conquête qui sera achevée après la prise d'Alésia par Jules César en 52 av. J.-C.

L'art celte : expression d'une unité

PROFONDÉMENT HOMOGÈNE, L'ART REFLÈTE L'UNITÉ, AU DEUXIÈME ÂGE DU FER, DE CES PEUPLES CELTES QU'UNE VOLONTÉ D'EXPANSION PORTE AU PLUS LOIN DE LEURS TERRES D'ORIGINE.

L'apparition d'un art profondément original coïncide avec le deuxième âge du fer (La Tène), expression de l'unité celtique dans une majeure partie de l'Europe. De nouveaux thèmes apparaissent, orientaux d'origine, comme celui du maître des animaux ou de l'arbre de vie entouré symétriquement d'oiseaux ou de monstres, ou encore les animaux affrontés. Ils vont orner les agrafes de ceinture, les fourreaux des épées et des poignards, les garnitures de chars ; la vogue de ces motifs les fait se répandre de la Champagne aux Carpates. Des compositions plus abstraites sont élaborées au compas à partir de motifs grecs ou étrusques, palmette et fleurs de lotus (phalères ajourées des chars de Champagne et de Rhénanie).

L'expansion celte vers le sud en direction de l'Italie, l'installation des Sénons dans la plaine du Pô et le long des rives de l'Adriatique met en contact direct bronziers et orfèvres étrusques avec les artisans gaulois : un véritable va-et-vient s'instaure en Gaule cisalpine et Gaule transalpine. Le style ainsi créé, qualifié de libre, prend pour source d'inspiration des motifs végétaux, linéaires et souples, adaptés aux armes (casques d'apparat d'Amfreville-sous-les-Monts dans l'Eure ou de Pont-d'Agris en Charente). Sur les bijoux d'or de Waldalgesheim, en Rhénanie, la figure humaine subsiste en forme de masque inclus dans un décor à l'extrême stylisation des formes, fluides, toutes en courbes et en rinceaux. La stèle sculptée de Pfalzfeld (Hunsrück), qui porte des motifs floraux stylisés avec un masque humain au milieu de chaque panneau, montre également cette influence étrusque au nord des Alpes pendant la période de La Tène I (IVe siècle ou fin du Ve siècle av. J.-C.).

Dans le même temps, les vases peints à motifs curvilignes rouges de Prunay (Marne) s'inspirent librement de la technique d'exécution des vases grecs à figures rouges.

Les torques d'or de la région de Toulouse (Fenouillet) ou le torque et bracelet de Lasgraisses (Tarn) à l'exubérance baroque d'influence hellénistique évoquent, pour ces régions, les influences des Volques Tectosages, peuple d'origine centre-orientale. Torques et bracelets d'or étaient portés par les guerriers combattant nus, tels qu'ils sont évoqués par l'historien Polybe lors de la bataille de Télamon (en 225 av. J.-C.). En 191 avant notre ère, Tite-Live rapporte que les Romains auraient pris aux Boiens, autre tribu celte, un butin de 1 500 torques d'or.

À l'apparition des grandes agglomérations urbaines que sont les oppida (du début du IIe siècle au milieu du Ier siècle av. J.-C.) correspond une modification des modes funéraires, un appauvrissement du mobilier et par conséquent une raréfaction des produits de l'artisanat et de l'art celtes. Cependant, le phénomène généralisé de la production monétaire qui s'amorce témoigne de l'activité économique grandissante ; la création de monnaies s'inscrit en droite ligne dans le phénomène de la créativité des Celtes. Habiles transpositions – et non pas copies maladroites – des statères grecs et macédoniens, à l'effigie d'Alexandre et de ses successeurs hellénistiques, ces monnaies obéissent à des conventions d'une extrême stylisation chère à l'art celte, par l'éclatement des formes et des visages, avec une audace expressive qui n'a rien à envier à l'art contemporain (monnaies d'or des Parisii).

Avec l'occupation de la Gaule et la fin de l'indépendance, quelque 70 ans après le passage de Jules César, dans une Europe romanisée et influencée à l'est par les steppes, il ne reste rien de l'art celte, dont certaines traditions vont cependant resurgir dans l'art irlandais du haut Moyen Âge. •

Les princes hallstattiens

CASTE GUERRIÈRE, LES « PRINCES » DE LA CULTURE DE HALLSTATT CONTRÔLENT LE COMMERCE ENTRE L'EUROPE DU NORD, LE MONDE GREC ET ÉTRUSQUE, ET EN TIRENT DE SUBSTANTIELS AVANTAGES.

Avec la culture de Hallstatt, une puissante aristocratie guerrière apparaît en Europe au premier âge du fer (VIe siècle av. J.-C.). Elle connaît l'usage de la grande épée de fer et utilise des chars de guerre à quatre roues tirés par des chevaux. Les princes celtes construisent de vastes forteresses, les oppida : ainsi, non loin des sources du Danube, la Heuneburg, dont la muraille de briques crues séchées est bâtie à la manière des architectes méditerranéens, l'habitat fortifié de Hohenasperg dans le Bade-Wurtemberg, le mont Lassois près de Châtillon-sur-Seine en Bourgogne ou la citadelle de Zàvist en Bohême. Les sites de Bourgogne, du Rhin moyen et de la région entre Salzbourg et Prague pourraient bien être d'importants relais commerciaux dans le réseau de communication entre l'Europe du Nord et le bassin méditerranéen, auquel on accède par le col du Brenner dans les Alpes.

À partir de 600 av. J.-C., la colonisation grecque s'est répandue en direction de la mer Noire et dans toute la Méditerranée (fondation de la colonie de Marseille) ; les importations grecques des colonies de l'Italie du Sud, de l'Étrurie vont se diriger vers l'Europe. Tandis que les esclaves, le bétail et les peaux, le sel, l'ambre, le bois transitent vers le sud, l'huile d'olive, le vin remontent vers le nord. Les importations du monde grec sont présentes dans presque tous les sites hallstattiens. À la Heuneburg, on a pu dénombrer plus de cent tessons de vases grecs à figures noires (VIe siècle av. J.-C.) ainsi que de nombreux débris d'amphores. Le très riche mobilier de bronze contenu dans les sépultures princières confirme l'importance de la vaisselle pour le service du vin et donc le rôle appréciable du vin dans les exportations.

Dans la phase ancienne de la culture hallstattienne, les corps sont incinérés, le mobilier est riche, surtout en céramique ; il contient nourriture et boisson pour le mort ainsi que quelques parures, plus rarement des armes, épées ou lances.

La phase plus récente est constituée d'inhumations avec un riche mobilier. Autour de Hohenasperg, près de Stuttgart, des tumulus princiers abritent des sépultures par inhumation. Entre Tübingen et Ludwigsburg, à Hirschlanden, une sculpture de guerrier ithyphallique en ronde bosse était placée au sommet du tertre tumulaire. Coiffé d'un casque conique, l'homme porte un large collier, une ceinture avec un poignard hallstattien typique. La nudité héroïque du personnage est conforme à l'usage de certains guerriers celtes relaté par les textes d'auteurs romains. La sépulture de Hochdorf, outre un char à quatre roues avec caisse et timon, une banquette en bronze de fer, contenait un ensemble complet pour le service du vin : chaudron en bronze à trois anses orné de trois lions destiné au mélange du vin avec l'eau et les aromates avant sa consommation et huit vases à boire en corne d'aurochs. À Vix, dans la chambre funéraire sous tumulus découverte en 1953, une femme avait été inhumée au début du Ve s. av. J.-C. dans un char avec un diadème (ou torque) en or de facture gréco-scythe, un cratère en bronze à volutes (le plus grand vase en bronze antique connu, d'une contenance de 1 200 litres, et dont les fonctions restent indéfinies, certains pensant au rituel de l'immersion d'une victime humaine) avec une phiale d'argent sur son couvercle, deux coupes attiques, une œnochéo en bronze (service à boire destiné à la consommation du vin). •

1. Œnochoés de Basse-Yutz (Moselle).

L'empreinte de la Méditerranée sur le monde celtique

Rien n'illustre mieux les influences esthétiques reçues par le monde celte, au premier âge du fer, et ses réactions face à l'art grec ou étrusque que les rares œuvres où l'homme s'est figuré lui-même : ainsi le guerrier de Hirschlanden (4), qualifié de kouros, mais dépourvu du modelé vigoureux de ses supposés modèles, ou bien ces figurines féminines (2) d'un schématisme extrême ornées de trous initialement remplis de corail, qui soutenaient la kliné (banquette funéraire) du prince de Hochdorf. Échange et interaction d'influences encore à l'époque de La Tène, où l'on trouve des versions « arts déco » de la production étrusque (1), enrichies d'incrustations de corail et d'ornements zoomorphes étranges, typiquement celtiques.

La religion des Celtes et des Ligures

À CÔTÉ DE SES ASPECTS TRADITIONNELS – ROMANISÉS –, LA RELIGION ARCHAÏQUE, PROFONDE, DES CELTES, AVEC SES PRATIQUES LES PLUS CRUELLES, EST CONFIRMÉE PAR CERTAINS MONUMENTS ET PAR LES FOUILLES.

L'ancienne religion des Celtes est difficile à appréhender à travers les textes souvent tardifs des auteurs latins, comme Jules César, où il n'y apparaît qu'une religion déformée, assimilée à celle du vainqueur. De nombreuses représentations des divinités celtes ne sont en réalité que celles des dieux gallo-romains (Mars, Mercure, Jupiter) derrière lesquels se profilent les divinités indigènes (Esus, Teutatès et Taranis, mentionnés par le poète Lucain).

Dans la basse vallée du Rhône, aux confins du monde celte et dans une région ouverte très tôt aux influences gréco-étrusques venues de Marseille et de l'Italie septentrionale, les peuples ligures et salyens ont édifié des sanctuaires : à Entremont (Bouches-du-Rhône), le temple des Saliens, détruit par les Romains en 123 av. J.-C., est peuplé par une assemblée de statues de guerriers, d'où se détachent des têtes coupées. À Roquepertuse, on retrouve les personnages assis jambes re-

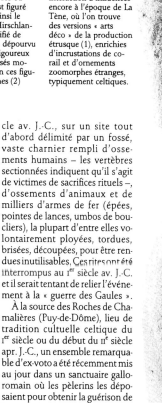

pliées, la plante des pieds tournée vers le haut dans la posture encore en usage chez de nombreux peuples orientaux. Des crânes probablement placés à l'origine dans les niches creusées sur les trois piliers d'un « portique » rappellent la pratique de l'aristocratie guerrière des cavaliers celtes coupeurs de têtes rapportée par Diodore : « Aux ennemis tombés ils enlèvent la tête qu'ils attachent au cou de leurs chevaux. »

L'imagerie populaire a répandu, à la suite de Pline, le tableau idyllique de la cueillette du gui par les druides au cœur de la forêt gauloise, lieu sacré précédant la construction des sanctuaires (fanum) qui ne sont pas antérieurs à l'époque gallo-romaine. Des fouilles récentes ont révélé l'existence de sanctuaires véritables, précédant la conquête romaine, et des rites moins pacifiques que ceux rapportés dans la description de Pline. À Gournay-sur-Aronde (Oise), l'évolution du sanctuaire a pu être observée entre la moitié du IIIᵉ siècle et le Iᵉʳ siè-

cle av. J.-C., sur un site tout d'abord délimité par un fossé, vaste charnier rempli d'ossements humains – les vertèbres sectionnées indiquent qu'il s'agit de victimes de sacrifices rituels –, d'ossements d'animaux et de milliers d'armes de fer (épées, pointes de lances, umbos de boucliers), la plupart d'entre elles volontairement ployées, tordues, brisées, découpées, pour être rendues inutilisables. Ces rites ont été interrompus au Iᵉʳ siècle av. J.-C. et il serait tentant de relier l'événement à la « guerre des Gaules ».

À la source des Roches de Chamalières (Puy-de-Dôme), lieu de tradition cultuelle celtique du Iᵉʳ siècle ou du début du IIᵉ siècle apr. J.-C., un ensemble remarquable d'ex-voto a été récemment mis au jour dans un sanctuaire gallo-romain où les pèlerins les déposaient pour obtenir la guérison de leurs maladies. Ces ex-voto, en bois sculpté, représentent les parties malades du corps : bras, jambe, buste ou personnages entiers. De même nature que celui de Chamalières, le sanctuaire des Sources de la Seine, où les ex-voto avaient été regroupés, présente des anatomies stylisées sculptées en bois et d'une remarquable précision : on a pu identifier un bassin masculin présentant une hernie inguinale sur le côté droit. ●

→ **Voir aussi :** Le monde celtique, HIST, p. 44-45. La Gaule romaine, HIST, p. 46-47.

2. Figurine féminine, banquette funéraire de Eberdingen-Hochdorf, Bade-Wurtemberg (Allemagne).

4. Guerrier de Hirschlanden, Bade-Wurtemberg (Allemagne).

Proche-Orient ancien
L'ère des révolutions

L A MÉSOPOTAMIE FUT LE creuset de quelques-unes des plus anciennes civilisations. Terre sans ombre à l'apparence d'une steppe désertique parsemée d'oasis, mais où, dans le même temps, paradoxe de la nature, les eaux cumulées des grands fleuves qui la parcourent contribuent à la formation d'immenses marécages parsemés d'îlôts argileux empêtrés de roseaux, elle est tard occupée par l'homme, et domestiquée par lui au prix d'un rude labeur. Une culture originale y parvient à maturité, produit d'une triple rencontre : celle d'une population inconnue qui n'a laissé d'autre trace que dans quelques toponymes ; celle des Sumériens, les inventeurs de l'écriture cunéiforme ; celle, enfin, des Akkadiens, de langue sémitique.

Mais le mouvement de l'histoire n'est pas linéaire. Il n'y a ni maturation lente, ni passage progressif d'une humanité primitive d'une économie naturelle à une économie domestique, enfin à une économie d'échanges. Les sociétés humaines sont généralement en présence de choix multiples. Leurs réponses vont engendrer des transformations radicales. La domestication des plantes et des animaux ou l'apparition des villes sont de celles-là.

À l'origine se trouvent, au Kurdistân, les bifaces et les grattoirs en silex de Barda Balka, vieux de quelque 80 000 années. Plus récents, quelques squelettes humains et divers outils, découverts au mont Carmel (Israël) ou à Chānidār (Iraq), des inhumations probablement avec offrandes de fleurs, disent la présence, successive, de l'homme de Neandertal et de l'*Homo sapiens sapiens*.

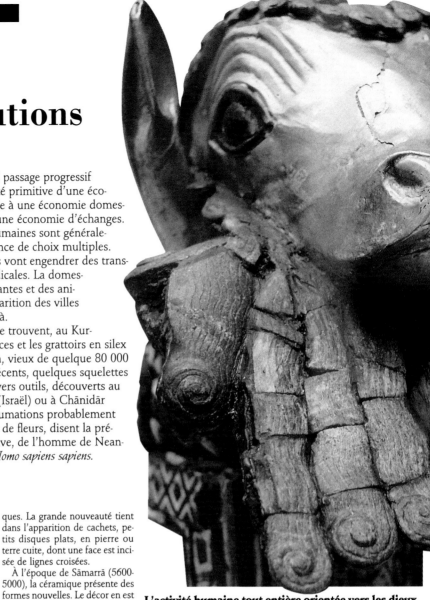

L'activité humaine tout entière orientée vers les dieux

Les premières communautés villageoises

LES GROUPES HUMAINS SE SÉDENTARISENT,
ILS PRATIQUENT L'AGRICULTURE ET L'ÉLEVAGE ET SONT
LES CRÉATEURS DE LA PREMIÈRE ARCHITECTURE
ET DE LA PREMIÈRE CÉRAMIQUE.

L e passage du paléolithique au néolithique se traduit par la présence d'un outillage nouveau. La sédentarisation voit la création de petites agglomérations construites dont certaines précèdent la poterie.

Au Xe millénaire apparaissent des villages aux maisons rondes, parfois en bois, qu'entourent des murets en galets, bois ou argile (Chānidār, en Iraq, Mallaha, en Palestine, Mureybat, en Syrie). Au IXe millénaire, à Mureybat, un village aux maisons rectangulaires faites de blocs calcaires liés par un mortier d'argile, avec un décor de motifs géométriques sur les murs, se substitue à l'établissement précédent.

À partir de la fin de ce millénaire, la construction de maisons quadrangulaires se fait plus courante. Deux sites exceptionnels illustrent les mutations en cours. En Israël, dans la bourgade de Jéricho (IXe millénaire), une muraille de pierre, ainsi qu'une tour, témoigne de ce que, bien avant de cuire la poterie d'argile, l'homme fortifie son habitat et modèle aussi, avec du plâtre, des crânes humains. En Turquie, à Çatal Höyük (milieu du VIIe millénaire), village aux maisons en brique crue avec poutrage en bois et murs richement ornés de peintures murales, des têtes de bovidés sont, sans doute, à associer à des figurines de déesse mère.

La maîtrise de la terre cuite ne se généralise qu'au cours du VIIe millénaire. À Qalaat Jarmo (Iraq) et Ali Kosh (Iran) [à partir de 6750-6500], les villages de maisons rectangulaires sont en adobe ou en brique crue, et la vaisselle en pierre ; seules des figurines d'animaux et de déesses mères sont en argile et la poterie n'apparaît que dans les niveaux archéologiques les plus récents.

Plus tard, à l'époque de Hassouna (5800-5500), aux côtés des figurines d'argile toujours présentes, la poterie offre des formes variées. Le décor en est souvent peint, parfois incisé, toujours géométrique. Les maisons, rondes ou carrées, sont parfois pourvues d'un sol en dalles d'argile, certains murs étant agrémentés de fresques. La grande nouveauté tient dans l'apparition de cachets, petits disques plats, en pierre ou terre cuite, dont une face est incisée de lignes croisées.

À l'époque de Sāmarrā (5600-5000), la céramique présente des formes nouvelles. Le décor en est toujours géométrique, souvent monochrome, mais les motifs naturalistes ne sont pas absents. Parfois, des visages humains en relief ornent des cols de jarres. À Tell es-Sawwan (Iraq), village défendu par un fossé doublé d'un mur d'argile à contreforts, les maisons sont en briques crues allongées. Certaines figurines ont des yeux faits d'une pastille d'argile fendue, et le crâne allongé. •

1. Çatal Höyük, Turquie,
peinture murale (fin VIIe millénaire).

Les cultes les plus anciens sont, semble-t-il, ceux du taureau (1) et d'une déesse mère, peut-être cette aïeule, maîtresse des animaux, qui assure la continuité des espèces. Quatre mille ans après Çatal Höyük, la lyre (2) d'Our témoigne de la pérennité de l'image du taureau dans le monde mésopotamien. Chef de la communauté humaine, le roi conduit la guerre, comme Eannatoum, le victorieux roi de Lagash, ici représenté à la tête de son armée sur l'une des faces de la stèle dite « des Vautours », dont le texte, sans doute le plus ancien récit historique, raconte les querelles entre les cités de Lagash et d'Umma, ainsi que les nombreuses autres victoires du souverain (5). Le roi mène aussi la chasse, assure l'abondance, bâtit les temples (3). À côté de l'architecture de terre, il existe, dans le sud de Sumer, une autre architecture, faite de roseaux dont les longues hampes ornent la façade des bâtiments (4). Art de construire qui, lui aussi, franchira les siècles, et que la tradition a préservé jusqu'à nos jours en Iraq, dans la région des marais.

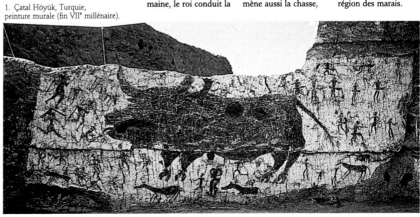

La révolution urbaine

L'HUMANITÉ PASSE DE LA PRÉHISTOIRE À L'HISTOIRE AVEC LES DÉBUTS DE LA MÉTALLURGIE ET L'INVENTION DU CYLINDRE-SCEAU, SUPPORT DE L'ÉCRIT.

Le plan des maisons de brique crue varie d'une région à l'autre. La poterie peinte poursuit la tradition des époques précédentes, le décor étant toujours essentiellement géométrique. Chaque région a son style propre, peinture noire sur fond rouge ou peinture brune sur fond crème. Vers 4500, l'Iran voit avec du cuivre les débuts de la métallurgie.

La culture de Tell Halaf (5500-4500) essaime et exerce son influence dans tout le Proche-Orient. À cette époque, le sud de l'Iraq connaît la première occupation humaine (Eridou). Un nouveau type de maison ronde et voûtée, parfois précédée d'un long couloir rectiligne, aux murs de brique crue, est caractéristique de l'architecture ; dans les bourgs, certaines rues sont pavées. La céramique présente des formes variées, le décor géométrique rouge, noir ou polychrome couvrant la quasi-totalité de l'objet.

La période d'El-Obeïd (4500-3750) est marquée par la généralisation d'une poterie standardisée, produite en masse, au décor géométrique simplifié. À côté des maisons et des greniers, un bâtiment plus vaste, temple ou résidence de l'élite sociale, apparaît. Les cachets de pierre ou d'argile cuite à décor géométrique sont de plus en plus nombreux.

La période d'Ourouk lui est consécutive (3750-3200). Elle voit l'accélération du processus d'urbanisation. La ville d'Ourouk, avec son enceinte de 9 km, abrite, semble-t-il, une population de quelque 10 000 habitants. L'architecture monumentale s'y déploie sur une terrasse haute en brique crue, les façades des bâtiments sont décorées de cônes de pierres multicolores : les plus anciennes mosaïques. Le site de Hububa-Kabira, sur l'Euphrate (Syrie), bâtie sur 20 ha, avec son centre résidentiel et religieux, ses maisons alignées le long des rues, ses remparts renforcés de tours carrées, illustre le rayonnement de la nouvelle culture.

L'introduction du tour révolutionne l'art de la céramique. Le cylindre-sceau, que l'on roule sur l'argile fraîche pour sceller les jarres, paniers ou portes, remplace le cachet circulaire. Le lapicide y trouve une surface graphique plus grande que sur un cachet et peut orner de motifs gravés tout le revêment cylindrique du sceau.

L'écriture est inventée à la fin de l'époque d'Ourouk, vers 3300 ; évoquant des empreintes de clous (d'où son nom, « cunéiforme ») et, à l'origine, gravée, elle sera, ensuite, tracée à l'aide d'un roseau finement taillé en biseau : le calame. ●

4. Khafadje. Déroulement d'un cylindre-sceau. Fin IVᵉ-début IIIᵉ millénaire.

Les cités-États

À LA PÉRIODE DE DJEMDET NASR (3300-2900), PREMIÈRE ÉCLOSION DE LA JEUNE CIVILISATION URBAINE, SUCCÈDE UNE ÈRE DE MORCELLEMENT POLITIQUE.

Partout où se dresse un palais ou un temple fleurit l'activité intellectuelle ou artistique. L'architecture et les arts plastiques se développent selon des critères similaires et donnent à la civilisation du temps, quoique duelle, puisque sumérienne au Sud (autour d'Ourouk, Our, Nippour et Lagash) et sémitique au Nord (autour de Kish, Mari, Ebla et dans la vallée de la Diyālā), son caractère unitaire. On a coutume d'appeler cette époque le Dynastique archaïque (2900-2300).

L'architecture se distingue par l'emploi de la brique plan convexe. Les temples présentent partout la même disposition interne : une *cella* est entourée de diverses pièces annexes ; on y accède par une cour pourvue d'un autel. L'enceinte de l'espace sacré prend une forme ovale, comme à Khafadje et à Lagash. Les palais (on n'en connaît guère qu'à Mari et Ebla) sont semblables aux demeures particulières à cour centrale, ils sont simplement conçus à plus grande échelle. On note, à Ourouk et à Kish, le recours à la colonnade. Les tombes royales d'Our offrent le premier exemple de voûte en encorbellement.

La céramique est surtout caractérisée par la fabrication de « vases-bouteilles » à moins jus que vers 2600. La sculpture, en ronde bosse ou bas relief, est de qualité inégale, selon les écoles. Les sites de la Diyālā fournissent des statuettes au corps cylindrique aux muscles à peine esquissés

et aux yeux incrustés, démesurément grands. Les œuvres de Mari sont moins rigides et plus réalistes. Sur des plaques carrées perforées en leur centre sont représentées des scènes de genre, principalement des banquets.

Le répertoire de la glyptique s'enrichit, aux décors de brocart succèdent les scènes de combats ou de banquets. Les techniques de la métallurgie n'ont plus de secrets, avec la production d'œuvres en métal coulé. Les bijoux et les œuvres exhumées lors de la découverte des tombes royales d'Our témoignent de ce que l'orfèvrerie atteint à l'un de ses sommets, avec le travail au repoussé ou en filigrane, la granulation, le cloisonné, l'habileté de la ciselure et de la soudure.

La vie d'une cité est admirablement résumée en quelques traits saisissants sur les deux panneaux de l'« étendard » d'Our (British Museum) ; un coffret en bois couvert de mosaïques de coquillage, figurant respectivement les travaux de la guerre et ceux de la paix. Les scènes représentées sont disposées en registres. Côté guerre, des chars et des hommes d'armes foulent les cadavres d'ennemis vaincus, alors que des prisonniers nus sont traînés devant le roi. Côté paix, des hommes apportent des fardeaux, d'autres poussent devant eux des animaux destinés à un banquet qu'accompagne un orchestre. ●

→ **Voir aussi :** La Mésopotamie, HIST, p. 22-23.

3. Relief d'Our Nanshé, roi de Lagash (v. 2500) ; calcaire.

5. Stèle des Vautours ou d'Eannatoum (v. 2450) ; calcaire.

Proche-Orient ancien

L'art, instrument de pouvoir

AVEC LA FONDATION DE l'Empire d'Akkad par Sargon l'Ancien (v. 2300), mais plus encore avec l'avènement de son petit-fils Narām-Sīn (v. 2200), le régime monarchique connaît un accroissement de puissance sans précédent. L'ensemble de l'ordre politique et social bascule dans un univers nouveau et la production artistique se fait l'expression de cette mutation.

Les rois assoient leur pouvoir sur la victoire militaire, la capture de butin, la levée de tributs et la redistribution d'une part de ceux ci à l'élite dirigeante, aux fidèles de tout rang, aux ancêtres et aux forces spirituelles. Par l'autorité et les richesses qui émanent de leur personne, ils tiennent la première place, et l'art officiel, rempli du tumulte des batailles et de la clameur des combattants, a pour fonction de le faire savoir.

Le trésor royal tient, dans ce processus, une place essentielle. Sans cesse amenuisé par les dons et toujours régénéré par les captures et les conquêtes, il dit de manière tangible la terrible radiance qui émane de la personne du souverain. Il est la parure qu'il exhibe en public, revêtu de ses insignes, tenant à la main le sceptre, souvent en or incrusté de lapis-lazuli, portant vêtements et coiffure d'apparat, brandissant des armes de parade, lorsqu'il paraît, dans la salle du trône ou en quelque lieu aménagé pour lui.

Le palais devient très rapidement un foyer artistique de premier plan. Ses produits sont distribués selon la générosité du monarque et l'on s'explique mieux, ainsi, la diffusion de l'art officiel, l'engouement des artistes pour les mêmes thèmes politiques et mythologiques ou le mouvement intellectuel qui se développe dans l'orbite du pouvoir.

Beaucoup plus tard, l'Empire achéménide (VIIe-IVe siècle av. J.-C.) reposera encore sur les mêmes bases. Toute sa production artistique chante et magnifie le charisme du souverain, depuis la statue de Darios provenant de Suse (musée de Téhéran), unique témoin de la sculpture en ronde bosse de l'époque achéménide, jusqu'à l'architecture et au décor historié des palais de Suse, de Pasargades et de Persépolis, avec leurs hautes salles à colonnes ou *apadana,* ou la salle d'audience aux cent colonnes, l'une des très belles réussites de Persépolis.

L'architecture

PALAIS ROYAUX ET TEMPLES DIVINS, L'ARCHITECTURE SERT L'IDÉOLOGIE ROYALE ET LE POUVOIR DES DIEUX LÉGITIME LES ROIS.

À un monarque puissant il faut une résidence, digne reflet de son pouvoir. Or, les rois de l'ancien Orient, précisément, excellent dans l'art de fonder les palais et les villes.

Quant aux dieux, ils ne sont pas oubliés pour autant. Le trait marquant de l'architecture religieuse est la tour à étages, la *ziggourat*. Our-Namma (vers 2100) construit la plus ancienne, celle d'Our. La plus célèbre est celle de l'Esagil, le sanctuaire de Mardouk à Babylone (VIe siècle av. J.-C.).

S'agissant des rois, Sargon l'Ancien (vers 2300) fonde Akkad, qu'embellira son petit-fils, Narām-Sīn. Mais les palais du IIIe millénaire sont presque totalement perdus. Plus tard, aux XIXe et XVIIIe siècles av. J.-C., comme à Larsa ou à Mari, les rois se font encore construire des palais aux cours multiples séparant les pièces officielles de l'aile résidentielle dont les étages, cependant, se sont effondrés.

À partir du XIVe siècle av. J.-C., des œuvres nouvelles sont édifiées, notamment en Babylonie sous l'impulsion des rois kassites. Le caractère monumental des constructions entreprises est frappant. Les palais apparaissent désormais comme des agglomérats de plusieurs demeures à cour centrale, ainsi celui de Dour-Kourigalzou (XIVe siècle). Mais le bâtiment caractéristique de l'époque kassite est le temple d'Inanna à Ourouk, avec son mur à redans en briques moulées où des niches abritent des figures de déesses et de dieux portant un vase d'où jaillissent des filets d'eau.

En Assyrie, les rois bâtissent avec la même démesure, ainsi en Iraq le palais de Kar-Toukoulti-Ninourta (XIIIe siècle) ou, plus tard, ceux de Kalah (IXe siècle). Et c'est une autre ville royale qui est fondée, encore, par Sargon II (VIIIe siècle) à Dour-Sharroukên, le palais faisant saillie à l'extérieur de l'enceinte. L'entrée comporte un portique dont les quatre colonnes reposent sur des lions en bronze, emprunt à l'architecture des palais de Syrie du Nord appelés *bit hilani*. Ses successeurs abandonnent Dour-Sharroukên pour s'établir à Ninive, où ils élèvent leurs propres palais. On devine chez eux le goût du grandiose.

Avec Nabuchodonosor II (VIe siècle av. J.-C.), Babylone redevient la grande capitale qu'elle n'avait plus été depuis des siècles. Le palais y chevauche également le mur d'enceinte. Hors de la ville proprement dite se dresse un second palais. La ville elle-même s'abrite derrière un double rempart muni de tours ; l'une de ses portes, la porte d'Ishtar, est protégée par deux tours saillantes et ses murs de brique portent des frises d'animaux en marche.

Le décor des palais

PEINTURES MURALES, FRESQUES, BAS-RELIEFS HISTORIÉS, TOUT L'ART CONCOURT À LOUER LES VERTUS DU SOUVERAIN ET À ILLUSTRER LA POLITIQUE DU PRINCE.

Le palais est richement décoré de scènes qui exaltent la personne du souverain, car le roi doit être constamment glorifié. Les stèles, les obélisques et les statues n'ont pas d'autre but. Des inscriptions abondantes complètent et commentent ce répertoire iconographique.

Les murs des palais sont couverts de fresques. Le décor peint rappelle généralement l'architecture à cloisonnage. Les plus anciennes peintures murales connues proviennent du palais de Mari (fin du IIIe millénaire-début du IIe). Les salles d'audience sont décorées de peintures qui se distribuent sur cinq registres, frises de porteurs, de soldats, scènes d'offrandes et de libations, frise de pêcheurs enfin. Un mur de l'une des salles est orné d'une scène d'investiture ; on relève le hiératisme des attitudes des personnages comme celui des positions des animaux symboliques.

Les quelques intéressants restes retrouvés dans les ruines de Kâr-Toukoulti-Ninourta permettent de reconstituer des panneaux couverts de divers motifs héraldiques, animaux ou monstres flanquant un arbre stylisé.

Les compositions d'hommes en marche et des thèmes floraux ont été découvertes à Dour-Kourigalzou ; on y voit, notamment, un personnage portant tunique à franges et qui ressemble aux premières représentations de *tarbush* (vêtement royal assyrien) que l'on retrouvera, plus tard, dans l'art assyrien. Sur les fresques du palais de Nouzi (XIVe siècle av. J.-C.), on relève la présence de palmettes, de têtes de bovidés et de visages humains au milieu de motifs architecturaux.

À partir du IXe siècle, on entre dans la phase ultime de l'art assyrien. L'usage de la brique émaillée se répand et se généralise : les techniques de l'émail et du verre ont en effet été inventées dans la seconde moitié du IIe millénaire. Aux peintures murales vient se joindre le décor sculpté. Les portes des palais sont désormais flanquées de génies monumentaux destinés à écarter les forces du mal et à impressionner les visiteurs ; le plus souvent, ils prennent la forme de taureaux ailés androcéphales.

Quant aux grandes surfaces murales, elles sont couvertes de bas-reliefs ou de peintures qui racontent inlassablement les exploits des souverains. Les innombrables reliefs d'orthostates qui ornent couloirs et salles sont du domaine de la « prose illustrée » ; ils figurent des scènes rituelles, mais plus généralement des scènes de guerre et de chasse. Les scènes de guerre dominent et, malgré le cortège de stéréotypes qu'elles véhiculent, elles ne sont pas totalement dépourvues d'originalité, surtout lorsque l'artiste se plaît à figurer des scènes extraites de la vie quotidienne. On y découvre, principalement à partir d'Assourbanipal (VIIe siècle av. J.-C.), un effort de narration et de présentation d'une succession d'événements qui se déroulent dans l'espace, au moyen d'une frise continue. L'exemple le plus célèbre est sans conteste celui de la chasse au lion (British Museum, Londres), l'animal étant représenté successivement dans les diverses attitudes qu'il adopte entre le moment où il sort de la cage qui l'abritait jusqu'à l'instant où il s'effondre, percé de flèches. Les portes de bronze de Balawat, du palais de Salmanasar III (British Museum, Londres), sont également couvertes de semblables reliefs historiés narrant le récit des triomphes du roi. •

1. Sennachérib au siège de Lakish ; reliefs du palais de Ninive. 690 av. J.-C.

2. Plaquette d'ivoire provenant d'Arslan Tash. VIIIᵉ s. av. J.-C.

Le mobilier

NULLE FORME D'ART N'ÉCHAPPE
À L'IDÉOLOGIE OFFICIELLE, SI L'ON EXCEPTE LA PRODUCTION
EN MASSE DE FIGURES EN TERRE CUITE DÉPOURVUES
DE TOUTE CONVENTION.

Après des débuts prometteurs, au temps de Narâm-Sîn (vers 2200 av. J.-C.) ou de Goudéa, le roi de Lagash vers 2100, l'une des plus hautes époques de l'art mésopotamien – on pense à la stèle de Sippar (vers 2200, Louvre) où l'artiste, abandonnant la composition en registres, centre toute la scène sur le triomphe du roi, ou à la majesté sereine des statues de Goudéa (Louvre) –, la production artistique tombe dans un académisme plat.

Par la suite, il est vrai, les témoignages nous sont parvenus en état trop fragmentaire pour qu'il soit possible d'en juger. L'autel de Toukoulti-Ninourta (musée de Berlin) en est la meilleure illustration. C'est un socle cubique dont l'une des faces est ornée d'un re-lief, le roi y est représenté tout à la fois debout et à genoux, en prière devant un podium orné d'un symbole énigmatique, peut-être une tablette et un stylet. Le socle a dû servir de support à un symbole divin.

Les *koudourrous,* stèles attestant l'allocation de terres par le souverain à de hauts dignitaires (à partir du XIVᵉ siècle av. J.-C), donnent une autre image, plus naïve, de la sculpture. La surface que le texte en cunéiforme laisse libre sur la pierre est entièrement recouverte de symboles divins superposés. Il arrive que le roi et le donataire soient également figurés.

Le répertoire iconographique de la glyptique paléo-akkadienne est, une fois encore, le plus riche, qui aborde les thèmes mythologi-ques les plus variés. Par la suite, la glyptique ne traite plus qu'inlassablement le même thème de l'introduction du fidèle en adoration devant son dieu.

Au cours du IIᵉ millénaire, la glyptique babylonienne subit un changement profond, la représentation figurée y cédant le pas à l'inscription. Les motifs gravés se composent alors simplement d'un adorant ou d'un dieu. Au même moment, la glyptique assyrienne est fortement influencée par l'art mitannien : on y trouve à foison animaux, êtres hybrides ou divinités. Généralement, sur les cylindres-sceaux assyriens, les scènes sont mieux ordonnées que sur les exemplaires mitanniens.

La production de figurines en terre cuite au moyen de demi-moule tranche par sa variété et sa spontanéité. Elle évoque des scènes de la vie quotidienne ou figure, en grandeur nature, des lions et des chiens. •

→ **Voir aussi :** La Mésopotamie, HIST, p. 22-23. Hittites, Perses et Peuples de la steppe, **HIST**, p. 30-31.

L'art, langage impérial

Découverte lors des fouilles de Ninive près des ruines du temple de la déesse Ishtar, cette tête de statue (3) en cuivre ou en bronze – faute d'analyse on s'interroge – représente un roi d'Akkad. L'œu-vre appartient à la der-nière période de l'art paléo-akkadien, et re-présente vraisemblable-ment Narâm-Sîn, qui régna v. 2200. C'est sans doute en 612 av. J.-C., alors que Babylo-niens et Mèdes victo-rieux prennent Ninive, la capitale de l'Assyrie, que la tête fut mutilée, fracassée et jetée à terre, soit 1 600 ans après la mort du roi. Comparée à d'autres portraits royaux du Proche-Orient antique, on voit combien cette image fut fondatrice d'un modèle longtemps imité. Alors que son image inspire la créa-tion artistique, le sou-verain honore et glori-fie les dieux ; ainsi naît en Mésopotamie une architecture religieuse tout à fait originale caractérisée par la ziggou-rat (4) et un art de cour dont reliefs historiés (1) ou pièces d'ivoire (2), fabriquées en Phénicie pour le décor du mobi-lier des grands, sont les plus beaux fleurons.

3. Tête d'un roi d'Akkad, probablement Narâm-Sîn.

4. Ziggourat d'Our. XXIᵉ-XXᵉ s. av. J.-C.

Égypte ancienne

Un art aux principes immuables

L'ART ÉGYPTIEN EST SI PARticulier qu'un profane peut identifier comme telles la plupart des œuvres pharaoniques, alors que cet art couvre non seulement l'époque pharaonique proprement dite, c'est-à-dire à peine moins de trois millénaires, de 3000 à 300 av. J.-C. (conquête d'Alexandre le Grand), mais aussi perdure, lorsque l'Égypte passe sous la domination étrangère, jusqu'à la fermeture définitive des temples païens (392 apr. J.-C.), qui entraîne la disparition des derniers îlots de la civilisation pharaonique.

Bien évidemment, des styles différents ont marqué cette si longue durée de production « artistique », à travers une évolution pas toujours linéaire, puisque périodiquement des modes archaïsante ressuscitent en d'habiles pastiches le style des époques les plus anciennes. Néanmoins, un bas-relief datant de la Vᵉ dynastie (vers 2450-2321 av. J.-C.) se distingue assez aisément d'un bas-relief sculpté à l'époque ptolémaïque (332-30 av. J.-C.).

Mais au-delà de ces fluctuations de style, les mêmes principes et les mêmes conventions demeurent ; ils régissent aussi bien les représentations de la palette de Narmer, façonnée à l'aube de l'histoire pharaonique, vers 3000 av. J.-C., que la scène qui décore le cintre d'une stèle dédiée au taureau Bouchis par Dioclétien en l'an 295 de notre ère ! Une telle continuité est un phénomène exceptionnel dans l'histoire de l'art. Elle semble bien étrangère à notre conception moderne, selon laquelle l'évolution artistique se marque essentiellement par des changements, voire des ruptures avec ce qui précède, par crainte de se scléroser dans l'académisme. Alors, l'art égyptien serait-il académique ?

Ce serait méconnaître une différence essentielle : il n'a pas pour finalité première de susciter des émotions esthétiques – en ce sens, la notion d'« art pour l'art » est inconnue ou, à tout le moins, marginale. L'art est en fait l'instrument qui permet à la pensée égyptienne de recomposer le monde pour le maîtriser. Et d'autant plus grande sera son efficacité qu'il sera conforme à ces principes et conventions, fixés par la tradition, car c'est exclusivement à travers eux que le réel peut être appréhendé dans son essence même.

Des représentations très codifiées

L'ART ÉGYPTIEN OBÉIT À UN ENSEMBLE DE CONVENTIONS FORT CONTRAIGNANTES, EN PARTICULIER DANS LA MANIÈRE DE RENDRE LES PERSONNAGES HUMAINS.

En deux dimensions, les représentations humaines sont assujetties à de strictes conventions : le visage est dessiné de profil – sauf rares exceptions –, mais l'œil l'est de face ; les épaules sont vues de face, elles aussi, mais le reste du corps – poitrine, bassin, jambes, pieds – est représenté de profil, à l'exception du nombril. Il y a donc juxtaposition, en apparence contradictoire, de points de vue différents.

Les Égyptiens ont consciemment et résolument accepté cette contradiction parce qu'elle leur permettait de saisir les parties du corps humain de la manière qu'ils jugeaient la plus caractéristique. C'est de profil que le visage se laisse le plus aisément réduire aux traits essentiels (sans compter que bien des sociétés répugnent à une vision impliquant le face-à-face). Au contraire, la vue de profil ne rend pas les traits les plus significatifs de l'œil ou du nombril. De manière générale, les conventions imposent à l'artiste de se limiter à l'essentiel en délaissant les détails superflus dans le rendu des personnages.

Les proportions relatives des parties du corps procèdent d'un « canon », appliqué sous forme de grille quadrillée servant en quelque sorte de « patron » et permettant de mettre en place les différents éléments les uns par rapport aux autres. Cette mise au carreau était effacée lors de la finition du relief ou du dessin. Toute-

1. Nakht chassant les oiseaux au bâton de jet et harponnant les poissons. Peinture d'une des parois de sa tombe à Thèbes, XVIIIᵉ dynastie.

La perspective délaissée

L'ART ÉGYPTIEN REFUSE SCIEMMENT LA PERSPECTIVE ET RECOMPOSE LES ÉLÉMENTS DU MONDE À TRAVERS LEURS CARACTÉRISTIQUES ESSENTIELLES.

Nous sommes accoutumés à la perspective, c'est-à-dire à une technique par laquelle les éléments d'une scène sont rendus comme les verrait un observateur placé dans une position donnée. L'art égyptien, au contraire, est loin d'assujettir les représentations à un point de vue particulier. Il juxtapose et superpose en un même ensemble des éléments figurés comme s'ils étaient vus à la même distance, et recomposés afin que leurs caractéristiques essentielles soient perçues synthétiquement, indépendamment de leurs positions dans cet ensemble. Il refuse donc totalement la prééminence d'un sujet regardant au profit d'une recréation conventionnelle de la réalité.

D'où des représentations pour nous fort déroutantes. Ainsi, dans la scène de la page ci-contre – un bassin entouré d'arbres et où nagent poissons et volatiles –, pas d'horizon, pas de lignes de fuite : les arbres ont la même taille, qu'ils se dressent au premier plan où à l'arrière-plan, alors qu'en perspective leurs proportions iraient décroissant. Ils sont vus de face, y compris les trois arbres du côté gauche, lesquels sont couchés à angle droit par rapport aux autres ! C'était le seul moyen pour indiquer leur position dans l'ensemble si on voulait éviter le chevauchement des images. Le bassin est représenté par un rectangle parfait, comme vu du dessus, ce qui est contradictoire avec la manière dont sont vus non seulement les arbres, mais aussi les plantes qui poussent sur les berges, et qui ont été dessinées de la même manière que les arbres. Poissons, oiseaux et canards, lotus en fleur ou en bouton ont été dessinés de profil et, pour ainsi dire, posés à plat sur les lignes en zigzag marquant la surface de l'eau, ce qui ne correspond évidemment pas à ce qu'un observateur verrait. Les pattes des canards sont représentées alors qu'elles devraient être invisibles. Les nageoires supérieures et inférieures des poissons sont visibles, elles aussi, comme elles apparaîtraient sous l'eau ; mais la position de ces poissons ne se distingue pas de celle des canards qui, eux, sont *sur* l'eau. Ainsi, imprégné de cette symbolique et de sa signification spirituelle, l'artiste confère tout à la fois valeur magique et vie, mais il refuse toute illusion. Il conçoit chaque élément indépendamment puis, tout en recomposant et rassemblant ses caractéristiques essentielles, il les insère ensuite dans la scène et ne tient aucun compte des distorsions, déformations ou manques qu'aurait provoqués sa position pour un observateur particulier. ●

Dates clefs

V. 3200 av. J.-C.	Unification de l'Égypte et naissance de l'État pharaonique.
V. 3200-2778	Ancien Empire : époque thinite.
V. 2778	Ancien Empire : règne de Djoser. Emploi de la pierre dans l'architecture.
2778-2260	Ancien Empire : règnes de Snefrou, Kheops, Khephren, Mykerinus.
2260-2160	Première période intermédiaire : effondrement de l'État ; féodalités. Écoles artistiques régionales.
2160-1785	Réunification de l'Égypte. Moyen Empire : règnes de Sésostris Iᵉʳ, d'Amenemhat III.
1785-1580	Seconde période intermédiaire : effondrement de l'État : suzeraineté des Hyksos sur l'Égypte. Décadence artistique.
V. 1580	Expulsion des Hyksos par Ahmosis. Début du Nouvel Empire.
V. 1580-1085	Nouvel Empire : règnes d'Hatshepsout, Thoutmosis III ; période « atoniste », de −1372 à −1354 (Akhénaton, Néfertiti) ; puis retour à la tradition (règne de Ramsès II). Période d'expansionnisme : prospérité, guerres, cosmopolitisme.
1085-663	Basse Époque : division de l'Égypte en principautés ; chefferies libyennes ; prise de pouvoir par la dynastie éthiopienne.
663-332	Basse Époque : règnes des Psammétiques, d'Amasis ; conquête par les Perses (de −525 à −405, puis de −341 à −332). Archaïsme et néoclassicisme dans l'art.
332-30	Époque ptolémaïque : conquête par Alexandre le Grand ; règnes des Ptolémées et des Cléopâtres. Influence grecque.
30 av. J.-C.	Période romaine : l'Égypte devient une province de l'Empire romain. La culture pharaonique meurt définitivement après la fermeture des temples païens en 392 apr. J.-C.
392 apr. J.-C.	

Un art de la signification

L'ART ÉGYPTIEN, LOIN DE VISER
À REPRODUIRE LE RÉEL TEL QUEL, LE RAMÈNE
À UN ENSEMBLE DE STÉRÉOTYPES SOUVENT
INVESTIS DE VALEURS SYMBOLIQUES.

fois, il arrive, çà et là, qu'elle ait été surimposée, après coup, à une représentation que l'on désirait reproduire ailleurs.

Les proportions mutuelles des personnages ne reflètent ni leur position particulière dans l'ensemble, ni leurs tailles réelles, mais leurs rapports hiérarchiques. Le pharaon est de même taille que les dieux, mais plus grand que les simples mortels. L'épouse et les enfants d'un particulier sont souvent dessinés bien plus petits que lui, quelles qu'aient été leurs tailles réelles.

Ainsi, dans la scène ci-contre, la femme agenouillée dans la barque arrive à peine à la hauteur du genoux de l'homme, celle debout derrière lui à peine à hauteur des aisselles ; quant à la petite fille à droite, sa tête n'est guère plus grosse que le dos de la main de son père. Les postures sont elles aussi purement conventionnelles et ne correspondent manifestement pas à celles qu'auraient prises les personnages au même moment dans la réalité ; sinon, le frêle esquif de papyrus sur lequel ils sont embarqués eut chaviré ! En fait, ces postures participent d'un répertoire convenu qui associe chacune d'elles à un signifié particulier, qui peut être un acte – ainsi l'homme debout, jambes écartées, bras droit brandissant le bâton de jet pour la chasse aux oiseaux –, un statut social – l'épouse aux pieds de son époux ou derrière lui, agrippant son genou ou sa taille pour marquer sa dépendance –, un sentiment – la petite fille admire en esquissant vers son père un geste de tendresse pour attirer son attention, alors que le petit garçon rivalise déjà avec lui en lui montrant son adresse au maniement de l'arme. •

Les sévères contraintes imposées par les conventions et les codifications ne prédisposent évidemment pas l'art égyptien au « réalisme ». Tout d'abord parce que les sujets qu'il peut illustrer ne sont pas laissés à l'inspiration de l'artiste, mais dépendent étroitement de la fonction assignée à l'œuvre ou au monument dans lequel elle prend place. L'éventail des thèmes possibles est ainsi souvent limité à ceux inventoriés dans les répertoires traditionnels.

Certes, des réalités nouvelles finissent par s'introduire. Par exemple, l'apparition du cheval et du char au début du Nouvel Empire entraîne leur prise en compte dans les scènes figurées dans les tombes ; ou encore, le plein essor des menées impérialistes et expansionnistes, pendant la même période, suscite de vastes récits iconographiques qui narrent les exploits guerriers des pharaons sur les parois des temples. Mais ces nouveaux thèmes sont codifiés aussitôt qu'apparus et ils ne renouvellent que marginalement les répertoires.

De plus, le traitement de tous les thèmes répertoriés s'effectue moins par la reproduction aussi fidèle que possible de la réalité qu'à travers des procédés qui la *signifient* conventionnellement. Veut-on dépeindre la famine qui s'est abattue sur les malheureux Libyens ? Le sculpteur des bas-reliefs de la chaussée d'Ounas suggère par quelques traits les côtes saillantes, symboles de la malnutrition. Pareil artifice est utilisé pour dépeindre les pâtres faméliques. Le chanteur qui psalmodie des poèmes en s'accompagnant à la harpe, thème très fréquent, sera d'autant plus estimé qu'il cumulera sens musical et grande expérience de la vie ; aussi indique-t-on, par quelques lignes incurvées son obésité, signe, en Égypte, de l'âge et de la sagesse qu'il confère, et par l'absence de pupille sa cécité, gage d'une ouïe fine. Ce qui n'implique nullement que le chanteur représenté ait été effectivement obèse et sans pupille !

Dans la luxuriante production de l'art égyptien émergent, çà et là, des œuvres où l'on croit discerner un souci de réalisme. C'est quelquefois à bon droit (représentations d'Akhénaton), ou encore dans certains portraits de la statuaire tardive. Mais, bien souvent, ce réalisme apparent qui s'exprime par quelque notation si particulière qu'on la croirait individuelle, se révèle, en fait, une intention symbolique. Ainsi, les formes de la reine Néfertiti sont souvent si généreuses qu'on s'est plu à y voir l'expression d'une vraie pathologie. Mais d'éminents spécialistes préfèrent interpréter l'épanouissement des hanches et des cuisses comme des signes du rôle théologique de la reine comme déesse mère ! •

→ **Voir aussi :** Égypte ancienne, ARTS p. 146 à 149. Égypte ancienne, HIST, p. 24 à 27.

Transcrire la vie intérieure

Nul ne sera insensible à l'esthétisme évident de la plupart des œuvres pharaoniques. L'émerveillement ressenti procède tout d'abord de leurs grandes qualités techniques : vivacité des couleurs, agrément de la composition, perfection des galbes. Mais il tient aussi au paradoxe suivant : paysages, scènes de la vie quotidienne, personnages, tous bien réels, sont empreints d'une certaine étrangeté caractéristique de l'Égypte. Étrangeté qui procède fondamentalement de ce que l'art ici vise moins à représenter le monde qu'à signifier son ordonnancement et les hiérarchies qui l'organisent.

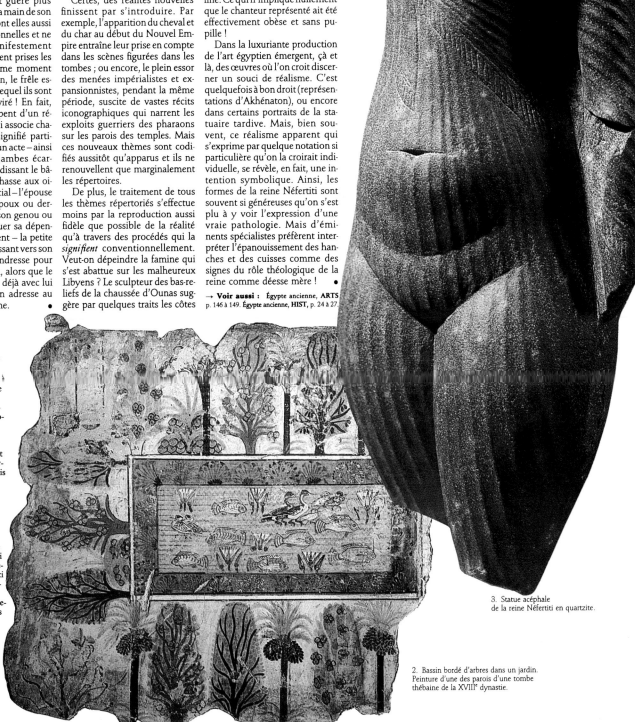

3. Statue acéphale de la reine Néfertiti en quartzite.

2. Bassin bordé d'arbres dans un jardin. Peinture d'une des parois d'une tombe thébaine de la XVIIIᵉ dynastie.

Égypte ancienne

Un art au service de la survie

L'IDÉE QUE LA MORT POUVAIT n'être pas l'anéantissement absolu, qu'une résurrection ou une survie posthume était possible est fort répandue dans les sociétés modernes ou antiques. Mais c'est sans doute dans l'Égypte ancienne qu'elle est le plus élaborée, au point qu'une grande partie de sa production monumentale et « artistique » a, plus ou moins directement, une finalité funéraire et illustre les croyances des Égyptiens. Celles-ci mêlaient plusieurs conceptions différentes de la survie que nous jugerions contradictoires. Pour la plus élémentaire, c'est déjà une manière de survie que le nom d'une personne soit prononcé dans la bouche des vivants après sa mort. Selon une autre, le défunt pouvait, grâce aux rites, maîtriser la capacité de se transformer en oiseau et de « sortir au jour », en voletant dans la partie ouverte de la tombe. La conception dite « osirienne » ouvrait au mort le royaume souterrain, la Douat ; s'il passait victorieusement l'épreuve du jugement, il se voyait allouer quelques arpents de terre et pouvait, sous la débonnaire férule d'Osiris, connaître une vie à l'image de sa vie terrestre. C'était

une autre destinée posthume que de s'unir au soleil (ou aux étoiles) ; admis dans la barque solaire, le défunt en partageait le périple quotidien, et, ainsi, resurgissait chaque matin à l'horizon pour traverser le ciel. À l'origine, seuls les pharaons étaient en droit d'espérer un si glorieux lot. Progressivement, cette espérance fut reconnue à leurs sujets.

Au-delà de leurs différences, ces conceptions reposaient sur un postulat commun : la mort n'est qu'un passage vers un autre état. Ce qui est à redouter, c'est la « seconde mort », qui, elle, entraîne le total anéantissement et le retour au non-être. Pour l'éviter, il faut que le cadavre momifié demeure intact, et que des techniques rituelles, après celles des funérailles, se poursuivent ensuite avec le culte d'entretien.

Ces exigences fondamentales expliquent ce qui nous semble être la démesure des monuments funéraires de l'Égypte ancienne. La tombe doit protéger la momie et fixer durablement la quintessence des rites et le nom de celui qui en bénéficie, et permettre à ses descendants de mener régulièrement les pratiques du culte d'entretien.

1. Pyramide à degrés de Djoser à Saqqarah.

2. Le serdab de la tombe de Mererouka à Saqqarah. VIᵉ dynastie.

Des monuments d'éternité

DERRIÈRE LA GRANDE VARIÉTÉ ARCHITECTURALE DES TOMBES, UNE MÊME STRUCTURE DUELLE : LE SÉPULCRE CLOS, LA CHAPELLE DE CULTE ACCESSIBLE.

Les Égyptiens appelaient « places d'éternité » leurs monuments funéraires, une désignation fort significative. Ils étaient conçus pour durer, la pierre en était le matériau d'élection. Il y a plusieurs types de tombes. La pyramide, réservée au pharaon, est le plus célèbre. À l'origine, des « mastabas » (massif recouvrant la fosse d'inhumation) sont superposés de manière à figurer l'escalier que le roi gravira pour accéder au ciel ; ainsi se présente la pyramide à degrés de Djoser (vers 2700 av. J.-C. à Saqqarah). Puis une évolution se manifeste, scandée par les différentes pyramides érigées par Snefrou : une pyramide à degrés à Meidoum, une pyramide « rhomboïdale » (avec changement de l'angle de la pente) à Dahchour sud, une pyramide parfaite à Dah-

chour nord. Vient alors le règne de Kheops (vers 2600 av. J.-C.) avec l'incroyable masse de sa pyramide, environ 2 300 000 blocs pesant chacun en moyenne 2,5 tonnes, sans compter la complexité des appartements funéraires ! Les pyramides de ses successeurs immédiats, Khephren et Mykerinus, sont plus petites, quoique encore imposantes. Ensuite, les pharaons de la fin de l'Ancien Empire et du Moyen Empire continuèrent à se faire enterrer dans des complexes pyramidaux, mais de bien moindre proportion et de facture plus négligée. Au Nouvel Empire, les pharaons renoncent aux pyramides. Plus tard, les souverains « éthiopiens » (VIIIᵉ siècle av. J.-C.), fortement influencés par la culture égyptienne, édifièrent encore des pyramides en Nubie.

À partir du Nouvel Empire, les tombes royales furent creusées dans la montagne thébaine (hypogées de la Vallée des Rois) ou prirent la forme de petits édifices de pierre (nécropole royale de Tanis). Le commun des Égyptiens utilisait divers types de tombes, selon la configuration de l'endroit : mastabas, hypogées, édicules de brique ou de pierre, simples fosses. Un point leur est commun, une structure double : d'une part, la sépulture proprement dite, inaccessible, en général souterraine, avec la momie et le mobilier funéraire, et, d'autre part, une partie ouverte aux visiteurs et aux officiants du culte d'entretien. Souvent juxtaposées en un même ensemble architectural, elles peuvent aussi être distinctes et distantes : ainsi, au Nouvel Empire, les sépultures des pharaons étaient scellées au sein de complexes hypogées maintenus clos de la Vallée des Rois, tandis que le culte d'entretien était pratiqué dans les temples funéraires à la lisière du *gébel* (la partie inculte).

•

L'image dans l'entretien du défunt

GRÂCE À SES REPRÉSENTATIONS
ET AUX INSCRIPTIONS AFFÉRENTES, LE MORT ESPÈRE
CAPTER LA QUINTESSENCE DES OFFRANDES
ALIMENTAIRES CONSACRÉES.

Pour accroître ses chances d'accès à l'une des formes possibles de survie, le mort doit bénéficier d'un culte d'entretien. Ce culte consiste, fondamentalement, en la consécration d'offrandes alimentaires, au minimum pains et bière, mais, si possible, cuisse de bœuf, volailles, légumes et fruits ; une libation d'eau et de fumigations d'encens parfont un service funéraire bien mené. La quintessence de ces offrandes nourrit le *ka* du défunt, c'est-à-dire un double invisible de sa personne où s'accumule sa force vitale, pourvu que des formules appropriées soient récitées en même temps. Le rite doit s'effectuer en présence du mort. Comme la momie demeure inaccessible dans la partie sépulcrale, un objet qui l'évoque est nécessaire ; une simple représentation pourrait suffire, mais, bien évidemment, c'est la ronde-bosse qui est le plus susceptible de capter la présence du défunt. Aussi le centre hiérarchique de la partie ouverte de la tombe est-il constitué par la niche où se dresse sa statue, en principe pourvue d'inscriptions qui l'identifie et aux pieds de laquelle est déposée une table d'offrandes ; c'est une dalle de pierre, décorée de représentations de victuailles, et sur les bords de laquelle de petits canaux ont été creusés qui convergent vers le bec, de manière à recueillir l'eau ou les liquides des libations.

Le désir de s'assurer, après la mort, un culte d'entretien, et donc, une offrande funéraire est à l'origine de pratiques complexes qui jouent un rôle très important dans l'économie et l'art égyptien. Car le pharaon comme ses sujets mobilisaient d'énormes ressources afin de bénéficier de ces offrandes. Les temples qui s'intégraient dans le complexe des pyramides, ou ceux de la rive ouest de Thèbes, tel le Ramesseum, avaient été érigés en ce but, et étaient de véritables centres économiques avec leurs dépendances : enclos à bétail, volière, abattoirs, greniers, réserves, brasseries et boulangeries, etc. Fait essentiel : les victuailles, une fois consacrées, demeuraient disponibles pour l'officiant qui pouvait les consommer ou les consacrer à un autre défunt. Ainsi s'établissaient de longs circuits : l'offrande alimentaire provenant d'un temple divin ou d'un temple funéraire royal était remise à toute une série de particuliers, soit par faveur du pharaon, soit parce qu'ils avaient de leur vivant passé contrat avec des officiants, moyennant compensation, bien entendu. Par ailleurs, les Égyptiens croyaient qu'on pouvait, de son vivant même, accumuler dans son *ka* des réserves énergétiques qui seraient disponibles après la mort. Aussi dressaient-ils nombre de monuments, stèles, statues, naos, tables d'offrandes dans les temples ou les lieux saints particulièrement réputés, comme le sanctuaire d'Osiris à Abydos vénéré dès les premières dynasties. Grâce aux formules gravées sur ces objets, l'essence même des offrandes ainsi effectuées serait captée à leur bénéfice. •

Restitution et fixation de la vie terrestre

LA PARTIE OUVERTE DES TOMBES
EST DÉCORÉE DE SCÈNES DESTINÉES
À ASSURER MAGIQUEMENT L'ALIMENTATION DU DÉFUNT
ET À ÉVOQUER LE CADRE DE SA VIE TERRESTRE.

Ce sont les tombes qui offrent les illustrations les plus abondantes et les plus détaillées du monde des vivants. C'est là un des paradoxes de la civilisation égyptienne, qui ne manque pas de surprendre le profane entrant dans la chapelle d'un mastaba comme celui de Ti à Saqqarah. Nombreuses y sont les scènes de la vie quotidienne, que rafraîchit souvent une inspiration humoristique, délicieuse mais inattendue dans une sépulture. C'est que les Égyptiens croyaient le mort susceptible d'émaner de sa momie pour remonter jusqu'à la chapelle de sa tombe ; il fallait donc lui permettre de revivre sa vie terrestre par la contemplation des décors muraux qui en fixaient les principales occupations.

L'économie de ces scènes, peintes, gravées ou en légers reliefs, s'organise fondamentalement toujours de la même manière : à une extrémité de la paroi, le défunt debout ou assis en tenue d'apparat, souvent accompagné de sa famille, contemple avec une satisfaction quelque peu compassée les grouillantes activités qui se déroulent devant lui. Les personnages qui les exercent sont orientées face au centre hiérarchique que constitue l'image du défunt. Le répertoire utilisé varie selon les époques. Les thèmes religieux s'imposent avec l'époque ramesside et prévalent par la suite. Toutefois, la célèbre tombe de Pétosiris, à Tounah el-Gebel en Moyenne-Égypte, quoique datant de la fin de l'époque pharaonique, ressuscite, dans un style où traditions égyptiennes et influence grecque s'unissent harmonieusement, les illustrations des travaux et des jours si largement mises en œuvre de l'Ancien Empire à la XVIIIᵉ dynastie. Elles caractérisaient les activités propres à chaque zone géographique. Dans le désert, on chasse les gazelles, les antilopes et les lions. Dans les vastes marais, on chasse les oiseaux avec des bâtons de jet, ou on se risque à harponner de monstrueux hippopotames. C'est là aussi que paissent les troupeaux, mais au prix de quels dangers : traverse-t-il un bras d'eau que le berger pointe le doigt en récitant une conjuration afin qu'un crocodile glouton ne vienne pas prélever son droit de passage. Bien entendu, la vie des champs est amplement illustrée, avec, partout, la présence obsédante d'un scribe occupé à dénombrer et à enregistrer. Par ailleurs, les activités artisanales des orfèvres, fondeurs, sculpteurs et potiers sont décrites. Parfois, une scène plus étonnante : la prise d'une forteresse ou le transport d'un colosse. Mais, au-delà des représentations de la vie quotidienne, la scène essentielle est celle qui montre le repas du défunt devant un guéridon où s'amoncellent d'alléchantes victuailles. Par la seule vertu de l'image, on espère lui rendre ce festin à jamais disponible. •

→ **Voir aussi :** Égypte ancienne. De la sédentarisation au Nouvel Empire, **HIST**, p. 24-25. Égypte ancienne. Le Nouvel Empire et la Basse Époque, **HIST**, p. 26-27. Religions de l'Antiquité, **RELIG**, p. 454 à 459.

Papyrus funéraire.

Vivre l'éternité

Pour accéder à la survie, il faut d'abord que le cadavre soit conservé grâce à la momification et à toute une série de rites (3) effectués par Anubis et ses acolytes sur la momie dressée devant une stèle qui flanque l'entrée de la tombe surmontée d'un pyramidion. Enfermée dans une enceinte de plus de 2 km, où se dressaient plusieurs édifices rituels : kiosques, chapelles, temple funéraire, la pyramide de Djoser à Saqqarah (1) est l'exemple parfait de ces « demeures d'éternité ». Elle est aussi le premier monument entièrement construit en pierre. Conçue elle aussi pour l'éternité, la statue de Mererouka (2) dans la chapelle (serdab) de son mastaba, avec à ses pieds la table d'offrandes à laquelle l'officiant accède par quelques marches.

Égypte ancienne

Un art au service de l'idéologie

UNE GRANDE PARTIE DES monuments de l'art égyptien procèdent de la « religion d'État », celle qui engage collectivement la société. Dans la pensée égyptienne, le monde est réglé par un ordre qu'institua le démiurge lors de la création. Toutes les situations et tous les événements qui font ce monde ne sont donc que la répétition d'événements ou des situations archétypes, mis en place la « Première Fois ». Mais cette répétition entraîne une dégradation par rapport à la plénitude originelle, et les puissances du non-être menacent sans cesse d'anéantir le monde ; le Soleil pourrait bien un matin ne plus se lever, interrompant ainsi sa réitération de l'acte modèle du Créateur.

Médiatisée par le pharaon, la société humaine doit contribuer au maintien de l'ordre en assurant l'entretien des puissances qui le constituent, c'est-à-dire les dieux, par le culte, avec son jeu complexe de cérémonies et de pratiques rituelles. L'accomplissement de ces pratiques exige des édifices et des monuments non seulement pour assurer leur réalisation matérielle, mais aussi en tant que supports sur lesquels leurs vertus agissantes

puissent être fixées et pérennisées par le symbole, l'image et l'écriture. De même doivent être fixées et pérennisées les actions du pharaon dans sa gestion de la société, gestion qui n'est qu'un prolongement de la création démiurgique.

La production monumentale répond à une nécessité idéologique et établit dans la pierre, dans le bois, dans le métal ou dans toute matière jugée suffisamment durable, les représentations que la société se donne du monde et des événements qui la traversent.

L'impératif esthétique n'est qu'une conséquence de cet impératif fonctionnel ou, même, utilitaire : la beauté ou la « perfection » d'un monument se mesure à son efficacité, à son aptitude à jouer le rôle tout à la fois pratique et symbolique qui lui est assigné. Bien entendu, les qualités purement techniques – facture, gravure, finition – contribuent à cette efficacité, et c'est là que peuvent se rencontrer les conceptions égyptiennes du beau et les nôtres. Il est fort significatif que le terme que nous traduisons par « beau », *nefer*, veuille dire fondamentalement « parachevé », « parvenu à son ultime développement ».

Le temple, transposition du cosmos

AU CENTRE D'UN COMPLEXE IMPORTANT, LE TEMPLE LUI-MÊME REMPLIT TOUT À LA FOIS UNE FONCTION SOCIALE ET UNE FONCTION SYMBOLIQUE.

Le temple proprement dit est le centre d'un complexe, en général délimité par une enceinte en briques crues, et qui comprend le lac sacré, les kiosques (chapelles et reposoirs annexes), les dépendances (greniers, abattoirs, ateliers et officines), le « mammisi » (temple de la naissance du dieu enfant), les temples des divinités associées à la divinité principale, etc. Des chaussées, appelées *dromos,* relient l'entrée du complexe à un embarcadère sur le fleuve et à d'autres complexes voisins (ainsi, la longue allée menant du temple de Karnak à celui de Louqsor).

Certains temples, tel celui de Karnak, déconcertent par l'apparente complication de leurs plans, et malgré la multiplication de certains éléments, ainsi les salles hypostyles précédées de leurs pylônes, tous se divisent en trois parties essentielles : une cour à ciel ouvert, bordée par une colonnade et dont l'entrée est protégée par les deux môles imposants d'un pylône ; une salle hypostyle, c'est-à-dire une salle dont le plafond est supporté par des rangées de colonnes et qui est ainsi éclairée à claire-voie ; le sanctuaire, constitué de la salle où est abrité le naos, c'est-à-dire le tabernacle de pierre celant la statue du dieu, et de ses annexes, couloirs, reposoirs de barques, chapelles de divinités associées, sacristies.

Plus on progresse vers le sanc-

tuaire, plus le sol s'élève et plus le plafond s'abaisse, et, donc, plus la luminosité décroît, tandis qu'augmente corrélativement l'impression de mystère.

Et, de fait, si la cour est ouverte à la foule à l'occasion des fêtes, l'intérieur du temple n'est accessible qu'aux membres du clergé en état de pureté rituelle.

Au cours des fêtes et des cérémonies périodiques, la statue du dieu est sortie du sanctuaire et promenée en procession à l'extérieur, offerte à l'adoration de tous ; c'est alors qu'ont lieu les consultations oraculaires, les offrandes privées, les adresses de supplique et les dépôts d'ex-voto. Le temple est ainsi le lieu où la religion s'affirme ouvertement comme lien social.

Au contraire, le culte quotidien de la statue s'effectue dans l'intimité du sanctuaire ; elle bénéficie d'un rituel d'entretien complexe – salutations, hymnes, habillages, onctions, offrandes – destiné à renouveler les formes du dieu qui s'y incarne, afin qu'il puisse tenir son rôle dans la lutte pour l'ordre du monde. Le temple devient alors la transposition du cosmos, et son architecture en reflète les éléments essentiels : le sol est assimilé à la Terre, le plafond au ciel (d'où son décor étoilé) ; les soubassements sont ornés de défilés de génies ventripotents personnifiant les éléments géographiques : régions, bras du Nil, lacs, etc. ●

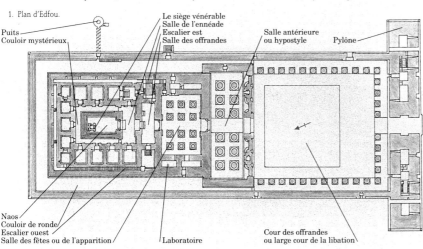

Le temple d'Edfou

Edfou se trouve en Haute-Égypte, entre Louqsor et Assouan. Son temple est le mieux conservé d'Égypte et, bien qu'il soit tardif, puisqu'il fut fondé par Ptolémée Ier en 237 av. J.-C. et parachevé plus tard, il illustre clairement l'économie fondamentalement tripartite qui régit le temple égyptien : on distingue une cour à ciel ouvert, une partie hypostyle, composée de deux salles dont le plafond est soutenu par des colonnes, et enfin le secteur couvert du sanctuaire. L'axe central est dégagé jusqu'au naos, alors que de chaque côté sont ménagées des salles ou des chambres vouées à diverses utilisations : resserres pour le mobilier sacré, reposoir de barque, officines où étaient préparés les ingrédients du culte, etc. Des escaliers mènent au toit du temple où s'accomplissent certaines cérémonies. Le temple mesure 137 m de long sur 79 m de large.

1. Plan d'Edfou.

Puits
Couloir mystérieux
Le siège vénérable
Salle de l'ennéade
Escalier est
Salle des offrandes
Salle antérieure ou hypostyle
Pylône
Naos
Couloir de ronde
Escalier ouest
Salle des fêtes ou de l'apparition
Laboratoire
Cour des offrandes ou large cour de la libation

2. Thèbes, Vallée des Rois, tombeau de Horemheb. Nouvel Empire.

Le monument, mode d'action du pharaon médiateur

LE PHARAON GÈRE LE MONDE AU NOM DES DIEUX ET, INVERSEMENT, PRÉSENTE, AU NOM DES HOMMES, L'ACTIVITÉ DE LA SOCIÉTÉ DEVANT LES DIEUX.

Selon les anciens Égyptiens, le Créateur et ses épigones, après avoir régné directement sur terre, s'installèrent aux cieux en mandatant les phararons pour gérer le monde en leurs noms. La fonction pharaonique est donc celle d'un intercesseur et d'un médiateur qui perpétue l'action du démiurge chez les humains en insérant leurs activités dans l'ordre établi la « Première Fois ». Cette insertion s'effectue fondamentalement à travers les pratiques rituelles grâce auxquelles les divinités renouvellent la puissance exigée par leur fonction cosmique. Aussi le pharaon est-il l'officiant par excellence. Bien sûr, comme il n'est pas doué d'ubiquité, il délègue, dans la réalité, cette charge aux prêtres, afin qu'elle puisse être assurée au même moment dans tous les temples d'Égypte. Mais lorsqu'il s'agit, par le verbe et l'image, de fixer la quintessence efficace de chacune des pratiques rituelles sur des monuments durables,

c'est toujours le pharaon qui accomplit le rite devant le dieu. Les scènes sont toutes bâties sur le même schéma, qui est le suivant : le pharaon accomplit au bénéfice de la divinité quelque acte rituel – offrande du vin, du pain, fumigation d'encens, libation, prosternation, consécration de quatre veaux ou encore d'un gigantesque amoncellement de victuailles. En échange, la divinité lui accorde un avantage créé par son énonciation même, puisqu'un dieu possède une parole créatrice, qui fait en disant (fonction dite « performative »). Cet avantage consiste en l'octroi de principes généraux : « Je te donne toute vie, toute stabi-

lité, toute prospérité » ; « je te donne la victoire, les pays étrangers étant sous tes pieds ».

Mais accomplir un rite et le pérenniser requiert cadre et support, soit le temple et son complexe. Aussi, en tant que médiateur des hommes et maître des ressources de l'Égypte, le pharaon doit utiliser la force de travail des premiers, les matériaux fournis par les secondes à la construction, l'agrandissement, et l'entretien des temples, ces « châteaux » des divinités. De fait, une grande partie de ce que produisent le sol et l'activité humaine en Égypte et dans les régions qu'elle contrôle est affecté à l'accroissement des offrandes périodiques et quotidiennes présentées à ces divinités et aux monuments qui leur sont dédiés. C'est l'un des impératifs fondamentaux de la fonction pharaonique, et chaque pharaon ne manque pas de tenir un répertoire minutieux des actions entreprises en faveur des temples, afin qu'elles passent dans les annales de son règne. •

Le temple, mémoire de l'éternité

Un temple est inséré dans un très vaste complexe qui comprend quantité d'installations et, parmi elles, le lac sacré (3). Le temple est tout à la fois le lieu où s'exercent des activités cultuelles, et le support durable sur lequel la quintessence de ces activités, captée par le texte et l'image, se

trouve fixée d'une façon qui se voudrait éternelle, ainsi le rite d'offrir le vin (2). Sur les murs du temple est aussi immortalisée l'interprétation à laquelle l'idéologie soumet ce que nous appellerions l'histoire. Ainsi en est-il pour les victoires du pharaon qui massacre ses ennemis (4).

4. Médinet Habou, temple funéraire de Ramsès III : bas-relief du pylône. Nouvel Empire.

3. Karnak, le temple et le lac sacré.

Interprétation et fixation monumentale de l'histoire

L'UNE DES MULTIPLES FONCTIONS DU PHARAON EST DE DONNER DES ÉVÉNEMENTS QUE TRAVERSE L'ÉGYPTE UNE INTERPRÉTATION CONFORME À LA PENSÉE DE LA SOCIÉTÉ ÉGYPTIENNE.

Comme bien d'autres pensées antiques, la pensée égyptienne a une conception non linéaire du temps : ce qui s'est passé, ce qui se passe, ce qui se passera ne sont que répétitions d'archétypes établis par le démiurge lors de la « Première Fois ». Les événements que traverse l'Égypte au fur et à mesure que s'écoule le temps, sa pensée tente systématiquement de leur donner sens en les réduisant à l'itération d'événements originels. C'est le pharaon qui élabore cette interprétation réductrice de l'histoire et qui la fixe sur des monuments afin de la pérenniser, transmuant ainsi le vécu d'une société en une série de stéréotypes. De par sa fonction éponyme, les événements sont datés par ses années de règne, et, de règnes en règnes, rapportés aux temps des dieux jusqu'à la création, dont ils deviennent ainsi de simples prolongements. De même, leur spécificité se trouve diluée dans une série de stéréotypes par l'idéologie royale. Ainsi, les victoires remportées par Ramsès III sur les Libyens et les Peuples de la Mer sont réinterprétées à Médinet Habou (v. illustration) comme l'actualisation d'un thème répertorié dès les plus lointaines origines de la royauté en Égypte, ainsi qu'en témoigne la célèbre palette du roi Narmer : celui du massacre de ses ennemis par le pharaon devant le dieu. Gravée sur le pylône, puisque c'est à l'entrée que la vertu prophylactique est la plus efficace, cette scène ramène les événements historiques à la répétition de l'acte originel du démiurge triomphant des forces du nouveur

Un comprend alors pourquoi un fait de guerre comme la ba-

taille de Qadesh, qui opposa Ramsès II à une coalition de Syriens et d'Anatoliens dirigée par le roi Mouwatalli vers 1274 av. J.-C., ait pu être si abondamment narré dans plusieurs temples – Abydos, Karnak, Louqsor, Abou Simbel, le Ramesseum – au point d'occuper par l'écrit et l'image des pans entiers de murs. Bien entendu, le récit ainsi présenté n'a rien d'une chronique objective. Non seulement il peint comme un triomphe ce qui fut, au mieux, un semi-échec, mais encore il fait entrer bon gré mal gré les faits dans le moule de l'idéologie égyptienne ; la situation, un moment compromise par une ruse perverse de l'ennemi, aurait été rétablie grâce à l'irrésistible vaillance de Ramsès, qui avait su, au moment critique, faire appel à l'intervention invisible mais invincible d'Amon. Cette interprétation conforme à l'idéologie, les représentations et les légendes gravées dans la pierre des temples devaient la fixer pour l'éternité.

Les conflits ne sont évidemment pas les seuls événements à subir l'alchimie du vécu dont le pharaon est l'instrument. En fait, chaque manifestation de son pouvoir est justifiée à l'intérieur du discours dominant, et cette justification est bien souvent pérennisée sur les murs des temples ou sur des stèles dressées en leurs enceintes : des décisions administratives, mais aussi des traités internationaux ou même des proclamations de mariage du pharaon se trouvent ainsi insérés dans les monuments religieux. •

→ **Voir aussi :** Égypte ancienne HIST p. 9697. Égypte de l'Antiquité. Les lieux de culte, **RELIG,** p. 454-455. Égypte ancienne. Un art aux principes immuables, **ARTS,** p. 144-145. Un art au service de la survie, **ARTS,** p. 146-147.

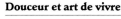

1. Idole de Syros. Marbre.

Grèce ancienne
La Grèce avant les Grecs

Les GRECS, ENVAHISSEURS indo-européens d'un monde occupé par des populations méditerranéennes, s'introduisent dans une zone de l'Europe où, avant leur arrivée, se développait une histoire artistique déjà remarquable. Dès le néolithique, surtout en Thessalie, une céramique peinte aux décors géométriques ambitieux côtoie une petite plastique souvent naturaliste.

Cependant, c'est à partir de la transition vers l'âge du bronze, autour de 3200 av. J.-C., que l'on assiste à la naissance de la civilisation égéenne. L'archipel des Cyclades en est le théâtre, sorte de gué entre l'Europe et l'Asie où les civilisations sont avancées. La fin du IIIe millénaire semble déjà troublée par les migrations de nouveaux venus qui, à partir du Nord, se poursuivent au début du IIe millénaire : ce sont les ancêtres des Grecs, dont l'irruption dans le continent provoque une rupture.

Aussi assiste-t-on à l'essor d'une autre vaste entité insulaire : la Crète. La civilisation originale qui y apparaît, dite minoenne, a pour foyers principaux les palais édifiés en maints sites de l'île au début du IIe millénaire.

Toutefois, dès le XVIe siècle av. J.-C., Mycènes et la presqu'île de l'Argolide, où les « Proto-Grecs » étaient bien implantés, font sentir une rude puissance, que reflètent les débuts de l'art. Essaimant dans le monde égéen et au-delà, le modèle mycénien va tout absorber de l'héritage des Crétois, à la ruine desquels ses guerriers ont beaucoup contribué. Mais l'ensemble des royaumes fondés par ces Mycéniens connaîtra aussi la destruction dans les troubles de la fin du IIe millénaire.

Les Cyclades préhelléniques

HOMOGÈNE, LA CIVILISATION CYCLADIQUE CONNAÎT UNE ÉVOLUTION QUE LES SPÉCIALISTES ONT SUBDIVISÉE EN TROIS PHASES (CYCLADIQUE ANCIEN I, II, III) QUI COUVRENT LA PÉRIODE ALLANT DE 3200 À 2000 AV. J.-C.

L'archipel a été occupé dès la période néolithique, comme le montre la fouille de Saliagos, près d'Antiparos, qui a mis au jour des fondations et des objets datant des alentours de 4800 av. J.-C., parmi lesquels deux figurines de marbre. Mais la métallurgie du bronze, à la fin du IVe millénaire, modifie le faciès de cette civilisation insulaire. Outre les produits métalliques souvent utilitaires, les artistes des Cyclades ont créé des vases en argile de formes et de décors variés.

Mais leur talent s'épanouit principalement dans le travail du marbre avec toute une gamme de récipients et surtout de figurines, parmi lesquelles des musiciens (joueurs de flûte et joueurs de lyre), mais la plupart sont féminines et nues, d'une étonnante variété. Dès l'origine, la facture rudimentaire y est contemporaine du projet complexe, l'attention au réel voisine avec le schématisme, celui des idoles violon, par exemple, épurant le corps féminin. Plus tard, ces idoles apparaissent les bras croisés, type le plus répandu, allant de la figurine jusqu'à une véritable sculpture de 1,50 m de haut. Combinaison de surfaces et symphonies de courbes sont obtenues surtout par l'usage de matières abrasives, l'émeri, l'obsidienne et la pierre ponce. La récurrence de certains rapports de segments sur les figurines d'un même type a fait songer à l'existence d'un canon auquel se soumettait l'artiste. De faibles vestiges de couleurs nous indiquent que ces figures étaient peintes, pour quel usage, nul ne le sait.

Le marbre des îles sert aussi de support à la création de nombreux vases d'une utilisation tout aussi mystérieuse que les « idoles ». Le répertoire des vases en terre cuite est aussi très riche, avec des types caractéristiques, comme la pyxide, où les « arêtes de poisson » sont incisées alors que les spirales sont estampées sur la « poêle à frire » ; gourde, « saucière », kernos, œnoché à bec renversé complètent l'ensemble, où la peinture refait surface. ●

Douceur et art de vivre

Concubines du mort ou ancêtres vénérés ? Êtres mythologiques, danseuses ou femmes enceintes, leur caractère religieux ne fait pas de doute, mais le rôle précis des idoles cycladiques (1) reste obscur. En revanche, la joie de vivre de ces paysans (2) se fait évidente lors des semailles, reflet de la vie minoenne, où le bonheur d'être au monde semble plus important que le désir de dominer. Fêtes aussi et tableaux délicats dans les fresques, où la nature est, à Cnossos, peinte avec les couleurs du rêve, plus justement sentie encore à Thêra (3), comme chaque maison le montre. Derrière leurs murailles redoutables, les forteresses mycéniennes (4) abritent les mêmes fresques que les palais-labyrinthes de la Crète, tant est forte l'imprégnation minoenne.

2. Vase des Moissonneurs provenant d'Haghia Triada. Stéatite noire.

La Crète minoenne

C'EST À LA FIN DU BRONZE ANCIEN
DIT, EN CRÈTE, « MINOEN ANCIEN » QUE PREND
FORME LA BRILLANTE DESTINÉE DE LA CRÈTE, TERRE
ASSEZ VASTE POUR VIVRE DANS L'AUTARCIE
D'UN PETIT CONTINENT.

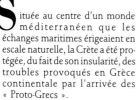

3. Pêcheur. Fresque de Théra.

Située au centre d'un monde méditerranéen que les échanges maritimes érigeaient en escale naturelle, la Crète a été protégée, du fait de son insularité, des troubles provoqués en Grèce continentale par l'arrivée des « Proto-Grecs ».

La civilisation crétoise, née vers la fin du IIIe millénaire, voit son véritable essor coïncider avec l'édification de palais, autour de 2000 av. J.-C., sur quelques sites de l'île : Cnossos, Phaistos, Malia et Zakros. Les palais et la civilisation nouvelle dont ils sont les foyers doivent sans doute quelque chose à l'Orient et à l'Égypte, mais les influences cèdent vite le pas à une expression originale, qui se manifeste tant par l'architecture que par l'art de la fresque ou la création de petits objets.

La fouille a montré que les palais connaissent deux états, que sépare une courte période de destruction sans doute due à un séisme vers 1700 av. J.-C. Le premier état témoigne déjà de l'opulence de ces demeures aristocratiques où le prince, sa famille et sa cour vivaient dans le luxe. Petite monarchie centralisée, chaque palais, en Crète, entretenait avec ses voisins des rapports dont la violence semble exclue. Au milieu d'une ville sans doute importante, le palais du prince s'articulait autour d'une grande cour rectangulaire, orientée nord-sud. À l'ouest, les espaces officiels, où devaient s'accomplir les actes politiques et religieux ; au nord, les appartements privés ; à l'est, des magasins de réserves ; au sud, un dispositif de citernes. Tous les besoins de la vie quotidienne étaient prévus par l'architecte, en plan comme en élévation, car la demeure comportait un étage. Structure qui ne fait que s'enrichir, vers 1700 av. J.-C. dans la seconde ère des palais, comme celui de Cnossos le montre bien avec la complexité de son plan, ses multiples corridors, ses escaliers sur plusieurs étages et ses puits de lumière ingénieusement disposés : c'est le labyrinthe de la légende. Piliers et colonnes rythment les corps d'habitations dont les parois sont vivement peintes de fresques variées.

Car l'art accompagne étroitement la vie minoenne, le palais abrite aussi les ateliers des créateurs. À Cnossos, on travaillait la pierre, le bois, un four métallurgique y a été retrouvé. Les potiers créent, avec les premiers palais, et en inaugurant l'usage du tour, le style « de Camarès », riche de polychromie. Plus tard, avec les seconds palais, leurs décors, à l'instar de la fresque, recréent le

spectacle de la nature, comme le montrent le style « marin » et le style « floral ». Il est regrettable que l'écriture minoenne (hiéroglyphique et linéaire A) n'ait pas encore été déchiffrée.

Avec une étonnante attention au réel, les maîtres ivoiriers manifestent leur prédilection pour les formes de petites dimensions, tout comme les bronziers ou les faïenciers. La même virtuosité s'observe sur les bijoux, les sceaux de toute matière et sur les vases de pierre tendre, les rhytons, sans doute recouverts, à l'origine, d'une feuille d'or, et dont la paroi présente des scènes en très bas reliefs d'une grande variété, ainsi le « vase des moissonneurs », l'un des plus réussis.

●

Du palais de Cnossos à la forteresse mycénienne

CONTINENTALE, LA CULTURE MYCÉNIENNE
HÉRITE MASSIVEMENT DE LA CULTURE CRÉTOISE
AVANT DE CONTRIBUER À LA DÉTRUIRE.

Un essor brusque affecte vers 1550 av. J.-C. l'Argolide, cette région du Péloponnèse où s'étaient implantés des groupes de « Proto-Grecs » venus avec les migrations indo-européennes du IIe millénaire.

La fouille des deux « cercles de tombes » de Mycènes, vastes enclos abritant des sépultures royales signalées par des stèles, a révélé aux chercheurs, H. Schliemann en tête, une extraordinaire profusion d'objets précieux. Beaucoup sont des produits purement crétois, tandis que d'autres semblent avoir été exécutés par des Crétois pour des commanditaires mycéniens ; certains, enfin, sont des créations simplement mycéniennes, comme les fameux

4. Intérieur des casemates. Tirynthe.

masques d'or, sans contrepartie dans les coutumes funéraires de la Crète. Sur les stèles se côtoient ornements crétois et images violentes de chasse ou de guerre, qui doivent être locales. C'est sans doute un changement dynastique qui provoque, au xve siècle av. J.-C., une mutation dans les usages funéraires royaux avec l'apparition de la *tholos* à coupole, à laquelle on accède par un long couloir, le *dromos,* ponctué par une porte au décor fastueux.

La puissance de Mycènes, ville éponyme d'un modèle de culture qui se répand dans toute la Grèce et au-delà, jusqu'à Chypre et vers l'Italie du Sud et la Sicile, se retrouve au sein de véritables royaumes qui se fondent et au centre desquels se situe la forteresse du prince. Mycènes en est l'exemple le plus redoutable, nid d'aigle pourvu de murailles épaisses construites dès le xve siècle av. J.-C. Le cœur de la résidence est le *mégaron,* séquence de trois espaces dont le dernier contient le foyer et la salle du trône. Dans ces bâtiments simples, derrière les murs cyclopéens, c'est la fraîcheur des fresques à la crétoise qu'on retrouve, teintées ici ou là d'une influence locale, quand l'artiste a voulu décrire l'ardeur de la chasse.

Des plaquettes d'argile crue servaient aux Mycéniens de registres d'archives, la chaleur dégagée lors d'incendies les a cuites et ainsi conservées. Le système de notation n'est pas très différent du linéaire « A » crétois, mais ce linéaire « B » transcrit par syllabes les sons de la langue grecque. Son déchiffrement a révélé une société intrarationnelle à l'économie soigneusement organisée.

La céramique mycénienne connaît l'invention du « vernis » : application d'une solution d'argile plus pure sur certaines zones pour qu'apparaissent, à la cuisson, des différences de couleurs, principe de base de la technique des vases grecs. Entre 1400 et 1200, où l'unité se fait, plusieurs styles se dégagent de l'influence crétoise par un décor à la fois plus construit et plus abstrait.

À l'exception du haut-relief de la *Porte des lions* sur le triangle de décharge de la poterne de Mycènes, l'art mycénien produit plutôt de petites formes dans l'argile, le bronze et surtout l'ivoire. En orfèvrerie, l'empreinte minoenne persiste jusqu'au xiie siècle av. J.-C., période de la guerre de Troie, mais aussi période de troubles qui affectent tout le monde méditerranéen, au milieu desquels la puissance mycénienne sera détruite.

●

Grèce ancienne

Du haut archaïsme
au haut classicisme

DANS LA TRANSITION DE l'âge du bronze à l'âge du fer, c'est la céramique qui annonce vers 1050 av. J.-C. le renouveau de l'art grec avec l'éclosion du style géométrique. Ce style, qui culmine au milieu du VIIᵉ siècle, manifeste dans toutes ses versions la contrainte d'un canon auquel s'asservit la silhouette humaine. Ce canon se disloque vers la fin du siècle, les motifs orientaux envahissent les décors. C'est la période orientalisante (VIIᵉ s. av. J.-C.) où bien des expériences sont tentées, dont la technique à figures noires. De ce rapport avec l'Orient va naître la plastique dédalique, prologue de la grande sculpture en marbre.

Des apprentissages du VIIᵉ siècle av. J.-C., le VIᵉ recueille le fruit. Les ateliers de poterie connaissent un essor prodigieux, proposant des décors où l'homme s'impose de plus en plus. Le kouros et la korê évoluent vers une représentation de plus en plus exacte de la figure humaine, qui prend aussi de l'importance dans les décors d'édifices.

Au début du Vᵉ siècle, la statue se hanche, le visage devient grave. Des sculptures d'Olympie, symbole de ce style « sévère », le passage à celles du Parthénon marque l'avènement du haut classicisme et de ses formes idéales. Pendant 20 ans, avec une empreinte ineffaçable, Athènes y joue le premier rôle. Aux certitudes du temps de Périclès succède vite, dès 430, la guerre du Péloponnèse, qui fait chanceler l'ordre établi. Les valeurs individuelles acquièrent un droit à l'expression. Au IVᵉ siècle, le pathétique et la sensualité imprègnent des formes plastiques dont seule l'enveloppe demeure classique.

L'ascension
de la figure humaine

À SA FAÇON, CHAQUE ÉCOLE TEND
VERS UN MÊME BUT : UNE PLUS JUSTE MAÎTRISE
DE LA TRANSCRIPTION DU CORPS HUMAIN.

Après l'ère expérimentale du VIIᵉ siècle, l'archaïsme fécond s'étend de la fin de ce siècle jusqu'aux guerres médiques. Toutes les cités d'un monde considérablement élargi par la « colonisation » sont saisies d'une activité créatrice qui s'exerce dans tous les domaines : architecture, sculpture en pierre et en bronze, céramique, orfèvrerie.

Dans un climat où alternent la sagesse des législateurs et l'audace des tyrans, où la poésie, la philosophie et la science commencent à s'épanouir, la production artistique s'accélère, favorisée par le particularisme des cités qui rivalisent pour faire mieux et plus beau. Car, si les Grecs ont bien conscience de leur unité, comme le montrent les grands sanctuaires panhelléniques, dans les foyers créateurs, écoles ou ateliers perpétuent les marques d'une origine ou les qualités d'un style régional. Leur ambition les fait toujours aller au-delà du modèle reçu, qu'il s'agisse de technique ou d'esthétique. Ambition qui se lit également dans la fierté des signatures sur le socle de statues ou la paroi des vases ; l'art grec ne s'accommode pas trop de l'anonymat.

Le début du VIᵉ siècle est le moment où l'architecture se subdivise en deux ordres qu'identifie surtout le chapiteau des colonnes : le dorique, sobre et simple, et l'ionique, où l'appel à l'ornement ne fera que croître. Le premier s'observe surtout en Grèce centrale et dans le Péloponnèse, ainsi que dans l'Occident grec, tandis que le second fleurit en Grèce de l'Est. La recherche de l'harmonie se raffine au moyen de rapports de proportions et de corrections optiques de plus en plus subtiles. L'espace intérieur se libère par le dédoublement de la colonnade axiale donnant à la statue du culte tout son effet.

D'abord envahi par les monstres orientalisants, le décor sculpté va offrir à l'homme un espace qui s'élargit. L'anthropomorphisme et la religion favorisent cette irrésistible ascension de la figure humaine. Les types majeurs de la statuaire sont le kouros, jeune homme debout et nu, et la korê, jeune femme richement drapée. Après une fièvre de gigantisme, leur taille retrouve la nature. Tous les styles régionaux les illustrent, Ionie, Naxos, Paros et enfin Athènes, au premier rang à la fin de l'archaïsme, comme le disent les chefs-d'œuvre exhumés sur l'Acropole.

En céramique, après la supériorité de Corinthe et son invention de la figure noire, Athènes prend le relais à partir de 550 av. J.-C. avec des potiers et peintres de génie tel Exékias. Vers 530, ces Athéniens inventent la figure rouge qui donne au peintre des moyens beaucoup plus variés : l'œuvre d'Euphronios, à la fin du VIᵉ siècle, en marque l'apogée, avec de grandes scènes où la mythologie emprunte le ton de l'épopée, alors que d'autres nous disent simplement la vie quotidienne.

Les vingt premières années du siècle suivant, troublées par la menace des Perses, laissent pressentir une mutation décisive : l'avènement du classicisme.

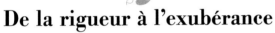

De la rigueur à l'exubérance

AU SENS DE LA MONUMENTALITÉ,
À LA RIGUEUR NARRATIVE DE L'ÉPOQUE GÉOMÉTRIQUE SUCCÈDE
LE FOISONNEMENT DES IMAGES DU SIÈCLE ORIENTALISANT.

À la fin des âges obscurs, c'est une véritable renaissance de l'art à laquelle on assiste dans le monde grec avec le style géométrique, principalement représenté par le décor des vases en terre cuite, même s'il règne aussi sur la plastique d'argile ou sur le bronze : les chaudrons à trépied surmontés d'anses circulaires résument l'esprit de l'époque. Parmi les vases, certains montrent la transition entre le motif encore mycénien exécuté à main libre et le motif géométrique que contraint la rigueur du compas.

Après l'austérité des compositions du Xᵉ siècle, aux IXᵉ et VIIIᵉ, celles-ci sont beaucoup plus élaborées ; sur des formes renouvelées, le répertoire de la céramique géométrique attique s'associe en frises superposées qui rythment la construction du vase.

Le VIIIᵉ siècle est aussi le temps où la forme vivante, humaine et animale, pénètre en foule dans les décors, avec des silhouettes soumises au canon du style. De très grands récipients, amphores et cratères qui marquaient l'emplacement d'une tombe, font voir de grandes scènes funéraires. D'un sommet (750 av. J.-C.), le style va

connaître une rapide décadence provoquée par l'inflation de motifs et le retour des figures animées vers un contour plus naturel, ainsi qu'un afflux d'images d'Orient.

Tout le VIIᵉ siècle est marqué par cette empreinte orientale toujours réinterprétée par les artistes. Contacts commerciaux et échanges modifient les décors de la céramique et chaque atelier « orientalise » à sa manière. Corinthe, qui a inventé la figure noire, reste célèbre pour ses frises d'ornements végétaux et ses files d'animaux passant. Athènes se replie et fraye des voies nouvelles où se retrouvent monumentalité et vivacité narrative.

Attestée par la mention des *xoana,* la sculpture en bois a disparu. Le style dédalique règne sur une plastique de petite envergure qui, en calcaire, justement proportionnée, transcrit la forme humaine et accueille des traits égyptisants (lourde chevelure encadrant le triangle du visage). En pierre ou en bronze, le type masculin fait pressentir la naissance du kouros archaïque. C'est ainsi qu'à la rigueur de l'âge géométrique répond l'exubérance du siècle orientalisant. ●

L'homme et le triomphe de son image

Des rigueurs de la géométrie (4), auxquelles elles obéissent un temps, la figure humaine comme la silhouette animale s'affranchissent vite, pour amorcer une irrésistible ascension au sein des décors grecs, qu'ils soient ceux de la vie quotidienne ou ceux de la vie religieuse.

Dessinée sur l'argile, sculptée dans la pierre ou le bronze, la silhouette de l'homme étend son empire sur toutes les images, encore raidie par les conventions du style archaïque (1) et ses contraintes. Mais le style sévère, après les guerres médiques, commence de l'assouplir et lui restitue un juste aplomb en l'animant d'un hanchement bien observé (2) ; le visage commence à refléter la couleur de l'âme. Puis c'est l'épanouissement de la parure sculptée du Parthénon (3), où les immortels se joignent aux mortels pour célébrer la beauté de la forme humaine, sereine, maîtresse d'elle-même, alliant force et grâce, équilibre et harmonie, raison et transparence.

1. Détail du vase de Vix, vers 530-520 av. J.-C.

2. Aurige de Mozia (Sicile).

3. Parthénon. Plaque de la frise ouest, marbre.

Le sommet classique idéal d'une génération

ÉPHÈBES, ATHLÈTES OU FEMMES
DANS LEUR UNIVERS, TOUS PORTENT L'EMPREINTE
DE L'ÉQUILIBRE ET DE L'HARMONIE.

Les armées perses déferlant par deux fois sur la Grèce font courir à l'hellénisme un péril mortel. Des batailles de Marathon et de Salamine, celui-ci sort pourtant renforcé dans ses valeurs qu'illustre tout particulièrement la cité d'Athènes, principal artisan de la victoire sur les Barbares.

En architecture, le temple de Zeus à Olympie, sobre et puissant, ne fait que prolonger les recherches de la fin de l'archaïsme. Mais la sculpture connaît une mutation décisive, l'avènement du style « sévère » qui règne de 480 à 450 av. J.-C. Le kouros y devient éphèbe ou athlète. Délivrés de la convention d'antan, encouragés par l'extension de l'usage du bronze, plus facile à travailler, les sculpteurs apprennent à hancher les statues, à y décrire le réel, le mouvement vrai. Le sourire archaïque fait place à une expression sérieuse et grave.

Produite par les ateliers florissants d'Athènes, la céramique est abondante mais parfois de moindre qualité, sauf quand on y décèle le reflet de la grande peinture disparue dont nous parlent les sources écrites. Bon nombre de sujets sont maintenant riches d'un contenu psychologique : ainsi les deux frontons du temple d'Olympie. Une tendance vers le réalisme des physionomies se manifeste déjà.

Vers 450 av. J.-C., le haut classicisme arrête provisoirement cette évolution : la plupart des œuvres portent alors l'empreinte de la beauté idéale, dont le modèle prévaut dans tous les modes de création. Sérénité et raison règnent sur la pensée. Les types statuaires de Polyclète, bronzier d'Argos venu à Athènes, présentent des corps d'athlètes dont l'équilibre dynamique et l'harmonie des formes s'allient avec bonheur à la réalité anatomique. Mais ces organismes sans défaut, ces visages nobles et paisibles, dénués d'individualité, habitent un univers qui n'est pas le nôtre : celui de la beauté pure où l'homme est dieu.

Le monument symbole de cette période, qui coïncide à Athènes avec le gouvernement de Périclès et la carrière de Phidias : le Parthénon élevé sur l'Acropole en l'honneur d'Athéna. En quinze années (447-432), ce temple dorique enrichi de quelques traits ioniques et son décor sculpté (métopes, frise, frontons) furent achevés, ainsi que la statue en ivoire et or de Phidias, l'*Athéna Parthénos*. En associant dans son décor thèmes traditionnels et images neuves, en mêlant le beau idéal et le présent d'Athènes, le Parthénon résume les valeurs du classicisme grec.

Dans les trente dernières années du siècle, la guerre du Péloponnèse modifie les données. À Athènes, la vogue de l'ordre ionique (temple d'Athéna Nikê, Érechthéion) illustre ce changement. Dans les cités meurtries, les valeurs individuelles commencent de s'exprimer. La mélancolie touche d'ombre les visages. Les draperies transparentes, exaspérées jusqu'au maniérisme, révèlent les formes féminines.

Au début du IVe siècle, un réalisme plus sobre apparaît en sculpture. Les sujets ont changé, pénétrés d'une sensibilité plus humaine. Les dieux, qui se rapprochent des hommes, s'attendrissent et s'émeuvent. Les corps alanguis de Praxitèle, qui dénude la femme pour la première fois, les visages anxieux, brûlant de passion, sculptés par Scopas, même s'ils conservent les contours de la forme classique, même si la religiosité n'en est pas exclue, sont chargés d'un message bien différent.

C'est à l'homme aussi que l'architecte pense quand il conçoit, en plus des temples, des édifices publics comme le théâtre.

Si la céramique s'appauvrit, la grande peinture en revanche s'épanouit : les sources littéraires (Pline l'Ancien, Pausanias et Lucien de Samosate) retentissent des noms de Parrhasios Zeuxis ou Nicias, dont les expériences sur l'expression de l'émotion, sur la couleur ou la perspective s'inscrivent dans les recherches de ce siècle de transition. •

4. Loutrophore proto-attique, vers 675 av. J.-C.

Grèce ancienne

Le rayonnement de l'hellénisme

L'AVENTURE CONQUÉRANTE d'Alexandre modifie d'une manière fondamentale les structures politiques de l'hellénisme. L'extension de celui-ci jusqu'à l'Indus se répercute dans les mécanismes de la création artistique. Les cours des monarques hellénistiques entourent les artistes de faveurs, d'où l'épanouissement de toutes les formes d'art, à l'exception de la céramique, dont le rôle devient mineur. Mais l'importance croissante accordée à l'individu conduit à satisfaire ses besoins autant matériels que spirituels. Les centres d'art se multiplient, et la pénétration de l'hellénisme en terre d'Égypte ou d'Orient conduit à des fusions de styles à l'origine d'un art hellénistique à la fois multiforme et cosmopolite.

Les architectes, tout en se préoccupant toujours des édifices sacrés, élèvent des bâtiments utilitaires, pour la vie politique, culturelle et commerciale. L'artiste s'intéresse désormais à la maison et à son décor. La sculpture, après avoir prolongé les voies frayées par Lysippe, pousse des entreprises audacieuses, aborde des thèmes inédits, et propose des rythmes nouveaux. Cependant, l'idéal classique, bien vivant surtout à Athènes, réapparaît à la fin de la période hellénistique, porté par un puissant reflux rétrospectif.

Sources littéraires et copies tardives (fresques romaines d'Herculanum et de Pompéi) laissent imaginer la richesse de la peinture hellénistique : les artistes y découvrent l'espace et la lumière et vont jusqu'à proposer des paysages, certes plus rêvés que réels. La mosaïque, dont le genre se répand à partir du IVe siècle av. J.-C., en est un autre écho.

Une architecture à l'écoute de l'homme

L'ASPECT THÉÂTRAL
JOUE UN RÔLE DE PLUS EN PLUS
IMPORTANT ; DE FONCTIONNELS, LES ORNEMENTS
DEVIENNENT DE PURS EFFETS D'APPARAT.

Le début de l'âge hellénistique ne provoque pas de changement notable dans l'architecture religieuse. L'ordre dorique est en déclin, tandis que les programmes ioniques prospèrent en Grèce de l'Est, comme à Didymes, où le temple d'Apollon, de proportions colossales, en appelle à tous les modes d'ornementation. Le chapiteau corinthien, réservé d'abord au décor intérieur, apparaît dans l'ordre extérieur à partir de l'Olympieion d'Athènes. Au milieu de la période, un théoricien comme Hermogène renouvelle les formes par toutes sortes d'innovations, et surtout en allégeant l'enveloppe des colonnes autour du temple.

Celui-ci, désormais, n'est plus une entité séparée, comme aux temps anciens. Il est mis en scène dans un ensemble soigneusement médité, où les effets théâtraux ne manquent pas : ainsi le complexe de l'Asclêpieion de Cos et le sanctuaire d'Athéna à Lindos. Les valeurs plastique et picturale y prennent le pas sur la fonction religieuse. D'ailleurs, le sentiment religieux n'est plus la seule incitation pour le bâtisseur : les édifices publics : *bouleuterion*, gymnase, etc., font partie intégrante de la cité, ainsi que le théâtre, essentiel dans la culture grecque. Le portique, ou « stoa », se multiplie dans le paysage urbain ; ses galeries, qui abritent des activités tant culturelles que commerciales, régularisent des espaces où les constructions se trouvaient disséminées au hasard des traditions religieuses. Ainsi en est-il de l'agora, centre politique de la cité, qui s'organise d'une manière plus rationnelle, telle celle d'Athènes. Bâtiments religieux ou publics, souvent regroupés, laissent aux habitations des zones franches. Si l'urbanisme planifié n'est pas nouveau, il connaît un regain de réflexion avec la prolifération des villes sur l'immense territoire des royaumes hérités de l'empire d'Alexandre. Les modèles diffèrent, du plan en damier appliqué abstraitement sur le site (Milet ou Priène) à celui qui utilise d'une manière plus réaliste les différences d'altitude et la configuration du lieu : comme celui qui, à Pergame, distribue la ville sur trois niveaux et déploie les bâtiments de l'acropole autour du théâtre en une magistrale scénographie.

L'architecture se penche aussi sur la vie privée des hommes. Les ruines de Délos, riches en enseignements sur les constructions domestiques, présentent plusieurs types de maison à cour péristyle, dont les corps d'habitations fournis de mosaïques et de peintures murales donnent l'idée d'un luxe où la sculpture d'appartement jouait aussi son rôle. ●

1. Détail de la Gigantomachie de Pergame.

Audace et nostalgie de la sculpture

DIVERSITÉ DES FOYERS CRÉATEURS, IMAGINATION LIBÉRÉE DES CONTRAINTES TECHNIQUES ENGENDRENT UN FOISONNEMENT DE TENDANCES PARFOIS CONTRADICTOIRES.

La sculpture est un domaine de l'art où la période hellénistique fait assister à des phénomènes d'une extrême diversité. Tout d'abord, l'extension de l'univers imprégné de culture hellénique multiplie les centres créateurs, où l'esprit grec compose souvent avec l'expression locale. C'est particulièrement le cas dans l'Égypte des Ptolémées. Mais le plus déroutant est que les artistes ne suivent plus, comme au temps de l'archaïsme ou du classicisme, des voies conduisant vers le même but, quelle que soit la différence des itinéraires. Au début de l'âge hellénistique, les sculpteurs maîtrisent l'ensemble des problèmes posés par leur art. Il ne s'agit plus de progresser, mais d'exploiter de toutes les manières possibles l'expérience acquise. D'où le foisonnement des tendances les plus contradictoires.

Le grand initiateur est Lysippe. Bronzier d'une remarquable fécondité, il renouvelle les rythmes statuaires en allongeant le canon des figures. Il y fait sentir le volume et le mouvement vrais par l'engagement de la silhouette dans les trois dimensions de l'espace. Il se rapproche aussi du réel par l'exercice du portrait, auquel il donne ses lettres de noblesse : il a du reste l'exclusivité des portraits sculptés d'Alexandre. Toutes ses recherches sont poursuivies par ses disciples et successeurs. Le IIIᵉ siècle av. J.-C. voit naître des œuvres encore marquées par l'empreinte du classicisme, mais où l'expansion des formes multiplie les angles de vision : ainsi l'« Aphrodite accroupie » ou l'« Enfant à l'oie ». Ce dernier thème confirme une évolution déjà perceptible au IVᵉ siècle : le désir de quitter le modèle habituel de l'homme pris dans sa maturité, de se placer en deçà en mettant en scène des enfants, ou bien au-delà, en proposant des figures de vieillards. Le portrait poursuit sa carrière, marqué par un réalisme souvent exigeant, parfois dépassé, à la fin du siècle, par le baroque de l'expression. C'est ce terme en effet qu'on

3. Maquette de l'acropole de Pergame.

applique d'ordinaire au style qui fleurit à Pergame, capitale d'un royaume important, autour de 230 av. J.-C. Proposé par des artistes d'horizons divers, où Athènes n'a pas dû être au dernier rang, cette manière s'éveille dans le grand ex-voto de victoire sur les Galates élevé à Pergame, où figuraient le groupe du Galate vaincu se suicidant sur le corps de son épouse *(Groupe Ludovisi)*, et le *Gaulois blessé,* pour culminer dans les frises du Grand Autel, érigé sur l'acropole de la même cité, où la Gigantomachie fait retentir les accents les plus grandioses de la sculpture grecque en un véritable opéra plastique. En écho à ces effets d'où l'outrance n'est pas exclue, il est un genre bien différent, représenté sur le même monument, à l'intérieur de l'autel : une séquence de scènes racontant l'histoire du héros Télèphe, dans un cadre qui fait enfin appel au paysage, replaçant les personnages dans l'espace et le temps. Le relief historique romain s'en souviendra.

Traverse également les trois siècles hellénistiques une manière attribuée trop exclusivement à Alexandrie, qui se situe dans le sillage de Praxitèle : sensualité des situations, moelleux des chairs, abandon des poses. À la grandeur baroque s'oppose aussi ce qu'on n'a pas résisté à appeler « rococo » : des images d'enfants, des groupes érotiques, des scènes de genre et des caricatures qui semblent souvent parodier le ton solennel des monuments officiels. Tantôt le réalisme se fait âpre, impitoyable ; tantôt le sculpteur transcrit au contraire l'inimaginable, l'inconnu, l'inouï.

Tout cet enchevêtrement d'expériences se fond à la fin du IIᵉ siècle dans la rétrospection des modes antérieures : en partie sous l'influence des commandes romaines, le style archaïque et le « style sévère » refont surface ici ou là, tandis que la restauration de l'idéal classique devient le phénomène dominant, comme la *Vénus de Milo* le montre si bien.
●

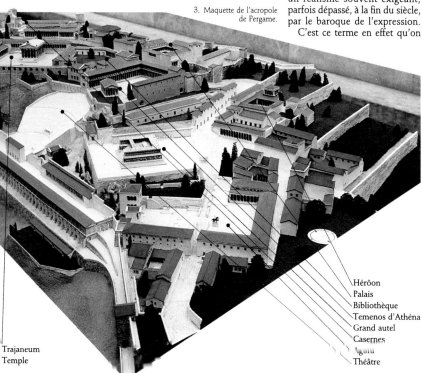

Trajaneum
Temple

Hérôon
Palais
Bibliothèque
Temenos d'Athéna
Grand autel
Casernes
Agora
Théâtre

2. Bataille d'Issos, mosaïque (détail).

Un art soucieux des besoins des hommes et attentif à leurs passions

L'architecture, jadis vouée aux seuls dieux, se préoccupe enfin des hommes, de leur vie publique et privée : l'urbanisme régularise les plans des villes, ou sait les mettre en scène, comme sur l'acropole de Pergame (3). Là se dressait l'un des monuments les plus puissants de la sculpture hellénistique : le Grand Autel, où les figures de la Gigantomachie (1), à l'opposé de la retenue classique, donnent libre cours aux déchaînement des passions les plus violentes. Passion que l'on retrouve aussi dans le regard épouvanté de Darios et de ses hommes mis en déroute par Alexandre : l'effroi et le tumulte, la variété des couleurs, l'espace suggéré, tous les effets de cette mosaïque (2), copie d'une grande peinture, tendent vers l'expression du réel.

Les conquêtes de la peinture hellénistique

POLYCHROMIE, PERSPECTIVE, CADRE NATUREL, ÉCLAIRAGE ET MODELÉ DES FORMES, AUTANT DE RÉUSSITES QUE LA GRÈCE HELLÉNISTIQUE TRANSMETTRA À ROME.

Avec la fin du IVᵉ siècle av. J.-C. se clôt l'histoire du vase peint en Grèce. Au tout début de la période hellénistique, certains documents encore, en Italie du Sud et en Sicile, font pressentir les conquêtes des grands peintres dont nous n'avons conservé que les noms. Poursuivant celles de la peinture classique, les recherches dans le domaine de la perspective ne font que s'approfondir, et l'appol à une palette plus subtile reflète sans doute la polychromie des œuvres majeures. Quelques peintures funéraires, telle ou telle mosaïque de Pella utilisent les raccourcis, les ombres qui suggèrent un espace illusionniste, même si le cadre naturel est encore inexistant. Sur la coupole de Kazanlǎk (Bulgarie), la lumière, atténuant la couleur, modèle les formes. Mais tout ce que l'on sait de la peinture hellénistique vient de l'observation des décors des villas campaniennes. Sur la mosaïque de Pompéi retraçant la bataille d'Issos, la foule des combattants est sculptée de nombreux effets de raccourcis, et la lumière éclaire la scène à partir d'une seule origine : c'est la copie d'un grand tableau, sans doute une œuvre de Philoxénos d'Érétrie. Les murs des cités vésuviennes s'ornent de fresques où le même thème se retrouve plusieurs fois, reflets tremblés d'un original grec qu'on pressent plus ou moins bien. Par

l'influence du théâtre, les scènes d'intérieur tentent les maîtres, avec de timides effets de clair-obscur. Au milieu de la période, le cadre naturel se fait plus présent : les arbres, les rochers, le ciel deviennent aussi importants que les personnages. Cet appel au paysage, dans le milieu alexandrin où le goût pour la nature morte et le sens de l'observation minutieuse étaient déjà produits, y produit un effet d'exotisme très particulier.

Ailleurs, c'est dans le sens du réalisme que les peintres évoluent, sans toutefois éliminer le côté factice qui demeure jusqu'à la fin des créations hellénistiques. Certaines visions paraissent comme rêvées, dans une lumière brumeuse, où quelques figures se détachent par leur contour fantomatique. Toutes ces tendances se mêlent dans la grande mosaïque de Préneste, qui associe des traits d'observation avec des scènes de genre, dans un paysage changeant, celui des eaux du Nil éclairées par un ciel lumineux. La transcription de l'espace, les jeux de la lumière, le clair-obscur et l'impressionnisme des contours, la suggestion des volumes et la description du cadre naturel, voilà la synthèse de toutes les expériences qui ont été réalisées par les peintres hellénistiques.
●

→ **Voir aussi :** Alexandre et l'expansion du monde grec, HIST, p. 36-37.

L'art des Étrusques

LES ÉTRUSQUES SE DISTINguent des autres peuples de l'Italie préromaine par une langue formée pour l'essentiel d'éléments non indo-européens. Lisible puisqu'elle emprunte son alphabet à la Grèce, et souvent compréhensible, la langue des Étrusques n'en demeure pas moins, sur bien des points, encore obscure.

Les historiens de l'Antiquité discutaient déjà de l'origine de ce peuple installé entre le VIIᵉ et le Iᵉʳ siècle av. J.-C. dans la région comprise entre la mer Tyrrhénienne, le Tibre et l'Arno, et, au moment de sa plus grande expansion, jusque dans la plaine du Pô au nord, jusqu'en Campanie au sud. Au Vᵉ siècle av. J.-C., l'historien grec Hérodote, tenant de la thèse orientale, les imaginait venus de Lydie ; dans le même temps, le chroniqueur Hellanicos préférait voir en eux des Pélasges débarqués près de Spina et venus du nord. À l'époque romaine, au Iᵉʳ siècle, Denys d'Halicarnasse défendait au contraire la thèse de l'autochtonie, celle d'un « peuple qui avait toujours vécu là ».

Aujourd'hui, les progrès de la recherche soulignent la continuité qui caractérise depuis le début de l'âge du fer (IXᵉ s. av. J.-C.) le développement de la civilisation et de l'art dans cette région d'Italie centrale et mettent en évidence tout à la fois l'ouverture de l'Étrurie aux apports extérieurs et l'absence d'immigrations massives dépassant ses capacités d'assimilation.

L'art étrusque plonge ainsi ses racines dans l'art d'une civilisation proprement italique, qui fonde en partie son originalité : l'art villanovien (IXᵉ-VIIIᵉ s. av. J.-C.), du nom du petit village des environs de Bologne, Villanova, où cette civilisation fut pour la première fois observée. Il est caractérisé par une petite plastique primitive, naïve et réaliste, par un goût très net pour les motifs géométriques, par un sens aigu des formes décoratives.

Toutefois, fréquemment et très tôt stimulé par l'importation d'objets et l'immigration d'artisans grecs, l'art étrusque emprunte la plupart de ses formes et de ses thèmes à l'art grec et, bien qu'élaboré dans un esprit tout différent il n'ait ni la continuité ni la cohérence de son modèle, c'est à l'art grec qu'il doit les grandes lignes de son développement et les grandes étapes de sa chronologie.

Entre imitation et invention

SOUS L'INFLUENCE DE CORINTHE, DE L'IONIE, PUIS D'ATHÈNES, MAIS SANS RENONCER À SON ORIGINALITÉ, L'ART ÉTRUSQUE CONNAÎT AU VIᵉ SIÈCLE AVANT J.-C. SON PLEIN ÉPANOUISSEMENT.

Période d'apogée économique et politique, le VIᵉ siècle et le début du Vᵉ siècle av. J.-C. représentent aussi la période d'épanouissement de toutes les formes d'expression artistique, en synchronie et sous l'influence désormais presque exclusive de l'art grec archaïque, corinthien, ionien, puis attique.

L'Étrurie participe alors de fait à la communauté artistique grecque, dont les motifs sont largement diffusés en Occident non seulement par la céramique, abondamment importée de Corinthe puis d'Athènes, mais aussi par l'intermédiaire d'artisans immigrés, et dès le milieu du VIᵉ siècle particulièrement nombreux à venir de la Grèce de l'Est et des villes d'Asie Mineure menacées par l'expansion perse, ainsi qu'en témoignent les peintres des hydries de Cære.

L'art étrusque modifie et transforme toutefois très profondément les modèles stylistiques et iconographiques que la Grèce lui fournit. Le décor des tombes, des sanctuaires, qui suscite à la fin de la période nombre de chefs-d'œuvre (sculptures en pierre de Vulci, peintures des tombes de Tarquinia, sarcophages des époux de Cerveteri, Apollon de Véies...), permet d'apprécier, au-delà de l'influence grecque et par-delà l'accent dialectal propre à chaque cité, les caractéristiques fondamentales de l'art étrusque. Les figures d'acrotères en terre cuite du temple de Minerve à Véies (Rome, musée de la Villa Giulin), avec leurs profils fuyants, leurs yeux en amande, leurs visages charnus et souriants, parlent ainsi la langue de l'Ionie, mais avec l'accent très fort des indigènes. La stylisation des musculatures et des drapés, la construction pyramidale et très dynamique de la grande statue d'Apollon sont sans véritables équivalents dans l'art grec contemporain. Complètement réinterprétées, les formules grecques sont mises au service d'un langage expressif parfaitement adapté ici à la position originelle de ces statues, qui se découpaient à bonne hauteur sur le ciel bleu d'Italie. Attribuées à Vulca, le seul artiste étrusque dont le nom nous ait été transmis par les sources antiques, ces effigies divines comptent certainement parmi les plus précieux témoignages du génie étrusque.

Transcription d'une vision subjective et immédiate de la réalité souvent pleine de charme et de vie, l'art étrusque, largement porté par l'improvisation, use volontiers d'un langage efficace et décoratif, d'un vocabulaire schématique ou stylisé ; il préfère la vivacité de la composition à la perfection de la forme et privilégie le trait marquant sur l'exactitude et la diversité des nuances.

L'Orient et la Grèce : un contact vivifiant

L'INTENSIFICATION DU COMMERCE EN MÉDITERRANÉE ET L'AFFLUX EN ÉTRURIE D'OBJETS ET D'ARTISANS VENUS DE GRÈCE ET D'ORIENT Y FAVORISENT LE DÉVELOPPEMENT DE TOUS LES ARTS.

L'entrée de l'Étrurie dans l'Histoire et la naissance de la civilisation étrusque proprement dite suivent la fondation, vers le milieu du VIIIᵉ siècle av. J.-C., des premières colonies grecques en Italie méridionale et en Sicile. L'intensification du commerce avec le Sud, liée à l'exploitation des minerais de l'île d'Elbe, favorise alors l'essor des cités de la côte tyrrhénienne.

Au VIIᵉ siècle av. J.-C., les mobiliers des tombes aristocratiques de Populonia, Vetulonia, Cerveteri ou Préneste aux marges de l'Étrurie, sur la route de la Campanie, témoignent de l'enrichissement de cette région et des progrès techniques accomplis par l'art étrusque. Après avoir adopté à l'école de la Grèce une céramique à décor peint d'inspiration géométrique, celui-ci innove avec le *bucchero*, céramique fine de couleur noire imitant le métal et, stimulé par l'exemple oriental, s'applique à son tour au travail de l'ivoire, exploite en orfèvrerie toutes les ressources du filigrane et de la granulation. Il puise avec enthousiasme au répertoire de formes et d'images nouvelles directement importées d'Orient par le commerce phénicien, ou réélaborées et transmises par la Grèce, et auxquelles s'attache le prestige des civilisations les plus développées du bassin méditerranéen. D'une grande variété, renforcée encore par le particularisme des cités, il montre une grande aptitude à combiner styles et motifs d'origines différentes.

Période de grande effervescence, le VIIᵉ siècle av. J.-C. est aussi marqué par la naissance des arts majeurs : celle de la grande sculpture (statues en pierre de la tombe de la Pietrera à Vetulonia) et celle de la peinture pariétale (tombe des Canards à Véies, tombes du Navire, des Animaux peints et des Lions peints à Cerveteri...), elles-mêmes liées à l'essor de l'architecture funéraire et à l'apparition des tombes à chambre construites (tombes des Éventails à Populonia et de la Montagnola à Vetulonia) ou creusées dans le roc (nécropoles de Cerveteri ou de Tarquinia) et signalées par un tumulus. Le développement de l'architecture domestique accompagne de son côté le processus d'urbanisation : les maisons d'Acquarossa, construites en pisé sur fondations de pierre, offrent les premiers exemples de décors architecturaux en terre cuite.

Échec du classicisme grec

CLAIREMENT AFFIRMÉES DÈS LE VIᵉ SIÈCLE AVANT J.-C., LES TENDANCES PROFONDES DE L'ART ÉTRUSQUE SONT TRÈS ÉLOIGNÉES DE L'IDÉAL DE BEAUTÉ ÉLABORÉ EN GRÈCE PAR PHIDIAS ET POLYCLÈTE.

La crise politique qui suit la défaite étrusque de 474 av. J.-C. au large de Cumes devant la flotte de Hiéron de Syracuse favorise le déplacement des routes commerciales entre la Grèce et l'Italie centrale et substitue pour une part à la route tyrrhénienne, qui passe par le détroit de Messine et remonte vers le nord, la route adriatique, par Adria, Spina, et les vallées du Pô et du Tibre. Tout autant toutefois que cette crise, qui touche surtout les grandes villes côtières de l'Étrurie méridionale, ce sont les tendances profondes de l'art étrusque qui l'éloignent de son modèle au moment où celui-ci vit l'un des épisodes les plus significatifs de son histoire, lorsque, sous l'hégémonie d'Athènes, le monde grec, en quête d'une humanité et d'une beauté idéales, savantes transfigurations du réel par la raison, voit triompher le classicisme. L'art étrusque n'accueille alors qu'avec réticence et superficiellement les canons classiques élaborés par Phidias ou Polyclète. Les figures d'acrotères du temple du Belvédère à Orvieto, qui comptent parmi les plus fidèles transcriptions étrusques de l'art de Phidias, ne manquent pas toutefois de l'interpréter dans le langage des ateliers locaux. Sous les doigts du modeleur d'argile étrusque, les physionomies énigmatiques, et comme closes sur elles-mêmes, du pre-

1. Tombe des Lionnes, Tarquinia. V. 530-520 av. J.-C.

2. Mars de Todi. 400 av. J.-C.

Une identité menacée et perdue

L'UNITÉ STYLISTIQUE DES MANIFESTATIONS ARTISTIQUES DE LA PÉNINSULE SE RENFORCE PEU À PEU TOUT AU LONG DE LA PÉRIODE HELLÉNISTIQUE, SOUS LE DOUBLE PATRONAGE DE ROME ET DE LA GRÈCE.

À la fin du IVe siècle av. J.-C., l'indépendance politique et culturelle de l'Étrurie est de plus en plus menacée par Rome et par l'émergence progressive de la communauté culturelle italienne qui tend à se constituer autour des modèles grecs largement diffusés par l'intermédiaire de Tarente.

L'Étrurie prend volontiers son inspiration dans l'art grec hellénistique, dont les principaux foyers de culture se déplacent bientôt vers l'Asie Mineure, la Syrie et l'Égypte. Illusionniste et décoratif, pathétique et lyrique, l'art grec hellénistique répond aux exigences de sa sensibilité et exprime l'inquiétude de ces temps de crise et de déclin politique. Au début du IIe siècle av. J.-C., Arezzo produit encore quelques chefs-d'œuvre de coroplastique (sculpture d'argile). Mais c'est dans le domaine funéraire et dans l'art du « portrait » que l'Étrurie semble alors concentrer son originalité, dans ces urnes, ces sarcophages, et ces physionomies plus ou moins véri-

diques, dans lesquels l'aristocratie affirme, longtemps encore après la conquête romaine, la fierté de ses origines. Leurs caractères apparemment individuels, un embonpoint plus ou moins marqué, une expression de rudesse sont moins caractéristiques d'un homme que signe d'opulence et d'appartenance à une classe supérieure et aisée (sarcophage de l'Obèse, sarcophage de Laris Pulena à Tarquinia).

Au Ier siècle av. J.-C., l'attribution du droit de cité romaine aux villes d'Étrurie et l'assimilation définitive de cette aristocratie par la société romaine (statue d'Aule Meteli, Florence, Musée archéologique) marquent toutefois la fin de l'art étrusque. Il est alors en effet, comme à l'époque de ses origines, très lié, lorsqu'il dépasse le simple niveau artisanal, aux classes possédantes et dirigeantes, et redevable plus souvent à l'initiative individuelle qu'à l'initiative publique, peu à peu confisquée par des commanditaires romains.

•

Perception directe, transcription spontanée

La pierre tendre, l'argile ou le bronze qui la présuppose : autant de matériaux dociles pour une représentation instinctive et sans contrainte de l'homme et des dieux. Les vases cinéraires de la région de Chiusi (3), parmi les premières représentations de la figure humaine en Étrurie, plus tard les urnes de Volterra (4), qui accentuent parfois jusqu'à la complaisance les traits les plus significatifs d'une physionomie aux dépens du reste du corps, illustrent par leur langage expressif une constante de l'art étrusque qui subsiste comme en filigrane jusque dans les réalisations en apparence les plus grecques. Le Mars de Todi (2), qui reprend le canon polyclétéen, oppose ainsi à la parfaite cohérence organique des formes classiques grecques une anatomie sommaire qui rend au motif la fraîcheur d'une esquisse. Le couple de danseurs (1) emprunté aux peintures de la tombe des Lionnes, jeu de réponses et de contrastes colorés, montre quant à lui avec quel bonheur l'art étrusque, peu soucieux de beauté idéale, sait en revanche rendre le rythme, le mouvement et la spontanéité de la vie.

3. Urne cinéraire de Chiusi. VIIe s. av. J.-C.

4. Couvercle d'urne, Volterra. IIe s. av. J.-C.

mier classicisme grec retrouvent intensité psychologique et caractère individuel ; le détail spontané, le motif dépouillé et nature disent soudain l'harmonie parfaite du modèle.

Au IVe siècle av. J.-C., le classicisme grec opte cependant pour moins de rigueur, revient avec Scopas et Praxitèle à des sujets plus narratifs, s'applique plus volontiers à l'expression des mouvements de l'âme et du corps et témoigne d'une volonté de réalisme nouvelle, mieux accordée à la sensibilité étrusque. La reprise des rapports commerciaux avec les colonies grecques d'Italie méridionale et cette évolution même du classicisme grec recréent partout en Étrurie un climat favorable à la renaissance de la création artistique. L'activité édilitaire reprend : à Tarquinia, Pyrgi, Faléries, on restaure les sanctuaires et leur décor de terre cuite. L'architecture funéraire revient à des formules décoratives plus ambitieuses (tombe des Reliefs à Cerveteri) et suscite un nouvel essor de la sculpture en pierre. •

Rome
L'art impérial

L'ART ROMAIN A UN DÉVEloppement original : la ville des rois étrusques et du début de la République n'est pas une grande capitale artistique. Il faut attendre l'extraordinaire butin rapporté d'Italie du Sud, de Grèce et d'Asie Mineure (pillages de Syracuse en 212, de Tarente en 209, de Corinthe en 149) pour qu'avec le luxe s'introduise largement à Rome le goût pour l'art.

Cette irruption assure le rayonnement des créations helléniques mais sa brutalité, qui juxtapose devant les yeux des vainqueurs les œuvres les plus diverses, à l'opposé d'une longue et progressive intimité, explique un des aspects essentiels de l'art romain, qui rassemble souvent dans une même œuvre des traits de style empruntés à des époques et à des courants artistiques bien différents.

Si l'influence grecque est privilégiée par ceux qui dans la société romaine avaient accès à la culture classique, d'autres sensibilités existent, dans la bourgeoisie des provinces ou dans les classes plus populaires. Des conceptions esthétiques nouvelles se font jour qui accordent une place importante aux éléments narratifs, mais s'expriment en fonction de règles différentes et d'une organisation de l'espace fondée d'abord sur une vision symbolique de la scène représentée et une stricte hiérarchie de ses éléments (arc de Constantin).

Transformation en parfait accord avec les deux préoccupations majeures de l'art romain, les dieux et l'empereur, en illustrant leur prééminence au-dessus des hommes. C'est donc elle qui donnera sa forme à l'art de l'Antiquité tardive, pour conduire, au-delà, aux créations byzantines.

Un modèle privilégié, la Grèce

LA GRÈCE SERA TOUJOURS POUR LES ROMAINS LA TERRE DE CULTURE PAR EXCELLENCE, DONT CHACUN DOIT ASSIMILER LE MODÈLE POUR PRÉTENDRE AUX PREMIERS RÔLES DANS LA SOCIÉTÉ.

Le choix d'artistes grecs pour décorer en 493 le temple de Cérès à Rome est symbolique de l'influence qu'exerce la Grèce sur le monde romain : elle est à ses yeux la source par excellence de la culture. Sous l'Empire encore, les fils des grandes familles vont achever leurs études à Athènes, d'où Cicéron et ses contemporains les plus fortunés font venir le mobilier de leurs demeures.

Cette influence s'exerce très tôt, d'abord par l'intermédiaire des colonies grecques d'Italie du Sud. Puis, au IIᵉ et au Iᵉʳ siècle av. J.-C., des œuvres innombrables sont apportées à Rome, et des artistes grecs viennent s'y établir, de gré ou de force. Cependant, même après la conquête, la vie artistique ne s'arrête pas à Athènes : des ateliers de sculpteurs y maintiennent une production de qualité, appréciée ailleurs dans l'Empire (reliefs « néoattiques », portraits, sarcophages).

Les monuments du passé exercent aussi leur attrait sur les Romains. Des collectionneurs s'enthousiasment pour les antiquités, qui donnent lieu à un commerce et suscitent l'activité des faussaires. La copie est parfois directe. Mais les modèles, dans la sculpture notamment, sont souvent réinterprétés par les copistes. C'est l'esprit même de la Grèce, tel qu'ils le comprennent les Romains, qui imprègne les artisans et leurs commanditaires : Auguste, par exemple, qui tente d'imposer sa vision du classicisme athénien. Plus tard, au IIᵉ siècle, c'est Hadrien qui incarne ce goût passionné pour la Grèce, qui, de manière inégale, anime l'art romain jusqu'à sa disparition. ●

1. Arc de triomphe d'Orange.

L'empereur romain

C'est autour de l'empereur que se réalise l'unité d'un empire qui s'étend sur tout le pourtour de la Méditerranée et qui regroupe des peuples très divers. Aussi sa personne est-elle très vite sacralisée et fait l'objet d'un culte, d'abord seulement lorsqu'il est mort, puis de son vivant. Il est donc normal que, dans l'art, son image soit partout présente : dresser une statue de l'empereur sur une place publique, c'est pour une cité un témoignage de loyauté à l'égard du fédérateur des provinces (3) ; posséder son portrait chez soi, c'est pour un citoyen une marque de respect. Garant de la prospérité de Rome, il est aussi Grand Pontife, c'est-à-dire responsable de la religion romaine (4). Mais, chef de guerre par excellence, c'est à lui que sont dédiés les grands monuments commémoratifs (1) sur lesquels il apparaît conduisant ou inspirant les actions menées contre l'ennemi (2).

Un art au service de l'État

LA VOCATION ESSENTIELLE DE L'EXPRESSION ARTISTIQUE ROMAINE : CÉLÉBRER ET METTRE EN SCÈNE LA GRANDEUR DE ROME.

Pendant les premiers siècles de la République règne à Rome, dans certains milieux dirigeants, une grande méfiance envers l'art ; il n'est acceptable que s'il est au service de l'État. Mais les contacts avec les royaumes hellénistiques, aux IIIᵉ et IIᵉ siècles avant J.-C., montrent aux Romains quel exceptionnel instrument pour une action politique peut être la création artistique. C'est alors que se crée un art original qui, sous des formes souvent héritées de la Grèce, met en œuvre des idées proprement romaines. La personnalisation croissante du pouvoir renforce cette tendance : des formes monumentales (arcs de triomphe) et des images se créent pour célébrer la majesté de l'État, incarnée dans l'empereur : combats, triomphes, sacrifices, actes de bienfaisance envers le peuple.

Ces images, répandues à travers tout le monde romain, dureront autant que durera l'Empire lui-même, pour connaître par la suite une longue postérité dans l'art occidental.

Auguste (27 av. J.-C.-14 apr. J.-C.), le premier, a su mettre l'art au service de sa politique avec une ampleur et une habileté remarquables qui serviront de modèle à ses successeurs. Il s'inspire directement du classicisme athénien du Vᵉ siècle, mais il en transforme profondément la signification (autel de la Paix). Les monuments ainsi créés s'inscrivent souvent dans un programme d'urbanisme très élaboré qui leur donne tout leur sens (Champ de Mars à Rome). Mais les mêmes images sont utilisées, avec des intentions identiques, par les orfèvres et les graveurs en pierres dures, particulièrement appréciées par l'empereur (Grand Camée de France, *Gemma Augustea*).

Pour illustrer les grands événements de l'histoire de Rome, un genre particulier s'est développé, le relief historique. Les thèmes en sont parfois rétrospectifs, et célèbrent les origines mythiques de l'État, mais, le plus souvent, ils représentent directement les faits contemporains. Si le souci narratif peut s'affirmer avec une qualité exceptionnelle (colonne de Trajan, 113), les images répondent pour la plupart d'entre elles à des types bien définis (l'entrée de l'empereur dans une ville, la harangue aux soldats, le sacrifice, la bataille...), qui se répètent jusque dans l'Antiquité tardive, à Constantinople. ●

2. Rome, colonne Trajane. Construction d'un camp par les soldats en présence de Trajan.

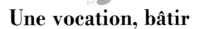

Une vocation, bâtir

PLUS QUE TOUTE AUTRE FORME
D'ART, L'ARCHITECTURE EST LE MOYEN PRIVILÉGIÉ DE
MANIFESTER LA PÉRENNITÉ DE L'ÉTAT ROMAIN.

L'architecture a constitué pour l'art romain un mode d'expression privilégié : elle permet au pouvoir politique, partout dans l'Empire, d'illustrer les thèmes essentiels de sa propagande et de s'assurer, par de grands travaux, la reconnaissance des citoyens.

Architectes et ingénieurs jouent donc un rôle important dans la diffusion à travers le monde romain de types monumentaux communs, pourtant sans emprise centralisatrice : l'un des plus grands maîtres est un Syrien, Apollodore de Damas (forum et colonne de Trajan).

L'urbanisme romain a d'ailleurs subi dès l'origine diverses influences, celle des Étrusques et celle des Grecs : les recherches sur la mise en place dans l'espace des ensembles monumentaux, élaborées à l'époque hellénistique, trouvent leur achèvement dès le Iᵉʳ siècle av. J.-C. en Italie (sanctuaire de Préneste).

En implantant à travers l'Empire des villes nouvelles, les Romains ont volontiers mis en place un plan régulier, organisé autour de deux grands axes perpendiculaires (Timgad en Algérie). S'y ajoute la recherche de monumentalité, rendue sensible, en Orient notamment, par les proportions grandioses données aux rues principales (Antioche et Apamée en Syrie). Mais ils ont su aussi s'adapter aux contraintes du terrain ou des monuments préexistants (Cuicul en Algérie, bâtie sur un éperon rocheux).

Une ville romaine, ce n'est pas seulement un réseau de rues, c'est aussi une organisation interne : une place pour que les habitants se réunissent (le forum), un marché, des édifices publics destinés au fonctionnement de la cité (la curie pour l'administration municipale, une basilique pour les tribunaux, un théâtre ou même un amphithéâtre et un hippodrome pour les spectacles). Pour célébrer l'empereur, des arcs de triomphe s'élèvent à l'entrée de la ville. Quant aux dieux, on multiplie leurs sanctuaires, d'allure classique pour les dieux d'origine romaine, parfois plus originale lorsqu'il s'agit de cultes locaux. Une attention particulière est portée aux monuments à caractère social, aux thermes notamment. Leur plan reprend parfois celui des grands thermes de Rome, monumentaux et symétriques ; moins ample dans les cités plus modestes, il en conserve souvent les éléments essentiels. Dans tout le monde romain ils sont le symbole d'une architecture à vocation universelle et de la diffusion d'un certain mode de vie. ●

3. Statue équestre de Marc Aurèle (166 apr. J.-C.). Rome, place du Capitole.
4. Sacrifice de Tibère au dieu Mars. Rome v. 14 apr. J.-C. (Paris, Louvre).

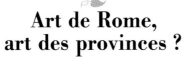

Art de Rome,
art des provinces ?

L'ART ROMAIN S'ÉTEND AUX DIMENSIONS
D'UN EMPIRE, SOUVENT DANS DES CONTRÉES DE TRADITION
ARTISTIQUE ANCIENNE. Y A-T-IL DONC UN ART
DE ROME, OU DES ARTS ROMAINS ?

Largement associé au pouvoir politique, l'art romain est nécessairement unitaire. Mais l'Empire est vaste : il occupe non seulement le pourtour de la Méditerranée, mais aussi des régions plus éloignées, comme les Balkans ou la Grande-Bretagne. Certaines d'entre elles – l'Égypte, l'Asie Mineure, la Grèce – ont une longue tradition artistique, encore vivante lorsque Rome s'y installe. On peut donc légitimement se demander s'il existe bien un art romain, ou plutôt s'il n'existe pas des arts qui, à l'époque romaine, se développent dans telle ou telle partie de l'Empire.

Bien des provinces ont, dans ce domaine, leur propre physionomie. Les sculpteurs, par exemple, très actifs dans la Grèce romaine, se distinguent par leurs procédés, mais aussi par une sensibilité particulière. Même lorsqu'il s'agit de techniques répandues partout avec un égal succès, comme la mosaïque, les thèmes, le style et la conception artistique peuvent être très différents suivant les régions : les réalisations des ateliers de Rome se distinguent aisément de celles de l'Afrique.

Plusieurs contrées du monde romain, rurales notamment, demeurent également peu sensibles aux conventions issues de l'art classique, comme le montre bien l'art funéraire. Par ailleurs, l'analyse des courants artistiques fait apparaître qu'il existe des liens privilégiés entre certaines régions ou que d'autres s'ouvrent plus largement aux influences extérieures. L'existence d'écoles locales, actives parfois dans un secteur réduit, pourrait donner l'impression d'un art romain éclaté en de multiples tendances, d'autant plus vivaces que Rome n'a pas cherché à imposer son modèle par la force. Mais il est pourtant profondément unitaire : les thèmes de l'idéologie impériale constituent un puissant facteur d'universalité. L'attrait de Rome est réel, fort, et explique que l'on puisse parler à bon droit d'un art romain, qui connaît certes des nuances suivant les provinces. ●

→ Voir aussi : Rome. L'Empire, d'Auguste à Sévère Alexandre, HIST, p. 40-41. Rome. L'Empire tardif, HIST, p. 42-43.

L'art romain et l'homme

LE PORTRAIT, UN MODE
D'EXPRESSION PRIVILÉGIÉ DE L'ART ROMAIN,
C'EST D'ABORD L'IMAGE DE SOI QUE
L'ON VEUT DONNER AUX AUTRES.

Rome

L'art au quotidien

D'ABORD AUSTÈRE, POUR donner l'image de citoyens tout entier attachés au service de l'État, l'art romain devient dès la fin de la République d'un grand raffinement ; la vie privée et le cadre dans lequel elle se déroule prennent une place croissante, pour offrir aux citoyens la possibilité d'oublier les soucis de la vie publique et de s'adonner aux délassements physiques et intellectuels dans la tranquillité et le confort. Le lieu privilégié de ce repos, ce sont les grandes résidences de campagne (villa d'Hadrien à Tibur). Aux réalisations architecturales s'ajoutent encore un mobilier recherché et souvent des œuvres d'art : la correspondance de Cicéron montre à quel point il s'intéressait à sa villa italienne, comment il en avait conçu le plan, avec une bibliothèque et des bâtiments dispersés dans un parc, et avec quel soin il faisait venir de Grèce sculptures et appliques de meubles en bronze.

En ville, faute de place, il était souvent difficile de donner toute leur ampleur aux maisons les plus riches. Les quartiers d'habitation dégagés à Pompéi et à Herculanum, ou ailleurs dans l'Empire (Éphèse), montrent cependant que l'on pouvait, par l'agencement du plan, la richesse du décor et sa qualité, compenser l'exiguïté relative des espaces. Les œuvres de toute sorte, purement ornementales comme les sculptures de marbre ou de bronze, grandes ou petites, ou à la fois créations artistiques et pièces d'usage courant comme les vases de métal précieux, qui avaient leur place dans ce cadre, participent à ce que l'on peut appeler, au sens fort, un véritable art de vivre.

Un cadre privilégié, la maison

LA MAISON EST LE LIEU OÙ LE CITOYEN
PEUT SE RETIRER À L'ABRI DES SOUCIS DES AFFAIRES PUBLIQUES ;
IL CHERCHE DONC À S'Y MÉNAGER UNE RETRAITE RAFFINÉE.

L'évolution de l'architecture domestique montre une quête constante de l'espace, de la lumière et du confort. Les maisons les plus anciennes sont petites et sombres, organisées autour d'un espace central restreint (atrium). Progressivement, elles s'étendent et prennent air et lumière d'une cour bordée de colonnes, le péristyle à la mode grecque. Avec ingéniosité, celui-ci peut se transformer en jardin miniature, garni de sculptures, témoin d'un goût pour la nature si fort qu'on peint souvent un parc en trompe-l'œil lorsque la place manque pour le créer.

C'est la mosaïque que les Romains apprécient pour orner les sols. Les artisans donnent libre cours à leur fantaisie pour exécuter des décors d'une grande variété, géométriques ou figurés. Le répertoire est très vaste ; les pavements figurés abordent les thèmes les plus divers : la mythologie est une inépuisable source d'images, mais aussi la vie quotidienne. Des écoles régionales se développent, inspirées de traditions locales ou de goûts particuliers : l'Orient romain cherche à reproduire les effets de la peinture, tandis qu'à Rome et à Ostie les artisans se limitent à deux couleurs, le noir et le blanc, pour créer un style original, très graphique.

Les mosaïques ornent aussi, plus rarement, les murs et les plafonds : pour garnir ces surfaces, on fait plutôt appel à la peinture, connue pendant longtemps presque exclusivement par les maisons pompéiennes. Mais de nouvelles découvertes en donnent désormais une idée plus complète à travers l'Empire. Si l'on excepte la période la plus ancienne (IIᵉ s. av. J.-C.), les décorateurs cherchent, dans les diverses phases d'évolution (ou « styles »), avec des procédés très différents, à donner l'impression d'un espace qui s'étend au-delà des murs de la pièce, par des effets de perspective ou un appel à l'imagination (villa d'Oplontis). Les grands panneaux mythologiques, souvent inspirés de la grande peinture grecque, mais aussi insérés dans de plus vastes parois ornementales qui donnent son originalité à la peinture murale romaine.

Le raffinement de la vie privée se manifeste aussi dans la qualité du mobilier, dans celle de la vaisselle d'argent, très appréciée des Romains : à la fin de la République, certains la collectionnent avec passion. Au Iᵉʳ siècle, la production des orfèvres atteint un exceptionnel niveau (trésor de Boscoreale) : les coupes en métal précieux sont ornées avec virtuosité de feuillages délicats, de natures mortes ou de scènes mythologiques exécutées au repoussé. Cet engouement se maintient jusqu'à la fin de l'Antiquité en dépit de changements dans la technique et dans le goût : aux effets de relief les artisans préfèrent souvent des contrastes de couleur et un décor plus graphique (utilisation du niello). La possession d'une argenterie somptueuse devient un véritable signe social (trésors de Kaiseraugst et de Mildenhall).

La verrerie, elle aussi, les bijoux, les ivoires ou bien encore les pierres dures témoignent de la floraison des arts précieux dans le monde romain. ●

Une des formes d'expression caractéristiques de l'art romain est le portrait. Déjà en Grèce les sculpteurs s'étaient intéressés au rendu de la physionomie individuelle, à l'époque hellénistique en particulier. Dans le monde romain, cette forme d'art connaît un développement exceptionnel. Les causes en sont multiples : l'influence de l'art grec, mais aussi le souci des grandes familles de l'aristocratie de conserver l'image de leurs ancêtres, présentées en public à l'occasion de certains anniversaires. Pendant longtemps, seules ces familles avaient le droit de détenir des portraits ; puis ceux-ci se diffusèrent très largement dans la société.

La plupart de ceux qui sont conservés sont en pierre, mais il en existait dans bien d'autres matériaux, en bronze, en or ou en argent, gravés sur des bijoux ou peints, et de toutes dimensions. Leur fonction est multiple : statue honorifique d'un citoyen, à Rome ou dans les provinces, ou bien effigie d'un défunt. Mais l'image reproduite ne correspond pas toujours fidèlement aux traits du personnage. Le portrait romain se veut ressemblant, mais doit aussi manifester les qualités morales et intellectuelles de celui qui est représenté : les portraits très réalistes de l'époque républicaine, où les marques de l'âge sont accentuées à l'excès, veulent signifier l'appartenance de ces hommes à la classe dirigeante qui ne ménage pas ses forces au service de l'État ou de la cité. Le style même des sculpteurs peut leur être suggéré par leurs clients : vers 50 av. J.-C., Pompée se fait représenter coiffé en mèches drues et courtes, dressées au-dessus du front, un souvenir des portraits d'Alexandre. Auguste, un peu plus tard, adopte une effigie imprégnée du classicisme grec, en accord avec la politique de retour à l'ordre et à l'équilibre qu'il mène.

Beaucoup de ces portraits sont superficiels : ils se contentent de donner une image conventionnelle, qui reproduit par exemple dans le moindre détail les coiffures féminines à la mode. Mais certains, qui sont l'œuvre de grands sculpteurs, atteignent une profonde vérité : les portraits d'enfants sont souvent d'une belle qualité, par le travail du marbre, mais aussi parce qu'ils permettent de voir, derrière la physionomie, toute la psychologie du personnage.

Les traits sont d'ailleurs marqués par l'atmosphère de l'époque : les portraits du IIIᵉ siècle, une période politiquement troublée, en laissent volontiers transparaître toute l'angoisse. Peu à peu, dans l'Antiquité tardive, les physionomies deviennent moins réalistes, plus abstraites, presque géométrisées : les traits ne sont qu'une enveloppe qui, dans l'esprit des contemporains, ne doit pas masquer l'âme de ceux qui sont représentés. ●

2. Œnochoé en argent. Fin Iᵉʳ s. av. J.-C. Trésor de Boscoreale (Louvre).

1. Mosaïque de la place des Corporations à Ostie. IIᵉ siècle. ●

Les images de la vie quotidienne

LES ROMAINS AIMENT À REPRÉSENTER DES SCÈNES TIRÉES
DU MONDE DE CHAQUE JOUR, NON PAR SOUCI DU PITTORESQUE
MAIS PARCE QU'ELLES ILLUSTRENT LA VIE SOCIALE.

Malgré la part importante accordée à la représentation d'événements officiels, les scènes empruntées à la vie quotidienne, plus humbles mais souvent pleines de vie, sont nombreuses, notamment sur les divers monuments funéraires.

Certaines régions, la Gaule notamment, semblent les avoir particulièrement recherchées (monuments de Neumagen). Tous les aspects sont illustrés : la vie familiale (femmes à leur toilette, activités de classe) comme les activités professionnelles ; la vie rurale est présente (vendanges, charrois), mais surtout celle des artisans et des commerçants : étals couverts de marchandises, discussions avec les clients, intérieur d'une boulangerie… Le sculpteur s'attache de préférence au détail caractéristique et pittoresque. Mais peintres et mosaïstes traitent aussi volontiers de ces thèmes familiers : la vie à la campagne, celle du paysan comme celle des grands propriétaires, est un sujet de prédilection sur les mosaïques de l'Afri-

que romaine (pavement des travaux agricoles de Cherchell ou du seigneur Julius de Carthage).

Toutes les distractions sont aussi une source inépuisable d'inspiration. D'innombrables objets plus ou moins précieux développent ces thèmes : la chasse est l'une des plus appréciées, qu'il s'agisse d'un véritable loisir en plein air ou de représentations données par des professionnels dans l'amphithéâtre, les différents sports et surtout les spectacles dans l'hippodrome. L'art romain se fait ainsi l'écho des passions que soulèvent les courses de chevaux. Miroir de la vie quotidienne, il met en contact direct avec le labeur et les joies de ceux qui peuplent l'Empire. •

Raffinement de la vie privée

La vie politique est essentielle pour le citoyen ; son importance se marque jusque dans l'art du portrait (3), qui est d'abord une image pour les autres. Mais les Romains cherchent d'autant plus vivement

à se réserver un espace à l'écart du souci des affaires : le cadre de la vie privée – la maison et son décor – est souvent d'un très grand raffinement (1 et 2). Les plaisirs de la vie ne font pas oublier les

grandes questions sur le destin de l'homme, et, de plus en plus souvent, chacun, dans l'Empire, s'interroge sur son sort après la mort, en pensant à celui des grands héros mythologiques (4).

La mort et l'individu

AVEC LE DÉVELOPPEMENT DE RELIGIONS
NOUVELLES, COMME LE CHRISTIANISME, UN
BESOIN PLUS FORT D'INDIVIDUALISME SE FAIT JOUR,
QUI SE MANIFESTE EN PARTICULIER SUR
LES MONUMENTS FUNÉRAIRES.

Le poids des contraintes sociales est grand dans le monde romain, jusque dans la mort, dernière occasion de manifester la place qu'occupait le défunt dans la société.

Une simple inscription suffit à marquer l'emplacement de la sépulture. Pour les plus fortunés, cependant, on édifie un tombeau monumental, le mausolée, fréquemment inspiré de l'architecture hellénistique. La peinture et la mosaïque peuvent orner la tombe ou en signaler l'emplacement. Dans l'Égypte romaine, on trouve même de véritables portraits peints. Mais c'est la sculpture qui est la plus fréquente : elle garde l'image du mort, accompagné de sa famille et pré-

sente parfois des illustrations plus complexes de sa vie (tombeau du boulanger Eurysacès, à Rome). Une grande variété de formes et de décor existe à travers l'Empire, pour répondre aux traditions locales, aux goûts et aux croyances de chacun.

Les Romains apprécient également les images mythologiques : elles ornent avec prédilection des

monuments coûteux, mais spectaculaires, les sarcophages en marbre, objets d'un commerce à travers la Méditerranée depuis les trois grands centres de production, Rome, Athènes, l'Asie Mineure. Ce sont d'abord des scènes très générales (cortèges marins, combat des Grecs contre les Amazones). Mais, peu à peu, quand se développe à Rome la recherche d'un salut individuel, le choix évolue, les scènes se personnalisent. Une grande place est accordée à Dionysos, le dieu qui promet à ses fidèles un bonheur sans mélange dans l'au-delà. L'art funéraire traduit ainsi la place croissante que prend l'individu. •

→ **Voir aussi :** Rome. L'Empire, d'Auguste à Sévère Alexandre. **HIST**, p. 40-41. Rome. L'Empire tardif, **HIST**, p. 42-43.

3. Pompée. Marbre. 50 av. J.-C.

4. La chasse de Méléagre. Sarcophage. Rome. IVᵉ siècle.

Le premier âge chrétien

L'EXTRAORDINAIRE EXPAN-sion de l'Empire romain autour du bassin méditerranéen, en englobant des territoires toujours plus vastes et des peuples aux traditions et aux langues différentes, s'accompagne parallèlement de crises politiques, économiques et morales qui agitent l'Empire du Iᵉʳ au IVᵉ siècle apr. J.-C. La crise morale favorise le développement de religions orientales. Parmi celles-ci, le christianisme, par son universalisme et le contenu de son enseignement fondé sur la croyance en un Dieu unique, miséricordieux et rédempteur, va connaître une expansion géographique et sociologique que Rome, malgré les persécutions, ne peut arrêter.

La foi nouvelle mettant en cause le culte de l'empereur et de Rome, fondement de l'unité de l'Empire, les chrétiens sont poursuivis et persécutés. Il faut attendre 313 et l'édit de tolérance promulgué par Constantin pour qu'ils puissent pratiquer leur culte en toute sécurité et mener librement leurs activités missionnaires.

Cet édit de 313 est pour l'histoire du premier art chrétien une date importante qui permet d'en diviser l'évolution en deux grandes périodes : l'une caractérisée par la lente mise en place de ce qui deviendra la tradition chrétienne, l'autre marquée par le mécénat impérial.

Avant 313, l'art chrétien émerge progressivement et de façon marginale. Les premières œuvres remontent à la fin du IIᵉ siècle ou au début du IIIᵉ siècle et ont été mises au jour à la fois en Orient et en Occident. Expression encore modeste d'un art en devenir, elles portent témoignage de la foi individuelle ou de communautés de prières aux dimensions réduites et revêtent un caractère éminemment symbolique.

Après 313 et jusqu'à la mort de Théodose, en 395, l'art chrétien profite du climat de tolérance et bénéficie des faveurs impériales. C'est alors qu'apparaît la grande architecture chrétienne et que s'élaborent d'amples programmes décoratifs répondant à des besoins nouveaux d'expression, liturgiques notamment. Par sa technique et sa facture, ce premier art chrétien s'inscrit dans la tradition gréco-romaine et l'évolution artistique de ce temps tout en puisant son inspiration au sein d'une nouvelle conception de l'Univers.

Le triomphe

AVEC CONSTANTIN ET L'ÉDIT DE MILAN DE 313, CHRISTIANISME ET ARTS CHRÉTIENS CONNAISSENT UN ESSOR PRODIGIEUX QUI DÉTERMINERA L'ÉVOLUTION DES ARTS EN ORIENT COMME EN OCCIDENT.

L'augmentation du nombre de conversions, leur élargissement à de nouvelles catégories sociales plus aisées, l'appui apporté par le pouvoir impérial favorisèrent le développement d'un art de conception monumentale, en rupture avec la relative modestie des créations antérieures.

Peu de temps après 313, les premières grandes basiliques chrétiennes voient le jour : Saint-Pierre à Rome, l'église de la Nativité à Bethléem, celle de la Résurrection sur le Golgotha et la rotonde du Saint-Sépulcre à Jérusalem, Sainte-Sophie et les Saints-Apôtres à Constantinople après 330. Tous ces monuments sont des fondations impériales qui, à la différence des anciennes maisons chrétiennes, sont conçues pour accueillir dans leurs murs un grand nombre de fidèles. Ils s'inspirent d'ailleurs des bâtiments publics religieux de l'époque – basiliques et synagogues – et reprennent les mêmes caractéristiques générales : plan rectangulaire, colonnades intérieures divisant l'espace en plusieurs nefs, abside, couverture en charpente, etc.

Également inspirés de prototypes antiques à plan centré, d'autres monuments chrétiens voient le jour, comme les baptistères ou les mausolées. Le mausolée de Sainte-Constance à Rome en est un bel exemple : de plan centré, il se compose d'un massif circulaire supportant un tambour octogonal couvert d'une coupole.

À l'intérieur, l'espace central de la rotonde est séparé d'un collatéral annulaire par douze paires de colonnes à chapiteaux composites.

La décoration à Sainte-Constance est particulièrement intéressante car elle fait appel à une technique ancienne, la mosaïque de pavement, qu'elle adapte à l'ornementation des murs et des voûtes. Ce procédé connaîtra d'ailleurs un grand développement à l'époque byzantine. Il subsiste encore quelques fragments de cet ancien décor dans la galerie annulaire, sur les voûtes, où les mosaïques forment des combinaisons géométriques de style traditionnel ornées de *putti*, d'oiseaux, etc., et dans deux niches. Dans l'une d'elles, on peut voir le Christ remettant la Loi à Moïse. On observe ici que l'iconographie chrétienne a récupéré à son profit l'imagerie impériale : le Bon Pasteur est devenu un Christ trônant qui officie à l'imitation des empereurs romains.

On retrouve cette évolution dans la scène du Christ entre saint Pierre et saint Paul de la catacombe des Saints-Pierre-et-Marcellin à Rome : le Christ trône, grave et solennel, il impose son ordre à toute la composition. La distribution hiérarchique des figures, la symétrie de la scène, sa monumentalité, la noblesse d'allure des personnages sont caractéristiques de l'art chrétien de cette époque, qui prend alors une tournure quasi officielle.

Les premiers pas

ARCHITECTURE, PEINTURE ET SCULPTURE S'ORGANISENT PEU À PEU. L'ICONOGRAPHIE CHRÉTIENNE SE MET EN PLACE ET UNE NOUVELLE IMAGE DU DIVIN EST EN TRAIN DE NAÎTRE.

Jusqu'en 313, l'art chrétien ne produit pas d'œuvres d'un grand style. Modeste et marginal dans son expression et sa technique, il s'apparente par son style à l'art païen de cette époque et ne trouve son originalité que par son inspiration chrétienne. Les lieux de culte n'ont pas l'ampleur des grandes basiliques futures. De dimensions réduites et discrètement installés dans le cadre de maisons privées, ils ne présentent pas encore d'architecture spécifique. C'est le cas de la maison chrétienne de Doura-Europos en Syrie, du début du IIIᵉ siècle, dans laquelle certaines pièces ont été réservées au culte. L'une d'elles, probablement un baptistère, est pourvue d'une cuve surmontée d'un arcosolium et porte sur les murs un décor de fresques inspi-rées de la Bible et illustrant le thème du salut : Christ-Bon Pasteur associé à Adam et Ève, les Saintes Femmes au tombeau, etc.

Un nombre important de fresques chrétiennes du IIIᵉ siècle ont été retrouvées dans les catacombes romaines. Elles décorent, selon une formule traditionnelle, les voûtes et les parois des chambres funéraires formant de fins réseaux de lignes vertes et rouges qui délimitent des compartiments aux motifs variés. Le style plutôt artisanal de ces œuvres, l'utilisation de symboles pour désigner le Christ, tels le poisson, les figures du Christ-Bon Pasteur ou celles d'Orphée, empruntées au répertoire iconographique païen gréco-romain, la place importante occupée par les scènes tirées de l'Ancien Testament et l'appari-tion de la figure de l'orant caractérisent l'art de cette période.

Cette peinture chrétienne est trop neuve pour obéir à des prescriptions édictées par l'Église, comme en témoigne la variété des images du Christ, dont le type n'est pas fixé. Pourtant, certains caractères iconographiques ou formels du futur art chrétien sont déjà présents à cette époque : le nimbe par exemple, le Christ de type oriental, adulte, barbu, à la chevelure sombre, ou encore la différence que l'on constate parfois entre le traitement attentif des mains et des visages et celui, plus succinct, du corps, qui tend à perdre tout volume et à disparaître sous le vêtement.

Les chrétiens ont utilisé la sculpture pour exprimer leur foi, reprenant à leur compte, comme pour la fresque, les techniques, le système ornemental et le style naturaliste de leur temps. Il en fut ainsi des sarcophages comme celui de Livia Primitiva du Louvre. Ce dernier se présente sous la forme d'une cuve à couvercle portant sur sa face principale un thème central – le Bon Pasteur – prolongé sur les côtés par un décor de strigiles et complété en marge par des reliefs inspirés à la fois de l'Ancien et du Nouveau Testament ou du répertoire décoratif gréco-romain. •

Du symbole à l'image impériale

Bel exemple de cet art chrétien du début du IIIᵉ siècle que ce *Bon Pasteur* (2) encore tributaire, par la technique, l'iconographie et le style, de l'art païen. Le fond à compartiments géométriques est un procédé décoratif traditionnel de l'Antiquité ; le thème du berger portant un agneau est emprunté au répertoire gréco-romain ; enfin, le style pittoresque se rattache à l'art de cette époque. En revanche,

Ce triomphe des arts chrétiens se manifeste dans les autres domaines de la création. Les sarcophages sculptés, par exemple, connaissent, au IVᵉ siècle, des réalisations de qualité exceptionnelle, tel celui de Junius Bassus du Vatican, typique de la production sculptée à Rome. Bien daté (359) par l'inscription, qui donne également le nom et le titre du défunt – il s'agissait d'un ancien consul –, ce sarcophage historié présente, sur deux registres, des scènes tirées des Saintes Écritures. On retrouve ici l'ordre, la symétrie, la qualité technique et artistique de l'exécution. Non seulement chacune des scènes est agencée au sein de motifs architecturaux, mais ce même souci d'organisation gouverne l'ordonnance des registres avec en leur centre une scène majeure destinée à traduire la majesté du Christ (Christ trônant sur le Cosmos, l'entrée du Christ à Jérusalem) par des thèmes qui sont des adaptations chrétiennes de l'iconographie impériale.

Les catacombes romaines

ASSOCIÉES À TORT À L'IDÉE DE PERSÉCUTION ET DE CLANDESTINITÉ, LES CATACOMBES SONT DES NÉCROPOLES SOUTERRAINES DANS LESQUELLES LES CHRÉTIENS ONT, COMME D'AUTRES COMMUNAUTÉS RELIGIEUSES, INHUMÉ LEURS MORTS.

Des catacombes ont été retrouvées dans différentes parties de l'Empire. Toutefois, c'est à Rome qu'elles forment, par leurs dimensions, leur nombre – une quinzaine – et la qualité des vestiges conservés, un ensemble incomparable pour la connaissance du premier art chrétien.

Situées hors de l'enceinte de la ville, le long des grandes voies qui reliaient la capitale au reste de l'Empire, creusées dans le roc, ces catacombes constituent des réseaux de galeries, parfois superposées, de plusieurs mètres de haut et pouvant atteindre des kilomètres de longueur. Les parois de ces galeries sont pourvues de nombreuses cavités superposées, les *loculi,* dans lesquelles on plaçait les défunts et qui étaient obturées de plaques de pierre ou de céramique. Celles-ci portaient parfois des inscriptions comprenant le nom du défunt, celui du dédicant, des formules pieuses et des motifs variés tels que l'ancre ou la palme, symboles d'éternité et de foi victorieuse.

Les défunts pouvaient encore être regroupés dans des chambres funéraires, les *cubiculi,* de plan quadrangulaire, voûtées, aux parois creusées de *loculi* et de niches dans lesquelles étaient placés des sarcophages ; les murs et voûtes étaient ornés d'éléments architecturaux taillés dans la pierre et surtout de fresques.

L'iconographie des catacombes romaines présente une grande diversité. Elle comporte des figures, isolées ou assemblées en scènes, tirées de l'Ancien et du Nouveau Testament. Souvent choisies pour leur sens allégorique ou leur valeur symbolique, tels Jonas et la baleine ou le sacrifice d'Abraham, ces images sont anticipatrices du Christ rédempteur et du salut de l'âme. Le personnage de l'orant ou de l'orante, symbole de l'âme en prière, est un thème spécifiquement chrétien que l'on voit fréquemment figuré. D'autres représentations inspirées de la vie quotidienne (tonneliers, moissonneurs) ou de la mythologie (cycle d'Hercule de la via Latina) ainsi qu'un riche catalogue de motifs décoratifs complètent cette iconographie.

L'étude des peintures a permis de confirmer l'importance de la date de 313 pour le développement du premier art chrétien, qui a ainsi été divisé en deux périodes principales. La première couvre surtout le IIIᵉ siècle et le début du IVᵉ siècle avec les compositions sobres, artisanales par le métier, où dominent le symbole, les influences gréco-romaines (ex. du Bon Pasteur) et les représentations tirées de l'Ancien Testament ; le canon est assez court et massif, proche de celui que l'on trouve dans la sculpture. La seconde commence après 313 et se prolonge jusqu'à la fin du IVᵉ et début du Vᵉ siècle. Elle est marquée par un enrichissement iconographique et stylistique, des compositions plus monumentales qui s'inspirent de l'imagerie impériale (Christ trônant entouré d'apôtres et de saints). On note un retour au modèle antique avec une élégance et une fluidité toutes classiques, même si l'ensemble est imprégné de spiritualité.

Les catacombes ont servi de nécropole du IIᵉ siècle jusqu'au début du Vᵉ siècle. Au-delà, elles continueront à être fréquentées comme lieu de culte et de pèlerinage consacré aux martyrs qui y furent inhumés et dont la vénération commença à se développer à partir du IVᵉ siècle. •

→ **Voir aussi :** Rome L'Empire tardif, **HIST**, p. 42-43.

1. Rome. Mausolée de Sainte-Constance, *Le Christ remet la Loi à Moïse.* Milieu du IVᵉ s.

l'œuvre est profondément novatrice et originale par son caractère symbolique et son inspiration : il s'agit là d'une représentation du Christ rédempteur. Après 313, l'art de bâtir et l'imagerie impériale engendrent à la fois la grande architecture chrétienne (3 et 4) et la nouvelle iconographie du Christ de majesté (1), qui demeure l'image condensée de toute la doctrine chrétienne du salut.

2. Rome. Catacombe de Calixte, *Bon Pasteur,* début du IIIᵉ s.

3. Rome. Mausolée de Sainte-Constance, galerie annulaire. Milieu du IVᵉ s.

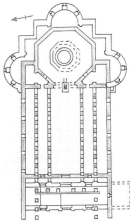

4. Bethléem. Église de la Nativité fondée par Constantin et Hélène. Début du IVᵉ s.

Byzance, un art chrétien et impérial

LA DIVISION DÉFINITIVE de l'Empire à la mort de Théodose en 395, puis, surtout, en 476, l'écroulement de l'Empire romain d'Occident sous la poussée des Barbares favorisèrent l'Empire romain d'Orient, ou Empire byzantin. Seul héritier de Rome, uni autour du christianisme, désormais tourné vers l'Orient, il développe une civilisation brillante et originale qui, jusqu'à la chute de Constantinople en 1453, a un rayonnement considérable.

L'art est pour Byzance l'une des formes d'expression privilégiées. Chrétien par son inspiration, impérial par son faste et son sens de la grandeur, imprégné d'influences orientales par ses compositions hiératiques et son goût de la couleur, il hérite largement aussi des traditions antiques, qui sont perceptibles dans bon nombre de détails iconographiques ou stylistiques.

L'un des problèmes majeurs auxquels se trouve confronté l'art sacré byzantin est celui de la légitimité de la représentation du divin. La crise iconoclaste (de 730 à 843) oppose sur cette question les partisans des images, attachés à la figuration de la personne du Christ, aux adversaires de celles-ci, qui y voient un véritable sacrilège et un encouragement aux pratiques païennes. La victoire des orthodoxes en 843 permet de définir non seulement les principes justifiant les figurations sacrées (Incarnation, les deux natures du Christ, la Transfiguration au mont Thabor), mais aussi la place de cet art dans l'Église (art liturgique) et les règles formelles qui permettent aux artistes de les représenter (équilibre entre figuration et abstraction, rejet du naturalisme, perspective inversée, etc.).

L'histoire des arts byzantins est divisée en trois grandes périodes. La première s'étend de la mort de Théodose en 395 à la fin de la crise iconoclaste en 843. La deuxième commence à cette date et se termine en 1204 avec la prise de Constantinople par les croisés et les Vénitiens. Enfin, la dernière période correspond au règne des Paléologues (1261-1453) à Constantinople. Après la chute de Constantinople en 1453, l'héritage byzantin continue à rayonner dans les territoires où sa civilisation a profondément pénétré, dans les Balkans et surtout en Russie avec des styles originaux, ainsi à Kiev, Novgorod ou Moscou.

L'émergence d'un art nouveau

LA PÉRIODE OÙ SE CONSTITUE UN ART NOUVEAU, IMPÉRIAL, ENTREMÊLANT LES TRADITIONS GRÉCO-ROMAINES ET ORIENTALES, EST UNE PÉRIODE TROUBLÉE : GUERRES EXTÉRIEURES, CONFLITS INTÉRIEURS, HÉRÉSIES, CRISE ICONOCLASTE.

Dominé par le règne éblouissant de Justinien et de son épouse Théodora, cet âge d'or de l'art byzantin est celui de réalisations spectaculaires et majeures, ainsi l'église Sainte-Sophie de Constantinople, dont la construction (532-537) fut décidée par l'empereur lui-même.

Par ses dimensions et sa conception, due à deux architectes d'Asie Mineure, Anthemios de Tralles et Isidore de Milet, Sainte-Sophie est un monument original et d'une prodigieuse audace architecturale. Originale par la combinaison équilibrée de formules traditionnelles : plans basilical et centré, coupoles et voûtement. Audacieuse par sa coupole centrale large de 37 m, haute de 55 m, par son ingénieux système de contrebutées qui a permis aux architectes de dégager un espace intérieur grandiose et lumineux, éclairé par une multitude d'ouvertures (40 à la coupole). Elle est enfin impériale et somptueuse par son décor intérieur de soubassement de marbre, ses colonnes étagées à chapiteaux sculptés, ses mosaïques à fond d'or. L'abondance et la richesse des matériaux et de la polychromie, l'absence de toute statuaire témoignent d'une sensibilité artistique orientale.

Appréciée par sa souplesse d'emploi et son caractère somptueux, la mosaïque de parement connaît alors un développement considérable. C'est à Ravenne, en Italie, que l'on peut voir les plus belles mosaïques de ce temps, à Saint-Apollinaire-in-Classe, Saint-Apollinaire-le-Neuf ou à Saint-Vital. Dans cette église, le chœur conserve encore des mosaïques parmi lesquelles les plus remarquables sont les cortèges de Théodora et de Justinien, aux compositions hiératiques, riches de couleur, et aux figures alignées sur fond d'or. Un certain réalisme classique des visages fait contrepoids à la dématérialisation des corps cachés sous d'amples vêtements rigides, issue de la sensibilité orientale.

Cet épanouissement des arts s'est manifesté dans d'autres domaines, dans la miniature à fond pourpre (Évangile de Rossano du VIe siècle) ou dans les créations somptuaires avec, par exemple, de nombreux ivoires ; ainsi, diptyques consulaires commémorant une prise de fonction, plats de reliures, coffrets, etc. Enfin, c'est au cours du VIe siècle qu'apparaissent les premières icônes, qui connaîtront un si grand développement dans l'art chrétien d'Orient, telles que *Saint Pierre* ou *la Vierge à l'Enfant,* retrouvées au couvent de Sainte-Catherine du Sinaï, l'une des grandes fondations de Justinien. ●

Dates clefs

Le classicisme

Le choix du thème de la *Déisis* (l'intercession auprès du Christ juge), la disposition hiérarchisée et symétrique des figures et leur expression solennelle, où transparaissent des réminiscences de l'art classique, font de cet ivoire (1) sculpté en bas relief une réalisation caractéristique de l'art à l'époque de la dynastie macédonienne (fin du Xe s.).

1. *Le triptyque d'Harbaville,* fin Xe s.

Le classicisme byzantin

L'ART BYZANTIN ATTEINT UNE EXPRESSION CLASSIQUE PAR SES QUALITÉS TECHNIQUES, SON GOÛT DE LA SPLENDEUR ET SON STYLE NOBLE OÙ SE CONCILIENT HARMONIEUSEMENT SES DIFFÉRENTES COMPOSANTES.

Après la crise religieuse et politique qui s'achève en 843 avec le rétablissement du culte des images, Byzance connaît jusqu'en 1204, c'est-à-dire des Macédoniens aux Anges, une ère de puissance et de rayonnement qui profita aux arts. Ceux-ci renouent avec la tradition figurative, antérieure à la crise iconoclaste, mais, sous l'effet de cette dernière, renouvellent leur contenu et leur style.

D'une ampleur nouvelle, reflet du prestige de l'Empire et du lien étroit qui unit l'État et la religion, cet art se caractérise par sa richesse, sa haute technicité et ce mélange changeant d'inspiration chrétienne, d'apports orientaux et de renaissance classique. À l'époque des Macédoniens, il est vigoureux, mesuré et de belle ordonnance. Il s'inspire largement de modèles antiques *(triptyque d'Harbaville).* À partir des Comnènes, des aspects nouveaux apparaissent : régression du travail de l'ivoire, production d'icônes en mosaïque miniature, style plus linéaire, parfois maniéré, souci psychologique *(Vierge de Vladimir).*

L'architecture des églises connaît une évolution notable avec l'apparition d'édifices à plan en croix grecque inscrite dans un carré, de dimensions plus réduites, couverts d'une coupole sur tambour (Saint-Luc en Phocide du XIe siècle, Sveti Pantelejmon à Nerezi, XIIe siècle). L'extérieur des monuments, sobre, laisse parfois apparaître un souci décoratif par le soin apporté à l'appareillage et le jeu d'assises de

2. Sainte-Sophie, Istanbul, vue intérieure.

3. Descente aux limbes, Kariye camii, Istanbul, XIVᵉ s.

La lumière

Absence de profondeur et de source précise d'éclairage, absence d'ombre portée, perspective inversée, traitement linéaire des figures, couleurs posées en aplat, toutes ces règles formelles commandent les compositions figurées des Byzantins dans un but unique, donner à la lumière une place centrale. Lors de la Transfiguration du Christ sur le mont Thabor, la lumière que voient les apôtres est surnaturelle, alors que, dans la Descente du Christ aux limbes (3), le fort contraste lumineux entre le fond sombre et le blanc éclatant du vêtement du Christ révèle la sensibilité religieuse du temps. Par l'intermédiaire de la coupole fenestrée (2) au sein d'un espace central grandiose, les jeux de la lumière solaire et l'or des mosaïques ou celui des icônes (4) rendent la présence divine sensible et participent à l'édification des fidèles.

La dernière renaissance

LA FRESQUE ET L'ICÔNE CARACTÉRISENT L'ART BYZANTIN SOUS LES PALÉOLOGUES. MOINS SÉVÈRE, IL DEVIENT PLUS EXPRESSIF ET LA VALEUR DE LA LUMIÈRE Y TIENT UNE GRANDE PLACE.

Après la chute de l'Empire latin de Constantinople et la reconquête par les Paléologues de la ville en 1261, l'Empire byzantin connaît une nouvelle ère de prospérité relative et d'épanouissement des arts.

Si en architecture les formes traditionnelles perdurent avec, néanmoins, un enrichissement des plans et un embellissement des façades (arcatures, festons, niches...), il n'en est pas de même dans les autres domaines de l'art. On constate en effet une régression de la mosaïque – technique coûteuse au profit de la fresque et des icônes, qui vont favoriser le rayonnement artistique byzantin. Des mosaïques de qualité continuent cependant à être produites au début de la période, nettement influencées par les techniques picturales : le nombre des couleurs augmente, les tracés sont plus fluides, le détail plus fouillé, le modelé plus accusé.

La fresque ou l'icône obéissent aux principes formels définis antérieurement (bidimensionnalité, absence d'ombre portée...) mais présentent des caractères nouveaux, dus en partie aux conceptions humanistes ou aux recherches mystiques qui se développent à Constantinople, ainsi dans la scène de l'Anastasis (Descente aux limbes) de l'église Saint-Sauveur-in-Chora (auj. la mosquée désaffectée Kariye camii) : la noblesse et l'élégance des figures, le dynamisme de la composition et l'introduction d'une cer-

taine profondeur se rattachent à la tradition gréco-romaine. D'autres traits spécifiques caractérisent cet art : l'expression retenue des émotions, le réalisme de certaines figurations telles qu'on peut en voir sur les fresques des églises macédoniennes des XIIIᵉ et XIVᵉ siècles, ou encore la manière raffinée et linéaire des œuvres du XVᵉ siècle, empreintes de grâce gothique. Enfin, le répertoire iconographique s'enrichit de thèmes au contenu plus narratif : enfances de Marie et du Christ, mission et martyre des apôtres, vie des saints... Paysages ou architectures créent l'impression où s'anime une foule vivante et colorée, parfois pathétique lors de l'évocation de la Passion du Christ.

Malgré ces tendances expressives nouvelles, l'art byzantin s'est toujours refusé à représenter le réel et à perdre ainsi son caractère sacré et dogmatique. Art profondément symbolique, il préserva toujours ce subtil équilibre entre figuration et abstraction, entre humain et divin, reflet de ses deux composantes orientale et hellénique. Après 1453, il se prolonge en Europe méridionale et orientale, notamment en Russie, et influence aussi la création occidentale. Toutefois celle-ci, dès le XIIIᵉ siècle, s'engage dans les voies nouvelles d'un art exaltant : le réel.

→ **Voir aussi :** Saint-Marc de Venise, ARTS, p. 210-211. Les premiers siècles de Byzance, HIST, p. 50-51. Byzance, apogée et déclin, HIST, p. 92-93.

briques et de pierres. À l'intérieur, on retrouve cette richesse ornementale antérieure. Toutefois, la répartition des thèmes tient mieux compte du caractère symbolique qui s'attache aux différentes parties de l'église conçue comme un microcosme du monde céleste : le Christ Pantocrator se tient dans la coupole, image des cieux ; dans la nef, symbole de la vie terrestre, on trouve des représentations de la vie du Christ, de martyrs et de saints personnages. Le chœur, où s'accomplit l'Eucharistie, lieu de passage entre terre et ciel, sera orné d'une Vierge à l'Enfant, symbole du salut. La mosaïque à fond d'or sur lequel se détachent des figures bien cernées est alors largement utilisée, révélant l'extraordinaire rayonnement de la culture byzantine. À Saint-Marc, à Venise, à Torcello, à Kiev, en Russie nouvellement convertie, comme en Grèce même, on peut encore admirer les créations monumentales réalisées par les mosaïstes byzantins, dans un style parfois sévère (Dháfni).

L'art de l'icône progresse également. L'ancienne technique de l'encaustique cède le pas à la tempera. L'ivoire, l'émail, la mosaïque miniature, les métaux ouvrés sont largement employés pour réaliser des icônes ou les décorer. Parmi celles-ci, la *Vierge de Vladimir,* conservée à Moscou, est, par son élégance, sa composition et la douceur du sentiment qui l'inspire, l'un des plus beaux témoignages de l'art byzantin du XIIᵉ siècle. Arrivée à Vladimir en 1155, elle a été l'initiatrice de ce thème, très apprécié en Russie. Les arts somptuaires connaissent de même un grand développement, dont témoigne encore aujourd'hui le trésor de Saint-Marc de Venise. Parmi les techniques les plus représentatives du savoir-faire et du luxe byzantins, l'émail cloisonné jouit d'un attrait particulier à partir des Macédoniens. D'un usage généralisé dans les arts sacrés et profanes, il témoigne du goût byzantin pour la polychromie précieuse et pour une technique qui, elle aussi, est d'origine orientale. •

L'héritage byzantin

La puissance et le prestige de la civilisation byzantine ont favorisé la conversion au christianisme des peuples des Balkans et de la Russie européenne qui, dès lors, adoptent les formes d'expression du christianisme byzantin et son organisation ecclésiastique. Progressivement, ils développent, chacun selon son propre génie, des styles spécifiques.

Toutefois, jusqu'au XVᵉ siècle, cet art reste toujours sous influence byzantine. Ainsi le style des Paléologues imprègne-t-il les œuvres de ces pays par l'intermédiaire d'artistes grecs tels Théophane le Grec, qui vient travailler à Novgorod et à Moscou. Celui-ci forme le plus célèbre des peintres d'icônes russes, Andreï Roublev (v. 1360-v. 1430), à qui l'on doit l'icône de *la Trinité,* vibrant témoignage du caractère propre de l'art et de la spiritualité russes.

Après 1453 et la conquête des Balkans par les Turcs, la Russie moscovite se considère comme la légitime héritière de Constantinople, et encourage l'épanouissement des arts chrétiens de tradition byzantine.

4. Andreï Roublev, *la Trinité,* début XVᵉ s.

Islam
L'architecture religieuse

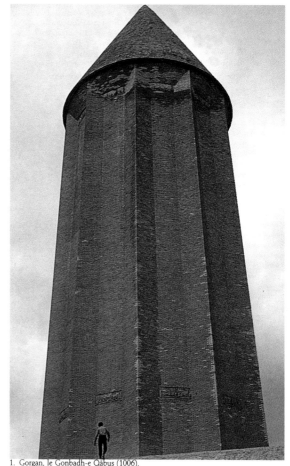

1. Gorgan, le Gonbadh-e Qābus (1006).

PRINCIPAL ÉDIFICE RELI-gieux et cœur de la cité musulmane, la mosquée, « lieu de prosternation », est d'abord l'endroit où se rassemblent les croyants pour la prière communautaire du vendredi. Son plan s'adapte donc aux nécessités du culte ; les fidèles prient en files parallèles disposées en largeur face au mur de *qibla* orienté en direction du sanctuaire de la Ka'ba à La Mecque. Cette orientation est symbolisée par une niche vide de forme variable, le *miḥrāb.* Le décor, normalement sans images dans les édifices religieux, l'islam étant totalement étranger à toute représentation anthropomorphique de Dieu, se concentre dans cette zone et dans l'axe qui la relie à la porte d'entrée. La salle de prière est pourvue d'une chaire à prêcher, le *minbar,* placé à droite du *miḥrāb.* À terre, nattes ou tapis

isolent du contact du sol et, dans le même esprit de pureté rituelle, fontaines et bassins se trouvent étroitement intégrés aux mosquées. Le minaret, haute tour servant au muezzin à faire retentir l'appel à la prière, complète l'édifice et domine le paysage urbain.

Tout en respectant ces exigences, les mosquées ont cependant pris, selon l'époque et la région, des visages différents liés à la variété des plans, des matériaux et des décors utilisés.

Au fil des siècles, d'autres monuments apparaissent, qui entrent également dans le cadre de l'architecture religieuse : tombeaux, collèges *(madrasa),* bâtiments abritant des combattants de la foi *(ribāt)* ou des communautés mystiques *(khān-qāh* ou *takkiyya).* À partir des XIIIe et XIVe siècles, certains de ces édifices sont regroupés en « complexes ».

Les mosquées de plan « arabe »

TOUT ESPACE BIEN ORIENTÉ ET DÉLIMITÉ POUVANT, SELON MAHOMET, CONVENIR À LA PRIÈRE, LES PREMIÈRES STRUCTURES RESTENT TRÈS PRIMITIVES.

Il faut attendre l'avènement de la dynastie omeyyade pour voir apparaître des monuments manifestant une véritable ambition architecturale. Mais le premier en date, la Coupole du Rocher (691), est un sanctuaire de pèlerinage de plan centré construit sur l'esplanade du Temple de Jérusalem. C'est la Grande Mosquée de Damas (706-715) qui constitue le prototype du sanctuaire prestigieux parfaitement adapté aux besoins du culte. Dans la salle de prière, trois travées d'arcatures sur colonnes parallèles au mur de *qibla* sont coupées par une nef axiale perpendiculaire qui constitue une allée triomphale entre le *miḥrāb* et la cour. Sa façade était ornée d'un décor de mosaïque à fond d'or que l'on retrouve sous le portique entourant la vaste cour pavée de marbre.

Ce plan de sanctuaire hypostyle ouvrant sur une cour connaît une faveur immédiate avec de multiples variantes. Les supports, colonnes ou piliers, sont le plus souvent couronnés d'arcs. La nef axiale peut être absente, ou bien se combiner à une

travée plus large longeant le mur de *qibla,* en formant un plan en T qui magnifie encore la zone la plus sacrée de la mosquée. De petites coupoles remplissant la même fonction font une discrète apparition dans certains monuments. La forme des minarets varie, carrée en Syrie et en Occident, circulaire ou polygonale ailleurs.

Au IXe siècle, les mosquées abbassides de Sāmarrā, en Iraq, aux murs scandés de tours demi-rondes, sont construites en brique. Salles de prière et portiques reposent sur de massifs piliers cantonnés de colonnettes d'angle. Des minarets hélicoïdaux, lointains héritiers des ziggurats, se dressent devant les murs nord. Ces éléments sont présents dans la mosquée élevée de 876 à 879 par Ibn Ṭūlūn à Fusṭāt en Égypte. Le beau décor de stuc qui orne l'intrados des arcs et les chapiteaux est également inspiré de Sāmarrā.

Sensiblement contemporaine, la Grande Mosquée de Kairouan, bâtie en pierre de petit appareil, a toujours un aspect extérieur fortifié. Le puissant minaret carré à trois étages de surface décrois-

sante domine la cour à portique double sur colonnes jumelées. La salle de prière offre un parfait exemple de plan en T : elle est articulée en deux zones privilégiées, la travée de *qibla* et la nef perpendiculaire surmontée de coupoles à ses deux extrémités. Les arcs en fer à cheval reposent sur des colonnes et des chapiteaux de remploi. Le *miḥrāb,* mis en valeur par la coupole côtelée sur trompes en coquilles qui le précède, est orné de panneaux de marbre sculpté et de carreaux lustrés.

À Cordoue, la salle de prière, forêt de fûts roses et bleus couronnés d'arcs à deux étages et claveaux bicolores, porte la trace de ses agrandissements successifs aux IXe et Xe siècles : la nef conduisant au *miḥrāb* se trouve décentrée vers l'ouest. Exceptionnel, ce *miḥrāb* a la forme d'une petite pièce octogonale couronnée par une coquille. Toute la zone qui l'encadre et le précède a fait l'objet d'une extraordinaire recherche décorative.

Le plan « arabe » se retrouve dans des mosquées fatimides du Caire comme al-Azhar (fin Xe s.) ou al-Ḥākim ; dans cette dernière apparaît une nouveauté : deux coupoles ponctuent les extrémités de la travée de *qibla.* Disposition reprise au Maghreb (Alger, Tilimsen, Fès, Marrakech ou Rabat) fidèle au sanctuaire hypostyle aux nefs rythmées de piliers sommés d'arc en fer à cheval. ●

La mosquée iranienne

À PARTIR DU XIIe SIÈCLE, UN NOUVEAU TYPE DE SANCTUAIRE SE DÉVELOPPE EN IRAN, DONT LE SCHÉMA DEMEURE QUASI IMMUABLE.

Quelques mosquées, comme celle de Nā'in (Xe s.) et d'autres beaucoup plus tardives, nous prouvent que le monde iranien n'ignora pas les sanctuaires de type « arabe ». On rencontre par ailleurs dès l'origine des mosquées de plan centré, couvertes d'une coupole, la mosquée Bleue de Tabriz (XVe s.) ou encore celle de Cheykh Lotfollāh à Ispahan (début du XVIIe s.) témoignent d'une belle fidélité à ce genre d'édifice.

Mais à l'époque seldjoukide s'élabore, à partir du XIIe s., un type de bâtiment qui deviendra par la suite le modèle de la plupart des mosquées d'Iran et d'Asie centrale. Le sanctuaire iranien se caractérise dès lors, le plus souvent, par une vaste cour à quatre *iwans* situés au milieu de chaque côté. D'origine parthe et sassanide, ces grandes salles voûtées, fermées sur trois côtés et entièrement ouvertes sur le quatrième, sont déjà présentes dans l'architecture palatiale dès les débuts de l'islam. Elles viennent désormais rythmer une composition architecturale au centre de façades articulées par des niches. L'*iwan* sud, souvent encadré de fins minarets

à fûts cylindriques et couronnement en forme de pavillon, sert d'entrée monumentale à la salle de prière où la coupole joue désormais un rôle majeur.

L'exemple le plus frappant de cette révolution architecturale est la transformation de la mosquée du Vendredi à Ispahan. Le sanctuaire hypostyle à grosses piles rondes en brique du IXe-Xe siècle fut, par étapes, adapté au nouveau schéma architectural. Une majestueuse coupole fut implantée dans un vaste espace dégagé devant le *miḥrāb,* et quatre *iwans* vinrent structurer la cour.

Ce plan, qui connut un succès immédiat, apparaît, par exemple, adopté de première intention à Zavvarè (1135). Les recherches contemporaines autour du problème de la zone de transition entre le cercle de la coupole et la base carrée en utilisant tout un jeu d'arcs et de trompes s'y trouvent également illustrées. Cinq siècles plus tard, de nouveau à Ispahan, la mosquée du Chah ('Abbās Ier), sous son éblouissant manteau de céramique, reprend le même schéma de base, mais complété de deux madrasas insérées de part et d'autre des iwans latéraux. ●

Les madrasas

FONDATIONS OFFICIELLES DE SOUVERAINS
SOUCIEUX DE PROMOUVOIR LES ÉTUDES ET DE CONTRÔLER
LA FORMATION DE FONCTIONNAIRES COMPÉTENTS, LES
MADRASAS, TOUT EN SATISFAISANT AUX MÊMES BESOINS,
PEUVENT PRÉSENTER DES PLANS DIFFÉRENTS.

La mosquée remplit dès l'origine, outre le rôle de centre religieux, celui de centre d'enseignement. Mais très tôt, vraisemblablement en Iran oriental, apparaissent des locaux plus spécialisés comportant, outre des salles de cours, des chambres pour les étudiants étrangers, un oratoire et diverses annexes. Ces éléments s'agencent souvent autour d'une cour à *iwans*.

C'est à Niẓām al-Mulk, vizir du sultan seldjoukide Malik Châh, qu'on attribue l'institutionnalisation et le développement à une échelle monumentale de cet établissement. Il ne reste rien de la célèbre Niẓāmiyya de Bagdad, ni de celles de Nichāpur, Ṭus ou Merv, mais les madrasas se répandent alors en Iran et entament dès le XIIe siècle une longue marche en direction de l'Occident. Les plus anciennes qui nous soient parvenues se trouvent en Syrie : souvent associées au tombeau du fondateur, ces sobres édifices de pierre sont de taille modeste et pourvus d'une cour à un *iwan*.

Au milieu du XIIIe siècle, l'Anatolie se couvre à son tour de madrasas : à côté du plan à cour centrale et deux ou quatre *iwans* (Tokat, Erzurum) se développe un nouveau plan à « cour couverte » d'une vaste coupole sur pendentifs (Karatay à Konya). Les premiers complexes réunissent certains collèges non seulement à des tombeaux, mais à des hôpitaux, des hospices, des bains...

En Égypte, la madrasa connaît un âge d'or sous les mamelouks. Le chef-d'œuvre du genre est l'ensemble de Sultan Ḥasan : haut portail de pierre sculpté, plan cruciforme, immense *iwan* de *qibla* lambrissé de panneaux rectangulaires en marbre polychrome servant de salle de prière précédant l'imposant mausolée sous coupole abritant le cénotaphe.

Au Maghreb, les premières madrasas tunisiennes ayant disparu, c'est au Maroc que l'on rencontre des édifices, datant pour la plupart du XIVe siècle, qui diffèrent sensiblement des modèles orientaux. Ni tombeau ni plan à *iwan* dans ces madrasas marinides, qui ont une cour à portique à laquelle on accède par une entrée coudée, et des cellules au rez-de-chaussée ou à l'étage. Seule la Bū Inaniya de Fès présente deux grandes salles latérales réservées à l'enseignement qui pourraient rappeler un plan oriental ; mais son décor reste typiquement occidental : mosaïque de céramique dans les parties basses, stuc sculpté de motifs épigraphiques et floraux dans la zone intermédiaire, frises, corbeaux et auvents de bois sculptés en haut.

À l'autre extrémité du monde islamique, l'Asie centrale et l'Iran d'époque timuride et séfévide (XVe-XVIIIe siècle) restent fidèles à la formule cruciforme originelle. •

2. Le Caire,
mausolée de Qāʾit Bāy (1472-1474).

La mosquée turque

LES MOSQUÉES OTTOMANES DITES « CLASSIQUES »
DOMINENT DE LEUR AMPLE SILHOUETTE PYRAMIDALE
LES PAYSAGES URBAINS. ELLES S'INTÈGRENT DANS DE
VASTES COMPLEXES ARCHITECTURAUX, MADRASA,
TOMBEAUX, BAINS, CARAVANSÉRAILS.

En Anatolie seldjoukide, les mosquées n'ont guère en commun que leurs fins minarets cylindriques en brique et l'importance de la décoration de leurs hauts portails de pierre. Les premières recherches autour d'un espace central couvert d'une coupole se rencontrent plutôt dans certaines madrasas.

Par contre, les XIVe et XVe siècles représentent une longue période d'expérimentation dont l'aboutissement est la mosquée ottomane du XVIe siècle. Construite en 1366, à Manisa, une coupole de plus de 10 m de diamètre occupe près d'un tiers de la salle de prière, l'espace restant étant couvert, comme le portique qui entoure la cour, de petits dômes. Elle annonce déjà la « mosquée aux trois balcons » que fait construire à Edirne, entre 1437 et 1447, le sultan Murad II : une coupole centrale qui atteint 24 m de diamètre et 28 m de haut repose sur un tambour, percé de douze fenêtres, renforcé de contreforts extérieurs. Quatre minarets, en pierre de taille comme le reste de l'édifice, apparaissent aux angles de la cour à portique voûté de petites coupoles, comme toutes les cours postérieures.

Après la prise de Constantinople (1453), l'exemple de Sainte-Sophie stimule des architectes déjà rompus aux problèmes posés par l'édification de coupoles importantes. La mosquée de Bayezid II (1505) demeure la première d'Istanbul illustrant la recherche d'un nouvel espace.

Mais c'est Sinan, architecte en chef de Süleyman Ier (le « Magnifique ») et de Selim II, qui réalise l'adéquation parfaite entre des volumes internes et externes d'une ampleur encore jamais atteinte. Dans la « mosquée des Princes » (Şehzade) en 1548, son « œuvre d'apprenti », il choisit, pour augmenter l'espace intérieur, de contrebuter la coupole centrale par quatre demi-coupoles. Avec la Süleymaniye (1550-1557), la recherche de Sinan semble avoir particulièrement porté sur l'aspect extérieur du monument. Sous tous les angles, la silhouette pyramidale, qui résulte d'un subtil étagement de contreforts, d'arcs, de coupoles et de tourelles, demeure d'une parfaite harmonie. Plus haut que leurs vis-à-vis, les minarets cannelés contigus au sanctuaire contribuent à la sensation d'élévation. Dans la salle de prière, la coupole de 26,5 m de diamètre et de plus de 47 m de haut s'appuie sur deux demi-coupoles et deux grands arcs. Les fenêtres en plein cintre percées à la base de la coupole et dans les tympans des arcs inondent l'édifice de lumière. Mais c'est à plus de 80 ans que l'architecte réalise, de 1569 à 1575, dans la ville d'Edirne, la mosquée qu'il considère comme son chef-d'œuvre, la Selimiye. L'immense coupole de plus de 31 m de diamètre repose sur huit piliers reculés au maximum contre les murs. Pour diminuer l'effet de la poussée, huit contreforts en tourelles viennent rythmer l'extérieur du dôme. Quatre minarets de près de 80 m qui jaillissent aux angles, non de la cour, mais de la salle de prière, remplissent également, outre leur rôle esthétique, cette fonction technique. Le décor de carreaux polychromes peints sous glaçure développé à partir de la Süleymaniye, et généralement concentré dans la zone du *miḥrāb* et du mur *qibli*, atteint la perfection. •

→ **Voir aussi :** Naissance de l'islam, **HIST**, p. 54-55. La civilisation arabo-andalouse, **HIST**, p. 56-57. Les Turcs et l'islam, **HIST**, p. 96-97.

3. Āgrā, le Tādj Maḥall (1631-1641).

L'art funéraire, un art majeur

Très tôt, en dépit de restrictions religieuses, des mausolées prestigieux viennent symboliser la puissance temporelle ou spirituelle de certains défunts. Les premiers grands tombeaux sont soit des structures cubiques couvertes de coupoles (mausolées samanides, Xe s., Boukhara, ou seldjoukides à Merv, XIIe s.), soit de hautes tours funéraires cylindriques ou polygonales à toit conique (1). En Anatolie et dans le monde syro-égyptien, les mausolées font souvent partie de complexes architecturaux tels ceux des sultans Qālawun, Ḥasan ou Barqūq. Celui de Qāʾit Bāy (2) dresse son dôme de pierre sculptée à côté d'une madrasa. En Inde se développe un autre concept : celui du tombeau-jardin, tel le Tādj Maḥall, élevé par Châh Djāhān pour son épouse préférée (3). Ses élégants volumes de marbre blanc incrustés de pierres dures s'épanouissent au fond d'une composition où végétation, architecture et eau conjuguent leurs effets, évoquent l'idée de paradis.

Islam
L'architecture civile

L'ÉTERNITÉ N'APPARTENANT qu'à Dieu, le musulman a, de façon très aiguë, le sentiment de se mouvoir dans un monde de l'éphémère et l'architecture princière se ressent particulièrement de cette attitude générale. Alors que l'édifice religieux est soigneusement entretenu, agrandi, embelli de génération en génération, le palais du souverain est souvent délaissé par son successeur. Cette habitude, jointe à la fragilité de certains matériaux et à l'instabilité politique de nombre de régions, explique le peu de témoignages d'architecture palatiale dont nous disposons.

Curieusement, c'est des périodes les plus anciennes que datent plusieurs ensembles en Syrie, en Iraq ou en Espagne. Plus ou moins bien conservés, ils permettent néanmoins de se faire une idée du plan, de la structure générale et du décor de quelques demeures princières du début de l'islam, alors que nous manquons cruellement de jalons durant la période médiévale.

Grenade, Istanbul, Ispahan ou Delhi nous offrent ensuite divers somptueux palais qui, plus récents, ont moins subi les outrages du temps.

Édifiés pour résister victorieusement aux assauts extérieurs, un certain nombre d'ouvrages militaires ont mieux traversé les siècles. Du Maroc à l'Inde en passant par l'Égypte et la Turquie, il subsiste de nombreux murs d'enceinte rythmés de tours et de portes ainsi que des citadelles dominant les villes de leurs imposantes silhouettes. Il en est de même des caravansérails qui jalonnent les pistes caravanières et de certains travaux d'utilité publique, bassins, aqueducs et ponts d'une austère beauté.

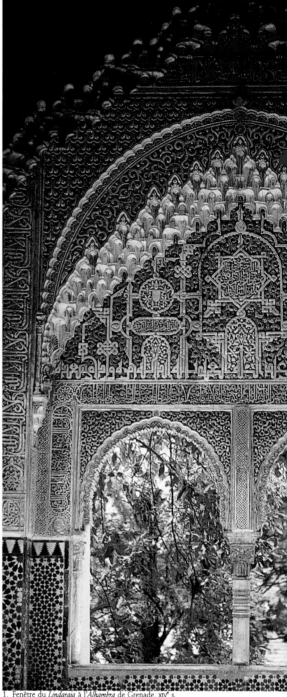

1. Fenêtre du *Lindaraja* à l'*Alhambra* de Grenade. XIVᵉ s.

Les demeures princières

LES IMPÉRATIFS DE L'ARCHITECTURE PRINCIÈRE : CADRE PRESTIGIEUX POUR LES AUDIENCES ET VIE PRIVÉE ISOLÉE DES PARTIES OFFICIELLES.

En dépit de leur infinie variété d'aspect, la plupart des réalisations ont quelques traits communs. La muraille qui les entoure, dont l'austérité contraste avec la profusion des décors intérieurs, isole du peuple le souverain et son entourage. Elle abrite, outre les bâtiments princiers, des organes administratifs, bureaux, archives, trésor. Sous une forme ou sous une autre, la nature s'y trouve intégrée.

À l'époque omeyyade, les palais présentent le plus souvent une enceinte carrée cantonnée de tours qui évoque les forteresses du *limes* romain. Elle s'ouvre par une entrée monumentale (fréquemment surmontée d'un hall de réception) sur une cour autour de laquelle se disposent des pièces regroupées en unités autonomes. Mosquées et bains sont inclus dans le château ou le jouxtent de près. Certains des bains sont remarquables par leur ampleur et par leur décor de mosaïque, de fresque et de sculpture (Quṣayr 'Amra, Khirbat al-Mafdjar). Parfois, d'autres structures permettent le développement de l'agriculture et du commerce (Qaṣr al-Ḥayr al-Gharbi et al-Charqī).

Le palais inachevé de Mchattā se caractérise par une organisation intérieure nouvelle : la partie centrale conduit en ligne droite, par-delà une vaste cour, à la salle du trône. Cette disposition axiale se retrouve ensuite dans la plupart des palais abbassides du IXᵉ siècle. On la rencontre à Ukhayḍir comme dans les ensembles très ruinés de Sāmarrā. L'échelle impressionnante de ces derniers est liée au développement d'un cérémonial de cour de plus en plus complexe. Au *palais du Calife* et au *palais de Balkuwārā*, une suite de cours donne accès, en suivant un axe longitudinal, au cœur prestigieux de l'architecture : la salle du trône, formée de quatre salles ordonnées selon un plan cruciforme autour d'une pièce à coupoles. De monumentales entrées triparties en forme d'iwan à arc brisé y donnent accès. Appartements privés, jardins à canaux, bassins, hippodromes et parcs à gibier se déploient ensuite sur des superficies gigantesques.

En Espagne, Madīnat al-Zahrā' est, à l'intérieur de ses murailles, une véritable cité étagée sur trois terrasses. Les bâtiments royaux, regroupés sur le niveau supérieur, ne suivent pas l'ordonnancement axé des palais orientaux, bien que les salles de réception aient, elles, un plan symétrique.

À Lāchkari Bāzār, en Afghanistan, au XIᵉ siècle, apparaît un élément nouveau : la cour à quatre iwans, qui connut ses plus brillants développements dans l'architecture religieuse.

C'est probablement l'*Alhambra* de Grenade qui restitue le mieux l'extrême raffinement du décor intérieur d'une résidence royale. Au XIVᵉ siècle, on y aménagea des espaces où l'alliance étroite de l'architecture, de la végétation et des murmures de l'eau crée une atmosphère irréelle.

À Istanbul, le palais de *Topkapı* abrite à l'intérieur d'une muraille terrestre et maritime des édifices érigés à partir de la fin du XVᵉ siècle. La seule constante de cette architecture, improvisée au fur et à mesure des besoins, est l'habituelle progression entre parties publiques, officielles et privées. Ateliers, entrepôts, services administratifs bordent la première esplanade réservée aux parades. Sur la deuxième cour s'ouvrent la salle du conseil et les célèbres cuisines aux 20 coupoles coniques dues à l'architecte Sinan. Une salle d'audience officielle est située face à l'entrée de la troisième cour sur laquelle ouvre le harem, palais dans le palais. À la pointe du sérail, dans les jardins particuliers des sultans, divers kiosques et pavillons jouissent d'une vue admirable sur la mer. Ils illustrent un type d'architecture princière dépourvue de pompe et propre au délassement, bien évoqué par le *kiosque de Bagdad* (1633), de plan octogonal, couvert d'une coupole et entouré de larges auvents et de portiques sur colonnes.

Ispahan à la fin du XVIᵉ siècle présente le fait rare d'intégrer une demeure princière à un schéma d'urbanisme mûrement pensé. Chāh 'Abbā Iᵉʳ fit surélever de trois étages le petit *palais d'Alī Qāpu* et le dota d'une longue terrasse couverte *(tālār)* à colonnes de bois, dominant la grande place royale rythmée par trois autres constructions contemporaines. Par-derrière, un vaste parc ponctué de pavillons de délassement ou de réception, comme le *Tchehel Sotun,* s'étendait jusqu'au *Tchahār Bāgh,* avenue-jardin conçue comme une des grands axes de la capitale.

L'architecture impériale de l'Inde moghole frappe surtout par l'étonnant syncrétisme d'éléments d'origine persane (arc, iwan, coupole) ou indienne (piliers, corbeaux, linteaux en pierre sculptée). À Fatḥpūr Sīkrī, Akbar fit élever (1569-1586) une cité rapidement délaissée dans laquelle certains bâtiments officiels en grès rouge, miraculeusement préservés, font preuve d'une grande unité stylistique. Les plus marquants sont des structures ouvertes (sans murs latéraux) à étages en retrait supportés par des colonnes monolithes et couronnés de petits kiosques. ●

Splendeur et diversité du décor architectural

D'emblée, le décor architectural islamique frappe par son goût des couleurs ou des jeux d'ombre et de lumière sur les creux ou les reliefs, comme par la variété des techniques mises en œuvre. Il masque parfois d'un brillant manteau des matériaux de construction modestes. Dans les monuments omeyyades et abbassides, le stuc sculpté ou moulé, la fresque se mêlent à la mosaïque de cubes de verre ou de pierres héritée de la basse Antiquité (2). Par la suite, le stuc demeure très employé en Orient comme en Occident (1), mais la céramique, sous toutes ses formes, joue un rôle majeur, particulièrement en Iran et en Turquie (3).

L'architecture défensive

DANS LE MONDE ISLAMIQUE, LE SYSTÈME DÉFENSIF N'UTILISE QUE RAREMENT LE « CHÂTEAU FORT » ISOLÉ, DÉVELOPPÉ DANS L'OCCIDENT MÉDIÉVAL, MAIS REPOSE ESSENTIELLEMENT SUR D'AUTRES STRUCTURES.

Après sa fulgurante expansion de la fin du VIIᵉ et du début du VIIIᵉ siècle, l'islam dut s'organiser pour protéger ses conquêtes. De plus, le morcellement très rapide de ce nouvel espace en empires ou en principautés rivaux amena chaque dynastie à chercher à manifester sa puissance ou à la préserver.

Au départ, dans les zones frontières, les musulmans réutilisèrent souvent d'anciens postes fortifiés sassanides ou byzantins. Par ailleurs, des *ribat,* fortins munis de tours de guet (édifices qui appartiennent aussi à l'architecture religieuse), s'établirent sur les confins de l'Asie centrale de l'Anatolie et le long du littoral méditerranéen (Sousse, Monastir). Très vite, les villes s'entourèrent de remparts de brique, de pierre de taille, de moellon ou de pisé. Si la légendaire enceinte circulaire de Bagdad du calife al-Mansur a

disparu, nombre de cités ont conservé la leur. Souvent crénelées, renforcées de tours rondes, carrées ou polygonales, ces murailles sont parfois particulièrement impressionnantes, comme à Diyarbakır en Anatolie orientale ou à Bam en Iran. L'habituel chemin de ronde peut parfois être complété de galeries couvertes munies de meurtrières.

Certaines des monumentales portes fortifiées qui les scandent sont des chefs-d'œuvre architecturaux. Leur rôle fonctionnel se double d'un aspect clairement symbolique de grandeur, de prospérité et de sécurité assurées, parfois révélé par leur décor (dragon, félin, etc.) ou par leur nom. Au N.-E. de l'enceinte fatimide du Caire, *Bâb Nasr* (porte de la Victoire) est encadrée de deux puissantes tours carrées de plus de 20 m de haut, décorées d'écussons et de médaillons

ronds sculptés ; elle s'ouvre sous un arc en plein cintre sur un long passage voûté. Un peu plus à l'ouest, *Bâb al-Futûh* (porte de la Conquête) entre ses deux tours rondes sobrement ornées de grands arcs aveugles frappe par son admirable appareillage de pierre taillée. Dans certains cas, comme à Rabat à la fin du XIIᵉ siècle et au début du XIIIᵉ siècle, l'entrée directe est remplacée par un système de passage coudé ; moins célèbre, mais certainement plus sophistiqué que la porte de la *casbah des Oudaïa, Bâb al-Ruwah* s'ouvre sur une succession de quatre salles (trois à coupoles, une à ciel ouvert) articulées en plusieurs coudes qui constituent un véritable système défensif. Elle est en outre encadrée de deux imposants saillants carrés surmontés d'un vigoureux décor d'arcatures festonnées, d'entrelacs et de coquilles.

Autre élément architectural primordial, la citadelle (*qal'a, casbah,* etc.), unité fortifiée de dimensions variables dominant les centres urbains. Casernement militaire, elle peut devenir une véritable ville dans la ville, complètement autonome, abritant des représentants du pouvoir, voire des souverains. Particulièrement spectaculaire, la citadelle ayyubide et mamelouk d'Alep se dresse en haut d'un glacis entouré d'un fossé qu'enjambe un pont défendu par deux massifs d'entrée. Ses murs enferment les bâtiments les plus divers, officiels et privés, halls d'audience, logements, mosquées, bains, citernes, magasins, prisons. On retrouve le même genre d'organisation dans certaines citadelles également célèbres comme celles du Caire, de Boukhara ou d'Harât. Au fil des siècles, la distinction entre citadelle et résidence princière urbaine fortifiée s'avère souvent délicate. Comment qualifier les forts d'Âgrâ et de Delhi qui abritent, derrière leurs énormes murs de grès rouge, au sein de jardins arborés, de légers édifices de marbre blanc construits pour une part sous Châh Djahân ?　　　　●

3. Revêtement mural de céramique à *Topkapı.* Istanbul. XVIᵉ s.

2. Mosaïque du *divan* à Khirbat al-Mafdjar, Jéricho, VIIIᵉ s.

Les caravansérails

L'ORGANISATION DE LA SÉCURITÉ ET DE L'ABRI DES VOYAGEURS EST À L'ORIGINE D'UN TYPE D'ÉDIFICES SPÉCIALEMENT ADAPTÉS À CET USAGE.

Pèlerins, étudiants et commerçants se déplacent sans cesse sur des pistes souvent inhospitalières. Établis le long des axes principaux, les caravansérails *(khân),* quel que soit le matériau de construction, ont de nombreux points communs. Tous présentent une austère enceinte fortifiée à entrée unique et une cour autour de laquelle se répartissent cellules, écuries et entrepôts. On note parfois la présence d'un petit oratoire.

Hormis le *ribât-e Charaf,* caravansérail iranien de brique daté de 1114, les *khân* médiévaux les plus nombreux et les plus importants se situent en Anatolie. Deux prestigieux *Sultan Han,* situés entre Konya et Aksaray et entre Kayseri et Sivas, reflètent à merveille la grandeur du souverain seldjoukide qui les patronna en 1229. Bâtis en pierre, ils ont, comme les monuments religieux, d'impressionnants portails de pierre sculptés, et sur le côté de la cour

opposé à l'entrée s'ouvre une vaste salle « d'hiver » à plusieurs nefs voûtées en berceau et éclairées par une coupole à lanterneau.

Les caravansérails iraniens d'époque séfévide s'organisent quant à eux le plus souvent autour d'une cour à iwans.

Les *khân* urbains (*fondouk* en Occident), établis près des portes des villes ou au centre des souks, s'ils sont dépourvus de murs fortifiés n'en conservent pas moins de solides portes fermées le soir. Le manque d'espace contraint souvent à un développement en hauteur (cinq étages au *khân* de *Qânsûh al-Ghûrî* au Caire).

→ **Voir aussi :** Naissance de l'islam et expansion arabe, HIST, p. 54-55. Les Turcs et l'islam, HIST, p. 96-97.

Islam
Les objets d'art

VARIÉTÉ DES FORMES, variété des matériaux et des modes de fabrication, variété des décors, tout concourt à faire rejeter, en ce qui concerne les objets d'art islamique, le qualificatif d'« art mineur ». Car les traditions artistiques méditerranéenne et iranienne, bientôt enrichies d'apports extrême-orientaux, ont été intégrées dans l'élaboration d'un art rapidement original où s'allient inventions techniques et nouveaux schémas décoratifs.

Les productions du monde musulman ont d'ailleurs été très tôt appréciées en Europe, où elles parvinrent par diverses voies. Fort admirées, les soieries de luxe rapportées par les croisés et offertes en cadeaux diplomatiques furent utilisées pour envelopper des reliques ou confectionner des vêtements liturgiques. Leur influence s'est largement fait sentir dans

la production des ateliers espagnols et italiens. Quant aux tapis, ils sont si liés au cadre de vie occidental qu'ils en perdent parfois leur appellation d'origine : on emploie couramment le terme de « Lotto » ou d'« Holbein » pour parler des tapis turcs qui figurent dans les tableaux de ces peintres. Certaines innovations dans le domaine de la céramique (faïence, décor lustré) et de la verrerie (décor émaillé et doré) se sont transmises à l'Europe chrétienne, où elles ont connu ultérieurement les développements les plus brillants. Tous ces objets, quelle que soit leur matière ou leur forme, ont un point commun : leur décor, bien loin de se cantonner dans l'abstraction, associe souvent des représentations humaines et animales aux classiques motifs épigraphiques, géométriques et floraux.

1. Pyxide d'Al-Mughira ; Cordoue, ivoire, 968.

La céramique

AU PROCHE-ORIENT,
EN IRAN ET EN TURQUIE,
LA CÉRAMIQUE CONSTITUE, COMME EN CHINE,
UNE DES FORMES LES PLUS ACHEVÉES
DE L'EXPRESSION ARTISTIQUE.

L'influence des productions extrême-orientales, importées dès l'époque abbasside, sur certaines séries de céramiques n'est pas niable. Mais, curieusement, les potiers n'ont pas fabriqué de véritables porcelaines avant les périodes tardives ; en revanche, ils se sont parfois inspirés de leur aspect et de leurs formes. Car très vite, non contents de reprendre un type de céramique à pâte argileuse et décor moulé ou appliqué souvent recouvert de glaçure (mince couche vitreuse) hérité de la basse Antiquité, ils innovent. Le désir d'imiter la blancheur des porcelaines n'a pas été étranger à l'apparition en Iraq, au IXᵉ siècle, de la faïence : pâte argileuse recouverte d'une glaçure opacifiée à l'oxyde d'étain qui, si on ne lui adjoint pas de colorant, prend un ton blanc ou ivoire.

Cependant, le goût de la polychromie a d'emblée incité les potiers à peindre sur ce fond clair un décor (souvent bleu de cobalt) supportant une cuisson de grand feu. Le souci de varier les effets de couleur les amène également à appliquer sur certaines faïences un

décor de lustre métallique (semble-t-il d'abord développé en Égypte, peu avant l'islam, sur le verre) : sur la pièce déjà glacée et cuite, on peint des motifs stylisés avec des oxydes de cuivre et/ou d'argent mêlés d'autres substances ; une seconde cuisson, à température modérée et dans une atmosphère pauvre en oxygène, entraîne la réduction des oxydes à l'état d'infimes particules de métal incorporées à la surface de la glaçure, aux délicats reflets jaunes, rouges, bruns ou verdâtres. D'autres types de céramiques argileuses apparaissent vers le Xᵉ siècle : l'Iran oriental se distingue alors par une production originale de pièces à décor peint à l'engobe (argile diluée) sur un fond recouvert d'un engobe de couleur contrastante et sous glaçure. Les motifs les plus réussis sont de larges bandeaux épigraphiques sobres et monumentaux.

Dans le courant du XIIᵉ siècle, en Égypte-Syrie comme en Iran central, les potiers développent un nouveau type de pâte à très forte teneur en silice. Cette pâte peut être d'une finesse et d'une

blancheur extrêmes. Mais les artisans se contentent rarement de fabriquer des objets valant par la seule qualité de leur matière et de leur forme. Ils y appliquent tous les types de décor alors connus, soit gravés, repercés ou peints sous glaçure, soit lustrés sur glaçure opaque ou transparente. On invente, de surcroît, en Iran un décor de petit feu polychrome (*haft rang* ou *sept couleurs*) dont l'iconographie évoque l'art du miniaturiste ; mais, curieusement, cette technique raffinée ne s'est guère répandue dans le monde islamique, où elle est abandonnée en moins de deux siècles. En Syrie, au XIIIᵉ siècle, les recherches portent plus spécialement sur les décors peints sous glaçure.

À la fin du XVᵉ siècle, vraisemblablement à Iznik, les potiers ottomans se mettent à fabriquer des céramiques rapidement admirées et collectionnées en Europe. Sur une pâte siliceuse à fritte riche en plomb recouverte d'une fine couche d'engobe de même nature, le décor est peint sous glaçure, d'abord exclusivement en bleu de cobalt (arabesques, lotus, nuages « chinois »). Les pièces sont encore rares et certainement réservées, par leur dimension et leur qualité, à une élite. Entre 1530 et 1550, le turquoise, puis le vert olive, le pourpre (ou mauve) et un noir verdâtre apparaissent dans une production plus importante et au répertoire iconographique

plus éclectique. La mise au point, vers 1555-1560, du fameux rouge tomate à base d'oxyde de fer et de quartz pulvérisé posé en léger relief sous la glaçure marque un tournant dans l'histoire de la céramique d'Iznik. Les commandes officielles privilégient désormais les panneaux de carreaux de revêtements destinés au décor architectural. Les objets, plats, pichets, chopes, de plus en plus nombreux mais de taille moins imposante, sont diffusés sur le marché libre ; les décors floraux dominent : tulipes, jacinthes sauvages, branches de prunus, œillets ou roses,

cyprès souvent organisés en éclatants bouquets monumentaux.

Moins connue que la céramique turque, la céramique iranienne du XVIᵉ au XVIIIᵉ siècle est intéressante par sa diversité. Sur des pièces à pâte siliceuse, les potiers utilisent toutes sortes de décor : glaçure monochrome, motifs peints en bleu ou en polychromie sous glaçure, comme en lustre métallique sur glaçure transparente souvent colorée, etc. Le répertoire, essentiellement animalier et végétal, fait également place à des scènes de genre inspirées des miniatures. •

Les arts du métal

LES ARTS DU MÉTAL S'EXPRIMENT
ESSENTIELLEMENT PAR DES PIÈCES SOUVENT
REGROUPÉES DANS LES CATALOGUES
SOUS L'APPELLATION « BRONZE ».

Ce terme rend mal compte de la diversité des alliages de cuivre employés. Sur les objets coulés (bronze, en général) ou martelés (laiton), le décor est obtenu par divers procédés parfois utilisés simultanément : moulage, repoussé, perforation, gravure, ou incrustation (de fils ou de petites plaques d'argent, de cuivre rouge ou plus rarement d'or) éventuellement rehaussée de pâte noire. Ces métaux portent fré-

quemment des inscriptions (dédicaces et formules de vœux, dates, noms d'artisans ou de lieux).

Certaines pièces (aiguières, par exemple) remontant aux VIIIᵉ et IXᵉ siècles ont été fabriquées en Syrie, en Égypte et en Iraq. Mais les ateliers les plus importants pour l'évolution de l'art du métal se sont développés en Iran oriental, perpétuant d'abord la tradition sassanide. Diversifiant rapidement leur production, ils

Divertissements princiers

De tout temps, ce thème a été une des grandes sources d'inspiration iconographique. Il est le plus souvent illustré par des scènes dont le réalisme peut se doubler d'une connotation symbolique. La chasse (2, 4) permet aux monarques de prouver leur vaillance dans la prouesse personnelle et leur richesse par l'importance de leurs équipages, le nombre d'animaux « nobles », faucons, guépards achetés et entraînés à grand prix. Elle se termine généralement par un festin agrémenté de la présence de musiciens (1) – flûtistes, joueurs de luth ('ûd), de harpe et de tambourins – et de danseurs ou danseuses maniant des foulards ou des castagnettes. Le prince peut apparaître à cheval, en pleine action, ou assis sur un trône bas et large, coupe ou arc en main et entouré de dignitaires (3).

4. Détail du tapis dit « de Mantes » ; N.-O. de l'Iran, fin XIVᵉ s., laine.

La miniature

L'ART PICTURAL S'EXPRIME ESSENTIELLEMENT PAR LES MINIATURES ILLUSTRANT DES MANUSCRITS CÉLÈBRES OU ASSEMBLÉES DANS DE SOMPTUEUX ALBUMS.

Les peintures murales sont rares et les tableaux de chevalet inconnus avant le XIXᵉ siècle. Quant aux corans, qui ne peuvent comporter d'images, ils valent par la seule qualité de leurs calligraphies et de leurs enluminures. En revanche, les textes profanes, scientifiques ou littéraires, sont illustrés. Quelques pages dispersées témoignent d'une activité picturale, en particulier en Égypte, dès le XIᵉ siècle, mais la période d'apogée de la peinture « arabe » se situe au début du XIIIᵉ siècle en Iraq (Bagdad, Mossoul) et en Syrie. Une composition en deux plans, une nature évoquée par quelques éléments stylisés, des couleurs vives posées en aplats se retrouvent sur la plupart des copies du *Livre de la Thériaque,* du *Livre des plantes,* du *Kalila wa Dimma* (fables d'origine indienne) ou des *Maqâmât* (séances de Harîrî). De certaines scènes anecdotiques et de la plupart des représentations animalières se dégage une intense impression de vie.

Au XIVᵉ siècle, en Égypte et en Syrie, si la qualité demeure, l'inventivité se perd un peu. Au contraire, dans les régions passées sous domination mongole, à Tabriz et à Chirâz en Iran, comme à Bagdad, se développent des écoles où s'élabore la miniature iranienne « classique ». Sur les peintures illustrant de grands textes historiques (« *Histoire universelle* de Rachîd al-Dîn ») ou littéraires (*Châh-nâmè* – « Livre des Rois » – de Ferdowsi) apparaissent de nouvelles recherches de composition et de tons, jointes à des motifs centre-asiatiques ou chinois : nuages, arbres aux troncs noueux.

Le XVᵉ siècle constitue un âge d'or pour les arts du livre, favorisés par des princes bibliophiles à Bagdad et à Tabriz d'une part, à Harât et à Chirâz d'autre part. Libérées de la contrainte des cadres et des deux plans, les miniatures jaillissent sur les marges et jouent sur des effets de perspective (en particulier dans les graciles architectures parées de céramique). Omniprésente, la nature demeure essentiellement décorative, ciel bleu intense ou doré, nuages « chinois », grands arbres, collines semées de touffes fleuries et rochers tourmentés aux couleurs contrastées irréalistes. Mais les plus grands maîtres, comme Behzâd (à la tête de l'atelier du dernier sultan timuride d'Harât), allient à la délicatesse de la palette une science particulière de l'utilisation de l'espace, de l'individualisation et de la disposition des personnages. La permanence de la grande tradition picturale d'Harât enrichie d'apports turcomans est manifeste dans les superbes manuscrits *(Châh-nâmè, Khamsè)* réalisés à Tabriz pour Châh Tahmâsp Iᵉʳ entre 1520 et 1530. Mais à partir de la fin du siècle, sous Châh 'Abbâs Iᵉʳ à Ispahan, l'illustration des grands textes littéraires est progressivement délaissée au profit de scènes plus intimistes, portraits de jeunes gens ou de couples dans la nature, parfois dessinées en grisaille, rehaussées de couleurs douces et d'or. La peinture murale connaît alors un important développement.

C'est avec les grands Moghols que l'art de la miniature s'épanouit en Inde musulmane. Le long règne d'Akbar (1556-1605) voit s'effectuer une délicate synthèse des traditions persane et indienne enrichies d'apports européens. Les ateliers impériaux illustrent des textes littéraires et épiques, des mémoires ou biographies avec un nouveau sens de la perspective et du modelé. Très en vogue, les portraits témoignent d'un goût croissant du réalisme accompagné d'un sens aigu de l'observation. Certaines scènes peintes au XVIIᵉ siècle, sous Djahângîr et Châh Djahân, se doublent d'un aspect clairement allégorique. Les peintres, stimulés par la curiosité d'esprit des souverains concernant la flore et la faune, réalisent également diverses pages rassemblées, comme les portraits, dans des albums.

En Turquie ottomane, l'accent est plus particulièrement mis sur les portraits, l'illustration d'ouvrages historiques (chroniques des règnes) ou géographiques (cartes, vues de ports) marqués par un grand souci de l'exactitude des représentations. ●

3. Détail du bassin signé Ibn Az-Zayn, Égypte ou Syrie, déb. XIVᵉ s., laiton incrusté d'argent.

fabriquent en bronze (et en laiton), à partir du XIIᵉ siècle, aiguières ou vases à panse piriforme, mortiers cylindriques, chaudrons à ailettes, plateaux ou coupes, miroirs, porte-lampes et lampes à un ou plusieurs becs, brûle-parfums en forme de petits mausolées à coupole ou d'animaux (félins, oiseaux). À la même époque, on retrouve nombre d'animaux en ronde bosse, décoratifs ou utilitaires, en Égypte ainsi qu'en Espagne.

Au début du XIIIᵉ siècle, la conquête mongole a bouleversé l'Orient musulman et a entraîné des migrations d'artisans. Elle coïncide avec un essor particulier des ateliers du nord de l'Iraq (Mossoul), de Syrie et d'Égypte.

De nouvelles formes apparaissent, comme de grands bassins cylindriques à fond plat et à bord éversé curieusement absents en Iran. Le décor d'incrustation atteint alors une perfection demeurée inégalée par sa virtuosité technique et la richesse de son iconographie, qui peut intégrer des thèmes chrétiens (nativité par exemple). Dans le courant du XIVᵉ siècle, les scènes figurées (cavaliers, buveurs, musiciens, frise d'animaux passant ou signes du zodiaque) se raréfient et les larges bandeaux épigraphiques dominent sur les grands chandeliers, les bassins et les plateaux. À la même époque, les dinandiers du Fârs, au sud-ouest de l'Iran, élaborent une production à l'icono-graphie originale par ses personnages allongés selon les canons mongols et l'emploi de titulatures propres au souverain de la région. Les motifs sont souvent inscrits dans des médaillons cernés d'un fin galon ininterrompu, sur fond d'entrelacs végétaux (lotus) ou géométriques (grecque).

C'est à l'époque timuride que l'on retrouve en Iran oriental de très beaux métaux (pichets à anse en forme de dragon), sur lesquels le décor d'incrustation, miniaturisé, est d'une finesse extrême. Le bronze, délaissé un temps au profit du laiton, est de nouveau employé, comme il l'a été ensuite sous les Séfévides pour des pièces à motifs gravés et rehaussés de pâte noire. ●

Inde
Préhistoire
et premières dynasties

La civilisation urbaine de l'Indus

HÉRITIÈRE D'UN LONG PASSÉ CULTUREL, CITÉ
POURVUE D'INSTALLATIONS SANITAIRES ET D'UN SYSTÈME
D'ÉGOUTS, MOHENJO-DARO EST LA PLUS
PRESTIGIEUSE DES VILLES DE L'INDUS.

LE SITE DE MEHRGARH AU Pakistan a révélé, grâce aux fouilles françaises (en cours), l'ancienneté d'un habitat rural qui remonte aux environs de 7000 av. J.-C. C'est là une véritable découverte, car on pensait auparavant que les premiers villages de cette région dataient au plus tôt de 4000 av. J.-C. Cette occupation de Mehrgarh devait longtemps se perpétuer (plus de quatre millénaires) en se déplaçant. Dès le début de l'époque néolithique de ce site, époque couvrant les VIIe et VIe millénaires, les maisons en briques crues sont rectangulaires et petites, le plus souvent à quatre pièces. Les morts sont enterrés selon certaines coutumes. Vers l'aube du VIe millénaire apparaît la céramique, mais elle est encore grossière. De surcroît, des bâtiments compartimentés, sans doute des silos (traces de grains), groupés et plus nombreux, semblent bien témoigner d'un système agricole collectif.

Au cours de sa longue période chalcolithique (qui débute vers 5000 ans au plus tôt), Mehrgarh développe un artisanat très diversifié. Plus particulièrement, dès le IVe millénaire, la céramique, fine et assez souvent faite au tour (mais différent du tour rapide qui n'apparaît qu'au IIIe millénaire), est variée dans ses formes et son décor. La silhouette féminine, minuscule statuette en terre cuite, assise, opulente, nue et parée, est encore très schématique vers 3500 av. J.-C. Vers cette date également, de nombreuses agglomérations s'implantent dans la vallée même de l'Indus, alors que celle de Mehrgarh est déjà dense. Ainsi cette longue évolution a-t-elle permis, vers 2500/2400, le passage de l'organisation rurale à la civilisation urbaine de l'Indus.

Les villes les plus importantes de la civilisation urbaine de l'Indus (2500/2400 à 1800 av. J.-C. env.) sont Mohenjo-Daro et Harappā, cette dernière à partir de 2300. Toutes deux possèdent une ville basse très étendue, qui abritait la population, et une ville haute, bien plus petite. La ville basse de Mohenjo-Daro a gardé au cours des siècles ses traits essentiels. En effet, les murs du rez-de-chaussée des maisons sont en briques cuites. Ces maisons déterminent d'innombrables ruelles et rues dessinant un immense quadrillage dont le tracé s'est perpétué, comme en témoignent, révélées par les fouilles, les reconstructions superposées. Les demeures confortables possèdent leur propre cour intérieure, leur puits et, entre autres, une salle d'eau. La plupart des maisons avaient un étage (au moins ?) auquel on accédait par un escalier de briques. Quant aux toits, ils étaient probablement plats. Dans la ville, l'eau était recueillie dans des puits, individuels ou collectifs. Les eaux usées s'évacuaient par des caniveaux et des égouts pourvus de fosses de décantation.

Les cachets trouvés à Mohenjo-Daro sont particulièrement nombreux et variés dans leur décor, soulignant certainement la prospérité du commerce. En faïence ou en stéatite et souvent de forme carrée, ils sont munis au revers d'un bouton de suspension. Leur face présente généralement quelques beaux caractères pictographiques, écriture non encore vraiment déchiffrée, et un animal finement traité ou une scène au caractère apparemment sacré (thème du « yogin » par exemple). Les animaux le plus souvent figurés sont le zébu, d'un puissant réalisme, ou le mâle unicorne. Les figurines aux fonctions variées s'avèrent de tailles et de matières fort différentes. Humaines ou animales, elles sont nombreuses en terre cuite, alors que celles de métal sont rares (deux « danseurs »). Massives, les statuettes d'hommes barbus peuvent être en stéatite blanche ou en albâtre. ●

Dates clefs

v. 7000 Habitat néolithique de Mehrgarh.

v. 6000 Apparition de la céramique.

v. 3500 Implantation d'agglomérations dans la vallée de l'Indus.

v. 2500 Début de la civilisation urbaine de l'Indus.

v. 1800 Abandon des villes de la vallée de l'Indus.

v. 1500 (?) Arrivée des Aryens en Inde. Le védisme.

v. 560-
v. 480 Vie de Siddhārtha Gautama : le Bouddha.

v. 320- Dynastie des Maurya, colonnes et premières cavernes.
v. 185

v. 185- Dynastie des Śuṅga, art bouddhique de Bhārhut.
v. 72

1. **Principaux sites de l'Inde préhistorique et ancienne.**

Harappā
Mehrgarh
Mohenjo-Daro
Delhi
Mathurā
Brahmapoutre
Gange
Pātaliputra
Bhārtut
Barābar
Bodh-Gaya
Sancī
Calcutta
Nāsik
Karli
Bombay
Bedsā
Bhājā
Godāvarī
Amarāvatī
Indus

● Sites archéologiques
• Villes principales

0   500km

2. Sāñcī, stūpa 1, reliefs du portique N. face N., pilier ouest.

Grandeur de la dynastie des Maurya

EXPANSION DU BOUDDHISME, TRANSFORMATION DE LA RELIGION VÉDIQUE, QUI DEVIENT BRAHMANISME OU HINDOUISME, MARQUENT CETTE ÉPOQUE FÉCONDE.

Le vaillant Candragupta fonde, dans le nord de l'Inde, la dynastie impériale indienne des Maurya qui règne des environs de 320 à 185 (?) av. J.-C. et dont la capitale est Pāṭaliputra (moderne Paṭnā). Entre 302 et 297 av. J.-C., l'ambassadeur grec Mégasthène séjourne plusieurs fois dans cette capitale. Il souligne dans ses écrits l'importance des remparts en briques séchées et en bois, munis de nombreuses tours et de portes fortifiées. Il décrit également la richesse du palais. Sous le règne prestigieux d'Aśoka (IIIᵉ siècle av. J.-C.), l'empire devient immense. Aśoka, bienfaiteur d'une multitude de fondations bouddhiques, est tolérant et

patronne par ailleurs, dans les collines de Barābar, la taille de trois cavernes dont les deux premières, au moins, sont données aux ājīvika, ascètes aux croyances védiques. La seconde, la caverne « de Sudana », comprend, parallèlement à la façade, une salle oblongue voûtée, aux parois polies, et un sanctuaire (?) de plan circulaire. Les colonnes maurya isolées sur lesquelles Aśoka fait graver certains de ses édits ont un chapiteau surmonté d'un animal ou de quatre lions assis dominés, à l'origine, par une roue. Le plus célèbre chapiteau d'Aśoka est celui de Sārnāth (emblème actuel de l'Inde). La sculpture maurya est sobre, réaliste et puissante. ●

L'art de l'Inde ancienne et son évolution

PENDANT LONGTEMPS, LA PRÉSENCE DE BOUDDHA N'EST QUE SUGGÉRÉE, MAIS, DÈS LE IIᵉ SIÈCLE, SES IMAGES, COMME CELLES DES DIEUX HINDOUS, SE MULTIPLIENT.

La production bouddhique se manifeste dans la construction ou la rénovation de stūpa (sorte de tumuli en principe reliquaires) et dans l'excavation de temples et de monastères rupestres. Les stūpa de l'Inde du Nord, construits ou fortement restaurés au IIᵉ siècle av. J.-C., sont dès lors recouverts de pierres bien ajustées, tant leur haut et large soubassement circulaire que leur partie hémisphérique. À l'origine, leur faîtage comprend une petite balustrade, des éléments en encorbellement, carrés comme elle et, les traversant jusqu'au dépôt des reliques, un mât orné de parasols. Chaque stūpa est entouré d'une haute balustrade *vedikā* en pierre

3. École d'Amarāvatī. Le Bouddha apaisant l'éléphant furieux.

généralement pourvue de quatre entrées en chicane ; cette balustrade est souvent sculptée. Il en est ainsi à Sāñcī au petit stūpa 2 (ici reliques de maîtres bouddhiques), ensemble du IIᵉ siècle av. J.-C. Au grand stūpa ruiné de Bhārhut s'élevait, dans une des entrées de sa balustrade, un haut portique *(toraṇa)* sculpté datant, comme celle-ci, de la dynastie des Śuṅga (v. 185 - v. 72 av. J.-C.). Cette balustrade en grès rouge présente de grands génies aborigènes féminins et masculins, élégamment vêtus et parés, et de très nombreux petits reliefs. D'un charme naïf, les uns narrent les vies antérieures du Bouddha (contes populaires repris par le bouddhisme), en le figurant animal ou homme. Les autres illustrent des épisodes de sa dernière vie en suggérant sa présence par l'environnement, voire par quelque symbole. La majorité des vestiges de Bhārhut est conservée à l'Indian Museum de Calcutta. D'origine maurya mais rénové au IIᵉ siècle av. J.-C., le grand stūpa 1 de Sāñcī possède une balustrade plus tardive comme les quatre portiques sculptés de ses entrées. Les reliefs de ces derniers sont datables de la fin du Iᵉʳ siècle av. J.-C. et du Iᵉʳ siècle apr. J.-C. Les compositions sont ici très denses et révèlent souvent une architecture civile disparue, notamment celle des villes avec leurs douves, leurs remparts et leurs portes fortifiées. L'une de celle-ci sert de cadre au grand départ du Bouddha.

Quant aux sites rupestres bouddhiques du Deccan, ils ne possèdent le plus souvent qu'un temple mais plusieurs monastères. Circulaire au début, le temple-caverne est déjà au Iᵉʳ siècle av. J.-C. de plan oblong et absidial.

Perpendiculaire à la falaise, il est divisé en une haute nef et des bas-côtés par deux rangs de colonnes. Vers le fond, ces dernières se rejoignent en demi-cercle entourant en partie le *dagoba* (à l'image d'un stūpa). Le plafond de la nef est taillé en berceau, en principe garni d'une charpente de bois, comme encore à Bhājā. Monumentale et correspondant à la nef, l'entrée principale, qui a généralement perdu son assemblage de bois, se termine en plein cintre ombragé par un grand auvent arqué. Au Iᵉʳ siècle apr. J.-C., l'entrée du temple rupestre n'est qu'une simple porte unique et quadrangulaire, mais au second registre de la façade se découpe une grande fenêtre en plein cintre sous un auvent. Vers la fin du Iᵉʳ siècle et au IIᵉ siècle, ce type de façade est précédée d'une véranda. À Bedsā, les colonnes de celle-ci sont coiffées de superbes soutiens d'entablement animaliers, aux chevaux croisés et montés. À Kārlī, ce sont les belles colonnes de la nef qui sont surmontées d'éléphants montés.

On appelle « école de Mathurā » les sculptures en grès rouge qui proviennent des sites religieux ruinés de la région de Mathurā, sites tous bouddhiques à l'exception d'un seul, hindou et jaina. Varié dans ses sujets, l'art de cette école, art déjà attesté vers le Iᵉʳ siècle av. J.-C., atteint son apogée sous la dynastie étrangère des Kuṣāṇa, plus particulièrement au IIᵉ siècle. Dès lors, en effet, les représentations des divinités hindoues et celles du Bouddha se multiplient, révélant des visages parfois un peu lourds et généralement le même geste de la main droite levée. Contemporaine de celle de Mathurā, l'école d'Amarāvatī est constituée de reliefs en marbre blanc, plaques de revêtement de *stūpa* ou vestiges de balustrades. Son apogée se situe dans la seconde moitié du IIᵉ siècle où l'image du Bouddha apparaît suivant les sectes (?) d'une manière inconstante. ●

→ **Voir aussi :** Le monde indien jusqu'à l'an mille, HIST, p. 100-101.

Habitat rural et urbain

Au VIIᵉ millénaire, à Mehrgarh (4) les petites maisons en briques crues possèdent déjà plusieurs pièces. Par les reliefs des portiques du stūpa 1 de Sāñcī (2) nous découvrons, aux alentours de notre ère, une ville avec son enceinte et sa porte fortifiée, alors que l'école d'Amarāvatī (3), en illustrant un prodige du Bouddha, apaisant un éléphant furieux lancé contre lui, nous présente les habitants d'une ville des environs de la fin du IIᵉ siècle penchés aux fenêtres de leurs belles demeures.

4. Mehrgarh, reconstitution de l'une des maisons du début du VIIᵉ millénaire.

Inde
L'époque classique

UN ÉQUILIBRE DANS LA diversité et une recherche de l'essentiel sont les traits marquants du classicisme indien. Au Vᵉ siècle, l'art sculptural bouddhique, plus que l'art hindou, tend vers ce classicisme que les grands hauts-reliefs du Bouddha atteignent déjà, plus particulièrement dans la sobre école de Sārnāth. Cette harmonie des proportions et des attitudes se retrouve dans les peintures rupestres des Vᵉ et VIᵉ siècles du site bouddhique d'Ajaṇṭā. Aux VIᵉ et VIIᵉ siècles, l'art hindou, avec ses temples construits en pierre et ses temples excavés, prend une extension considérable, éclipsant progressivement l'art bouddhique, qui reste cependant encore bien vivant. Les temples-cavernes bouddhiques et hindous du nord-ouest du Deccan donnent à certaines silhouettes masculines d'audacieuses dimensions colossales qui restent bien proportionnées. Aux sobres et gigantesques bodhisattva qui cantonnent les portes de plusieurs cavernes d'Aurangābād et d'Ellorā peuvent être comparés les colossaux gardiens de porte des sanctuaires rupestres hindous d'Elephanta et d'Ellorā.

Sur le territoire de la dynastie des Cā-lukya, dont la capitale est Bādāmi, l'art rupestre hindou, sensible ou imposant, est moins abondant que l'architecture construite. En effet, les temples cālukya hindous, en pierre, du VIIᵉ et de la première moitié du VIIIᵉ siècle sont nombreux et très divers par leurs plans et leurs styles. Les sites les plus réputés sont ceux de Bādāmi, Aihole et Paṭṭaḍakal. Dans le Sud-Est, sur le territoire de la dynastie des Pallava, l'art des temples-cavernes atteint son apogée au cours du règne de Narasiṃhavarman, dit Mahāmalla (v. 630-668), règne prestigieux sous lequel furent également taillés les célèbres temples monolithes de Mahābalipuram. Les temples hindous pallava sont, dès le début du VIIIᵉ siècle, construits en pierre et non plus en matériaux périssables. Les temples s'agrandissent ; le Kailāsa d'Ellorā, bien que temple monolithe, atteint lui-même d'impressionnantes dimensions.

Très tôt, certains reliefs du dieu Viṣṇu évoquent le temps cyclique. Dans son avatar (manifestation) du sanglier, dont il n'a généralement que la tête, Viṣṇu sauve la petite déesse Terre que les eaux avaient engloutie.

1. Les sites de l'Inde classique.

● Sites archéologiques
• Villes principales

0   500km

Indus
Brahmapoutre
Delhi
Mathurā
Deogarh
Gange
Sārnāth
Udayagiri
Sāñcī
Calcutta
Ajaṇṭā
Bhubaneswar
Ellora
Godāvari
Bombay
Ile d'Elephanta
Aihde
Alampur
Bādāmi
Pattadakal
Kanchipuram

Peintures délicates. Hauts-reliefs colossaux

INSPIRÉES PAR LES VIES ANTÉRIEURES DU BOUDDHA OU PAR UN ÉPISODE DE SON EXISTENCE ULTIME, LES PEINTURES D'AJAṆṬĀ RÉVÈLENT LA VIE DE COUR DE LEUR ÉPOQUE.

Les 28 cavernes bouddhiques d'Ajaṇṭā sont alignées dans une falaise en demi-cercle. Quelques rares cavernes appartiennent à l'époque ancienne, alors que la majorité, d'obédience mahāyāna, date des Vᵉ et VIᵉ siècles. Ces nombreuses cavernes sont pour la plupart des monastères *(vihāra)*. À l'apogée, qui débute au cours de la seconde moitié du Vᵉ siècle, chaque monastère rupestre offre, derrière sa large véranda à colonnes, une vaste salle carrée dont les colonnes sont disposées également en carré. Les portes des cellules se découpent dans les parois latérales et dans la paroi postérieure sur laquelle s'ouvre, presque toujours, l'antichambre du sanctuaire. À l'intérieur de ce dernier, le Bouddha, sculpté en très haut relief, enseigne.

Les peintures, mieux conservées que celle de l'époque ancienne, couvrent en principe les parois et les plafonds (hormis dans les petites cellules) et les colonnes. Les peintures des parois sont généralement petites et délicates, d'un dessin habile marqué d'un cerne discret. Les diverses scènes se déploient en compositions panoramiques qui s'enchaînent harmonieusement. Les peintures les plus réputées sont celles des cavernes 16 et 17 et, légèrement plus tardives, celles des cavernes 1 et 2 (début du VIᵉ siècle environ). Seules les cavernes 19 et 26 sont des temples rupestres

de l'apogée dont l'intérieur reste de plan oblong et absidial, plan qui devait être le plus souvent abandonné par la suite.

Dans un des bas-côtés de la caverne 26, un haut-relief est déjà immense : celui du Bouddha défunt parvenu au Nirvāṇa. Ce sens du colossal se retrouve un peu plus tard dans d'autres sites. Dans l'île d'Elephanta, dans la caverne principale, au fond du temple de Śiva, de plan à la fois carré et cruciforme, cette tendance au monumental s'affirme dans le buste de Mahādeva « le grand dieu » (Śiva), représenté avec trois têtes

2. Sārnāth, vers la fin du Vᵉ s., Bouddha prêchant.

Le prélude classique hindou et bouddhique

SI LES IMAGES DE BOUDDHA SONT IDÉALISÉES, SES GESTES CODIFIÉS SONT TRÈS PRÉCIS, CEPENDANT QUE MYTHES ET PARFOIS CONCEPTS ILLUSTRENT LES HAUTS-RELIEFS HINDOUS.

Trois des cavernes hindoues du site d'Udayagiri (proche de Sāñcī) sont nettement vishnouites. La plus ancienne, du IVᵉ siècle environ, est une longue cavité dans laquelle apparaît, couché sur le serpent Ananta, le dieu Viṣṇu coiffé d'un turban, ensemble colossal et archaïque. La caverne 5, du même type mais plus spacieuse et dont les trois parois sont sculptées, représente, non sans grandeur, l'avatar de Viṣṇu en sanglier. La caverne 6, qui date de 401 ou 402, est due au souverain Candragupta II. Plus élaborée, elle comprend une sorte de véranda sculptée comme le bel encadrement de sa porte de commu-

nication, et un sanctuaire quadrangulaire fermé et dépouillé. Le petit temple 17 de Sāñcī, construit totalement en pierre et fort probablement bouddhique, est composé, sur son soubassement, d'un sobre sanctuaire au toit apparemment plat et d'un porche à quatre colonnes alignées. Leur soutien d'entablement s'orne sur chacune des faces d'un arbre sacré gardé par deux lions.

Les hauts-reliefs du Bouddha sont nombreux et relativement grands dans les écoles de Sārnāth et de Mathurā, plus particulièrement au Vᵉ siècle. Le Bouddha, les cheveux courts et bouclés, les

épaules larges, les jambes longues, porte une auréole le plus souvent circulaire offrant un décor luxuriant. Le drapé de sa robe monastique lui couvre les deux épaules, laissant apparaître le drapé inférieur. Lorsque le Bouddha est debout, sa main gauche tient la première extrémité de sa « robe », sa main droite est le plus souvent levée dans le geste de paix *(abhaya)*. Dans l'école de Mathurā, le visage est un peu froid et lourd et le drapé supérieur forme une multitude de plis stéréotypés ; en revanche, dans l'école de Sārnāth, la mieux préservée et la plus diversifiée dans ses types d'images, le visage du Bouddha est empreint de spiritualité et le drapé supérieur est presque lisse. Certains reliefs de Sārnāth illustrent en petites scènes juxtaposées et superposées les principaux événements de la vie du Bouddha. Ainsi sa naissance où sa mère est debout tenant la branche d'un arbre, le grand départ où il apparaît sur son cheval, l'Éveil, le premier sermon parmi les gazelles, etc. •

symbolisant trois de ses aspects : serein au centre, féminin à sa gauche, terrifiant à sa droite. Dans la même caverne se dresse, entre autres images et en pied, celle de Śiva à demi féminin. Au site d'Ellorā, qui comporte 33 cavernes (12 bouddhiques, les autres hindoues à l'exception des deux dernières, jaina), la monumentalité est tempérée par des reliefs plus modestes. •

Images
de spiritualité

C'est à Sārnāth, lieu évoqué par les gazelles, que s'est déroulé le premier sermon du Bouddha qui a inspiré à l'époque gupta ce chef-d'œuvre de sérénité (2). À Deogarh (4), dans le temple consacré à Viṣṇu, équilibre et majesté se font écho dans ce sommeil méditatif du dieu étendu sur le serpent d'éternité, durant une longue époque entre deux ères cosmiques.
Autre image de la spiritualité (3) au « Durgā » d'Aihole, Śiva le dieu aux aspects très divers se présente ici tel un ascète dont il porte le chignon. Ses nombreux bras et attributs donnent la mesure de sa puissance. Il est flanqué du taureau « Nandi », sa monture.

3. Aihole, le « Durgā », Śiva, VIIᵉ s.

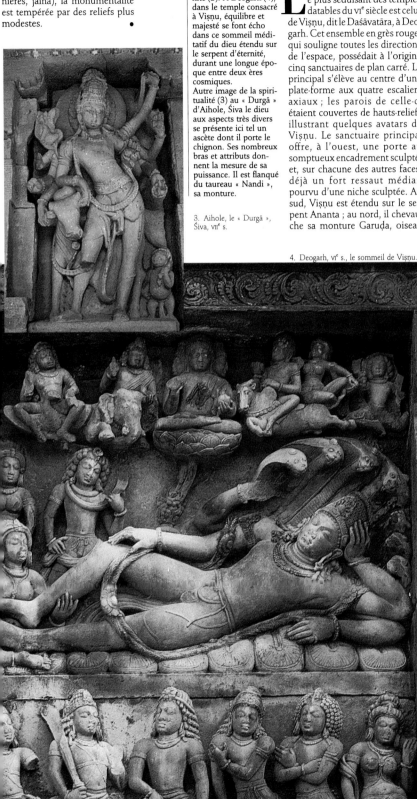

4. Deogarh, VIᵉ s., le sommeil de Viṣṇu.

Architecture
religieuse du Nord

LES SANCTUAIRES HINDOUS SONT
LE PLUS SOUVENT COIFFÉS D'UN HAUT TOIT AUX LIGNES PURES,
VOÛTE EN ENCORBELLEMENT QUI S'ÉLANCE VERS LE CIEL.

Le plus séduisant des temples datables du VIᵉ siècle est celui de Viṣṇu, dit le Daśāvatāra, à Deogarh. Cet ensemble en grès rouge, qui souligne toutes les directions de l'espace, possédait à l'origine cinq sanctuaires de plan carré. Le principal s'élève au centre d'une plate-forme aux quatre escaliers axiaux ; les parois de celle-ci étaient couvertes de hauts-reliefs illustrant quelques avatars de Viṣṇu. Le sanctuaire principal offre, à l'ouest, une porte au somptueux encadrement sculpté, et, sur chacune des autres faces, déjà un fort ressaut médian pourvu d'une niche sculptée. Au sud, Viṣṇu est étendu sur le serpent Ananta ; au nord, il chevauche sa monture Garuḍa, oiseau fabuleux figuré avec un corps humain et des ailes. Quelques piliers retrouvés donnent à penser que trois pseudo-porches et un réel, ou un péristyle, entouraient ce sanctuaire déjà couvert d'un haut toit (śikhara), hélas assez endommagé.

Certains temples de Śiva, attribués au VIᵉ siècle, ont notamment un déambulatoire, mais leur sanctuaire, unique ou supérieur, offre un toit plat. Aux VIIᵉ et VIIIᵉ siècles, les temples, souvent sivaïtes, ont un sanctuaire dégagé, coiffé d'un śikhara qui en épouse le plan. Lorsqu'il est carré, le śikhara, orné de toits miniaturisés, présente des arêtes curvilignes et supporte une pierre circulaire côtelée et un vase. Ce toit, qui repose sur le plafond plat du sanctuaire, est, à l'intérieur, voûté en encorbellement. Au Madhya Pradesh, le temple ne comprend qu'une tour sanctuaire (à śikhara) et une antichambre. En Orissa, à Bhubaneswar, la tour sanctuaire est précédée d'une salle oblongue dont la partie médiane est toujours surélevée, que le toit soit soutenu ou non par des piliers. •

Les temples
de style dravidien

TELLES DES DEMEURES
DIVINES, DES RÉDUCTIONS D'ÉDIFICES
LIÉES LES UNES AUX AUTRES ET HIÉRARCHISÉES
COURONNENT LES TOITS DES TEMPLES
ET LES ÉTAGES DU SANCTUAIRE.

Bien que le style du Nord ait été adopté au VIIᵉ siècle par certains des temples construits en pierre sous la dynastie des Cālukya (aux sites d'Aihole et d'Ālampur notamment), les temples les plus représentatifs du Sud sont dits de style dravidien. Ce style est attesté au VIIᵉ siècle, par quelques temples cālukya du Karnātaka, particulièrement de Bādāmi et ses environs, et au Tamil Nadu par divers temples monolithes du prestigieux groupe de Mahābalipuram. En effet, ce groupe de cinq temples, dénommés ratha (chars), date du règne du Pallava (Narasiṃhavarmam I, surnommé Mahāmalla [env. 630-668]). La très longue pérennité du style dravidien et sa prédominance au Tamil Nadu permettent de lui supposer une origine autochtone dont les exemples les plus anciens, réalisés en matériaux périssables (sans doute briques et bois), auraient aujourd'hui disparu

Ce temple hindou de style dravidien se caractérise principalement par les bordures d'édifices en réduction (de trois types) qui couronnent les toitures et généralement par les étages décroissants du toit du sanctuaire dont le dernier niveau prend la forme d'une petite construction de plan ramassé au dôme à pans. Lorsque le sanctuaire n'est pas entouré de quelque déambulatoire, il est couronné par ladite bordure de minuscules édifices qui est dégagée ; ainsi en retrait, le premier étage du toit offre une moindre surface que le sanctuaire proprement dit comme à « l'Arjuna-ratha » de Mahābalipuram dont le sanctuaire carré n'est précédé que d'une modeste entrée-vestibule. Autre trait marquant du style dravidien, les faces du sanctuaire sont rythmées de ressauts bordés de fins pilastres. Encore peu nombreux, ces ressauts, et ici les traits eux-mêmes, sont pourvus de hautes niches sculptées qui offrent de sobres silhouette élancées. Le toit du sanctuaire n'a que deux étages, dont le premier est coiffé de la typique bordure, ainsi qu'il en sera plus tard pour la plupart des étages. Le Mālegitti Śivālaya de Bādāmi possède une tour sanctuaire de ce type, mais sans hauts-reliefs, un maṇḍapa (salle hypostyle), qui en possède plusieurs, et un petit porche. Lorsque le sanctuaire est entouré de quelque déambulatoire, ce dernier est couronné de la dite bordure architecturée et le premier étage du toit du sanctuaire est alors de même surface que celui-ci. Il en est ainsi à Mahābalipuram, au « Bhīma-ratha » et au « Dharmarāja-ratha » tous deux inachevés dans leur partie inférieure. De plan oblong, le Bhīma offre un péristyle et l'unique étage de son toit ressemble à un élégant édifice couvert d'une toiture proche du berceau. Le Dharmarāja a quatre petites colonnades et, vers les angles, de grands reliefs, le toit ayant déjà trois étages. Les temples pallava du VIIIᵉ siècle sont construits en pierre et leurs pilastres sont généralement animés de lions cornus dressés. Dans les temples importants, le plan s'enrichit d'un maṇḍapa et d'une enceinte ; il en est ainsi au Kailāsānatha de Khānchīpuram, dédié à Śiva, dont le déambulatoire est flanqué de chapelles rayonnantes et dont l'enceinte est doublée de nombreux temples dont certains gardent des vestiges de peintures. •

→ Voir aussi : Le monde indien jusqu'à l'an mille, HIST, p. 100 101.

Inde
Pérennité hindoue face à l'islam

À L'ÉPOQUE MÉDIÉVALE, DU IXe siècle à la fin du XIIe au moins, les religions hindoue, bouddhique et jaina se partagent toujours la ferveur des Indiens. La religion hindoue est la plus répandue, comme en témoigne le foisonnement des temples de plus en plus élaborés et riches. Le bouddhisme aux divers courants, dont le bouddhisme tantrique est le plus tardif, est particulièrement vivant dans le Nord-Est sur l'empire des Pāla. Cependant, si dans la vallée du Gange, dans l'actuel Bihār, l'art pāla est bouddhique plus qu'hindou, au Bengale, à l'inverse, l'art de style pāla, puis pāla-sena, est à dominante hindoue. Quoi qu'il en soit, le style pāla, qui vise à la perfection du détail, est mieux perçu par les statuettes de métal et les hauts-reliefs de pierre que par l'architecture en brique, disparue ou mal connue. Dans l'art pāla bouddhique, il faut souligner l'importance de certaines images du Bouddha, paré et couronné, aux XIe et XIIe siècles et, au XIIe, la finesse des peintures de manuscrits.

Vers la fin du XIIe siècle, la conquête musulmane du nord de l'Inde (à laquelle échappe l'Orissa) stoppe là, aux XIIIe et XIVe siècles, toute activité religieuse non islamique. Au XIVe siècle, une grande partie du Deccan est soumise au pouvoir des musulmans, mais le Sud résiste. L'empire hindou de Vijayanagar, du nom de sa capitale – effective de 1336 ou 1346 à la ruine en 1565 –, est le garant de la civilisation hindoue du Sud. La fin de l'Empire au milieu du XVIIe siècle n'arrête pas les grandes entreprises du Tamil Nadu, qui n'ont rien à envier à celles, musulmanes, des grands moghols dans le Nord.

Dates clefs

930 à 954 (?)	Règne du Candella Yaśovarman : temple de Lakṣmaṇa à Khajurāho.
985 à 1014	Règne du Cola Rājarāja Ier : le Brihadīśvara à Thanjāvūr.
v. 1061	Temple de Brahmeśvara à Bhubaneswar.
v. 1117	Temple de Keśava (Viṣṇu) à Belūr.
1146	Règne de Rājarāja II :
à 1173	ensemble śivaïte à Dārāśuram.
1238 à 1264	Règne de Narasiṃha Ier : temple solaire de Konarak.
1336 ou 1346	Fondation de la dynastie des Saṅgama à Vijayanagar.
v. 1510	Diverses constructions à Vijayanagar.
1565	Saccage de Vijayanagar par les musulmans.

1. L'Inde médiévale.

Sites archéologiques
Villes principales

0   500km

Indus — Delhi — Osian — Rājasthān — Gange — Brahmapoutre — Khajurāho — Udaypur — Calcutta — Orissa — Bhubaneswar — Godavarī — Konarak — Bombay — Karnataka — Vijayanagar — Halebid — Belur — Srirangam — Kumbakonam — Tiruchirapalli — Tanjore — Madurai

---

Le Nord médiéval hindou
De la grâce au maniérisme

À LA RELATIVE SIMPLICITÉ DES PREMIERS TEMPLES MÉDIÉVAUX SUCCÈDENT AMPLEUR ET RICHESSE ALORS QUE S'ACCENTUENT LES PARTICULARISMES RÉGIONAUX.

Les temples du Rājasthān, du Gujerat et du Madhya Pradesh sont très diversifiés mais offrent cependant des tendances et des caractéristiques communes. Construit ou non sur une plate-forme, tout temple est en principe surélevé par un imposant soubassement mouluré, voire sculpté. Un temple important comprend au minimum une tour sanctuaire, son antichambre (qui au début est un petit porche), éventuellement un déambulatoire et une salle hypostyle. Avant le dernier quart du IXe siècle, cette salle, ou *maṇḍapa*, est ouverte, cernée de murets, de piliers et de hautes banquettes, et son toit est plat. Il en est ainsi de plusieurs temples d'Osia. Dès le dernier quart du IXe siècle et par la suite, les niches du temple sont généralement légères, limitées sur les côtés par des « colonnettes » annelées. De surcroît, le *maṇḍapa* peut être fermé ou non. Lorsqu'il est fermé, il est toujours précédé d'un porche et doté latéralement de deux avancées propres à l'éclairer, qu'il s'agisse de « loggias », de fenêtres aux écrans ajourés ou de modestes porches. À partir du Xe siècle, semble-t-il, tout *maṇḍapa*, ouvert ou fermé, possède un toit qui, au centre au moins, forme une pyramide tronquée à petits étages. Ce style de toit devait se perpétuer en s'enrichissant.

Également à partir du Xe siècle, le haut toit, ou *śikhara*, qui coiffe le sanctuaire des temples du Rājasthān, du Gujerat et de Khajurāho, est souvent étoffé de *śikhara* en relief, hiérarchisés. Ce style, qui n'est pas totalement constant, s'adapte au plan carré à ressauts du sanctuaire ou, aux XIe et XIIe siècles, à son plan fictivement étoilé. Ce plan offre entre ses ressauts médians des angles droits, en élévation, chaque face d'un angle est souvent ornée d'un large pilastre offrant une niche légère. Dans l'ouest du Madhya Pradesh, le sanctuaire de plan fictivement étoilé, ou étoilé (les angles sont alors rayonnants), révèle un toit sophistiqué. De fait, hormis sur ses bandeaux médians, ce toit est couvert de rangs superposés de minuscules « piliers » supportant

---

Le Sud médiéval hindou
Ordonnance ou exubérance

AU TAMIL NADU, LE DÉCOR DES TEMPLES COLA EST STRUCTURÉ ET LA SCULPTURE, EN PIERRE OU EN BRONZE, SE VEUT SOBRE. AU KARNĀTAKA, L'ART HOYSAḶA SE RÉVÈLE OPULENT ET FASTUEUX.

Dans la vallée de la Kāviri, les premiers temples construits en pierre (et non plus en brique), au cours de la seconde moitié du IXe siècle, n'ont pas tous été édifiés sous la dynastie naissante des Cola. Quoi qu'il en soit, l'ensemble de ces temples et ceux du Xe siècle, en pays cola, sont sobres et généralement de modestes dimensions. Les plus intéressants, parfois groupés par trois ou par deux (ensemble de Kilaiyur), sont de style dravidien. La plupart comprennent une tour sanctuaire et une salle à quatre colonnes, plus rarement une antichambre intermédiaire.

Chacune des trois faces de leur sanctuaire carré est rythmée en principe par trois ressauts bordés de fins pilastres. Seul le ressaut médian possède une niche dont la grande cavité abrite un haut-relief enchâssé. L'encadrement de la niche est composé de deux pilastres, aux chapiteaux coupés vers elles, qui soutiennent indirectement un arc très large, sculpté. Ce type d'encadrement s'est perpétué comme l'iconographie majeure. La niche médiane sud est déjà le plus souvent occupée par Śiva, maître de la Connaissance, enseignant sous un arbre. Très vite, la niche nord est réservée à Brahmā, le créateur. Vers les débuts, la niche postérieure peut être celle de Śiva à demi féminin (ainsi au petit temple de Nageśvara à Kumbakonam) mais, dès le Xe siècle, elle offre de préférence l'illustration de l'origine du *linga* (symbole phallique de Śiva). Ces hauts-reliefs, et éventuellement ceux entre les ressauts et ceux du *maṇḍapa*, sont sensibles et sobres. Le toit du sanctuaire ne possède que deux étages.

Construit par le Cola Rājarāja Ier au début du XIe siècle, le colossal Brihadīśvara de Thanjāvūr préfigure, en les surpassant par ses étagements, les autres grands temples cola qui eux aussi sont entourés au moins d'une immense enceinte. Ce temple a souffert de quelque guerre et ses restaurations au XVIIe siècle (?) sont parfois inachevées. La tour sanctuaire (au prodigieux toit remanié) révèle deux déambulatoires superposés. L'inférieur, qui englobe le sanctuaire, est précédé d'un vestibule aux escaliers latéraux et de deux vastes *maṇḍapa* successifs. Le vestibule supporte tout un étagement, comme très partiellement le *maṇḍapa* attenant. Le Brihadīśvara de Gangaikoṇḍacolapuram, dû à Rājendra Ier, est restauré mais ses reliefs cola sont d'une singulière beauté. Le complexe de Dārāśuram est le plus connu de ceux du XIIe siècle qui comprennent un temple, sans déambulatoire, pour Śiva et un autre pour la déesse. Exécutés à la cire perdue, les bronzes cola des Xe-XIIe siècles sont réputés, tant pour leur qualité technique que pour la pureté de leur ligne, particulièrement ceux de la danse cosmique de Śiva.

Chacun des plus prestigieux temples élevés au Karnātaka sous les Hoysaḷa est rehaussé par une plate-forme et un superbe soubassement. Le temple même est composé au minimum d'un sanctuaire de plan étoilé, d'une antichambre et d'un grand *maṇḍapa* en principe à trois entrées. Les murs sont peuplés de divinités richement parées. Citons, du XIIe siècle, le temple de Keśava (Viṣṇu) à Belūr et le Hoysaleśvara d'Halebīd, double temple de Śiva et Pārvatī, et, du XIIIe, le Keśava de Somnáthpur. Contrairement aux précédents, les trois sanctuaires de ce temple ont gardé leur toit, fait il est vrai en pierre.

de non moins minuscules *śikhara*. Datant de la seconde moitié du XIᵉ siècle, le colossal temple de Nīlakaṇṭhesvara (Śiva) à Udaipur est le plus prestigieux de ces temples. Ceux de Khajurāho des Xᵉ et XIᵉ siècles, dotés ou non d'un déambulatoire, présentent une multitude de sculptures en registres, dont certaines sont empreintes de maniérisme. À Bhubaneswar, en Orissa, tout temple médiéval, en grès rouge, comprend une tour sanctuaire qui en principe est de plan carré à ressauts, un petit couloir et une salle sans piliers. Dès le courant du Xᵉ siècle, cette salle offre trois avancées, celles des fenêtres latérales et celle de l'entrée, son toit devient pyramidal à petits étages.

Microcosmes, les temples médiévaux du Nord représentent, entre autres, les huit gardiens de l'espace et, au-dessus des portes d'entrée, astres et phénomènes astronomiques. Le temple solaire de Konārak (XIIIᵉ s.) évoque le char du Soleil par les 12 paires de roues de sa plate-forme. •

Grandeur et foisonnement

De style dravidien, le colossal temple de Brihadīśvara à Thanjāvūr, des débuts du XIᵉ siècle, présente deux déambulatoires superposés dont les murs extérieurs (2) sont rythmés de ressauts, animés de niches aux sobres sculptures. En revanche, à Khajurāho, particulièrement au Kandāriya Mahādeva (3), temple de Śiva des environs du XIᵉ siècle, les murs fractionnés sont peuplés de nombreuses divinités et de gracieuses « nymphes », libres de niches (4), alors qu'à Vijayanagar, dans le bel ensemble de Viṭhala, dédié à Viṣṇu et datant du XVIᵉ siècle, ce sont certains piliers composites qui s'avèrent extrêmement riches, ornés d'un grand déogryphe cabré, monté par un fougueux cavalier (5).

La culture hindoue face à celle de l'islam

À L'EMPIRE HINDOU DU HOYSAḶA BALLĀLA III (1291-1342) SUCCÈDE CELUI DE VIJAYANAGAR, LUI AUSSI GARANT DE LA CIVILISATION HINDOUE.

En 1336, ou en 1346 après la mort de Ballāla III, dernier des Hoysaḷa, un certain Harihara Iᵉʳ fonde la dynastie des Sangama. Celle-ci, qui a pour capitale Vijayanagar, va assez vite reconstituer un empire du Sud, garant de la culture hindoue. En 1443, l'ambassadeur perse, 'Abd al-Razzāq, visite Vijayanagar. Selon son récit, la capitale possède sept enceintes : entre la première (extérieure) et la troisième, les espaces sont occupés par des champs, des maisons et des jardins. Entre la troisième enceinte et la septième (celle du palais et de ses dépendances), on rencontre un nombre incalculable de gens et de nombreuses boutiques.

Toutefois, les plus beaux temples du site datent principalement, ou totalement, du XVIᵉ siècle (avant 1565). De style dravidien, ce sont des ensembles, non surchargés, entourés d'une ou de deux enceintes. Hormis le Virūpākṣa, les autres sont des temples de Viṣṇu. Seul le précieux ensemble de Rāmacandra est petit. Bien que d'origine plus ancienne, son temple principal a fort probablement été reconstruit sous le règne prestigieux du Tuluva Krisna Deva Rāya. Le temple principal des grands ensembles, tels ceux de Krisna, de Viṭhala, etc., présente un plan développé et de somptueux piliers composites. Ces derniers scandent au moins les faces extérieures du vaste *maṇḍapa* ouvert du temple même, voire de quelques autres *maṇḍapa* dans la cour. Les piliers composites marquant les entrées sont le plus souvent animés par un lion cornu à trompe d'éléphant, cabré et parfois monté. Sur l'autre aire impériale ruinée subsistent des édifices de style indo-musulman.

Au Tamil Nadu, les temples et complexes hindous qui avaient été endommagés par les musulmans au XIVᵉ siècle sont restaurés, plus particulièrement aux XVIᵉ et XVIIᵉ siècles, époques d'effervescence architecturale. En effet, généralement sous l'impulsion des gouverneurs ou nāyak, certains complexes anciens sont restaurés, voire agrandis, et sont enrichis de vastes salles hypostyles et de galeries qui leur confèrent un caractère grandiose et mystérieux. Les *gopura* (entrées monumentales des enceintes), restaurés ou reconstruits, offrent un toit aux étages décroissants en brique stuquée et polychrome. Selon les normes (symboliques ?), les *gopura*, très élevés à l'extérieur, diminuent au fur et à mesure que l'on s'approche du centre. Quant aux nombreux et divers piliers composites, les plus somptueux sont respectivement animés de chevaux dressés et montés, ou de grands oiseaux chevauchés. Parmi les complexes ainsi rénovés, qui tous possèdent un bassin sacré, celui de Raṅganātha Swami à Srīrangam, qui est vishnouite, et celui de Mīnākṣī à Madurai, śivaïte, sont très renommés. •

2. Thanjāvūr, début du XIᵉ siècle. Extérieur des déambulatoires.

4. Khajurāho, détail du śikhara du Kandāriya, XIᵉ s.

3. Khajurāho, le Kandāriya Mahādeva. Vers le XIᵉ siècle.

5. Vijayanagar, détail du Viṭhala, XVIᵉ siècle.

L'Asie
du Sud-Est indianisée

LES RAPPORTS ENTRE L'INDE et les diverses contrées de l'Asie du Sud-Est remontent à l'époque préhistorique, mais c'est seulement au cours des tout premiers siècles de l'ère chrétienne que celles-ci voient arriver des groupes plus nombreux, un peu différents, d'émigrants indiens. Leurs origines sociales sont toujours aussi diverses, encore qu'il s'agisse certainement en majorité de commerçants. Chose nouvelle, ils sont accompagnés d'éléments cultivés dont la présence, s'appuyant sur leur plus grand nombre, suscite la création de royaumes indianisés en péninsule malaise, au Cambodge, au Champa, dans les îles de l'Indonésie, en Birmanie, en Thaïlande et au Laos. De cette indianisation il subsiste des traces plus ou moins profondes dans des domaines aussi variés que ceux des langues, des alphabets, du droit ou de certaines coutumes, mais la plus immédiatement visible se trouve dans les témoignages de l'art. Celui-ci est presque tout entier inspiré par les religions apportées par les Indiens : hindouisme et plus encore bouddhisme (surtout dans la doctrine du theravāda originaire de Sri Lanka).

Les épopées religieuses indiennes avec leurs grands textes, *Rāmāyaṇa, Mahābhārata,* etc., vont inspirer non seulement le théâtre d'ombres ou de marionnettes, mais aussi la danse ou la sculpture d'innombrables bas-reliefs. Cependant, il faudrait faire la part de tout ce qui, créé en matériaux légers à usage royal ou simplement privé, a aujourd'hui disparu.

Ces témoignages artistiques sont d'une étonnante richesse et cumulent une indéniable unité d'inspiration avec une diversité qui tient autant au lieu qu'à l'époque. En effet, d'abord imités passivement, les thèmes et les canons de l'art indien sont très vite et fort diversement interprétés sous l'influence des différents substrats autochtones toujours très vigoureux. Cela d'autant plus que ces États indianisés sont sans liens politiques avec l'Inde initiatrice, qui oublie presque aussitôt, pour ne le redécouvrir qu'à l'époque contemporaine, le rôle qui a été le sien dans l'élaboration de ces civilisations. Tout cela permet de comprendre pourquoi l'étude de l'art de l'Asie du Sud-Est ne peut, sans risque de confusion, être entreprise que région par région.

Le Cambodge ou l'art khmer

L'ART KHMER EST SANS DOUTE
LE PLUS HOMOGÈNE DE TOUTE L'ASIE DU SUD-EST.
C'EST AUSSI LE PLUS PRESTIGIEUX GRÂCE EN PARTICULIER
AUX IMMENSES TEMPLES-MONTAGNES DONT
ANGKOR VAT N'EST QU'UN EXEMPLE.

Le royaume des Khmers n'apparaît politiquement qu'au vi^e siècle, époque à laquelle ce peuple, progressant vers le sud à partir du bassin moyen du Mékong, s'impose à son ancien suzerain, le royaume du Funan, qui avait été indianisé au début de notre ère. À partir de là, l'histoire du Cambodge est divisée traditionnellement en trois périodes : préangkorienne (vi^e-ixe siècle), angkorienne (ixe siècle-1431), postangkorienne (de 1431 à nos jours). La référence est Angkor, qui fut le site de la capitale la plus célèbre du royaume, avec *Angkor Thom*, vaste quadrilatère centré sur le Bayon, ceint de murailles et d'une large douve. Fondée dans les dernières années du ixe siècle, elle a été, jusqu'à son abandon

vers 1431, constamment embellie et enrichie de nombreux temples (*Baphuon, Bayon, Angkor Vat,* etc.). Monuments et grands bassins, les *Baray,* construits dans ses environs, s'égrènent sur près de 50 km.

Tous les temples comportent au moins une tour sanctuaire, le plus souvent en pierre, couverte d'étages en retraits successifs et de hauteurs décroissantes qui répètent la composition du corps. Très vite, elle s'inscrit dans des plans géométriques plus complexes. Les temples ainsi créés sont des pyramides à gradins. Leur hauteur n'est jamais considérable, contrairement à leur extension en surface, mais le principe d'une réduction progressive des éléments de la composition crée un effet d'élan vertical. Le plus célèbre de ces temples, dits « montagnes », est Angkor Vat (1re moitié du xiie s.).

Le décor architectural est très inventif, autant dans la modénature que dans l'encadrement des portes (linteaux, colonnettes, frontons, pilastres), souvent flanquées de divinités gardiennes. Ce décor est aussi celui des bas-reliefs des galeries de certains temples, tel Angkor Vat. C'est encore, exceptionnellement, celui des visages sculptés sur les tours du Bayon (fin du xiie s. - début du xiiie s.), autre temple-montagne. Mais la sculpture khmère est aussi fameuse par sa ronde-bosse, les œuvres, surtout en pierre, se modifiant autant en fonction des tendances du moment que de la sûreté technique de plus en plus grande des sculpteurs, qui, au cours des siècles, les feront passer tour à tour de l'hiératisme le plus froid à des expressions moins figées et parfois très intériorisées, comme pour certaines statues du règne du grand souverain Jayavarman VII (1181 - v. 1218). ●

L'art du Champa

L'ART DE CE ROYAUME BELLIQUEUX
AUJOURD'HUI DISPARU A TOUJOURS ÉTÉ TRÈS PERMÉABLE
AUX INFLUENCES DES AUTRES ROYAUMES INDIANISÉS
ALORS QU'IL RÉSISTA À TOUTE SINISATION.

Dès les premiers siècles de notre ère, l'indianisation atteint la zone centrale de la côte orientale de la péninsule indochinoise. Là se constitue le Champa, que son caractère éminemment guerrier, notamment face au futur Viêt-nam, conduit à une extinction définitive au début du xixe siècle. Les aléas de cette histoire agitée ont beaucoup influencé son art qui, à partir du xiiie siècle, témoigne d'une décadence de plus en plus marquée. Néanmoins, son architecture de briques possède une grande unité dans des variations sur la base de tours sanctuaires. Bien proportionnées, de plan carré, elles s'élèvent sous la forme d'étages progressivement réduits. Leur décor est toujours sobre, sculpté dans la bri-

que, avec des pièces rapportées taillées dans le grès. À l'inverse des tours khmères, elles ne sont pas à l'origine de grands ensembles architecturaux, sauf à Dong Duong (875 apr. J.-C.), temple bouddhique exceptionnel dans un pays où l'inspiration est essentiellement sivaïte. La sculpture fait l'objet de constants changements, fruits d'influences multiples plutôt que d'une évolution naturelle. Son mode d'expression privilégié est le haut-relief, préféré à la ronde-bosse. L'un des styles les mieux caractérisés et les plus importants est encore celui de Dong Duong (fin ixe - début xe s.) avec des images au faciès très original. Cependant, plusieurs autres écoles de sculpture existent, dont celle du site de Mi Son. ●

L'art de l'Indonésie

L'ART INDONÉSIEN EST CELUI D'ÎLES
DIVERSEMENT ET PROFONDÉMENT INDIANISÉES APRÈS
UNE BRILLANTE CIVILISATION DU BRONZE
À L'ÉPOQUE PROTOHISTORIQUE.

Les premiers témoignages artistiques de l'indianisation n'apparaissent guère qu'à la fin du viie siècle, notamment à Java, qui réunit des créations prestigieuses surtout réalisées en pierre. La prééminence de cette île a conduit à distinguer dans l'évolution de l'art indonésien des périodes qui portent son nom, mais il apparaît de plus en plus que Sumatra a été trop négligée. Le monument par excellence est encore la tour sanctuaire comparable dans sa structure générale à celles déjà rencontrées au Cambodge et au Champa. À partir de là, les plans des temples, conçus à plat, peuvent être très complexes, réunissant en enceintes concentriques des centaines de templions tous semblables. Cette formule est

commune aux deux religions venues de l'Inde mais le bouddhisme apporte aussi la création de *stūpa,* édifices reliquaires ou commémoratifs, dont le plus célèbre et le plus imposant est à Bārābudur (fin viiie-ixe s.). Foisonnant, le décor de ces édifices est très varié et chargé de significations. Son expression la plus accessible est le bas-relief narratif, qui est le mode d'expression favori des sculpteurs (vie du Bouddha, légende des dieux, épopées) ; on retiendra aussi les arcs surmontés d'une tête de monstre *(kāla)* et souvent terminés par des têtes d'autres monstres *(makara).* En dépit de cette faveur du bas-relief, la production de rondes-bosses connaît aussi plusieurs époques de grande qualité. ●

1. Vat Xieng Thong à Luang Prabang (Laos) ; fondé en 1561.

L'art de la Birmanie

DIVERSITÉ ETHNIQUE ET HISTOIRE
TROUBLÉE ONT ÉTÉ LE FERMENT DE L'ART BIRMAN, SANS
DOUTE L'UN DES PLUS ORIGINAUX ET DES PLUS
COMPLEXES DE L'ASIE DU SUD-EST.

L'étude de l'art birman s'est surtout concentrée sur la période dite « de Pagan » (1044-1287) au détriment des autres et notamment de celles qui l'ont précédée (royaumes Pyu et Môn). Il est vrai que l'architecture de cette période est spectaculaire. Il s'agit pour l'essentiel de *stūpa* et de temples en briques. Ces derniers sont de plan quadrangulaire ou cruciforme et composés soit d'une salle sanctuaire précédée ou non d'un avant-corps, soit d'un noyau central massif avec couloirs en pourtour faisant communiquer entre eux les accès des portes axiales comme à l'Ananda (début du xiiᵉ siècle). Ces édifices ont l'aspect d'une pyramide car ils sont pourvus de toitures en terrasses et sommés d'une pointe ; outre la complexité de leurs plans, ils ont ceci de particulier qu'ils utilisent la voûte en berceau appareillée, fait unique en Asie du Sud-Est, où seul le mode de couverture en encorbellement est employé. Autre différence, le décor architectural est sobre, limité à la modénature, aux encadrements d'ouvertures et aux pilastres. La sculpture, bénéficiant d'influences indiennes sans doute plus directes, possède une très grande richesse iconographique. Entre la fin du xviiiᵉ siècle et la fin du xixᵉ siècle, l'art d'Amarapura et de Mandalay développera une architecture en bois d'une grande variété d'invention. Très ancien stūpa, c'est aussi au xviiiᵉ s. que, à Rangoon, la pagode Shwedagon au dôme doré prend son ampleur actuelle. •

Les arts de la Thaïlande et du Laos

L'ART THAÏ EST PARTAGÉ ENTRE
LES PRODUCTIONS D'ÉCOLES NOMBREUSES. IL N'ACQUIERT
UNE RELATIVE UNITÉ QU'À LA FIN DU XVIIIᵉ SIÈCLE. N'ÉTAIENT
DES RAISONS POLITIQUES, L'ART DU LAOS VOISIN AURAIT
PU N'ÊTRE QU'UNE DE SES ÉCOLES.

Les limites actuelles de la Thaïlande englobent des régions où se sont développées des écoles d'art indianisé dès les premiers siècles de notre ère : école de Dvāravatī (viiᵉ-xiᵉ s.), école de Śrīvijaya (viiiᵉ-xiiiᵉ s.), école de Lopburi (viiᵉ-xivᵉ s.). Les Thaïs, venus du nord-est, s'installent progressivement dans un pays dont ils deviennent en partie les maîtres, sans doute parce qu'ils sont, et restent encore aujourd'hui, des assimilateurs très doués. L'héritage des civilisations qui les ont précédés n'est donc pas perdu et ils savent, à leur tour, créer des écoles d'art très originales : école de Sukhothai (fin du xiiiᵉ-xvᵉ s.), école du Lan Na (xiiiᵉ-xxᵉ s.), école d'Ayuthia (xivᵉ-xviiiᵉ s.), école de Ratanakosin dite de Bangkok (fin du xviiiᵉ - début du xxᵉ s.). De tout ce brassage culturel ressort un certain nombre de caractères généraux : utilisation d'un type de tour sanctuaire en briques, le *prang*, mis au point dans l'ère géographique de l'école de Lopburi, héritière elle-même de l'art khmer. Celui-ci a été utilisé en des édifices diversement conçus et parfois spectaculaires, dont l'un des plus tardifs et des mieux conservés est le Wat Arun à Thonburi. Autre création très originale, les édifices bouddhiques en briques et bois, les *ubosoth* et les *vihan*, immuablement associés à tous les monastères, et dont les silhouettes constituent l'image la plus populaire de l'art thaï (Wat Pra Keo, Bangkok). On note encore l'épanouissement de nombreuses écoles de sculpture dont les œuvres, souvent en bronze, peuvent être d'une grande qualité. Diverses écoles de peintures, surtout murales, se sont développées, les exemples rescapés les plus abondants appartenant bien sûr à l'école de Ratanakosin, la plus proche de nous (fin du xviiiᵉ - début du xxᵉ s.).

Localisé au nord-est de la Thaïlande, le royaume du Laos n'a été fondé qu'au milieu du xivᵉ siècle et les vestiges de son art ne deviennent suffisamment nombreux pour être étudiés qu'à partir du xviᵉ siècle. Constamment soumis aux influences de ses voisins, notamment les Thaïs, l'art laotien a produit en architecture des édifices monastiques dont on définit trois styles, qui se distinguent surtout par la forme des toitures : le style de Xieng Khouang, le style de Luang Prabang et le style de Vientiane. Les deux premiers sont proches de l'architecture du Lan Na tandis que le dernier rappelle celles d'Ayuthia et de Bangkok. Tous ces édifices sont pourvus d'une riche ornementation de bois sculpté (consoles des toitures, frontons, vantaux de portes, mobilier).

→ **Voir aussi :** Le monde indien jusqu'à l'an mille, **HIST**, p. 100-101.

Rayonnement de la civilisation indienne

L'hindouisme est à l'origine de la majorité des monuments du Cambodge jusqu'à la fin du xiiᵉ siècle et Angkor Vat (4), dédié à Viṣṇu, n'est que le plus célèbre des temples-montagnes édifiés à la gloire des dieux. Avec la doctrine theravāda, le bouddhisme suscite les grands temples de Pagan, dont l'*Ananda* (3) reste le plus connu avec son noyau central sur lequel s'adossent quatre statues du Bouddha faisant face aux quatre travées en croix grecque reliées entre elles par un réseau de couloirs. C'est la même tendance du bouddhisme qui inspire cette peinture murale thaïlandaise (2), illustrant un épisode des vies antérieures du Bouddha ; la peinture est l'ornement traditionnel des pagodes construites en briques et couvertes en bois, ainsi que le sont aussi celles du Laos (1), dont la silhouette caractéristique reste cependant différente des pagodes thaïes. Enfin, c'est la tendance mahāyāna du bouddhisme, quelque peu teintée ici de tantrisme dans la personnification (5) féminine de l'une des perfections ou vertus du bodhisattva : la sagesse.

Chine

Les assises de l'empire

L E MINISTRE FEN HUZI s'adressa à son seigneur, le roi de Chu : « Au temps de Shennong, les armes étaient fabriquées en pierre. Plus tard, à l'époque de Huangdi, en jade, et à l'époque de Yu, en bronze. Aujourd'hui, elles sont fabriquées en fer. » Étonnamment moderne par son observation de l'évolution technologique humaine, ce récit évoque une conversation qui aurait eu lieu pendant la période trouble et féconde des « Royaumes combattants » (v^e-ive siècle av. J.-C.), lorsque les grands philosophes élaboraient les principes fondateurs de la pensée chinoise. La passion pour le passé anime les esprits ; la richesse des tombeaux trahit l'importance du culte aux ancêtres ; les bronzes et jades des époques reculées soulèvent déjà la spéculation. L'archéologie chinoise naît. Tout au long des deux millénaires de l'empire, elle va contribuer à l'édification d'une image monolithique des origines du peuple Han, qui sera remise en cause, à partir des années 1930, par la découverte de milliers d'os portant des inscriptions remontant à la dynastie Shang (v. 2000 av. J.-C.), ancêtres hétéroclites à la fois de la calli-

graphie et de la peinture chinoises. La thèse de l'unicité s'effondre devant la diversité des cultures. Les artisans des terres fertiles entre le Huang He et le bas Yangzi ne sont plus les uniques participants. Mais diverses cultures contribuent, par influence, à ce développement : sur la côte sud-est, la culture de Dabenkeng où l'on trouve la culture de riz, le royaume de Shu au sud-ouest et l'État de Tian, lié à la culture de Dông Son du Viêt-nam dont les tambours ornés de figurines rappellent l'art des voisins du nord-ouest, de l'Empire des steppes.

Ces derniers « barbares » influençaient fortement les nobles de la « plaine centrale », qui abandonnèrent les combats en char pour devenir archers, montés à cheval, vêtus du pantalon étroit de l'ennemi. Cependant, des traits culturels essentiellement chinois se dégagent : une vie sociale organisée autour de l'agriculture, liée par le rituel, un artisanat de niveau élevé, le pinceau comme outil souple de l'expression écrite, la fonction cérémoniale du jade, le culte des ancêtres, qui remplit les tombeaux de trésors artistiques.

L'éclosion de la métallurgie

SYMBOLE DE PUISSANCE, LE TRÉPIED « DING » EST ASSOCIÉ PENDANT PLUS D'UN MILLÉNAIRE AUX REPRÉSENTATIONS DE LA NOBLESSE DE LA PLAINE CENTRALE.

L es plus anciens bronzes connus, ceux de la cité de Zhengzhou (Henan), datent du xixe siècle av. J.-C. La technique de fabrication par moules en plusieurs pièces est originale et indique un développement indépendant protochinois de la métallurgie au début de la dynastie Shang. Dépouillés à l'extrême, les premiers trépieds, semblables à leurs cousins en poterie, se tiennent sur le feu, prêts à verser le liquide chaud de l'offrande. Peu à peu, un décor de bandes en relief, dessins géométriques, bêtes imaginaires et menaçantes apparaissent : le *taotie,* masque grotesque aux yeux proéminents, à la mâchoire puissante, qui écarte le mal et la gourmandise ; le dragon sinueux *kui* ou la trace du tonnerre *leiwen*.

L'être humain, rarement évoqué, est sombre et dominé par le sacrifice dont il est victime. Anyang, dernière capitale des Shang, fut conquise par les Zhou vers 1027 av. J.-C. C'est l'apogée de la culture du bronze. L'empereur ne détient plus le monopole du pouvoir, les nobles prennent de plus en plus d'indépendance, et l'écriture se répand : de longues inscriptions sur les bronzes annoncent les circonstances solennelles de leur fabrication. Les vases rituels des Zhou sont lourds, avec des rainures verticales, des oiseaux, des dragons aux mouvements souples. La ci-

gale représente le renouveau de la vie ; le *taotie* se démembre et s'absorbe en traits complexes recouvrant la surface. Le bronze devient l'industrie essentielle, de nouvelles méthodes de fabrication sont introduites : le corps et les appendices sont fondus séparément ; l'or, l'argent et le cuivre finement ouvragés, sont appliqués à la surface.

Violence et barbarie marquent la période des « Printemps et Automnes » (viiie-ve siècle av. J.-C.) Philosophes et hommes d'État tentent par le rituel, la vertu, la réglementation de la vie civile et militaire de revenir à l'ordre social. La piété filiale est associée au culte des ancêtres et la sépulture demande moins de victimes sacrificielles. Figurines en argile, plomb et bois les remplacent. La cité, entourée d'un mur rectangulaire en pisé, se trouve dans la plaine, près d'un fleuve. L'espace est binaire : l'« État » emmuré avec les résidences des « gentilshommes », leurs structures cérémoniales élevées sur tertre, selon l'axe nord-sud, et leurs tombeaux ; au-delà, le *bi,* où demeure le « peuple » et où quartiers agricoles et industriels se côtoient.

L'artisanat devient hautement spécialisé avec une division du travail minutieuse. De grands ateliers métallurgiques se développent et font des emprunts aux techniques de la céramique. Au vi^e siècle av. J.-C., la métallurgi

La vie au néolithique

NOMBREUSES SONT LES ACTIVITÉS VILLAGEOISES : POTERIE, TISSAGE DU CHANVRE, FABRICATION DES FILETS DE PÊCHE, SCULPTURE SUR OS OU SUR JADE.

U n groupe de villages néolithiques, de l'époque de Yangshao, occupés de façon intermittente entre 4000 et 2000 av. J.-C., a été découvert en 1953 à Banpo, à l'est de Xi'an (Shaanxi). À un premier niveau, les habitations sont rondes, en pisé, avec le toit en roseaux, le sol plâtré et le foyer au milieu. Dans les couches supérieures, les maisons deviennent rectangulaires, avec une structure en bois, un escalier d'accès et un sol creusé à un mètre sous la terre. Trois rangées de piliers soutiennent le toit de l'un des grands bâtiments. La société est matriarcale.

Par définition, c'est au début du néolithique que la culture de la terre commence ; son évolution rapide suggère peut-être une influence extérieure : au nord, le millet et le blé apparaissent ; plus

au sud, le riz. Le tissage du chanvre et la sériciculture sont connus ; le porc et le chien, domestiqués. Portant l'arc composite, les hommes partent à la chasse et à la pêche tandis que, au village, la fabrication des urnes pour la conservation et la préparation des aliments et le transport de l'eau se développe largement. Les fours, comme les cimetières, sont à l'extérieur du village. Le défunt est accompagné de poteries, d'anneaux de jade, blanc et vert, d'une pureté recherchée, de haches rectangulaires ou en demi-lune (proches de celles des Eskimos, des Amérindiens, des Sibériens). Le soin porté aux enterrements, surtout féminins, ainsi que la pratique de la divination par la combustion des omoplates de mouton supposent l'existence de croyances religieuses.

Les cultures sont connues et définies essentiellement à travers leurs types de poterie. Dans un village de l'époque Yangshao (6000-3000 av. J.-C.), six fours produisaient une poterie montée au colombin et peinte de deux types : l'une rouge et fine, l'autre grise et rouge mais plus grossière. Les bandes parallèles de losanges et de croix témoignent d'influences plus antiques émanant de l'Asie centrale, tandis que les images géométriques d'hommes, de grenouilles, d'oiseaux et de poissons, et les dessins linéaires et dynamiques exécutés en noir sur fond rouge révèlent l'incomparable agilité chinoise du trait de pinceau s'achevant par ce point aigu qui deviendra l'un des signes distinctifs de l'époque Song deux millénaires plus tard. Succédant à celle de Yangshao, la culture de Longshan (3000-1850 av. J.-C.) se distingue par une poterie noire, satinée, aux parois très fines, aux formes plus élancées caractéristiques qui trahissent la découverte du tour et anticipent les premiers bronzes. •

Terre, jade, bronze, supports de l'expression artistique féodale

Ce sont les belles formes fonctionnelles des urnes et des trépieds de la poterie néolithique (3) qui ont inspiré les premiers bronzes. Ceux-ci, pendant un millénaire, se diversifient en variations infinies : des vases rituels au harna-

chement des chevaux en passant par les instruments de musique, ainsi ce carillon (1) au jeu de 65 cloches dont la plus grande (154 cm, 203 kg) fut offerte au prince Yi en 433 av. J.-C. par le souverain du royaume de Chu. Énigmatique, ce réper-

toire décoratif (2) où courbes vigoureuses et schématisme animalier se répondent dans ces amulettes en jade qui signalent le statut particulier du défunt, au même titre que ses serviteurs sacrifiés qui l'accompagnent outre-tombe.

1. Carillon provenant du tombeau du prince Yi, près de Suixian (Hubei).

du fer en haut-fourneau émerge comme industrie majeure. Pendant la période des « Royaumes combattants » (480-221 av. J.-C.), les sept États les plus puissants luttent pour l'hégémonie. « Les rues des cités sont si remplies que les chariots se bousculent les jantes. »

De nouvelles techniques : charrue en fer, irrigation, défrichement des terres, associées à la densité démographique (les armées comptent des centaines de milliers d'hommes), amènent des confrontations. De grandes murailles divisent les États. La société est patriarcale et la noblesse sera bientôt abolie au profit d'une aristocratie militaire à la poursuite de l'efficacité. Des sites archéologiques somptueux, découverts récemment, appartiennent à l'ancienne noblesse. La technique de la cire perdue, introduite vers 500 av. J.-C., atteint la perfection : dans les tombeaux impériaux de Zhongshan, petit État englouti en 296 av. J.-C., on a trouvé 19 000 objets façonnés d'une étonnante beauté, notamment un socle aux dragons entrelacés et un lampadaire arboriforme. Le tombeau du prince Yi contenait un oiseau à l'ample ramure et 65 cloches en bronze. La musique crée déjà l'harmonie entre les hommes. •

Rituel et statut, beauté et luxe

JADE, QUE L'ON NOMME « LE PRÉCIEUX » : MANGÉ EN POUDRE, IL CONFÈRE LA PURETÉ RITUELLE AU SOUVERAIN.

Depuis 4 000 ans, l'amour du jade unit le peuple chinois. Vers 100 apr. J.-C., un traité sur la pierre l'exalte : « *Fu* est la plus belle des pierres, elle possède cinq vertus : son lustre lumineux et chaleureux est typique de la générosité ; sa transparence, qui laisse percevoir sa couleur et le dessin intérieur, symbolise la droiture ; sa pureté et la qualité pénétrante de sa sonorité lorsqu'on la frappe évoquent la sagesse ; elle peut être brisée mais jamais courbée : c'est le courage ; elle possède une lame aiguisée qui ne fait de mal à personne : c'est l'équité. »

La néphrite.
Jade véritable, elle provient de l'Asie centrale, Khotan ou Yarkand, à 2 000 km à l'ouest des centres de culture protochinoise. Matériau de luxe, son introduction vers 2500 av. J.-C. est liée à la culture des poteries peintes. D'une dureté extrême, son travail par scie rotative mouillée avec du sable de corindon demande plusieurs semaines. À l'époque féodale, les tranches n'ont que quelques millimètres d'épaisseur. Après la destruction des livres par les Qin (en 213 av. J.-C.) pour mettre fin à la société féodale, il ne reste que la mémoire confuse d'une tradition perdue, et seul le célèbre traité du *Zhouli* tente d'expliciter le sens des jades et des bronzes de l'Antiquité. Un groupe de jades est lié au cérémonial de cour : le souverain tient entre ses mains l'asse lorsque, au printemps, il offre le sacrifice au soleil matinal ; avec l'anneau au bord dentelé, il règle les « 7 gouverneurs » (peut-être la Grande Ourse) ; il confère la hache polie aux serviteurs loyaux. Destinées à la beauté de la parure, plusieurs petites amulettes attachées à la ceinture évoquent la quintessence formelle des animaux bénéfiques : poisson, félin, dragon, etc. Lors des funérailles, le zong jaune, représentant la terre, est posé sur l'abdomen du défunt ; le *bi,* disque bleu-vert du ciel, est placé sous son dos, et à ses côtés sont placées des imitations miniatures en jade d'armes autrefois fonctionnelles.

La laque.
En 606 av. J.-C., les artisans de l'État de Song reprochent au général le gaspillage des armures pendant la bataille qu'il vient de perdre. Il répond : « Le cuir sera facile à obtenir, aussi longtemps qu'il y aura du bétail, et la corne de rhinocéros est abondante. » Lorsqu'on lui demande de nouvelles provisions de laque pour imperméabiliser les armures, il se tait. Non seulement la laque est imperméable, elle résiste à la chaleur et aux acides, mais elle forme une enveloppe protectrice et décorative. La gomme-résine pure de l'arbre est filtrée plusieurs fois à travers le chanvre, puis chauffée doucement pour faire évaporer l'eau et enfin conservée dans des bouteilles étanches. Après son exposition à l'oxygène, le jus se polymérise rapidement comme une matière plastique. La laque est à l'origine appliquée sur un support en bois ou en cuir. La technique du laque sec apparaît déjà au IVe siècle av. J.-C. : des couches successives sont appliquées sur une base de chanvre pour fabriquer, dans une matière souple, un ustensile dont le prix, à l'époque Han, valait dix fois celui du même en bronze. Les diverses étapes de la préparation sont exécutées par des artisans, qui signent de leur nom. Chaque couche est séchée dans une atmosphère humide à 20/30 °C. Après la dernière couche, dont dépend le lustre de l'objet final, le peintre applique son dessin avec souplesse, finesse et rapidité. Sur un coffre en bois laqué de la fin des Zhou, une série de personnages, en robes gracieuses, assistent à un banquet. Chacun d'eux, individualisé, entretient son voisin de propos amusants ou élégants. La peinture sur laque est l'une des sources principales de la liberté d'expression du pinceau chinois. •

→ **Voir aussi :** La Chine, des origines au XIIIe siècle, **HIST**, p. 104-105.

3. Poterie peinte de Machang, IIe millénaire.

2. Dragons en jade de l'époque des Royaumes combattants (481-221 av. J.-C.).

Chine

L'unification de l'empire

L'UNIFICATION DE L'EMPIRE est l'œuvre de Qin Shi Huangdi. Tyrannique et mégalomane, il se déclare, en 221 av. J.-C., « premier empereur universel » et fait construire à Xianyang un vaste palais. Son projet de la « grande muraille de 10 000 lieues » vise la protection des riches plaines du Nord car les nomades Xiongnu s'organisent avec de plus en plus d'efficacité. Sans tenir compte de la terrible misère humaine qu'il provoque, les pans d'anciennes murailles sont réunis pour s'étendre désormais non plus entre États chinois mais entre le monde sédentaire et les vastes espaces de l'empire des Steppes. Cette frontière démarque de façon définitive deux modes de vie, à la fois protégeant les paysans de l'attaque des nomades et les empêchant de quitter leur terre. Dépossédés, les survivants de l'aristocratie féodale sont transplantés par dizaines de milliers. La lecture des livres anciens est punie de mort. Les caractères de la langue écrite sont rigoureusement standardisés, de même que les poids et mesures, allant pour ces dernières jusqu'aux essieux des véhicules.

Avant de mourir, l'empereur prévoit son passage dans le monde de l'au-delà protégé par des milliers de soldats en argile peinte, grandeur nature. Sous les Han, la vie deviendra plus humaine. Avec la restauration partielle de la société féodale, l'érudition classique se revitalise. La pensée politique et philosophique évoluée de l'époque turbulente des Royaumes combattants va pouvoir, enfin, être appliquée. Une société riche, stable et prospère est en train de se construire. L'être humain l'emporte sur le bestiaire mythologique et fantastique du passé tandis que le culte des ancêtres, manifesté dans le développement fastueux de l'art funéraire, va de pair avec l'élaboration d'un art figuratif, description visuelle de la société humaine à travers toutes ses activités. La route de la soie ouvre les horizons : les Chinois découvrent l'existence de l'Inde, de la Perse, du Moyen-Orient, de Rome. La route de la mer accroît les échanges, et le bouddhisme, véhiculé par les marchands, apporte une nouvelle vision de l'être humain, un autre langage artistique. Dans sa confrontation avec le Tao, il pénètre, comme nulle autre influence étrangère, l'art et l'éthique chinois.

L'art funéraire

RÉCEPTACLES DES IMAGES DE LA VIE,
LES GRANDS TOMBEAUX DES HAN SONT CEUX QUI
ONT BÉNÉFICIÉ DU PLUS GRAND SOIN.

Avec élégance et fraîcheur, gravées sur tuile et brique, des scènes innombrables d'activités quotidiennes, ainsi que tout l'accoutrement, l'habillement, le mobilier de la maison, garnissent les chambres funéraires du défunt. Construits en brique et en pierre, les tombeaux ont survécu tandis que les maisons et palais — en bois — ont disparu, ravagés par le feu. L'empire est enfin unifié mais la mosaïque des cultures garde sa riche diversité régionale. Dans le Henan, les tombeaux sont en brique, voûtés, longs et étroits, avec des parois de pierre gravée en léger relief. Au Sichuan, la voûte est en berceau et, sur les briques, des scènes animées sont moulées en léger relief. À Jiading, les tombeaux sont creusés dans la pierre d'une falaise avec un vestibule commun et un puits profond. Au centre de la Chine, les cercueils individuels en bois sont entassés en couches multiples dans des puits profonds. Les murs sont ornés de panneaux rupestres, gravés avec finesse, parfois plâtrés et peints, représentant des scènes de chasse, de pêche, de moissons ; des cortèges de chariots et de chars à bœuf ; de la musique, des danses et des jeux ; des portraits des immortels taoïstes, des légendes populaires. Joyeuses, énergiques et précises, ces images reflètent sans doute la peinture murale de grands cycles qui ornaient les vastes halls des palais, perdus à jamais et dont le souvenir ne demeure qu'à travers la poésie : « Ici, tout sous le ciel et sur la terre est peint, toutes les créatures vivantes, leurs tribus, leurs noces sauvages, espèce avec espèce, les étranges esprits de la mer... » Au Sichuan, le style, d'un naturalisme sans rigidité, est le plus évolué. Diversité vouée à une disparition progressive, car la terre du peuple Han va devenir une unité culturelle.

Parmi les importantes trouvailles récentes, citons les chevaux en bronze du tombeau de Wuwei, au Gansu, fouillé en 1969, avec toute une série de figurines de chevaux, de cavaliers, de chariots et le célèbre cheval volant, datés du IIe siècle apr. J.-C. Plus étonnants encore les linceuls de jade du prince Liu Sheng (mort en 113 av. J.-C.), frère aîné du grand empereur Han Wudi, et de sa femme Dou Wan. Selon les croyances de l'époque, le jade protégeait le corps de la putréfaction : les neuf orifices du corps étaient bouchés par de petites pièces de jade, dont une cigale sur la langue. Cette croyance et le goût du luxe poussèrent le couple princier à se faire habiller entièrement de petites plaquettes de jade. Le linceul de Dou Wan en compte 2 160, cousues avec 700 grammes de fil d'or. •

Philosophie et art

DU FONCTIONNALISME MORAL CONFUCIANISTE
À L'ESTHÉTIQUE PURE TAOÏSTE OU L'ÉVOLUTION
D'UNE TRADITION CRITIQUE.

Sous le règne de Han Wudi (140-87 av. J.-C.), l'empire du Milieu est en paix et atteint l'un des plus hauts sommets de son pouvoir. L'empereur crée en 136 av. J.-C. l'Académie impériale, où les fonctionnaires d'État sont formés selon le strict code moraliste de Confucius. Dans les ateliers impériaux, artistes et artisans travaillent brillamment à la production de vases rituels, robes, armes et ustensiles en laque. Au sud-ouest, Chu et Shu deviennent de célèbres centres artistiques. Lorsque la capitale de Luoyang brûle en 189 apr. J.-C., une collection de peintures de la « Tour des Nuages », dont 32 portraits de distingués généraux de l'armée, disparaît en fumée.

La peinture sur soie, déjà maîtrisée à la fin des Royaumes combattants, est toujours très proche du style de peinture sur laque. Sur la bannière de Mawangdui (v. 180 av. J.-C., Changsha) sont disposés, dans un espace rituel, créatures du monde souterrain, hommes et divinités du ciel, reliés par de puissants dragons. Il s'agit du premier exemple chinois d'un rouleau peint vertical, mille ans avant les bannières bouddhiques de Dunhuang. La peinture sur rouleau horizontal apparaît aussi. Un quasi-papier, fabriqué à partir de fibres de soie, est déjà connu lorsqu'en 105 apr. J.-C. l'eunuque responsable des ateliers impériaux invente le papier, fabriqué à partir de fibres végétales. Avec l'encre, cette découverte va devenir le système le plus économique de communication inventé par l'homme et, avec le pinceau, elle est aussi le matériel indispensable au développement de la peinture chinoise.

Dans l'art des Han, les influences indigène, étrangère, confucianiste, taoïste, savante ou populaire contribuent à la variété des formes et des sujets, où la primauté est donnée à l'être humain. Aucune tentative n'est faite de rendre la nature ou de décrire de véritables paysages : les formes et volutes suivent le rythme interne des choses et celui de la main de l'artiste. La fin des Han voit l'émergence d'une classe de lettrés, parallèlement au déclin du rigide ordre confucianiste à la cour. L'activité des artisans anonymes diminue. Un gouffre s'étend entre eux et l'intelligentsia. L'individualisme taoïste, le plaisir esthétique et intellectuel commencent à l'emporter. Gu Kaizhi (v. 344-v. 406), premier grand peintre chinois connu (par des copies de son œuvre), dépeint la vie humaine dans la société privilégiée de la cour. Il participe au mouvement critique qui, de 30

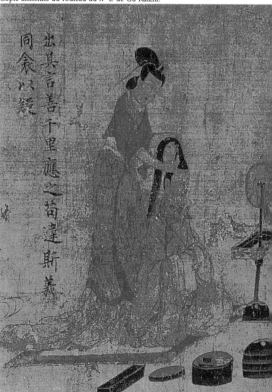

1. *Les Admonitions de la monitrice aux dames du palais.*
Copie ancienne du rouleau du IVe s. de Gu Kaizhi.

usqu'au milieu du vıᵉ siècle, évolue vers le jugement d'une œuvre, littéraire ou artistique, selon e seul critère esthétique. On commence à distinguer la théorie de la pratique, intégrant une part de psychologie. Vigueur du coup du pinceau, chair et muscle, rapidité et lenteur, simultanéité de la pensée et du geste sont discutés. La critique de la peinture va de pair avec celle de la calligraphie : deux aspects d'une même activité. Elle se manifeste de façon sérieuse au début du vᵉ siècle, utilisant le même vocabulaire, le même débat sur la subjectivité à l'égard de la forme extérieure. L'art devient l'expression totalement pure et sans entrave de la personnalité. Vers 480 apr. J.-C. apparaissent, dans la préface du *Registre classifié de peintres anciens* de Xie He, les six règles de la peinture. Elles vont devenir la base de toute critique ultérieure de l'art en Chine :

1° la « sensation forte devant la nature » ;
2° la vitalité structurale du trait du pinceau ;
3° la fidélité à l'objet dans la représentation des formes ;
4° la conformité à l'espèce dans l'application des couleurs ;
5° le schéma correct dans le placement des éléments ;
6° la reproduction pour la perpétuation des anciens modèles – la vénération de la tradition.

Au vıᵉ siècle se manifeste un antagonisme entre le « naturel » et l'« assiduité », et l'idée la mieux interprétée par le peintre devient *un modèle mental : le paysage.* •

L'introduction du bouddhisme

PAR LA ROUTE DE LA SOIE ET
PAR LA ROUTE DE LA MER, L'« HOMME DORÉ »
ARRIVE DANS L'EMPIRE DU MILIEU.

En 138 av. J.-C., l'ambassade de Zhang Qian dépêchée auprès des Kuṣāna de Bactriane pour tenter de conclure un traité avec eux contre les nomades Xiongnu échoue. Pourtant ce premier diplomate chinois en mission vers l'ouest prolonge son séjour pendant 12 ans avant de retourner au pays où ses descriptions des objets chinois vus là-bas inciteront l'expansion occidentale de l'empire. Déjà, en 120 av. J.-C., une série de forteresses occupées par les Chinois s'étend à travers le désert du Takla-Makan : la route de la soie est ouverte. Tandis qu'objets de luxe légers et transportables (soies et laques) s'acheminent vers Rome, la Syrie et l'Égypte, au retour des hommes, leurs récits fabuleux de montagnes neigeuses et de déserts sablonneux forment les thèmes qui nourrissent l'art et les légendes des Han. L'Empire kuṣāna est maître de l'Afghanistan et de l'Inde du Nord-Ouest, où dans de grands centres bouddhiques sont produites les superbes sculptures en pierre noire du Gāndhāra. L'art indien, introduit en haute Asie, s'y fond dans un véritable creuset avec l'art persan et romain provincial. À travers les terres arides, les moines bouddhistes, portant avec eux des statuettes votives, voyagent avec les marchands. Dans les monastères des cités-oasis, on érige de belles statues en argile. En 65 apr. J.-C. (d'après la tradition), l'empereur Ming rêve d'un homme doré – le bouddhisme arrive à la capitale de Luoyang et une communauté s'établit au Jiangsu. Le prince de Chu y offre un grand banquet aux moines bouddhistes et aux fidèles laïques. Au ııᵉ siècle, une autre communauté du Tonkin diffuse la nouvelle religion par la route de la mer depuis la côte de la péninsule indienne vers la Chine du Sud. Au début des Six Dynasties, à Lianyungang, au Jiangsu, des sculptures bouddho-taoïstes sont gravées sur une falaise.

Cela annonce la confrontation philosophique et les débuts d'une symbiose entre bouddhisme et tao. Vers 300, des motifs bouddhiques apparaisent sur les miroirs. En 366, dans la falaise de Dunhuang, bouddhas et bodhisattvas commencent à être sculptés en argile – le travail va continuer pendant un millénaire. En 460, les artistes de Dunhuang participent à la création d'un nouveau site à Yungang. Le culte est vraiment installé lorsque, au début du vıᵉ siècle, l'empereur Wu accueille en Chine le maître indien Bodhidharma, fondateur de l'école Chan. Le taoïsme, confronté aux doctrines subtiles du bouddhisme, s'érige peu à peu en religion organisée. Mais le peuple, lorsque guerres et invasions apportent de nouveaux supplices pendant la période des Trois Royaumes, se tourne vers le bouddhisme, cette religion étrangère qui parle d'un monde au-delà du cycle interminable de la souffrance. La sculpture monumentale en pierre, venue par l'Asie centrale, devient l'expression privilégiée, avec le bronze, de l'art bouddhique chinois et se développe partout, mais domine surtout le Nord. Une nouvelle école de peinture, où la forme et le contenu sont largement étrangers, se crée également, culminant dans le réalisme de Zhang Sengyou. Actif vers 500-550, ce dernier a été le premier à utiliser l'ombre, technique héritée des Méditerranéens, et à donner ainsi un certain volume à ses personnages. Il a peint des dragons sur les murs du monastère de Nankin. Lorsque, malgré lui, il est persuadé de peindre leurs yeux pour terminer son travail, les dragons s'envolent dans un éclat de tonnerre. La symbiose entre bouddhisme et taoïsme s'est accomplie. •

→ **Voir aussi :** La Chine, des origines au xıııᵉ siècle, **HIST**, p. 104-105.

3. Archer accroupi, argile, v. 210 av. J.-C. Tombeau de Qin Shi Huangdi à Lintong (Shaanxi).

L'art, de la gloire des puissants au message initiatique

Dès le début de la dynastie Han, l'art sert l'État et la pompe funèbre des grands personnages. Se prolonger, être entouré, emmener avec soi dans l'au-delà toute sa gloire terrestre impliquent la mobilisation d'une armée d'artisans. L'individualisation de l'archer de Qin Shi Huangdi (3), l'un des 6 000 soldats découverts enterrés autour de son tombeau, renvoie aux sacrifices humains des époques antérieures. Désormais, l'argile remplace avantageusement le sang et donne matière à réflexion aux artistes. À l'époque des Trois Royaumes, fort épris de philosophie tao, le lettré renonce à la politique pour se vouer à l'esthétique pure, à une vie calme et intime, à l'abri du monde, où le geste quotidien devient source de beauté (1). Le bouddhisme, lui, va beaucoup plus loin dans le renoncement ; pour lui, tout est passage. Par le débat (2) et la méditation, on cherche à découvrir la nature ultime de l'existence et l'on se moque de la dépouille mortelle : même paré de jade (4), le cadavre n'est plus qu'une enveloppe vidée de son essence.

Conversation mystique entre Śākyamuni et Prabhutaratana, bronze daté 518.

4. Linceul de jade (2 160 plaquettes et 700 g d'or) de la princesse Dou Wan, femme de Liu Sheng († en 113 av. J.-C.), découvert à Mancheng (Hebei).

Chine

Le classicisme : Tang et Song

Art bouddhique des Tang

LA FLUIDITÉ LINÉAIRE CHINOISE
SE MÊLE À LA VOLUPTÉ PLASTIQUE DE L'ART INDIEN.
IMMENSES, LES PARADIS DES BOUDDHAS S'ENTOURENT
DE PETITS PAYSAGES DE PÈLERINS
À L'ÉCHELLE HUMAINE.

CHANGAN, CAPITALE DES Tang (11 × 9,5 km) et cité cosmopolite, accueille les foules muticolores de toute l'Asie. Le marché occidental ouvre ses boutiques persanes de pierres précieuses, de tapis, d'aromates et de vins. Les étrangers y construisent leurs temples : zoroastriens et manichéens (VIIᵉ-IXᵉ siècle), ou encore une église nestorienne de Syrie (v. 600). Le judaïsme et l'islam sont aux frontières occidentales. Pèlerins coréens et japonais séjournent dans les grands temples bouddhiques auprès des moines savants indiens et chinois qui traduisent les textes sacrés ramenés de l'Inde à travers la haute Asie. Les Chinois voyagent également, non seulement les marchands, mais aussi des artistes, qui sont signalés en Arabie au IXᵉ siècle. Le rayonnement de Tang Taizong, l'un des plus grands empereurs de Chine, est sans pareil, il contrôle les royaumes centrasiatiques de Koutcha et Khotan, entame la conquête de la Corée, se lie par mariage à la dynastie royale du Tibet, crée des liens avec le Japon et les royaumes du Funan et du Champa en Asie du Sud-Est. C'est une époque de consolidation, de réalisation concrète, d'éclectisme et de tolérance vis-à-vis de toutes les religions.

Dans le foisonnement des influences, techniques et motifs venant à travers la haute Asie transforment l'orfèvrerie, la céramique, la peinture et la sculpture en argile. Le bouddhisme joue un rôle moteur dans l'invention de l'imprimerie : la nécessité de répéter à l'infini les noms sacrés conduit à l'invention de la xylographie, moyen économique et pratique de reproduction d'images et de textes sacrés (l'une des plus anciennes date de 770). Au milieu du XIᵉ siècle, le premier caractère mobile est en terre cuite, et au XIIᵉ siècle apparaît l'imprimerie polychrome. Après la chute des Han, le taoïsme avait retrouvé l'écoute de l'intelligentsia et désormais la cohabitation du bouddhisme méditatif de l'école Chan et de la voie du Tao influence la pensée chinoise tout comme la peinture. À l'époque Song, le repli de l'élite provoqué par la domination dans le Nord d'une suite de dynasties étrangères inspire l'épanouissement d'un classicisme pur : la nature devient objet de contemplation, son expression suprême à travers la peinture étant le paysage.

Tout le talent du pays se concentre dans les temples bouddhiques et les palais impériaux avec l'exécution de grandes peintures murales ou de statues en bronze dont la taille se compte en étages ou en centimètres. En 672, l'impératrice Wu donne 20 000 ligatures de sapèques pour une image colossale de Maitreya, le Bouddha à venir. Dans les grottes de Longmen, Tianlongshan et Dunhuang, des milliers de bouddhas, bodhisattvas, moines et divinités gardiennes au visage courroucé semblent avoir été créés par le pinceau et non par le ciseau, modelés dans l'argile plutôt que dans la pierre. Les vêtements légers et collés aux corps ne cachent point les rondeurs, et les écharpes aux mouvements dansants flottent dans l'air.

Changan devient une capitale cosmopolite, tournée surtout vers les marches occidentales, où savants, poètes et peintres affluent ; les écoles de théâtre et de musique y prolifèrent ; pèlerins, magiciens, marchands et moines se bousculent dans les rues de la cité reconstruite. Ils viennent du Japon, de la Corée, de la Perse, du Tibet et de la haute Asie. Pendant les cent ans de l'apogée bouddhique, sous les Sui (589-618) et les quatre premiers règnes des Tang, la capitale devient le centre des études du *dharma* (la loi) — on y traduit des textes ouïgours, turcs, tibétains et sanskrits en chinois, puis en coréen et en japonais. Le grand moine Xuangzang, après son célèbre voyage vers l'« occident », est triomphalement accueilli par l'empereur Tang Taizong (627-649) en personne. L'Inde laisse

Création picturale : méditation et expression du refus du monde

La calligraphie (3) ou l'expression libre et spontanée de la forme pure par le médium de l'encre noire. Le paysage montagneux (1) ou la paix profonde et l'harmonie parfaite entre l'homme et la nature. Refus des conventions de la société, intense concentration, et laideur pour le sage taoïste (2) à la recherche furieuse de l'immortalité. Ermite dans la montagne, vagabond, ivrogne ou amateur lettré, pour chacun l'art de peindre représente surtout la quête de l'essentiel, la recherche de la Voie. Voie de la vérité, qui participe de la communion avec la nature et que les « peintres des ruisseaux et des montagnes sans fin » ont souvent symbolisée par un sentier minuscule, tortueux et d'accès difficile.

1. Dong Yuan, détail de *Journée claire dans la vallée*.

son empreinte sur la construction des pagodes qui par leur allure sobre et digne imitent des modèles de la péninsule indienne. Les Sui, protecteurs du bouddhisme, avaient préparé le terrain de cette prospérité Tang, promulguant des lois pour protéger la propriété monastique, lançant la construction de 4 000 temples, la restauration de plus d'un million de statues et la création de 100 000 nouvelles statues en or, ivoire, bronze, bois, laque et pierre, encourageant ainsi une évolution technique et stylistique importante. C'est une époque de construction nationale. Changan et Luoyang sont restructurées et planifiées extensivement, de nou-velles fortifications sont ajoutées à la Grande Muraille. En plein désert de Gobi, l'oasis de Dunhuang, à la fois point de départ et point d'arrivée de la route de la Soie, est à son apogée sous les Tang. Des artistes itinérants chinois et centrasiatiques, fidèles aux descriptions des textes, représentent les paradis des bouddhas, en développant parallèlement dans les scènes latérales des moments de la vie quotidienne : caravanes, défilés militaires, chasse, etc., qui se déroulent au sein de paysages terrestres où évoluent les pèlerins. Le bouddhisme s'intègre au taoïsme dans l'imagerie religieuse populaire et le paysage devient objet de contemplation. •

2. La Béquille de fer (XIVe s.) ou l'Immortel Litieguai, par Yan Hui.

Calligraphie et peinture

À L'ORIGINE DE LA PEINTURE,
L'ÉCRIT A POUR MISSION DE TRANSMETTRE LE SENS
DES CHOSES ; LE PEINTRE EN MATÉRIALISE L'ESSENCE.
POÉSIE, CALLIGRAPHIE ET PEINTURE
ONT MÊME VALEUR EXPRESSIVE.

Calligraphie et peinture s'exécutent avec les mêmes outils, les tracés aussi sont les mêmes. L'utilisation du papier, largement répandue depuis les Han, ouvre de nouvelles possibilités. Une écriture cursive plus souple que l'écriture formelle des scribes engendre progressivement des formes fluides et abrégées, étroitement liées à la peinture par l'esprit du trait de pinceau. D'après la tradition écrite (dont les copies tardives ne gardent qu'un souvenir appauvri), l'énergie furieuse du pinceau

3. Huai Su
(725-785). Calligraphie datée 777.

de Wu Daozi (701-792) est telle que les foules s'entassent pour le regarder pendant qu'il travaille. À sa mort, il laisse plus de 300 peintures murales dans les temples de Changan et de Luoyang. À la cour, un peu plus tôt, et avec plus de sérénité et de réalisme, Yan Liben (mort en 673) nous transmet l'idéal confucianiste, le faste et la dignité incomparables de scènes officielles, l'instant rituel de la rencontre impériale.

Deux écoles de paysages à l'époque des Tang correspondent à une distinction naissante : la peinture de cour (école du Nord) représentée par Li Sixun (651-716), à la ligne précise, aux couleurs minérales décoratives – bleu et vert –, et celle des lettrés (école du Sud), monochrome, à l'« encre brisée » : le lavis. La peinture est conçue par ces derniers comme l'expression de l'Esprit de l'homme et non comme celle de sa technique. L'homme Wang Wei (699-759), tout comme son œuvre, était un parangon. Les problèmes d'espace et de profondeur étant résolus, la réflexion s'oriente vers la subjectivité et la spontanéité. La création picturale devient transmission d'une idée plus que d'une réalité. Peindre c'est d'abord saisir, au cœur profond de l'être, le mystère de l'univers. Les peintres des « ruisseaux et montagnes sans fin » de la tradition lettrée appréhendent le danger : la menace des professionnels académiciens et le

piège de la ressemblance extérieure. Du rejet de l'académisme naît le paysage Song. L'objectif du peintre est de donner l'essence de la « montagne », de l'« oiseau sur la branche », en évitant sciemment la vaine tentative de rendre une image intégrale. Le paysage, mais surtout la nature sont enfin un sujet à part entière, sans aucune trace d'activité humaine.

Du Xe au XIe siècle, époque suprême du paysage chinois, des noms illustres se succèdent. Parmi eux, le génial Guo Xi, actif entre 1020 et 1090, qui a décrit les trois perspectives ou distances qui changent selon l'angle du regard : la distance en hauteur, en regardant du pied de la montagne vers le sommet ; la distance en profondeur, en regardant face à la montagne le paysage qui s'étend derrière elle ; la distance au même niveau, depuis une hauteur, le regard se dirige vers les lointains montagneux.

Dong Yuan (actif v. 932-976) et son élève Juran (actif v. 960-980) créent un style large, ils atténuent les formes et ouvrent la composition sur de vastes lointains aux brumes légères. Plus tard, Ma Yuan (actif v. 1190-1235), surnommé « Ma dans un coin », et Xia Gui (actif v. 1190-1225), dit « Xia la moitié », se distinguent par leur perspective décentrée ; les masses sont agencées dans un angle et toute leur importance est donnée à l'eau et au vide qui occupent le centre de l'œuvre.

Dépendant de sa seule maîtrise technique, le peintre, lors du geste créateur, est totalement libre ; aucune lutte ne doit intervenir entre vision et réalisation. C'est ainsi que le maître, au sein de sa propre tradition, transmet les modèles idéaux à son disciple. •

De l'exubérance à la pureté

L'ÉVOLUTION DES ARTS DÉCORATIFS EST RÉVÉLATRICE DE
L'ATMOSPHÈRE COSMOPOLITE, CONFIANTE ET RÉCEPTIVE DE
L'ÉPOQUE TANG, PUIS DU REPLI ET DE LA PURETÉ CLASSIQUE SONG.

Tandis que les classes privilégiées emplissent leurs maisons d'objets de luxe, les artisans Tang s'expriment avec une vigueur incomparable ; la confiance et le goût cosmopolite encouragent la libre interprétation de modèles étrangers. C'est au Japon, dans le magasin-trésor du Tōdai-ji de Nara, le Shōsōin, dédié en 756, que l'on distingue le raffinement de la cour des Tang : orfèvrerie, céramiques, soieries, mobilier, instruments de musique, jeux, verreries, miroirs, armes, cartes, peintures et calligraphies. Partout se décèle l'influence centrasiatique : profusion de fleurs, bordures sassanides, scènes de chasse, bêtes sauvages. Des objets de grande beauté sont exécutés au repoussé, ciselés, laqués, incrustés de nacre ou d'écaille. Les formes étrangères apparaissent :

la coupe à pied, la tasse à anse, le bol polylobé, la gourde, le bol à pétales de lotus. Les ustensiles en or et en argent massif, jusqu'alors rares, imitent le style sassanide ; utilisés par l'élite, ils servent de modèles aux céramiques des moins riches ; les motifs en relief rappellent le repoussé de l'orfèvre. Les terres cuites recouvertes d'une fine glaçure polychrome, bleu, vert, jaune et brun brillant, sont dites « aux trois couleurs » ; celles-ci sont obtenues à partir de cuivre, de fer ou de cobalt mélangés à du silicate de plomb. Vers le VIIe siècle, la découverte de la porcelaine par le mélange du feldspath et du kaolin cuit à haute température permet la fabrication de pièces aussi fines et plus dures que le verre. On trouve dans les tombeaux des figurines en terre cuite au charme naïf : femmes

bien en chair, gardiens de temple à la chevelure hérissée, animaux et petits personnages caricaturés.

Pendant les Cinq Dynasties et sous les Song, Kitan, Tangouts et Mongols envahissent la Chine du Nord. Le tribut payé par les Song du Sud est très lourd. Ceinturée par l'ennemi, repliée sur elle-même, l'intelligentsia la plus raffinée de l'histoire chinoise se voue à la pureté classique.

Dans le même temps, le potier s'est totalement dégagé de l'esthétique des métaux. Le four de Dingzhou (Hebei) est célèbre pour le blanc crémeux de ses porcelaines parfois ornées d'un décor végétal finement incisé.

Avec leur fameuse couverte vert céladon, les grès porcelaineux monochromes de Longquan (Zhejiang) atteignent la perfection et sont lointainement exportés : des textes les mentionnent en 1171 à l'occasion d'un présent de Saladin au sultan de Damas. •

→ Voir aussi : La Chine, des origines au XIIIe siècle, HIST, p. 104-105.

Chine
Confrontation et renaissance

APRÈS LA MORT DE GENGIS Khān en 1227, les Mongols se tournent vers les riches plaines de la Chine, et ils progressent malgré une résistance acharnée.

Kūbīlāy Khān choisit Khānbalik (Pékin) en 1264 comme capitale, et le bouddhisme tibétain comme religion d'État. En 1279, pour la première fois, une dynastie étrangère règne sur la totalité de la Chine.

Marco Polo, à la cour du grand khān, en décrit les splendeurs : le vaste parc créé pour le plaisir de Kūbīlāy, magnifiquement arboré et peuplé de maintes espèces animales sauvages. L'architecture est chinoise, mais de dimensions colossales : d'immenses palais et un hall où 6 000 personnes auraient pu dîner. Administrateur capable, et admirateur de la civilisation chinoise, Kūbīlāy se trouve

maître d'une Chine dont la population est décimée. Sept empereurs lui succèdent, mais une administration qui gouverne sans scrupule les isole du peuple. En 1368, le dernier empereur s'enfuit et le pouvoir des Mongols est enfin brisé.

La dynastie des Ming s'établit et le confucianisme est restauré. Malgré un bilan politique désastreux, l'Empire mongol, volontairement multinational, a élaboré des systèmes de traduction simultanée en plusieurs langues. L'héritage artistique des lettrés chinois est essentiel : en proie à l'incertitude, ils se tournent vers le passé pour se revivifier et réinterpréter l'Antiquité, mais ils sont aussi portés vers l'avenir par leur acquis technique et par la conviction qu'a désormais l'intelligentsia d'appartenir à une élite indépendante : attitude qui se maintient et s'affirme sous les Ming.

Affirmation de l'art impérial et recul des lettrés

Trois chefs-d'œuvre révélateurs des contrastes de cette époque. Réalisme puissant pour le protecteur de la loi bouddhique gravé dans la pierre (2). Économie de moyen et triomphe du vide dans la conception picturale du reclus taoïste (1). Majesté du marbre et du bois pour l'autel confucianiste où s'effectue la célébration du rituel d'État (3).

1. Ni Zan (1301-1374). Paysage d'automne.

Les quatre aînés des Yuan

L'HOMME N'EST QU'UNE PARTIE INFIME DU MONDE NATUREL. IL CHERCHE L'UNICITÉ, L'HARMONIE ET L'ÉQUILIBRE DANS L'ORDRE DE L'UNIVERS.

La rupture est totale entre la cour des Mongols et les lettrés qui refusent de servir le Barbare. La recherche des valeurs traditionnelles, le retour aux maîtres anciens, aux thèmes et aux réinterprétations du passé deviennent une préoccupation majeure.

Souple et gracieux, le bambou, aux feuilles en lame, devient le symbole du lettré reclus, fier et indépendant, qui, si bas soit-il courbé sous les vents de l'adversité, maintient son intégrité. Exécutée à l'encre monochrome, la peinture de bambous, et la calligraphie, l'art le plus difficile – clef de la personnalité de l'homme, de sa valeur, de son érudition – ont des points communs. La nécessaire précision dans la représentation de la feuille, de sa position naturelle, et de son équilibre dans l'espace exigent une maîtrise du pinceau qui relève du tour de force : plus d'atmosphère brumeuse pour dissimuler une faiblesse. Plus absorbant, le papier est désormais le support favori des peintres et des calligraphes. Ces liens entre littérature et peinture répandent la pratique du poème écrit dans l'œuvre peinte.

Amis ou admirateurs rajoutent inscriptions et sceaux jusqu'à la quasi-oblitération de l'image qui n'en acquiert que plus de valeur.

Descendant du premier empereur des Song, Zhao Mengfu (1254-1322) fait exception à son époque, et devient ministre auprès de Kūbīlāy et secrétaire de l'académie Hanlin. Grand calligraphe, il connaît tous les styles : son art de peindre les chevaux le rend légendaire, mais il est surtout célèbre pour la spontanéité de ses paysages et pour son profond respect de l'Antiquité. Pour lui, l'unicité entre peinture et calligraphie est manifeste. Daté de 1295, son rouleau *Couleur d'automne sur les montagnes de Qiao et Hua* (Taibei, musée du Palais) est archaïsant, mais avec des traits nouveaux et légers. Il redécouvre les Song du Sud, l'énergie spirituelle de Dong Yuan et de Juran, et ouvre la voie aux futures générations de peintres, à commencer par quatre grands maîtres, dits les quatre aînés des Yuan.

Le premier, Huang Gongwang (1269-1354), saisit l'esprit de l'Antiquité sans en être l'esclave. Son rouleau *Habitation au mont Fuchun* (Taibei, musée du Palais), l'un des chefs-d'œuvre de la peinture chinoise au lavis, a été exécuté lentement, pendant trois ans, pour un ami, et achevé en 1350. Les traits sont relâchés, discrets, sans maniérisme.

Wu Zhen (1280-1354) utilise l'espace de façon audacieuse, mais sa facture est directe, sans les brumes ni le romantisme de Ma Yuan et de Xia Gui sous les Song. La turbulence des paysages de Wang Meng (v. 1308-1385), la trame dense et sinueuse de son trait de pinceau et son rythme vibrant et tourmenté reflètent son époque tout en créant un effet de repos monumental.

Ni Zan (1301-1374), gentilhomme campagnard, adepte du taoïsme, renonce aux richesses et passe une partie de sa vie à voyager en bateau sur les lacs du sud-est du Jiangsu, et devient pour ses contemporains le type idéal du peintre lettré. Dans ses paysages austères, volontairement monotones et vides, règne le silence, aucun mouvement ne rompt l'harmonie. L'encre sèche est appliquée avec une économie extrême, comme si elle eût été aussi précieuse que de l'or. Méprisant toute vérité visuelle, Ni Zan prétend écrire ses bambous que le lettré Song Ke peignait avec des mots. Dépourvu de toute passion, n'a-t-il pas dit : « L'homme hors du commun, je me représente le cœur vide » ?

Fleurs et oiseaux, kakis et dragons

ENTRE LA PRÉCISION DÉLICATE DE L'ACADÉMIE ET LE GÉNIE SAUVAGE DE L'ÉCOLE CHAN : LA NATURE ESSENTIELLE VUE À LA LOUPE.

Les fleurs qui parsèment les bannières bouddhiques apparaissent en Chine au Vᵉ siècle, gravées en relief dans les grottes de Yungang. Pendant la dynastie Tang, rinceaux d'acanthe, vigne, lotus ou pivoines ornent d'abord les temples, puis abondamment argenterie, laques et céramiques. Au Xᵉ siècle, inspirés par la philosophie néoconfucianiste des Song ou par l'école méditative chan, les artistes cherchent à saisir le principe inné de toute chose à travers l'observation minutieuse de la nature. L'empereur Huizong n'a-t-il pas créé une académie réservée aux « fleurs et oiseaux ». Comme déjà dans le paysage, deux tendances se distinguent. L'une, typique des professionnels aux coloris clairs et aux traits de contour à peine visibles, est dite « sans os » ; très décorative, elle fut créée par Huang Quan, actif au Xᵉ siècle à la cour de Chengdu. L'autre, due à son rival Xu Xi (actif entre 937 et 975) à Nankin, repose au contraire sur un trait de pinceau calligraphique et fluide et quelques taches de couleurs. Ce style

va fortement influencer les peintres de bambous Yuan et Ming, alors que la manière de Huang Quan est reprise sous les Yuan par le maître de Zhao Mengfu, Qian Xuan (1235-v. 1301), qui est connu pour ses « fleurs et oiseaux » simples et raffinés.

Mu Qi, actif au milieu du XIIIᵉ siècle dans un monastère proche de Hangzhou, possède une facture intuitive caractéristique de l'intense inspiration du moine chan. Spontané et irrévocable, son jeu d'encre très mouillé et flou suggère la forme et traduit l'essence divine d'un fruit (*Six Kakis*, Kyōto, Daitoku-ji), d'un fauve ou d'un bodhisattva.

Concentration extrême et dissolution de la forme se font écho dans *les Neuf Dragons* (Boston, Museum of Fine Arts) peints en 1244 par le peintre Chen Rong dans un moment d'ivresse. Pour les nuages il utilise son bonnet trempé dans l'encre, et le rythme de son pinceau pour les dragons, animaux bénéfiques et emblème impérial, mais aussi évocation de la fulgurance cosmique.

Le bouddhisme
du monde tibétain

LA CHINE DES MONGOLS EST COSMOPOLITE,
BOUDDHISTE ET POLYGLOTTE. LES COURANTS RELIGIEUX
ET ARTISTIQUES SE RÉPANDENT LIBREMENT ET
LAISSENT UNE EMPREINTE INDÉLÉBILE.

Le lien politico-religieux entre Mongols et Tibétains se noue quinze ans avant la soumission, en 1260, du nord de la Chine au grand khan Kūbīlāy, qui proclame le bouddhisme tibétain religion officielle de l'Empire. Le jeune moine tibétain Phagspa est précepteur impérial, il fait inviter à la cour l'artiste népalais Anige, qui vient d'ériger au Tibet un stupa doré. Son savoir-faire étonne et il devient chef des ateliers impériaux, où il dirige des projets bouddhiques ou non bouddhiques. En 1271, il construit le grand « stupa blanc », qui domine toujours l'horizon au sud de Pékin. Par les sources écrites, plusieurs de ses projets impériaux sont connus en détail : en 1299, 191 statues et 64 panneaux peints pour le temple taoïste Sanqing ; en 1304, 181 statues ; en 1320, le portrait de l'empereur Renzong en « couleurs tibétaines ». La tradition fondée par Anige perdure, d'après un traité d'iconométrie, jusqu'au XVIIIe siècle.

Dans le Sud, à Hangzhou, vers 1300, on note aussi une forte influence de la haute Asie. Les grottes de Peilaifeng ont livré des sculptures rupestres d'esprit tantrique ; la xylographie complète de deux canons bouddhiques : le *Tripitaka* en langue xixia, et le *Jishazang* en chinois avec des illustrations de style tibétain. Au nord-ouest de Pékin, Xundi, dernier empereur mongol, commande la construction de l'arc de Juyong Guan dans la Grande Muraille, achevé en 1345, et dont le maître d'œuvre fut le lama tibétain Namkha Sengé. À l'intérieur, les inscriptions en six écritures : lantsa (calligraphie sanskrite), tibétain, chinois, phagspa (mongol), ouïgour et xixia, témoignent du cosmopolitisme impérial – des traductions simultanées sont faites, lors des enseignements bouddhiques, en quatre langues. Les gardiens des quatre orients et des mandalas y sont sculptés en bas relief, avec vigueur et majesté dans un style où se mêlent réalisme chinois et iconographie tibétaine.

Avant les Yuan, l'art du monde tibétain n'est pas inconnu. Ainsi, les *kesi,* tapisseries de soie au petit point – peut-être inventées par les Sogdiens et améliorées par les Ouïgours – sont-elles déjà utilisées vers 1125 à Hangzhou à la cour des Song du Sud pour les boîtiers des livres de la bibliothèque impériale. L'exécution était si parfaite que l'on retranscrivait peintures, calligraphies, fleurs et oiseaux en kesi. Exportés en Égypte, en Europe, on trouve des kesi incorporés dans des chasubles à Dantzig, Vienne ou Pérouse, mais ils font aussi partie du décor somptueux des nouveaux monastères construits au XIIe siècle sur le haut plateau tibétain. •

2. Le Juyong Guan (1345) dans la Grande Muraille au N.-O. de Pékin.

3. Le temple du Ciel à Pékin.

L'empereur
Yongle et les constructions
impériales des Ming

LA RESTAURATION DE YONGLE
FAIT SUITE À UN SIÈCLE DE DOMINATION MONGOLE.
SA CONCEPTION DE L'EMPIRE EST GRANDIOSE
ET SES PROJETS IMMENSES.

Yongle, troisième empereur des Ming, grandit parmi les princes mongols entre le monde chinois et les grands espaces de la steppe. Son règne est célèbre pour les grandes expéditions maritimes vers les mers du Sud, l'ouverture de routes commerciales, la reconstruction du Grand Canal, la colonisation du Viêt-nam. Dans sa restauration de l'Empire, il prend la dynastie Tang pour modèle ; la bibliothèque la plus importante au monde est créée ; l'élite gagne un nouveau prestige grâce à la diffusion rapide de l'imprimerie. Anthologies, dictionnaires, traités de philosophie néo-confucianiste abondent et, entre 1403 et 1407, l'encyclopédie *Yongle dadian* est publiée en 11 095 volumes, avec une section importante consacrée à l'art. Toutefois, les lettrés se tiennent à l'écart, cultivent leurs jardins, deviennent bibliophiles et connaisseurs des grandes collections privées de peintures des Song et des Yuan. Yongle transplante sa capitale de Nankin à Pékin, où se poursuit (1407-1420) la construction de la Cité interdite et du temple du Ciel. L'architecture est classique : piliers et lintaux sont érigés sur une terrasse surélevée en pierre ; les consoles, surchargées et peintes, contrastent avec la simplicité des bâtiments rectangulaires, les immenses cours, la courbure gracieuse des toits aux tuiles céramiques jaunes ou bleues. Les Ming suivent à la lettre le rituel Zhou : le fils du Ciel doit régner à partir de « trois cours ». Ainsi la Cité interdite est dominée par trois grandes chambres d'audience, sur un axe sud-nord. La première et la plus grande, au sud, la salle de l'Harmonie suprême, est surélevée et entourée d'escaliers en marbre blanc ; au-delà se trouve la salle des banquets d'État, et, enfin, les appartements privés, les bureaux, les ateliers et les jardins secrets. •

→ **Voir aussi :** L'influence chinoise en Extrême-Orient, HIST, p. 106-107.

La haute Asie

T RAVERSÉE DE VENTS QUI balayent des déserts de sable et de roc, parsemée d'oasis riches et florissantes, la haute Asie est la terre d'origine des hordes nomades les plus puissantes de l'histoire, terreur de Rome, de la Chine et de l'Inde. C'est une artère de communication entre les grandes civilisations, une terre de royaumes « barbares », de dynasties riches et orgueilleuses, de civilisations originales élaborées derrière les remparts impénétrables des montagnes neigeuses, un damier trois fois millénaire où la composition ethnique, linguistique, politique, religieuse s'est maintes fois renouvelée. Une galaxie de cultures s'y côtoient et s'y disputent les territoires ; migrations de populations et anéantissements de civilisations entières s'y succèdent. C'est une aire géographique en voie de dessèchement au fur et à mesure que, poussée par le mouvement de la croûte terrestre, elle s'élève vers le ciel.

Des mondes distincts mais imbriqués s'y développent. À l'ouest, les empires antiques : Scythes, Parthes, Sassanides, Sogdiens, Kuṣāṇa, Bactriens ; à l'est, les confédérations nomades habitant des pâturages et dont l'ordre social évolue à partir de tribus jusqu'en confédération ou en empires : Xiongnu, Yuezhi, Huns, Ordos, Kitan, Mongols.

Les anciennes cités-États de la route de la soie, maillons d'une grande chaîne commerciale et culturelle, relient les terres lointaines de l'Inde et de l'Europe à l'Empire du Milieu : Kachgar, Yarkand, Khotan, Koutcha, Tourfan et Dunhuang, et, enfin, le Tibet avec sa civilisation de haute altitude, et, aux alentours, les royaumes bouddhiques himalayens.

Les royaumes de l'Asie centrale et la route de la soie

AUX QUATRE COINS DU CONTINENT EURASIATIQUE SE RETROUVENT LES INFLUENCES FÉCONDES DE CET IMMENSE RÉSEAU DE CULTURES.

L e voyage de Marco Polo en haute Asie a longtemps excité l'imagination occidentale. À partir de 1834, pendant une centaine d'années, les puissances impériales envoient de grandes missions orientalistes à la découverte de ces civilisations perdues. Investigations archéologiques et recherches à l'appui de sources arabes et chinoises permettent de découvrir d'immenses ruines à moitié enfouies dans le désert sablonneux : anciennes capitales aux palais somptueux, approvisionnés de riches marchandises venant de civilisations lointaines ; vastes cités monastiques creusées dans le rocher ; énormes garnisons fortifiées, avant-postes de royaumes urbanisés. Les migrations successives de populations aryennes entrées par l'ouest dans le sous-continent indien à l'époque préhistorique, laissent pléthore de traces des cultures néolithiques. Les Achéménides de la Perse classique défendent leurs frontières nord contre les Scythes (VIᵉ-IIᵉ siècle av. J.-C.) qui s'étendent de la mer Noire jusqu'en Chine, disséminant le style « animalier ». Les dynasties royales de la Perse inaugurent une confrontation prolongée avec la Grèce et Rome, mais aussi avec les cavaliers de la steppe. Les Parthes, dont l'art syncrétique mêle éléments occidentaux et sujets indigènes, sont renversés par les Sassanides qui tentent de restaurer l'art des Achéménides en y associant des emprunts faits à l'Occident romain. À Pendjikent, les Sogdiens (Vᵉ-VIIIᵉ siècle), soumis à des influences irano-chinoises, conservent l'image de la puissance surnaturelle du roi ; l'art héraldique en bas reliefs et les fresques illustrant les hauts faits de l'empire, ainsi qu'on le trouvait dans le travail des métaux et les fastueuses étoffes de leurs prédécesseurs. Mais un phénomène nouveau survient : l'art sort des temples et des palais, pour trouver, dans la variété de sujets traités, une audience dans la masse du peuple.

Dès le IIIᵉ siècle av. J.-C., les sources écrites rendent compte des premières tentatives de découverte dans les deux sens de l'Orient et de l'Occident. Claude Ptolémée envoie des marchands explorer la route vers le pays des Sères, et, au siècle suivant, les Han découvrent l'existence de lointaines civilisations occidentales lors d'une expédition militaire en Bactriane. Ces contacts ont rapidement une portée commerciale. Les routes, celle du nord et celle du sud du Takla-Makan, se rejoignent à l'est à Dunhuang et à l'ouest à Kachgar. De là, les caravanes se dirigent à travers la Perse jusqu'à Rome, et au sud vers l'Inde. Les garnisons militaires protègent les convois, fournissent vivres et repos aux voyageurs, et se transforment en cités-États qui dépendent pour leur survie d'un réseau de canaux d'irrigation souterrains. Le manque de pâturage dans les environs des oasis les protège des nomades qui se limitent à des incursions pour le pillage ou pour récolter le tribut. La religion est essentiellement bouddhiste : mahayana au sud et hinayana au nord. Des communautés de moines s'installent dans d'immenses temples creusés dans les falaises à proximité des cités fortifiées. Patronnés par de grands protecteurs princiers, les monastères se remplissent de superbes stucs et de fresques bouddhiques où se mêlent les influences : Grèce, Rome, Perse, Inde, Chine et l'art animalier des nomades contribuent tous à la création d'expressions artistiques variées et originales. ●

Ordos, Xixia et Mongolie

DU STYLE ANIMALIER, EXPRESSION D'UNE CIVILISATION MOBILE ET GUERRIÈRE DES STEPPES, À L'EXPANSION DE L'ART BOUDDHIQUE TIBÉTAIN.

L orsqu'en Russie, au XVIIIᵉ siècle, apparaissent sur le marché nombre de plaquettes en or pur, ornées au repoussé de bêtes sauvages, le prince Gagarine y reconnaissant une valeur artistique unique, achète tout ce qu'il trouve pour les sauver de la fonte. Déterrées dans les kourganes de Sibérie, elles sont le premier témoignage du « style animalier » des tribus nomades de la haute Asie. Ni être humain ni divinité suprême n'y figurent, mais uniquement d'extraordinaires animaux sauvages : face à face, ou s'affrontant en combats mortels.

Xiongnu, Huns et autres tribus de l'Ordos se regroupent vers 800 av J.-C. et constituent les Scythes à la civilisation très mobile, fondée sur la transhumance et où la guerre faite à cheval joue un rôle prédominant. Leur technologie favorite est la métallurgie, qui sert à fabriquer harnachements de chevaux, armes, outils, miroirs, ornements et bijoux. Le déplacement rapide, le contact commercial avec les civilisations sédentaires à l'ouest comme à l'est en font d'excellents vecteurs de techniques et de thèmes décoratifs. Le « style animalier », commun à tous, évolue à travers les siècles en divers systèmes ornementaux où la combinaison d'un nombre restreint d'éléments fondamentaux crée une richesse foisonnante. Seul, un mouvement, une corne,

1. Bodhisattva de Fundukistān. VIIᵉ siècle, terre séchée.

2. Mandala, réplique ancienne d'un original du XVe siècle.

Le Tibet et les royaumes himalayens

DE L'EMPIRE MILITAIRE À L'ÉTAT
ECCLÉSIASTIQUE, L'ART DU SACRÉ SE PLACE SOUS L'ÉGIDE
DU BOUDDHISME TANTRIQUE OU VAJRAYANA.

En unifiant les douze tribus sous la tutelle d'un seul souverain – nommé btsan-po (puissant) – au VIIe siècle, puis en absorbant d'autres royaumes de la périphérie du haut plateau, Srong-btsan Sgam-po crée un empire militaire puissant, qui sera pendant 200 ans l'ennemi le plus redoutable de l'empire des Tang. Les armées tibétaines occupent des cités sur la route de la soie, renversent l'empereur de Chine à Changan, poussent leurs campagnes militaires jusqu'aux rives du Gange en Inde et prennent le pouvoir sur l'ouest du haut plateau, étendant leur vaste territoire vers la Sogdiane.

Comme les autres peuples de la haute Asie, les artistes tibétains s'expriment dans le travail des métaux précieux : l'or et l'argent ; le camp du btsan-po est orné de figures de tigres, de léopards, de lézards et de dragons. Les anciennes forteresses perchées sur les pitons rocheux, d'innombrables tumuli funéraires, dont les grands tombeaux royaux de Yarlung, sont les indices d'un passé riche et inconnu. Un texte du XVIe siècle nous apprend qu'un portrait du btsan-po, grandeur nature, « au squelette en bois de santal, à la chair en résine et à la peau en argent », fut déposé dans le temple de Samye. Indications qui présagent un brillant avenir à l'archéologie tibétaine même si, traditionnellement, un strict tabou interdit de creuser le sol. Pendant la Révolution culturelle, un seul village néolithique est fouillé dans la province orientale de Khams, une culture distincte

nommée « kharro » s'y révèle ; à Nang Dzong au Lhoka (au sud-est de Lhassa), quelques tombeaux individuels sont ouverts, analysés et aussitôt refermés. Lors de l'introduction du bouddhisme, à partir du VIIe siècle apr. J.-C., des artistes du Népal, de l'Inde, de Khotan et de Chine sont invités et décorent les nouvelles fondations. Les trois étages du temple central du monastère à Samye (775 apr. J.-C.) sont de styles tibétain, chinois et indien. Pour les statues, le roi choisit le style tibétain : des femmes et des hommes tibétains de belle prestance servent de modèle. Deux des six épouses de Srong-btsan Sgam-po, népalaise et chinoise, apportent de leurs pays des statues du Bouddha, dont la grande statue de Sākyamuni adolescent « jowo », qui, d'après la tradition, vient de l'Inde, en passant par la Chine, et qui deviendra l'image la plus sacrée du monde tibétain conservée dans le Jokang.

La deuxième diffusion du bouddhisme commence avec l'invitation du maître indien Atiśa, au Tibet occidental, par le roi de Gu-gé, qui déplore la corruption du dharma parmi les yogis tibétains. Le traducteur Rin-chen Bzang-po invite les artistes du Cachemire pour embellir les nouveaux temples. Ainsi se crée le style du Tibet occidental qui se perpétue jusqu'au XVIIe siècle. Entre le XIe et le XIIIe siècle, les premiers *tanka* du Tibet central sont très apparentés à l'art de la dynastie Pāla-Sena en Inde ; mais, dès le début, apparaissent de superbes portraits de maîtres tibétains. Cer-

tains tanka étincellent, grâce au mica mêlé aux couleurs de base.

Les maîtres tibétains commencent à être connus au-delà du haut plateau. Des *tanka* tibétains peints sont recopiés en tapisserie au petit point *(kesi)* dans les ateliers de l'Asie centrale ou en Chine du Sud. Dès le début de la dynastie mongole, le bouddhisme tibétain joue un rôle majeur : l'empereur mongol (et plus tard mandchou) devient mécène, tandis que de grands lamas sont nommés précepteurs impériaux. Le chef des ateliers de Kūbīlāy Khān est un Népalais, Anige, invité du Tibet en Chine, où il supervise jusqu'à sa mort les projets artistiques. Réciproquement, l'influence chinoise commence à se faire sentir au Tibet dans la peinture, notamment au début du XVe siècle, avec des artistes qui ne restent plus anonymes, mais signent de leur nom les riches peintures murales du *kumbum* (stupa abritant plusieurs chapelles) de Gyangzê. Tous les courants étrangers sont désormais intégrés en un style tibétain, mûr, riche et plein d'assurance. Des écoles de peinture indigènes sont fondées à partir du XVe siècle ; avec sa palette de couleurs minérales, l'artiste tibétain se conforme à l'iconographie, tout en créant une mise en scène d'une puissance parfois terrifiante, où toute la symbolique des passions humaines et de leur transmutation vers l'illumination est présente. Architecture et art, traditions vivantes, dépassant les frontières, atteignent les pays limitrophes : Bhoutan, Sikkim, nord du Népal et Ladakh. L'architecture est sans doute l'expression artistique la mieux appréciée par le monde extérieur. Le Potala de Lhassa (fin du XVIIe siècle) et le *Kumbum* de Gyangzê (1427), qui comptent parmi les plus beaux monuments, ont été épargnés par la Révolution culturelle tandis que 95 % de l'héritage du haut plateau tibétain périt aux mains des gardes rouges. ●

→ **Voir aussi :** Chine. Confrontation et renaissance, **ARTS**, p. 186-187. L'influence chinoise en Extrême-Orient, **HIST**, p. 106-107.

la ligne arquée d'un sabot suffit pour évoquer symboliquement l'animal, ainsi que les animaux totémiques des clans turkmènes, ou les 3 000 dessins kirghiz qui reposent sur 173 vocables.

Indépendant, entre la Mongolie, la Chine et le Tibet, le royaume Xixia (1038-1227) est peuplé d'ethnies turco-mongoles et tibétaines. Leur écriture, inspirée du chinois, est très complexe et leur système légal est sophistiqué ; les communautés étrangères sont accueillies dans leurs cités. Ces peuples sont influencés par l'art bouddhique des Song comme par la peinture du Tibet central, tout en créant leur style propre où la musique et la danse sont omniprésentes. Le célèbre « soubourgan » de Khara-Khoto, grand *stupa* découvert par l'explorateur russe P.K. Kozlov au début du XXe siècle, contient une bibliothèque entière et une collection royale de peintures, ainsi qu'une série de statues en argile, portraits grandeur nature de maîtres bouddhistes.

En Mongolie, Gengis Khān anéantit 90 % de la population des Xixia, alors que le roi et sa famille s'enfuient au Tibet. La montée du pouvoir mongol est fulgurante, et, pour la première fois dans l'histoire, un peuple nomade prend le pouvoir sur la Chine entière. En 1260, le bouddhisme tibétain est adopté par Kūbīlāy Khān comme religion d'empire et l'art bouddhique tibétain se diffuse à partir des ateliers impériaux. La doctrine qu'il véhicule commence à influencer les Mongols, dont les mœurs s'adoucissent peu à peu. Une école mongole d'art « lamaïque » naît à côté de l'art animalier, toujours présent. Des plaques d'argent, découpées d'après des calques en écorce de bouleau, sont appliquées sur le harnachement des chevaux ; également en argent, de miroitantes statues bouddhiques sont polies par brunissage. Ainsi l'art des forgerons de la steppe sans frontière se fond avec l'art international bouddhique. ●

3. Le Potala à Lhassa, XVIIe siècle.

Le bouddhisme, ferment culturel

Le bouddhisme joue un rôle unificateur et celui de ferment culturel avec ses monastères qui jalonnent la route de la soie, où de lointaines influences se conjuguent ici (1), l'Inde post-gupta et l'Iran sassanide. L'art bouddhique dépend autant des besoins des communautés monastiques que des mécènes laïcs, ainsi le Potala (3), où s'unissent puissance temporelle et contemplation spirituelle. Contemplation qui a pour support visuel le mandala (2), où microcosme et macrocosme se confondent.

Japon
Le soleil et le lotus

LE SOLEIL, DIVINITÉ FONDA-trice du Japon et de la lignée impériale, puis le lotus de la sagesse bouddhique sont les deux pôles majeurs des premières créations artistiques. Aux temps d'avant l'histoire et l'écriture (ve siècle), le néolithique nous a légué une poterie aux motifs d'empreintes cordées (*Jōmon*) sur des formes exubérantes sans liens stylistiques avec les époques ultérieures, et des figurines rituelles en terre cuite aux visages étonnamment variés. À la sobriété des poteries *Yayoi* succède l'inventivité des *haniwa,* tubes de terre cuite surmontés de maisons, personnages ou animaux stylisés en la plus pure expression ; ils étaient disposés selon un code à peine déchiffré autour des tumuli de l'époque des Sépultures antiques ou *kofun* (IIIe-Ve siècle). Les peintures des chambres funéraires, les clo-ches rituelles *dōtaku* ou les miroirs de bronze offrent, outre les décors connus en Chine et en Corée, le motif *chokko-mon* fait de droites et d'arcs, typiquement japonais.

À partir du ve siècle, les échanges nombreux avec le continent et les apports techniques et culturels qu'ils entraînent inaugurent une constante dans l'histoire des arts du Japon : la création procède désormais par vagues d'imitation – imprégnation de modèles étrangers –, suivies de périodes d'élaboration de formes originales, sans conflit avec les conceptions indigènes ou préexistantes. De plus, l'insularité, son respect et son amour des arts ont fait du Japon, ultime territoire avant l'océan, le dépositaire d'œuvres ou de pratiques culturelles parfois disparues de leur pays d'origine.

Dates clefs

Images de paradis

LA SENSIBILITÉ COURTISANE,
SE LIBÉRANT DU GOÛT CONTINENTAL, MET
EN ŒUVRE UN LANGAGE PICTURAL SÉCULIER ET RECRÉE
LE PARADIS BOUDDHIQUE DANS LES PALAIS-TEMPLES
DE L'ÉPOQUE FUJIWARA.

L'année 894, celle de la dernière ambassade officielle pour la Chine, inaugure (pour le Japon) une féconde période de repli : techniques, formes et styles du continent alors assimilés sont décantés et restitués pour refléter l'élégance raffinée qui régit la vie de cour. La conscience d'une création originale est exprimée par le néologisme *yamato-e* (peinture du Japon), qui oppose ses thèmes « nationaux » aux modèles de peinture chinoise Tang *(kara-e)*. L'écriture *kana,* issue des idéogrammes chinois, connaît l'apogée de sa fluidité, en symbiose avec la poésie et les images : ainsi le rouleau horizontal historié du *Dit du Genji,* où la fiction romanesque (les amours du prince) se déroule dans le temps de la lecture et l'espace du support. Le point de vue à vol d'oiseau du « toit soufflé », les diagonales audacieuses et les couleurs opaques en font l'archétype du *yamato-e.* Ces thèmes et formes sont repris en fond pour des copies de *sūtra* dès la fin du XIIe siècle, mêlant alors art séculier et religion. Dans un autre registre, la seule encre sur

fond blanc trace une vivante satire du clergé sur le *Rouleau des animaux* (début du XIIe siècle) par Toba Sōjō. *La Mort du Bouddha* ou les peintures de *la Descente d'Amida* à la rencontre des mourants expriment le souci de l'au-delà. La secte de la Terre pure offre l'espoir de son paradis de l'Ouest, séjour du bouddha Amida, vénéré et présenté dans des édifices qui portent son nom : Amida-dō au Jōruri-ji, près de Nara. À Uji, au Byōdō-in, temple de style *Shinden* – résidence de pavillons reliés par des galeries couvertes autour d'un jardin avec lac et îles –, le pavillon du Phénix est tout à sa gloire. Cette évocation totale du paradis est une synthèse des arts de l'époque marqués du sceau de l'élégance. Son architecture légère se déploie au bord de l'eau comme l'oiseau d'immortalité. Autour des ors de la statue d'Amida, du sculpteur Jōchō, les peintures consacrées aux images du paradis, d'après les textes bouddhiques, réunissent sur les murs et les portes de bois divinités à la chinoise et doux paysages saisonniers du Japon du Yamato. •

La révélation du bouddhisme et les capitales idéales

LES TEMPLES DU SAVOIR
ABRITENT LA GESTATION DE L'ART JAPONAIS
SOUS LES AUSPICES DU BOUDDHISME.

L'histoire retient la date de 538 pour la présentation à l'empereur du Yamato par un envoyé coréen de textes sacrés *(sūtra)* et d'une statuette du Bouddha. L'adoption du bouddhisme comme religion officielle en 587 introduit une iconographie et une architecture inconnues. Destinés à se concilier les faveurs des dieux nouveaux, les premiers temples bouddhiques sont érigés dès la fin du VIe siècle : le Shitennō-ji à Ōsaka (593), le Hokō-ji (596) puis le temple Ikaruga (616), dans l'enceinte du palais du régent Shōtoku Taishi, connu sous le nom de Hōryū-ji. Réalisés selon les techniques et conceptions chinoises, transmises par la Corée, les temples comportent une pagode (tour à étages-reliquaire), une salle de lecture des *sūtra,* un bâtiment abritant la statue d'un Bouddha, une « porte médiane » sur la galerie d'enceinte et une « grande porte ». Ces éléments de base s'ordonnent, symétriquement ou non, par rapport aux axes nord-sud ou est-ouest dans ces temples et aux Yakushi-ji (680) et Tōdai-ji (741-780) à Nara. Reconstruit après 670 et remanié au cours des siècles, l'actuel Hōryū-ji abrite parmi ses vingt-huit édifices les bâtiments de bois les plus anciens du monde.

Dans les temples, à la fois palais et universités, le savoir et les techniques étaient transmis par les prêtres et artisans coréens invités à la cour. La sculpture, de camphrier ou de bronze, s'inspire des œuvres continentales, Chine des Wei du Nord (*Triade de Shaka* du Japonais Tori, 623) ou Corée (*Kudara Kannon,* VIIe siècle). L'art du début des Tang est présent dans les peintures murales, évocation des quatre paradis (fin du VIIe siècle), du kondō du Hōryū-ji, contemporaines de celles du tombeau de Takamatsuzuka (préfecture de Nara) et dernier exemple de la coexistence des deux pratiques funéraires, enterrement et crémation.

Heijō-kyō ou la recherche de l'absolu.
Heijō-kyō (710), sur le site actuel de Nara, est la huitième capitale du Japon construite sur le modèle idéal en échiquier des capitales chinoises, dont Changan, bâtie en 618. Six sectes bouddhiques et la culture Tang dominent l'ère Tempyō. Preuve de foi intense ou de démesure, l'empereur Shōmu décide, suite à une épidémie, de la construction du temple Tōdai-ji destiné à recevoir la plus grande statue de Bouddha jamais réali-

sée. La vitalité de la sculpture, mise en œuvre dans les ateliers impériaux, est la meilleure expression de la ferveur avec la copie de *sūtra.* Le laque sec, l'argile ou le bois modèlent les divinités du panthéon bouddhique, ainsi l'austérité massive de *Gakkō Bosatsu* ou l'effroi et le mouvement des *Dix Gardiens célestes* (VIIIe siècle, Todai-ji). L'*Effigie du moine Ganjin* (fin du VIIIe siècle) relève du réalisme. À l'extrémité de la route de la soie, la cour se délecte des arts de Perse, d'Inde et d'Asie centrale. Les objets sont préservés dans l'annexe du Tōdai-ji, le Shōsō-in (756), l'un des plus anciens musées, véritable conservatoire du répertoire décoratif, des formes et des techniques, avec notamment des étoffes, des verres ou des pichets d'argent sassanides ou des instruments de musique peints et incrustés de nacre ou des masques venant de Chine.

Heian-kyō, la capitale de la paix.
En 794, l'empereur Kammu s'éloigne des puissants monastères de Nara pour la nouvelle capitale Heian-kyō (Kyōto). Les temples sont construits hors de la ville, sauf ceux de l'Ouest et de l'Est ; celui-ci (Tō-ji) abrite depuis 823 les trésors d'une secte du bouddhisme ésotérique nouvellement introduit par le moine Kūkai à son retour de Chine. L'iconographie s'enrichit alors grâce à l'importance des images, considérées comme les dieux mêmes. Les *mandala,* images symboliques et structurées du cosmos, constituent le support visuel d'un parcours initiatique mental. Les modèles chinois Tang en sont copiés par les moines ainsi que sur images sur rouleaux verticaux des *Douze Divinités célestes* (Jūni-ten), représentant les principaux éléments de la nature, dont le hiératisme contraste avec la fougue des divinités en colère, les cinq dieux gardiens, dont Fudomyōō, l'« Immuable », entouré de flammes. On trouve les prémices de l'art du portrait dans ceux des prêtres fondateurs. •

1. Haniwa, époque des Sépultures antiques.

Visions et réalités

FACE AU MONDE CLOS
DE LA COUR DE KYÔTO, LE CLAN
GUERRIER AU POUVOIR FAVORISE, DANS L'AUSTÉRITÉ,
UNE CONSCIENCE ÉLARGIE DE L'INDIVIDU
AUX PRISES AVEC LE RÉEL.

En 1185, le pouvoir politique se déplace à Kamakura, où le gouvernement militaire accueille les moines zen venus de Chine (bouddhisme *chan*). Les monastères y sont érigés dans le style chinois *(kara-yō),* tel l'austère reliquaire Shariden de l'Engaku-ji, avec sa haute et lourde toiture. Un Grand Bouddha de bronze de 11 mètres de haut est érigé, en écho à celui du Tōdai-ji de Nara, où le respect du passé impose à Minamoto no Yoritimo la réfection des temples : le Kôfuku-ji dans le style « japonais » *(wa-yō)* et le Tōdai-ji dans le style dit indien *(tenjiku-yō),* issu de la Chine des Song. La statuaire est florissante, à Nara surtout, autour du moine sculpteur Unkei (mort en 1223), fondateur de l'école Kei. Empreintes d'un vivant réalisme, les statues des *Gardiens Ni-o* (1203) ou *Kongō,* en bois polychrome, par Unkei, Kaikei ou Jōkei, sont caractérisées par l'expressivité terrifiante des visages, l'exceptionnel rendu du mouvement et de la musculature. Les portraits sculptés des *Patriarches de la secte Hossō* (1189), par Kōkei, offrent l'image de la sérénité sur des visages très individualisés. Cette tendance se retrouve en peinture où le portrait ressemblant *(nise-e)* fait son apparition, illustré par le *Portrait de Minamoto no Yoritomo* (fin du XIIᵉ siècle), par Fujiwara Takanobu, où seuls le visage et les insignes du pouvoir – tablette et sabre – émergent de la masse sombre du vêtement. Face à cette œuvre fondatrice, dans la lignée du *yamato-e,* le *Portrait du moine Myōe* (XIIᵉ siècle), représenté en méditation au sein de la nature, est redevable à l'esthétique, encore discrète au Japon, de la Chine des Song. Les rouleaux peints horizontalement, ou *e-maki* (originaires de Chine et à rapprocher des rouleaux de textes bouddhiques), connaissent leur apogée aux XIIIᵉ et XIVᵉ siècles et constituent un trésor quant aux us et coutumes de l'époque. Ils se développent autour des thèmes littéraires et guerriers des épisodes du proche passé *(Rouleau du Heiji monogatari),* les contes populaires ou l'historique des temples et sanctuaires ou la biographie des prêtres (Hônen ou Ippen, dont la vie de prêche à travers le Japon nous est contée en douze rouleaux de huit mètres de long chacun). Rivalités et guerres entre clans, source d'une réalité de misère et de famine, permettent aussi de représenter l'enfer bouddhique avec « véracité » *(Rouleaux des gaki-esprits affamés, Rouleau des maladies).* En couleurs vives minutieusement appliquées, ou d'un tracé plus libre, sur papier ou sur soie, ils sont l'œuvre de peintres professionnels, tout comme la peinture religieuse, objet d'une production abondante sur le thème salvateur d'*Amida franchissant les monts,* tel l'astre solaire. •

2. Amida Nyorai (1053) par Jōchō.

Deux conceptions du séjour divin

À Ise (4), sanctuaire shintō, la divinité reste invisible, nul ne pénètre dans l'enceinte sacrée, aire de lumière au cœur de la forêt sombre. La conception cyclique du temps et la dualité présence/absence sont concrétisées depuis le VIᵉ siècle par la reconstruction à l'identique, tous les vingt ans, de l'architecture de bois nu. D'où les deux espaces : le vide et le plein. La pavillon du Phénix (3) est, lui, une évocation du paradis où la nature est recréée sous forme de jardin. Le reflet dans l'eau du pavillon donne l'image de l'au-delà. Le visage d'Amida (2), dont la statue brille de tous ses ors au centre d'un paradis peint à l'intérieur du bâtiment, est visible de la berge du lac et reçoit, par réflexion sur l'eau, la lumière lunaire ; ainsi tous les éléments naturels contribuent-ils à la création de cette vision d'un paradis imaginé et cependant réel.

La voie des dieux ou les formes du shintoïsme

LA NATURE EST VÉNÉRÉE
SOUS DES FORMES QUI RESPECTENT
SA PUISSANCE ET SA BEAUTÉ.

Le shintō, culte animiste indigène, à l'origine sans texte ni icône, vénère la nature et délimite, pour y accueillir ses « dieux », des espaces purifiés – paysages ou enclos. Le terme voie des dieux *(shintō)* a été forgé lors de l'introduction du bouddhisme (voie du Bouddha), dont les arts et l'architecture ont provoqué un sursaut créateur pour donner aux divinités fondatrices du pays des demeures dignes de leur importance. Dérivés des greniers antiques et des maisons de dignitaires des premiers siècles, les sanctuaires *shintō* ont pris leur forme actuelle vers le VIᵉ siècle à Sumiyoshi, Izumo (type *Taisha*) et Ise (type *Shimmei*). La présence du dieu est signalée à l'entrée par un portique *(torii)* de bois brut, ou peint en rouge. En bois et sur pilotis, les bâtiments d'Ise et le temple sur l'eau d'Itsukushima (XIIᵉ et XIIIᵉ siècles) sont comme les prototypes de l'architecture nationale, dont les conceptions et les formes épurées ont été reprises par certains architectes contemporains. D'autres styles, par exemple *Kasuga* et *Hachiman,* de structure et d'aspect plus complexes dus aux nécessités du culte et à l'influence des temples bouddhiques, se définissent au cours des six siècles suivants.

L'art iconique et la statuaire sont limités et entièrement redevables aux fluctuations des arts bouddhiques et aux modes stylistiques de la cour. Le concept de *mandala* du bouddhisme ésotérique concrétise dès le IXᵉ siècle la fusion des deux religions suivant l'idée qui fait de la divinité *shintō* l'avatar d'un dieu bouddhique ; le *mandala* est repris aussi pour les peintures où la description à vol d'oiseau du sanctuaire et de son site sert alors de substitut au pèlerinage réel. Chef-d'œuvre de l'art pictural *shintō, la Cascade de Nachi* (XIIIᵉ siècle, Tōkyō, musée Nezu) est, pour l'esthète, un paysage et, pour l'initié, le « portrait » de la divinité-cascade. •

→ **Voir aussi :** Japon. Austérité et splendeurs, ARTS, p. 192-193. L'influence chinoise en Extrême-Orient, HIST, p. 106-107. Le Japon, des shôguns à l'ère Meiji, HIST, p. 204-205.

3. Le pavillon du Phénix (Byōdō-in) à Uji.

4. Le temple d'Ise.

Japon
Austérité et splendeur

À L'ÉPOQUE MUROMACHI, l'aristocratie n'est plus seule commanditaire des arts ; gouverneurs ou seigneurs de province s'entourent de créateurs, conseillers et maîtres à penser (prêtres zen puis érudits confucianistes), qui diffusent des savoirs et des modes d'expression nouveaux. Car l'espoir passif en des dieux salvateurs a fait place à un besoin d'éthique individuelle au service de la communauté, codifié dans les « voies » du guerrier, du thé ou des fleurs. Le rituel du thé, où confluent les arts et toutes les formes d'esthétique – architecture, peinture, calligraphie, céramique, art du jardin –, tient un rôle particulier et irremplaçable.

L'art pictural joue entre l'austérité et la splendeur : le lavis monochrome côtoie l'ostentation des paravents décorés et constellés de nuages d'or. À l'époque d'Edo, alors que l'aristocratie recrée le passé dans ses jardins, la classe marchande (qui a donné les grands maîtres du thé) s'enrichit et s'adonne à des plaisirs nouveaux à Ōsaka et Edo (Tōkyō) : le théâtre kabuki et les belles amoureuses du quartier de Yoshiwara, délicatement immortalisées par l'estampe.

Parallèlement aux peintres de métier des ateliers impériaux, des monastères et du Bureau de peinture shogunal, moines zen, lettrés et graveurs se font un nom (et de nombreux noms de « plume »). Des écoles éphémères parfois se constituent autour de ces maîtres qui guident le choix des modèles à copier et transmettent le secret du regard avisé qui saura apprécier. Arts appliqués et arts nobles (distinction purement occidentale) sont également estimés et l'esthétique fait partie du quotidien.

2. Le prince Kashiwagi mourant. Rouleau peint, XIIᵉ s.

Dates clefs

Milieu XIVᵉ s. Scène de Nirvāṇa, couleurs et or sur soie, Freer Gallery of Art (Washington).

Début XVᵉ s. *Le Poisson-chat et la Gourde,* peinture-question zen, par Josetsu, Taizō-in (Kyōto).

1486 Rouleau des *Quatre Saisons,* par Sesshū, Fondation Mori, à Bofu (Yamaguchi).

Fin XVIᵉ s. *Cyprès,* par Kanō Eitoku, paravent à 8 feuilles, couleurs et or sur papier, Musée national de Tōkyō.

Début XVIIᵉ s. *Forêt de pins,* paire de paravents, encre sur papier, par Hasegawa Tōhaku, Musée national de Tōkyō.

Début XVIIIᵉ s. *Iris,* par Ogata Kōrin, paire de paravents, couleurs et or sur papier, musée Nezu (Tōkyō).

1770 *Paysage à la chinoise,* par Ike no Taiga, paravent, encre, or et couleurs sur papier, Musée national de Tōkyō.

1825 *Le Mont Fuji rouge par beau temps,* estampe de Hokusai, gravure sur bois polychrome.

1. Le poète Narimira. Détail d'une écritoire, laque et nacre, XVIIIᵉ s.

Gouverneurs esthètes et inspiration zen

ALORS QUE S'ACCROÎT LA PUISSANCE DES SEIGNEURS DES PROVINCES, LES GOUVERNEURS ASHIKAGA FAVORISENT À KYŌTO L'ÉPANOUISSEMENT DES MODES D'EXPRESSION LIÉS AU BOUDDHISME ZEN.

En l'espace d'un siècle, l'esprit zen imprègne la sensibilité, se japonise et marque les arts de son empreinte indélébile : architecture, peinture, rituel du thé, jardins, poterie. Le Pavillon d'or (1397) et le Pavillon d'argent (1490), à la fois reliquaires et belvédères de jardin, conjuguent les styles ancien *(shinden)* et nouveau *(shoin)* : le premier symbolise le goût du luxe sinisé qui prévalait dans l'entourage du gouverneur Yoshimitsu ; le second exprime, avec le bâtiment Togudō, la simplicité raffinée de l'art du thé, codifié par Murata Jūko et les conseillers artistiques *(dōboshu)* de la lignée des Ami. (Ces artistes définissaient les critères d'appréciation des « objets de renom », peintures ou calligraphies exposées dans les résidences.)

La reprise du commerce avec la Chine au XIVᵉ siècle provoque un afflux d'œuvres Song et Yuan et bouleverse la tradition picturale. De nouveaux thèmes apparaissent, liés au zen ou profanes – portraits de patriarches et de prêtres, *Daruma, Kanzan* et *Jittoku,* « fleurs et oiseaux » et paysages. Ils sont traités au lavis à l'encre *(suiboku)* rehaussé ou non de couleurs légères. La sûreté de la ligne et ses variations, la composition à plusieurs points de vue des paysages et l'efficacité des « vides » sont assimilés aux XIVᵉ et XVᵉ siècles par les moines Kaō, Shūbun ou Josetsu dans une catégorie d'œuvres qui combine image et poésie sur des rouleaux verticaux *(shigajiku)*. C'est le moine voyageur Sesshū qui, à son retour de Chine, aux sources de l'art, en 1469, exprime la richesse du lavis : son *Paysage haboku* est pure abstraction et parfaite trace d'éveil, alors que la large vue surplombante d'*Ama no Hashidate* inaugure un genre de réalisme descriptif.

Inspirés des peintures de paysages (appelées « montagne et eau », *sansui*), les jardins secs, dont l'initiateur est le moine Musō Kokushi (1276-1351), évoquent le paradis taoïstes et bouddhiques. Le sable y suggère l'eau autour des rochers (temples Ryōan-ji, 1498 ; Daisen-in, 1502, et Pavillon d'argent). ●

Le Genji, éternelle source d'inspiration

Classique de la littérature, au XIᵉ siècle, le *Dit du Genji* présente avec son rouleau historié (2) le premier exemple marquant de la peinture *yamato-e* dite « féminine » *(onna-e).* Quelques siècles plus tard, Sōtatsu (3), dans un style décoratif, offre un autre mode de représentation du mouvement dans l'espace : alors que l'*e-maki* du XIᵉ siècle se déroule, les pliures du paravent situent la scène dans la troisième dimension. Travesti à la mode du jour dans l'estampe de la fin du XVIIIᵉ siècle (4), le thème est repérable aisément grâce aux symboles de chaque épisode du roman, ici le paysage maritime.

L'or des seigneurs

LA PEINTURE JAPONAISE ET L'ENCRE DE CHINE TROUVENT L'HARMONIE DANS LA PEINTURE DÉCORATIVE À SON APOGÉE.

À la fin du XVIᵉ siècle, les luttes des seigneurs guerriers tels Oda Nobunaga et Toyotomi Hideyoshi et l'introduction des armes à feu par les Portugais contribuent à la naissance d'une architecture militaire. Les châteaux, comme à Himeji (1609), renferment à l'intérieur d'une enceinte de pierre un donjon à étages et une résidence de type *shoin,* avec salles d'apparat et appartements.

Des peintures ornaient murs et cloisons coulissantes, alcôves et plafonds (à Kyōto, château de Nijō, Hiunkaku du Nishihongan-ji et nombreux temples). Cette décoration, caractérisée par de gros plans de végétaux et d'animaux (pivoines, pins, tigre et bambou, prunier et canard mandarin – tous symboles de bon augure), réalise sur fond d'or la synthèse des couleurs vives de la peinture japonaise et du vigoureux tracé des lavis chinois. L'école Kanō, fondée par Motonobu (1476-1559), domine avec Eitoku et Sanraku, ainsi que Kaihō Yūsho, Unkoku Tōgan ou Hasegawa Tōhaku. Tous pratiquaient avec le même talent le discret lavis dans des paysages ou illustrations de thèmes édifiants mêlant bouddhisme, confucianisme et taoïsme. Par ailleurs, la peinture de genre illustre thèmes saisonniers et lieux célèbres sur des paravents qui concilient yamato-e et art décoratif.

Première conjonction de l'Occident et du Japon, l'art *Namban* (barbares du Sud) comprend des paravents de style Kanō représentant les jésuites portugais (au Japon de 1542 à 1639), qui y ont introduit la peinture à l'huile et la gravure sur cuivre. ●

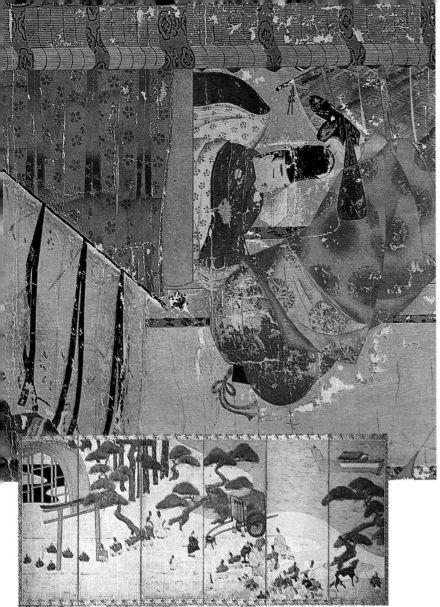

3. Le prince Gengi au temple de Sumiyoshi. Sōtatsu, paravent peint, 1630.

4. L'exil de Genji à Suma. Eishi Chobunsai, estampe, XVIIIᵉ s.

Bourgeois et artistes

POUR UN PUBLIC ÉLARGI, LES ARTS
PICTURAUX PROSPÈRENT ET SE DIVERSIFIENT À L'ÉCOUTE DE
LA TRADITION ET DES ÉCHOS DE L'ÉTRANGER.

Sous le gouvernement des Tokugawa installé à Edo (Tōkyō), le Japon en paix se ferme aux étrangers, mais les contacts culturels se maintiennent. Les artistes prennent leur autonomie et créent en dehors des bureaux officiels et du domaine religieux. À côté de l'école Tosa, qui perpétue la tradition du *yamato-e,* Kōetsu (1558-1637), peintre, potier, laqueur et calligraphe, et Sōtatsu (mort en 1643) puis Ogata Kōrin (1658-1716) représentent l'école Rimpa. Fils d'artisans, ils appliquent à la peinture leur savoir décoratif et leur connaissance de la tradition picturale de manière magistrale : stylisation des sujets, larges espaces unis ou dorés et compositions puissantes de simplicité jouant sur le mouvement diagonal. L'audace des *Paravents aux prunier rouge et prunier blanc* de Kōrin fait école.

Discrète, la peinture de lettré *(bunjin-ga)* s'inspire des créations chinoises du Sud des XVIᵉ et XVIIᵉ siècles. Les traités de peinture chinoise connus par le canal de Nagasaki en répertorient les grands thèmes ainsi que la variété des touches et des lignes. Au gré de l'inspiration poétique, Buson (1716-1783), Ike no Taiga (1723-1776) ou Gyokudō (1745-1820) produisent des paysages où une nature idéale et toute-puissante enveloppe personnages réels ou mythiques. Certains sont tout simplement peints avec les doigts. Plus libres encore, les moines Sengai ou Hakuin, au XVIIIᵉ siècle, dessinent à l'encre ou calligraphient sans règles ni contraintes sous les auspices de l'éveil zen.

Dès le XVIIIᵉ siècle, Shiba Kōkan et Aōdō Denzen prennent des leçons de perspective occidentale et de gravure auprès des Hollandais de Dejima. Ils avaient aussi étudié auprès de Maruyama Ōkyō (1733-1795), qui, en quête de réalisme décoratif, pratiquait l'esquisse d'après nature.

Hishikawa Moronobu, au XVIIᵉ siècle, a concilié les styles Tosa et Kanō dans des scènes de genre représentant événements saisonniers et femmes en kimono. Puis, au XVIIIᵉ siècle, les Kaigetsudō réalisent des portraits d'acteurs de *kabuki* et de courtisanes, bientôt popularisés auprès des bourgeois et commerçants, à Edo comme à Ōsaka, par les affiches et calendriers monochromes gravés sur bois. La xylographie se perfectionne jusqu'à la polychromie, inventée en 1764 par Harunobu, qui, avec Utamaro et Kiyonaga, célèbre les « belles femmes », tandis que Sharaku fige en gros plan les mimiques des acteurs. Au XIXᵉ siècle, ces images du monde flottant *(Ukiyo-e)* déclinent au profit du paysage avec Hiroshige et Hokusai. Connus en Europe dès 1856, les estampes et les objets d'art décoratif suscitent la tendance appelée japonisme. L'impressionnisme et les nabis lui doivent, entre autres, les premiers plans dominants, les compositions de biais, les aplats de couleur et le cerne de la ligne, et inaugurent un dialogue qui s'est perpétué jusqu'à nos jours. •

Katsura ou le beau sobre

UNE TENDANCE MAJEURE DE L'ARCHITECTURE TROUVE
SON ORIGINE DANS L'ESTHÉTIQUE DU « PETIT PAVILLON
DE THÉ DANS LE CHAMP DE MELONS ».

La période Muromachi avait vu les résidences de type *shinden* évoluer vers le style *shoin :* inspiré des salles d'études des monastères, des nattes y recouvrent le plancher, des étagères murales côtoient une fenêtre et une écritoire, et une alcôve *(tokonoma)* accueille de beaux objets. Ces trois éléments, présents jusqu'à nos jours dans la pièce de réception des habitations, sont repris à moindre échelle dans les pavillons pour la cérémonie du thé (Tai-an, 1582, Kōhō-an, XVIᵉ siècle). Intégrés aux chaumines rustiques *sōan,* ils donnent le genre *sukiya,* qui, lui-même, donne un style résidentiel dont Katsura est l'archétype et le plus bel exemple.

Contemporaine du mausolée Tōshōgu de Nikkō, architecture shogunale surchargée de décorations colorées, la villa Katsura concrétise l'esthétique de l'aristocrate lettré amateur de thé. Simple cabane à l'origine, deux générations de princes Hachijō l'ont parfaite, de 1616 à 1660, en réalisant le judicieux décrochement en « vol d'oie sauvage » des trois corps de bâtiments *shoin,* dans un agencement sobre et des proportions neuves. Selon la *Chronique de la Maison Katsura,* les peintures du *shoin* central sont l'œuvre des frères Kano.

Connue de l'architecte Frank Lloyd Wright, puis redécouverte par Bruno Taut, Katsura est l'une des sources d'inspiration de l'architecture contemporaine d'Occident : concept du module, structure porteuse en poteau, panneaux standards coulissants, véranda liant intérieur et nature. Comme à Kyōto dans les palais Gosho, Sento Gosho et à la villa impériale Shūgakuin (1656), pavillons de musique, de thé ou de contemplation s'intègrent à un vaste jardin-promenade. Combinaison harmonieuse des conceptions du passé, le jardin de Katsura offre de ses multiples points de vue, entre lac et îles, réminiscences littéraires (*Dit du Genji,* poésie du Chinois Bo Juyi) et géographiques (évocation du site d'Ama no Hashidate). Végétaux et minéraux (taillés ou naturels) recréent une suite de paysages et de lieux propres au recueillement. C'est la finalité du jardin-chemin *(rôji)* qui mène au pavillon de thé, là où cœurs et âmes communient dans l'harmonie, le respect, la pureté et la tranquillité, quatre préceptes de cet art appliqués aux relations des hommes entre eux et avec la nature, policée mais omniprésente. Dans ses détails de décoration intérieure, le choix des matériaux et l'intégration des édifices à la nature, Katsura participe totalement de la sobriété raffinée *(wabi)* et de la « rusticité agreste » *(sabi)* de l'esthétique du thé. •

Arts d'Afrique

DEPUIS LES OUTILS LITHI-ques taillés par Lucy et les siens dans l'Afar, voici quatre millions d'années, jusqu'aux peintures de chevalet de l'école ivoirienne ou sénégalaise contemporaine, jamais la création n'a cessé en Afrique.

Archéologie, ethnologie, histoire de l'art ont cloisonné l'approche des productions plastiques africaines. Qualifiée d'« art idolâtre » ou « fétichiste », « primitif », « noir » ou « nègre », la sculpture sur bois a été souvent seule valorisée selon les critères occidentaux primant la peinture et la sculpture sur les arts dits « mineurs ». Plus révélatrices des limites de notre analyse que de caractéristiques supposées spécifiques, ces appellations résultent aussi du manque de sources écrites par les peuples eux-mêmes, de la rareté d'ensembles architecturaux, des difficultés d'un continent soumis aux aléas climatiques et spolié par l'Histoire, du défaut de progrès technologiques spectaculaires. Peu de fouilles exhaustives, un pillage systématique des sites, un patrimoine dispersé dans le monde entier, privé souvent de toute documentation fiable, quantité de faux apparus sur le marché de l'« art africain » depuis plus d'un siècle, tout cela, joint à la destruction naturelle, a conforté la notion d'« arts traditionnels » soumis de tout temps à un modèle immuable mais hypothétique.

Émergent aujourd'hui peu à peu la diversité des styles et sous-styles, les contextes particuliers de la commande et de l'utilisation, l'identification d'ateliers d'artistes. Une nouvelle histoire des arts africains s'élabore, faisant la part entre académisme et renouveau, rupture ou mutation, influences et liberté créatrice de l'individu.

Arts de cour, arts royaux

DES ARTISTES, REGROUPÉS EN CORPORATIONS, ONT CONSACRÉ LA GLOIRE ET LA PROSPÉRITÉ DU SOUVERAIN.

Il est dit qu'Ife envoya aux Bini de la cité-État de Bénin non seulement l'ancêtre fondateur d'une dynastie qui dura près de cinq siècles, mais aussi un maître fondeur, honoré encore de nos jours. Regroupés dans des quartiers distincts de la capitale, fondeurs et ivoiriers traitèrent les matières nobles, monopoles d'État : les métaux cuivreux, associés à la pérennité du royaume, et l'ivoire, signe de sa pureté.

Des têtes de rois ou de reines mères, en bronze ou en laiton, sont placées sur les autels commémoratifs des ancêtres royaux. À partir du XVIIIe siècle, elles supportent une défense en ivoire sculptée. La longévité de ce royaume et son homogénéité permettent de lire une évolution stylistique. Le visage, portrait idéalisé, s'hypertrophie et se fige dans une stylisation des traits, envahis dès le XVIIIe siècle par la parure de perles de corail. Aux XVIe et XVIIe siècles, des plaques de bronze recouvrent les piliers des cours du palais royal et montrent, en des bas-reliefs narratifs, des épisodes de la vie princière : sortie de l'*Oba*, musiciens, animaux domestiqués comme le léopard, symbole de la force royale.

Dès le XVIe siècle, les Portugais entretiennent un commerce actif avec Bénin, dont ils servent aussi les intérêts militaires. Ils figurent alors sur les plaques et sur les masques-pendentifs en bronze. Sur leur commande, les ivoiriers exécutent des trompes historiées, des salières, des couverts. Cet art dit « afro-portugais » est une synthèse surprenante de virtuosité entre le savoir-faire Bini et les besoins d'une commande privée européenne d'objets de luxe.

Au début du XVIIIe siècle, Oseï Toutou fonde le royaume Achanti et installe sa capitale à Koumassi. Si les Achanti ont peu sculpté le bois, ils ont beaucoup travaillé l'or. Leurs attributs du pouvoir – sceptres, chasse-mouches, sièges – sont en or massif ou en bois recouvert de feuilles d'or. Les bijoux et masques-pendentifs, fondus à la cire perdue, imitent souvent la technique du filigrane. Les tissages de somptueux pagnes de parade aux vives couleurs mêlent fils de coton, de soie, d'or. Le terme de Kouba désigne un certain nombre de principautés

Dates clefs

3100000 Lucy, *Australopithecus afarensis* (Éthiopie).

8000 à 5000 Peintures et gravures rupestres du tassili des Ajjer (Algérie).

1000 Apparition du cuivre.

950 Dynasties de Koush, Napata puis Méroé (jusqu'au IIIe siècle apr. J.-C.).

500 Début de la civilisation de Nok (Nigeria) [jusque vers 250 apr. J.-C.].

400 av. J.-C. Désertification du Sahara : repli des populations vers les franges nord et sud.

VIe s. Royaume de Zimbabwe (Zimbabwe).

VIIIe s. Royaume de Ghâna (Mali-Mauritanie). Diffusion de l'islam au sud du Sahara.

Xe s. Apogée des Sao (Tchad).

XIIe- XVe s. Apogée du royaume d'Ife (Nigeria). Essor du royaume de Bénin (jusqu'en 1897, Nigeria).

XIIIe-XVe s. Apogée de l'Empire du Mali (Mali-Guinée).

XVe s. Extension de l'Empire Songhaï (Mali). Fondation de l'Empire Mossi (Burkina). Formation de la langue swahili (Afrique orientale). Progression des Portugais le long des côtes.

XVIe s. Fondation du royaume Louba (Zaïre). Affonso Ier, roi chrétien des Kongo (1508-1543). Empire du Monomotapa. Début du commerce de traite.

XVIIe s. Fondation des royaumes Lunda (Angola), Abron de Bondoukou (Côte-d'Ivoire), Kouba (Zaïre),

Dan Homé (Bénin), Bamoum (Cameroun). Fondation de la confédération Achanti (Ghana).

XVIIIe s. Pleine expansion du commerce de traite. Organisation du royaume Bambara de Ségou (Mali). Migrations Fang vers le sud jusqu'à l'Ogooué (Gabon).

XIXe s. Fondation d'États musulmans : Sokoto (Nigeria), Macina (Mali). Avènement de Guézo (1818), puis de Glé-Glé (1858) au Dan Homé (Bénin). Exploration puis colonisation européenne.

XXe s. 1907 : *les Demoiselles d'Avignon*, P. Picasso ; 1931 : Paris, Exposition coloniale internationale, vente à l'hôtel Drouot des collections P. Eluard et A. Breton ; 1932 : Musée d'ethnographie du Trocadéro, bronzes et ivoires du Bénin ; 1956 : début des indépendances.

1. **Foyers de culture en Afrique.**

Les civilisations enfouies

QUELQUES FOYERS DE CULTURES AUJOURD'HUI DISPARUES RÉVÈLENT MAÎTRISE TECHNIQUE ET RAFFINEMENT ESTHÉTIQUE.

Au tassili des Ajjer, peintures et gravures rupestres témoignent de l'activité ritualisée de peuples vivant de la chasse, de la cueillette et de l'élevage dans un Sahara encore accueillant. La sûreté du trait, le sens du mouvement contribuent au réalisme de certaines compositions, notamment animalières.

Révélatrice d'échanges anciens et étroits, la population négroïde du royaume de Méroé a exporté vers l'Égypte et la péninsule arabique une métallurgie du fer élaborée sans doute en Afrique centrale. Ses souverains ont construit des tombeaux-pyramides, des temples, de grandes citernes, où se mêlent caractéristiques égyptiennes et indiennes.

Isolées, par contre, dans le temps et l'espace, environ cent cinquante têtes d'argile fine et bien cuite, rarement des corps entiers, sont les seuls vestiges, encore muets, de la culture dite de Nok, sur le plateau de Bauchi. Naturalistes ou géométrisées, ces figures ont en commun le curieux traitement triangulaire de l'œil, l'impression de vie donnée par le percement des pupilles, narines, bouche et oreilles, l'élégance des coiffures hautement élaborées en bandeaux, coques et tresses. Ces étonnantes sculptures disparaissent sans raison après 250 de notre ère.

Dans la ville religieuse d'Ile-Ife, fondée selon la tradition par Olodumare, dieu du Ciel, bronziers et céramistes travaillèrent sur commande royale. Que la technique de la fonte à cire perdue vienne de la Méditerranée ou soit due à Obalufon, Oni-Roi d'Ife, les têtes en bronze et en laiton sont remarquables de finesse et de sérénité, ainsi que celles en terre cuite, de types plus variés. Effigies funéraires portant couronne et barbe, elles perpétuent la présence du roi-dieu au-delà de la mort. Quelques statues en bronze montrent l'*Oni* paré de lourds colliers de perles, tenant la hache-sceptre, symbole de sa puissance, et la corne de bélier, réceptacle de substances magiques protectrices. Selon les canons de la sculpture africaine, la tête équivaut au quart de la hauteur totale de la statue.

L'Afrique au début du XIXe siècle
- Grands États musulmans
- Possessions européennes
- Égypte
- Royaume ou peuple africain
- *Ife* Civilisations anciennes

0   2 000 km

du Kasaï : Shoowa, Ngeende, Ngongo, qui reconnaissent les Bushongo comme seuls dépositaires d'un pouvoir royal quasi divinisé. Des statuettes de bois représentent quelques-uns parmi ces souverains, assis en tailleur, tenant un objet, rappel d'un don particulier. La culture Kouba se singularise par un très grand souci de décoration sur tous les objets, princiers, rituels ou utilitaires, où s'associent motifs géométriques, coquillages cauris, perles et fibres colorées, bandes métalliques, peinture blanche et ocre.

Les mêmes motifs se retrouvent sur les parois en vannerie des palais, les boîtes à poudre de *ngula*, les coupes à vin de palme, les masques des dieux créateurs. Les panneaux d'offrandes funéraires à la texture aussi douce que le velours, les longues robes *ntshak* pour la danse annuelle de l'*Itul* – revivification de la puissance royale – sont en raphia, tissés par les hommes et brodés par les femmes de la cour. Toutes ces techniques de décor combinent invention, effets de couleurs, de matière, et vibration de la ligne. ●

Entre terre-mère et au-delà

LES THÈMES PORTEURS DE LA SCULPTURE
SONT LA FÉCONDITÉ, L'INITIATION, LA PROTECTION,
LA RELATION AVEC L'AU-DELÀ.

Les rituels des six sociétés d'initiation menaient les jeunes incirconcis Bambara jusqu'à l'âge adulte. Les cimiers de

3. Robe de cérémonie
Kouba (Zaïre). Raphia, l. 160 cm. XIXᵉ s.

coiffe de la société Ci-Wara (tyiwara), spécialisée dans l'enseignement de l'agriculture, révèlent dans le rendu de l'antilope, image code de la fécondité, trois régions stylistiques. Élancées verticalement dans le Nord, étirées horizontalement dans le Centre-Ouest, les cornes de l'antilope s'inscrivent, au Sud, dans une harmonieuse succession de courbes et contrecourbes.

L'œuvre du sculpteur sur bois

2. Tête d'Oni,
Ife (Nigeria).
Laiton, h. 24 cm.
XIIᵉ-XVᵉ s.

De l'harmonie à l'énergie vitale

Les matériaux les plus divers – bois, métal, terre, fibres, peau, perles – traduisent la nécessaire harmonie entre l'homme et l'environnement, le passé et le futur, le présent et l'au-delà. La représentation, rarement descriptive, est porteuse de messages : la beauté idéale du roi, parfait et éternel (2), l'énergie vitale qui parcourt tous les êtres de la chaîne biologique (4), l'importance de la tête, siège de l'esprit (5), le goût d'un langage codé dans la forme et dans le signe (3).

est profondément modifiée chez les Kongo et les Vili par l'office du *nganga*, devin-guérisseur. Il dote les statuettes de boules d'ingrédients magiques portées sur la tête ou sur le ventre, ou bien d'une multitude de clous, pointes, lames en fer, et de cauris, graines, plumes, peaux, tissus rouges… Ainsi « chargées », ces statuettes permettent de découvrir l'origine du trouble, de renvoyer le maléfice, de garantir la conclusion d'un contrat. Le fin modelé du visage, l'expression des yeux en matière réfléchissante et la bouche aux dents apparentes, ouverte comme sur un cri, leur confèrent une expression saisissante.

Mobiles et conquérants, l'attachement des Fang à leurs ancêtres de clans et de lignages se traduit par un culte très suivi des reliques. Des statuettes veillent sur des paniers en écorce contenant les fragments d'os de notables défunts. Très nombreuses, émaciées ou replètes, elles se répartissent en groupes et sous-groupes localisés. Elles sont souvent enduites d'une sorte de laque noire, brillante et suintante, résultat d'un mélange

5. Statue de reliquaire Fang
(Gabon). Bois, h. 39 cm. XIXᵉ s.

de poudre de charbon de bois, de copal et d'huile de palme, destiné à protéger le bois et à « nourrir » la statue.

Chez les Kota voisins, la même pratique utilise des visages très stylisés, concaves ou convexes, sculptés dans une planche de bois recouverte de bandes et de fils de cuivre et de laiton rouge ou jaune.

La pénétration chrétienne et surtout islamique, la mainmise européenne sur le continent ont introduit de nouvelles formes : coffres sculptés de bas-reliefs au Loango, chaises Cokwe (Tchokwé) enrichies de scènes de la vie quotidienne, poids Baoulé en laiton pour peser la poudre d'or. Mais dans certaines communautés islamisées du nord-est de la Côte-d'Ivoire, c'est le masque de Do, masque facial à cornes de buffle, qui danse lors des fêtes du calendrier musulman.

Anonymes mais non inconnus, respectueux du cadre de la commande mais attentifs aux nouveautés, héritiers d'une tradition familiale ou artistes indépendants, les sculpteurs travaillaient des bois verts généralement tendres comme le fromager. Les outils sont l'herminette, les couteaux, la doloire. Ils utilisent pour le polissage des feuilles rugueuses dont le suc traite le bois. Suspendus au-dessus du foyer, masques et statuaire prendront une belle patine noire et luisante. ●

Les arts de l'Afrique contemporaine

AU SERVICE DE LA COMMUNAUTÉ,
DANS LA RUE OU REVENDIQUANT LES CIMAISES DES MUSÉES,
LES ARTISTES AFRICAINS VIVENT AU PRÉSENT.

Les masques Baoulé de Côte-d'Ivoire intègrent dans leurs superstructures les champions locaux du football et « claquent » des rouge, jaune et vert acryliques. Au Nigeria, les sanctuaires funéraires en ciment peint mettent en scène joueurs de cartes, tailleurs, avions accidentés. Au Bénin, les cercueils de bois sculpté et peint offrent, comme dernier séjour, au choix, une luxueuse Mercedes capitonnée, une seiche ou une poule ! Les peintures sous verre du Sénégal relèvent d'une ancienne tradition d'origine maghrébine. Scènes de la vie conjugale, prophètes des confréries musulmanes, épisodes de la période coloniale, la richesse des couleurs – le bleu de Cora Mbengue (1931-1988) – ont un très grand succès dans la clientèle locale et européenne.

À la suite d'Iba Ndiaye (né en 1928 à Saint-Louis), la génération née dans les années 1950 s'affirme entre racines et mouvements internationaux : les cauris et les « wax » dans la peinture d'Assane Ndoye (né en 1952 à Dakar), les tableaux-sculptures en perles de

verre du Togolais Clèm-Clèm Lawson (né en 1954 à Abidjan), le masque dans les toiles de l'Ivoirien Nguessan Kra (né en 1954). La palette riche et fluide du Sénégalais Fode Camara (né en 1958 à Dakar) rêve d'ailleurs toujours renouvelés.

Au Mozambique, les sculptures d'ébène Makondé traduisent dans leurs enchevêtrements filiformes ou compacts la volonté d'une communauté qui se veut soudée dans sa mémoire mythique. Chez Ousmane Sow, né en 1935 à Dakar, les corps lourds, aux muscles distendus, aux visages barrés de traits de couleurs violentes, à la peau sombre et souple, sont le véritable choc d'une sculpture totalement nouvelle tant dans sa technique que dans son expression.

Pour peu que nos médias et nos musées d'art contemporain veuillent bien s'en soucier, l'actualité artistique passe désormais par Kinshasa, Johannesburg ou Accra – ou bien par tel lieu oublié de la carte où un être humain, heureux, refait tous les jours la création du monde ! ●

4. Cimier de coiffe
de Ci-Wara, Bambara (Mali).
Bois, h. 58 cm. XIXᵉ s.

Arts d'Océanie

EMPRUNTANT À LEUR ENVIronnement terrestre et marin les matériaux nécessaires à leur vie quotidienne ou cérémonielle, les peuples du Pacifique ont, dans leur grande diversité, cherché à préserver une certaine harmonie entre nature et culture. Pierre, bois, écorces, feuilles, plumes, cheveux, ivoire, coquillages ou écailles peuvent intervenir dans la fabrication des instruments usuels, des objets de prestige ou des symboles religieux. Outils, hameçons, ustensiles domestiques, ornements, maisons et pirogues deviennent des œuvres d'art de qualité.

Mais, dans les sociétés traditionnelles, l'esthétique reste inséparable des fonctions pratiques ou rituelles de l'objet. Ornements et sculptures participent périodiquement à une mise en action des mythes destinée à assurer la continuité et la survie de la communauté. Totalement intégrés aux cérémonies, danses, fêtes ou jeux, ils sont indispensables à leur mise en scène. Impliqué dans des réseaux d'échanges complexes, l'objet prouve aussi le rang et la richesse de son propriétaire : groupe social ou individu.

La matière choisie par l'artisan pour ses qualités physiques ou artistiques a également valeur de symbole. La pierre, l'arbre, l'oiseau, le requin sont des supports temporaires et des messagers des dieux, alors que masques ou ornements deviennent des intermédiaires entre les vivants et le monde invisible des ancêtres et des héros divinisés.

L'art traditionnel connaît un renouveau avec la prise de conscience par les Océaniens de leur identité culturelle et des valeurs de leurs civilisations ancestrales.

Des formes et des couleurs : la Nouvelle-Guinée

PEUPLÉE DEPUIS 25 000 ANS, HABITÉE PAR DE NOMBREUSES POPULATIONS, L'ÎLE EST CONNUE POUR LA RICHESSE DE SA PRODUCTION ARTISTIQUE.

L'éclat et l'originalité des arts de Nouvelle-Guinée se manifestent dans tous les domaines : musique, danse, ornements souvent spectaculaires, sculptures, peinture. Tout objet peut être décoré, du plus usuel au plus rare : plats, ustensiles à bétel, boucliers et armes offensives, pirogues et pagaies, tambours, étoffes ou ceintures en écorce. Masques, mannequins, figures d'ancêtres, liés à l'initiation des hommes ou à d'autres cérémonies, comptent parmi les chefs-d'œuvre de l'art océanien. Maisons de réunions des hommes ou des esprits abondent en poteaux sculptés, frises et peintures diverses.

Audacieux, les artistes ont su explorer et développer toutes les possibilités offertes par leur patrimoine artistique et les appliquer à la décoration des surfaces ou à la sculpture en relief. La stylisation progressive d'un thème comme l'oiseau frégate aboutit à une grande richesse d'expression graphique et picturale. La déformation volontaire des volumes ou des reliefs, souvent très accentuée, procède de la même maîtrise technique. La Nouvelle-Guinée se distingue par l'importance des représentations animales par rapport aux thèmes anthropomorphes. Oiseau, crocodile, lézard, poisson, isolés ou étroitement associés à la figure humaine, sont des sujets fréquents qui inspirent surtout le sculpteur.

Les créateurs font un grand usage de la peinture, dont les divers coloris se superposent à la forme pour obtenir de nouveaux reliefs. Les styles varient beaucoup selon les régions : celle du Sepik est célèbre pour ses sculptures, ses masques au long nez et la richesse de son répertoire décoratif. Les représentations de *Korwar* aux courbes sobres harmonieusement découpées, les grandes maisons peintes des Abelam dans la région du Maprik, les sculptures ornant les habitations du lac Sentani, les figures filiformes et les décors ajourés des pirogues chez les Asmat ne donnent hélas qu'une idée fort incomplète de la créativité artistique de ces cultures. •

Les extrêmes du Pacifique

LE CONTRASTE EST IMMENSE ENTRE L'AUSTRALIE, AU SUD, CONTINENT PEUPLÉ DEPUIS 45 000 ANS, ET LA MICRONÉSIE, AU NORD, AVEC SES MILLIERS DE PETITES ÎLES DISPERSÉES, OCCUPÉES BIEN PLUS TARD.

En Australie, des populations éparses vivant très près de la nature pratiquent un art souvent élaboré et même abstrait, puisqu'il représente tout un langage traduisant leurs conceptions de l'univers, leurs mythes et leur environnement concret de chasseurs-cueilleurs. On connaît peu de sculptures en ronde bosse, mais sur des supports aussi variés que les parois rupestres, le bois, l'écorce, les crânes d'ancêtres ou la peau humaine, les lignes du dessin, droites ou sinueuses, se croisent ou se juxtaposent en figures géométriques. Le plus surprenant est la manière originale de peindre sur écorce des corps humains et des animaux comme s'ils étaient vus en transparence, avec la structure interne de leur squelette et de leurs viscères.

La Micronésie, formée de nombreux atolls aux ressources limitées, présente des affinités avec la Polynésie orientale. Si on met à part des très beaux plats incrustés de coquillage des îles Belau (ou Palau), les sculptures en trois dimensions ornant les maisons ou les pirogues restent sobres, sans détails inutiles. Aux îles Carolines, les célèbres statuettes de Nukuoro montrent le degré de simplification et de stylisation recherché par l'artiste pour ne retenir que la beauté des formes. L'esthétique se manifeste surtout sur des objets usuels : élégance des tabourets qui servent à râper les noix de coco ; finesse des vanneries, nattes, paniers, ceintures d'hommes aux motifs délicats. Les Micronésiens ont pratiqué le tatouage avec une maîtrise qui les apparente aux meilleurs artistes polynésiens. Les visages n'étaient pas tatoués, mais le corps, les bras et les jambes étaient couverts de dessins bleu foncé aux lignes nettes où motifs abstraits et figuratifs s'allient. Le tatouage est exécuté par des spécialistes qui utilisent de petits peignes en os ou en nacre, trempés dans une solution de suie. En frappant à petits coups avec un martelet, les dessins désirés s'impriment ainsi sous l'épiderme du patient. •

1. Nouvelle-Calédonie, chambranle de porte, bois sculpté.

Un art du respect : la Mélanésie

LES ARCHIPELS À L'EST DE LA NOUVELLE-GUINÉE ET JUSQU'À LA NOUVELLE-CALÉDONIE POSSÈDENT DES CULTURES QUI SE SONT DIVERSIFIÉES EN QUELQUES MILLÉNAIRES.

Les îles du Nord ont gardé avec la Nouvelle-Guinée des affinités artistiques, un usage luxuriant de la polychromie et des représentations animales, à l'exception toutefois des îles de l'Amirauté avec leurs plats aux formes sobres et aux décors élégants découpés en spirales.

La Nouvelle-Irlande a produit des objets particulièrement spectaculaires appelés *malanggan,* caractérisés par la complexité des volumes surajoutés, parfois abstraits, et une profusion de couleurs. Il s'agissait surtout d'effigies représentant les défunts pour les cérémonies de clôture des cycles funéraires.

La Nouvelle-Bretagne présente un art très varié selon les objets et les régions. Les figures de proue, les masques en bois et les boucliers possèdent des décors aux lignes très pures, alors que les masques en vannerie, recouverts d'écorces battues abondamment colorées, prennent des allures quasi surréalistes.

Les artistes des îles Salomon ont tiré un parti remarquable des contrastes entre des surfaces noircies et la clarté, avec de fins décors de nacre incrustés sur des plats cérémoniels ou de magnifiques figures de proue.

Le Vanuatu a conservé une tradition des objets peints. Les représentations humaines, sur divers supports, sont dominantes. Masques, sculptures et effigies sont souvent liés aux rites d'initiation des hommes. Un traitement fréquent du visage, avec profil concave et nez proéminent, est bien représenté sur les grands tambours verticaux d'Ambryn.

En Nouvelle-Calédonie, la haute case ronde des hommes perpétue le souvenir des ancêtres par les sculptures des chambranles, du seuil, des poteaux et surtout de la flèche faîtière où l'homme, ses ornements et sa fronde sont décomposés en éléments verticaux, chefs-d'œuvre de stylisation. Parmi les objets les plus significatifs on trouve des statuettes, de grandes haches cérémonielles constituées d'un large disque en serpentine ; de beaux masques en bois étaient portés lors de cérémonies, avec un costume en fibres végétales, plumes et cheveux. •

2. Sepik, Nouvelle-Guinée,
tête de pignon d'une case monumentale,
bois polychrome.

L'unité polynésienne

MALGRÉ UNE VASTE DISPERSION DANS LE PACIFIQUE,
L'UNITÉ LINGUISTIQUE ET CULTURELLE EXISTE. L'OUEST ET
L'EST ABRITENT DEUX ENSEMBLES PRINCIPAUX.

Les cultures de la Polynésie occidentale ont en commun de grands plats circulaires à plusieurs pieds pour la consommation d'une boisson cérémonielle, le *kava,* et des armes aux décors géométriques ou en nacre. Les îles Fidji, par la persistance de la poterie, ont des liens avec la Mélanésie, mais les statuettes, les décors imprimés sur les étoffes d'écorce battue *(tapa),* les ornements en dents de cachalot se rattachent à une tradition polynésienne.

Aux îles Samoa, le savoir-faire des artisans se manifeste surtout dans la construction de belles maisons aux ligatures ornementales, la fabrication de vanneries décoratives et des parures de chefs. L'art du tatouage est encore pratiqué aux Samoa occidentales.

Les îles Tonga sont connues pour leurs petites figures de déesses en bois ou en ivoire de cachalot, des objets usuels finement décorés, paniers, peignes, ceintures en vannerie, appuis-tête aux formes élégantes, grands *tapa* aux motifs variés où se marient les bruns, les blancs et le noir.

En Polynésie orientale, l'objet usuel ou religieux garde la couleur de la matière, pierre, bois, os ou ivoire de cachalot. Partout la représentation de l'être humain est privilégiée, chaque île ou archipel ayant choisi son style. Les statues de pierre, massives et hiératiques, sont monumentales à l'île de Pâques, moins élevées aux Marquises et dans les îles Australes. Le thème central de l'art marquisien est le *tiki,* personnage trapu et puissant aux grands yeux, présent sur les étriers d'échasses, les figures de proue, les manches d'éventails, les petits ornements en os ou en ivoire. En relief sur des poteaux, il semble un peu figé, de même que les symboles religieux

des îles Cook sculptés autour d'un bâton, alors que les statuettes ont des formes plus déliées. Aux Hawaii, les sculptures en ronde bosse sont des réussites par leur force dynamique. Les doubles figures qui ornent les manches de chasse-mouches des îles Australes, souvent stylisées, sont aussi des chefs-d'œuvre.

De l'art ancien de Tahiti et des autres îles de la Société, il reste des statuettes en bois, traitées avec simplicité et rigueur, et des sculptures de pierre plus frustes. Plats, pilons, appuis-tête sont d'une élégante sobriété.

Discrète aux temps polynésiens, la décoration des surfaces se développe avec l'introduction des outils de métal. Les pagaies des îles Australes, les manches d'herminettes cérémonielles des îles Cook sont entièrement décorés de sculptures géométriques. Aux îles Marquises, des motifs typiques vont s'épanouir sur les casse-tête, les plats, les couvercles de gourdes. Beaucoup d'entre eux sont les mêmes que ceux des tatouages. La face du *tiki* s'étale parmi d'autres figures plus abstraites. Les Polynésiens de Nouvelle-Zélande ont poussé encore plus loin l'art du décor. Des grandes sculptures symbolisant les ancêtres fondateurs jusqu'aux petits objets utilitaires, tout est couvert de motifs divers stylisés, entrelacés dans une ornementation compliquée. Les Maori, contrairement aux autres Polynésiens, ont fait un grand usage de la spirale. Inscrite sur les tatouages faciaux des hommes, elle est surtout magnifiquement représentée, tout ajourée, à la poupe et à la proue des grandes pirogues d'autrefois et témoigne aussi de l'immense richesse de l'art océanien.

Les ancêtres

Fondateurs de lignées, témoins ou garants des actes et contrats sociaux, les ancêtres étaient honorés dans toute l'Océanie. Il fallait craindre leur mécontentement, les apaiser et implorer leur aide. En Nouvelle-Irlande, pendant les cycles rituels *malanggan* (4) célébrés en mémoire des morts, effigies et masques figuraient temporairement les entités surnaturelles. De même, en Polynésie, dieux principaux (3), ancêtres divinisés ou ancêtres tribaux et familiaux s'incarnaient provisoirement dans divers objets et dans les sculptures. Gardiens permanents des maisons et des lieux sacrés, poteaux sculptés de Nouvelle-Calédonie (1) ou figures peintes, sommet de pignon de case (2) en Nouvelle-Guinée symbolisaient l'ancestralité. Ces images, aujourd'hui devenues œuvres d'art admirées dans les musées du monde entier, ont été supports de la présence momentanée ou permanente des esprits et objets de vénération.

3. Îles Australes, île Rurutu, Polynésie.
Le dieu créateur Tangaroa, bois.

4. Nouvelle-Irlande,
masque *malanggan,* bois,
fibres végétales.

La Méso-Amérique
Les origines

LE TERME DE MÉSO-AMÉRI-que désigne, pour les anthropologues, une aire culturelle qui s'est progressivement constituée au fil des siècles et dont l'évolution s'est brutalement achevée en 1519 avec la conquête espagnole. Cette appellation a été rendue nécessaire pour différencier archéologiquement la région d'autres entités telles que l'Amérique moyenne des géographes ou l'Amérique centrale politique. La Méso-Amérique regroupe en effet la moitié sud du Mexique, le Guatemala, le Belize, le Salvador et le Honduras ainsi que, à certaines époques, le nord-ouest du Nicaragua.

À l'intérieur de cet ensemble, situé au sud du tropique du Cancer, existe une grande diversité géographique, qui oppose des basses terres tropicales chaudes à des terres tempérées, entre 300 et 800 mètres d'altitude, et à des hautes terres froides. Certains volcans culminent à 5 700 mètres, comme le Pico de Orizaba, couronné de neiges éternelles. Le Mexique a ainsi été qualifié de « pays à trois étages » et de courtes distances séparent des milieux écologiques profondément différents.

À cette variété de milieux naturels correspond également une mosaïque de peuples et de langues. Maya, totonaque, aztèque ou nahuatl, zapotèque, mixtèque sont les plus connues de ces langues mais, à l'époque de la conquête, on n'en comptait pas moins de trente différentes, sans mentionner les dialectes. Diversité géographique, diversité humaine, la Méso-Amérique trouve son unité dans sa culture. À l'arrivée des Espagnols, tous les peuples de cette région partagent un ensemble de techniques ou de valeurs comme la connaissance de l'écriture et du calendrier, la culture du maïs et du cacao, l'usage du papier ou la pratique de l'autosacrifice et du sacrifice humain. Tous ces traits culturels sont apparus et se sont développés très progressivement. L'arrivée de l'homme dans la région remonte au moins à 25 000 ans. Mais, pendant de nombreux millénaires, chaque groupe a évolué indépendamment, en fonction de ses besoins et de ses ressources : pêche, chasse, cueillette, domestication des plantes. Ce n'est qu'avec l'apparition des Olmèques qu'il est possible de parler enfin des prémices d'une aire méso-américaine.

Nomades et sédentaires en Méso-Amérique

INVASIONS, MIGRATIONS, ÉCHANGES AVEC D'AUTRES AIRES DU CONTINENT AMÉRICAIN : RIEN N'ÔTE SON ORIGINALITÉ À LA MÉSO-AMÉRIQUE.

Même strictement définie, la Méso-Amérique ne constitue pas une aire enclavée. La variété des peuples qui occupent ces territoires en est la meilleure preuve. Tout d'abord, l'aire méso-américaine a bien évidemment été, lors du peuplement de l'Amérique, la voie de passage obligée des peuples en migration. Ce mouvement migratoire s'est poursuivi tout au long de l'histoire du continent et, quelques siècles à peine avant la conquête du Nouveau Monde, des peuples jeunes venus du nord, comme les Chichimèques ou les Aztèques, continuent à traverser la région ou à s'y installer. En même temps, d'autres groupes humains migrent vers le sud, comme les Pipil ou les Nicarao, qui s'implanteront en Amérique centrale, au Nicaragua par exemple. Parallèlement à ces flux continus, l'aire méso-américaine a entretenu, au cours des fluctuations de son histoire, des relations fructueuses avec d'autres civilisations, proches ou lointaines. Ces échanges ne sont d'ailleurs pas seulement le fait des peuples méso-américains, mais trouvent souvent leur origine dans l'histoire des autres grandes aires culturelles (aire andine, sud-ouest des États-Unis). Ainsi, vers le nord-ouest, les peuples méso-américains sont en relation constante avec l'occident du Mexique. On peut même envisager que se soient forgés là des concepts, plus tard considérés comme typiquement méso-américains, tels que les Chaa-Mool ou les râteliers de crânes. Bien plus, à plusieurs reprises, des routes

d'échanges ont été établies jusqu'à l'Arizona actuel, pour acquérir des produits comme la turquoise.

Il semble, inversement, que d'autres échanges se soient produits, en particulier avec la côte nord-ouest de l'Amérique du Sud. L'acquisition par les peuples méso-américains de produits ou de techniques, comme certains coquillages (le spondyle) ou la métallurgie, reflète de tels apports, rares mais incontestables. Si l'ampleur de ces échanges est difficile à évaluer, leur existence pourrait même s'accompagner de quelques mouvements de population vers le nord.

Enfin, les frontières de l'aire méso-américaine ne sont fermées ni géographiquement ni politiquement. Peu d'éléments différencient, au nord comme au sud, les peuples méso-américains de leurs voisins immédiats. Au nord du Mexique, par exemple, chasseurs nomades et agriculteurs sédentaires méso-américains voisinent, se combattent parfois, mais coexistent la plupart du temps. La présence d'un point d'eau ou d'un établissement commercial suffit à expliquer ce voisinage. Des fluctuations climatiques ont pu, à l'occasion, pousser certains groupes à adopter un mode de vie tantôt sédentaire, tantôt nomade. Cette connaissance mutuelle, jointe à l'attraction exercée par la richesse de l'aire méso-américaine et au mouvement migratoire général vers le sud, est à l'origine d'un enrichissement humain permanent et d'un renouveau des civilisations. •

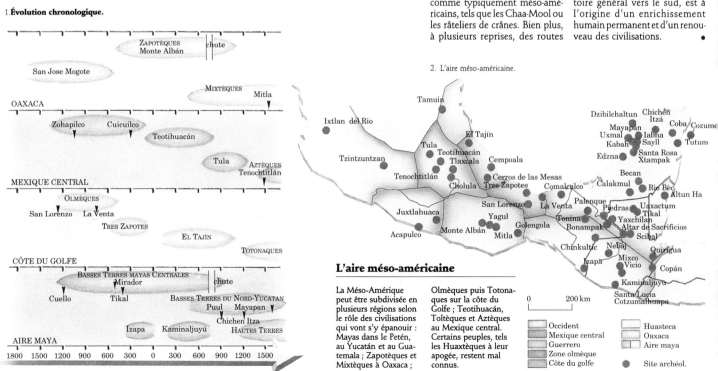

1. **Évolution chronologique.**

2. L'aire méso-américaine.

L'aire méso-américaine

La Méso-Amérique peut être subdivisée en plusieurs régions selon le rôle des civilisations qui vont s'y épanouir : Mayas dans le Petén, au Yucatán et au Guatemala ; Zapotèques et Mixtèques à Oaxaca ; Olmèques puis Totonaques sur la côte du Golfe ; Teotihuacán, Toltèques et Aztèques au Mexique central. Certains peuples, tels les Huaxtèques à leur apogée, restent mal connus.

0   200 km

☐ Occident
☐ Mexique central
☐ Guerrero
☐ Zone olmèque
☐ Côte du golfe
☐ Huasteca
☐ Oaxaca
☐ Aire maya
● Site archéol.

Les Olmèques et les origines de l'art méso-américain

VERS LE XIIᵉ SIÈCLE AVANT NOTRE ÈRE,
LES FONDEMENTS DE LA MÉSO-AMÉRIQUE SE METTENT
EN PLACE. LE PEUPLE OLMÈQUE EN EST LE FERMENT.

Bien que leurs origines demeurent encore mal connues, les Olmèques apparaissent comme une civilisation déjà accomplie dès 1200 av. J.-C. Ce sont de prime abord leurs œuvres d'art monumental qui attirent l'attention. Quelques grands sites, comme San Lorenzo, puis La Venta et Tres Zapotes, regroupent l'essentiel des manifestations de l'art olmèque. Si l'architecture reste simple, composée surtout de monticules de terre, elle atteint des proportions gigantesques : la pyramide de La Venta dépasse trente mètres de haut ; le plateau sur lequel repose San Lorenzo a été entièrement remodelé. Plus que ces grands travaux, ce sont les sculptures monumentales en basalte qui étonnent : têtes colossales de vingt tonnes, autels ou stèles d'un poids encore supérieur, sculptures en ronde bosse, mosaïques de serpentine enterrées. Il convient d'y ajouter une joaillerie et une petite sculpture en pierres semi-précieuses : jade, jadéite, hématite. On compte par milliers ces figurines, bijoux, haches, qui manifestent toutes un art achevé, tactile autant que visuel.

Cette richesse et cette intense activité qui dure six siècles (1200-600 av. J.-C.) sont d'autant plus surprenantes que le pays olmèque, les basses terres alluviales et marécageuses du golfe du Mexique, est dénué de ressources minérales : les Olmèques ont dû importer les matières premières de leur art de toute la Méso-Amérique. Grands travaux, art rituel codifié, importations massives traduisent une organisation sociale et politique élaborée. Le thème central de l'art olmèque révèle en partie cette organisation : mythe d'origine ou mythe dynastique, le culte du félin transparaît dans les représentations d'êtres hybrides, de félins humanisés. Les Olmèques ont ainsi jeté les fondements des civilisations méso-américaines : architecture et sculpture monumentales, iconographie animale, hiérarchie socio-politique, voire ébauche de panthéon.

La civilisation olmèque n'est cependant pas un phénomène isolé. Si les Olmèques ont bénéficié de conditions particulièrement favorables, ils ne se sont pas développés dans un vide culturel. À Oaxaca, en pays maya, dans le bassin de Mexico, d'autres peuples accèdent simultanément à des degrés d'organisation comparables. Ce parallélisme est d'ailleurs l'une des conditions du succès des échanges entre les Olmèques et leurs voisins. L'apport olmèque n'a pu aboutir que dans un contexte réceptif. Certains envisagent même l'existence de plusieurs foyers de développement, d'un horizon olmèque. Il faudrait alors distinguer entre un peuple olmèque et une civilisation à plusieurs groupes méso-américains. ●

3. Stèle de l'Ambassadeur à La Venta (Tabasco) ; basalte.

4. Autel n° 4 de La Venta (Tabasco) ; basalte.

Le triangle de l'écriture

TRILOGIE MAJEURE DES CIVILISATIONS
MÉSO-AMÉRICAINES : ÉCRITURE, ASTRONOMIE ET MATHÉMATIQUES
ORIENTENT LEUR CONCEPTION DU MONDE.

Les premières manifestations connues d'une écriture apparaissent dans plusieurs sites dès les VIᵉ-Vᵉ siècles av. J.-C. Monte Albán et d'autres sites de la vallée de Oaxaca ont ainsi donné une série de stèles datées qui remontent à la fondation du site, vers 500 av. J.-C. Plus au sud, d'autres monuments, moins nombreux, proviennent du Chiapas et du Guatemala. Ils sont plus tardifs dans l'ensemble. Enfin, au nord du pays olmèque, la stèle C de Tres Zapotes et la stèle n° 1 de La Mojarra portent également glyphes et dates. Dans ce que l'on a appelé un « triangle de l'écriture », les inscriptions montrent de grandes similitudes. Il est tentant de rechercher là une origine commune, peut-être olmèque, mais il n'existe encore aucune certitude.

Toujours est-il que ce trait culturel va connaître de grands développements, et les civilisations du sud de la Méso-Amérique vont perfectionner cet acquis. D'autres peuples, comme les habitants de Teotihuacán, ne manifesteront cependant pas le même intérêt pour l'écriture et ne laisseront que de rares inscriptions. En Méso-Amérique, de toute manière, écriture et calendrier sont intimement liés. Faite de glyphes très stylisés, l'écriture n'est ni alphabétique ni syllabique, mais toutefois plus simple qu'une écriture idéographique de type chinois ou qu'une écriture pictographique. Il semble qu'elle soit une combinaison de tous ces caractères, avec certains aspects du rébus mais aussi l'existence de l'écriture phonétique. Le calendrier repose sur des innovations telles que l'invention du zéro ou la notion de position. On compte par périodes les jours écoulés à partir d'un jour origine (3113 av. J.-C.). Écriture et calendrier, utilisés sur des supports aussi variés que la pierre, le bois, la céramique et surtout le papier, permettent d'enregistrer des événements historiques ou de noter des dates, mais toujours dans une optique astrologique. Le temps est conçu comme cyclique et seule la connaissance du passé permet de prévoir l'avenir. ●

→ **Voir aussi :** La Méso-Amérique Floraison et épanouissement, **ARTS**, p. 200-201. Les civilisations méso-américaines, **HIST**, p. 116-117.

Perfection artistique et prémices de l'écrit

La sculpture monumentale constitue un des caractères fondamentaux des civilisations méso-américaines. Apparue avec les Olmèques, elle se présente, dans ses premières manifestations, comme un art accompli, ce qui laisse supposer l'existence d'antécédents encore inconnus. L'autel n° 4 de La Venta montre déjà une maîtrise totale. Sur un bloc massif, incisé et sculpté en bas relief, se détache un personnage qui émerge d'une cavité, en semi-ronde bosse (4). Toutes les techniques sont donc maîtrisées. En revanche, dès les Olmèques, la sculpture deviendra porteuse de signes, comme sur la stèle de l'Ambassadeur (3), où trois glyphes complètent l'iconographie. La place de l'écriture va croître rapidement : sur la stèle récemment découverte de La Mojarra (5), le texte, très élaboré, occupe la plus grande partie de l'espace. Certains monuments mayas ne comporteront que des textes.

5. Relevé par George Stuart de la stèle maya n° 1 de La Mojarra (Veracruz) ; basalte.

La Méso-Amérique
Floraison et épanouissement

D E 1500 AV. J.-C. JUSQU'AUX tout premiers siècles après Jésus-Christ, ce que l'on appelle le préclassique ou le formatif voit se constituer l'aire méso-américaine. Partout, l'agriculture est connue et pratiquée, l'homme est devenu sédentaire, la société s'est hiérarchisée. Des élites dirigeantes sont apparues et les traits majeurs des grandes civilisations se sont mis en place.

Cités-États mayas, premières dynasties, iconographie du pouvoir, écriture et sculpture caractérisent déjà la Méso-Amérique orientale. Les Olmèques ont connu leur apogée, puis ont disparu mais, sur la côte du Golfe, d'autres cités se développent à leur tour. À Oaxaca, une confédération de gros bourgs aboutit à la fondation d'une capitale, Monte Albán, qui présente d'emblée les caractères d'une ville : architecture monumentale, sculptures y abondent et la nouvelle capitale zapotèque mène une politique d'expansion régionale. Dans la vallée de Mexico, les petits bourgs s'organisent en États régionaux. D'autres groupes, comme les Huaxtèques, connaissent une évolution plus lente. Seul l'occident du Mexique se différencie, par son art céramique et son absence de manifestations architecturales, des autres civilisations. De ce foisonnement vont naître les civilisations classiques : Teotihuacán, les Zapotèques de Monte Albán, El Tajin sur la côte du Golfe, les Mayas au Petén et au Yucatán. Avec l'effondrement général des cités classiques, au VIIIe siècle, la Méso-Amérique entre dans une période de bouleversements, qui lui donneront, au postclassique, son unité culturelle définitive.

Teotihuacán : une ville et un État

PREMIÈRE VÉRITABLE VILLE DE MÉSO-AMÉRIQUE, AVEC PLUS DE 200 000 HABITANTS, TEOTIHUACÁN VA PENDANT SIX SIÈCLES (DU DÉBUT DE NOTRE ÈRE À 650) EXERCER UN RÔLE D'ATTRACTION POUR TOUTE CETTE AIRE CULTURELLE.

M oins touché que d'autres régions par les courants d'échange de l'horizon olmèque, le Bassin de Mexico occupe en revanche une position charnière entre la Méso-Amérique orientale, l'Occident et les steppes du Nord. Cette position contribue à expliquer l'importance continue du Bassin et son instabilité relative : le Bassin voit ainsi se succéder plusieurs puissances, Teotihuacán, Tula, Tenochtitlán (aujourd'hui Mexico). Riche, et occupé dès l'arrivée de l'homme en Méso-Amérique, le Bassin de Mexico connaît une longue évolution culturelle, depuis l'acquisition de l'agriculture, avec des villages comme Zohapilco ou Tlatilco, jusqu'à l'apparition de capitales régionales.

Peu avant notre ère, la puissance de Teotihuacán commence à se développer dans un cadre urbain qui va drainer toute la population du Bassin. Teotihuacán est conçue et organisée selon un plan d'urbanisme qui lui permet de s'étendre indéfiniment. La contrepartie de cette croissance urbaine apparaît dans l'aspect froid et rigoureux, anonyme, de son art. L'architecture, rectiligne, domine, où seule la peinture murale apporte une touche de vie. L'accent est mis sur la monumentalité, avec les pyramides du Soleil et de la Lune, et sur l'uniformité des édifices et des innombrables pâtés de maisons.

L'aspect géométrique de la ville reflète la nature du pouvoir qui régente la cité, contrôle son économie et dirige la vie sociale des quartiers spécialisés. On est loin d'un pouvoir personnel, mais plutôt confronté à une élite dirigeante anonyme, longtemps conçue comme religieuse mais dont on s'aperçoit qu'elle est surtout commerçante et militaire. Le contrôle des ressources du haut plateau central mexicain, de l'obsidienne en particulier, permet à Teotihuacán de vivre, mais surtout d'étendre son influence vers le nord, vers la côte du Golfe, où elle établit des colonies, vers Monte Albán, qui tombe dans son orbite. Au Guatemala, Kaminaljuyú est une réplique de la cité mère. À l'inverse, Teotihuacán attire et des colonies étrangères s'installent dans des quartiers spéciaux. La chute brutale de la cité, vers 650-750, reste inexpliquée. Même morte, la cité des Dieux demeurera, jusqu'à la Conquête, une référence pour tous, y compris pour les peuples qui ont pris part à sa destruction. ●

1. Plan de Teotihuacán. Le centre cérémoniel.

Les Mayas : une longue maturation, un apogée bref et splendide

L'HISTOIRE DES MAYAS EST L'UNE DES PLUS LONGUES, PUISQU'ILS APPARAISSENT DÈS 1500 AV. J.-C. ET POURSUIVENT ACTUELLEMENT, APRÈS UN APOGÉE REMARQUABLE, UNE EXISTENCE TRADITIONNELLE.

L 'apogée de la civilisation maya ne dure que peu de temps, de 600 à 900 apr. J.-C., soit légèrement après la chute de Teotihuacán. Mais il a été précédé d'une longue maturation, encore mal connue. Les premiers traits de cette civilisation apparaissent en effet dès 1500 av. J.-C., au Belize. Peu à peu, les basses terres se peuplent et, en 300 av. J.-C., de grands sites comme El Mirador possèdent déjà des pyramides et une iconographie complexe. Divers courants d'influence enrichissent progressivement le monde maya : l'usage de l'écriture provient des hautes terres du Guatemala ; des influences de Teotihuacán sont sensibles à Río Azul ou à Tikal, dont le dirigeant, « Ciel Orageux », revendique une origine de Teotihuacán et s'entoure d'une garde de même provenance (stèle 31).

Les cités mayas connaissent une activité fébrile à compter du VIIe siècle. Divisés en cités-États plus ou moins indépendantes, sous le contrôle de dynasties, les Mayas vont rivaliser d'énergie. Chaque cité tente de s'imposer, par la guerre et par le jeu des alliances, mais aussi par de grands travaux de prestige : la construction de temples dynastiques, de pyramides, l'érection de monuments sculptés porteurs d'inscriptions qui glorifient la dynastie locale. Cette frénésie, qui s'accompagne d'une forte croissance démographique, entraîne probablement des déséquilibres au sein de la société. Avec une technologie néolithique, et malgré une maîtrise approfondie de leur milieu et de ses possibilités agricoles, les Mayas ne parviennent qu'avec peine à subvenir à leurs besoins et les tensions sociales sont exacerbées par les grands travaux, les conflits et l'isolement des élites dirigeantes. Cette fragilité sera probablement l'une des causes de l'effondrement de la plupart des cités entre 830 et 910 apr. J.-C.

Certaines cités survivent dans des régions périphériques : il s'agit parfois de sites isolés, mais aussi de régions entières comme le Puuc, autour des sites d'Uxmal et de Sayil. Leurs ressources économiques sont fragiles et on suppose que des catastrophes écologiques ont entraîné leur chute, quelques dizaines d'années plus tard. Durant ces trois siècles de splendeur, les Mayas ont accompli une œuvre éblouissante ; chaque cité, chaque région possède son style : ronde-bosse à Copán, stuc travaillé à Palenque, mosaïque de pierre du Chenes, trompe-l'œil du Río Bec ; toutes ces variantes enrichissent le fonds commun de la civilisation maya. ●

La plus grande métropole

Construit sur un plan orthogonal, Teotihuacán s'organise autour d'un axe nord-sud, l'allée des Morts, bordée des édifices majeurs. La ville s'étend en quartiers aux alentours et couvre une surface totale de 52 km².

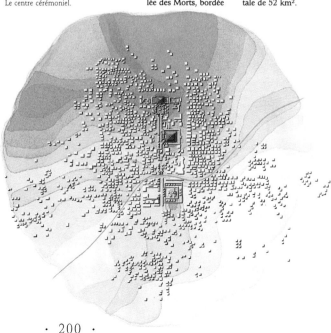

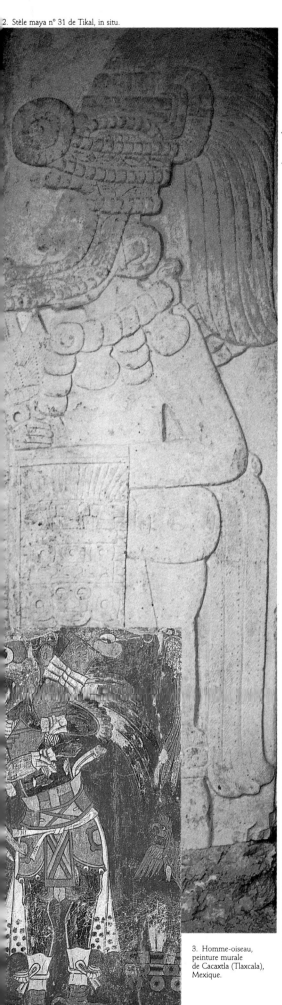

Militarisme et laïcisation au postclassique

À LA PÉRIODE POSTCLASSIQUE, L'IMPORTANCE DU POUVOIR CIVIL ET MILITAIRE S'ACCENTUE SANS DOMMAGE POUR LA RELIGION. LE BRASSAGE DES POPULATIONS CONTRIBUE À UNIFIER LA MÉSO-AMÉRIQUE.

La disparition des cités classiques bouleverse profondément toute la Méso-Amérique. Profitant du vide créé, des peuples barbares venus du nord, des Chichimèques, déferlent sur le haut plateau central. Dans le même temps, d'autres groupes déjà installés, comme les Putun du Tabasco, accroissent leur domaine, s'installent sur des sites en décadence. Partout, on assiste à l'émergence de nouveaux pouvoirs : certains, comme Xochicalco, revendiquent l'héritage ancien ; les Mixtèques colonisent la vallée de Oaxaca ; les Itza s'implantent au Yucatán ; les Toltèques, les Chichimèques, puis les Aztèques se disputent le contrôle du Bassin de Mexico. Les Olmeca-Xicalanca s'emparent de Cholula et de Cacaxtla.

Tous ces peuples montrent une agressivité plus marquée que les civilisations antérieures. La guerre, le sacrifice humain sont omniprésents dans l'iconographie et l'on assiste à une balkanisation de la Méso-Amérique : de petits États, voire de simples cités, dirigés par des chefs guerriers et des ordres militaires, s'affrontent incessamment. Le pouvoir, qui reste d'origine divine, s'est laïcisé : les palais sont désormais un trait d'architecture tout aussi fréquent que les temples.

Il serait cependant faux de considérer cette situation comme une rupture avec l'état de choses antérieur. Tous ces peuples s'intègrent dans une continuité de l'évolution méso-américaine et revendiquent une origine souvent mythique, mais toujours liée aux grandes cités de Teotihuacán, de Monte Albán ou des cités mayas. La division politique s'accompagne ainsi d'une unification culturelle. Les nouveaux venus apportent de nouvelles techniques (l'arc et la flèche, la métallurgie), mais les intègrent au fonds commun, qu'ils acquièrent rapidement. Bien plus, des régions entières qui étaient démeurées à l'écart des courants antérieurs, comme l'Occident, reviennent dans l'orbite méso-américaine, avec en particulier, au Michoacán, l'expansion de l'Empire tarasque, rival des Aztèques. D'autres peuples, longtemps marginaux, comme les Huaxtèques, atteignent leur apogée, en particulier dans le domaine de la sculpture. De cette diversité et de ces rivalités, les Aztèques vont émerger, et leur capitale, Tenochtitlán, construite en partie sur les eaux autour de l'ensemble du Templo Mayor, s'impose peu à peu. Par la guerre, le tribut et le commerce, symbolisés dans les temples jumeaux de Tlaloc et Huitzilopochtli, les Aztèques prennent le contrôle d'une grande part du territoire méso-américain. Mais cette dernière unité de la Méso-Amérique sera brisée par le choc de la conquête européenne. •

→ **Voir aussi** : Les civilisations méso-américaines, HIST, p. 116-117.

4. Coatlicue, déesse de la Terre aztèque ; pierre.

Rituel et guerre

Les grandes civilisations classiques s'affrontent parfois, mais entretiennent le plus souvent des relations économiques et politiques. Teotihuacán exerce surtout en Méso-Amérique un rôle dominant : les flancs de la stèle 31 du site maya de Tikal (2) montrent ainsi des guerriers dont l'équipement, casque et bouclier, porte les insignes de la grande cité. Après l'effondrement des cités classiques, les nouveaux peuples consacrent à la guerre une part importante de leurs activités ; des groupes mexicains envahissent le Yucatán ; des groupes mayas s'introduisent sur le haut plateau, à Cacaxtla (3) et à Cholula. Guerres et sacrifices atteignent leur summum avec les Aztèques et deviennent le pivot de la vie ; ils sont symbolisés par l'interaction mort-vie visible dans la représentation de Coatlicue (4), mère de Huitzilopochtli.

3. Homme-oiseau, peinture murale de Cacaxtla (Tlaxcala), Mexique.

Les Andes centrales préhispaniques

LES ANDES CENTRALES comprennent la totalité du Pérou et le nord-ouest de la Bolivie, dont les hauts plateaux rejoignent, autour du lac Titicaca, ceux du Pérou du Sud pour former la région circumlacustre, associée à l'évolution culturelle de cette aire géographique péruano-bolivienne.

Peu avant la conquête espagnole (1532 apr. J.-C.), la région de l'Équateur sera aussi, par son incorporation à l'Empire inca, intégrée à cette évolution, bien qu'elle appartienne aux Andes septentrionales, géographiquement distinctes.

La Sierra des cordillères, avec ses vallées interandines et ses hauts plateaux occupés par l'homme jusqu'à une altitude qui peut atteindre près de 4 000 mètres, constitue la majeure partie des Andes centrales. Mais les côtes désertiques du Pacifique et les bas versants orientaux qui bordent l'Amazonie doivent également être inclus dans cette définition de l'aire géoculturelle des Andes centrales.

Ces Andes centrales ont été peuplées, il y a environ 20 000 ou 15 000 ans, par des groupes de chasseurs-prédateurs nomades, dont les vestiges ont été découverts sur la côte et dans la Sierra. Pendant les millénaires suivants, les populations préhispaniques passent par une série d'étapes qui les amènent à se spécialiser dans des activités de chasse, de pêche et de cueillette.

Cette période « paléo-indienne », qui couvre la plus grande partie de la préhistoire des Andes, est suivie par une période de « néolithisation » au cours de laquelle les groupes andins se sédentarisent, domestiquent certains animaux, comme le lama, et commencent à cultiver quelques plantes alimentaires. Puis apparaissent, un peu plus tardivement que dans les Andes du Nord, les premiers récipients en céramique, qui sont l'un des principaux supports des expressions artistiques, plastiques ou graphiques, ainsi que les premiers tissus, aux techniques variées, ornés de motifs géométriques ou figuratifs.

La période, dite « formative », qui débute vers 1800 av. J.-C. dans les Andes centrales peut être considérée comme celle des débuts des grands développements artistiques et culturels qui s'étendront sur plus de trois millénaires avant l'arrivée des conquistadores au XVIᵉ siècle.

De la période formative à Chavín

À PARTIR DE LA SÉDENTARISATION DES GROUPES D'HORTICULTEURS CÉRAMISTES, LES CULTURES RÉGIONALES SE DIFFÉRENCIENT AVANT L'UNIFICATION DUE À CHAVÍN.

Les groupes culturels sédentarisés commencent à se constituer en entités propres, réunies dans des villages formant des agglomérations importantes, bien qu'on ne puisse pas encore parler d'une réelle « vie urbaine ». Progressivement, aux côtés des agriculteurs, apparaissent d'habiles artisans imprimant à leur production le « style » propre à leur groupe culturel.

Textiles, calebasses gravées et poterie sont ainsi les premiers témoignages de ces débuts de l'art andin. Toutefois, quelques vestiges d'architecture montrent aussi le souci de construire, pour abriter les images des divinités ou pour créer des lieux de culte. Le « temple des Mains croisées » de Kotosh, du nom des reliefs en ar-gile qui le décorent, par exemple, illustre cette première architecture cérémonielle.

Vers 1200 av. J.-C., c'est dans la Sierra nord du Pérou que le site de Chavín de Huantar manifeste une extraordinaire activité culturelle, qui s'amplifiera pendant les siècles suivants et diffusera son influence dans une grande partie du monde andin. Chavín, puissance théocratique qui a laissé un grand ensemble cérémoniel de temples où les images des dieux sont gravées dans les stèles de pierre ou sculptées dans les monolithes, introduit un art étonnant, imprégné dans son iconographie du monde de la forêt proche. Si on reconnaît des thèmes, souvent zoomorphes, c'est au milieu d'ajouts qui les rehaussent d'ornements, d'accessoires ou de traits caractéristiques exagérément reproduits.

L'art de Chavín, plus graphique que plastique, s'exprime très peu en trois dimensions : il ne reproduit guère les volumes, qu'il restitue par la multiplication des plans ramenés à un espace bidimensionnel. La céramique Chavín reprend ces mêmes thèmes qu'elle reproduit sur les parois des vases par un décor incisé, en champlevé ou modelé en bas relief. Plus « mobile », elle véhiculera cette iconographie dans tout le territoire où s'exerce l'influence des prêtres de Chavín. La ronde-bosse s'exprimera toutefois dans des « variantes locales », comme le style dit Chavín-Cupisnique, dont la poterie, anthropomorphe ou zoomorphe, annonce les développements ultérieurs de cette forme d'art plastique. ●

Les premiers États régionaux

SUR LA CÔTE ET DANS LA SIERRA APPARAISSENT DES PUISSANCES RÉGIONALES QUI SUCCÈDENT À LA PRÉDOMINANCE DE CHAVÍN.

Vers 500 av. J.-C., la disparition de l'influence de Chavín laisse la place à une diversification stylistique qui se manifeste dans plusieurs régions côtières et montagneuses des Andes centrales. Dans le Nord, sur la côte, les principales traditions culturelles sont représentées par les groupes des Vicús et des Mochica, tous deux habiles orfèvres et céramistes. La poterie Mochica funéraire, en particulier, allie une parfaite maîtrise technologique à un art souvent réaliste. Ses chefs-d'œuvre sont d'admirables « vases-portraits », modelés avec expression, ainsi que des vases en forme d'animaux ou de végétaux. Cette céramique est aussi ornée de décors peints représentant des scènes rituelles ou guerrières, où hommes et dieux se trouvent parfois réunis dans un monde qui transcende celui des simples mortels.

On doit aussi aux Mochica une impressionnante architecture de brique crue qui servit pour édifier de hautes pyramides tronquées, ainsi que divers ouvrages de mise en valeur du désert côtier.

Plus au sud, dans la région de Lima, dans celles de Paracas et de Nasca, d'autres groupes côtiers développent, eux aussi, des traditions propres. La culture Paracas compte parmi les plus remarquables : les grands tissus *(mantos)* enveloppant les momies *(fardos)* des sépultures Paracas constituent les plus exceptionnels exemples de l'art textile préhispanique où figurent les images terrifiantes des divinités, ou des démons, peuplant l'« au-delà » des hommes préhispaniques.

La céramique Nasca, richement peinte en polychromie, évoque aussi un monde d'animaux ou de divinités qui paraissent plus effrayants que bénéfiques et dont les images se retrouvent aussi dans les célèbres dessins qui furent exécutés à même le sol du désert de Nasca.

Dans la Sierra se détachent, au nord, les cultures de Cajamarca et de Recuay, ainsi que, dans le Sud, la culture Pucará, dont la statuaire est aussi exceptionnelle que rare dans les Andes centrales.

Ailleurs, d'autres groupes culturels occupent les hautes vallées et les hauts plateaux andins. Deux régions particulièrement importantes, celle du haut plateau du lac Titicaca et celle de la sierra d'Ayacucho, manifestent encore localement une puissante activité culturelle et politique, dont les centres sont les sites de Tiahuanaco et de Huari. ●

1. Art inca : Machu Picchu, l'édifice le « Torreon » (v. 1450).

2. Les Andes centrales.
● Villes actuelles
● Sites archéologiques

Vicús · Pérou · Piura · Cupisnique · Chan-Chan · Trujillo · Chavín · Serro Sechin · Recuay · Kotosh · Lauricocha · Chancay · Huari · Machu Picchu · Ayacucho · Paracas · Cuzco · Nasca · Pucará · Puno · Lac Titicaca · La Paz · Arequipa · Tiahuanaco · Brésil · Bolivie

CÔTE NORD	CÔTE CENTRALE	CÔTE SUD
Chimú	Chancay	Chincha
Mochica	Lima	Nasca
Vicus	Ancon-Supe	Paracas
Cupisnique		

0   500 km

La période Huari-Tiahuanaco

LES INFLUENCES DE TIAHUANACO
ET HUARI, DONT LES HÉGÉMONIES S'IMPOSENT
AUX DIVERSES PUISSANCES RÉGIONALES, DIFFUSENT
UN STYLE UNIQUE QUI REMPLACE LES
MODÈLES ARTISTIQUES LOCAUX.

Vers 600-700 apr. J.-C., les Andes centrales vont connaître une nouvelle période d'unification politique et culturelle dont les origines ont été reconnues dans deux foyers différents. Dans la région du lac Titicaca, le site de Tiahuanaco, devenu un grand centre cérémoniel, va diffuser vers le reste du monde andin son influence, reconnaissable par un « style » bien particulier, aussi bien dans sa statuaire que dans sa céramique polychrome.

La célèbre « Porte du Soleil », découverte sur ce site, est un grand monolithe où est sculptée l'image d'un personnage tenant dans chaque main un « bâton » orné de motifs stylisés, sans doute symboles de son pouvoir divin. Cette même image, aussi reproduite sur la céramique, semble correspondre à une divinité majeure dont le culte fut lointainement répandu, à partir de Tiahuanaco, dans les Andes centrales, grâce au relais de Huari, second foyer culturel, qui étendra sa domination sur la totalité du Pérou, au détriment des cultures régionales antérieures, qui s'effacent devant cette puissance culturelle, politique et économique.

La céramique de Huari, dont la polychromie et la technique doivent beaucoup à celle de Nasca, s'inspirera aussi fortement de l'iconographie de Tiahuanaco et

contribuera ainsi à la vaste diffusion de son influence.

La ville de Huari, bâtie en pierre, constituera aussi un modèle d'urbanisme nouveau pour les Andes centrales : à cette époque, dans la sierra comme sur la côte, on construit de grandes agglomérations, souvent ceintes de hautes murailles, dotées d'entrepôts et d'adduction d'eau. Une telle floraison de villes transforma l'aspect des Andes en y rassemblant les élites du pouvoir politique et du culte, mais aussi des artisans produisant en grande partie pour ces élites.

Bien que la principale « divinité » ait marqué de son image les arts Huari et Tiahuanaco, le fait que le centre générateur des villes est formé non plus de bâtiments « cérémoniels » mais « politiques » démontre l'effacement des pouvoirs théocratiques devant les dirigeants « civils ». Il est probable que les deux s'associent alors dans le partage du pouvoir politique et religieux dans les Andes. ●

Des nouveaux États régionaux à l'Empire inca

DANS LA SIERRA ET SUR LES CÔTES, DE NOUVEAUX ÉTATS
RÉGIONAUX SE SUBSTITUENT À L'UNITÉ HUARI-TIAHUANACO.
CELUI DES INCAS UNIFIE UNE DERNIÈRE FOIS LES ANDES.

L'effondrement de l'hégémonie Huari-Tiahuanaco vers 1000 apr. J.-C. amène la fin de l'unification et l'apparition de divers développements régionaux aux styles distincts. Cette variété durera pendant près de quatre siècles, jusqu'à ce que les Incas réunifient les Andes centrales.

Sur la côte nord, les Chimú, dont le royaume s'étend sur près de 1 200 km, développent une civilisation puissante et raffinée. Grands constructeurs, ils font de leur capitale, Chanchán, la plus grande ville des Andes, dont les ruines de brique crue couvrent plus de 17 km². Si leur céramique, le plus souvent noire et fabriquée en série au moule, n'a pas la perfection de celle des Mochica, leur orfèvrerie très élaborée atteste de la maîtrise des artisans, dont beaucoup furent ensuite employés par les Incas après leur conquête du royaume Chimú.

Sur la côte centrale, les cultures Chancay, au nord de Lima, et Inca-Chincha, au sud, laissèrent aussi des témoignages d'un art régional s'exprimant à travers la cé-

ramique, le tissage et l'orfèvrerie.

Dans la sierra, plusieurs groupes culturels, établis du nord au sud, forment des « chefferies », souvent regroupées en « confédérations » ou en « royaumes ». Les régions de Cajamarca, de Huancayo, d'Ayacucho et de Cuzco ainsi que celle des hauts plateaux du Sud sont occupées par plusieurs grands groupes culturels. Leurs arts, souvent plus frustes que ceux des groupes côtiers, sont représentés par la céramique, l'architecture de pierre, le tissage et, parfois, l'orfèvrerie.

Parmi ces groupes des hautes vallées andines, les Incas émergeront progressivement, à partir du XIIIᵉ siècle, et s'imposeront comme les nouveaux maîtres politiques et culturels des Andes centrales, qu'ils contrôleront avant la fin du XVᵉ siècle.

L'art des Incas, à l'image de leur stratégie politique, est une subtile adaptation aux génies propres des cultures conquises. S'ils imposent à tous leurs sujets le respect de « l'Ordre Inca », civil et religieux, ils les laissent conserver

leurs propres traditions, tant qu'elles savent rester inoffensives pour l'Empire. Ils peuvent ainsi utiliser les systèmes de pouvoir et la main-d'œuvre artisanale ou artistique qu'ils contrôlent.

L'art de l'Empire est ainsi réalisé par des artisans souvent non incas, travaillant suivant des normes stylistiques qui leur sont imposées. L'architecture des Incas, la forme la plus spectaculaire de cet art, illustre bien cette utilisation du travail des ethnies conquises : elle suit des modèles standardisés, propres à ceux qui se prétendaient les « nouveaux civilisateurs » des Andes.

Tissage, céramique ou orfèvrerie présentent aussi cette standardisation des formes ou des thèmes du décor qui s'applique aux objets produits pour l'Empire alors que, pour les objets d'usage local, les artisans utilisent des modèles pré-incas issus des traditions régionales. Cette superposition d'un pouvoir unificateur aux diverses cultures régionales a rendu possible la coexistence d'ethnies différentes au sein de l'Empire, tout en préservant l'identité culturelle de chacune.

Le principal effet déstabilisateur de la conquête espagnole a été de rompre cette harmonie par l'introduction de valeurs « occidentales », qui étaient peu compatibles avec celles du monde préhispanique. ●

3. Art de Chavín : détail de la « stèle Raimondi », Chavín final.

4. Art Paracas : détail d'un tissu funéraire *(mantos)* [v. IIIᵉ-Vᵉ s. apr. J.-C.].

L'art et le sacré

De Chavín aux Incas, l'art des Andes centrales fait une large place au « sacré » : la sculpture, les textiles, l'orfèvrerie et même la céramique représentent souvent ces thèmes.

L'image des « Dieux » peut être celle d'astres (Soleil, Lune..) ou de phénomènes naturels. Elle prend aussi la forme d'êtres incarnés sous l'apparence d'animaux, plus ou moins

imaginaires (4), rassemblant les signes particuliers de divers animaux réels. Parfois, ces divinités sont représentées sous une apparence humaine, avec ou sans l'ajout de carac-

tères zoomorphes. Dans l'architecture, les édifices du culte (1) sont souvent les plus soignés et, dans les sites, les meilleurs emplacements leur sont réservés.

Europe
L'art irlandais

1. Croix sculptée d'un *Jugement dernier* (Xe s.) dans le cimetière de Monasterboice.

2. Avers de la « Fibule de Tara » (VIIIe s.) ; filigranes d'or sur argent coulé et doré, cabochons de verre de couleur et d'ambre.

LA CHRISTIANISATION DE l'Irlande s'effectue au ve siècle, par un certain nombre de missions dont la plus réussie sera celle de saint Patrick. D'origine bretonne, Patrick est le disciple de saint Germain d'Auxerre, venu en 429 combattre l'hérésie pélagienne en Bretagne. Patrick est nommé évêque d'Irlande en 432 et une Église épiscopale est alors fondée à l'image de celles qui existent en Gaule et en Grande-Bretagne. Parallèlement se développe un monachisme fervent, d'autant plus adapté au pays que celui-ci vit selon les règles d'une société rurale tribale. Des influences méditerranéennes (midi de la France, Proche-Orient), enfin, ont joué un rôle dans la formation de l'art chrétien en Irlande.

Les premiers monastères imitent le modèle des sites laïcs. Une enceinte, souvent circulaire, définit le *termon,* c'est-à-dire le périmètre du monastère lui-même, ses limites étant fréquemment marquées par des calvaires. L'église monastique ou l'oratoire – une chapelle, au départ petite, en bois ou en pierre – forme le centre de la cité sainte. Le petit oratoire de Gallarus par exemple (comté

de Kerry ; vers 600), en forme de navire retourné, avec des murs en pierre sèche, évoque les *trulli* protohistoriques de l'Italie méridionale. Le tombeau du fondateur avoisine l'église, parfois sous la forme d'un petit édifice. Le cimetière des moines est également près de l'oratoire. Ces monastères, souvent isolés sur des îlots ou dans des lieux sauvages à l'intérieur des terres (Clonard, Clonfert, Clonmacnoise), grandiront vite. Ils deviendront de prestigieux centres d'enseignement et d'activité artistique, celle-ci brillante dans le domaine ornemental de l'orfèvrerie et de l'enluminure.

La première importante fondation est celle de saint Colomba (521 ? - 597) dans l'île de Iona (561), qui s'épanouit en un grand centre de conversion pour de nombreux Écossais et Northumbriens. C'est de Iona que saint Colomban (v. 540-615) part en mission pour le Continent, en Gaule d'abord, où il fonde Luxeuil, pour terminer sa vie à Bobbio en Italie. Son compagnon saint Gall fonde, vers 612, la célèbre abbaye de Suisse alémanique qui porte son nom. D'autres missionnaires suivent, tel saint Kilian en Franconie.

La vie monastique

LES CITÉS MONASTIQUES DE L'ANCIENNE IRLANDE PEUVENT AVOIR, TELLES KELLS ET ARMAGH, LA TAILLE DE VÉRITABLES VILLES. DE GRANDES CROIX SCULPTÉES SONT LEUR PARURE PRINCIPALE.

Dans la plupart des cas, l'expansion s'est faite à partir d'un établissement érémitique, dans la seconde moitié du viie siècle et au cours du viiie. Quand, en 806-810, le centre de l'ordre de saint Colomba est transféré à Kells (au N.-O. de Dublin), les sources parlent de la construction de la « nova civitas ». Armagh (au S.-O. de Belfast) est, avec Kells, l'une des deux grandes métropoles religieuses.

Armagh – Ard Macha (la colline de Macha) – porte le nom d'une héroïne légendaire. Le centre religieux qui s'enorgueillit de remonter à saint Patrick (ve siècle) est donc héritier d'un prestige encore beaucoup plus ancien. Les *Annales des Quatre Maîtres* (qui relatent l'incendie gigantesque de 1020) donnent une description très précise de la ville des xe-

xie siècles. Le centre en est formé par le *rath* avec sa grande église en pierre *(daimliag mór),* mentionnée déjà au viiie siècle. Il y a encore le *cloicteach* (maison des cloches) et le *teach screapta* (la maison des manuscrits, le *scriptorium*). Au pied du *rath* s'est développée peu à peu la ville laïque, divisée en trois tiers où logent une partie des étudiants, les artisans et les commerçants pourvoyant aux besoins de la communauté monastique. Des croix, disposées de manière cruciforme, marquent toutes les portes du *rath*. La grande porte ouvre au-dessous du chœur de l'église majeure (devenue la cathédrale aujourd'hui), exactement à l'est. Le nombre d'habitants de cette « cité sainte » devait être d'environ trois ou quatre mille !

Kells offre un plan centré assez

similaire : le centre ancien, la « maisón de saint Colomba », occupe une enceinte d'environ 300 à 350 mètres de diamètre. Au ixe siècle, la construction de la « nova civitas » vaut à Kells une surface égale à celle d'Armagh.

Les multiples églises du monastère de Glendalough s'étirent dans l'une des vallées du comté de Wicklow, au sud de Dublin. Au fond de cette vallée jalonnée de lacs se dressait le premier ermitage. Vers 700, le monastère s'agrandit en descendant dans la vallée, s'établissant sur un plateau long d'à peu près 300 mètres. Plusieurs de ces constructions existent encore, aucune n'est très vaste. Les églises sont faites d'énormes blocs de pierre assez régulièrement taillés et leur plan est des plus simples : un rectangle formant nef, prolongé parfois par un chœur de plan carré. Jamais de colonnes, ni de piliers. L'une de ces églises est couverte d'une voûte de pierre, on l'appelle la « cuisine de saint Kevin ».

L'aménagement intérieur semble avoir été moins fruste ; la

description d'un sanctuaire de Kildare, au viie siècle, signale des cloisons de bois et même un chancel décoré de peintures. Toutefois, l'effort artistique a porté surtout sur la sculpture : partout de grandes croix de pierre, hautes de deux à quatre mètres, meublent l'espace entre les édifices. Un plan de monastère idéal, dessiné dans le *Livre de Mulling* nous renseigne sur leur répartition dans le monastère et au-dehors : les croix des quatre évangélistes entourent celles du Christ, des apôtres et des archanges, situées à l'intérieur de l'enceinte circulaire. Enfin, il faut dire que nombre des hautes tours rondes dont plusieurs ont survécu aux incursions vikings des ixe et xe siècles. Des *cloicteach's* se sont ainsi conservés à Glendalough, Ardmore, Clonmacnoise. Ces tours isolées sont faites d'un cylindre parfois haut de 30 mètres, aminci au sommet et coiffé d'un cône de pierre. Le plus souvent, leur entrée est située à trois ou quatre mètres du sol, car les tours servaient d'abris en temps de guerre. ●

Somptuosité ornementale de l'orfèvrerie

Les premiers témoignages de l'orfèvrerie irlandaise datent de la fin du VIIe siècle. La grande fibule annulaire généralement désignée sous le nom de « Fibule de Tara » (2) est une broche au décor d'or sur argent fondu. Des silhouettes d'animaux, des jeux de volutes et d'entrelacs, des serpents stylisés montrent que l'art du métal suit les mêmes principes esthétiques que l'art du livre. Cette fibule inaugure une série de magnifiques bijoux et d'objets liturgiques dont le chef-d'œuvre, du VIIIe siècle, est le calice d'argent d'Ardagh (Dublin, Musée national). Des émaux, du verre, du cristal, des filigranes et des granulations d'or, de l'argent estampé, du cuivre champlevé embellissent subtilement cet objet, dont l'art atteint un degré de perfection digne de celui des peintres du *Livre de Kells* (3). Moins raffinée est la sculpture des grandes croix « à roue », dont un exemplaire de Monasterboice (au nord de Drogheda) est le meilleur spécimen (1).

HHIACOLEOHIS

Expansion de l'art irlandais

PARTIS EN MISSION SUR LE CONTINENT, DES MOINES IRLANDAIS Y FONDENT ERMITAGES OU MONASTÈRES. AINSI SE DIFFUSE L'ENLUMINURE INSULAIRE, QUI INFLUENCERA L'ART ROMAN.

La richesse et l'originalité de l'art ornemental irlandais ne pouvaient laisser indifférents les pays voisins. La translation, en 698, des reliques de saint Cuthbert au monastère de Lindisfarne, îlot de la côte nord-est de l'Angleterre, fut l'occasion d'une création irlandaise particulièrement luxueuse. Comme le *Livre de Durrow*, l'*Évangéliaire de Lindisfarne*, conservé au British Museum, ouvre sur une « page-tapis » montrant une croix composée – à la manière des croix sculptées monumentales – de plusieurs carrés : quatre dans le sens de la hauteur, trois dans le sens transversal. Ce *Livre de Lindisfarne* introduit, à la place des symboles jusque-là représentés, les évangélistes eux-mêmes.

4. Le Lion de saint Marc, extrait de l'Évangéliaire d'Echternach (fin du VIIe ou début du VIIIe s.).

Les manuscrits enluminés

L'ÉPANOUISSEMENT DE L'ART IRLANDAIS SE MANIFESTE SURTOUT DANS SES DISCIPLINES DÉCORATIVES OU SOMPTUAIRES, AU PREMIER RANG DESQUELLES L'ENLUMINURE.

L'enluminure irlandaise, à juste titre célèbre pour l'infinie complication de ses entrelacs, abstraits ou habités par des hommes-poissons ou oiseaux, est intimement liée aux œuvres de métal. Cet art ornemental hors pair se développe, à partir de 600, parallèlement à une christianisation de plus en plus poussée du pays. Des premières modestes initiales, monogrammes isolés, on progresse très vite vers des initiales de plus en plus intégrées aux textes, leur ornementation influençant même les lettres suivantes, le plus souvent de manière décroissante.

Ce cheminement culmine, vers 800, dans le somptueux *Livre de Kells* (Dublin, Trinity College), enluminé peut-être sur l'île de Iona. Certaines de ses grandes pages apparaissent « voilées d'ornements comme dans les nuages d'encens ». L'initiale de l'Incarnation du folio 34 en est le chef-d'œuvre. L'X (= C) du monogramme du Christ est jumelé avec les initiales plus modestes du P (= R) et du I, cantonnés abruptement par un angle en forme d'équerre. Les bustes des trois archanges saints Michel, Gabriel et Raphaël apparaissent minuscules dans le dédale luxuriant des entrelacs, des triskèles, de même que des créatures plus humbles, comme ces deux rats tentés par une gaufrette et surveillés par deux chats. Hymne chatoyant à Dieu qui inclut une minutieuse observation de la nature !

La Northumbrie a elle aussi joué un rôle dans la production des nouveaux motifs ornementaux. Le *Livre de Durrow* (Trinity College), conservé pendant des siècles au monastère de ce nom, fondé par saint Colomba dans le comté d'Offaly, en fournit la preuve. Ce manuscrit d'environ

680, qui contient le texte des évangiles en latin, représente pour la première fois l'Homme. Le symbole de Matthieu y apparaît encore sous une forme assez simpliste : véritable « homme-tapis », dont le corps sans membres se présente sous forme d'une cloche, ornée de motifs à damier qui dessinent au milieu une croix.

Presque au même moment (690), un missionnaire d'origine saxonne ayant fait ses études dans un monastère irlandais partait de Iona pour la Frise : Willibrord, qui fonda en 698 l'abbaye d'Echternach au Luxembourg. Emporta-t-il dans ses bagages le fameux évangéliaire conservé aujourd'hui à la Bibliothèque nationale de Paris, ou le fit-il enluminer par l'un de ses compagnons une fois sur le Continent ? On penche pour la première hypothèse. Toute la différence entre le *Livre de Durrow* et l'*Évangéliaire d'Echternach* éclate dans la page représentant le symbole de saint Marc. Le lion de Durrow est encore une paisible bête, un peu perdue dans l'espace blanc qui lui sert de support. Le cadre, aux entrelacs savamment agencés, attire plus l'attention que le symbole lui-même. Quelle différence avec l'*Imago leonis* du peintre de Willibrord ! Cette blonde silhouette bondissante, mordant de ses griffes même le cadre, constitue l'un des manifestes les plus parlants de l'art nouveau, image de joie et de force conquérante.

Pourtant cette vigueur dynamique s'apaise à nouveau dans les figures – le Christ, la Vierge – du *Livre de Kells*. L'art byzantin des icônes a-t-il aidé à la représentation de ces images ou est-ce le goût celtique pour la stylisation permanente qui fige ces êtres dans des poses qui ne sont plus tout à fait humaines !

L'influence irlandaise n'est pas moins vivace sur le Continent. À Saint-Gall, le manuscrit catalogué 51 montre à sa dernière page un *Jugement dernier*, considéré comme le plus ancien du monde occidental. Serrés uns contre les autres, le Christ et ses apôtres siègent en tribunal au-dessus d'une *Résurrection des morts*. Comme dans d'autres manuscrits irlandais, la figuration humaine donne une étrange impression d'homme-poisson. Cette même impression émane du *Christ crucifié* – la croix insérée dans le T initial du *Te igitur* du canon de la messe – du *Sacramentaire de Gellone* (B.N., Paris), enluminé dans le nord de la France ou à l'abbaye de Flavigny, en Bourgogne.

Enfin, c'est un livre venu d'Irlande qui a propagé le plan du Saint-Sépulcre de Jérusalem en Occident, où les bâtisseurs s'en inspireront maintes fois. Les hasards d'un naufrage permirent à l'abbé Adamnan d'accueillir à Iona un évêque de Gaule, de retour d'un pèlerinage en Terre sainte. Arculf fit à son hôte le récit détaillé des Lieux saints et grava sur des tablettes de cire les plans des principaux monuments de Jérusalem : l'*Anastasis*, l'église de la Résurrection enchâssant le Saint-Sépulcre ; l'*Imbomon*, l'église de l'Ascension ; la sainte Sion, lieu du Cénacle. Adamnan édita ce récit sous le titre *De locis sanctis* et l'offrit en 686 à son ami Aldfrid, roi de Northumbrie. •

Les formes de l'architecture royale

L'ARCHITECTURE CAROLINGIENNE EST LE PREMIER ART DE SON ÉPOQUE ; ELLE A POUR BUT D'EXPRIMER LES ASPIRATIONS LES PLUS ÉLEVÉES DES MAÎTRES DU ROYAUME.

L'époque carolingienne

APRÈS LE DÉCLIN DE LA dynastie mérovingienne, la réorganisation du royaume franc par Pépin le Bref et par Charlemagne conduit à un extraordinaire réveil des arts. Sa tendance générale est celle d'un classicisme inspiré de l'Antiquité tardive.

L'effort architectural est manifeste dès le milieu du VIIIᵉ siècle, mais ne prend son plein essor que sous le règne de Charlemagne. L'abbatiale de Saint-Denis inaugure une prestigieuse lignée de monastères dont l'incontestable fleuron sera l'abbaye de *Centula*/Saint-Riquier, prête pour la visite de Charlemagne lors des fêtes pascales de 800. Entre 792 et 798 est réalisé le gros œuvre de la chapelle palatine d'Aix, un édifice de plan centré lié à la liturgie royale. C'est la liturgie encore, notamment son adaptation aux règles en vigueur à Rome, qui amène la création de basiliques à deux chœurs opposés, le chœur de l'ouest étant censé imiter celui des grandes basiliques « occidentées » de la cité papale. De même s'ingénie-t-on à créer un plan de monastère idéal, fruit probable des délibérations du concile d'Aix (816-817) qui a pour principal mentor saint Benoît d'Aniane, l'ascétique réformateur de l'ordre créé jadis par saint Benoît de Nursie.

Les églises carolingiennes possédaient un magnifique décor sculpté, en stuc, rehaussé de peinture et de mosaïques, qui, du fait de sa fragilité, a le plus souvent disparu. Le même degré de qualité est atteint dans les nombreuses plaques d'ivoire ciselées de cette époque, extrêmement parlantes en ce qui concerne l'iconographie et la liturgie. La couronne de l'effort esthétique revient toutefois à l'enluminure des manuscrits.

Les édifices carolingiens (27 cathédrales et plus de 400 monastères construits dans l'Empire entre les années 768 et 855) renouent avec les formes architecturales antiques, notamment la basilique et la rotonde, choisie naguère pour les fonctions funéraire ou baptismale. Les architectes carolingiens en modifient cependant l'aspect et intègrent ces éléments dans de nouveaux ensembles. Les rotondes se muent en tours ; tours et basiliques s'assemblent en un seul édifice, alors que, peu de temps auparavant, c'était encore la mode des « groupes cathédraux » : une multitude de sanctuaires (sept à Metz) entouraient, parfois de manière assez anarchique, la cathédrale ou l'église mère d'un monastère. D'une simple juxtaposition, on passe d'abord à l'assemblage, puis à une intégration de plus en plus poussée. L'abbatiale du plan idéal de Saint-Gall illustre bien cette évolution vers un édifice unique, spacieux, pouvant abriter la totalité des fonctions liturgiques.

Les débuts se placent à Saint-Denis. Souhaitée par Pépin le Bref, la basilique est construite par ses fils entre 768 et 775. Sa longueur était de 245 pieds, soit 82 m ; la tour de la croisée atteignait 47 m. Cent une fenêtres éclairaient l'édifice, dont l'intérieur était rythmé par quatre-vingt-dix colonnes. Les restes de ce monument gisent sous l'actuelle église gothique. L'abside orientale montre une crypte annulaire imitée de celle de Saint-Pierre de Rome et qui faisait fonction de martyrium.

La palme des abbayes carolingiennes revient à *Centula* (aujourd'hui Saint-Riquier), bâtie de 790 à 799 par Angilbert, gendre de Charlemagne. Une chronique du XIᵉ siècle, rédigée par le moine Hariulf, nous la décrit par le menu et ajoute même l'*Institutio de diversitate officiorum*, c'est-à-dire l'*ordo* liturgique d'Angilbert, qui réglait ses offices. Deux gravures du XVIIᵉ siècle – de Petau et de Mabillon, copiées sur un dessin hélas perdu de la chronique d'Hariulf – nous montrent l'ampleur du monastère carolingien. Autour d'une cour approximativement triangulaire dont l'axe nord-sud mesure 1 000 pieds, c'est-à-dire plus de 300 m, sont disposées trois églises. Au nord, l'abbatiale développe sur près de 100 m sa fière silhouette, composée de deux puissantes tours bâties aux extrémités d'une courte nef qui servait de *vestibulum*, de plate-

La création architecturale

La magnificence de l'abbaye carolingienne de *Centula*/Saint-Riquier nous est transmise par cette gravure du sénateur parisien Petau (1612) [2] d'après un dessin de la chronique d'Hariulf (1090). Dans l'*Évangéliaire de Saint-Médard* (3), l'édifice bleuté du fond fait songer aux architectures théâtrales du traité romain de Vitruve. Plus concret et riche d'avenir est le plan, conservé à Saint-Gall, d'une abbaye modèle (1). Son église à chœurs opposés possède deux tours isolées, accessibles depuis un étroit atrium semi-circulaire enveloppant l'abside occidentale. Au sud (= à droite), le cloître, entouré par le dortoir des moines (77 lits) à l'est, le réfectoire au sud, le cellier avec sa cave à vin à l'ouest. Au nord (= à gauche) de l'église abbatiale, sont dessinés l'auberge des hommes et femmes « nobles », l'école des externes, enfin le logis de l'abbé.

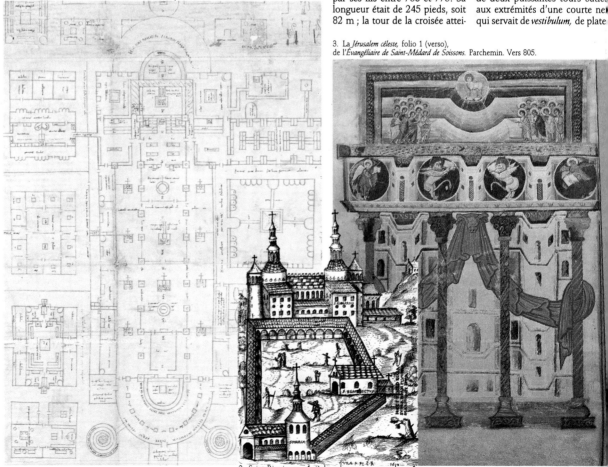

1. Partie centrale du « Plan de Saint-Gall ». Encre sur parchemin. Vers 815-817.

3. La *Jérusalem céleste*, folio 1 (verso), de l'*Évangéliaire de Saint-Médard de Soissons*. Parchemin. Vers 805.

2. Saint-Riquier au XIᵉ siècle, selon une gravure du XVIIᵉ.

forme d'accès aux tours. La *turris occidentale*, vouée au Sauveur, offre le prototype de ce qui sera l'*opus occidentalis*, le *Westwerk* carolingien (ou *antéglise*). Ce type d'architecture comprend généralement une crypte d'entrée – de plain-pied avec l'atrium avoisinant – qui abrite des reliques et une église haute, le « trône », entourée de bas-côtés et de tribunes, des *ambulatoria* où sont postés les chœurs de chant. Telle est bien leur position dans l'antéglise occidentale de Corvey, en Westphalie, bâtie de 873 à 885.

Sur bien des points, la forme de la chapelle du palais de Charlemagne à Aix, dont le gros œuvre se termine en 798, présente des analogies avec les deux tours majeures de Saint-Riquier. La chapelle palatine est un édifice polygonal à circonférence dédoublée : un noyau central, octogonal, est entouré d'un polygone à seize côtés. Le diamètre total est de 33 m (= 100 pieds) et la hauteur de 30,55 m. La donnée la plus significative semble être la circonférence intérieure de l'octogone, dont la mesure de 144 pieds a été choisie en fonction du texte de l'*Apocalypse* de saint Jean, qui attribue cette dimension à la Jérusalem céleste. Une mosaïque apocalyptique ornait d'ailleurs la voûte de la chapelle, dont l'ensemble du décor est très riche (portes de bronze...). Comme le préconisent les *Laudes royales*, le roi siégeait à l'étage, à l'ouest de la haute tribune dont les doubles arcades ouvrent sur l'octogone.

L'époque carolingienne élabore toute une gamme de cryptes. Ainsi, les abbayes bourguignonnes de Saint-Germain d'Auxerre et de Saint-Pierre de Flavigny sont dotées, dans la seconde moitié du IXᵉ siècle, de cryptes « inférieures et supérieures » aboutissant à leur extrémité orientale à des rotondes mariales étagées. Cela correspond, en France, à une axialisation progressive des églises ayant pour but leur orientation exclusive vers l'est, tandis que les édifices bipolaires garderont la faveur des pays germaniques. •

De la réforme romaine au monastère idéal

LE PLAN D'UNE ABBAYE MODÈLE CONSERVÉ À SAINT-GALL, ISSU D'EXPÉRIENCES DU VIIIᵉ SIÈCLE (SAINT-WANDRILLE EN NORMANDIE, GROUPE ÉPISCOPAL DE METZ...), INFLUENCERA JUSQU'AUX MONASTÈRES CISTERCIENS DU XIIᵉ SIÈCLE.

Charlemagne meurt le 28 janvier 814. Il a eu à cœur de mettre de l'ordre dans le foisonnement gallican de son époque par l'introduction d'une liturgie telle qu'on la célèbre à Rome depuis Grégoire le Grand (590-604). L'architecture religieuse en est directement influencée dès le début du IXᵉ siècle. Bâtir *more romano*, selon l'usage de Rome, devient alors obligation. La floraison des contre-absides occidentales s'explique par un poncif liturgique. La première en date au nord des Alpes semble appartenir à l'abbatiale, agrandie vers 787, de Saint-Maurice d'Agaune dans le Valais. Les reliques de saint Maurice sont alors transférées dans un martyrium occidental qui n'est autre qu'une abside pourvue d'une crypte en forme d'anneau demi-circulaire. Mais l'imitation de Rome se fait bientôt plus précise. L'abbatiale de Fulda, construite sur la tombe de saint Boniface, constituait la première réplique monumentale de la basilique Saint-Pierre en terre germanique. Toutefois, l'élan vers la monumentalité ne va pas durer. Brusquement, on revient vers un cadre plus habituel, plus familier : c'est cette deuxième réforme, due à Benoît d'Aniane, se lit bien sur le plan de Saint-Gall.

Ce document, que conserve la Stiftsbibliothek de Saint-Gall, fut dessiné pour le concile d'Aix-la-Chapelle (816-817). Maturation de recherches du VIIIᵉ siècle, monastères de Normandie ou ensembles comme le groupe épiscopal de Metz, il représente le plan idéal d'une grande abbaye avec son église, son cloître et ses *officinae*, édifices destinés à abriter la vie quotidienne des moines. Véritable *civitas sancta* (cité sainte), l'abbaye idéale de Saint-Gall comprend tout ce dont une communauté religieuse a besoin pour vivre indépendamment : jardins, ateliers, écuries, auberges, ainsi qu'un hôpital et une école d'externes. L'abbatiale est un édifice monumental, long de près de 103 mètres, avec une contre-abside occidentale consacrée – *more romano* – à saint Pierre. Le pôle liturgique principal est cependant maintenu à l'est, avec l'autel majeur érigé à l'aplomb du sarcophage de saint Gall, le moine irlandais fondateur de l'abbaye au VIIᵉ siècle.

Provenant du monastère de Reichenau (sur une île du lac de Constance), le document fut envoyé vers 820 à l'abbé de Saint-Gall par Haito, évêque de Bâle, l'un des modérateurs du concile d'Aix. Pouvait-il imaginer que son plan allait être suivi à la lettre dans la seconde moitié du Xᵉ siècle par les bâtisseurs de Cluny II et qu'il existe encore, debout, à l'abbaye cistercienne de Fontenay, érigée de 1139 à 1147 ? •

Apogée et derniers feux

LA PEINTURE DE CERTAINS MANUSCRITS EST CE QUE L'ART CAROLINGIEN NOUS A LÉGUÉ DE PLUS PRÉCIEUX.

Si le mot apogée convient à quelque activité artistique de la période, c'est bien à la peinture sur manuscrits du *scriptorium* royal, qui, à Aix, avait son siège à quelques pas du trône. Huit manuscrits, et un neuvième incomplet, illustrent aujourd'hui l'École palatine. L'*Évangéliaire* du scribe Godescalc (B.N., Paris), avec son Christ juvénile siégeant en majesté, ouvre la série en 781, suivi de peu par le *Psautier Dagulf* de Vienne (790). Les manuscrits les plus somptueux sont l'*Évangéliaire Harley* (British Museum) et l'*Évangéliaire de Saint-Médard de Soissons* (B.N., Paris), peint vers 805 et offert à cette abbaye en 827 par Louis le Pieux.

La tradition antiquisante caractéristique de l'époque atteint son accomplissement dans l'*Évangéliaire du Couronnement* (Hofburg de Vienne), œuvre d'un peintre grec, Demeter. Les évangélistes de ce livre ont l'air de tribuns romains. Installés sur d'extraordinaires trônes architecturaux, ils siègent devant des paysages méditerranéens peints d'une touche presque impressionniste. Ces touches hâtives, légères se muent en flammèches sous la main du même peintre dans certains manuscrits d'Épernay et de Reims. En effet, l'École palatine, dissoute après la mort de Charlemagne, se retrouve en partie – grâce à Ebbon, bibliothécaire d'Aix, devenu évêque de Reims – dans la capitale champenoise et son fameux scriptorium d'Hautvillers. C'est également ici qu'est réalisé vers 825, par un dessinateur d'une adresse inouïe, le *Psautier d'Utrecht*, véritable bande dessinée où toute une humanité vibrante, d'une extrême agilité, se meut parmi une variété peu commune d'architectures de toutes sortes.

Un deuxième sommet artistique est atteint sous Charles le Chauve. Les bibles de grand format enluminées par le scriptorium de Tours en portent témoignage. Non moins grandiose est le *Sacramentaire de Drogon* (B.N., Paris). Drogon, fils de Charlemagne, devient évêque de Metz en 823, archevêque en 844. C'est vers 840 qu'est réalisé son sacramentaire, qui suit l'usage liturgique romain. Il comporte de magnifiques lettrines décorées de scènes christologiques ou hagiographiques, à la touche délicate et nerveuse, au coloris raffiné jouant sur les demi-teintes. •

→ **Voir aussi :** Charlemagne. La rénovation de l'Empire, HIST, p. 52-53.

Des ivoires sculptés à Metz

Les deux plats de couverture du *Sacramentaire de Drogon* sont l'œuvre d'un important atelier messin d'ivoiriers. Le plat supérieur (4) représente, sur ses neuf plaquettes, trois scènes christologiques et les six sacrements principaux de l'évêque. L'ordre de présentation a été dérangé lors d'une restauration au XVIIIᵉ siècle.

On distingue, de gauche à droite et de haut en bas : 1) ordination d'un diacre ; 2) baptême du Christ dans le Jourdain ; 3) apparition du Christ sur le mont Thabor ; 4) consécration du saint chrême (le jeudi saint) ; 5) apparition du Christ à ses disciples le soir de Pâques ; 6) dédicace d'une église ; 7) confirmation d'un enfant ; 8) bénédiction de l'eau et du feu (cierge pascal du samedi saint) ; 9) baptême d'un enfant en présence du *susceptor*, parrain, et de la marraine. Plaque d'ivoire également, le plat inférieur de la couverture illustre, en une suite presque filmique, les neuf aspects d'une messe célébrée à la manière romaine.

4. Plat supérieur de la reliure du *Sacramentaire de Drogon*, décoré de plaques d'ivoire. Vers 844.

Ottoniens et Capétiens

LE Xᵉ SIÈCLE, SOUVENT – ET à tort – considéré comme le *saeculum obscurum,* est en fait marqué par un renouveau après les calamités dues aux invasions normandes dans l'Ouest, aux incursions hongroises en Bourgogne et en Lorraine, sarrasines dans le midi de la France. Grâce à un pouvoir royal plus précocement stabilisé en Germanie – la dynastie ottonienne inaugure son règne en 919 –, l'art de la partie orientale de l'ancien Empire carolingien connaît un épanouissement étonnant dans ses provinces les plus orientales. De grands foyers d'art naissent à Magdebourg, Quedlinburg, Halberstadt, Gernrode. Le génie artistique de Bernward († 1022), évêque et abbé de Saint-Michel de Hildesheim, vaut à l'art ottonien finissant des œuvres d'une ampleur et d'une qualité extraordinaires. Le rôle des abbesses n'est pas moins important : ainsi celui de Mathilde et de Théophano à la Trinité d'Essen (1ʳᵉ moitié du XIᵉ siècle).

Le xᵉ siècle est aussi celui des grandes réformes monastiques en France, celle de Cluny en tête (910), abbaye dont la puissance devient prépondérante dès les environs de l'an mille. Dans l'historiographie française, ce Xᵉ siècle porte encore le nom de « carolingien », puisque la relève dynastique ne se fait qu'en 987, avec Hugues Capet. Mais le renouveau – en Île-de-France surtout – a été préparé par son père, Hugues le Grand. En Bourgogne, Guillaume de Volpiano, abbé de Saint-Bénigne de Dijon, construit l'une des abbatiales les plus importantes du premier art roman. Celui-ci connaît un essor particulièrement remarquable en Catalogne et en Roussillon, ainsi qu'en Lombardie.

La renaissance ottonienne

ARCHITECTURE (COLOGNE, HILDESHEIM), SCULPTURE (HILDESHEIM) ET PEINTURE DES MANUSCRITS (REICHENAU, TRÈVES, COLOGNE) TÉMOIGNENT D'UN MOMENT GRANDIOSE DE L'ART ALLEMAND.

Avec le couronnement royal, en 936, d'Otton le Grand, empereur en 962, s'ouvre une période faste pour l'art monumental. Le frère du roi, Brunon, archevêque de Cologne, agrandit sa cathédrale et fait construire l'église Saint-Pantaléon (965-984). L'antéglise occidentale de cette abbatiale reprend la formule des *Westwerke* carolingiens. Mais les chefs-d'œuvre de l'architecture ottonienne se situent au berceau même de la dynastie ottonienne, c'est-à-dire en Saxe, à Quedlinburg, Magdebourg, Goslar, Hildesheim. L'incontestable chef-d'œuvre de cette période est l'abbatiale Saint-Michel de Hildesheim, du début du XIᵉ siècle. Œuvre de Bernward, homme d'esprit et prince d'Église à la fois, et de Goderamnus, architecte de Saint-Pantaléon, l'église Saint-Michel résume les aspirations de son temps avec autant de puissance et de clarté que l'abbatiale de Centula (auj. Saint-Riquier) pour l'époque précédente, carolingienne. Le volume extérieur reprend la formule carolingienne de l'église à transept double (comme l'abbatiale contemporaine de Reichenau-Mittelzell). Tout en conservant à sa partie orientale trois absides assez plates, Bernward met l'accent liturgique dominant sur l'abside occidentale, très profonde. Ce chœur, bâti *more romano* (à la manière des basiliques romaines), repose sur une crypte dont le déambulatoire s'inspire probablement des déambulatoires absidiaux de France (Saint-Martin de Tours, Évron). Les deux transepts sont, à l'intérieur, garnis de tribunes à étage double. La nef centrale se compose de trois triades d'arcs, allusion manifeste à l'archange et à ses légions célestes, habituellement au nombre de neuf, comme les ordres angéliques du pseudo-Denys. Enfin deux massives tours de croisée couronnent les transepts, dont les quatre tourelles octogonales desservent les tribunes.

Bernward ne fut pas seulement un architecte de génie, mais aussi un grand sculpteur. Si les colonnes de son église sont couronnées de chapiteaux très simples, mais nouveaux à l'époque, dits « cubiques » (compénétration du cube et de la sphère), son génie plastique se révèle dans la porte de bronze qu'il élabora (avec d'autres sculpteurs) pour son tombeau et qui fut transporté, en 1035, à la cathédrale d'Hildesheim. Les deux vantaux, hauts de 4,72 m, comportent chacun huit panneaux illustrant des épisodes de l'Ancien et du Nouveau Testament avec un dépouillement, une clarté de composition et une force dramatique inimitables.

La miniature constitue l'autre volet majeur de l'art ottonien. C'est le *scriptorium* de l'île de Reichenau qui est le centre des plus splendides réalisations. Le moine Liuthard y peint l'*Évangéliaire* dit d'*Otton III,* conservé à Munich. Le sommet est atteint avec le *Livre des Péricopes* d'Henri II (Munich), enluminé entre 1007 et 1014 et suivi de peu par l'*Apocalypse* de Bamberg. Dans ces deux manuscrits, les figures ont grandi et dominent un espace de plus en plus vide, de plus en plus pénétré d'or. La spiritualité de ces images témoigne d'une sorte d'intimité avec Dieu, la même qui émane des portes de bronze de Hildesheim. D'autres ateliers de peinture sont également fort actifs : ainsi celui de Trèves, où travaille le maître du *Registrum Gregorii* (984) ; son portrait de Grégoire le Grand est d'une grande limpidité et révèle aussi une sensibilité de coloriste peu commune. En revanche, l'auteur du *Codex Hitda* (conservé à Darmstadt) sait dramatiser le mouvement à outrance, comme le montre la *Tempête* subie par les apôtres sur le lac de Tibériade.

La peinture murale de la période n'atteint pas à l'intensité et au niveau de qualité de celle des manuscrits ; les fresques d'Oberzell-Reichenau (peintes v. 975-980) présentent pourtant une remarquable densité narrative.

Mentionnons enfin l'influence de Byzance sur divers secteurs de la production ottonienne, sensible par exemple dans l'antependium d'or de la cathédrale de Bâle (1015-1024), conservé au musée de Cluny à Paris. •

Réforme des monastères de France

PLUS QUE SAINT-MICHEL DE HILDESHEIM, CLUNY S'INSÈRE DANS UN VASTE MOUVEMENT DE REMISE EN ORDRE, DEVENU INDISPENSABLE APRÈS LA TOURMENTE NORMANDE.

Quelques exemples suffisent pour montrer cet élan général, relevé avec enthousiasme par Raoul Glaber, chroniqueur de Saint-Bénigne de Dijon : Fleury/Saint-Benoît-sur-Loire procède à sa réforme en 922, Saint-Martial de Limoges en 934, Saint-Arnould de Metz en 941. Les abbayes mosanes (Lobbes, Gembloux, Gand) suivent entre 960 et 970, sans oublier, en Roussillon, Saint-Michel de Cuxa. Mais en tête se place Cluny, fondée en 910 et qui va bénéficier d'importants privilèges accordés par la papauté. Les abbés Mayeul (954-994) et Odilon (994-1049) font de Cluny la première des abbayes du monde chrétien occidental. Mayeul est le bâtisseur de Cluny II, dédicacée en 981. Le coutumier de Farfa (abbaye clunisienne du Latium), conservé à la Bibliothèque vaticane et contenant la description précise du monastère du début du XIᵉ siècle, ainsi que les fouilles opérées par l'Américain K. J. Conant nous donnent une image exacte de cette abbatiale, remplacée par la grandiose Cluny III à partir de 1088. Cluny II avait surtout un chevet très développé, constitué de cinq vaisseaux aboutissant à des absides échelonnées en profondeur. Ce chœur était greffé sur un transept d'une envergure considérable qui barrait une nef centrale large, bordée de bas-côtés étroits. À l'ouest, un spacieux narthex appelé « galilée » servait de

1. Le Christ calmant la tempête, page de l'*Évangéliaire de l'abbesse Hitda,* ou « Codex Hitda » ; école de Cologne, début du XIᵉ s.

Le Codex Hitda

Cette grande image (1) offre un saisissant raccourci, dramatisé à souhait, d'un épisode évangélique plusieurs fois représenté par les peintres ottoniens : la barque – à l'aspect de poisson – du Christ et des apôtres résistant à une tempête sur la mer de Galilée.

départ aux nombreuses processions qui, dans une tradition encore carolingienne, animaient la liturgie des clunisiens. Deux puissantes tours veillaient sur l'atrium. Le cloître situé au sud de l'abbatiale – en parfaite conformité avec le plan idéal de Saint-Gall – fut richement embelli par Odilon à la fin de son abbatiat.

Deux églises romanes de Suisse, Romainmôtier et Payerne, se calquent tout particulièrement sur l'abbatiale de Mayeul. Celle-ci a aussi été imitée en Allemagne, notamment en Souabe (Hirsau, Alpirsbach). En France, l'église priorale de Chapaize en Bourgogne donne une bonne idée de ce que fut, en bien plus grand, Cluny II. Cette remarque vaut également pour le narthex-galilée de Saint-Philibert de Tournus.

Mais l'église qui porte en elle les germes les plus féconds pour le futur art roman est celle que Guillaume de Volpiano éleva à Dijon, de 1002 à 1018, à la place de l'ancienne abbatiale carolingienne de Saint-Bénigne. Ici, comme à Cluny (d'où venait Guillaume), tout le poids liturgique se trouvait placé à l'est de l'église, où cinq absides s'échelonnaient autour d'une rotonde vouée à la Vierge. La rotonde de Guillaume communiquait avec l'église abbatiale sur trois niveaux : la crypte circulaire (seule partie subsistante) prolongeait une basilique souterraine en forme de T ; le premier étage de la rotonde correspondait au niveau liturgique principal, marial ; enfin, l'étage du haut, dédié à l'archange saint Michel, était relié aux tribunes de la basilique. Par la concentration exclusive de la liturgie sur le chevet oriental, Saint-Bénigne annonce directement les chœurs monumentaux à déambulatoire et chapelles rayonnantes de l'époque romane (Saint-Martin de Tours, la cathédrale de Chartres, l'abbatiale d'Évron...). Elle a probablement inspiré aussi l'église à plan centré que l'évêque-abbé Oliba (1008-1035) ajouta vers l'ouest à l'église abbatiale de Saint-Michel de Cuxa. À la charnière du premier millénaire, la Catalogne et le Roussillon peuvent rivaliser avec l'architecture de la Bourgogne ou du Val de Loire. La notion de « premier art roman », proposée jadis par l'archéologue Puig y Cadafalch et illustrée magnifiquement par l'abbaye catalane de Cardona, peut aussi s'appliquer au pays catalan français (où le linteau de Saint-Génis-des-Fontaines illustre une renaissance de la sculpture) et par extension au couloir rhodanien.

Un apport non négligeable à la naissance de l'art roman sera fourni par l'Île-de-France. Les clochers-porches de Saint-Germain-des-Prés à Paris, de Saint-Père de Chartres ou de la collégiale de Poissy témoignent de la force juvénile de cet art de l'an mille, suivis par les belles nefs du XIᵉ siècle : Juziers, Gassicourt... Le mérite de cet élan revient à Hugues le Grand, à Hugues Capet, premier roi de France, et au fils de ce dernier, Robert le Pieux, qui a pour frère Gauzlin, abbé de Fleury (Saint-Benoît) et auteur à ce titre, selon la phrase de R. Glaber, « de la plus puissante et la plus belle tour de France ».

●

L'essor artistique en Italie

L'ITALIE LOMBARDE, SURTOUT, SUIT L'ÉVOLUTION DE L'ART OTTONIEN, COMME EN TÉMOIGNENT SANT'ABBONDIO DE CÔME AINSI QUE LES ÉGLISES DE GALLIANO OU DE LOMELLO.

Sant'Abbondio est entreprise en 1012. La nef aux cinq vaisseaux, avec ses hautes colonnes coiffées de chapiteaux cubiques, dilate l'espace avec générosité. Même des édifices plus modestes, comme la basilique de Galliano, aux environs de Côme, restaurée de 1004 à 1007, ne manquent pas d'impressionner. La présence d'une crypte vaut au chœur un surhaussement considérable : deux ambons de part et d'autre de la plate-forme centrale rappellent l'agencement du chœur majeur tel qu'il apparaît sur le plan de Saint-Gall. Une extraordinaire fresque du Christ debout, à la manière romaine, domine cette abside de sa haute silhouette. Mais presque plus impressionnant que lui est l'archange dont le visage, aux traits métallisés, rappelle les plus belles figures romaines du VIIIᵉ siècle. Le prophète Jérémie se projette en avant dans une prokynèse (prosternation) chère aux peintres ottoniens, qui met en valeur, en relief même, les plis de son ample vêtement. D'une autre main, moins monumentale, sont les scènes au bas de la conque absidiale, qui illustrent le martyre et la mise au tombeau de saint Vincent ; ces peintures ne sont pas éloignées de celles qui ornent le baptistère de Novare.

On peut encore signaler, dans le Piémont, les robustes fresques découvertes récemment dans les combles de la collégiale Saint-Pierre-Saint-Ours d'Aoste. Vers le sud, dans le Latium, doit être mentionné le cycle apocalyptique de Castel Sant'Elia, près de Civitacastellana : sur le mur oriental du bras sud du transept se déroule la procession solennelle des vieillards de l'Apocalypse levant leur coupe en direction du Seigneur. Hautes silhouettes, plus diaphanes que celles d'Oberzell ou de Galliano, mais qui, avec leur façon aérienne de marcher, s'inscrivent tout à fait dans la grande tradition ottonienne. ●

→ **Voir aussi :** L'époque carolingienne, ARTS, p. 206-207. Le sanctuaire roman, ARTS, p. 212-213. La peinture romane, ARTS, p. 216-217.

L'église de Lomello

Santa Maria Maggiore de Lomello (2, 3) présente le type même de l'église lombarde du « premier art roman », renfermant des données venues de l'Allemagne ottonienne.

Intérieurement, en particulier, la nef est renforcée de deux en deux arcades par de magnifiques arcs diaphragmes, l'une des fiertés de l'architecture ottonienne (voir St-Pierre-aux-Nonnains à Metz, v. 990). À l'extérieur se voit un décor caractéristique de « bandes lombardes » (lésènes et petites arcatures). Le baptistère attenant, octogonal (symbole de la Résurrection), est entouré de huit chapelles alternativement rectangulaires et semi-circulaires, composant un plan cruciforme.

2. Baptistère et église Santa Maria Maggiore de Lomello (province de Pavie). Église d'environ 1020, baptistère plus ancien.

3. Nef de l'église de Lomello.

4. Linteau (en réalité panneau d'autel remployé) de l'église de Saint-Génis-des-Fontaines en Roussillon, daté de 1019 : Christ bénissant, deux séraphins et six apôtres.

La basilique Saint-Marc de Venise

D E TOUS LES MONUMENTS vénitiens, la vieille basilique est celui qui offre la meilleure synthèse de toute l'histoire politique et artistique de la République marchande.

Quand, en 828, deux négociants subtilisèrent audacieusement au profit de Venise les reliques (supposées) de saint Marc conservées à Alexandrie, l'événement marqua le point de départ de l'histoire de la basilique et, parallèlement, inaugura la politique d'expansion commerciale de la jeune République marchande, qui devint l'une des premières puissances maritimes de la Méditerranée. La possession de ces reliques donna à Venise un immense prestige. La ville fut d'ailleurs placée sous le vocable et la protection du saint évangéliste, qui se substitua à l'ancien patron, Théodore. Cette possession fit de la cité un lieu de pèlerinage de premier plan et contribua à renforcer l'autorité des doges, qui, désormais, cumulèrent les fonctions de chef politique et spirituel, comme le faisaient les empereurs byzantins.

Pour abriter ces reliques, on construisit une basilique qui, naturellement, s'inspira des monuments de Constantinople, centre d'une civilisation alors à son zénith. On l'implanta près du palais des Doges, lui conférant ainsi une double vocation de martyrium et de basilique dogale. Si le monument est un excellent témoignage artistique du rayonnement de Byzance, il reflète aussi l'extraordinaire expansion de la République marchande et ses entreprises pacifiques ou militaires. Saint-Marc est un véritable musée sur et dans lequel des œuvres d'époques et de provenances diverses se sont accumulées, chacune évoquant une page d'histoire de Venise : les quatre chevaux de bronze doré qui ornent la façade, par exemple, proviennent de la prise de Constantinople en 1204, à laquelle Venise participa activement.

Cet événement, en fait, aida Venise à se libérer de la tradition byzantine jusque-là dominante. À côté de l'ancien style vénéto-byzantin des XIe-XIIIe siècles qui forme le fond architectural et ornemental de la basilique, on vit apparaître des influences nouvelles, romane, gothique et Renaissance, qui marquèrent de leur empreinte l'architecture et le décor de Saint-Marc.

L'architecture

BYZANTINE DANS SA CONCEPTION, VÉNITIENNE DANS SON EXPRESSION, LA BASILIQUE EST PORTEUSE DE SIGNIFICATIONS MULTIPLES.

C 'est sous les dogats de Giustiniano et Giovanni Partecipazio, en 832, que fut inaugurée la première basilique. On fit alors appel à des architectes byzantins, qui conçurent leur projet en s'inspirant de l'église des Douze-Apôtres de Constantinople.

Incendiée en 976, cette première basilique fut d'abord restaurée, puis complètement remaniée sur la base d'un programme beaucoup plus ambitieux mené à bien entre 1063 et 1094 (à l'époque des doges D. Contarini, D. Selvo et V. Falier).

Saint-Marc garde l'empreinte profonde de sa filiation à l'art byzantin, par son plan tout d'abord. Assimilable à une croix grecque, celui-ci présente une courte nef à trois vaisseaux et un transept divisé de même, le tout précédé d'un narthex (ou atrium) et se terminant à l'est par un chœur à triple abside. Même filiation pour ce qui est du système de couverture à cinq coupoles et en ce qui concerne la sobriété originelle des murs extérieurs, en brique, contrastant avec la somptuosité du décor intérieur.

Aux XIIe et XIIIe siècles, la basilique fit l'objet d'importants travaux de gros œuvre et d'embellissement. Les anciennes coupoles byzantines hémisphériques furent remplacées par des coupoles surélevées et rehaussées de lanternons. La façade primitive, austère, fut transformée : on élargit le portail central, une arcade complémentaire sur colonne d'angle remplaça les piliers extérieurs du niveau bas, tandis que l'ensemble s'agrémentait de colonnes, de reliefs et de mosaïques (portail de Sant'Alipio). On prolongea enfin le narthex sur les façades nord et sud. Vers le milieu du XIIIe siècle furent installés sur la loggia les fameux chevaux de bronze doré provenant du sac de Constantinople (1204), que l'on nomme depuis « chevaux de Saint-Marc ».

La basilique prit finalement son allure actuelle à la fin du XIVe siècle et au début du XVe, quand elle reçut son couronnement gothique fait d'édicules à flèches et d'accolades ornées de saints personnages et de motifs floraux sculptés, œuvre notamment des deux frères Dalle Masegne et de Niccolo Lamberti.

Naturellement, au cours des siècles suivants, elle ne cessa jamais de subir des transformations ou des restaurations (chapelle funéraire du cardinal Zen installée en 1501 dans l'angle sud du narthex). Néanmoins, celles-ci ne modifièrent que très légèrement l'aspect de la basilique, qui, aujourd'hui, se présente à nous telle que Gentile Bellini l'a représentée au XVe siècle dans sa *Procession sur la place Saint-Marc*. ●

Le décor intérieur

DE SOMPTUEUSES MOSAÏQUES, SURTOUT, MONTRENT L'INFLUENCE CONSIDÉRABLE QUE BYZANCE A EXERCÉE SUR LA CITÉ VÉNITIENNE.

I ntérieurement, Saint-Marc ne peut manquer de surprendre tant le décor y est riche et abondant. Les nombreuses colonnes de marbre aux chapiteaux sculptés, les pavements polychromes aux ingénieux arrangements géométriques, les revêtements de marbre des murs et les mosaïques à fond d'or créent une atmosphère irréelle, à la fois chaude et solennelle.

Ce sont les mosaïques qui étonnent le plus par leur ampleur. Elles couvrent sur plus de 4 000 m² les coupoles, les voûtes, les piliers et les parties supérieures des murs. L'emploi généralisé des fonds d'or, si caractéristique de la manière byzantine de cette époque, contribue à la somptuosité et à la majesté des lieux, baignant Saint-Marc dans une lumière dorée et transfigurant les personnages représentés. Ces œuvres obéissent à un programme iconographique rigoureux, ins-

piré de celui de l'église des Douze-Apôtres de Constantinople : du prologue que constituent les scènes de l'Ancien Testament du narthex jusqu'au *Jugement dernier* du mur intérieur ouest, en passant par les trois coupoles médianes *(Christ-Emmanuel, Ascension* et *Pentecôte),* c'est toute l'histoire de l'Église et du salut qui est évoquée, selon une conception proprement byzantine.

Les mosaïques de Saint-Marc ont pour l'essentiel été exécutées aux XIIe-XIIIe siècles par des maîtres byzantins ou par leurs élèves. Toutefois, leur style n'est pas homogène. Celles du XIIe siècle – la

coupole de l'Ascension par exemple – se rattachent par leur mouvement et le maniérisme des attitudes aux créations byzantines de l'époque. Dans celles du XIIIe siècle, par contre – narthex et collatéraux –, certains détails décoratifs laissent déjà transparaître une influence gothique. Ce style gothique triomphera au XIVe siècle dans les mosaïques qui tapisseront le baptistère (annexe sud de la basilique, communiquant avec la chapelle Zen).

Finalement, après la chute de Constantinople en 1453 et l'épanouissement de la Renaissance italienne, une facture nouvelle, picturale et naturaliste, caractérise les dernières mosaïques, en rupture avec la tradition byzantine. Datant des XVIe et XVIIe siècles, certaines ont été réalisées à partir de cartons du Tintoret ou de Titien (*Saint Marc en extase*). •

Les chevaux de Saint-Marc

PARMI LES NOMBREUSES SCULPTURES
QUI ORNENT LE MONUMENT, LES QUATRE CHEVAUX
DE LA FAÇADE ONT UNE PLACE PRIVILÉGIÉE.

Tout d'abord, c'est le seul groupe de chevaux en bronze doré de l'Antiquité qui nous soit parvenu dans cet état de conservation et qui présente des dimensions aussi importantes. Leur taille dépasse 2,30 m en hauteur, 2,50 m en longueur. Leur allure et leur nombre, ainsi que les traces de harnachement qui subsistent, prouvent qu'à l'origine ils formaient ensemble l'attelage d'un char (quadrige) comme on peut en voir sur certains reliefs antiques.

Ensuite, on sait avec certitude qu'ils faisaient partie de la part du butin que les Vénitiens reçurent après la prise de Constantinople en 1204. Leur transfert à Venise et leur installation au centre de la façade de Saint-Marc, sur la loggia au-dessus du porche central, dominant la place, montrent que les Vénitiens leur accordaient une grande valeur emblématique et artistique. Emblématique, dans la mesure où le quadrige, étroitement lié à l'idée du triomphe impérial, manifestait la puissance de Venise et rappelait la victoire remportée sur les Byzantins. Artistique également, car l'installation des chevaux au centre de la façade – où ils sont aujourd'hui remplacés par des copies, les originaux étant abrités à l'intérieur du monument – se fit dans le cadre d'un vaste programme de restructuration et d'embellissement de la vieille basilique.

Celle-ci, comme nous l'avons noté, perdit alors son austérité première et prit un aspect décoratif et coloré qu'appréciaient les Vénitiens. Mosaïques byzantines, sculptures romanes des voussures, placages de marbre et colonnes aux riches chapiteaux du même matériau constituèrent dès lors le cadre quelque peu éclectique donné à ces chevaux, dont l'époque et le lieu de production restent inconnus : œuvres hellénistiques ou romaines inspirées du classicisme grec. Par l'harmonie de leurs formes et de leurs proportions, la solennité et l'élégance de leur allure, leur expression retenue, ils n'ont jamais cessé d'inspirer les peintres et les sculpteurs qui les ont approchés, servant de modèle artistique et contribuant ainsi à la gloire de Venise. •

La mosaïque de la *Genèse*

En trois registres circulaires, cette œuvre du XIIIe siècle, diaprée d'or et de couleurs franches, raconte la création du monde et l'histoire d'Adam et Ève.

1. Une des petites coupoles du narthex, dont la mosaïque illustre la *Genèse*.

2. Façade principale (occidentale) et flanc sud de la basilique.

Les arts somptuaires

LE GRAND NOMBRE ET LA VALEUR
DES OBJETS D'ART QUE RENFERME LA BASILIQUE
TÉMOIGNENT DE LA PASSION DE VENISE POUR LE LUXE,
LES MATIÈRES RARES ET PRÉCIEUSES,
LES BEAUX OUVRAGES.

Les relations maritimes et commerciales que Venise entretenait avec l'Occident latin, l'Orient byzantin et le monde islamique ont fait affluer vers celle-ci de riches collections d'objets d'art, des étoffes somptueuses et toutes sortes de produits de haute valeur. Ces collections provenaient également d'opérations militaires. La basilique abrite précisément un trésor réputé dont une grande partie fut rapportée de Constantinople. Il se compose pour l'essentiel d'objets liturgiques – calices, reliquaires, encensoirs, icônes – fabriqués dans des matières précieuses, or, argent, pierres fines, lapis, cristal de roche, par des orfèvres byzantins maîtrisant à la perfection certaines techniques comme l'émail cloisonné. Ce goût somptueux et cette haute technicité des Byzantins ont fasciné Venise et influé sur les créations de ses propres orfèvres. Ceux-ci ont repris les techniques byzantines et parfois adapté, dans des œuvres d'un style éclectique renouvelé, certains originaux byzantins.

La célèbre icône de l'archange saint Michel en argent doré, émail et pierres semi-précieuses est une œuvre byzantine du Xe siècle. Par contre, son encadrement extérieur en filigrane est un ajout vénitien postérieur. Autre exemple, le reliquaire du bras de saint Georges : monture, émaux et couronnement sont vénitiens (XIVe-XVIe s.), le reliquaire lui-même byzantin (XIIe s.). L'une des pièces majeures du trésor de Saint-Marc, la *Pala d'oro* (voir ci-dessous), illustre admirablement cette manière vénitienne où s'entremêlent avec faste des créations d'époques et d'inspirations différentes.

→ **Voir aussi :** Les cités-États en Italie, **HIST**, p. 86-87. Byzance Un art chrétien et impérial, **ARTS**, p. 164-165.

3. Détail de la *Pala d'oro*.

La *Pala d'oro* ou « retable d'or »

Réalisé vers 1345, ce devant d'autel se compose de plaques d'or émaillées insérées dans un encadrement architectural (3,04 × 2,10 m) richement ciselé et orné de perles et de pierres fines. Les différents thèmes – grandes fêtes, rangées d'anges et de saints personnages, scènes évangéliques et de la vie de saint Marc – sont ordonnés autour de la figure centrale du Christ Pantocrator. Byzantine en ce qu'elle utilise des plaques d'émaux cloisonnés réalisées par des maîtres grecs aux Xe-XIIe siècles, l'œuvre est vénitienne et d'inspiration occidentale par le style de certains émaux complémentaires, par l'organisation des thèmes et par son encadrement, qui présente gâbles, accolades, arcs brisés et autre éléments gothiques.

Le sanctuaire roman

UN ÉPANOUISSEMENT MOnumental grandiose se produit à partir de 1030 environ, plus évident d'abord en Allemagne qu'en France, dont l'architecture romane excelle surtout par la variété régionale. Mais les routes du pèlerinage de Saint-Jacques-de-Compostelle jouent un rôle important de liaison, faisant circuler idées et formes.

Le culte des reliques, en vogue depuis l'époque carolingienne, atteint maintenant son point culminant ; il génère la création de cryptes immenses et surtout de grands déambulatoires absidiaux, munis de chapelles rayonnantes. À l'extrémité ouest des grands sanctuaires, l'antéglise - « galilée » (Tournus, Vézelay, Conques, Saint-Sernin de Toulouse) continue à offrir en période pascale le cadre adapté à la glorification du Seigneur. Les tours-porches (Fleury/Saint-Benoît-sur-Loire, Saint-Savin-sur-Gartempe, Notre-Dame de Jumièges) servent de tribune au drame liturgique pascal, première manifestation théâtrale du Moyen Âge. Désormais, pour parer aux incendies nourris par les couvrements charpentés, les églises sont voûtées, par des voûtes en berceau d'abord, des voûtes d'arêtes ensuite.

Le sommet de l'art roman sera atteint avec la dernière abbatiale de Cluny – Cluny III –, la plus grande église de la chrétienté. L'opulence du décor clunisien, l'hypertrophie liturgique s'exerçant au détriment de la prière personnelle et du travail manuel, exigés par la règle de saint Benoît, suscitent la réaction de Bernard de Cîteaux et la naissance de l'art cistercien, extrêmement dépouillé.

L'essor de l'architecture s'accompagne de celui de la sculpture monumentale. Progressivement, celle-ci s'émancipe des motifs géométriques et floraux pour évoluer vers la figuration. De vastes programmes iconographiques ornent les cloîtres des environs de 1100 (Moissac ; Silos ou Gérone en Espagne) et, peu après le tournant du siècle, les grands portails sculptés à la gloire du Christ (Moissac, Beaulieu, Vézelay, Autun) enrichissent l'art roman de nouveaux joyaux. Souvent, ces portails sont insérés dans de somptueuses façades, dont le Poitou et la Saintonge sont particulièrement riches : en donnent l'exemple Notre-Dame-la-Grande de Poitiers, l'abbaye aux Dames de Saintes.

Voûtes et supports

LA FIN DU XIᵉ SIÈCLE GÉNÉRALISE LE VOÛTEMENT DES NEFS : BERCEAUX EN PLEIN CINTRE OU BRISÉS, COUPOLES PARFOIS, OU LOURDES VOÛTES D'ARÊTES AUXQUELLES L'ARCHITECTURE GOTHIQUE SUBSTITUERA LA CROISÉE D'OGIVES.

Le voûtement est connu en France depuis une haute époque : absides et hypogées de modestes dimensions en ont bénéficié depuis le VIᵉ siècle. Calottes bâties en cul-de-four ou berceaux lisses, dépourvus de toute armature, se rencontrent fréquemment à l'époque mérovingienne, tandis que la voûte d'arête est souvent utilisée dans l'architecture carolingienne. Très tôt (Xᵉ siècle), des croisées d'arêtes couvrent les bas-côtés sans qu'il soit encore question de les tendre au-dessus du vaisseau central. Celui-ci, au XIᵉ siècle, est couvert d'une voûte en berceau, cintré d'abord (Saint-Sernin de Toulouse, Notre-Dame-la-Grande de Poitiers), brisé ensuite (Cluny III, Paray-le-Monial). Les voûtes d'arêtes sur nef centrale sont plus rares, parce que fort lourdes et obligeant l'architecte à construire par modules à peu près carrés. Ce qui est fait à Spire lors de la réfection de la cathédrale, entreprise à la demande de l'empereur Henri IV en 1083.

Les supports évoluent en conséquence. Des lourds piliers muraux à sections rectangulaires, on passe au XIᵉ siècle soit à des piliers ronds et hauts (Tournus, Saint-Savin), soit à des piliers articulés, « composés » (Bernay, Saint-Bénigne de Dijon), pour aboutir enfin à des solutions cruciformes, joliment arrondies (Notre-Dame-la-Grande, Charroux). On pratique déjà une alternance des supports (pilier – colonne – pilier) qui, avec ses accents fort et faible, rythme les nefs et contribue au voûtement : souvent, en effet, les pilastres, côté nef, se prolongent en arcs-doubleaux ceinturant solidement la voûte. •

1. Saint-Nectaire, vers le milieu du XIIᵉ s. : la structure du chevet correspond à un chœur à déambulatoire et chapelles rayonnantes ; le transept est couronné d'une tour-lanterne par l'intermédiaire du « massif barlong » auvergnat.

Une grande architecture

NORMANDIE, BOURGOGNE, AUVERGNE – MAIS AUSSI PAYS DE LOIRE, POITOU, ETC. – SONT LE THÉÂTRE DE L'ÉPANOUISSEMENT DE L'ARCHITECTURE ROMANE FRANÇAISE AU XIᵉ SIÈCLE.

Le renouveau monumental débute en France avec la construction, à partir de 1026, de la « plus grande tour des Gaules », le clocher-porche de l'abbé Gauzlin à Saint-Benoît-sur-Loire. Cette construction, qui s'est prolongée au-delà du milieu du siècle, a été suivie de peu par celle de l'abbatiale Sainte-Foy de Conques, consacrée en 1060. Elle représente une parfaite synthèse des principaux éléments constitutifs du sanctuaire roman. Au chœur à déambulatoire, entouré de chapelles rayonnantes, répond une façade-*Westwerk* dont se dégagent deux tours indépendantes, formule qui deviendra classique. Façade et chœur sont reliés par une courte nef ceinturée de hautes et spacieuses tribunes qui enrobent même le transept, presque aussi large que celui de Saint-Sernin de Toulouse, bâti une génération plus tard (dernier quart du siècle).

L'Auvergne connaît assez tardivement, vers la fin du XIᵉ et au début du XIIᵉ siècle, un essor d'une grande richesse. Les formules architecturales essayées ailleurs y trouvent leur application pleinement mûrie. C'est notamment le cas des chevets à déambulatoire semi-circulaire et chapelles rayonnantes dont s'enorgueillit à juste titre toute église auvergnate de quelque ampleur : Notre-Dame-du-Port à Clermont-Ferrand, les églises d'Orcival, d'Issoire, de Saint-Nectaire. Le chœur lui-même, prolongé d'une travée droite, s'appuie contre un transept dont la partie centrale, surélevée, dessine un massif barlong, typique de l'art roman auvergnat. De ce volume aux angles coupés en biseau jaillit une tour de croi-sée octogonale. Les nefs des églises d'Auvergne sont rythmées d'arcades hautes et resserrées, surmontées de tribunes, mais sans claire-voie, le berceau de la voûte descendant assez bas. L'éclairage est assuré par les fenêtres des collatéraux, qui sont relativement élevés et ont, eux, des voûtes d'arêtes pour couvrement.

En Normandie, les nefs, fort hautes, sont dotées de tribunes qui occupent parfois aussi l'intégralité des croisillons du transept. Deux tours audacieuses viennent dominer, comme à Notre-Dame de Jumièges (1027) ou à l'abbaye aux Hommes, Saint-Étienne de Caen (1059), un massif occidental d'une sévère puissance.

La palme des églises romanes revient à Cluny III, la dernière des abbatiales du grand ordre. Les préparatifs de cette gigantesque construction, longue de 187 mètres, commencent dès 1077. Le gros œuvre du chevet fut entrepris en 1088 et terminé, avec son double transept, avant 1109, année du décès de saint Hugues. En 1130, la nef (30 m sous voûtes) était terminée et dans les décennies suivantes on ajouta un monumental galilée (antéglise). Ce plus grand sanctuaire de la chrétienté fut sottement détruit après la Révolution, entre 1802 et 1816.

Sa rivale en monumentalité, la cathédrale de Spire en Allemagne, a eu, avec ses sœurs de Mayence et de Worms, un meilleur sort. Bâtie de 1030 à 1060, voûtée d'arêtes après 1083, elle présente une haute nef aux arcades « colossales », d'un rythme resserré. Les cathédrales du Rhin n'ont pas de chevet à déambulatoire ; toute l'activité liturgique se concentre, à Spire, sur l'abside principale ; à Worms et à Mayence, sur les deux chœurs affrontés, bipolarité qui constitue un héritage de l'époque carolingienne. •

2. Baie centrale du portail interne (v. 1120) de la Madeleine à Vézelay, reliant l'antéglise à la nef de l'abbatiale.

La sculpture monumentale

LE DÉCOR ÉPOUSE LA STRUCTURE ARCHITECTONIQUE
ET, CONJOINTEMENT AVEC LE VITRAIL OU LA FRESQUE, ACCUSE
LA SPIRITUALITÉ INHÉRENTE À L'ÉGLISE ROMANE.

Selon Marcel Durliat, le style roman, avec son goût pour une architecture articulée, « met l'accent non plus sur la continuité des surfaces, mais sur les éléments de fractionnement et de l'organisation de l'espace ». Dans ce processus, la sculpture occupe une place prépondérante. Son message spirituel s'affirme à la façade de l'église, et en particulier à son ou ses portails, dont le principal élément est le tympan. Celui-ci est dominé par l'image du Christ Sauveur qui y trône en majesté, présidant le Jugement dernier en compagnie des apôtres ou des 24 vieillards de l'Apocalypse.

À Moissac, après avoir terminé en 1100 le très beau cloître de l'abbaye, l'abbé Ansquitil, ami de saint Hugues de Cluny, songea vers 1110-1115 à la construction d'une tour-porche. Le tympan et les piédroits, avec les grandes figures contorsionnées du prophète Isaïe et de saint Pierre, furent placés d'abord à la porte ouest, puis rapportés vers 1130 sur la façade sud. Le tympan représente l'apparition du Christ, entouré des 24 vieillards, telle qu'elle est prédite dans l'Apocalypse de saint Jean. Cette grandiose vision est loin d'être unique. Les figures du portail de Beaulieu-sur-Dordogne annoncent le prophète Isaïe de l'église de Souillac, au pas dansant et à la chevelure nouée en tresses évoquant des serpents. Parmi les grands portails du Sud-Ouest, celui de Conques est l'un des plus remarquables. Comme celui de Beaulieu, il illustre le Jugement dernier selon saint Matthieu : sous les pieds du Christ Juge, environné des instruments de la Passion, est figuré le réveil des morts. Ce tympan, jadis polychrome, était comme une immense page peinte invitant les pèlerins à la méditation sur les finalités de la vie.

Le Poitou s'enorgueillit de ses façades entièrement sculptées, dont Notre-Dame de Poitiers offre l'exemple le plus célèbre. Mais la façade la plus charmante est, en Saintonge, celle du croisillon sud de l'église d'Aulnay. Véritable broderie orientale, les archivoltes du portail comportent tout un monde d'êtres fabuleux, comme à la Madeleine de Vézelay, en Bourgogne, où, dans le portail central, défilent les peuples de la Terre auxquels les apôtres apporteront le message de l'Évangile. Peuples étranges et fabuleux, tels que le Moyen Âge les imaginait à partir des récits d'Isidore de Séville ou de saint Augustin (Indiens, Pygmées, êtres aux oreilles immenses, etc.). Non moins célèbres sont certains chapiteaux de la nef de la Madeleine, œuvre d'une sorte de précurseur de Michel-Ange qui a sculpté également, vers 1115-1118, les plus beaux chapiteaux du rond-point du chœur de Cluny III.

En Provence, la façade de Saint-Gilles-du-Gard parle, avec ses trois portails monumentaux, un langage antique tout de noblesse et de grandeur, imité par le portail de Saint-Trophime d'Arles et les chapiteaux de son célèbre cloître. Mais la terre d'élection des cloîtres, c'est l'Espagne. Celui de Silos, en Castille, impressionne spécialement par les animaux et êtres fantastiques offerts à la contemplation des moines : harpies, griffons, aigles, lions, antilopes ne sont surpassés que par les chapiteaux du cloître de la cathédrale de Gérone, en particulier une sirène mystérieuse et provocante.

En Italie, c'est la cathédrale de Modène, avec son célèbre portail créé par maître Willigelmo, qui mérite la palme. L'art roman d'Allemagne, si riche en architecture, se révèle moins créatif dans le domaine de la sculpture.

3. Cloître de St-Pierre de Moissac, daté de 1100 : alternance de colonnes simples et de colonnettes jumelées, aux chapiteaux finement ciselés.

Le portail de Vézelay

Moissac, Saint-Nectaire, Vézelay, autant de hauts lieux capables d'évoquer la diversité de l'art roman sur le territoire français. La baie principale du « narthex » (antéglise ou galilée) de l'abbatiale bourguignonne (2) est un chef-d'œuvre de sculpture : au trumeau s'adosse la figure de saint Jean-Baptiste, tandis que le Christ trône au tympan parmi les apôtres ; sur le linteau et dans la voussure interne, les peuples de la Terre ; dans la voussure externe, médaillons des signes du zodiaque et des travaux des mois.

L'esthétique cistercienne

AU XIIᵉ SIÈCLE, LE DÉPOUILLEMENT DES ABBAYES DE
L'ORDRE DE CÎTEAUX RÉPOND À UNE VOLONTÉ DE RETROUVER
L'AUSTÉRITÉ PREMIÈRE DU MONACHISME.

Le développement considérable de l'activité liturgique et artistique, notamment à Cluny et dans ses prieurés, avait éloigné les moines de la stricte observance de la règle de saint Benoît. C'est pour revenir à l'austérité primitive qu'en 1098 Robert, prieur de Molesme, se retire à Cîteaux, près de Dijon. Le nouvel ordre dut sa véritable éclosion à Bernard de Fontaine, moine de Cluny, qui avec trente compagnons vint rejoindre Robert. D'une énergie rare, saint Bernard assura à l'ordre une expansion fulgurante aux dimensions de l'Europe (XIIᵉ-XIIIᵉ s.).

L'abbaye de Fontenay en Bourgogne (1139-1147), comme celle du Thoronet en Provence, illustre magistralement la nouvelle esthétique cistercienne. Fi du décor figuratif, la plus grande simplicité s'impose. Tout en conservant la clarté du plan monastique élaboré jadis pour Saint-Gall et repris par Cluny II, les cisterciens innovent. Désormais, les chevets seront rectangulaires, leurs chapelles simplement accolées au transept ; la nef avec ses voûtes en berceau brisé descendant jusqu'aux arcades aura une acoustique incomparable. Pour garantir aux moines le silence nécessaire à la méditation, une « rue des convers » longera le cloître et un deuxième réfectoire viendra jouxter celui des moines titulaires, érigé en face du lavabo.

Mais c'est surtout le refus du monde fantastique de la sculpture romane arrivée à son zénith qui caractérise la conception de l'art, très pure, des cisterciens. ●

→ **Voir aussi :** Ottoniens et Capétiens, ARTS, p. 208-209. La peinture romane, ARTS, p. 216-217.

Saint-Sernin de Toulouse

Construction, restauration et dérestauration

L'ACTUELLE CAMPAGNE DE TRAVAUX À SAINT-SERNIN EST UNE « DÉRESTAURATION », QUI SUPPRIME CERTAINES TRANSFORMATIONS, JUGÉES ARBITRAIRES, DE VIOLLET-LE-DUC.

SAINT SATURNIN, PLUS connu sous son diminutif de *Sernin*, sans doute premier évêque de Toulouse, serait mort en l'an 250, victime d'une émeute populaire. Sa sépulture attirant, au IVe siècle, de nombreux pèlerins, une première basilique fut construite au début du Ve siècle pour accueillir et honorer ses restes. Dès 844, les archives mentionnent l'existence d'une communauté monastique établie pour veiller sur le tombeau. Au XIe siècle, il s'agit d'un chapitre de chanoines, dont la richesse va connaître un prodigieux essor grâce à la réforme grégorienne et aux restitutions de biens par des laïcs qu'elle entraîne.

La construction, à la fin du XIe siècle, de la basilique actuelle, le plus grand édifice roman de France, participe du large mouvement lié au pèlerinage de Saint-Jacques-de-Compostelle. Du côté français des Pyrénées, la vitalité de celui-ci se marque par l'apparition, sur chacune des routes y menant, d'une grande église ayant en commun avec les autres certaines dispositions essentielles : à cette famille appartiennent, avant Saint-Sernin de Toulouse, Saint-Martin de Tours, Saint-Martial de Limoges (toutes deux disparues), Sainte-Foy de Conques. En plan, elles présentent une large nef à collatéraux simples ou doubles se poursuivant par un ample transept saillant, lui aussi à collatéraux, et par une abside à déambulatoire et chapelles rayonnantes ; en élévation, de vastes tribunes ceinturent la nef, le transept et le cœur.

Ces dispositions répondent aux fonctions diverses de la grande église romane riche en reliques. L'édifice s'ouvre largement aux foules par de nombreux portails, puis canalise leurs mouvements le long de cheminements latéraux, jusqu'aux chapelles où reposent les reliques. Les autels élevés dans ces chapelles permettent en outre le service simultané de nombreuses messes privées. Grâce au rejet vers la périphérie du mouvement et de l'agitation, les chanoines et les moines desservant ces grandes églises se réservent en leur centre un espace de recueillement pour la tenue de leurs offices. Il semble que cette formule architecturale ait été mise au point à partir du milieu du XIe siècle en Aquitaine et dans la vallée de la Loire. Elle est adoptée à Saint-Sernin vers 1070 et à Compostelle quelques années plus tard.

La construction, entreprise vers 1070, est d'abord rapide, d'où la consécration en 1096 par le pape Urbain II de la table d'autel, du chœur, du transept et des parties basses de la nef. En 1118, la nef s'élève jusqu'aux fenêtres des tribunes, mais les travaux sont alors interrompus. Ils sont repris et menés à bien au XIIIe siècle (hormis la façade occidentale, jamais terminée) dans le respect du parti initial. Une toiture unique saillante est mise en place, réunissant la nef et les premiers collatéraux et reposant sur un étage de « mirandes », ouvertures cintrées qui couronnent l'ensemble des parties hautes dans un double objectif de fortification et de ventilation des charpentes. Sur la croisée du transept, le beau clocher octogonal superpose, en retraits successifs, trois étages romans et deux étages typiques du gothique toulousain.

Au XIXe siècle sont vendus et démolis les bâtiments abbatiaux qui entourent la basilique : celle-ci se retrouve isolée, comme l'observe Mérimée, au milieu d'un « vide immense ». Puis, de 1860 à 1879, Viollet-le-Duc, attaché à une restauration plus « idéale » que véridique des monuments historiques, transforme brutalement les parties hautes : il supprime l'étage des mirandes, dissocie les toitures du vaisseau principal et des collatéraux et remplace les tuiles canal du chevet par d'épaisses dalles de pierre. Cent ans plus tard, les parties ainsi remaniées présentant de graves altérations, l'architecte Yves Boiret propose (1979) de revenir à l'état antérieur à 1860. Les tuiles canal sont rétablies sur le chevet et, à la suite d'un long débat, la décision est prise en 1990 d'entreprendre le rétablissement d'une toiture unitaire sur le vaisseau principal et les premiers collatéraux, ainsi que celui des mirandes, jugées significatives de la conception originelle. •

Le rond-point de l'abside

Encastrés dans le mur de la crypte supérieure, percé de baies, on voit (3) cinq des bas-reliefs en marbre de la fin du XIe siècle, dus sans doute à l'atelier de Bernard Gilduin. Au fond du sanctuaire, derrière les colonnes à chapiteaux décoratifs, émerge le baldaquin dressé par Marc Arcis au-dessus du mausolée de saint Sernin.

2. Le vaisseau principal, vers le chœur.

1. La basilique vue du sud-ouest, avec la porte Miégeville, le clocher, le croisillon méridional du transept.

L'intérieur

LA MAJESTÉ DES PUISSANTS VAISSEAUX S'ENRICHIT D'UN VASTE ENSEMBLE DE CHAPITEAUX AINSI QUE D'AUTRES PRÉCIEUSES SCULPTURES DE LA FIN DU XIᵉ SIÈCLE.

Vaisseau principal et chœur, voûtés chacun d'un berceau en plein cintre (hauteur : 21 m) que renforcent des doubleaux, constituent une impressionnante perspective d'une longueur d'environ 90 m. Les doubles bas-côtés, échelonnés en hauteur, sont voûtés d'arêtes ; les tribunes, éclairées, le sont d'un demi-berceau. Le vaste transept est construit pareillement. En 1970 ont été enlevés les enduits du XIXᵉ siècle qui cachaient l'appareil de brique et de pierre des murs et des piliers ; à cette occasion ont été dégagées quelques peintures murales, notamment un *Noli me tangere* des années 1140 (Christ d'allure dansante aux jambes croisées) et un cycle de la Résurrection en cinq registres superposés, réalisé vers 1180 dans le croisillon nord.

Saint-Sernin est riche de quelque 260 chapiteaux romans situés à la retombée des arcs en plein cintre qui jouent dans l'église des rôles divers : grandes arcades, doubleaux, encadrements des fenêtres, baies géminées des tribunes, arcature décorative du couloir de l'abside. Du fait de la relative continuité du chantier, cet ensemble ne présente aucune véritable rupture stylistique, mais plutôt une lente maturation, parfois précipitée par l'intervention d'artistes venus de l'extérieur. Les créations les plus évoluées, les plus libres, qu'il s'agisse de chapiteaux dérivés du corinthien ou historiés, se trouvent dans les collatéraux de la nef.

On connaît l'un des sculpteurs ayant participé au décor de Saint-Sernin grâce à l'inscription conservée sur la table du maître-autel en marbre blanc consacrée par le pape Urbain II en 1096. Décorée sur la tranche d'images du Christ et d'autres personnages en médaillon, d'anges volants, etc., elle livre le nom de son auteur : Bernard Gilduin. On peut attribuer au même atelier les sept bas-reliefs de marbre, un Christ en majesté, quatre anges et deux apôtres, actuellement encastrés dans le mur qui ceinture la crypte supérieure (on ignore leur emplacement primitif). Le Christ est traité comme une figure d'ivoire inspirée de l'antique. Chacun des personnages qui l'accompagnent apparaît logé sous une arcade, cantonnée en partie haute de fleurs épanouies proches de celles ornant certaines plaques et reliures carolingiennes. Mais ces figures semblent déjà aspirer à la vigueur de la ronde-bosse et vouloir échapper à leur cadre pour s'établir dans l'espace.

Au voisinage de ces sculptures se trouvent deux portes permettant d'accéder aux cryptes, aménagées aux XIIIᵉ-XVᵉ siècles. La crypte « supérieure » fut créée en liaison avec l'édification, en 1283, du baldaquin abritant la grande châsse gothique de saint Saturnin, aujourd'hui disparue. Elle servit bientôt de vestibule à une crypte « inférieure », creusée sous l'autel et le chœur pour recevoir d'autres reliques. •

---

3. Le rond-point de l'abside, vue axiale prise du déambulatoire.

Les portes

LE DÉCOR DES PRINCIPALES PORTES DE LA BASILIQUE TÉMOIGNE, PLUS OU MOINS ÉLOQUEMMENT, DE GRANDS MOMENTS CRÉATIFS DE LA SCULPTURE ROMANE.

La plus ancienne, la porte des Comtes, à l'extrémité du croisillon sud du transept, a sans doute été réalisée vers 1082. Elle doit son nom à un enfeu (niche) voisin où sont les sarcophages de plusieurs comtes de Toulouse. C'est une composition architecturale à deux arcades géminées sans tympans. Aux arcs en plein cintre des voussures correspondent les colonnettes des ébrasements, dont les chapiteaux historiés (quatre pour chacune des baies) évoquent le salut et la damnation. On y reconnaît l'illustration de la parabole évangélique du riche et du pauvre Lazare, ou les supplices promis à l'avare et à la luxurieuse. Trois bas-reliefs, qui garnissent les écoinçons entre les archivoltes, ont été bûchés à la Révolution. L'ensemble, assez dépouillé, de ce décor peut être attribué à l'atelier de sculpteurs qui a précédé celui de Bernard Gilduin ; cet atelier a travaillé aux chapiteaux historiés du déambulatoire ainsi qu'aux plus anciens du transept de la basilique.

La porte Miégeville, d'environ 1110-1115, constitue le plus bel ensemble de sculptures romanes de Saint-Sernin. Elle doit son nom à son emplacement sur le flanc sud de la nef, face à la rue qui conduit au milieu de la ville. Elle ne comporte qu'une seule baie et s'orne d'un tympan représentant l'Ascension, d'une savoureuse éloquence « primitive ». Le Christ est debout sur les nuées, les bras étendus, entouré d'anges et s'apprête à s'élever, sous le regard des douze apôtres figurés au linteau, la tête tournée vers le ciel. Trois des quatre chapiteaux des ébrasements sont historiés et évoquent le péché et la Rédemption. Plusieurs ateliers sont intervenus dans cet ensemble ; les imagiers qui taillèrent le tympan ont été visiblement sensibles à l'art du chantier de Compostelle.

Entrepris peu avant 1118 selon un très ample programme iconographique, le portail occidental n'a jamais été achevé. Ses chapiteaux présentent d'exubérants motifs animaux et végétaux, enchevêtrés dans un mouvement incessant. Avant la Révolution, plusieurs bas-reliefs en marbre associaient saint Saturnin et saint Martial dans une suite de scènes légendaires ; il n'en subsiste que deux, mutilés mais d'une qualité exceptionnelle, au musée des Augustins de Toulouse. •

Mobilier liturgique et trésor

À Marc Arcis, sculpteur du XVIIIᵉ siècle, est dû, au fond du chœur, l'ensemble baroque en marbre et bois doré qui comprend le maître-autel de cette époque ainsi que le sarcophage de saint Sernin dominé par un monumental baldaquin. Du XVIIᵉ siècle datent les stalles. La « Vierge à l'Enfant », sur le mur externe du déambulatoire, la série de boiseries et d'armoires à reliques dénommée « le Tour des Corps saints », que Viollet-le-Duc fit démonter et que l'on a réinstallée durant les années 1970. En même temps a été réorganisée la présentation du trésor de la basilique dans les cryptes restaurées. Les niches de la crypte supérieure ont été aménagées en vitrines pour recevoir les objets les plus anciens ayant échappé aux destructions révolutionnaires : à commencer par le reliquaire de saint Saturnin, châsse en argent repoussé et doré du début du XIIIᵉ siècle, probablement de fabrication toulousaine. Dans la crypte inférieure ont été mises en valeur les pièces d'orfèvrerie liturgique acquises par la paroisse après la Révolution.

La peinture romane

LA MINIATURE IRLANDAISE, les beaux manuscrits de l'époque carolingienne, les pages éclatantes des peintres ottoniens auront préparé le terrain non seulement à la peinture de livres romane, mais également à l'éclosion d'une peinture monumentale qui, entre 1050 et 1200, atteint des sommets.

Le XIᵉ siècle voit se multiplier partout en Europe les *scriptoria* : ateliers provinciaux surtout, dépendant des grandes abbayes et de quelques évêchés particulièrement dynamiques (Winchester, Rouen, Trèves, Cologne, Salzbourg), alors que la production picturale carolingienne et ottonienne était surtout un art de cour. En France, les scriptoria de Saint-Germain-des-Prés et de Saint-Denis rivalisent avec les ateliers du Nord (Saint-Amand, Saint-Omer) et ceux des abbayes normandes, le Mont-Saint-Michel et Jumièges en tête. En Angleterre, c'est Winchester qui développe une peinture manuscrite opulente, très fleurie, parente des créations carolingiennes. Les ateliers bavarois et autrichiens sont eux aussi très féconds. Enfin, en Italie, le Mont-Cassin possède un scriptorium qui a rayonné au loin.

Production riche, variée, mais tout de même moins capitale que la peinture murale, dont la France est une terre d'élection. En tête de toutes les créations se situe l'abbatiale de Saint-Savin-sur-Gartempe : la voûte de sa nef centrale comporte un vaste cycle narratif, complété par les fresques du porche, de la tribune occidentale et de la crypte. La France de l'Est n'est pas en reste avec le décor de la chapelle de Berzé-la-Ville, vrai joyau de peinture byzantinisante, et le cycle du croisillon nord de Saint-Chef en Dauphiné, couronné d'une Jérusalem céleste mémorable. Dans cette évolution, le rôle de l'Italie du Sud est important. Au Mont-Cassin et dans la proche région se forment des peintres qui feront bénéficier de leur art italo-byzantin les vastes contrées de l'Empire, Bourgogne comprise. Une floraison encore plus riche se produit en Catalogne, où la fresque le dispute à la peinture sur bois et aux magnifiques illustrations de l'*Apocalypse* de Beatus, des environs de l'an mille surtout.

La peinture sur verre, enfin, est active, même si fort peu d'exemples antérieurs au XIIᵉ siècle ont été préservés.

Origines de la peinture murale

LES EXEMPLES CAROLINGIENS DE DÉCOR PEINT SONT L'UNE DES SOURCES QUI S'OFFRIRONT AUX ARTISTES DU XIᵉ SIÈCLE.

La petite église Santa Maria foris Portas de Castelseprio, en Lombardie, possède un cycle de fresques sublimes, apparenté à celui de Santa Maria Antiqua au Forum de Rome, peint de 704 à 707. Les peintres carolingiens ont puisé dans cet héritage. En France, les fresques de la crypte de Saint-Germain d'Auxerre sont consacrées à la vie et au martyre de saint Étienne. Une autre grande composition carolingienne orne la modeste église, bâtie au IXᵉ siècle, de Saint-Pierre-les-Églises, à 2 km de Chauvigny. Son abside est décorée d'un grand cycle de fresques dédié à la Vierge et proche, dans son agencement, de celui de Castelseprio. La Crucifixion de la paroi nord est particulièrement importante, ainsi

qu'un panneau montrant *Maria Jacobi* (la mère de saint Jacques), témoin de la Résurrection. Cette œuvre, l'une des plus pathétiques de la peinture monumentale, peut avoir inspiré la Crucifixion, en bien des points semblable, de la crypte de Saint-Maximin de Trèves, peinte vers 930-935.

Mais c'est la Suisse alpestre et le Tyrol du Sud qui apparaissent comme les conservatoires les plus riches de la peinture murale du IXᵉ siècle. Dans la nef rectangulaire de l'abbatiale de Müstair (Grisons) subsiste un étonnant cycle de fresques. Se déroulant sur cinq registres, il raconte de haut en bas d'abord l'histoire de David et d'Absalon, ensuite la vie du Christ en 46 scènes, dont 33 conservées en entier ou partielle-

ment. Le mur ouest est recouvert d'un Jugement dernier monumental, qui précède de près de deux siècles celui d'Oberzell (Reichenau) ainsi que la remarquable composition en mosaïque de la cathédrale de Torcello, dans la lagune vénitienne (fin du XIᵉ siècle). Enfin, les trois hautes absides de Müstair déroulent chacune un thème à part, avec des christs dominateurs dans les calottes absidiales. L'ensemble le plus parfait de ces cycles carolingiens – qui ont largement inspiré les fresquistes du XIᵉ siècle – se rencontre à San Benedetto de Malles Venosta, située à peu de distance de Müstair, dans le Tyrol italien. Les fresques de Malles sont surtout connues pour leurs donateurs : un seigneur en habit de cour, serrant entre ses mains un glaive dans son fourreau, parfaite image de la féodalité médiévale ; en face, sur le contrefort opposé, figure l'abbé tenant le modèle de l'église. C'est le précurseur direct de Desiderio, abbé du Mont-Cassin, offrant le modèle de la basilique de Sant'-Angelo in Formis. ●

1. Détail du vitrail de la cathédrale de Chartres dit « Notre-Dame de la Belle-Verrière », vers 1180 (visages refaits au XIXᵉ s.).

2. *L'abbé Desiderio offrant le modèle de Sant'Angelo in Formis,* fresque (entre 1072 et 1087) de cette église, près de Capoue.

Chefs-d'œuvre
de la peinture monumentale

DE SAINT-SAVIN EN POITOU À TAHULL EN CATALOGNE,
EN PASSANT PAR LA CAMPANIE DE SANT'ANGELO IN FORMIS,
SE SUCCÈDENT DES TÉMOIGNAGES DE FERVEUR ET D'ART.

C'est à l'ancienne église abbatiale de Saint-Savin en Poitou que revient la primauté dans les décors muraux de l'époque romane. La voûte en berceau de la nef, longue de 42 m, totalise, à elle seule, 412 m² de fresques. Cette décoration, répartie en compartiments rubanés, illustre d'abord la Genèse. D'Adam et Ève, chassés du Paradis, on passe, par Caïn et Abel, à l'histoire de Noé, à la construction de la tour de Babel, aux histoires d'Abraham et de Joseph, pour finir avec l'épopée de Moïse. Dieu est souvent présent dans ces scènes, monumental et gracieux à la fois. « C'est partout la même humanité aux formes longues et qui conservent l'aplomb et la dignité du style mo-numental, même dans ce mouvement de danse » notait Henri Focillon. La succession des scènes s'étend sur une longueur de 168 m, œuvre de plusieurs peintres formés probablement par un fresquiste italo-byzantin, à la technique très sûre, qui a décoré lui-même les absidioles du chœur, peintes en premier, peu après 1050. De cette époque semblent dater les fresques du porche, avec le Christ Juge entouré des principales scènes de l'Apocalypse.

Une petite crypte, située dans la bourgade de Tavant en Touraine, conserve elle aussi un prestigieux décor peint. Le cycle, exécuté peu après 1100 par un peintre qui avait une profonde science de l'espace et du mouvement, tire ses sujets de l'Écriture sainte et illustre, notamment, la lutte du Bien et du Mal. Le roi David joue de sa harpe, lutte contre un lion ; on assiste au suicide de la Luxure, corps lascif, rongé par les serpents. À la dernière travée, une Descente aux Enfers (thème oriental) fait face à la Déposition de Croix, où la croix est un véritable arbre vivant.

En Bourgogne, le prieuré de Berzé-la-Ville a servi de villégiature aux abbés de Cluny. Vers 1100, alors qu'on s'apprêtait à peindre la grande abside de Cluny III, le même atelier – qui avait des liens étroits avec Byzance et le courant novateur du Mont-Cassin – a peint un Christ en majesté, haut de 3,90 m, entouré des apôtres et de quatre saints. Les fresques de Saint-Chef, en Dauphiné, sont d'une génération plus ancienne (vers 1060-1070). L'impressionnante vision théophanique du sommet de la voûte domicale du transept nord n'a pas son pareil dans l'art roman, sinon par les christs monumentaux de Catalogne (Tahull, par exemple, vers 1127), transportés au musée d'Art catalan de Barcelone. Peintes généralement sur un fond rubané, sans la moindre profondeur spatiale, les fresques catalanes vibrent par leurs couleurs intenses, presque dures.

Berceau d'une grande école de peinture, l'abbaye du Mont-Cassin nous a légué un témoin inoubliable avec le décor de la basilique de Sant'Angelo in Formis (autour de 1080). C'est l'un des plus riches de tout le Moyen Âge : d'une centaine de scènes, puisées dans l'Ancien et le Nouveau Testament, soixante sont encore conservées. Le Christ y apparaît souvent en thaumaturge, comme dans les huit grands panneaux de l'église d'Oberzell-Reichenau, antérieurs au XIᵉ siècle. Mais à la fin de la période, à Montmorillon en Poitou, l'abside s'orne vers 1180 d'une monumentale figure de la Vierge, dont le règne s'affirme alors avant de rayonner sur tout le XIIIᵉ siècle. ●

Entre carolingien et gothique, une influence de l'Orient byzantin

À Sant'Angelo in Formis, prieuré dépendant du Mont-Cassin, une fresque (2) montre Desiderio, abbé du grand monastère, présentant le modèle de la basilique (fondée au VIIIᵉ s.) qu'il a fait reconstruire. Le porche avec ses cinq arcades, la haute nef accompagnée de bas-côtés, l'emmarchement même correspondent parfaitement à la physionomie actuelle de l'édifice. À côté d'une ascendance carolingienne et ottonienne, les peintures de cette église reflètent une influence byzantine que l'on perçoit également en Bourgogne, à Berzé-la-Ville. On y voit un grand Christ en majesté (3) se détachant sur un fond bleu primitivement clouté d'étoiles. Il porte une robe blanche et un manteau pourpre. C'est probablement une réplique fidèle du Christ qui ornait l'abside majeure de l'abbatiale de Cluny III, détruite au XIXᵉ siècle.

La Vierge du collatéral sud de Chartres (1) était destinée à l'origine à un emplacement privilégié, probablement la baie axiale du chevet de la cathédrale. Œuvre d'une époque de transition romano-gothique, elle est encore très hiératique, portant l'Enfant pratiquement debout sur ses genoux. Son port de tête incliné résulte d'une restauration, effectuée sans doute déjà au XIIIᵉ siècle.

3. Christ en majesté garnissant la calotte absidiale de la chapelle du prieuré clunisien de Berzé-la-Ville, vers 1100.

L'enluminure

La peinture des manuscrits, à l'époque romane, repose sur un vaste réseau de monastères.

En France, les grandes abbayes nouvellement réformées, Saint-Martial de Limoges, Saint-Benoît-sur-Loire et Saint-Aubin d'Angers, ainsi que Cluny, déploient une vive activité artistique, qui se double de celle des grands centres du Nord, Saint-Omer, Arras. En Normandie (le Mont-Saint-Michel, Jumièges, Fécamp), on n'est pas moins actif qu'en Île-de-France, où Saint-Denis mais aussi Paris possèdent des scriptoria de qualité. Le début du XIᵉ siècle verra les premières abbayes cisterciennes (Cîteaux, Clairvaux) mê-ler leurs voix à ce concert. Désormais, on s'oriente vers un sujet jusque-là délaissé au profit des représentations christologiques ou mariales : l'hagiographie. La vie des saints popularise les titulaires des églises sur un mode parfois rude et plaisant.

L'Empire germanique a une forte activité, surtout dans les régions du Rhin et en Bavière. L'influence de Byzance y est présente au XIIᵉ siècle ; toutefois, cette peinture garde une spontanéité dans l'expression et une fraîcheur de coloris remarquables. Winchester en Angleterre, le Mont-Cassin en Italie (rouleaux d'Exultet) ne sont pas moins importants, de même que l'Espagne du Nord avec ses images précoces du Commentaire sur l'Apocalypse écrit au VIIIᵉ siècle par le moine Beatus.

Présence du vitrail

D'AUGSBOURG
À SAINT-DENIS, CHARTRES ET POITIERS,
LA PEINTURE EN ET SUR VERRE PARVIENT
AU XIIᵉ SIÈCLE À UNE ÉCLATANTE
MATURITÉ.

C ontrairement aux thèses défendues par les érudits du XIXᵉ siècle, l'art du vitrail en Europe occidentale remonte fort loin dans le haut Moyen Âge. Divers témoignages (Reichenau, 806 ; Saint-Bénigne de Dijon, vers 880) attestent l'utilisation de vitraux, parfois même à sujet narratif. L'adoption des baguettes de plomb, matériau souple et ductile, a permis la réalisation de surfaces de verres colorés de plus en plus importantes.

Malgré le large fossé qui sépare ces témoignages anciens des vitraux du déambulatoire de Saint-Denis, commandés peu après 1140 par Suger, il reste quelques fragments des hautes époques : ainsi une tête de Christ (IXᵉ siècle ?) provenant de l'abbatiale de Lorsch (Hesse) ou la tête conservée au musée de l'Œuvre Notre-Dame de Strasbourg, originaire de Wissembourg (vers 1060). La plus ancienne série qui soit encore en place, cinq prophètes datant des années 1100, orne la nef de la cathédrale d'Augsbourg.

Avec l'architecture gothique naissante, les baies s'agrandissent et le vitrail abandonne sa coloration trop vive. Pourtant, les verrières créées à la demande de l'abbé Suger gardent une palette encore très franche. Désormais, de vastes thèmes sont traités, par exemple l'Arbre de Jessé dans l'une des deux baies de la chapelle axiale de Saint-Denis, accompagnant une Enfance du Christ. Le chevet de la cathédrale de Poitiers offre vers 1175 un ensemble exceptionnel : une immense Crucifixion, au centre, est encadrée au nord par une Vie de saint Laurent, au sud par celle des saints Pierre et Paul. Enfin, les trois superbes verrières de la façade occidentale de la cathédrale de Chartres (1150-1155), ainsi que l'image de Notre-Dame de la Belle-Verrière dans le collatéral sud (vers 1180), baignent dans les mêmes tonalités que les vitraux de Poitiers, utilisant le rouge carmin et ce bleu de lin pâle qu'ignorera le XIIIᵉ siècle, habituellement voué aux coloris plus sombres. ●

→ **Voir aussi :** Ottoniens et Capétiens, **ARTS**, p. 208-209. Le sanctuaire roman, **ARTS**, p. 212-213. La peinture gothique, **ARTS**, p. 224-225.

La cathédrale gothique

Marche vers la maturité

LA SECONDE MOITIÉ DU XIIᵉ SIÈCLE EST UN TEMPS D'EXPÉRIENCES, OÙ LES ARCHITECTES FRANÇAIS S'ESSAIENT À DE NOUVELLES FORMULES POUR MIEUX CAPTER LA LUMIÈRE ET HARMONISER DES VOLUMES PLUS SPACIEUX.

AU MILIEU DU XIIᵉ SIÈCLE, EN France, l'initiative de la création artistique passe des abbayes aux cathédrales. Dans les villes en plein essor, la richesse s'accumule ; bourgeois, artisans et marchands ont besoin de vastes lieux pour prier, tenir des réunions civiles et religieuses. La puissance des Capétiens se dégage de l'éclatement féodal et leur autorité sacrée suggère des espaces prestigieux ou leur propre gloire entend refléter celle de Dieu. Des prélats éclairés les entourent, évêques qui partagent avec leur chapitre canonial le profit des terres. Les plaines de l'Île-de-France, en particulier, apportent une prospérité récente qui fait de Paris la capitale de l'Europe. C'est en cette région que surgissent soudain, dans une fièvre d'émulation, des édifices révolutionnaires gigantesques, nombreux et divers : des

édifices qui doivent clairement dominer un centre urbain élargi et afficher de manière éclatante le contenu de la foi. Autour des cathédrales, les écoles urbaines font triompher une nouvelle logique, le rationalisme scolastique, qui cherche à articuler les mystères divins selon des outils spéculatifs systématiques. Tel est l'esprit dont va s'imprégner la logique visuelle de l'architecture gothique : elle obéit aux mêmes principes d'ordre, de hiérarchie, de complexité analytique qui, de la clef d'ogive à la base des piliers, lient la beauté à la clarté par une succession hiérarchisée d'éléments, chacun selon sa place et sa fonction dans l'ensemble qui le génère. Cette conquête, qui ne se fait pas sans difficultés et cohabite longtemps avec la persistance régionale du style roman, est à son apogée dès la première moitié du XIIIᵉ siècle.

Un nouveau type de chevet naît en Île-de-France, à l'église de Morienval, où la partie tournante reçoit une voûte parfaitement articulée, à Saint-Martin-des-Champs (Paris), où, dès 1135, le dédoublement du déambulatoire permet d'ouvrir les volumes complexes des chapelles, à Saint-Denis surtout, où l'abbé Suger (1137-1144) donne à ses différentes tentatives une forme lumineuse et raisonnée : les chapelles, que plus rien ne cloisonne, sont incorporées au double déambulatoire ; l'espace qui enveloppe le sanctuaire y gagne une extraordinaire unité, et l'éclat des grandes verrières symboliques détaille les délicates nervures des ogives. À Saint-Remi de Reims, en 1162, est adopté ce schéma, qui permet une distribution fonctionnelle des espaces – celui du chœur pour la prière, celui du déambulatoire pour les processions, celui des chapelles pour le culte des reliques – en même temps qu'une interpénétration des volumes soulignés par un jeu de colonnettes toujours plus sveltes et logiques.

Contemporain de Suger, l'architecte de la cathédrale de Sens préfère donner la primauté à l'espace central, qu'aucun transept ne vient interrompre, qu'aucune tribune n'alourdit. De l'évêché de Sens dépendent alors ceux de Paris, d'Auxerre, de Chartres, d'Orléans... Des chantiers s'y ouvrent partout à partir du milieu du XIIᵉ siècle, de même pour les provinces ecclésiastiques de Reims, Amiens, Arras, Châlons-sur-Marne, Laon, Noyon, Senlis, Soissons..., autant d'évêchés très liés à la royauté et qui se dotent, ce n'est pas un hasard, de cathédrales modernes.

Beaucoup conservent la tribune, l'élévation à quatre niveaux, les voûtes sexpartites, autant d'éléments dont le remplacement marque la deuxième génération de constructeurs. Chartres (voir p. 220-221) en donne, en 1194, le signal éclatant : élévation élancée à trois niveaux (grandes arcades, triforium, vastes fenêtres hautes), légères voûtes oblongues (quadripartites), solide système d'arcs-boutants. ▪

Naissance d'un art

L'ART ROMAN CONTIENT EN GERME TOUT CE QUI DÉFINIT LE GOTHIQUE : DE L'UN À L'AUTRE, IL N'Y A PAS DE RUPTURE MAIS DES INTUITIONS RASSEMBLÉES ET SYSTÉMATISÉES.

Rien ne signe l'acte de naissance de l'architecture gothique, mais bien des intuitions l'annoncent. La réforme cistercienne épure l'art roman, le dépouille de son exubérance ornementale, réduit les formes à leur usage fonctionnel. Le nouveau style lui doit l'autorité des lignes simples, et les architectes cisterciens sauront vite adopter sa modernité sobre, savante et efficace. La structure hiérarchisée de l'ordre monastique en permettra l'exportation jusqu'aux confins de l'Europe. Quant à l'apport des clunisiens, il s'exprime surtout dans la recherche d'amples volumes, la prédilection pour l'arc brisé et pour les déambulatoires à chapelles rayonnantes.

Depuis longtemps en Orient, depuis la fin du XIᵉ siècle en Occident, on sait soulager une voûte par l'usage d'arcs qui se croisent. L'audace gothique sera de confier à la croisée d'ogives non plus un rôle d'appoint mais la pleine responsabilité de la rigidité du voûtement, dans toute l'église. L'équilibre de l'édifice, l'époque romane l'a trouvé dans l'usage de contreforts massifs, dans l'étagement de voûtes secondaires et souvent

dans la résistance offerte par les arcs des tribunes. Bientôt des murs boutants, dissimulés sous les combles, à Laon par exemple, amorcent l'ultime étape de cette recherche, qui va faire surgir l'arc-boutant au-dessus des toitures. La cathédrale, alors solidement arrimée dans le réseau oblique qui l'enserre, peut gagner des hauteurs de rêve.

Les constructeurs normands ont mis au point dans la seconde moitié du XIᵉ siècle la formule d'une façade qu'adoptent et transfigurent les nouveaux bâtisseurs : deux tours percées de portes encadrent un portail central plus large et donnent directement accès à la nef. À ce schéma tripartite équilibré et fonctionnel, Suger ajoute, à Saint-Denis, le message iconographique qui en parfait le sens.

Tels sont les précédents que les architectes gothiques vont rassembler et systématiser pour accueillir de vastes foules, conquérir un espace plus aérien et capter toujours plus de lumière : la croisée d'ogives, l'arc brisé, l'arc-boutant, la façade harmonique, le chœur à déambulatoire et chapelles rayonnantes. ●

1. Déambulatoire de la basilique (auj. cathédrale) de Saint-Denis, vers 1140. (Les parties hautes du chœur sont du XIIIᵉ s.)

Logique constructive, élan, subtilité

C'est avec le double déambulatoire de Saint-Denis (1) que le style gothique se manifeste pour la première fois dans toute sa logique, sa légèreté et sa luminosité. On peut estimer qu'il progresse dans un sens spécifique lorsque l'élévation des grands vaisseaux passe de quatre niveaux, avec la tribune d'origine romane (Laon, 3), à trois niveaux, avec triforium aveugle (Reims, 5), puis vitré (Amiens). Plus élancée que celle de Paris (4), la façade de Notre-Dame de Reims (2) combine quatre étages : portails, rose et fenêtres, galeries des rois, tours. L'équilibre entre horizontales et verticales, l'allègement systématique des formes signent ici l'apogée de la « façade harmonique ». La massivité de cette gigantesque construction (81 m de haut) est camouflée par un jeu subtil d'avancées et de retraits, de compensations et de rattrapages en une série d'artifices proches du trompe-l'œil ; le tout s'estompant presque derrière une sculpture omniprésente.

2. Notre-Dame de Reims, façade occidentale, XIIIᵉ s. (tours achevées au XVᵉ s.).

Le gothique à son zénith

VERTICALITÉ ACCRUE, ÉVIDEMENT DES MURS,
FOISONNEMENT DÉCORATIF DES FAÇADES : LA PREMIÈRE MOITIÉ
DU XIIIᵉ SIÈCLE MARQUE L'APOGÉE DE CES RECHERCHES.

Les chantiers et les sommes engagées sont immenses. Le pape, le roi, les villes, le clergé, les fidèles participent à la fièvre constructive, chacun à sa manière. Parfois les fonds s'épuisent et les travaux s'interrompent. Mais ils reprennent ailleurs et rien n'arrête l'élan créateur. Les difficultés du financement suscitent, au début du XIIIᵉ siècle, la création d'organismes centralisateurs qui équilibrent recettes et dépenses : les fabriques. La division du travail, la standardisation des matériaux, les progrès techniques qui font les piliers plus sveltes, les réseaux des fenêtres plus minces, les hauteurs plus audacieuses sont le signe d'une rationalisation croissante. Les architectes deviennent de savants spécialistes qui proposent des plans argumentés : le carnet de Villard de Honnecourt (v. 1125-1235, B.N., Paris) apporte le témoignage irremplaçable de ses relevés schématiques.

La seconde génération du gothique se caractérise par une audace optimiste. À Bourges, dont la construction débute en même temps que celle de Chartres, surgit l'esthétique visionnaire de cinq vaisseaux étagés auxquels introduisent cinq portails historiés : ni transept, ni tribunes, ni chapelles rayonnantes. Le volume, simplifié à l'extrême, semble démultiplié par le bruissement de superbes fûts qu'amplifient une couronne de huit colonnettes engagées. En des chantiers qui ont tendance à durer, Reims (à partir de 1210), Amiens (1220-1269) et Beauvais (1225-1272) s'inspirent davantage de la solution chartraine. On cherche à amenuiser les réseaux de pierre, à évider les murs, à atteindre des hauteurs plus périlleuses, mais chaque édifice présente une originalité qui lui est propre. À Reims, on garde le chevet à déambulatoire et à cha-

pelles rayonnantes de Saint-Denis et l'élévation de Chartres, mais on unifie les supports et on souligne les horizontales par de hautes piles rondes surmontées d'une large couronne de feuillage. À Amiens, où rien ne ralentit l'élan des verticales, le triforium compose avec élégance un réseau de lancettes et de trilobes dont la broderie est continuée dans les fenêtres hautes. Verticalité, complexification des lignes décoratives, dissolution du mur, la logique de cette architecture dématérialisée conduit aux excès de Beauvais. Là, le triforium est éclairé et s'unit avec les immenses fenêtres hautes : la cathédrale devient une immense cage de verre que soutiennent de minces piliers ; la voûte est portée à la hauteur vertigineuse de 48 mètres. Mais, en 1281, le chœur s'écroule en partie et l'équilibre de l'ensemble doit être repensé.

Le temps de Saint Louis sait aussi trouver une autre élégance, plus sage, plus maîtrisée. Bien des chantiers sont repris ou poursuivis, celui de Saint-Denis, celui de Notre-Dame de Paris, où Jean de Chelles est chargé de penser un nouveau transept, celui de Reims, qui parfait avec majesté l'art des façades. Le 19 août 1239, Paris est en émoi : Louis IX apporte en grande solennité la supposée Couronne d'épines que lui a vendue l'empereur de Constantinople. Pour la conserver, un monument reliquaire est construit sur le modèle des chapelles palatines, avec un premier étage réservé à la domesticité et un second, aux voûtes trois fois plus élevées, pour le souverain et sa cour. L'espace intérieur se résume en une nef unique, aussi simple qu'élégante, inondée par le flamboiement multicolore d'immenses verrières qui occupent les trois quarts de la hauteur totale. Le raffinement aristocratique de la décoration, la réduction de l'architecture à un rôle d'encadrement, la fonction prestigieuse de la Sainte-Chapelle confèrent à cet oratoire princier une importance artistique et politique essentielle.

Après 1260, en Île-de-France, la plupart des grandes villes ont achevé leur programme de rénovation architecturale, et le centre de la création se déplace vers la Normandie, l'Est, la Bourgogne, le Midi. Là, les formes parisiennes trouvent dans les traditions régionales un certain enrichissement. L'étape suivante se situera vers 1380, avec la poétique nouvelle de l'art flamboyant. •

→ **Voir aussi :** Le sanctuaire roman, **ARTS**, p. 212-213. Chartres, **ARTS**, p. 220-221. Les évolutions de l'architecture gothique, **ARTS**, p. 222-223. La sculpture gothique, **ARTS**, p. 228-229.

3. Cathédrale de Laon, entreprise vers 1160 : vue prise de la tribune du croisillon sud du transept.

4. Notre-Dame de Paris, façade occidentale, vers 1200-1240.

5. Nef de Notre-Dame de Reims, vers le chœur ; XIIIᵉ s. (Hauteur sous voûtes : 38 m.)

Chartres

ONUMENT TYPE DE LA maturité de l'architecture gothique au début du XIIIᵉ siècle, la cathédrale Notre-Dame de Chartres est aussi un prestigieux réservoir d'images par sa sculpture (du milieu du XIIᵉ siècle à la façade ouest) et ses vitraux.

Une église épiscopale existe ici dès le IVᵉ siècle, mais la gloire de la ville remonte essentiellement au don que Charles le Chauve fait en 876 à l'église carolingienne : une relique dite « chemise de la Vierge », grâce à laquelle Chartres deviendra le plus grand centre de pèlerinage marial. Du milieu du Xᵉ siècle au XIIIᵉ, une période de prospérité économique et de fermentation intellectuelle et religieuse conduit à des réalisations majeures. La cathédrale de l'an mil de l'évêque Fulbert succède à l'édifice carolingien. L'incendie de 1134

est l'occasion d'ériger à l'ouest les deux tours et le « Portail royal », éléments qui survivront à l'incendie suivant, de 1194. C'est à la suite de ce dernier qu'est enfin construite la cathédrale actuelle, terminée vers 1230 pour l'essentiel.

Aussi large que celle-ci et longue de plus de cent mètres (contre cent trente), la cathédrale de Fulbert était grandiose et novatrice pour l'époque romane. La crypte rend compte de cette ampleur, puisque ses murs constituent le soubassement de l'édifice gothique. En cette crypte, faite de longs vaisseaux parallèles terminés par un déambulatoire qui dessert des chapelles rayonnantes aux multiples autels, était vénérée une Vierge en majesté ; des milliers de pèlerins y déambulaient librement sans gêner les offices célébrés dans l'église haute par les chanoines.

1. Vaisseau central de la nef en direction du chœur, vers 1194-1230.

Le « Portail royal »

CE PORTAIL OUEST ABRITE LE DÉCOR SCULPTÉ DE LA CATHÉDRALE DU XIIᵉ SIÈCLE : À UNE MYSTIQUE ENCORE ROMANE SE MÊLE LA PLASTIQUE NOUVELLE D'UNE STATUAIRE VOISINE DE CELLE DE SAINT-DENIS.

'incendie de 1134 est le prétexte de nouveau travaux : à l'ouest, un premier clocher, d'abord conçu indépendamment de l'église (et achevé seulement au XVIᵉ siècle), puis un second relié à l'autre par un portail triple. Le modèle est clair : en 1140, à Saint-Denis, Suger édifie une façade d'un type nouveau avec, adossées aux colonnes des ébrasements, vingt statues sculptées qui font corps avec ces colonnes. À Chartres, vers 1145-1150, l'évêque Geoffroi de Lèves rivalise avec cette création étonnante : socles, statues-colonnes et chapiteaux se déploient cette fois de façon continue, masquant les ruptures verticales des contreforts et dessinant une fresque unique seulement interrompue par d'étroites portes. Cette unité d'écriture, jamais encore atteinte dans l'art roman, reflète l'unité du message iconographique : la juxtaposition des trois portes favorise une remarquable cohésion de la composition, tandis que l'importance de la porte centrale en hiérarchise la structure. Les grands thèmes débattus par les théologiens des écoles chartraines s'y trouvent

exposés magistralement en faisant appel à une lecture complexe, à la fois horizontale et verticale. L'ensemble était peint et l'éclat des couleurs renforçait la clarté de la composition.

Les vingt-quatre statues-colonnes dessinent la haie d'honneur de prophètes et de rois, ancêtres mystiques du Christ, qui annoncent de manière hiératique les événements décrits en une succession de scènes anecdotiques dans la frise qui les surmonte. L'histoire humaine rencontre aussi l'éternité quand, au linteau méridional, les épisodes de la Nativité précèdent la vision solennelle de la Vierge en majesté du tympan. Ces scènes, toutes chargées d'une tonalité liturgique, sont contemplées par une cohorte d'anges et la Sagesse divine est entourée des sept arts libéraux. À l'opposé, l'Ascension se déroule dans le cadre cosmique du zodiaque, tandis qu'au tympan central apparaît le Christ en gloire, salué par les évangélistes, les anges et les vieillards de l'Apocalypse. Telle est la puissante synthèse qui unit dans un souffle visionnaire les grands temps de la Rédemption. •

La cathédrale idéale

L'USAGE DES ARCS-BOUTANTS, LA TRIPLE ÉLÉVATION INTÉRIEURE ET LE VOÛTEMENT QUADRIPARTITE CONCOURENT À L'ÉQUILIBRE LUMINEUX DU STYLE GOTHIQUE DANS SA MATURITÉ.

n 1194, Chartres atteint huit mille habitants, le pouvoir économique des bourgeois progresse, l'enthousiasme du culte marial draine les foules, la richesse du chapitre est légendaire et la pensée théologique atteint un degré de développement qui appelle une expression synthétique : l'incendie vient à point pour susciter de judicieux placements financiers et permettre de rassembler les plus récentes conquêtes techniques et artistiques.

Les cryptes et la façade sont intactes. Quelque trente ans suffiront pour démolir l'ancienne construction et élever la nouvelle. La rapidité du chantier permet de comprendre l'harmonie d'un espace que, pourtant, plusieurs maîtres différents et rivaux ont dû élaborer. Ils eurent recours à une main-d'œuvre considérable : 300 hommes environ travaillent simultanément au chantier. L'émotion suscitée par l'incendie galvanise les énergies : les chanoines offrent une partie de leurs biens, les artisans et commerçants paient les vitraux, les paysans apportent des dons en nature, les seigneurs rivalisent de générosité,

encouragés par les nombreux miracles que l'on croit observer et qu'un poète contemporain s'empresse de transcrire.

En ce temps où le gothique en est encore à une phase expérimentale, le choix des plans offre de nombreuses possibilités. Presque partout les constructeurs maintiennent un système de voûtes sexpartites et de bas-côtés surmontés de tribunes. À Chartres sont adoptées des solutions novatrices, qui répondent à une double quête de lumière et de verticalité. La largeur du vaisseau central (16,40 m), héritée de l'édifice de Fulbert, suscite le choix de voûtes d'ogives quadripartites, solution simple et légère qui permet de rythmer régulièrement l'espace intérieur. Sur des bases d'une pesanteur encore romane reposent des piles cantonnées au noyau alternativement cylindrique ou octogonal, dont la subtile animation évite toute monotonie. Le jeu de cette modénature, dans un calcaire gris dur et homogène, se poursuit aux étages supérieurs par l'élan de colonnettes au diamètre décroissant qui détaillent l'anatomie du voûtement. Point

de tribunes pour soutenir le vaisseau : les arcs-boutants suffisent, extérieurement, à assurer l'équilibre. L'élévation interne en est bouleversée : au lieu des quatre étages traditionnels, trois niveaux partagent d'un bout à l'autre la nef, le transept et le sanctuaire. Un simple triforium remplace la tribune, et l'architecte peut se permettre d'élever largement les bas-côtés et d'agrandir les fenêtres hautes de la nef pour y diffuser une lumière généreuse. Ces splendides ouvertures, qui occupent en largeur tout l'espace de la travée et s'adaptent en hauteur au tracé des formerets, se composent chacune de deux lancettes surmontées d'une rose de plus de six mètres de diamètre, motif d'une rare harmonie qui se répète comme un leitmotiv sur le pourtour de la cathédrale. L'union de la croisée d'ogives et de l'arc-boutant permet cet allègement des parties supérieures et cette conquête décisive de la lumière. Entre l'étage haut et les grandes arcades, dont les dimensions sont équivalentes, l'équilibre est parfait. Le triforium ombreux qui les sépare sert de coursive, décoré d'une élégante dentelle de pierre : cette ceinture horizontale stabilise le jaillissement des verticales. Malgré quantité de désalignements et d'imperceptibles ruptures d'axes, l'observation rigoureuse de lois géométriques et arithmétiques commande chaque élément de la

Le Portail royal : une statuaire de transition

À la façade occidentale de la cathédrale, le Portail royal (4), de transition romano-gothique, ouvre sur la large nef (1) qui, avec son élévation à trois niveaux et ses voûtes quadripartites barlongues, définit le type du « gothique classique ». Dans ce Portail royal, les statues-colonnes des ébrasements (2), sans doute prophètes et rois de l'Ancien Testament, annoncent par leur ordonnance et leur raffinement technique la statuaire gothique. Le hiératique étirement des corps, l'impassible sérénité des visages, la précision analytique de ces longues robes ciselées de stries parallèles ou concentriques dénotent la maîtrise d'une sculpture qui vient renforcer les lignes architecturales.

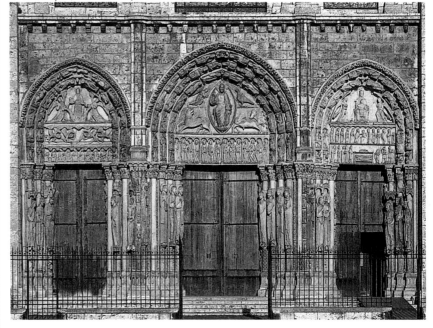

4. « Portail royal », au centre de la façade occidentale, vers 1145-1150.

Un fantastique réservoir d'images

SCULPTURES ET VITRAUX FONT DE LA CATHÉDRALE UN GIGANTESQUE LIVRE D'IMAGES QUI RASSEMBLE EN UNE SOMME TOUTE LA PENSÉE DU TEMPS.

Non moins propice aux grands mouvements de foule est le transept, que le plan de Fulbert ne suggérait pas. Trois portails protégés par des porches s'ouvrent à la façade de chaque bras. Chacun est dominé par un tympan qui ordonne les innombrables figures des voussures et des ébrasements. Au nord, portée par une statue de sainte Anne, la Vierge reine, dont la gloire est annoncée par les statues-colonnes où se succèdent de manière typologique des figures de l'ancienne et de la nouvelle Loi. De part et d'autre, la Vierge mère, entourée des personnifications de la vie active, de la vie contemplative et des béatitudes célestes, et, à travers la figure de Job, une originale mise en scène de l'Église attaquée par les hérétiques. Ainsi s'expose en un fourmillement de figures, de correspondances, de microrécits, un chant de triomphe à la Vierge.

Au sud défilent tous les saints de l'Église vivante, martyrs, confesseurs, apôtres, qui assistent le Christ-juge, solennellement assis au tympan central, les deux bras levés pour montrer ses stigmates. C'est l'heure attendue où les élus sortent en prière de leurs tombes et où les pécheurs écoutent sans terreur le jugement.

Trop d'ateliers ont travaillé à ce gigantesque chantier pour qu'on puisse en dégager des traits homogènes : expression tragique ou retenue, souplesse ou raideur des attitudes, animation narrative ou sobriété presque impersonnelle, minutie ornementale ou amples retombées de draperies à l'antique, mais partout ordre et clarté d'un humanisme retrouvé.

Non moins riche est l'ensemble que forment les vitraux, unique au monde par son ampleur, l'exceptionnelle authenticité des verres, l'originalité sans précédent de l'iconographie : en cent soixante-treize baies, soit plus de 2 000 mètres carrés de surface, se déploient des thèmes en grande majorité hagiographiques, en bas sous forme de récits, en haut par la succession majestueuse de grandes figures isolées. Les récits, commençant presque toujours par la représentation de leurs donateurs en pleine action, sont fragmentés en séquences souvent regroupées en quadrilobes qui se détachent sur un fond de mosaïques ou d'entrelacs. Seuls datent du milieu du XIIᵉ siècle la « Belle-Verrière » et les baies de la façade ouest : celles-ci chantent à l'orée de la cathédrale le mystère de l'Incarnation, annoncé par l'Arbre de Jessé, accompli par la Vie du Christ et révélé par la Passion. Un accord unique y est trouvé entre des bleus très pâles et des rouges rubis que le soleil couchant fait rayonner. Ailleurs, chaque peintre garde le secret de ses harmonies colorées, généralement plus sombres et plus diversifiées qu'au XIIᵉ siècle, comme de ses principes d'écriture : les personnages du Maître de saint Lubin ont des têtes fortes et des corps trapus, ceux du Maître de saint Eustache sont élancés et sveltes ; les prostituées du Fils prodigue ont la hanche provocante et le baiser facile. La Parabole du Samaritain est l'occasion d'une subtile écriture typologique ; la verrière consacrée à Charlemagne évoque les grands enjeux politiques de l'héritage carolingien ; le vitrail de saint Lubin exalte l'eucharistie, sans oublier les intérêts économiques des vignerons... Le romanesque côtoie la théologie et le plaisir de peindre le dispute à la morale. •

→ **Voir aussi :** La cathédrale gothique, ARTS, p. 218-219. La peinture gothique, ARTS, p. 224-225. La sculpture gothique, ARTS, p. 228-229.

2. Statues-colonnes de la porte centrale du Portail royal.

3. Cathédrale Notre-Dame de Chartres, vue aérienne du sud-ouest ; XIIᵉ-XIIIᵉ siècle, tour nord achevée au XVIᵉ siècle.

structure. Tout y est à la fois symbolique et opératoire : le nombre d'or règle l'écartement des piliers, l'importance des pleins conditionne celle des vides... Partout l'harmonie des nombres et des formes explique la sérénité de cette structure idéale.

Il faut imaginer le sanctuaire, vaste et complexe, avec son double déambulatoire envahi d'une foule de visiteurs qui se joignent aux processions et s'affairent au culte des saints que stimulent les nombreux autels des chapelles rayonnantes. La couronne continue de ces chapelles rend la cathédrale particulièrement apte à remplir son rôle primordial, celui d'un centre de pèlerinage. •

Les évolutions de l'architecture gothique

ÉLABORÉ ET DÉVELOPPÉ EN France du Nord, dans le domaine royal, dès le milieu du XIIᵉ siècle, le style gothique s'est répandu en Europe au cours du siècle suivant.

L'Angleterre, étroitement liée à la Normandie, participe immédiatement au mouvement. On y note, comme dans cette province, un attachement profond à l'esthétique romane, qui perdure jusqu'au XIIIᵉ siècle malgré l'utilisation précoce (début du XIIᵉ siècle) d'un type rudimentaire de voûtes d'ogives au transept de la cathédrale de Durham. Les réalisations initiales s'inspirent du gothique français, mais rapidement s'élabore un art sans lien direct avec les œuvres continentales, privilégiant notamment le décor architectural. Dans l'Empire germanique, la première œuvre gothique n'est pas antérieure à 1220. Comme outre-Manche, l'expansion de l'ordre cistercien contribue à la diffusion du nouveau style, mais celle-ci résulte plus encore d'un recours aux maîtres d'œuvre français. À partir de la fin du XIIIᵉ siècle, le système structurel de l'église-halle tend à se répandre en Allemagne.

La pénétration des principes gothiques dans le monde méditerranéen, au cours du XIIIᵉ siècle, résulte pour une grande part de l'action des ordres franciscain et dominicain. L'exigence de pauvreté qui les anime est à l'origine des vastes nefs uniques bordées de chapelles de la Catalogne. En Italie, cette pénétration demeure marginale.

La fin du Moyen Âge voit se développer un art plus généralement européen, le « flamboyant », qui, au-delà des nuances locales, est caractérisé surtout par l'exubérance de son décor.

1. Cathédrale de Wells (Somerset) : la croisée du transept vue du croisillon sud ; 1191-1338.

Singularité de Wells

La cathédrale (1), commencée en 1191, présente une élévation classique à trois étages et des voûtes quadripartites. Mais, en 1338, la construction d'une monumentale tour de croisée a entraîné un étonnant système d'étrésillonnement des supports, combinant deux arcs brisés opposés par la pointe et deux oculus.

L'Angleterre

UNE ASSIMILATION RAPIDE DE L'APPORT FRANÇAIS PRÉLUDE DANS CE PAYS À D'IMPORTANTES INNOVATIONS TECHNIQUES ET ESTHÉTIQUES.

L'architecture gothique est introduite en Angleterre dans la seconde moitié du XIIᵉ siècle. Une brève période dite de « gothique primitif », marquée par les apports continentaux, est suivie, de 1250 à la Réforme, par le « gothique tardif », art original, souvent nommé « gothique perpendiculaire » après 1350 pour qualifier la structure particulière qu'adoptent ses fenestrages.

Le chœur de la cathédrale de Canterbury, entrepris en 1175 par Guillaume de Sens, témoigne de l'apport du premier art gothique d'Île-de-France et de Bourgogne du Nord. Dès la fin du XIIᵉ siècle, on note le développement d'un particularisme stylistique fondé notamment sur la conservation des traditions normandes, comme en témoignent les puissants « blocs façades » (Lincoln, 1192), les tribunes et les tours-lanternes monumentales. En outre, à Lincoln comme à Wells, les constructeurs préfèrent, au goût français de la verticalité, les amples proportions et un net compartimentage des niveaux. Mais c'est peut-être dans le voûtement que la rupture est le plus perceptible. Aux voûtes quadripartites de Wells succède rapidement un système multipliant les nervures secondaires (liernes et tiercerons). Ce traitement décoratif, encore sage à Lincoln, en 1233, est à l'origine des éblouissantes créations du gothique tardif. Toutefois, les plans des édifices sont simples (juxtaposition de quelques modules de base), avec une préférence marquée pour les chevets plats. La cathédrale de Salisbury (1220-1270), avec ses 22 travées, illustre

Allemagne et Europe centrale

APRÈS UNE IMPORTATION TARDIVE, AU XIIIᵉ SIÈCLE, DE L'ART GOTHIQUE FRANÇAIS, LE SAINT EMPIRE ÉLABORE UN SYSTÈME ORIGINAL, L'ÉGLISE-HALLE.

Dès la seconde moitié du XIIᵉ siècle, l'arc ogif fait son apparition dans le monde germanique, notamment rhénan. Mais il apparaît comme un simple renfort de voûtes d'arêtes romanes : les bâtisseurs restent alors attachés à certaines conceptions archaïques liées à l'Empire.

Si l'on met à part les cathédrales de Metz et de Strasbourg, on suit assez bien la pénétration vers l'est du nouveau style par quelques œuvres imputables à des architectes et ateliers du nord de la France. L'atelier de Saint-Yved de Braine entreprend vers 1235 la collégiale Notre-Dame de Trèves, en adaptant le modèle de l'abbatiale de Braine à un plan en croix grecque. Durant la même période, c'est une équipe laonnaise qui réalise l'élévation intérieure, à quatre étages, de la cathédrale de Limburg. Citons encore l'église Sainte-Élisabeth de Marburg (1235-1283) et surtout le chœur monumental (43 m) de la cathédrale de Cologne (1248-1322), attribuable pour partie à un atelier d'Amiens. Enfin, les tours de Laon ont servi de modèle à celles de Naumburg et de Magdeburg. Dès le début du XIVᵉ siècle, on assiste à une simplification à deux étages de l'élévation, avec un développement très important des fenêtres hautes dans les cathédrales d'Ulm et de Fribourg. L'Allemagne du Nord reste fidèle aux archétypes français, avec des adaptations nécessitées par l'emploi de la brique (église Sainte-Marie de Brême, achevée en 1337).

C'est en Westphalie, dès le XIIIᵉ siècle, que s'élabore le système de l'église-halle, dans laquelle les voûtes des collatéraux sont alignées ou presque sur celle de la nef centrale, éclairée indirectement de ce fait. Les hautes colonnes ou piles composées s'élèvent d'un seul élan jusqu'à la voûte. À la cathédrale de Paderborn, on décèle encore un apport occidental, celui du gothique angevin. Au XIVᵉ siècle, le type s'établit vraiment à Sainte-Marie de Minden et surtout à la Wiesenkirche de Soest (consacrée en 1376). Cette formule se répand dans l'Empire et notamment en Bavière avec des œuvres majeures comme Saint-Martin de Landshut ou Saint-Laurent de Nuremberg. Dans cette dernière, la formulation des voûtes témoigne d'une recherche esthétique plus mesurée qu'en Angleterre : les hauts piliers « palmiers », sans chapiteaux, reçoivent les fines nervures des ogives croisées formant damier.

bien cette tendance, malgré la présence d'un double transept.

Le développement du décor marque les œuvres tardives. Il peut s'agir d'une riche ornementation sculptée, comme celle du chœur des anges de Lincoln, mais surtout du traitement particulier des fenestrages et des voûtes. Le mur tend à disparaître au profit de verrières immenses compartimentées par des meneaux et croisillons perpendiculaires, comme dans les exemples tardifs de l'abbaye de Bath et de la chapelle du King's College de Cambridge (1446-1515), ou par des remplages complexes en forme de flammes, à l'origine du « flamboyant » français. L'aspect le plus original reste la transformation en décor des éléments de structure : ainsi, il faut citer le spectaculaire étrésillonnement de la croisée de Wells (1338) et surtout les voûtes « en palmier » d'Exeter (début du XIVᵉ siècle), de Gloucester (v. 1330), enfin de Cambridge ou de Bath, où l'ogive se transforme en un réseau serré de nervures ornementales.

Les constructions d'Europe centrale restent profondément marquées par l'empreinte des maîtres d'œuvre français, témoin l'intervention effectuée par Jean de Saint-Dié à la cathédrale d'Alba Iulia, en 1287. Mais la réalisation la plus exceptionnelle reste le chœur de Saint-Guy de Prague, élevé à partir de 1344 par Mathieu d'Arras sur le modèle de la cathédrale de Narbonne et poursuivi par Peter Parler. La Pologne n'est pas à l'écart de ce mouvement : Saint-Stanislas de Cracovie adopte un plan français. •

2. Église Saint-Martin de Landshut (Bavière) : la nef vue de l'ouest ; à partir de 1389.

Le gothique en terres méridionales

AU XIIIᵉ SIÈCLE, LA CONSTRUCTION GOTHIQUE PÉNÈTRE LE MONDE MÉDITERRANÉEN, GRÂCE SURTOUT À L'ACTION DES MOINES FRANCISCAINS ET DOMINICAINS.

En Italie, une part importante de la construction gothique revient aux ordres prêcheurs. Ainsi, à Assise, l'église supérieure à nef unique San Francesco (v. 1230) est couverte d'amples croisées d'ogives sur plan carré aux supports engagés dans les murs latéraux. Plus classiquement, les nefs sont bordées de bas-côtés à Santa Maria Novella de Florence (1278) comme aux SS. Giovanni e Paolo de Venise (fin du XIIIᵉ siècle). Mais une méconnaissance des techniques de contrebutement conduit parfois à employer des tirants de bois pour éviter le déversement des murs. En outre, la voûte n'apparaît pas toujours indispensable : on lui préfère souvent une charpente apparente, comme à Santa Croce de Florence (1294).

En France du Sud-Ouest et en Catalogne, sous l'influence dominicaine, se développent de vastes édifices à nef unique dont la large voûte est supportée par de puissants contreforts séparant les chapelles latérales. Ce système, né semble-t-il vers 1243 à Santa Catalina de Barcelone, se répand rapidement hors du monde monastique. On le trouve employé à la cathédrale fortifiée d'Albi, à partir de 1282, plus tard à celle de Perpignan, mais c'est dans la nef de la cathédrale de Gérone, au XVᵉ siècle, que cette structure atteint son plus grand développement, avec une portée de 22 m. L'église des Jacobins de Toulouse s'apparente plutôt aux églises-halles. Conçue à l'origine (1229) comme une simple salle compartimentée par une épine centrale de piliers, elle a été remodelée en plusieurs campagnes (v. 1245-1325) ; sa haute file de colonnes soutient une voûte en palmier, au caractère décoratif accentué par de fausses liernes peintes sur la maçonnerie. •

Le gothique flamboyant

L'ART ORNÉ DE LA FIN DU MOYEN ÂGE EST L'HÉRITIER DES RECHERCHES ANGLAISES, MAIS LA DIVERSITÉ ARCHITECTURALE RESTE DE RÈGLE DANS CETTE PÉRIODE.

Parallèlement au courant du gothique perpendiculaire, de structure géométrique, se développe dans l'Angleterre du XIVᵉ siècle une ornementation complexe, à base de courbes évoquant les flammes. C'est dans les remplages des verrières que l'on rencontre, vers 1325, les exemples anciens les plus spectaculaires, telle la rose de la cathédrale de Lincoln surnommée « l'œil de l'évêque ». Cette période voyant le développement des voûtes complexes, le qualificatif de gothique « flamboyant » (ou « orné », en Grande-Bretagne) va englober aussi le phénomène de démultiplication et d'arrangement décoratif des nervures.

Mais c'est sur le continent et surtout en France, passé la guerre de Cent Ans, que ce style va connaître son plus grand développement. Outre le dessin raffiné des verrières et des voûtes nervées, il convient de noter la multiplication des ornements architecturaux, dont les courbes et contrecourbes sont agrémentées de riches motifs végétaux. Si le monde germanique reste relativement mesuré dans l'emploi des nouveaux décors, il en va tout autrement dans la péninsule Ibérique. En Espagne, la richesse économique, consécutive au mariage d'Isabelle de Castille et de Ferdinand d'Aragon, favorise l'éclosion d'un art élaboré où l'on ne craint pas la surcharge. Évidente à la façade de l'église San Pablo de Valladolid (après 1486), cette exubérance d'un décor couvrant atteindra son apogée dans l'art « plateresque », marqué par l'influence de la Renaissance italienne du Quattrocento (façade de l'université de Salamanque, autour de 1520). Produit de la prospérité portugaise à la fin du XVᵉ siècle, l'art « manuélin » manifeste le même luxe ostentatoire.

En France, l'agrandissement des villes entraîne la reconstruction des églises paroissiales, comme à Paris ou à Troyes. En outre, nombreuses sont les églises remaniées durant cette période de renouveau. Il s'agit aussi de relever des monuments ruinés par les combats de la guerre de Cent Ans ou de poursuivre des constructions dont a la empêché l'achèvement. Il en est ainsi pour les façades de plusieurs cathédrales

majeures comme Toul (1460-1496), Troyes et Rouen (début du XVIᵉ siècle), la flèche nord de Chartres (1507-1513) ou la tour de croisée de Saint-Ouen de Rouen (achevée vers 1500). De grands architectes tels que Pierre et Martin Chambiges ou Jean de Beauce interviennent à Senlis, Troyes et Chartres. Mais, à l'exception des flèches ajourées de conception nouvelle, les structures restent plus ou moins celles du XIIIᵉ siècle, enrichies par une ornementation de surface et une statuaire abondante. La façade occidentale de la Trinité de Vendôme (1485-1506) témoigne pourtant d'une véritable originalité, car son foisonnant décor de flammes est contraint de s'inscrire dans un cadre géométrique bien marqué. Cette rigueur d'organisation est plus sensible encore à Saint-Maclou de Rouen, où le porche de plan polygonal privilégie l'accès médian.

Du point de vue de la structure, on constate souvent, en Normandie, la conservation du triforium (Notre-Dame d'Alençon, commencée en 1477), mais à Paris, en Champagne ou en Lorraine on tend à développer les fenêtres jusqu'aux grandes arcades. Cette transformation s'accompagne en général d'une élévation plus grande des supports, tantôt cylindriques, tantôt nervés dans le prolongement des arcs. Le chapiteau tend à s'atrophier sous forme d'une bague décorative ou même à disparaître totalement. À cette simplification des supports correspond un voûtement élaboré, plus sage toutefois qu'en Angleterre, simple combinaison d'une croisée d'ogives, de liernes et de tiercerons selon quelques figures équilibrées, comme l'étoile. Ainsi, le paradoxe veut qu'aux outrances décoratives de l'art flamboyant corresponde une épuration de la structure architecturale, avec suppression momentanée du chapiteau. L'église lorraine de Saint-Nicolas-de-Port, intégralement construite entre 1495 et 1530, représente les manifestations les plus accomplies de cette tendance. •

→ **Voir aussi :** La cathédrale gothique, **ARTS**, p. 218-219.

3. Saint-Maclou de Rouen, façade occidentale : v. 1480-1517.

Structure simplifiée, décor complexe...

L'église-halle Saint-Martin de Landshut (2) illustre les transformations architecturales qui se sont produites à la fin du XIIIᵉ et au XIVᵉ siècle dans l'Empire germanique. L'élévation remarquable des supports, la suppression des accents horizontaux et la complexité croissante du voûtement, par la multiplication des branches d'ogives, annoncent bien l'art flamboyant du XVᵉ siècle. Celui-ci est parfaitement illustré par l'église, richement décorée, de Saint-Maclou à Rouen (3) ; l'échelonnement des gâbles de son porche souligne de façon harmonieuse la structure triangulaire de la façade.

La peinture gothique

LA DÉFINITION DU STYLE GO-
thique dans les arts de la couleur est sans doute plus difficile qu'en architecture ou en sculpture, qui au XIIIᵉ et au XIVᵉ siècle dominent les chemins de la création : les techniques en sont si variées – peinture sur le mur ou sur le bois, sur le verre ou le parchemin –, les particularités régionales si marquées, l'évolution des formes si éclatée que toute généralisation paraît abusive. On peut simplement remarquer le recul de la peinture murale au profit du vitrail, une certaine laïcisation des thèmes, l'assouplissement du dessin empreint de tendresse, d'élégance aristocratique, de vivacité naturaliste ou de grâce mystique.

Les émaux de l'orfèvre mosan Nicolas de Verdun (fin du XIIᵉ siècle) marquent une étape de haute qualité dans cette évolution. En France et en Angleterre,

surtout, se développe toute la diversité des vitraux narratifs, où l'innovation technique le dispute à l'invention individuelle des peintres verriers. La création n'est pas moins soutenue dans le domaine de l'enluminure. En Italie, la révolution giottesque transfigure l'art de la fresque à la fin du XIIIᵉ siècle. Quant à la peinture sur panneaux de bois, elle est précoce en Allemagne – de l'école de Cologne, dès le début du XIVᵉ siècle, à un artiste comme Maître Bertram – et en Bohême – où se signale le réalisme des portraits de Maître Théodoric au château de Karlštejn (1365).

Évolutions sociologiques et artistiques aboutissent aux alentours de 1400 aux féeries de l'art courtois dit « style gothique international », phase à laquelle succéderont les innovations majeures du XVᵉ siècle, en Flandre et en Italie.

Le vitrail : quand le sable se fait lumière

L'ARCHITECTURE GOTHIQUE FAIT DU VITRAIL UN ART MAJEUR, OÙ S'EXPRIME AUTANT L'INVENTIVITÉ QUE LA MYSTIQUE DU MOYEN ÂGE.

Dès le milieu du XIIᵉ siècle en France, les premières élaborations de l'architecture gothique, à Saint-Denis en particulier, marquent le point de départ d'une fantastique floraison d'images peintes sur du verre coloré, dont l'usage supplante bientôt celui de la peinture murale. Les fenêtres, plus larges, plus hautes, s'emplissent d'histoires sans paroles, décomposées en séquences de plus en plus nombreuse, qu'enserrent des réseaux de ferronnerie d'une géométrie complexe. Les larges bandes ornementales de l'époque romane se rétrécissent pour laisser toute la place aux fables, celles des personnages de la Bible, celles des saints, disposées à l'intérieur de la cathédrale selon un jeu savant de correspondances symboliques.

Le temps de la maturité du vitrail historié, de la fin du XIIᵉ siècle au premier tiers du XIIIᵉ, a laissé, en particulier à Canterbury, Sens, Chartres et Bourges, des traces considérables. Certes, les problèmes de conservation propres au vitrail, plus fragile et donc largement restauré au cours des siè-

cles, en obscurcissent parfois la lecture. Certes aussi, chaque région a évolué à son rythme propre, le Saint Empire, par exemple, laissant se poursuivre au-delà de 1250 un style qu'on peut qualifier de roman tardif. En France et en Angleterre, les compositions gagnent en clarté, les personnages évoluent librement dans un décor plus fourni, les lois de la symétrie ou de la géométrie se laissent oublier et l'iconographie se renouvelle, donnant libre cours à l'imagination de l'artiste.

Lorsque, dès 1230, on tente de nouvelles formules architecturales, en regroupant à l'intérieur d'une large baie plusieurs lancettes étirées en hauteur, la structure des récits comme l'agencement des couleurs se modifient. Après 1245, l'art parisien s'affirme, avec des dessins rapides, maniérés, des couleurs plus sombres, des attitudes parfois répétitives : la Sainte-Chapelle en est le modèle glorieux. Ce ne sont plus des fenêtres, mais la diaprure d'une paroi de verre continue, où se démultiplient des scènes proches de la miniature.

Seule la grisaille peut rompre le vertige où les prouesses techniques conjuguées du maître verrier et de l'architecte conduisent. Au chœur de Saint-Urbain de Troyes, vers 1270, de grands personnages lumineux marchent avec une véhémence expressive sous des dais architecturaux élégamment décorés. Ainsi, le dessin conquiert une lisibilité nouvelle et les raffinements de l'architecture gothique trouvent dans cette grammaire décorative un miroir féerique. L'évolution de la palette colorée, l'introduction déterminante, au début du XIVᵉ siècle, du jaune d'argent et de la technique du verre gravé, mais aussi les mutations du goût et de la spiritualité, engendrent un nouvel art de la peinture sur verre. ●

Un Moyen Âge humaniste

Dans l'émail de Nicolas de Verdun (2), le dessin précis de la feuille de vigne, la musculature des corps, l'expression fougueuse des visages, etc., dénotent le plaisir de peindre l'homme et la nature dans leur élan vital. L'influence de l'Antiquité qui s'y reflète n'est pas étrangère non plus à cet *Adam* de Chartres (1), témoin de l'humanisme gothique tant par la redécouverte

du corps qu'il manifeste que par l'élégance d'une composition aux lignes sobres et pures. Quant au panneau de Maître Bertram (3), si la préoccupation du rendu spatial y est encore absente, il trouve dans l'observation réaliste des espèces animales un langage simple et concret propre à rendre la mystique accessible au public bourgeois.

Gloire de l'enluminure

LA PEINTURE DE MANUSCRITS SE MÉTAMORPHOSE DÈS LE XIIIᵉ SIÈCLE : LES FIGURES SE LIBÈRENT, LA FANTAISIE GAGNE LE DÉCOR, LA PROFONDEUR CREUSE L'ESPACE.

La création de l'Université de Paris par Philippe Auguste célèbre la naissance d'une nouvelle élite intellectuelle qui affirme son goût pour les lettres profanes et son indépendance par rapport au pouvoir ecclésial, tandis que dans les cours princières la littérature courtoise marque la mutation d'une société. Bien des chefs-d'œuvre sont destinés à de grandes dames, Ingeburge, l'épouse délaissée de Philippe Auguste, Blanche de Castille ou Jeanne de Navarre. De nouvelles catégories d'artistes apparaissent : les copistes laïques se groupent en corporation, les peintres sortent de l'anonymat. Beaucoup habitent Paris, carrefour de grandes routes commerciales et centre intellectuel de l'Europe. Ils y peignent des livres d'heures, des missels, des psautiers, des bibles moralisées, destinés à la dévotion privée d'une élite princière. Ainsi, le *Psautier de Saint Louis* (v. 1260, B.N., Paris) dispose sur fond d'or des personnages aux mouvements souples et élégants qui évoluent dans un riche décor urbain d'arcatures et de gâbles.

Parmi les premiers noms connus d'enlumineurs parisiens, Maître Honoré, qui peint jusqu'au début du XIVᵉ siècle : il observe la nature, adoucit les décors, intègre l'humour ou la familiarité,

recherche la tridimensionnalité. Bientôt, la découverte du *trecento* (XIVᵉ s.) italien donne de l'ampleur à ces intuitions : Jean Pucelle, à qui le prestigieux patronage de Philippe le Bel permet une création soutenue, sait évoquer l'espace, interpréter des émotions, laisser libre cours à une imagination fantaisiste où les monstres grotesques côtoient les acrobates, où la vie quotidienne est rendue avec verve. Les gri-

1. *Adam,* détail d'un vitrail du bas-côté sud de la cathédrale de Chartres, vers 1210.

2. *La Grappe de Canaan,* plaque du retable (à l'origine ambon) en émaux champlevés de l'abbaye de Klosterneuburg, près de Vienne, œuvre de Nicolas de Verdun (1181).

sailles subtiles et la miniaturisation des formes du *Livre d'heures de Jeanne d'Évreux* (v. 1325, New York) conduisent le lecteur à un enchantement intimiste.

Vers la fin du XIVᵉ siècle, un style nouveau s'affirme, marqué par une observation attentive du réel. Est-ce le fruit de l'influence flamande ? Les *Très Riches Heures du duc de Berry,* peintes vers 1416 par les frères de Limbourg, marquent un sommet dans l'alliance de la poésie et du naturalisme, cela résultant de la précision à la fois photographique et irréelle des architectures ou des scènes de campagne ainsi que d'un jeu très maîtrisé de perspectives fuyantes et de taches colorées. ●

Le génie italien

AVEC GIOTTO APPARAÎT UN NOUVEL ART DE PEINDRE, OÙ LES LIGNES, LES COULEURS, LA LUMIÈRE FAÇONNENT UNE PLASTICITÉ TRÈS ÉLOIGNÉE DU MANIÉRISME DE COUR.

L'Italie médiévale est la terre d'élection de l'art de la fresque. Malgré les échanges incessants qui traversent l'Europe artistique, de la péninsule surgit au trecento une peinture si neuve, si fondatrice, si féconde, qu'il faut bien y voir la marque de génies individuels. Est-ce le souvenir tout proche de la douceur franciscaine ou la lumière lyrique des collines de l'Ombrie qui a guidé le pinceau de Giotto (1266-

1337) ? Dans la grande nef d'Assise, autour de 1295, la vie du *poverello,* parfaitement organisée en vingt-huit grandes séquences encadrées d'architectures feintes, s'exprime par le moyen d'une poésie picturale que rien ne laissait présager. Les thèmes iconographiques sont neufs, libres des codes traditionnels, proches d'une ferveur populaire. Ici un rideau s'ouvre comme sur un décor de théâtre, là un triangle azuré

formé par les lignes diagonales de collines qui se cassent désigne un centre mystique ; partout l'accord de bruns graves et de bleus éteints répartit les masses en une symétrie déjouée par la subtile divergence des attitudes. Giotto sait saisir la ferveur d'un instant, évoquer une atmosphère avec autant de gravité que d'humour ou de fraîcheur. Lui-même architecte à ses heures, il recherche les paysages urbains, introduit dans sa peinture le sentiment d'un espace tridimensionnel et de la profondeur, allie la précision du détail réaliste à un certain fantastique. La science de la composition des masses géométriques comme la définition incisive des structures, l'art savant des symétries et de leurs ruptures, des accords du clair et de l'obscur, le goût du trompe-l'œil et de l'illusion, la prescience du rendu en perspective, enfin la sûreté du dessin et du modelé font de Giotto un génial pionnier (voir ses fresques de la chapelle des Scrovegni à Padoue, p. 226-227).

Duccio (v. 1260 - 1318/19) est son contemporain. Pourtant, l'élégance précieuse de ses lignes évoque plutôt le monde courtois ; une vague de mondanité aristocratique, à laquelle Simone Martini (v. 1284 - 1344) est d'autant plus sensible qu'il est grand humaniste, si épris de beauté terrestre, se fait l'écho en Italie d'une culture française qu'il connaît bien. Comment enfin ne pas évoquer Pietro Lorenzetti (v. 1280 - 1348) – la liberté avec laquelle il se défait des contraintes iconographiques héritées du passé, l'aisance avec laquelle il décline les sentiments humains, les passions d'une foule contrastée – ou son frère Ambrogio (documenté de 1319 à 1347) et son étonnante maîtrise de la perspective ? L'immense fresque des *Effets du bon gouvernement* au Palais public de Sienne fait surgir l'univers fabuleux et réel, précis, lumineux, de la ville et de la campagne. Chez tous, une perception nouvelle de l'espace et de l'homme bouleverse les habitudes picturales. ●

3. *Le Cinquième Jour de la Création,* panneau du retable exécuté vers 1380 par Meister Bertram von Minden pour l'église St-Pierre de Hambourg.

L'art courtois

LES COURS PRINCIÈRES SUSCITENT UN ART RAFFINÉ QUI SE DÉVELOPPE EN DES DÉCORS MURAUX, TAPISSERIES, TABLEAUX SUR BOIS OU RETABLES D'UNE ICONOGRAPHIE ET D'UN STYLE INÉDITS.

Au XIVᵉ siècle, tandis que partout l'activité économique se développe et que le marché de l'art s'accroît, la noblesse, que l'efficacité bourgeoise éclipse peu à peu, maintient un prestige fait de chasses, de tournois, de jeux amoureux. L'art en reste marqué : la mode est aux chambres peintes de portraits, d'épisodes de romans de chevalerie, de scènes champêtres, d'allégories morales, ou mieux aux tapisseries historiées, dont le génie plastique s'affirme. La tenture de l'*Apocalypse* d'Angers (1374-1381 ; 69 scènes conservées), par la monumentalité de ses dessins et la finesse de son exécution, en est un témoin justement prestigieux.

La papauté décadente déjà s'est plu à des décors paradisiaques et illusionnistes : la vieille cité d'Avignon, devenue capitale cosmopolite et foyer d'où rayonne la nouvelle culture, a trouvé en Matteo Giovanetti de Viterbe, au milieu du siècle, l'artiste capable par ses fresques de transformer les murs des palais en jardins intérieurs. Dans la chambre du pape (un peu antérieure) s'étalent les pampres de vigne et des oiseaux s'échappent de cages en trompe-l'œil. Ailleurs des enfants jouent, des hommes pêchent ; les gestes sont précis, bien observés, la nature fleurie et envahissante.

Le mécénat de grands princes, comme le duc de Berry, qui font de l'œuvre d'art leur source de prestige, se porte bien sûr vers le livre richement enluminé, mais aussi vers de petits tableaux de dé-

votion peints sur bois, dont l'importance ne cesse de croître. La *Petite Pietà ronde* du musée du Louvre, exécutée vers 1410, avec la douceur recherchée de regards intenses, l'élégance sobre de tissus diaphanes et la profondeur d'une composition circulaire inscrite sur un fond d'or, est une trace précieuse de ces objets de piété qui livrent au regard intime la douleur et le silence d'un instant sacré. Les œuvres, quoique de commande, savent s'éloigner des motifs traditionnels : l'art du portrait, comme le montre celui de *Jean le Bon* (Louvre), s'affranchit des canons idéalisés et ose évoquer la vérité imparfaite de la physionomie. La nature elle aussi est évoquée pour elle-même, et la représentation du paysage tend à conquérir une autonomie artistique.

Cette esthétique n'est pas l'apanage de la France. Dans toutes les cours européennes, de l'Angleterre à Prague, en une sorte de communauté de goût et de technique, les peintres savent exalter les lignes, traduire le réel, évoquer une atmosphère : ce qu'on appelle le « gothique international » contient les germes d'un nouvel humanisme. Mais celui-ci délaissera bientôt les suavités aristocratiques au profit du réalisme bourgeois en Flandre (Van Eyck), des valeurs plastiques « modernes » dans l'Italie renaissante, et d'abord à Florence (Masaccio). ●

→ **Voir aussi :** La peinture romane, ARTS, p. 216-217. La cathédrale gothique, ARTS, p. 218-219. Giotto, ARTS, p. 226-227. La peinture des écoles du Nord, ARTS, p. 234-235.

Giotto
L'*Arena* de Padoue

L'art de Giotto

SELON GHIBERTI, AU QUATTROCENTO :
« IL APPORTA L'ART NOUVEAU, NATUREL, DOUX ET NOBLE
À LA FOIS, NE SORTANT JAMAIS DE LA MESURE. »

DE SON VIVANT, GIOTTO DI Bondone était déjà célèbre en Italie et qualifié de « maître sans égal dans toutes les branches de l'art ». Au XVIe siècle, Giorgio Vasari le considère comme le précurseur de la Renaissance, celui qui « ressuscita les règles de la bonne peinture », mais sa renommée était moindre à la fin du XIXe siècle et la chapelle padouane échappa de justesse à la destruction. Depuis lors, cet ensemble de fresques, le plus complet qui subsiste de l'artiste, est tenu pour l'un des sommets de la peinture occidentale, une somme comparable à la *Divine Comédie,* où se manifeste l'union harmonieuse de la théologie médiévale et de l'héritage classique, dans un langage nouveau plaçant l'homme au centre de cette création dont la beauté venait d'être célébrée par saint François. Giotto, avant de se rendre à Padoue, avait justement représenté sur les murs de la basilique supérieure d'Assise les principaux épisodes de la légende franciscaine.

Il fut appelé à Padoue vers 1302-1303 par Enrico Scrovegni, riche négociant de cette ville, qui faisait construire et décorer une chapelle jouxtant son palais (détruit au siècle dernier), près des arènes romaines, d'où le nom d'*Arena*. L'édifice fut érigé « pour l'honneur de Padoue et pour le salut de la famille Scrovegni, dans le présent et l'avenir ». Le fondateur souhaitait ainsi rendre à Dieu les importantes sommes d'argent indûment perçues par son père, Reginaldo (mort en 1289), que Dante place parmi les usuriers dans le septième cercle de l'*Enfer.* Cette fortune explique les dimensions inusitées du sanctuaire, qui servira de modèle à la chapelle Sixtine. La consécration eut lieu le 25 mars 1305, jour de l'Annonciation, et nous ignorons si les fresques étaient déjà exécutées ou si Giotto était encore à l'œuvre à cette date. Le cycle de l'*Arena* correspond de toute façon à la maturité de l'artiste, qui, né vers 1266 dans le Mugello, mourra à Florence en 1337, après avoir donné les plans du campanile de la cathédrale. Le choix de Scrovegni révèle ses goûts évolués, qui le conduisent à s'adresser non pas à un adepte du style gothique, alors en vogue dans l'Italie du Nord, mais au représentant le plus illustre du « style nouveau », auquel il donne l'occasion d'un de ses chefs-d'œuvre.

La principale innovation de Giotto est, selon Cennino Cennini, son premier biographe, d'avoir fait passer l'art de peindre « de grec en latin ». Vasari dit aussi qu'il a chassé complètement « la ridicule manière grecque ». Cet art méprisé est celui de Byzance, qui règne alors en Italie sur les mosaïques et sur les retables semblables à des icônes, où des figures d'éternité, impassibles et plates, se détachent sèchement sur un fond d'or. Giotto, peut-être formé par le Florentin Cimabue (v. 1240-1302), introduit dans l'art sacré l'espace, la vie, les sentiments, grâce à une technique plus souple, la fresque. Beaucoup moins coûteuse que la mosaïque, elle s'y substitue, en appliquant sur l'enduit frais du mur, *a fresco,* des couleurs vives et claires qui, en séchant, font corps avec le support mural. Cette peinture, qui n'admet pas de retouches, est préparée par des esquisses tracées sur le plâtre, qui guident l'artiste dans son travail exécuté de haut en bas, journée après journée.

Giotto garde le schéma décoratif des premières basiliques chrétiennes qu'il a pu voir à Venise et à Rome, où il s'est rendu pour le jubilé de 1300. Les scènes narratives se déroulent sur les murs de la nef, l'arc triomphal étant réservé à l'*Annonciation,* le mur d'entrée au *Jugement dernier,* comme à Torcello. Cette dernière composition est celle où le peintre reste le plus proche de l'art médiéval, superposant les différents registres et s'inspirant, pour figurer l'*Enfer,* des mosaïques du baptistère Saint-Jean à Florence. Les supplices des damnés révèlent toutefois une habileté étonnante dans les effets de raccourcis, qui attestent une grande connaissance de l'anatomie. La sculpture, ressuscitée par Nicola Pisano, puis par son fils Giovanni, présent à Padoue, inspire au peintre les sens du volume et le modelé des corps. La recherche de la troisième dimension concerne surtout l'espace. Pour en suggérer la profondeur, Giotto place à l'arrière-plan de ses compositions des éléments d'architecture qui rappellent les édifices contemporains et les décors des mystères. Il applique les lois de la perspective au moyen d'une géométrie rigoureuse et d'accessoires tels que meubles, tringles et rideaux, portes ou fenêtres ouvertes. Par pur souci de virtuosité, semble-t-il, Giotto a même représenté deux chapelles vides de chaque côté du chœur. Cet effet de trompe-l'œil renoue avec les procédés de la peinture antique vantés par Pline l'Ancien. L'illusionnisme triomphe dans l'imitation non seulement de structures architecturales (bandeaux et pilastres peints se terminant par des chapiteaux en stuc), mais aussi de sculptures. Les *Vertus* et les *Vices* sont les plus anciennes grisailles de la peinture italienne, simulant à la perfection les bas-reliefs de marbre.

Pourtant, aux yeux de Vasari, le principal mérite de Giotto est

Le programme pictural

La reproduction de scènes fragmentaires, multipliée de nos jours, en dénature le sens ; il faut la replacer dans son contexte initial et ne pas oublier qu'elles assumaient une fonction, qu'elles transmettaient un message. En l'absence du contrat qui devait préciser le programme soumis au peintre, nous le reconstituerons à partir des fresques.

Le texte de la fondation précise la destination funéraire de la chapelle, confirmée par la présence, dans le chœur, du tombeau de E. Scrovegni que surmonte une admirable statue de la *Vierge à l'Enfant* par Giovanni Pisano. C'est donc Marie qui intercédera pour le salut de son âme. Scrovegni lui offre sa chapelle pour accéder au Paradis, et il la consacre le jour de la fête de l'*Annonciation.*

Aussi cette dernière scène a-t-elle une importance inusitée et détermine-t-elle le déroulement du cycle pictural. À l'entrée du chœur, sur l'arc triomphal, Dieu le Père, entouré des puissances célestes, envoie l'Ange Gabriel à Nazareth. La *Salutation angélique* est figurée de chaque côté de l'arc ; l'ange, à gauche, s'agenouille devant Marie, à droite, en prière dans sa maison. Le mystère de l'Annonciation était d'ailleurs joué chaque année sur le parvis de la chapelle, aux frais de Scrovegni. Sur les murs se déroulent les autres épisodes de la vie de la Vierge, qui bientôt se confond avec celle du Christ, se terminant par les scènes de la Passion. Au jour du *Jugement dernier,* représenté à l'ouest, sur le revers du mur d'entrée, Marie sera censée intercéder

pour le salut des Scrovegni et des fidèles qui l'auront priée en ce lieu. Dès 1304, de fait, les pèlerins affluent, au point de susciter les plaintes des moines du couvent voisin, les Eremitani, gênés par le bruit des cloches et le va-et-vient incessant des visiteurs.

Une controverse agite alors les esprits : Marie a-t-elle été conçue sans péché ? Oui pour les Franciscains, non selon les Dominicains. Afin de défendre la thèse de l'Immaculée Conception, le programme développe avec insistance les épisodes antérieurs à la naissance de Marie, imaginant l'intervention du surnaturel dans la vie de ses parents : deux apparitions de l'ange, calquées sur l'Annonciation, préludent à la *Rencontre d'Anne et de Joachim devant la porte dorée.* Marie sera le fruit de leur chaste baiser.

Une autre particularité du cycle s'explique par la volonté de Scrovegni de racheter le péché d'usure, fondement de sa fortune. La condamnation de l'argent est en effet un thème qui apparaît à diverses reprises. Judas, qui a livré le Christ pour trente deniers, est poussé par un démon lorsque lui est remis le prix de sa trahison. Dans le *Jugement dernier,* face à la générosité de Scrovegni figuré en donateur, plusieurs avares, la bourse au cou, subissent les châtiments de l'Enfer. Cet avertissement est encore répété par les représentations allégoriques peintes au bas des murs de la chapelle : des figures féminines des Vices et des Vertus exaltent *la Charité* et condamnent *l'Envie.*

La volonté didactique et la doctrine théologique apparaissent aussi dans les nombreux médaillons, circulaires ou polylobés, qui constituent une composante essentielle du décor. Sur la voûte étoilée, image du ciel, apparaissent les prophètes qui ont prédit l'Incarnation du Christ. Dans les quadrilobes qui ornent les bandeaux séparant les différentes scènes, des personnages de l'Ancien Testament ou des animaux de la fable antique, qui n'ont pas tous été identifiés, soulignent la signification des grandes compositions. Ainsi, la lionne ranimant

ses petits et Jonas sortant de la baleine après trois jours encadrent la *Résurrection* du Christ. Ce programme érudit a dû être composé par un religieux de Padoue qui utilisa, entre autres sources, les *Évangiles apocryphes.* •

d'avoir excellemment imité la nature et pratiqué le portrait « sur le vif ». Le ciel et la terre, les plantes et les animaux chantent les louanges de leur Créateur. L'âne, modeste et doux, veille sur l'Enfant, mène la Sainte Famille en Égypte et le Christ à Jérusalem ; le chien de Joachim, suivi du troupeau en désordre, manifeste sa joie au retour de son maître. Attentif aux prodiges de la nature, Giotto remplace l'étoile qui aurait guidé les Rois mages par la comète qui traversa le ciel de Padoue en l'an 1301.

Mais c'est l'homme, surtout, qui retient son attention. Fidèle à l'esprit franciscain, il confère aux humbles la dignité de la représentation murale : bergers, serviteurs et servantes, partout présents, côtoient les personnages sacrés avec aisance et naturel. Pour la première fois, les protagonistes qui participent à l'histoire du salut expriment des réactions et des sentiments humains. Tendresse de la Vierge pour son nouveau-né, stupeur et répulsion de la foule qui voit Lazare ressuscité sortir de son tombeau, poignant regard adressé par Jésus à Judas qui le trahit, lamentation pathétique des Saintes Femmes sur le corps du Christ mort. L'homme est la mesure de l'espace, et c'est dans cet espace réel que se déroule l'histoire de son salut. Mais, en même temps, ces acteurs, si proches de nous par leurs gestes et leurs actions, évoluent dans un univers surnaturel, où les prophéties et les miracles s'accomplissent. Ils gardent une ampleur monumentale qu'accentuent la netteté des contours, la précision des profils, qui transfigurent en archétype le plus modeste figurant. Cette humanité héroïque sera, au siècle suivant, célébrée par Masaccio, qui recueillera les leçons de Giotto à Florence, ville où le maître a beaucoup vécu et où il avait laissé de nombreuses œuvres, retables ou fresques. •

→ **Voir aussi :** La peinture gothique, ARTS, p. 224-225. Florence et la révolution du quatrocento, ARTS, p. 256-257. La peinture des écoles du Nord, ARTS, p. 234-235.

1. *Le Songe de Joachim* (un ange lui annonce sa future paternité). Env. 2 × 2,30 m.

2. La chapelle des Scrovegni ou de l'Arena, consacrée en 1305.

4. Détail du *Paradis*, dans le *Jugement dernier* du mur d'entrée : Enrico Scrovegni offre à la Vierge, encadrée de deux saintes, la chapelle qu'il lui a consacrée.

3. *Le Baiser de Judas*, scène de l'arrestation du Christ. Env. 2 × 2,30 m.

Un langage nouveau pour la peinture occidentale

Dans les fresques qu'il exécute vers 1303-1305 à la chapelle de l'*Arena* de Padoue (1, 2, 3), Giotto atteint la plénitude de son art. Sur l'initiative d'Enrico Scrovegni, qui affirme sa puissance en se faisant représenter au Paradis (4) à la même échelle que la Vierge et les saints, Giotto illustre l'espérance du salut éternel. Mais, dans le discours chrétien, des tendances nouvelles se manifestent : tendresse, pathétique, amour de la nature. Pour la première fois, la peinture exprime non seulement des croyances mais aussi des sentiments, dans un langage qui rompt avec la grandeur intemporelle et irréelle de Byzance pour s'inspirer de la réalité, retrouvée grâce à l'exemple des sculpteurs et au souvenir de l'Antiquité, que Giotto a découverte à Rome en 1300.

· 227 ·

La sculpture gothique

L'Europe gothique

PUISSANTE ET PATHÉTIQUE EN ALLEMAGNE,
EMPHATIQUE ET NARRATIVE EN ITALIE, LA SCULPTURE
EUROPÉENNE EST MARQUÉE PAR LES
PARTICULARISMES RÉGIONAUX.

TROIS SIÈCLES ET DEMI : telle est la longue période, du milieu du XIIᵉ siècle au début du XVIᵉ, qui voit évoluer ce qu'il est convenu d'appeler la sculpture gothique. C'est dire combien cette dénomination est fragile. Elle trouve pourtant sa justification dans l'autonomie d'un art qui s'éloigne progressivement de la mystique et des conventions romanes. Il reste religieux, mais délaisse le Christ en majesté des visions apocalyptiques au profit du Jugement dernier et de la glorification de la Vierge. Le sacré s'y laisse pénétrer par le goût du profane. Le langage des gestes et des vêtements s'assouplit pour dire le quotidien. Le réel prend le pas sur l'idéal, l'intensité de la vie intérieure sur l'impassibilité devant l'éternel, le pittoresque et l'anecdotique sur le mystère. Les contraintes de l'architecture, enfin,

s'allégeant peu à peu, la statue s'affranchit et trouve une vie propre.

En une société plus urbaine, où l'affairisme grandissant des villes accroît le rôle des bourgeois, où le développement des échanges permet la circulation des idées, des artistes et des œuvres, où l'essor de la pensée universitaire rend l'art plus encyclopédique, où une connaissance scientifique de la nature fait naître une grammaire ornementale nouvelle, plus apte à dire le chêne, l'érable ou la fougère que l'acanthe ou la palmette, où la douceur de vivre et la douleur de la mort sont autorisées tour à tour à marquer les visages, le style comme l'iconographie inventent des chemins inédits. La géographie de ces découvertes s'étend de l'Île-de-France à toute l'Europe, où le génie plastique des différentes nations les féconde.

L'art nouveau né sur les chantiers des grandes cathédrales françaises se répand en Europe selon des cheminements divers. En Espagne, qui reste longtemps fidèle aux traditions romanes, le porche de la Gloire de Saint-Jacques-de-Compostelle, achevé dans les premières années du XIIIᵉ siècle, reprend avec une grande intensité plastique l'inspiration des portails royaux. À l'est, le foyer strasbourgeois trouve, par le biais de vagues successives de créations, un rayonnement prestigieux et promis à un long avenir. Parmi ses plus grands chefs-d'œuvre, la Mort de la Vierge (tympan d'une des deux portes méridionales de la cathédrale) définit un style marqué par le pathétique, où la douleur atteint une violence exacerbée. C'est davantage encore en Saxe et en Franconie que les sculpteurs allemands révèlent leur génie propre. À la cathédrale de Bamberg, par-delà la diversité d'inspiration des ateliers qui se sont succédé, une iconographie nouvelle s'affirme, par exemple dans la traduction en pierre du motif, célè-

bre dans les vitraux de Chartres, des Prophètes portant les Apôtres sur leurs épaules. Au tympan du Jugement dernier, le drame du destin burine les visages en une tension qui contraste fort avec les sourires apaisés de Reims. Au milieu du XIIIᵉ siècle, à la cathédrale de Naumburg, les statues, qui ont définitivement conquis leur autonomie par rapport à l'architecture, savent traduire le caractère de l'individu dans un style puissant qui signe l'imaginaire germanique.

D'une originalité plus tranchée encore se révèle la sculpture italienne. Chez elle, la prédominance des thèmes du tombeau et de la chaire permet la dissociation franche de la plastique et de l'architecture. L'influence de l'Antiquité, mais aussi le rayonnement de Giotto y déterminent l'art de grandes dynasties de sculpteurs dont les maîtres, Nicola Pisano et son fils Giovanni, Arnolfo di Cambio, Tino di Camaino, Andrea Pisano et son fils Nino, Andrea Orcagna..., font de Pise, Sienne et Florence des foyers assez peu perméables à la manière française.

Le classicisme français

HUMANISATION DES VISAGES, ÉMANCIPATION DES FORMES
PAR RAPPORT À LEUR CADRE, TELLE EST LA PATIENTE RECHERCHE
QUI MÈNE DE LA SCULPTURE DE SAINT-DENIS À CELLE DE REIMS.

Saint Bernard, dans sa lutte contre le bestiaire fantastique, a-t-il aidé Suger à définir une nouvelle esthétique, où la pureté des lignes et la réserve des gestes dessinent une approche sereine du monde spirituel ? Les statues-colonnes de rois et de reines bibliques qui, en 1140, vinrent encadrer les portails de l'abbatiale de Saint-Denis dressaient leurs longs corps immobiles en un apaisement qui rompait avec l'agitation romane. Ce chef-d'œuvre est perdu, mais le portail royal de Chartres (voir p. 221) en continue la splendeur, et à sa suite Étampes, Bourges, Le Mans..., où la formule est répétée, adaptée, enrichie. À Angers déjà, ces statues au manteau finement plissé de longues stries parallèles se font moins rigides, esquissent des gestes, prennent du volume.

Au portail de la cathédrale de Senlis, vers 1170-1185, un maître de génie donne aux intuitions de Saint-Denis et de Chartres une forme nouvelle. Aux statues, hélas très mutilées, des ébrasements, les draperies suivent des mouvements plus souples, et les deux visages conservés laissent deviner l'individu derrière un

front fuyant, des lèvres presque sensuelles, des pommettes saillantes. L'iconographie aussi est inédite en sculpture : autour du lit funèbre de la Vierge, des anges, pleins d'une fraîcheur enfantine, se bousculent pour emporter son âme jusqu'au Christ, qui la couronne. La ferveur grandissante du culte marial donnera à ce motif un essor sans précédent. Sur le socle des statues-colonnes, les scènes du calendrier montrent les gestes quotidiens des activités paysannes. De la mystique au travail humain, un frémissement de vie parcourt les êtres.

À la cathédrale de Laon se manifeste l'ambition de la scolastique d'embrasser d'un même regard toute l'histoire du salut, de la Création au Jugement, du mystère sacré à son image profane dans les arts libéraux. L'art des sculpteurs de Laon, très familiarisés avec la plastique antique, marque une étape importante dans la maîtrise d'un discours structuré, fondé sur la pensée typologique de ce temps qui, dans un langage symbolique, établit une correspondance précise entre l'Ancien et le Nouveau Testament, l'humain et le divin.

À Chartres, après l'incendie de 1194, la cathédrale se construit selon les nouveaux canons de la beauté gothique. Aux somptueux portails des deux croisillons, l'iconographie s'amplifie, les statues-colonnes perdent de leur rigidité, les têtes se tournent, s'inclinent, s'individualisent, pleines de dignité et le front soucieux du drame de l'humanité. La beauté de l'homme est partout célébrée, comme celle du Christ au trumeau du portail méridional.

Même noblesse à Notre-Dame de Paris, avec peut-être un goût plus prononcé pour la nature et les richesses de l'ornement floral. La façade occidentale d'Amiens, commencée en 1220 et achevée en moins de quinze ans, est l'ensemble sculpté le plus homogène que ce temps ait laissé. Les draperies se font plus lourdes, les mouvements simples et naturels, les visages rustiques, les récits pittoresques. Le chantier de Reims est presque contemporain. Plusieurs ateliers s'y relaieront jusqu'au XIVᵉ siècle pour édifier le programme le plus complexe jamais réalisé. Le décor envahit toutes les parties de l'édifice en une profusion qui signe l'apogée de la sculpture monumentale. Celle-ci, dans les hauteurs, célèbre la royauté. Aux portails, le message cerne le triomphe de la Vierge par les visions du second avènement du Christ et de sa passion, en des images où le pathétique trahit les nou-

veaux élans de la piété. L'austérité antiquisante, le naturalisme puissant qui exalte la vie, la rudesse familière des profils y côtoient le sourire de la grâce.

L'art du Nord fait école, il se propage dans le Midi, se répète, s'alourdit, sans jamais rivaliser avec la vitalité rémoise. Et, partout, dans la seconde moitié du XIIIᵉ siècle, les chantiers s'éternisent : l'art du sculpteur se cherche un nouveau souffle, que la cathédrale ne peut plus lui donner. •

Les « ymages »

Au maître de Senlis (1) vers la fin du XIIᵉ siècle on doit une des plus étonnantes définitions du nouveau style : dynamisme de la composition, élan des anges autour de celle qui fut la reine de la piété gothique. Deux siècles plus tard, cette grâce laisse la parole à...

1. *Éveil de la Vierge par les anges,* relief du linteau du portail principal de la cathédrale de Senlis, vers 1185. (Moulage.)

La mutation des thèmes au XIVᵉ siècle

CE RENOUVELLEMENT VA DU MANIÉRISME
DES VIERGES À L'ENFANT À L'INTENSITÉ MYSTIQUE
DE CLAUS SLUTER, DE LA GRÂCE SOURIANTE
AU RÉALISME LE PLUS MACABRE.

Tandis que les chantiers des cathédrales touchent à leur fin, l'art de la sculpture continue en France en des foyers dispersés suscités par les bourgeois, les confréries ou les cours princières. La statuaire, qui a pris son autonomie par rapport à l'architecture, sert d'objet de dévotion dans les chapelles des églises, sur les places, dans les maisons ou dans les rues. L'essor du culte marial favorise la formidable éclosion des Vierges à l'Enfant, thème essentiel de l'iconographie du XIVᵉ siècle : là, Marie, debout, hanchée, porte sur son bras l'Enfant qui joue avec un oiseau ou avec le voile de sa mère ; ici, elle est assise pour allaiter. En métal ou en ivoire, en marbre ou en bois, le couple acquiert une grâce qui renforce la mode maniériste, caractérisée par l'allongement des formes, la sinuosité des lignes, l'agitation des draperies.

L'obsession de la mort propre au Moyen Âge finissant confère à la sculpture funéraire un développement si grand qu'elle infléchit dans un tout autre sens l'évolution de l'iconographie et de la plastique. Le mécénat princier conduit à l'art du portrait profane, et le souci réaliste de la ressemblance, du costume ou du rituel remplace désormais celui du dogme : André Beauneveu, au service du roi Charles V en 1364, ose des visages bouffis ou vulgaires, étonnants de vérité. Ainsi progressent l'étude des physionomies, la monumentalité déjà baroque des draperies et l'expressionnisme terrifiant des transis.

L'exaspération du pathétique et la contemplation mystique de la douleur du Christ permettent de comprendre le surgissement du génie de Claus Sluter, Hollandais appelé par le duc Philippe de Bourgogne au chantier de la chartreuse de Champmol, près de Dijon, en 1385. Travaillés par une ardeur mystique, ses personnages, spécialement les six prophètes du haut socle de calvaire dit « Puits de Moïse », atteignent une puissance qui semble annoncer Michel-Ange.

Derniers feux du Moyen Âge

LES ARTS DU RETABLE OU DU BUSTE FONT ACCÉDER
LA SCULPTURE GOTHIQUE À UN GÉNIE EXPRESSIF QUI MET
EN SCÈNE LA DOULEUR DE LA MORT COMME
LA SPONTANÉITÉ DU QUOTIDIEN.

Au XVᵉ siècle, parce que l'artisan se fait artiste, qu'il ne produit plus seulement sur demande mais propose ses œuvres à la vente, parce que l'art sert moins à glorifier Dieu qu'un génie conscient de son pouvoir, la sculpture peu à peu se détache de l'idéologie médiévale pour aborder un autre univers.

L'irruption d'une émotion sacrée dans les visages mythiques de Sluter appelle l'apaisement que connaît à la fin du siècle Michel Colombe, dont le graphisme monumental est empreint d'une nouvelle sérénité. Dans les années 1460, à Strasbourg, Nikolaus Gerhaert de Leyde allie le souci du naturalisme, l'intérêt pour les physionomies et la délicatesse des formes. Le rayonnement de sa personnalité modifie profondément motifs et styles, en particulier ceux du monument funéraire et du retable, objets de prédilection du Moyen Âge finissant. Le retable, en effet, est le nouvel espace qui permet de redéfinir l'alliance de l'architecture et des arts figurés. Au chœur de l'église, muni ou non de volets peints, il devient le point de mire de la piété. C'est dans l'art du retable que la sculpture allemande trouve son génie propre, et que s'affirme à la fin du XVᵉ siècle la suprématie du travail du bois, souvent polychromé et doré. Michael Pacher en Autriche, Veit Stoss et Tilman Riemenschneider en Franconie savent donner à ce matériau une noblesse nouvelle et trouver l'équilibre de cette structure particulière.

Autre mutation formelle et iconographique : les bustes, souvent accoudés, qui se penchent de fausses tribunes, ou de fenêtres bourgeoises, ouvrant ainsi le monde de la sculpture à un illusionnisme scénique et à la quotidienneté urbaine de l'échange de regards. La torsion du corps y accentue l'émancipation du motif par rapport à son cadre, en un effort qui travaille l'évolution de la sculpture depuis le XIIIᵉ siècle.

Enfin, la religion de la douleur favorise le thème de la Pietà, où la composition du groupe se renouvelle par l'étude admirable de corps ployés par la mort (Jésus) ou la tendresse (Marie), suscitant une écriture plus anatomique du crucifié, figure obsessionnelle en ces temps que marquent de façon indissociable la hantise du trépas et le goût de vivre. ●

→ **Voir aussi :** La cathédrale gothique, **ARTS**, p. 218-219.

2. Statue de *la Synagogue*, cathédrale de Bamberg, XIIIᵉ s. (Moulage.)

conquièrent le mouvement de la vie

une sculpture puissante, qui fait lire le drame de l'humanité sur le visage buriné de grandioses vieillards : sur les flancs hexagonaux du calvaire dont Sluter reçoit la commande pour la chartreuse de Champmol, six prophètes, parmi lesquels Isaïe, Moïse et David (3) s'avancent, le corps mû par la passion qui les anime, hors des niches que leur présence réaliste fait oublier. Dès avant le milieu du XIIIᵉ siècle déjà, les sculpteurs s'étaient essayés à libérer la statuaire de son support, en faisant dialoguer les grandes figures des portails, comme Élisabeth et Marie à Reims (4), ou en accentuant le hanchement élégant qui confère aux formes féminines le naturel de la marche, comme pour la Synagogue de Bamberg (2).

3. *Moïse entre Isaïe et David*, détail du « Puits de Moïse » à Dijon, sculpté par Claus Sluter entre 1395 et 1404. Pierre polychromée.

4. *La Visitation*, deux statues des ébrasements du portail central de la cathédrale de Reims ; avant 1233 ?

Florence et la révolution du quattrocento

L E DÉBUT DU XVe SIÈCLE EST marqué, à Florence, par l'un des plus extraordinaires bouleversements que l'histoire de l'art ait jamais connus. En quelques années, des formes et des idées radicalement nouvelles apparaissent en peinture, en architecture, en sculpture, et les artistes toscans vont jeter les fondations de ce qu'on appelle la Renaissance. Le terme est, en lui-même, révélateur des intentions de ces artistes : ils pensent faire renaître, après ce qui leur apparaît comme une période d'obscurité et d'ignorance, l'idéal de la civilisation et de l'art antiques. Mais la redécouverte de l'Antiquité ne suffit pas à expliquer ce qui se passe alors : on ne connaît encore rien, par exemple, de la peinture romaine, et les monuments que l'on admire ne peuvent être copiés tels quels : on ne saurait construire une église en reprenant simplement les formes d'un temple. Dans ces conditions, c'est d'abord le répertoire des ordres, mais aussi certains types de plan qui inspireront les architectes.

D'autre part, les artistes se mettent à regarder le monde d'un œil particulièrement attentif : ils cherchent donc à créer des images plus vraisemblables, en donnant une meilleure représentation de l'espace et des volumes grâce à l'invention de la perspective linéaire et à l'étude de la lumière. En fait, les théoriciens et les auteurs de l'époque soulignent toujours que l'artiste doit avoir deux maîtres, les Anciens et la nature, et qu'il n'imite les Anciens que pour arriver à mieux représenter la nature. À la différence des Flamands, les Italiens ne croient pas qu'il suffit d'observer la réalité, ils veulent fonder leur art sur un savoir : la perspective n'est pas seulement un mode de représentation intuitif, elle repose sur une construction géométrique et elle fera vite, comme les proportions du corps humain, l'objet de plusieurs traités.

C'est ainsi qu'on peut expliquer un autre caractère de la période, l'alliance entre le travail des artistes et la réflexion des lettrés. Ceux-ci procurent à ceux-là les idées qui leur permettent de rendre compte de leur pratique : nouvelle alliance qui trouve l'une de ses expressions les plus abouties dans la personnalité d'Alberti, à la fois grand humaniste et grand architecte.

2. Masaccio, *Saint Pierre distribuant les aumônes,* fresque, 1426-1427.

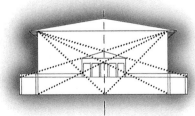

3. Donatello, *le Prophète Jérémie,* marbre, vers 1426.

La rupture : Masaccio, Donatello, Brunelleschi, Ghiberti

AU COURS DES PREMIÈRES DÉCENNIES DU XVe SIÈCLE, LES ARTS CONNAISSENT UN BOULEVERSEMENT PROFOND ET DÉCISIF.

L a révolution qui se produit au début du quattrocento est d'autant plus remarquable qu'elle semble naître d'un trait, et que le nouveau style s'affirme d'emblée avec une autorité et une ampleur incomparable : on pourrait même parler, à propos des œuvres qui apparaissent pendant cette période, d'un premier classicisme, qui ne sera dépassé qu'au siècle suivant. En architecture, Filippo Brunelleschi (1377-1446) construit deux vastes églises, San Lorenzo (voir p. 232-233), l'église paroissiale de la famille des Médicis, et Santo Spirito, qui évoquent directement les grandes basiliques de la Rome antique : en dehors d'Alberti, on ne retrouvera jamais pareille grandeur au XVe siècle. Les premières statues de Donatello (1386-1466) donnent la même impression de puissance : ce sont le grand *Saint Georges* (1416) de la façade d'Orsammichele, les prophètes destinés au campanile de la cathédrale (Jérémie, Habacuc...) ; l'extraordinaire force expressive de ces figures, l'ampleur de leurs proportions rompent de façon décisive avec la sculpture gothique. Les premières œuvres de Lorenzo Ghiberti (1378-1455) restent encore attachées par maints côtés à la tradition, mais l'artiste parvient à animer les bas-reliefs de la « porte du Paradis », au Baptistère, avec un sens véritable de la composition et du récit. Masaccio (1401-1428), enfin, dans les fresques de la chapelle Brancacci, à Santa Maria del Carmine, donne également un poids et une majesté incomparable à ses figures, rompant avec la douceur et le pittoresque de la dernière peinture gothique.

Les fondements essentiels de la Renaissance sont ainsi établis : Brunelleschi, dans deux petits panneaux aujourd'hui perdus, invente la perspective linéaire, c'est-à-dire la convergence de toutes les lignes perpendiculaires au plan du tableau vers un point de fuite unique, et la diminution des intervalles avec l'éloignement ; ces recherches sont reprises par Masaccio, qui représente avec ce procédé l'architecture feinte de sa *Trinité* (v. 1427) de Santa Maria Novella. Comme Donatello, le peintre s'inspire de la statuaire antique pour les drapés de ses figures. Surtout, il se sert de la lumière pour souligner leur volume et créer l'illusion du relief : cette maîtrise donne à ses fresques une grande force plastique. En architecture, la syntaxe des ordres antiques permet d'obtenir un aspect monumental et cohérent : les nefs de Saint-Laurent et du Saint-Esprit sont scandées de grandes colonnes corinthiennes, et Brunelleschi applique dans tous ses édifices un système de proportions fondé sur le module.

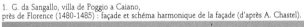

1. G. da Sangallo, villa de Poggio a Caiano, près de Florence (1480-1485) : façade et schéma harmonique de la façade (d'après A. Chastel).

La villa de Poggio a Caiano (1) témoigne du goût pour l'Antiquité, avec son entrée en forme de temple. Mais elle montre aussi la profonde rigueur géométrique des plans de la Renaissance. (Les volées de l'escalier étaient droites à l'origine.)

4. Uccello, *le Déluge*, une des fresques du cloître Vert de Santa Maria Novella, entre 1445 et 1450.

La floraison
de la première Renaissance

APRÈS LES GRANDES FIGURES DU
DÉBUT DU SIÈCLE, FLORENCE DEVIENT LA CAPITALE
ARTISTIQUE DE L'EUROPE ET INVENTE DE NOUVELLES
FORMES POUR LE PALAIS, LE RETABLE,
LE MONUMENT FUNÉRAIRE...

L'art de Brunelleschi va fortement influencer ses successeurs. Michelozzo (1396-1472) devient l'architecte privilégié de Cosme de Médicis : dans la bibliothèque du couvent de Saint-Marc (v. 1440), il reprend les files de colonnes des basiliques de Brunelleschi et emploie, pour la première fois depuis l'Antiquité, l'ordre ionique. Il est aussi chargé de construire le palais Médicis, où il établit ce qui restera le type du palais florentin pendant tout le siècle. Mais Leon Battista Alberti (1404-1472) est beaucoup plus original en couronnant la façade de Santa Maria Novella d'un fronton encadré de deux grandes volutes (v. 1458-1470), il réussit à apparenter cette façade à celle d'un temple antique, et à fournir le point de départ de réflexions sur ce thème qui seront menées par un grand nombre d'architectes de la Renaissance. Le décor de pilastres antiquisants qui scande la façade du palais Rucellai aura un avenir tout aussi riche.

En peinture et en sculpture, un style plus aimable va succéder à la grandeur austère de Masaccio et de Donatello : Fra Angelico (v. 1400 - 1455) place ses personnages aux visages lisses et doux dans des architectures classiques et une lumière claire. C'est la même clarté que l'on retrouve chez Domenico Veneziano (mort en 1461), qui emploie l'huile pour donner à ses couleurs et à sa lumière une grande transparence. Ces deux peintres joueront un grand rôle en abandonnant progressivement le polyptyque au profit de la *pala* d'autel unifiée, où toute la composition se déploie dans un seul panneau. Filippo Lippi (v. 1406 - 1469) est influencé par Masaccio, bien que ses figures de jeunes femmes et d'enfants soient pleines d'une grâce que l'on ne trouvait pas chez son modèle. Paolo Ucello (1397-1475) va prospecter surtout les possibilités ouvertes par la perspective. Seul Andrea del Castagno (v. 1420 - 1457) tentera véritablement de suivre les leçons de Masaccio mais ses figures ont davantage de dureté et de violence expressive.

Le sculpteur Luca Della Robbia (1400-1482) exécute une des *cantorie* (tribunes des chanteurs) de la cathédrale de Florence : ses enfants, d'une calme plénitude, s'opposent à l'agitation et à la violence de Donatello dans la *cantoria* qui lui fait face. Il se spécialise ensuite dans des groupes en terre cuite émaillée bleue et blanche, que ses descendants imiteront avec une certaine fadeur. Bernado Rossellino (1409-1464) pratique lui aussi un style doux, manquant de vigueur, mais il invente, avec le tombeau de Leonardo Bruni à Santa Croce, un type de monument funéraire qui va être repris pendant tout le siècle. ●

Les conquêtes de la première Renaissance florentine

Le Prophète Jérémie (3) est un des chefs-d'œuvre de Donatello : la manière dont le drapé flotte autour du corps, la main droite qui se tord sur la cuisse, l'expression douloureuse du visage donnent à la figure une force extraordinaire. Ce style eut une grande influence sur l'œuvre de Masaccio : les personnages des fresques de la chapelle Brancacci (2) ont la même monumentalité et la même puissance plastique, même s'ils ont plus de sérénité. L'édifice, à l'arrière de *la Distribution des aumônes*, est représenté en suivant les lois de la perspective, et c'est encore la perspective qui est au centre de la composition de Paolo Uccello (4) : celui-ci, cependant, en exagérant les effets produits par ce mode de représentation, donne à la scène un caractère profondément irréel.

Évolution et
rayonnement du nouvel art

L'ITALIE ENTIÈRE SE TROUVE
PROGRESSIVEMENT TOUCHÉE, CAR LES
ARTISTES DE FLORENCE SONT APPELÉS À TRAVAILLER DE
TOUS CÔTÉS. CERTAINS SIGNES DE DÉCLIN
SE MANIFESTENT CEPENDANT.

L'invention architecturale va rester constante pendant toute cette période : Giuliano da Sangallo (v. 1443 - 1516) jette les fondements du style classique : il réalise pour Laurent de Médicis, à Poggio a Caiano, une villa qui est le premier plan centré dans l'histoire de l'architecture civile. Le vestibule dont il avait doté la sacristie de Santo Spirito présentait, à l'origine, une voûte soutenue par des colonnes et décorée de caissons. Sangallo ira travailler à Naples, où il proposera un plan de palais royal. C'est aussi à Naples que Giuliano da Maiano (1432-1490) réalise une de ses œuvres majeures, la villa de Poggioreale, qui va être un des grands modèles de ce type d'architecture, en Italie et en France. Alberti, quant à lui, travaille à Mantoue, où il projette l'église Sant'Andrea. La nef est couverte d'une énorme voûte, portée par des piliers à l'intérieur desquels se logent des chapelles latérales ; le mur est animé par l'alternance des pilastres et des arcades ; il n'y a pas de bas-côtés : cet édifice est le seul, au quattrocento, qui puisse rivaliser avec les grandes églises de Brunelleschi.

La sculpture et la peinture florentines connaissent le même succès. Donatello va passer plusieurs années à Padoue, où il réalise la statue équestre d'un condottiere, le *Gattamelata* (1453) et, surtout, le maître-autel de la basilique du Santo (reliefs en bronze, 1443-1450), qui exercera une forte influence sur la peinture et la sculpture à Venise et à Padoue. À Florence même, la manière douce va s'imposer au travers de l'œuvre d'Antonio Rosselino (1427-1479), qui est toujours extrêmement gracieuse, mais manque aussi, assez souvent, d'énergie. Ce défaut est encore plus net chez un Mino da Fiesole. L'artiste le plus doué de cette génération, Desiderio da Settignano (v. 1430 - 1464), meurt malheureusement jeune, mais ses bas-reliefs (l'autel du Saint-Sacrement à l'église San Lorenzo) et ses statues (*Saint Jean Baptiste* au musée du Bargello, la petite tête d'enfant riant au Kunsthistorisches Museum de Vienne) témoignent, dans leur modelé, d'un véritable génie.

En peinture, la personnalité la plus forte est incontestablement Piero della Francesca (v. 1416 - 1492). Ses fresques d'Arezzo, consacrées à *la Légende de la Sainte Croix* (1452), nous fascinent par la géométrie qui préside à leur composition. Les personnages semblent immobilisés dans une contemplation majestueuse ; mais la lumière extraordinaire qui les baigne, et que Piero a sans doute apprise au contact de Domenico Veneziano, les transfigure. Il ira travailler à Rimini, à Rome, à Urbino, et, chaque fois, son influence sera profonde.

La fin du siècle est moins extraordinaire. La grâce un peu maniérée de Botticelli, les fresques narratives de Domenico Ghirlandaio ont un grand charme, mais elles ne sont plus vraiment à l'avant-garde. Antonio del Pollaiolo (v. 1432 - 1498), Verrocchio (1435-1488) s'engagent sur des voies plus neuves, aussi bien en sculpture qu'en peinture. On ne doit donc pas s'étonner que l'artiste qui va imprimer un cours nouveau à l'histoire, Léonard de Vinci, soit issu de l'atelier du Florentin Verrocchio. ●

→ **Voir aussi :** Brunelleschi, l'église San Lorenzo, **ARTS**, p. 232-233. Classicisme et maniérisme en Italie, **ARTS**, p. 240-241.

Brunelleschi
L'église San Lorenzo

L'ÉGLISE SAN LORENZO EST l'un des témoignages les plus significatifs de l'éclosion de la Renaissance à Florence au début du XVᵉ siècle. C'est en effet l'œuvre de l'architecte le plus novateur de cette période, celui qui rompt de façon définitive avec le Moyen Âge, Filippo Brunelleschi (1377-1446). Celui-ci retrouve, pour la première fois, la grandeur de l'architecture antique, tout en s'inspirant de monuments romans (mais, en Toscane, le style roman est lui-même très marqué par l'influence antique). D'autre part, il impose à l'ensemble de l'édifice un système de proportions qui lui donne une suprême unité et qui se distingue absolument des principes de composition de l'architecture gothique.

L'église contient aussi plusieurs œuvres d'art de grande qualité, parmi lesquelles des sculptures de Donatello (1386-1466), qui commence à travailler avec Brunelleschi à la vieille sacristie. La présence d'aussi grands artistes s'explique aisément : San Lorenzo est en effet l'église paroissiale de la famille qui va progressivement accaparer tout le pouvoir à Florence, les Médicis. Les premiers travaux sont engagés grâce aux dons de Giovanni di Bicci, et son fils, Cosme l'Ancien, les fait poursuivre.

San Lorenzo va d'ailleurs rester un centre important de la création artistique au siècle suivant : pour lui donner une façade (jamais réalisée) sera organisé un concours auquel participeront les meilleurs architectes, parmi lesquels Michel-Ange. Celui-ci construira à côté de l'église une nouvelle sacristie, où il sculptera les tombeaux d'autres membres de la famille Médicis, et une bibliothèque, la bibliothèque Laurentienne.

Histoire de la construction de l'église

BIEN QUE BRUNELLESCHI SOIT MORT LONGTEMPS AVANT L'ACHÈVEMENT DES TRAVAUX, IL SEMBLE QUE SON PROJET AIT ÉTÉ FIDÈLEMENT SUIVI PAR SES CONTINUATEURS.

Dès les débuts de son intervention dans le projet, Giovanni di Bicci a sans doute l'intention de confier également la construction de l'église à Brunelleschi : il lui fait donc corriger en conséquence le projet du prieur Matteo Dolfini. Celui-ci se propose seulement, semble-t-il, de refaire le transept et de construire un sanctuaire, mais l'architecte conçoit, dès cet instant, un plan de l'ensemble de l'édifice ; son premier biographe indique en effet qu'il se plaint de devoir réaliser une église sans chapelles latérales, ce qui prouve qu'il a déjà conçu le projet de la nef.

Les travaux se poursuivent très lentement ; en dehors de la sacristie, Brunelleschi parvient seulement à achever, avant 1429, la chapelle dédiée aux saints Côme et Damien (les saints patrons des Médicis), qui se trouve immédiatement à l'est de la sacristie (l'église est tournée approximativement vers l'ouest) : en effet, à cette date, un document indique qu'elle est en service depuis l'année précédente et qu'elle a été dotée d'un canonicat. Pour le reste, les travaux sont suspendus en 1425 et le sanctuaire, qui a été construit aux frais du chapitre, n'atteint encore que huit brasses de hauteur (soit environ 4,50 m) ; on a bien entrepris la construction d'autres chapelles, mais elles aussi demeurent inachevées. Les travaux ne reprennent qu'en 1442, et cette fois Cosme de Médicis les

3. Vue vers l'ouest (vers le chœur) de la nef de San Lorenzo.

La vieille sacristie

PREMIÈRE ŒUVRE RÉALISÉE PAR BRUNELLESCHI À SAN LORENZO, ELLE EST UN PARFAIT RÉSUMÉ DE SON STYLE ET L'UN DES PREMIERS EXEMPLES DE PLAN CENTRÉ À LA RENAISSANCE.

1. La « vieille sacristie » de Brunelleschi à l'église San Lorenzo.

En 1418, le prieur de l'abbaye de San Lorenzo décide de faire agrandir sa vieille église en construisant un nouveau transept. C'est dans ces circonstances que Giovanni di Bicci se détermine, quelques années plus tard (vers 1421), à demander à Brunelleschi les plans d'une sacristie, où il veut installer les tombeaux des membres de la famille Médicis ; les travaux sont entrepris en 1422 et le gros œuvre est terminé en 1428. La décoration commence après cette date : on exécute vers 1432 le tombeau de Giovanni di Bicci, puis, entre 1451 et 1453, on installe les plaques de fer perforées qui ornent les oculus de la coupole, et, en 1472, Verrocchio modèle un tombeau de bronze pour Piero et Giovanni de Médicis. Donatello réalise, à un moment qu'il est difficile de préciser, les quatre médaillons en stuc qui s'inscrivent dans les pendentifs de la coupole, ainsi que plusieurs autres bas-reliefs de stuc, et les portes en bronze, sur les côtés du sanctuaire, où sont représentés les Apôtres, les Martyrs et les Confesseurs. On pense aussi qu'il a dessiné l'architecture de ces deux portes (il semble que cette intervention n'ait pas été approuvée par Brunelleschi ; le décor assez chargé des portes s'oppose en effet à la pureté du reste de l'architecture).

La sacristie révèle, dans un volume réduit, toutes les qualités du style de Brunelleschi. Il s'agit d'un espace carré, dans lequel s'inscrit le cercle ouvert par la coupole. Les murs sont scandés par des pilastres, qui supportent une frise continue, avec des médaillons représentant des séraphins et des chérubins ; toutes les parties de l'espace sont ainsi clairement définies par le contraste entre l'enduit blanc et les éléments en *pietra serena* (une pierre volcanique grise) ou en stuc coloré. Des motifs géométriques simples reviennent partout, cercles, demi-cercles et carrés. Les proportions du plan sont déterminées par un module carré, de sept brasses florentines de côté (environ 4 m), dont la surface correspond au sanctuaire, la sacristie contenant elle-même neuf carrés de cette superficie (ils sont d'ailleurs tracés sur le dallage). L'élévation est composée suivant les mêmes principes. ●

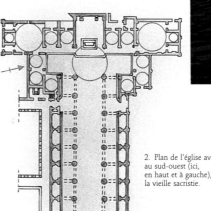

2. Plan de l'église avec, au sud-ouest (ici, en haut et à gauche), la vieille sacristie.

La composition modulaire, source

La photographie de la vieille sacristie (1) nous montre l'amorce de la grande coupole et, au fond, le sanctuaire surmonté lui aussi d'une coupole, plus petite et aveugle. De chaque côté, on aperçoit les portes qu'a dessinées Donatello. Au centre, recouvert d'une table de marbre, se trouve le tombeau de Giovanni

prend directement en charge, après que le chapitre a constaté qu'il ne parviendrait jamais à les mener à leur terme. On travaille alors à achever le sanctuaire, le transept et les trois premières travées de la nef, qui doivent venir se raccorder à ce qui reste de l'ancienne église.

Lorsque Brunelleschi meurt, en 1446, ces travaux sont encore loin d'être achevés. La conduite du chantier est alors confiée à Antonio Manetti (1405-1460), qui a travaillé comme menuisier à Santa Maria del Fiore, la cathédrale de Florence, sous la direction de Brunelleschi, et qui a obtenu une charge d'architecte grâce à l'aide de Michelozzo. Manetti ne réalise la coupole qu'en 1457, et il commence à la même date à reconstruire le couvent, contre lequel il érige les chapelles du flanc sud de l'église. Le nouvel autel est consacré en 1461 ; à partir de 1465, on entreprend la destruction de l'ancienne église pour la remplacer par la nouvelle nef et l'on passe à la construction des chapelles du côté nord.

La durée de ces travaux a donc été très longue et l'on a souvent prétendu que les projets de Brunelleschi avaient été profondément altérés. L'historien Giorgio Vasari écrit déjà, au XVIᵉ siècle, que ses continuateurs, « jaloux de lui. Cette malveillance serait responsable de nombreuses erreurs ; il remarque, en particulier, que les bases des colonnes de la nef ne sont pas au même niveau que les pilastres des bas-côtés, puisque ceux-ci se dressent sur des marches et sont, de ce fait, surélevés. On a récemment repris cette idée, en relevant d'autres imperfections. Mais M. B. Jestaz fait remarquer, à juste titre, que la marge de manœuvre de Manetti n'a pas été très importante, et qu'il s'est probablement contenté de fournir le dessin de la coupole et celui des chapelles latérales (Brunelleschi, nous l'avons dit, s'est plaint en effet que de telles chapelles n'aient pas été prévues initialement). ●

🦅

L'architecture de San Lorenzo

BRUNELLESCHI RETROUVE LA GRANDEUR DES BASILIQUES PALÉOCHRÉTIENNES GRÂCE À LA RECHERCHE DES PROPORTIONS ET À L'EMPLOI DES ORDRES.

San Lorenzo est donc la première grande église où se manifeste de manière éclatante le nouveau style de la Renaissance. Certes, Brunelleschi s'inspire aussi de modèles médiévaux, en particulier d'une grande église gothique de Florence, Santa Croce, qui a le même plan en forme de T, et qui constitue un relais entre son œuvre et les grandes basiliques romaines du IVᵉ siècle. Mais il est le premier à avoir su retrouver l'aspect monumental des intérieurs conçus par les Anciens : l'espace est uniforme et harmonieux, les rangées de colonnes organisent la perspective. Comme dans les premières basiliques chrétiennes, la nef est couverte d'un plafond à caissons. Comme dans la sacristie (que l'on appelle « vieille sacristie » pour la différencier de celle que construira Michel-Ange), le contraste entre l'enduit blanc et le gris sombre de la *pietra serena* dessine de façon claire les différentes parties de l'édifice, les arcades, l'ouverture des chapelles latérales, les oculus qui illuminent les voûtes sur pendentifs des bas-côtés... On est loin de la profusion décorative de certains édifices gothiques.

On retrouve également, comme dans la sacristie, l'emploi d'un module carré qui détermine toutes les proportions du plan : il a cette fois-ci la dimension de chaque travée des bas-côtés ; les surfaces de la croisée du transept et du sanctuaire corrrespondent chacune à quatre de ces carrés, et reprennent aussi les dimensions de la vieille sacristie. Certains éléments de l'élévation ou du plan sont moins réguliers : les bras du transept n'ont pas les dimensions de la croisée, les rapports entre la hauteur de la nef centrale et des bas-côtés est de 7/11, au lieu du rapport de 6/12 que l'on trouve dans l'autre grande église de Brunelleschi, Santo Spirito (projetée à partir de 1428, construite jusque vers 1480). Mais ces irrégularités s'expliquent probablement par les dispositions et les proportions de l'édifice antérieur, auxquelles Brunelleschi a dû s'adapter : comme il fallait se raccorder à l'ancienne nef, il a été obligé d'en respecter les niveaux et n'a donc pas eu la liberté d'imposer les proportions qu'il aurait désirées. Il a subi les mêmes contraintes pour la largeur de la nef et celle des bas-côtés, donc pour les dimensions de la croisée du transept : aussi faut-il admirer la manière dont il a résolu ces difficultés, au lieu d'accuser ses continuateurs.

L'unité de l'édifice naît des proportions, ainsi que de l'emploi des ordres : les grandes arcades sont surmontées par un entablement, qui délimite clairement le niveau de la colonnade et celui des fenêtres hautes. D'autre part, entre la retombée des arcades et les chapiteaux se trouvent des fragments d'entablement, sortes de grands dés qui reprennent la division de l'entablement classique en architrave (à trois fasces), frise (décorée) et corniche. Ces dés répondent à l'entablement continu qui court au-dessus des pilastres et des arcades des bas-côtés ; il y a ainsi une correspondance entre l'élévation de la nef et celle des bas-côtés, ce qui, malgré la légère irrégularité relevée par Vasari, donne à l'édifice une grande cohérence. Le dessin des ordres est très proche des modèles antiques, même si l'Antiquité est redécouverte au travers des exemples du style roman florentin : grandes colonnes à fût lisse, pilastres cannelés, chapiteaux corinthiens... ●

Donatello : les chaires de San Lorenzo

Les deux chaires en bronze de San Lorenzo, commandées par Cosme de Médicis en 1461, sont la dernière œuvre de Donatello. Il ne les acheva pas et elles ne furent assemblées et mises en place de manière définitive qu'au XVIIᵉ siècle. On pense qu'il ne les modela pas entièrement de sa main, mais qu'après avoir dessiné toutes les compositions il confia la réalisation de certaines d'entre elles à des élèves. Ainsi, il semble à peu près certain que le Padouan Bartolomeo Bellano joua un rôle important, en particulier dans la *Crucifixion* (4). On n'en découvre pas moins dans cette composition toute la puissance expressive de Donatello : les drapés, les chevelures profondément ciselées, les personnages sont en proie à une violente agitation. Les traits sont parfois déformés jusqu'à la caricature : l'artiste sacrifie tout à une extraordinaire volonté dramatique, pour restituer au spectateur ce moment d'agonie.

4. Donatello (et Bellano ?), *Crucifixion,* relief en bronze d'une des deux chaires.

d'harmonie

di Bicci et, sur le pavement, sont dessinés des carrés qui correspondent au module choisi par l'architecte. Dans l'église (3), on sent la force des effets de perspective voulus par Brunelleschi, avec les lignes de fuite que forment les caissons du plafond et les entablements, la répétition des voûtes sur pendentifs dans les bas-côtés. Sur le plan (2), on peut lire le principe de composition modulaire, qui a pour base le carré formé par chaque travée des bas-côtés.

La peinture des écoles du Nord

V ERS 1420, UNE GÉNÉRATION d'artistes nés au tout début du siècle cherche à traduire la réalité du monde visible. Avant eux, les frères de Limbourg l'avaient déjà tenté dans le célèbre calendrier des *Très Riches Heures* enluminées pour le duc de Berry. Florence et les Pays-Bas du Sud sont les foyers où est poussé à son plus haut niveau l'art de l'imitation. Mais, dans ses fresques, Masaccio plie la représentation à une vision intellectuelle et à des tracés géométriques, démarche symptomatique du génie italien. On a longtemps attribué à la technique de la peinture à l'huile l'exploration minutieuse des apparences menée par les frères Van Eyck. Il semble que le secret des Flamands réside plutôt dans la superposition de couches de vernis transparent qui donnent à leurs tableaux l'éclat de l'émail, la brillance des

pierres précieuses. L'illusion du vrai, appréciée au plus haut point par les bourgeois comme par les princes, est l'une des manifestations évidentes du renouveau de l'esprit antique, qui célébrait les trompe-l'œil d'Apelle et de Zeuxis.

Cette Renaissance septentrionale a étendu son influence sur une grande partie de l'Europe, particulièrement en Allemagne. La représentation des rives du lac Léman par Konrad Witz (1444) est un jalon important dans l'histoire du paysage, mais la persistance du style courtois, linéaire et précieux, caractérise l'œuvre de Stephan Lochner à Cologne. Tandis que l'expressionnisme l'emporte chez Grünewald (v. p. 238-239), Albrecht Dürer, à la charnière du xve et du xvie siècle, parvient à concilier, dans une synthèse admirable, la précision nordique et la grandeur italienne.

L'avènement de l'homme

PAR LE BIAIS, D'ABORD, DE LA REPRÉSENTATION
DES DONATEURS, LE PORTRAIT FAIT SON APPARITION
DANS LA PEINTURE OCCIDENTALE.

A bandonné depuis l'époque romaine, le portrait devient et demeure, pendant tout le xve siècle, le genre où excellent les peintres flamands, qui scrutent l'aspect individuel, la spécificité de chaque être, alors que les Italiens demeurent attachés aux traits génériques du profil « de médaille ». La pose de trois quarts, plus rarement de face, convient à cette analyse fidèle. L'homme est presque toujours situé dans un contexte religieux, en oraison devant le Christ ou la Vierge, présenté par son saint patron, spécialement sur les volets des triptyques. Le lignage humain est évoqué, les hommes figurant à droite de la divinité, leur épouse et leurs filles à gauche. Les portraits des donateurs du polyptyque de Gand sont isolés, semblables à des sculptures polychromes dans leurs niches, saisissants de vérité ; ils devaient donner l'impression d'être vivants à qui les découvrait dans la pénombre de la chapelle. Sur le triptyque de Mérode, le couple des donateurs participe modestement à la scène principale en contemplant la Salutation angélique par la porte entrebâillée de la maison de Marie. Quelques années plus tard (1434-1436), Van Eyck accorde à l'homme face à Dieu une place d'honneur qu'il n'avait jamais connue. Le chanoine Van der Paele (Musée communal de Bruges), introduit par saint Georges, qui, respectueusement, ôte son couvre-chef, est aux côtés de la Vierge, dans le même espace, bien que son re-

gard exprime une contemplation suscitée par la lecture du livre d'heures. Le chancelier Rolin (Louvre), priant, lui aussi, dans un sompteux oratoire, voit la Vierge, couronnée par un ange, lui apparaître. Son orgueil, peut-être évoqué par le paon qui figure à ses côtés, l'a placé au premier plan du tableau, sans intercesseurs, de plain-pied avec la Madone. Cette audace restera un fait unique dans la peinture sacrée, dont la représentation humaine se détachera progressivement pour devenir autonome.

Les donateurs peints à mi-corps sur les diptyques ont encore les mains jointes, tel Laurent Froimont par Van der Weyden (musée des Beaux-Arts de Bruxelles), mais leurs mains seront bientôt croisées, parfois tenant un billet permettant de les identifier. Là encore, Jan Van Eyck innove en faisant surgir de l'ombre *l'Homme au turban* (National Gallery, Londres), portrait présumé de l'artiste, qui serait le pendant de l'inoubliable *Marguerite Van Eyck* (Bruges), première représentation autonome de la femme dans la peinture occidentale. L'homme du peuple, figurant anonyme, fait, lui aussi, son apparition, grâce au thème de l'Adoration des bergers. Le Maître de Flémalle est le premier à les peindre (musée de Dijon) ; il est imité par Hugo Van der Goes (*Triptyque Portinari,* musée des Offices, Florence), qui influencera à son tour Domenico Ghirlandaio lorsque ce triptyque sera solennellement exposé à Florence, en 1483.

Au service de la dévotion

PENDANT TOUT LE XVe SIÈCLE,
LES COMMANDES ÉMANENT SURTOUT DES
COUVENTS, DES ÉGLISES ET DE PARTICULIERS QUI
FONDENT DES CHAPELLES FUNÉRAIRES
OU DES ORATOIRES PRIVÉS.

L e moyen d'expression des écoles du Nord est la peinture sur panneaux de bois constituant des compositions à deux, trois ou plusieurs compartiments ou volets (diptyque, triptyque, polyptyque). Les thèmes choisis par les commanditaires sont toujours religieux ; comme aux époques précédentes, ils illustrent la vie du Christ, de la Vierge et des saints, mais en modifiant le contexte du récit. Le premier représentant de ce « réalisme bourgeois » est le « Maître de Flémalle », probablement Robert Campin (mort à Tournai en 1444), dont l'œuvre majeure est le triptyque de l'ancienne collection Mérode (v. 1425, Metropolitan Museum, New York). Au lieu de faire évoluer la Vierge et l'ange de l'*Annonciation* sur un fond d'or intemporel, comme au xive siècle, dans un cloître ou dans un palais, comme en Italie, Campin situe la scène dans un confortable intérieur qu'il décrit avec minutie. Certains objets, tel le vase aux fleurs de lys, sont dotés d'une signification symbolique, mais celle-ci paraît absente du volet

droit, qui montre l'atelier de saint Joseph charpentier ouvrant sur une place typiquement flamande.

En 1432, Jan Van Eyck (mort à Bruges en 1441) achève la composition la plus grandiose de tout le xve siècle nordique, le polyptyque de Saint-Bavon de Gand, dit *l'Agneau mystique.* La Salutation angélique y figure, mais l'interprétation de Van Eyck élimine les détails anecdotiques issus de la miniature, au profit d'un art monumental où les personnages, semblables à des statues peintes, évoluent dans un espace baigné par une lumière d'essence spirituelle. Ni Rogier Van der Weyden ni Hans Memling n'ont su atteintre par la suite la grandeur de cet hymne religieux, mais ils ont évoqué de façon saisissante le Jugement dernier et les épisodes douloureux de la Passion du Christ. Si l'inspiration s'est affaiblie, l'exécution, toujours parfaite, séduit les bourgeois et les princes, du chancelier Rolin à Isabelle la Catholique, faisant rayonner dans l'Europe entière l'art de ces peintres injustement dénommés « Primitifs ». ●

Campin ou « Maître de Flémalle » ?

Hypothétique demeure l'identité de l'artiste novateur auquel on attribue, à côté du présent triptyque (1), la *Nativité* du musée de Dijon, au précoce paysage, et le *Mauvais Larron* de Francfort, d'un réalisme brutal.

1. Robert Campin, alias le Maître de Flémalle, triptyque de l'*Annonciation,* dit *Retable de Mérode* (peinture sur bois, v. 1425).

La conquête de l'espace

LA RECHERCHE DE LA TROISIÈME DIMENSION
ET L'ÉVOCATION DU MILIEU NATUREL DE L'HOMME INTÉRESSENT,
À DES DEGRÉS DIVERS, LES PEINTRES DES ÉCOLES DU NORD.

La peinture plate et intemporelle lointainement héritée de l'art byzantin persiste dans les pays germaniques plus longtemps que partout ailleurs en Europe. Elle produit ce style gothique international, décoratif et irréaliste, qui débute avant 1400 et dont le chef-d'œuvre final (influencé, toutefois, par Van der Weyden) est sans doute la *Vierge au buisson de roses* de Martin Schongauer (1473, église Saint-Martin, Colmar). D'essence aristocratique, ce style ne résistera pas à la montée du réalisme qui fait déjà une apparition timide dans le *Retable de la Passion* de Bad Wildungen, peint vers 1404 par Konrad von Soest. Le fond d'or subsiste, mais le pilier qui soutient le toit de l'étable de la Nativité est arbitrairement placé au premier plan dans l'intention de créer un effet de profondeur.

Grâce à quelques éléments d'architecture, le peintre va tenter de représenter la troisième dimension ; solives d'un plafond, carrelages, tringles, étagères créent l'illusion de la profondeur. Pour l'accentuer encore, parfois jusqu'à l'infini, les peintres peuvent placer au fond de la pièce une fenêtre ou un miroir. Le Maître de Flémalle, vers 1425 *(Retable de Mérode)*, et Jan Van Eyck, entre 1430 et 1440, sont à l'origine de ces deux procédés. Dans la chambre de l'Annonciation du retable de *l'Agneau mystique*, tout au fond de l'alcôve, une fenêtre géminée laisse entrevoir la ville de Gand, qui apparaît aussi par la baie centrale et à gauche de l'ange. Mais c'est dans la *Vierge du chancelier*

Rolin que Van Eyck, par des plans étagés, conduit notre regard jusqu'aux horizons lointains. Il est vain de chercher à identifier la ville et le paysage représentés, car le peintre a voulu évoquer non un site précis, mais le monde entier sur lequel règne Marie, couronnée par un ange. Le miroir placé dans la chambre des *Époux Arnolfini* (v. p. 236-237) clôt en revanche sur lui-même le microcosme intégral de la pièce.

Hans Memling, quant à lui, accroîtra l'importance du paysage, qui unifie ses compositions religieuses et constitue l'arrière-plan de ses portraits. Il créera le paysage panoramique peuplé de scènes multiples (*la Passion du Christ*, v. 1470, galerie Sabauda, Turin), véritable *théâtre du monde*, tel que le concevra magistralement Pieter Bruegel l'Ancien près d'un siècle plus tard.

2. Hugo Van der Goes, détail de l'*Adoration des bergers*, panneau central du *Triptyque Portinari*, commande d'un marchand florentin à l'artiste flamand (v. 1475-1478 ?).

Le XVᵉ siècle septentrional redécouvre l'homme dans un cadre encore religieux

L'automne du Moyen Âge est marqué, dans les pays de l'Europe du Nord, par une véritable renaissance, non de l'Antiquité, mais de l'intérêt porté à l'homme et aux réalités terrestres, que l'on continue néanmoins à représenter dans un contexte religieux : portraits de riches bourgeois figurés en donateurs (volet gauche du *Retable de Mérode*) [1] ou gens du peuple prêtant leurs traits aux bergers venus adorer l'Enfant Jésus (2). Les peintres flamands situent les scènes sacrées dans des intérieurs contemporains (1) ; Dürer, qui a voyagé en Italie, les transpose dans des palais en ruine (métaphore du monde ancien qui s'écroule devant le christianisme) dont l'architecture lui permet d'appliquer sa science de la perspective (*Retable Paumgartner*, conservé à Munich) [3].

Albrecht Dürer

PEINTRE ET GRAVEUR, HUMANISTE ET THÉORICIEN,
CETTE GRANDE FIGURE DE L'ART ALLEMAND EST, POUR L'EUROPE
DU NORD, L'ÉQUIVALENT DE LÉONARD DE VINCI.

Fils d'un orfèvre de Nuremberg, Albrecht Dürer (1471-1528) est surtout célèbre pour ses gravures, qui diffusèrent son art dans l'Europe entière, inspirant peintures, tapisseries et vitraux. La précision de son trait se retrouve dans les aquarelles, qui révèlent son amour de la nature et sa curiosité pour les sciences exactes. Il scrute son visage avec la même attention passionnée et

peint les premiers autoportraits indépendants de la peinture occidentale. Deux voyages à Venise (1494 et 1506) le familiarisent avec l'art italien et lui suggèrent des observations sur l'anatomie et les proportions, codifiées dans plusieurs traités et appliquées à la représentation d'Adam et Ève (burin de 1504 ; peintures de 1507, Prado, Madrid).

Artiste renommé, il reçoit, comme Hans Burgkmair ou Albrecht Altdorfer, des commandes de l'empereur Maximilien. Dans ses retables, les donateurs sont présents, mais, à la différence des tableaux flamands, leurs dimensions n'égalent pas celles des personnages sacrés, archaïsme qui révèle l'influence de la doctrine chrétienne prêchée par les réformés. Les tourments et le pathétique de la fin du Moyen Âge transparaissent dans les suites de la *Passion* ou de l'*Apocalypse* et dans des gravures telles que la *Mélancolie* ou le *Chevalier, la Mort et le Diable*. Au retour de son voyage dans les Pays-Bas (1520-1521), il peint surtout des portraits, puis les figures monumentales des *Quatre Apôtres* (v. p. 245) dont il fit cadeau à la municipalité de Nuremberg en recommandant « de les conserver dans sa ville natale en souvenir de lui et de ne pas les laisser tomber entre des mains étrangères ». ●

→ **Voir aussi :** La peinture gothique, **ARTS**, p. 224-225. Florence et la révolution du quattrocento, **ARTS**, p. 230-231. Van Eyck *Les Époux Arnolfini*, **ARTS**, p. 236-237. Grünewald *Le Retable d'Issenheim*, **ARTS**, p. 238-239.

3. Albrecht Dürer, *la Nativité*, panneau central du triptyque dit *Retable Paumgartner* (1503 ?).

Van Eyck
Les Époux Arnolfini

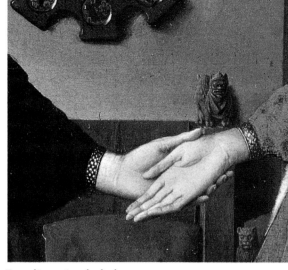

Première scène intimiste bourgeoise dans la peinture occidentale

LORSQUE, EN 1434, LES Arnolfini posent à Bruges devant Jan Van Eyck, ils consacrent non seulement leur union, mais aussi la résurrection d'un genre disparu en Occident, le portrait. Certes, tout au long du Moyen Âge, la figure humaine était présente, mais en fonction de Dieu, devant lequel les donateurs s'agenouillaient avec dévotion. Le portrait *en pied* était réservé aux personnages sacrés, le Christ et la Vierge, les saints et les prophètes. Depuis la représentation majestueuse de Justinien et Théodora sur les murs de Saint-Vital à Ravenne, pendant neuf siècles donc, l'homme debout avait disparu du devant de la scène. Le voici renaître sous le pinceau de Van Eyck de par la volonté d'un riche bourgeois italien ; après lui, ce portrait en pied deviendra l'apanage des souverains et des grands

personnages. L'accession d'un roturier au portrait d'apparat révèle une audace qui transparaît dans le regard volontaire et glacial du commanditaire. La gravité et le faste de la scène correspondent à un événement solennel, dont la signification matrimoniale est aujourd'hui clairement élucidée. Un rapport nouveau s'établit entre l'homme et la femme, entre l'homme et son cadre de vie, se substituant à la relation privilégiée de la créature face à son Créateur. Le style est aussi novateur que l'iconographie, cela en rapport avec la présence du miroir, qui sera repris par maint artiste, tel Velázquez. Le choix de Van Eyck pour immortaliser un marchand italien révèle la renommée du peintre, qui se conforme à l'idéal de la Renaissance en célébrant l'avènement de l'homme au centre du monde tangible.

Le peintre flamand Jan Van Eyck a immortalisé, dans un de ses chefs-d'œuvre, le mariage d'un riche marchand italien installé à Bruges, dont il a été le témoin comme l'atteste l'inscription. Entourés d'objets à la fois familiers et symboliques, les époux se prêtent serment de fidélité et le geste des mains jointes (1) consacre leur union dans la chambre nuptiale sous l'invocation du Christ, dont la Passion est représentée dans les dix médaillons qui entourent le miroir. Point focal de la composition, celui-ci (3) nous révèle la présence du peintre, accompagné d'un second personnage.

Le sens caché de l'œuvre

MÉCONNUE AU XIXe SIÈCLE, OÙ CERTAINS VOYAIENT DANS LE TABLEAU UNE SCÈNE DE CHIROMANCIE, LA SIGNIFICATION DE CELUI-CI A ÉTÉ PRÉCISÉE PAR L'ÉTUDE DES NOMBREUX SYMBOLES QU'IL CONTIENT.

Dates clefs

Destinée du tableau

AVANT D'ÊTRE ACQUISE, EN 1842, PAR LA NATIONAL GALLERY DE LONDRES, CETTE PEINTURE A CONNU QUATRE SIÈCLES D'UNE EXISTENCE MOUVEMENTÉE, AUX ERRANCES PARFOIS INCERTAINES.

La première mention de l'œuvre se trouve dans l'inventaire des collections de Marguerite d'Autriche, régente des Pays-Bas, dressé en 1516 : « Un grand tableau qu'on appelle *Hernoul le Fin avec sa femme dedans une chambre* [...] fait du peintre Johannes. » Le texte ajoute que l'œuvre a été offerte à la régente par le collectionneur espagnol don Diego de Guevara dont les armes figuraient sur les volets, fermés par une serrure, qui protégeaient l'œuvre en même temps qu'ils attestaient son caractère précieux. Une autre régente, Marie de Hongrie, s'était établi en 1558. Dix années plus tard, un amateur se souvient, dans ses Mémoires, du célèbre tableau qui représente « le mariage d'un homme et d'une femme ». Il faut attendre 1700 pour trouver d'autres précisions dans l'inventaire des collections royales espagnoles. Nous apprenons que sur le cadre de bois doré à l'or mat se trouvaient des vers d'Ovide et, pour la première fois, apparaît une interprétation qui sera tenace : « C'est une Allemande qui

est enceinte ; elle est habillée de vert et donne la main à un jeune homme, et ils semblent se marier cette nuit-là ; et les vers expliquent comment ils s'unissent l'un à l'autre ; les portes de bois sont peintes en imitant le marbre jaspé. » La dernière mention date de 1789. Probablement emporté par les troupes napoléoniennes, le tableau reparaît à Bruxelles après Waterloo ; il est alors vendu à diverses reprises, avant de trouver un asile définitif à la National Gallery, malheureusement privé de son cadre et de ses volets, qui disparurent certainement lorsque l'œuvre fut dérobée à Madrid.

L'identification du personnage masculin avec Arnoul le Fin (appellation qui traduit peut-être un jeu de mot sur la finesse de ses traits) est confirmée par la comparaison avec un autre portrait de Van Eyck (à la Galerie de peintures de Berlin-Dahlem) qui représente Arnolfini un peu plus âgé. Ce riche marchand, originaire de Lucques, s'était établi en 1420 à Bruges, où il mourut en 1472, après avoir été armé chevalier par le duc Philippe le Bon. ●

Fait exceptionnel, la signature du peintre figure non dans la partie inférieure du tableau, mais dans la partie supérieure du tableau, soigneusement calligraphiée, bien en évidence entre deux éléments essentiels du décor, le lustre et le miroir. L'inscription *Johannes de Eyck fuit hic 1434* atteste la présence du peintre *ici (hic)*, attirant ainsi l'attention sur son rôle de témoin plutôt que d'exécutant. Il est d'ailleurs présent, avec un second témoin, sur le seuil de la pièce, ainsi que nous le fait savoir l'image reflétée par le miroir convexe. Ces deux menus personnages, l'un vêtu de rouge, l'autre de bleu, assistent à l'union sacramentelle de Giovanni Arnolfini et de Giovanna Cenami. Cette identification a été réfutée au profit du mariage morganatique du frère de Giovanni, Michele, avec une certaine Élisabeth. L'argument invoqué réside dans le fait que l'époux tend sa main gauche à la jeune femme ; il est sans valeur, car Van Eyck a dû opérer la fusion de deux moments successifs du sacrement, que les vers d'Ovide devaient rendre plus explicites : le serment de fidélité, prêté de la main droite *(fides levata)*, et l'union des mains *(dextrarum junctio)*, qui eurent cours jusqu'au concile de Trente (1563) sans que la présence d'un prêtre fût nécessaire. Toutefois, la bougie unique allumée sur le lustre représente l'œil de Dieu qui voit tout et, entourant le miroir, dix médaillons

narrent la Passion du Christ. La chambre nuptiale est ainsi un lieu sacré ; en y pénétrant, les mariés se sont déchaussés, comme l'attestent les socques posées sur le plancher. Le petit chien, aux pieds de Giovanna, symbolise sa fidélité, comme font allusion à ses devoirs d'épouse le chapelet et le petit balai, rappelant la devise « prie et travaille ». L'enfantement sera favorisé par sainte Marguerite, patronne des femmes en couches, dont la statuette couronne le bois du lit conjugal. Mme Arnolfini serait-elle enceinte, comme on l'a si souvent écrit ? Outre l'absurdité d'une telle représentation, le jour des noces, dans la société chrétienne du XVe siècle, il faut invoquer la mode du temps, la pose cambrée, la taille très haut placée et l'ampleur des lourdes étoffes ramenées sur le ventre. Sainte Catherine, vierge et martyre, est ainsi figurée par Van Eyck sur le petit triptyque de la Galerie de Dresde, en 1437. L'oranger que l'on aperçoit au dehors, dont les fruits sont déposés sur le rebord de la fenêtre et sur le coffre, évoque lui aussi la cérémonie du mariage. Il était d'usage, en pareille circonstance, d'offrir des oranges, en souvenir des pommes d'or du jardin des Hespérides données par les Grâces à Junon lors de ses noces avec Jupiter. Cette coutume méditerranéenne rappelle l'origine d'Arnolfini, qui a cependant adopté la mode flamande, de même que son épouse. ●

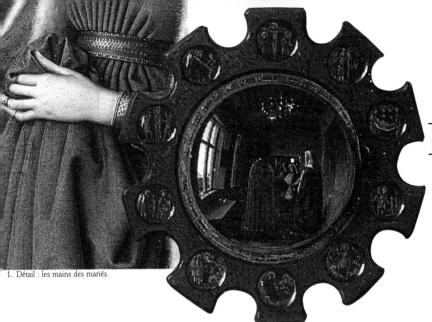

1. Détail : les mains des mariés.

3. Détail : le miroir convexe.

Le miracle eyckien

POUR LA PREMIÈRE FOIS DANS L'HISTOIRE
DE LA PEINTURE OCCIDENTALE, VAN EYCK ALLIE
LA MONUMENTALITÉ DES FORMES À LA MINUTIE DES DÉTAILS,
DANS UN ESPACE UNIFIÉ PAR LA LUMIÈRE.

La composition du tableau est dictée par des lignes géométriques qui prouvent une mûre réflexion plutôt que des tâtonnements empiriques, comme on l'a prétendu parfois. La solennité du moment est évoquée par la pose presque sculpturale des époux et rehaussée par le décor servant de cadre à ces « statues peintes ». Du côté de la femme, le grand lit à baldaquin dont le rouge éclatant est complémentaire de son manteau vert. Du côté d'Arnolfini, la fenêtre ouverte évoquant ses activités extérieures et faisant entrer dans la pièce une lumière douce et diffuse, qui ne crée que des ombres légères modelant les visages, les corps, les objets. Le style linéaire gothique des miniatures exécutées quelque dix ou douze ans plus tôt pour compléter les *Très Belles Heures* de Jean de Berry (« Heures de Turin ») est évincé au profit d'un rendu plastique des volumes, du poids des étoffes, de leur texture, même si Giovanna, dans sa pose, garde le souvenir de cet art courtois et précieux. Jamais la valeur tactile des objets, l'illusion du relief et de la matière, cuivre, bois, laine, fourrure, n'avaient atteint cette vérité intense, à la fois proche et mystérieuse. La recherche d'un point de fuite central n'est pas le souci de Van Eyck, qui, en outre, échappe à une symétrie froide en ne plaçant pas exactement les mains des époux dans l'axe vertical du lustre et du miroir.

Les volets ouverts (si l'on imagine leur existence), la courtine du lit, les solives du plafond, les lames du plancher et les motifs du tapis conduisent notre regard vers le fond du tableau, où l'attire le miroir. Beaucoup plus subtil que la « fenêtre ouverte » chère aux Italiens, le miroir convexe ne prolonge pas notre vision vers les horizons lointains. Il nous renvoie au contraire, dans sa totalité, l'image miniaturisée d'un monde clos, véritable microcosme. L'artiste se joue des apparences avec virtuosité en multipliant, décomposant et recréant les différentes facettes d'une même réalité. Nous voyons ainsi dans le miroir une disposition de la pièce et des objets qui ne correspond pas exactement, en tous points, à ce que montre le tableau. Plus encore, le miroir est infidèle au déroulement même de la scène : il nous en offre un autre instant, avant ou après le serment, car les deux époux ne se tiennent plus par la main. Surmonté de la signature de Van Eyck, ce miroir exprime ainsi le pouvoir et l'ambition de son art, non point « mécanique », comme le prétendaient ses détracteurs, copie servile du réel, mais re-création du monde. Velázquez, qui défendait la même cause et qui pouvait admirer *les Arnolfini* à l'Alcazar de Madrid, a justement repris le motif du miroir (reflétant le couple royal espagnol) dans cette allégorie de la peinture que sont *les Ménines*. ●

Van Eyck et l'Italie

LA COMMANDE DE GIOVANNI ARNOLFINI NE CONSTITUE
PAS UN FAIT EXCEPTIONNEL ; ELLE REFLÈTE L'ENGOUEMENT DES
ITALIENS POUR LA PEINTURE FLAMANDE.

Dans les cités d'Italie comme à Bruges, la richesse, donc le mécénat, est entre les mains de la bourgeoisie marchande, qui apprécie le rendu fidèle des apparences obtenu grâce au « secret des Flamands ». Le triptyque portatif aujourd'hui conservé à Dresde semble avoir appartenu successivement à deux familles de marchands italiens résidant à Bruges. Le donateur, de toute façon un Italien, est figuré par Van Eyck dans l'attitude agenouillée classique, présenté par saint Michel. La *Madone de Lucques* (Institut Städel, Francfort) fut également acquise par un marchand, demeuré anonyme. Anselmo Adorno, d'origine génoise, devenu citoyen, puis bourgmestre de Bruges, acheta *les Stigmates de saint François*, puis en commanda une seconde version à un proche disciple de Van Eyck afin de léguer les précieux tableaux à ses deux filles (musées de Turin et de Philadelphie). D'autres amateurs, qui ne se sont jamais rendus dans les Flandres, passent des commandes, tel le Génois Lomellino, possesseur d'un triptyque, aujourd'hui disparu, qui fut acquis par le roi de Naples Alphonse d'Aragon. La classe marchande sert ainsi de trait d'union entre les peintres flamands et une clientèle aristocratique ou royale. Le roi de Naples acheta un autre tableau de Van Eyck, également perdu, *Saint Georges combattant le dragon,* mais peut-être avait-il eu l'occasion de rencontrer le peintre à Valence, où celui-ci s'était rendu comme membre de l'ambassade de Bourgogne en 1427. ●

→ **Voir aussi :** La peinture des écoles du Nord, **ARTS**, p. 234-235.

2. *Les Epoux Arnolfini,* tableau de Jan Van Eyck, 1434.
Peinture à l'huile en fines couches superposées, sur panneau de bois, 81,8 × 59,7 cm.

Grünewald
Le *Retable d'Issenheim*

LES INITIALES DU NOM VÉRI-table de Matthias Grünewald sont M.G.N. : Mathis Gothart Nithart, sans doute né à Augsbourg et actif surtout à Aschaffenbourg, ville de la région du Main. Sa date de naissance, mal connue, se situe probablement vers 1475-1480. Il meurt à Halle en 1528, la même année que son célèbre contemporain Dürer. Le nom de Grünewald lui est prêté par un des premiers historiens de la peinture allemande, Joachim von Sandrart (1675).

Son retable des Antonins d'Issenheim (près de Guebwiller), conservé au Musée d'Unterlinden, à Colmar, est l'œuvre maîtresse d'un génie solitaire, fixée sur une saisissante toile de fond mystique où les grands thèmes iconographiques du Moyen Âge finissant se rejoignent. C'est dans l'art des primitifs allemands du xve siècle, et plus particulièrement dans l'école du Rhin moyen, qu'il faut chercher le germe de l'œuvre de Grünewald. Holbein l'Ancien (d'Augsbourg) a pu éveiller chez lui le goût pour la belle couleur, Schongauer (de Colmar) et Dürer le Nurembergeois ont pu lui apprendre le sens de la ligne expressive ; mais il reste au fond l'héritier de ces vieux peintres anonymes de la région du Rhin et du Main, comme le Maître du Livre de Raison *(Hausbuchmeister)*. Les dépassant de loin, Grünewald s'est hissé par-dessus l'époque Renaissance jusqu'à une certaine conception baroque de l'art. D'un côté, son œuvre exprime la quête des valeurs universelles – un humanisme de grande qualité ; de l'autre, les images de joie et de tourments qu'il a peintes dépassent en intensité toutes les limites jusque-là observées.

Le Retable d'Issenheim a été peint vers 1511-1516 pour le couvent des Antonins, ordre religieux qui soigne et hospitalise les malades, en particulier les victimes du « mal des ardents » et les lépreux. Regardant cet ample polyptyque à transformations, il faut avoir constamment à l'esprit le climat mystique dans lequel l'Alsace baigne aux xive et xve siècles : c'est un brasier de la foi dominicaine, alimentée par des mystiques comme Tauler et Suso. Au début du xvie siècle, le couvent des Antonins est dirigé par un prélat italien d'une grande envergure, Guido Guersi, qui a exercé une influence déterminante sur l'œuvre de Grünewald.

Le retable marial

LA SECONDE CONFIGURATION DU RETABLE A TRAIT À L'INCARNATION, AVEC POUR IMAGE CENTRALE UNE NATIVITÉ QUI ASSOCIE INTIMISME TERRESTRE ET VISION COSMIQUE.

Si l'on ouvre les deux volets qui composent le tableau central de la Crucifixion, l'effroi et la douleur s'évanouissent comme par enchantement, et les images du « Festaltar », du « retable de fête », viennent réjouir les cœurs. De gauche à droite – de manière fort théologique – le peintre a placé trois scènes majeures du dogme rédempteur : l'Annonciation, promesse de l'incarnation du Seigneur ; la Nativité, le Verbe fait chair ; enfin, la Résurrection qui, dans un formidable halo cosmique entourant le Christ montant aux Cieux, transforme la chair de nouveau en esprit.

C'est la scène centrale qui attire en premier le regard. Sa partie droite montre la Vierge à l'Enfant assise, rayonnante, dans le « Hortus conclusus », le jardin fermé prophétisé par Ézéchiel, cher aux gens de la fin du Moyen Âge ; près d'elle, divers ustensiles qui tous ont une signification métaphorique précise, attribuée par le *Speculum humanae Salvationis,* ouvrage très populaire de la symbolique chrétienne, paru à Bâle en 1476. L'ancêtre direct de cette image de grâce est la *Vierge au buisson de roses* de l'église Saint-Martin de Colmar, peinte par Martin Schongauer en 1473. Vers 1518, Grünewald peindra presque la même Vierge à l'Enfant que celle d'Issenheim, mais avec, en arrière-plan, une vue de la cathédrale de Strasbourg (œuvre aujourd'hui à l'église de Stuppach, en Franconie). Dans le Retable d'Issenheim, un élément architectural exquis est, face à la Vierge à l'Enfant, la chapelle des anges musiciens. En vertu d'un principe fondamental, typologique, de correspondance entre l'Ancien et le Nouveau Testament, cette chapelle est le temple du roi Salomon. Mais, plus encore que par son allure fantastique, on reste frappé par les visages inspirés des anges et par leur parfaite maîtrise manuelle des instruments, qui révèle un Grünewald fort averti en matière musicale.

Le retable de la Passion

C'EST CE PREMIER ASPECT DU POLYPTYQUE, CONSACRÉ À LA PASSION DU VENDREDI SAINT, QUI A RENDU GRÜNEWALD CÉLÈBRE.

Comme tous les grands retables de la fin du Moyen Âge (Gand, Cracovie, Saint-Wolfgang en Autriche), celui d'Issenheim comporte quatre éléments d'importance inégale : une partie centrale, sorte de coffre ou armoire *(Korpus, Schrein),* fermée par des volets peints ; des volets latéraux, ou ailes fixes ; un soubassement, ou prédelle ; enfin le baldaquin, aujourd'hui disparu, couronnement vertical qui se composait de sculptures fouillées comme un filigrane d'orfèvrerie. Au total, une sorte de missel géant, aux parties agencées de façon à être vues non simultanément, mais successivement.

Modèle le plus parlant du genre, le Retable d'Issenheim comporte trois aspects. Le premier (tous volets fermés) offre le spectacle de la Crucifixion, se prolongeant sur la prédelle par une Mise au tombeau. Les volets latéraux, fixes, présentent d'un côté saint Antoine, vieillard débonnaire, patron du couvent, de l'autre saint Sébastien, percé de flèches, invoqué en tant que protecteur contre la peste.

Sur une croix grossièrement charpentée, le Christ souffre les derniers instants de son supplice. Yeux révulsés, lèvres cyanosées, corps meurtri, hérissé d'échardes, marbré de plaies sanglantes, jamais jusque-là image plus cruelle n'a été peinte de la crucifixion. À gauche de la croix, la mère du Christ – en robe blanche de moniale – s'effondre, soutenue par saint Jean en pleurs, le disciple préféré. Au pied de la croix, à genoux, Marie-Madeleine enveloppée de sa chevelure dorée. À droite, équilibrant tout seul cette « trinité de pleurants », saint Jean-Baptiste. *Illum opportet crescere, me autem minui* (Lui, il faut qu'il grandisse et, moi, que je diminue) peut-on lire au-dessus de son index pointé vers le Christ. Dans la prédelle, l'expression d'épouvante a disparu de la figure de celui-ci, mais pas de celle des témoins qui entourent son corps gisant près du tombeau.

La Crucifixion de Colmar n'est pas la première peinte par Grünewald. Celle d'un volet de retable conservé à Bâle (1500) met en scène, autour d'un crucifié littéralement putréfié, en plus des témoins présents sous la croix d'Issenheim, le centurion romain qui aurait proclamé la divinité du Christ. C'est vers 1525, enfin, que l'artiste exécuta la dernière de ses grandes Crucifixions, celle de Karlsruhe. Panneau fort, d'une simplicité poignante, elle ne montre plus que trois personnages : le Christ aux chairs jaunies au centre, Marie à gauche, saint Jean – cette fois le disciple – à droite, aux mains croisées dans un geste de lamentation typique.   •

Le retable monastique

DEUX ÉPISODES SUPERBEMENT PEINTS DE LA VIE DE SAINT ANTOINE, PATRON DU COUVENT D'ISSENHEIM, ENCADRENT LA PARTIE STATUAIRE DU RETABLE.

Lors des grandes fêtes du couvent, le deuxième tableau central – celui de la Vierge – ouvrait également ses doubles volets pour laisser apparaître le *Schrein,* l'« armoire » abritant la statuaire. Les volets sont consacrés à deux épisodes capitaux de la vie de saint Antoine : la visite qu'il aurait rendue à saint Paul ermite dans la Thébaïde ; puis sa tentation, qui a fait les délices de plus d'un artiste au Moyen Âge.

La Visite de saint Antoine à saint Paul ermite – âgé de 113 ans selon la légende – nous vaut un tableau de nature d'une immense qualité. Rien de moins austère que cette Thébaïde, où végétation tropicale et septentrionale sont ingénieusement mêlées. « Le plus beau paysage allemand du xvie siècle » a-t-on pu écrire. Le fond de ce panneau, surtout, évoque les vallées des Vosges avec leurs sommets bleutés enveloppés d'un léger brouillard. Au premier plan sont assis les deux vieillards ; blanchis sous le poids des ans, ils ne s'en adonnent pas moins à une sorte de « conversation sacrée » pleine de vie.

L'idylle du volet gauche est contredite par l'extraordinaire vacarme de la Tentation, à droite. Le vieillard calme, vêtu d'un manteau bleu translucide, se retrouve pincé, piqué, menacé par un monde de monstres hideux. Saint Antoine est maltraité sur terre et non dans les airs, comme dans la célèbre gravure de Schongauer. Chacun des sept péchés capitaux s'acharne sur lui ; mais un démon supplémentaire offre l'image la plus terrible : un malade atteint du « mal de Naples », la syphilis, le ventre gonflé par les spasmes

L'Annonciation (volet de gauche) a toujours fait l'admiration des analystes de perspective. En effet, à un premier plan encore sombre qui montre une très jeune et très timide Vierge en face d'un ange qualifié d'« escogriffe » par J.-K. Huysmans succèdent des pièces voûtées de plus en plus claires, procédé qui crée une impression de profondeur réelle.

Sur le volet de droite, enfin, la Résurrection incendie littéralement par son halo lumineux la scène où, autour du sépulcre qui explose, les gardiens tombent à la renverse, « valsent » comme des quilles. Le Christ, dont le buste paraît se dissoudre dans un cercle de feu, reste relié à sa sépulture par les *linteamina,* le linceul bleuâtre que l'on montrait comme preuve tangible de la Résurrection lors du rite de la *Visitatio Sepulcri,* le matin de Pâques. ●

1. Le « retable de la Passion » : Crucifixion encadrée par les panneaux de saint Sébastien et saint Antoine ; Mise au tombeau à la prédelle.

2. Le « retable marial » : Annonciation, Concert des anges et Nativité, Résurrection ; omise ici, la prédelle est la même que pour le « retable de la Passion ». Largeur totale : près de 6 m.

Quelques points d'iconographie

Aux pieds du pitoyable Crucifié (1) se trouvent d'un côté saint Jean, qui soutient la Vierge, et Marie-Madeleine à genoux, de l'autre saint Jean-Baptiste et l'Agneau crucifère, symbole du sacrifice du Christ. Parmi de nombreux détails significatifs, dans la configuration mariale du retable (2), on remarque, en haut et à gauche de l'Annonciation, l'image d'Isaïe avec le livre de sa prophétie ; [jou au-dessous] de la Vierge de la Nativité, [l'orgue toutes proches,] Dieu le père trônant parmi les anges dans un halo doré. Dans l'étrange rencontre de saint Antoine et de l'ermite saint Paul (3), le fond du paysage semble avoir été inspiré à Grünewald par les [Vosges toutes proches,]

de la mort, a réussi à s'emparer du Livre saint et le soustrait à Antoine en rampant à reculons. La « diablerie » de Grünewald se distingue des inventions flamandes (Bosch, Brueghel), les monstres restant plus proches chez lui de la vérité anatomique, animale ou humaine.

Les deux panneaux forment cadre à trois statues de bois polychromes, beau travail de Nicolas de Haguenau, mais qui n'atteint pas au génie du peintre. Au milieu trône saint Antoine, avec sa hampe de tau et la règle de l'ordre ; son grand manteau couvre un cochon familier. La statue de gauche représente saint Augustin coiffé de la mitre épiscopale, avec à ses pieds, agenouillé, Jean d'Orliac, le « précepteur » qui précéda Guido Guersi ; les Antonins vivaient selon la règle augustinienne. À droite est la statue de saint Jérôme, autre Père de l'Église et traducteur de la Bible. Les dais dorés qui abritent ces trois personnages ne sont que le pâle reflet du baldaquin flamboyant dont les statuettes ont été vendues dans les foires de Bourgogne au XIXe siècle. La prédelle a sauvé ses sculptures : les douze apôtres en buste entourant le Christ, groupés par trois. ●

3.
Visite de saint Antoine à saint Paul ermite, volet de gauche (2,65 × 1,41 m) du « retable monastique » (statuaire dans sa partie centrale).

Classicisme et maniérisme en Italie

DANS LES VINGT PREMIÈRES années du XVIᵉ siècle, en architecture, en peinture et en sculpture, les artistes parviennent à un équilibre dans la composition et les formes, à une grandeur qui sembleront indépassables : c'est le moment classique de la Renaissance. Mais, à partir de 1530, leurs successeurs s'engagent dans des voies différentes, qui prennent souvent la forme de réactions contre le classicisme : on désigne ces réactions par le terme, très imprécis à vrai dire, de *maniérisme*.

Les soixante-dix années qui suivent ne sauraient pourtant se réduire aux seules réactions anticlassiques. Il y a, d'une part, dans le maniérisme, une volonté de synthèse, d'imitation des grands maîtres, qui se mêle souvent, de façon apparemment paradoxale, à la contestation des règles que ces maîtres ont établies. D'autre part, diverses régions de l'Italie, comme Venise ou certaines parties de la Lombardie, suivent des voies différentes ; même si elles subissent, elles aussi, l'influence du maniérisme, elles n'y adhéreront jamais pleinement, et celui-ci restera un phénomène essentiellement toscan et romain. En Italie centrale, en effet, l'Idée, c'est-à-dire la conception abstraite de l'œuvre, prend souvent le pas sur l'imitation de la nature, tandis que dans l'Italie du Nord le goût pour l'observation du réel et de la lumière reste prédominant et empêche le style maniériste de se développer complètement.

Ce style ne domine donc pas partout. Il est d'autre part, lui aussi, l'objet de contestations, surtout dans le dernier quart du siècle : pour des raisons en partie religieuses, un grand nombre d'artistes et de théoriciens prennent le contrepied de ce qu'ils considèrent comme des licences excessives et l'on voit donc réapparaître un art plus simple et plus sobre. À Rome et à Florence, on note ainsi un retour aux maîtres du début du siècle, ainsi qu'un intérêt nouveau pour les peintres de l'Italie du Nord. La « manière » a dès lors totalement épuisé ses forces créatrices et elle devra bientôt céder la place au *baroque :* ce renouveau viendra de Bologne, avec l'œuvre des Carrache, qui sauront faire la synthèse de tous les courants qui ont traversé le siècle, en même temps qu'ils les dépasseront.

1. Giambologna, l'*Enlèvement d'une Sabine*, marbre, 1579-1583.

Le classicisme, 1500-1530

ROME DEVIENT LE CENTRE DE LA VIE ARTISTIQUE EN ITALIE GRÂCE AUX TRAVAUX CONSIDÉRABLES ENTREPRIS AU VATICAN ET À SAINT-PIERRE.

Le début du XVIᵉ siècle est marqué par un extraordinaire renouveau : Rome va devenir le grand centre artistique de l'Italie, et les travaux engagés par les papes Jules II, Léon X et Clément VII attirent dans la ville les meilleurs peintres, sculpteurs et architectes du pays. Le Vatican et la basilique Saint-Pierre sont un chantier permanent où Donato Bramante (1444-1514), peintre et architecte qui a déjà donné des preuves de son génie à Milan et en Lombardie, invente une architecture colossale qui rivalise, pour la première fois, avec les grands exemples de l'Antiquité : il imagine, en particulier, de réunir le palais du pape et sa villa du Belvédère par d'immenses galeries parallèles bordant plusieurs cours, établies sur différents niveaux et reliées par des escaliers. Le projet qu'il propose pour Saint-Pierre est fondé sur une connaissance approfondie des monuments de la Rome impériale (thermes en particulier) ; le plan est parfaitement centré, niches et colonnes viennent animer les murs.

La mort de Bramante empêche que la plupart de ses projets soient achevés, mais il exercera une influence profonde sur tous ceux qui lui succèdent, en particulier Antonio da Sangallo le Jeune (1484-1546), l'architecte du palais Farnèse. Raphaël (Raffaello Sanzio, 1483-1520), le plus génial de ses continuateurs, ne parviendra malheureusement à achever qu'un petit nombre d'édifices ; son projet le plus ambitieux, la villa Madama (pour le pape Léon X), est d'une invention étonnante avec ses pièces de formes extraordinairement variées s'articulant autour d'une cour circulaire.

En peinture et en sculpture, les programmes sont aussi d'une grande ampleur. Michel-Ange (1475-1564), tout d'abord, peint la voûte de la chapelle Sixtine (1508-1512) : les immenses figures d'*ignudi* (jeunes garçons nus), de sibylles et de prophètes encadrent les scènes tirées de la Genèse. La puissance plastique de ces figures, de leurs drapés, la torsion des corps frapperont les contemporains de stupeur. On retrouve la même force dans ses sculptures. Le colossal *David* en marbre, exécuté pour la Seigneurie de Florence, est la première statue publique qui reprenne la tradition du nu antique ; mais le hanchement accentué de la figure et son anatomie montrent toute la liberté de Michel-Ange par rapport aux modèles de l'Antiquité. Les projets pour le tombeau de Jules II (voir p. 242-243) témoignent d'une conception aussi grandiose que celle de la Sixtine.

Le seul artiste capable de rivaliser avec Michel-Ange en peinture est Raphaël. Formé d'abord au contact du Pérugin, il subit à Florence l'influence d'un autre grand initiateur du classicisme, Léonard de Vinci, puis celle de Michel-Ange. Plus véritable peintre que ce dernier, il excelle dans tous les genres, fresque, tableau d'autel, portrait. La subtilité de ses compositions et de son dessin est incomparable.

Mais le classicisme n'est pas uniquement romain. Venise (voir p. 246-247) s'affirme, dès cette époque, comme une concurrente de Rome et, à Florence, Andrea del Sarto (1486-1530) et Fra Bartolomeo (1472-1517) parviennent eux aussi à créer des œuvres d'un très grand équilibre. Enfin, en Émilie, à Parme, paraît un génie profondément original, Antonio Allegri, dit le Corrège (1489 ?-1534). Son art est très éloigné du classicisme romain, mais il n'est pas non plus maniériste, et il servira de modèle aux baroques. •

Les réactions anticlassiques

LES EXPÉRIENCES MANIÉRISTES LES PLUS HARDIES SUIVENT IMMÉDIATEMENT L'APOGÉE DU CLASSICISME, DONT ELLES REMETTENT EN CAUSE L'ÉQUILIBRE ET LA FIDÉLITÉ AUX MODÈLES DE LA NATURE.

L'extraordinaire génie des artistes du début du siècle paraît sans doute indépassable à ceux qui viennent à leur suite. D'autre part, on trouve déjà, dans leur œuvre, des éléments qui peuvent sembler remettre en cause l'équilibre sublime auquel ils sont parvenus : c'est vrai de presque toutes les œuvres de Michel-Ange, mais aussi des dernières peintures de Raphaël. C'est ainsi que cet équilibre sera peu à peu contesté. Le plus doué des élèves de Raphaël, Jules Romain (1499-1546), crée un style riche en inventions étranges : ses figures sont souvent marquées par des expressions violentes, à la limite du paroxysme, qui déforment leurs traits. Il possède un réel talent de dessinateur qui lui permet d'imaginer les compositions les plus variées, et ce talent trouve à s'employer lorsqu'il devient le peintre et l'architecte du marquis de Mantoue, Frédéric II de Gonzague, qui lui fait construire et décorer une villa à côté de Mantoue, le palais du Te (1525-1534). Malheureusement, le peintre confiera la réalisation du décor à un grand nombre de collaborateurs sans grand talent et les fresques sont d'assez mauvaise qualité. Mais la beauté des stucs, la force de certaines idées auront une influence profonde. L'architecture du palais du Te reprend, dans l'ensemble, des idées qui ont déjà été expérimentées à Rome dans les premières années du siècle, mais se distingue par certains effets purement décoratifs : des blocs de pierre paraissent sur le point de se détacher, comme si l'édifice tombait en ruine, d'autres éléments, comme les colonnes, semblent au contraire inachevés.

Cependant, les artistes les plus originaux ne voient pas le jour dans l'entourage trop écrasant des grands maîtres romains, mais à Florence et à Parme. À Florence, tout d'abord, le Rosso (1494-1540) va aussi loin que possible dans la recherche maniériste : ses peintures sont souvent faites de larges aplats de couleurs acides qui donnent à ses figures des contours très tranchés, presque cristallins. Son contemporain le Pontormo (1494-1556), après avoir travaillé aux côtés d'Andrea del Sarto, fait usage lui aussi de contrastes violents entre couleurs complémentaires et invente des compositions extrêmement savantes. À Parme, Francesco Mazzola, surnommé le Parmesan (1503-1540), après avoir subi l'influence du Corrège, peint des figures étirées à l'extrême, aux gestes et aux attitudes précieux (*la Vierge au long cou,* musée des Offices, Florence), qui sont sans doute l'expression la plus séduisante du maniérisme. •

L'art italien entre 1540 et 1600

VENISE EST PRÉPONDÉRANTE EN PEINTURE. AILLEURS, LE MANIÉRISME SE RÉVÈLE SURTOUT FÉCOND EN ARCHITECTURE ET EN SCULPTURE.

La période la plus novatrice du maniérisme va prendre fin dans les années 1540. Michel-Ange donne les ultimes témoignages de son génie avec des fresques (le *Jugement dernier* de la Sixtine [achevé en 1541] et celles de la chapelle Pauline, au Vatican) qui, une fois de plus, vont déchaîner l'admiration de la plupart des artistes d'Italie centrale. Il devient aussi l'architecte de la basilique Saint-Pierre, où il retourne au plan centré du premier projet de Bramante, qu'il simplifie de façon à aboutir à un espace intérieur unifié et cohérent.

Mais les peintres de la jeune génération, comme Francesco Salviati ou Giorgio Vasari, ou les sectateurs zélés de Michel-Ange, comme Daniele da Volterra, vont bientôt tomber dans un éclectisme de peu d'intérêt. La commande est très abondante, mais la qualité ne suit pas : pour quelques décors réussis (les fresques de F. Salviati au palais Farnèse, par exemple, vers 1560), combien d'autres sont d'une grande médiocrité... La supériorité des peintres de Venise et de ses provinces est donc écrasante pendant toute la seconde moitié du XVIe siècle. À Brescia, en particulier, Moretto (v. 1498-1554) est fortement influencé par Titien, mais il s'en distingue par une lumière plus froide, un goût pour le détail humble, un rendu presque naturaliste des corps qui influenceront le Caravage. C'est seulement à la fin du siècle que les peintres d'Italie centrale chercheront à sortir de leur impasse : Scipione Pulzone, à Rome, Santi di Tito, à Florence, retrouveront plus de simplicité et de naturel, mais ces tentatives seront vite dépassées par les innovations beaucoup plus radicales du Caravage et des Carrache.

L'architecture et la sculpture ne connaissent cependant pas le même déclin en Italie centrale. Vignole (Iacopo Barozzi, 1507-1573) joue sur des effets permanents de surprise : la villa Giulia, construite à Rome à partir de 1551 pour le pape Jules III, a une façade assez austère, mais, dès qu'on en a franchi l'entrée, on découvre un portique en forme d'hémicycle, puis, creusées au fond du jardin, une fontaine et une grotte artificielle (un nymphée). Vignole édifie une autre grande résidence, pour le cardinal Alexandre Farnèse, à Caprarola : ce château domine le bourg, au sommet de terrasses et d'escaliers qui convergent vers lui. L'édifice présente une forme pentagonale, héritée du plan de la forteresse qui l'a précédé, et, en son centre, une cour circulaire entourée de deux galeries superposées. À Florence, les Offices, bâtiments administratifs réalisés à partir de 1560 par G. Vasari, et la cour du palais Pitti, œuvre de Bartolomeo Ammannati, montrent également toute la vitalité du maniérisme.

De même, la sculpture florentine continue à dominer dans toute l'Italie, grâce surtout aux extraordinaires inventions d'un artiste venu des Flandres, Jean Boulogne, dit Giambologna (1529-1608), le plus grand sculpteur du siècle après Michel-Ange. Ses œuvres peuvent certes paraître froides si on les compare à celles de son illustre aîné, mais il maîtrise parfaitement la composition de grands groupes à plusieurs figures, tel l'*Enlèvement d'une Sabine* de la loggia dei Lanzi à Florence.

→ **Voir aussi :** Michel-Ange. Le Tombeau de Jules II, **ARTS**, p. 242-243. Venise au XVIe siècle, **ARTS**, p. 246-247. Le Caravage. Le cycle de saint Matthieu, **ARTS**, p. 250-251. La peinture d'histoire, **ARTS**, p. 256-257.

4. Le Pontormo, *la Déposition de Croix*, 1526-1527.

Le retable : évolution esthétique

Le retable, tableau d'autel, va connaître une évolution profonde au XVIe siècle. Alors qu'il obéissait auparavant à des schémas de composition relativement figés, il va s'animer d'une vie nouvelle. *La Transfiguration,* terminée en 1520 par Raphaël (2), est divisée en deux registres superposés ; les contrastes entre la sérénité lumineuse du registre supérieur et l'agitation angoissée du registre inférieur, où les Apôtres essaient en vain de guérir un enfant épileptique, l'extraordinaire variété des expressions et des poses, la beauté des drapés font de cette œuvre un modèle. Dans la *Déposition* du Pontormo (4), la composition devient superbement artificielle : il s'agit d'un enchevêtrement de corps et de lignes (voir, en particulier, les bras et les mains) au bord du déséquilibre, peints dans une lumière froide, avec des couleurs contrastées à l'extrême. L'*Adoration des bergers* du Corrège (3) témoigne d'une recherche très différente : l'axe central de symétrie des œuvres précédentes disparaît au profit d'une grande diagonale, tandis que le clair-obscur unifie tout le tableau.

2. Raphaël, *la Transfiguration,* v. 1517-1520.

3. Le Corrège, *l'Adoration des bergers* ou *la Nuit,* v. 1522.

Michel-Ange
Le tombeau de Jules II

LE TOMBEAU DU PAPE Jules II fut l'un des projets les plus démesurés de Michel-Ange : depuis l'Antiquité, on n'avait jamais eu l'idée d'un monument funéraire qui comportât un tel nombre de grandes sculptures en ronde bosse. Il pourrait paraître surprenant que ce monument fût dédié au souvenir d'un pontife, mais c'est justement avec Jules II (élu pape en 1503, à soixante ans, mort en 1513) que la confusion entre le pouvoir spirituel et le pouvoir temporel atteignit son point culminant : ce pape avait pour ambition de devenir l'un des plus puissants souverains d'Europe et de dominer l'Italie.

Ce désir de gloire se manifestait en particulier dans les édifices et les œuvres qu'il commanda et qui firent de Rome la capitale artistique de l'Europe. Un grand nombre de ces projets, d'ailleurs, ne vi-rent jamais le jour comme ils avaient été conçus, condamnés par leur démesure même. Au palais du Vatican, la cour du Belvédère fut gravement altérée par les successeurs de l'architecte Bramante, qui s'appliquèrent tout au long du siècle à défigurer ses plans ; la nouvelle basilique Saint-Pierre devait, elle aussi, rester longuement en chantier.

La construction du tombeau traîna de même pendant de longues années et fut, pour Michel-Ange, une véritable tragédie ; le résultat, tel qu'on peut le voir à Rome en l'église Saint-Pierre-aux-Liens, est d'ailleurs très loin de ses premières idées. Mais ces rêves témoignent, par eux-mêmes, de la grandeur de ce moment de l'histoire, et l'entreprise nous a de toute façon légué quelques-unes des plus impressionnantes statues du maître : les *Esclaves,* le *Moïse.*

On ne sait pas exactement pourquoi le premier projet ne fut pas mené à bien. Toujours est-il que Jules II y renonça après avoir accepté les plans que Bramante lui avait soumis pour la reconstruction de Saint-Pierre : peut-être le pape hésitait-il à faire de la nouvelle basilique son mausolée personnel. On ne recommence à parler du tombeau que des années plus tard. Michel-Ange n'y travaille à nouveau qu'après avoir terminé la voûte de la Sixtine, en octobre 1512. Jules II meurt en février 1513. Son successeur, Léon X, ne s'oppose pas, au début, à ce que l'artiste continue à s'occuper de cette entreprise ; il est en effet en bons termes avec le neveu de Jules II, Francesco Maria Della Rovere, duc d'Urbino. Michel-Ange est ainsi à même de poursuivre son travail en toute tranquillité pendant au moins trois ans.

Les héritiers du pape désirent un monument encore plus important, mais ils renoncent à l'idée de l'installer à Saint-Pierre, sans se décider encore pour un autre lieu ; on établit donc un nouveau contrat, en date du 6 mai 1513.

Le monument doit à présent s'élever contre un mur, et l'on supprime la chambre funéraire à l'intérieur. Le nombre des grandes statues du deuxième niveau augmente : on en prévoit maintenant six. Au-dessus, quatre statues doivent entourer la figure du pape étendu. La composition est dominée par une immense niche d'environ 7,80 m de hauteur, encadrée par deux colonnes. Au centre, une *Vierge à l'Enfant* semble voler au milieu d'une mandorle. En revanche, quatre des captifs et deux des Victoires du projet de 1505 deviennent superflus (ceux qui devaient se trouver sur le côté qui est à présent adossé au mur). Comme le nombre de statues est cependant plus grand, il est spécifié que Michel-Ange recevra 16 500 ducats, au lieu des 10 000 prévus à l'origine.

Le mouvement ascendant de cette composition est très marqué : la grande niche et la statue de la Vierge donnent en effet une importance nouvelle au registre supérieur. La Vierge est en proie à une savante torsion, sa tête s'inclinant vers la droite alors que son fils se tourne vers la gauche ; l'es-

Premier projet, 1505

En mars 1505, Jules II appelle Michel-Ange à Rome et le charge de lui élever un tombeau qui, d'après Vasari, devait surpasser « en beauté et en éclat [...] tout autre sépulcre antique et impérial ». Celui-ci aurait dû se trouver dans la basilique Saint-Pierre (pour laquelle, déjà, le sculpteur avait donné en 1499 sa première *Pietà*), mais nous ne savons pas exactement à quel endroit. Certains historiens supposent que Jules II avait l'intention de faire construire une nouvelle chapelle à cet effet, d'autres pensent qu'il voulait que ce monument se dressât juste au-dessus de la tombe de saint Pierre, dans un geste d'orgueil démesuré : le tombeau devenait en même temps un monument à l'Église triomphante.

La reconstitution exacte des intentions de l'artiste s'avère difficile et est aussi l'objet de nombreux débats : nous ne disposons en effet que de dessins fragmentaires, auxquels s'ajoutent, heureusement, les descriptions laissées par les deux premiers bio-graphes de Michel-Ange, Vasari et A. Condivi. Le monument prévu par contrat en 1505 devait avoir douze coudées de largeur et dix-huit de longueur (7,70 × 11,50 m). Contrairement aux projets ultérieurs, il n'est pas adossé à une paroi, mais forme un édicule indépendant. Il comporte à l'intérieur une chambre funéraire ovale (c'est sans doute la première fois que cette forme est employée en architecture depuis l'Antiquité), ouverte sur les deux façades étroites (Vasari) ou sur une seule (Condivi). Le niveau inférieur devait être creusé de niches flanquées d'hermès dont les têtes soutenaient la corniche. Dans ces niches prenaient place des Victoires surmontant des figures nues couchées, et à chacun des hermès devait être attaché un prisonnier nu. Au deuxième niveau, quatre grandes statues ornent les angles, *la Vie active, la Vie contemplative, Moïse* et *Saint Paul.* Le dernier niveau s'élève en dégradé au-dessus de la corniche avec deux statues, *Cybèle,* déesse de la Terre, qui se lamente de la mort du pape, et *le Ciel,* qui se réjouit que cette âme soit parvenue à la gloire céleste ; elles portent une bière, sur laquelle devait peut-être (mais les auteurs anciens ne le disent pas) se trouver la statue du pape.

Ce programme est assez difficile à interpréter : on peut y lire une allégorie du triomphe de l'Église et une sorte d'apothéose du pape ; les prisonniers évoquent le paganisme vaincu, saint Paul et Moïse l'Ancien et le Nouveau Testament. L'agitation des diverses figures du registre inférieur, les quatre grandes sculptures en ronde bosse du deuxième niveau, la forme pyramidale du couronnement auraient en tout cas composé un monument d'une grandeur incomparable. ●

5. Tombeau de Jules II
à l'église San Pietro in Vincoli, à Rome, élevé d'environ 1533 à 1545.

1, 2, 3, 4, Restitution graphique, d'après Charles de Tolnay, des projets de 1505, 1513, 1516 et 1532.

quisse de cette figure allait susciter l'admiration de Raphaël et l'inspirer pour sa *Madone Sixtine*. Juste en dessous de la Vierge, le pape défunt, soulevé par deux anges, semble arraché de son cercueil pour atteindre le ciel.

Michel-Ange a exécuté trois statues pour ce projet, le *Moïse,* qui a trouvé place dans le monument final, ainsi que les deux *Captifs* ou *Esclaves* du musée du Louvre. Leur ampleur, leur tension font penser aux figures peintes à la voûte de la chapelle Sixtine.

6. Captif surnommé au XIXᵉ siècle l'*Esclave mourant* ou l'*Esclave apaisé*, marbre, vers 1513-1516.

Évolution du projet de 1516 à 1532

DE CONSTANTES DIFFICULTÉS « DIPLOMATIQUES » EMPÊCHENT MICHEL-ANGE D'ABOUTIR, MALGRÉ LES SIMPLIFICATIONS APPORTÉES AU MONUMENT.

En 1515, Léon X devient l'ennemi de Francesco Maria Della Rovere, celui-ci s'étant allié contre lui avec le roi de France. Il est donc hostile au projet à partir de ce moment et veut que Michel-Ange ne travaille plus que sur les œuvres qu'il lui commande. Contraints de réduire leurs ambitions, les héritiers de Jules II signent un nouveau contrat avec l'artiste en juillet 1516 : les délais sont étendus et le monument projeté est plus petit. Il acquiert les formes architecturales qu'il conservera jusqu'à la fin : il s'agit désormais d'une simple façade avec de brefs retours latéraux. Le pape, au centre, est toujours soutenu par deux anges, mais cette fois dressé. Il y a quatre figures assises, deux sur le devant et deux sur les côtés. Si la partie inférieure demeure inchangée, on constate que l'effet dynamique du deuxième projet est abandonné : l'étage s'étend à présent sur toute la largeur du monument et écrase le niveau inférieur, un peu comme dans la maquette de Michel-Ange pour la façade de l'église San Lorenzo de Brunelleschi. L'ensemble reste cependant d'une grande puissance.

Mais, jusqu'en 1527, Michel-Ange va être presque entièrement absorbé par ses travaux pour les papes Médicis, Léon X, puis son successeur, Clément VII. En janvier 1525, les héritiers de Jules II acceptent qu'il achève le tombeau comme il en a envie ; le projet extrêmement simplifié qu'il leur envoie provoque cependant leur mécontentement. Après le sac de Rome (1527), Michel-Ange est de nouveau libre de travailler pour eux et c'est peut-être à ce moment qu'il commence les quatre *Esclaves* jamais achevés qui se trouvent aujourd'hui à l'Académie de Florence. Après 1530, il est contraint de retourner au service du pape, mais celui-ci l'autorise à terminer le monument, à condition qu'il recoure à des assistants. Un nouveau contrat est signé le 29 avril 1532, aux termes duquel l'artiste doit livrer six statues déjà ébauchées (non précisées) et les finir de sa main ; les *Esclaves* de Florence, destinés au niveau inférieur du tombeau, en faisaient peut-être partie. Michel-Ange, d'autre part, doit faire réaliser sur ses modèles cinq autres statues par des collaborateurs. Il s'agit cette fois d'une solution de repli et non plus d'un programme cohérent.

Le tombeau de Saint-Pierre-aux-Liens

LE MONUMENT FINAL, DÉCEVANT, REPREND CERTAINS DES ÉLÉMENTS ANTÉRIEURS ET EST EN PARTIE EXÉCUTÉ PAR DES AIDES.

Même le contrat de 1532 ne put être honoré. On se mit dès 1533 à préparer l'installation du monument à l'église Saint-Pierre-aux-Liens (San Pietro in Vincoli), mais Clément VII mourut en 1534 ; son successeur Paul III laissa encore moins de temps à l'artiste et commença même par le libérer de toutes ses obligations à l'égard des héritiers de Jules II. Cependant, les travaux reprirent : en décembre 1537, Michel-Ange paie un collaborateur pour avoir travaillé à la statue de la *Vierge* qui se trouve aujourd'hui au centre du tombeau ; en 1542, il demande à Raffaello da Montelupo de terminer la *Vierge* ainsi que le *Prophète* et la *Sibylle* qu'il a ébauchés. Il commence aussi les figures de *Léa* et de *Rachel* (des allégories de *la Vie active* et de *la Vie contemplative*), qui seront également achevées par des collaborateurs. Un nouveau et dernier contrat est signé le 3 août 1542. Le 25 janvier 1545, on met en place les statues de la *Vierge,* du *Prophète* et de la *Sibylle* et, plus tard dans la même année, on installe enfin le *Moïse,* la *Rachel* et la *Léa.*

Il faut reconnaître que l'ensemble est assez décevant. Même l'architecture a été altérée : il n'y a plus de retours latéraux, le deuxième niveau est rigide, les colonnes qui devaient être à l'aplomb des hermès ont été remplacées par des pilastres et le marbre, à ce niveau, est de moins belle qualité (marbre blanc à veines grises, au lieu du ton ivoire d'en dessous). Mais ce sont principalement les sculptures qui déçoivent, en dehors de l'extraordinaire *Moïse,* seul témoignage de la beauté et de la grandeur des conceptions originales. Les deux autres œuvres où l'on perçoit la main de l'artiste, la *Léa* et la *Rachel,* sont d'un style assez froid. Le visage de *Rachel* est réduit à quelques plans, à quelques lignes essentielles. Enfin et surtout, les figures du registre supérieur semblent particulièrement maladroites : la pause du pape accoudé sur le sarcophage est disgracieuse, le *Prophète* a l'air avachi sur son siège. Toutes ces statues s'accordent mal, de plus, à l'architecture, et le *Moïse* semble disproportionné par rapport à elles. C'est donc presque lui seul qui nous captive, le reste du monument n'apparaissant plus que comme le pâle reflet d'un rêve irrémédiablement perdu.

Une tension extraordinaire

Les deux *Esclaves* aujourd'hui au musée du Louvre étaient destinés au premier niveau du monument de 1513 (2). L'*Esclave mourant* (6) se serait trouvé à gauche de la niche centrale. Contrairement à l'*Esclave rebelle* (destiné à un angle du tombeau), il ne devait être vu que de face. Son dynamisme n'en est pas moins fort : les angles aigus des bras forment un losange incliné dans lequel s'insère la tête, le buste se courbe comme un arc on a l'impression d'une chute arrêtée. La figure du *Moïse* (7) traduit aussi une extraordinaire tension : les sourcils serrés, la barbe à laquelle se mêlent les doigts, la chute du lourd drapé de part et d'autre du genou qui avance vers le spectateur en font une des sculptures les plus puissantes du maître.

7. *Moïse,* statue en marbre du tombeau de Jules II, vers 1515-1516.

→ **Voir aussi :** Classicisme et maniérisme en Italie, ARTS, p. 240-241.

1. Bartholomeus Spranger, *Hercule et Omphale,* vers 1575-1580.

La diffusion de la Renaissance en Europe

AU XVIᵉ SIÈCLE, TOUTE l'Europe se convertit à la Renaissance, c'est-à-dire aux formes qui sont apparues en Italie au début du siècle précédent. Même la Flandre, qui a connu elle aussi une véritable révolution artistique au XVᵉ siècle, se laissera influencer par l'Italie, où ses peintres et ses sculpteurs vont d'ailleurs en nombre faire leur apprentissage et trouver des commandes. La domination italienne, dans le domaine des idées comme dans celui des arts figuratifs, est à cette époque indiscutable.

Il faut cependant souligner que cette conversion est progressive et assez lente. D'une part, la plupart des pays importent d'abord le style de la première Renaissance, celle du XVᵉ siècle, et sont surtout attirés par ses aspects les plus superficiels ; ils reproduisent quelques éléments décoratifs « à l'antique », sans pour cela modifier profondément leurs traditions. D'autre part, ils seront longtemps incapables de comprendre le grand classicisme apparu à Rome au début du XVIᵉ siècle avec des œuvres aussi novatrices que celles de Bramante, de Michel-Ange et de Raphaël.

Mais plus on avance dans le siècle, plus ce retard se réduit : les artistes et les œuvres circulent dans toute l'Europe et, entre 1540 et 1600, le maniérisme se présente comme un style international. Cependant, les différences nationales ne s'effacent pas totalement, et les peintres du Nord comme les architectes et les sculpteurs français se montrent aptes à trouver des voies originales ; ainsi s'explique, dans une large mesure, la place que ces pays tiendront dans la création artistique du XVIIᵉ siècle.

Les premières expériences

MALGRÉ QUELQUES PRÉCÉDENTS AU XVᵉ SIÈCLE, C'EST SEULEMENT AU DÉBUT DU XVIᵉ QUE L'EUROPE EN VIENT À SE PASSIONNER POUR LE NOUVEL ART ITALIEN.

Certains pays connaissent assez tôt les échos de la grande révolution du quattrocento et cherchent à s'en inspirer, mais ces premières expériences demeurent très longtemps marginales. Le peintre français Jean Fouquet se rend vers 1445 à Rome, où il a l'honneur d'exécuter un portrait (perdu) du pape Eugène IV ; il en rapporte une nouvelle approche de l'espace pictural, la maîtrise de la perspective linéaire ; les fonds de ses tableaux et de ses miniatures s'ornent d'architectures à l'antique. En Provence, le roi René fait appel à des artistes italiens, tel Francesco Laurana, qui exécute pour lui quelques sculptures et la chapelle Saint-Lazare (1475-1481) dans l'église de la Major de Marseille. En Hongrie, enfin, le roi Mathias Corvin suscite dans son pays une première Renaissance à laquelle mettra fin l'invasion turque de 1526. Mais, dans l'ensemble, l'Europe du XVᵉ siècle reste encore sous l'emprise de l'art gothique.

Ce sont les guerres d'Italie menées par Charles VIII, Louis XII et François Iᵉʳ qui font découvrir le voisin transalpin à la noblesse et aux rois de France : ils en reviennent pleins du désir d'imiter les modes nouvelles. Le cardinal d'Amboise, parmi les premiers, orne son château de Gaillon, entre 1501 et 1510, de quelques éléments d'inspiration italienne (pilastres, médaillons) et y fait travailler, notamment, le peintre Andrea Solario. Mais Gaillon (dont il ne subsiste que des lambeaux) avait un plan très irrégulier et restait, dans l'ensemble, gothique. En France, en Espagne, les œuvres et les ornements italiens cohabitent d'ailleurs, dans un premier temps, avec des formes héritées du passé.

Le plus souvent, la transformation reste donc assez superficielle. Mais certaines témoignent d'une compréhension plus profonde des exemples italiens. En France, le château de Chenonceaux et celui de Bury (v. 1520 ; détruit), dans le Val de Loire, adoptent des dispositions et des plans nouveaux : l'influence transalpine, cette fois, ne se limite pas au décor. En Allemagne et en Angleterre, Dürer et Holbein, malgré leur fidélité à l'héritage de la peinture du Nord, sont de taille à rivaliser avec les grands maîtres du classicisme italien.

L'affirmation de la Renaissance

AUX ALENTOURS DES ANNÉES 1520-1530, L'EUROPE COMMENCE À S'INTÉRESSER AUX ASPECTS LES PLUS RÉCENTS DE L'ART TRANSALPIN, LE CLASSICISME ET SON ÉVOLUTION MANIÉRISTE.

L'action des souverains est souvent décisive. En 1516, François Iᵉʳ, roi de France, réussit à faire venir à sa cour Léonard de Vinci, qui lui vend, notamment, *la Joconde* et étudie pour lui plusieurs projets ; il est probablement à l'origine du plan de Chambord, édifice entrepris en 1519. Fontainebleau, surtout, devient à partir de 1528 un grand chantier, où le Rosso, Primatice et Nicolo dell'Abate conçoivent l'un des plus beaux décors maniéristes d'Europe (fresques et stucs). L'architecture de ce château n'est cependant pas de la même qualité ; il faut attendre l'extrême fin du règne pour qu'apparaisse un monument véritablement digne des modèles italiens, la cour Carrée du Louvre, due à Pierre Lescot (1515-1578). Mais, dès le début du règne d'Henri II (1547), le château d'Anet, œuvre de Philibert Delorme (1514-1570), et les aménagements que réalise Jean Bullant (v. 1520 - 1578) au château d'Écouen montrent qu'une nouvelle ère s'ouvre pour l'architecture française : ces deux artistes,

tout en s'inspirant des modèles italiens, ont su en effet trouver un style profondément original. Le sculpteur Jean Goujon (v. 1510 - 1566) subit lui aussi l'influence de la manière italienne (celle du Rosso en particulier) pour aboutir à un style qui n'a pas vraiment de précédent : il se consacre essentiellement au bas-relief, et les *Nymphes* de la fontaine des Innocents à Paris (1549), la *Déposition* du jubé de Saint-Germain-l'Auxerrois (1544, aujourd'hui au Louvre) montrent son goût pour les lignes et les drapés profondément incisés.

En Espagne, Charles Quint, lui aussi, est un grand collectionneur et un admirateur passionné de l'art italien : il se fait construire à partir de 1527, dans l'Alhambra de Grenade, un palais dont l'architecte est un ancien élève de Raphaël, Pedro Machuca. Mais l'œuvre est trop profondément italienne pour avoir une véritable influence. Aussi se développe-t-il dans le même temps, comme en France, une architecture plus marquée par les traditions nationales

et qui sait faire preuve d'originalité. On doit citer un architecte comme Diego de Siloé (v. 1495-1563), qui est allé se former en Italie, à Naples. Après son retour au pays, en 1519, il se consacre d'abord à la sculpture, puis, à partir de 1528, à l'architecture. Le collège des Irlandais, à Salamanque, auquel il collabore à partir de 1529, montre qu'il sait unir les éléments italiens et les formes locales ; au centre du bâtiment se trouve, comme souvent en Espagne, un grand *patio*, c'est-à-dire une cour bordée d'arcades. Mais ces arcades sont encadrées par des demi-colonnes qui imitent, avec quelques maladresses, l'architecture classique. Il travaille aussi, jusqu'à sa mort, à la cathédrale de Grenade, où Charles Quint veut être enterré. Le décor classique semble en certains endroits habiller une structure encore profondément gothique, mais le sanctuaire est beaucoup plus original : il s'agit d'une immense rotonde, et Siloé s'inspire ici des grands partis de l'Antiquité.

Les peintres des Pays-Bas, quant à eux, vont de plus en plus souvent se former en Italie : Jan Gossaert, dit Mabuse (v. 1478-1532), Jan Van Scorel (1495-1562), Frans Floris (v. 1516/1520 - 1570), etc., tentent tous, avec plus ou moins de bonheur, de fondre le style national avec ce qu'ils ont vu et assimilé au cours de leurs voyages.

3. Albrecht Dürer, *les Quatre Apôtres*, 1526.

Aspects de l'art européen autour de 1560-1620

LE MANIÉRISME, ÉLABORÉ EN ITALIE À PARTIR DES ANNÉES 1520, VA DEVENIR UN STYLE INTERNATIONAL, COMME L'AVAIT ÉTÉ AUPARAVANT LE GOTHIQUE.

Pendant la seconde moitié du XVIe siècle, le maniérisme se répand dans toute l'Europe. L'architecture française va ainsi devenir de plus en plus ornée, le mur, parfois, disparaissant presque derrière son décor : le château du Pailly, près de Langres, et la galerie du bord de l'eau, au Louvre, sont de bons exemples de ce phénomène. Les projets pour Charleval, un château du roi Charles IX, aujourd'hui détruit, montrent une tendance au colossal ; les plans en sont de plus en plus complexes (ils ne furent d'ailleurs jamais complètement réalisés). Germain Pilon (v. 1528 - 1590), dans le même temps, avec le monument du cœur de Henri II, avec les sculptures pour le tombeau du roi et de Catherine de Médicis à Saint-Denis ainsi qu'avec la *Déposition* de bronze aujourd'hui au Louvre, introduit un maniérisme très séduisant : ses figures aux formes étirées subissent une légère torsion, au point qu'elles semblent parfois dansantes. Raffiné, cet art de cour témoigne d'une extraordinaire maîtrise des moyens et des matériaux.

En Espagne, le règne de Philippe II, au contraire, marque un certain retour à l'austérité : le grand chef-d'œuvre de cette période est le monastère de l'Escorial, qui servait en même temps de résidence royale. Tout y est d'un extrême dépouillement, et le dernier architecte de l'ensemble, Juan de Herrera (v. 1530 - 1597), a su parfaitement adapter son style aux désirs du roi. Mais le parti est extrêmement monumental, on y trouve en particulier un escalier à volées droites d'un type nouveau, dit « à l'impériale ». La décoration, confiée dans une large mesure à des artistes italiens, Luca Cambiaso, Federico Zuccaro et Pellegrino Tibaldi, est, dans l'ensemble, décevante. Le plus grand peintre du temps, le Greco (1541-1614), ne réussit pas à gagner la faveur du roi. Son style dérive en partie de son éducation vénitienne, de l'exemple du Tintoret et de Jacopo Bassano, mais il pousse la violence des couleurs, l'étirement des figures et l'abstraction du paysage vers un expressionnisme violent et singulier.

L'un des centres les plus importants du maniérisme tardif est la cour de l'empereur Rodolphe II à Prague. Celui-ci fait venir auprès de lui un grand nombre d'artistes italiens et, surtout, flamands : les bronzes d'Adriaen De Vries (1545 ?-1626) montrent à quel génie les élèves de Jean Bologne sont parvenus. Les tableaux de l'Allemand Hans von Aachen (1552-1615) et de l'Anversois Bartholomeus Spranger (1546-1611), tous deux passés par l'Italie, affichent un style complexe et raffiné, souvent très sensuel. •

→ **Voir aussi :** Florence et la révolution du quattrocento, **ARTS**, p. 230-231. Classicisme et maniérisme en Italie, **ARTS**, p. 240-241.

2. Germain Pilon, *les Trois Grâces*, monument funéraire du cœur d'Henri II. Marbre avec urne en bois doré, vers 1560-1563.

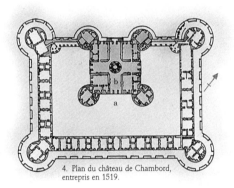

4. Plan du château de Chambord, entrepris en 1519.

L'emprise progressive de l'italianisme

Le château de Chambord montre comment les traditions nationales et le nouvel esprit venu de l'Italie se sont fondus dans les premiers temps de la Renaissance française. Le décor, dont l'exubérance doit beaucoup à l'exemple de la Lombardie, est imparfait. Mais le plan (4), malgré son ascendance médiévale, est d'une grande originalité. Pour ce qui est du « donjon » central (a), il s'agit d'un plan carré presque centré, c'est-à-dire symétrique de part et d'autre des deux médianes, avec, au milieu, un grand escalier en vis à double révolution (b). Le palais de Charles Quint à l'Alhambra de Grenade est au contraire un édifice d'inspiration purement italienne. Son archi-

tecte, Pedro Machuca, a travaillé aux côtés de Raphaël et il s'inspire de certaines de ses inventions, notamment dans la grande cour circulaire (5) peut-être inspirée par la villa Madama de Rome : l'effet des deux étages de colonnes et de la voûte annulaire inférieure est superbe.
Avec *les Quatre Apôtres* (3), Dürer réussit à mêler la force expressive et le réalisme allemands à la grandeur classique (notamment dans les drapés) et témoigne d'une compréhension profonde de l'art italien. La fin du siècle voit le triomphe du maniérisme international, exacerbation du classicisme, auquel se rattachent l'œuvre élégante de Germain Pilon (2) et l'érotisme ironique de Spranger (1).

5. Patio circulaire du palais de Charles Quint à Grenade, œuvre de Pedro Machuca (à partir de 1527).

Venise au XVIᵉ siècle

L'influence de l'Italie du Centre et les échos du maniérisme

L'ARCHITECTURE VÉNITIENNE
EST ENTIÈREMENT RENOUVELÉE PAR
DES ARTISTES FORMÉS À ROME ; LES PEINTRES SUBISSENT
EUX AUSSI L'INFLUENCE DE L'ITALIE
CENTRALE ET DU MANIÉRISME.

LA « SÉRÉNISSIME RÉPUBLI-que » va devenir, au cours du XVIᵉ siècle, la capitale artistique de l'Italie, au moment même où elle commence à perdre sa puissance politique et économique. Ses peintres vont avoir une influence décisive sur la peinture occidentale et préparer la voie au baroque. Leur manière, à commencer par l'accord ineffable que Giorgione réalise entre paysage et figures, est très originale par rapport à celle de leurs confrères de Rome et de Florence : à la prédilection que les artistes d'Italie centrale montrent pour le dessin, la construction des figures, ils opposent leur goût pour la matière picturale, pour la variation des tons sous l'influence de la lumière : c'est ce qu'on appelle la *peinture tonale.* Les traités et les théoriciens de l'époque se font bientôt l'écho de ces différences : les Florentins reprochent aux Vénitiens de ne pas assez dessiner, tandis que les Vénitiens opposent leur plus grand peintre, Titien, au champion des artistes toscans, Michel-Ange, pour affirmer que leur école est devenue la première d'Italie.

Dans le domaine de l'architecture, par contre, l'influence de l'Italie centrale est déterminante, et la ville est profondément transformée par les grands monuments que construisent des architectes venus de Rome ou formés à Rome ; mais ces artistes ont le souci de s'adapter aux traditions locales et aux particularités du site, créant ainsi une architecture originale, qu'Andrea Palladio enrichira de variations aussi brillantes que rigoureuses. La sculpture, de son côté, est fortement influencée par les Florentins, mais, malgré des artistes de qualité, elle n'atteint jamais les sommets toscans ou romains.

D'une manière générale, la floraison du XVIᵉ siècle ne peut se comprendre sans les grands artistes du siècle précédent : Giovanni Bellini avait déjà, après sa rencontre, en 1476, avec Antonello da Messina (celui-ci averti des nouveautés de l'art flamand), inventé une peinture où la lumière joue un rôle prédominant dans la définition de l'espace et des volumes. Pietro Lombardo et Mauro Coducci avaient également construit des édifices originaux en alliant au style renaissant des éléments de la tradition byzantine et gothique. Ces caractères ne seront pas oubliés au siècle suivant.

Après le sac de Rome par les troupes de Charles Quint (1527), les artistes qui travaillaient là se dispersent dans toute l'Italie : Venise accueille ainsi Jacopo Sansovino (1486-1570), sculpteur et architecte, qui va profondément modifier le visage de la ville. Autour de la place Saint-Marc et de la *piazzetta* adjacente, il construit à partir de 1537 un ensemble de monuments qui introduit au cœur de la ville le grand style classique romain. En avant du palais de la Monnaie *(Zecca),* qu'il ouvre sur le quai, il dresse la bibliothèque publique *(Libreria)* face au palais des Doges. Pour faire équilibre à la polychromie des vieux édifices, il compose des ombres fortes : arcades doriques, étage ionique aux archivoltes reposant sur un petit ordre, selon une disposition que Palladio reprendra. Son sens de l'ornementation donne à l'édifice, ainsi qu'à la *Loggetta* du campanile, une rare splendeur et accorde ces bâtiments au site extraordinaire qui les entoure. Dans les sculptures de Sansovino, toutefois *(Vie de saint Marc* à la basilique Saint-Marc, *Mars* et *Vénus* de l'escalier des Géants du palais ducal...), la recherche du détail vibrant, de l'effet vaporeux nuit parfois à la densité plastique.

C'est également à un architecte formé à Rome, le Véronais Michele Sanmicheli (1484-1559), que la Seigneurie confie la restauration ou la construction d'un grand nombre de ses fortifications proches ou lointaines : Vérone, Zara (Zadar), Sebenico (Šibenik), la Crète, Corfou, etc. À Venise même, il donne les plans du palais Grimani, sur le Grand Canal. Stylistiquement, il part de la tradition de Bramante et de Raphaël pour évoluer vers un maniérisme complexe et sévère qui puise aux sources de l'Antiquité romaine.

La peinture subit elle aussi l'influence de l'Italie centrale : des artistes florentins (Giorgio Vasari, Francesco Salviati) visitent Venise, où ils apportent les échos du maniérisme. En même temps, les peintres vénitiens montrent un vif intérêt pour l'œuvre de Michel-Ange et, aussi, pour celui de Jules Romain, l'élève le plus doué de Raphaël : c'est chez Iacopo Robusti, dit le Tintoret (1518-1594), que cette influence se fait le plus fortement sentir. Mais sa peinture n'est pas seulement la version vénitienne du maniérisme. Par son sens du clair-obscur dramatique et ses compositions déployées dans la profondeur du tableau, il ouvre des horizons nouveaux, qui annoncent le baroque. •

La révolution vénitienne

GIORGIONE CRÉE, AU DÉBUT
DU SIÈCLE, UNE NOUVELLE MANIÈRE
DE PEINDRE QUI VA PROFONDÉMENT INFLUENCER
SES CONTEMPORAINS ET SUCCESSEURS.

Le début du XVIᵉ siècle voit paraître un des artistes les plus novateurs de la Renaissance, Giorgione (1477-1510). Dès la *pala* (tableau d'autel) de Castelfranco (*la Madone entre saint Libéral et saint François,* v. 1504), on observe une rupture radicale avec la tradition du retable, que Giovanni Bellini avait portée à sa perfection. Ce n'est plus le fond d'architecture qui organise la composition ; celle-ci ne repose pas sur une géométrie rigide, les figures se campent dans un paysage qui cesse d'être un simple fond mais devient l'un des véritables protagonistes de l'œuvre. On trouve d'autre part, dans ce tableau, la poésie si particulière de Giorgione, ce regard perdu des personnages qui semblent s'isoler dans un rêve mélancolique. Cette atmosphère imprègne davantage encore l'œuvre la plus célèbre du peintre, *la Tempête* (Venise, Accademia). Les personnages y paraissent totalement indifférents à l'orage qui les environne et leur expression semble presque contredire la violence du temps : c'est ce qui explique, en grande partie, l'impression de mystère que dégage le tableau. Par ailleurs, la peinture n'avait jamais fixé ainsi les accidents de la lumière : il ne s'agit pas d'une lumière dont la seule fonction est de modeler les volumes, mais de la lumière d'un instant, celui où le soleil perce les nuages. Dans la *Vénus* du musée de Dresde, Giorgione invente aussi le premier nu de la peinture moderne en abandonnant tout l'attirail mythologique pour immerger, une fois de plus, cette figure de femme endormie dans la nature. L'artiste est aussi capable d'inventer de vastes décors à fresques : il peint en 1508, sur la façade du Fondaco dei Tedeschi (l'entrepôt des marchands allemands à Venise), de grandes figures nues, au moment même où Michel-Ange s'attaque à la voûte de la chapelle Sixtine ; mais ces fresques, que le temps a effacées, devaient être très différentes de celles de Michel-Ange, tant les nus de Giorgione sont éloignés des nudités héroïques de la Sixtine.

Malgré la brièveté de sa carrière, Giorgione va bouleverser le cours de la peinture à Venise. Une multitude de tableaux, d'estampes et de sculptures essaient bientôt de reproduire ce climat d'idylle rêveuse qu'il a su créer. Lorenzo Lotto (1480-1556), l'un des artistes les plus singuliers de l'époque, subit également son influence, en y superposant son propre goût pour l'étrangeté et l'instabilité des sentiments. Mais ce sont surtout les deux élèves de Giorgione, Sebastiano del Piombo (v. 1485 - 1547) et Titien (1488/89-1576), qui tirent les leçons de son art. Après avoir exécuté à Venise quelques œuvres prometteuses (les volets d'orgue de l'église San Bartolomeo, le retable de Saint-Jean-Chrisostome, Sebastiano part cependant pour Rome (1511), laissant donc le champ libre à Titien. Celui-ci donne une preuve éclatante de son talent avec la *pala* de l'*Assomption,* dans l'église Santa Maria dei Frari : l'œuvre montre que Titien peut atteindre une grandeur comparable à celle de Raphaël ou de Michel-Ange, par des voies tout à fait différentes. Venise a fait naître un art véritablement classique, le seul en Italie qui puisse concurrencer celui de Rome. •

1. Tintoret : *le Miracle de l'esclave.*

2. Véronèse : vue partielle du décor en trompe-l'œil de la villa Barbaro à Maser.

La suprématie de Venise

PENDANT LA SECONDE MOITIÉ
DU XVIᵉ SIÈCLE, LA PEINTURE VÉNITIENNE
EST LA PREMIÈRE DE L'ITALIE ; ANDREA PALLADIO,
DANS LE MÊME TEMPS, VA CRÉER UNE ARCHITECTURE
PROFONDÉMENT ORIGINALE.

La peinture vénitienne est donc capable de créations profondément novatrices, alors que les peintres romains et florentins se perdent de plus en plus dans les ornières du maniérisme finissant : à partir des années 1550, la domination de la peinture vénitienne est devenue indiscutable. Tintoret va multiplier les grands cycles – peints non pas à fresque, comme en Italie centrale, mais sur toile – dans les principales confréries laïques de Venise (les *Scuole grande*) et les palais de la Seigneurie. À la *Scuola* de San Rocco, couronnement de sa carrière, il compose de 1564 à 1587 un immense récit de la vie de la Vierge et du Christ, couvrant tous les murs et les plafonds de l'édifice : les corps s'envolent, s'enlacent dans des effets lumineux qui leur donnent parfois un aspect quasi fantomatique.

C'est aussi dans les années 1550 qu'un nouveau génie fait son apparition : Paolo Caliari, dit il Veronese, en français Véronèse (1528-1588). Formé dans un milieu artistique différent (Vérone), il oppose aux ombres et aux lumières du Tintoret une manière beaucoup plus claire, où le brillant des couleurs et étoffes compose une somptueuse peinture de fête. Il peint, lui aussi, un immense cycle de toiles et de fresques pour l'église de San Sebastiano, travaille pour les couvents de Venise et pour la Seigneurie (palais ducal). Mais son talent s'exprime aussi dans les fresques dont il décore plusieurs villas de la campagne vénitienne. Titien, quant à lui, continue de peindre jusqu'à sa mort, en 1576 : les tableaux de la fin de sa vie, souvent inachevés, laissent voir une liberté de touche étonnante, où l'on peut observer toute la puis-

sance du peintre, qui, parfois, peint alors directement avec ses doigts. Jacopo Bassano (v. 1515 - 1592), produit d'influences multiples, va lui aussi très loin dans la liberté de la touche picturale ; les contrastes entre la lumière et l'ombre deviennent encore plus violents, des traits de lumière parcourent la nuit, les armures réfléchissent des éclats de lune. Il manifeste d'autre part un goût très vif pour le détail pittoresque : des bergers, de petites gens et les animaux de la ferme peuplent ses tableaux ; ce style, imité par ses fils, repris dans de nombreuses estampes, rencontrera un large succès dans toute l'Europe.

En architecture, l'œuvre d'Andrea di Pietro, dit Andrea Palladio (1508-1580), représente l'aboutissement du style classique au XVIᵉ siècle. Le plan de ses villas montre un goût extrême pour la symétrie : à la villa Capra, dite *la Rotonda* (v. 1569), à côté de Vicence, les pièces sont réparties autour d'une grande salle centrale circulaire et les quatre façades, strictement identiques, présentent de véritables portiques de temple. Dans les églises qu'il construit à Venise (San Francesco della Vigna, San Giorgio, le Rédempteur), il montre aussi une connaissance parfaite des modèles antiques, mais sait les adapter aux exigences de son temps : la façade du Rédempteur (1577-1580) est ainsi une combinaison virtuose de trois façades de temple qui s'imbriquent, mais, en même temps, elle exprime clairement la structure interne de l'édifice. Avec Palladio, l'architecture vénitienne atteint un sommet difficilement dépassable. •

→ **Voir aussi :** Classicisme et maniérisme en Italie, ARTS, p. 240-241.

Peinture : les trois « géants » du *cinquecento*

L'Assomption de la Vierge (3) fut peinte par Titien entre 1516 et 1518 pour l'église Santa Maria dei Frari : on n'avait sans doute jamais conçu, auparavant, une toile aussi monumentale (6,90 × 3,60 m). La composition, strictement frontale, est d'un équilibre parfait. Mais l'extraordinaire lumière est le véritable élément unificateur : elle anime en particulier le groupe des apôtres d'une vie qui tranche avec le hiératisme des retables du siècle précédent. *Le Miracle de l'esclave* (1), peint par Tintoret en 1548 pour la *Scuola* (confrérie) de San Marco, valut au peintre la célébrité ; l'œuvre montre ce qu'il doit au maniérisme (torsion des figures, proportions des corps), mais aussi la manière dont il sait créer des compositions qui occupent toutes les dimensions du tableau : les figures sont groupées le long de diagonales qui pénètrent l'espace en profondeur. Dans les fresques (vers 1562) [2] de la villa Barbaro, à Maser, qui est une œuvre de Palladio, Véronèse s'unit à l'architecte de façon parfaite le décor peint à l'architecture et à créer ainsi un espace fictif parfaitement cohérent.

3. Titien : *l'Assomption*, église des Frari.

4. J. Sansovino : le palais Corner, façade sur le Grand Canal.

Le palais Corner

Ce palais (1) fut construit entre 1540 et les années 1580 sur les plans de Jacopo Sansovino. Il traduit la fusion entre le classicisme romain (emploi des ordres, socle en appareil à refends du rez-de-chaussée) et la tradition vénitienne (la grande pièce centrale, qu'on appelle *portego*, et la division intérieure, tripartite, du bâtiment).

Un nouvel urbanisme

LA FONCTION REPRÉSENTATIVE
DE ROME S'EXPRIME DANS LA RESTRUCTURATION
DE L'ESPACE URBAIN.

Rome baroque

DÈS LA FIN DU XVᵉ SIÈCLE, Rome supplante Florence grâce à Sixte IV, qui appelle au Vatican les artistes les plus célèbres d'Italie pour décorer les murs de la chapelle Sixtine. Le mécénat de Jules II, qui réunit autour de lui Bramante, Raphaël et Michel-Ange, est plus éclatant encore. Mais, en 1527, le sac de Rome par les troupes de Charles Quint met un terme à cet essor. Il faut attendre près d'un siècle pour que Rome devienne la capitale artistique de l'Italie, et de l'Europe entière. La puissance pontificale fermement restaurée après la fin du concile de Trente (1563) trouve son expression dans un style tout d'abord austère, puis grandiose et théâtral. Cet art dénommé baroque triomphe lors de la canonisation, en 1622, des quatre plus grands saints de la Réforme catholique, Thérèse d'Ávila, Ignace de Loyola, Philippe Neri et François-Xavier. Églises, couvents et chapelles commémorent le triomphe de l'Église romaine, attirant dans la Ville éternelle princes et prélats, qui font édifier de somptueuses demeures. Les artistes affluent pour satisfaire aux commandes. Victorieuse de la Réforme, qui condamnait les images, l'Église romaine réaffirme leur valeur comme moyen de persuasion. Trois grands pontifes exercent un mécénat particulièrement actif : Urbain VIII Barberini, Innocent X Pamphili et Alexandre VII Chigi. Ils ont tour à tour à leur service Gian Lorenzo Bernini, en français le Bernin (1598-1680), et son rival Francesco Borromini (1599-1667). Jusqu'à la fin du XVIIᵉ siècle, Rome sera un foyer d'une créativité incomparable, où les artistes de toute l'Europe viendront se former.

Après le sac de 1527, Rome présentait le spectacle désolant d'une ville laissée à l'abandon, où des constructions hétéroclites recouvraient les ruines de l'Antiquité. Une première tentative de « réhabilitation » eut lieu en 1536, à l'initiative du pape Paul III, afin d'accueillir dignement l'empereur Charles Quint, responsable du pillage de la ville quelques années plus tôt... Michel-Ange fut alors chargé de l'aménagement de la place du Capitole, centre historique et politique de la Ville éternelle.

À la fin du XVIᵉ siècle, le pape Sixte Quint veut embellir la ville que les contemporains, admiratifs, appellent *Roma nova*. L'architecte Domenico Fontana perce des rues nouvelles dans le prolongement des voies d'accès à la capitale ; il relie entre elles les sept basiliques principales que les pèlerins devaient visiter, en dégageant des perspectives signalées par des obélisques. La place Saint-Pierre est aménagée par le Bernin en 1657. L'ellipse de sa colonnade, semblable à des bras ouverts, accueille les fidèles et relie la basilique à la ville où, sur la rive gauche du Tibre, Piazza Navona, bat le cœur de la Rome baroque.

La place Navone épouse la forme du cirque de Domitien, au centre du Champ de Mars. L'impulsion des travaux est donnée par Innocent X, né dans le vieux palais familial des Pamphili, au sud de la place. Carlo Rainaldi (1611-1691) et Borromini le conservent tout en l'agrandissant. Puis le pape fait élever par les mêmes architectes l'église dédiée à sainte Agnès. La longue façade incurvée qui met en valeur la coupole s'intègre parfaitement à la place ovale, synthèse d'un lieu historique et d'un espace naturel grâce à la présence de trois fontaines. Au centre, celle des Quatre Fleuves est l'œuvre du Bernin ; elle est surmontée de l'obélisque antique qui marquait jadis le centre du cirque. Il symbolise désormais la puissance du pontife, dont les armes dominent les « quatre fleuves » symbolisant les quatre continents alors connus, Danube, Río de la Plata, Nil et Gange. La place était, à l'occasion, le lieu de grandes fêtes mêlant jeux d'eau, grottes, architectures éphémères, feux d'artifice.

●

1. *L'Asie,* détail de la voûte de l'église St-Ignace, peinte à fresque par le père Andrea Pozzo (vers 1690-1694).

L'église, lieu scénique

DÉCORÉES COMME DES THÉÂTRES, LES ÉGLISES
METTENT SPECTACULAIREMENT EN SCÈNE LE DOGME ET LA VIE
DES SAINTS RÉCEMMENT CANONISÉS.

Le plan des édifices religieux postérieurs au concile de Trente adopte la nef unique pour permettre aux fidèles de mieux voir et entendre prêtre et prédicateur, car la parole et la musique sont indissociables de la liturgie ; aussi les points forts de la décoration baroque sont-ils la chaire, les orgues et les autels. Le souci majeur consiste à délivrer le fidèle de la pesanteur terrestre et de ses soucis prosaïques, à l'entraîner par la magie des arts vers la splendeur divine. Dès que le visiteur a franchi la porte d'une église, il progresse vers la lumière qu'irradie la coupole, image du ciel. Au cœur de la basilique Saint-Pierre s'élève le baldaquin à colonnes torses du Bernin, laissant entrevoir la « Chaire de saint Pierre » dominée par une Gloire gigantes-

que. Le procédé du trompe-l'œil cause surprise et émerveillement. Les architectures peintes imitent à la perfection des structures réelles qu'elles prolongent souvent ; draperies et nuages paraissent aussi vrais que semblent l'être les saints en extase dans la pénombre des chapelles.

Saint-Charles-aux-Quatre-Fontaines, commandée au rival du Bernin, Francesco Borromini, par le cardinal Barberini, neveu d'Urbain VIII, est consacrée en 1646. Rien, dans ce sanctuaire aux proportions modestes, ne rappelle le plan et l'élévation traditionnels des églises. Derrière une façade qui semble onduler, telle un rideau d'opéra, l'intérieur apparaît comme un théâtre aux formes flexibles et gracieuses, témoignage de virtuosité dans l'ellipse

2. Coupole de l'église St-Charles-aux-Quatre-Fontaines, de Francesco Borromini, consacrée en 1646.

Fastes et surprises

Rome vit, au XVIIe siècle, à l'heure du catholicisme victorieux de la Réforme, qui se manifeste dans la construction et le décor d'innombrables églises. Architectes, peintres et sculpteurs y rivalisent d'audace afin de créer des effets de surprise, grâce au procédé du trompe-l'œil qui triomphe sur la voûte de Saint-Ignace, chef-d'œuvre du père Pozzo (1). On raconte que les visiteurs qui pénétraient dans l'église Saint-Charles (2) « y jetaient à la ronde des regards étonnés ». Cet art, dit baroque, s'exprimait aussi dans des fêtes somptueuses données sur la place Navone (3), où obélisque et fontaines participent au décor caractéristique de l'urbanisme romain.

de la coupole qui révèle une appréhension neuve et originale de l'espace, non plus fragmenté mais unifié, non plus fermé mais ouvert et se dissolvant dans la lumière. La fresque de la voûte centrale de l'église Saint-Ignace (à partir de 1690), chef-d'œuvre de la peinture illusionniste, est due au père Andrea Pozzo (1642-1709), célèbre théoricien et praticien de la perspective. Elle glorifie le fondateur de la compagnie de Jésus dans un tourbillon de formes colorées qui évoquent le rayonnement de sa prédication sur les quatre continents. Le « grand théâtre du monde », thème majeur de l'époque baroque, évoque pareillement l'emprise universelle à laquelle prétend l'Église de Rome.

Plus intime mais tout aussi théâtral, le thème de l'extase inspire aux artistes des compositions célèbres. Dans une chapelle de l'église Sainte-Marie-de-la-Victoire (1652), le Bernin déploie une imagination scénographique plus mondaine que dévote. Huit membres de la famille Cornaro, accoudés dans des loges, assistent au spectacle de sainte Thérèse d'Ávila se pâmant d'amour et de douleur, le cœur percé d'une flèche que lui décoche un aimable séraphin. Les tombeaux font appel à une mise en scène qui transpose dans le marbre et le bronze les constructions éphémères des cérémonies funèbres. Ils illustrent l'antinomie entre les honneurs terrestres et la puissance destructrice de la mort. Ainsi, le monument funéraire élevé au pape Urbain VIII par le Bernin montre le pontife bénissant le monde d'un geste dominateur, tandis qu'un squelette inscrit son nom sur un rouleau noir. Le tombeau d'Alexandre VII reprend le thème de la Mort en action, brandissant un sablier ; elle se dissimule dans la lourde draperie de marbre rose que maintiennent quatre gracieuses allégories féminines, non plus immobiles comme aux époques précédentes, mais animées de mouvements traduisant les sentiments que leur inspire la disparition du pape. ●

La Place Navone vue par le palais Giovanni Paolo Pannini, vers 1700.

Le palais et son décor

LA PUISSANCE ROMAINE S'EXPRIME AUSSI DANS
DES PALAIS D'ILLUSTRES FAMILLES, AUX SALONS OU GALERIES
ORNÉS DE FRESQUES MYTHOLOGIQUES.

La monumentalité austère qui caractérise les façades des palais romains « au front audacieux » contraste avec l'exubérance colorée de la décoration intérieure, le plus imposant, le palais Farnèse, fut commencé à l'initiative du cardinal Alexandre, qui devint pape en 1534 sous le nom de Paul III. La façade, due à Sangallo et à Michel-Ange, met l'accent sur les lignes horizontales que souligne une corniche saillante. Des fenêtres aux frontons alternativement courbes et triangulaires en constituent les seuls ornements, à l'exception du blason des Farnèse qui surmonte le balcon central. L'effet de surprise est obtenu lorsque, après avoir traversé la salle des Gardes, on découvre le décor peint par les Carrache sur les murs du *camerino* et de la galerie où, dans un chatoiement d'or et de couleurs claires, les dieux en cortège célèbrent leurs amours. Bien qu'il soit la manifestation la plus évidente de la civilisation urbaine, le palais est ouvert sur la nature grâce à sa loggia donnant sur un jardin.

Au palais Pamphili, sur la place Navone, la sobriété de la façade

dessinée par Rainaldi masque le génie fantaisiste de Borromini qui se déploie à l'étage noble dans les fastueuses pièces de réception, dont la galerie de plus de 33 mètres de long et le grand salon constituent les foyers essentiels. Là encore, les héros de la mythologie prennent la place des cohortes célestes et la demeure des patriciens devient celle des dieux. Le maître d'œuvre du décor est le peintre Pierre de Cortone (1596-1669), qui reçoit cette commande en 1651. Le thème des fresques est l'histoire d'Énée, auquel les Pamphili se prétendent affiliés. Le lien avec le passé antique de Rome explique aussi le choix du sujet : le héros aborde sur les rivages du Latium où l'attend le dieu Tibre. Comme à la galerie Farnèse, la peinture pousse à l'extrême son pouvoir d'imitation. Architectures, statues, encadrements et médaillons, traités en trompe-l'œil, s'enchevêtrent dans un tourbillon de teintes claires. Le palais Barberini, le palais Chigi, parmi bien d'autres, révèlent pareillement le pouvoir temporel des princes et des banquiers de l'Église romaine. ●

Rome, capitale européenne des arts

AU XVIIe SIÈCLE, LA CITÉ PAPALE DONNE
LE TON À L'EUROPE ENTIÈRE : AUCUNE VILLE OU CAPITALE
NE PEUT RIVALISER AVEC ELLE.

Le prestige de la *Roma nova* est tel que, d'une extrémité à l'autre de l'Europe, façades et coupoles imitent celles de ses églises. Les nouveaux ornements de ses places, obélisques, fontaines et statues équestres sont partout répétés jusqu'à la fin du XVIIIe siècle. Tous les artistes les ont, en effet, admirés dans la Ville éternelle, où ils séjournent plus ou moins longtemps. Ils y sont attirés par le nombre extraordinaire des commandes, qui, dès le XVIe siècle, ont drainé vers Rome les plus grands noms de l'Italie. Le Caravage agit de même lorsqu'il quitte sa Lombardie natale, probablement sans savoir qu'il va être à l'origine d'un courant majeur de la peinture européenne, le caravagisme. S'il est excessif d'affirmer, comme l'a fait Reynolds, que l'école française du XVIIe siècle n'est qu'une colonie de l'école romaine, il est vrai que la plupart des peintres français se sont formés à Rome ou même y ont fait toute leur carrière. Ils sont particulièrement nombreux pendant la première moitié du siècle : Valentin de Boulogne, Claude Vignon et Si-

mon Vouet suivent la voie tracée par Caravage, tandis que Poussin et Claude Gellée (le Lorrain) demeurent fidèles à l'exemple de l'Antiquité classique et de la Renaissance. La création de l'Académie de France à Rome (1666), voulue par Le Brun et Colbert, doit permettre aux jeunes artistes « de faire quelque séjour à Rome pour s'y former le goût et la mémoire sur les originaux et les modèles des plus grands maîtres de l'Antiquité et des siècles derniers ». Cette institution jouera un rôle majeur dans l'art officiel du règne de Louis XIV.

L'Espagne n'a pas d'Académie, mais Philippe IV envoie à deux reprises son premier peintre, Velázquez, dans la Ville éternelle. Il y copie les statues antiques, dessine d'après les fresques de Raphaël et de Michel-Ange, puis acquiert de nombreuses œuvres d'art de toutes les époques pour décorer l'alcazar de Madrid. ●

→ **Voir aussi :** Classicisme et maniérisme en Italie, **ARTS**, p. 240-241. Baroque et classicisme, **ARTS**, p. 252-253. La peinture d'histoire, **ARTS**, p. 256-257. France XVIIe siècle. La réalité et le beau idéal, p. 258-259.

Le Caravage
Cycle de saint Matthieu

C'EST EN 1599 QU'EST ENTRE-prise à Rome la série des trois grands tableaux d'église qui vont faire la renommée du Caravage comme peintre d'histoire aussi novateur par l'esthétique que par l'esprit.

Né en 1571 à Milan, Michelangelo Merisi prend le nom du village lombard, Caravaggio, où sa famille s'est réfugiée en 1576 pour fuir la peste. De retour à Milan, il s'initie à la peinture auprès de Simone Peterzano, disciple de Titien. Les peintres lombards, attirés par Venise et par les écoles du Nord, donnent la préférence à la couleur et aux sujets naturalistes, négligeant le dessin et les motifs académiques. En 1591, Merisi gagne Rome, attiré par le fastueux mécénat pontifical. Il entre dans l'atelier de Giuseppe Cesari, dit le Cavalier d'Arpin, un décorateur maniériste avec lequel il ne

s'entend guère et qui lui fait peindre des fleurs et des fruits. Bientôt, il anime ses compositions de « demi-figures », jeunes garçons ou Bohémiennes représentés à mi-corps, qui deviennent vite fort appréciées (voir par exemple le *Bacchus,* v. 1593, des Offices à Florence).

Son premier grand admirateur est le cardinal Del Monte, adepte de l'étude directe de la nature dans les sciences comme dans les arts et qui vit comme un prince, entouré d'artistes, musiciens, peintres, lettrés. À son exemple, le Caravage refuse les concepts idéalistes, le beau, la morale et se tourne vers la réalité. La perception du monde sensible et les sentiments qu'elle suscite sont sa seule vérité. Grâce à son illustre protecteur, il obtient sa première commande importante, trois grandes toiles consacrées à l'apôtre saint Matthieu.

La désacralisation du sujet

L'ARTISTE TRANSPOSE UN ÉPISODE DE L'HISTOIRE SAINTE DANS LA ROME PLÉBÉIENNE DE SON TEMPS, CELLE DES JOUEURS, DES TRICHEURS, DES RIXES.

La première et magnifique représentation du saint écrivant sous la dictée de l'ange fut un objet de scandale. « Il ne plut à personne », commente un contemporain. L'apôtre, qui était un collecteur d'impôts, instruit, rusé, expert en chiffres et en écritures, apparaît tel un rustre, un portefaix des faubourgs du Trastevere, posant ses pieds sales sur le rebord de l'autel. L'ange, dont seules les ailes indiquent la nature céleste, lui tient le bras pour guider la main qui semble tracer avec peine quelques lettres en hébreu. Jamais un saint, d'ailleurs dépourvu d'auréole, n'avait été figuré avec un naturalisme aussi brutal ; l'homme est obtus, l'envoyé céleste, aimable androgyne, esquisse un sourire narquois...

Dans la seconde version, le Caravage idéalise les traits de l'évangéliste, devenu un vieillard vénérable couronné d'une fine auréole. Au lieu de baisser les yeux sur sa page, il lève la tête vers l'ange qui ne repose plus sur terre ; son vol plané en fait un messager. Les deux protagonistes sont également éloignés de l'autel. Le saint est toujours dé-

chaussé, mais un manteau rouge recouvre avec dignité ses jambes placées de profil et non plus de face. Les mains ont beau être robustes, avec leurs veines gonflées, elles savent tenir la plume ; et le visage de Matthieu, tourné vers l'envoyé de Dieu, montre une intelligence éveillée cherchant à interpréter le geste de l'ange. Les personnages sont, certes, peints d'après des modèles réels, mais la réalité ne choque plus la bienséance religieuse.

Dans *la Vocation de saint Matthieu,* Caravage devait illustrer le passage suivant de l'Évangile : « Jésus aperçut un homme nommé Matthieu, assis au comptoir du paiement des taxes. Il lui dit "Suis-moi". L'homme se leva et le suivit. » Le peintre convertit l'épisode en scène de genre : Matthieu est en train de compter des pièces en compagnie de quelques amis vêtus à la mode des années 1600... Le groupe rappelle les joueurs, les tricheurs, si fréquents dans l'art du XVIIᵉ siècle. Matthieu porte un ample manteau et une toque de velours, signes de sa richesse. La pose arrogante du jeune homme empana-

Dates clefs

Les avatars du patronage artistique

PAR CETTE COMMANDE DESTINÉE À L'ÉGLISE DE LA COLONIE FRANÇAISE DE ROME, SAINT-LOUIS-DES-FRANÇAIS, LE CARAVAGE ACCÈDE AU « GRAND GENRE ».

La cinquième chapelle du bas-côté gauche de l'église San Luigi dei Francesi avait été acquise en 1565 par un cardinal français, Matthieu Cointrel. Elle est actuellement désignée, du nom italianisé de son fondateur, comme la chapelle Contarelli. Le prélat avait signé un contrat pour sa décoration avec le peintre Girolamo Muziano. Le sujet en était la vie de l'apôtre Matthieu, saint patron du commanditaire. Mais ce dernier mourut en 1585. Son exécuteur testamentaire, Virgilio Crescenzi (décédé à son tour en 1592 et remplacé par son fils, l'abbé Gregorio Crescenzi), commanda, deux ans plus tard, un groupe de marbre destiné à surmonter l'autel ; l'iconographie prévue pour ce groupe est la suivante : saint Matthieu accompagné d'un ange qui lui inspire la rédaction de l'Évangile. En 1591, le décor à fresque de la voûte et des deux murs latéraux est confié au Cavalier d'Arpin, qui achève la voûte en 1593. Les travaux sont alors interrompus, arrêt qui conduit les prêtres de l'église à protester auprès du pape.

Le Caravage entre en scène au cours de l'été 1599 : il s'engage, moyennant 400 écus, à peindre deux toiles relatives à la conversion (ou « vocation ») et au martyre du saint pour orner les murs de la chapelle. Ces œuvres étant

achevées en juillet 1600, l'artiste reçoit commande d'un *Saint Matthieu écrivant sous la dictée de l'ange* destiné à remplacer la sculpture, inachevée, qui a déplu au commanditaire. La première version de ce thème par Caravage est également refusée ; elle est acquise par un protecteur du peintre et, après maintes vicissitudes, aboutit au musée de Berlin, où elle sera détruite en 1945. Caravage exécute alors une seconde version, qui se trouve conservée in situ comme les deux autres compositions. •

2. *Saint Matthieu écrivant sous la dictée de l'*
2ᵉ version, vers 1600-1602 (296 × 189

Vers une révolution picturale

À l'époque du cycle de saint Matthieu (2, 3, 4), le Caravage connaît une crise de conscience, s'interrogeant sur la validité de l'interprétation réaliste qu'il entend donner de la narration sacrée. Des repentirs, révélés par l'examen radiographi-que, témoignent de cette inquiétude, finalement surmontée au profit d'un langage révolutionnaire. Mais sa première version (1) du tableau d'autel est refusée et il la remplace par une interprétation plus traditionnelle (2).

1. *Saint Matthieu écrivant sous la dictée de l'ange,* 1ʳᵉ version, refusée et aujourd'hui détruite, vers 1600-1602 (photo ancienne).

-ché et l'attitude cupide du vieillard qui compte l'argent signifient clairement que ce petit monde n'a pas encore été touché par la grâce divine.

Soudainement converti, Matthieu aurait écrit l'Évangile qui porte son nom et aurait converti à son tour l'Égypte entière. Mais, selon *la Légende dorée,* parce qu'il se serait opposé au roi Hiracus qui voulait épouser une vierge consa-crée à Dieu, « le roi envoya un bourreau qui tua Matthieu en prière debout devant l'autel et les bras étendus vers le ciel. Le bourreau le frappa par-derrière et en fit ainsi un martyr ». Dans son *Martyre de saint Matthieu,* le Caravage, s'éloignant du récit, choisit la violence de préférence à l'expression de la dévotion. L'apôtre n'est pas en oraison, mais il vient d'être terrassé par le bourreau qui brandit son épée, dans un face-à-face opposant la faiblesse du vieillard à la force de la jeunesse, thème récurrent dans l'œuvre du Caravage. La scène est, là aussi, actualisée ; parmi les fidèles qui, du côté gauche, se détournent de l'horrible spectacle figure le peintre, si fréquemment impliqué dans des rixes, cependant qu'à droite un enfant de chœur s'enfuit en hurlant son effroi. •

3. *La vocation de saint Matthieu,* vers 1599-1600 (322 × 340 cm).

. *Le Martyre de saint Matthieu,* vers 1599-1600 (323 × 343 cm).

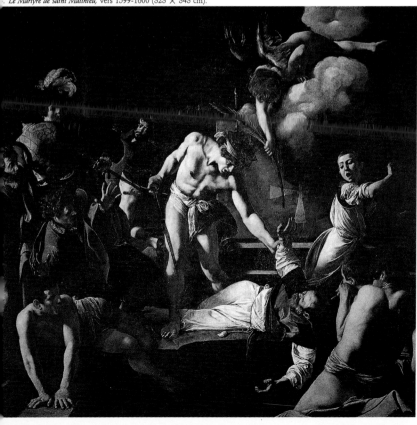

Le clair-obscur

LA NATURE VIOLENTE DU CARAVAGE S'EXPRIME NOTAMMENT PAR LE CONTRASTE BRUTAL ENTRE LES TÉNÈBRES ET LA LUMIÈRE, APPELÉ « CLAIR-OBSCUR ».

Dans ses toiles, le peintre a groupé les personnages à la façon d'un metteur en scène, braquant sur eux un faisceau lumineux qui arrive de côté, sans reflets, comme dans une chambre noire percée d'une ouverture latérale. Au lieu de baigner dans une lumière diffuse, les acteurs surgissent de l'ambiance sombre des scènes représentées avec une force, un relief que la pénombre de la chapelle Contarelli rend plus saisissants encore. Dans *la Vocation de saint Matthieu,* la lumière jaillit de la droite, à l'improviste, tranchante comme une épée ; elle dévoile les figurants et souligne avec intensité le geste impérieux du Christ désignant son futur disciple qui, étonné, se désigne à son tour. L'aveuglante clarté se dissout dans l'obscurité au fur et à mesure qu'elle s'éloigne du Christ, car elle ne révèle pas seulement les corps ; elle est le véhicule de la révélation spirituelle qui exige le renoncement aux biens de ce monde. Le Caravage a accentué le contraste entre les pompeux atours des personnages attablés et la pauvre tunique de l'apôtre aux pieds nus (au premier plan à droite, où il s'agit probablement de saint Pierre), qui, de son index, interpelle lui aussi le futur compagnon du Christ.

Le procédé du clair-obscur n'est pas un simple artifice technique ; il dramatise l'action, mais il traduit aussi la lutte de la matière et de l'esprit. Le philosophe Giordano Bruno, qui monte sur le bûcher l'année même où Caravage achevait les toiles de la chapelle Contarelli, n'avait-il pas écrit que l'homme est une ombre qui participe aux ténèbres en même temps qu'à la lumière divine dont il cherche à s'approcher ? •

Une dramatisation par la lumière

Pour fixer deux instants de crise intense, le Caravage utilise la lumière comme un flash : elle souligne métaphoriquement l'intrusion intempestive du sacré dans une scène profane (3) et porte à son paroxysme la violence tumultueuse de l'épisode du martyre (4).

Fortune critique de l'œuvre

LES TOILES DU CARAVAGE RENCONTRENT D'EMBLÉE LE SUCCÈS CAR ELLES RÉPONDENT À LA VOLONTÉ DE L'ÉGLISE DE MIEUX CAPTER LA FOI POPULAIRE.

Les critiques d'art du XXe siècle voient surtout en Caravage un artiste révolté, un peintre maudit. Il a, certes, choqué ses commanditaires par le premier *Saint Matthieu,* refusé comme le sera plus tard *la Mort de la Vierge,* actuellement au Louvre. En revanche, les deux autres toiles, peintes en premier, furent non seulement acceptées, mais admirées. Lorsqu'elles sont révélées au public, le 4 juillet 1600, c'est dans Rome un événement dont le retentissement nous est parvenu grâce à des témoins tels que les écrivains d'art Giulio Mancini et Giovanni Pietro Bellori. Une première nouveauté est l'emploi de la peinture à l'huile sur des toiles qui remplacent les fresques habituellement utilisées pour le décor des chapelles. Certains n'y voient toutefois « rien d'autre que la pensée de Giorgione », faisant allusion à la primauté de la couleur sur le dessin chère aux Vénitiens. Caravage, en effet, ne dessine pas, mais peint directement d'après le modèle réel, d'après nature, à la lumière artificielle et, pour corriger, il repeint, ainsi que l'a montré l'étude radiographique des toiles de la chapelle Contarelli. Malgré cette réserve dédaigneuse, le succès est grand et immédiat. Le peintre se voit qualifié « egregius in Urbe Pictor », peintre illustre dans Rome, et il reçoit, deux mois plus tard, la commande du décor de la chapelle Cerasi à Sainte-Marie-du-Peuple (*Crucifixion de saint Pierre et Conversion de saint Paul*)

Il a su mettre la hardiesse de sa technique au service des idéaux de l'Église romaine, qui, après les excès de la Renaissance et les attaques de la Réforme luthérienne, cherche à rendre la religion sensible au cœur des fidèles les plus modestes en transposant l'Évangile dans un monde réel, proche du peuple de ces vieux quartiers de Rome. À la suite du Caravage, en Italie comme dans tous les pays d'Europe, ses admirateurs, les « caravagesques », cesseront de représenter la nature et les hommes tels qu'ils devraient être, et tels que les voulaient les canons académiques, pour les peindre à l'imitation de ce qu'ils sont. •

Baroque et classicisme

APRÈS AVOIR EU UNE
signification péjorative, synonyme de bizarre et contraire au bon goût, le terme « baroque » est, de nos jours, appliqué de façon abusive à des périodes et à des styles fort divers. Nous l'emploierons ici, strictement, pour désigner l'évolution des formes qui se manifeste à Rome au XVIIe siècle et, de là, rayonne à travers l'Europe entière.

Afin de répondre aux attaques des Réformés critiquant le luxe ostentatoire de l'Église, la papauté avait prôné le retour à la simplicité évangélique dans l'art religieux. L'exemple le plus significatif de cette architecture de combat est l'église des Jésuites à Rome, le *Gesù*, remarquable par l'austérité de ses formes : façade compartimentée par des éléments d'ordres antiques sans décor, logique fonctionnelle de l'intérieur à nef unique dépourvue de bas-côtés pour faciliter la prédication. La décoration foisonnante qui masque actuellement le sanctuaire est plus tardive et appartient au style baroque. En effet, vers 1630, l'Église catholique a triomphé de ses ennemis et sa victoire s'exprime, de nouveau, par le luxe et la magnificence.

Pour « instruire » et séduire, les artistes baroques transforment les églises en théâtres, organisant de véritables mises en scène qui font appel à tous les arts : architecture, sculpture, peinture et musique, qui joue un rôle essentiel lors des cérémonies solennelles. Les dimensions des monuments sont accrues ; l'ordre colossal succède à l'ordre classique et force l'admiration. La stabilité, la frontalité font place au dynamisme qu'engendre la multiplication des lignes, non plus droites mais brisées ou infléchies. Dans le décor intérieur, le cadre, littéralement, explose sous la pression des nuages en stuc peint d'où s'évadent des essaims d'angelots. Le ciel s'ouvre sous la coupole qui diffuse une lumière à la fois naturelle et sacrée, prolongée par les rayons d'or de la « gloire » céleste. Toutes les formes semblent poussées vers elle, aspirées par elle.

Mais le règne de l'emphase, de la tension et de la distorsion est contesté par les partisans de la régularité, de la sévérité, en un mot du classicisme. Baudelaire exprimera leur théorie en un seul vers : « Je hais le mouvement qui déplace les lignes. »

La réaction classique

CRÉÉE PAR COLBERT EN 1671, L'ACADÉMIE ROYALE D'ARCHITECTURE MARQUE L'AVÈNEMENT OFFICIEL DU CLASSICISME. MAIS SON TRIOMPHE N'EST PAS ABSOLU.

La doctrine de l'Académie est codifiée dans des traités (tel le *Cours d'architecture* de François Blondel) qui prescrivent des règles fondamentales. La raison fera régner l'ordre et la clarté en éliminant la couleur et le pittoresque ; les proportions seront conformes aux ordres antiques repris par les maîtres de la Renaissance, surtout Palladio, qui ont fait connaître le bon goût en France après l'« insupportable » architecture gothique. L'Académie de France à Rome, également fondée par Colbert, permettra aux jeunes artistes de se perfectionner. Mais ils ne devront pas imiter Michel-Ange, jugé responsable du « libertinage » de l'architecture par son usage de l'ordre colossal, inconnu de l'Antiquité. La beauté consistera en une juste symétrie et d'agréables proportions, des irrégularités comme les frontons brisés et les façades surchargées d'ornements étant proscrites. La continuité du style est assurée par de véritables dynasties d'architectes (les Mansart, de Cotte, Boffrand, Gabriel). Leurs œuvres ne reflètent cependant qu'imparfaitement la rigueur de la doctrine académique. Il est vrai que, selon les théoriciens, l'expérience peut venir corriger les dogmes de la raison et des Anciens en tenant compte de la destination de l'édifice, du climat, des usages.

Le classicisme répond au besoin d'ordre et d'unité ressenti par Louis XIV et son entourage au lendemain de la Fronde, bien que subsiste encore le goût pour la fantaisie décorative de l'époque précédente. Le château de Versailles est l'exemple même de ce compromis. Autour du pavillon de chasse de Louis XIII, le premier château est une « vivante folie ». Le Vau s'inspire du Bernin en séparant par une terrasse les deux avant-corps de la façade sur le parc. Mais à partir de 1678 Jules Hardouin-Mansart supprime ce décrochement et ramène la façade à l'horizontale, horizontalité encore accrue par les longues ailes du Nord et du Midi ainsi que par l'absence des toitures « à la française », objet des railleries du Bernin. Saint-Simon critique à son tour le parti adopté : « Du côté des jardins, on jouit de la beauté du tout ensemble, mais on croit voir un palais qui a été brûlé, où le dernier étage et les toits manquent encore. » Ces jardins de Versailles, œuvre de longue haleine d'André Le Nôtre (qui a déjà créé ceux de Vaux-le-Vicomte), marquent également un sommet du classicisme. Classicisme fondé certes sur l'art du jardinier pliant la nature à son dessein, mais d'abord sur l'organisation rigoureuse de longues perspectives et de miroirs d'eau selon les lois de l'optique ; cela n'empêchant pas greffée sur cette trame spatiale grandiose, la présence de la fantaisie et du rêve, essentiellement dans les sculptures animées de jeux d'eau des bassins et dans les *bosquets,* enclaves dont chacune offre une surprise nouvelle.

La tentation du baroque en France

LA FRANCE A ÉTÉ LONGTEMPS CONSIDÉRÉE COMME LA PATRIE DU CLASSICISME. DE NOS JOURS, HISTORIENS ET CRITIQUES METTENT EN VALEUR LES TENDANCES BAROQUES QUI AFFLEURENT DANS L'ART FRANÇAIS.

Après les guerres de Religion qui ont dévasté le pays, la première moitié du XVIIe siècle voit s'élever une multitude d'églises, de châteaux, de demeures urbaines. La France est au carrefour de deux voies qui lui transmettent des apports baroques d'origine diverse : l'Italie et les Pays-Bas, alors sous domination espagnole. Les deux régentes, Marie de Médicis puis Anne d'Autriche, contribuent à la diffusion d'un art pompeux et coloré en faisant respectivement décorer la galerie du palais du Luxembourg par Rubens (1622-1625) et les appartements du Louvre par Giovanni Francesco Romanelli. L'architecture évolue plus lentement que la décoration intérieure ; les pavillons de la place Dauphine et de la place Royale (auj. des Vosges), à Paris, rompent cependant avec l'ordonnance de la Renaissance italienne. Plus de frontons ni de balustrades, mais de hautes toitures d'ardoise surmontant des façades de brique animées d'encadrements de pierre. Cette alliance de matériaux polychromes est inspirée des constructions flamandes, comme vient également du Nord l'opulent décor de deux façades voisines, celles de l'ancienne église des Jésuites, Saint-Paul-Saint-Louis, et de l'hôtel de Sully. L'influence du baroque ultramontain se manifeste surtout dans la chapelle du Val-de-Grâce, confiée en 1646 par Anne d'Autriche à l'architecte Jacques Lemercier. L'intérieur de la coupole est orné d'une fresque de Pierre Mignard où les formes ondoient parmi les nuées dorées de la Gloire céleste. En dessous se dresse un imposant baldaquin qui imite celui du Bernin à Saint-Pierre de Rome.

Après son accession au pouvoir, le cardinal Mazarin, fort amateur d'opéras et de fêtes à l'italienne, cherche, mais sans succès, à faire venir à Paris Gian Lorenzo Bernini, le célèbre architecte romain. Louis Le Vau s'inspire de sa manière en élevant pour le surintendant des finances Fouquet à Vaux-le-Vicomte, « le plus beau château de France » (1656-1661). Succédant à Mazarin, Colbert est-il, comme on l'a dit, l'ennemi du baroque, en raison de son opposition au Bernin ? En 1665, l'illustre *Cavaliere* est triomphalement accueilli à Paris pour participer au concours destiné à achever par une façade grandiose le palais du Louvre. Le refus de ses coûteux projets est probablement dû à des raisons d'ordre financier et la cabale qui motivera son départ obéit à des considérations plus personnelles que stylistiques. Il n'en demeure pas moins que la « Colonnade » attribuée à Claude Perrault, entreprise en 1667, marque la revanche des architectes français sur leur rival italien en même temps que celle de la raison et du classicisme sur l'imagination.

De Rome à Paris

Pour son baldaquin du Val-de-Grâce (2), G. Le Duc s'est inspiré directement de l'œuvre monumentale du Bernin à Saint-Pierre de Rome, qu'il venait de voir. Les colonnes torses (il y en a six, en marbre, décorées de rinceaux en bronze doré) appartiennent spécifiquement à la rhétorique baroque. La plupart des sculptures du Val-de-Grâce sont dues aux frères François et Michel Anguier, d'esprit plutôt maniériste et classique. Le contraste est spectaculaire entre les *Louis XIV* équestres du Bernin (1) et de Girardon (3), l'un saisi dans un instantané dynamique proprement baroque, l'autre tout empesé de majesté classique.

1. Le Bernin, *Louis XIV* (devenu *Marcus Curtius*), marbre, 1665.

La sculpture

L'OPPOSITION ENTRE LES DEUX COURANTS
TROUVE UNE DE SES ILLUSTRATIONS LES PLUS FRAPPANTES
DANS LE THÈME DE LA STATUE ÉQUESTRE.

Du séjour du Bernin à Paris subsistent deux témoignages : une statue équestre et un buste du *Roi-Soleil,* tous deux à Versailles et qui connurent des fortunes diverses. Dans la représentation en buste, l'artiste, renonçant à idéaliser son modèle, capte son exacte ressemblance et fixe dans le marbre « une expression de sensualité gourmande qui correspond bien à cette phase de la vie de Louis XIV » (V.L. Tapié). L'autorité monarchique est néanmoins rendue sensible par la gravité du visage, redressé avec fierté. Depuis l'Antiquité, le portrait en buste était essentiellement stati-que ; Bernin l'anime d'un souffle épique, gonflant l'écharpe qui flotte au vent de la gloire.

Le succès remporté par cette œuvre motiva la commande d'une statue équestre à son auteur, sur le modèle du *Constantin* alors en cours d'exécution à Saint-Pierre de Rome. Rendant hommage aux victoires récentes, le sculpteur représente Louis XIV en action, franchissant un obstacle ; vêtu à la romaine, il se retourne, le bâton de commandement à la main pour entraîner ses troupes. Mais, lorsque la statue parvint à Paris, elle ne suscita que des critiques : agitation, gesticulation, ab-sence de majesté... Le roi chargea François Girardon de la modifier. La coiffure fut rectifiée, le bloc de marbre du soubassement transformé en flammes, de façon à représenter le héros romain Marcus Curtius se précipitant dans un gouffre de feu. Même défigurée, la statue du Bernin continua cependant à évoquer la puissance et la gloire de la Monarchie. Elle est aujourd'hui réhabilitée, son moulage en plomb se dressant à l'entrée du Grand Louvre, devant la pyramide de Pei, face à la voie « triomphale » que le monarque souhaitait prolonger jusqu'à la terrasse de Saint-Germain-en-Laye, où il avait vu le jour.

Auteur, de son côté, d'un autre *Louis XIV* équestre, Girardon sut représenter le principe monarchique conformément à l'idéal classique d'harmonie et de sérénité. Le roi, « maître de lui comme de l'univers », monte, impassible, un cheval docile et non plus cabré. Fondu d'un seul jet par les frères Keller, ce chef-d'œuvre fut dressé en 1699 au centre de la place Louis-le-Grand (auj. Vendôme) et abattu en 1792.   •

2. Baldaquin du maître-autel de l'église du Val-de-Grâce à Paris, érigé en 1669 par l'architecte Gabriel Le Duc.

3. François Girardon, *Louis XIV,* statuette en bronze, réduction de la statue (années 1690) de la place Louis-le-Grand.

Métamorphoses du baroque

RAYONNANT DANS TOUTE L'EUROPE,
LE BAROQUE ROMAIN SE NUANCE D'APPORTS LOCAUX QUI
CONDUISENT, NOTAMMENT, AU ROCOCO DU XVIIIᵉ SIÈCLE.

C'est dans les pays danubiens que les exemples romains sont le plus suivis, grâce à la présence d'architectes italiens. Ainsi, l'un des Carlone achève à Vienne l'église *am Hof* par une façade à terrasses (1662), tandis que celle des Dominicains est enrichie de volutes, d'arabesques et de *putti.* À Prague, la chapelle du collège des Jésuites est baroquisée par Carlo Lurago. En Allemagne du Sud et en Autriche, le triomphe du catholicisme s'exprime avec lyrisme dans le culte des images, encouragé par les poètes et faisant beaucoup plus appel à la sensibilité des fidèles qu'à leur raison. Les grandes abbayes et les églises de pèlerinage sont de véritables lieux scéniques animés d'une foule de personnages peints et sculptés. À la Cour, l'influence ita-lienne régit également la vie et les arts. Carrousels, ballets et opéras se succèdent à Vienne comme à Venise et les vieilles rues sont bordées de fastueux palais. Une nouvelle génération d'architectes autrichiens, formés en Italie, fera évoluer l'art baroque vers un style original dénommé *rococo.*

L'Angleterre, acquise à la réforme, reste fidèle à la pureté des formes renaissantes, tandis que l'Espagne et les Pays-Bas du Sud, ceux-ci placés sous sa dépendance, accueillent favorablement le style romain. D'une extrême fécondité, l'architecture espagnole concentre d'abord à l'intérieur des édifices la somptuosité du décor. Les retables, qui tapissent les murs des églises de sculptures polychromes, en sont la pièce maîtresse. Les *conquistadores* les transporteront sur les rivages du Nouveau Monde, où les revêtements d'or rendront les images saintes semblables à des idoles. Dans la première moitié du XVIIIᵉ siècle, les architectes espagnols réagissent contre le classicisme que veut acclimater à la Cour Philippe V, petit-fils de Louis XIV. Les trois frères Churriguera sont les initiateurs d'un style, dit *churrigueresque,* caractérisé par la surcharge et l'emphase. Cet art populaire et national, non sans rapport avec la tradition hispano-mauresque, tend à recouvrir l'architecture d'un décor serré qui en masque les lignes de force. •

→ **Voir aussi :** Rome baroque, **ARTS,** p. 248-249. La peinture d'histoire, **ARTS,** p. 256-257. France. La réalité et le beau idéal, **ARTS,** p. 258-259. Renaissance et baroque en Amérique latine, **ARTS,** p. 268-269. Baroque et rococo en Europe centrale, **ARTS,** p. 270-271.

L'âge d'or de la peinture espagnole

D'ABORD APPLIQUÉ À LA littérature espagnole des années 1550-1680, le terme de *Siècle d'or* a été étendu au début du xxᵉ siècle à tous les aspects de la création artistique. La peinture espagnole n'ayant longtemps été connue qu'à travers ses grands génies, ce qualificatif est souvent réservé à la période restreinte allant de 1577, arrivée du Greco à Tolède, à 1660, mort de Velázquez. Les études récentes montrent pourtant l'intérêt de l'ensemble de la seconde moitié du xviᵉ siècle, avec la pénétration des influences flamandes et italiennes, et de la fin du xviiᵉ siècle, avec le plein épanouissement du baroque qu'illustrent Coello ou Carreño de Miranda. Certes, Greco, Ribera, Velázquez, Murillo ou Zurbarán dominent cette création ; Séville, avec son activité portuaire, Madrid et la cour des Habsbourg sont les centres les plus actifs. Mais il existe d'autres centres et l'on doit constater que d'autres peintres de talent, comme Juan de Roelas, Juan Bautista Maino, apportent leur contribution à la formation d'un langage qui, tout en ayant un caractère spécifiquement espagnol, est ouvert sur l'Europe.

L'appauvrissement catastrophique et rapide du pays se reflète dans les modalités de la production picturale, avec l'absence presque totale de commandes venant des couches sociales moyennes et la grande part d'œuvres destinées à l'Église, demeurée assez riche. Mais cet appauvrissement n'influe pas de façon déterminante sur la conception de la peinture. Mort ou pauvreté ne sont pas moins présentes dans la production italienne. Cependant, le sens de la réalité diffère : en Espagne, celle-ci n'est pas peinte comme une fin en soi et se charge d'un regard plus profond sur l'homme, presque spirituel. Cela explique le peu de succès qu'a alors la peinture de genre. Malgré les guerres, les grands du royaume collectionnent avec fougue les peintures des « provinces » italiennes ou flamandes : si l'on peut acheter une peinture mythologique de Rubens, pourquoi s'adresser à un Espagnol médiocrement intéressé par ce genre ? Dans les ports arrivent massivement les gravures dont les peintres régionaux reprennent la composition. Sur ces influences se crée un langage propre unissant vérité et spiritualité.

Maniérisme et ténébrisme

MYSTIQUE OU « PICARESQUE », L'ESPAGNE DU TOURNANT DU XVIᵉ SIÈCLE MÊLE LE SENTIMENT D'UNE PRÉSENCE DIVINE À UN PENCHANT NATURALISTE.

Grâce aux séjours en Italie de quelques artistes et à la venue d'étrangers, l'Espagne connaît dès les années 1540 les principes du style maniériste : ancien disciple de Michel-Ange, Alonso Berruguete (v. 1489-1561) reprend, avec plus de fougue et de sens dramatique, dans des éclairages crépusculaires, la torsion des corps allongés et les coloris intenses des Florentins (retable du collège des Irlandais, Salamanque). À Séville, le Flamand Pedro de Campaña (1503-1580), qui a vécu en Italie, mêle dans la *Descente de Croix* de la cathédrale (1547) un pathétisme et un goût du clair-obscur qui influenceront longtemps les Espagnols.

Dans les années 1575-1595, l'appel des artistes italiens pour décorer à fresque le palais-monastère de l'Escorial introduit la manière plus académique, plus statique, qui est le premier reflet de la Contre-Réforme. Attiré certainement par ce chantier, le Crétois Dhomínikos Theotokópoulos, dit le Greco (1541-1614), arrive en Espagne en 1577 après avoir séjourné à Venise et à Rome. Installé à Tolède, où il trouve une clientèle humaniste qui correspond à ses préoccupations intellectuelles, il conserve des références vénitiennes, encore visibles dans l'*Enterrement du comte d'Orgaz* (1586, église Santo Tomé, Tolède), et pousse à son paroxysme le principe même du maniérisme en laissant son imagination transformer sa « propre manière » (*Laocoon*, 1608-1614, National Gallery, Washington). Par l'intensité du regard qu'il porte sur l'homme et par sa passion de la couleur, il rejoint les tendances fondamentales de l'art espagnol. Dans le milieu de l'Escorial et de la Cour, véritable école de formation pour de nombreux peintres, se manifeste au même moment un courant plus réaliste, venu aussi d'Italie (Luca Cambiaso, les Bassano) : à l'intérieur de tableaux religieux, des scènes de vie quotidienne sont traitées dans une atmosphère nocturne brusquement illuminée. Augmenté ensuite de l'influence rapide, mais non unique, du Caravage et de ses disciples italiens, ce courant que les Espagnols appellent aujourd'hui le « ténébrisme naturaliste » est caractéristique des années 1600-1635 : les natures mortes de Juan Sánchez Cotán (1560-1627) détachent puissamment quelques objets sur un fond sombre et nu ; modelés par la lumière, ils imposent leur « nature » sans souci du détail. L'aspect populaire du caravagisme se joint également au tempérament artistique espagnol, comme l'exprime l'œuvre de jeunesse de Velázquez ou de Zurbarán. Installé à Naples, José de Ribera (1591-1652) reste fidèle à ce courant dans ses jeux de lumière. Au total, le goût de la réalité, traitée avec force, apparaît comme un acquis essentiel de l'époque.

Une peinture religieuse

TRÈS ABONDANTE, LA PEINTURE CONSÉCUTIVE AU CONCILE DE TRENTE TRADUIT UNE SENSIBILITÉ PROFONDE DU PEUPLE ESPAGNOL.

Cette peinture du Siècle d'or est avant tout religieuse : à côté de quelques paysages, souvent traités en fonction de scènes bibliques, les seuls autres thèmes abordés sont le portrait et la nature morte. Les conditions historiques jouent un grand rôle : en premier lieu, la mise en place des réformes issues du concile de Trente. Dans ce pays où n'a pas pénétré la Réforme protestante, où la conformité des peintures avec l'enseignement de l'Église est surveillée par les censeurs de l'Inquisition (comme le peintre sévillan Francisco Pacheco [1564-1654]), les changements iconographiques sont moins importants que dans d'autres pays. Mais les évêques espagnols ont été la cheville ouvrière du concile et de grands saints ont, au xviᵉ siècle, fondé ou réformé des ordres :

cet élan a entraîné un essor de la construction religieuse et donc une grande demande de retables, de sculptures et de peintures. De plus, par vocation ou par souci de sécurité, nombreux sont alors les Espagnols qui entrent en religion : l'Église a donc encore une certaine force économique. Enfin, le climat d'angoisse, les drames de la peste exacerbent la piété populaire, ce qui contribue au développement des peintures de dévotion et aux grandes fêtes religieuses.

Alors qu'il disparaît dans le reste de l'Europe, le goût pour le retable – montage architectural rassemblant plusieurs peintures, voire des sculptures placées derrière un autel – se maintient en Espagne, avec parfois de gigantesques dimensions. Au couvent dominicain de Tolède auquel il appartient, Juan Bautista Maino (1578-1649) peint en 1613 le thème traditionnel des Quatre Pâques (*Adoration des bergers, des mages, Résurrection* et *Pentecôte*, aujourd'hui au musée du Prado, à Madrid) : traitées dans un caravagisme clair, ces manifestations solennelles de la divinité du Christ imposent une dimension religieuse à l'atmosphère toute réelle et quotidienne dans laquelle elles s'insèrent. Quand Francisco de Zurbarán (1598-1664), le peintre par excellence des religieux, réalise le retable de la chartreuse de Jerez de la Frontera (1638, dispersé entre Grenoble, New York et Cadix), les quatre moments de l'enfance du Christ, dévotion chère aux moines : au-delà de la transcription des épisodes, *Annonciation, Adoration des bergers et des mages, Circoncision,* s'impose une impression presque palpable de recueillement. La traduction du sentiment religieux ne passe pas par l'emphase des gestes ou des regards mais plutôt par une expression contenue, où la vie spirituelle affleure de manière délicate. Ainsi dans les *Larmes de saint Pierre,* où le Greco traduit par le geste des mains crispées et le regard empli de larmes le remords de l'apôtre qui a renié le Christ. Ainsi encore dans ces *Voile de Véronique* où Zurbarán esquisse sur un linge en trompe-l'œil le visage souffrant mais miséricordieux du Christ.

Cette peinture traduit bien l'esprit de la littérature mystique, des œuvres de Fray Luis de León par exemple. Mais elle peut avoir aussi une dimension purement décorative : les saintes martyres de Zurbarán sont autant de jeunes filles richement parées formant procession. La naissance de la dévotion à l'Immaculée Conception (Marie épargnée par le « péché originel ») entraîne la codification de son iconographie au début du xviiᵉ siècle : Pacheco préconise de peindre la Vierge de l'Apocalypse entourée des symboles et louanges mariales. Mais les *Immaculées* de Murillo – jeune enfant s'élevant dans les nuages – montrent bien que l'évolution stylistique peut l'emporter sur les contraintes iconographiques.

Velázquez

PEINTRE DES PAUVRES, PEINTRE
DES ROIS, CE MAÎTRE TRADUIT LA VÉRITÉ
PLUS QUE LA RÉALITÉ ET ÉCHAPPE, PAR SA TECHNIQUE ET
SES INTERROGATIONS, À TOUTE CATÉGORIE.

Qualifié par Édouard Manet de « peintre des peintres », Diego Velázquez (1599-1660) fascine par son acuité psychologique, la virtuosité de sa palette et l'emploi d'une technique particulière qui suggère la forme, le détail sans le dessiner. D'abord formé à Séville auprès de Pacheco, dans un milieu d'académiciens érudits admiratifs de l'Italie de la Renaissance, il y demeure jusqu'en 1622. Ses *bodegones* – natures mortes qu'il intègre à une scène – montrent des influences multiples qu'il synthétise dans une vision très personnelle : *la Vieille Femme faisant cuire des œufs* (1618, Édimbourg) ou *le Porteur d'eau* (Apsley House, Londres) montrent, avec l'emphase portée sur ces types populaires, son goût

de la réalité. Une lumière vive découpe personnes et objets sur le fond sombre. Les attitudes, les regards lointains sont pleins d'humanité. Les liens étroits que le ministre Olivares garde avec Séville favorisent sans doute sa nomination comme peintre du roi, en août 1623, après qu'un portrait a séduit le jeune Philippe IV, grand amateur d'art. Sa technique s'enrichit au contact des collections royales où abondent les œuvres de Titien, de Rubens (qui vient à Madrid en 1628), puis, surtout, lors d'un premier séjour en Italie (1629-1631) : il apprend à créer le sentiment de l'espace, à éclaircir sa palette et à affiner le modelé.

Pendant près de quarante ans, Velázquez est avant tout le portraitiste du roi. Si le portrait en

pied d'environ 1626 (Prado) s'attache encore à la représentation de l'étiquette royale, celui de la National Gallery de Londres, en brun et argent (vers 1634), voit l'apparition de ces touches très rapides, plus ou moins épaisses, qui suggèrent la forme, et le portrait en buste (vers 1654, Prado), sans aucun atour, dévoile les tourments de Philippe IV âgé. Cette même acuité qui privilégie le regard, l'attitude se retrouve dans les portraits d'infants ou de nains. Il semble que Velázquez conçoive directement ses œuvres sur la toile, n'hésitant pas à se repentir, à modifier et à nuancer les formes par un jeu de taches vibrantes. À côté de quelques sujets religieux, il invente dans les dix dernières années, après un second voyage en Italie, des sujets fondés sur le réel mais où s'impose un sens caché qui nous échappe encore : la *Vénus au miroir* (Londres), *les Ménines* et *les Fileuses* (Prado). Parallèlement, une belle carrière de courtisan fait de lui le grand maréchal du palais (1652). ●

Vers le baroque

MALGRÉ SON APPAUVRISSEMENT, L'ESPAGNE RESTE
UN FOYER ARTISTIQUE ACTIF À LA FIN DU XVIIᵉ SIÈCLE, RÉALISANT
UNE HEUREUSE SYNTHÈSE ENTRE LES MODÈLES FLAMANDS,
ITALIENS ET SES PROPRES RÉFÉRENCES.

Si l'on conçoit le style baroque comme un mouvement que caractérise le dynamisme des formes et de la composition, il est clair que l'œuvre de Velázquez ou de Zurbarán n'appartient pas à ce courant. En revanche, avec leurs nuées d'anges, leurs diagonales, les peintures de Bartolomé Esteban Murillo (1617-1682) pour les capucins de Séville (1668) montrent qu'une véritable peinture baroque se développe en Espagne dans la seconde moitié du XVIIᵉ siècle, principalement à Madrid et à Séville. Plusieurs facteurs l'expliquent : amateurs de la vivacité des couleurs comme des compositions de la peinture vénitienne du XVIᵉ siècle, les Espagnols apprécient aussi la fougue des œuvres de Rubens ou de Van Dyck, abondantes dans la péninsule. Des contacts constants avec l'Italie leur permettent de connaître les réalisations décoratives de Pierre de Cortone.

Le véritable introducteur de cette manière est Francisco Herrera le Jeune (1627-1685). Après s'être formé en Italie, à Rome et à Naples, il séjourne à Madrid de

1650 à 1654 : son *Triomphe de saint Herménégilde* (1654, Prado) élève le saint espagnol dans un mouvement hélicoïdal que souligne le contraste des lumières ; rentré à Séville, il peint dans le même esprit le *Triomphe de saint François* (1657, cathédrale). S'il influence alors les compositions, toujours plus calmes cependant, de Murillo, le dynamisme et l'expressionnisme de Juan de Valdés Leal (1622-1690) relèvent plutôt de l'influence flamande. Son fils, Lucas de Valdés (1661-1725), introduit en Andalousie le grand décor illusionniste avec les colonnes qu'il peint en trompe-l'œil sur la coupole de l'église jésuite de San Luis à Séville. Ce type de décor *a quadratura*, création du baroque romain, est réalisé à Madrid par deux élèves italiens de Cortone, Mitelli et Colonna : peignant à fresque la coupole de San Antonio de los Alemanes, ils forment Francisco Rizi (1614-1685) et Juan Carreño de Miranda (mêmes dates), qui, avec Claudio Coello (1642-1693), réalisent la synthèse entre le baroque et la leçon picturale de Velázquez. ●

Un même regard grave sur l'homme et sur la vie

Coloris acide et allongement des formes sont typiques du maniérisme italien repris par le Greco et nuancé par le regard extatique de saint Pierre (1). Fruits et légumes de Sánchez Cotán (2)

prennent une dimension poétique grâce à leur disposition en ellipse sur un grand vide ; dans la même veine ténébriste, Murillo s'attache au geste naturel de l'enfant (4). Carreño reprend la

subtilité des coloris de Velázquez (5) tandis que, liés dans un dispositif baroque, attitudes et visages de sa vaste composition (3) se rattachent à la même lignée que les œuvres du Greco.

1. Le Greco : *les Larmes de saint Pierre* (vers 1580).

3. Carreño de Miranda : *Messe de fondation de l'ordre des Trinitaires* (1666).

4. Murillo : *le Jeune Mendiant* (vers 1650).

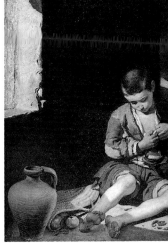

2. Sánchez Cotán : *Coing, chou, citrouille, melon et concombre* (vers 1600).

5. Velázquez : *Portrait de Philippe IV en brun et argent* (vers 1634).

La peinture d'histoire

AU XVIIᵉ SIÈCLE, LA PEINTURE est soumise à une stricte hiérarchie établie, en France, par l'Académie royale de peinture et de sculpture, fondée en 1648. Les genres sont classés des moins « cotés » (nature morte, paysage) au plus noble, appelé *peinture d'histoire* et qui a primauté absolue sur toutes les autres formes d'expression picturale. Elle prend ses sujets dans la mythologie, l'Antiquité, la Bible, les Évangiles ou l'histoire du christianisme. Ce *grand genre* peut adopter deux formes : le tableau isolé et, surtout, les peintures murales décorant des galeries d'apparat dans les hôtels, les palais. L'un des premiers exemples fut, au XVIᵉ siècle, la galerie François Iᵉʳ au château de Fontainebleau. La personne et le règne du souverain y étaient célébrés sur le mode allégorique par des fresques et des stucs élaborés par deux artistes venus d'Italie, le Rosso et Primatice. Le développement de la construction civile après les guerres de Religion renoue avec cette tradition de la Renaissance et subordonne à la représentation peinte les éléments décoratifs, boiseries, stucs, marbres et bronzes, souvent rehaussés d'or. Par son art d'as-

sembler les figures, l'artiste montrera sa connaissance de la composition ; il saura également transcrire, grâce aux attitudes et aux expressions des visages, les tempéraments, les humeurs qui se révèlent dans l'action et les sentiments que celle-ci fait naître. Il fera preuve de sa science de l'architecture ou du paysage pour situer la scène dans un cadre évocateur des lieux où elle est censée se dérouler. Tous ces talents doivent concourir à une double fin : rehausser le prestige du commanditaire par la richesse du décor et souligner sa valeur morale ou sa culture par des exemples illustres choisis pour en témoigner symboliquement. L'inspiration des peintres rejoint celle des poètes (l'Italien Giambattista Marino) et des dramaturges (Corneille, Racine) qui mettent en scène, eux aussi, les amours et les exploits des dieux et des héros.

Le grand exemple italien est la galerie du palais Farnèse, brillamment peinte à fresque par les Carrache à l'orée de l'ère baroque. Pour les souverains, avoir une galerie peinte est presque une obligation de prestige ; mais la noblesse de robe parisienne y aspire aussi.

Mythologie et allégories contemporaines

Comme les auteurs de tragédies, les peintres du XVIIᵉ siècle aiment à représenter des « histoires » extraites de la mythologie ou de la littérature antique, qui tendent à supplanter les épisodes de la Bible. Le premier exemple de ce « grand genre » est la galerie du palais Farnèse (3), où Annibal Carrache conte les amours des dieux dans un style décoratif qui sera repris en France. Parmi les ensembles les plus célèbres, l'hôtel de La Vrillière, à Paris, abritait, à côté de toiles de Guido Reni, du Guerchin, de Pierre de Cortone, etc., une œuvre importante de Poussin (1), illustre représentant du classicisme romain. À l'opposé de cet artiste féru de dessin, Rubens affirme la primauté de la couleur dans les compositions peintes pour Marie de Médicis : la mythologie sert de prétexte à la glorification de la régente figurée en Junon (4). Le Brun exalte à son tour Louis XIV, qui, entouré d'allégories (2), triomphe de ses ennemis dans la galerie des Glaces du château de Versailles.

1. Nicolas Poussin, *Camille livre le maître d'école de Faléries à ses écoliers,* 1637.

Des « histoires » exemplaires

COLLECTIONNEUR ET MÉCÈNE, LE CONSEILLER D'ÉTAT LOUIS PHÉLYPEAUX DE LA VRILLIÈRE FAIT BÂTIR À PARIS, À PARTIR DE 1635, UN SPLENDIDE HÔTEL DOTÉ D'UNE GALERIE À L'ITALIENNE.

Annibal Carrache et la fable galante

SUR LA VOÛTE DE LA GALERIE DU PALAIS FARNÈSE, À ROME, LES COUPLES LÉGENDAIRES DE LA MYTHOLOGIE OCCUPENT L'ESPACE JADIS DÉVOLU AUX SCÈNES BIBLIQUES.

Fondateurs, en 1585, d'une Académie dont la doctrine peut se résumer d'un mot, l'éclectisme, les trois Carrache (Louis et ses cousins Augustin et Annibal) assurent la transition entre l'art de la Renaissance classique et le courant caravagesque. Annibal (Annibale Carracci, 1560-1609) et son frère sont appelés à Rome pour décorer le *camerino* puis la galerie du palais Farnèse récemment terminé pour les Farnèse par Giacomo Della Porta et précédemment construit par Sangallo le Jeune et Michel-Ange. C'est à l'exemple de ce dernier qu'Annibal conçoit le décor de la galerie, qui reprend le système d'articulation en trompe-l'œil ainsi que certains motifs de la voûte de la chapelle Sixtine. Le thème en est le *Triomphe de l'Amour,* qui commémore les noces du duc Ranuccio Farnèse et de Margherita Aldobrandini, célébrées en 1600. Autour de trois compositions imitant des tableaux et leurs cadres, Annibal déroule une large frise simulant le stuc ; des atlantes nus et des termes drapés s'appuient à de feintes baies carrées où apparaissent des scènes galantes. Le librettiste inconnu a choisi des épisodes divers, mais qui tous glorifient la puissance universelle d'Éros : *Omnia vincit Amor.*

Ainsi, Hercule abandonne sa massue et sa peau de lion pour entreprendre des conquêtes fémi-

nines. La chaste Diane succombe à la passion que lui inspire le berger Endymion et Vénus cède aux avances d'Anchise, donnant naissance à la race latine. Aurore néglige de conduire le Soleil à travers les cieux afin d'enlever le jeune chasseur Céphale. D'autres formes d'amour sont aussi évoquées : Jupiter enlève Ganymède et Apollon emporte Hyacinthe vers les Cieux. La passion malheureuse (Antéros) est illustrée par l'histoire du géant Polyphème, tandis que l'amour réciproque se trouve magnifié dans la grande composition centrale, le *Triomphe de Bacchus et d'Ariane,* dont le char évoque le cortège nuptial Farnèse. Annibal s'inspire ici du *Triomphe de Galatée* de Raphaël, comme de Michel-Ange et de la sculpture antique pour la représentation des nus. Mais cet hommage aux maîtres de la Renaissance est vivifié par les traditions naturalistes de l'Italie du Nord, qui ouvrent un nouvel âge d'or de la peinture et font ainsi de la galerie Farnèse l'ancêtre des ensembles décoratifs baroques.
●

Elle est construite par F. Mansart à l'exemple de la galerie Farnèse, dont elle reproduit deux scènes, *Persée et Andromède* et *l'Aurore et Céphale* à chaque extrémité ; des copies des principales compositions d'Annibal Carrache étaient d'ailleurs exposées dans l'orangerie située au-dessous. Selon le témoignage d'un contemporain (Henri Sauval), la galerie est alors « la plus achevée de Paris et peut-être de toute la France ». La reconstitution effectuée en 1988, lors de l'exposition parisienne du *Seicento,* a permis de comprendre l'éblouissement suscité par les dix tableaux originaux, malheureusement privés des encadrements de stuc blanc et or qui décoraient les murs. La Vrillière les a commandés aux artistes les plus illustres d'Italie (le Guerchin, Pierre de Cortone...), tous attachés à la *grande manière.* La peinture de la voûte est confiée, en 1646, à un Français ayant travaillé à Rome, François Perrier. Les sujets sont empruntés à l'histoire grecque et romaine, sans qu'on puisse trouver d'autre lien entre eux que le caractère théâtral des épisodes choisis.

À droite en entrant, Poussin, français d'origine mais romain d'adoption, a illustré un récit de Tite-Live : le général romain Camille livre aux écoliers de la ville assiégée de Faléries le maître d'école qui les a persécutés et trahis. L'artiste dit l'avoir traité « d'une manière sévère, comme il est raisonnable, considérant le sujet qui est héroïque ». L'adéquation du style au sujet est parfaite aux yeux de Sauval, qui écrit vers 1654 : « Dans la tête de ce traître, aussi bien que dans son action, on voit la honte, l'horreur du crime et la crainte de la mort [...] ; dans les visages et les attitudes différentes des enfants, on remarque la satisfaction que vraisemblablement doivent avoir les écoliers à se venger enfin sur les épaules de celui qui ne les a jamais épargnés [...]. Les uns y admirent l'union des couleurs, les autres le choix des draperies ; mais, tous, les airs de tête, la variété des passions bien remuées, et la composition entière de cette grande histoire ; et quoique ce ne soit pas le chef d'œuvre du Poussin, on tient néanmoins que c'est le meilleur tableau de cette galerie. »
●

3. Voûte de la galerie du palais Farnèse à Rome,
peinte de 1597 à 1604 par Annibal Carrache (avec divers collaborateurs).

4. Pierre Paul Rubens, *le Mariage d'Henri IV et de Marie de Médicis,* une des
grandes toiles exécutées entre 1622 et 1625 pour la galerie du palais du Luxembourg.

2. Charles Le Brun,
*la Franche-Comté, conquise
pour la seconde fois,*
1674,

esquisse ou réplique en réduction
de la septième composition
décorant la voûte de la
galerie des Glaces
à Versailles ;
vers 1681.

L'apothéose d'une reine

MARIE DE MÉDICIS COMMANDE
À RUBENS UNE SÉRIE DE TABLEAUX
LA GLORIFIANT DANS LE PALAIS QU'ELLE A FAIT
CONSTRUIRE À PARIS SUR LE MODÈLE DES
DEMEURES FLORENTINES

En venant en France pour épouser le roi Henri IV, Marie de Médicis a emporté un souvenir nostalgique des palais décorés de fresques glorifiant sa famille. Dès qu'elle devient régente après l'assassinat d'Henri IV, en 1610, elle décide d'élever sa propre demeure sur l'emplacement de l'hôtel de Luxembourg. À la fin de 1621, la reine charge Rubens de représenter sa vie en une vingtaine de tableaux qui orneront une galerie de son nouveau palais. Après les modifications architecturales du Luxembourg au XIXe siècle, cet ensemble prestigieux est passé au musée du Louvre.

Fort délicat à établir en raison des tensions politiques de l'époque (sympathies espagnoles de la reine mère... comme du peintre ; rébellion de la reine contre son fils Louis XIII), le programme iconographique a été étroitement surveillé par Richelieu. Tout, bien sûr, est artifice dans ces compositions, qui glorifient Marie à l'égal d'une divinité de l'Olympe. Les dieux et les trois Grâces président à son éducation et la comblent de dons ; l'allégorie de la France, robuste guerrière coiffée du panache blanc d'Henri IV, l'accueille dans le port de Marseille, escortée de tritons et de naïades, au son des trompettes de la Renommée. Le mariage est célébré dans la ville de Lyon, symbolisée par une jeune femme assise sur un char que conduisent deux amours portant les flambeaux de l'hyménée. Dans l'empyrée, Marie, identifiée à Junon par les paons symboliques, s'unit à Jupiter-Henri chevauchant un aigle. Puis vient la naissance attendue de l'héritier du trône, suivie de scènes marquant la progression de l'héroïne vers le pouvoir suprême : le roi lui confie la régence du royaume. La *Félicité de la régence* est certainement le point culminant de la décoration. Rubens s'est peut-être inspiré d'un poème de Marino, mais il donne vie aux allégories de convention ; drapée dans un somptueux manteau doublé d'hermine, tenant la balance de la justice, la régente est secondée par l'Abondance, la Prudence et la Sagesse. Grâce au Temps, elle a vaincu la Méchanceté, la Sottise et l'Envie. Après l'assassinat de son époux, Marie est couronnée reine de France dans une composition grandiose qui n'aura d'égale que *le Sacre* de David. Puis, tel un chef victorieux, la souveraine est figurée à cheval, casquée, fleurdelisée et tenant le bâton de commandement, seule femme à être ainsi gratifiée d'un portrait équestre, privilège habituel des conquérants. •

Le roi « mythifié »

GRAND ORDONNATEUR DES ENTREPRISES
ARTISTIQUES DU RÈGNE DE LOUIS XIV, LE BRUN DÉCORE
ET PEINT À LA GLOIRE DU SOUVERAIN LA GALERIE
DES GLACES DU CHÂTEAU DE VERSAILLES.

L'un des fondateurs de l'Académie de peinture et de sculpture, Charles Le Brun (1619-1690), a déjà derrière lui une riche carrière de peintre décorateur (galerie d'Hercule à l'hôtel Lambert, à Paris, appartements du château de Vaux-le-Vicomte, etc.) lorsque, après l'incendie qui ravage le Louvre en 1661, il est chargé des décors d'une nouvelle galerie, dite *d'Apollon* en l'honneur du Roi-Soleil. Mais le palais parisien est vite abandonné pour Versailles, où le souverain peut déployer sa magnificence. La *galerie des Glaces* est une glorification de la monarchie qui, pour la première fois, renonce au travestissement mythologique initialement prévu.

Après la conclusion du traité de Nimègue (1678), en effet, Le Brun est appelé, sur décision du Conseil secret, à concevoir un nouveau programme en lieu et place du thème des *Travaux d'Hercule* qu'il pensait développer. Louis XIV, qui a triomphé de ses ennemis, se voit décerner par la ville de Paris le titre de *Louis le Grand*. Son premier peintre devra représenter, au centre, *le Roi qui gouverne par lui-même* et, tout autour, les actions les plus glorieuses des dix-huit premières années du règne (1661-1679), « avec cette prudente restriction de la part de M. Colbert de n'y rien faire entrer qui ne fust conforme à la vérité ». *La Franche-Comté conquise pour la seconde fois* est l'une des compositions les plus élaborées, où transparaît encore le goût pour l'allégorie que ne réussit pas à chasser le souci de véracité historique cher à Colbert. Le roi, casqué, appuie son bâton de commandement sur la Franche-Comté terrassée et regarde la Terreur, coiffée d'un mufle de lion, qui menace de son poignard les villes éplorées. Mars Hercule et Minerve assistent le souverain couronné par la Gloire, la Victoire, la Paix et la Renommée. Légèrement différente de l'œuvre monumentale, une réduction de celle-ci (conservée à Versailles) symbolise, sur le portrait de Le Brun par Largillière (musée du Louvre), les œuvres que le premier peintre a accomplies au service du roi. •

→ **Voir aussi :** France La réalité et le beau idéal, **ARTS**, p. 258-259. Rubens Hélène Fourment, **ARTS**, p. 260-261. Louis XIV La monarchie bureaucratique, **HIST**, p. 148-149.

France XVIIᵉ siècle
La réalité et le beau idéal

L'ITALIANISME RÈGNE EN maître sur l'art français du XVIᵉ siècle, particulièrement sur l'école de Fontainebleau, où le Rosso et Primatice ont élaboré un art de cour allégorique et érotique, élégant et précieux. Mais, en 1600, un changement de goût se manifeste dans une supplique adressée à Sully par le sieur de Laval afin de détacher Henri IV des modèles antérieurs : « Les maisons et palais des rois sont des édifices si augustes, si vénérables, si sacrés, que c'est espèce de pollution et de sacrilège d'y voir quelque chose de profane, de vain, de mensonger et d'impudique. » Les artistes devraient désormais puiser leur inspiration dans l'histoire de France et non plus dans la mythologie. Cette opinion n'eut guère d'audience et les peintres continuèrent à mettre en images les épisodes de la fable antique

(voir *La peinture d'histoire,* p. 256-257). D'autres thèmes vont cependant renouveler leur répertoire ; pour la première fois, des sujets empruntés à la réalité la plus humble sont représentés. Ces deux courants, qui parfois se confondent, parcourent la peinture française pendant tout le XVIIᵉ siècle. Le nombre des peintres actifs en France a pu être évalué à 5 000, dont 3 000 à Paris, ce qui représente une production considérable (5 millions de tableaux ?). Cette abondance s'explique probablement par les destructions et les pillages survenus lors des guerres de Religion, mais aussi par l'élargissement de la clientèle. Si la peinture d'histoire continue à orner églises, palais et demeures nobles, des genres plus modestes, tels que le portrait collectif, le paysage et la nature morte, sont fort appréciés par la bourgeoisie.

Les « peintres de la réalité »

TEL EST LE TITRE D'UNE EXPOSITION
TENUE AU MUSÉE DE L'ORANGERIE, À PARIS,
EN 1934, QUI RÉVÉLA AU PUBLIC DES ARTISTES JUSQU'ALORS
PEU CONNUS, COMME LES FRÈRES LE NAIN
OU GEORGES DE LA TOUR.

Depuis plus d'un demi-siècle, la renommée de ces peintres n'a cessé de croître. Leur apport original est surtout sensible dans trois domaines, la peinture des *pauvres gens,* la scène de genre et la nature morte.

Les trois frères Le Nain (Antoine et Louis [morts en mai 1648] ainsi que Mathieu [v. 1607-1677]), dont l'œuvre a été reconsidérée lors de l'exposition de 1979 à Paris, sont originaires du nord de la France. Leur carrière parisienne est couronnée par leur admission, en mars 1648, à l'Académie royale de peinture et de sculpture qui vient d'être fondée. Ces artistes réputés se consacrent à la représentation d'une classe à laquelle ils n'appartiennent pas, la paysannerie, qu'ils ont observée pendant leur enfance. Sans doute faut-il attribuer le choix de ce répertoire au goût de l'époque plutôt qu'à une inclination personnelle. Mais qui furent les commanditaires des tableaux ? À quels lieux les destinaient-ils ? Nous l'ignorons encore, et peut-être ces sujets à l'apparence si limpide cachent-ils un message qui ne nous est pas parvenu. Que montrent-ils ? Une forge, une femme filant dans une cuisine à la lueur de l'âtre, une famille « posant » devant le peintre, dite *la Famille heureuse,* et le *Repas des paysans* (tous deux au musée du Louvre). Ces titres ont été attribués par les critiques à des œuvres

qui échappent au pittoresque et à l'anecdote. Point de scènes de ripaille ni de préparatifs culinaires, chers aux Flamands, mais une dignité recueillie qui nous conduit à méditer sur le caractère sacré de la famille (tous les âges de la vie sont représentés) et du repas qui doit être pris « en souvenir de la *Cène* de Jésus-Christ », comme le rappellent les prédicateurs contemporains.

Georges de La Tour (1593-1652), autre peintre provincial, originaire de Lorraine, est proche du Caravage par une certaine insistance sur la vieillesse et la laideur, comme par l'adoption du contraste accusé entre l'ombre et la lumière, émanant souvent d'une flamme. Ces scènes, dites *nocturnes,* sont plus énigmatiques encore que celles des Le Nain. La Vierge et son Enfant sont faciles à reconnaître sous les traits d'une paysanne veillant sur un nouveau-né serré dans ses bandelettes ; sans doute ce vieux charpentier est-il saint Joseph enseignant son métier à Jésus, mais que signifie le geste de cette femme écrasant un insecte entre ses ongles, si l'on en croit le titre qui lui est donné de *la Femme à la puce ?* Ce vieil homme assis, dominé par une femme qui l'observe à la lueur d'une chandelle, est-il *Job raillé par sa femme ?* À l'exposition de 1934 figurait *le Vielleur* (musée de Nantes), jadis attribué à l'école espagnole et considéré par l'histo-

1. Valentin de Boulogne, *Réunion dans un cabaret* (vers 1620-1625 ?).

2. Georges de La Tour, *le Vielleur* (autour de 1630 ?).

Du cabaret à la fable antique

Les deux pôles entre lesquels oscille la peinture française du XVIIᵉ siècle sont le caravagisme et le classicisme. Le premier courant est illustré par Valentin, qui se complaît à figurer des scènes de cabaret (1)

où les personnages émergent de l'ombre avec un relief saisissant. La Tour est, lui aussi, influencé par le Caravage dans son choix de types populaires dont il ne dissimule ni la misère ni la laideur (2). Vouet, qui

a adopté à Rome le style *ténébriste* du maître, s'en détache à son retour à Paris au profit d'une manière élégante teintée de baroquisme. L'allégorie de *la Richesse* (4), semble avoir été peinte pour Louis XIII. Poussin, lui,

se fixe définitivement à Rome, où il devient le représentant le plus illustre du classicisme, fidèle aux leçons de la Renaissance et de l'Antiquité dans ses récréations de la fable mythologique (3) ou ses toiles bibliques.

rien d'art Charles Sterling comme le chef-d'œuvre des tableaux à éclairage diurne de La Tour « en même temps qu'un chef-d'œuvre de la peinture française du XVIIᵉ siècle ». Il semble que ce personnage populaire, mi-burlesque, mi-dramatique, qui reflète si bien les misères du temps, ait été peint pour un grand seigneur, peut-être le duc de Lorraine.

La scène de genre, originaire des Pays-Bas, regroupe plusieurs acteurs de cette sorte dans un intérieur souvent indéterminé, parfois un estaminet, s'adonnant à la boisson ou à des activités peu recommandables telles que les jeux de hasard ou la prédiction de l'avenir. Tricheurs et diseuses de bonne aventure, probablement peints en guise d'avertissement moral adressé à une jeunesse insouciante, sont les sujets les plus célèbres de la thématique caravagesque. Valentin, Claude Vignon et Nicolas Régnier se retrouvent à Rome dans les trois années qui suivent la mort du Caravage. Le seul qui ait accédé à la notoriété dès le XVIIᵉ siècle est Valentin de Boulogne, dit Valentin (1591-1632). La *Réunion dans un cabaret* (Louvre) est l'une de ses compositions exemplaires ; les femmes et le vin vont conduire à sa perte le garçon somnolent qui cherche à tirer un son de sa flûte...

Les natures mortes avaient-elles également une signification morale ou allégorique ? Nous en sommes certains pour des compositions telles que les *Cinq sens,* peintes par Jacques Linard ou Lubin Baugin. Fleurs et papillons évoquent la fugacité de l'existence, le cristal, le crâne et la bougie, sa fragilité. Ce sont les *Vanités,* dont la gravité s'oppose à la luxuriance des buffets flamands. •

Les classiques romains

« MON NATUREL ME CONTRAINT DE CHERCHER ET AIMER LES CHOSES BIEN ORDONNÉES, FUYANT LA CONFUSION », ÉCRIT POUSSIN. SON ŒUVRE ILLUSTRE, COMME CELLE DU LORRAIN, LA THÉORIE CLASSIQUE DU PAYSAGE IDÉAL.

Fixé à Rome en 1624, Nicolas Poussin (1594-1665) ne dissimule pas son mépris pour le Caravage, qu'il juge « venu au monde pour détruire la peinture ». Les statues antiques et les peintures de Raphaël sont ses modèles ; la ligne et la raison sont ses Muses. La Bible, les belles-lettres grecques et latines lui dictent ses sujets. Dans les débats qui opposent les partisans du dessin (ou *dessein* = idée) à ceux de la couleur, Poussin est résolument « formaliste ». Le paysage « construit » soumet la nature à la rigueur de son esprit ; il n'est jamais représenté pour lui-même, mais comme cadre d'une action théâtrale. Les titres de ses œuvres, heureusement conservés, nous permettent d'en identifier les protagonistes, souvent de petites dimensions, aux attitudes presque figées. À peu près rien, dans *Orphée et Eurydice* (Louvre), ne suggère l'intensité poignante du drame qui est près de survenir... Bien « disposé » entre deux arbres, le tableau ordonne tous les éléments d'une nature idéale, plus belle que la réalité, et des constructions antiques non moins exemplaires.

Claude Gellée, dit le Lorrain (1600-1682), s'est établi à Rome lui aussi, et même dix ans avant Poussin. Contrairement à ce dernier, qui excelle par-dessus tout dans la peinture d'histoire, Claude se consacre exclusivement à la peinture de paysages animés, genre mineur mais qui lui vaudra toutefois un succès éclatant, couronné par les commandes du pape Urbain VIII. Il commence par peindre des scènes pastorales de petit format, que suivent des ports de mer au soleil couchant. Les épisodes de l'Ancien Testament et de *l'Énéide* lui servent souvent de prétexte. Le cadre naturel est alors indissociable de l'action, qu'il rend plus explicite, véritable prélude au « paysage état d'âme ». Le rendu vériste qui avait fait la renommée de l'artiste s'estompe peu à peu dans une lumière chaude et dorée. Il se conforme à la théorie classique du paysage édictée au début du siècle par Mᵍʳ Agucchi, protecteur du Dominiquin et des Carrache : les scènes bucoliques extraites du Tasse ou de Virgile doivent se dérouler dans « un havre de paix, un beau jour de la saison la plus agréable », et « un agencement calculé » doit régir les composantes du paysage et les proportions des personnages. Il semble toutefois que Claude ait failli à cette règle car, selon son biographe Filippo Baldinucci, « il ornait un paysage de figures faites avec un soin incomparable mais, ne pouvant corriger son défaut évident de les faire trop grêles, il avait coutume de dire qu'il vendait le paysage et cédait les figures ». Ce qui n'empêchait pas ses contemporains d'apprécier les œuvres du Lorrain au point de les imiter. Aussi dut-il rassembler dans un *Livre de vérité* (*Liber veritatis,* British Museum) de 200 feuillets les dessins reproduisant ses principales compositions. Mieux qu'aucun autre, il a su, sans respect pour l'exactitude topographique, placer les monuments célèbres du Latium dans une nature idyllique, propice au rêve. •

Le goût français

CERTAINS PEINTRES ÉCHAPPENT À TOUTE CATÉGORIE ; NI CARAVAGESQUES NI ACADÉMIQUES, ILS SONT LES REPRÉSENTANTS EXEMPLAIRES DU CLASSICISME FRANÇAIS.

Longtemps considérés comme de simples émules des maîtres italiens, beaucoup de peintres de l'Hexagone ont accédé à la notoriété grâce à des expositions et à des études assez récentes : outre les Le Nain et La Tour, Simon Vouet, Laurent de La Hyre, Eustache Le Sueur. À mi-chemin entre la raison et les sens, ils sont les héritiers d'une longue tradition, interrompue au XVIᵉ siècle par la mode italianisante, mais ils se heurtent à un préjugé qui place la peinture au rang des arts « mécaniques », et non libéraux comme l'architecture, la musique et la poésie. La reconnaissance officielle viendra, au milieu du siècle, avec la création de l'Académie royale de peinture et de sculpture, précédée par celle de l'Académie française. La renaissance picturale va de pair, en effet, avec l'essor de la littérature ; peinture et littérature s'affranchissent des modèles italiens et espagnols et présentent la même économie de moyens mis au service d'une intensité sereine. L'esthétique nouvelle rejette les outrances baroques, mais tempère de douceur et de simplicité l'austère grandeur classique. Le moins italianisant des peintres de ce siècle est le Brabançon Philippe de Champaigne (1602-1674). Qu'il exprime la piété intime des religieuses de Port-Royal (*Ex-voto* de 1662, Louvre) ou la dévotion solennelle du roi (*le Vœu de Louis XIII,* musée de Caen), il adopte les mêmes accents graves et mesurés, sans effets déclamatoires ni extases.

Simon Vouet (1590-1649) est le plus éclectique des grands artistes de la première moitié du siècle. Ce peintre itinérant, qui s'est rendu en Angleterre et à Constantinople, se fixe à Rome de 1614 à 1627. Titulaire d'une pension royale, il est élu, en 1624, prince de l'Académie de Saint-Luc et voit sa renommée consacrée par la commande d'une grande composition (perdue) pour la basilique Saint-Pierre. Sa célébrité le précède à Paris, où il devient, dès son retour, le peintre le plus en vue de la capitale ; dans son atelier se forme Le Brun, qui régira l'activité artistique du règne de Louis XIV. Vouet était à Rome un adepte du caravagisme, qu'il délaisse ensuite pour un style élégant aux couleurs claires et vives. Dans ses compositions profanes, l'habile enchaînement des gestes révèle sa connaissance d'un baroque qui, tempéré par le sens de la mesure, convient parfaitement au goût de la clientèle parisienne. •

→ **Voir aussi :** La peinture d'histoire, ARTS, p. 256-257.

3. Nicolas Poussin, *Orphée et Eurydice* (autour de 1650).

4. Simon Vouet, figure allégorique de *la Richesse,* œuvre de la période parisienne, vers 1634 (?).

Rubens
Hélène Fourment

Telle une déesse de l'Olympe

HÉLÈNE « APPARAÎT PARTOUT OÙ CHANTENT LA BEAUTÉ DU MONDE, L'AMOUR, L'EXPRESSION ARDENTE DE LA VIE ».
Robert Genaille.

L E 6 DÉCEMBRE 1630, APRÈS quatre années de veuvage, Rubens épouse, en l'église Saint-Jacques d'Anvers, Hélène Fourment, « la plus jolie femme de toutes les Flandres » au dire du cardinal-infant Ferdinand, bien qu'elle ait à peine seize ans. Le peintre, qui en compte cinquante-trois, est au faîte de sa gloire. Il justifie ainsi sa décision et son choix dans une lettre adressée à un correspondant intime, le Français Peiresc : « J'ai pris une femme jeune, de parents honnêtes mais bourgeois, bien que tout le monde cherchât à me persuader de m'allier à une dame de la Cour. Mais craignant de me heurter à l'orgueil, ce vice inhérent à la noblesse, surtout parmi les femmes, il m'a plu de prendre une compagne qui ne rougisse point en me voyant prendre mes pinceaux. Et pour dire la vérité, il m'eût

paru dur de troquer le précieux trésor de la liberté contre les caresses d'une vieille. » Par la magie de son pinceau, Rubens va donc doter Hélène de la noblesse qui lui manque en la portraiturant telle une déesse ou une princesse.

Le jour des noces, un humaniste anversois compare Rubens à Zeuxis, le célèbre peintre de l'Antiquité, et sa jeune épouse à « Hélène la Grecque » chantée par Homère. Mais, ajoute-t-il, notre artiste surpasse Zeuxis car il possède à présent la vivante image d'« Hélène la Flamande » qui l'emporte de loin sur la première. « Dans sa poitrine blanche comme la neige sont enfermés tous les dons que possédaient jadis les femmes de la Grèce... » Une seconde jeunesse, faite de renouvellement iconographique et d'audaces plastiques, s'ouvre pour l'œuvre de Rubens.

L a représentation des divinités païennes légitime le nu, thème favori de tant de peintres. Aussi Hélène peut-elle paraître dévêtue, dans la pose de la Vénus de marbre dite *Vénus du Capitole*. Mais le marbre s'est fait chair, chair nacrée, opulente, dont l'éclat et la sensualité sont rehaussés par la douce et riche fourrure dont elle s'enveloppe au sortir du bain, telle Vénus sortant de l'onde. Le peintre, qui a fait don du tableau à son épouse, le désigne dans son testament sous le titre de *la Petite Pelisse* (musée d'Histoire de l'art, Vienne). Hélène le conservera jusqu'à sa mort ; Rubens, quant à lui, garde dans son atelier la *Scène pastorale* (Vieille Pinacothèque, Munich), où le couple évolue dans une nature complice. Les amours pastorales ont été mises à la mode par le poète italien Torquato Tasso, qui fait alors fureur. Tel un berger

des églogues, Rubens, rajeuni, couronné de lierre et affublé d'une cornemuse, se penche pour étreindre la nymphe qui esquisse un geste de dérobade dû à la coquetterie plus qu'à l'effroi tout en serrant tendrement le bras de son soupirant. Hélène dévoile sa gorge et ses jambes nues, mais elle est parée, comme sur le tableau précédent, d'un léger diadème. L'élan fougueux du berger, le consentement implicite d'Hélène traduisent le bouleversement, la mutation apportées dans la vie et dans l'art de Rubens par la jeunesse radieuse de sa compagne.

Il faut, pour les comprendre, comparer cette scène à la *Tonnelle de chèvrefeuille* (1609, Munich) sous laquelle posaient, dans une attitude conventionnelle et passablement guindée, le peintre et sa première épouse, Isabella Brant, engoncée dans ses rigides atours qui ne laissaient paraître que son

2. *La Petite Pelisse,* vers 1638-1639.

Dates clefs

1577 Naissance de Petrus Paulus ou Pierre Paul Rubens à Siegen (Westphalie), où sa famille est exilée depuis 1573.

1589 Retour de la famille Rubens à Anvers.

1591 Rubens aborde la peinture dans l'atelier d'un peintre paysagiste, puis (1596-1600) dans celui d'Otto Van Veen, adepte du maniérisme italien.

1598 Accède à la qualification de franc-maître dans la guilde des peintres d'Anvers.

1600 Départ pour l'Italie, au service de la cour de Mantoue.

1608 Retour à Anvers.

1609 Nommé par décret peintre des archiducs Albert et Isabelle. Il épouse Isabella Brant.

1621 Sollicité par Marie de Médicis pour la décoration du palais du Luxembourg à Paris. La Galerie à la gloire de la reine est exécutée de 1622 à 1625 (voir p. 257).

1626 Mort d'Isabella Brant.

1628 Voyage en Espagne.

1630 Épouse Hélène (née en 1614), fille du riche marchand drapier Daniel Fourment.

1632 Naissance de Clara Johanna, premier enfant du couple.

1633 Naissance de Frans.

1635 Naissance d'Isabella Helena. Rubens acquiert le domaine de Steen, entre Malines et Bruxelles.

1637 Naissance de Petrus Paulus. Rubens fait le portrait d'Hélène et de ses deux enfants aînés (Louvre).

1640 Rubens meurt à Anvers le 30 mai.

1. *Hélène Fourment et son fils Frans,* vers 1636.

visage et ses mains... La nature n'est plus désormais une toile de fond, mais un paradis terrestre. L'inspiration champêtre, nouvelle chez Rubens, coïncide avec l'acquisition du domaine de Steen, près de Malines. Cette douce campagne sera le cadre du *Jardin d'amour* (1632-1634, Madrid), où le couple évolue avec une grâce annonciatrice des « Fêtes galantes » de Watteau, et des turbulentes *Kermesse* (Louvre) ou *Danse de paysans* (Prado), hymnes à la joie de vivre.

Dans l'œuvre tardive de Rubens, en outre, Hélène Fourment est prise comme modèle pour de nombreux tableaux mythologiques qui sont autant d'occasions d'exalter le nu féminin et la force vitale qu'il représente au sein d'un panthéisme heureux. Le peintre retrouve ainsi l'inspiration païenne et les thèmes dionysiaques des années 1610-1618 dans *l'Offrande à Vénus* (1630-1632, Vienne), *l'Enlèvement de Proserpine* (1636-1637, Prado), *Diane et Callisto* (1638-1640, Prado), ou encore *ce Jugement de Pâris* (1638, Prado) dans lequel Hélène, présentée de face, de côté, de dos, est tour à tour brune ou blonde, Vénus, Minerve et Junon. •

Hélène « en majesté »

DANS DE SOMPTUEUX
PORTRAITS D'APPARAT, LA FILLE
D'UN RICHE MARCHAND DRAPIER, FEMME, AUSSI,
D'UN PEINTRE QUE LES COURS SE DISPUTENT,
EST CÉLÉBRÉE À L'INSTAR D'UNE REINE.

Rubens a emprunté à Titien, dont il a copié de nombreuses toiles au cours de son séjour en Italie, ainsi qu'à Madrid lors d'un voyage diplomatique, la formule du portrait d'apparat réservé aux personnages de rang royal ou aux membres de l'aristocratie. Le modèle est le plus souvent debout, en pied ou à mi-corps, parfois assis, surtout les papes et les magistrats, mais toujours revêtu des insignes de sa dignité ou de sa fonction. La majesté est rehaussée par deux accessoires, la colonne, symbole de force, et la tenture, lointain héritage des rideaux qui tantôt dissimulaient, tantôt révélaient les images sacrées, puis celle du souverain. La mise en scène ne se montre pas moins brillante dans certains portraits féminins de Titien, en particulier celui de *l'Impératrice Isabelle de Portugal* (Prado).

Hélène en costume de noces fait l'objet d'un tableau de Rubens conservé à la Vieille Pinacothèque de Munich. Sous un ample manteau de velours noir, elle porte une robe en soie blanche moirée rehaussée de broderies, étoffe alors utilisée pour les robes de mariées dans les cours princières. Coiffée d'un fin diadème orné d'une fleur d'oranger, elle est parée d'une chaîne d'or et d'une broche sertie de perles, cadeaux de son époux qui l'a représentée comme une princesse dans un décor de palais. La lourde tenture et le tapis d'Orient, la colonne et la balustrade en sont les éléments évocateurs. Mais le caractère officiel et pompeux de ce genre est effacé par l'attitude spontanée de la jeune femme qui semble sur le point de se lever de son siège, saisissant son chapeau de la main gauche. La vaporeuse fraise en éventail, les éclats de lumière sur les perles et la luminosité du paysage à l'arrière-plan auréolent la jeune épousée de l'éclat radieux du bonheur. Dans un autre tableau, également à la Pinacothèque de Munich, Hélène, coiffée cette fois-ci, tient un gant dans une pose élégante qui favorise une admirable étude de mains.

Huit ou neuf ans plus tard, *Hélène « au carrosse »* (Louvre) est accompagnée de son fils Frans, né en 1633. L'ample robe de velours noir qu'elle porte n'est pas signe de deuil, mais de distinction. Une précieuse toque à la mode espagnole retient une cape plissée qui flotte légèrement au vent. Hélène, surprise dans le mouvement qu'elle esquisse, aux marches d'un palais, se retourne avant de se préparer à monter dans le carrosse que l'on aperçoit au loin, suivie de Frans qui fait office de jeune page. L'esquisse, que prépare un beau dessin conservé à l'Albertina de Vienne, est un sommet de la création rubénienne : baroque avec virtuosité dans son dynamisme spatial, supérieurement équilibrée dans le rapport des formes, somptueuse sur le plan de l'exécution picturale et non moins séduisante sur celui du sentiment. Issue de la grande tradition du portrait humaniste et aristocratique de la Renaissance, elle annonce, par sa grâce et sa distinction, l'élégance des portraits de Van Dyck, de Reynolds ou de Gainsborough. •

Maternités d'Hélène

RUBENS A CHANTÉ SUR TOUS LES TONS LA BEAUTÉ
DE SA SECONDE FEMME. POUR LA PEINDRE AVEC SES ENFANTS,
IL S'INSPIRE DE LA *SAINTE FAMILLE*.

Hélène apparaît fréquemment dans des compositions religieuses où elle prête ses traits à sainte Cécile ou à Marie-Madeleine et, hommage suprême, son époux la représente dans la pose des Vierges à l'Enfant pour glorifier ses maternités. Avant lui, Holbein le Jeune avait peint sa femme et ses deux enfants sur le modèle de *la Vierge, l'Enfant Jésus et sainte Anne* de Léonard de Vinci. Dans *Hélène Fourment et son fils Frans* (Munich), la jeune femme est assise de trois quarts, sous un portique à colonnes, vêtue d'une jupe mauve soyeuse ornée de fleurs jaunes et que cache en partie un tablier de mousseline ; le pinceau effleure la toile pour transcrire l'impalpable cape de soie et les plumes du large chapeau de feutre. Elle serre contre elle Frans, nu comme l'Enfant Jésus, mais qui, sans doute par espièglerie, s'est coiffé d'une toque emplumée et tourne vers son père un visage rieur, contrastant avec l'expression presque mélancolique d'Hélène.

La toile du Louvre, *Hélène Fourment et deux de ses enfants,* est plus touchante encore car, inachevée, elle a la fraîcheur d'une esquisse. Les éléments du décor, colonne, fauteuil, se sont estompés et toute notre attention se porte sur les visages, qui n'ont jamais été aussi vivants. Telle la Vierge tenant sur ses genoux l'Enfant Jésus accompagné du petit saint Jean, Hélène serre à nouveau dans ses bras Frans, dont la sœur aînée, Clara Johanna, est présente à ses côtés. Les trois visages sont presque graves, mais empreints d'une ineffable douceur. Rubens, malade, pensait-il que sa femme et ses enfants posaient devant lui pour la dernière fois ? Est-ce l'épuisement qui l'a empêché de peindre un troisième enfant dont on aperçoit la main, légère telle un oiseau, à la hauteur du siège ? Cette œuvre émouvante permet également d'analyser la technique de l'artiste. Pendant les dix dernières années de sa vie, il abandonne le faire minutieux et glacé des compositions de jeunesse marquées par la perfection du métier flamand. La composition est ébauchée directement sur une préparation ivoirée avec une peinture fine et fluide, dans des tonalités fraîches, gris, bleu, rose et ocre. Les chairs, laiteuses, sont modelées par la lumière, tandis que les ombres sont fines, presque translucides. Par touches légères, le pinceau effleure la toile comme une caresse. Hélène est dépouillée de toute parure ; ses seuls bijoux sont ses enfants. Renonçant à l'emphase des portraits d'apparat, Rubens célèbre sur le mode intime la beauté épanouie de sa femme et la grâce de ses enfants. « Jamais femme, a écrit Louis Gillet, ne fut plus aimée et moins discrètement aimée. » •

→ **Voir aussi :** La peinture d'histoire, ARTS, p. 256-257.

3. *Hélène Fourment « au carrosse »,* vers 1639.

La vie sur tous les tons

Une Vénus antique a inspiré la pose d'Hélène Fourment nue, drapée dans une fourrure (2) : mais le marbre s'est fait chair, nacrée, irisée, et combien vivante ! La vie la plus explosive, celle de l'ardeur érotique, anime le couple travesti à la manière d'une pastorale antique (4), aux antipodes de la distinction et du raffinement de la calme patricienne attendant son équipage (3). Dans la maternité de Munich (1), c'est plutôt le charme et le naturel de l'intimité familiale qui tendaient à l'emporter.

4. *Scène pastorale (le Berger et la nymphe),* vers 1638-1640.

Hollande et Flandre
Nature morte, paysage, genre

AU XVIIᵉ SIÈCLE, LA FLANDRE catholique et les Pays-Bas du Nord réformés partagent une passion pour la peinture. La production et la demande sont massives : en dehors des commandes officielles se développe un marché pour une bourgeoisie en pleine prospérité et même pour les paysans, souvent alphabétisés et instruits.

À côté de créateurs prodigieux comme le portraitiste Frans Hals, comme Vermeer de Delft ou Rembrandt, prospèrent de nombreux « petits maîtres » très inventifs, d'une grande virtuosité technique. Les artistes ne se cantonnent plus dans les catégories traditionnelles et abordent des sujets que l'Italie méprise. À l'importante exception de Rembrandt, la Hollande s'éloigne de la peinture d'histoire. Scènes de genre et images de la vie domestique, natures mortes, animaux de ferme, intérieurs d'église, paysages panoramiques, marines et vues de villes, portraits de groupe, telles sont les contributions majeures de l'art hollandais à l'histoire des genres picturaux.

Voulant décrire leur monde avec précision, les peintres des Pays-Bas du Nord ne s'écartent pas de ce que leur œil perçoit et cette fidélité à la vision rejoint le vif intérêt de leurs compatriotes pour les instruments d'optique. Pour les Hollandais, à la différence des Italiens, l'homme n'est plus le centre et la mesure des choses, et c'est le monde dans toute sa diversité qu'il faut embrasser du regard. La peinture prend appui sur les conquêtes de la cartographie et le paysage non idéalisé peut naître.

À ce regard serein, voire méditatif, sur la Création, les Flamands opposent une perception des énergies vitales. Pour eux, le drame humain a encore sa place, et les compositions orchestrales et chatoyantes de Rubens marqueront ses plus brillants élèves, Van Dyck et Jordaens. Ceux-ci n'abandonneront pas la peinture d'histoire et s'orienteront l'un vers un art de cour raffiné, l'autre vers un réalisme tendant au burlesque. Cette dernière orientation va s'imposer aussi dans les scènes de genre et les natures mortes flamandes. La nature y est surabondante et la vie s'y déploie avec une générosité qui va parfois jusqu'au trivial, des tabagies de Teniers le Jeune aux étals de poissons de Snijders.

L'enregistrement du monde

AUX PAYS-BAS, LE PAYSAGE N'EST PLUS UNE ARCADIE LITTÉRAIRE, MAIS UNE VISION RÉALISTE ET LYRIQUE DE LA CAMPAGNE DU NORD. LES SCÈNES D'INTÉRIEUR, BAIGNÉES DE LUMIÈRE, ATTEIGNENT UNE NOBLESSE ET UNE INTENSITÉ PSYCHOLOGIQUE INÉDITES.

Alors qu'une pléiade de Nordiques italianisés (Jan Both, Herman Van Swanevelt, Nicolaes Berchem) présentent, à la suite de Claude Lorrain, de délicieuses vues de la campagne romaine animées de paysans de convention ou de pâtres de la Fable, les peintres restés au pays s'appliquent à exalter la beauté de leur patrie : ils décrivent scrupuleusement leur terre, leurs ciels animés et les mers que sillonnent leurs navires triomphants, sans chercher à justifier ces paysages par l'alibi d'anecdotes mythologiques ou religieuses.

Le paysage est devenu un genre autonome à la fin du XVIᵉ siècle, grâce à Pieter Bruegel l'Ancien, puis à Paul Bril et à Gillis Van Coninxloo, mais ces artistes n'ont pas encore fait le saut qui sépare la composition savante ou idéalisée d'éléments naturels de la représentation objective d'une campagne, pour humble qu'elle soit. La *Vue des environs de Haarlem* d'Hendrick Goltzius (1558-1617), dessinée en 1603, marque le début d'une nouvelle ère : la tradition des profils gravés de villes, telle que l'ont pratiquée les grands cartographes de Cologne Georg Braun et Franz Hogenberg, est mise à profit dans des tableaux fidèles, où une lumière subtile vient transfigurer la moindre brique (*Vue de Delft* de Vermeer). Les cartes et les atlas d'Abraham Ortelius ou de ses successeurs accou-tument à des représentations de l'espace différentes de la perspective linéaire à l'italienne. La pratique des vues à vol d'oiseau ou des paysages panoramiques, avec un horizon très bas, permet à Philips Koninck (1619-1688) ou à Jacob Van Ruisdael (1628/29-1682) d'embrasser tout un territoire où la présence humaine devient secondaire par rapport à la réalité grandiose de la nature. Des tempéraments très divers s'expriment, allant des tempêtes de Jan Porcellis (v. 1584-1632) aux mers étales de Jan Van de Cappelle (1626-1679), des dunes monochromes de Jan Van Goyen (1596-1656) aux vifs contrastes que prise Meindert Hobbema (1638-1709).

Mais l'œil des Hollandais ne scrute pas seulement la nature et le monde extérieur, il fixe aussi les œuvres des hommes. Les intérieurs d'église de Pieter Saenredam (1597-1665) ou du Flamand Pieter Neefs (v. 1578-v. 1660) présentent un monde silencieux, au dessin rigoureux et aux éclairages raffinés. L'agitation est également exclue des scènes de la vie domestique. La plupart de ces tableaux, de petite dimension, captent des instants de l'existence bourgeoise : ainsi mettent-ils en scène soit des assemblées calmes, où la gaieté ne mène jamais à des débordements, soit des personnages méditatifs, absorbés dans leurs occupations.

De la variété des choses

LES NATURES MORTES HOLLANDAISES VEULENT, EN DES COMPOSITIONS RIGOUREUSES, DIFFÉRENCIER AU MAXIMUM LES OBJETS. À LA SOBRIÉTÉ DES ORIGINES SUCCÈDE UN ENTASSEMENT PLUS COLORÉ, LIÉ À L'INFLUENCE FLAMANDE.

La nature morte hollandaise entend capturer les objets sous tous leurs aspects. Elle ne se contente pas d'un rendu fidèle des volumes et des couleurs, mais veut offrir une vue synthétique de toutes les propriétés des choses, internes comme externes. D'où cette vaisselle renversée, ces fruits à demi pelés, qui dévoilent l'ensemble des décors, des surfaces ou des textures. Néanmoins, les accidents de la lumière et les reflets empêchent chaque chose d'apparaître sous une forme définitive : le peintre ne fait pas un inventaire de substances autonomes, il saisit, dans un instant déterminé, le maximum d'informations sur un groupe d'objets très divers, qu'il tente de différencier le plus possible. Il ne s'agit donc pas d'une vision aseptisée et éternelle, mais d'une appréhension lucide de la fragilité et de l'infinie variété des éléments du réel. Cette acceptation sereine de la réalité est héritée de certains artistes de la fin du maniérisme, comme Jacob De Gheyn II (1565-1629) ou Roelant Savery (1576-1639), désireux de dessiner « *naer het leven* » (d'après nature) et de renouveler totalement les types figuratifs. Savery et Ambrosius Bosschaert (1573-1621) donnent une impulsion décisive à la peinture de fleurs, avec des œuvres très finies où la science du botaniste, voire de l'entomologiste, est mise au service de compositions somptueuses, qui seront reprises et développées par Balthazar Van der Ast (v. 1593-1657).

L'intérêt porté au réel est d'ailleurs lié à l'essor contemporain des instruments d'optique.

Ce programme modeste et ambitieux à la fois est réalisé avec une méticulosité artisanale éblouissante. Les grands maîtres de la nature morte hollandaise, Pieter Claesz. (v. 1597-1661) et Willem Claesz. Heda (v. 1594-v. 1680), traduisent la variété des matières et la beauté des objets quotidiens ou luxueux avec un fini inégalé. Leur palette sobre et volontairement limitée, dans les années 1630, à quelques tons subtilement modulés, se fait progressivement plus chatoyante : vers le milieu du siècle, des peintres comme Jan Davidsz. De Heem (1606-v. 1683) introduisent davantage de rouges et de bleus vifs, partageant avec la Flandre un goût pour les tapis orientaux et les objets de luxe. La prospérité hollandaise se manifeste alors avec plus d'ostentation, la tendance au décoratif s'accentue et une exubérance venue de l'art flamand envahit les calmes assemblages, complique les compositions. •

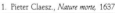
1. Pieter Claesz., *Nature morte,* 1637.

Chez Johannes Vermeer (1632-1675), les êtres ainsi surpris dans leur intimité ont une telle présence physique que l'on est tenté de leur attribuer une aussi intense vie intérieure, à jamais inaccessible. Gerard Terborch (1617-1681), observateur subtil, est particulièrement brillant dans le rendu des étoffes et les éclairages rasants. Pieter De Hooch (1629-v. 1684) est moins psychologue et plus théâtral ; il orchestre des jeux de profondeur et multiplie les sources de lumière. La virtuosité l'emporte sur l'analyse des sentiments avec Gerard Dou (1613-1675), à la facture émaillée d'une minutie confondante. Jan Steen (1626-1679) a un talent de narrateur inépuisable et une verve souvent satirique, se rapprochant en cela d'un courant incarné par le Flamand Adriaen Brouwer (1605/06-1638) et par son ami Adriaen Van Ostade (1610-1685), aux sujets plus populaires.

Ces maîtres, souvent prolifiques, ont d'innombrables suivis de talent. Dans la Hollande d'alors, production de masse ne rime absolument pas avec médiocrité, grâce à l'exigence d'un public très connaisseur et au grand métier des artistes.　　●

L'énergie vitale

L'EXALTATION DE LA VIE, JUSQUE DANS SES FORMES LES PLUS VULGAIRES, EST UNE CONSTANTE DE L'ART FLAMAND. DES OPULENTES NATURES MORTES AUX SCÈNES D'AUBERGE, LES PLAISIRS DES SENS SONT MIS EN LUMIÈRE, PARFOIS SOUS LA FORME D'UNE SATIRE BIENVEILLANTE.

En Flandre, l'animé prime l'inanimé ; les objets et les êtres n'intéressent pas toujours en eux-mêmes, mais en tant que signes de la fécondité de la Création et manifestations éclatantes de la vie. Dans les natures mortes flamandes, la présence d'êtres vivants, hommes ou animaux, vient arracher les objets à leur silencieuse autonomie. À l'origine du genre, chez le Hollandais Pieter Aertsen (1508-1575) ou chez Joachim Beuckelaer (v. 1530-v. 1574), on voit même des scènes bibliques à l'arrière du tableau, tandis qu'en gros plan s'étalent viandes ou poissons. Cette distorsion, d'esprit maniériste, est atténuée par la suite : les hommes sont mis sur le même plan que les choses et l'unité du monde terrestre est ainsi affirmée chez Frans Snijders (1579-1657), qui a toujours voulu montrer le lien entre l'existence humaine et la nature généreuse. Dans ses toiles, d'assez grand format, les empilements débordants de victuailles aux vives couleurs n'ont rien de l'austérité hollandaise.

L'intérêt pour toutes les formes de la nature prend un tour encyclopédique dans les cabinets de curiosité qu'affectionnent les princes de la fin du XVIe siècle. Certaines œuvres peintes se veulent aussi des sortes de microcosmes ; ainsi, les miniatures zoologiques ou les compositions florales allégoriques de Joris Hoefnagel (1542-1600) ouvrent la voie aux splendides bouquets de Jan Bruegel, dit de Velours (1568-1625), véritables résumés du savoir botanique de l'époque. Dans ses petits paysages aux dégradés de bleu très raffinés, peuplés de nombreux personnages ou d'animaux, sur le thème d'Orphée, du Paradis terrestre ou de la Prédication de saint Jean-Baptiste, ce même Jan Bruegel, fils de Pieter l'Ancien, dresse un inventaire émerveillé de l'univers, qui connaît un succès européen.

Toutefois, ces compositions n'ont pas l'ambition et la fougue qu'imprime à ses paysages Petrus Paulus Rubens (1577-1640). En démiurge de la peinture, Rubens brasse des forces cosmiques et fait sourdre toute l'énergie latente dans les campagnes flamandes. Ses champs zébrés de sillons, ses arbres secoués par l'orage élèvent un hymne au Créateur et introduisent dans le genre du paysage le jeu de forces concentrées, le choc de masses colorées, la même dynamique baroque qui structurent ses tableaux d'histoire. Cet élan, ainsi que sa science du groupement des figures, son élève Jacob Jordaens (1593-1678) les fait passer dans la scène de genre, qui atteint avec lui une ampleur monumentale. Des sujets populaires, comme le tirage des Rois, sont magnifiés avec une exubérance et une bonne humeur sans précédent. Au reste, le lien du grand art avec les traditions du peuple ne s'est jamais perdu en Flandre, depuis les drôleries des miniatures bourguignonnes jusqu'aux scènes paysannes de Pieter Bruegel.

Loin de l'harmonie des intérieurs hollandais, les scènes de genre flamandes montrent avec une sympathie amusée les désordres nés de l'activité humaine. David Teniers le Jeune (1610-1690) peint de nombreuses scènes d'auberge enfumées, dans des tons de brun délicats. Parfois, il isole un ou deux personnages devant les maisons du village, avec un réalisme tendre qui impressionnera le jeune Watteau. Il ne faut pas croire que tabagies ou danses paysannes étaient appréciées des seuls gens du peuple ; les amateurs les plus nobles les collectionnaient. Dans ce contexte, par ailleurs, Teniers lança un genre aristocratique fort prisé : la représentation des galeries de peinture.　●

→ **Voir aussi :** Rubens Hélène Fourment, **ARTS**, p. 260-261. Rembrandt Le triomphe de l'eau-forte, **ARTS**, p. 264-265.

Architectures de lumière

Le Hollandais Pieter Claesz. découpe sa nature morte de 1637 (1) en deux parties triangulaires, un fond clair et vide, aux dégradés subtils, et un coin de table où, sur une nappe sombre, les objets animés par un faisceau lumineux trahissent les secrets de leur matière.

À l'inverse, le Flamand Snijders (4) fait jouer devant un fond sombre une symphonie de couleurs dans un amoncellement faussement aléatoire. Son compatriote Teniers le Jeune peint par touches fluides ses *Fumeurs* (3) dans une pièce en désordre, éclairée par une source cachée. Ses personnages-mannequins, aux diminutions abruptes, n'ont pas la densité psychologique de la *Femme en bleu* de Vermeer (2), qui s'inscrit avec force dans un espace structuré par des formes géométriques que baigne la lumière du jour.

2. Vermeer de Delft, *Femme en bleu* ou *la Liseuse* (vers 1662-1665 ?).

3. David II Teniers, *Fumeurs*.

4. Frans Snijders, *le Cellier*.

Rembrandt
Le triomphe de l'eau-forte

EMBRANDT A LAISSÉ DE nombreuses toiles aux empâtements fuligineux ou étincelants, qui donnent l'impression d'assister à la révélation d'un mystère. Mais, plus encore qu'à *la Ronde de nuit*, à la *Bethsabée* ou à l'*Aristote,* c'est à la gravure que le maître a confié son message le plus personnel. Tout au long de sa vie, l'estampe fut son moyen d'expression privilégié et ses cuivres furent indéfiniment repris, retravaillés, afin de donner des images toujours plus dramatiques et concentrées de son propre univers.

L'eau-forte, avec lui, s'élève au rang d'art majeur. Il fait d'elle le terrain d'expériences incessantes, l'associant fréquemment au burin et à la pointe sèche et utilisant pour l'impression les papiers les plus précieux, dans une quête expressive sans la moindre concession au joli ni au décoratif. Cette recherche de la vérité, cette « lutte de Jacob avec l'encre » prennent le plus souvent la forme d'un clair-obscur où la lumière, devenue acteur d'un drame, traque l'âme des êtres. Ayant rendu la nuit « poreuse et profonde » (H. Focillon), la lumière garde la trace fugitive de ce contact avec les ténè-

bres. De la sorte, mêlant intimement le noir au blanc, l'achevé et l'inachevé, la vision de Rembrandt n'est pas manichéenne, elle évoque la grandeur fragile de l'homme, ni ange ni bête.

L'atelier est devenu un laboratoire mystique et le théâtre du monde. Rembrandt n'a jamais quitté la Hollande, mais sa culture visuelle est très vaste, nourrie d'une connaissance intime des estampes et des tableaux, qu'il collectionnait avidement, des objets ou tissus exotiques amassés dans son pays, des représentations théâtrales des écoles de rhétorique et du spectacle de la rue. Toutefois, l'aliment le plus riche de sa méditation est la Bible, l'histoire sainte. Il parvient à ressusciter la Palestine au cœur d'Amsterdam, et observe attentivement la vie de ses voisins juifs, pour renouer la chaîne des temps. Avec le même regard scrutateur, il magnifie les misérables, exalte la campagne hollandaise, suit les courbes d'une coquille ou d'un nu féminin et surtout explore sans relâche son propre visage. Dans ses autoportraits, Rembrandt grave des confessions fascinantes, où le paraître cherche à ne pas trahir l'être.

embrandt a gravé plus de trois cents estampes de 1626 à 1665. Toute sa vie, il se passionnera pour le travail du cuivre et pour les multiples variations d'encrage ou de papier. Autant son atelier de peinture est accueillant aux élèves, autant il considère la gravure comme un domaine personnel réservé, pratiqué dans la solitude. L'eau-forte et, dans une moindre mesure, la pointe sèche sont ses techniques

1. *Rembrandt faisant la moue* (1630), eau-forte du 1er état.

de prédilection ; le burin lui servant surtout à renforcer des traits ou à creuser l'obscurité. L'eau-forte lui permet une liberté souveraine dans le trait, un dessin rapide et synthétique, tandis que les barbes écrasées de la pointe sèche créent sur le papier un halo noir, une vibration autour des formes (le *Saint Jérôme* de 1653).

Jamais avant lui on n'a combiné tant de procédés de gravure ni cherché à exploiter tous les effets du noir et du blanc, dans une quête quasi alchimique.

Certes, les expériences étonnantes d'Hercules Seghers (1589/1590-v. 1633-1638) l'ont beaucoup marqué. Cet aquafortiste singulier a innové dans le maniement de la pointe et dans la multiplication des épreuves, aux supports et aux couleurs sans précédent. Rembrandt a rendu hommage à ce maître en regravant une de ses

---

Dates clefs

Techniques de l'estampe

Burin : attaque directe de la plaque de métal par une lame taillée en biseau prise dans une poignée de bois. Les tailles ainsi créées sont remplies d'encre, le reste de la plaque est essuyé, puis un papier humide est appliqué sur le métal, l'ensemble étant serré par une presse à taille-douce.

Pointe sèche : attaque directe de la plaque de métal par une pointe en acier dure, utilisée comme un crayon. L'outil laisse sur les bords de la taille un bourrelet irrégulier appelé barbe, qui, lors de l'impression, retient l'encre et crée un effet velouté.

Eau-forte : la plaque de zinc ou de cuivre, recouverte d'un vernis, est incisée par une pointe. Un mordant, l'eau-forte (acide nitrique), attaque la plaque aux seuls endroits gravés, le vernis protégeant les endroits sans tailles. La plaque dévernie et encrée passe ensuite sous la presse. Avant que Rembrandt ne transfigure le langage de l'eau-forte, cette technique a été expérimentée au début du xvie s. par Dürer ou le Parmesan, puis considérablement développée par le Baroche, et dans les quarante premières années du xviie s., par Callot, Van Dyck, Hercules Seghers...

État (épreuve d') : tirage correspondant à chaque étape de l'exécution de la gravure. Toute modification apportée à la plaque et révélée par une nouvelle impression constitue un état, qu'on numérote consécutivement.

Le drame de la lumière

REMBRANDT JOUE DES VARIATIONS LES PLUS EXTRÊMES OU LES PLUS SUBTILES DE L'ÉCLAIRAGE, COMME IL JOUE DES CONTRASTES DE L'ABOUTI ET DE L'ESQUISSÉ.

ès le *Saint Laurent* de Titien (1559), la lumière est devenue un personnage à part entière dans les scènes dramatiques. Rembrandt n'ignore pas les gravures des burinistes flamands d'après les maîtres vénitiens ou d'après Rubens. De plus, la leçon du Caravage a été transmise au Nord par Van Honthorst et Terbrugghen. L'Allemand Elsheimer a balayé ses toiles et ses estampes de coups de projecteur très spectaculaires ou disposé en contre-jour ses silhouettes, et non selon un théâtre d'ombres.

Rembrandt assimile tous ces langages et les fond en un idiome nouveau. Dans l'*Annonciation aux bergers* de 1634, la nuit est percée par une clarté surnaturelle, qui traverse la page en diagonale, avec une véhémence baroque. Mais le graveur, progressive-

ment, nuance et enrichit ses effets ; il invente une distribution symphonique des traits, qui n'obéit pas aux règles de la correction académique, mais à celle de l'efficacité de l'expression. Désormais pourront coexister sur une même planche des zones gravées d'une simple taille allusive et des espaces hachurés ou en tailles croisées. Le griffonné et le léché cohabitent audacieusement en fonction de valeurs dramatiques, psychologiques, voire métaphysiques, et non selon les critères de la réalité visible.

La *Vue de l'Omval* (1645) juxtapose, dans une lumière d'été, un bosquet sombre avec un gros saule mort au tronc noueux gravé dans le moindre détail et aux branches supérieures seulement esquissées, et des berges écrasées de soleil, rendues par de courtes

tailles. Mais c'est dans les scènes religieuses que Rembrandt utilise le mieux les ressources du clair-obscur. Dans la *Pièce aux cent florins,* les pauvres se détachant sur le fond sombre sont gravés avec un modelé subtil ; à gauche, une lumière blême enveloppe les pharisiens, pendant que le Christ, en demi-teintes, réunit en lui l'obscurité de la condition humaine et la gloire divine.

Le travail inlassable de la lumière, qui s'infiltre dans les ténèbres les plus épaisses, dans la détresse la plus absolue, se manifeste de façon éclatante dans une œuvre limite, les *Trois Croix* (1653), aux quatre états radicalement différents les uns des autres. Dans le premier état, le ciel noir est troué par un cône de lumière éclatante tombant sur la Croix du Christ et inondant le groupe des Saintes Femmes. La planche du dernier état est labourée de traits, de balafres, et le Christ, dans une lumière moins vive, triomphe de ce chaos. Les repères spatiaux ont disparu au profit d'un espace purement mental.

planches (*la Grande Fuite en Égypte,* 1653). Cependant, il ne partage pas son goût pour les encres de couleur ; il préfère enrichir la gamme des gris, recherchant à la fois les plus grands effets de contraste et les demi-teintes les plus délicates. Fréquemment, il varie les tirages en laissant une légère couche d'encre sur le cuivre, pour assombrir ou unifier certaines zones. À Amsterdam, en outre, Rembrandt peut facilement se procurer des papiers indiens ou japonais ; occasionnellement, il utilise des papiers de couleur ou du vélin.

Mais c'est dans la succession des *états,* dans les modifications radicales qu'il apporte aux cuivres, parfois à des années de distance, que se manifeste le mieux l'acharnement de Rembrandt à trouver des solutions toujours plus expressives. Dans de nombreux cas, le premier état est une mise en place fortement contrastée, où la pointe sèche a laissé les accents décisifs. Les états successifs renforcent l'emprise de l'ombre ; les zones restées vierges sont moins nombreuses, mais ont dans la composition une force équilibrante bien supérieure. Rembrandt est allé jusqu'à retra-

vailler six fois son *Ecce Homo* (1655). La foule du premier plan a totalement disparu dans le septième état, remplacée par deux bouches d'ombre. L'état ultime n'est par forcément le plus apprécié aujourd'hui, mais on ne doit jamais perdre de vue ce dialogue interne à l'œuvre qu'est la confrontation des différents états, qui rejoint le dialogue des divers autoportraits, peints ou gravés.

À quelques exceptions près, l'artiste conserva les plaques de cuivre jusqu'à sa mort et put contrôler les tirages. Ensuite, en revanche, les cuivres furent dispersés et retravaillés, jusqu'à en être défigurés. Inversement, le succès de Rembrandt auprès des amateurs d'estampes fut tel, dès le XVIIᵉ siècle, que des copies, parfois excellentes, ont proliféré. De fait, Rembrandt fit tout pour que ses estampes soient reconnues comme des œuvres d'art de premier plan. En bon connaisseur des mécanismes du marché, il donna lui-même l'exemple en rachetant dans une vente publique une de ses propres planches, pour une somme qui fit sensation : c'est ainsi que *le Christ guérissant les malades* (1649) est devenu à jamais *la Pièce aux cent florins.* •

La méditation de la Bible

L'ARTISTE MÉTAMORPHOSE SES CONTEMPORAINS EN ACTEURS DU THÉÂTRE BIBLIQUE, DÉPOSITAIRES DU SACRÉ MAIS AUSSI ÊTRES HUMAINS DIGNES DE COMPASSION.

À ses débuts, Rembrandt n'a pas dédaigné les scènes de genre et la représentation des gueux (*le Vendeur de mort-aux-rats,* eau-forte, 1632). Mais, à la différence de ses compatriotes, il préférera ensuite insérer les humbles dans des scènes bibliques. Il reste ainsi presque le seul Hollandais à se mesurer sur le terrain de la peinture d'histoire avec les artistes de l'Europe du Sud.

La Bible lui offre un répertoire très varié de situations où mettre en scène les passions et les types humains et évoquer le mystère de l'irruption du divin sur terre. Inlassablement, Rembrandt revient

au texte sacré. À côté de l'emphase baroque de *la Grande Résurrection de Lazare* (1632) ou de la pompe orientale du *Triomphe de Mardochée* (1641-1642), il traduit avec ferveur et concentration des épisodes de l'enfance du Christ ou des épreuves pour la foi (*Sacrifice d'Abraham,* 1654), mais il atteint les sommets de son art avec des scènes de la prédication de Jésus et de sa Passion. *Le Christ guérissant les malades,* déjà cité, donne un abrégé étourdissant des possibilités de la gravure sur cuivre. L'*Ecce Homo* de 1655 montre l'éternelle faiblesse de la justice des hommes en associant des cos-

tumes antiques à des usages et des décors proches de l'Amsterdam du XVIIᵉ siècle.

Néanmoins, Rembrandt possède un sens aigu de l'historicité des récits bibliques ; il réussit la gageure de créer simultanément l'illusion d'un Orient reculé dans le temps et dans l'espace et l'évidence fulgurante et actuelle du drame. Ses amis juifs se muent en patriarches et les oripeaux des malles de l'atelier en pourpre royale. En pleine Hollande du Grand Siècle, il se fabrique un théâtre biblique qui transfigure les humbles et les puissants en témoins de la vie du Christ. Ce monde n'appartient qu'à lui et cette volonté forcenée de faire surgir un univers débarrassé des conventions et porteur de vérités nouvelles lui vaudra plus tard l'admiration particulière des romantiques, Delacroix en tête. •

3. *Jésus mis au tombeau,* 4ᵉ état, eau-forte, pointe sèche et burin (21 × 16 cm).

2. *Jésus mis au tombeau* (1654), 1ᵉʳ état, eau-forte (21 × 16 cm).

Quintessence expressive

Le *Rembrandt faisant la moue* (1) est l'un de ses nombreux autoportraits, incisif et monumental en dépit de sa petite taille.

Les différences entre le premier état (2) et le quatrième (3) du *Jésus*

mis au tombeau montrent l'acharnement de Rembrandt à porter le drame à sa quintessence. On passe d'une pénombre à la nuit noire. La zone de lumière qui aimante le regard se réduit au

maigre halo qu'irradie le corps de ce Christ émacié. Les hachures disparaissent et des tailles croisées très serrées avalent la plupart des personnages et même les deux crânes du fond.

France XVIIIᵉ siècle
De Watteau à Fragonard

LA MORT DE LOUIS XIV, EN 1715, sonne-t-elle la libération de l'art français ? C'est une apparence, car voilà déjà trente ans que, à Paris et sur les chantiers versaillais, se font sentir les effets de la « querelle du coloris » (rubénistes contre poussinistes). Watteau, le peintre de la *fête galante,* impose le premier, sur ce sujet nouveau, une sensibilité personnelle qui doit beaucoup aux recherches plastiques des peintres de Louis XIV. Loin de l'ambition d'un art politique, le goût mondain propre à ce temps entraîne amateurs et artistes vers des sujets légers : c'est le style Régence.

Élégance ne signifie pas dilettantisme : l'administration des Bâtiments du roi surveille de près la formation des jeunes artistes, à Paris comme à Rome, et passe de nombreuses commandes. Pour la première fois dans l'histoire des arts, le public parisien peut juger de façon suivie, sur plus de cinquante ans, toute la richesse d'inspiration des artistes qui exposent régulièrement au Salon officiel à partir de 1737 : pour cela, il n'a qu'à s'en remettre aux commentateurs, qui, comme Diderot, suscitent la passion des amateurs. Encore tout à la sagesse d'un

classicisme académique, ceux-ci découvrent que lumière, couleur et mouvement animent autant les sculptures de Coustou que les portraits de Largillière, voire les natures mortes de Chardin pleines d'un frémissement quasi rocaille.

Le milieu du siècle voit l'épanouissement de personnalités fort diverses : à l'amabilité des enfants de Pigalle, on opposera l'ampleur des Adam ou la vigueur des Coustou ; au lyrisme des Slodtz répond la virtuosité vertigineuse de Fragonard ; Boucher, peintre du bonheur, et Chardin, de la vie tranquille, ne font-ils pas preuve tous deux de la même recherche dans l'harmonie des coloris bleu et rose ? Qu'il s'agisse du roi Louis XV, de l'omniprésente Mᵐᵉ de Pompadour ou du grand bourgeois parisien Pierre Crozat, dont l'hôtel ne désemplit pas de collectionneurs ou d'artistes, l'amateur est curieux, exigeant. C'est son goût de l'anecdote pittoresque qui entraîne peintres et sculpteurs vers l'exotisme (Boucher) et les modèles étrangers : sous Louis XIV, les jeunes artistes font avant tout le voyage de Rome ; sous Louis XV, ils regardent Venise, la Flandre, l'Angleterre.

Le style rocaille

LES GRANDES ENVOLÉES DU BAROQUE ROMAIN OU DE RUBENS MARQUENT PEU LES ARTISTES FRANÇAIS : CEUX-CI N'EN RETIENNENT GUÈRE LA LIBERTÉ FORMELLE QUE DANS LE DÉTAIL.

Le deuxième tiers du XVIIIᵉ siècle est, en France, le moment le plus « baroque » de son histoire. L'épanouissement de tous les arts y est d'abord dû à l'essor démographique et à la paix. C'est une époque d'investissements, de grands travaux à travers tout le royaume (le réseau routier, notamment). On constate une montée des exigences de chacun et une élévation du niveau de vie des classes aisées, entraînées dans des opérations financières qui peuvent soit les enrichir rapidement, soit les ruiner (système de Law). Paris est à nouveau capitale de l'Occident : « 600 000 habitants, 15 000 carrosses, 30 000 prostituées ». On embellit ses monuments ; ses rues se parent de balcons galbés de fer forgé ; on se dispute ses artisans (Louis XV arrache à prix d'or le bronzier Levasseur à l'ambassadeur suédois, le comte Tessin). Finis les grands projets à l'ancienne ; chaque objet est créé pour le plaisir des yeux, et il n'en est guère (marqueterie, tapisserie, argenterie ou broderie) qui ne comporte un décor élégant ou capricieux. Sébastien Antoine Slodtz, Servandoni ou Meissonnier imposent partout courbes et contre-courbes. C'est ce style rocaille que Jacques de Lajoue montre dans ses paysages recomposés ; que Desportes et Oudry étalent dans les tapisseries des Gobelins, ou Jacques Verberckt dans les boiseries de Versailles ;

que Mᵐᵉ de Pompadour diffuse largement par la manufacture de porcelaine de Sèvres ; ce style, enfin, dont les Germain, les Roëttiers ou les Ballin chantournent la somptueuse orfèvrerie royale, comme les Foliot, les Van Risen Burgh ou les Caffieri le font pour leur production de meubles.

La rocaille, c'est aussi l'imagination maîtrisée : on trouve celle-ci dans les portraits de Rigaud, Nicolas de Largillière (1656-1746) ou Jean-Marc Nattier (1685-1766), qui peuvent paraître irréels ou superficiels ; mais n'est-elle pas également le fait des plus sages ? C'est là qu'il faut citer Jean Siméon Chardin (1699-1779), humble devant l'objet, silencieux jusqu'à la méditation, mais d'une telle élégance, opposant à la rigueur de composition de ses natures mortes et de ses scènes de genre une telle liberté de modelé, un tel frémissement coloré de la touche que sa peinture pourrait passer, au microscopique, pour l'équivalent lyrique des grands envols baroques de l'Italie ou de l'Allemagne. ●

1. Guillaume Coustou, *Marie Leszczyńska en Junon,* marbre (1731).

Rejet de l'ordre classique

APRÈS LES DERNIÈRES GUERRES DE LOUIS XIV VIENT LE TEMPS D'UNE PAIX RELATIVE. L'ARISTOCRATIE ET LA BOURGEOISIE DEMANDENT UN ART MOINS AUSTÈRE POUR LEUR CADRE DE VIE.

En 1701, Hyacinthe Rigaud (1659-1743) exécute le grand portrait en pied de Louis XIV qui servira de modèle dans toutes les cours européennes jusqu'à la Révolution. Apparat et austérité disent l'ambition du Grand Siècle, mais ne doivent pas faire oublier que la rigueur classique a commencé de s'infléchir et que Watteau arrive à son heure pour incarner une époque nouvelle.

Le renouveau est d'abord le fait des peintres, plus prompts à saisir l'air du temps. Après Charles de La Fosse (1636-1716), éblouissant au Grand Trianon (1688), où sa *Clytie changée en tournesol* est l'hymne même au soleil, après Antoine Coypel (1661-1722), ample dans sa voûte de la galerie

d'Énée au Palais-Royal (1702-1705, détruite), cette période de transition est celle de la mythologie galante et de la prédominance du paysage, qui, d'intellectuel, devient sensible avec Antoine Watteau (1684-1721). Ce Flamand installé à Paris fait une peinture de rêve : s'agit-il de divertissements musicaux ou pastoraux ? des songes graves ou joyeux de l'amour ? On n'y reconnaît ni modèle ni lieu précis, mais la jeunesse et sa joie, ou la mélancolie. Composé en éventail, le *Pèlerinage à l'île de Cythère* (1717, versions du Louvre et de Berlin) montre la tendresse, la volupté et la fête ; les couples, aux attitudes flexibles et tendues, s'y détachent par leurs couleurs franches sur un paysage magique : méditation poétique

tout intérieur, bien éloignée du langage de la sculpture contemporaine. Celle-ci s'essaie à la modernité, non sans quelque lenteur : aujourd'hui au Louvre, la *Marie-Adélaïde de Savoie,* exécutée en 1710 par Antoine Coyzevox (1640-1720) sous les traits d'une Diane chasseresse, est légère, frivole, d'un dynamisme quasi dansant, qui montre plus la tentation du baroque italien ou la leçon de l'antique Diane à la biche que la quête psychologique.

Ainsi apparaît le début du siècle, ambigu, riche de traditions, mais désireux de laisser libre cours à plus de réalisme, d'imagination, de mouvement, plus soucieux aussi du langage personnel de chacun. La raison ? C'est qu'à un roi convaincu de l'importance des choses de l'art et qui s'oblige au mécénat d'État succède une clientèle privée mais ambitieuse, qui collectionne ce qu'elle aime. Le charmant, le familier, l'anecdote vont l'emporter sur le « grand genre », le rococo et la rocaille sur l'opulence équilibrée du décor classique. ●

Images de la femme

Le XVIIIᵉ siècle aime la femme, dont il mène la célébration jusqu'à un érotisme appuyé. Si les portraits restent le plus souvent conventionnels, les figures, si variées, montrent non seulement l'imagination des artistes, mais aussi les goûts et les rêveries de toute une société.

L'héroïne du couple central de la toile de Watteau (4) se retourne vers un bonheur qu'elle quitte, entraînée par un compagnon anonyme. Changée par Guillaume Coustou en une Junon quasi dansante (1), la reine Marie Leszczyńska est magnifiée. L'odalisque de Boucher, à vrai dire quelque modèle familier (3), s'offre, sensuelle et rêveuse, dans un boudoir à l'orientale ; chez Fragonard (2), la femme, piquante et sûre de soi, s'amuse de son pouvoir de séduction.

Virtuosité et raison

AU TEMPS DES PHILOSOPHES QUI CHANTENT LA LIBERTÉ, LE SENTIMENT ET LA RECHERCHE DU NATUREL TENDENT À RELAYER LA FANTAISIE.

Adapté à la demande privée, quelquefois bourgeois, l'art de l'époque de Louis XV n'en montre pas moins beaucoup d'ambition. En 1736, François Lemoyne (1688-1737) termine à Versailles une immense *Apothéose d'Hercule* conçue comme un plafond romain et qui est en même temps le reflet du *Repas chez Simon* de Véronèse, dont elle reprend les chatoiements. L'expérience, isolée, révèle le goût du fastueux, de la générosité ou de l'irréel. L'invention et la somptuosité de François Boucher (1703-1770) vont alors, pendant près d'un demi-siècle, résumer le ton de l'époque. L'artiste reçoit de nombreuses commandes décoratives où l'élégance confine à l'invraisemblable : avec ses jeux de courbes, la pâleur de ses coloris ou le décentrage de ses compositions, il déploie une imagination infinie, qui ne renie jamais le monumental dans les tableaux mythologiques (*Triomphe de Vénus*, au musée de Stockholm), et reste bien éloignée d'un alanguissement de plus en plus prisé. En effet, les portraitistes, alors si virtuoses (quoi de plus beau que le *Louis XV* ou le *Madame de Pompadour* de Quentin de La Tour ?), essaient d'adoucir la sévérité masculine (Tocqué) et ne cessent de donner un ton mondain ou tendre au portrait féminin, en attendant le « naturel ». Avec l'opulence de Largillière, les déguisements mythologiques de Nattier, la psychologie de Jean-Baptiste Perronneau, la sensibilité de François Hubert Drouais, le « vrai » de Nicolas Bernard Lépicié, le portrait français est, au long du siècle, à la croisée des genres.

Au temps des philosophes correspondent l'apaisement, la réflexion, le réalisme : amateurs et artistes s'intéressent à l'enfant, à la nature, aux bons sentiments, sans délaisser encore le « paraître » baroque. Le plus bel exemple de cette complexité est offert par la production de Jean Honoré Fragonard (1732-1806) : grande manière brillante de la jeunesse ; pochades italiennes où l'artiste, entraîné par Hubert Robert, se révèle un paysagiste passionné par la nature et par l'Antique ; « fa presto » des *figures de fantaisie* (vers 1769), déjà un peu démodées à leur époque ; abandon aux sentiments, à l'élégie, à l'érotisme, toujours dominé par un savoir-faire éblouissant. Qui d'autre mieux que Jean-Baptiste Pigalle (1714-1785) illustrerait les facettes de l'époque ? Grandiose sculpteur religieux à l'église Saint-Sulpice (Paris), abondant pourvoyeur d'enfants potelés et joueurs, c'est un artiste qui use tantôt des artifices du théâtre, tantôt de l'accessoire, sans négliger les exigences de la fidélité au modèle : *l'Enfant à la cage* (Louvre) est le portrait du fils du financier Pâris. Une société des plus raffinées se reflète en même temps dans la peinture (exemple, les chasses royales de Jean-Baptiste Oudry) ou dans la gravure de genre (Moreau le Jeune, Gabriel de Saint-Aubin) : rêve, audace, virtuosité, attention précise au détail y créent ce qu'on a appelé de nos jours « un moment de perfection de l'art français ». •

2. Fragonard, *l'Escarpolette* (1767).

3. Boucher, *l'Odalisque brune* (v. 1743-1745).

Résonances européennes

L'ART FRANÇAIS DU XVIIIᵉ SIÈCLE, QUI A LARGEMENT PUISÉ AUX SOURCES ITALIENNES ET FLAMANDES, SÉDUIT EN RETOUR UNE BONNE PARTIE DE L'EUROPE.

La diversité, on l'a dit, caractérise cet art français : Antoine Coypel est obsédé de théâtre ; Watteau peint la mélancolie et Boucher la femme épanouie de bonheur ; Jean II Restout (1692-1768), l'un des rares à n'avoir pas fait le voyage d'Italie, peint pour l'Église des toiles comme animées d'un souffle mystique (*la Présentation de la Vierge*, musée de Rouen). Mais est-il un portraitiste qui ne retienne pas la solution de Rosalba Carriera, dont les figures à mi-corps font fureur lors de sa venue à Paris, en 1720 ? Lequel de tous ces peintres clairs, veloutés, amples, n'est pas allé méditer les Italiens Rosso et Primatice à Fontainebleau, ou le Flamand Rubens au palais du Luxembourg ? D'un côté Chardin, le sédentaire, peintre de son propre décor domestique, est si apprécié, dans sa modestie, que ses pairs font de lui le « tapissier » du Salon (celui qui préside à l'accrochage des œuvres) ; par contraste, le Toulousain Pierre Subleyras (1699-1749) meurt à Rome, où il a fait carrière, et où il est tellement célèbre que le pape lui commande son portrait ainsi qu'une *Messe de saint Basile* pour Saint-Pierre.

L'amateur de cet art n'est plus seulement français. Artistes de qualité et sujets plaisants, qui semblent le reflet d'un bonheur idéal, séduisent l'Europe entière par une élégance portée à son comble. Sans parler des échanges avec l'Extrême-Orient que reflètent les chasses exotiques de la Petite Galerie de Versailles (1737), qui, plus que les souverains d'Europe centrale ou orientale, goûte la valeur de cette production ? Pierre le Grand, au début du siècle, fait venir l'architecte Alexandre Leblond pour entreprendre la construction de Saint-Pétersbourg et le sculpteur Étienne Falconet, plus tard, fera sa statue équestre ; l'impératrice Catherine, l'empereur Frédéric II, ami de Voltaire, ou le roi de Suède achètent et s'informent : le comte Tessin, Grimm (rédacteur de la *Correspondance littéraire*) ou Diderot sont les plus merveilleux ambassadeurs d'un art que le portraitiste Perronneau va lui-même porter par toute l'Europe. •

→ **Voir aussi :** France La réalité et le beau idéal, **ARTS**, p. 258-259. Néoclassicisme et ferments romantiques, **ARTS**, p. 274-275.

4. Watteau, *Pèlerinage à l'île de Cythère*, version du Louvre (1717).

Renaissance et baroque en Amérique latine

1. Église du Bom Jesus de Matosinhos à Congonhas (Minas Gerais, Brésil), avec les statues de prophètes en « pierre de savon » de l'Aleijadinho (1801-1805).

2. Une des versions de la *Vierge Immaculée* par Bernardo Legarda. Bois polychrome ; école de Quito (Équateur), milieu du XVIIIᵉ siècle.

C'EST À TRAVERS L'ARCHItecture, la peinture et la sculpture que l'empire hispano-portugais révèle le mieux, du milieu du XVIᵉ à la fin du XVIIIᵉ siècle, sa véritable personnalité, qui mêle, aux modèles venus de la péninsule Ibérique, des influences indigènes propres à chacun des pays qui le composent. Imposant d'abord un pouvoir civil et militaire, la colonisation engendre rapidement la construction de villes nouvelles : bâties parfois sur d'anciens sites précolombiens, mais libres des contraintes de la cité médiévale, elles adoptent un plan régulier issu de la Renaissance. Représentants de la monarchie, les vice-rois de la Nouvelle-Espagne (Mexique), du Pérou puis de la Nouvelle-Grenade (nord de l'Amérique du Sud) et les capitaines généraux du Guatemala ou des possessions portugaises

(Brésil) mènent une véritable vie de cour dans leurs palais, ce qu'imitent ensuite l'aristocratie, en général originaire de la péninsule, et les *mineros,* riches exploitants des mines du Pérou et du Brésil.

Cependant, dans l'art religieux foisonnant qui soutient l'évangélisation puis la piété exaltée des indigènes, se manifeste un goût propre à l'empire : une abondance décorative et une fraîcheur d'inspiration auxquelles la sensibilité indienne n'est pas étrangère. Cette sensibilité s'exprime notamment dans la création picturale (école de Cuzco), même si la peinture reflète souvent les modes européennes, connues par les gravures ou par l'envoi massif de tableaux (série de *Jacob et ses fils* de Zurbarán à San Francisco de Lima). À ce baroque de décor s'oppose le seul baroque de structure des églises brésiliennes du XVIIIᵉ siècle.

Vers une singularité artistique

La façade de San Francisco de Quito (3) reprend des dessins italiens de la Renaissance. Par la suite, l'imitation des modèles européens laisse une certaine place à l'imagination indigène : l'*Immaculée* de Legarda (2) est ailée, suivant la dévotion locale ; sur le parvis du Bom Jesus (1), les prophètes de l'Aleijadinho créent une mise en scène spirituelle inconnue en Europe.

Sources européennes et ibériques

L'AFFLUX CONSTANT DE COLONS ET DE MISSIONNAIRES, LEURS ORIGINES DIVERSES DONNENT À L'ABONDANTE CRÉATION ARTISTIQUE DE CES PAYS « NEUFS » UN ESPRIT SYNCRÉTIQUE, MAIS HARMONIEUX.

Même si les particularismes « nationaux » de l'art hispano-américain sont indéniables, la création artistique s'inscrit dans une optique européenne, espagnole et même andalouse en premier lieu, mais aussi flamande ou italienne. Elle est certes, au départ, imposée et importée : de Séville partent de nombreux artistes, des religieux avec leur culture propre, des traités, des gravures. Trop souvent ignoré, le XVIᵉ siècle montre en Amérique les prolongements de la Renaissance européenne avec un syncrétisme, un amalgame d'influences diverses qui lui donnent toute sa saveur. Ainsi, à Quito (Équateur), le couvent San Francisco est construit à partir de 1537 sous la direction de Jodoco Ricke, franciscain d'origine flamande, avec un maître d'œuvre indigène, Jorge de la Cruz Mitima, qui dirige des maçons indiens ; on y reconnaît à la fois des éléments d'origine italienne, connus par les traités d'architecture de Serlio et de Vignole (l'escalier d'entrée, qui

imite un projet de Bramante, le dessin de la façade), et d'autres issus de la tradition mudéjare espagnole (la charpente intérieure). À la même époque, l'Espagnol Francisco Becerra impose dans les cathédrales de Mexico ou de Lima le modèle, de type gothique tardif, de la cathédrale de Séville. D'origine flamande, ayant vécu en Espagne, le peintre Simón Pereyns (v. 1535-1589) développe au Mexique un style maniériste fortement influencé par la gravure comme le montre le retable du couvent de Huejotzingo, près de Cholula.

Tout au long du XVIIᵉ et du XVIIIᵉ siècle, la construction de l'église de la *Compañia* pour les jésuites de Quito montre une imbrication complexe entre éléments importés et autochtones : le plan reprend le schéma classique du *Gesù* (église-mère de l'ordre à Rome) mais le décor intérieur en stuc doré, quoique réalisé sous la direction d'un Napolitain, reflète l'influence des réalisations contemporaines en Colombie.

Commencée par un Allemand, la façade illustre la tradition américaine de l'*imafronte* (partie centrale de la façade particulièrement décorée) mais y mêle des éléments issus de la Renaissance et du baroque italien, comme les colonnes « salomoniques » (torsadées). Reconstruite après le tremblement de terre de 1650, la ville de Cuzco (Pérou), ancienne capitale des Incas, reprend, avec une verve décorative propre, le goût andalou pour le décor en « retable » des façades et le traitement architectural des clochers. Cependant, ici comme au Guatemala, on adopte le parti de formes épaisses, peu élevées, pour qu'elles résistent mieux aux secousses telluriques.

L'art hispano-américain opère donc une sélection de plus en plus nette parmi les modèles venus d'Europe : sauf au Brésil, il reste fidèle aux plans traditionnels, maintient longtemps les voûtes à nervures et accentue la part jouée par le décor, où fleurissent des éléments fournis par le baroque espagnol comme l'*estípite* (pilastre renversé), mais aussi des motifs empruntés aux gravures d'ornements flamandes ou allemandes. Cependant la vivacité et la profusion de ce décor, servies par une excellente technique, s'avèrent propres à l'esprit indigène et finissent presque par s'imposer sur le syncrétisme des formes d'origine européenne.

•

Un urbanisme moderne

L'UN DES APPORTS LES PLUS CARACTÉRISTIQUES DE LA COLONISATION EST LE PLAN RÉGULIER DES VILLES NOUVELLES, AUTOUR DE LA *PLAZA MAYOR.*

Reprenant, dès les débuts de la Conquête, la grande tradition coloniale grecque ou romaine, l'Espagne veut structurer les terres nouvelles, les peupler de manière rationnelle – avec les indigènes et les colons – et créer, par une urbanisation systématique, des centres politiques, militaires, économiques et religieux lui permettant de dominer les divers territoires. Malgré les avatars de l'histoire et les tremblements de terre, la vie urbaine de l'Amérique latine repose encore largement sur cette création. Les caractères fondamentaux de l'urbanisme rappellent, par l'usage du plan en damier, la tradition antique, mais aussi les traités du Moyen Âge relatifs à la ville chrétienne idéale. Cet urbanisme reflète aussi, progressivement, les idées de la Renaissance italienne.

De 1501, date de la fondation de Saint-Dominique (Caraïbe), à 1573, lorsque Philippe II promulgue les *Ordonnances de Nouveau Peuplement* qui ratifient en grande partie les expériences réalisées, se définit, avec les créations de Carthagène, Quito, La Havane et la réutilisation de capitales indiennes comme Cuzco ou

Mexico, la nature spécifique de la ville américaine. Elle résulte d'un choix judicieux du terrain, en fonction de l'eau, du climat, du site et est fondée sur une ordonnance régulière : le plus fréquent, le plan en damier (exemple : Puebla de Los Angeles, fondée au Mexique en 1531) permet un découpage en pâtés de maisons nets et une focalisation sur la *plaza mayor,* qui est le centre de la ville et le cœur de la communauté. Souvent ornée d'arcades, parfois place d'armes, marché, cette grand-place est toujours bordée par la mairie, par l'église principale et souvent par la maison du premier fonctionnaire royal. La largeur des rues varie suivant le climat et les maisons sont « suffisamment belles pour impressionner les Indiens ». La ségrégation raciale est un élément secondaire. Aux XVIIᵉ et XVIIIᵉ siècles, on multiplie les édifices civils, hôpitaux, universités (San Carlos à Antigua, Mexique) qui renforcent le prestige de la ville. Les « réductions », missions jésuites fondées sur le même plan et destinées aux Indiens, sont caractéristiques de l'esprit urbaniste et chrétien du pouvoir espagnol.

•

Émergence de l'art brésilien

ENRICHI PAR L'OR ET LES DIAMANTS,
LE BRÉSIL DU XVIIIᵉ SIÈCLE PARVIENT À CRÉER UN ART
AUTONOME À PARTIR DES MODÈLES EUROPÉENS.

Par la qualité de son invention dans les structures comme dans le jeu décoratif entre architecture et sculpture, l'art brésilien de la seconde moitié du XVIIIᵉ siècle apporte une contribution spécifique à la définition du style baroque. Conquis en 1500 par les Portugais, colonisé le long des côtes et souvent menacé par les Anglais ou les Hollandais, le Brésil a d'abord vécu d'une économie agricole sucrière. Défavorisée par l'absence de bons matériaux, la création artistique dépend longtemps du Portugal, qui exporte ici son art de la *talha* (sculpture sur bois doré) et des *azulejos* (carreaux de faïence décorés). Elle emprunte aussi les plans compacts et clairs caractéristiques de l'église portugaise (actuelle cathédrale de Salvador, 1657-1672). Vers le milieu du XVIIIᵉ siècle, le succès de la prospection minière d'or et de diamants aboutit à un développement spectaculaire du Centre-Est qui forme l'État de Minas Gerais (Mines générales). Aux capitaineries générales succède l'instauration d'une vice-royauté dans la nouvelle capitale de Rio de Janeiro (1763), ville fondée deux siècles plus tôt.

Cet essor fulgurant et cet amas de richesses entraînent la création de villes nouvelles (Ouro Preto, São João del Rei) possédant une belle architecture civile, sans prétention et agréablement décorée (*Casa dos Contos* d'Ouro Preto, 1782-1787). Tout en reprenant la tradition lusitanienne du décor sculpté sur bois et pierre, les églises montrent, pour la première fois en Amérique latine, une recherche originale sur le plan et sur l'élévation des façades. José Pereira dos Santos conçoit Nossa Senhora do Rosario à Ouro Preto en accolant deux ellipses, l'une pour la nef, l'autre pour le sanctuaire, derrière une façade convexe qui rejette en arrière les deux clochers circulaires. Le plan demeure donc compact mais joue, y compris à l'extérieur, sur les lignes ondulantes. Fils d'un Portugais et d'une mulâtresse, Antônio Francisco Lisboa (v. 1730 ?-1814), surnommé l'Aleijadinho – petit infirme – porte cet art du mouvement à son apogée en accentuant la part du décor d'une manière presque rococo : ainsi au sanctuaire de pèlerinage du Bom Jesus de Congonhas (premières années du XIXᵉ siècle). ●

3. Façade de l'église et du couvent San Francisco de Quito, vers 1580.

Caractères spécifiques de la peinture et de la sculpture

INSTRUMENTS ESSENTIELS
DE L'ÉVANGÉLISATION, LA PEINTURE ET LA SCULPTURE
REFLÈTENT LA FORCE ÉMOTIVE
DE L'ÂME INDIENNE.

À côté des nombreuses œuvres venues directement d'Espagne et d'Europe, l'Amérique latine développe, en sculpture et en peinture, une importante production locale. Au-delà d'une certaine naïveté dans la conception formelle, celle-ci se caractérise par une grande fraîcheur de sentiment. Apparue dès le XVIᵉ siècle et essentiellement religieuse, elle est un des moyens les plus importants pour faire absorber aux Indiens acculturés leur nouvelle foi. Peinture et sculpture ont été en effet pratiquées de tout temps par les tribus indiennes avec un sens particulier de la couleur et du traitement narratif. Pour pallier leur ignorance des lois du dessin et de la perspective, et pour demeurer dans l'orthodoxie iconographique rappelée par le concile de Trente, on a systématiquement recours aux gravures, surtout flamandes, comme modèles d'élaboration des œuvres.

Ainsi, pour orner au XVIIᵉ siècle le cloître de San Agustín de Quito, le métis Miguel de Santiago reprend, en l'agrandissant et la « nuançant » de couleurs, une série de gravures de Schelte Bolswert sur la vie de saint Augustin. Cependant se développent rapidement des dévotions locales qui, laissant davantage libre cours à l'imagination, montrent un sens naïf mais authentique du drame, soutenu par des couleurs chaudes et un goût pour la représentation pittoresque mêlant le religieux, le quotidien et l'imaginaire (peintures de la Vierge en bergère divine par exemple). Au Mexique, des peintres de lointaine origine espagnole comme José Juárez ou Baltasar de Echave montrent, également au XVIIᵉ siècle, une science technique beaucoup plus sûre. Mais l'école la plus prolifique reste celle de Quito au Pérou (des centaines de milliers de tableaux du XVIᵉ au XVIIIᵉ siècle).

La sculpture présente la même dualité que la peinture, mais parvient souvent à des réussites fort harmonieuses : ainsi, les anges casqués de la façade de San Francisco Javier de Tepotzotlán (Mexique, 1760-1762) ou *la Mort de la Vierge* du Carmen Alto de Quito, par Bernardo Legarda, qui unit réalisme – la statue de la Vierge couchée sur un lit, les apôtres que l'on peut déplacer –, vivacité des coloris et sentiment religieux exprimé avec grâce. ●

Baroque et rococo en Europe centrale

Fischer von Erlach et Lukas von Hildebrandt

GRÂCE À DEUX ARCHITECTES AUTRICHIENS, INFLUENCÉS PAR L'ITALIE, VIENNE DEVIENT AU DÉBUT DU XVIIIe SIÈCLE, PAR SES ÉGLISES ET SES PALAIS, LE CENTRE DU BAROQUE EN EUROPE CENTRALE.

EN GRANDE PARTIE DÉVAStée par la guerre de Trente Ans, longtemps menacée à l'est par l'Empire ottoman (les Turcs assiègent encore Vienne en 1683), l'Europe centrale se trouve, à partir de la fin du XVIIe siècle, saisie d'une véritable fièvre de construction. Partout, seigneurs et souverains se font bâtir de vastes palais. Dans les pays catholiques (domaine des Habsbourg et Allemagne du Sud), les abbayes s'agrandissent et les églises nouvellement construites ou reconstruites reçoivent une décoration d'une richesse sans équivalent. L'abondance des œuvres, leur qualité, leur originalité font de cette période d'à peu près un siècle l'une des plus brillantes qui soient.

On désigne d'ordinaire cette architecture par les deux épithètes de *baroque* et de *rococo,* le premier servant à qualifier la fin du XVIIe et le début du XVIIIe, le second le milieu du XVIIIe siècle. Souvent considérés comme deux phases d'un même style, baroque et rococo renvoient en fait à des influences étrangères et, à travers elles, à des affinités religieuses ou politiques très différentes. On entend essentiellement par baroque l'art qui se constitue en Italie, et surtout à Rome, dans le courant du XVIIe siècle. C'est tout naturellement vers l'Italie que se tournent les pays de la Contre-Réforme, en particulier l'Autriche ; de ce pays, ils font venir, dans un premier temps, nombre d'architectes et d'artistes. D'où l'influence de modèles comme les églises du Bernin et de Francesco Borromini à Rome, de Guarino Guarini à Turin. D'où, aussi, le même goût qu'en Italie pour les décors polychromes où se combinent une abondante ornementation de stucs peints et de vastes compositions à fresque.

L'Allemagne du Nord, protestante, était au XVIIe siècle plus tournée vers les Pays-Bas et plus traditionaliste. Au début du XVIIIe siècle, un nouveau modèle s'impose à peu près à toutes les cours d'Europe centrale : celui de Versailles. Avec lui, les modes françaises se répandent dans l'architecture et la décoration, souvent propagées par des architectes appelés de France. Parmi ces modes, celle de la *rocaille,* qui apparaît peu avant 1730, connaît en Allemagne un succès prodigieux – et donnera plus tard naissance au terme de *rococo.*

C'est en Allemagne du Sud, en Bavière et en Franconie, que l'alliance de formes architecturales empruntées à l'Italie et de la rocaille la plus exubérante donne naissance aux œuvres les plus justement célèbres, comme l'église de la Wies, des frères Zimmermann, le pavillon de l'Amalienburg à Munich, par François de Cuvilliés, et les réalisations de Balthasar Neumann, l'un des plus grands architectes du siècle. Prague et la Bohême sont également touchées par ce mouvement, avec les Dientzenhofer père et fils. Mais, après 1760 environ, l'évolution du goût conduit au déclin de la rocaille et à une certaine froideur.

Pendant tout le XVIIe siècle, l'Autriche était restée le fief incontesté des architectes venus d'Italie. C'est en Italie, également, que se formèrent Johann Bernhard Fischer von Erlach (1656-1723) et Lukas von Hildebrandt (1668-1745). Le premier y passa une douzaine d'années de sa jeunesse, surtout à Rome. Établi à Vienne vers 1690, anobli puis nommé en 1705 premier architecte de l'empereur, il dut au prince-évêque de Salzbourg ses premières commandes importantes, la petite église de la Trinité, construite en 1694, et la collégiale de l'Université. À partir de 1716,

2. Vue partielle du *Zwinger* à Dresde, œuvre de M.D. Pöppelmann.

3. Façade de Saint-Charles-Borromée à Vienne, par J.B. Fischer von Erlach.

4. Détail du décor de stucs de l'église « in der Wies » (« dans la prairie »),

Des structures converties en féerie

Architecture de fête entourant une place destinée à des spectacles, le *Zwinger* (2), construit à Dresde par Matthäus Daniel Pöppelmann à partir de 1709, reflète les impressions reçues par l'architecte pendant ses séjours à Rome et surtout à Vienne : un exemple assez rare d'exubérance baroque en terre protestante. Dans ce domaine de l'architecture civile, une publication, parmi tant d'autres, a exercé une forte influence sur les architectes d'Europe centrale : c'est, en 1711, l'*Architecte princier (Der fürstliche Baumeister)* de Paul Decker,

recueil de gravures illustrant un projet imaginaire de palais (1). Édifiée à Vienne par Fischer von Erlach à partir de 1716, l'église Saint-Charles-Borromée allie à un plan baroque en ovale longitudinal une longue façade (3) dominée par un fronton classique et cantonnée de deux colonnes qui rappellent le temple de Salomon à Jérusalem. Œuvre des frères Asam, la petite église, également ovale, du monastère bénédictin de Weltenburg sur le Danube (1718-1721) est plongée dans l'obscurité, tandis qu'une lumière indirecte

éclaire et le groupe de saint Georges sur le maître-autel et la fresque de la coupole (5). L'église de pèlerinage de la Wies, construite par Dominikus Zim-

mermann entre 1745 et 1754, montre l'apogée du décor rocaille (4) ; les teintes claires et la luminosité sont (malgré Weltenburg) une dominante de l'époque.

1. Salle ronde pour un palais, gravure du recueil l'*Architecte princier* (1711) de l'architecte et graveur nurembergeois Paul Decker.

il travaille à son œuvre la plus connue, l'église votive Saint-Charles-Borromée de Vienne, précédée d'une façade complexe où il utilise les études qu'il a faites de l'architecture ancienne – études dont il a publié les résultats dans un gros ouvrage illustré, l'*Esquisse d'une architecture historique*. Sa dernière œuvre importante est la Bibliothèque impériale de Vienne, commencée un an avant sa mort.

Fischer von Erlach a surtout été sensible à la leçon du Bernin, du Bernin de l'église de Sant'Andrea al Quirinale et des projets parisiens pour le Louvre. Il nourrit un goût particulier pour les plans ovales, dans ses églises, mais aussi dans la grande salle du château de Vranov, en Moravie, dont la coupole est peinte par le plus grand fresquiste autrichien du temps, Johann Michael Rottmayr. Son style grand, majestueux, sans surcharge ni fantaisie, diffère de celui, plus orné, plus irrégulier, de Lukas von Hildebrandt.

Né à Gênes, ayant longtemps vécu en Italie du Nord comme ingénieur militaire avant de se fixer à Vienne, Hildebrandt a une tout autre formation. Il travaille surtout pour la noblesse, pour le vice-chancelier d'Empire Friedrich Carl von Schönborn, par l'intermédiaire duquel il collabore aux projets pour la Résidence de Würzburg, et pour le prince Eugène, pour lequel il édifie en 1721-1722 son œuvre la plus connue, le Belvédère, vaste résidence hors les murs de la capitale. Le dessin de la façade, le profil compliqué des toitures, le tracé des frontons, l'abondance des ornements confèrent à l'édifice, malgré son ampleur, un air de fête très éloigné de la sévère grandeur de Fischer von Erlach. ●

Origine et formation des architectes

ILS DIFFÈRENT PROFONDÉMENT LES UNS DES AUTRES, FORMÉS TANTÔT COMME INGÉNIEURS MILITAIRES, TANTÔT COMME MAÇONS OU DÉCORATEURS STUCCATEURS.

Il n'existe pas à l'époque, en Europe centrale, d'enseignement organisé pour les architectes. La plupart s'initient sur les chantiers et complètent leur instruction par la lecture de traités théoriques. Cependant, malgré l'extrême diversité des cas individuels, certaines voies d'accès à la profession se laissent discerner.

Comme Lukas von Hildebrandt, Balthasar Neumann (1687-1753), l'architecte des princes-évêques de Würzburg (voir p. 270-271), a reçu d'abord la formation d'un ingénieur militaire. C'est par elle aussi que commence le Wallon François de Cuvilliés (1695-1768), architecte des princes-électeurs de Bavière. Elle mène à une carrière, celle d'officier du génie, et assure la compétence requise en matière de construction. Cela n'empêchera pas Cuvilliés de devenir le maître du rococo munichois.

Beaucoup d'autres architectes viennent du milieu de l'artisanat lié au bâtiment. C'est le cas de Dominikus Zimmermann (1685-1766), stuccateur et architecte, frère du stuccateur et fresquiste Johann Baptist Zimmermann (1680-1758), son collaborateur habituel. Ils sont originaires du petit centre de Wessobrunn, localité de Bavière spécialisée dans ce travail du stuc dont les mille caprices ornementaux sont à la base des somptueux effets du rococo de l'Allemagne du Sud.

Bien des architectes aux noms à consonance italienne qui travaillent en Europe centrale au XVIIᵉ et au début du XVIIIᵉ siècle, comme Enrico Zuccalli et Giovanni Antonio Viscardi, tous les deux architectes à la cour de Bavière, viennent en fait des Grisons, où le village de Roveredo est depuis le XVᵉ siècle le siège d'une puissante corporation de maçons dont l'activité se maintient jusque vers 1730. Une autre corporation, plus récente mais encore plus importante à l'époque, est celle d'Au dans le Vorarlberg. Contrairement à ceux de Roveredo, les maîtres maçons d'Au, comme Michael Beer, fondateur de la corporation en 1651, Michael Thumb et son fils Peter, ou Kaspar Moosbrugger (1656-1723), pratiquent l'émigration saisonnière, ce qui explique qu'ils aient surtout travaillé en Suisse et dans l'Allemagne du Sud-Ouest, où ils ont édifié, entre autres, les abbayes d'Einsiedeln et de Weingarten.

Il existe des dynasties d'architectes, qui assurent à leurs membres une formation familiale : ainsi les Dientzenhofer, d'origine bavaroise. Le plus illustre est Kilián Ignáz Dientzenhofer (1689-1751), qui travaille avec son père, Christoph, à Prague, étudie à Vienne auprès de Hildebrandt et revient mener en Bohême une carrière féconde (église Saint-Nicolas de la Vieille Ville à Prague, entreprise par son père).

La décoration ornementale

L'ARCHITECTURE BAROQUE D'EUROPE CENTRALE EST ENRICHIE LE PLUS SOUVENT D'UNE ABONDANTE ORNEMENTATION QUI EN DÉFINIT LE CARACTÈRE.

L'intérieur des églises, plus encore que celui des palais, a souvent fait parler de « synthèse des arts » ou d'« art total », tant la peinture, la sculpture et l'ornement prennent de part à la définition de l'espace architectural. L'emploi généralisé de stuc, de staff et de mortiers favorise la polychromie des éléments d'architecture et le foisonnement d'un décor tantôt figuratif, tantôt purement ornemental. Au contraire de la tradition française, mais conformément à ce que l'on rencontrait en Italie, la pierre n'est qu'exceptionnellement laissée nue, sans revêtement.

C'est de France, pourtant, que provient pour l'essentiel le répertoire ornemental, au XVIIIᵉ siècle. À l'époque rocaille, il a pu être diffusé directement par les architectes français. Mais une autre voie de pénétration est la gravure, en particulier les copies exécutées à Augsbourg d'après des planches d'ornemanistes français, depuis Jean Berain et Daniel Marot jusqu'à Gilles Marie Oppenordt. Cette forme de transmission explique que dans certaines régions, en particulier en Allemagne du Sud, ces modèles aient été en quelque sorte détournés de leur fonction pour prendre une dimension monumentale qu'ils étaient loin d'avoir à l'origine. C'est ainsi que dans l'église de l'ancienne abbaye cistercienne de Fürstenfeldbruck, près de Munich, la voûte s'orne comme une étoffe d'un réseau serré de bandes. Mais ce sont surtout, un peu plus tard, les motifs rocaille qui connaissent ce changement d'échelle, d'immenses cartouches en stuc tantôt blanc, tantôt peint ou doré venant meubler les surfaces libres, comme dans la salle des gardes de la Résidence de Würzburg ou dans le petit rendez-vous de chasse de l'Amalienburg (1734-1739), à Munich, œuvre d'une verve éblouissante de F. de Cuvilliés. Plus encore : à l'église de la Wies – chef-d'œuvre de D. Zimmermann, dans les Préalpes bavaroises –, la forme même des arcs se trouve affectée par ce style d'ornement, ainsi transposé du décor à la construction. ●

Les grands décors à fresque

ÉGLISES ET PALAIS NE SE CONÇOIVENT PAS AU XVIIIᵉ SIÈCLE, EN EUROPE CENTRALE, SANS DE VASTES COMPOSITIONS À FRESQUE ORNANT LEURS VOÛTES OU LEURS PLAFONDS.

Comme l'architecture baroque, ce mode de décoration vient d'Italie, et il a touché surtout les mêmes régions qu'elle, le domaine des Habsbourg et l'Allemagne du Sud. Un caractère de cette architecture, l'absence de grands murs nus, fait que, à quelques exceptions près, seules sont concernées les parties hautes des édifices, voûtes et plafonds. Techniquement, il s'agit, comme en Italie, de fresque véritable, exécutée par une équipe sous la direction de l'auteur du projet. Très abondante, la production ne s'élève pas toujours au-dessus d'une honnête routine artisanale. Elle est cependant illustrée par quelques grands artistes comme les Autrichiens Paul Troger (1698-1762), qui travaille surtout pour des abbayes, et Franz Anton Maulbertsch (1724-1796), l'un des plus extraordinaires coloristes du siècle. En Bavière se distinguent Cosmas Damian Asam (1686-1739), qui pratique aussi l'architecture avec son frère le sculpteur Egid Quirin (1692-1750), et Johann Baptist Zimmermann, frère de Dominikus. Mais parfois, on fait aussi appel à des Italiens, comme le Père Pozzo, le grand spécialiste de la perspective illusionniste, ou comme Giambattista Tiepolo à Würzburg.

Ces compositions sont de plusieurs types. Certains puristes, comme le Viennois Daniel Gran, ne veulent admettre aux voûtes et aux plafonds qu'un ciel peuplé de figures volantes. D'autres pratiquent, à la suite du Père Pozzo, les architectures feintes mises en perspective qui prolongent et augmentent l'architecture réelle. Mais la formule qui se répand de plus en plus au cours du siècle consiste à reporter une terre idéale au-dessus de la tête des spectateurs. Cette licence permet de peindre des scènes historiques, mais elle n'exclut pas la présence d'allégories. Qu'il s'agisse de célébrer le triomphe de la religion ou de glorifier une maison princière, le langage de l'allégorie domine toutes ces compositions, un langage si complexe et difficile à déchiffrer qu'on en éditait parfois un livret explicatif lors de l'inauguration d'une œuvre. ●

→ **Voir aussi :** Rome baroque, ARTS, p. 248-249. La Résidence de Würzburg, ARTS, p. 272-273.

œuvre de D. Zimmermann.

5. Coupole de l'abbatiale de Weltenburg, construite et décorée par les frères Asam.

La Résidence de Würzburg

WÜRZBURG, VILLE ÉTABLIE sur la rive nord du Main, en Franconie (aujourd'hui intégrée à la Bavière), est un évêché depuis l'an 741. Jusqu'au début du XVIII⁰ siècle, les princes-évêques de Würzburg ont leur résidence dans la forteresse de Marienberg, de l'autre côté du Main. La décision de la transférer dans la ville revient à Johann Philipp Franz von Schönborn, évêque de 1719 à 1724. Un procès en détournement de fonds l'ayant mis à la tête d'une somme considérable, il peut envisager la construction d'un palais somptueux. Il est aidé dans son projet par plusieurs membres de sa famille, une famille de prélats qui joue un rôle de premier plan dans la commande architecturale de l'époque. Son oncle Franz Lothar von Schönborn vient de faire construire l'immense château de Pommersfelden, au sud de Bamberg ; son frère Friedrich Carl, qui lui succède sur le trône épiscopal de Würzburg entre 1729 et 1746, est l'un des meilleurs clients de l'architecte viennois Lukas von Hildebrandt.

Œuvre collective par ses maîtres d'ouvrage, la Résidence ne l'est pas moins par les architectes appelés à donner leurs conseils ou à dessiner des projets : Johann Dientzenhofer et Maximilian von Welsch, les bâtisseurs de Pommersfelden, l'Autrichien Lukas von Hildebrandt, qui est intervenu dans l'escalier du même château, mais aussi les Français Robert de Cotte et Germain Boffrand, qui se rendent sur place. Il en résulte un mélange d'influences françaises, viennoises et italiennes qui font de la Résidence de Würzburg une synthèse unique dans l'architecture palatiale de l'époque. Son unité, cependant, se trouve préservée grâce à l'architecte en titre des princes-évêques, le responsable du chantier d'environ 1720 à 1746, Balthasar Neumann.

La qualité de la décoration intérieure ne le cède en rien à celle de l'architecture. À partir de 1734, le stuccateur Antonio Bossi réalise dans les salles d'apparat une brillante ornementation de style rocaille (restaurée après 1945), et le successeur de Friedrich Carl, le prince-évêque Carl Philipp von Greiffenklau (1749-1754), fait appel au grand peintre vénitien Tiepolo pour décorer la Salle impériale et la cage d'escalier.

Un édifice prestigieux

PAR LE CARACTÈRE DE SON ARCHITECTURE, PAR LA QUALITÉ DE SON DÉCOR, PAR L'UNITÉ DE L'ENSEMBLE, LA RÉSIDENCE DE WÜRZBURG EST L'UN DES EXEMPLES LES PLUS PARFAITS DU BAROQUE TARDIF EN EUROPE CENTRALE.

La Résidence a trouvé place entre la ville et ses remparts (disparus depuis lors), qui, limitant le terrain disponible, ont conduit à une conception originale des jardins. Elle s'ouvre du côté de la ville par une cour d'honneur, que fermait à l'origine une grille, malheureusement détruite. La disposition d'ensemble, avec les cours intérieures, n'est pas sans évoquer en plus petit celle de Versailles, qui a servi de modèle. Aux façades, cependant, la richesse du décor et le libre tracé des frontons dénotent l'influence du style de Lukas von Hildebrandt (1668-1745). La façade sur jardin est dominée par un avant-corps central qui marque la position de la Salle impériale, motif auquel répondent les avant-corps ovales des façades latérales.

L'entrée se fait par un immense hall, jadis accessible aux voitures. En face, une salle de plain-pied avec le jardin (sala terrena) constitue un type fréquent dans les palais italiens ou pragois du XVII⁰ siècle, à ceci près que le traditionnel décor de rochers au naturel fait place ici à une fine ornementation rocaille. Du hall part à gauche le grand escalier d'honneur : une rampe centrale, puis deux rampes latérales en retour après un palier. Si cette disposition, déjà adoptée par Hildebrandt au Belvédère de Vienne (son chef-d'œuvre), n'est pas la plus originale, l'ampleur de l'espace, la légèreté des membres d'architecture, le contraste entre la pénombre du hall et la luminosité de l'étage, enfin l'immense composition peinte à la voûte par Tiepolo font de cette cage d'escalier l'une des plus impressionnantes qui soient.

À l'escalier fait suite la salle des gardes, où d'immenses motifs rocaille en stuc blanc se déploient sur les murs également blancs. De là, on gagne la Salle impériale, le *salone* à l'italienne, habituel dans les palais et les abbayes du domaine des Habsbourg. Monumentale et légère à la fois, d'une harmonie claire, la décoration s'enrichit de deux compositions historiques et d'un plafond peints par Tiepolo à la gloire de l'évêché. Parmi les nombreuses autres salles, on trouve l'inévitable cabinet chinois, comme dans toutes les autres résidences de l'époque en Allemagne. La chapelle, qui donna lieu à de nombreux projets, est à elle seule un chef-d'œuvre de B. Neumann. Enfin, quelques pièces d'un élégant décor napoléonien rappellent le règne du grand-duc Ferdinand de Toscane, avant que la Résidence ne devienne, en 1815, propriété du royaume de Bavière.   ●

D'autres chefs-d'œuvre de Balthasar Neumann

ARCHITECTE DES PRINCES-ÉVÊQUES DE WÜRZBURG, CET INGÉNIEUR MILITAIRE A CONSTRUIT DES ÉGLISES D'UNE ORIGINALITÉ UNIQUE DANS TOUTE L'HISTOIRE DE L'ARCHITECTURE EUROPÉENNE.

Lorsque naît Johann Balthasar Neumann (1687-1753), rien ne semble prédisposer ce fils d'un fabricant de toile de Cheb, en Bohême, à une brillante carrière d'architecte. Il apprend le métier de fondeur de cloches et de canons, et c'est à ce titre qu'il vient travailler à Würzburg. Un prêt de sa ville natale lui permet d'étudier la géométrie et l'architecture. Entré en 1714 dans l'armée du prince-évêque, il y fera carrière jusqu'au grade de colonel d'artillerie. En 1717, il participe sous les ordres du Prince Eugène à la prise de Belgrade, puis visite Vienne et séjourne en Italie du Nord. En 1719, la montée d'un Schönborn sur le trône épiscopal et sa décision de construire une nouvelle résidence constituent un tournant pour sa carrière. Non seulement il dirigera le chantier, mais il sera aussi appelé à travailler pour d'autres membres de la famille, tels du cardinal Damian Hugo von Schönborn, prince-évêque de Spire, et Franz Georg, prince-électeur de Trèves, archevêque de Worms. Après 1730, ses nombreux chantiers le conduisent de Bamberg à Bonn et à Brühl en passant par Trèves et Coblence. Il se rend à Vienne à plusieurs reprises et, en 1722, à Paris, où il consulte de Cotte et Boffrand sur le projet de la Résidence.

Au cours d'une carrière bien remplie, Neumann a exécuté les tâches les plus diverses, depuis des plans d'urbanisme pour la ville de Würzburg, dont il fut l'architecte en chef, jusqu'à des dessins de mobilier liturgique. Mais c'est dans la construction de châteaux et d'églises qu'il a pu déployer son invention architecturale et sa science de constructeur. À la Résidence de Würzburg, la voûte de la cage d'escalier constitue par sa portée et sa solidité un tour de force technique. Le célèbre escalier du château de Brühl, près de Cologne, reprend, dans un espace plus resserré, la même formule que celui de Würzburg, mais avec un décor plus riche encore et plus monumental. Celui du château de Bruchsal, qui appartenait aux princes-évêques de Spire, offre par contre une solution d'une extrême originalité, avec ses deux rampes courbes autour d'un noyau circulaire (ensemble en grande partie démoli lors de la Seconde Guerre mondiale, reconstruit depuis).

Pour ses églises, Neumann a sans doute été influencé par l'abbatiale de Banz (au nord de Bamberg, sur le Main), œuvre de Johann Dientzenhofer, dont les voûtes reposent sur des doubleaux à double courbure qui se rejoignent à leur sommet. Neumann systématise cet emploi d'arcs en trois dimensions, créant ainsi l'impression d'un espace ouvert, indéfini, fluent. À cela s'ajoute qu'aux pilastres engagés il substitue comme supports de fines colonnes libres placées en avant des murs, donnant aux voûtes l'aspect de baldaquins d'une extraordinaire légèreté. Ce parti, qu'il adopte aussi bien pour de très petits édifices, comme l'église d'Etwashausen (sur le Main), que pour de très grands, comme celle de l'abbaye de Neresheim (près de Nördlingen), a trouvé dans l'église de pèlerinage de Vierzehnheiligen (construite vers 1743-1772), en raison de contraintes topographiques, une application toute particulière qui fait d'elle l'édifice où la maîtrise de l'architecte se révèle le mieux. Sur une pente face à l'abbaye de Banz, de l'autre côté du Main, Vierzehnheiligen frappe ainsi, l'élan de sa façade ondulante aux deux tours coiffées de bulbes mis à part, par la subtilité de sa géométrie intérieure, que déterminent trois travées de plan ovale encadrées de colonnades.   ●

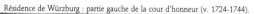

1. Résidence de Würzburg : partie gauche de la cour d'honneur (v. 1724-1744).

2. Église de Vierzehnheiligen (v. 1743-1772) : piles et voûte du chœur.

3. Würzburg : vue d'une extrémité de la Salle impériale, avec l'*Octroi du duché de Franconie par Frédéric Barberousse*, fresque de Giambattista Tiepolo (v. 1751).

Tiepolo et les fresques de l'escalier

LE VISITEUR QUI GRAVIT LES MARCHES
DU GRAND ESCALIER DÉCOUVRE UNE GLORIFICATION
DU PRINCE-ÉVÊQUE DE WÜRZBURG DANS LA PLUS GRANDE FRESQUE
JAMAIS PEINTE EN EUROPE, DONT LA FASTUEUSE
VIRTUOSITÉ N'A D'ÉGALE QUE LA FANTAISIE.

Les palais d'Europe centrale ne se conçoivent pas au XVIIIᵉ siècle sans de vastes compositions peintes à fresque aux plafonds. Ce type de décoration, cependant, touche en général plutôt les salles d'apparat que les cages d'escalier. La résidence de Würzburg présente de ce point de vue un cas peu fréquent, sinon tout à fait exceptionnel – car on trouve un précédent au château de Pommersfelden, construit pour Franz Lothar von Schönborn. L'ampleur de l'espace et sa luminosité appelaient une telle solution. L'Allemagne possédait de nombreux fresquistes. L'un d'eux, Johann Zick, fut chargé de peindre la voûte de la *sala terrena*. Il semble que son œuvre n'ait pas plu. Aussi l'évêque Carl Philipp von Greiffenklau fit-il appel pour l'escalier, ainsi que pour la Salle impériale, au plus grand des fresquistes du siècle, le Vénitien Giambattista Tiepolo (1696-1770). Celui-ci, également peintre de chevalet, était connu pour la virtuosité heureuse, le mouvement, le raffinement chromatique (dans une tonalité claire) de ses décorations à fresque : archevêché d'Udine, plafond de la Scuola del Carmine à Venise, salle de bal du palais Labia dans la même ville (*Histoire d'Antoine et Cléopâtre,* 1747-1750). L'apothéose de son œuvre se situera tant à Würzburg qu'en Vénétie (décors de plusieurs villas), avant un épilogue plus retenu, moins allègre au palais royal de Madrid, où il est appelé à travailler de 1762 à 1766.

L'immense fresque du plafond de l'escalier (v. 1752-1753) proclame avec une aisance et un aplomb souverains la gloire (fragile, pour ne pas dire imaginaire) du prince-évêque, dont le portrait en médaillon apparaît dans le ciel, soutenu par un génie et accompagné de la Renommée. Tout autour volent plusieurs divinités de l'Olympe, dont Apollon, le dieu des Arts, tenant dans sa main une statue de la Vérité. Au-dessus de la corniche, les quatre parties du monde occupent les quatre côtés. Après le palier, le visiteur qui gravit les marches découvre devant lui, sous le portrait du prince-évêque, l'Europe avec son taureau. Trônant, un globe à ses côtés en signe de domination universelle, elle préside aux Arts, qu'accompagnent les attributs de l'évêché de Würzburg. Le peintre s'est représenté au milieu d'eux, ainsi que ses deux fils (Giandomenico et Lorenzo, qui sont aussi ses collaborateurs). Au premier plan, bien en évidence, il a peint B. Neumann en costume d'officier, assis sur un canon. Pour les trois autres parties du monde, l'Asie (face à l'Europe), l'Afrique et l'Amérique, Tiepolo a également suivi, à quelques détails près, l'iconographie traditionnelle, mais l'ampleur des surfaces à couvrir lui a permis d'enrichir ses compositions de nombreuses figures, leur donnant ainsi un développement inhabituel.

→ **Voir aussi :** Baroque et rococo en Europe centrale, **ARTS**, p. 270-271.

Une architecture complexe que magnifient les décors intérieurs

La façade de la Résidence de Würzburg sur la cour d'honneur (1) présente un aspect complexe et composite. Les quatre niveaux de fenêtres (deux étages principaux et deux mezzanines), qu'on voit à l'extrême gauche et qui se retrouvent sur toutes les autres façades, se réduisent d'abord à trois, puis à deux, par une progression vers plus de monumentalité. Les balcons portés par des colonnes d'ordre dorique sont peut-être un élément français, tandis que le style de Lukas von Hildebrandt se reconnaît aux frontons réduits à de simples arcs couronnant des motifs d'ornement au-dessus des fenêtres de la partie centrale. Dessinée par Neumann, la Salle impériale (3) allie la richesse monumentale de l'ordre corinthien à la légèreté du décor rocaille répandu à la voûte, dont l'ampleur et les proportions confèrent à l'espace une respiration exceptionnelle. La comparaison avec la voûte du chœur de l'église de Vierzehnheiligen (2) montre bien les liens qui existent entre les architectures profane et religieuse, mais le décor rocaille se fait plus léger dans l'église, pour accompagner une structure d'une rare complexité. Aux extrémités de la Salle impériale de la Résidence (qu'il décore avant le grand escalier), Tiepolo a représenté deux épisodes glorieux de l'histoire de l'évêché, d'un côté le mariage de l'empereur Frédéric Barberousse et de Béatrice de Bourgogne, célébré par le prince-évêque de Würzburg, et de l'autre l'octroi par le même empereur à l'évêque Herold du duché de Franconie. Transposée en plein air, cette scène (3) se déroule dans une atmosphère de fête vénitienne qu'on retrouve dans toutes les œuvres du peintre. Au plafond, le dieu Apollon conduit le couple impérial vers une allégorie du Génie de l'Empire.

Néoclassicisme et ferments romantiques

DÈS LES ANNÉES 1760, L'HIStoire est à la mode, qu'elle soit nationale (on redécouvre le Moyen Âge et la Renaissance) ou, bien sûr, antique : les fouilles d'Herculanum (1738) et de Pompéi (1748) révèlent de nouveaux monuments, des peintures et des objets peu connus jusque-là. Le néoclassicisme n'est pourtant pas qu'une résurgence de l'Antiquité. C'est aussi un esprit nouveau – celui de l'*Encyclopédie* et des philosophes – qui rend les arts responsables devant la société : avant de plaire, l'œuvre d'art doit édifier. C'est ainsi que la morale envahit le domaine de l'esthétique, à côté d'un autre phénomène qui est l'apparition d'une sensibilité nouvelle à la nature.

Pour les architectes, l'heure est aux grandes ambitions et à la synthèse ; l'église Sainte-Geneviève de Germain Soufflot (l'actuel Panthéon parisien, vers 1755-1780) rappelle le Romain Vitruve dans son portique, l'Italien Palladio à la coupole ; au Petit Trianon, Jacques Ange Gabriel utilise sobrement toutes les recettes du classicisme quand, en Angleterre, les frères Adam ressuscitent l'ordonnance dorique.

Peu à peu, les sculpteurs abandonnent l'élégance et la gentillesse chères aux contemporains de Louis XV : Jean Antoine Houdon, tout en copiant l'antique, pousse parfois jusqu'à l'indiscrétion sa fidélité à la nature : ainsi dans son *Voltaire* nu du Louvre ou dans son *Mirabeau* de l'an IX, à Versailles, qui ne cache rien de la laideur du modèle. Mais, l'époque étant aussi celle des grandes idées, le genre allégorique célèbre tour à tour la royauté (à Reims, Pigalle exécute une *Félicité des peuples*) ou l'idéologie révolutionnaire : voir le *Jupiter foudroyant l'aristocratie* de Chinard au musée Carnavalet.

Les peintres sont les plus engagés dans cet esprit nouveau. D'abord parce qu'ils n'ont jamais abandonné l'antique, au moins dans leurs sujets mythologiques (Boucher) ; ensuite parce qu'ils sont entraînés par l'Angleterre vers une sensibilité inédite (Reynolds, Gainsborough influencent Mme Vigée-Lebrun) et savent se faire conteurs de bons sentiments (Greuze) ; enfin parce que le Beau idéal, cher aux Allemands Winckelmann et Mengs, ne peut servir qu'un art engagé : ainsi David domine-t-il la fin de l'Ancien Régime.

Le néoclassicisme, phénomène européen

À L'APPROCHE DE LA RÉVOLUTION, LA GRANDEUR DE L'ANTIQUITÉ, SOULIGNÉE PAR LES ALLEMANDS, CONDUIT AU CULTE DE L'ÉNERGIE.

DÈS le milieu du siècle, où l'influence de l'art français culmine, des réactions se font partout sentir : c'est David qui, en les conjuguant, leur donnera leurs lettres de noblesse. L'Europe, en effet, se remet en cause : par-delà les querelles esthétiques, elle remonte à ses racines. Ainsi se développe le goût de l'histoire et de la précision archéologique. C'est le temps de l'éclosion des grands opéras historiques : de l'*Alceste* de Gluck au *Fidelio* de Beethoven s'approfondit l'identité, s'amplifie la vigueur, est magnifiée l'énergie. Les délicatesses rocaille cachaient plus d'un ferment propre à transformer la nature même de l'art, qui ira jusqu'à se détacher de la réalité visible, devenant le langage de l'âme. Dès lors, la frontière n'est plus très nette entre la théorie néoclassique et l'élan préromantique.

La veine celte ou nordique apporte l'*Ossian* de Macpherson (1760) et des traductions de Shakespeare ; peu après, le poète Claude Joseph Dorat s'exclame : « Aujourd'hui, ce sont les muses allemandes qui prévalent. Ô Germanie, nos beaux jours sont finis, les tiens commencent. » Si les Anglo-Saxons illustrent *l'Iliade* (Gavin Hamilton) ou héroïsent l'histoire contemporaine (Benjamin West), comment ne pas rappeler, chez les Allemands, le culte que l'« archéologue » Johann Joachim Winckelmann voue à l'Antiquité ? Non content de son érudition, il fait œuvre de théoricien en prônant la « noble simplicité » et le beau idéal tandis que son ami Anton Raphael Mengs, autant connaisseur du dessin de Raphaël que du coloris de Titien, peint sous sa direction le *Parnasse* de la villa Albani à Rome (1761) et va jusqu'à donner, au Vatican, un cours « Contre le goût français caractérisé par la profusion d'ornements insignifiants » (mépris partagé par Reynolds une dizaine d'années plus tard).

Mais la France, bientôt, proclame le culte de l'énergie, qui s'établira plus intensément encore sous la Révolution et l'Empire. Disciples de David, Girodet, Pierre Narcisse Guérin ou Antoine Gros poussent ce culte jusqu'au lyrisme, à l'imaginaire ou à l'exotisme, prenant ainsi une revanche vibrante et colorée sur l'austérité de leur maître comme sur la sensibilité littéraire de Jean-Baptiste Greuze : l'évocation, par ces artistes, de l'épopée napoléonienne, de ses lointaines expéditions, de ses faits glorieux colore de pittoresque la leçon que devra en retenir l'histoire.

À l'étranger, le purisme néoclassique vit plus longtemps. Le sculpteur italien Antonio Canova (1757-1822) prolonge pendant tout l'Empire la glorification de la beauté antique dans ses nombreuses *Psyché*, qu'il assouplit à la manière hellénistique. •

L'émergence du politique

LA PENSÉE EUROPÉENNE DU XVIIIe SIÈCLE EST FORTEMENT MODELÉE PAR LES PHILOSOPHES FRANÇAIS. LEUR ESPRIT CRITIQUE ET LEUR SENS DE L'HOMME SE RETROUVENT DANS LA PRODUCTION ARTISTIQUE DU TEMPS.

C'est parce qu'il y a évolution des mœurs, attente d'une nouvelle politique, et cela sous l'influence de la philosophie des Lumières, que le troisième tiers du XVIIIe siècle est une époque de bouleversements en Europe : à dire vrai, la Révolution française n'en est que le feu d'artifice final. L'essor économique lié au despotisme éclairé en Europe centrale, la curiosité scientifique, le cosmopolitisme des grands, des écrivains et des idées, l'attention portée à la pensée, à l'éducation et à la critique qui suscite une littérature esthétique différente de la simple biographie d'artiste (avec A. G. Baumgarten, créateur en 1750 de l'esthétique comme « science de la connaissance sensible », ou avec le Kant de la *Critique du jugement*, de 1790) et fait naître les premiers musées (British Museum de Londres, 1759), enfin le développement des académies et de la presse : autant de facteurs d'actualité qui comptent à côté du goût de l'antique et qui expliquent tant la variété des expressions artistiques de l'époque que leur modernité.

Les conditions générales de la production évoluent donc. Après les prémices néoclassiques contenues dans l'œuvre de J. A. Gabriel, de Soufflot, du Britannique Robert Adam, on met l'accent sur ce que l'architecture peut avoir de triomphal : Grand-Théâtre de Bordeaux (1773-1780) par Victor Louis, salines d'Arc-et-Senans (1775-1779) par Claude Nicolas Ledoux, porte de Brandebourg à Berlin (1788-1791) par Carl Gotthard Langhans. Ainsi, certains architectes se trouvent entraînés sur la voie du gigantisme et de la mégalomanie (voir par exemple le projet de cénotaphe à Newton, 1784, par Étienne Louis Boullée). L'air du temps est donné par l'immensité du plan de la ville de Washington.

La peinture et la sculpture reflètent de la même façon l'esprit des commandes officielles, plutôt symboliques que décoratives. En 1776, le comte d'Angiviller, directeur des Bâtiments et Jardins de Louis XVI, lance une première commande de statues en marbre des grands hommes. La Révolution en marche, c'est moins la narration que l'intensité expressive qui intéresse Louis David dans la solidarité des protagonistes de son *Serment du Jeu de paume* (resté à l'état d'ébauche) ou Girodet-Trioson dans la beauté parfaite de son jeune *Endymion* (1791). •

1. Hubert Robert, *Danse autour d'un obélisque*, 1798.

Louis David

L'ARTISTE DONNE CONSISTANCE
AU MOUVEMENT NÉOCLASSIQUE, DONT IL UTILISE TOUTES LES
RESSOURCES HISTORIQUES OU MORALES ET QU'IL SERT
AVEC UNE EXEMPLAIRE RIGUEUR FORMELLE.

Jacques Louis David (1748-1825) sera le seul artiste de l'époque à jouer un rôle politique important. À Rome (1775-1780), il dessine beaucoup : d'après la nature, les grands maîtres italiens, la sculpture antique, se forgeant un style qui abandonne tant les coloris clairs que les afféteries chers aux élèves de Boucher, au profit d'une expression réaliste plus forte, rappelant l'art bolonais du xviie siècle (les Carrache, etc.). Sa peinture se fait austère, morale pour souligner le stoïcisme de *Bélisaire* injustement disgracié ou la douleur d'*Andromaque* : le coloris est sombre, la composition dépouillée, la lumière incisive pour mettre en évidence, au premier plan, la monumentalité des grandes figures à l'antique en train de jouer le drame. *Le Serment des Horaces* (1784), d'une rigueur quasi géométrique, oppose la fermeté des hommes à la détresse des femmes.

Désormais peintre à succès, David accueille avec enthousiasme la Révolution. Élu à la Convention en 1793, il obtient la suppression de l'Académie et de son enseignement, vote la mort de Louis XVI, organise certaines fêtes, assure la fonction de président de l'Assemblée, ou celle de policier au sein du Comité de sûreté générale, avant d'être emprisonné le 9 thermidor. L'époque lui inspire des chefs-d'œuvre : *le Serment du Jeu de paume* (1791-1792), *Marat* ou *Bara* morts, *les Sabines* (1795-1799). Chaque tableau correspond psychologiquement à son époque, enthousiasme des débuts, dures années de la Convention, longs essais de réconciliation nationale. La densité de l'émotion y est servie par le dépouillement et la sûreté de métier que l'on retrouve dans les portraits contemporains.

Bonaparte le charme, sans qu'il soit toujours payé de retour. Il suit sa carrière : esquisses, portraits, *Bonaparte franchissant les Alpes, Couronnement* ou *Distribution des aigles* reprennent la grande tradition de la peinture d'histoire et de l'héroïsation du chef militaire. L'art de David est pensé et maîtrisé jusque dans chaque détail, véridique ou inventé, recréé. C'est avec cela que l'artiste conquiert la place primordiale que lui reconnaîtra Delacroix, saluant ce « mélange de réalisme et d'idéal » qui va servir de base à tout l'art du xixe siècle. ●

2. Anne Louis Girodet-Trioson, *l'Apothéose des héros français morts pour la Patrie pendant la guerre de la Liberté,* 1802.

L'aube du romantisme

CÉLÉBRATION DU HÉROS NATIONAL,
VALEUR ACCORDÉE À L'INDIVIDU ET À LA PENSÉE, SENTIMENT
DE LA NATURE ET PUISSANCE DU RÊVE CRÉENT UN UNIVERS
INTELLECTUEL ET ARTISTIQUE NOUVEAU.

Le *Bonaparte franchissant les Alpes* de David est-il un tableau néoclassique ? La diagonale de son cheval fougueux (en réalité, c'était une mule...), le doigt tendu du cavalier, les noms d'Hannibal et de Charlemagne sur un rocher ne montrent-ils pas que la vertu antique est le fait du héros ? Celui-ci fait rêver. Et, bien vite, on lui cherche un mystère, un moi secret, des sentiments propres à enthousiasmer le « dandy » préromantique. Le jeune Bara, plus humble, est un autre type de héros. Ainsi se découvre peu à peu au public l'intensité de la vie intérieure. S'il ne s'agissait de méditation, on ne voit guère quel serait le propos des tableaux de Caspar David Friedrich (1774-1840) dont le personnage principal, vu de dos, fait face à la nature : quel chemin parcouru depuis le *Pèlerinage à Cythère* ! La pensée, partout, retrouve la plénitude de ses droits, mais de façons diverses. L'Allemand, perdu dans ses songes, nous fait participer à la pulsation de l'univers ; le Français, formé par le philosophe Maine de Biran, essaie de rester à mi-chemin de ses sensations et de la stricte connaissance formelle, toujours prêt à raconter l'histoire, à éduquer, à édifier ; quant au Britannique, se souvenant de l'esthéticien Francis Hutcheson, pour qui « le terme de beauté n'exprime véritablement que nos propres sensations », il cherche à faire rêver : voie qui mène au romantisme de William Turner (1775-1851).

Les portraits, le plus souvent élégants, offrent une autre facette de l'époque. Ici, les Anglais sont au premier plan avec Joshua Reynolds (1723-1792), mondain mais vigoureux, Thomas Gainsborough (1727-1788), plus spontané, George Rommey (1734-1802), admirateur de l'antique, Thomas Lawrence (1769-1830), plein de brio : couleurs claires, touche fluide, paysages d'atmosphère humide, distance un peu mélancolique, c'est tout cela que les préromantiques français leur empruntent pour peindre la société qui vit à la charnière du siècle (Élisabeth Vigée-Lebrun, le baron Gérard, Jean-Baptiste Isabey). La curiosité, non seulement humaine mais géographique, est aussi un moteur de l'art, car entraînant au rêve. C'est ainsi que l'expédition d'Égypte de Bonaparte, si elle est militaire, est également archéologique, confirmant par l'observation la vérité de l'imaginaire européen. ●

→ **Voir aussi :** De Watteau à Fragonard, ARTS, p. 266-267. La peinture romantique, ARTS, p. 276-277.

L'homme et l'histoire

Images de fragilité, mais surtout d'une grandeur rêvée, les ruines égyptiennes d'Hubert Robert (1) reçoivent l'hommage d'une ronde de jeunes filles. C'est la rigueur du devoir que peint David dans son Brutus (3) : ayant fait condamner ses fils conspirateurs, le magistrat cache son trouble dans la pénombre. Girodet, en évoquant la rencontre des guerriers français morts avec le barde Ossian (2), chante la grandeur du patriotisme, la paix acquise en récompense (celle d'Amiens, en 1802) et l'entrée du héros dans le panthéon européen : hommage indirect à Bonaparte, qui fait d'Ossian son Homère ou son Virgile.

3. Louis David, *Les licteurs rapportent à Brutus les corps de ses fils,* 1787-1789.

La peinture romantique

La Grande-Bretagne, de Füssli à Turner

PARCE QU'ELLE A FAIT LA PREMIÈRE L'EXPÉRIENCE DE LA MODERNITÉ POLITIQUE ET INDUSTRIELLE, AVEC TOUS SES ESPOIRS ET TOUTES SES DÉCEPTIONS, L'ANGLETERRE EST UN FOYER PRÉCOCE D'ESPRIT PRÉROMANTIQUE ET ROMANTIQUE.

DANS SON COMMENTAIRE du Salon parisien de 1846, le jeune Baudelaire proclame : « Le romantisme n'est précisément ni dans le choix des sujets ni dans la vérité exacte, mais dans la manière de sentir. [...] Pour moi [il] est l'expression la plus récente, la plus actuelle du beau. » Cette manière nouvelle de sentir s'est exprimée principalement dans la peinture, mais avec une diversité telle que toute définition stylistique de l'art romantique semble illusoire. Certes, les œuvres assimilables à cet art, dans la première moitié du XIXᵉ siècle, se signalent par la singularité des thèmes : ténèbres, rêves et fantasmes, panoplie démoniaque ou macabre, folie ; nature solitaire et amie, ou bien cataclysmique ; culte de l'énergie, mais brisée, sanglante ; nostalgie de l'ailleurs : scènes historiques (revues par la littérature : Dante, Shakespeare, Byron, etc.) ou exotiques... Mais, plus encore, de même que la Révolution française a inauguré une ère sociale et politique nouvelle, on peut dire que le romantisme, qui en reflète à la fois la grande espérance et les désillusions, marque une étape essentielle de la modernité en peinture – dans le sens de l'autonomie de celle-ci, telle que nous la ressentons au XXᵉ siècle.

Le pouvoir en soi de la couleur et de la ligne, dont Baudelaire comprend qu'il agit de façon « absolument indépendante du sujet du tableau », c'est ce que les peintres de l'époque (et même un grand « classique » comme Ingres) expérimentent, d'une façon beaucoup plus délibérée qu'il n'était d'usage dans les siècles antérieurs. La représentation n'est pas reléguée (comme elle le sera chez Manet) au rang de prétexte, mais elle est soumise à l'envol de l'imaginaire, à l'ébranlement de toutes les émotions dont l'artiste se laisse pénétrer. Cette carte blanche donnée aux pulsions intimes entraîne la transgression des règles, donc une libération formelle. Ainsi les plus grands peintres romantiques s'attachent-ils avant tout, à partir d'un thème choisi, à la cohérence du fait plastique qui s'élabore sous leur pinceau dans les deux dimensions de la toile : la ligne tourbillonne (Delacroix) ou se fige au contraire dans une symétrie symbolique (Friedrich) ; la couleur éclate en taches et en zébrures de touches divisées (Goya, Turner, Delacroix) ou bien s'étale en aplats épousant la frontalité du support (Friedrich, Géricault, Turner) ; des effets informels de brume, de flou, d'instabilité, de spectral apparaissent (Goya, Friedrich, Turner) ; souvent, enfin, le style d'esquisse s'affirme comme œuvre définitive.

Difficilement suivis par leurs contemporains sur cette voie de subjectivité et d'innovation plastique, adoptant parfois la posture du génie incompris, les romantiques n'en légueront pas moins leur leçon de liberté aux artistes qui les suivront, réalistes, impressionnistes ou symbolistes.

Dans un domaine d'inspiration littéraire se signale le dessinateur et peintre suisse Johann Heinrich Füssli (1741-1825), qui, après s'être imprégné, à Rome, de Michel-Ange, s'établit à Londres en 1779 sous le nom de Henry Fuseli. Rendu célèbre par son tableau le Cauchemar (1781, diverses versions), il puise dans Homère, Dante, Shakespeare, Milton, la Bible ou les Nibelungen des sujets qui mettent en relief les désirs inconscients de l'homme, ses passions secrètes, ses perversions. Quant au dessinateur et poète William Blake (1757-1827), que ses contemporains ont appelé « Blake le Fou », il débute en

1. Turner : le Téméraire remorqué vers son dernier mouillage, 1838.

3. Goya : Saturne dévorant un de ses enfants, v. 1820-1823.

gravant ses propres textes et leurs illustrations, qu'il rehausse ensuite à l'aquarelle (Chants d'innocence, 1789). Il s'enthousiasme pour les révolutions américaine et française et commence un cycle d'inspiration biblique, mais animé d'une haine des mystères et des religions instituées, générateurs d'oppression (le Livre d'Urizen, 1794). Parmi ses dernières œuvres figure une série de cent aquarelles illustrant la Divine Comédie.

Plusieurs dessinateurs et aquarellistes novateurs sont à l'origine du paysage anglais du XIXᵉ siècle. Parmi eux Alexander Cozens (v. 1717-1786), auteur d'une Méthode de dessin dans laquelle il affirme que de simples taches posées au hasard peuvent donner naissance à une composition (Léonard de Vinci avait déjà noté le pouvoir suggestif des taches d'un vieux mur). Avec son fils John Robert (1752-1799), A. Cozens influença l'aquarelliste Thomas Girtin (1775-1802), qui a laissé de larges

Nostalgie et fureur

C. D. Friedrich nous associe, dans la toile de Dresde (2), à la rêverie de ses personnages face au halo lunaire. La dimension cosmique du paysage est exaltée plus encore par Turner (1), qui peint son vaisseau hors d'âge, promis à la démolition, sous un ciel immense où la lune s'apprête à relayer le couchant.

Tragédie et pathétique de la vie s'expriment chez Goya (3) et Delacroix (4) : sanglant, halluciné, le Saturne du premier semble dire l'impuissance – d'un dieu même – à maîtriser le destin, tandis que l'invention macabre du Sardanapale est surtout prétexte, pour le second, à un saisissant morceau de bravoure.

2. Friedrich : Deux Hommes contemplant la lune, 1819.

paysages d'une expression mélancolique, dans lesquels la puissance émotive de la couleur est bien maîtrisée ; même influence sur John Constable (1776-1837) et sur William Turner (1775-1851). Chantre de la campagne anglaise, Constable, dont les toiles furent très admirées par les Français au Salon parisien de 1824 (*la Charrette à foin,* 1821, National Gallery de Londres), peut être regardé comme un peintre réaliste ; mais sa technique est hardie et novatrice, notamment dans ses grandes esquisses à l'huile, et, à partir de sujets quotidiens, son traitement lyrique des ciels, des eaux, du végétal débouche sur une véritable pulsation cosmique.

Parti des paysages historiques de Claude Gellée (magnifiés par le rôle unificateur de la lumière) et de Salvator Rosa (d'un accent théâtral), Turner, lui, incarne en virtuose la conception romantique d'une nature reflet des sentiments humains (avec une dominante de tumulte des éléments, de « sublime horreur » ou de « pathétique tranquille ») et utilise la couleur et la lumière dans un sens symbolique.

Il faut encore citer au moins, dans l'école anglaise, les paysages et les scènes « troubadour » (d'un médiévisme aimable) de Richard Parkes Bonington (1802-1828), ami de Delacroix. •

Contrastes allemands

À L'ONIRISME TROUBLANT
DE FRIEDRICH, QUI JUSTIFIERAIT UNE PSYCHANALYSE,
S'OPPOSE LE SIMPLISME ÉVANGÉLIQUE
DES « NAZARÉENS ».

Sous la froideur, issue du néoclassicisme, de la technique picturale du Nordique Caspar David Friedrich (1774-1840) court une lave brûlante. Chez lui, le mystère lancinant de la nature constitue une exhortation à descendre en nous-mêmes pour pénétrer notre propre mystère, effort habituel aux philosophes et aux mystiques, mais plus rare chez les peintres. Paysages solitaires de montagne, de mer, de forêt, ruines gothiques, cimetières se présentent dans son œuvre avec ce mélange de précision et d'étrangeté qui est le propre du rêve. Fréquentes, les figures vues de dos (*le Voyageur au-dessus de la mer de nuages,* musée de Hambourg) installent le spectateur dans une position ambiguë ; elles semblent personnifier pour Friedrich l'homme religieux, qui considère son existence comme une préparation à la vie éternelle. Célèbre dans les années 1810-1830, puis délaissé par un public prosaïque, Friedrich eut peu de disciples : le paysagiste norvégien Johan Christian Clausen Dahl (1788-1857), le médecin et philo-

sophe Carl Gustav Carus (1789-1869), dont les compositions frisent la naïveté quand elles se veulent symboliques. Lié à la vie artistique de Dresde comme les précédents, Philipp Otto Runge (1777-1810) possède la même technique précise et la même aspiration au symbole, ainsi que le montre son cycle de dessins et de peintures sur les *Heures du jour*.

À une autre sphère de pensée appartiennent les « nazaréens », groupe de peintres profondément religieux qui, entre 1810 et 1820 environ, vécurent en confrérie à Rome, étudiant les maîtres de la Renaissance (de Fra Angelico à Raphaël), dont ils associèrent la leçon de simplicité à celle des vieux maîtres allemands et de Dürer. Les plus connus sont Peter von Cornelius (1783-1867), Franz Pforr (1788-1812), Friedrich Overbeck (1789-1869). Leur art idéaliste, dont la technique est souvent calquée sur celle des primitifs, leur valut un grand succès et une influence européenne, malgré un certain décalage entre noblesse des intentions et efficacité plastique. •

L'Espagne de Goya

L'UNIVERS PANIQUE QUE CONSTITUE
L'ŒUVRE TARDIVE DU MAÎTRE ARAGONAIS AUTORISE
À LE RATTACHER, POUR CETTE PÉRIODE,
AU COURANT ROMANTIQUE.

Un seul grand peintre dans l'Espagne de cette époque charnière : Francisco Goya (1746-1828). Un seul, mais dont le message dépasse tous les autres en richesse et en intensité, peut-être parce que l'homme incarne en lui-même une partie des contradictions d'un pays archaïque que la guerre, autant que le combat pour les idées nouvelles, va déchirer. D'abord sensible au baroque italien et aux thèmes gracieux de la vie populaire, Goya ne parvient que lentement à la notoriété et à l'affirmation de son génie. Peintre officiel à partir des années 1786-1789, il exécute pour l'aristocratie des portraits d'une observation aiguë, mais aussi des scènes fantastiques de sorcellerie et de brigandage où s'élabore une technique

de plus en plus libre, audacieuse. Malade et frappé de surdité en 1792, il s'isole et grave les eaux-fortes des *Caprices,* dont la violence satirique exprime sa vision de l'éternelle misère humaine.

L'invasion napoléonienne lui inspire les eaux-fortes des *Désastres de la guerre* ainsi que les célèbres *Dos* et *Tres de mayo* (voir p. 278-279). Vieillesse, maladie, angoisse devant la restauration de la monarchie absolue en Espagne (1814) conditionnent le formidable cycle des « peintures noires » exécutées vers 1820-1823 par Goya sur les murs de sa maison, la « Quinta del sordo » (auj. au Prado). Visions tour à tour fantastiques, tragiques et sordides dont l'horreur culmine avec le *Saturne dévorant un de ses enfants*. •

L'école française

DE GROS À DELACROIX, LE RENOUVELLEMENT
DES THÈMES PICTURAUX S'ACCOMPAGNE D'UNE
ÉMANCIPATION PROGRESSIVE PAR RAPPORT
AUX RÈGLES ACADÉMIQUES.

Annoncée au XVIIIe siècle par le traitement des ruines dans les paysages d'Hubert Robert (1733-1808), par la sensualité mélancolique et par la technique souvent très libre des dessins de Pierre Paul Prud'hon (1758-1823), la manière romantique de sentir s'affirme avec les tableaux d'Antoine Jean Gros (1771-1835) consacrés à la geste napoléonienne, telle *la Bataille d'Aboukir* (château de Versailles) : dans cette œuvre, des singularités de mise en page, la bouche béante d'un mort au ras du cadre démentent le caractère triomphal de l'ensemble et contredisent la leçon académique pourtant chère au disciple de Louis David. Dans son *Ossian* ou dans son *Atala au tombeau,* Anne Louis Girodet-Trioson (1767-1824) fait surgir des images de rêve et de dépaysement à l'aide d'un métier néoclassique. Le romantisme de Théodore Géricault (1791-1824), salué dès le Salon parisien de 1812 pour son *Officier de chasseurs à cheval,* oscille au contraire entre les traditions baroques de composition et une aspiration réaliste qui touche au morbide, comme le montre son immense *Radeau de la « Méduse »* (Louvre), objet de scandale au Salon de 1819. Pour cette toile véhémente, l'artiste avait multiplié les études d'après nature de pièces anatomiques et de têtes de suppliciés ; un peu plus tard, il allait scruter des visages d'aliénés.

Mort jeune accidentellement, pleuré par Delacroix, Géricault

fut en lui-même une incarnation du destin romantique. Pèsent assez peu, à côté de lui, les nombreux peintres d'anecdotes « troubadour », voire des artistes au talent certain comme l'orientaliste Alexandre Decamps (1803-1860), le paysagiste Paul Huet (1803-1869) ou, plein d'imaginative fantaisie, le dessinateur Granville (1803-1847).

Reste Eugène Delacroix (1798-1863), le grand plasticien de l'époque, rival d'Ingres et, comme celui-ci, fort peu occupé de symbolique ou de métaphysique à la façon de Blake ou de Friedrich. Sa carrière est ponctuée de toiles retentissantes, telles que, au musée du Louvre, *la Barque de Dante,* les *Massacres de Scio,* la *Mort de Sardanapale, la Liberté guidant le peuple, les Femmes d'Alger.* Il est avant tout épris du spectacle de l'énergie, de la violence et de l'intensité passionnelle, en somme de la représentation héroïque du destin de l'individu, ce en quoi il n'est pas si éloigné des exaltations viriles chères à David. Graphiste emporté et coloriste novateur, épris de Rubens et de Véronèse, il ne s'accommodera jamais vraiment de l'étiquette de chef de file du romantisme français qu'on veut lui imposer, tant il a conscience de sa dette à l'égard de grands maîtres classiques et baroques. •

→ **Voir aussi** : Néoclassicisme et ferments romantiques, **ARTS**, p. 274-275. Goya. Le *Tres de mayo,* **ARTS**, p. 278-279. Le romantisme, **LITTER,** p. 76-79.

4. Delacroix : *Mort de Sardanapale,* 1827.

Goya
Le *Tres de mayo*

FIGURE ÉCLATANTE DE LA toile du *Trois mai,* le fusillé à la chemise blanche est devenu, dans son évidence pathétique, un symbole de toutes les répressions aveugles et de tous les espoirs de liberté.

Ce sont en fait deux grands tableaux (2,66 × 3,45 m, musée du Prado) que Goya a peints en 1814 pour commémorer les drames survenus à Madrid six ans plus tôt : *le Deux mai 1808 à la Puerta del Sol : la lutte contre les mamelouks* et *le Trois mai 1808 à la Moncloa : les exécutions sur le mont Príncipe Pío* (cette seconde œuvre réputée la plus originale, la plus « moderne » et privilégiée ici de ce fait).

Quelle place ces toiles occupent-elles dans l'itinéraire pictural de l'artiste ?

En 1814, cela fait longtemps que Goya a dépassé la thématique le plus souvent aimable et la facture gracieuse qui caractérisaient ses premiers portraits et une bonne partie de ses cartons de tapisserie : plus de vingt ans en fait, depuis la crise de 1792 et la maladie qui l'a rendu sourd. Accomplissant un retour à ses origines populaires, il s'est alors lancé dans une nouvelle et implacable prospection de la réalité humaine sous toutes ses formes, peignant *la Maison des fous, le Tribunal de l'Inquisition, la Procession des flagellants, la Course de taureaux dans un village,* plus tard l'inquiétante fête masquée de *l'Enterrement de la sardine* (académie de San Fernando, Madrid). Cette quête de l'authenticité dans la satire sociale, qu'encouragent ses amis libéraux, appartient encore à la veine « moraliste » du XVIIIᵉ siècle, qui culmine avec *les Caprices* et leur célèbre formule : « le sommeil de la Raison engendre les monstres ». Mais, sur le plan formel, Goya découvre que la représentation précise d'un spectacle n'est pas le moyen le plus efficace d'en exprimer la signification : par la liberté du travail pictural et le message intraduisible en paroles qui en surgit, il inaugure en quelque sorte le romantisme (voir pages 276-277). La guerre, avec l'urgence du témoignage qu'elle requiert, va faire progresser cette orientation. Au reste, la période (v. 1808-1814) n'exclut pas des scènes de genre qui, sans liaison directe avec les événements, n'en sont pas moins magistrales : *les Majas au balcon* (coll. priv., Suisse), *les Jeunes* et *les Vieilles* (la reine Marie-Louise ?) [musée de Lille].

Un cap difficile à maintenir

GOYA NE SE RANGE NI DU CÔTÉ DE LA MONARCHIE LÉGITIME NI DU CÔTÉ DES FRANÇAIS ; S'IL PREND PARTI DANS LA TOURMENTE, C'EST D'ABORD POUR L'HOMME, CONTRE LA GUERRE ET CONTRE L'OPPRESSION.

D'origine modeste, élevé au milieu des artisans et paysans de son Aragon natal, Goya restera fidèle à ceux-ci par le cœur jusqu'au sommet de son ascension sociale, que, conscient de sa valeur, il a mûrement programmée. Ce sommet se situe en 1799 avec sa nomination de « premier peintre de la Chambre du roi », qui fait de lui un familier, presque un ami, de Charles IV. Mais, esprit éclairé, ressentant de façon aiguë les archaïsmes de son pays (l'Inquisition, comme le primitivisme des croyances populaires, subsiste en plein siècle des Lumières), il est l'ami de nombreux intellectuels réformistes (tel le dramaturge Moratín). Alors que ceux-ci ne pourront faire avancer leurs idées dans cette malheureuse période, Goya, lui, fera entendre sa voix : il ne transige avec la sincérité pas même dans ses portraits officiels, à l'accent quasi caricatural (*la Famille de Charles IV* [1800], *Godoy* en dérisoire général vainqueur [1807]).

Durant l'occupation française et les années qui suivent, il observe tout ce qu'il peut des événements et travaille en louvoyant avec assez d'habileté entre les pouvoirs pour conserver son rang et ses charges. S'il prend parti, il semble que ce soit essentiellement *contre la guerre.* Il accepte une décoration du roi Joseph, mais peint plusieurs scènes de la résistance espagnole, fait des portraits de Wellington ainsi que de Palafox, le défenseur de Saragosse (ville de son enfance) contre les Français. En outre, la grande toile du *Colosse* (v. 1808-1810, Prado), annonciatrice des « peintures noires » du début des années 1820, passe pour une allégorie de l'invasion napoléonienne : un géant, dressé à travers les nuages, y menace une foule qui fuit dans la campagne, éperdue, avec bêtes et chariots.

Accusé de collaboration en 1814, Goya sera mis hors de cause à la suite d'une enquête. C'est d'ailleurs avant le retour de Ferdinand VII qu'il sollicite et obtient d'un Conseil de régence transitoire la commande des toiles commémoratives du *Dos* et du *Tres de mayo.* De l'époque de la guerre d'indépendance datent aussi les dessins (des lavis « tachistes », entre autres) et la suite gravée des *Désastres de la guerre,* visions de tout le démoniaque humain ; sans doute par volonté d'apaisement, l'artiste s'abstiendra, de son vivant, de publier ces planches économes et lancinantes. •

1. Les Désastres de la guerre : Por que ? (« Pourquoi ? »).

Circonstances historiques

ENTRE SES VIEUX DÉMONS – INQUISITION, ABSOLUTISME – ET LES DRAMES DE LA GUERRE, L'ESPAGNE PERD TOUTE CHANCE D'ACCÉDER À UN STATUT LIBÉRAL.

La dynastie des Bourbons règne en Espagne au XVIIIᵉ siècle. En 1788 monte sur le trône Charles IV, incapable et bonasse, qui laisse la réalité du pouvoir à sa femme, Marie-Louise de Parme, et à l'amant de celle-ci, Manuel Godoy. Erreurs politiques et corruption font planer sur le pays une menace de catastrophe. Lorsque éclate la Révolution française, tous les libéraux du pays, ses meilleurs intellectuels, sont prêts à suivre l'idéologie nouvelle. Après l'exécution de Louis XVI, cependant, Godoy entre dans la coalition européenne résolue à punir la France. La guerre commence dans l'enthousiasme général, de la Cour aux mendiants de Madrid ; tout semble valoir mieux que l'inertie pour ce pays mal gouverné, aux mœurs et aux institutions encore médiévales. Mais rapidement, dès les premiers combats, les idées françaises font la conquête des esprits ; le mécontentement grandit et, sous la pression populaire, Godoy doit signer une paix (1795) qui force l'Espagne à se retourner contre l'Angleterre. En 1797, la flotte subit de lourdes pertes. La gestion de l'État demeure instable et désastreuse, tandis que la guerre s'éternise, avec son cortège d'oppression et de misère.

À la fin de 1807, l'armée française traverse le royaume, généralement bien accueillie, pour envahir le Portugal. Puis elle marche sur Madrid sous le prétexte d'amitié et de « protection ». Le peuple se révolte contre Godoy, et Charles IV abdique en faveur de son fils Ferdinand. Mais Napoléon en a décidé autrement : il convoque la famille royale à Bayonne, l'écarte du trône et proclame roi d'Espagne son frère Joseph. Aussitôt, le peuple se retourne contre le « libérateur » et « protecteur » en qui il avait espéré : malgré la bonne volonté de Joseph, qui s'attache à son nouveau pays et y entreprend des réformes, une longue et sanglante « guerre d'indépendance » s'engage. Cela commence à Madrid par l'attaque à l'arme blanche contre les mamelouks (mercenaires égyptiens) de Murat, le 2 mai 1808, suivie de l'exécution sommaire par les Français, dans la nuit du 2 au 3, d'une centaine d'Espagnols capturés ou pris en otages ; du moins s'agit-il là des deux épisodes sélectionnés comme exemplaires par Goya.

En 1814, Ferdinand VII récupère son trône, dans un contexte de répression brutale. Absolutisme royal, privilèges de l'Église, Inquisition sont rétablis : bien des convulsions séparent encore l'Espagne du progrès et de la paix civile. •

Des *Désastres* aux toiles de 1814

Parmi les sources iconiques des deux grandes toiles de Goya figurent des gravures populaires platement narratives, à la composition dispersée, qui furent publiées après la mort de 1808. Mais l'artiste s'est aussi constitué son propre répertoire d'images de la violence, guerrière ou non. Il est allé à Saragosse, chef-lieu de sa province natale, pendant une pause (fin 1808) entre les deux sièges de cette ville par les Français. Il a peint toute une série de petites toiles sur des sujets de banditisme, meurtres, viols et autres exactions. Et surtout, à partir des informations recueillies sur la guerre, synthétisées via son pouvoir d'imagination, il a gravé à l'eau-forte, autour de 1810, la plus grande partie des planches (complétées par la suite jusqu'au nombre de 80) des *Désastres de la guerre.* Il en est de plus atroces que celle reproduite ici (1) : par la force implacable de la ligne incisée ou par la suggestion « tachiste » de l'aquatinte, Goya nous force à voir, de près, « ce qui ne peut se regarder » *(no se puede mirar).* Il nous met ainsi face à un abîme de l'humain, tandis que dans le défi du personnage central de la toile du *Trois mai* (3 et 4) s'exprime sans doute l'aspiration de l'artiste à surmonter cette atrocité, cette absurdité meurtrière dont parle Malraux.

2. Le *Dos de mayo*

3. 4. Détail et ensemble du *Tres de mayo*

Dos et Tres de mayo

LES DEUX GRANDS MANIFESTES PATRIOTIQUES
DE 1814 ÉLÈVENT L'ÉVÉNEMENT TRANSITOIRE AU RANG
DE MESSAGE UNIVERSEL.

On ne sait si Goya a été un témoin oculaire des drames de mai 1808, comme des témoignages douteux ont voulu le faire croire. Probablement a-t-il exécuté des croquis de ce que l'on voyait alors à Madrid et a-t-il recueilli les récits de témoins ou d'acteurs des multiples épisodes sanglants de ces journées. Six ans plus tard, il a sélectionné et recréé – c'est le fait de tout grand artiste – deux de ces épisodes, propres à constituer un diptyque symbolique de l'ensemble des événements : il nous montre d'une part l'émeute, de l'autre la répression. Et, pour la première fois peut-être dans la peinture occidentale, l'histoire y est écrite par des héros anonymes.

Un réalisme farouche caractérise les figures des deux toiles, sinon l'esthétique générale de celles-ci. Le *Dos de mayo* est une mêlée dynamique qui doit quelque chose à Rubens, mais ce qui frappe le plus est l'espace confiné du combat (avec la perspective escarpée des maisons), les stridences du coloris (rouges, ocres et bleus, blancs et noirs, ombres vertes sur le cheval du premier plan), la brutalité de la touche, tout un climat effrayant confirmé par la furie meurtrière ou le désespoir qui se peignent sur le visage des combattants.

Le *Tres de mayo* est plus oppressant encore dans sa pesanteur nocturne. En face de la masse aveugle du peloton d'exécution, des soldats aux jambes de plomb, trois groupes représentent le peuple écrasé : ceux qui gisent à gauche dans une mare de sang, ceux du centre, promis à la prochaine salve, et, entre les deux, ceux qui vont mourir dans l'instant. Parmi ces derniers, sous la lumière crue d'une grosse lanterne, l'homme en blanc qui, dans son geste exalté (héroïsme, défi, adjuration ?), évoque la posture d'un crucifié. Il regarde sa mort en face, mais il la sait absurde, dépourvue de sens ; ses compagnons, plus frustes, se cachent le visage de leurs mains grossières, ou écarquillent les yeux, ou regardent à la dérobée. La touche de Goya n'est pas, comme souvent, divisée ou vibrante, elle est seulement simplifiée, parfois réduite à la tache, pour dire l'essentiel. Autour de la zone lumineuse centrale, la couleur est sombre et morne : noirs, ocres, vert olive...

Par ce tableau d'une puissance et d'une âpreté rares, qui transforme l'anecdote historique en concept universel, par ce tableau brutal et fraternel d'un vieil homme infirme, Goya nous entraîne à notre tour, spectateurs, dans la fraternité humaine, comme aucun autre tableau de guerre ne l'a sans doute jamais fait (sauf à citer, plus près de nous, le *Guernica* de Picasso) [voir pages 314-315]. Et André Malraux peut écrire *(Saturne, essai sur Goya)* : « Une interminable procession de douleur s'avance du fond des âges vers ces figures atroces, accompagne leurs tortures de son chœur souterrain ; par-delà le drame de son pays, cet homme qui n'entend plus veut donner sa voix à tout le silence de la mort. La guerre est finie, mais non l'absurde. » ●

L'architecture au XIXᵉ siècle

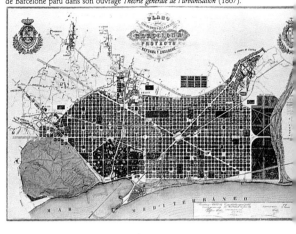

L'INVENTION ARCHITECTU-rale du siècle est prise entre les grands modèles de l'architecture classique dont elle est l'héritière et les conditions sociales nouvelles résultant des premières expériences de la démocratie. Le néoclassicisme de la période prérévolutionnaire visait à réintroduire dans la ville l'austérité grandiose de l'Antiquité pour assurer, derrière une apparente sévérité, le passage de la « cité du roi » à la « cité du commerce ». Le renouvellement stylistique des formes par l'exploitation des effets monumentaux de l'architecture devait servir, en fait, le renversement latent de la société tout entière. Ce phénomène s'exprime tout d'abord, avec une ampleur totalement inédite, dans les dessins d'architectes dits « visionnaires », animés d'une foi lyrique dans la cité de l'avenir. D'autre part, il coïncide avec les exigences d'apparat militaire mais aussi avec la politique économe de l'Empire. Contrôlée par la toute-puissante Académie des beaux-arts, l'architecture devra répondre à des codes de plus en plus contraignants au point de se résigner à n'être que la mise en place d'un répertoire de formes du passé reproduites en série sur les bâtiments nouveaux. C'était masquer et dénier le monde de l'industrie qui dans le même temps donnait naissance aux grandes métropoles et, avec elles, à une nouvelle culture. Dans la seconde moitié du siècle, l'art gothique servira une contre-offensive non seulement formelle mais structurelle de l'architecture d'où sortiront les ferments de la modernité, signes d'une liberté réelle dont les œuvres de l'Art nouveau sont une expression imaginative.

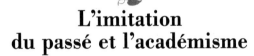

L'imitation du passé et l'académisme

DES MODÈLES ANTIQUES DE LA PÉRIODE NÉOCLASSIQUE, LE XIXᵉ SIÈCLE VA PASSER À UN ÉCLECTISME GÉNÉRALISÉ.

Parmi les multiples réinterprétations de l'Antiquité romaine depuis le début de la Renaissance, l'œuvre de Palladio (1508-1580), architecte de Vénétie, se distingue par sa capacité exceptionnelle à extraire des relevés antiques les règles de conception et de composition d'une architecture apte à surmonter la durée et à intégrer la nouvelle échelle politique des États modernes. Cette relative temporalité rencontre auprès de la nouvelle société bourgeoise anglaise du XVIIᵉ siècle les aspirations à un confort paisible pénétré d'un sentiment d'éternité. Représenter par l'usage des formes de l'architecture antique le goût et l'autorité de la « bonne société », aussi bien dans l'habitation privée que dans les palais royaux, telle est dès l'origine la première mission du néoclassicisme. Propre ainsi à confondre société bourgeoise et société aristocratique, il gagne les faveurs des milieux français du XVIIIᵉ siècle, malgré l'attachement qu'ils éprouvent pour le classicisme issu de Versailles. Pour Germain Soufflot (1713-1780),

l'observation stricte des modèles romains doit seule assurer une dignité à l'architecture. L'Antiquité qui triomphe dans son église Sainte-Geneviève, l'actuel Panthéon, est à la fois sévère et monumentale, dressant dans le ciel de Paris sa célèbre figure de temple païen autant que d'église.

À la veille de la Révolution française, Étienne Louis Boullée (1728-1799) reconsidère dans ce contexte la définition de l'architecture, établissant qu'elle réside davantage dans la conception que dans la construction du bâtiment. Aussi se consacre-t-il à élaborer par le dessin des mégastructures symboliques afin de représenter le futur société, fondée sur un monde laïc et scientifique, en usant de références non plus romaines mais grecques, égyptiennes, mésopotamiennes, retournant ainsi aux origines du monument. Son *Cénotaphe à Newton* (1784), sphère gigantesque, en est un exemple original. Également marqué par le néoclassicisme, Claude Nicolas Ledoux (1736-1806) conçoit dans un esprit très proche l'hypothèse d'une

cité industrielle, la ville idéale des salines de Chaux, près d'Arc-et-Senans, dans le Doubs (il en subsiste un début de réalisation). Visionnaires, Boullée et Ledoux proclament en fait l'idée que l'architecture est toujours œuvre inachevée.

En même temps que ses architectes Charles Percier (1764-1838) et Pierre Fontaine (1762-1853) soumettent la rue de Rivoli à l'alignement indéformable des rites néoclassiques, appliquant une façade uniforme à des immeubles fort irréguliers, Napoléon réforme en 1804 l'École polytechnique pour former notamment des ingénieurs civils, véritables bâtisseurs modernes. Désormais les architectes vont être formés par l'Académie des beaux-arts, où Quatremère de Quincy (secrétaire perpétuel en 1816) prônera le culte de l'imitation des grands modèles anciens, soit la copie obligée du passé pour asseoir le goût de la société bourgeoise sur une homogénéité indiscutable. L'éclectisme va triompher : un peu partout, l'esthétique décorative des édifices publics constituera un catalogue de pastiches néorenaissants (pour les musées), néobaroques (pour les théâtres, les opéras), néogothiques (pour les hôtels de ville), etc. Ainsi se présentent, exemplairement, les monuments qui bordent, à partir de 1859, le Ring, nouvel axe circulaire de Vienne en Autriche. ●

La métropole de l'époque industrielle

INDUSTRIE ET MODERNITÉ FORMENT UN COUPLE DYNAMIQUE QUI PERMET À L'UNE COMME À L'AUTRE DE REJETER LE JOUG DE L'ACADÉMISME ET D'INAUGURER UNE CULTURE FONDÉE NON PLUS SUR LA TRADITION MAIS SUR L'UTOPIE.

L'ardeur avec laquelle l'Académie des beaux-arts étend son hégémonie sur toute la production artistique, de l'architecture à la mode, en démontre en fait la relative fragilité. Elle tend, par les contraintes imposées aux artistes, à concentrer l'attention vers les centres de représentation urbaine, occultant les conditions réelles du paysage industriel. Or, sous l'effet de l'industrialisation, l'échelle de la ville se transforme à grande vitesse ; l'accroissement démographique des capitales (Londres passe de 865 000 habitants en 1801 à 4 235 000 en 1891, la population de Paris double entre 1801 et 1846) engendre une transformation complète des formes urbaines : à l'opposition ville-campagne se substitue l'opposition centre-périphérie. La topographie urbaine est alors remodelée par le tracé du chemin de fer. Celui-ci délimite les nouvelles zones de travail et d'habitat ouvrier mais aussi, avec la gare, introduit près du centre de nouveaux foyers d'urbanisation, comprenant les hôtels et les brasseries, dont l'image fait l'objet d'un traitement particulier. Aussi bien, la véritable architecture originale inaugurée par la société industrielle est la gare ferroviaire. Porte de la ville, bien que située en son centre, elle a les deux visages de Janus : l'un conforme à l'art du décor académique avec ses attributs stylistiques empruntés aux formes du passé, l'autre d'un type inédit dans lequel le fer et le verre permettent la couverture des voies par de vastes halles où peuvent se disperser les fumées des locomotives.

La gare est en effet le lieu paradoxal le plus symptomatique de l'architecture du XIXᵉ siècle. Elle

occupe le centre de la problématique urbaine et architecturale du siècle. N'est-ce pas pour favoriser la liaison des gares avec le centre et des gares entre elles que Napoléon III fait appel en 1853 au baron Haussmann, qui va délivrer la ville de Paris d'un tissu de rues vétustes et insalubres, tout en la dotant d'avenues facilitant la répression des émeutes et en favorisant de gigantesques opérations immobilières ? N'est-ce pas encore dans la construction de la gare du Nord (Jacques Hittorff, 1861) et dans celle d'Orsay (Victor Laloux, 1897) que les architectes démontrent la qualité des charpentes métalliques et la beauté des verrières ? Mais le grand modèle de cette architecture de verre et de fer reste le Crystal Palace de Joseph Paxton, construit en 1851 pour l'Exposition universelle de Londres et qui a péri dans un incendie. Le palais transparent inspira à Napoléon III de choisir un parti semblable pour les Halles centrales de Paris (démolies en 1971).

Le propre de la capitale comme de la métropole est de produire en son sein des modèles reproductibles ailleurs ; elle définit la mode. Les principes d'organisation urbaine d'Haussmann se voient largement exportés dans les villes de province et à l'étranger. Deux contre-projets sont élaborés, l'un à Vienne par Camillo Sitte (1843-1903), qui préconise contre les avenues rectilignes le tracé courbe plus convivial des époques médiévales et renaissantes, l'autre à Barcelone par Ildefonso Cerdá (1815-1876), qui systématise le damier à la romaine mais supprime les îlots haussmanniens en ouvrant des places aux formes variées entre les habitations. ●

2. Lithographie (1860) représentant la Chambre des lords du nouveau Parlement de Londres lors de l'ouverture, par la reine Victoria, de la session parlementaire de 1858.

Une architecture figurative

C'EST À TRAVERS DES FORMES CONNUES QUE S'ÉDIFIE DANS UN PREMIER TEMPS L'ARCHITECTURE MODERNE, QU'ELLES VIENNENT DE L'ART GOTHIQUE OU, S'AGISSANT DE L'ART NOUVEAU, DU MONDE VÉGÉTAL LIBREMENT TRANSPOSÉ.

En 1863, inquiet de la puissance de l'Académie des beaux-arts dans sa propension à gouverner le goût d'une nation entière et surtout de la classe dirigeante du pays, Napoléon III impose d'une part l'ouverture du Salon des Refusés, parallèle au Salon officiel, et d'autre part la restructuration de l'enseignement de l'architecture sous la responsabilité de l'architecte antiacadémique et autodidacte Viollet-le-Duc. Acte politique avant tout, ces décisions vont provoquer en fait l'éclosion presque immédiate de la culture moderne. Eugène Viollet-le-Duc (1814-1879), restaurateur des grands monuments français comme Notre-Dame de Paris ou la Cité de Carcassonne, auteur d'un célèbre *Dictionnaire raisonné de l'architecture française* et meilleur théoricien peut-être qu'architecte, puise dans la culture médiévale, qui est très largement diffusée tout au long du XIXe siècle comme élément pondérateur des assauts de l'industrialisation.

À la division du travail, au démantèlement des cellules de voisinage et familiales imposés par la machine, l'image du Moyen Âge offrait une occasion de résistance collective, fondée sur l'espoir d'une harmonie retrouvée. Cette aspiration suscite en Angleterre le « Gothic Revival », c'est-à-dire l'adoption d'une décoration médiévaliste comme garantie du sentiment moral et national, ce que développent surtout A.W.N. Pugin (1812-1852) dans le Parlement de Londres (entrepris en 1839), ainsi que le théoricien John Ruskin (1819-1900), l'écrivain et décorateur William Morris (1834-1896). Viollet-le-Duc, lui, y voit moins une nostalgie qu'un guide pour comprendre les fondements de l'architecture à travers une analyse des cathédrales gothiques, considérées comme structures capables de couvrir de grands espaces avec un minimum de maçonnerie. L'usage de la charpente métallique y trouve ses lettres de noblesse et se libère progressivement de ses attributs stylistiques dépassés. La lisibilité immédiate et volontaire des forces structurelles de l'architecture laisse présager la culture moderne, qui rejettera toute ornementation et toute figuration.

L'absence préoccupante de style provoquée par l'éclectisme plutôt stérile de l'Académie entraîne une réaction fondée sur le développement de formes figuratives qui, pour ne pas être historiques, vont chercher dans le monde végétal le moyen de se renouveler. C'est, vers la fin du siècle, la floraison variée de ce que l'on rassemble sous le nom d'Art nouveau. S'il n'a pas toujours les qualités d'un style, ce phénomène est international et compte quelques chefs-d'œuvre où décoration et lisibilité structurelle de l'édifice ne se contredisent pas : telles les créations du Belge Victor Horta (1861-1947) ou du Parisien Hector Guimard (1867-1942), ou bien encore du Catalan Antoni Gaudí (1852-1926). À Barcelone, ce dernier démontre, à travers un lyrisme régionaliste, la force d'une œuvre spectaculaire et onirique où la profusion des formes originales ne cesse de conduire à une redéfinition de l'architecture (église de la Sagrada Familia, restée inachevée).

→ **Voir aussi :** L'architecture au XXe siècle, **ARTS**, p. 306-307.

3. Lithographie (vers 1840) représentant la rue de Rivoli à Paris, œuvre de Percier et Fontaine.

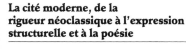

La cité moderne, de la rigueur néoclassique à l'expression structurelle et à la poésie

I. Cerdá illustre sa théorie urbaniste par un plan de restructuration et d'extension de Barcelone (1) fondé sur l'addition de deux phénomènes : le mouvement et le repos, autrement dit la circulation et le domaine bâti. Il en résulte une grille ouverte d'îlots rigoureusement égaux, car égalitaires, formant ensembles et sous-ensembles et que traversent trois grandes voies diagonales en liaison avec l'extérieur. La façade à arcades et balcons absolument uniformes de la rue de Rivoli (3) représente la rigueur formelle du néoclassicisme apposée indifféremment sur une suite d'immeubles à l'origine très différents. Au Parlement de Londres (2), le décor gothique sur ossature métallique réalise une synthèse de l'espace médiéval et du monde moderne, tandis qu'au palais Güell (4), trente ans plus tard, la liberté formelle prise par Gaudí ouvre sur un univers poétique d'une sensibilité à la fois personnelle et régionale.

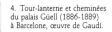

4. Tour-lanterne et cheminées du palais Güell (1886-1889) à Barcelone, œuvre de Gaudí.

L'idéalisme pictural

LE XIXᵉ SIÈCLE VOIT SUCCES-sivement s'affirmer le romantisme, le réalisme et la forme la plus pointue de celui-ci, l'impressionnisme. Cela n'empê-che pas la permanence d'un autre cou-rant, que l'on peut qualifier d'idéaliste car ses préoccupations esthétiques sont d'ordre presque exclusivement cérébral.

Cet idéalisme s'alimente aux sources de l'Antiquité puis à celles de l'art gothi-que, prend ensuite exemple sur les pré-décesseurs de Raphaël – Carpaccio, Gozzoli, Botticelli –, pour découvrir au tournant du siècle la richesse stylistique des arts primitifs. Commencé avec le « beau idéal », soumission néoclassique de la couleur au dessin, le XIXᵉ siècle s'achève avec l'apparition d'un symbo-lisme des couleurs dont Rimbaud a été le prophète et auquel Gauguin donnera ses plus heureux effets. L'idéalisme a ses

maîtres incontestés, Ingres, Puvis de Chavannes, ses académiques, Gérôme, Bouguereau, ses écoles plus ou moins organisées, nazaréens allemands, pré-phaélites anglais... Il glisse peu à peu vers une interprétation métaphorique qui prendra le nom de *symbolisme*.

Cette tendance, qui a fait son appari-tion dans le climat romantique avec Füssli et Blake en Angleterre, Friedrich et Runge en Allemagne, s'épanouit dans la seconde moitié du siècle. Elle n'engen-dre pas un style déterminé, mais prend la forme plastique la plus adéquate à la sensibilité de chaque peintre. Face au positivisme, le symbolisme réitère les grandes questions métaphysiques sur la vie, la mort, la divinité, que ce soit dans les œuvres de Rossetti, de Burne-Jones ou de Gustave Moreau, dans celles de Böcklin ou de Gauguin.

Triomphe de la beauté pure

LE BEAU IDÉAL, INSPIRÉ DES GRECS,
DE RAPHAËL, DE POUSSIN, S'ADJOINT LES PRÉOCCUPATIONS
HISTORICO-RELIGIEUSES DES FERVENTS DE L'ÂGE
GOTHIQUE OU DU QUATTROCENTO.

Le concept de beauté absolue naît au XVIIIᵉ siècle avec les écrits de Winckelmann. Cet es-théticien allemand défend le prin-cipe platonicien d'une forme idéale, existant au-dessus des formes individuelles dont elle exprime l'essence. Les Grecs l'au-raient approchée mieux que qui-conque et leurs œuvres devraient donc servir de modèle. Cette doc-trine est la clef de voûte du néo-classicisme. Les scènes antiques de Louis David et les dessins ins-pirés de vases grecs du sculpteur anglais John Flaxman la propa-gent à travers toute l'Europe. Elle se prolonge dans les travaux des davidiens, auxquels leur maître a enseigné qu'il faut « donner une forme parfaite à la pensée », et trouve un relais chez Quatremère de Quincy. Cet écrivain, qui a lu les *Observations sur le sentiment du beau* de Kant, prône un art spiri-tualisé dont les représentants ma-jeurs appartiendront au groupe des nazaréens et à celui d'Ingres. Ce courant traverse le siècle. Le romantisme, que l'on voudra lui opposer, n'en n'est pas exempt, puisqu'une ligne « flaxma-nienne » caractérise les créatures

oniriques de Füssli comme l'*En-dymion* de Girodet.

Dans l'atelier de David, Domi-nique Ingres (1780-1867) a fré-quenté la secte des « primitifs ». Son chef, Maurice Quay, consi-dère comme maniériste tout ce qui est postérieur à Phidias et ne jure que par la pureté des figures des vases grecs. Cette influence, jointe à celle de Flaxman, se remarque dans les ombres claires et la linéarité de *Jupiter et Thé-tis* (1811, musée d'Aix-en-Pro-vence). Ce tableau date du pre-mier séjour d'Ingres en Italie (1806-1824), au cours duquel son « adoration pour Raphaël, les An-ciens et avant tout les Grecs di-vins » se combine avec son intérêt pour les primitifs italiens que des amateurs, tel le cardinal Fesch, oncle de Napoléon, redécou-vrent. Il exécute en 1814 l'exem-ple type de son idéal plastique, *la Grande Odalisque* (Louvre) à la-quelle la critique académique re-prochera l'étirement exagéré du dos. Ses élèves, Amaury-Duval, les frères Flandrin, Victor Mot-tez, appliquent étroitement sa conception d'un contour obsé-sionnellement pur à des œuvres

souvent religieuses, mais ignorent cette composante de réalisme qui ajoute une saveur excep-tionnelle aux travaux du maître (*Stratonice,* 1840, Chantilly ; *le Bain turc,* 1863, Louvre).

À l'époque du premier séjour d'Ingres en Italie, un groupe alle-mand en lutte avec l'académisme, les « nazaréens », cherche à Rome une discipline esthétique et mo-rale. Leur histoire nationale et les primitifs italiens, essentiellement Fra Angelico, inspirent ces artistes, Friedrich Overbeck, Peter von Cornelius, Julius Schnorr von Carolsfeld..., dont les théories ont un triple champ d'expansion : Al-lemagne, États scandinaves, An-gleterre. Dans leur pays, où le sen-timent mystique de la nature exprimé par Friedrich et Runge a marqué leurs débuts, l'enseigne-ment des nazaréens aboutit à de grands cycles d'un médiévisme poétique, tels ceux d'Alfred Re-thel à Aix-la-Chapelle et de Moritz von Schwind au château de la Wartburg. En Scandinavie, leurs principes s'allient au réalisme inhérent à ces régions, tandis qu'en Angleterre ils accompa-gnent les rêveries mythologiques d'Edward J. Poynter et de Frede-rick Leighton. Le Suisse Charles Gleyre donne en 1843 avec *le Soir* ou *les Illusions perdues* (Louvre) une sorte de manifeste du classi-cisme poétique, mais déjà l'idéa-lisme se teinte des premières nuances symbolistes. •

L'esthétique multiple du courant symboliste

PLUS INTELLECTUEL QUE PLASTIQUE,
LE SYMBOLISME ADOPTE FACILEMENT DES APPARENCES
VARIÉES, PRÉCISION PHOTOGRAPHIQUE DES PRÉRAPHAÉLITES,
CLASSICISME DE GUSTAVE MOREAU,
SYNTHÉTISME DE GAUGUIN.

Pendant des siècles, l'allégo-rie, religieuse ou profane, a régné sur l'art : l'Agneau mysti-que représentait le Christ, le lion personnifiait ou accompagnait la Force. Avec le mépris qu'engen-drent pour ce type de programme les grands mouvements réalistes, un glissement s'est produit vers un idéalisme plus spiritualisé. Il ne s'agit plus d'appliquer les rè-gles d'un vocabulaire iconogra-phique conventionnel défi-ni, mais de transcrire des idées et des sensations par des méta-phores ou des allusions. La pein-ture entre ainsi dans un domaine indistinct, celui de ces « corres-pondances » que Baudelaire em-prunte à E.T.A. Hoffmann.

Les peintres symbolistes fran-çais ne se désignent qu'à partir de 1886 par ce qualificatif, qu'ils em-pruntent au manifeste (concer-nant la poésie) publié cette année-là par Jean Moréas. Mais l'idée est depuis longtemps dans l'air. L'ample vague symboliste de la fin du XIXᵉ siècle est l'aboutisse-ment de recherches poursuivies depuis des années par de grands indépendants – Gustave Moreau, Puvis de Chavannes, Odilon Re-don –, qu'ont précédés en Angle-terre les préraphaélites.

Le symbolisme reprend sou-vent au romantisme ses sujets, mort, fantômes, naufrages, en leur accordant une portée spiri-tuelle. Il ne craint pas non plus d'emprunter l'esthétique de ce réalisme qu'il combat violem-ment pour lui ajouter une dimen-sion métaphysique. Une de ses ca-ractéristiques majeures est en effet son indifférence aux techni-ques picturales. Toutes les varia-tions coexistent ou se suivent à travers le temps, depuis l'ultra-réalisme des préraphaélites jus-qu'aux géométrisations vesti-mentaires de Gustav Klimt en pas-sant par les valeurs froides de Pu-vis de Chavannes, les tons satu-rés de Gauguin, le divisionnisme de Giovanni Segantini.

Une prédilection pour les thèmes littéraires se manifeste chez beaucoup d'artistes apparte-nant à cette tendance. Ils sont fré-quemment liés avec des écrivains et ce sont les poètes des nom-breuses revues symbolistes, *la Plume, le Mercure de France,* etc., qui assureront le succès de leurs camarades plasticiens. Un des sept fondateurs de la « confrérie préraphaélite », Dante Gabriel Rossetti (1828-1882), est d'ail-leurs aussi grand poète que pein-tre. C'est à Londres, en 1848, que

se constitue cette association imi-tée des confréries du Moyen Âge et qui trouve en John Ruskin un chaleureux défenseur. Ses mem-bres s'inspirent des légendes de la Table ronde et des Italiens du quattrocento, Gozzoli ou Botti-celli, dont Edward Burne-Jones (1833-1898) donne les silhouettes aériennes à ses personnages ; ils traitent avec un réalisme halluci-nant des œuvres à portée symboli-que : *la Brebis égarée* de William Holman Hunt, *les Feuilles d'au-tomne* de John Everett Millais. Les héroïnes aux inquiétantes séduc-tions de Rossetti rejoignent celles de Gustave Moreau (1826-1898), car c'est un caractère du symbo-lisme que le goût des créatures dans lesquelles s'incarnent les grands mythes de l'humanité, As-tarté, Ève, Sémélé, Hélène de Troie. Chez Moreau comme chez Odilon Redon (1840-1916), qui transgresse les lois du jour pour atteindre dans ses « Noirs » le fin fond des rêves, se manifeste un véritable antinaturalisme. Cette réaction n'apparaît pas chez Pierre Puvis de Chavannes (1824-1898), dont les grandes décora-tions décrivent avec le plus strict ascétisme de formes et de cou-leurs une humanité idyllique.

L'école de Pont-Aven, cœur d'un symbolisme celtico-médié-valiste, groupe autour de Gau-guin, son initiateur, Émile Ber-nard et Paul Sérusier, qui prati-quent avec lui un synthétisme anti-impressionniste pour décrire le folklore breton. Dans les an-nées 1890, des cohortes de créa-tures séraphiques, un lys à la main, envahissent les cimaises pa-risiennes ; les unes sont traitées en touches impressionnistes, ain-si celles du « nabi » Maurice De-nis, d'autres ont la fluidité éthérée chère aux préraphaélites et aux Salons de la Rose-Croix où le Sâr Péladan réunit la fraction la plus idéaliste du petit monde symboliste. Ce-lui-ci est largement dominé par le génie de Paul Gauguin (1848-1903), parti pour Tahiti après un banquet offert par toute l'in-telligentsia et présidé par Mal-larmé. Son art établit une concor-dance parfaite entre l'univers lé-gendaire ou quotidien du peuple maori et son évocation plastique. Témoin sa célèbre toile de Bos-ton, sorte de testament peint en 1897 et dont l'ambition transpa-raît dans un titre qui résume peut-être les interrogations du mouvement symboliste : *D'où venons-nous ? Que sommes-nous ? Où allons-nous ?* •

1. Gustave Moreau, *Jupiter et Sémélé,* composition achevée en 1896.

Diversités nationales du symbolisme

L'ORIGINALITÉ DE CHAQUE CULTURE DEMEURE : EXPRESSIONNISME GERMANIQUE, GRÂCE ITALIENNE, COLORISME SLAVE...

Le symbolisme s'appuie sur les grands archétypes venus du fond des âges, mais, n'étant pas une école plastique, reflète les caractères nationaux des peuples, ce que ne font pas les mouvements fondés sur un système, tels le néoclassicisme ou l'impressionnisme. À la fin du XIXᵉ siècle, Bruxelles apparaît comme une capitale de l'art moderne avec la création en 1884 du Cercle des XX (ou des Vingt), auquel succède en 1893 la Libre Esthétique, où s'expriment toutes les nuances du symbolisme international. L'œuvre du romantique belge Antoine Wiertz (1806-1865), dont les fantasmes morbides ont des rondeurs rubéniennes, poursuivait une tradition flamande ; le grand James Ensor (1860-1949) la reprend et l'oriente vers un présurréalisme, tandis que l'art raffiné de Jean Delville et de Fernand Khnopff s'apparente à l'esprit des Rose-Croix. Les Néerlandais pratiquent un jeu linéaire emprunté par Jan Toorop à son Indonésie natale. Les sagas influencent les Scandinaves, Gerhard Munthe en Norvège, Ernst Josephson en Suède. Mais les pays du Nord trouvent leur expression la plus frappante en explorant avec le Norvégien Edvard Munch (1863-1944) des abîmes préfreudiens dont les couleurs éclatantes, cernées d'un trait sinueux, ne masquent pas l'angoisse.

Dans les États germaniques, une dualité s'instaure. Les uns renouent avec un panthéisme méditerranéen ; le Suisse Arnold Böcklin (1827-1901), dont *l'Île des morts* sera l'un des tableaux le plus souvent reproduits, l'exprime avec une brutalité un peu lourde, Hans von Marées (1837-1887) avec élégance. D'autres retrouvent le vieux fonds expressionniste allemand : Ferdinand Hodler (1853-1918) l'incline vers la morbidité, Alfred Kubin (1877-1959) vers d'insoutenables terreurs, et les arabesques de Gustav Klimt (1862-1918) le stylisent en d'envoûtantes marqueteries. Le « modern style » convient aux symbolistes anglais, qui peuvent assimiler ses méandres au graphisme des miniatures irlandaises du haut Moyen Âge ; les artistes réunis à Glasgow autour de l'architecte et designer Charles Rennie Mackintosh (1868-1928) adaptent ainsi à l'art décoratif un vocabulaire symboliste, tandis qu'Aubrey Beardsley (1872-1898) dessine un univers cruel et fantastique pour la *Salomé* d'Oscar Wilde. Les Italiens adaptent la technique divisionniste à des scènes botticelliennes (Gaetano Previati) évoquant parfois la condition humaine (Segantini : *Triptyque de la nature,* 1899, Saint-Moritz). Chez les peuples d'Europe centrale et en Russie, le symbolisme entretient des rapports étroits avec les sources folkloriques, d'où le climat de légende qui imprègne les travaux de Mikhaïl Vroubel (1856-1910). L'apport slave est important car, à travers les Ballets russes (créés en 1909) et les décors de Léon Bakst, son intensité colorée achève de détrôner les teintes anémiées du symbolisme occidental et contribue au renouvellement de la peinture européenne. ●

→ **Voir aussi :** Le symbolisme, LITTER, p. 96-97. Néoclassicisme et ferments romantiques, **ARTS,** p. 274-275. La peinture romantique, **ARTS,** p. 276-277. Le réalisme, **ARTS,** p. 284-285. L'impressionnisme, **ARTS,** p. 288-289.

2. Dante Gabriel Rossetti, *Astarte Syriaca,* 1877.

3. Edvard Munch, *Angoisse,* 1894.

Du mythe aux tréfonds de l'esprit

Toute une fraction de l'art du XIXᵉ siècle reste attachée à des valeurs idéalistes. Parties du « beau idéal » selon David, elles se chargent de symbolisme à partir des préraphaélites. Cette nouvelle tendance s'exprime à travers des techniques picturales qui vont de l'académisme néoclassique à l'expressionnisme. Ses buts, largement intellectuels, s'inspirent des grands mythes (Rossetti [2], Moreau [1]), des arts primitifs (Gauguin [4]) et, avec Munch (3), des tréfonds psychiques dont Freud va bientôt dévoiler les arcanes.

4. Gauguin, *Ruperupe* (la Cueillette des fruits), 1899.

2. Daumier, *la Blanchisseuse*, 1863.

Le réalisme

MOUVEMENT MAL DÉFINI en durée comme en style, le réalisme s'est imposé grâce à la personnalité charismatique de Courbet. D'autres géants de l'art, Millet, Daumier, et de la littérature, Balzac puis les naturalistes, s'y rattachent, tandis que l'écrivain Champfleury, amateur d'art populaire, en donne la définition théorique.

Le mot est apparu pour la première fois chez les critiques d'art en 1836, sous la plume de Gustave Planche, mais le réalisme n'est que la résurgence d'un souci de vérité sensible aussi bien dans les bustes romains au Ier siècle que dans les figures populaires du Caravage à la fin du XVIe siècle. Il a marqué le siècle d'or des Néerlandais, de Van Ostade à Vermeer, et celui des Espagnols : Velázquez, Zurbarán, Ribera. La France en donne des exemples avec, au XVIIe siècle,

les Le Nain, que Champfleury dénomme « peintres de la réalité », et, au XVIIIe siècle, Chardin, maître de la nature morte et de l'intimité bourgeoise. Le réalisme du XIXe siècle se bat sur deux fronts : contre le « beau idéal » que défendent les derniers disciples de David ou les élèves d'Ingres, appuyés par les institutions académiques, et contre la propension du romantisme à chercher hors de la réalité présente son inspiration. Il s'est d'abord discrètement manifesté chez les paysagistes, tels Constable et les peintres de Barbizon, mais son terrain d'élection est la vie contemporaine en tant que parade aux sujets rebattus de la mythologie ou des Écritures. La transcription des aspects sociaux compte davantage que le style et la technique picturale, très divers, dans cette fidélité au réel érigée en école.

Une interprétation inédite de la sphère sociale

Daumier (2) et Constantin Meunier (1), par l'intensité expressive de leur art, réussissent à doter de la même présence quasi majestueuse les figures de travailleurs aux métiers pénibles qu'ils ont pris pour modèles. D'une ambition plus complexe (voire absconse), la grande toile de Courbet (3,60 × 6 m) [3] est sous-titrée *Allégorie réelle déterminant une phase de sept années de ma vie artistique et morale.* Le peintre s'y est représenté dans son atelier parisien de la rue Hautefeuille. À droite se reconnaissent Champfleury, le collectionneur Alfred Bruyas, Proudhon, Baudelaire... ; à gauche figurent des gens du peuple et divers personnages qui semblent en relation avec la scène sociopolitique du temps.

La nature pour elle-même

LE XIXe SIÈCLE A L'AMOUR DU PAYSAGE ;
LE RÉALISME LE VEUT NATUREL, SANS AJOUTS
MYTHOLOGIQUES, SANS DRAMATISATION.

Le classicisme recomposait noblement la nature suivant les lois d'une beauté idéale, le romantisme en accentuait les effets sublimes : torrents, orages, montagnes. Ce dernier mouvement coexiste pourtant avec une nouvelle façon de voir, car le réalisme paysager est son contemporain. Tous deux admirent d'ailleurs un même maître, l'Anglais John Constable, qui, dès 1802, affirmait : « Il y a suffisamment de place pour un peintre de nature » (se consacrant exclusivement au rendu véritable de la nature). La France connaît aussi très tôt un retour aux sources du réel avec les études faites par Pierre Henri de Valenciennes, en Italie, et par Achille Etna Michallon, en forêt de Fontainebleau. À la même époque, Georges Michel donne de la butte Montmartre une vision dénuée de ce pittoresque en vogue chez ses contemporains et recherche seulement, comme plus tard Corot, « la bonne place » pour cadrer un humble sujet.

La liberté de circuler recouvrée avec la paix, en 1815, multiplie les allées et venues de peintres à travers l'Europe. En France, c'est dans cette nuée de paysagistes prospecteurs de sites que se manifestent les tendances réalistes. À côté des romantiques, qui transfèrent au paysage ce qu'Amiel nomme un « état d'âme », apparaissent les tenants d'une vision sans fioritures, influencée par Constable (découvert au Salon de 1824) et par les Hollandais du XVIIe siècle. Beaucoup d'artistes visitent les musées des Pays-Bas ou bien traversent la Manche, comme Paul Huet. Ils constatent alors l'importance prise par l'aquarelle et par les représentations topographiques dans l'art anglais ; ils remarquent que Constable n'est pas un cas isolé, mais que dans l'école de Norwich, par exemple (J.S. Cotman, etc.), la fidélité au réel est de règle.

Théodore Rousseau (1812-1867), le plus célèbre des peintres qui appliquent leur soif de vérité à la représentation de la nature, s'est fait remarquer en 1836 avec une *Descente des vaches dans le Jura.* Il transcrira ensuite les points de vue les plus célèbres de la forêt de Fontainebleau. Venu pour la pre-

mière fois à Barbizon en 1833, il s'est fixé en 1847 dans ce village que Millet adopte à son tour en 1849. Le réalisme remet à l'honneur l'art animalier. Les moutons de Charles Jacque, les bœufs de Constant Troyon, les attelages de Rosa Bonheur connaissent un succès parallèle à celui des romans de George Sand. Dans ce haut lieu qu'est Barbizon, des étrangers s'initient au réalisme : suisse, Karl Bodmer, belge, Victor de Papeleu, américain, George Inness, etc. Mais d'autres centres d'attraction existent : Charles Daubigny, par exemple, travaille dans la vallée de l'Oise, Antoine Chintreuil au bord de la Saône. Le style plus libre de ces artistes annonce une évolution vers ce qui, à partir des années 1860-1870, sera l'impressionnisme. •

1. C. Meunier,
le Puddleur,
bronze, 1887.

Ouvriers, paysans, bourgeois

LA REPRÉSENTATION DES CATÉGORIES
SOCIALES LIÉES AUX ROUAGES DE L'ÉCONOMIE
FASCINE LES ARTISTES. COURBET SE FAIT LE CHAMPION D'UN
« ART VIVANT » QUI TRADUISE LES MŒURS
ET LES IDÉES DE L'ÉPOQUE.

L'apparition du réalisme se produit parallèlement à celle de la civilisation industrielle. Le bouleversement économique s'accompagne de changements sociaux. L'art, français spécialement, en illustre les personnages clefs, ouvriers, paysans, bourgeois. Trois noms, Daumier, Millet, Courbet, dominent ce mouvement, mais bien des artistes commencent à s'intéresser au monde du travail, dont François Bonhommé relate, à la demande des maîtres de forge, les aspects typiquement industriels.

Le réalisme d'Honoré Daumier (1808-1879) jette un pont entre le romantisme et l'expressionnisme. L'artiste a débuté en 1831 comme dessinateur dans la publication lancée par Philipon, *la Caricature,* dont le principal collaborateur, Balzac, affirme devant les charges politiques et sociales qui viennent illustrer ses textes : « Ce gaillard-là du Michel-Ange sous la peau. » Les journaux se disputent ses lithographies, lui laissant peu de temps pour ses travaux person-

nels. C'est seulement après avoir été congédié par *le Charivari,* en 1848, qu'il peut donner à la peinture une place véritable dans sa production. Avec une technique fiévreuse, faisant contraster les plages de lumière et des noirs profonds, il dégage des types humains – blanchisseuses, avocats, acteurs –, et transforme ses visions quotidiennes en faits de société : *la Soupe, le Wagon de troisième classe, les Émigrants.* Ses innombrables caricatures sur la politique et les mœurs, bourgeoises ou populaires, font l'inventaire des ridicules et des espoirs de son temps. Elles témoignent aussi de sa dévotion à la République, que son esquisse pour un concours ouvert en 1848 avait représentée avec tant de vigueur.

À cette vision de la vie urbaine répond l'univers campagnard de Jean-François Millet (1814-1875), enfant du Cotentin devenu le patriarche de Barbizon. La petite paysannerie ne subsiste alors que par l'appoint des droits d'usage sur les champs et les forêts, que

'économie moderne réduit par ses nouvelles formes d'exploitation. C'est un monde menacé de disparition dont Millet montre les aspects avec une sorte de majesté tranquille. La critique l'accueille pourtant avec réticence, inquiète de voir se profiler d'éventuelles jacqueries derrière ses *Glaneuses* et ses *Ramasseurs de fagots.* Il décrit fileuses, tonneliers, semeurs, bergères avec une sévère grandeur, qui permet au critique Ernest Chesneau d'évoquer à leur propos, en 1860, ... chelet définit si bien l'amour du paysan pour sa terre ».

L'étonnante énergie créatrice de Gustave Courbet (1819-1877) et sa matière picturale somptueuse s'appliquent comme chez Rousseau aux paysages – les *Sources de la Loue* et autres *Remise des chevreuils* –, chez Daumier aux ouvriers – *les Casseurs de pierres* –, chez Millet aux paysans – *les Cribleuses de blé.* Cependant, la plupart de ses œuvres s'inspirent d'un monde plutôt bourgeois – *Un enterrement à Ornans, les Demoiselles des bords de la Seine* –, dont son interprétation sans pitié déchaîne l'ire des bien-pensants. En 1855, *l'Atelier,* toile maîtresse de l'exposition privée qu'il tient aux portes de l'Exposition universelle, illustre ses théories, largement inspirées par celles de son ami le philosophe socialiste Proudhon. Il s'est représenté au centre de la toile avec, à droite,

« les créateurs », parmi lesquels Baudelaire, à gauche « les exploiteurs et les exploités ». La manifestation s'accompagne d'un catalogue comportant un avant-propos sur *le Réalisme.* Il y écrit : « Être à même de traduire les mœurs, les idées, l'aspect de mon époque, selon mon appréciation, être non seulement un peintre, mais encore un homme ; en un mot, faire de l'art vivant, tel est mon but. » Le réalisme connaît son apothéose avec la grande fête donnée ... dans l'atelier de Courbet, en 1859, et avec les cours que de jeunes peintres conduits par l'écrivain Castagnary demandent au « maître ». Son influence sera particulièrement remarquable en Belgique, où Constantin Meunier (1831-1905), à la fois peintre et sculpteur, apporte son témoignage sur *l'Intérieur d'un charbonnage* ou la *Fonte de l'acier* et sur les acteurs méprisés et puissants de la révolution industrielle.

À la génération qui suit immédiatement Courbet, cependant, la belle unité que celui-ci donnait au réalisme commence à se lézarder. Lui-même, dans les années 1860, cherche moins à convaincre qu'à plaire. Les événements de 1870 et sa participation à la Commune seront lourds de conséquences, mais déjà une nouvelle génération, conduite par Degas et Manet, dirige le réalisme vers une modernité débarrassée de tout carcan idéologique. •

Avatars du réalisme

ICI ET LÀ RÈGNE LE GOÛT D'UNE
PEINTURE NATURELLE QUI, AU FIL DU TEMPS,
ÉVOLUERA VERS SON CONTRAIRE.

Le réalisme s'étend à toute l'Europe et certaines écoles le poussent jusqu'à la plus stricte minutie. C'est le cas des préraphaélites anglais, qui, tout en penchant vers le symbolisme, souhaitent la véracité des moindres détails historiques ou contemporains, ethnographiques, géographiques, voire géologiques. William Holman Hunt (1827-1910) voyage ainsi en Terre sainte pour donner un type exact à ses personnages religieux et les situer dans leur environnement. Ford Madox Brown (1821-1893), qui se rattache au même groupe, rend compte de préoccupations sociales avec un luxe angoissant de précisions. Il souligne l'abattement d'un couple d'émigrants jetant de son esquif un *Dernier Coup d'œil sur l'Angleterre* ou confronte travail, argent, misère dans les personnages (charpentiers, bourgeois, mendiante) de sa toile intitulée *Travail.*

En Allemagne, Adolf von Menzel (1815-1905) associe dès 1847 naturalisme et vie moderne avec *le Chemin de fer Berlin-Potsdam.* Plus tard, il stupéfiera le public par sa vision du travail dans les grandes aciéries, tandis que

Wilhelm Leibl (1844-1900) pratiquera avec talent un style tributaire de Manet et de Courbet. L'influence de ce dernier se retrouve, on l'a dit, en Belgique, car ses séjours bruxellois ont éveillé bien des vocations dans un pays de tradition réaliste qui compte des observateurs fidèles comme Léon Frédéric et Henri de Braekeleer. Le réalisme, d'ailleurs, s'allie souvent à cette constante du caractère flamand qu'est l'expressionnisme. Notons que c'est la visite des mines du Val-Saint-Lambert qui a révélé à C. Meunier cette noblesse tragique du travail dont il s'est si bien inspiré.

Le *vérisme* italien, représenté par une personnalité comme le Napolitain Filippo Palizzi, trouve difficilement une place entre l'académisme néoclassique, le romantisme et l'avant-garde des *macchiaioli* (Giovanni Fattori, Telemaco Signorini...) qui utilisent aussi une forme de réalisme. Peut-être est-ce en Russie que ce dernier s'exprime le plus sincèrement à mesure que le siècle avance. Les frères Tretiakov sont les mécènes d'un mouvement issu d'une contestation étudiante qui aboutit à la création, en

1870, de l'association des « Ambulants » *(Peredvijniki).* Celle-ci, afin de mettre l'art à la portée des masses, organise des expositions itinérantes qui se produisent avec grand succès dans toute la Russie. Ces peintres revendiquent, sous la conduite de leur guide idéologique, Ivan Kramskoï (1837-1887), une liberté de création qui leur permette de dénoncer les inégalités sociales et la misère. Portraitistes, ils représentent « les hommes chers à la nation », tel Tolstoï, paysaglotes, ils lient la nature à ses transformations sous l'effet du travail humain. Ilia Repine, Vassili Perov, Konstantine Makovski sont les plus célèbres de ces Ambulants, que rejoignent vers la fin du siècle les frères Vasnetsov ou Sergueï Ivanov, auteur en 1889 d'une œuvre célèbre : *la Mort de l'émigré.*

Dans le dernier quart du XIXe siècle, des thèmes sociaux associés à un réalisme parfois photographique font le succès d'artistes comme les Français Jules Breton, Bastien Lepage, Léon Lhermitte, le Hongrois Mihály Munkácsy. Mais déjà d'autres peintres, en traquant le domaine de l'éphémère, ont ouvert une voie nouvelle, celle de l'impressionnisme. •

→ **Voir aussi :** Le réalisme, LITTER, p. 84-85. Le naturalisme, LITTER, p. 92-93. La peinture romantique, **ARTS,** p. 276-277. L'idéalisme pictural, **ARTS,** p. 282-283. L'impressionnisme, **ARTS,** p. 288-289.

Manet
Olympia

LA MODERNITÉ FAIT SON apparition avec ce tableau, qui paraît aujourd'hui presque classique. En 1863, *le Déjeuner sur l'herbe,* en 1865, *Olympia,* exposée au Salon parisien (aujourd'hui au musée d'Orsay, comme *le Déjeuner*), propulsent Édouard Manet (1832-1883) au premier rang de l'actualité artistique. Partisans et détracteurs s'affrontent autour de ces toiles (toutes deux peintes en 1863), qui servent de catalyseur aux idées d'avant-garde.

Manet a refusé la voie traditionnelle de l'École des beaux-arts pour étudier avec Thomas Couture, sans se priver de le critiquer, et pour découvrir par lui-même les musées étrangers. Il a d'abord traversé une phase vouée au genre espagnol, que les troupes de danseurs et de chanteurs ont mis à la mode depuis le mariage de Napoléon III avec Eugénie

de Montijo ; *Lola de Valence* (1862, musée d'Orsay) en est l'exemple le plus célèbre. Initié par son ami Baudelaire aux beautés du monde moderne et passionné comme son camarade Degas par la nouveauté plastique des estampes japonaises, il en tire des théories qui subjuguent les jeunes peintres. En 1870, Fantin-Latour, dans *Un atelier aux Batignolles,* montre Manet peignant devant Bazille, Monet, Renoir. C'est la consécration d'un statut de chef d'école qui durera jusqu'à la mort du peintre et qui s'est imposé devant la subtilité des accords et la mise en page autoritaire du tableau scandaleux exposé en 1865.

L'avenir a entériné sans réticence la gloire de Manet et *Olympia,* donnée à l'État par une souscription publique, n'a plus jamais cessé de fasciner les artistes et d'attirer les foules par son aura.

Un scandale au Salon

JAMAIS TABLEAU N'A RENCONTRÉ TANT D'INCOMPRÉHENSION, DÉCHAÎNÉ TANT DE HAINE QUE CETTE ŒUVRE CAPITALE DE MANET.

La première exposition d'*Olympia* reste dans les annales de la peinture un événement aussi célèbre que la bataille d'Hernani en littérature. Deux ans auparavant, *le Déjeuner sur l'herbe* avait suscité un scandale, mais cela se passait au « Salon des refusés », non sur les cimaises officielles. Les familles qui se bousculent devant les 3 559 tableaux du Salon de 1865, où pourtant les nus abondent, s'indignent de voir cette créature les dévisager froidement. Quant aux critiques, ils attaquent technique et sujet avec une telle virulence que l'on s'étonne de trouver aujourd'hui presque classique ce symbole de la modernité baudelairienne.

Pour le public de 1865, qui attribue la palme des chefs-d'œuvre au *Repos des faneuses* de Jules Bre-

ton, *Olympia* détonne parce que Manet n'a pas idéalisé, à la manière d'Ingres ou même de Millet, la beauté parigote de son modèle favori. Celui-ci, Victorine Meurent, a posé pour *la Femme aux cerises* (v. 1862, musée de Boston) et *le Déjeuner sur l'herbe ;* elle sera *la Femme au perroquet* de 1867 (New York) et la grave figure du *Chemin de fer* (Washington) en 1873. Tout est prétexte à controverse dans le tableau incriminé : certains s'indignent de l'opposition servante noire et femme blanche, lieu commun de la peinture orientaliste dans tous les Salons du xixᵉ siècle. Pourtant, nul ne s'est indigné des *Marchés aux esclaves* exposés par Léon Gérôme, beaucoup plus inquiétants quant aux fantasmes qu'ils charrient et assez banals au point de vue de

1. Titien, *la Vénus d'Urbino,* 1538.

2. Cézanne, *Une moderne Olympia,* v. 1873.

3. Henri Rousseau, *le Rêve,* 1910.

D'autres chefs-d'œuvre de Manet

1864 *Portrait de Zacharie Astruc* (musée de Brême).

1867 *L'Exécution de Maximilien* (Mannheim).

1868 *Portrait d'Émile Zola* et *le Balcon* (tous deux au musée d'Orsay à Paris) ; *le Déjeuner* (Munich).

1869 *Clair de lune sur le port de Boulogne* (Orsay).

1872 *Berthe Morisot au chapeau noir* (coll. priv.).

1873 *Partie de croquet à Paris* (Francfort).

1874 *La Dame aux éventails* (Orsay) ; *Argenteuil* (Tournai) ; *Claude Monet dans son bateau atelier* (Munich).

1876 *Portrait de Mallarmé* (Orsay).

1877 *Nana* (Hambourg).

1878 *La Rue Mosnier aux paveurs* (coll. priv.) ; *la Blonde aux seins nus* (Orsay).

1879 *M. et Mme Jules Guillemet dans la serre* (Berlin).

1881 *Un bar aux Folies-Bergère* (Londres, Institut Courtauld) ; *Portrait d'Henri Rochefort* (Hambourg).

1882 *Méry Laurent au grand chapeau,* pastel (Dijon).

De Titien à Manet

LES STYLES PASSENT, LES THÈMES DEMEURENT. TOUTE L'HISTOIRE DE LA PEINTURE, DE LA RENAISSANCE À L'APPARITION DE L'ART MODERNE, POURRAIT SE TRAITER PAR L'ÉTUDE D'UN SEUL SUJET, LE NU ÉTENDU.

À partir des xvᵉ-xviᵉ siècles, le nu féminin prend une place triomphale en peinture ; la découverte de statues gréco-romaines en a été le prétexte et quelques siècles plus tard la référence à l'Antiquité sera toujours de mise. Les illustrations du *Songe de Poliphile,* un des livres les plus célèbres du xviᵉ siècle, répandent l'image d'une nymphe allongée pour symboliser les sources – naturelles ou spirituelles. Jean Cousin donne son premier grand nu à l'art français avec l'*Eva prima Pandora.* La femme nue peinte par Titien pour Guidobaldo, futur duc d'Urbino, est la plus célèbre des *Vénus* de ce peintre, qui aurait offert l'une d'elles à Charles Quint en même temps qu'un *Christ,* pour équilibrer les exigences physiques et morales.

À la fin du xviiiᵉ siècle, Goya emprunte en l'inversant la pose de la *Vénus d'Urbino* pour sa *Maja nue,* que l'on croira longtemps être la duchesse d'Albe. Dans les Salons du xixᵉ siècle, la vogue orientaliste multiplie les odalisques, parmi lesquelles se détachent celles de Delacroix et d'In-

gres. Le premier jette ses femmes nues sur le lit de Sardanapale ou les montre agitant négligemment une babouche à la pointe de leurs orteils. Le second les enferme dans un harem et groupe leurs nudités entremêlées. Chassériau fait contraster, comme Manet dans *Olympia,* la chair d'ébène d'une servante et la blancheur de son *Esther* se préparant pour rencontrer Assuérus. Bonington, quant à lui, étend ses odalisques sous des palmiers vénitiens.

Manet connaît bien l'œuvre de tous ces artistes. D'autre part, il a dû voir les photos faites pour Baudelaire par Nadar et représentant une version de cette prétendue « Duchesse d'Albe » de Goya. Surtout, pendant son séjour à Florence, il a dessiné aux Offices la *Vénus d'Urbino.* Son propre tableau lui paraît donc s'inscrire dans la plus pure tradition iconographique. C'est ce que reconnaîtra la postérité, car aujourd'hui cette *Olympia,* dans laquelle le public du Salon ne voyait qu'une courtisane de bas étage, a rejoint ses grands ancêtres au paradis des archétypes picturaux.

•

la manière picturale. Le titre a donné lieu à bien des hypothèses. Ce nom, à la mode chez les courtisanes dès l'époque de Titien, pourrait être, également un hommage à l'Olympe allégrement déchaîné depuis quelques mois par *la Belle Hélène* d'Offenbach. En outre, Manet se souvient sans doute d'avoir vu en 1851 *les Contes d'Hoffmann* (en représentation théâtrale parlée) et leur Olympia, l'automate du diabolique Coppélius, auquel le chat noir ferait alors allusion.

Mais, chez Manet, le sujet importe toujours moins que la peinture elle-même. Il entreprend ici, comme Corot dans *Marietta* et comme Whistler dans sa *Fille blanche* de 1862, de sublimes variations sur une non-couleur, passe du blanc rosé du corps au blanc cassé des draps, à l'ivoire du châle, au rose pâle de la robe. C'est vraiment peine perdue, car la critique est déchaînée : « odalisque au ventre jaune », « gorille femelle », « M. Manet est un brutal qui peint des femmes vertes

avec de l'eau de vaisselle ». Théophile Gautier lui-même trouve qu'« il n'y a rien que la volonté d'attirer les regards ». La réprobation est telle qu'il faut déplacer le tableau et l'accrocher au-dessus d'une porte. Les amis sont atterrés : « Comme un homme qui tombe dans la neige, Manet a fait un trou dans l'opinion publique », écrit le romancier Champfleury à Baudelaire. De Belgique, ce dernier essaie de remonter le moral du peintre. Manet, totalement abasourdi et désorienté par l'incompréhension et l'afflux des injures, tentera d'oublier sa déception en partant visiter l'Espagne. Quand, l'année suivante, l'*Acteur tragique* (Washington) et le *Fifre* (Orsay) essuieront un refus au Salon, c'est un jeune écrivain que Cézanne lui a présenté, Émile Zola, qui saura le défendre, publiant cette phrase prémonitoire : « Nos pères ont ri de M. Courbet et voilà que nous nous extasions devant lui. Nous rions de M. Manet et ce sont nos fils qui s'extasieront devant ses toiles. »   •

Du Luxembourg au musée d'Orsay

À PARIS, DU MUSÉE DU LUXEMBOURG AU LOUVRE ET À ORSAY, LA TOILE D'*OLYMPIA* S'EST DÉFINITIVEMENT INSTALLÉE DANS L'UNIVERS MYTHIQUE DES GRANDS CHEFS-D'ŒUVRE.

La scandaleuse *Olympia* ne quittera l'atelier de Manet qu'après la mort du peintre, pour être l'un des clous de son exposition posthume. L'homme politique Antonin Proust, son condisciple chez Couture, a obtenu que cette manifestation se tienne à l'École des beaux-arts. Un an plus tard, à la vente de l'atelier, le tableau n'atteint pas le prix de réserve et revient, pour dix mille francs, chez la veuve de Manet. À l'Exposition universelle de 1889, il fait partie des quatorze toiles (dont le *Fifre* et le *Printemps* [collection privée] de 1881) qui consacrent la gloire de Manet. Le bruit court alors qu'un Américain s'apprête à l'acquérir et Claude

Monet, mis au courant de cette rumeur par le peintre J.-S. Sargent, prend l'initiative d'une souscription publique visant à acheter *Olympia* à Mme Manet pour l'offrir à l'État.

Peintres, écrivains, musiciens, amateurs et marchands se côtoient dans la liste des souscripteurs, parmi lesquels Zola refuse de figurer (« C'est chez moi un parti absolu de ne pas acheter de peinture, même pour le Louvre »), mais dans laquelle on remarque un des plus chers amis de Manet, Stéphane Mallarmé. Le poète sera mort quand *Olympia* entrera au Louvre, car elle est d'abord placée au musée du Luxembourg, consacré à l'art

contemporain. C'est Clemenceau qui, en 1907, la fait transporter dans le premier musée de France et suspendre à côté de la *Grande Odalisque* d'Ingres, qui, elle aussi, en son temps, a déchaîné les sarcasmes. Elle rejoint ensuite les impressionnistes de la donation Caillebotte, qu'elle suit dans les salles du Jeu de Paume aux Tuileries, puis dans leur transfert au musée d'Orsay, en 1986. C'est là qu'elle règne aujourd'hui sur un demi-siècle de peinture.

Le formidable impact de ce tableau sur les artistes s'est manifesté dès l'interprétation baroque de Cézanne dont *Une moderne Olympia* horrifie les visiteurs de la première exposition impressionniste (1874). Gauguin a copié l'œuvre de Manet, auquel il portera la plus durable admiration ; dans sa case, aux Marquises, une gravure d'*Olympia* côtoie ses nus tahitiens. L'œuvre n'a cessé de susciter copies ou parodies, jusqu'aux interprétations d'art brut et de pop art de Dubuffet et de l'Américain Larry Rivers.   •

4. Manet, *Olympia*, 1863 (huile sur toile ; 1,305 × 1,900 m).

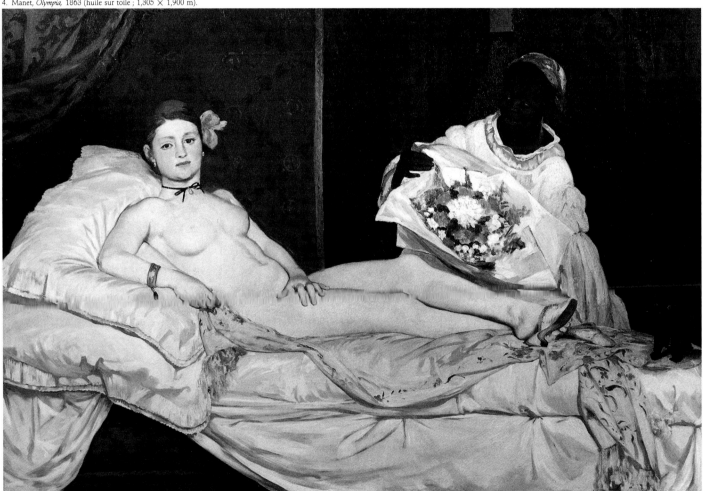

Une longue lignée iconographique

Le plus simple des sujets, une femme nue étendue sur sa couche, est aussi le plus durable. Chaque époque l'adopte, l'intégrant à son temps par un détail : servante agenouillée devant un coffre chez Titien (1), robe de la femme de chambre chez Manet (4), protecteur mondain chez Cézanne (2), canapé 1900 chez Rousseau (3). Ce thème laisse au peintre la possibilité d'exercer toutes les ressources de la ligne et de la matière. C'est pour chacun l'apothéose d'un style : Titien, grande manière de sa jeunesse ; Rousseau, jungle onirique ; Cézanne, bouquet final de la veine « couillarde » – avec, entre eux, l'autorité raffinée de Manet sublimant les audaces de la modernité. Sous couvert d'une pose classique, son *Olympia* défend le réalisme le plus strict et, lorsque l'on reproche au peintre ses duretés : « Il y en avait, je les ai vues », rétorque-t-il. Longtemps contemplée, après 1865, par les seuls familiers de l'atelier de Manet, l'œuvre a enfin rencontré depuis son entrée au musée la compréhension et l'enthousiasme d'un public fidèle.

L'impressionnisme

L E MOUVEMENT ARTISTIQUE auquel on donne le nom d'impressionnisme révolutionne la seconde moitié du XIXe siècle et ouvre la porte à tout l'art moderne. Essentiellement soucieux de la transcription du monde contemporain, il cherche dans le domaine du paysage à montrer les phénomènes atmosphériques, neige, brouillard, dans ce qu'ils ont de plus éphémère, ajoutant ainsi un facteur de temporalité à la représentation picturale.

Sa technique, emploi des couleurs claires, petites touches en virgules, ombres bleues ou violettes, scandalise un public habitué aux peintures lisses et aux sujets historico-mythologiques. Monet, Renoir, Pissarro utilisent d'abord au hasard, puis de plus en plus sciemment les couleurs complémentaires, ce qu'à leur suite les néo-impressionnistes érigeront en doctrine. Leur mouvement ne surgit cependant pas du néant. Il est la conséquence des recherches réalistes, qu'il pousse jusqu'à l'enregistrement des plus fines sensations, et un vaste courant « préimpressionniste » l'anticipe.

Une phase préparatoire amorce l'impressionnisme. Elle a Manet pour chef de file, mais celui-ci, par la suite, refusera de participer aux expositions que Degas, Monet, Renoir et Pissarro organisent. Dans ces manifestations collectives, le strict impressionnisme des uns côtoie le style plus personnel des autres (Cézanne, Degas). La dernière comprendra des artistes qui s'écartent du mouvement : les uns, Seurat, Signac, parce qu'ils tâchent de le codifier scientifiquement, les autres, Gauguin, Redon, parce qu'il l'orientent vers une autre forme d'expression, le symbolisme.

🦢 La longue histoire du préimpressionnisme

PRÉDÉCESSEURS ÉLOIGNÉS
OU DIRECTS COMPOSENT LA COHORTE DISCONTINUE
DE CES PRÉIMPRESSIONNISTES DONT LES ÉTOILES
S'APPELLENT DELACROIX, TURNER, JONGKIND.

L e terme *préimpressionnisme* a deux significations complémentaires. L'une s'applique à ceux qui, à travers l'histoire, ont manifesté ce souci de capter le fugitif dont l'impressionnisme marquera l'apothéose ; l'autre désigne les artistes qui préludent directement à ce mouvement au cours du XIXe siècle.

Le préimpressionnisme jalonne donc de façon intermittente la peinture depuis les paysages tremblés des peintures de Pompéi, au premier siècle de notre ère, et les lavis modelant en taches ou en pointillé la montagne et l'eau dans la Chine des Song. Les Vénitiens du XVIe siècle, Giorgione, Tintoret, emploient des vibrations colorées, Velázquez aussi ; Greco balafre sa toile par souci d'expressivité, Rubens également, mais avec des valeurs claires. Le Lorrain donne un rôle prépondérant à la lumière, Watteau et Fragonard poursuivent l'instantanéité. Des notations atmosphériques apparaissent chez Hubert Robert et chez les vedutistes vénitiens (Guardi), tandis que Goya fragmente la touche. Les paysagistes anglais sont à la fois précurseurs et inspirateurs des impressionnistes, Constable par ses études de nuages, Bonington par sa spontanéité, Turner par ses atmosphères féeriques.

La génération romantique se montre préimpressionniste dans la poursuite par Corot de « l'impression qui nous a émus », les mouchetures de Diaz de la Peña ou de Monticelli, la touche allongée (en « flochetage ») de Delacroix et sa théorie des reflets. Certains réalistes annoncent aussi la génération suivante, Daumier par sa liberté de touche, Courbet par ses effets de neige. Pour les peintres de Barbizon, haut lieu du préimpressionnisme, la forêt offre le motif idéal ; les impressionnistes préféreront les paysages fluviaux ou maritimes. On retrouve ce goût chez quelques artistes qui les annoncent directement, Daubigny, Huet, Jongkind, Chintreuil, Boudin, Cals, Lépine, dont les trois derniers participeront à la première exposition impressionniste, en 1874. Tous ont travaillé sur des sites que la nouvelle école rendra célèbres, telles la ferme Saint-Siméon à Honfleur ou Auvers-sur-Oise. Pour leur part, Eugène Boudin, Johan Barthold Jongkind et Charles Daubigny jouent un rôle essentiel dans la formation de Monet. •

🦢 Une phase préparatoire

LE RÉALISME DE COURBET, LA MODERNITÉ DE MANET,
LA NERVOSITÉ EXPRESSIVE DE WHISTLER, VOILÀ LES PREMIERS
EXEMPLES CHOISIS PAR MONET ET SES AMIS.

L e « Salon des refusés », en 1863, marque l'entrée en scène d'une nouvelle génération, celle-là même qui donnera naissance à l'impressionnisme. Cette année-là, Napoléon III, devant l'afflux de protestations suscité par la sévérité de la sélection du Salon officiel, a donné l'ordre d'exposer les œuvres exclues. Deux d'entre elles trouvent auprès de la jeunesse un impact remarquable : la *Femme blanche* de Whistler et le *Déjeuner sur l'herbe* de Manet, qui semblent l'exemple de cette modernité définie par Baudelaire, en 1859, à propos de Constantin Guys.

Dans les années qui précèdent 1870, l'influence d'Édouard Manet (1832-1883) détrône progressivement celle de Courbet. Il est avec son ami Degas le centre du groupe parisien dit *des Batignolles,* dont les réunions se tiennent dans la grand-rue de ce nom, au café Guerbois. Là convergent des artistes qui se sont rencontrés à l'atelier de Charles Gleyre (Monet, Renoir, Bazille, Sisley) ou à l'académie Suisse (du nom de son propriétaire) [Pissarro, Monet,

1. William Turner, *Tours : coucher du soleil,* aquarelle.

2. Monet, *Impression, soleil levant,* 1872.

L'air, l'eau, les loisirs...

Si la forêt tenait une grande place chez les peintres de Barbizon, les impressionnistes lui préfèrent l'élément aquatique. L'Angleterre, et spécialement Turner, les a précédés : il est intéressant de comparer une aquarelle de ce grand maître (1) au célèbre *Impression, soleil levant* (2) peint par Monet peu après son retour de Londres. Renoir joint à la vue de la rivière celle des plaisirs qu'elle procure (3). Un des attraits majeurs de l'impressionnisme réside dans cette préférence souvent marquée pour les aspects récréatifs de la vie.

Cézanne, Guillaumin]. Camille Pissarro (1830-1903), l'aîné du groupe, est passé par les Beaux-Arts, comme Edgar Degas (1834-1917) et Auguste Renoir (1841-1919), et a reçu les conseils de Corot, comme Berthe Morisot (1841-1895), future belle-sœur de Manet. Tous tentent d'être admis au Salon, souvent avec succès, hormis Paul Cézanne (1839-1906), éternel refusé, qui pratique alors un expressionnisme romantique. Leur intérêt va à Delacroix, à Goya et aux estampes japonaises dont les couleurs vives, les aplats, l'absence de perspective, les cadrages inusités inspirent l'Américain James McNeill Whistler (1834-1903) ainsi que Degas. Ce dernier dessine sur les champs de courses, mais peint à l'atelier, Manet aussi. Claude Monet (1840-1926) au contraire, initié par Boudin et Jongkind à la peinture de plein air, commence à l'ériger en dogme pour lui-même et pour ses amis, en forêt de Fontainebleau, sur les côtes normandes, aux environs de Paris.

Dans ce prologue s'affirme une sincérité un peu brutale, une touche rapide et surtout une importance majeure accordée à la lumière. Le pleinairisme éclatant de la *Lise* de Renoir, des *Femmes au jardin* de Monet, de *la Terrasse* de Frédéric Bazille (1841-1870) sont ainsi la première forme de l'impressionnisme.
●

L'impressionnisme
dans tous ses états

LE PRESTIGE DU MOUVEMENT TIENT À CE QU'IL A
RÉUNI SOUS SON NOM LA PLUS GRANDE CONCENTRATION
DE GÉNIES PICTURAUX DU XIXᵉ SIÈCLE.

Huit expositions jalonnent de 1874 à 1886 les grandes heures de l'impressionnisme. La première donne son nom au mouvement, un tableau de Monet, *Impression, soleil levant* (conservé au musée Marmottan), ayant suscité dans le journal humoristique *le Charivari* une charge autour du mot *impression*. La dernière, à laquelle Monet, Renoir et Sisley ne participent pas, souligne la dispersion du groupe et l'apparition de nouvelles tendances.

Mais le style impressionniste a fait son apparition bien avant 1874. Il rayonne en effet avec toute sa plénitude dans les toiles peintes en 1869 par Renoir et Monet à l'île de Croissy (sur la Seine), aux bains de la Grenouillère. Le frémissement du feuillage et de l'eau, les silhouettes sténographiques, les vibrations de la lumière caractérisent cette nouvelle manière. Elle s'accompagne de ces ombres bleues qui choqueront si vivement l'Institut. Les œuvres exécutées en 1870 par Pissarro et Sisley, qui voisinent avec Renoir à Louveciennes, relèvent des mêmes tendances. La guerre de 1870 disperse le groupe des Batignolles. Bazille est tué. Pissarro et Monet se retrouvent à Londres, séjour décisif, car la vue des études de Constable et des aquarelles de Turner les confirme dans leurs recherches, tandis que la rencontre de Durand-Ruel crée les premiers liens avec le marchand qui fera sa gloire.

La sévérité, politique autant que stylistique, du jury du Salon après la Commune incite Monet, Degas, Pissarro, Renoir à reprendre l'idée de Bazille d'expositions collectives en battant le rappel de tous leurs amis. La première, tenue boulevard des Capucines dans l'ancien atelier de Nadar, un des endroits les mieux placés de Paris, réunit trente artistes, dont Boudin. Manet ne participera jamais à ces manifestations, préférant se battre au Salon, mais il subit dès lors une certaine influence de ses camarades, adoptant une palette plus claire, une touche plus scintillante. L'exposition de 1874 s'est soldée par un échec financier, mais la presse, dans l'ensemble, n'a pas été défavorable. Elle sera très agressive pour celle de 1876. Ensuite, partisans et opposants continueront de s'affronter, mais les premiers ne cesseront de gagner du terrain, encouragés par les critiques familiers du Guerbois puis de la Nouvelle-Athènes, second haut lieu des rencontres. En dehors d'Émile Zola, on compte Ernest Chesneau, Castagnary, Armand Silvestre... La première étude est celle de Duranty (un ami de Degas), *la Nouvelle Peinture,* 1876, suivie en 1878 par *les Peintres impressionnistes* de Théodore Duret. Des poètes, Mallarmé, Charles Cros, encouragent les artistes, des amateurs les soutiennent. Certains sont peintres, exposent avec eux comme Henri Rouart, comme Gustave Caillebotte, dont le legs à l'État d'œuvres de ses camarades révolutionnera le monde de l'art à sa mort, en 1894 (seule une partie de la collection sera acceptée).

À travers les expositions collectives, agitées de dissensions, les retours au Salon, les accrochages dans les galeries, se dessine une géographie des lieux : Argenteuil, où travaillent Monet, Renoir, Manet, Caillebotte ; Bougival, où vit un éternel printemps par la grâce des canotiers de Renoir ; Vétheuil et Giverny, thébaïdes de Monet ; Auvers-sur-Oise, où Cézanne précède Van Gogh ; Moret-sur-Loing pour Sisley, Pontoise et Éragny pour Pissarro ; mais Cézanne demeure provençal dans l'âme, Degas et Manet parisiens.

Leurs thèmes paysagers illustrent l'impalpable : brouillard, neige ; l'éphémère : pommiers en fleurs ; la mouvance : pluie, herbes au vent. Le rôle primordial de la lumière se décline en vibrations solaires chez Renoir et Monet, en scintillement des lumières artificielles chez Degas.

La cohésion précaire du groupe impressionniste ne survit pas aux disparitions de Manet (1883) et de Berthe Morisot (1895). D'ailleurs, chacun évolue suivant sa propre esthétique. Monet l'exprime dans les séries, *Meules, Cathédrales, Nymphéas.* Degas remplace les *Danseuses* par des *Femmes à leur toilette* balafrées d'orange et de bleu. Renoir s'enchante de *Baigneuses* de plus en plus plantureuses. Sisley seul ne change pas, tandis que Pissarro emprunte, un temps, la nouvelle technique, divisionniste, du néo-impressionnisme. Due aux recherches de Seurat, celle-ci cause un scandale à la dernière exposition collective (1886), où le dérangeant chef-d'œuvre de l'artiste, *Un dimanche après-midi à la Grande Jatte,* occupe toute une cimaise. À la même manifestation figurent Odilon Redon et Gauguin, dont l'art, encore imité de l'impressionnisme, sonnera bientôt le glas de ce mouvement.
●

3. Renoir, *les Canotiers,* vers 1879-1880.

4. Seurat, *Un dimanche après-midi à l'île de la Grande Jatte,* 1884-1886.

Dissidents,
opposants, suiveurs

TOUT MOUVEMENT ARTISTIQUE ENGENDRANT
SON CONTRAIRE, L'IMPRESSIONNISME SE VOIT REMIS
EN CAUSE PAR DES NOVATEURS « DIVISIONNISTES »
ET DES OPPOSANTS « SYNTHÉTISTES ».

Au moment où l'impressionnisme trouve un public de plus en plus large, il se voit mis en question par de nouveaux mouvements. Le néo-impressionnisme lui fait référence, mais en prenant avec Georges Seurat (1859-1891), son créateur, une voie scientifique due à l'application des lois sur le contraste simultané des couleurs. Celles-ci, posées en touches régulières de teintes variées, sont censées recomposer sur la rétine le ton désiré. *Un dimanche après-midi à l'île de la Grande Jatte* de Seurat (Art Institute, Chicago) est le tableau-manifeste de cette école, dont Paul Signac (1863-1935) est le héraut et qui réunit les Pissarro père et fils, Charles Angrand, Dubois-Pillet, etc., au Salon des Indépendants et à celui des Vingt à Bruxelles. De nombreux peintres belges et hollandais, Van Rysselberghe, Jan Toorop, adoptent ce style, que des Italiens, Giovanni Segantini, Giuseppe Pellizza da Volpedo, lient au symbolisme dans le « divisionnisme lombard ». Les artistes assez forts pour créer leur propre manière usent du néo-impressionnisme sans s'y attarder : Toulouse-Lautrec, Van Gogh, Edvard Munch.

Un autre mouvement, le *synthétisme,* né en 1888 à Pont-Aven autour d'Émile Bernard et de Gauguin (qui en peint l'exemple majeur avec *la Vision après le sermon* [National Gallery d'Édimbourg]), se veut l'antithèse de l'impressionnisme : simplifications empruntées aux calvaires bretons, teintes plates cernées d'un trait noir. Ce groupe, dont Paul Sérusier (qui fait la liaison avec les *nabis*) est un des meilleurs représentants, expose au café Volpini, à Paris, pendant l'Exposition universelle de 1889. Mais Gauguin le quitte bientôt pour donner libre cours à son génie personnel à Tahiti et aux Marquises.

Au tournant du siècle, l'impressionnisme, souvent exploité en France par des peintres à la limite de l'académisme, se répand largement à l'étranger. Il est brillamment représenté en Angleterre, aux États-Unis, en Scandinavie, en Allemagne. Ici et là, c'est chez des peintres qui ont débuté avec l'impressionnisme que se développera sa plus furieuse transformation : l'*expressionnisme.*
●

Seurat et le néo-impressionnisme

Les impressionnistes appliquaient intuitivement les lois du chimiste Eugène Chevreul en juxtaposant les complémentaires et en peignant des ombres violettes. Seurat les étudie scientifiquement, ainsi que celles du physicien Ogden Nicholas Rood et que les travaux de Charles Henry sur les lignes et les proportions, pour instaurer la division des couleurs et géométriser les formes. Sa brève carrière est ponctuée de chefs-d'œuvre, dont cette vision des loisirs sur une île de la Seine (4) est l'un des plus démonstratifs.

→ **Voir aussi :** La peinture romantique, ARTS, p. 276-277. L'idéalisme pictural, ARTS, p. 282-283. Le réalisme, ARTS, p. 284-285. Manet *Olympia,* ARTS, p. 286-287. Van Gogh *la Nuit étoilée,* ARTS, p. 290-291. Cézanne *le Garçon au gilet rouge,* ARTS, p. 292-293. Les premières avant-gardes du xxᵉ siècle, ARTS, p. 298-299.

Van Gogh
la Nuit étoilée

« JE PRÉTENDS QUE l'instinct, l'inspiration, l'impulsion, la conscience sont de meilleurs guides que beaucoup ne l'imaginent. » En exaltant ainsi la création personnelle, Vincent Van Gogh (1853-1890) dépasse le monde limité des amateurs d'art qui, de son vivant, méjugeaient ses œuvres, pour leur faire atteindre un siècle après sa mort une cote vertigineuse. Il touche un public universel non seulement par un destin tragique où le mysticisme lutte contre l'alcool, mais par son génie, qui donne à la couleur pouvoir de symbole et presque de thérapie. Son style, que ses contemporains qualifient de barbare, s'appuie sur une culture internationale dont bien peu de gens, à son époque, peuvent se prévaloir. Il connaît Rembrandt, Rubens, Holbein, les préraphaélites anglais, l'école de Barbizon, Dela-

croix et Millet, Hokusai... Les gravures le passionnent, de Dürer aux dessinateurs les plus modernes. Enfin, il a tout lu, de Shakespeare à Zola, dont il retrouve le Paradou en Arles, en même temps que la diligence de Tarascon décrite par Daudet dans *Tartarin*. Le peintre hollandais est, avec Cézanne, la personnalité qui a eu le plus d'influence sur les artistes du xxᵉ siècle. Mais comparer une *Sainte-Victoire* de l'un à *la Nuit étoilée* de l'autre montre la distance qui sépare ces deux géants de la peinture, combien le premier tableau se rattache au classicisme et le second au baroque.

Les *Autoportraits* témoignent autant que les paysages de la puissance créatrice que Van Gogh confère à la couleur pure. En France, en Allemagne, en Belgique, la jeunesse s'en est émerveillé et cette fascination dure toujours.

Le paysage selon Vincent

« LE COBALT COULEUR DIVINE, IL N'Y A RIEN DE PLUS BEAU POUR CRÉER L'ESPACE. » C'EST EN RÊVANT LES COULEURS QUE VAN GOGH CRÉE LE PAYSAGE MODERNE.

Phares de l'art moderne, Cézanne et Van Gogh sont aussi les deux peintres qui, pour le monde entier, incarnent l'image de la Provence. Le premier, originaire de la région aixoise, en a fait un sujet primordial de ses œuvres et a transformé le site de la Sainte-Victoire en montagne magique ; le second atteint sous ce ciel méridional un sommet d'exaltation plastique et chromatique.

Van Gogh, qui ne signera jamais que son prénom, Vincent, est venu tard à la peinture après sept années passées comme employé dans les galeries de tableaux Goupil à La Haye, Londres et Paris (1869-1876), puis une période de mysticisme et des amours malheureuses. C'est dans le milieu misérable des mineurs du Borinage, qu'il tente d'évangéliser, que l'art lui est apparu comme une forme de mission. Une poésie nostalgique baigne le graphisme un peu sec de ses dessins d'Etten *(Marais dans les bruyères)*, de La Haye *(Route près de Loosduinen)* ou de Nuenen, avec ces *Saules têtards* qu'il compare aux « vieillards-orphelins » de l'hospice. Vincent apprécie depuis toujours Corot, Daubigny et Millet. Il a pris

conseil d'Anton Mauve, peintre de l'école de La Haye, mais déjà ses travaux contrastent par leur expressivité tant avec ceux des maîtres français qu'avec ceux de ses compatriotes.

À son arrivée à Paris en 1886, le style sombre et tourmenté de ses paysages hollandais subit une transformation éclatante au contact de l'impressionnisme. Ses réflexions antérieures sur la théorie des couleurs de Delacroix combinées à son intérêt pour le néo-impressionnisme de Seurat et de Signac aboutissent au pointillage divisionniste des vues de Montmartre et d'Asnières. D'autre part, passionné d'estampes japonaises depuis son séjour à Anvers (fin 1885), Vincent leur doit une simplification des formes et une exacerbation des couleurs qu'il pousse à leur paroxysme en Arles (1888). Dans le Midi, le peintre se voit comme une réincarnation d'Adolphe Monticelli (1824-1886, peintre marseillais de fêtes galantes, d'un matiérisme impétueux) ; mais, si sa vision croise celle d'artistes qu'il admire, elle ne s'en inspire pas. Ses paysages n'ont ni les épaisseurs des Monticelli ni le duve-

teux des Renoir ; rien de commun non plus avec l'enchevêtrement des *Antibes* exposés par Monet chez Boussod-Valadon. En été, devant une nature plus sévère, il retrouve le côté âpre des Cézanne mais se refuse à l'imiter. Arles se transforme en Japon mythique avec des ponts jaunes, des vergers roses, des pins violets. Sur sa palette, les chromes s'opposent au bleu de cobalt, conférant une extraordinaire efficacité plastique au *Semeur* ou bien à cette *Nuit étoilée*. À Saint-Rémy (1889), la mise en place des couleurs se fait plus haletante, plus tournoyante pour décrire les oliviers, les cyprès, les platanes. Quant aux ultimes semaines d'Auvers-sur-Oise (mai-juillet 1890), elles prolongeront les conquêtes provençales de l'éclatante polychromie des *Canotiers,* le vacillement tragique de *l'Église d'Auvers* et le grand final expressionniste du dernier *Champ de blé.*

●

Des vagues de cobalt où tournoient les étoiles

EN PROVENCE, VAN GOGH LIT HUGO ET WHITMAN, CES POÈTES QUI PARLENT D'ÉTOILES, ET INTÈGRE CE QU'ILS LUI SUGGÈRENT À SES EXPÉRIENCES PICTURALES.

La beauté des nuits provençales, révélation pour Van Gogh, cet homme du Nord, inspire la plus magique peut-être de ses toiles, *la Nuit étoilée* de juin 1889, aujourd'hui au musée d'Art moderne de New York.

Après la crise de delirium tremens au cours de laquelle il s'est tranché le lobe de l'oreille (décembre 1888), Vincent a d'abord été soigné à l'hôpital d'Arles ; puis, pour assurer sa guérison et sa désintoxication, il s'est fait volontairement interner à l'asile (ancien couvent) Saint-Paul-de-Mausole, qui, sur le plateau des Antiques, domine Saint-Rémy. Il travaille intensément derrière les barreaux de sa cellule ou dans le parc et regroupe des éléments épars, cyprès, village, dans ce paysage

1. Van Gogh : *Autoportrait à l'oreille coupée* (fin 1888-début 1889).

2. Cézanne : *la Montagne Sainte-Victoire au grand pin* (vers 1885-1887).

Rêverie spirituelle et innovation plastique

La période la plus spectaculaire de la carrière de Van Gogh se déroule en Provence ; elle le met en parallèle avec Cézanne pour la transposition picturale de ces paysages que le maître d'Aix considérait comme les plus beaux de France (2).

Vincent a souvent vu les toiles de cet aîné chez le père Tanguy (marchand de couleurs pour artiste à Montmartre), auquel tous deux confient leurs œuvres. Mais c'est autre chose qu'il part chercher dans le Midi : un Japon illusoire, forgé à

travers sa passion des estampes. Accrochées dans sa chambre en Arles, leur Fuji Yama répond à la Sainte-Victoire et se détache derrière cette émouvante effigie à l'oreille coupée (1). Dans *la Nuit étoilée* (3), exécutée à Saint-Rémy, se

condensent toutes les recherches spirituelles et plastiques de Van Gogh ; le résultat en est une stylisation irréaliste qui contraste totalement avec ce que Cézanne, quant à lui, s'acharne à traquer : une essence bien réelle de la nature.

qui répond au désir exprimé en avril de l'année précédente : « Il me faut une nuit étoilée avec des cyprès. » *La Nuit étoilée au bord du Rhône* (musée d'Orsay, Paris), exécutée en juin 1888, était encore très impressionniste dans ses accords de bleus et de violets où se reflétaient l'or brutal du gaz et l'or pâle de la Grande Ourse. Pendant les mois suivants et après son installation à Saint-Rémy, ses recherches portent sur des équivalences : « Exprimer l'amour par le mariage de deux complémentaires [...], exprimer l'espérance par quelque étoile. » « Comme tu t'es risqué jusqu'à l'extrême point où le vertige est inévitable [...] », remarque son frère Théo en recevant une caisse de tableaux de l'asile. Un dessin très fouillé « pour servir plus tard de renseignement aux peintures » précède généralement celles-ci. *Cyprès et étoiles* (Brême, Kunsthalle), version à la plume du tableau de New York, diffère de ce dernier par la schématisation des volutes et l'aspect de chevelure féminine donné

au cyprès. Théo, qui enverra *la Nuit étoilée* au Salon des Indépendants, trouve que cette recherche de style « enlève au sentiment vrai des choses », mais pour Vincent « elle donne un aspect plus mâle et volontaire ».

Ici le village baigné par la lune prend l'aspect d'un paysage des Pays-Bas vu par ces graveurs anglais ou allemands dont il collectionne les estampes. Une concordance absolue entre la couleur et la forme stylise l'éternel retour des planètes par une de ces nuits d'été que balayent les Perséides. « Toujours la vue des étoiles me fait rêver », remarquait Vincent l'année précédente, « aussi simplement que me donnent à rêver les points noirs sur une carte... Si nous prenons le train pour aller à Tarascon ou à Rouen, nous prenons la mort pour aller dans une étoile. » C'est ce grand espoir de locomotion céleste et non le ciel d'Apocalypse vu par saint Jean qui roule ici ses vagues de cobalt où tournoient la lune avec son cortège d'astres. •

« J'aime Van Gogh mieux que mon père »

DES GÉNÉRATIONS DE PEINTRES – ET SINGULIÈREMENT FAUVES ET EXPRESSIONNISTES – ONT RECONNU EN VAN GOGH LE PÈRE DE L'ART MODERNE.

De son vivant, Van Gogh n'a vendu qu'un seul tableau, *la Vigne rouge,* acheté par Anna Boch, artiste du groupe bruxellois des Vingt et sœur de son ami Eugène Boch. Une quinzaine d'années suffiront après sa mort (fin juillet 1890) pour que la nouvelle génération découvre le dynamisme expressif apporté par l'œuvre longtemps confidentielle de Vincent et regarde ses autoportraits comme ceux du père de la peinture moderne, presque comme des portraits de famille. Dès 1892, sa belle-sœur Johanna, veuve de Théo (disparu à son tour en janvier 1891), a exposé cent tableaux et dessins à Amsterdam. À Paris, Émile Bernard en a montré seize en 1893 à la galerie Le Barc

de Boutteville. On en voit aussi dans des expositions en Allemagne, mais ce sont les manifestations de 1901, galerie Bernheim à Paris, et de 1905, galerie Arnold à Dresde et Stedelijk Museum d'Amsterdam (473 œuvres), qui donnent le coup d'envoi de la formidable influence exercée par Van Gogh sur l'art du xxᵉ siècle. Tandis que Cézanne souhaite en 1903 que É. Bernard « tourne le dos aux Gauguin et aux Van Gogh », les jeunes, tel Picasso, découvrent avec les Hollandais « la couleur, la vie de la forme ».

Ce grand apport de rythme et d'intensité colorée, les précurseurs de l'expressionnisme, Edvard Munch à Paris en 1888-1890, James Ensor aux expositions des

Vingt à Bruxelles, ont eu l'occasion de s'en inspirer, mais ce sont les groupes des fauves en France et de Die Brücke en Allemagne qui tirent de son exemple le maximum d'enseignement. Au Salon d'Automne de 1905 et dans les années suivantes, les toiles de Matisse, Derain, Vlaminck et du Hollandais Van Dongen, fauve avant le fauvisme, constituent un hommage visuel au maître d'Auvers. La même impression se dégage de la nervosité graphique aussi bien que de la fougue colorée des œuvres exposées à Dresde en 1907 par les artistes de Die Brücke, Kirchner, Schmidt-Rottluff, Pechstein, etc. Tous semblent en effet avoir partagé le sentiment de Vlaminck, qui, sortant en 1901 avec Matisse et Derain de l'exposition où ils venaient de découvrir la peinture de Vincent, s'exclamait : « J'aime Van Gogh mieux que mon père. » •

→ **Voir aussi :** Le réalisme, **ARTS**, p. 284-285. L'impressionnisme, **ARTS**, p. 288-289. Les premières avant-gardes du xxᵉ siècle, **ARTS**, p. 298-299.

3. Van Gogh : *la Nuit étoilée,* 73 × 92 cm (juin 1889).

Cézanne
Le Garçon au gilet rouge

L'INTÉRÊT DU PUBLIC POUR Cézanne s'est d'abord porté sur ses natures mortes et ses paysages ; il n'a que lentement atteint les figures, qui, pour le peintre, représentent l'acmé de toute création artistique. Ces différents genres sont traités simultanément durant les grandes étapes de sa carrière : expressionnisme baroque du début, période de recherche impressionniste, géométrie des œuvres tardives.

Une soupière, un panier de pommes ou d'oignons posés sur une table ne déconcertent pas, malgré la distorsion voulue de la perspective, un spectateur qui peut retrouver dans ces sujets une filiation avec Chardin. De même, les paysages s'inscrivent dans la lignée d'un réalisme auquel était sensible le premier acquéreur du peintre, le comte Doria, qui acheta *la Maison du pendu,* en 1874, à l'exposition initiale de l'impressionnisme. D'ailleurs, cette fidélité au réel qui, dans *le Pont de Maincy* (vers 1880), prend un aspect presque classique se manifeste sous la touche impressionniste adoptée pendant les années (1872-1874) où Cézanne travaille à Pontoise puis à Auvers près de Pissarro, et se pro-

longe jusque dans le chaos cyclopéen du *Château noir* au début du xxe siècle.

Ses recherches dans le domaine de la figure expriment à chaque étape de sa vie une originalité particulièrement évidente. Les premiers portraits maçonnent les traits de *l'Oncle Dominique* ou transforment le plus classique des modèles, ce *Nègre Scipion,* en symbole de la souffrance. La femme de Cézanne, Hortense, posera pendant des années pour des œuvres à travers lesquelles s'élabore une conception de la forme de plus en plus soumise aux impératifs de la géométrie. Mais c'est probablement avec les diverses versions du *Garçon au gilet rouge* et des *Joueurs de cartes* (entre 1890 et 1895) que le peintre atteint le sommet de ce qui s'apparente davantage à des méditations plastiques qu'à des portraits, œuvres imprégnées toutefois des secrets de la ressemblance. Son idéal ultime demeure l'intégration du nu au paysage, suivant un axiome qu'il ne cessera de répéter : « Faire du Poussin sur nature. » Tous les *Baigneurs* et *Baigneuses* qui jalonnent sa carrière démontrent l'éclatante modernité que son œil confère au plus éternel des sujets.

« Quelque chose de solide comme l'art des musées »

LE *GARÇON AU GILET ROUGE* EST UNE DE CES ŒUVRES PAR LESQUELLES CÉZANNE ASPIRE À PRENDRE LE RELAIS DES GRANDS MAÎTRES QU'IL NE CESSE DE SCRUTER AU LOUVRE : TINTORET, RUBENS, POUSSIN, DELACROIX...

L'insatisfaction permanente de Cézanne vis-à-vis de son travail transparaît jamais dans son œuvre. On sait par Pissarro et par Gauguin les accès de fureur qui lui faisaient crever à coups de pied les paysages ne correspondant pas à ses efforts et les abandonner dans la campagne. La figure humaine lui demande une tension encore plus grande. D'innombrables séances sont nécessaires à ses portraits ; il abandonne après deux mois celui de *Gustave Geffroy,* l'écrivain ami de Clemenceau, car il lui semble s'être attaqué à un travail qui dépasse ses forces ; quant au portrait d'*Ambroise Vollard,* après cent séances de pose il ne se dit satisfait que du plastron.

Le Garçon au gilet rouge date des années où le peintre atteint, en dépit de ses réticences et de ses hésitations, le summum de sa maîtrise. C'est également le moment où d'autres personnalités que ses camarades du groupe impressionniste commencent à prendre conscience de son originalité ; en janvier 1890, le Cercle des XX à Bruxelles, temple de l'avant-garde, a exposé trois de ses toiles. À l'époque de notre portrait, le peintre partage son temps entre Aix, Marlotte, où il achète une maison en 1892, les environs de Paris et l'appartement qu'il occupe depuis 1888 dans l'île Saint-

Louis. Au 15 du quai d'Anjou, il se trouve entre l'hôtel Pimodan, qu'habita son poète préféré, Baudelaire, et le 13, où son ami Guillaumin loue l'ancien atelier de Daubigny. C'est là qu'il fait poser Michelangelo di Rosa, membre d'une de ces familles italiennes qui, du nouveau-né à l'aïeul, servent de modèles aux peintres. Une aquarelle (1890, collection privée) le montre de face, affalé sur une chaise de paille. Quatre peintures à l'huile (collection Bührle à Zurich, collection Mellon, fondation Barnes et musée d'Art moderne de New York) le représentent assis ou debout, de profil ou de face. L'aquarelle, qui précède les œuvres à l'huile, est fascinante ; cette technique, toujours traitée par Cézanne en maître absolu et dans laquelle ses effets de transparence sont incomparables, prend une espèce de densité pour imposer le réalisme bougon du personnage. Dans le tableau de la collection Mellon, l'adolescent, le visage un peu pincé, se tient poing sur la hanche dans la pose classique des portraits de la Renaissance. Le trait qui souligne les bras, les plis des vêtements, l'arrondi du visage situe l'œuvre aux confins du dessin et de la peinture.

Dans la toile de la collection Bührle ici reproduite, le bras démesurément allongé (comme d'ailleurs dans l'aquarelle) a surpris les critiques ; le peintre a voulu souligner, expliquent-ils, l'impression de lassitude. Cette déformation volontaire s'appliquait déjà au *Nègre Scipion.* Elle rejoint celle du bras de la *Thétis* d'Ingres au musée d'Aix et celles des Greco que Cézanne plaçait, avec Poussin, dans cette galerie de

« L'aboutissement de l'art, c'est la figure »

LE MONDE ENTIER AURA LES YEUX DE CÉZANNE POUR LA MONTAGNE SAINTE-VICTOIRE, MAIS LE PEINTRE PRÉFÉRAIT À TOUT SES FIGURES, QUI, DU *NÈGRE SCIPION* AU *GRANDES BAIGNEUSES,* EXPRIMENT SON DÉSIR DE MONUMENTALITÉ.

Cézanne travaille, il s'affirme de plus en plus dans la voie originale où sa nature l'a poussé, signale en 1866 Émile Zola, qui est alors son ami le plus intime. Depuis 1861, le jeune Aixois a délaissé ses études de droit pour obtenir enfin, en 1862, l'autorisation d'étudier la peinture à Paris. Participant au célèbre Salon des Refusés en 1863, il n'aura jamais, sauf en 1882 grâce à son camarade Guillemet, la satisfaction d'être accepté à ce qu'il dénomme « le Salon de M. Bouguereau ». La fortune de son père lui permet de ne pas avoir besoin comme tant d'autres de vivre de sa peinture. Ses travaux répondent au pur plaisir de la recherche et peuvent

représenter sa famille ou ses amis sans tenir compte des impératifs de la mode qui veut des beautés lisses, d'un ingrisme affaibli. Construits en aplats maçonnés au couteau, les portraits de sa première période, qu'il qualifie de « couillarde », *l'Oncle Dominique,* l'écrivain *Valabrègue,* conjuguent ses admirations pour Courbet et pour le Marseillais Monticelli. Déjà, la peinture de figure lui apparaît comme l'objectif suprême.

Il peut l'étudier sur le vif à l'académie Suisse, quai des Orfèvres, dont le Noir Scipion est un des modèles les plus recherchés. Le tableau *le Nègre Scipion* (musée d'Art de São Paulo) est sans doute

concomitant de la sculpture à laquelle travaille alors d'après ce modèle un fidèle ami du peintre, Émile Solari, auteur pour le Salon de 1867 d'une allégorie de la guerre de Sécession sous l'aspect d'un Noir attaqué par des chiens. *Le Nègre Scipion* reflète, dans l'allongement des formes et le baroquisme des touches, l'admiration portée par Cézanne au Greco, en même temps qu'un romantisme expressionniste parallèle à celui des scènes d'orgie qu'il exécute vers la même époque.

Ce tableau appartiendra à Monet, qui, avec Pissarro et Renoir, poussera un jeune marchand, Ambroise Vollard, à s'intéresser à leur camarade tenu éloigné des milieux parisiens (il vit en partie en Provence) par son manque de confiance en lui. En 1895, les 100 et quelques Cézanne exposés par Vollard apparaissent à beaucoup comme une véritable révélation. L'artiste peine alors sur la grande composition de *Baigneuses* à laquelle il travaillera encore en 1904, quand Émile Bernard le photographiera devant cette

toile. Entièrement conçue suivant un schéma triangulaire où s'inscrivent les diagonales des corps, elle apparaît comme le testament artistique de celui qui se plaisait à confier : « L'aboutissement de l'art, c'est la figure. » •

1. Cézanne devant les *Grandes Baigneuses* aujourd'hui à la Fondation Barnes (É.-U.), détail de la photo prise en 1904 par É. Bernard.

Les emprunts de la jeune école

LA FAÇON QU'A CÉZANNE, TOUT EN RESTANT FIDÈLE À LA NATURE, DE DISSÉQUER L'ESPACE EN PLANS ET D'IMBRIQUER ENTRE ELLES DES FORMES GÉOMÉTRIQUES RÉVÈLE UN UNIVERS PICTURAL NEUF À LA GÉNÉRATION MONTANTE.

maîtres auxquels il rêvait humblement de s'égaler en souhaitant créer « quelque chose de solide comme l'art des musées ». Le peintre travaille simultanément aux diverses parties de ses toiles pour obtenir ce « ton juste » qui est son souci permanent. Ses couleurs, où les bleus doivent rendre la circulation de l'air, sont posées en fines couches superposées, « sans la monotonie de touche des impressionnistes. Dans le portrait de Zurich, exemplaire des années 1890-1895, un jeu de facettes colorées, plus que le modelé traditionnel par les ombres et la lumière, donne à la figure et aux objets un relief mesuré, qui ne contredit pas la réalité bidimensionnelle de la toile. Le tableau fut l'un des plus remarqués à la première exposition Cézanne chez Vollard et Gustave Geffroy, en écrivant qu'il pouvait « soutenir la comparaison avec les plus belles figures de la peinture », a lucidement anticipé sur l'admiration que le XXᵉ siècle portera au maître aixois.

Tempérament des plus curieux et à qui beaucoup d'emprunts ont été faits, consciemment ou non, par la jeune école », remarque Arsène Alexandre lors de cette première exposition particulière de Cézanne en 1895. Le peintre, dont la nouvelle génération n'a vu jusqu'alors que les rares œuvres laissées en dépôt chez le marchand de couleurs Tanguy, apparaît comme un personnage presque mythique, sa misanthropie et sa timidité le tenant à l'écart presque autant que ses perpétuels déménagements. Gauguin est l'un des premiers à comprendre qu'avec Cézanne l'art prend une orientation nouvelle, et à en tirer des conclusions personnelles. Ses amis de Pont-Aven partagent cette admiration, que l'un d'eux, Émile Bernard, ressent depuis qu'il a découvert ses travaux chez le père Tanguy en compagnie de Van Gogh. Ce dernier, en Provence, pensera souvent à Cézanne et remarquera l'aspect hagard donné par le mistral au paysage et si bien traduit dans les œuvres du maître aixois.

En 1901, Maurice Denis expose un *Hommage à Cézanne* qui montre le groupe nabi réuni chez Vollard devant une nature morte de l'artiste. En 1906, passant en Provence à son retour d'Italie, il le représente devant son chevalet, près de l'atelier des Lauves devenu aujourd'hui musée. Le poète Joachim Gasquet, fils d'un ami du peintre, présente à celui-ci des jeunes gens (Léo Larguier, Charles Camoin) qui font alors leurs études ou leur service militaire à Aix et devant lesquels il développe parfois ses théories. Quand à É. Bernard, auteur dès 1892 d'un fascicule des *Hommes d'aujourd'hui* consacré à son maître d'élection, il ne le rencontrera qu'en 1904, au retour d'un long séjour en Orient. Mais la sympathie que lui porte Cézanne s'exprime dans des lettres où est formulée une série de principes esthétiques auxquels les générations ultérieures se référeront religieusement : « Quand la couleur est à sa richesse, la forme est à sa plénitude. » – « Traiter la nature par le cylindre, la sphère, le cône, le tout mis en perspective [...] ». Les fauves s'inspireront de la première formule, les cubistes de la seconde. Pour concevoir ses *Viaducs* cubistes, Braque se détache du fauvisme pendant ses séjours de 1907 et 1908 à l'Estaque, et Picasso tire les conséquences de la géométrie cézanienne dès les paysages de *la Rue des Bois* et les *Trois Baigneuses* de 1908.

L'exposition posthume de Cézanne au Salon d'Automne de 1907 est un succès à partir duquel l'influence du peintre ne cessera de s'étendre : Franz Marc en Allemagne, Ardengo Siffici en Italie, Roger Fry en Angleterre le démontrent. Le poète Rainer Maria Rilke remarque d'ailleurs, après avoir vu les tableaux exposés : « L'ambiance qu'ils créent est unique [...] ; on sent leur présence qui se referme sur vous comme une réalité colossale. » •

3. Le Garçon au gilet rouge de la Collection Bührle à Zurich, entre 1890 et 1895. Huile sur toile, 79 × 64 cm.

2. Le Nègre Scipion, vers 1867. Huile sur toile, 107 × 83 cm.

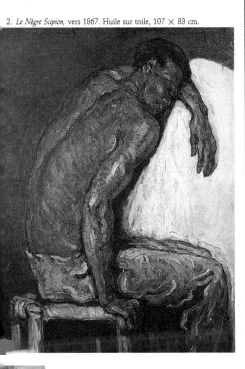

La cohérence d'une recherche acharnée

Quarante ans de vie artistique séparent *le Nègre Scipion* (2) et *les Grandes Baigneuses* devant lesquelles Cézanne se fait photographier (1). La violence expressive de l'étude de 1867 s'accompagne d'un souci de monumentalité, d'une indifférence aux critères de beauté de l'époque fort étonnants. Les *Baigneuses*, fruit d'une longue série d'essais sur ce thème, préludent à toutes les conceptions de l'art moderne. Entre les deux, *le Garçon au gilet rouge* (3) apparaît comme l'apogée de ce que Cézanne nomme modestement une « petite sensation », tandis que la similitude du geste du bras dans cette toile et dans le *Scipion* laisse pressentir l'extrême cohérence qui préside à son œuvre tout entière.

La sculpture au XIXe siècle

AU DÉBUT DU XIXe SIÈCLE, les temps sont à l'héroïsme, et rien ne convient mieux aux grands hommes et aux grands principes que le marbre ou le bronze. Toute l'époque ne jure que par l'antique, et les sculpteurs d'autant plus qu'ils doivent le plus clair de leurs commandes, dans une bonne partie de l'Europe, à Napoléon Ier, qui se fait une figure d'*imperator* romain. L'imitation de l'Antiquité devient un véritable dogme qui, les exemples d'art antique étant pour l'essentiel des exemples sculptés, va dominer longuement la sculpture, freinant son évolution.

En effet, les grands mouvements qui, au XIXe siècle, renouvellent l'art à une cadence rapide, se font sentir en sculpture avec un certain décalage et souvent de façon atténuée. Ainsi la sculpture ne devient-elle romantique qu'après les autres arts, et de façon moins nette. Quelle que soit la place que le romantisme occupe dans l'œuvre de grands sculpteurs, actifs vers 1830, comme les Français Rude ou Barye, il n'y a pas dans cet art l'équivalent de ce que Delacroix représente en peinture.

De même, le réalisme, qui caractérise si fortement la peinture après la révolution de 1848, ne trouve que difficilement une expression sculptée, et la plus précoce est à chercher dans la sculpture d'un peintre : Daumier. Malgré le prestige dont la sculpture continue à jouir auprès des pouvoirs publics et de la critique comme auprès du public, ou peut-être à cause de ce prestige même, c'est un art qui se sclérose et où l'émergence des grands tempéraments indépendants est très difficile.

La sculpture ne rejoint vraiment son temps qu'assez tard dans le siècle. L'œuvre charmeuse de Carpeaux incarne à la fois ce que Baudelaire a appelé la modernité et ce que la propagande de Napoléon III disait être « la fête impériale ». Le naturalisme trouve une de ses plus belles expressions chez le Belge Constantin Meunier, chantre des travailleurs, venu de la peinture à la sculpture.

Car l'attrait de celle-ci est tel que, tout au long du siècle, des peintres tiennent à honneur de s'y adonner, tels Degas et Max Klinger. Pourtant l'éclatant génie qui domine la fin du siècle, et au-delà, est Rodin, qui redonna à la sculpture son rang d'art majeur.

La quête du Beau idéal

DOMINANTE D'ABORD, L'ESTHÉTIQUE NÉOCLASSIQUE S'ABÂTARDIT DE PLUS EN PLUS EN UN ACADÉMISME DESSÉCHANT.

La doctrine néoclassique s'est constituée dès la seconde moitié du XVIIIe siècle autour de l'idée, ancienne, que la beauté a été idéalement, et une fois pour toutes, incarnée dans la statuaire antique (surtout connue par les œuvres trouvées à Rome). Elle est formulée comme une doctrine fort dogmatique par des théoriciens qui en imposent aux artistes, l'Allemand Winckelmann ou le Français Quatremère de Quincy. Ce dernier sera l'inamovible secrétaire perpétuel (personne ne mérita mieux ce qualificatif...) de l'Académie, position stratégique d'où il tendra à régner en tyran sur l'art français jusqu'au milieu du XIXe siècle.

Tout concourt à cette mise au pas de l'art, l'ébranlement de l'Église, traditionnel mécène des sculpteurs, comme le caractère autoritaire et unificateur du pouvoir de Napoléon, régnant despotiquement soit directement, soit par frères ou sœurs interposés sur la moitié de l'Europe. La sculpture, désormais, ne célèbre plus les rois et la religion, mais les Bonaparte et leurs clients, et le fait à l'antique, à l'imitation de ces antiques que les pillages napoléoniens accumulent dans le même temps au Louvre. Le plus grand sculpteur de l'époque est l'Italien Antonio Canova (1757-1822), dont l'éclatante carrière est à son zénith alors qu'il est sujet de l'Empire français, protégé d'une des sœurs de Napoléon, Élisa. Sous ses ciseaux, la très belle Pauline, en plus près nue, devient une radieuse *Vénus Victrix* et Madame Letizia a grande allure en *Agrippine*. Par contre, Napoléon, statufié en *Mars pacificateur*, eut le bon goût de juger peu heureuse sa nudité, fût-elle héroïque.

Ainsi œuvrent à l'envi les sculpteurs français, avec un bonheur inégal. Si le vieux Houdon sait mettre au goût du jour son gracieux génie pour donner une des plus belles images de Napoléon, jeune héros, les cheveux ceints d'un bandeau à l'antique, à l'inverse tel général de l'Empire statufié, vêtu de son seul casque, est parfaitement ridicule.

Le seul vrai successeur de Canova est le Danois, travaillant longtemps à Rome, Bertel Thorvaldsen (1770-1844), dont l'influence sera profonde et durable dans toute l'Europe du Nord. Esprit plus systématique que Canova mais sensible à l'art grec, que l'on connaît mieux sa génération, il surenchérit sur la froideur du néoclassicisme en même temps qu'il en incarne la pureté et la grâce.

Cet art doctrinaire ne se soutenait que vivifié par de vrais talents. Réduit à des formules, il va être répété à satiété par un académisme stérile. •

Figures consacrées et grands indépendants

À CÔTÉ D'UN ART OFFICIEL QUI MANQUE DE SOUFFLE APPARAÎT EN FRANCE LA PRODUCTION TRÈS DIVERSE DE QUELQUES FORTES PERSONNALITÉS INDÉPENDANTES, COMME CELLES DE FRANÇOIS RUDE ET D'ANTOINE LOUIS BARYE.

De grandes carrières, sinon de grandes œuvres, se font tout au long du siècle sur des principes classicisants qui n'évoluent que lentement, d'Antoine Etex, que protégeait Ingres, à Eugène Guillaume, rival souvent heureux de Rodin. La toute-puissante Académie des beaux-arts ne parvient toutefois pas à étouffer quelques artistes au talent exceptionnel, qui redonnent la première place à la sculpture française.

C'est que l'Académie, elle-même, doit composer, et d'abord avec les souverains successifs. La Restauration se soucie fort peu de mythologie, beaucoup de la célébration des Bourbons et des chouans. Quant à Louis-Philippe, quand il demande à Moine le buste de la reine, il la veut en robe de ville et chapeau à plumes. L'art officiel lui-même doit devenir « juste milieu », comme le montre celui de James Pradier, qui fait poser ses déités par de charmantes contemporaines (Juliette Drouet pour sa *Vénus*).

Car le goût lui aussi a changé. La vague romantique a déferlé sur la sculpture, amenant surtout un renouvellement des sujets. Elle assure des succès éphémères à des sculpteurs qui peut-être méritaient mieux (Jehan Duseigneur, Auguste Préault, Antonin Moine), elle met au pinacle l'as-

La victoire du vrai

CONVENTIONS ET RÈGLES ACADÉMIQUES SONT COMBATTUES, ASSEZ TARDIVEMENT, PAR LE GOÛT DE LA VÉRITÉ ET L'AMBITION NATURALISTE.

C'est lentement que le vrai triomphe en sculpture, où l'on ose seulement vers 1870 ce que la peinture avait fait en 1848. Mais le réalisme a eu tôt une étonnante préface dans l'œuvre d'Honoré Daumier (1808-1879) qui, dès le début des années 1830, modèle pour lui-même la saisissante galerie de ses portraits-charge de parlementaires, où sont stigmatisées l'arrogance, la bassesse, la bêtise, la cruauté. Daumier a sculpté toute sa vie, mais cet œuvre nous est bien incomplètement parvenu. Le sommet en est son *Ratapoil* (1851), inquiétante silhouette d'agressif crève-la-faim, débris de la Grande Armée réduit au rôle d'agent stipendié de Louis Napoléon Bonaparte.

La muse de Jean-Baptiste Carpeaux (1827-1875) est tout autre, mais c'est aussi le goût du vrai qui l'habite. Puisant à des sources interdites par l'École (les Beaux-Arts de Paris) dès son premier chef-d'œuvre, *Ugolin et ses enfants* (1860), il scandalise ses maîtres mais triomphe auprès du public. Tout réussit à son heureux génie qui fait de lui le plus recherché des portraitistes et sait rendre riants les sujets les plus rébarbatifs *(la France impériale protégeant la Science et l'Agriculture)*. Que rien ne nous paraisse plus séduisant que sa *Flore* du Louvre, sa *Fontaine de l'Observatoire* à Paris, ne doit pas faire oublier que Carpeaux fut poursuivi par des haines tenaces. On taxa d'obscénité sa *Danse* de la façade de l'Opéra !

Les mérites des tenants du naturalisme sont plus austères et Jules Dalou (1838-1902) l'illustre avec plus de probité que d'éclat, même si cet homme du peuple sait faire ses choses les plus simples. Il a mis tout son cœur dans son grand œuvre, le *Triomphe de la République* (1889), où de beaux morceaux sont assemblés de façon un peu incertaine. Le Belge Constantin Meunier (1831-1905) avait le même amour des pauvres, mais des moyens plastiques très supérieurs pour le dire. C'est lui qui a su donner une expression moderne non seulement aux travaux immémoriaux (le *Moissonneur*, le *Semeur*), mais aussi à ceux, bien peu représentés avant lui, de la grande industrie (les *Mineurs*, le *Puddleur*). •

1. Barye : *Lion au serpent*, bronze, 1833.

ez creux David d'Angers, célébré
par Victor Hugo.

Plus que du romantisme, la
Marseillaise de Rude à l'arc de
triomphe de l'Étoile, à Paris, est
le chef-d'œuvre de l'éclectisme.
Parti du néoclassicisme, François
Rude (1784-1855) finira par lui,
ayant brillé dans tous les genres :
l'évocation du passé *(Maurice de
Saxe)* et de l'histoire récente *(Ney),*
la célébration du présent *(Cavai-
gnac),* le rajeunissement de l'inspiration antique *(Mercure).*

Antoine Louis Barye (1796-
1875) fut autant que Rude persécuté par l'Académie. C'est qu'il
rompait avec un des dogmes du
néoclassicisme en relevant la
sculpture animalière. Il la renou-
velait aussi par la conjonction de
son lyrisme et de son goût passionné d'une vérité proprement
scientifique, fort éloignée de l'esprit romantique. S'il est au milieu
du siècle des sculptures qui méritent l'épithète de classiques, ce
sont les belles figures de Barye
pour le palais du Louvre, *la Paix*
et *la Guerre, la Force* et *l'Ordre.* ●

Contradictions
de la fin du siècle

LORSQUE LES CONTRAINTES
DE L'ÉCOLE SE DESSERRENT, LA SCULPTURE,
PRIVÉE DE DIRECTION, HÉSITE ENTRE LE GOÛT DU
PRÉCIEUX, CELUI DU COLOSSAL, L'INSPIRATION
LITTÉRAIRE ; PUIS VIENT RODIN...

L'École ne soutient plus, dès
avant la fin des années 1860,
sa sévère doctrine, accepte un peu
tout et finit par prôner le naturalisme après avoir tant professé
« Fuyez le réel ». Il n'y a plus aucune audace à se proclamer « florentin » comme le fait, entre
bien d'autres, Paul Dubois, qui
triomphe en 1865 avec un *Chanteur florentin* à la grâce un peu miè-
vre, qu'il fit fondre en argent.
Ceux qui se dénomment eux-
mêmes « les Toulousains » visent
au contraire à l'épique et l'on fit
un égal triomphe au baroque et
pompeux *Gloria victis* (1874)
d'Antonin Mercié.

Plus que jamais, les peintres
sculptent et, quelquefois, pour les
académiques, Gérôme, Meisso-
nier, plus heureusement qu'ils ne
peignent. Cela n'est sans doute
pas étranger à l'assez vaine tentative de trouver une voie de renouvellement à la sculpture par les
matériaux, que l'on multiplie,
combine, faisant jouer les couleurs aussi bien dans la petite
sculpture mobilière que dans
les œuvres monumentales. Max
Klinger, au faîte de la gloire, fait
admirer son *Beethoven* à la nudité
héroïque, où il combine les maté-

riaux les plus dissonants (marbres, bronze, ivoire). Ainsi, la
sculpture est en pleine errance,
quêtant des leçons même auprès
de la littérature, se faisant parnas-
sienne, symboliste.

Un artiste d'exception, Auguste Rodin (1840-1917), va tout
fondre, tout transcender au prix
d'une assez longue maturation.
Après 1880, année où il reçoit la
commande de la grandiose *Porte
de l'Enfer,* que jamais il n'achèvera, il va dominer la sculpture
française, voire mondiale. Ceux

mêmes qui le combattent,
comme l'Allemand classicisant
Adolf von Hildebrand, se définissent contre lui. Tâche difficile
tant le génie de Rodin est non seulement imposant mais aussi divers, partagé entre son goût du
monumental et sa passion de
l'expressivité. Résumant des siècles de l'héritage occidental, l'art
de Rodin ouvre aussi le XXe siècle
et son *Balzac* (1891-1898), que
l'époque ne comprit pas, apparaît
comme l'acte fondateur de la
sculpture moderne. ●

→ **Voir aussi :** Néoclassicisme et ferments
romantiques, **ARTS**, p. 274-275. L'idéalisme pictural, **ARTS**, p. 282-283. Le réalisme, **ARTS**,
p. 284-285. La sculpture au XXe siècle, **ARTS**,
p. 310-311.

Idéal et vérité

De la sérénité froide du
néoclassicisme (5) au
tourment, très fin de
siècle, de la *Porte de
l'Enfer* (4), la sculpture
du XIXe siècle fait se
succéder le naturalisme
lyrique de Barye (1), la
grâce de Carpeaux (2)
et des essais de renou-
vellement menés sou-
vent par des peintres,
comme ici Max
Klinger (3).

4. Rodin : *la Porte de l'Enfer,*
modèle en plâtre, 1880-1917.

5. Thorvaldsen : *Ganymède,* marbre, 1817.

2. Carpeaux :
buste de *Mlle Fiocre,*
plâtre, 1869.

3. M. Klinger : monument à *Beethoven*
(détail), matériaux divers, 1886-1902.

L'art naïf et l'art brut

Quelques escales
de par le monde

UNE INTERNATIONALE DE L'IMAGERIE POÉTIQUE
REFLÈTE D'UN CONTINENT À L'AUTRE LA CONSTANTE
FRAÎCHEUR DU REGARD INGÉNU.

LA DÉNOMINATION DE *NAÏFS* s'applique à des artistes le plus souvent autodidactes, dont la technique ingénue ne doit rien à l'enseignement d'une école. Ils ont appris seuls la peinture ou la sculpture et la pratiquent pour leur propre délectation, en dehors du métier qui assure leur subsistance. Ils peuvent être employé d'octroi (le « douanier » Rousseau), pépiniériste (Bauchant), facteur (Ferdinand Cheval, architecte-sculpteur du *Palais idéal* de Hauterives, dans la Drôme). L'entrée de l'art naïf dans l'histoire de la peinture, vers la fin du XIXᵉ siècle, apporte une réponse instinctive à la disparition de l'artisanat populaire tué par l'industrialisation. Elle compense aussi le reflux des figurations réalistes, remplacées par un système de signes qui, de l'impressionnisme à l'abstraction, trouble le profane.

La personnalité géniale du Douanier Rousseau a révélé à ses contemporains, écrivains et peintres, cet art dont on trouve les antécédents dans les enseignes, les images d'Épinal, les ex-voto. L'engouement du XXᵉ siècle pour les naïfs a dévoilé l'importance internationale de leurs travaux et leur curieuse unité stylistique à travers le temps et les frontières.

Grâce à Jean Dubuffet, une discrimination s'est établie, depuis la fin des années 1940, entre l'art voulu des naïfs et les pulsions créatrices des enfants, des marginaux et des aliénés. Le musée créé pour abriter ce qu'il a dénommé *art brut* illustre l'intérêt plastique d'images qui semblent hors normes, parce que produites sous la pression d'une nécessité intérieure, sans référence aux catégories et règles en vigueur de l'art « savant ».

L'« éternel recommencement des naïfs » évoqué par Jakovsky prend de par le monde des formes similaires que diversifient cependant les traditions folkloriques. L'intérêt de plus en plus manifeste des collectionneurs a fait sortir de l'anonymat des artistes qui paraissent les ancêtres des naïfs contemporains. Ainsi les Allemands Christian Peter Hansen (1803-1879), sorte de Friedrich naïf, et Oluf Braren (1787-1839), portraitiste dans l'île de Föhr.

Les États-Unis tiennent une place importante en ce domaine. Leurs premiers artistes travaillent pour les pionniers. Edward Hicks (1780-1849), peintre d'enseignes et quaker, joint à ses prêches les images du *Royaume de la paix.* Erastus Field (1805-1900) se délasse de son métier de portraitiste ambulant en créant des scènes oniriques. Un des meilleurs, Thomas Chambers, dont on ne sait presque rien, montre les rives de l'Hudson et les chutes du Niagara. Certains commencent très tard leur carrière, telle Grandma Moses (1860-1961) pendant la Seconde Guerre mondiale. D'une manière générale, les femmes, qui, depuis la « tapisserie de la reine Mathilde », inventent des broderies, s'intègrent facilement à l'univers naïf.

Les Pays-Bas et la Belgique mêlent l'étrangeté au réalisme : le Hollandais Krigenhof, domestique toute sa vie, se met ainsi à peindre des féeries rustiques après avoir visité une exposition de Jérôme Bosch.

Tous les pays ont leurs naïfs, attachés à décrire tantôt leur métier, comme le forgeron suédois Carlsson, tantôt des apparitions, comme le boulanger italien Astarita. En Europe centrale et dans les pays slaves, sans doute en raison de la richesse de leurs traditions artisanales, de remarquables foyers picturaux se sont établis. Le « miracle yougoslave » a pour berceau l'école de Hlebine, constituée dans ce village croate autour de la personnalité d'Ivan Generalić (qui y est né en 1914). Cet artiste pratique notamment la peinture sous verre, mais, quel que soit son moyen d'expression, crée un univers poétique dont la puissance onirique a peu d'équivalents. Ivan Rabuzin, avec des bleus et roses inimitables, ou encore Janko Brasic, fondateur du groupe serbe, illustrent la diversité yougoslave.

À Haïti ainsi qu'au Brésil, les pratiques et l'esprit du vaudou se mêlent à la verve populaire pour composer une symphonie chatoyante où l'imaginaire le dispute aux détails familiers. Le succès international de cet art naïf, qui, en ce qui concerne Haïti, a tourné à l'industrie, remonte à la découverte que Wifredo Lam et les surréalistes firent pendant la guerre du peintre Hector Hyppolite (1894-1948). •

Du rire
à la consécration

Pendant des siècles, la notion d'art naïf a totalement échappé aux amateurs et collectionneurs de peinture. Elle a commencé à prendre consistance avec la montée du réalisme et l'intérêt pour ce que Stendhal nommait « le sublime de la vie ordinaire ». Champfleury, écrivain et conservateur au musée de la Céramique de Sèvres, lui donne un point de départ en reconnaissant la vertu artistique présente dans les peintures sur assiettes, les jeux de cartes, les images d'Épinal, toutes choses qui, sous l'anonymat de l'exécution, n'en révèlent pas moins le talent personnel. En 1848, l'établissement d'un Salon sans jury organisé par la IIᵉ République permet d'exposer à des peintres amateurs, parmi lesquels on note la présence d'artistes ouvriers. Ils se manifesteront également aux expositions des Refusés de 1863 et de 1871, sans éveiller particulièrement l'attention.

Rimbaud est l'un des premiers à saisir ce qui se cache dans ces formes d'expression échappant à l'art savant et au moule culturel, lorsqu'il écrit : « J'aimais les peintures idiotes, dessus de portes, décors, toiles de saltimbanques [...] refrains niais, rythmes naïfs » ; Renoir également, auquel ses débuts dans le milieu des décorateurs d'enseignes et des peintres sur porcelaine ont fait connaître les virtualités esthétiques du travail des autodidactes. À partir de 1884, la fondation du Salon des Indépendants, sans jury d'admission ni récompenses, permet à ces artistes que l'on nomme alors les « peintres du dimanche » d'accrocher leurs œuvres en public. Parmi celles-ci, les toiles d'un employé d'octroi, Henri Rousseau (1844-1910), que son jeune compatriote Alfred Jarry surnommera « le Douanier », déclenchent les rires. Mais son génie hors de toute norme du goût officiel obtient une reconnaissance publique grâce à Jarry et Rémy de Gourmont. En 1894, en effet, ceux-ci fondent la revue *l'Ymagier* pour remettre à l'honneur les formes archaïsantes de l'art français et trouvent en Rousseau, dont ils publient une gravure de *la Guerre,* un exemple des vertus plastiques du Moyen Âge. Par eux le peintre entre en contact avec Apollinaire, avec Picasso, qui donnera en son honneur un mémorable banquet au Bateau-Lavoir (1908), avec Delaunay, dont la mère, la comtesse de Rose, lui raconte ses souvenirs de l'Inde pour qu'il en tire un tableau : ce sera la fabuleuse *Charmeuse de serpents* (1907), aujourd'hui au musée d'Orsay à Paris.

À l'époque où les amateurs et les marchands découvrent le Douanier Rousseau, un autre artiste, Maurice Utrillo (1883-1955), fils du modèle et peintre Suzanne Valadon, attire l'attention. Sa mère lui a donné, pour essayer de l'arracher à l'alcoolisme, des couleurs et des cartes postales dont il tire de saisissants effets de blanc dans l'évocation des rues de Montmartre. Utrillo et Rousseau seraient peut-être restés des cas isolés sans la croisade du critique et marchand de tableaux d'origine allemande Wilhelm Uhde en faveur des artistes qui, de près ou de loin, partagent leur manière de s'exprimer. Lui qui, en 1908, a organisé sans succès la première exposition Rousseau, révèle Séraphine Louis, dite Séraphine de Senlis, sa femme de ménage, Louis Vivin, un ancien postier, Camille Bombois, berger, lutteur puis typographe, ainsi qu'André Bauchant, un pépiniériste.

Le mot naïf, souvent employé comme qualificatif des œuvres, ne devient qu'assez tard une désignation collective. « Musée du labeur ingénu » indique la vente de la collection réunie par Courteline, qui lui-même parlait de son musée des horreurs. « Peintres du cœur sacré », titre Uhde en 1927, « Primitifs américains » annonce l'exposition de Newark en 1930 et « Maîtres populaires de la réalité » celle de 1937 à Paris. L'expression « Primitifs modernes » alternera ensuite avec « Naïfs ». On voit se constituer les collections américaines Karolik, Abby Aldrich Rockefeller, Garbisch-Chrysler, et se fonder des musées d'art naïf à Zagreb en Yougoslavie (1952), à Laval, patrie du Douanier Rousseau, à Nice avec le legs (1981) de l'un des plus importants spécialistes de l'art naïf, Anatole Jakovsky.

Une sorte d'unité transparaît entre des artistes éloignés dans l'espace et le temps. Ils peignent « ce qu'ils croient voir » avec une facture méticuleuse, des couleurs fraîches, des personnages stylisés ; ils subliment les rêves (Aristide Caillaud), l'histoire (Bauchant), les métiers (Aloys Sauter), les monuments (Lucien Vieillard). Leur perception édénique de thèmes éternels semble la raison du succès de ces peintres dans le monde moderne. •

Du réel au
merveilleux,

Hors des normes habituelles, académiques ou non, l'art naïf et l'art brut transmettent une forme de perception à charge fortement poétique ou émotionnelle. Les peintres du premier groupe restent fidèles à une réalité pleine de charme, à vrai dire souvent rêvée. Les seconds prennent toutes les libertés avec le monde visible dont ils expriment les pulsions, les tensions et les interdits, que semblent désigner les doigts du personnage de Chaissac (2).

L'art brut

L'INTUITION ESTHÉTIQUE PEUT JAILLIR EN UN ÉLAN SPONTANÉ
HORS DE TOUT APPRENTISSAGE CULTUREL : C'EST SUR QUOI
DUBUFFET A MIS L'ACCENT IL Y A BIENTÔT UN DEMI-SIÈCLE.

Le concept d'art brut, en marge de l'art naïf, est dû au peintre Jean Dubuffet (1901-1985), qui, en 1971, a légué à la ville de Lausanne plus de 2 000 œuvres de ce type, collectionnées par lui depuis une trentaine d'années. Il s'agit, dit-il, d'ouvrages exécutés par des personnes indemnes de culture artistique, qui réinventent l'art à partir de leurs impulsions propres. Ces dessins, peintures, broderies, figures modelées ou sculptées « présentent un caractère spontané et fortement inventif ». Lui-même intègre à ses propres travaux les formes erronées et les actes manqués. Sa création du Foyer (1947) puis de la Compagnie (1948) de l'Art brut, leur première exposition, galerie Drouin à Paris, en 1949, et celles qui suivront au foyer de la rue de Sèvres, apprennent au public à poser un regard neuf sur les œuvres d'auto-didactes, de malades mentaux, de médiums, de même que sur les graffitis et les dessins d'enfants. « L'art brut est le cri de la psyché malade » : cette définition d'A. Jakovsky rend mal justice à l'apport considérable de ces formes d'expression auxquelles des artistes contemporains, tel le New-Yorkais Jean Michel Basquiat (1961-1988), d'abord *tagger* (« graffiteur »), ont largement emprunté. « L'état sauvage du regard » dont parlait André Breton est un commun dénominateur de ces ouvrages, barbares, poétiques, visionnaires.

Parmi leurs auteurs, des personnalités remarquables se détachent. Les unes transmutent leurs déviances en figurations expressives (Adolf Wölfli [1864-1930], Aloïse [1886-1964]), d'autres trouvent dans leur ignorance une source d'invention plastique. C'est le cas de l'Italien Antonio Ligabue (1899-1965), vagabond, voyant et fou, et du cordonnier vendéen Gaston Chaissac (1910-1964). Ce dernier, marginal de génie, élabore ainsi des collages qui émerveillent Raymond Queneau et Jean Paulhan. Une des formes les plus curieuses de l'art brut est celle des œuvres créées en état médiumnique. C'est ainsi qu'Isidore, dit Picassiette (1900-1964), réalise avec des débris de vaisselle d'extraordinaires mosaïques et que Joseph Crépin (1873-1948), un mineur du Nord, travaille la nuit à ses toiles d'inspiration néo-égyptienne. Ce dernier est également guérisseur ; il pratique l'écriture automatique, apprend, dit-on, le nombre de tableaux qu'il exécutera dans sa vie et peint le dernier juste le jour de sa mort. Un autre mineur, Augustin Lesage (1876-1954), entend des voix qui lui disent : « Tu seras peintre », adhère au spiritisme, devient guérisseur et, à partir de 1923, se consacre entièrement à l'art. Sa toile *l'Esprit des pyramides* le fait connaître au salon d'Automne de 1927. Devenu une sorte de vedette, il voyage et, en Égypte, affirme avoir été peintre des pharaons dans sa vie antérieure. Ses compositions représentent des motifs proches de ceux des tapis d'Orient, auxquels il ajoute parfois des figures égyptiennes ou bouddhiques.

À travers les sophistications visionnaires de Lesage, le rire ubuesque de Chaissac, les balbutiements inspirés des dessins d'enfants et des graffitis, l'art brut décline toutes les nuances de l'intuition esthétique.

●

1. Henri Rousseau, *la Charmeuse de serpents*, 1907.

2. Gaston Chaissac, *Tête verte aux doigts piquants*, 1944.

du charme à la stridence

L'art naïf apparaît souvent sur un fond folklorique imprégné de légendes. Le merveilleux n'est pas loin. Ici, sous les yeux des paysans stupéfaits, des fleurs poussent sur la neige de Hlebine devant la licorne d'Ivan Generalić (3). C'est une apparition fabuleuse, comme *la Charmeuse de serpents* du Douanier Rousseau (1), qui recrée le Gange à partir de la Seine et la flore des tropiques à partir des serres du Jardin des Plantes. Avec des paysages de climats opposés et des stylisations différentes, plus de goût pour la perspective chez le Yougoslave, pour la composition en frise chez Rousseau, les deux artistes obtiennent une atmosphère de poésie et d'étrangeté. Gaston Chaissac arrive au même résultat par des moyens plus simples et plus brutaux, mais son petit homme vert pourrait fort bien sortir de la jungle au son de la flûte ou chevaucher la licorne pour terroriser les paysans.

3. Ivan Generalić, *la Licorne rouge*, fixé sous verre, 1961.

Les premières avant-gardes du XXᵉ siècle

Intellectualisation à outrance

LE CUBISME, CONTESTATION ET RECONSTRUCTION
DES APPARENCES, CONDUIT LA MODERNITÉ À SON APOGÉE,
AVEC, PARFOIS, L'AIDE DES MATHÉMATIQUES.

DEUX GRANDES TENDANCES se succèdent et s'opposent au début du XXᵉ siècle. La première (fauvisme, expressionnisme) libère formes et couleurs. La seconde (cubisme, futurisme...) les intègre dans un schéma intellectuel fondé sur la géométrie et la physique.

Une explosion de couleurs marque le tournant du siècle. Elle s'accompagne d'un dérèglement des formes, qui ne sont plus soumises à l'imitation plus ou moins stricte d'un sujet, mais transcrivent les émotions du peintre dans toute leur violence ou leur simplicité. Le nom d'*expressionnisme,* bien qu'il n'ait été utilisé qu'à partir de 1912, couvre l'ensemble de ces tendances. Le *fauvisme* français et le groupe allemand *Die Brücke* en sont les grands exemples. Leurs procédés picturaux réfutent les subtilités impressionnistes pour exagérer tout ce qui relève

de la sensation. Ils se caractérisent par l'agrandissement démesuré de la touche, l'accentuation des contours, l'agressivité de la couleur.

Le mouvement de balance qui fait alterner en art effusion et rigueur donne comme antithèse au fauvisme l'hypercérébral *cubisme.* Picasso, Braque, Gris président à cette épopée de l'esprit associant Cézanne, l'art nègre et la géométrie dans l'espace. Elle glisse avec Léger vers la glorification de la mécanique, avec Delaunay vers un dynamisme qui est également la base du *futurisme* italien. Le bouillonnement intellectuel de l'époque suscite autour du cubisme d'autres propositions plastiques : *rayonnisme* russe, *synchromisme* américain et recherches diverses du *Blaue Reiter,* qui voient la spiritualité de Kandinsky déboucher sur l'abstraction.

Dès 1906, des préoccupations constructives s'opposent à l'impulsivité précédente. Elles trouvent leurs sources dans les primitivismes (arts nègre et océanien, sculpture romane, art cycladique), dans la rigueur de Seurat et dans la géométrie cézannienne. Mort cette année-là, le maître d'Aix est devenu un phare pour une génération qui répète sa formule : « Traiter la nature par le cylindre, la sphère, le cône, le tout mis en perspective. »

Ces multiples intérêts engendrent une révolution picturale en trois phases, « précubisme » primitivo-cézannien, cubisme analytique, cubisme synthétique. Picasso et Braque sont les initiateurs de cette rupture stylistique, aussitôt soutenue par un poète, Apollinaire, et par un marchand, Kahnweiler. *Les Demoiselles d'Avignon* (musée d'Art moderne de New York), peintes à Paris par Picasso en 1906-1907, s'imposent comme le tableau-manifeste du jeune XXᵉ siècle.

Jusqu'à la Première Guerre mondiale, Picasso et Braque, tout en travaillant souvent loin l'un de l'autre, auront une intimité propice aux confrontations intellec-

tuelles. Le premier a traversé ses périodes bleue et rose ; le second vient du fauvisme. Simultanément pendant l'été 1908, Picasso près de Créteil et Braque à l'Estaque (si cher à Cézanne) éteignent leurs couleurs et géométrisent leur dessin. Des toiles comme *Maisons à l'Estaque* (Kunstmuseum de Berne), refusées au Salon d'Automne et exposées peu après chez Kahnweiler, ont inspiré le nom du nouveau style : « peinture de petits cubes », a dit Matisse ; « cubique », a repris le critique Louis Vauxcelles ; « cubiste », précise un peu plus tard Apollinaire, qui affirme par ailleurs : « La ressemblance n'a aucune importance. » Dès 1909, de nombreux artistes, Léger, Herbin, Gleizes, Metzinger, Marcoussis, adoptent ce *cubisme cézannien,* qui, sous l'impulsion de Braque et de Picasso, se transforme en cubisme *analytique.* Leurs conversations avec leurs amis philosophes et mathématiciens (Maurice Princet) sont à l'origine de cette fragmentation des objets, recomposés en portions de plans éliminant relief et perspective, le tout dans des gammes de gris et de brun. Quelques portraits se détachent

Corps à corps avec la peinture

LES FAUVES AVEC PLUS DE GAIETÉ SUBVERSIVE,
LES EXPRESSIONNISTES AVEC PLUS DE VIOLENCE TOURMENTÉE
TIENNENT UN DISCOURS COMMUN, CELUI DE LA SUBJECTIVITÉ.

L'expressionnisme apparaît à la fin du XIXᵉ siècle chez le Belge James Ensor et le Norvégien Edvard Munch. Le premier le manifeste par l'outrance ricanante d'un monde de masques (*Entrée du Christ à Bruxelles,* 1888, musée Getty, Malibu). Le second extrait de tréfonds qu'explorera bientôt la psychanalyse les violences plastiques du *Cri* (1893, Galerie nationale, Oslo). Au Salon d'Automne de 1905, à Paris, un style coloré, syncopé, brillant provoque l'étonnement. Les artistes qui le pratiquent, Matisse, Vlaminck, Marquet..., exposent dans une salle que la présence du *Lion ayant faim* du Douanier Rousseau fait surnommer « la cage aux fauves ». Le *fauvisme,* auquel ont préludé Valtat et Van Dongen, se formule chez d'anciens élèves de Gustave Moreau, maître libéral et coloriste hors pair. Les rétrospectives Gauguin et Van Gogh donnent le départ de cette frénésie colorée qui à Matisse pour chef de file, inspire les *Londres* de Derain, les *Plages* de Dufy et ne se prolonge qu'avec Vlaminck, l'autodidacte du groupe, et Rouault, qui appa-

raît, en fait, comme le seul véritable expressionniste français.

Parallèlement au fauvisme, l'expressionnisme apparaît en Allemagne avec la création à Dresde (1905) et la première exposition (1906) du groupe *Die Brücke* (le Pont), fondé par quatre étudiants en architecture : Kirchner, Heckel, Schmidt-Rottluff et Fritz Bleyl, qui prônent un art gestuel et flamboyant. Leurs modèles, Gauguin et Van Gogh, découverts à la galerie Arnold, sont les mêmes que ceux des fauves ; ils leur ajoutent Munch, le maître gothique Grünewald et les objets de l'art indigène océanien. Kirchner est, avec Nolde et Pechstein, qui les ont rejoints en 1906, l'un des peintres les plus incisifs et fiévreux de Die Brücke, transférée en 1911 à Berlin. Des préoccupations similaires se font jour à Worpswede (près de Brême), où travaille une amie de Rilke, Paula Modersohn, et surtout à Munich. Dans ce carrefour culturel, la Neue Künstlervereinigung (Nouvelle Union des artistes) réunit Franz Marc, August Macke et les Russes Jawlensky et Kandinsky,

fougueusement expressionnistes dans leurs paysages de Murnau.

L'impression de la subjectivité se fait plus sévère en Belgique chez Permeke et Gustave De Smet, à Sint-Martens-Latem, mais le phénomène touche l'Europe entière. La grande exposition du Sonderbund de Cologne (1912) en illustre toute la diversité, au moment même où s'amorce sa provisoire disparition. •

1. André Derain (1880-1954), *Hyde Park,* 1906 (?).

Subjectivité... intellectualité

Le fauvisme de Derain relève du domaine de l'impression saisie avec une naïveté voulue, particulièrement séduisante dans la présente composition (1), une de ses très célèbres vues de Londres. L'expressionnisme de Kirchner (2) procède d'une vision plus brutale, qui se veut contreculture. C'est une hyperculture que dénote au contraire le travail d'analyse et de recréation effectué par Picasso sur son mandoliniste (3), thème musical cher aux cubistes. Son statisme s'oppose au mouvement du cycliste de Boccioni (4), qui semble foncer au milieu d'ogives d'acier vers cette guerre dans laquelle disparaîtra l'artiste.

Les fronts internationaux de l'avant-garde

LE FERMENT CUBISTE OUVRE LA VOIE
À TOUTES LES SPÉCULATIONS PLASTIQUES.
À TRAVERS LE FUTURISME, NOTAMMENT, LA PEINTURE
EXPRIME LES LIGNES DE FORCE,
LES RYTHMES, LA VITESSE.

au milieu des natures mortes, thème majeur des cubistes. Ceux-ci font scandale aux Indépendants et au Salon d'Automne de 1911 et de 1912, année où Gleizes et Metzinger publient leur traité *Du cubisme.* Les *papiers collés,* invention par laquelle Braque, Picasso et Juan Gris introduisent des éléments intrinsèques de la réalité, morceaux de journaux, de faux bois, sont une expression essentielle du cubisme. Ils précèdent et accompagnent la brève phase *synthétique* de 1913-1914. Celle-ci part des attributs de l'objet pour en reconstituer l'essence ; elle réutilise la couleur, mais en tant que modalité indépendante de l'objet.

Juan Gris, qui considère le cubisme comme « une esthétique et même un état d'esprit », sera l'un des rares à rester fidèle à ce mouvement, dont prend le relais, notamment, le *purisme,* créé en 1918 par Ozenfant et Jeanneret (le futur Le Corbusier). Des spéculations intellectuelles animent aussi le groupe de Puteaux, placé sous l'invocation de la « Section d'or » (proportion définie par le nombre d'or) et où se côtoient le cubisme impressionniste de Villon, le dynamisme de son frère Marcel Duchamp (*Nu descendant un escalier,* 1912, musée d'Art de Philadelphie), le réalisme coloré, soucieux de valeurs spatiales, de Roger de La Fresnaye (*la Conquête de l'air,* 1913, musée d'Art moderne de New York).

Fernand Léger revient à la couleur peu avant d'entamer, pendant la guerre, la glorification de la machine. Les disques de certaines de ses toiles s'apparentent au dynamisme, baptisé *orphisme* par Apollinaire, que pratique Robert Delaunay. Ce dernier, avec ses « variations chromatiques de couleurs simultanées », atteint l'abstraction. C'est à celle-ci que parviendront bien des peintres ayant côtoyé le cubisme, notamment Kupka, dont les *Amorpha* datent de 1911-1912, Valensi, créateur du *musicalisme,* Herbin, qui fondera en 1931 le groupe Abstraction-Création. •

2. Ernst Ludwig Kirchner (1880-1938), *l'Artiste et son modèle,* 1907.

3. Pablo Picasso (1881-1973), *Homme à la mandoline,* 1911.

Les expressionnismes se référaient encore au passé tout en l'agressant. Les nouvelles avant-gardes s'affirment comme des ruptures. L'Allemagne s'oriente ainsi vers une ouverture plus européenne et des recherches plus intellectualisées avec la création du *Blaue Reiter* (le Cavalier bleu), dont le nom est emprunté à un tableau de Kandinsky, son fondateur avec Franz Marc. La première exposition du groupe se tient en décembre 1911 à la galerie Thannhauser à Munich. La troisième et dernière (mars 1912) a lieu à Berlin dans les locaux de la revue *Der Sturm,* fondée par Herwarth Walden, qui invite à la fois les membres du mouvement Die Brücke, installé maintenant à Berlin, les cubistes,

les rayonnistes russes, les futuristes italiens. L'*Almanach* du Blaue Reiter (mai 1912) exprime l'intérêt des participants pour les primitivismes, les arts médiévaux, le folklore, Van Gogh, Gauguin, les cubistes. Dans le groupe, Franz Marc est plus intellectuel, August Macke plus plastique, Klee proclame : « la couleur et moi ne faisons qu'un », et Kandinsky, qui publie son traité *Du spirituel dans l'art,* bascule dans l'abstraction en peignant ses *Improvisations* ou une toile comme *Avec l'arc noir* (1912, musée national d'Art moderne, Paris).

L'Italie voit apparaître à Rome, Milan, Florence, le *futurisme,* traducteur de toutes les pulsions du monde moderne. Lancé en littérature par le *Manifeste du futurisme* de Marinetti, publié en 1909 à Paris, il s'est étendu à l'art avec le *Manifeste des peintres futuristes.* Rédigé par Boccioni, signé par Balla, Russolo, Carrà, Severini en février 1910, ce texte est suivi deux mois plus tard d'un *Manifeste technique.* Giovanni Papini et Ardengo Soffici en sont les porte-parole littéraires dans *La Voce* et *Lacerba,* revues fondées en 1908 et 1913. Le mouvement atteint la sculpture, dont le manifeste paraît en 1912, et l'architecture, qui promulgue le sien en 1914 sous la plume de l'un des meilleurs théoriciens du groupe, l'architecte Antonio Sant'Elia.

Giacomo Balla et Umberto Boccioni sont tous deux partis du divisionnisme pour se lancer dans ces nouvelles expériences. Le premier décompose la lumière (*Lampe à arc,* 1909 ou 1910, musée d'Art moderne de New York), puis le mouvement (*Dynamisme d'un chien en laisse,* 1912, galerie Albright-Knox, Buffalo) pour aboutir à l'abstraction, notamment, des *Compénétrations iridescentes* (1912-1914). Le second traduit dynamiquement en peinture et en sculpture la simultanéité des lignes de force : ainsi des toiles *Élasticité* (1912, pinacothèque de Brera, Milan) ou *Dynamisme d'un*

corps humain (1913, galerie d'Art moderne, Milan).

L'esthétique sociale du futurisme, qui glorifie la machine, la foule, la guerre, n'a pas eu l'impact qu'elle méritait sur le plan artistique lors de l'exposition organisée en 1912 à Paris chez Severini. Néanmoins, les idées futuristes ont aidé Delaunay et Léger à ne pas se laisser scléroser par les limites du cubisme.

En Russie, les fauves exposaient à la Toison d'Or, organe de l'association la Rose bleue, créée par Mikhaïl Larionov. En 1910, ce dernier fonde un nouveau groupe, le Valet de carreau, dont les manifestations comprendront des Picasso, puis il s'en détache pour se consacrer avec Natalia Gontcharova à des œuvres sans référence au réel, baptisant *rayonnisme* ce style qui sera codifié dans un manifeste de 1913. Larionov travaillera ensuite pour les Ballets russes de Diaghilev, avec lequel il a organisé en 1906 une exposition de peinture russe à Paris.

De nombreux artistes trouvent en venant en France un point de départ à des travaux entrepris après une traversée du fauvisme et du cubisme. C'est le cas du Néerlandais Mondrian, que la grisaille cubiste conduit à l'abandon provisoire de la couleur et de la tridimensionnalité ; le cas aussi des Américains Macdonald-Wright et Morgan Russell, que l'orphisme incite à des recherches chromatiques présentées sous le nom de *synchromisme,* à Munich et à New York, en 1913. La colossale exposition (l'« Armory show ») tenue la même année dans cette dernière ville réunit toutes les avant-gardes européennes. Son influence sur l'art américain sera décisive ; quant à ses triomphateurs, Picabia et Duchamp, ils révolutionneront bientôt à nouveau la peinture. •

→ **Voir aussi :** Le futurisme, LITTER, p. 100-101. L'expressionnisme, LITTER, p. 102-103. Naissance des abstractions, ARTS, p. 302-303. Dadaïsme et surréalisme, ARTS, p. 304-305. La sculpture au XXᵉ siècle, ARTS, p. 314-315.

4. Umberto Boccioni (1882-1916), *Dynamisme d'un cycliste,* 1913.

Matisse
Les Capucines à "la Danse"

1. Matisse, *Luxe, calme et volupté* (1904).

VOUS ALLEZ SIMPLIFIER LA nature : Matisse ne cessera jamais de mettre en œuvre cette prédiction de son maître Gustave Moreau. *Les Capucines à « la Danse »* (1912, musée Pouchkine, Moscou) en sont une des illustrations les plus parfaites. Leurs divers éléments s'accordent suivant des principes qu'il résumera plus tard ainsi : « Les couleurs et les lignes sont des lignes de force, dans leur équilibre réside le secret de la création. » L'assimilation d'influences parfois opposées a concouru à la formation d'un génie déjà parfaitement maîtrisé dès avant les outrances du fauvisme. La prédominance donnée à la ligne se situe dans la lignée d'Ingres, la subtilité des rapports de couleurs provient de Moreau et de Signac ; leur puissance expressive relève de Van Gogh et de Gauguin.

Reconnu au Salon d'Automne de 1905 comme le chef de file de ces « fous de la couleur » qu'un critique qualifie de *fauves,* Henri Matisse (1869-1954) tracera seul sa route. À travers l'enseignement donné à ses élèves, il prend de plus en plus conscience de l'interaction ligne-couleur et de l'importance du signe, dont les arts musulmans et chinois lui montrent l'intérêt. Son style extrêmement voulu n'aboutit jamais à la sévérité, même dans les abréviations les plus hardies des gouaches découpées. La musique, qui joue un grand rôle dans sa vie, rythme les gestes de ses personnages. À des années d'intervalle, sa ligne synthétique électrise pareillement les corps de ses danseuses, dont les dernières s'inspireront des acacias de la Vésubie pour surgir du papier avec cette apparente facilité qui fait son génie.

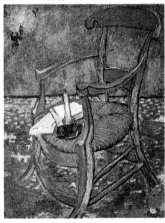

2. Van Gogh, *le Fauteuil de Gauguin* (1888).

Libérer
la grâce, le naturel

MATISSE S'AFFIRME EN S'OPPOSANT AUX CODIFICATIONS IMPRESSIONNISTES ET SYMBOLISTES POUR RETROUVER LES RACINES DU NATUREL.

Je crois que la personnalité de l'artiste se développe, s'affirme par les luttes qu'elle a à subir contre d'autres personnalités » confiait Matisse à Guillaume Apollinaire en 1907. À cette date, le chef de file du fauvisme a déjà traversé ces épreuves créatrices pour apparaître comme un des peintres les plus importants de son époque.

Une boîte d'aquarelle offerte pour alléger l'ennui d'une longue convalescence est à l'origine de ce destin exceptionnel. Abandonnant le droit, ce garçon de vingt ans a commencé des études de peinture auprès du très libéral Gustave Moreau, qui lui a fait découvrir le pouvoir de la couleur et « la belle inertie » des corps. Quand les expositions de 1901 et de 1903 révèlent Gauguin et Van Gogh à ses camarades Camoin, Derain, Vlaminck, il a déjà eu l'occasion de s'intéresser à ces maîtres encore peu connus par l'intermédiaire du peintre australien John Russel. Tous les fauves considéreront que le tableau de Van Gogh intitulé *le Fauteuil de Gauguin* donne l'exemple type de

l'audace et de la modernité picturale par ses déformations plastiques. Ainsi, le fauteuil, élément décoratif et parfois sujet *(le Fauteuil rocaille)* de tant de toiles de Matisse, semble un écho du double rôle de libération exercé sur Vincent et sur sa ligne par Gauguin. La vue des œuvres de ce dernier contribue à le détacher de l'influence la plus décisive subie jusqu'alors par lui, celle de Signac, qui l'a initié au néo-impressionnisme.

Déjà sous le divisionnisme de *Luxe, calme et volupté* (musée d'Orsay), cet hommage apollinien aux rêves de Baudelaire, peint en 1904 chez Signac à Saint-Tropez, s'affirme un caractère majeur du style de Matisse : une ligne filée, enrobant souplement les formes. Son intérêt pour l'art nègre, dont il est le premier « inventeur », le conduit non au cubisme, mais aux simplifications parfaites de *la Musique* et de *la Danse* (1910). Combiné à sa passion pour les miniatures persanes, il engendre le naturel et cette grâce dont, écrit l'artiste, « le charme sera moins apparent mais plus durable ». ●

Dansons la capucine

PAR LA GRÂCE DE TROIS FLEURS ET DE TROIS DANSEURS SUR FOND D'OUTREMER, VOICI TOUTE L'ALLÉGRESSE ENSOLEILLÉE DES PLAGES MÉDITERRANÉENNES.

Matisse semble condenser en cette seule toile ses thèmes préférés (natures mortes, scènes d'intérieurs, nus), ses conceptions plastiques (hyperbole de la ligne, simplification de la couleur) et son goût des équivalences musicales. Elle développe avec autorité le principe du tableau dans le tableau, si souvent utilisé par l'artiste depuis *la Desserte rouge* de 1908.

Dans ses *Capucines,* le panneau de *la Danse* installé sur le mur de l'atelier devient partie intégrante de la composition. Il détermine ainsi une échappée visuelle s'apparentant à ces séries, auxquelles Matisse s'attachera plus tard, de fenêtres ouvertes sur une plage méditerranéenne. *La Danse,* sa plus célèbre composition décorative, fait partie d'un ensemble commandé en 1909 par son mécène russe Chtchoukine. Enchanté de ce travail, il l'avait alors expliqué à ses amis à peu près en ces termes : « J'ai à décorer un hôtel particulier de trois étages. Le visiteur doit faire un effort pour monter, il doit être revigoré ; c'est pourquoi le premier panneau représentera une danse sur le sommet d'une colline. Au second, on

est au cœur de la maison, j'y vois une scène de musique avec des spectateurs attentifs. Enfin, au troisième, c'est le repos complet, j'y peindrai des personnages étendus sur l'herbe. » Ce programme pictural, dont le troisième volet ne sera pas exécuté, semble un emprunt aux divers groupes qui composent la grande toile *la Joie de vivre,* de 1906 (collection Barnes, Merion, Pennsylvanie). La ronde au bord de la mer qui tournoie à l'arrière-plan de celle-ci devient ainsi le motif de *la Danse.* Une farandole au moulin de la Galette pour les uns, la sardane à Collioure pour d'autres auraient inspiré l'œuvre. En la représentant en toile de fond d'une composition aux capucines, le peintre permet de suggérer une autre hypothèse : il aurait pensé à la ronde chantée par tous les écoliers, « Dansons la capucine ». Depuis 1907, en effet, Matisse réagit contre son propre fauvisme en simplifiant formes et couleurs, ce qui, selon Picasso, correspondrait à l'intérêt qu'il éprouve alors pour les dessins de ses enfants.

Il a déjà peint, en 1909, devant *la Danse* une nature morte (fruits et fleurs sur une table) entrée au

musée de l'Ermitage, à Leningrad, avec la collection Morozov. Mais *les Capucines à « la Danse »* relèvent d'une organisation beaucoup plus travaillée de l'espace. Deux versions en existent, l'une au musée de Worcester (Massachusetts), plus frontale et d'un chromatisme moins recherché, l'autre, le tableau ci-contre, à Moscou. Cette seconde œuvre, beaucoup plus grande, est une commande de Chtchoukine, conçue comme une décoration murale. La *Danse* qui sert de fond n'est pourtant pas la toile, plus rythmée, placée dans l'escalier du collectionneur, mais sa première pensée, conservée au musée d'Art moderne de New York.

Une grande subtilité règne dans le rapport des formes de ces *Capucines :* la sellette sur laquelle est posé le vase a le contour d'un métronome qui battait le tempo de la ronde. Le coussin du fauteuil aux touches en rayons répond au cercle des danseurs. Les diagonales (bras tendus et plinthe) soulignent l'élan joyeux de la scène. Avec ses accords tout simples de rose et de bleu que le jaune de trois capucines suffit à faire chanter, l'œuvre apparaît comme une illustration de certains aphorismes de Matisse. Ainsi : « Il suffit d'inventer des signes [...]. Rien n'empêche de composer avec quelques couleurs, comme la musique qui est bâtie uniquement sur sept notes. » ●

3. Matisse, *les Capucines à « la Danse »*, 1,925 × 1,145 m (1912).

4. Matisse, *Nu bleu III*, gouache découpée (1952).

Unité d'esprit de l'œuvre de Matisse

Très vite, dans cette œuvre, les influences sont amalgamées : celles de Signac sur sa phase néo-impressionniste, dont *Luxe, calme et volupté* (1) est le chef-d'œuvre ; celles de Van Gogh et de Gauguin évoquées par une toile qui lui paraissait exemplaire, *le Fauteuil de Gauguin* (2), de Van Gogh. Le pointillisme du premier de ces tableaux et le plan coloré du *Nu bleu* (4) expriment, par des moyens différents, une même ambition : transcrire un univers édénique avec la plus grande simplicité. Même glorification du nu dans la *Danse* dont un fragment sert de fond aux *Capucines* (3). Coloriste délectable, Matisse n'a bientôt plus eu besoin de morceler les teintes pour en donner la quintessence. À la fin de sa vie, le contour d'une gouache découpée (4) lui suffit pour suggérer la lumière, le mouvement, le bonheur.

Matisse et la Russie

« Je consens, même avec plaisir, à ce que vous exposiez au Salon d'Automne *les Capucines à la Danse* » écrit Serguéï Chtchoukine à Matisse en 1912. Ce collectionneur russe, riche marchand dont les goûts artistiques sont plus avancés que ceux de la plupart des collectionneurs français d'alors, est jusqu'en 1914 le plus important mécène du peintre. Après s'être intéressé à Manet, Renoir, Degas, il est passé à Cézanne puis à la nouvelle génération : Picasso, Derain, Van Dongen et Matisse, dont il aura 37 tableaux. Son premier achat date de 1904. Deux ans plus tard, il fait la connaissance de l'artiste, auquel il commande des œuvres de plus en plus importantes pour sa demeure moscovite, l'ancien palais Troubetskoï, qu'il ouvre au public le dimanche. À l'automne 1911, il invite le peintre, qui vient retoucher et mettre en place *la Danse* et *la Musique*, rencontre artistes et collectionneurs et revient enthousiasmé par l'art de l'ancienne Russie. Chtchoukine a persuadé son ami Ivan Morozov d'acquérir également des Matisse, au nombre de douze. Leurs collections, nationalisées après la Révolution de 1917, ont constitué le fonds des musées d'art moderne de Moscou et de Leningrad.

L'ambiance expressive

L'ART DE MATISSE, QUE L'ORIENT MÉDITERRANÉEN NOURRIT, EST UNE FÊTE OÙ LA COULEUR ET LE DESSIN FUSENT EN FEU D'ARTIFICE À LA GLOIRE DU CORPS HUMAIN.

En 1908, dans les « Notes d'un peintre » données à *la Grande Revue*, Matisse indique : « Le côté expressif de la couleur s'impose à moi de façon purement instinctive. » L'organisation des tons sur la toile n'a pourtant rien d'arbitraire. Très vite, une discipline d'ordre linéaire succède à la brutalité de touches qui, avec *la Femme au chapeau* du Salon d'Automne de 1905, a marqué l'avènement de son fauvisme. Les cours qu'il professe de 1907 à 1911, mais avec une périodicité de plus en plus espacée, lui permettent de mettre au point sa doctrine personnelle. Cette académie Matisse, créée sous la pression d'admirateurs tels que les Stein (Gertrude et Leo) et le peintre allemand Hans Purrmann, accueille des élèves étrangers qui contribuent à l'extension internationale du renom de l'artiste. De plus en plus sollicité par ses amateurs, il abandonne l'enseignement pour partager dorénavant son existence entre un labeur acharné, tant à Paris que dans le midi de la France, et des voyages en Russie, en Afrique du Nord, en Italie et même à Tahiti.

Pour lui, « la révélation est toujours venue de l'Orient ». En 1910, l'exposition d'art musulman vue avec Albert Marquet à Munich le confirme dans ses recherches linéaires. L'année suivante, à Moscou, les icônes l'enthousiasment. Tapis, céramiques et miniatures persanes s'intègrent à son univers plastique, dans lequel les compositions représentant des odalisques tiennent une place importante. La linéarité ne perd jamais ses droits dans cette imbrication des formes ; elle s'impose de nouveau triomphalement dans la toute différente *Danse* exécutée en 1931-1933 pour le Dr Barnes à Merion (1re version à Paris) et dans divers *Grands Nus*.

Ce souci de la ligne trouve son expression la plus absolue dans les gouaches découpées exécutées à partir du milieu des années 1940, qui donnent son envol à la couleur pour atteindre un pouvoir de magie dont Yves Klein s'inspirera. Matisse remarquait d'ailleurs : « Il n'y a pas de rupture entre mes anciens tableaux et mes découpages [...] j'ai conservé de l'objet, que je présentais autrefois dans la complexité de l'espace, le signe qui suffit. »

→ **Voir aussi :** Les premières avant-gardes du XXe siècle, ARTS, p. 298-299.

Naissance des abstractions

L'abstraction en Allemagne

UNE RICHE PROSPECTION
S'Y DÉROULE, DU LYRISME DE KANDINSKY
ET DES PEINTRES DU *BLAUE REITER* (LE CAVALIER BLEU)
À L'ENSEIGNEMENT PLUS SYSTÉMATIQUE
DU BAUHAUS.

ALORS QUE LES GRANDS mouvements du début du XXe siècle, fauvisme, expressionnisme, cubisme, futurisme, sont historiquement situés et datés, produits, en un même lieu, de l'activité d'un groupe, même restreint, l'abstraction est un phénomène multiforme, naissant souvent de démarches singulières, quasi synchrones, en divers foyers européens. L'histoire de l'art ne cesse pas d'en trouver des exemples toujours plus précoces. Il semble que le peintre lituanien Mikalojus Ciurlionis en fut un des pionniers dès 1905, mais son art ne fonda pas une école.

Qu'est-ce qui a pu pousser dans toute l'Europe tant d'hommes, peu après que d'autres eurent congédié les apparences, à congédier la réalité elle-même ? On a souvent remarqué que, presque en même temps, se renouvellent les cadres de la pensée – avec l'invention de la psychanalyse, les champs illimités que s'ouvrent la physique et la mathématique – et se transforment les formes artistiques, et pas seulement plastiques. Joyce, en bouleversant la structure du récit, Schönberg, en fondant la musique atonale sur l'abolition de la gamme,

mettent fin à des pratiques séculaires, autant que le font les peintres en décidant que leur art ne sera plus figuratif.

L'élargissement de la curiosité apporte sans cesse à l'art des modèles nouveaux. En 1910, Matisse se rend à Munich tout exprès pour y voir une exposition d'art islamique, cet art si largement non-figuratif. Les trouvailles de la préhistoire, l'intérêt pour le Moyen Âge remontant vers les hautes époques font admirer des signes élémentaires, des arts ornementaux, la griffure, l'entrelacs. La philosophie s'en mêle. En 1907, en Allemagne, bien avant qu'on n'y peigne une peinture qu'on puisse qualifier d'abstraite, un philosophe, W. Worringer, écrit sa thèse intitulée *Abstraction et Einfühlung* (terme intraduisible). Plus largement répandues sont les idées de Schopenhauer, dont la plus connue, la plus méditée depuis l'époque symboliste, est celle qu'il a empruntée à l'hindouisme, à savoir que le monde n'est qu'apparence.

Comment s'étonner que tant d'esprits aient cherché au-delà du visible le chiffre d'une réalité plus secrète, aient pensé, comme Kandinsky, que « le temps était venu d'une liberté » ?

C'est à un Russe, Wassily Kandinsky (1866-1944), que l'Allemagne doit d'occuper une place particulièrement éminente et précoce dans l'histoire de l'abstraction. C'est en effet à Munich, où il s'était fixé après avoir beaucoup voyagé, notamment en France, que Kandinsky a peint en 1910 sa première aquarelle abstraite, souvent tenue pour l'acte fondateur de l'abstraction. Retraçant un souvenir dont il est difficile de dire s'il n'est pas quelque peu inconsciemment reconstruit, l'artiste a parlé de la véritable révélation qu'aurait été pour lui la vue fortuite d'un de ses tableaux accroché, par mégarde, à l'envers : « Je sus alors expressément que les "objets" nuisaient à ma peinture » écrit-il.

Pour autant, les « objets » ne se laissaient pas aisément congédier, et la quête de l'abstraction dans l'art de Kandinsky fut une quête méthodiquement menée entre 1910 et 1914. Aux *Impressions* de 1911, qui gardent quelque chose du donné des sens, succèdent les *Improvisations,* « expressions pour une grande part inconscientes ». D'autre part, les *Compositions* consacrent le définitif divorce de « l'art et [de] la nature comme des domaines absolument séparés ».

Le grand intellectuel qu'était Kandinsky a explicité ce processus en deux textes, *Du spirituel dans l'art* (1911) et *Regards sur le passé* (1913). Avec Alexeï von Jawlensky (1864-1941) et Franz Marc (1880-1916), il fonda à Munich le groupe *Le Cavalier bleu* (1911), qui s'ouvrit à toutes les avant-gardes européennes, et que rejoignit notamment le Suisse Paul Klee (1879-1940).

La guerre bouleverse Kandinsky et lui fait regagner la Russie, où il se ralliera à la révolution et exercera d'importantes fonctions, mais peindra peu. C'est en Allemagne de nouveau, au Bauhaus, où Kandinsky, en 1922, retrouve Klee, que l'abstraction connaît un de ses plus hauts moments. Le lyrisme de l'un (désormais tempéré de géométrisme) trouve une réponse à sa mesure dans la poésie et la subtilité de l'autre. Ils sont les figures de proue de ce Bauhaus, de cette école d'art où enseignent d'autres abstraits illustres, tel le Hongrois László Moholy-Nagy (1895-1946). Hitler ferma en 1933 ce qu'il appelait « un nid de bolcheviks », provoquant une hémorragie de talents comparable à celle que s'était déjà infligée l'U.R.S.S. Kandinsky termina sa vie à Paris. Klee, qui avait dit : « L'art ne reproduit pas le visible, il rend visible », ne supporta pas de voir triompher le nazisme. Rentré en Suisse, il y poursuivra une des plus belles œuvres de cette peinture abstraite dont il a été l'un des hérauts, exerçant une durable et profonde influence.

1. Kandinsky, *Avec l'arc noir*, huile, 1912.

Recherches parisiennes

Dans la marche des arts plastiques vers l'abstraction qui marque si fortement le début du XXe siècle, les décisives révolutions opérées à Paris apparaissent ambivalentes. Le cubisme a pu être qualifié de réalisme parce qu'il se refuse à couper tout lien avec des référents naturels. Mais, en même temps, les libertés grandissantes qu'ont prises les peintres français avec aussi bien les apparences que les conventions picturales les ont conduits à une peinture qui n'est guère plus qu'un système autonome, un pur exercice plastique.

Il y a entre ce qu'on a appelé le cubisme hermétique, celui où tout vestige de lisibilité est à peu près banni, et l'abstraction une différence ténue, visuellement parlant. Pourtant, la limite n'a pas été franchie par ceux-là même qui

pratiquaient cette peinture expurgée de tout mimétisme, Braque et Picasso essentiellement. Le pas à faire pour déboucher sur l'art abstrait a été effectué par d'autres, très différents entre eux, mais dont il est à noter qu'ils étaient, pour la plupart, des coloristes.

Les plus précoces furent Robert Delaunay (1885-1941) et sa femme Sonia (1885-1979). Madame Delaunay aimait à dire que les cercles lumineux que projetaient les réverbères sur le pavé mouillé de Paris avaient été un choc visuel, magnifié en peinture par le *Disque* (1912) et les *Formes circulaires* de l'un, les *Prismes électriques* de l'autre. Le temps fort de cette production est, commencée en 1912, la série de *Fenêtres* de Robert, nées, elles aussi, du constat que la vitre rabattue d'une fenêtre ouverte peut donner du monde extérieur

une image méconnaissable, qui offre à l'œil comme l'anticipation d'une toile abstraite.

Dans son livre *les Peintres cubistes* (1913), Apollinaire proposa le terme d'« orphisme » pour qualifier l'art des Delaunay. Il rangeait sous la même bannière le Tchèque, vivant à Paris, František Kupka (1871-1957), dont le passage à l'abstraction est soudain en 1911 : ce sont deux œuvres totalement abstraites, dont *Amorpha,* qu'il expose au Salon d'Automne de 1912. Enfin, sous l'étiquette *orphique,* Apollinaire classait aussi Francis Picabia (1879-1953). Très inventif, versatile aussi, celui-ci avait, dès 1909, produit sporadiquement dessins et gouaches abstraits. Son passage à l'abstraction se fait de façon décisive en 1913, avec les grandes toiles *Udnie et Edtaonisl, ecclésiastique.* Citons aussi deux élèves américains de Delaunay, Morgan Russell et Stanton Macdonald-Wright, qui, sous l'étiquette de « synchromistes », se manifestent activement en 1913 et 1914 à Paris, Berlin et New York. ●

Les avant-gardes russes

LA CRÉATIVITÉ FIÉVREUSE QUI PRÉCÈDE
ET SUIT LA RÉVOLUTION DE 1917 A POUR SOMMET
L'ŒUVRE DE MALEVITCH.

Dès le début du siècle, la Russie a été le lieu d'une foisonnante activité intellectuelle et artistique, stimulée par des expositions, d'art français en particulier, la présence à Moscou de grands collectionneurs à l'affût de la dernière trouvaille parisienne, des échanges avec l'Allemagne, la venue du poète futuriste italien Marinetti, etc. En 1911, un couple de peintres, Mikhaïl Larionov et Natalia Gontcharova, baptisent « rayonnisme » un des aspects de leur travail, qui ne sera abstrait qu'un peu plus tard.

Dans leur entourage se trouve un artiste d'une tout autre envergure, Kazimir Malevitch (1878-1935), qui, après avoir pratiqué ce que lui-même appelle un « cubo-futurisme », se met à la recherche de la forme simple et parfaite, qu'il trouve dans le carré. Il y ajoute d'autres formes élémentaires, qu'il expose en 1915 sous l'étiquette de *suprématisme.* Son art culmine en 1918 dans son fameux *Carré blanc sur fond blanc,* où seule la touche permet encore de discerner une forme. À la Révolution, qu'il accueille avec passion, Malevitch donne tout, refusant de suivre le mouvement d'exil de nombreux artistes en 1921-1922, se pliant aux oukases esthétiques du régime (qui veut un art à son service)... mais couvrant de peintures abstraites le cercueil où il veut être enterré. Par chance, on lui permet un bref voyage et une exposition, en 1927, à Berlin. Cela assure la sauvegarde de son œuvre. Il peut laisser en Occident la plupart de ses tableaux abstraits, ses carnets et un texte, *le Suprématisme ou le Monde sans objets,* où il écrit : « Dans le vaste espace du repos cosmique, j'ai atteint le monde blanc de l'absence d'objets qui est la manifestation du rien dévoilé. »

Sous la bannière du *constructivisme* se regroupe une nébuleuse plus confuse. Anton Pevsner et son frère Naum Gabo cherchent une synthèse spirituelle des arts qu'ils ne conçoivent qu'abstraite et qu'ils définissent en 1920 dans un manifeste dit, par défi, « réaliste ». Aleksandr Rodtchenko et Vladimir Tatline militent pour un art « productionniste matérialiste » qui débouche sur le design et le remodelage de l'environnement. La coexistence de tous ces mouvements, fort conflictuelle, se résolut par le départ des artistes de tendance spiritualiste à l'occasion d'une exposition, à Berlin, en 1922. ●

2. Robert Delaunay, *Formes circulaires. Soleil n° 2,* détrempe, 1912-1913.

3. Kupka, étude pour *Amorpha, fugue en deux couleurs,* huile, 1911-1912.

1912, année clef

De tout temps, peintres et sculpteurs ont connu et utilisé le pouvoir que possèdent les lignes, les volumes, les couleurs de constituer des ensembles ordonnés, capables d'agir par eux-mêmes sur la sensibilité et la pensée. Mais ce n'est que vers 1910-1914 que certains peintres ont sauté le pas, renonçant purement et simplement à la figuration du monde visible. Les œuvres reproduites ici mettent en évidence l'importance de la date de 1912 pour l'histoire de la peinture abstraite. Kandinsky y atteint la maturité de ses « compositions », dont *Avec l'arc noir* (1) est une des plus célèbres. Delaunay entame ses séries des *Formes circulaires* (2) et des *Fenêtres* en une démarche parallèle à celle de sa femme Sonia. Kupka (3) se manifeste comme totalement abstrait au Salon d'Automne, à Paris, tandis que Mondrian (4, 5) élabore son système de signes, tendant à le réduire à un jeu de segments. Si on est abstrait en 1912 à Munich et à Paris, on l'est en 1913 à Moscou, où Malevitch définit le suprématisme.

Du néo-plasticisme à dada

DANS LA CONQUÊTE
DE L'ABSTRACTION, UNE DES DÉMARCHES LES PLUS
INTELLECTUELLES ET SPIRITUELLES EST CELLE DU HOLLANDAIS
MONDRIAN, THÉORICIEN DE LA REVUE
ET DU GROUPE *DE STIJL.*

À l'affût de toute nouveauté, en particulier parisienne, Piet Mondrian (1872-1944) s'oriente dès 1908 vers des transcriptions successives, de plus en plus stylisées, d'un même thème : arbre, dune, tour d'église. Fin 1911, il s'installe à Paris. Le contact avec l'art des grands cubistes est décisif et, dématérialisant de plus en plus le motif, simplifiant avec audace ses moyens plastiques qui tendent à se réduire à l'usage de segments horizontaux et verticaux (qu'il appelle des « plus-minus ») et de couleurs éteintes, Mondrian est totalement abstrait en 1912. La guerre le retient aux Pays-Bas, où elle l'a surpris, mais il met ce temps à profit pour lancer avec quelques amis, dont Theo Van Doesburg, une revue d'avant-garde, *De Stijl,* dont l'influence sera très grande, non seulement sur les peintres, mais aussi les architectes et même les écrivains. Il y exposera longuement ses idées sur « la réalité naturelle et la réalité abstraite », qu'il résumera à Paris, en 1920, dans une brochure, *le Néo-plasticisme,* dédiée « aux hommes futurs », à qui cet idéaliste impénitent ne doute pas d'apporter un jour le bonheur par son art.

Cet art a beaucoup évolué jusqu'à la formule qui a fait sa célébrité, où de grands rectangles de couleurs primaires en aplats sont organisés par un rigoureux réseau de lignes droites noires. Mondrian ne connaîtra la célébrité qu'à la fin de sa vie, à New York. La méconnaissance dont il a longtemps souffert ne l'a pas empêché d'être, à Paris, le maître à penser de petits groupes abstraits fervents et l'ami d'artistes majeurs.

Ainsi, il est très lié au couple que forment l'Alsacien Jean Arp (1887-1966) et son épouse suisse Sophie Taeuber-Arp (1889-1943). C'est dans un tout autre contexte, à Zurich, en 1916, où Arp est un des fondateurs du groupe *dada,* qu'ils ont adhéré décisivement à l'abstraction, s'exprimant sous des formes très variées, papiers déchirés, reliefs, tapisseries. À la fois le groupe *De Stijl* et les Arp, qui en sont très proches, entoureront d'amitié la figure solitaire de l'Allemand Kurt Schwitters (1887-1948), dont les toiles et les collages conservés font mesurer quelle perte fut la destruction par les nazis, à Hanovre, de son grand œuvre, son *Merzbau,* demeure-œuvre d'art. ●

→ **Voir aussi :** Les premières avant-gardes du XXᵉ siècle, **ARTS,** p. 298-299.

4. Mondrian, *l'Arbre bleu,* encre et aquarelle, 1909-1910.

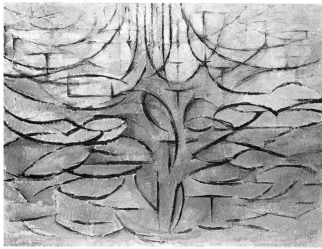

5. Mondrian, *Pommier en fleurs,* huile, vers 1912.

Dadaïsme et surréalisme

N MOINS DE DIX ANS APPA-raissent deux mouvements artistiques, dadaïsme et surréalisme, pour lesquels c'est proprement l'essence de l'art qui doit être mise en question. Celui-ci paraît suspect aux yeux mêmes de ceux qui ont participé aux surenchères avant-gardistes des années 1905-1914.

Dada marque une rupture totale. Son refus de toute nouvelle esthétique s'accompagne d'un détournement d'objets (porte-bouteilles) ou d'images (la *Jo-conde*) car tout est exposable, mais tout n'est que dérision. Iconoclaste et provocateur, l'esprit dada apparaît chez Picabia et Marcel Duchamp antérieurement à la naissance du mouvement. Quant au mot lui-même, créé à Zurich en 1916, son origine est controversée.

Deux villes voient naître presque simultanément la révolte dadaïste, Zurich et New York. Elle passe ensuite en Allemagne et à Paris, où le surréalisme se constitue au cœur même des manifestations dada. La fondation de la centrale surréaliste, en 1924, impose le mouvement et transmet à l'art ses impératifs, qu'André Breton énonce dans *la Révolution surréaliste*. Ils font référence à Freud et au marxisme tout en recherchant des ancêtres dans les arts fantastique, ésotérique et schizophrénique pour découvrir le plus onirique des mondes. Les techniques du hasard, frottage, sablage, jouent un rôle important dans cette conception que la présence du groupe surréaliste à New York, pendant la Seconde Guerre mondiale, transmettra à l'Amérique. Pourtant, l'apport surréaliste est ailleurs. Indifférent à toute forme esthétique, abstraite ou figurative, il constitue d'abord une formidable machine à rêver.

1. Marcel Duchamp, *Rotative Demi-Sphère (Optique de précision)*, construction avec moteur (1925).

L'esprit dada ou la subversion dans l'art

« TOUT EN PROVOCATIONS ET RIRES UBUESQUES, DADA N'A QU'UN BUT, TARIR CETTE SOURCE D'HOMMES ET DE FEMMES QUI REGARDENT L'ART COMME UN DOGME » (Hans Richter).

La Première Guerre mondiale éveille dans le monde intellectuel un incommensurable sentiment d'absurdité. Il trouve son exutoire dans la virulence auto-destructrice de Dada. Le mot est employé pour la première fois le 8 février 1916 à Zurich, au Cabaret Voltaire. Dans cette ville où pacifistes, nihilistes, espions et révolutionnaires se côtoient, cet endroit dévolu au « spectacle total » a été fondé par le poète allemand Hugo Ball, sa femme l'actrice Emmy Hennings et leur compatriote Richard Huelsenbeck. Tout un groupe milite pour l'expression libre : le Roumain Tristan Tzara et ses amis Marcel Janco, l'Alsacien Hans Arp (1887-1966), les peintres allemands Hans Richter (1888-1976) et Otto Van Rees. On leur doit dès 1916 ces premières abstractions dadaïstes que sont les costumes et les broderies de Van Rees, les reliefs végétaux de Arp et les reliefs en plâtre blanc de Janco, qui déclare : « Dada est un signal de l'esprit contre la routine. » La galerie Dada, fondée en 1917 après la fermeture du Cabaret Voltaire, expose les peintres du *Sturm* et Kandinsky, Klee, De Chirico.

Dada prend une forme délibérément anti-art lorsqu'il croise la route de Francis Picabia (1879-1953), qui exerce entre Paris, New York et Barcelone une activité allègrement négative. Depuis son arrivée à New York en 1915, en compagnie de Marcel Duchamp (1887-1968), il expose avec lui chez Alfred Stieglitz. L'un montre ses œuvres mécanographiques, l'autre ses premiers ready-made, objets usuels aux vertus de dérision, tel son célèbre *Porte-bouteilles*. Ce prédadaïsme new-yorkais connaît son apogée avec le refus, en 1917, au premier Salon des Indépendants américains, d'un urinoir *(Fountain)* envoyé par Duchamp. Celui-ci démissionne alors du comité du Salon pour se consacrer à son « Grand Verre », *la Mariée mise à nu par ses célibataires, même* (musée de Philadelphie), monument à la gratuité esthétique de la machine et de l'amour. En 1919, *L.H.O.O.Q.,* ready-made de la *Joconde* rectifié par ajout de moustaches, précédera ses machines optiques dans l'esprit de Raymond Roussel. Au début de cette année-là, Picabia, qui se désintoxique en Suisse depuis plusieurs mois, persuade Tzara de transférer à Paris ses activités zurichoises.

Entre-temps, Dada s'est déjà installé en Allemagne. À Berlin, il a pris un aspect politico-expressionniste dans les œuvres de Richter, qui est spartakiste, de Georg Grosz et de Helmut Herzfeld, ainsi que dans les photomontages de Raoul Hausmann et d'Hannah Höch. Son apogée est l'Internationale Dada Messe (Foire dada) de 1920. Un Dada solitaire, Kurt Schwitters, œuvre à Hanovre, édifiant du bas en haut de sa maison une construction en matériaux et objets de rebut, le *Merzbau*. Arp a rejoint à Cologne « Dada Baargeld le bien-aimé » et « Dada Ernst le redouté ». Le scandale de leur exposition à la brasserie Winter, où les visiteurs traversent les urinoirs, entraîne la dissolution du groupe et le départ de Max Ernst pour Paris.

Dans cette capitale, les revues *Littérature*, créée par Breton et Aragon, et *391,* emmenée successivement par Picabia de Barcelone à New York puis Paris, soutiennent Dada, tandis que la librairie du Sans-Pareil accueille ses expositions. En mai 1921, Max Ernst (1891-1976) y montre ses *Fatagagas,* qui éloignent du groupe Gleizes et les cubistes de la Section d'or. Les sortes de happenings géants que Dada tient aux Indépendants ou à la salle des sociétés savantes commencent à lasser. La toute-puissance de la dérision s'épuise. « Dada au grand air » réunit encore cet été-là, au Tyrol, Ernst, Arp, Tzara et Breton, mais le groupe se lézarde malgré toutes les signatures réunies par Picabia sur sa toile *l'Œil cacodylate* (musée national d'Art moderne, Paris). Ni celui-ci ni Duchamp n'exposent au Salon Dada de 1922 et la même année, au Bauhaus de Weimar, Richter, Arp et Tzara prononcent l'oraison funèbre de Dada, que Schwitters publiera dans sa revue *Merz*. •

2. Max Ernst, une des planches du roman-collage *la Femme 100 têtes* (1929) : *La femme 100 têtes ouvre sa manche auguste.*

Le surréalisme ou l'irrationnel en peinture

« L'IMAGE SURRÉALISTE LA PLUS FORTE EST CELLE QUI PRÉSENTE LE DEGRÉ D'ARBITRAIRE LE PLUS ÉLEVÉ. »
(Dictionnaire abrégé du surréalisme, catalogue de l'exposition de 1938.)

Lâchez tout. Lâchez Dada, lâchez votre femme [...]. Partez sur les routes. » L'injonction d'André Breton ouvre la voie au surréalisme. Dès 1922, ce mouvement, dont le nom, emprunté à Apollinaire, n'apparaît qu'un peu plus tard, se détache de Dada. À l'anarchie destructrice de celui-ci, Breton, pape du nouveau mouvement, substitue un système de codes, automatisme, hallucination provoquée, d'où surgit un univers emblématique avec ce qu'il nomme ses « lieux de mémoire ». Cette fusion de l'imaginaire et du réel, cette découverte du connu par l'inconnu, trouve son application dans l'art. D'ailleurs, l'écriture automatique, le jeu du « cadavre exquis », les sommeils hypnotiques mêlent l'art à l'écriture même chez ceux qui ne savent pas dessiner (voir le poète Robert Desnos et sa *Ville sans nom du cirque cérébral*).

Pour Breton, la peinture « métaphysique » de Giorgio De Chirico a été une révélation, mais c'est devant les collages envoyés par Ernst à Picabia dès 1920 que lui est apparue la réalité de la phrase de Lautréamont : « Beau comme la rencontre fortuite sur une table de dissection d'une machine à coudre et d'un parapluie. » Ernst est le grand inspirateur de la diversité plastique du surréalisme, qui joue aussi bien avec le réel qu'avec l'abstraction puisque son contenu cérébral détermine sa radicale étrangeté. Il réunira certains de ses collages, délirants et cruels, en albums : *la Femme 100 têtes* (1929), *Rêve d'une petite fille qui voulut entrer au Carmel* (1930). Ses « frottages » (sur les veines du bois, etc.) augmentent l'effet du hasard comme les sablages d'André Masson, les décalcomanies d'Óscar Domínguez, les fumages de Wolfgang Paalen.

En 1925, Pierre Naville niait l'existence d'une peinture surréaliste. L'ouverture de la Galerie surréaliste en 1926 et les articles de Breton réunis en volume en 1928 témoignent de la multiplicité de celle-ci. L'arrivée de Salvador Dalí (1904-1989), qui a tourné en 1928 avec Buñuel *Un chien andalou* et a peint *Gradiva* en 1929, porte à son comble l'impact du délire et de la psychanalyse dans l'art. Ses « objets à fonctionnement symbolique », sa théorie de la « paranoïa critique » exaltent l'essence du surréalisme, qu'il enrichit de métamorphoses (« images doubles », montres molles...) comme de rêveries astrologiques (*Prémonition de la guerre civile,* 1936, musée de Philadelphie).

Avec les expositions de Paris (1938), Londres (1939), Mexico (1940), le surréalisme est à son apogée. Il rend hommage à Lautréamont (Man Ray), à Sade (Hans Bellmer), à l'éternel féminin (Paul Delvaux). Les plages lunaires d'Yves Tanguy, les *Morphologies psychologiques* de Roberto Matta, les objets de Roland Penrose côtoient les archétypes en révolte de Victor Brauner et la menaçante bonhomie de René Magritte (1898-1967). En 1938, à Paris, à la galerie des Beaux-Arts, 1 200 sacs de charbon forment le plafond de la salle réservée à Duchamp. Soixante-dix artistes de quatorze pays participent à cette manifestation, car le surréalisme est une internationale, où Wifredo Lam déploie les inquiétantes jungles peuplées des Antilles, Joan Miró les *Constellations* des plages majorquines, tandis que la Tchèque Toyen étend jusqu'au château de Sade les *Longues Ombres* de Prague. Tout est à clef, à double entente, à dangereuse connivence, à souterraine absurdité.

Analogies, blasphèmes, émerveillements, tarots et masques servent au surréalisme à faire surgir des abysses de l'inconscient une pêche miraculeuse de thèmes et de formes qui n'ont pas cessé, depuis trois quarts de siècle, de hanter la peinture. •

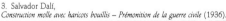
3. Salvador Dalí,
Construction molle avec haricots bouillis – Prémonition de la guerre civile (1936).

4 René Magritte, *les Marches de l'été* (1938 ou 1939).

Permanence du surréalisme

AVATARS ET SURGEONS DU MOUVEMENT NE CESSENT DE « DONNER À VOIR » L'IMAGE, INSOUTENABLE OU MERVEILLEUSE, CACHÉE DERRIÈRE LE MIROIR DE CHAQUE ÉPOQUE.

La Seconde Guerre mondiale disperse les surréalistes tout en ouvrant des voies nouvelles à leur influence. Breton, Duchamp, Masson, Matta, Kurt Seligmann partent pour les États-Unis où se trouvent déjà Dalí et sa femme Gala, première épouse d'Eluard. Lam s'installe en Haïti, dont les cultes vaudous marqueront son œuvre ultérieure. Bellmer est en Languedoc, Brauner en Provence. Ces derniers participent à *la Main à plume,* revue fondée par Noël Arnaud. Picasso donne également des dessins à cette revue, ainsi que Arp, qui passe en Suisse en 1943. À New York, Kurt Seligmann a été le premier à établir des relations avec les jeunes Américains en donnant des leçons à Robert Motherwell. Les surréalistes se font connaître à travers des revues (*V.V.V.,* fondée par Breton), l'exposition *First Papers of Surrealism* organisée par Duchamp en 1942, et l'accrochage d'œuvres dans les galeries Pierre Matisse et Peggy Guggenheim.

Les techniques d'automatisme et de *dripping* (peinture projetée au hasard par les trous d'une boîte) influenceront de façon décisive les futurs maîtres de l'expressionnisme abstrait, Pollock, Motherwell, Rothko. Ces techniques s'étendront ensuite au mouvement canadien des automatistes (Borduas, Riopelle...).

Après le retour en Europe des exilés américains, certaines ruptures se produisent. Quoique le groupe reformé autour de Breton tienne en 1947 une grande exposition à la galerie Maeght, à Paris, dans laquelle Clovis Trouille montre *Oh Calcutta,* le surréalisme semblera occulté par la montée de l'abstraction. La manifestation organisée en 1964 galerie Charpentier, sans l'accord de Breton, apparaît comme une sorte d'historique où figurent les peintres du passé avec lesquels le surréalisme se sentait des correspondances, Arcimboldo, Bosch, Gustave Moreau, Redon ; ses précurseurs, Alfred Kubin, Klee ; ceux qui ont côtoyé le groupe sans véritablement adhérer, tels Balthus ou Léonor Fini. À côté de tous les grands créateurs figure la seconde vague surréaliste, Jacques Hérold, Simon Hantaï, Max Walter Svanberg... L'année suivante, *l'Écart absolu,* galerie de l'Œil, montrera le dernier choix fait par Breton et les derniers amis ou membres de la chapelle surréaliste : Enrico Baj, Alberto Gironella, Jean-Claude Silbermann, Hervé Télémaque... ces artistes dénonciateurs de nos mythologies quotidiennes.

Breton disparaît en 1966, mais l'esprit surréaliste perdure et se revigore au souffle de 1968. Son importance est évidente en Europe centrale, Tchécoslovaquie, Pologne (art de l'affiche), Autriche, Allemagne. Il est sensible dans l'esprit provocant et les fantasmes de nombreux dessinateurs, tels, en France, Topor ou Gourmelin. En Amérique, Dada et le surréalisme sous-tendent en partie la démarche des artistes Pop. Cela venant en parallèle à l'influence exercée dans un domaine bien précis, celui de la publicité, qui, pour surprendre, dévalise et banalise depuis longtemps le répertoire des images surréalistes.

Les rébus de l'inconscient et du fantastique

De la joyeuse incongruité de « R. Mutt », signataire de l'urinoir *Fountain,* à la technicité maniaque de la *Rotative Demi-Sphère* (1) [portant l'inscription *Rrose Sélavy* (autre pseudonyme de l'artiste) *et moi esquivons les ecchymoses des esquimaux aux mots exquis*], Duchamp incarne tout l'esprit dada.

Le rôle déstabilisateur de ce mouvement a préparé le terrain sur lequel le surréalisme invente ses nouveaux codes et techniques. Ceux-ci prennent forme dans les collages oniriques de Ernst (2) comme dans les délires érotico-médiumniques de Dalí (3) et les métaphores visuelles de Magritte (4).

→ **Voir aussi :** Le surréalisme, LITTER, p. 106-107. Les premières avant-gardes du XXe siècle, ARTS, p. 298-299.

L'architecture au XXᵉ siècle

PENDANT LES TROIS QUARTS de notre siècle, l'évolution de l'architecture a pu se confondre avec l'histoire de ce qu'on a appelé l'*Architecture moderne* (ou « Mouvement moderne », ou « Style international »). Issue des premières grandes réussites de l'école de Chicago, qui, dès la fin du XIXᵉ siècle, exprimait un nouvel univers constructif par la révolution des immeubles de grande hauteur, l'Architecture moderne, formée au contact des avant-gardes artistiques du début du XXᵉ siècle, ne marque pas seulement l'avènement des métropoles industrielles, mais se veut le point de départ d'une ère nouvelle. Portée par une formidable utopie, elle croit avec ferveur à une société plus juste et plus confortable où les hommes, jouissant du soleil et de la verdure, échapperaient définitivement à toute domination : la Cité de demain serait un espace de liberté pour tous les peuples.

Dans ce grand rêve, en fait, l'Architecture moderne ignore la ville, ou tout au moins s'en détourne. Si elle trouve dans les périphéries des métropoles l'occasion de beaux projets, elle aborde avec moins de succès les centres. C'est pourquoi au cours des années 1960 se manifestent les premières critiques décisives qui vont entraîner une remise en question totale des principes modernes. Désormais, nombreux sont les architectes qui rejettent les canons modernistes au profit d'une invention formelle propre à rétablir avec les formes urbaines du passé une continuité historique jugée indispensable au développement de la ville ; d'autres bâtisseurs ou théoriciens s'aventurent dans une reconsidération totale de la pensée architecturale.

Les précurseurs

DÉPOUILLÉE, LISSE, LUMINEUSE,
TELLE EST L'ARCHITECTURE DONT RÊVENT
CERTAINS ARCHITECTES DE LA FIN DU XIXᵉ SIÈCLE, CONVAINCUS
DE LA VICTOIRE DE LA STRUCTURE SUR L'ORNEMENTATION,
PERMISE PAR LES NOUVELLES TECHNIQUES.

Suite à l'incendie de 1871, la reconstruction de Chicago fut l'occasion d'expérimenter des découvertes techniques comme l'invention de l'ascenseur et la fabrication industrielle de l'acier, et de produire un tout nouveau type de construction, le *gratte-ciel*. Le premier immeuble de grande hauteur, le Home Insurance Building, est construit en 1884 par William Le Baron Jenney (1832-1907) ; toute la structure portante de l'édifice étant interne, pour la première fois les murs extérieurs n'assurent qu'une fonction d'enveloppe. Il s'agit là d'une véritable révolution, l'une des bases sur lesquelles s'élaboreront les principes de l'Architecture moderne. L'architecte Louis Sullivan (1856-1924), associé à l'ingénieur Dankmar Adler (1844-1900), tire les premières conséquences de cette nouvelle liberté en élevant en 1886 un Auditorium de 4 237 places, flanqué sur chaque côté d'immeubles de 11 étages. La façade de son Guaranty Building de 1895, à Buffalo, fait apparaître une préoccupation stylistique qui allie à une lisibilité de la structure le caractère symbolique de réminiscences décoratives. Son élève Frank Lloyd Wright (1867-1959) est considéré comme l'architecte américain le plus important de la première moitié du XXᵉ siècle pour avoir développé, presque exclusivement dans des villes, un style fondé sur la puissance de la structure et l'élégance des formes horizontales intégrées à leur environnement, mais tournant délibérément le dos à la civilisation urbaine, qu'il juge contraire à la démocratie.

En Europe, les fondements de l'Architecture moderne s'élaborent dans des expériences individualisées émergeant de contextes locaux particuliers. Vienne, foyer d'une culture à la fois marquée par l'arbitraire de l'académisme, anxieuse de l'avenir et fondatrice de l'intellectualité moderne, est l'objet de vives critiques de la part de l'architecte Adolf Loos (1870-1933), qui y réalise en 1910 sa célèbre « Maison sans Sourcils », bâtiment dépourvu des attributs baroques habituels, frontons aux fenêtres, balcons, ornements, etc. Otto Wagner (1841-1918), moins radical mais tout aussi critique, a su allier juste auparavant, dans sa Caisse d'épargne postale, transparence de la structure et configuration ornementale. À Lyon, dans un contexte éminemment plus provincial mais au demeurant tourné vers l'avenir de l'industrialisation, Tony Garnier (1869-1948) met au point de 1901 à 1917 son célèbre modèle de Cité industrielle, immense répertoire de prototypes pour toutes les composantes de la vie urbaine ; ceci dans un style dépouillé, incluant l'adoption systématique des toits-terrasses. ●

1. Frank Lloyd Wright : maison Robie à Chicago, 1907-1909.

L'Architecture moderne

ELLE A POURSUIVI, SANS CONCESSIONS
AU PASSÉ, UN PROJET VISANT À L'ÉGALITÉ DES
HOMMES DEVANT L'ART D'HABITER.

Nouvelle méthode de penser l'espace, le cubisme attire à lui non seulement des artistes mais aussi des architectes comme Le Corbusier et bon nombre de ses confrères allemands, néerlandais, soviétiques ou italiens. Venu du Jura suisse, Charles Édouard Jeanneret, dit Le Corbusier (1887-1965), s'installe à Paris et élabore dès 1915 la maison *Dom-Ino*, schéma élémentaire de trois plans (sol-étage-toit) supportés par deux séries de piliers. Ainsi est énoncé le principe fondamental de la nouvelle architecture pour une appropriation libérée des codes du passé. Cette réduction permet l'adoption de formes souples comme en témoigne la villa Savoye à Poissy (1929-1932), chef-d'œuvre de Le Corbusier. Mais sa maîtrise d'une nouvelle échelle de valeurs s'exprime dans la Ville contemporaine de 1922, conçue pour 3 000 000 d'habitants et dont le Plan Voisin de 1925 sera une projection en plein cœur de Paris, supposé détruit à l'exception des monuments historiques. L'extrême puissance des rêves modernes de Le Corbusier rencontre méfiance et résistance, mais parvient à se manifester dans les Cités radieuses, immeubles sur pilotis conçus comme des paquebots, construits après la Seconde Guerre mondiale à Marseille, Rezé, Berlin, Firminy.

En 1919, à Weimar, l'architecte Walter Gropius (1883-1969) ouvre le Bauhaus, école d'arts appliqués dont les enseignants sont choisis parmi les artistes liés aux avant-gardes historiques. La dynamique du projet repose sur la volonté de produire un renversement esthétique et social en étendant à tout objet quotidien, de l'étui à cigarettes au dessin de la ville, les marques d'un style fondé sur l'élégance pure de la forme soumise à la fonction. Les bâtiments du second Bauhaus, à Dessau, construits par Gropius, font apparaître le *mur-rideau*, pan de verre non porteur laissant voir par transparence les piliers de la structure. Ces principes trouvent deux expressions puissantes aussi bien dans l'élégance aristocratique de l'œuvre de Ludwig Mies van der Rohe (1886-1969), dernier directeur du Bauhaus – à Berlin, avant sa fermeture par les nazis en 1933 –, que dans les cités ouvrières bâties à Francfort par Ernst May : (1886-1970) par le souci du détail et la qualité des espaces verts, celles-ci participent de l'idéologie socialiste du Bauhaus. Ce dernier est appelé en 1930 à introduire en Union soviétique les modèles modernes, après que Konstantine Melnikov, entre autres, en a démontré une compréhension très dynamique.

L'échelle mondiale de l'Architecture moderne n'en gomme pas forcément les particularités locales, comme le démontre l'intelligence constructive de l'Italien Giuseppe Terragni (1904-1943), auteur, en dépit de l'idéologie fasciste, d'une architecture généreuse et méditerranéenne. ●

2. Mies van der Rohe : Galerie nationale, à Berlin, 1962-1968. Structure en acier.

D'un extrême

La rationalité de l'esthétique moderne exalte, d'une part, les principes de clarté absolue de la structure et, d'autre part, l'art des détails sensible tant dans les proportions que dans les attaches

Le modernisme

AVEC SES BARRES ET SES TOURS, LE « MODERNISME »
EST CE PAR QUOI SE SONT SYSTÉMATISÉS LES MODÈLES
MODERNES ÉLABORÉS AU DÉBUT DU SIÈCLE.

Les politiques de reconstruction des années 1950 permettent l'application des principes modernes de la première moitié du siècle. La création des *grands ensembles* dans la périphérie des villes, tel que celui de Bron-Parilly (près de Lyon) de l'architecte René Gagès, relève directement de l'urbanisme défini par le Congrès international d'architecture moderne de 1933 et résumé dans la *Charte d'Athènes* publiée par Le Corbusier en 1942 : soit l'équilibre entre espaces bâtis et espaces verts, l'orientation des immeubles pour un ensoleillement maximal, l'autonomie des circulations et des services. Se généralise alors en Europe la *barre* d'habitation comme réponse tant urbanistique qu'architecturale à l'accroissement subit de la démographie urbaine. Accueillant plusieurs centaines de familles, offrant un confort moderne à des foyers venus des campagnes ou des centres vétustes, elle se substitue totalement à l'îlot haussmannien bordé de rues. Son succès dans la périphérie, tant pour le logement que pour les équipements hospitaliers, ne se retrouve pas dans les centres de villes, où sa pénétration suscite le mécontentement, le cas extrême étant, comme il est advenu à Metz, celui où la spéculation foncière n'hésite pas à détruire le patrimoine historique pour l'introduction des activités tertiaires.

Produite par cette concentration du tertiaire dans le centre des villes, la *tour* apparaît tardivement en Europe. L'une des premières et des plus réussies est celle construite par Gio Ponti en 1955 près de la gare de Milan, la tour Pirelli. Quand le processus se systématise dans les années 1960-1970, la tour, bâtiment aux fonctions indifférenciées, est propre à figurer la multiplication de toute chose dans le nouvel univers urbain. Elle est un bel objet architectural, aux lignes souvent élancées et dynamiques, aux parois réfléchissantes où miroitent les images de la ville internationale, quelque peu stéréotypée. Manhattan européenne, la cité de Francfort joue aujourd'hui de ces très hautes tours, socles luxueux des marques de firmes internationales, qui construisent un paysage à la verticale.

3. Walter Gropius : bâtiments du Bauhaus à Dessau, 1925-1926. Béton armé et pan de verre.

Critique du modernisme

CONTRE LES MENACES DE DOGMATISME,
DE NOUVELLES THÉORIES SE SONT IMPOSÉES,
RECOURANT À L'HISTOIRE OU À LA PHILOSOPHIE.

L'avènement des sciences humaines au cours des années 1960 va provoquer la contestation du Mouvement moderne. L'anthropologie, la sociologie mais aussi l'histoire de l'architecture et la linguistique vont avoir d'importantes incidences sur le cours de l'architecture. D'où un ensemble d'attitudes nouvelles, fort variées, que, par simplification, d'aucuns ont réunies sous le vocable de « postmodernisme ».

En 1966, la publication en Italie de *l'Architecture de la ville* d'Aldo Rossi et aux États-Unis de *De l'ambiguïté en architecture* de Robert Venturi déclenche ouvertement la critique du modernisme. Ces deux architectes, bien que profondément différents, partagent le même intérêt pour l'histoire, dénonçant l'élimination du passé par le système moderne. En Italie, la restructuration du centre de Bologne a donné lieu, entre 1958 et 1964, à la production de nouvelles méthodes d'interprétation de l'histoire de la ville considérée comme un liant à la fois formel et social. La forme n'est plus déterminée seulement par sa fonction, mais par son pouvoir d'évocation symbolique. Dans diverses œuvres, Rossi procède par une série de réminiscences des formes enfouies de la maison. Robert Venturi, lui, procède par citations. Les formes du passé servent le grand jeu qu'est la ville américaine avec son imagerie populaire. Charles Moore, de son côté, répond au programme d'une place que lui a commandée la communauté italienne de La Nouvelle-Orléans par la création d'un décor hybride, fait de fragments et de clichés de l'Italie.

À cette architecture figurative s'oppose une architecture plus abstraite, voire plus proprement conceptuelle qui entend « déconstruire » les supports traditionnels de l'architecture, classique comme moderne, et travailler à des propositions totalement inédites. Ainsi le Français Bernard Tschumi, les Américains Peter Eisenman ou Daniel Libeskind, le Néerlandais Rem Koolhass, chacun à sa manière, pensent autrement l'architecture à partir d'une réflexion sur le langage. ●

→ **Voir aussi :** L'architecture au XIXe siècle, **ARTS**, p. 280-281. Le Corbusier. Le couvent de la Tourette, **ARTS**, p. 308-309.

4. Charles Moore : *Piazza d'Italia* à La Nouvelle-Orléans, 1975-1978.

à l'autre

des volumes ou encore le matériau choisi – la brique chez F. Lloyd Wright, le verre chez W. Gropius ou l'acier corten chez Mies. Une même rigueur apparaît dans les combinaisons orthogonales, élémentaire dans la Galerie nationale (2), fonctionnelle dans le Bauhaus (3) ou complexe dans la Robie House (1). Contre cette esthétique, l'humour débridé mais jubilatoire de Charles Moore (4) renvoie aux péplums d'Hollywood autant qu'au Forum de Rome, comme un défi à la raison.

Le Corbusier
Le couvent de la Tourette

Lumière, volumes et matériaux

L'ORDRE ET LA PAIX RÉSULTENT
D'ESPACES OÙ LA LUMIÈRE PÉNÈTRE
AVEC ART ET OÙ LE REGARD, BAIGNÉ DU CALME
DES VOLUMES, RENCONTRE SANS CESSE
LA VÉRITÉ DES MATÉRIAUX.

POURQUOI LE CORBUSIER apparaît-il dans ce siècle comme le maître incontesté de l'architecture moderne ? Probablement parce qu'il représente les deux faces de l'homme moderne. Irréductiblement individualiste, il incarne le créateur solitaire, ruminant sans cesse ses pensées examinées jour après jour au feu des réalités sévères et des rêves légitimes ; simultanément, ses regards demeurent sans répit fixés sur l'horizon du xxᵉ siècle, peuplé de foules humaines appelées à se concentrer et à se mouvoir sur la surface de la planète. Homme des Lumières, opiniâtre, il entend faire la preuve que doit souffler un « Esprit nouveau » et que tous y gagneront en « bonheur » et en « vertu civique », l'urbanisme consistant aussi bien en la mise en « ordre » des papiers sur le bureau du chef d'entreprise qu'en la division des circulations entre piétons et automobiles... Si son enseignement réside autant dans ses projets non réalisés (amplement commentés par lui et vilipendés par d'autres) que dans ses grands chantiers, sa pensée – non résumable en une théorie – a su pénétrer les nouvelles générations d'architectes.

C'est bien la hauteur de cette pensée, personnelle et collective, que reflète le couvent dominicain Sainte-Marie-de-la-Tourette à Éveux, dans les monts du Lyonnais, conçu et bâti de 1953 à 1960. Type de bâtiment d'une nature assez rare dans un siècle penchant vers l'athéisme, cette œuvre confronta l'architecte avec des lois religieuses auxquelles il était étranger, mais qu'il sut intégrer dans un vocabulaire si riche que l'édifice apparaît aujourd'hui comme un des sommets de l'aventure moderne.

Si la structure générale du bâtiment démontre les qualités logiques d'un architecte attaché à vérifier dans chaque projet que l'architecture est définitivement à comprendre comme une « machine » dont le bon fonctionnement doit satisfaire les besoins et la beauté servir l'équilibre des hommes, l'examen des plans, des volumes, des combinaisons d'espaces prouve la maîtrise exceptionnelle avec laquelle Le Corbusier use de la lumière. Cet art n'est ni réservé à telle ou telle partie du bâtiment, ni appliqué systématiquement. À chaque fonction correspond un type particulier de pénétration du jour, de la cellule du moine au grand réfectoire. Parce que le dominicain étudie essentiellement dans sa chambre, celle-ci doit être adaptée à la concentration intellectuelle. Installé à sa table placée à proximité de la porte-fenêtre du petit balcon, il peut découvrir le haut des arbres de la forêt d'un simple regard qu'accompagne le biseau de l'arête en béton du garde-corps. Un tel détail indique la subtilité à l'aune de laquelle se mesure la valeur de cette architecture – même si elle dut être réalisée à l'économie (ce qui n'est pas sans poser aujourd'hui certains problèmes d'entretien). Hauteur des poignées de porte qui souligne l'acte de franchissement de l'espace collectif de circulation à l'espace individuel de la cellule ; revêtement du sol qui absorbe le bruit des pas et incline le promeneur au silence ; volets de béton disposés en oblique vers le ciel au fond de chaque couloir, laissant entrer la lumière sans qu'une trouée de ciel détourne l'esprit du moine : tous ces points et d'autres encore, patiemment observés par l'architecte, signifient l'attention constante et anticipatrice dont doit s'alimenter l'art de celui qui construit pour autrui.

La prouesse de l'éclairage est atteinte dans le rythme des hautes verticales de béton qui séparent les vitrages du grand réfectoire, des salles de réunion et des déambulatoires de l'atrium. Le Corbusier en laissa le dessin à Iannis Xenakis, alors architecte, aujourd'hui connu comme l'un des grands musiciens contemporains. D'où probablement la variété « sonore » des arrivées de lumière, qui évolue à la mesure du pas du visiteur. Dans l'église, par contre, près du plafond, une seule ligne horizontale perfore l'imposant mur de béton brut (que Le Corbusier, initialement, souhaitait voir peint en blanc). Il en tombe, au couchant, une lumière diaphane. D'autres ouvertures latérales, de faible dimension, suffisent à éclairer le livre des moines assis sur leurs bancs. Quant aux fûts obliques qui traversent puissamment le toit plat des chapelles (dont l'espace intérieur est traité en polychromie), ils dispensent les rayons du jour avec une densité saisissante et plongent les offices dans une profonde atmosphère spirituelle.

Le partenaire de la lumière n'est autre que le béton, dont Le Corbusier déploie l'étrange nudité en de grandes surfaces qui manifestent librement la vérité structurelle du bâtiment. Le volume en saillie sur la face ouest de l'église renferme l'orgue et anime par sa simplicité géométrique et ses ombres grises la masse du grand mur ; tandis que, sur l'angle nord-est de l'édifice, un cube ouvert abritant les cloches sert d'attribut décoratif minimal et de signal efficace pour ce lieu à plus d'un titre exemplaire.

●

Dates clefs

1887	Naissance à La Chaux-de-Fonds de Charles Édouard Jeanneret-Gris, qui prendra en 1920 le pseudonyme de Le Corbusier.
1900	Apprentissage de ciseleur-graveur à l'École d'art de La Chaux-de-Fonds.
1905	Première construction d'une maison à La Chaux-de-Fonds.
1906-1911	Série de voyages en Europe avec séjours dans les ateliers de J. Hoffmann à Vienne, A. Perret à Paris, P. Behrens à Berlin.
1917	S'installe à Paris.
1920	Fonde *l'Esprit nouveau* avec le peintre Amédée Ozenfant.
1922	Fonde une agence avec son cousin Pierre Jeanneret. Expose au Salon d'Automne la *Ville contemporaine* et la *Maison Citrohan*.
1925	Pavillon de l'*Esprit nouveau* ; *Plan Voisin*.
1927	Projet pour le *Palais des Nations* à Genève.
1929	*Villa Savoye* à Poissy. Tournée de conférences en Amérique du Sud.
1931	Projet pour le *Palais des Soviets* à Moscou.
1933	Élaboration de la *Charte d'Athènes* au 4ᵉ Congrès international d'architecture moderne (C.I.A.M.).
1938	Participe à l'élaboration de la *Cité universitaire* de Rio de Janeiro.
1946-1952	*Unité d'habitation* de Marseille.
1951	Plans de Chandigarh en Inde.
1955	Achèvement de la *Chapelle de Ronchamp*.
1965	Mort de Le Corbusier.

Structure générale de l'édifice

COUVENT SANS CLOÎTRE,
LA TOURETTE SE RÉPARTIT EN ESPACES COLLECTIFS
ET INDIVIDUELS RÉSERVÉS À L'ÉTUDE ET À LA PRIÈRE,
DESSERVIS PAR UN RÉSEAU DE CIRCULATIONS
SAVAMMENT ÉCLAIRÉES.

Alors que Le Corbusier construit en 1953 la chapelle Notre-Dame-du-Haut de Ronchamp, le père M. A. Couturier lui propose la construction d'un couvent dominicain. Ordre d'intellectuels ouverts sur le monde contemporain, les Dominicains ont choisi de s'établir non loin du centre universitaire de Lyon, mais en un site naturel calme propice à l'étude et à la prière, sur une haute colline, à Éveux, près de L'Arbresle. Destiné également à accueillir des visiteurs, le monastère sera compris avant tout comme un espace communautaire, plutôt que comme un espace fermé.

Bien qu'athée, Le Corbusier est vite séduit par ce projet de construction pour une petite société fondée sur une règle de vie collective précise, impliquant la répartition de tâches distinctes. N'est-ce pas avec le monastère que l'architecture, médiévale notamment, a donné les plus beaux exemples d'organisation intelligente d'une vie réglée, distribuant en parties spécifiques et articulées l'ensemble des activités d'une petite cité ? Sans emphase, l'architecte opte pour un plan simple, pratiquement carré, ignorant volontairement les déclivités du terrain, pourtant assez fortes.

Sur trois côtés, en direction des paysages les plus calmes de la forêt et de l'horizon lointain, sont distribuées sur deux étages les cellules des moines, toutes identiques, définissant les parties hautes du bâtiment. Le côté nord est entièrement occupé par le volume monumental mais extrêmement sobre de l'église ; il se prolonge en sa partie orientale par un volume plus complexe, aux courbes puissantes, surmonté de fûts obliques creux éclairant trois chapelles, celles-ci juxtaposées sans aucun cloisonnement. Alors qu'à l'est les balcons des cellules sont situés pratiquement au niveau du chemin de terre qui vient de la forêt et par lequel arrivent les visiteurs, à l'ouest ces mêmes cellules reposent sur trois très hauts niveaux abritant des salles de réunion ainsi que le réfectoire. De hauts piliers soutiennent l'angle sud-est tout en épousant la pente du terrain. La longue ligne de faîte ininterrompue trace sur le ciel les limites compactes de cet ensemble architectural posé au sein de la nature. Les puissantes horizontales définies par le volume lui-même et par les alignements de fenêtres reposent sur les séries multiples de verticales qui rythment les parties basses des piliers et des ouvertures développées sur toute l'élévation occidentale du bâtiment.

À son retour de l'abbaye cistercienne du Thoronet, où il s'est rendu sur les conseils du père Couturier pour étudier les conceptions médiévales, l'architecte choisit d'éliminer le cloître traditionnel et de le remplacer par un atrium autour duquel les circulations, toutes intérieures, se déploient en couloirs qui se croisent en un point central abrité. Ainsi le cœur de l'édifice est-il occupé par une galerie inclinée qui conduit à l'église, par un oratoire aveugle surmonté d'une pyramide aiguë et par une sacristie également dépourvue d'ouvertures, mais éclairée par des « canons de lumière » disposés sur le toit. L'entrée, simple, formée d'une petite porte symbolique et d'un seuil ouvert d'où l'on découvre immédiatement tout l'espace interne du couvent, est située sur le côté est de l'édifice.

●

Le monastère, le paquebot, la ville

MARGINAL PAR SA NATURE, LA TOURETTE
N'EN OCCUPE PAS MOINS UNE PLACE INSIGNE DANS LA
THÉORIE ARCHITECTURALE DE LE CORBUSIER.

Excepté la question de croyance religieuse, quoi de plus logique que l'architecte qui usa toute sa vie de la figure du « monastère » comme synthèse des multiples fonctions assumées par une architecture unifiée soit appelé à construire un des rares couvents de notre siècle ? Dans cette image du « monastère » ou encore dans celle du « paquebot », Le Corbusier entend exprimer l'autonomie des fonctions de l'architecture, qui ne se résument pas seulement à habiter, c'est-à-dire se reposer à l'abri, seul ou en famille.

Les complexes religieux du Moyen Âge avaient à concentrer dans des espaces intelligemment articulés les activités quotidiennes de toute une communauté selon des règles de vie extrêmement rigoureuses. Toute l'œuvre de Le Corbusier (dont ses nombreux articles et livres) est une quête moderne d'une organisation méthodique de la société industrielle, sous-tendue par le rêve utopique d'un *Esprit nouveau* – nom donné à la revue (1920-1925) qu'il fonda avec le peintre Ozenfant, ainsi qu'au pavillon qu'il construisit dans l'Exposition des arts décoratifs et industriels modernes (Paris, 1925). À l'ère de la mécanisation générale, l'architecture est l'art de construire des « machines à habiter » ; les mécanismes du monastère ou du paquebot sont exemplaires en ce qu'ils peuvent assurer l'autonomie de toute une communauté.

C'est pourquoi le « monastère » n'est pas seulement une illustration parfaite de l'architecture, sur laquelle Le Corbusier a fondé ses modèles d'*Unité d'habitation*, mais aussi une vue synthétique de la ville tout entière (*Ville radieuse*). Alberti, au début de la Renaissance, puis Palladio, un siècle plus tard, ont introduit la conception de la ville comme grande maison et celle de la maison comme petite ville. Le Corbusier demeure fidèle à cette pensée, la renouvelant même au point d'identifier architecture et urbanisme. Désormais, la ville doit lutter contre son extension en s'étirant vers le haut, dans des immeubles de grande hauteur pourvus d'équipements collectifs capables de répondre aux besoins immédiats de centaines d'habitants ainsi concentrés. La *Ville contemporaine* pour 3 millions d'habitants, projetée en 1922, en constitue le premier essai systématique. De même le *Plan Voisin* (1925) prévoit-il la création, en plein cœur de Paris, de hautes tours à redents qui s'inséreraient dans un réseau d'autoroutes et seraient entourées de verdure.

La radicalité des projets de Le Corbusier se retrouve dans le *Plan d'Alger* de 1931, comprenant une très longue barre d'habitation qui épouse les courbes de niveau du relief de la côte et dont le toit sert d'autoroute. Cette capacité à inventer des solutions non seulement originales mais réellement visionnaires, tournées délibérément vers l'avenir, s'applique à tous les grands chantiers, tels que la création de Chandigarh, capitale de l'État du Pendjab. Fondé sur l'assemblage de secteurs de 800 × 1 200 m qui « contiennent la vie quotidienne dans vingt-quatre heures d'une population pouvant aller de 5 000 à 25 000 habitants », le plan (1951) de cette métropole de l'Inde est l'un des derniers témoignages, avec le couvent de la Tourette, de l'opiniâtreté de Le Corbusier à défendre partout le même principe impérieux selon lequel l'architecture est l'art d'organiser la vie. ●

→ **Voir aussi :** L'architecture au XXᵉ siècle, **ARTS**, p. 306-307.

3. Vue générale, prise du sud-ouest, du couvent Sainte-Marie-de-la-Tourette (1953-1960).

2. Vue des chapelles.

De subtils espaces pour le recueillement

« Il nous faut un bel espace pour vivre à la lumière, pour que notre "animal" puisse ne pas se sentir en cage. » Ainsi s'exprime Le Corbusier. Le couvent de la Tourette, compact dans son paysage naturel (3), est en fait un espace ouvert, propre à l'étude et à la méditation, où la lumière pénètre sans heurt par de hauts vitrages subtilement agencés en verticales rythmées (1) ou par des puits de lumière qui font des rayons du soleil les guides d'un espace sculptural changeant. Cette architecture de paix et de travail répond aux besoins traditionnels d'une communauté en lui offrant le génie de la modernité.
Le couvent a été classé monument historique en 1979, comme l'avait été auparavant la villa Savoye.

1. Vue du déambulatoire de l'atrium.

La sculpture au XXᵉ siècle

L E GÉNIE DE RODIN MAIS, plus encore, sa gloire immense, universelle, telle que nul artiste ne l'avait connue avant lui, semblent oppressifs à beaucoup de ses cadets. Significativement, c'est en grande partie de la peinture – et des leçons que celle-ci demande aux arts non européens – que viendra, pour la sculpture, le renouveau. À des degrés divers, l'expressionnisme, le cubisme et l'abstraction lui ouvrent des voies jusque-là inexplorées. Le changement est tel que, au début du XXᵉ siècle, la sculpture ose révoquer en doute ce sur quoi elle se fondait depuis toujours, la compacité des volumes, l'unité des surfaces, le matériau dur, la pérennité de l'œuvre. Une formulation si nouvelle rencontre, plus encore qu'en peinture, l'hostilité du public, habitué à l'anthropomorphisme en sculpture et qui y ressent comme plus agressive la déformation de la figure humaine.

En retour, la métamorphose des formes sculptées apparaissant comme plus radicale encore que celle des formes peintes, beaucoup d'artistes, les plus grands en tête, Matisse, Picasso, amplifiant le mouvement du XIXᵉ siècle, vont mener une œuvre double, sculptée et peinte. En revanche, le surréalisme, à l'origine tout littéraire, trouve moins d'expressions sculptées que d'expressions picturales, quelle que soit l'importance de l'œuvre de jeunesse d'Alberto Giacometti et de celle, de vieillesse surtout, de Miró. À cette production révolutionnaire répond la persistance d'un art sculptural fidèle à la tradition, attitude honorable à ne pas confondre avec la condamnation, par tous les totalitarismes, de l'art d'avant-garde, que Hitler disait « dégénéré ».

Depuis la fin de la Seconde Guerre mondiale, les destinées des arts plastiques majeurs ne sont guère dissociables, même si les évolutions ont été, un temps, plus rapides dans le domaine pictural. Convertie à l'abstraction dans sa quasi-totalité à la fin des années 1950, la sculpture va bientôt, tout au contraire, s'annexer l'objet avec, en France, les nouveaux réalistes, en Angleterre puis aux États-Unis, les *pop artists*. Dans ses extensions récentes, telle celle des « installations », la sculpture est aujourd'hui une des voies privilégiées des expériences les plus avant-gardistes.

La réaction à Rodin

L'ATELIER DE RODIN, LE PLUS IMPORTANT QU'AIT CONNU L'OCCIDENT DEPUIS CELUI DE LOUIS DAVID, FUT PEUPLÉ D'INNOMBRABLES ÉLÈVES ET PRATICIENS, QUI DURENT ENSUITE SE DÉFINIR PAR RAPPORT À L'ART DU MAÎTRE.

L es plus fidèles de ces élèves y sacrifièrent leur œuvre. Ceux qui voulurent y échapper ne le firent pas toujours facilement, Camille Claudel l'atteste. Chez ceux-là même qui ont été ses proches collaborateurs, la réaction à Rodin prendra des formes très différentes. Antoine Bourdelle (1861-1929) choisit la surenchère, Charles Despiau (1874-1946) et ses émules, la soustraction, la simplicité.

Mais la rupture décisive est opérée par deux hommes qui n'ont en commun que leurs origines terriennes, Aristide Maillol (1861-1944) et Constantin Brancusi (1876-1957). Ennemi de tout pathos, l'art méditerranéen de Maillol procède par beaux volumes pleins, profils simples, attitudes paisibles, en de somptueux nus féminins que n'habite nulle inquiétude. Brancusi, venu de sa Roumanie natale pour se mettre à l'école de Rodin, s'empresse de le fuir et reçoit de drastiques leçons de l'avant-garde parisienne. Il définit très vite un art hautement épuré où l'extrême simplicité des formes semble toujours chargée d'une signification secrète.

C'est toute l'Europe qui en même temps « rodinise » et tente d'échapper à Rodin. Surenchérissant sur le symbolisme qui a marqué l'art du maître, le Belge George Minne (1866-1941) devient le grand sculpteur symboliste. À son tour, il aide à sortir du « rodinisme » l'Allemand Wilhelm Lehmbruck (1881-1919),

1. Kirchner,
Danseuse,
bois peint, 1911.

L'impulsion de la peinture et la sculpture des peintres

PARCE QUE, DANS UN PREMIER TEMPS, LA TRANSGRESSION DES APPARENCES DU RÉEL EST PLUS AISÉE DANS L'ESPACE CONVENTIONNEL DE LA TOILE, LES PEINTRES ONT SOUVENT OUVERT LA VOIE AUX SCULPTEURS.

D eux peintres majeurs, Matisse (1869-1954) et Picasso (1881-1973), se rangent aussi parmi les plus grands sculpteurs du XXᵉ siècle. « J'ai sculpté pour changer de moyen, mais j'ai sculpté en peintre » a dit à peu près Matisse. Il y a en effet chez lui, comme chez Picasso, unité profonde entre les diverses formes de production, chez l'un et l'autre attention portée aux arts qu'on disait encore « primitifs », chez Matisse primat des préoccupations toutes formelles (les quatre variantes du *Nu de dos*, 1909-1930), chez Picasso verve ludique qui fait de la selle et du guidon d'un vélo une *Tête de taureau*.

L'art allemand est exemplaire de l'impulsion reçue de l'art négro-africain comme l'atteste la *Danseuse* du peintre Ernst Ludwig Kirchner (1880-1938), sorte d'ostensible plagiat au second degré, exemplaire aussi de l'écho que la peinture rencontre en sculpture. L'art, si profondément sculptural qu'il soit, de Käthe Kollwitz (1867-1945), par ailleurs admirable dessinatrice, ne se conçoit pas détaché du mouvement, d'abord pictural, de l'expressionnisme allemand.

On ne peut parler de fauvisme en sculpture, mais c'est alors qu'il s'y rattachait que Derain a donné quelques pièces éclatantes. En revanche, le cubisme a indéniablement modifié le cours de la sculpture, les peintres cubistes sculptant, les sculpteurs méditant leur peinture. Le Russe expatrié Alexander Archipenko (1887-1964) fait tôt et avec verve du cubisme en trois dimensions. Le Lituanien Jacques Lipchitz (1891-1973), dans les chefs-d'œuvre qui constitue la série de ses « transparents », affranchit la sculpture de deux éléments qui en semblaient pourtant intrinsèques, le volume et la forme close. La réflexion est menée avec plus de méthode, en même temps qu'avec grâce, par le Français Henri Laurens (1885-1954), qui, poussant à leur terme logique les intuitions de ses amis peintres, retire à la sculpture chacun des éléments qui semblaient la fonder – avant de les lui restituer un à un. Parmi la pléiade de sculpteurs inspirés par le cubisme, il faut faire une place à Raymond Duchamp-Villon (1876-1918), frère des peintres Marcel Duchamp et Jacques Villon, tous trois traduisant dans leur art la force, la vitalité du siècle naissant. *Le Cheval* (1914) du premier reste un étonnant essai de synthèse dynamique. Un élève tchèque de Bourdelle, Otto Gutfreund (1889-1927), a donné du cubisme la forme sculptée peut-être la plus précoce. Précocement aussi et diversement, l'Alsacien Arp, les Russes Gabo et Pevsner ont fondé la sculpture abstraite. Une des figures phares du futurisme, Umberto Boccioni (1882-1916) est peut-être encore plus grand sculpteur que grand peintre (*Formes uniques dans la continuité de l'espace*, 1913).

On peut peut-être le dire aussi de Degas (mort en 1917) et c'est ce que Modigliani aurait souhaité qu'on dît de lui. En définitive, il n'est guère de grands peintres du XXᵉ siècle qui n'aient pas sculpté, fût-ce tard, du vieux Renoir au vieux Chagall. ●

qui empreint pudiquement ses élégantes figures d'angoisse existentielle. Son compatriote Georg Kolbe (1877-1947) se trouve en délaissant l'éloquence de Rodin pour le dépouillement de Maillol. Dans les pays scandinaves, la tradition de Thorvaldsen, même revivifiée par la leçon de Hildebrand, ne parvient pas à endiguer le rodinisme, et le Norvégien Gustav Vigeland (1869-1943) se voit sacrer « Rodin du Nord ».

À Paris même, des esprits prompts brûlent les étapes. Le Britannique d'origine américaine Jacob Epstein (1880-1959), venu se former à l'École des beaux-arts, l'abandonne bien vite pour le rodinisme, dont il ne tarde guère à prendre le contre-pied : le tout faisant de lui, à Londres, la figure même de l'avant-garde. Le Japon envoie en France une pléiade d'artistes qui assimilent avec la même aisance l'art de Rodin et son ou, plutôt, ses continuités. Seuls les États-Unis, où domine au début du siècle un académisme tempéré, restent assez fermés à l'attraction de Rodin. ●

Primitivisme, humour et

La sculpture la plus sophistiquée aime, aux débuts du siècle, l'apparence de la rusticité, de la naïveté, bloc de pierre qui semble juste épannelé de Brancusi (4), travail très apparent du bois, appel à des sources non occidentales chez Kirchner (1). La sculpture raffinée de Laurens (3)

La nuit
des totalitarismes

AU NOM D'IDÉOLOGIES QUI SE PRÉTENDAIENT
OPPOSÉES, MAIS DONT LES FRUITS ABOMINABLES
FURENT FORT SEMBLABLES, STALINE, MUSSOLINI,
HITLER, FRANCO ONT TUÉ L'ART
(PARFOIS LES ARTISTES) DE LEURS PAYS.

La nuit stalinienne fut la plus longue, et si opaque qu'elle ne laisse rien discerner qui lui ait échappé. Plus d'art qui vaille non plus dans l'Allemagne nazie, où l'attitude des plasticiens a été, à peu près unanimement, exemplaire. Sous la cendre couvait le feu de la sculpture allemande, qui reprit sa place, la guerre finie, avec le retour de beaux artistes tels que Karl Hartung (1908-1967), l'affirmation de nouveaux talents comme ceux de Norbert Kricke, de Brigitte Meier-Denninghoff. L'Autriche, de son côté, pouvait s'enorgueillir d'être la patrie de Fritz Wotruba (1907-1975).

Mussolini souhaitait avec passion un art italien fasciste. Y consentir ne grandit pas architectes et peintres, mais ridiculisa proprement les sculpteurs voués à l'image du *Duce*. D'autres sauvèrent l'honneur, tel Marino Marini (1901-1980), authentique héritier de la grande tradition statuaire de son pays. Leur francophilie sauva des artistes espagnols majeurs déjà établis à Paris, comme Julio González (1876-1942), tandis que Miró choisissait des retraites solitaires pour épanouir librement l'œuvre sculptée, considérable, de son âge mûr.

N'est-ce pas ici qu'il faut évoquer l'œuvre sculptée tardive du grand peintre américain Barnett Newman ? Sa nationalité l'avait protégé de la folie nazie mais, juif méditant sur la Shoah, il fit ériger cet *Obélisque brisé* devant la chapelle de Houston (Texas) que lui-même et son ami Rothko voulurent élever à la mémoire de leurs martyrs. Dans cette symbolique si simple, dans ces formes épurées, l'indicible est dit.   •

La sculpture après 1945

TECHNIQUES ET MODES D'EXPRESSION
SE DIVERSIFIENT COMME JAMAIS ET TRAVERSENT
LES FRONTIÈRES À UN RYTHME ACCÉLÉRÉ.

La libération de l'Europe, le retour à la démocratie des nations asservies, l'accession à l'indépendance des peuples colonisés, celle, plus difficile encore, à un niveau de vie qui permette ce luxe qu'est l'art ont été, pour la sculpture aussi, autant d'heureux événements qui en agrandissent sans cesse le champ. Dans le monde où nous vivons, les idées et les hommes circulent de plus en plus, en un mouvement qui a toujours porté l'art. Même chez les peuples dont le sort reste dramatique, de petites flammes s'obstinent à briller : on sculpte toujours au Liban.

Les nations plus heureuses ont vu se succéder à un rythme rapide des formes d'art en constant renouveau. Si, là encore suivant la peinture, la sculpture s'est largement convertie à l'abstraction, l'œuvre de deux des sculpteurs français les plus connus, Ipoustéguy et César, est, totalement ou pour partie, figuratif. De même une des formes d'art qui – son nom l'y prédestinait – s'est le plus largement répandue dans le public, le pop art, fait-elle largement place aux images familières et même au trompe-l'œil. Le jeu devient particulièrement troublant quand la présence, au musée, d'un jeune couple nu ou celle d'une grosse dame poussant un Caddie s'avère être celle d'œuvres hyperréalistes des Américains John De Andrea et Duane Hanson (début des années 1970).

Pour autant, la sculpture ne s'est pas tout entière, loin de là, convertie au mimétisme. Il est significatif que même des pays à très forte tradition statuaire comme l'Italie aient vu fleurir des œuvres abstraites majeures, telles celle de Pietro Consagra ou la sculpture du grand peintre Lucio Fontana (1899-1968).

Deux des phénomènes majeurs de notre temps sont l'universalisation des formes d'art et la dilution, fréquente, de la spécificité de chacune. Pour autant, des artistes sculptent toujours comme aux siècles passés. D'autres cherchent à renouveler leur art, les uns en l'épurant à l'extrême, les autres en l'élargissant, le mettant en scène, y incluant lumière, son, voire le mouvement, comme l'a fait, avec tant d'éclat, Alexander Calder (1898-1976).   •

→ **Voir aussi :** Les premières avant-gardes du xxᵉ siècle, **ARTS**, p. 298-299. Naissance des abstractions, **ARTS**, p. 302-303. Nouveaux réalistes, pops, néo-figuratifs, **ARTS**, p. 318-319. Les néo-avant-gardes des années 1960-1980, **ARTS**, p. 320-321.

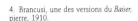

2. Picasso, *Tête de taureau*, 1943.

4. Brancusi, une des versions du *Baiser*, pierre, 1910.

quintessence formelle

dissimule la réflexion qui la nourrit sous l'aspect de la grâce et de l'humour. Le jeu de Picasso sur les objets (2) ne craint pas d'être plaisant. Après la Seconde Guerre mondiale, c'est l'horreur que commémore sobrement, au contraire, Barnett Newman (5).

3. Laurens, *Petite Tête*, assemblage de bois et tôle peints, 1915.

5. B. Newman, *Obélisque brisé* (à Houston), acier, 1963-1967.

Permanences et renouveaux figuratifs

Vitalité et diversité de la figuration

LA FIGURATION EST D'AUTANT
PLUS VIVANTE QU'ELLE REVÊT DES FORMES
TRÈS DIVERSES, DE L'EXPRESSIONNISME LE PLUS ÂPRE
À UNE PEINTURE DE LA BEAUTÉ DU MONDE
ET À L'EXPRESSION DU SACRÉ.

LES RAPIDES MUTATIONS DES arts plastiques (cubisme, abstraction) sont fort loin d'avoir rencontré une adhésion unanime. Non seulement le public, mais une partie des artistes fait entendre contre ces surprenantes nouveautés une protestation présentée comme celle du bon goût et de la culture, voire tout simplement du sens commun. Ce mouvement touche même parfois des hommes qui ont été d'actifs protagonistes de l'avant-garde, tel André Derain, et ailleurs, comme en Italie, il fait prime sous la pression du fascisme.

La Première Guerre mondiale a sonné le glas d'une Europe de la culture où chaque pays rivalisait d'ouverture et d'audace. La paix fait apparaître des clivages artistiques à la mesure du cataclysme et à l'image des profondes fractures qui traversent le corps social. Une minorité qui ne cède pas au nationalisme se reconnaît soit dans la dérision dadaïste et la subversion surréaliste, soit dans l'expressionnisme politiquement engagé, en Allemagne, de la *Neue Sachlichkeit* (Nouvelle Objectivité). Plus généralement, on assiste à un véritable reflux de l'avant-garde. Les prestiges de la tradi-

tion, le souci de renouer avec ce qui est tenu pour une essence nationale de l'art, celui de retrouver l'assentiment du public engendrent, dès les années de guerre, un mouvement qu'on a appelé le « retour à l'ordre » et qui devient un fait majeur des années 1920 et 1930.

Au lendemain de la Seconde Guerre mondiale, si l'affirmation de l'abstraction est pendant une quinzaine d'années un phénomène dominant, parallèllement, une peinture figurative qui n'a plus uniquement un caractère de réaction occupe un large terrain. Les œuvres marquées d'expressivité paraissent répondre au tragique des temps, tragique à quoi d'autres, fondamentalement hostiles aux avant-gardes, cherchent un remède dans un art rassurant, parlant à son sujet de « peinture humaine ».

Mais la figuration redevient aussi une des formes, très diverses, de l'avant-garde, quelquefois appréciée surtout dans des cercles choisis, comme le fut assez longtemps la peinture de Balthus. Les démarches inédites de Dubuffet en France et, surtout, de Francis Bacon en Angleterre exerceront leur ascendant sur de nombreux jeunes artistes.

Les grands bouleversements du début du xxe siècle, s'ils n'ont pas tout balayé, se sont tout de même fait sentir en profondeur. Partout où elles existent, les institutions académiques intègrent, avec retard, ce qu'elles ont le plus combattu, le réalisme, l'impressionnisme. Le grand mouvement unificateur du xixe siècle finissant, le symbolisme, s'il s'étiole et s'académise en France, garde d'autres pays beaucoup d'énergie, souvent en prenant une inflexion expressionniste. Le Norvégien Edvard Munch (1863-1944) consigne dans ses toiles et ses gravures son commerce quasi suicidaire avec l'alcool, la drogue, la folie. Le Suisse Ferdinand Hodler (1853-1918) tient le journal quotidien, peint et dessiné, d'une crudité jamais atteinte, de l'agonie de la femme aimée. Ils sont dans leurs pays les peintres d'avant-garde et les expressionnistes allemands voient en eux leurs pères spirituels, en même temps qu'ils héritent du cubisme – principalement – leur propension à déformer le visible. Un vigoureux surgeon de l'arbre symboliste porte l'art des expressionnistes flamands, notamment Constant Permeke et Gustave De Smet.

En France, par contre, beaucoup de peintres continuent à s'enchanter du spectacle du monde. Le brillant groupe qui avait pris à l'extrême fin du xixe siècle le nom de Nabis se disperse, mais garde le goût d'une expression charmeuse de la réalité contemporaine. Si le talent intimiste d'Édouard Vuillard prend un tour un peu mondain, le génie de Pierre Bonnard (1867-1947) lui fait transformer en féerie les motifs quotidiens et le conduit dans sa vieillesse à une grandiose dérive plastique. Raoul Dufy (1877-1953) ose lui aussi, mais avec des moyens moins puissants, ne dire sur ses toiles et ses aquarelles que la beauté des fruits, des fleurs, des femmes.

D'ex-fauves s'apaisent. Les fureurs de Vlaminck, qui prennent un tour un peu forcé, n'effraient plus. Van Dongen devient le portraitiste du Tout-Paris. C'est que le doute a saisi même une partie de l'avant-garde : dès avant la Première Guerre mondiale, un de ses acteurs les plus en vue, André Derain (1880-1954), proclamait qu'il fallait faire retour à la tradition, au métier, au sujet. Les deux guerres vont, à vingt ans de distance, conforter ce discours.

Dans un registre tout différent, Georges Rouault (1871-1958) réussit une gageure, celle de renouveler la peinture sacrée. Dans une pâte et un coloris somptueux, il peint le monde, pour placer en son centre le Christ. •

1. F. Bacon : *Trois Études pour une crucifixion,* 1962.

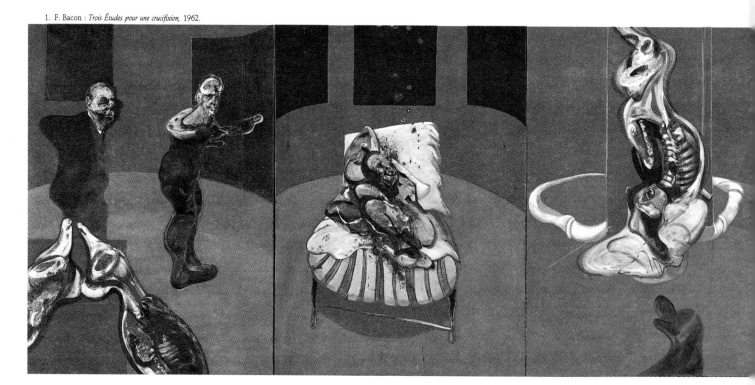

Les avatars du réalisme

LA PEINTURE FIGURATIVE
EST SOUVENT CHARGÉE D'UN SENS POLITIQUE,
EXALTANT OU CONTESTANT L'ORDRE ÉTABLI.

La guerre n'a pas que tué des hommes, elle a été un temps de très forte contrainte idéologique, ce qui déclencha par contrecoup des mouvements de fureur et de subversion. Une antienne nationaliste sonne encore, entre les deux guerres, dans le discours politico-esthétique du « retour à l'ordre », qui en impose à beaucoup. Prétendant à chaque fois exprimer le génie particulier d'un peuple, il est pourtant à peu près le même partout, chez les vainqueurs comme chez les vaincus, prône un art simple, fondé sur la tradition, censure rageusement le cosmopolitisme et les audaces du début du siècle. De vrais talents s'y perdent, en particulier en Italie, où des peintres font plastiquement naufrage en se ralliant à la doctrine fasciste.

Pareille attitude a son contraire, lui aussi très connoté politiquement. À Berlin, dès 1918, *die Novembergruppe,* à partir de 1920, *die Neue Sachlichkeit* mènent de front combat plastique et combat politique dans un pays qui oscille alors au bord de la révolution. Des peintres de grande qualité comme Max Beckmann (1884-1950), Otto Dix (1891-1969), Georg Grosz (1893-1959) vouent leur talent à dénoncer ce qu'ils tiennent pour responsable des malheurs de leur pays, rapacité des grands capitalistes, morgue des junkers, férocité de la caste militaire, non sans que cette dénonciation furieuse ne dérive vers le fantasme, vers une sourde poésie faite d'obsessions et d'angoisse, marquée par le surréalisme.

En effet, les valeurs nationalistes rejetées radicalement dès les années de guerre par Dada le sont ensuite, avec un éclat intellectuel tout particulier, par le surréalisme. Si André Breton censure « la haine et la plate suffisance » des peintres français de tradition, il appelle à un « réalisme magique » que personne n'illustre mieux que le Belge René Magritte.

Les États-Unis restent, pour des lustres, tenacement attachés au réalisme, du naturalisme abâtardi des institutions académiques à l'imagerie de contestation sociale de peintres souvent anarchistes, comme Ben Shahn. Au contraire, Grant Wood prône, par exemple dans son célébrissime *American Gothic,* les vertus puritaines des pionniers. Un grand peintre va transcender ce provincialisme, Edward Hopper (1882-1967). S'étant longuement formé en Europe, il choisit de rentrer dans son pays pour dire la secrète poésie de ce que lui-même appelle « la laideur » de ses villes. Un superbe métier, elliptique et savant, sauve de tout anecdotisme cette peinture de la banalité. Il y a moins de souffle chez Andrew Wyeth, chantre répétitif de ce qu'on n'appelle pas encore « l'Amérique profonde ». À partir de 1929, la crise frappe maints jeunes peintres, les radicalisant politiquement. Ils demandent des leçons aux grands muralistes mexicains, Siqueiros, Rivera, Orozco, militants communistes qui peignent sur d'immenses murailles de lyriques appels au peuple. Bien des talents du futur expressionnisme abstrait se sont forgés là. •

Portraits de la violence et du tragique

Dans l'Allemagne en ruine des années 1920, Grosz (4) emploie tous les moyens pour fustiger les responsables du désastre, dureté du trait, déformations caricaturales, violence, obscénité. Bien différemment, pour Rouault, le tragique des temps est à lire sur la face du Christ, l'homme de douleurs (3). Peints durant la Seconde Guerre mondiale, les *Oiseaux de nuit* de Hopper (2) donnent à voir des drames plus quotidiens et secrets : dans l'éclairage trop cru d'un bar, la présence silencieuse de quelques solitaires, la nuit, dit l'inhumanité de la trop grande ville. Bacon au contraire s'empare de formes consacrées de la peinture (le triptyque) et de grands thèmes, ici la crucifixion (1), pour en donner des images désacralisées dont la brutalité ne doit pas faire oublier le raffinement plastique.

2. Hopper : *Nighthawks* (Oiseaux de nuit), 1942.

4. Grosz : *Je veux exterminer tout ce qui m'empêche d'être le Maître,* dessin à l'encre de Chine, 1922.

3. Rouault : *la Sainte Face,* 1933.

La dénonciation des avant-gardes

D'UNE GUERRE À L'AUTRE
ET AU-DELÀ, LE RETOUR À LA FIGURATION
EST LE CHEVAL DE BATAILLE DE TOUTES LES ENTREPRISES
DE RÉACTION ARTISTIQUE, « DE GAUCHE »
COMME « DE DROITE ».

La tardive consécration que connaissent après la Seconde Guerre mondiale les pères fondateurs de l'art moderne n'est pas toujours dénuée d'arrière-pensées. On tente même, vis-à-vis du grand public qui les comprend encore bien mal, de faire de ceux qui sont restés attachés à la figuration des alliés dans le combat contre l'abstraction. La manœuvre fait long feu et, du coup, des couronnes sont posées sur des fronts qui les méritaient peu. Ainsi, en France, Bernard Buffet et son misérabilisme tapageur. On admire plus légitimement l'Anglais Graham Sutherland (1903-1980), beau graveur venu à la peinture en gardant un trait aigu, griffu, intensément expressif.

Le domaine culturel apparaît aux puissants partis communistes d'Europe occidentale comme relevant du véritable magistère philosophique et moral qu'ils se sont adjugé. Ils rencontrent un accueil respectueux et comme médusé d'un très grand nombre d'intellectuels et d'artistes. Les secrétaires des partis communistes français et italien se jugent autorisés à littéralement légiférer en matière d'art, et entendent bien être obéis. Ils prônent eux aussi le réalisme, mais un réalisme dit socialiste célébrant leur parti et la classe ouvrière, présentés comme indissociables. Dans cette imagerie prédi-

cante seul compte le sujet. Quant aux moyens, on prétend les demander à Courbet alors qu'on les emprunte à l'académisme, au médiocre peintre russe Répine ou, pis encore, aux théories du très inculte ministre soviétique de la culture, Jdanov. On exalte follement en France le talent relatif d'un André Fougeron, tandis qu'en Italie Renato Guttuso (1912-1987) ne sauve le sien qu'en prenant ses distances. Toute cette construction s'effondre à la mort de Staline, en 1953.

Il est probable que si, vers 1950, on avait demandé quel était le plus grand peintre français, les voix se seraient portées à égalité sur Picasso, Fougeron et André Dunoyer de Segonzac (1884-1974). De ce grand bourgeois on disait : « C'est un propriétaire terrien qui a étalé ses terres sur ses toiles. » La boutade (méchante) traduit bien le goût de Segonzac pour une peinture solide, au chromatisme réduit, attachée aux aspects les plus denses de la réalité. Cet artiste de qualité – qui avait brièvement sacrifié au cubisme dans sa jeunesse – servait de caution à une nuée de peintres fort prisés, d'un réalisme que l'on disait « poétique » ou « bourgeois », selon qu'on l'aimait ou pas. Bonnard lui aussi, subtil coloriste, devait engendrer une foule de contestables suiveurs. •

La figuration comme avant-garde

LES ŒUVRES DE BALTHUS, DUBUFFET,
BACON MONTRENT QUE LA FIGURATION
PEUT ÊTRE UNE DES VOIES DE L'ART
AVANCÉ, QU'ELLE PUISE OU NON
DANS LE PASSÉ CULTUREL.

Lorsque, après 1960, le goût changeant, l'abstraction connaît une certaine éclipse, on prend conscience que la figuration n'est pas, par nature, passéiste et que de grandes œuvres modernes s'y sont formulées. Balthus (Balthasar Klossowski, né en 1908) a été très tôt admiré d'un cercle restreint et international. Sa peinture savante est nourrie de réminiscences qui vont de Piero della Francesca à Bonnard en passant par Seurat et en incluant son ami Derain. Il leur emprunte ouvertement certains traits de sa plastique et de sa poétique, la netteté et le statisme des figures, le sentiment d'un temps suspendu. Les tableaux qui ont

fait sa gloire installent, dans des espaces clos, de très jeunes êtres peints avec un érotisme d'autant plus aigu que leur représentation semble toujours comme distante.

On ne peut rien imaginer de plus différent de cet art ostensiblement aristocratique que celui de Jean Dubuffet (1901-1985), marchand de vin par nécessité, touche-à-tout pour échapper au moule de la culture officielle. Sa peinture, qui avoue hautement sa dette envers l'art des fous et celui des enfants, est non pas savante mais complexe, peinture, surtout, de la matière triturée et du graffiti. Non moins que par ses moyens, elle provoque par son aspect turbulent, par le choix affiché

du trivial. Figure dérangeante, Dubuffet a mis longtemps à conquérir une gloire nationale et internationale, qui lui est venue, également, pour sa sculpture.

Le Britannique Francis Bacon (né en 1909) n'a connu qu'après 1945 la consécration qui l'a placé au plus haut rang. Le philosophe G. Deleuze a dit que peindre, pour lui, est « peindre le cri », ce qui ne veut pas dire du tout que peindre est un acte simple, viscéral. Le travail pictural très élaboré, nourri de culture, de Bacon ne se veut que peindre, alors même qu'il est sous-tendu par des sensations extrêmes – violence, érotisme, sanguinolence, mort – mais toujours esthétisées. Quel que soit le thème, crucifixion ou personnages nus accomplissant les fonctions physiques les plus triviales, la peinture de Bacon demande à être saisie dans l'immédiateté de la vision, et non à travers une lecture savante. •

→ **Voir aussi :** Les premières avant-gardes du XXᵉ siècle, ARTS, p. 298-299. Dadaïsme et surréalisme, ARTS, p. 304-305. Nouveaux réalistes, pops, néo-figuratifs, ARTS, p. 318-319.

Picasso : *Guernica*

E N 1937, UNE GRANDE EXPO-sition internationale s'ouvre à Paris dans un climat d'euphorie factice. En effet, la guerre civile fait alors rage en Espagne, où les insurgés bénéficient d'un soutien de l'Allemagne nazie.

C'est dire combien le pavillon qu'a ouvert quand même à Paris la République espagnole polarise l'attention d'une opinion internationale inquiète. Or, c'est un des plus remarquables de l'Exposition par l'abondance et la qualité des œuvres d'art qu'il réunit. L'une s'impose : une monumentale peinture sur toile de Pablo Picasso, *Guernica* (3,51 m × 7,82 m). Cette petite ville basque est devenue tristement célèbre depuis que, le 26 avril 1937, des bombardiers allemands l'ont réduite en cendres : un massacre sans précédent par les airs, qui cause une émotion immense.

Picasso, qui a fait clairement connaî-tre son loyalisme, cherche le sujet de la grande composition qui lui a été deman-dée pour le pavillon espagnol à l'Exposi-tion. L'actualité le lui donne avec Guer-nica. S'entourant de photos, bien sûr en noir et blanc, que publient en abon-dance les journaux et qu'il fixe aux murs de l'atelier, le peintre brosse en quelques semaines une des plus grandes œuvres de l'art contemporain avec les moyens, alors si contestés, qui sont les siens. Et pourtant, on comprend. On reconnaît Picasso, on reconnaît Guernica. Michel Leiris écrit : « Picasso nous envoie notre lettre de deuil. Tout ce que nous aimons va mourir. »

Déposée au musée d'Art moderne de New York durant la période franquiste, l'œuvre est installée depuis 1981 dans une dépendance du Prado, à Madrid.

Élaboration et contenu

NOURRI DES NOUVELLES PROPAGÉES PAR LES MOYENS MODERNES D'INFORMATION, LE TABLEAU L'EST AUSSI DE TOUTE LA CULTURE DE PICASSO.

L e 1ᵉʳ mai 1937, le journal *Ce soir,* que dirige Aragon, pu-blie les premières photos de Guer-nica détruite. Un des croquis que Picasso exécute le jour même est l'image, torturée, d'un cheval à terre, tentant de se redresser, éti-rant la tête vers le ciel en un hennissement épouvanté. Nous sommes en Espagne et la tauro-machie a pour acteurs le cheval et le taureau. Ils peuplent les pre-miers des quarante-cinq dessins et gouaches qui nous sont parvenus (ils furent sans doute bien plus nombreux), que Picasso exécute avant et surtout pendant qu'il brosse sa toile et dont il dit à An-dré Malraux, venu le voir : « Je voudrais qu'ils viennent se placer dans la toile en grimpant comme des cafards. »

Sur cette toile, trop haute pour l'atelier, et que, à cause de cela, Picasso peindra inclinée, tout ce qu'il voit, entend, apprend du drame vient prendre place, aug-menté de tout ce qui forme le fonds de sa culture (art, mytholo-gie, etc.) de peintre très savant. Ainsi, le 6 mai, arrivent en France les premiers témoins, trois jeunes filles et leur mère. Les actualités cinématographiques les filment. Le peintre les voit, multiplie en quelques jours les croquis de fi-gures hurlantes et ceux d'une mère en pleurs, son enfant mort dans les bras. Quatre femmes ont témoigné, il y a quatre femmes dans *Guernica.*

Le 10 mai, Picasso attaque l'im-mense toile, esquissant un pre-mier tracé général. Il y aura sept versions successives, toutes pho-tographiées par sa compagne, Dora Maar, photographe de pro-fession. Le tableau est terminé le 3 juin, mis en place le lendemain au pavillon espagnol.

La présence du taureau, image de la brutalité, s'est dès le départ imposée, massive, sur la gauche, la figuration quasi naturaliste de la bête devenant, d'étape en étape, ce monstre cornu aux yeux décalés dont la tête suffit à dési-gner si clairement l'épouvante que c'est au-dessous d'elle que Pi-casso place tout de suite la mère et l'enfant mort, qui ne varieront pas, comme ne variera pas l'écho plastique qu'il leur donne : la femme aux bras dressés à l'autre extrémité du tableau. Dès ce pre-mier état se profile une riposte à

1. *Guernica* en cours d'exécution, photo de Dora Maar.

3. Picasso : *Guernica.*

Les artistes espagnols à l'Exposition de 1937

De tous les grands ar-tistes espagnols qui veulent dire la tragédie de leur peuple dans les œuvres qu'ils exposent au pavillon espagnol en 1937, Picasso est le seul qui le fasse sans rien changer des moyens de son art. Abstraits tous deux, González et Miró jugent devoir revenir à la figuration, l'un avec *la Montserrat* (2), paysanne hurlant sous les bombes, l'autre avec une affiche célèbre qui adjure : « Aidez l'Es-pagne. » C'est l'œuvre de Picasso qui est la plus saisissante et c'est elle qui se fait le mieux entendre (1, 3, 4).

2. Julio González : tête de *la Montserrat,* bronze (postérieure à l'œuvre, en fer, de 1937).

Place dans l'œuvre

SANS RIEN CÉDER DE SON LANGAGE PLASTIQUE
RÉVOLUTIONNAIRE, L'ARTISTE RENOUE DE FAÇON ÉPIQUE AVEC
LA GRANDE TRADITION DE LA PEINTURE D'HISTOIRE.

la barbarie : une femme amène au cœur de la scène la lumière de la lampe qu'elle brandit. L'organisation, complexe, du guerrier mort, jeté à terre, son épée brisée, du cheval dressé et hennissant, de la jeune fille au visage levé, se met en place dès que Picasso les groupe dans une grande forme triangulaire comme un fronton de temple grec. Ceci est une tragédie.

Le bombardement de Guernica avait eu lieu en plein jour. Pourtant, c'est une ampoule électrique qui éclaire la scène d'une lumière que l'on ressent comme blafarde. Cette lumière, c'est celle des nuits de travail de Picasso, celle aussi de l'illumination, alors, de monuments de Paris, chose neuve qui frappe son regard. Incongrue, elle ajoute à l'effroi. Artificielle et décolorante, elle justifie les noirs, blancs, gris tout de suite choisis par Picasso. Aux dernières étapes de sa création, il placera, déplacera sur la toile deux, puis un seul élément coloré, une grande larme rouge, pour juger enfin qu'il n'est pas besoin de cela pour qu'on voie le sang couler.

À l'évidence, l'homme qui a peint cela connaît les images tragiques que sont l'*Incendie du bourg* de Raphaël ou *le Massacre des Innocents* de Poussin. Mais celui qu'il rejoint et égale, c'est son compatriote Goya et les noirs et blancs de ses gravures des *Désastres de la guerre* (v. p. 278). •

Au moment de Guernica, Picasso a cinquante-six ans. Il vit à Paris, où il s'est fixé dès 1904. La peinture de ses débuts, les fameuses « manières » bleue et rose ont vite trouvé des amateurs, mais Picasso a cassé ce succès en peignant en 1907 ses célèbres *Demoiselles d'Avignon,* dont les violentes déformations, inspirées pour partie de la sculpture de l'Espagne préromaine et de l'art africain, ont fait scandale.

Se liant alors avec Georges Braque, il va avec lui fonder une peinture neuve, transcription de plus en plus allusive du réel, ramenée à un pur agencement de formes planes, d'angles droits, de signes ; on l'a, par dérision, appelé « cubisme », mot que les deux amis ont fini par accepter.

Le cubisme a fait de très nombreux adeptes parmi les peintres et, pour incompris qu'il soit du public, a rendu Picasso célèbre. Celui-ci, à l'occasion, ne dédaigne pas de montrer qu'il sait aussi dessiner « comme M. Ingres », ce qui ne fait qu'accroître la perplexité et les sarcasmes devant les nez de travers et les yeux de hauteur inégale à quoi on réduit son art, en

perpétuelle mutation pourtant.

Le peintre, doué d'une curiosité intellectuelle et artistique inépuisable, est très lié dans les années 30 au groupe surréaliste, qui prône l'« écriture automatique ». Picasso, sans s'y inféoder, y fortifie son goût d'une peinture instinctive, expression qui l'amène plus que jamais à dissocier et distordre les formes, les rendant discontinues, pratiquant une sorte de variété expressionniste et surréalisante du cubisme qui est particulièrement mal reçue. Si Picasso est célèbre, sa célébrité est surtout faite de scandale. Il déplaît aux esprits conformistes comme aux déjà très influents cercles communistes qui prônent un art réaliste, accessible au peuple. Cette désapprobation est loin de lui être indifférente.

Resté profondément espagnol, Picasso réagit immédiatement à la rébellion du général Franco par une série de gravures, *Songes et mensonges de Franco,* où le « Caudillo » est ridiculisé avec la dernière violence. Mais, pour dire l'horreur de Guernica, drame dont nous savons combien d'autres il annonçait, Picasso fait plus. Il ressuscite un genre disparu : la peinture d'histoire. •

→ **Voir aussi :** Les premières avant-gardes du XXᵉ siècle, **ARTS**, p. 298-299. La guerre d'Espagne, **HIST**, p. 232-233.

4. Picasso : étude pour *Guernica*, crayon, 2 mai 1937.

Les abstractions après 1940

QUAND, EN 1940, LES armées de l'Allemagne nazie submergent l'Europe presque entière, en bannissant l'art vivant, l'abstraction n'y occupe plus qu'une place assez modeste. Mondrian a mené à Paris une vie obscure. Kandinsky va y achever sans éclat la sienne en 1944.

Depuis une ou deux décennies, les États-Unis étaient les grands bénéficiaires de l'exode continu d'intellectuels et d'artistes fuyant tous les totalitarismes européens. Le mouvement devient massif après juin 1940 et il semble difficile de nier que la peinture américaine n'en reçoive une impulsion importante. Dans ce qui est vite son éblouissante floraison, l'abstraction se taille une place de choix sous les noms d'*abstract expressionism* et d'*action painting*.

Le phénomène n'est pas tout de suite perçu en Europe, où l'on vit sur l'idée fallacieuse d'une supériorité naturelle du Vieux Continent. La France, qui garde un grand prestige, commet l'erreur de la surévaluer. Pendant une quinzaine d'années après la Libération, l'abstraction lutte pour conquérir la première place face au surréalisme, qui perd de sa valeur explosive, et à la figuration, dont les positions sont fortes. La production picturale s'accompagne d'une intense théorisation où s'affrontent les tenants de l'abstraction lyrique, ou « chaude », et ceux de l'abstraction géométrique, ou « froide ». En 1960, la Biennale de Venise semble consacrer la double supériorité de la peinture abstraite et de la France. Mais la tendance va très vite et brutalement s'inverser.

Les pays délivrés des jougs fascistes, Allemagne comme Italie, donnent naissance à des productions artistiques où l'abstraction a d'autant plus de force que les formes traditionnelles d'art s'étaient quelquefois compromises avec des régimes honnis. Le mouvement est si vif que la dictature de Franco, en Espagne, ne parvient pas à l'étouffer. Le Japon, devenu démocratie, hésite un temps entre la fascination des modèles occidentaux et la définition d'une abstraction entée sur la calligraphie.

D'autres nations prennent place sur la scène internationale, comme le Canada ou comme certains pays d'Amérique du Sud, où existaient déjà des foyers brillants, mais isolés.

« EXPRESSIONNISME ABSTRAIT » ET « ACTION PAINTING » (PEINTURE GESTUELLE), INFLUENCÉS OU NON PAR L'EUROPE, SCELLENT LA GLOIRE DE L'ÉCOLE AMÉRICAINE.

Pendant des décennies, depuis le lendemain de la Première Guerre mondiale, les États-Unis se sont enrichis de l'incessant exode des Européens. Il ne semble guère niable que l'arrivée en bloc, en 1941, des grands surréalistes (Ernst, Masson...) ait marqué l'art au moins des peintres new-yorkais de l'*action painting*, qui vont s'imposer avec éclat sur la scène internationale. Ainsi, Arshile Gorky (1904-1948), dont la famille avait fui le génocide arménien, part de Cézanne et de Picasso pour forger son « surréalisme abstrait », pétri d'angoisse, que salue André Breton. Son ami Willem De Kooning, né en Hollande en 1904, se partage, expressionniste toujours, entre une figuration qui lui vaut la gloire vers 1948 et une abstraction où il se montre un maître de la couleur, intense ou délicatement irisée.

D'autres sont des Yankees, et il en est de plusieurs sortes. Fier d'être américain, Jackson Pollock (1912-1956) est cependant irrésistiblement attiré par le cubisme et par les surréalistes qu'il fréquente pendant la guerre. Il leur emprunte, peut-être pour partie, le procédé du *dripping*, mais il le métamorphose par l'usage des immenses formats travaillés à plat, entièrement recouverts *(all over)* avec une énergie presque sauvage. Américain de vieille souche, Robert Motherwell (né en 1915) est imprégné de culture française. Sensible aux drames politiques de notre temps, il exprime ses sympathies, avec une sobre réserve, dans le langage quintessencié des *Élégies espagnoles,* qui ont fait sa gloire.

Des immigrants récents peuvent être des patriotes américains comme le furent les deux amis Barnett Newman (1905-1970) et Mark Rothko (1903-1970), tous deux nourris de culture juive, méditant longuement leur art en tournant le dos à l'Europe. Le premier est connu comme l'homme du *zip,* le trait rigoureux, décisif, tranchant de grands aplats de couleur. L'autre procède par larges nébuleuses colorées, d'une souveraine harmonie, qui ont été s'assombrissant jusqu'à la mort, qu'il s'est donnée. Il faut faire une place à part à leur aîné, Mark Tobey (1890-1976), homme de la côte du Pacifique, très marqué par l'Orient dans ses « écritures » blanches ou noires, qui choisit de vivre ses dernières années en Europe. •

1. Rothko, *Red, white, brown,* 1957.

La situation en 1940

LA GUERRE ÉCLATE À UN MOMENT OÙ L'ABSTRACTION NE DEMEURE GUÈRE VIVANTE QUE DANS DE PETITS GROUPES QUASI CONFIDENTIELS.

En 1940, alors que le triomphe de Hitler met fin, entre autres libertés, à celle de faire de l'art vivant, les positions de l'abstraction ne sont plus ce qu'elles étaient au début du siècle. Entre les deux guerres, l'art abstrait s'est trouvé quelque peu laminé par la conjonction de trois mouvements : l'affirmation de l'art moderne des grands maîtres comme Matisse ou Picasso, la réaction, en sens inverse, de la tradition dans le mouvement du « retour à l'ordre », l'occupation de la place de l'avant-garde par le surréalisme (dont une fraction des peintres seulement sont abstraits). Ce schéma est très net en France, où se concentre une partie des artistes fuyant les totalitarismes, souvent accueillis, comme Kandinsky, avec tiédeur. Il se retrouve aussi dans l'autre grande démocratie subsistante, l'Angleterre, où l'abstraction a des tenants décidés mais assez peu nombreux et encore jeunes, Victor Pasmore, Ben Nicholson.

Ces artistes sont souvent liés aux petits groupes abstraits parisiens, fervents jusqu'au dogmatisme : *Cercle et Carré, Abstraction-Création,* dont Mondrian est le phare, méconnu du public, et dont les Arp sont d'actifs sympathisants. Leur rayonnement est plus grand à l'étranger qu'en France. Au contraire de Mondrian, les grands initiateurs français de l'abstraction, les Delaunay, Jacques Villon (1875-1963), ne sont pas des esprits théoriciens. Ils évoluent de l'abstraction à la figuration et vice versa avec, à la fin des années 1930, une tendance à revenir à l'art abstrait qui prélude à son affirmation après la guerre. •

Réel congédié, réel transposé

L'immense *dripping* de Pollock (plus de 5 m) [2] et le grand format de Rothko (1) réussissent à créer un espace physique et psychique exempt de toute mimésis. Contrôlé comme celui de Pollock, l'automatisme de Borduas (4) débouche plutôt sur une sorte d'évocation « paysagiste ». Tàpies (3), dans son « matiérisme », avoue une présence métaphorique du monde réel (c'est-à-dire visible), lequel est au départ de la quintessence chromatique cherchée par N. de Staël (5).

La place de la France

ABSTRAITS « LYRIQUES » ET PEINTRES
SENSIBLES TRANSPOSANT LE SPECTACLE DU MONDE
S'OPPOSENT AUX TENANTS D'UNE ABSTRACTION
GÉOMÉTRIQUE, OU « FROIDE ».

Dès le début de l'Occupation, un groupe de jeunes peintres se manifestait à Paris, en 1941, sous le titre de *Vingt Peintres de tradition française.* Bon nombre allaient devenir de grands noms de la vague abstraite qui s'affirmera vers 1950. Une pléiade de nouveaux talents parviendront en effet à s'imposer sur la scène parisienne : Jean Bazaine, esprit très fin, Alfred Manessier, à la profonde intériorité, Charles Lapicque (1898-1988), scientifique de formation, le bouillant Georges Mathieu et bien d'autres. Ils ne refusent pas qu'on qualifie de *lyrique* leur peinture du geste, de la couleur. S'y rallient, en gardant leur autonomie, le grand Bram Van Velde (néerlandais, 1895-1981), la Portugaise d'origine Maria Elena Vieira da Silva, peintre inspiré de labyrinthes urbains, Jean-Michel Atlan (1913-1960), nourri de sources ésotériques et primitives. Ils attirent d'anciens surréalistes, tels Camille Bryen (1907-1977) et Simon Hantaï. Trois noms s'affirment tôt sur la scène internationale, ceux de Nicolas de Staël (d'origine russe, 1914-1955), de Hans Hartung (d'origine allemande, 1904-1989) et de Pierre Soulages.

S'oppose à eux, souvent par critiques interposés, un autre courant qui entend définir une abstraction plus pure, dite *géométrique* ou *froide,* celle de Victor Vasarely, d'origine hongroise, ou de Jean Dewasne, courant d'où sort bientôt l'*art cinétique* (le Vénézuélien Jesús Rafael Soto, l'Israélien Yaacov Agam, François Morellet, etc.). Ces joutes internes n'empêchent pas l'abstraction française de faire prime vers 1960, mais elles font écran à ce qui se passe ailleurs et surtout aux États-Unis. La peinture américaine ne rencontre pas à Paris l'écho qu'elle mérite et qu'elle va bientôt avoir, au grand dam, pour longtemps, de l'art français. ●

2. Pollock, *Autumn Rhythm,* 1950.

3. Tàpies, *Peinture à la lessiveuse,* 1970.   4. Borduas, *la Grimpée,* 1956.

5. De Staël, *Environs de Ménerbes,* 1954.

Les nations redevenues démocratiques

ALLEMAGNE, ITALIE, JAPON
PUIS ESPAGNE TROUVENT OU RETROUVENT LEUR IMPORTANCE
SUR LA SCÈNE D'UN ART AVANCÉ
AUX MULTIPLES FACETTES.

L'art allemand sort décimé de la période nazie. Des hommes sont morts, d'autres, plus nombreux heureusement, sont partis, certains pour toujours. Hartung, Wols (Wolfgang Schultze, 1913-1951) sont de grands noms de l'abstraction parisienne, comme Hans Hofmann (1880-1966) et Josef Albers (1888-1976) sont devenus des maîtres aux États-Unis. D'autres rentrent, auréolés d'un grand prestige, tel Willi Baumeister (1889-1955), autour de qui se groupent de beaux talents, Julius Bissier (1893-1965), Max Ackermann (1887-1975). Un art très intérieur prend à Munich le nom parlant de *Zen 49,* mais une abstraction géométrique s'épanouit au contraire à Ulm. C'est que tous les mouvements d'avant-garde retrouvent vite un écho en Allemagne, surréalisme abstrait, Cobra avec le groupe *Meta,* tandis que Düsseldorf s'affirme comme un centre appelé au rôle majeur qu'on lui connaît aujourd'hui.

En Italie, le joug fasciste, certes pesant et obscurantiste, avait été moins écrasant. À la Libération, de jeunes talents comme Emilio Vedova rejoignent dans l'abstraction leurs aînés, Antonio Corpora et surtout Lucio Fontana (1899-1968), père du *spatialisme,* qui rentre d'exil. L'éclat de la peinture espagnole n'a pu, lui non plus, être totalement éteint par le franquisme. Antoni Tàpies, Antonio Saura élaborent, d'abord hors d'Espagne, de grandes œuvres abstraites. Le Japon, qui sort d'un régime de fer, retrouve vite, sans renier sa haute culture, sa facilité étonnante à tout assimiler, grâce en particulier à de grands aînés qui gardent un pied en Europe, Key Sato, Okamoto Tarō. ●

L'irruption de nouveaux pays

PARMI LES CONTINENTS QUI APPORTENT
LEUR CONTRIBUTION À LA RECHERCHE NON FIGURATIVE,
L'AMÉRIQUE LATINE OCCUPE UNE PLACE DE CHOIX.

Au lendemain de la Seconde Guerre mondiale, bien des pays connaissent l'épanouissement d'une vie artistique pour certains ancienne et qui ne les tourne pas tous vers l'abstraction : ainsi, le prestige des grands *muralistes* y fait obstacle au Mexique. Mais, en Amérique du Sud, l'abstraction est depuis longtemps connue et pratiquée par des artistes de premier rang comme l'Uruguayen Joaquín Torres García (1874-1949), un des fondateurs du cercle parisien *Cercle et Carré,* qui, très admiré chez lui, y fait école. Le processus s'emballe et le continent est saisi d'une frénésie de modernité, que sanctionne le succès international de la Biennale de São Paulo, fondée en 1951.

Les pays de toute l'Amérique latine sont liés par choix culturel à l'Europe et par la géographie aux États-Unis. Au Canada, les peintres cultivent leurs affinités avec la France pour ne pas être absorbés par leur trop grand voisin. On aime y rappeler que c'est simultanément à l'affirmation de *l'action painting,* dès 1947, que se manifeste à Montréal le groupe abstrait des « automatistes », d'où se dégage la figure d'un grand peintre, Paul Émile Borduas (1905-1960), suivi de Jean-Paul Riopelle.

La dictature et la misère où sont plongées bien d'autres parties du monde les isolent. Les terres d'islam semblaient prédestinées à adopter un art non figuratif, mais des pays nouvellement indépendants sont tentés aussi par un art de la chronique. L'Afrique noire retrouve ses sources : celles d'une sculpture, surtout, où la représentation est fort libre mais n'est jamais abstraite, et ce double trait marque ses jeunes peintres. ●

→ **Voir aussi :** Naissance des abstractions, ARTS, p. 302-303. Permanences et renouveaux figuratifs, ARTS, p. 312-313.

Nouveaux réalistes, pops, néo-figuratifs

1. Yves Klein, *l'Arbre,* grande éponge bleue (1962).

2. Jasper Johns, *Drapeau,* peinture à l'encaustique et collage sur toile (1955).

3. Jean Hélion, *Figure gothique,* 1945.

AU MOMENT OÙ SEMBLE triompher l'abstraction telle que formulée à Paris et où la première génération de grands abstraits américains s'est non sans peine imposée, vers le début des années 1960, la figuration fait plus que retrouver son cours ancien, elle se renouvelle aussi en empruntant différemment au réel. Depuis plusieurs années, des éléments figurés ont fait retour dans le travail d'abstraits majeurs, tel Nicolas de Staël ; d'autres, comme Charles Lapicque (1898-1988), Jean Hélion (1904-1987), reviennent à la figuration. De façon plus incisive encore, de jeunes artistes refusant plus ou moins largement la peinture elle-même puisent dans le monde extérieur, dans les objets, la matière de leur création.

À Paris, le groupe des Nouveaux réalistes, réunis et dénommés par le critique Pierre Restany, se situe dans une position de surenchère et de dérision à la fois face à l'héritage de dada. Groupement un peu hétéroclite, il affirme faire retour au « réel perçu en soi », mais le fait diversement, l'artiste majeur qu'est Yves Klein (1928-1962) s'en évadant vite quant à lui. Au même moment, des artistes anglais, dont les plus connus sont Richard Hamilton et David Hockney, donnent naissance à ce qu'on appellera le *pop art* en puisant leur inspiration dans une réalité agressivement banale.

De semblables ambitions se font jour aux États-Unis, où l'exposition *The Art of Assemblage* montre ensemble, en 1961, des Européens et des Américains, toute l'attention de la critique new-yorkaise allant à ces derniers. Depuis plusieurs années, Rauschenberg mêle à sa peinture, de façon provocante, des agrégats divers, et Jasper Johns s'est rendu célèbre par ses reproductions à l'identique d'objets-symboles. Le pop possède sa star avec Warhol célébrant à l'infini le même objet, plaisant ou repoussant, morceau de tapisserie à fleurs ou chaise électrique. Les autres *pop artists,* puisant aux sources de la *junk culture,* du « folklore du banal », ouvrent la voie à l'hyperréalisme, tandis qu'en Californie des « assemblagistes » comme Edward Kienholz composent avec des objets de récupération des environnements souvent de grande dimension et à forte connotation sociale et politique.

Nouveaux réalistes et pops anglais

UN COMMUN DÉSIR DE FONDER L'ART SUR LE RÉEL ET LE QUOTIDIEN EST À L'ORIGINE DE LA DÉMARCHE DES NOUVEAUX RÉALISTES PARISIENS ET DES POP ARTISTES ANGLAIS.

En France, tout débute avec un bref manifeste signé en 1960 par des artistes jeunes, mais non débutants, aux pratiques si diverses que seuls les rapprochent leurs emprunts incongrus à la réalité. Ainsi Raymond Hains et Jacques de La Villeglé arrachent-ils aux murs des villes des fragments d'affiches superposées, délavées, dilacérées. Jean Tinguely (né en 1925) montre de tintinnabulantes machines qui peuvent exécuter des peintures abstraites ou s'autodétruire (*Hommage à New York,* 1961). Niki de Saint Phalle impose ses joyeuses ogresses peinturlurées, les Nanas. Arman a déjà fait ses « colères » dans lesquelles un objet fracassé est recomposé différemment sur un support. Christo « empaquette », de plus en plus grand, objets, monuments, morceaux de nature. Yves Klein « le Monochrome », quant à lui, est déjà parvenu à imposer ses toiles uniformément recouvertes soit de feuilles d'or, soit de peinture rose ou plus souvent outremer, qu'il applique aussi sur des objets, dont il imprègne des éponges. C'est, en 1960, une vedette aux actions spectaculaires : « anthropométries » où des femmes nues, enduites de bleu, laissent leur empreinte sur des toiles ; « tableaux de feu » obtenus par combustion partielle. « L'évolution vers l'immatériel » qu'il annonçait est interrompue (accomplie ?) par sa mort en 1962, à trente-quatre ans.

Le pop a été défini par un de ses artistes phares, Richard Hamilton (né en 1922), comme « populaire, éphémère, produit de masse, bon marché, sexy, tape-à-l'œil ». C'est une contre-culture jeune, urbaine, ouvrière, s'exprimant par les *comics,* la chanson, une façon flamboyante de s'habiller, de vivre sa sexualité... Ce dandysme de prolétaires séduit dès les années 1950 des intellectuels qui détestent la société anglaise, ses règles, sa hiérarchie sociale. Tous font de l'Amérique une fantasmatique terre promise où fleurissent la richesse, la vulgarité, l'énergie, sources d'une nouvelle poétique. C'est celle du célèbre et cauchemardesque collage *Qu'est-ce qui peut bien rendre nos foyers d'aujourd'hui si différents, si sympathiques* (1956) de Hamilton, par ailleurs grand lecteur de Joyce et admirateur de Duchamp. Beaucoup émigrent, tel David Hockney (né en 1937), qui peint la Californie comme un Éden semé de piscines et peuplé d'éphèbes, en des images dont la fausse naïveté est le comble d'une sophistication joyeusement perverse, très anglaise.

•

Le pop art américain

UTILISANT DES IMAGES QUI APPARTIENNENT À LA CULTURE DE MASSE, LE POP ART VEUT EN MONTRER LA VALEUR ET FONDER SUR ELLES UN ART ACCESSIBLE À TOUT HOMME.

Volant la vedette aux abstraits au moment même où ceux-ci triomphent, assez vite consacrés internationalement, Robert Rauschenberg (né en 1925) et Jasper Johns (né en 1930) imposent dans les années 1950 un art de la provocation et de la dérision dans le but proclamé de combler le fossé que les instances culturelles ont laissé se creuser entre l'art et la vie. Ainsi, dans ses *combine-paintings,* Rauschenberg apporte-t-il à des tableaux subtilement peints des ajouts inattendus tels que poulet ou chèvre angora empaillés, en des sortes d'arrangements scéniques dont il dit qu'il ne faut surtout pas chercher à les lire, à les décoder. L'art de son ami Johns a pour principe l'ambiguïté. Ses imitations parfaites de drapeaux américains, ses boîtes de bière, coulées en bronze puis peintes, indiscernables de celles du commerce, renversent railleusement la problématique des grands maîtres européens du siècle, qu'il connaît fort bien : la difficulté n'est pas de lire l'œuvre d'art, mais de la reconnaître là.

Ce qui distingue Johns et Rauschenberg des pop artistes proprement dits est que ceux-ci empruntent à un réel déjà médiatisé par l'omniprésent « art commercial », avec lequel ils gardent pourtant une soigneuse distance, un « gap ». Beaucoup sont dessinateurs de métier, ont travaillé pour la publicité. La vedette en est incontestablement Andy Warhol (1929-1987), qui, les répétant en longues séries, transforme en

Le quotidien, le mythe et l'absolu

Brillant peintre abstrait, Jean Hélion ressent, l'un des premiers, le besoin de revenir à la figuration (3) pour exprimer les incertitudes du monde moderne, sur la transformation duquel, vingt cinq ans plus tard, Duane Hanson porte et nous fait porter un regard acide (4).

En installant un de ses drapeaux américains sur un fond mêlé de collages de journaux et de peinture (2), Jasper Johns fait participer la même image de la figuration et de l'abstraction. De même, l'extrême précision (dans l'invention mythique) des dessins de Titus-Carmel (5) revêt une valeur formelle, et pas seulement imitative.

Quant à Yves Klein, c'est une recherche de l'absolu qu'il mène à travers son imprégnation universelle par un pigment d'un bleu profond, qu'il appelait IKB (International Klein Blue) ; il en tire d'étonnants effets, ici métamorphosant en objet précieux une éponge devenue *Arbre* (1).

4. Duane Hanson, *Touristes,* fibre de verre et polyester, vêtements et accessoires (1970).

La Nouvelle figuration

PLUTÔT QU'UNE ÉCOLE, C'EST UN ENSEMBLE D'ARTISTES EUROPÉENS SOUVENT CRITIQUES ENVERS L'AMÉRIQUE, MAIS BIEN INFORMÉS DE SON ART.

Tôt dans les années 1960, l'art américain est connu en Europe sous toutes ses facettes. Si les États-Unis aspirent littéralement bon nombre d'artistes anglais, ceux du continent (où Paris demeure un centre très attractif) se montrent beaucoup plus réservés. Les jeunes peintres qui se réunissent en une « Salle rouge pour le Viêt-nam » (Paris, 1968) considèrent qu'ils ont leurs propres repères culturels. L'exposition, qui fait date, des *Mythologies quotidiennes* (Paris, 1964) est moins un écho au pop américain que le fruit d'une réflexion sur l'objet qui réunit d'ex-nouveaux réalistes et de jeunes talents comme Bernard Rancillac ou le Haïtien Hervé Télémaque. On parle d'« objecteurs » à propos de ceux qui utilisent directement, parfois agressivement, l'objet, tels Jean-Pierre Raynaud ou le Suédois Erik Dietman ; on lance, pour d'autres, signe d'une certaine perplexité devant une production multiforme, les termes de « nouvelle figuration », de « figuration narrative » et même d'« imagerie narrative ».

La récupération des avant-gardes à laquelle se livre désormais la société bourgeoise, dans un contexte dominé par le libéralisme américain, est moquée en 1965 par trois compères qui n'en sont pas à leur coup d'essai, Gilles Aillaud, Eduardo Arroyo, Antonio Recalcati, dans *Vivre et laisser mourir ou la Fin tragique de Marcel Duchamp.* Huit tableaux au faire impersonnel racontent en une fausse bande dessinée, ponctuée d'excellentes reproductions d'œuvres de Duchamp, la mort de celui-ci, agressé par trois voyous (les peintres) et finalement porté en terre sous la bannière étoilée. Bardés d'un appareil esthético-politique teinté de maoïsme, ces peintres et d'autres, de nationalités diverses, transforment en désastre une exposition voulue par le président Pompidou, *Douze Ans d'art contemporain en France* (1972).

Les procédés de tous ces artistes ne sont pas différents de ceux des Américains, mais, avec une moindre cohérence globale, les Européens manifestent de plus nets soucis plastiques. Comme les New-Yorkais, des Français, Gérard Fromanger, Jacques Monory, se servent de la photo, mais l'arbitraire du coloris neutralise le vérisme des thèmes. Le goût du dessin et sa science sont manifestes chez Wolfgang Gäfgen comme chez Gérard Titus-Carmel, avec souvent chez ce dernier une connotation angoissante. De même l'inquiétude surgit-elle dans le monde apparemment en ordre et si visiblement d'essence picturale de Leonardo Cremonini, où tout cependant se révèle faussé. Plus brutalement, des ruptures, des élisions troublent la lecture des formes en grands aplats de couleurs de Valerio Adami, qui affiche pourtant dans ses titres une volonté narrative. ●

---

icône le visage de Marilyn Monroe et quasiment en image publicitaire celui de la Joconde ; parallèlement, il donne une valeur incantatoire à des boîtes de carton reproduit en volume des cartons d'éponges métalliques. De même Claes Oldenburg fait-il remarquer que le seul fait de mettre en scène un objet le modifie et James Rosenquist (très sensible au surréalisme européen) dit : « J'espère être aussi loin que possible de la nature. » À ce jeu, des toilettes peintes, ostensiblement souillées, par Tom Wesselmann n'apparaissent pas comme des images véristes, mais comme des caricatures des publicités étincelantes et aseptisées des magazines féminins. Le plus âgé du groupe, Roy Lichtenstein (né en 1923) est celui qui, dans des agrandissements d'images de bande dessinée, affiche le plus une volonté d'imitation littérale, feignant de reprendre jusqu'à la trame typographique alors qu'en fait il métamorphose l'image de base, la « déréalise », fait acte de créateur.

Car cet art qui n'a que l'apparence de la simplicité est fait par des hommes cultivés, qui le parsèment de références plus ou moins explicites à dada, à Schwitters, à Magritte, à Duchamp. Tous revendiquent leur qualité d'artistes américains. Ils se savent les héritiers de la savoureuse tradition nationale du trompe-l'œil, de celle de l'art naïf aussi, comme de peintres de la vie moderne des générations précédentes (Stuart Davis, Charles Demuth...). Se défendant de toute dérision, ils tiennent que leur travail, reflet du quotidien, s'adresse à tous. Très vite le pop art va faire le tour du monde. ●

L'hyperréalisme

CETTE ESTHÉTIQUE QUI, DES ÉTATS-UNIS, A RAPIDEMENT GAGNÉ L'EUROPE, A TROUVÉ EN SCULPTURE SON EXPRESSION LA PLUS FRAPPANTE.

L'hyperréalisme, apparu vers la fin des années 1960, dérive pour une bonne part du pop art, qui lui a donné des traits fondamentaux, l'homologie avec le quotidien moderne, la froideur, et nombre de procédés techniques, comme la peinture à l'aérographe. Il n'en a ni l'éclat ni la netteté, ce que traduit bien l'incertitude pour le dénommer, « Radical Realism », « Sharp-Focus Realism », « Photo Realism ». L'intérêt s'émousse assez vite devant les éternelles voitures de Don Eddy, les vitrines de Richard Estes. Il y a plus d'accent dans les visages hypertrophiés de Chuck Close, qui n'omet ni n'invente une ridule. L'obsession imitative est portée à son comble par le français Jean-Olivier Hucleux, qui, pour faire le *Portrait de M. et Mme Ludwig,* a passé des mois à peindre à la loupe le pied-de-poule du costume de l'un, l'imprimé de la robe de l'autre. L'Allemand Konrad Klapheck, les Italiens Domenico Gnoli (1933-1970) et Michelangelo Pistoletto ont joué à des jeux plus subtils, ceux du trompe-l'œil et des reflets, par exemple, pour le dernier.

On a parlé de « Verist Sculpture » devant les mannequins d'une précision hallucinante de John De Andrea, qui ne dédaigne pas de les faire servir à des farces de collégiens. Il y a plus de gravité chez Duane Hanson. Ses *Boys* terreux, agonisants, sont modelés plus grands que nature pour hausser le ton de sa protestation contre la guerre du Viêt-nam. Ses *Touristes,* son obèse *Dame au Caddy* dénoncent l'insignifiance, la laideur d'une société d'abondance toute matérielle. ●

→ **Voir aussi :** Permanences et renouveaux figuratifs, ARTS, p. 312-313.

5. Gérard Titus-Carmel, un des dessins de la série *The Pocket Tlingit Coffin* (Petit Cercueil Tlingit, 1975).

Les néo-avant-gardes des années 1960-1980

SOUS LA PRESSION DE NOMbreux facteurs d'origines les plus diverses, comme la naissance de la société de consommation, l'arrivée en masse sur la scène publique d'une nouvelle génération née après la guerre, mais aussi la montée des sciences humaines et leur incidence sur les phénomènes intellectuels et artistiques, l'histoire de l'art des années soixante enregistre de forts mouvements de subversion.

Aux États-Unis comme en Europe se forment des mouvements artistiques, non exactement semblables dans leurs dispositifs formels, mais réunis par une même passion à étendre l'art au-delà de ses champs traditionnels tels que la peinture et la sculpture. Ces catégories esthétiques semblent alors impropres à signifier des mutations sociales profondes et incapables à elles seules de rendre

compte du nouvel espoir d'une culture internationale mobilisée par la paix et le partage des connaissances. Alors que tombent les tabous de toutes sortes, l'art entend gagner de nouveaux territoires sous l'impact de la psychanalyse et de la sociologie : la toile étant démasquée comme substitut du corps, c'est parfois sur sa propre personne que l'artiste agit, rejetant tout subterfuge et portant vers de nouvelles limites les moyens d'expression ; de même que le châssis était identifié comme cadre d'un ordre social contraignant, la toile laissée libre, sans châssis, devient un instrument critique au service d'une nouvelle destinée de l'art. Le phénomène est international et se développe jusque vers 1975 à l'aide de circuits parallèles, pour être ensuite consacré par son intégration dans les sections contemporaines des musées.

L'art conceptuel

SELON J. KOSUTH, « LES FORMES ORGANIQUES SONT DÉFINITIVEMENT ÉPUISÉES » : L'ART NE PEUT CONTINUER D'ÊTRE PRODUIT QUE S'IL SE RECONNAÎT COMME LANGAGE, DONC SITUÉ EN AMONT DE TOUTE FORME, DANS LE CONCEPT MÊME.

En 1966 a lieu à New York la première exposition de *conceptual art*. Elle réunit Joseph Kosuth, Lawrence Weiner, Robert Barry et Douglas Huebler. On peut y voir une chaise accompagnée de sa photo et de la définition du mot chaise extraite du dictionnaire, des mots placés directement sur le mur de la galerie, des diapositives où apparaissent des mots et une série de photographies prises d'avion. Les formes ne sont plus stabilisées dans la matière, mais rendues au temps de leur conception. Là encore le but poursuivi est de remonter en amont de toute fabrication afin d'introduire le spectateur dans l'élaboration même de l'art. Or les jeunes artistes conceptuels ont suivi l'enseignement de leurs aînés dans les universités américaines, où sont situées depuis peu les écoles d'art, favorisant la pénétration des sciences humaines dans la pensée artistique. Lévi-Strauss, Michel Foucault, Roland Barthes enseignent à Harvard ; là est diffusée largement la pensée de Wittgenstein,

pour qui le sens des choses réside dans la forme même du langage employé pour le définir. Ces toutes nouvelles conditions d'étude de l'art expliquent en partie l'attitude des artistes, prompts à intégrer linguistique et philosophie dans leur pratique.

C'est en artiste et non en philosophe, entendant ainsi agir non sur le cours de la philosophie mais sur celui de l'art, que Joseph Kosuth entreprend un travail d'analyse du fonctionnement de l'art comme idée. Lorsque Weiner use de mots, ce n'est pas en poète, mais en artiste, certain que l'expérience esthétique du mot rouge est tout aussi efficace que celle provoquée par la rencontre d'une tache rouge particulière. Les qualités énumérées par Robert Barry en séries de mots suscitent des sensations étonnamment réelles. La perception du temps enregistré par un appareil photographique déclenché à intervalles réguliers au cours de la traversée des États-Unis, action de Douglas Huebler, est une donnée nouvelle dans les arts plastiques.

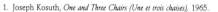
1. Joseph Kosuth, *One and Three Chairs (Une et trois chaises)*, 1965.

L'art minimal

LE *MINIMAL ART* N'EST PAS L'ABOUTISSEMENT FINAL DE L'ART ABSTRAIT. IL ENTEND INAUGURER UNE RELATION IMMÉDIATE ENTRE LE SPECTATEUR ET L'ESPACE ENVIRONNANT PAR L'INTERMÉDIAIRE D'UN OBJET ÉLÉMENTAIRE.

Après l'extraordinaire succès de l'abstraction lyrique des expressionnistes américains comme Jackson Pollock, Willem De Kooning, Mark Rothko et tant d'autres, le marché new-yorkais avait été envahi par des débauches de peinture. C'est en tout cas ainsi que Frank Stella considère la situation dès la fin des années 1950, ce qui le conduit à entreprendre une œuvre géométrique volontairement neutre, distante même, afin d'éliminer des épanchements jugés trop personnels et peu convaincants (le *pop art,* dans un tout autre registre, part d'une intention semblable). Mais si Stella, comme Kenneth Noland ou Ellsworth Kelly, maintient la primauté de la peinture, de son côté Don Judd tente de dépasser le clivage traditionnel entre peinture et sculpture : il lutte contre toute forme de composition plastique par l'usage systématique de la répétition d'un module simple et instaure ce qu'il nomme « l'objet spécifique tridimensionnel », éventuellement coloré. L'objectif poursuivi est d'écarter au maximum la présence de l'auteur, au

profit d'une pure immédiateté de l'objet rendu le plus indépendant possible et offert à la perception la plus directe du spectateur.

Le peintre Ad Reinhardt (1913-1967) donne à la même époque ses *Ultimate Paintings*, toiles monochromes noires carrées et divisées en neuf carrés égaux, proclamant que l'art n'a à voir qu'avec l'art, qu'il se définit dans sa pure et unique fonction d'art, sans lien avec quoi que ce soit. Cet extraordinaire détachement va susciter chez Robert Morris la construction de volumes très simples qui, placés dans l'espace, stimulent moins un intérêt pour eux-mêmes qu'une expérience esthétique de tout l'environnement du spectateur, ainsi rendu à lui-même. D'une façon semblable, Sol LeWitt élabore des propositions logiques afin « d'éviter l'écueil de la subjectivité » et de produire un objet autonome sans lien avec quelque sentiment personnel de l'auteur, laissant libre le spectateur. Ses cubes aux arêtes blanches, fabriqués non par lui mais, sur plans, par un artisan, s'érigent dans d'innombrables

combinaisons qui instaurent un silence immédiat et d'une grande étendue. Telle est encore l'ambition de Dan Flavin, qui, à l'aide exclusive de néons placés à intervalles réguliers dans le lieu d'exposition, ou dans des situations renvoyant aux œuvres du sculpteur russe Vladimir Tatline, conduit à une appréhension de l'espace totalement ouverte.

Réunis pour la première fois en 1964, ces quatre artistes, auxquels il faut ajouter le sculpteur Carl André, dont les plaques posées au sol comme un échiquier constituent l'expression sculpturale essentielle, engageaient non pas une nouvelle version schématique de l'objet mais un renversement de la fonction de l'objet d'art, non plus offert à la contemplation mais considéré comme le support de l'expérience individuelle de l'environnement. •

Une communication-choc

Au cours des années 1960 et 1970, les formes les plus radicales de l'art ont totalement transgressé l'ordre esthétique traditionnel, déconcertant un public pourtant recherché plus que jamais comme interlocuteur direct. Art conceptuel (1), art minimal (4), art pauvre (2) ou art corporel (3) en appellent à l'intelligence ou à la sensation immédiate contre les codes jugés trop contraignants des habitudes et des comportements conservateurs. Vingt ans plus tard, les résistances ont en partie cédé, mais très souvent demeurent encore.

2. Mario Merz, un des *Igloos* : fer, verre, terre, néons, chapeau de paille.

L'art pauvre

L'ARTE POVERA EST UN MOUVEMENT ITALIEN NÉ À LA FIN DES ANNÉES 1960 DANS LA MÊME PERSPECTIVE DE RENVERSEMENT DE L'ESTHÉTIQUE CLASSIQUE QUE LES MOUVEMENTS AMÉRICAINS.

Tandis que les artistes américains instaurent un nouveau système de l'art en investissant des champs jusque-là non abordés – à l'art conceptuel il faut ajouter le *land art,* qui consiste à produire des œuvres à l'échelle des déserts américains et à en témoigner par la photo –, certains artistes européens participent à l'art conceptuel, comme les Anglais du groupe *Art and Language,* comme Victor Burgin à Londres ou Giulio Paolini à Turin. Mais il est un mouvement très actif en Italie autour du critique d'art Germano Celant, qui le baptise *arte povera.* Débris divers, métaux bruts, terre, eau, charbon, fagots de bois, feuilles ou troncs d'arbres deviennent les matériaux de ces artistes qui entendent promouvoir l'émotion de simples substances issues de la nature dans les lieux immaculés des expositions. Cette introduction n'est pas sans violence. Elle est aussi un peu capricieuse et aurait pu n'être que fantaisie provocatrice si elle ne comportait pas un grand pouvoir émotif. Fait de matière, l'art pauvre revendique, tout comme l'art minimal et l'art conceptuel, une adhésion immédiate du public. Or ce n'est pas sans résistance que celui-ci rencontre les grands igloos de verre ou de terre séchée, avec mots et nombres en tubes de néon, de Mario Merz, dont la puissance poétique renverse les cadres rigides de nos habitudes spatiales. Les grandes étoiles de Gilberto Zorio ou les tas de pommes de terre parsemés de quelques reproductions en métal doré de Giuseppe Penone, ou encore les cracheurs de feu de Paolo Calzolari déconcertent dans un premier temps, mais obtiendront dans les années 1980 une reconnaissance générale. C'est que l'arte povera, par l'intrusion de la nature dans le monde industriel avec l'énergie et l'audace propres aux avant-gardes, entend régénérer poétiquement la culture moderne. •

3. Gina Pane, une des phases de l'action *Psyché (essai),* galerie Stadler (Paris), 1974.

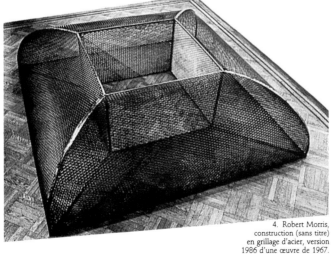

4. Robert Morris, construction (sans titre) en grillage d'acier, version 1986 d'une œuvre de 1967.

Fluxus international

« POUR TRANSFORMER LE MONDE, CHANGER L'HOMME » : C'EST LE MOT D'ORDRE D'UN ART QUI INVENTE DES MODES DE COMMUNICATION INÉDITS.

Dans les années 1950 déjà, aux États-Unis, la rencontre du musicien John Cage, du danseur Merce Cunningham et des artistes Robert Rauschenberg et Jasper Johns avait renouvelé l'esprit d'avant-garde dans l'optique d'un rapprochement entre l'art et la vie. L'expression d'une véritable joie de découvrir les infinies particules d'esthétique répandues dans le monde quotidien, liée à une autre relation au public, non plus spectateur mais acteur, entraîne dans les années 1960, en Europe comme aux États-Unis, la pratique du *happening* – ce qui arrive –, soit une sorte d'art total ou de théâtralisation de l'art. Allan Kaprow invite le public à le rejoindre sur un immense tas de pneus. Art ou non-art, ce qui importe est une contestation de l'ordre traditionnel au profit d'une réinvention publique des objectifs de l'art. Ce sens du spectacle, indépendant du monde du théâtre, s'accompagne d'un goût pour la provocation.

Ébauché vers 1961 à New York par George Maciunas et divers musiciens d'avant-garde, le mouvement international Fluxus se développe dans les années 60 en Europe par des séries de manifestations à Paris, Düsseldorf, Copenhague, Nice, etc., avec des artistes comme George Brecht, Ben (Ben Vautier), Daniel Spoerri, Robert Filiou (1926-1987), Nam June Paik, Wolf Vostell, Joseph Beuys (1921-1986). En France, les choses se déroulent soit dans les théâtres, soit dans la rue, ou dans la célèbre boutique de Ben à Nice, et renouent avec les fêtes intempestives de Dada. En Allemagne, les *actions* artistiques sont sous-tendues par l'expression souvent violente des refoulements dus à la dénégation de la guerre. La traversée de la R.F.A. par un wagon chargé de salades pourrissantes, œuvre de Vostell, stigmatise le traumatisme allemand. Les actions de Beuys, mêlées d'héroïsme et de mythologie très personnelle, qui vont jusqu'à la création d'une université parallèle, instituent la critique sociale comme art au moyen de gestes d'une grande force mythique. Ces *performances* visent à mettre en lumière les racines des mouvements sociaux, même si leur auteur fait figure de chaman ou de grand prêtre. •

Expériences françaises

COMME INDIFFÉRENTE À L'ÉVOLUTION D'OUTRE-ATLANTIQUE, LA FRANCE PRODUIT UN ART À LA FOIS RÉVOLUTIONNAIRE ET INDIVIDUALISTE.

L'art sera sociologique : ainsi le critique Pierre Restany annonce-t-il l'avenir de l'art bien avant que mai 68 à la fois lui donne raison et le déborde. C'est peut-être parce que la peinture française continue une évolution particulièrement riche que la représentation française est plus que réduite dans l'exposition symbole des avant-gardes intitulée « Quand les attitudes deviennent formes », organisée par Harald Szeeman en 1969, à Berne, et où sont présentées toutes les expériences citées plus haut.

En 1967 se signale le groupe BMPT (Buren, Mosset, Parmentier, Toroni), qui, par l'usage stéréotypé de formes élémentaires produites systématiquement sur des toiles souples, rejette tout assujettissement à l'ordre établi en même temps qu'il s'engage dans une virulente critique verbale des institutions. Ce commando avant-gardiste se dissout très vite alors que Daniel Buren, spécialement, poursuit une carrière internationale pour devenir dans les années 1980 l'artiste le plus en vogue, discuté par le grand public et protégé du monde artistique.

Plus radical mais de plus courte durée, l'*art corporel* se fonde sur le dépistage de la toile comme trace du corps de l'artiste, celui-ci promu véritable lieu du sens artistique. Si les expériences du Viennois Hermann Nitsch conduisent à des rites collectifs saisissants, en France l'œuvre de Gina Pane (1939-1990) contient toute la densité féminine d'une relation au corps directe, parfois violente, où le blanc immaculé du lait se colore du rouge de son propre sang. Ses actions plongent le public spectateur dans une stupeur où l'art et la vie se croisent.

L'intensité de ces expériences, typiques de l'art des années 1970, illustre la croyance en un système de l'art inédit, où les aventures individualistes des artistes français peuvent prendre des formes singulières, comme les mythologies personnelles de Christian Boltanski, les projets féministes de Tania Mouraud, les semblants scientifiques de Paul Armand Gette, les gestes politiques de Sarkis ou le goût de l'intimité intelligente de Jean Le Gac. •

→ **Voir aussi :** Les abstractions après 1940, ARTS, p. 316-317. Nouveaux réalistes, pops, néo-figuratifs, ARTS, p. 318-319.

Le postmodernisme

Existe-t-il
un style postmoderne ?

GOÛT ET STYLE S'EN PRENNENT
DIFFÉREMMENT À LA FORME. LE PREMIER
SE CONTENTE D'UN FORMALISME DE MODE, LE SECOND
EXIGE UNE ACTUALISATION DE L'ART
DANS LE TEMPS D'UNE SOCIÉTÉ.

CE TERME RECOUVRE À LA fois tout et rien. En effet, « postmodernisme » est souvent employé trop rapidement pour signifier la situation du dernier quart du XXe siècle. Pourtant, par son imprécision même, il traduit la certitude diffuse de nos incertitudes, la relative conviction que nous n'appartenons plus tout à fait, ou plus du tout, au monde dit « moderne », représentatif du grand siècle de l'industrie. Il reste que nous avons beaucoup de mal à mesurer avec exactitude les données nouvelles d'une autre culture. Ce grand effet de déstabilisation a provoqué bien évidemment de nombreuses résistances, exprimées tantôt, non sans nostalgie, par la dernière génération des modernes qui, au sortir de la guerre, ont eu la chance d'appliquer les grands principes de la modernité, tantôt par les acteurs mêmes de la rupture avec la tradition moderne, mais qui trouvaient trop ambigu le terme « postmodernisme », tantôt encore par une autre frange de créateurs, engagés dans ce qu'on appelle aujourd'hui le « néo-modernisme ». La crise économique a joué son rôle dans le débat, véhicule d'autres crises, d'ordre intellectuel.

Tout particulièrement sensibles dans l'architecture et dans l'art, ces mouvements s'étendent aujourd'hui de Moscou à Bordeaux, de Pékin à Münster, de Barcelone à New York, à travers des manifestations très différenciées. Si bien qu'il est plus aisé de repérer un goût postmoderne, à travers un renouvellement des formes de l'environnement, que de définir proprement un style postmoderne, ce qui supposerait des concepts originaux énoncés clairement et susceptibles de théorisation.

S'il est donc assez facile de reconnaître l'évolution du goût au cours de la dernière décennie, il est plus difficile d'y déceler l'amorce de concepts réellement novateurs. Le style est l'acte intellectuel qui suppose des séries de convergences, conscientes et inconscientes, telles qu'une logique nouvelle se manifeste à travers les langages les plus divers. Où donc le repérer ? Il est à l'œuvre dans l'architecture et les arts plastiques, comme aussi dans la création musicale ou la philosophie.

Deux tendances majeures en architecture.

Dans la recherche architecturale actuelle, au risque d'être schématique, on peut distinguer deux directions essentielles, en de nombreux points opposées. Un point leur est commun : aucune ne se reconnaît dans la notion généraliste de postmodernité ! Pourtant, toutes deux ont définitivement quitté la problématique moderne et poursuivent leur propre trajectoire créatrice : il s'agit d'une part de l'œuvre exceptionnelle de l'Italien Aldo Rossi et des architectes, aujourd'hui tous en pleine maturité, de la *Tendenza ;* d'autre part, des architectes dits de la *déconstruction* et principalement de l'Américain Peter Eisenman. Dans ces deux approches fondamentales de la question architecturale se trouvent un grand nombre de ferments sur lesquels asseoir le problème du style.

L'œuvre d'Aldo Rossi, théorique (*l'Architecture de la ville,* 1966) et construite, repose sur l'expérience poétique de l'architecture, actualisant les mythes et les fantasmes contenus dans tout habitat, de l'abri au patio, du palais aux cabines de plage, du cimetière au baptistère. Trouvant dans Étienne Louis Boullée un point de référence constant, Rossi place volontiers côte à côte les formes archétypales des monuments des civilisations perdues et ceux de l'ère industrielle. À cet art de la présence dans la beauté de la forme suspendue au-dessus de la

D'où vient
le mot « postmoderne » ?

LE TERME A D'ABORD PERMIS À CERTAINS
ARCHITECTES DE SE DÉCLARER HORS LA MODERNITÉ,
COMME ON SERAIT HORS LA LOI.

L'usage du préfixe *post* associé au mot *moderne* afin de définir une situation qui succède au modernisme et, tout en en procédant, s'en différencie remonterait à 1973, dans un texte de littérature américaine. Mais son succès public revient à un architecte et critique d'architecture britannique, Charles Jencks, qui intitule son ouvrage publié en 1977 à Londres *le Langage de l'architecture postmoderne.* Lui-même, dans son introduction, expose les diverses étapes de formation du terme, le repérant déjà en 1949 puis en 1952, enfin à plusieurs reprises dans les années 1970, sans pour autant qu'une signification réellement définie lui accorde un statut conceptuel suffisant. Non peut-être que Jencks y parvienne tout à fait, mais il s'efforce de classer les propositions jugées hérétiques au regard de l'orthodoxie moderne et par là acquiert une audience rapidement internationale (l'ouvrage paraît très vite en France, ce qui est exceptionnel en matière de traduction de textes étrangers d'architecture). Selon Ch. Jencks, l'art de bâtir ne consiste pas en un ensemble de principes inaliénables, mais en une intelligence des contextes locaux articulés par un langage propre à chacun d'eux. L'architecte serait surtout un traducteur.

C'est ce que revendique à sa manière l'Italien Paolo Portoghesi, architecte et auteur d'études importantes sur l'art baroque, parti en guerre contre le modernisme à l'aide de textes et d'expositions internationales. Libérer la forme de la fonction, ressaisir la continuité avec la tradition architecturale, reprendre le goût du dessin, reconsidérer l'invention non comme combinaison nouvelle mais comme plaisir d'éclectisme, autant de traits mis en avant dans ce combat. À cela un autre critique érudit, Kenneth Frampton, réplique par une vive analyse en démontrant les errements formalistes de ces « nouveaux » architectes.

S'il pénètre tous les secteurs de la création, le qualificatif ambigu de postmoderne n'y provoque pas, néanmoins, des troubles théoriques aussi évidents qu'en architecture.

●

Il existe
un goût postmoderne

POPULARISÉ PAR LES MÉDIAS, LE GOÛT
DES FORMES DÉBRIDÉES, LUDIQUES, SPECTACULAIRES
ENVAHIT TOUTE LA VIE SOCIALE.

Ce qu'on nomme « les années 80 » est cette période qui « revisite », reconsidère les décennies précédentes avec une légèreté mêlée de nostalgie. Dans ce défilé de modes se dessine un goût nouveau, un rien provocateur mais cependant accessible à un public assez large. Les médias, soit tous les services de presse et de diffusion du « nouveau » genre, à la fois suivent et entraînent ce mouvement des formes. Car c'est bien des formes qu'il s'agit avant tout et dans tous les domaines, depuis le mobilier et la publicité jusqu'à l'architecture et l'art (voire jusqu'aux formes de la pensée).

Le mobilier.
Déjà à l'œuvre dans la recherche stylistique fortement originale des années 70, le renouvellement des arts dits décoratifs s'élabore en tout premier lieu en Italie. Au purisme des lignes élégantes et souples d'un Vico Magistretti succèdent au début des années 80 les collages les plus inattendus, irisés, voire électriques, d'Ettore Sottsass, qui propulse la qualité dans une aire inexplorée faite d'étrangeté et de liberté. L'ironie évite l'écueil du maniérisme grâce à la beauté des matériaux et à la science italienne du dessin et de la couleur. Plus strict, moins délirant aussi mais d'une distinction savante, le mobilier du Français Philippe Starck revivifie la scène hexagonale, encouragé par le président de la République qui adopte, dans ses appartements de l'Élysée, les créations aux formes géométriques volontiers anguleuses du designer. La folie de l'imagination s'empare des consoles, tables, chaises, couverts dessinés par Élisabeth Garouste et Mattia Bonetti, qui trouvent dans un riche primitivisme un vocabulaire ornemental entièrement décalé et séduisant.

La publicité.
Le plaisir des formes débridées qui deviennent indépendantes de l'usage direct des objets comme du sens excite l'inspiration des « créatifs », qui tirent le plus grand parti de cette nouvelle rhétorique de l'image. L'introduction de la publicité à la télévision a considérablement accru le marché des images et par conséquent en a transformé le rythme et la qualité ; en quelques secondes, le téléspectateur doit être plongé dans une telle originalité que sous les effets de l'accélération et de la somme d'informations se fabrique une liberté des signes, des gestes et des couleurs toujours plus grande. Les formules publicitaires de Jacques Séguéla ou celles de Jean-Paul Goude (défilé du 14 juillet 1989 aux Champs-Élysées, à Paris) possèdent l'efficacité voulue et la poétique « postmoderne » la plus populaire.

L'architecture.
La popularité est en effet l'objet de tous les désirs dans ces années 80, et le postmodernisme, ludique et menteur s'il le faut, en tout cas spectaculaire, se présente comme l'esthétique de la réconciliation. Au diable les avant-gardes de la modernité ! Si bien que la production d'images séductrices va jusqu'à pénétrer l'architecture. La fantaisie des signes iconographiques bannis du langage moderne revient sur les façades à nouveau colorées. Aux États-Unis, Robert Venturi, Charles Moore, mais aussi Michael Graves et Frank O. Gehry, plus jeunes, consacrent de grands efforts à l'effet ornemental de l'édifice en vue d'une adhésion populaire. C'est aussi ce que recherchent les décors monumentaux des faux palais classiques plaqués par Ricardo Bofill sur des logements sociaux. Mais peut-on

fonction s'oppose la recherche de l'absence et des déclinaisons logiques qui est le propre de l'architecture « déconstructionniste ». La suprématie de la fonction est là aussi contestée, mais également celle de l'auteur. À l'aide de la philosophie et de la psychanalyse, le rôle fondateur de l'architecte est réfuté au profit d'un développement autonome de la construction. L'art de l'architecture est avant tout conceptuel, et se déclare non pas postmoderne, mais « posthumaniste ». Les projets de l'Américain Daniel Libeskind, les Maisons de Peter Eisenman, les combinaisons plastiques des Folies de la Villette de Bernard Tschumi entendent inaugurer

une autre relation à l'art de bâtir. Déconstruire est un terme d'origine philosophique employé par Jacques Derrida pour signifier qu'un texte n'offre jamais une seule lecture et que désormais nous ne pouvons nous fier à une approche unique. La double interprétation entraîne une méthode de création nouvelle : logique, sachant que conscient et inconscient s'y entremêlent, déplaçant l'origine de la création et éliminant l'auteur démiurgique.

Causticité et dépassement des catégories artistiques.
Les textes produits par les deux types de propositions architecturales repérés ci-dessus témoignent d'une approche de la réalité

nécessairement fragmentaire. Fragments d'architecture enfouie ou fragments de la pensée agissante. Cette attitude peut être reconnue également dans le monde artistique, mais cachée par son contraire, une causticité refermée sur l'objet un peu sévère et distant. Aux États-Unis comme en Europe, les artistes sont amenés à geler leurs objets dans un système clos qui s'accorde souvent avec le caractère religieux ou plus ou moins sacré que revêt progressivement le musée. En France, l'œuvre de Bertrand Lavier, assis sur les acquis de Marcel Duchamp et jouant de formules répétées, et celle de Daniel Buren, devenue tellement emblématique

qu'elle apparaîtrait proche de la perfection, témoignent d'un art affirmatif pris aux filets des incertitudes de l'époque. Par ailleurs, institutions artistiques et marché de l'art, au pouvoir tellement accru, sont devenus au cours des années 80 non plus le cadre de la création, mais un matériau pour les artistes, attentifs à déloger ces mécanismes économiques non plus sur le ton de la contestation virulente des années 1960 et 1970, mais en opposant une résistance douce. Ainsi le New-Yorkais Jeff Koons parvient-il à diriger la demande tout en offrant des simulacres impitoyables.

Ailleurs, un artiste comme l'Allemand Ludger Gerdes démontre

que le dialogue des formes artistiques diverses, sculpture, paysage, peinture, culture locale, peut renouer avec une prolifération formelle et conceptuelle riche en événements. La danse, la vidéo, le théâtre peuvent encore, dans leur « in-disciplinarité », servir l'art de la peinture, comme le prouve l'œuvre de Catherine Beaugrand. La nécessaire confrontation des disciplines, l'urgent besoin d'une réflexion approfondie, le déplacement des catégories autant que leur dépassement signifient, sinon le style postmoderne, probablement *notre* style. •

→ **Voir aussi :** L'architecture au **XXᵉ** siècle, **ARTS**, p. 306-307. Les néo-avant-gardes des années 1960-1980, **ARTS**, p. 320-321.

1. Bernard Tschumi, une des « Folies » du parc de la Villette à Paris (1983-1988).

2. Ludger Gerdes, *Bateau pour Münster,* construction/environnement réalisée en 1987 en liaison avec le musée de Münster.

3. Aldo Rossi, dessin (1979) pour son *Théâtre du monde,* construction éphémère réalisée à Venise à l'occasion de la Biennale de 1980.

réduire le temps de l'architecture à celui d'un clip vidéo ?

L'art.
L'art des années 80 participe en partie à ce grand bouleversement en douceur. L'abandon par de très nombreux artistes de tout souci théorique pour adopter une attitude plus désinvolte, mais légère et souvent séduisante, s'accompagne d'une extraordinaire explosion d'intérêt pour l'art contemporain dans tous les pays occidentaux. Les institutions non seulement soutiennent les initiatives privées mais s'y substituent (en France en même), ouvrant des espaces de diffusion où circulera l'art le plus nouveau pour un public de plus en plus nombreux. Cela ne va pas sans développer, là encore, plus un goût qu'un style, à savoir un certain type d'objets, peu agressifs mais humoristiques ou oniriques, un formalisme relativement facile pour un marché démultiplié. •

4. Élisabeth Garouste et Mattia Bonetti, *Chaise barbare,* fer battu patiné vert et peau de poulain (1981).

5. Ricardo Bofill, un détail de l'ensemble *Antigone* à Montpellier (années 1983 et suivantes).

Des valeurs plus que jamais détournées

L'extrême diversité formelle des propositions architecturales et artistiques des années 1980 témoigne d'un éclatement des cadres traditionnels à partir duquel se répand un raffinement nouveau de la

forme, non plus soumise à un ordre supérieur, mais livrée à des considérations de toutes sortes – imaginaire, symbolique, monumentale ou propre à établir un dialogue modeste entre les choses.

Musique

L'acoustique musicale

Propagation du son

LES LOIS DE LA PROPAGATION
DES ONDES SONORES ET LE PHÉNOMÈNE DE
RÉSONANCE SONT À LA BASE DE NOMBREUSES APPLICATIONS,
PARTICULIÈREMENT EN ACOUSTIQUE ARCHITECTURALE
ET EN ORGANOLOGIE.

L'ACOUSTIQUE MUSICALE est une branche de l'acoustique fondamentale qui étudie les sons musicaux, leur structure et la nature de leurs différents paramètres, mais également les actions qu'ils produisent, c'est-à-dire la façon dont ils sont perçus par le système auditif humain. Un tel projet est ambitieux, car il contraint le chercheur à serrer de près la réalité sonore et à se priver de l'aide – parfois précieuse mais inutile ici – des signaux artificiels bien calibrés, aisément contrôlables et reproductibles, produits à des fins expérimentales par les générateurs électroniques en laboratoire. À côté de ces appareils, les instruments de musique traditionnels apparaissent comme des machines fort compliquées, faites de matériaux naturels, non « idéalement » homogènes, comme le souhaitent les modèles mathématiques, et n'épousant des formes parfaitement régulières que sur le papier. C'est pourquoi, aujourd'hui encore, l'acousticien de la musique ne peut se départir d'un certain empirisme, garantie d'une démarche conservant aux phénomènes sonores toute leur complexité.

L'acoustique musicale s'intéresse aux applications qui découlent de la perception des paramètres du son. La sensation de hauteur induit par exemple le problème du diapason, dont l'étude englobe l'évolution historique et les facteurs physiques et psychophysiologiques susceptibles de le faire varier ; le calcul des intervalles permet la détermination des tempéraments anciens ou modernes, mais aussi l'analyse de la notion de consonance, de dissonance et de tolérance auditive, qui débouche sur l'élaboration du concept de justesse.

Le son est une variation de pression qui se déplace sous forme d'ondes utilisant comme support les particules matérielles de leur milieu de propagation (l'air pour la musique) ; ce n'est donc pas la matière qui se déplace, mais l'énergie. La longueur d'onde est la distance séparant deux compressions successives, qui varie en proportion inverse de la fréquence. La vitesse du son – ou célérité – ne dépend que du milieu de propagation et de ses variables : elle est par exemple de 340 m.s^{-1} dans l'air à 15 °C et augmente avec la température.

Les ondes, quand elles ne rencontrent pas d'obstacles, se propagent dans toutes les directions, leur énergie se répartissant selon la surface d'une sphère. Elles s'amortissent au cours de leur déplacement, c'est-à-dire que leur amplitude diminue. Une onde sphérique s'amortit très vite, puisqu'à chaque doublement de la distance parcourue, pour une même quantité d'énergie disponible, la surface de la sphère quadruple. Dans les tuyaux, en revanche, l'onde demeure concentrée et conserve bien son énergie.

Lorsqu'une onde rencontre une paroi, elle est renvoyée, réfléchie par cet obstacle, sous un angle, l'angle de réflexion, égal à l'angle d'incidence, avec lequel elle frappe l'obstacle. Si l'on émet un son perpendiculairement à une surface réfléchissante en plein air, les angles d'incidence et de réflexion sont égaux à zéro, l'onde revient sur l'émetteur : c'est l'écho. Le temps compris entre l'émission et la réception est fonction de la distance parcourue par l'onde. Dans un espace clos, les réflexions se multiplient en s'enchaînant les unes aux autres de façon si rapprochée que l'oreille ne peut les dissocier : le son semble s'allonger temporellement, la salle « résonne », c'est la réverbération. La durée de la réverbération, pour une impulsion sonore, est l'une des données les plus importantes de l'acoustique architecturale : courte (inférieure à 1 s), la salle paraît « sèche », peu propice à la musique, mais bonne pour l'intelligibilité de la parole ;

Structure du son musical

LE SON EST UNE DONNÉE GLOBALE DE L'EXPÉRIENCE
SENSORIELLE, PERÇU COMME UN TOUT, ALORS QU'IL
CONSTITUE EN RÉALITÉ UN OBJET COMPLEXE, FORMÉ D'ÉLÉMENTS
DIFFÉRENTS QUI DÉTERMINENT SES PRINCIPALES QUALITÉS,
NOTAMMENT SA HAUTEUR ET SON TIMBRE.

Le son le plus simple qui soit est engendré par des vibrations sinusoïdales ; de telles vibrations n'existent pratiquement pas dans la nature à l'état pur, mais entrent en combinaison pour former les sons complexes. Un son périodique, comme en produisent les instruments à vent ou à archet, est la superposition de sinusoïdes, appelées *harmoniques,* dont les fréquences sont des multiples entiers de la plus petite d'entre elles, ou *fondamental.* La hauteur du son est déterminée par la fréquence du fondamental, dont la valeur se retrouve naturellement toujours entre deux harmoniques de rangs voisins. Dans le cas des sons non périodiques, par exemple avec les percussions ou les cordes pincées, les composants ne sont pas des multiples entiers du fondamental et sont alors appelés *partiels.* Le nombre d'harmoniques et leur intensité relative sont les principales variables du timbre avec la forme des transitoires, sons émis pendant les phases d'attaque et d'extinction, qui, par leur instabilité dans le temps, contiennent un maximum

d'informations pour le système auditif, et particulièrement tout ce qui permet d'identifier quel instrument est utilisé.

Quelle que soit la hauteur du son, les harmoniques entretiennent entre eux des rapports numériques constants et constituent donc une succession d'intervalles toujours identique, connue sous le nom de *série harmonique.* Pour une note *do$_1$,* la succession des sept premiers composants serait :

do$_1$ do$_2$ sol$_2$ do$_3$ mi$_3$ sol$_3$ si$^b_3$
　1　　2　　3　　4　　5　　6　　7

L'harmonique 2 est à l'octave du 1er, car sa fréquence est 2 fois plus grande ; le 3 est à la quinte du 2e, car sa fréquence est 3/2 fois plus grande, la sixte majeure est égale au rapport 5/3 puisque c'est l'intervalle existant entre le 5e et le 3e harmonique. Ces rapports sont valables pour les cordes et les tuyaux, mais dans le sens contraire, puisque les longueurs sont inversement proportionnelles aux fréquences : une corde raccourcie aux 3/4 sonne à la quarte supérieure, parce que sa fréquence est multipliée par 4/3.

Les battements

Le son est un mouvement oscillatoire représenté par les pics et les creux des deux courbes supérieures. Lorsque deux ondes sont émises simultanément et en phase, leurs amplitudes s'additionnent, positivement pour les pics, négativement pour les creux. Si les deux ondes sont de fréquences voisines, comme sur la figure 1, il se produit un décalage progressif, où l'amplitude résultante passe périodiquement par des minima et des maxima (courbe inférieure). L'oreille perçoit cette interférence sous la forme de battements.

Réflexion du son

Ce qu'entendent les auditeurs dans une salle de concert est une combinaison de sons ayant emprunté des trajets différents avant de leur parvenir (2). Le dosage de ces différents parcours, notamment la proportion d'ondes directes et d'ondes réfléchies, est fonction de l'architecture de la salle et, avec d'autres paramètres, en détermine le confort acoustique. De ce point de vue, la Philharmonie de Berlin, achevée en 1963 (3), est actuellement l'une des meilleures salles de concert.

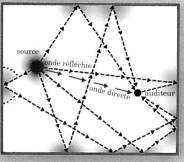

2. Réflexions multiples du son dans une salle.

source
onde réfléchie
onde directe
auditeur

1. Phénomène de battements.

$n_1 = 70$

$n_2 = 60$

n_r

0,05　0,10　0,15　0,20　0,25　S

3. Salle de l'orchestre philharmonique de Berlin.

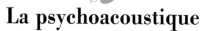

La psychoacoustique

LA PSYCHOACOUSTIQUE DÉCRIT LES CARACTÉRISTIQUES ET LES PERFORMANCES DU SYSTÈME AUDITIF HUMAIN EN CHERCHANT À RELIER LA PERCEPTION DES SONS AUX DONNÉES CHIFFRÉES ET AUX LOIS DE LA PHYSIQUE.

plus élevée (autour de 2 s), le confort acoustique est excellent ; les églises, et surtout les cathédrales, présentent souvent des durées de réverbération très longues (plus de 6 s), dans lesquelles les orateurs doivent parler lentement sous peine d'entendre leurs mots se superposer les uns aux autres. Certains matériaux réfléchissent peu le son, mais au contraire l'absorbent ; ils sont donc utilisés en fonction de leur coefficient d'absorption pour l'insonorisation, ou encore pour corriger une acoustique défectueuse.

Tout résonateur possède une fréquence propre, qu'il émet quand on l'excite au moyen d'un choc. À l'inverse, s'il est soumis à une excitation périodique, par exemple une note de musique, il vibre à cette hauteur, mais d'autant moins fort que sa fréquence propre en est éloignée. Si son excitateur a pour valeur sa propre fréquence, il vibre avec un maximum d'amplitude. Ce phénomène de résonance se produit également sur les harmoniques d'un spectre : par exemple, sur un piano, l'harmonique 3 de la note do_2 peut faire vibrer par résonance la corde sol_3. Si la fréquence propre du résonateur n'est pas précise mais recouvre une bande plus large, les harmoniques du spectre excitateur correspondant à cette zone sont renforcés, il se crée un formant.

La psychoacoustique envisage la perception auditive sous l'angle des quatre paramètres sonores fondamentaux, hauteur, durée, timbre et intensité. Elle se démarque de la physique parce que les réponses du système auditif ne sont pas linéaires, ce qui provoque de fortes divergences entre ce que l'on mesure et ce que l'on entend. Quand le subjectif n'est pas bien décrit par l'objectif, il est nécessaire de recourir à l'expérimentation ; les tests à base d'artefacts sont évidemment plus faciles à réaliser qu'avec des sons réels, mais fournissent à l'inverse des renseignements difficiles à transposer dans la réalité musicale : par exemple, les courbes d'effets de masque (indiquant comment un signal peut en cacher un autre) sont tout à fait différentes selon qu'il s'agit de sinusoïdes ou de sons d'instruments de musique.

Lorsque l'intensité physique d'un stimulus augmente, le gain de sensation ne croît pas dans des proportions identiques. La *loi de Fechner,* valable en première approximation, indique que la sensation varie comme le logarithme décimal de l'excitation. En d'autres termes, quand la stimulation physique est multipliée par 1 000, la sensation n'augmente que du logarithme de 1 000, c'est-à-dire de 3 ; d'où l'utilisation de l'échelle des décibels pour décrire le rapport des deux progressions. Toutefois, l'oreille humaine ne présente pas la même sensibilité sur toute l'étendue du spectre audible, comme le montre le *diagramme de Wegel :* il faut environ 100 millions de fois plus d'énergie à un son de 32 Hz pour se faire entendre qu'à la fréquence 1 000 Hz, ce qui se traduit par un écart de 80 dB. En conséquence, des sons de hauteurs différentes

La diagramme de Wegel

Ce diagramme (4) trace les limites du champ auditif humain : environ 10 octaves pour la hauteur, avec un seuil inférieur, de 16 à 20 Hz, en deçà duquel commencent les infrasons, et un seuil supérieur, de 18 000 à 20 000 Hz, qui baisse généralement fortement avec le vieillissement (presbyacousie). Si le seuil de douleur est à peu près linéaire, de 120 à 140 dB pour toutes les fréquences, c'est loin d'être le cas pour le seuil d'audition, qui accuse une baisse de sensibilité considérable aux fréquences extrêmes. C'est pourquoi la valeur 0 dB ne représente le seuil d'audibilité que pour les fréquences situées autour de 1 000 Hz.

4. Diagramme de Wegel.

Intensité sonore en watt/cm²		décibels
10^{-2}	Seuil de la douleur	140
10^{-4}		120
10^{-6}		100
10^{-8}		80
10^{-10}	seuil de l'audition	60
10^{-12}		40
10^{-14}		20
10^{-16}		0
10^{-18}		-20

Fréquence en hertz : 16 32 64 128 256 512 1 024 2 048 4 096 8 192 16 384

La singing-formant

La figure 5 compare la courbe-enveloppe d'un orchestre symphonique à celle d'une voix chantée et permet de mesurer l'amplitude des différents composants harmoniques. La présence d'un pic autour de 3 000 Hz sur la courbe vocale, caractéristique des voix lyriques, apparaît comme la seule originalité notable de la voix par rapport au spectre de l'orchestre. Ce singing-formant est en outre situé dans la zone la plus sensible de l'oreille, ce qui permet au chanteur (6) de n'être pas couvert par les instruments et d'être entendu sans fournir trop de puissance acoustique, c'est-à-dire en épargnant son énergie.

5. Le singing-formant.

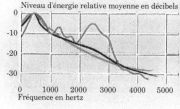

Niveau d'énergie relative moyenne en décibels

	0	1000	2000	3000	4000	5000
0						
-10						
-20						
-30						

Fréquence en hertz

peuvent paraître d'intensité inégale à niveau pourtant identique. La dynamique auditive, c'est-à-dire l'écart séparant les plus faibles intensités perceptibles des plus fortes tolérables par l'oreille, est nettement plus importante dans la zone sensible (500-5 000 Hz) qu'aux extrémités du spectre : la palette de nuances d'une contrebasse ne peut rivaliser avec celle d'un violon.

Les paramètres du son ne sont pas entendus isolément ; ils interfèrent au contraire les uns avec les autres. Par exemple, la hauteur d'un son dépend normalement de la fréquence du fondamental et de l'écart entre deux harmoniques de rangs consécutifs. Mais la répartition de l'énergie dans le spectre, c'est-à-dire le timbre, peut altérer légèrement la sensation de hauteur, ou tonie, et, par l'émergence d'un formant grave ou aigu, baisser ou hausser subjectivement le son. La tonie varie également avec le niveau sonore : les fréquences élevées semblent monter encore avec l'augmentation de l'intensité, alors que les basses fréquences dévient en sens inverse dans les mêmes conditions. Un son complexe, comprenant à la fois des composants graves et aigus, peut donner une impression de dissonance à forte intensité, lorsque la déviation subjective opère simultanément dans les deux sens.

6. N. Denize et l'orchestre de Lille (direction J.-Cl. Casadesus).

Aucune musique n'utilise la totalité des intervalles disponibles. Les choix effectués déterminent le tempérament des échelles. Dans la gamme pythagoricienne, utilisée jusqu'au Moyen Âge, les intervalles étaient calculés par successions de quintes ; la tierce obtenue était un peu plus haute que l'intervalle naturel, ce qui n'est pas gênant dans le mouvement mélodique, mais provoque des battements dans la forme harmonique, de plus en plus sollicitée dès le début de la Renaissance. Les musiciens d'alors, plutôt que de s'y habituer, préférèrent changer de tempérament. L'adoption de la tierce naturelle posa aux théoriciens des problèmes d'une grande complication. En effet, trois tierces majeures de cette valeur ne constituent pas une octave puisque $(5/4)^3 < 2$. De même, les intervalles de mêmes noms se multiplient, avec plusieurs sortes de tons, de demi-tons et de commas, ce qui rend malaisées ou impossibles certaines armatures ; en contrepartie, les tonalités prennent chacune un caractère particulier, selon les différentes proportions des intervalles. Le règne des tempéraments inégaux – ils se compteront par dizaines – ne prendra fin qu'au XVIIIe siècle, avec l'adoption du tempérament égal, où tous les demi-tons sont égaux entre eux, mais la justesse naturelle abandonnée. •

La voix chantée

L'APPAREIL VOCAL, PAR SON SYSTÈME ARTICULATEUR, AUTORISE TOUS LES TYPES DE TRANSITOIRES, ET LA COMPOSITION DE SON SPECTRE LUI PERMET DE DOMINER UN ORCHESTRE SYMPHONIQUE.

Comme tout instrument de musique, l'appareil phonatoire se compose d'un excitateur, ici le larynx, et d'un corps sonore, le conduit pharyngo-buccal. La pression d'air est régulée par le diaphragme, principalement pour l'inspiration, et la ceinture abdominale pour l'expiration. Le larynx délivre un spectre déterminé en fréquence, mais dénué de couleur vocalique, c'est-à-dire de timbre de voyelle. Cette fourniture primaire subit des distorsions en traversant les cavités du pharynx et de la bouche, et se transforme en voix parlée ou chantée. Pour créer un son, les cordes vocales s'accolent afin d'obturer complètement la glotte et d'empêcher l'air de sortir ; la pression sous-glottique augmente donc, jusqu'au point où elle devient supérieure à la force d'accolement des cordes vocales ; celles-ci sont brusquement écartées, une bouffée d'air est expulsée, ce qui fait baisser la pression ; les cordes se referment alors par force de rappel élastique, la pression croît à nouveau et un autre cyle recommence. C'est la répétition de

ces cycles qui engendre le son si elle se produit avec une fréquence suffisante : pour un contre-ut de soprano, les cordes vocales s'ouvrent et se ferment plus de mille fois par seconde...

Dans toute son étendue, le timbre d'une voix n'est pas homogène et se partage en registres. Les noms traditionnels de ces registres, voix de poitrine, de tête, de fausset, peuvent induire en erreur quant à leur genèse acoustique, car ce n'est pas telle ou telle cavité de résonance qui leur confère leur couleur, mais bien la structure vibratoire des cordes vocales elles-mêmes.

Un chanteur classique possède une technique vocale qui lui permet de remplir une grande salle sans le secours d'une sonorisation. La clef de cette performance réside dans la présence du *singing-formant,* ou mordant, c'est-à-dire un renforcement des harmoniques du spectre de la voix autour de la fréquence 3 500 Hz. Sans ce mordant, la portée de la voix serait fortement amoindrie. •

→ **Voir aussi :** Le son, PHYS, p. 252-253.

2. Joueur de lyre à tête de taureau, 2800-2500 av. J.-C.

La musique primitive

LA MUSIQUE SE DÉFINIT autour de deux pôles, un matériau constitué par les sons et une idée organisatrice de ce matériau. Cette double polarité répartit les domaines de l'activité musicale : d'un côté, la recherche de sons et leur fabrication par les instruments de musique ; de l'autre, des choix et une mise en forme au moyen de la composition, afin que l'audition même de la musique s'articule doublement : sur la sensibilité au matériau, appartenant au domaine des émotions, et sur l'intelligence de son organisation, par la perception de ses structures.

Les commencements de la musique n'ont pu, évidemment, laisser de traces comparables à celles de l'outillage ou de la peinture. Néanmoins, les données conjuguées de la préhistoire, de l'archéologie et – maniées avec prudence – de l'ethnomusicologie permettent de dégager quelques concepts sans doute peu nombreux, mais fondamentaux. Comme ils le content avec une persistance universelle, les mythes cosmogoniques attribuent à la musique – et même au son – une essence divine dont la manifestation est souvent à l'origine de la création du monde. Dans les sociétés humaines, le rituel religieux est associé à la musique, et la récitation d'un texte sacré exige souvent d'être chantée ou psalmodiée. C'est avec les premières grandes civilisations urbanisées, celles qui inventèrent l'écriture, que la musique s'est en partie dégagée du rituel afin d'être cultivée pour elle-même, sans autres préoccupations qu'esthétiques. L'art musical, désormais constitué, sera porté au plus haut niveau par le monde hellénique avant de se transmettre à l'Occident.

Musique de la préhistoire

DE NOMBREUSES DÉCOUVERTES, QUOIQUE D'INTERPRÉTATION INCERTAINE, LAISSENT PENSER QUE LES CHASSEURS DU PALÉOLITHIQUE N'ÉTAIENT PAS SILENCIEUX, ET QUE LA MUSIQUE OCCUPAIT PROBABLEMENT UNE LARGE PLACE DANS LEUR CONCEPTION DU MONDE.

La musique des temps préhistoriques est à jamais perdue et les comparaisons, toujours tentantes, avec les dernières sociétés archaïques vivantes doivent rester d'une grande prudence. L'assimilation de l'une à l'autre conduit à des erreurs d'appréciation, car la rusticité du niveau technologique des aborigènes australiens, par exemple, ne laisse pas supposer la complexité de leur système musical. Il reste de ces commencements quelques témoignages, dont les plus anciens – des phalanges d'animaux perforées datant du paléolithique moyen – ne sont peut-être même pas des instruments de musique ; si des os longs percés de plusieurs trous paraissent bien être des flûtes, le doute subsiste quant à la nature de certaines plaques osseuses décorées du paléolithique supérieur, qui peuvent tournoyer comme des rhombes mais ressemblent aussi à des pendentifs. D'autre part, des recherches récentes tendent à prouver que les pointes de résonance maximale de plusieurs grottes du magdalénien sont repérées par des figures peintes ou des signes spécifiques.

L'origine des instruments de musique se confond avec celle de l'*Homo faber,* et les idiophones frappés, entrechoqués ou raclés ne nécessitent pas de gestes très différents de ceux qui servirent à fabriquer les premiers outils de pierre, d'os et de bois. Le rythme a d'abord été privilégié, avant la hauteur et l'intensité, et l'idée d'une musique corporelle (battements des mains, frappement du corps, piétinement) semble naturelle. Le lien entre jeu du corps et jeu instrumental est d'ailleurs étroit, comme en témoignent les sonnailles et autres dispositifs bruissants attachés aux membres des danseurs. De même que, dans les ethnies les plus archaïques, le timbre a été une préoccupation majeure se traduisant par une volonté constante de dénaturer les sons originels, dans le chant, par l'usage de techniques vocales particulières (notamment du porte-

1. Peinture rupestre. Grotte des Trois-Frères (Ariège).

voix) et, sur le plan organologique, par la recherche des matériaux les plus divers ou par l'ajout de dispositifs déformants, le plus universel étant le résonateur. La première caisse de résonance fut sans doute un simple trou creusé dans le sol et recouvert d'une plaque, ancêtre direct de la table d'harmonie ; toutes les familles d'instruments y ont eu recours, du tambour à l'arc, en passant par la trompe, insufflée directement dans la terre. Ce véritable déguisement de la sonorité trouve son équivalent plastique avec les masques, les costumes rituels et les décorations corporelles. ●

Des animaux musiciens

Les animaux sont très présents dans les figurations mésopotamiennes, et fréquemment associés à la musique, ce qui peut être interprété comme un vestige de totémisme. Toutefois, les dieux-animaux poursuivent leur existence jusque dans les religions évoluées, comme en Égypte ou en Crète. Les lyres et les harpes sumériennes possèdent souvent une caisse de résonance en forme de taureau (2), et des scènes représentent des concerts d'animaux musiciens. L'aspect parodique ou humoristique de ces mises en scène animales évoque davantage des fables profanes (comme au Moyen Âge le *Roman de Fauvel*) que le monde religieux.

Mésopotamie et Palestine

LA MÉSOPOTAMIE A CULTIVÉ DÈS L'ÉPOQUE SUMÉRIENNE UN ART À CARACTÈRE SAVANT ET RELIGIEUX DONT TÉMOIGNENT L'ICONOGRAPHIE ET LES INSTRUMENTS DE MUSIQUE PROVENANT D'ABONDANTES SOURCES ARCHÉOLOGIQUES.

La civilisation mésopotamienne, à défaut d'unité ethnique, a présenté tout au long de son histoire une permanence remarquable. Les Sumériens d'abord, puis les Assyriens, les Babyloniens et les Perses contribuèrent à l'élaboration et à la diffusion d'une haute culture, centrée sur la cité, la spéculation intellectuelle et le culte religieux.

La musique a joué dans cet édifice un rôle considérable, si l'on se réfère aux nombreux documents exhumés par les fouilles archéologiques, qui consistent essentiellement en instruments de musique, iconographie, inscriptions sur tablettes d'argile et cylindres-sceaux. Des scènes représentent des prêtres et des musiciens professionnels à l'occasion de fêtes ou de rituels quotidiens, et la grande précision de certains reliefs laisse deviner des chanteurs en action. Plusieurs prières stipulaient quels instruments devaient les accompagner : pour les chants, timbales avec lyre ; pour les complaintes, flûte. La musique n'était pas seulement religieuse, elle était exécutée lors de manifestations profanes comme les combats de lutte ou de boxe, et rythmait la vie militaire.

Les instruments à cordes étaient particulièrement appréciés des Mésopotamiens, à en juger par la richesse des vestiges qui nous sont parvenus. Au premier rang figurent eux se placent les lyres, qui comportent des cordes tendues parallèlement à la table d'harmonie et attachées à un joug

La civilisation égyptienne

LA MUSIQUE, PARTOUT PRÉSENTE DANS LES IMPRESSIONNANTS VESTIGES DE L'ANTIQUE CIVILISATION DU NIL, AUSSI BIEN DANS L'ABONDANTE ICONOGRAPHIE QUE SOUS FORME D'INSTRUMENTS EXHUMÉS DES TEMPLES ET DES SÉPULTURES, N'EN DEMEURE PAS MOINS INDÉCHIFFRABLE.

Malgré l'importance de l'écriture dans l'une des civilisations qui fut à l'origine de son invention, la musique égyptienne ne semble pas avoir été notée ni avoir fait l'objet de spéculations théoriques. La tradition orale a dû jouer un rôle important, car le contraste est grand entre l'absence de documents écrits sur la musique et le foisonnement de représentations et d'objets qui témoignent de son importance dans la vie religieuse et profane

égyptienne à toutes les époques. Certains instruments de musique ont été découverts dans un état de parfaite conservation, et la fidélité des images est souvent d'un réalisme suffisant pour permettre l'observation de détails précis.

Omniprésente au temple, la musique accompagne danses, processions et cortèges, aussi bien que les banquets offerts aux défunts ou pour le plaisir des vivants. Hiérarchiquement très élevés, les « Surveillants des chan-

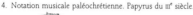

4. Notation musicale paléochrétienne. Papyrus du IIIᵉ siècle.

teurs royaux » étaient au-dessus des prêtres, et leur nom – voire leur biographie – est souvent parvenu jusqu'à nous.

La harpe, sans conteste le plus important des instruments égyptiens, est constamment représentée de l'Ancien Empire jusqu'à la Basse Époque. Elle apparaît sous deux formes principales, arquée ou angulaire, de différentes tailles. Jouée aussi bien par les femmes que par les hommes (parfois aveugles), la harpe est toujours pincée à mains nues, sans plectre, et peut être tenue verticalement, portée à l'épaule ou reposer sur le sol. La lyre n'est adoptée qu'au XIXᵉ s. av. J.-C., sous le Moyen Empire, et provient

d'Asie Mineure, comme le luth ; d'abord rudimentaires, ces instruments évoluèrent vers des types proches des formes modernes. Les plus anciens instruments à vent, attestés dès le IIIᵉ millénaire, et les plus fréquemment représentés, sont la grande flûte de roseau à tenue oblique et la clarinette double, dont les tuyaux étaient légèrement désaccordés l'un par rapport à l'autre. L'aulos et la trompette ne connurent pas une vogue comparable. La percussion était composée de cliquettes, de cymbales et surtout de sistres, instruments liés au rituel, ce dont témoignent leur riche décoration ainsi que leur forme symbolique.

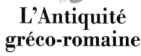

L'Antiquité gréco-romaine

DE TOUTES LES GRANDES CIVILISATIONS DE L'ANTIQUITÉ, LA GRÈCE EST CELLE QUI APPORTA LE PLUS D'ATTENTION À LA MUSIQUE, AUTANT SUR LE PLAN THÉORIQUE QUE POUR SA VALEUR MORALE DANS L'ÉDUCATION DU CITOYEN.

Avant même l'arrivée des Hellènes, au début du IIᵉ millénaire, la Grèce fut le berceau d'une civilisation évoluée, fortement influencée par l'Asie Mineure. De cette époque nous sont parvenues des statuettes représentant des joueurs d'aulos et de harpe. À partir de la période homérique, la musique est totalement intégrée à la pensée grecque et fait intimement partie de son système de valeurs. Cependant, cet art mythique, pris comme modèle par toute l'Antiquité et qui servira de référence au monde occidental jusqu'à la Renaissance, ne nous est connu que par une quarantaine de notations pour la plupart tardives (du IVᵉ s. av. J.-C. au IIIᵉ s. apr. J.-C.), et principalement par les traités qui permettent une reconstitution presque parfaite de la théorie musicale. Les pièces les plus importantes consistent en papyrus mais heureusement fragmentaires, comme les sept vers d'un chœur de l'*Oreste* d'Euripide, et surtout en inscriptions sur pierre, les plus célèbres – et complètes – étant deux *Hymnes delphiques* à Apollon (aux alentours de 130 av. J.-C.) et l'*Épitaphe de Seikilos* (datée du Iᵉʳ siècle av. J.-C.) découverte en Turquie. En tout cas, rien dans ces vestiges ne peut autoriser à comprendre ce que fut la grandeur de la musique grecque vivante. La théorie, en revanche, demeure un monument impressionnant dont les fondements se sont transmis jusqu'à nous. Les pythagoriciens, en calculant les intervalles par divisions successives d'une corde vibrante, ont non seulement établi une correspondance entre l'arithmétique et la musique, qui aura cours jusqu'à Rameau, mais ont créé les degrés

de la gamme et le principe d'un tempérament qui ne disparaîtra qu'à la fin du Moyen Âge. Toutefois, la pensée numérique ne fut pas la seule démarche des Grecs. Platon édifia son éthique en posant que la musique est d'essence divine et que l'écouter, c'est avoir commerce avec le divin. Il est vrai que l'une des grandes nouveautés de la civilisation hellénique est d'avoir choisi des dieux à l'image des hommes, et non plus des divinités animales comme dans le reste du monde antique. Enfin, avec Aristote, et plus encore Aristoxène de Tarente (v. 350 av. J.-C.), la question fut posée des effets de la musique sur le comportement humain et notamment sur les sentiments qu'elle est capable d'éveiller.

Les formes musicales ont été largement tributaires des nombreux genres poétiques à la métrique parfaitement codifiée. Les principaux instruments étaient la lyre et l'aulos, au caractère antinomique, l'une liée à l'orphisme et à l'« ethos », l'autre au culte orgiaque et au « pathos ». La lyre est connue sous différents aspects : la *phorminx*, d'origine mycénienne, jouée avec un plectre, la *kithara*, qui comporta jusqu'à 12 cordes, et le *barbiton*, plus long et étroit. L'aulos, à anche double et perce conique ou cylindrique, était souvent joué par paire et existait en différentes tailles correspondant aux quatre hauteurs de la voix humaine.

Les Romains adoptèrent le système musical des Grecs sans lui apporter d'innovations majeures. Leur goût pour la musique, largement attesté par les textes, s'exprima aussi bien dans les cérémonies religieuses que lors des fêtes patriciennes.

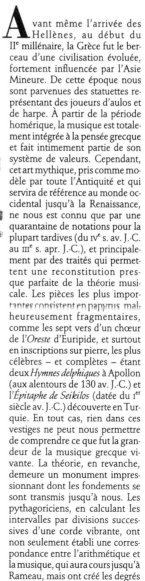

3. Joueur d'aulos.
Tombe du festin, Tarquinia.

horizontal lui-même relié à la caisse de résonance par deux montants. Toujours de grande taille, elles étaient posées sur le sol ou tenues à la main ; certaines sont magnifiques, et leur caisse, incrustée d'or, de pierres semi-précieuses et de coquillages, représente un animal sacré (généralement une tête de bovin). La harpe sumérienne est en forme d'arc, ce qui est un trait d'archaïsme, mais le nombre élevé de cordes, variant de 11 à 15, suppose un système musical déjà développé. De facture plus élaborée, la harpe angulaire est attestée à Babylone au début du IIᵉ millénaire, avant de se répandre en Égypte et en Assyrie.

Contrairement à leurs voisins, les Hébreux n'ont pas laissé de traces matérielles de leur vie musicale, notation ou représentation, et la seule source dont on dispose est l'Ancien Testament, qui mentionne plusieurs instruments de musique et fait diverses allusions aux chants et danses liturgiques, ainsi qu'à la place de la musique dans le rituel.

Les instruments de musique

EN OCCIDENT, L'ÉTAT

actuel du développement de la facture instrumentale ne rend pas compte de la richesse de son histoire, car l'évolution a agi à la manière de la sélection naturelle, dans la mesure où l'adoption de formes nouvelles a entraîné bien souvent l'élimination des précédents.

Notre goût musical nous a poussés à réduire toujours plus le nombre des instruments, et rares sont les familles, encore constituées à la Renaissance, a être restées complètes à l'heure actuelle : l'orchestre symphonique, pourtant si abondant, comprend tout compte fait peu d'instruments différents, et pour la plupart relativement récents. À la variété et à la crudité des timbres de la musique populaire, nous préférons des sonorités égales et uniformes, réparties sur un seul registre homogène plutôt que sur plusieurs juxtaposés. Comme l'a suggéré A. Schaeffner, c'est la traduction, sur le plan du timbre, du chromatisme sur le plan mélodique. L'essor du piano à l'époque romantique, avec le développement des transcriptions et adaptations, est significatif d'une préséance accordée au langage et à l'écriture sur la couleur instrumentale. D'ailleurs, les compositeurs ne se sont guère souciés d'orchestration avant le XVIIIe siècle.

Plutôt que d'inventer, multiplier et diversifier ses instruments, la lutherie occidentale a préféré améliorer ceux dont elle a hérité en les portant à un haut degré de perfection technique. Les facteurs ont ainsi imaginé toutes sortes de mécanismes, clés, pistons, pédales, destinés à faciliter le jeu des musiciens, de même que des dispositifs d'accord très précis.

Classification des instruments de musique

RÉPERTORIER LES INSTRUMENTS DE MUSIQUE, LES DÉCRIRE ET LES CLASSER SELON UN SYSTÈME COHÉRENT EST UNE NÉCESSITÉ DE L'ORGANOLOGIE MODERNE, DÉJÀ LARGEMENT PRATIQUÉE DEPUIS LA RENAISSANCE.

Face à l'extraordinaire foisonnement des instruments de musique ayant existé ou existant encore dans le monde, il s'est avéré indispensable de mettre au point un cadre classificatoire normalisé permettant à tous les spécialistes d'adopter un vocabulaire commun et de retenir des critères identiques pour le travail de collecte et de description organologique. Ce système, appelé Sachs-Hornbostel, est aujourd'hui universellement adopté. Il repose sur le mode de mise en vibration comme élément premier, puis sur des traits secondaires, la forme notamment. Les instruments sont divisés en quatre familles : idiophones, membranophones, cordophones et aérophones.

Les idiophones sonnent par eux-mêmes, sans le secours de cordes ou de membranes. Ils peuvent être excités principalement par percussion (xylophone, cloche), par entrechoc (cymbales), par secouement (hochet) ou par raclement (crécelle).

Les membranophones sont surtout des tambours, dont la caisse est plus ou moins tubulaire (cylindrique, conique, en tonneau, en sablier, en gobelet, etc.), hémisphérique (timbales), ou constituée d'un cadre (tambour de basque). Sont considérés ensuite d'autres éléments, comme le mode de fixation de la peau (collée, lacée, clouée, cerclée...), la façon de frapper l'instrument, et la matière de la caisse.

Les cordophones se divisent en six familles, selon leur forme : arcs, lyres, harpes, luths, vièles et cithares. Chacune est définie par des critères précis : par exemple la cithare est dépourvue de manche, les cordes sont tendues parallèlement à la table et sur toute sa longueur.

Les aérophones se subdivisent en instruments à biseau et à anche. Le premier groupe comprend les flûtes, le second groupe comprend les anches simples (clarinette), doubles (hautbois) ou membraneuses (trompette). •

Production du son

LA MULTITUDE DES INSTRUMENTS DE MUSIQUE CONTRASTE AVEC LE PETIT NOMBRE DES PROCÉDÉS DE MISE EN VIBRATION.

Quelques gestes simples, frapper, pincer, frotter ou souffler, sont à la base de presque tous les procédés de mise en vibration des corps sonores, et la très grande diversité des instruments de musique est la conséquence du goût extrême manifesté par la plupart des cultures pour la variété des timbres et des couleurs.

La fréquence d'une corde est proportionnelle à sa tension, et inversement proportionnelle à sa longueur et à sa masse. Ces paramètres sont diversement utilisés pour modifier sa hauteur : la corde est raccourcie par pression des doigts sur une touche (violon), ou plusieurs cordes de longueurs différentes sont disposées côte à côte (harpe) ; à longueurs égales, elles varient par leur masse pour donner à vide des notes différentes (guitare).

Les modes d'excitation agissent sur le timbre : une corde peut être pincée (avec le doigt), grattée (avec un plectre), frottée (avec un archet), frictionnée (avec une tige), frappée (avec une baguette), soufflée (harpe éolienne), ou mise en vibration par résonance (cordes sympathiques).

Dans les instruments à biseau, l'air expiré par le musicien se brise sur une arête et passe très vite alternativement de part et d'autre de cet obstacle ; la périodicité ainsi créée se communique à la colonne d'air contenue dans le tuyau ; celle-ci vibre à son tour, non pas à la fréquence de l'excitateur, mais en fonction de sa propre longueur. Dans le cas des anches, une ou deux languettes sont mises en vibration par le courant d'air et déterminent une périodicité dans ce flux, en battant soit sur une rigole (anche simple), soit encore l'une contre l'autre (anches doubles), soit enfin en passant au travers d'une fenêtre (anche libre).

La longueur du tuyau peut être modifiée par l'ouverture de trous latéraux ou par la mise en circuit de sections supplémentaires au moyen de pistons ; la forme intérieure détermine la composition spectrale, c'est-à-dire le timbre : la perce conique favorise les harmoniques graves, un tuyau bouché à perce cylindrique les harmoniques impairs ; s'il est long et étroit, les partiels sont plus justes que s'il est court par rapport à son diamètre. •

La harpe

La harpe provient certainement de l'arc musical, et plus précisément du pluriarc, dont elle est une extension. Ses cordes de longueurs différentes, ou *dégressives,* sont tendues obliquement entre une caisse de résonance et un manche rigide appelé *console.* Il existe trois formes fondamentales de harpes : arquée, angulaire et à cadre, selon l'ordre chronologique probable d'apparition. La harpe arquée, répandue surtout en Afrique et en Asie (Birmanie), présente une console flexible pouvant assurer à elle seule la tension des cordes. Dans la harpe angulaire, table et console forment un angle, ce qui rend nécessaire un système de tension des cordes. Les Phéniciens ont inventé la harpe à cadre en insérant un montant, ou *colonne,* entre la table et la console.

1. Harpe celtique.

2. Harpe de Marie-Antoinette.

Les instruments à cordes

LES CORDES CONSTITUENT L'OSSATURE
DE L'ORCHESTRE SYMPHONIQUE ET APPARTIENNENT PRESQUE
EXCLUSIVEMENT À LA FAMILLE DES CORDES FROTTÉES.

Les instruments à cordes pincées sont probablement les plus anciens des cordophones. L'un des prototypes en est le luth, que nous ont transmis les Arabes au Moyen Âge. Il a gardé de ses origines une caisse de résonance piriforme, une table plate percée d'une rosace souvent ouvragée et un manche court avec chevillier en équerre, plus large que son modèle oriental et surtout muni de frettes facilitant la justesse, mais interdisant les micro-intervalles. Ses cordes étaient généralement doublées (formant des *chœurs*), à l'exception de la plus aiguë ou *chanterelle*. Le luth a toujours conservé son caractère de soliste et d'accompagnateur privilégié du chant. D'importantes transformations ont donné naissance à de nombreux types d'instruments qui connurent leur apogée de la Renaissance à la fin de l'époque baroque, particulièrement en Europe du Sud. Parmi les plus élaborés figurent les archiluths, de grande taille (théorbe, chitarrone), qui combinent les cordes mélodiques et sympathiques. Plus faciles à jouer, la mandoline et le cistre ont connu la faveur populaire avant de se faire supplanter par la guitare.

Les instruments à cordes frappées, tel le tympanon médiéval, sont des cithares qui ne subsistent sous cette forme, en Europe, que dans la musique populaire, comme le cymbalum hongrois. Ils ont été mécanisés sous la forme du clavicorde dès le XIVe siè-cle, puis du pianoforte et du piano de concert moderne, tout comme les cithares à cordes pincées se sont transformées en épinettes et clavecins à la fin du XVe siècle. L'apparition du clavier a profondément modifié la nature de ces instruments en permettant un jeu plus rapide et surtout plus polyphonique, mais également beaucoup plus homogène et donc de timbre plus uniforme.

Il est à noter qu'aucun instrument à cordes pincées ou frappées ne figure régulièrement dans l'orchestre symphonique moderne, hormis la harpe, et encore y joue-t-elle un rôle assez discret.

Les instruments à cordes frottées ont connu jusqu'à nos jours un développement considérable. Longtemps préférées au violon, les violes constituaient autrefois une famille complète, du dessus jusqu'à la contrebasse ou *violone*. Leurs cordes fines et peu tendues procuraient une sonorité douce, propice à la musique de chambre. Connu depuis le Moyen Âge sous diverses formes, le violon s'est imposé au XVIIIe siècle comme soliste aussi bien qu'élément principal de l'orchestre et des formations de chambre. La famille comprend alors l'alto, le violoncelle et la contrebasse, le ténor n'ayant jamais été usité. La facture du violon est extrêmement élaborée – l'instrument comporte plus de 80 pièces –, pour permettre une grande variété de timbres dans toutes les nuances et toutes sortes de techniques d'archet.   •

3. Timbales.

Les instruments à vent

SI LES INSTRUMENTS À VENT
REPOSENT SUR DES PRINCIPES PLUSIEURS
FOIS MILLÉNAIRES, LEUR FORME ACTUELLE EST
RÉCENTE ET NE REMONTE PAS
AU-DELÀ DU XIXe SIÈCLE.

Les instruments à biseau, de loin les plus anciens compte tenu de la simplicité de leur principe, ne sont plus guère représentés à l'heure actuelle. Les flûtes à bec ont constitué jusqu'à la fin de l'époque baroque une florissante famille, de la sopranino à la basse, puis la flûte traversière leur a finalement été préférée. D'abord en bois, puis en métal, elle a été munie d'un ingénieux mécanisme de clés et de tringles par Th. Boehm au début du XIXe siècle. Sous cette forme, son étendue atteint 3 octaves, avec

Le hautbois

Les instruments pastoraux ou hérités du plein air, nombreux jusqu'à la Renaissance, n'ont été admis dans l'orchestre moderne qu'au prix de transformations qui leur ont fait perdre leur verdeur et leur puissante sonorité. C'est le cas du hautbois, apprécié dans l'Antiquité grecque sous la forme de l'*aulos,* et encore de nos jours dans le monde islamique et en Asie, où il a conservé un son clair et perçant.

des possibilités de vélocité et de dynamique inconnues des modèles précédents. Avec le piccolo (et beaucoup plus rarement l'alto et la basse), c'est le seul instrument de ce type subsistant aujourd'hui dans l'orchestre.

La clarinette dérive du chalumeau médiéval. Elle présente une perce cylindrique, une anche battante simple assujettie à un bec, et se comporte comme un tuyau bouché en ne délivrant que les partiels impairs. Elle se développe à partir du XVIIIe siècle et acquiert sa forme moderne en 1844, avec l'adaptation par Buffet d'une mécanique dérivée de celle de la flûte Boehm. Son timbre est divisé en cinq registres, chalumeau, médium, clairon, aigu et suraigu. La famille actuelle comprend principalement la grande clarinette et la basse toutes deux en *si* bémol, le petit modèle en *mi* bémol étant parfois requis pour des effets spéciaux. Le cor de basset, spécifié par Mozart dans sa musique maçonnique, est une sorte de clarinette alto. Quant au saxophone, inventé par Sax vers 1840, il se distingue de la clarinette par sa perce conique – qui permet de faire entendre le deuxième partiel (octaviation) – et son corps métallique. Les quatre versions les plus usuelles, soprano, alto, ténor et baryton, sont plus sollicitées dans le jazz que dans la musique contemporaine.

Au groupe des anches doubles appartiennent deux instruments importants, le hautbois et le basson. Le premier a pour ancêtres la chalemie et la bombarde. Comme les autres bois, il reçut un mécanisme perfectionné au XIXe siècle, et a très peu évolué depuis. Contrairement à la clarinette, le hautbois présente le même registre sur toute son étendue, et n'est pas transpositeur. Sa famille ne comprend que deux membres, avec le cor anglais, qui est sa version alto, mais le basson, l'ancien *gros-bois* par opposition au *haulx-bois,* en constitue la basse.

Le groupe des cuivres modernes est principalement composé du cor, de la trompette, du trombone et du tuba. Tous ces instruments sont excités directement par la vibration des lèvres (anches membraneuses) appliquées sur l'embouchure, et leur tuyau ne comporte pas de trous. Ils ont été considérablement améliorés par l'adjonction de pistons, à l'exception du trombone qui repose encore sur le principe de la coulisse.   •

Les instruments à percussion

CE N'EST QUE DEPUIS LA FIN
DU XIXe SIÈCLE, SOUS L'INFLUENCE DES
CULTURES EXTRA-EUROPÉENNES, QUE LES PERCUSSIONS
SONT TRAITÉES COMME DES INSTRUMENTS
DE MUSIQUE À PART ENTIÈRE.

Ce n'est pas à la percussion que la facture européenne doit ses plus incontestables réussites, même si, là comme ailleurs, elle a imprimé son style aux instruments dont elle a hérité. Certaines cultures ont su merveilleusement tirer parti des percussions sur le plan rythmique, mélodique, et sur celui du timbre, comme en témoignent par exemple la variété des tambours et des idiophones en Afrique ou le *gamelan* indonésien.

Les percussions de l'orchestre sont généralement divisées en deux groupes, selon qu'elles disposent ou non de hauteurs déterminées. Le premier groupe est composé notamment des jeux de lames en bois suspendues au-dessus de tubes-résonateurs (xylophone, marimba), ou en métal (glockenspiel), ainsi que des cloches tubulaires ; ils sont frappés directement, alors que les lames du célesta le sont par l'intermédiaire d'un clavier. Dans le vibraphone, des palettes mues électriquement pivotent dans les tubes de résonance pour créer une sorte de vibrato dont la vitesse est réglable par une pédale. Les timbales figurent dans ce groupe puisqu'elles sont accordées au moyen de chevilles manuelles ou par le procédé plus moderne de la pédale, qui permet en outre des effets de glissando.

Les percussions à hauteur indéterminée peuvent sonner dans un registre plus ou moins élevé : la grosse caisse, tambour le plus grave, n'apparaît dans l'orchestre qu'au XVIIIe siècle associée aux cymbales et au triangle pour la « musique turque ». Certains tambours possèdent des dispositifs bruissants comme des disques métalliques insérés dans leur cadre (tambour de basque), ou des fils tendus sous la peau pour en entretenir la vibration (caisse claire). Autrefois presque inexistants, les « accessoires » sont largement représentés dans l'orchestre moderne. Ce sont le plus souvent des idiophones empruntés à différentes musiques traditionnelles (hochets, baguettes percutées...).   •

4, 5. Hautbois ancien et moderne.

→ **Voir aussi :** L'orgue, MUS, p. 356-357, Le violon, **MUS**, p. 368-369, Le piano, **MUS**, p. 372-373.

La notation musicale

1. Manuscrit à double notation, XIIe siècle.

LA MUSIQUE D'OCCIDENT a ignoré la notation jusqu'au début du IXe siècle. Les timbres religieux et profanes étaient transmis de bouche à oreille, et le corpus musical, forcément réduit, se perpétuait ainsi de génération en génération. Dans la seconde moitié du IXe siècle apparaît un premier système de notation, les neumes, signes mnémoniques qui permettent aux chanteurs de retenir les détails d'interprétation d'une mélodie connue. Une grande étape est franchie lorsque, avec Guido d'Arezzo, la notation commence à prendre en compte la hauteur des notes de façon précise. Il devient dès lors possible au lecteur de « déchiffrer » un chant inconnu. Plus tard, c'est le rythme qui fait l'objet d'une notation précise. Ces deux paramètres (diastématie et durée) sont restés à la base de la notation musicale moderne.

L'invention de la notation musicale et ses développements ont engagé la pratique musicale dans un processus d'évolution considérable, qui n'a connu cette ampleur que dans la civilisation occidentale. La notation a permis à la fois l'allongement des pièces musicales, l'esprit de l'exécutant étant ainsi dégagé de la mémorisation (les pièces les plus longues connues à ce jour sont apparues au XIXe siècle et durent près de 5 heures) et l'extension du répertoire, qui s'enrichit et se diversifie au cours des époques et selon les pays, grâce au support de la partie musicale notée. Elle autorise aussi l'évolution du style, sans craindre de perdre la tradition, et l'augmentation de l'effectif d'exécutants, qui va atteindre des proportions gigantesques (un millier d'exécutants au XIXe siècle), grâce à la superposition des parties, rendue possible par l'invention de la partition.

La notation musicale, qui a été à l'origine d'une modification du langage musical, a naturellement évolué avec lui, en s'adaptant progressivement aux nouveaux impératifs grammaticaux et esthétiques. Dès lors, il n'existe pas de notation plus adaptée à un certain répertoire musical que la notation originale. Il est par exemple impossible de lire du plainchant en transcription moderne sans perdre l'essentiel des indications d'interprétation contenues dans les neumes. Pas plus qu'en composition musicale il n'existe de progrès en notation musicale.

Des neumes à la notation carrée

LES PREMIERS SIGNES DE NOTATION MUSICALE NE SONT QUE DE SIMPLES INDICATIONS D'INTERPRÉTATION POUR UNE MÉLODIE CONNUE.

Dès le départ, il existe une double notation : la notation alphabétique et la notation neumatique. La première est le fait de théoriciens reprenant les anciennes théories grecque et latine, elle va se prolonger dans le solfège. La seconde donnera naissance à la notation musicale usuelle. Le principe des neumes est d'écrire au-dessus du texte chanté des indications d'interprétation permettant de retrouver l'essentiel du chant. On en trouve déjà dans les textes de la Bible. À l'origine, ces neumes sont tirés des signes de ponctuation de la grammaire, dont ils sont l'équivalent musical. Il n'est pas nécessaire qu'ils donnent avec précision la hauteur des notes ni le rythme de la phrase, puisque ceux-ci sont supposés connus de la part du chanteur. Ce ne sont qu'une trace « sténographique », qu'un aide-mémoire pour celui-ci. Cela a pour conséquence deux faits importants :
– une notation neumatique ne peut être décryptée que par une personne connaissant la mélodie relative (de même que dans les langues sémitiques, comme l'hébreu et l'arabe, les mots ne peuvent être lus que de ceux qui les connaissent, car les voyelles ne sont généralement pas écrites) ;
– par la lecture d'une notation neumatique, le chantre restitue une mélodie qu'il reconnaît. Il ne s'agit nullement pour lui d'être fidèle à la mélodie, mais de savoir s'en servir de manière à être fidèle à la mélodie qu'il conserve en mémoire. C'est donc une étape de transition entre la tradition orale et le support écrit.

Plus tard, ces simples signes grammaticaux se doublent d'une intention de noter la hauteur des notes. Les signes sont notés sur la page plus ou moins haut selon la hauteur des sons qu'ils représentent. Il s'établit ainsi une analogie entre la hauteur graphique et la hauteur acoustique : c'est la notation diastématique (du grec *diastêma* = intervalle).

Enfin apparaissent des lignes qui désignent certaines notes de repère, comme le *fa* ou le *do*. Ces lignes sont les ancêtres de nos clefs. En effet, une seule note a besoin d'être connue pour en déduire toutes les autres. Les lignes se multiplient ensuite pour arriver au système actuel, où les notes de la gamme se succèdent par l'alternance de lignes et d'interlignes. Les figures des neumes se transforment alors pour s'adapter à leur emplacement sur ce cadre de la portée. C'est ainsi qu'on passe de l'ancienne notation neumatique à la notation carrée.

L'âge d'or de la polyphonie : les notations rythmiques

LA NOTATION DES VALEURS TEMPORELLES MARQUE UN TOURNANT DÉCISIF DANS L'HISTOIRE DE LA NOTATION.

L'écriture neumatique médiévale rend essentiellement compte des inflexions de la voix. Le rythme de la mélodie ne peut se transcrire avec notre notation moderne, car il repose sur une conception radicalement différente du temps. Le temps du chant grégorien est continu, il ne connaît d'autre division que celle de la respiration des chanteurs entre deux phrases successives. La durée d'une note en soi n'est pas déterminante, c'est son importance relative par rapport aux autres notes de la phrase qui compte. La notation neumatique, avec son imprécision rythmique, ne fait que refléter cette conception du temps.

L'invention de l'horloge à la fin du Moyen Âge va bouleverser cette conception du temps. Le temps devient une durée divisible, dénombrable. Cette quantification concrète du temps est contemporaine de l'apparition du phénomène de mesure (ou de métrique) en musique. La mesure est une unité de durée invariable, réitérée tout au long de la pièce musicale. Ainsi cette dernière s'organise désormais comme une succession de petites cellules de même longueur, qui en constituent la pulsation. Cette unité de référence permet l'éclosion de la polyphonie, car elle sert de point de repère commun pour les différentes parties. Sans l'existence d'une norme rythmique, il eût été impossible de chanter à plusieurs parties réelles.

Le mètre apparaît tout d'abord sous forme de « modes rythmiques », à l'époque de l'École Notre-Dame (XIIe-XIIIe s.). Les modes rythmiques sont de courtes cellules rythmiques qui sont répétées. La graphie des anciens neumes se transforme pour désigner des valeurs rythmiques. Au cours du XIIIe siècle, les modes rythmiques disparaissent, mais la transformation des neumes se poursuit avec la notation dite « mensuraliste », où apparaissent les valeurs de maxime, longue, brève et semi-brève, chacune valant deux ou trois fois la suivante, selon que la division était ternaire (parfaite) ou binaire (imparfaite). Notre système actuel de succession logarithmique des valeurs de durée remonte à cette époque, ainsi que les deux principales divisions, binaire et ternaire.

À la fin du Moyen Âge, la notation musicale permet de rendre compte avec précision de la durée des notes, ainsi que de leur hauteur. Un texte musical écrit devient donc déchiffrable, c'est-à-dire qu'il est en soi suffisant pour qu'un musicien puisse reconstituer la pièce musicale sans la connaître au préalable. La notation musicale est dès lors devenue aussi perfectionnée que l'écriture l'est pour la langue naturelle. •

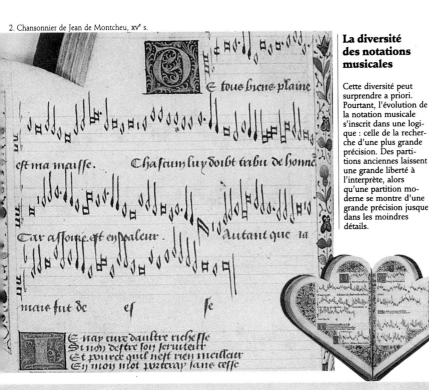

2. Chansonnier de Jean de Montcheu, XVᵉ s.

4. *Eonta*, pour piano et 5 cuivres de I. Xenakis.

La diversité des notations musicales

Cette diversité peut surprendre a priori. Pourtant, l'évolution de la notation musicale s'inscrit dans une logique : celle de la recherche d'une plus grande précision. Des partitions anciennes laissent une grande liberté à l'interprète, alors qu'une partition moderne se montre d'une grande précision jusque dans les moindres détails.

La période moderne

LA NOTATION MUSICALE S'EST STABILISÉE ET A PEU ÉVOLUÉ DEPUIS LE XVIIᵉ SIÈCLE, JUSQU'À L'APPARITION DE LA MUSIQUE ÉLECTROACOUSTIQUE.

La partition moderne est ainsi née à la Renaissance. Cette façon de noter la musique, qui nous semble bien naturelle, est un prodige d'invention et d'adéquation aux nécessités de la pratique musicale. Il n'est pas exagéré de considérer que le support de la partition a permis l'essor de la polyphonie (au sens large) occidentale par l'accroissement en théorie illimité du nombre de participants. Le rôle de la partition est en effet un apanage de la civilisation occidentale, et on ne la rencontre pas dans les musiques d'Orient.

La période moderne, qui s'étend du XVIIᵉ siècle à la Seconde Guerre mondiale, ne compte pas d'invention fondamentale en matière de notation musicale. Les acquisitions de base restent les mêmes : la notation diastématique date du chant grégorien, l'usage du mètre, puis la division mensuraliste, de l'Ars antiqua, et la partition de la Renaissance. Ces trois conventions restent les piliers de la notation musicale. Il est clair que ce type de notation est tout à fait adapté à un langage musical fondé sur la division du spectre sonore en nombre fini d'intervalles et de durées. Cette division de la gamme en douze degrés, et des durées en une succession logarithmique allant de la ronde à la quadruple croche, se montra parfaitement adéquate pour rendre compte de l'évolution de la musique jusqu'à la première moitié du XXᵉ siècle. Ainsi l'ancienne notation musicale fut toujours utilisée, et l'est encore aujourd'hui, pour la musique écrite dans la tradition occidentale. S'il est vrai que pratiquement aucune innovation importante n'apparaît après le XVIIᵉ siècle, la pratique musicale elle-même a connu un tournant décisif au XIXᵉ siècle avec la fin de l'improvisation. Dès lors, la partition va refléter l'intégralité de la réalité sonore d'une pièce musicale, et non plus représenter un cadre à compléter (époque de la basse continue). La partition se charge alors de signes nombreux visant à définir de la façon la plus précise les variations de tempo, de dynamique, c'est-à-dire tous les paramètres autrefois laissés à la discrétion de l'interprète. La partition devient au cours du XIXᵉ siècle un document auquel il faut être parfaitement fidèle, et non plus un document à « interpréter ». Cette évolution atteindra son terme avec « l'objectivisme musical » du début du XXᵉ siècle : pour un compositeur comme Stravinski, il est demandé à l'interprète d'exécuter la partition exactement comme elle est écrite et rien de plus. Ce stade représente en fait le stade ultime d'une tendance générale de la notation musicale occidentale qui, partant de la notation neumatique, purement sténographique, a évolué vers un document de plus en plus autonome (fin du Moyen Âge), puis exhaustif (XXᵉ siècle). L'histoire de la notation musicale aurait pu s'arrêter là, si des exigences radicalement nouvelles n'étaient apparues au lendemain de la Seconde Guerre mondiale. L'apparition de la musique électroacoustique, de la composition par ordinateur nous remet en présence d'une musique préexistant à la notation, phénomène qui avait disparu de la civilisation occidentale depuis la fin du Moyen Âge. Pour noter une telle musique, il faut transcrire la réalité sonore, avec les paramètres les plus importants. C'est toute une recherche sur le timbre qui s'engage, et qui débouchera peut-être sur une nouvelle manière de noter la musique, encore au stade de recherche de nos jours.

→ **Voir aussi :** L'interprétation musicale, **MUS**, p. 388-389. Les musiques expérimentales, **MUS**, p. 404-405.

3. Largo de la sonate n° 12 opus 2 de Corelli.

Apparition de la partition

LA SUPERPOSITION DES PARTIES EST LA TROISIÈME INVENTION FONDAMENTALE DE LA NOTATION MUSICALE OCCIDENTALE.

L'utilisation de la mesure, du tactus est la base du développement de la polyphonie. Les voix peuvent ainsi s'empiler, se superposer, grâce à ce dénominateur commun que constitue la mesure. Mais, pendant longtemps, elles restent notées indépendamment. Le compositeur doit les écrire une à une, gardant en mémoire l'assemblage définitif des différentes voix. Bientôt, la complexité de la polyphonie devient telle qu'il apparaît nécessaire de noter les différentes voix en superposition, les unes sous les autres. On passe ainsi de l'écriture « par parties » à l'écriture « en partition ». L'apparition de la partition est la troisième et dernière étape fondamentale de l'évolution de la notation musicale. La mise en partition des polyphonies se généralise au cours du XVIᵉ siè-

cle. Les instruments à clavier sont notés sur deux portées, comme si à chaque main correspondait une voix. La superposition des différentes parties permet d'avoir un aperçu direct de leur combinaison sonore, ce qui, en second lieu, autorise une complexification notable de l'écriture, en ce qui concerne le nombre des parties. Thomas Tallis ira jusqu'à écrire un motet à 40 parties, un record dans toute l'histoire de la musique.

La mise en partition a une autre conséquence. Elle permet de lire la musique de différentes façons. La première façon est de suivre les phrases mélodiques ligne par ligne (lecture horizontale) ; la seconde est d'envisager à un instant donné le résultat sonore de la superposition des parties (lecture verticale). Petit à petit, l'intérêt des compositeurs passa de la

conception horizontale de la musique à la conception verticale. Cette révolution copernicienne de l'esthétique musicale a marqué le tournant entre la Renaissance et l'ère baroque, qui est en réalité le commencement de l'histoire moderne de la musique. La verticalisation donne une importance essentielle à l'accord, à sa couleur et à sa fonction dans le déroulement de la phrase musicale. Ce nouveau mode d'écriture et de perception de la musique a comme conséquence l'apparition d'un nouveau système de notation : la basse chiffrée. Celle-ci est un code sténographique qui permet de résumer et de condenser en une seule ligne la progression harmonique de la pièce musicale. Les différents accords sont symbolisés par des chiffres, qui suffisent à l'interprète pour retrouver l'accord à jouer à partir du seul élément invariant, la note de basse. Ce type d'écriture laisse une grande part de liberté à l'interprète, attendu qu'il existe de nombreuses façons différentes de « réaliser » un même accord. •

Les musiques traditionnelles

L'OBSERVATION DES MUSIques extra-européennes est ancienne et commence dès la Renaissance avec les récits des grands navigateurs. Toutefois la partialité et l'incompréhension de ces premiers témoignages sur la culture « sauvage » sont telles qu'il faut attendre l'avènement de l'ethnomusicologie, à la fin du XIXe siècle, pour entrevoir l'importance et la signification de la contribution musicale de la majeure partie de l'humanité.

Des observations sur le terrain, il ressort qu'il n'existe dans le monde aucune société sans musique, aucune ethnie qui n'utilise des instruments ou ne chante afin de créer et d'organiser consciemment des sons. Dans les cultures les plus archaïques, les moins développées technologiquement, la musique est profondément ancrée dans la vie sociale, et apparaît généralement fonctionnelle, liée au culte religieux ou au travail. Elle se passe d'écriture, est transmise oralement comme l'ensemble de la culture, et existe tant que se maintiennent les structures sociales du groupe. Mais ces peuples sont précisément menacés d'extinction, ou d'assimilation, dans le meilleur des cas, et des pans entiers de leur patrimoine ont déjà disparu. Ce qu'il en reste est menacé d'acculturation et résiste difficilement à la formidable expansion de la culture occidentale.

À côté de ces ethnies dites « primitives », il existe en Asie et au Moyen-Orient des cultures développées, dans lesquelles la musique est codifiée, notée, et transmise, certes, toujours oralement, mais dans le cadre d'écoles ou auprès de maîtres reconnus, ce qui lui confère un caractère savant.

Mots clefs

Cycle des quintes : procédé théorique d'engendrement des échelles par succession de quintes : par ex. *fa do sol ré la,* après réduction des octaves, donne l'échelle *fa sol la do ré.*
Pentatonique : type d'échelle engendré par la succession de 5 quintes (et non pas 5 sons quelconques) ; les échelles résultant de la succession de 2, 3 et 4 quintes, c'est-à-dire di-, tri- et tétratoniques, ont peut-être précédé le pentatonique.

Aspect : ordre des intervalles dans une échelle pentatonique (ex. : *fa sol la do ré* = aspect I ; *ré fa sol la do* = aspect IV).
Hétérophonie : type de polyphonie né de l'exécution différenciée de lignes perçues comme identiques : divers instruments jouent la même ligne de façon différente, mais sans préoccupation contrapuntique.

Modalité : ensemble de propriétés attachées à une échelle, régissant la conduite de l'improvisation. Ce terme admet plusieurs sens et s'applique ici à la musique de l'Asie occidentale.

1. Trois aires géographiques.

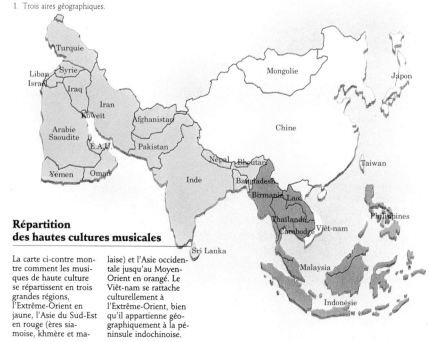

Répartition des hautes cultures musicales

La carte ci-contre montre comment les musiques de haute culture se répartissent en trois grandes régions, l'Extrême-Orient en jaune, l'Asie du Sud-Est en rouge (ères siamoise, khmère et malaise) et l'Asie occidentale jusqu'au Moyen-Orient en orangé. Le Viêt-nam se rattache culturellement à l'Extrême-Orient, bien qu'il appartienne géographiquement à la péninsule indochinoise.

Le son et la matière

LES MUSICIENS TRADITIONNELS SAVENT EXPLOITER LES MATÉRIAUX DONT ILS DISPOSENT POUR FABRIQUER TOUTES SORTES D'INSTRUMENTS ET IMAGINER DES TECHNIQUES ORIGINALES POUR LES FAIRE SONNER.

La sensibilité au timbre et à la sonorité est l'une des qualités les plus remarquables de la musique traditionnelle. Déjà, dans l'antiquité chinoise, la théorie classait les instruments en 8 catégories – bois, bambou, soie, pierre, métal, cuir, calebasse et terre cuite – selon la matière qui entrait en vibration. L'imagination n'est limitée que par les ressources naturelles disponibles, et encore certains instruments se retrouvent-ils fort loin de leur foyer d'origine, comme le prouvent par exemple les conques marines présentes au Tibet.

Cependant l'organologie ethnique ne se limite pas à l'utilisation simple et naturelle d'une extrême variété de matériaux, le travail sur la matière est au moins aussi important que son choix. Une sonorité pure est souvent considérée comme pauvre et nombre d'instruments comportent des dispositifs « bruissants », comme les sonnailles ou les grelots accrochés aux instruments à cordes ou aux tambours, chargés d'en altérer la sonorité d'origine et de l'enrichir. C'est également la fonction du mirliton, fine membrane excitée par de l'air déjà mis en vibration, et dont la sonorité interfère avec celle du son principal ; ce procédé est utilisé aussi bien sur des flûtes traversières chinoises que dans les résonateurs de xylophones africains, où des cocons d'araignée peuvent remplir cette fonction. La technique de jeu est aussi orientée dans ce sens : l'important bruit de souffle entendu dans le jeu de la flûte oblique *nāy* arabe ne doit évidemment pas être pris pour un défaut technique, mais bien plutôt comme la part de l'humain dans un instrument qui ne serait sans cela qu'un simple objet.

Le chant compte parmi les domaines les plus explorés de la musique ethnique. Il existe plusieurs techniques, inusitées en Occident, qui associent étroitement voix et instruments : soit par imitation, réciproque ou non, à des fins souvent ludiques voire pédagogiques, soit par association d'un résonateur supplémentaire à l'appareil vocal, comme le *didjeridou* (trompe porte-voix) des aborigènes d'Australie, soit encore en chantant et en soufflant en même temps dans une flûte, comme cela se pratique de l'Oural au Rājasthān en passant par la Mongolie. D'autres procédés utilisent les cavités pharyngo-buccales sans les cordes vocales, avec un excitateur externe comme la guimbarde et l'arc en bouche. L'emploi de certaines techniques, comme le changement de registre, fait l'objet de codifications précises et varie selon les cultures : ainsi le fausset masculin est prohibé dans les hautes cultures d'Asie occidentale, mais cultivé dans le théâtre extrême-oriental, et largement exploité sous la forme du *jodl.* •

La musique des hautes cultures

LE TERME DE HAUTE CULTURE S'APPLIQUE AUX GRANDES CIVILISATIONS QUI CONNAISSENT LA NOTATION MUSICALE.

La musique occidentale savante s'oppose à toutes les autres en ce qu'elle est entièrement fondée sur l'écriture, qu'elle ne se perpétue et ne s'enseigne qu'au moyen de la notation. Elle donne naissance à des œuvres achevées et définitives, privilégiant le rôle du compositeur, l'interprète ayant pour mission de les faire revivre fidèlement. Dans les autres grandes civilisations, l'écrit existe également, mais ne sert qu'à des fins théoriques : l'enseignement reste oral, le concept d'œuvre « close » n'existe pratiquement pas, car c'est l'improvisation, qui doit respecter des règles strictement codifiées, qui constitue le patrimoine musical, promouvant l'interprète au rang de créateur à part entière.

Sur le plan musical, ces cultures se répartissent en trois grandes aires géographiques, l'Extrême-Orient, le Sud-Est asiatique et l'Asie occidentale jusqu'au Moyen-Orient, au sein desquelles elles présentent beaucoup d'affinités et de traits communs. Tous les pays d'une même région s'expriment dans le cadre d'un système musical préférentiel utilisant ses propres types d'échelles, possèdent tous un instrument de musique caractéristique, qui est attesté partout dans la région mais qui n'existe nulle part ailleurs, et marquent une préférence pour des modalités d'exécution et des formations instrumentales spécifiques.

En Extrême-Orient, la Chine, par l'ancienneté et l'importance

2. Sitâr indien.
3. Musicien bantou (Zimbabwe) jouant de l'arc en bouche.

Trois façons d'utiliser les cordes

Par raccourcissement grâce aux frettes dont est pourvu le manche du sitâr (2). Par variation de tension sur la corde unique de l'arc en bouche (3). Par mobilité du chevalet de chaque corde de la cithare koto (5). Seuls les instruments du gamelan (4) présentent des sons de hauteurs fixes.

4. Gamelan (Java).

5. Joueuse de koto.

de sa civilisation, a imprimé sa marque à tous ses voisins, le Japon, la Corée, le Viêt-nam et la Mongolie, avant qu'eux-mêmes ne transforment diversement cet héritage et ne développent un art profondément original. Le répertoire repose essentiellement sur des corpus de mélodies notées schématiquement, auxquelles les musiciens donnent vie par une interprétation personnelle. Les échelles appartiennent au système pentatonique, minutieusement étudié et codifié par la théorie chinoise. La cithare sur table à chevalets mobiles est l'instrument caractéristique commun à tout l'Extrême-Orient, mais diffère d'un pays à l'autre par la taille et le nombre de cordes. Ses chevalets sont disposés en fonction de l'échelle utilisée, la main droite pince les cordes tandis que la gauche réalise une ornementation subtile et élaborée.

L'Asie du Sud-Est se partage entre les cultures d'inspiration siamoise et khmère d'une part (Thaïlande, Cambodge, Laos, Birmanie), malaise d'autre part (Ma-

laisie, Indonésie et quelques minorités aux Philippines). Dans ces pays, la musique est essentiellement orchestrale, et les instruments dominants sont des percussions à hauteurs déterminées, tels les jeux de gongs bulbés, disposés dans des cadres circulaires en rotin ou en bambou dans le monde thaï-khmer et rectangulaires en bois dans le monde malais. Ces ensembles édifient une polyphonie constituée par la superposition de « strates » d'une même mélodie sous différentes formes et réparties entre plusieurs groupes instrumentaux. Cette variante de l'hétérophonie est souvent très complexe, le nombre d'exécutants pouvant atteindre une quarantaine dans les *gamelan* de Java et de Bali. Certaines échelles sont obtenues par division de l'octave en 5 ou 7 parties égales, ce qui leur confère une tonalité particulière.

Trois grands foyers culturels dominent l'Asie occidentale : l'Inde et les pays qui lui étaient autrefois rattachés (Pakistan, Bangladesh, Sri Lanka), l'Iran et les

pays de tradition turco-arabe. Là s'est élaborée la technique la plus achevée d'expression monodique, l'improvisation modale, sous la forme du *râga* indien, du *dastgâh* iranien et du *maqâm* arabe. Plus encore qu'ailleurs, la notion d'œuvre préexistante à l'improvisation est ici inconnue. La musique est essentiellement créée par des solistes qui explorent plus ou moins longuement, selon leur inspiration ou le temps dont ils disposent, les multiples facettes d'un mode. Les instruments à cordes se prêtent particulièrement à ces développements, notamment les luths, dont la facture a atteint en Asie occidentale un haut niveau d'élaboration (*sitâr* indien, *'ûd* arabe). L'accompagnement rythmique, sous forme de cycles répétés avec variations, est une composante importante de la musique modale : les tambours sont frappés à mains nues, pour permettre une grande variété de timbres (*tablâ* indien, *zarb* iranien).

Certains principes de la musique modale, via la Grèce antique, sont parvenus jusqu'à nous. •

ᕗᕗ

L'acculturation

LA CONSERVATION DES MUSIQUES TRADITIONNELLES, DANS LES SOCIÉTÉS ARCHAÏQUES, NE TIENT QU'À LA SURVIVANCE DES STRUCTURES SOCIALES AINSI QU'À LA MÉMOIRE DE QUELQUES MUSICIENS.

L'acculturation englobe les processus dynamiques par lesquels une société évolue au contact d'une autre, lui emprunte et adopte des éléments de sa culture. Dans les musiques ethniques, l'acculturation touche principalement aux structures du langage, à la pratique instrumentale, à l'exécution et à la diffusion au sens le plus large.

Les échelles musicales comptent parmi les éléments les plus sensibles. Le tempérament égal européen – avec le système tonal – s'impose de plus en plus, les autochtones finissant par trouver faux leurs propres intervalles.

L'influence grandissante de la notation diminue la part de l'improvisation et les musiciens traditionnels tendent à se transformer

peu à peu en simples interprètes, avec pour conséquence de favoriser la répétition au détriment de la création.

L'acculturation conduit aussi à transformer les instruments ou à en emprunter de nouveaux : adaptation de mécanismes pour les vents, luths et vièles remplacés par la guitare et le violon, les exemples sont légion. Mais tout n'est évidemment pas négatif dans ce processus, et il serait erroné de croire que la musique traditionnelle est figée ou devrait rester immuable. Même si nous n'en possédons pratiquement pas de trace matérielle, son évolution a toujours existé. Toutefois, le phénomène caractéristique de notre époque est qu'elle s'oriente dans une direction unique. •

La musique liturgique au Moyen Âge

LA MUSIQUE EST INÉVITAblement liée à l'histoire et au rôle de l'Église, qui occupe une position centrale dans la société médiévale. Treize siècles ont permis à l'Église de sortir de l'ombre, d'affirmer sa mission spirituelle, d'unifier l'Occident, d'assurer sa cohérence interne. L'apogée de ce vaste mouvement se situe entre le XIᵉ et le XIIIᵉ siècle. C'est pourquoi la musique est au service de cette institution. Bien loin d'être un simple préambule à la polyphonie, la monodie constitue la base de la tradition musicale européenne : elle est partie intégrante de la liturgie quotidienne sans pour autant être seulement un agréable divertissement sonore. La musique est une science spéculative qui, dans un système d'enseignement demeuré sous la tutelle de l'Église (les musiciens sont des clercs), permet de saisir

l'harmonie de la création divine. La pratique comme la composition sont subordonnées à cette approche métaphysique. Elles sont restées d'ailleurs longtemps anonymes. À partir du IXᵉ siècle, le développement des adjonctions liturgiques et l'expansion de la polyphonie introduisent une nuance fondamentale dans cette conception jusqu'ici très symbiotique. Les visées esthétiques tendent de plus en plus à prendre le pas sur le rôle traditionnellement dévolu à la musique. Même si la polyphonie a été discutée sur le plan spéculatif, elle représente un ensemble d'avancées techniques et artistiques qui progressivement se suffisent à elles-mêmes. L'importance du théoricien est amoindrie au profit du compositeur, qui sort de l'anonymat : le contenu théorique se sclérose et n'influence guère la pratique après le XIIIᵉ siècle.

Les premières polyphonies

LA POLYPHONIE NAÎT ET SE DÉVELOPPE
AU SEIN DE L'ÉGLISE. ELLE CONSTITUE UNE ÉTAPE MAJEURE
DANS L'HISTOIRE DE LA MUSIQUE OCCIDENTALE.

L'origine de la polyphonie demeure confuse bien qu'il semble que la pratique d'une polyphonie parallèle improvisée ait toujours existé. C'est bien de cet usage qu'attestent les premières descriptions techniques dans les traités théoriques carolingiens (IXᵉ-Xᵉ siècle). Cette polyphonie se situe dans le prolongement du trope par l'idée d'ajouter une ligne mélodique supplémentaire *(voix organale)* au-dessus d'une mélodie préexistante *(voix principale).* Cet ajout fut d'abord une simple doublure selon les intervalles consonants (quarte, quinte, octave) avant d'être une véritable invention. Perdant rapidement son statut d'improvisation pour occuper une place plus importante dans la musique sacrée, la polyphonie est discutée

sur le plan spéculatif dès la fin du IXᵉ siècle. À l'instar de la musique des sphères, la polyphonie reflète l'harmonie du monde dans l'harmonie musicale faite de rapports proportionnés. L'intégration de la polyphonie dans le schéma élargi de Boèce lui donne toute sa valeur. Le principal genre qui l'illustre est l'*organum.* Initialement parallèle, il introduit petit à petit nombre de procédés qui le transforment : mouvements contraires entre les voix, figures contrapuntiques de plus en plus élaborées, variété ornementale de la voix organale... L'école aquitaine dite « de Saint-Martial de Limoges » (XIᵉ-XIIᵉ siècle) témoigne avec éloquence de ce répertoire riche et inventif en l'établissant à une place d'honneur au sein de la musique liturgique. •

Symbolisme et musique

La musique, comme les autres arts, est au service de l'Église, dont elle sert les desseins. Science du nombre, elle est à l'instar des vitraux (3) ou des enluminures (2) une symbolique vivante, reflet de la beauté divine. Elle s'inscrit dans un débat philosophique largement emprunté à l'Antiquité grecque. Ainsi, le chapiteau de Cluny (1) représente l'ethos d'un mode, une configuration idéale du sensible.

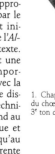

La monodie liturgique

LE CHANT GRÉGORIEN S'ÉTABLIT SOUS L'ÉGIDE
DES CAROLINGIENS ET VOIT RAPIDEMENT POINDRE
EN SON SEIN DE GRANDES INNOVATIONS.

Le chant grégorien n'est pas celui de saint Grégoire. Tout au plus, ce grand pape (590-604) a été l'ordonnateur de la liturgie. L'Église, gardienne des traditions, a élaboré son répertoire en mêlant largement ses racines sémitiques à une pensée musicale décalque des idéaux pythagoriciens et platoniciens. Reprenant le schéma primitif – lecture, chant, oraison, prière –, l'Église établit selon ses besoins les genres et les formes de son répertoire. Ainsi, au temps des catacombes, celui-ci reste largement l'apanage d'un soliste expérimenté (le chantre) et s'exprime à travers la *psalmodie directe.* Ce système repose sur la répétition continue, verset après verset, d'un module musical initial plus ou moins orné. Puis, favorisée par l'édit de Constantin (313), l'Église assoie son autorité. Cette « normalisation » permet une expansion des schémas liturgiques de base, auxquels répond la *psalmodie responsoriale.* Son développement (IVᵉ-Vᵉ siècle) est lié à l'établissement des *schola cantorum* et à l'expansion du monachisme. Elle constitue l'essentiel du répertoire grégorien en proposant une forme simple et souple

basée sur l'alternance de deux éléments musicaux.

Quand Grégoire devient pape, l'Église dispose des procédés constitutifs de son répertoire, mais nullement de son unité. Les traditions *romaine, ambrosienne* au nord de l'Italie, *bénéventaine* au sud, *gallicane* dans les pays francs, *mozarabe* en Espagne, sans compter les variantes locales, traduisent la diversité des articulations liturgiques et des traditions musicales même si les textes, les genres et les formes sont semblables. L'avènement de la dynastie carolingienne, en 751, marque le début d'une nouvelle ère. Pour des raisons stratégiques et politiques, les échanges entre Rome et les pays francs s'accroissent et l'action conjuguée de la papauté et des Pippinides donne naissance à un répertoire unifié, fer de lance de l'expansionnisme carolingien : le chant grégorien. Il supplantera progressivement jusqu'au XIIIᵉ siècle les autres traditions musicales, à l'exception de la tradition ambrosienne.

L'Église aura donc mis près de sept siècles à se doter d'un outil musical à la hauteur de ses ambitions, qui, en outre, se distingue

des autres arts. La musique est en effet une *science des nombres* capable d'appréhender l'ordre divin. Reprenant l'héritage pythagoricien et platonicien, Boèce (†524), à la suite de saint Augustin, élabore le cadre dans lequel toute musique est pensée et conçue. Les trois ordres du système éducatif – les sept arts libéraux comprenant le *trivium* et le *quadrivium* et donc la musique – rejoignent les trois ordres de la science musicale : la musique des sphères (théorie), la *musica humana* (la composition), la *musica instrumentalis* (l'interprétation). Dans ce cadre s'inscrivent les grandes innovations carolingiennes, qu'elles soient d'ordre pratique, comme dans l'invention de la notation musicale, ou théorique, comme dans la codification du langage modal en huit modes. À peine le répertoire musical de l'Église est-il établi que des adjonctions non bibliques vont s'introduire et se développer. Très en vogue durant tout le Moyen Âge, elles ouvrent aux musiciens comme aux poètes des possibilités nouvelles. Elles s'établissent principalement autour du phénomène du trope, procédé d'adjonction d'un texte sous une mélodie existante, d'extension d'une mélodie ou bien encore d'association d'un texte et d'une mélodie dans un ensemble déjà connu. Expression de la pratique médiévale de la glose, le trope, fait d'additions et de

commentaires, traduit cette sensibilité raffinée et cette volonté d'expliquer un contenu théologique avec des moyens plus appropriés. La séquence relatée par le moine Notker (†912) est initialement liée au mélisme de l'*Alleluia* auquel on adapte un texte. Celle-ci devient rapidement une composition poétique importante au point que le lien avec la pièce liturgique originale se distend puis disparaît. Cette technique de « prosulation » s'étend au reste du répertoire liturgique et connaît un grand essor jusqu'au XIIIᵉ siècle. Le concile de Trente (1563) mettra fin à cette pratique. L'histoire de la monodie sacrée montre avec justesse la position centrale occupée par l'Église dans la société médiévale. •

1. Chapiteau
du chœur de Cluny :
3ᵉ ton de la musique.

2. Graduel de Saint-Michel de Gaillac, XIᵉ s. Initiale A.

L'École de Notre-Dame

À PARTIR DU MILIEU DU XIIᵉ SIÈCLE,
PARIS OCCUPE UNE POSITION EXCEPTIONNELLE
SUR LE PLAN POLITIQUE ET CULTUREL.

Le développement de la polyphonie au XIIᵉ siècle avait considérablement altéré le caractère liturgique de la musique et valorisé de nouvelles visées esthétiques. Les procédés employés par les compositeurs parisiens (Léonin, Pérotin), repris à la rhétorique classique comme en font foi les nombreux traités, deviennent des modèles universellement utilisés. Le *Magnus Liber* de Léonin montre l'extension de la pratique de l'organum à presque tout le répertoire. Il distingue également le style strict de l'organum (voix principale non mesurée) de celui du *déchant* (voix principale ou *teneur* mesurée). La pièce se déroule en plusieurs sections, ou *clausules*, alternant dans les deux styles. Pérotin reprend et révise ces compositions en y insérant de nouvelles clausules. Il est également le premier compositeur à écrire de la polyphonie à plus de 2 voix : ses *organa* quadruples ont été commentés pendant tout le XIIIᵉ siècle. Il compose aussi des *conduits,* pièces paraliturgiques, dans un style homophonique plus simple où, contrairement à l'organum, il n'y a pas de voix principale préexistante. L'accroissement du nombre de voix requiert une plus grande maîtrise du rythme et c'est dans ce domaine que l'École de Notre-Dame fournit une contribution remarquable en élaborant sur le modèle métrique de la poésie latine les six modes rythmiques. Enfin, issu de la clausule d'organum, dont il est d'abord un trope littéraire, le *motet* devient le centre des préoccupations musicales du XIIIᵉ siècle. ●

L'Ars nova

LE XIVᵉ SIÈCLE MARQUE LE DÉBUT
DE LA DÉSAGRÉGATION DU MONDE MÉDIÉVAL ET PROPOSE
DÉJÀ UNE REDÉFINITION DU SACRÉ QUI TOUCHE
LA PRATIQUE MUSICALE.

Le motet du XIIIᵉ siècle, en mêlant souvent les textes français et latins, les sentiments sacrés et profanes à des techniques d'écriture sophistiquées, était largement ouvert aux influences extérieures et proposait un modèle musical qui, bien qu'issu de l'Église, se plaçait désormais en marge. Ce sentiment prévaut au XIVᵉ siècle, où le motet est presque essentiellement profane, soit politique *(le Roman de Fauvel),* soit courtois comme chez Machaut. Cette redéfinition du sens de la musique sacrée s'articule sur une profonde remise en cause de la théorie musicale. Les traitements purement spéculatifs perdent de leur intérêt au profit d'un engouement à l'égard des nouveautés techniques, essentiellement rythmiques, directement praticables sans le recours à des justifications philosophiques plus ou moins fondées. Le traité de Philippe de Vitry, *Ars nova* (vers 1325), traduit ce changement : de nouvelles figures de notes apparaissent et la possibilité de diviser en 2 ou 3 chaque note revalorise le binaire en rompant avec une figuration ternaire symboliquement très connotée. L'introduction de nouveaux procédés d'écriture (l'isorythmie par exemple) offre davantage de possibilités créatrices pour un compositeur dont le rôle est ainsi réévalué. Cette subjectivité accrue dans le domaine de la composition musicale tend à s'écarter d'un certain universalisme médiéval et redéfinit progressivement la musique non plus comme une science mais comme un art tout court. Ces innovations, pour ce qu'elles s'éloignent justement du cadre spéculatif dominé par l'Église, connaîtront les critiques du pape (bulle de Jean XXII, 1324). Cependant, le déplacement de la papauté de Rome en Avignon (1309-1376) ne paraît pas avoir freiné ces élans et semble au contraire les avoir encouragés en développant une vie de cour brillante et bientôt rivale de Paris. La mise en polyphonie de la messe – catégorie restée jusqu'ici monodique parce que très sacrée – donne la mesure des changements de mentalité qui s'opèrent au XIVᵉ siècle. Les manuscrits d'Ivrée et d'Apt ne contiennent que des fragments de messe polyphonique (Kyrie, Sanctus, Agnus surtout), presque tous fondés sur le modèle d'écriture du motet, parfois du déchant. L'Ars nova se préoccupe également d'organiser ces fragments en des cycles plus ou moins complets (messes de Barcelone, de Toulouse, de Tournai, de la Sorbonne), mais la *Messe Notre-Dame* de Guillaume de Machaut demeure le seul monument du XIVᵉ siècle où un compositeur ait présenté un cycle polyphonique complet de la messe : l'autonomie d'expression qu'elle dénote permet de mesurer largement l'essor de la musique sacrée, devenue moins tributaire de sa fonction liturgique et davantage une œuvre d'art marquée par son temps. ●

3. Rose sud de la cathédrale de Chartres.

Troubadours et trouvères

LES TROUBADOURS D'OCCI-
tanie ont inventé l'une des poésies chantées les plus anciennes du monde occidental, le *trobar*. Cette lyrique profane en langue d'oc fleurit depuis le Limousin et le Poitou jusqu'à l'extrême fin de la Provence, et même en Catalogne, aux XIIe et XIIIe siècles. Les trouvères, leurs émules du Nord, créeront un peu plus tard (à partir de 1150-1160) un art du *trouver* analogue, mais en français. En quelque sorte apparentés à nos auteurs-compositeurs modernes, ces chantres de l'amour développent un art des cours, un chant récréatif pour initiés (les *bels entendens*), ceux-là même qui comprennent à demi-mot et célèbrent la *fin'amor* occitane, la courtoisie française.

La chanson courtoise étonne par la plénitude et l'équilibre de ses deux composantes principales, les mots (occ. *los motz*) et la mélodie (occ. *lo so*). Dans les lyriques d'oc et d'oïl, la musique est assujettie au poème. Monodique, elle agit par le truchement de la seule voix du poète qui joue des vocalises, des intervalles larges et des pauses savamment calculées afin de mettre en valeur la ligne mélodique horizontale. L'immobilité apparente de cette musique linéaire et modale qui tourne sur elle-même, son temps intérieur si méditatif aussi ne doivent pas tromper. Elle favorisait sans doute, tant chez l'interprète que chez l'auditeur, une forte concentration mentale. Pourtant, bien que cette poésie soit d'essence aristocratique, par sa récep-

tion, les indices que nous possédons concernant son fonctionnement musical la feraient volontiers ranger parmi les chants de tradition orale.

Les troubadours, plus encore que les trouvères, prêtent à l'imagination. Les médiévaux, bien avant les romantiques, ont cédé les premiers à la tentation de romancer sur nos poètes. Au XIXe siècle, on a souvent dépeint les poètes courtois comme de pauvres hères, des baladins musiquant et chantant de château en village, en quête de subsides pour survivre. La réalité est somme toute différente. Si l'image du vagabond vaut pour les jongleurs interprètes, troubadours et trouvères n'ont guère de problèmes de subsistance, soit que leur condition les libère de ce type de servitude, soit que la qualité de leurs chants leur procure renommée. En fait, toutes les catégories sociales, hormis la paysannerie, ont sacrifié à la chanson. Parmi les troubadours se trouvent des nobles (Guillaume de Poitiers, le tout premier, Ebles de Ventadorn, Raimbaut d'Orange), des clercs (Folquet de Marseille, le Moine de Montaudon) ou bien encore des fils de bourgeois (Peire Vidal de Toulouse). Quant aux trouvères, à côté de puissants personnages (Thibaud, roi de Navarre, Charles d'Anjou, frère de Saint Louis), signe d'une société en mutation, un nombre croissant de poètes, réunis en confréries, les puys, vit dans la dépendance de la bourgeoisie des villes du Nord (Arras, Douai, Amiens...).

La courtoisie et l'art de la chanson d'amour

LA *FIN'AMOR*, NOUVEL ART D'AIMER
AU XIIe SIÈCLE, S'EXPRIME AU MOYEN DE LA CHANSON
COURTOISE, UN CHANT ÉLABORÉ.

L'amour courtois dans l'Occident des XIIe-XIIIe siècles est une idée neuve. La nouveauté principale vient de ce que la Dame (occ. la *Domna*) n'est plus uniquement objet d'amour physique. Idéalisée, la femme est maîtresse de jeu et reçoit du poète un hommage respectueux. Pour mériter sa Dame, l'amant devra obéir à des prescriptions multiples, lesquelles poursuivent deux buts essentiels : tout d'abord retarder le plus possible l'assouvissement du désir, créant par là même une tension psychique forte, ensuite exprimer cet amour exigeant par un art d'écrire et de chanter la « convenance » qu'est la chanson courtoise. Parmi les qualités fondamentales demandées par cette ascèse amoureuse, on retiendra surtout la générosité *(largueza)*, l'humilité et la modération *(mesura)*, la jeunesse de cœur *(joven)*, la discrétion enfin, car la *fin'amor* est souvent un amour adultère menacé par le mari jaloux *(gilos)*.

Le moule formel dans lequel va se fondre l'hommage du poète-amant est la chanson d'amour (occ. *canso*, lat. *cantio*). Dante Alighieri, le poète italien, dans son *De vulgari eloquentia* (v. 1304) définira la *cantio* comme le « maître des genres ». Bâtie sur le cadre fixe de la strophe, la chanson s'organise autour de trois composantes : l'argument proprement dit, la combinaison des rimes et la division mélodique. Deux types principaux de mélodies portent les poèmes : le type sans répétition, nommé *oda continua* par Dante, et celui avec répétition, appelé *pedes*, présentant une corrélation souvent remarquable avec la formule de rimes. La réputation de virtuosité technique de troubadours tels que Raimbaut d'Orange et Arnaut Daniel n'est

plus à faire : ce sont des ciseleurs de mots, de rimes et de sons musicaux. Leurs styles, respectivement hermétique *(trobar clus)* et orné *(trobar ric)*, ne seront pas toujours appréciés par les tenants d'une poésie plus facile *(trobar leu)*, à laquelle appartient l'œuvre de Bernard de Ventadour et, dans une large mesure, celle de trouvères comme Gace Brulé, Conon de Béthune ou le Châtelain de Coucy.

À côté de la *canso* occitane et de son équivalent français, la chanson d'amour, d'autres genres tenus pour difficiles et savants appartiennent à cette veine plutôt aristocratique. C'est le cas de la chanson de croisade, du *sirvantois* (occ. *sirventès*), violente diatribe politique ou guerrière, de la plainte (occ. *planh*), chant funèbre sur la mort d'un haut personnage, des dialogues chantés, enfin, où deux poètes s'interpellent en soutenant des avis opposés. Au vrai, tant les structures métriques que les mélodies de ces chants ne différeront guère de celles employées pour la *canso*, qui leur sert de modèle formel.

Pourtant, il existe une veine poétique plus primesautière qui, fort prisée dans la France d'oïl, sera à l'origine de formes plus simples. On rangera dans ce registre nommé « popularisant » la pastourelle, un débat amoureux et spirituel entre une bergère et un chevalier, la chanson de femme et de malmariée, où l'amour au féminin est exprimé sans fard, avec naturel, la reverdie, qui célèbre le renouveau, l'aube, enfin, et son thème principal : la séparation des amants réveillés au matin par le rossignol ou le cri du guetteur. Le plus souvent, ces chants disposent de mélodies syllabiques, peu ornées, avec une structure répétitive litanique prononcée. •

Les chansonniers musicaux

LES MANUSCRITS QUI TRANSMETTENT
LES MÉLODIES DES TROUBADOURS ET DES
TROUVÈRES SONT DIFFICILES À INTERPRÉTER
EN RAISON DE LACUNES EN MATIÈRE DE
RYTHME ET D'INSTRUMENTATION.

Les sources musicales préservant les chansons des troubadours et des trouvères, les chansonniers, ont été copiées cinquante, voire cent ans après l'époque où la lyrique courtoise était chantée. Cet écart temporel laisse présumer une plausible oralité des chants et, dans tous les cas, une longue tradition de copie.

Les recueils consignant les deux répertoires, quoique présentant une forte disparité numérique à l'avantage des trouvères, possèdent aussi un certain nombre de traits communs. Pour les troubadours, seulement 353 mélodies nous sont parvenues, notées dans quatre principaux chansonniers : le manuscrit G de la

1, 2. Chansons *La doucor del tens novel* et *Ab joi mou lo vers el comens*.

3. Arnaut Daniel.

4. Thibaud, roi de Navarre.

5. Jaufré Rudel.

Entre réalisme et symbolisme

L'intention des artistes et des copistes médiévaux n'était sans doute pas de livrer des documents visuels et des partitions musicales (1,2) directement exploitables pour l'historien aujourd'hui. L'iconographie des poètes lyriques oscille entre réalité, poncif et symbolique. L'image de Jaufré Rudel (5) en cavalier rappelle surtout son titre de prince. De même celle d'Arnaut Daniel (3), représenté le livre à la main droite et déclamant de l'autre main, synthétise ses deux statuts, celui de savant et celui de poète. Enfin, la figure de Thibaud, comte de Champagne, roi de Navarre (4), en train d'écrire sur un rouleau, est un lieu commun iconographique. Il vaut pour bien d'autres trouvères. C'est avant tout l'état de poète que le miniaturiste a voulu dépeindre.

&

La voix et les instruments de musique

LA VOIX EST LE LIEN UNIFICATEUR
DES DIVERSES COMPOSANTES DE LA CHANSON. LE CHANT
À L'INSTRUMENT RESTE HYPOTHÉTIQUE.

Le rôle de la voix dans la chanson courtoise est assez particulier. Là encore, Dante ouvre le chemin en quelques remarques capitales. La *cantio,* écrit-il, est d'abord le chant qui s'accomplit en tant qu'acte créatif : *actus canendi.* Elle est aussi l'acte de représenter, en la chantant, une *passio,* c'est-à-dire une œuvre interprétée qui rappelle les sentiments inspirateurs de la composition. La chanson recouvre donc, en un certain sens, l'acte technique du chant. Concrètement, la voix sculpte au moyen de son mouvement et de ses silences l'acuité mélodique. Dans *Las Flors del Gay Saber* (1352), Guilhaume Molinier insiste sur le fait que le *vers,* la chanson à son origine, doit « avoir une mélodie longue, pausée et nouvelle, avec de belles et mélodieuses montées et descentes... ». En fait, la voix rendait manifeste la forme combinatoire de la chanson. Processus d'invention musicale très souple, la déclamation vocale, improvisée sans doute en partie, associait au geste constructif de la voix des facteurs physiologiques tels que le timbre et la respiration, mais aussi des facteurs psychologiques, l'émotion, un climat entre auditeurs et chanteur, en somme une véritable entreprise de séduction.

Les instruments existant aux XIIe et XIIIe siècles sont connus surtout grâce à deux types de témoignages : les textes (traités théoriques et romans) et les sources iconographiques (sculptures, miniatures). Dans l'ensemble, leurs formes se rapprochent de celles des instruments des musiques traditionnelles : rebecs et vièles à archet, luths et percussions, flûtes, tambours de basque et cornemuses. Des instruments d'origine religieuse ont pu aussi être utilisés : la *symphonia,* dérivée de l'*organistrum* liturgique, ancêtre de la vielle à roue de nos traditions de folklore régional, l'orgue portatif proche de l'*organetto* du XIVe siècle italien, la harpe enfin, emblème de David puis, au XIIIe siècle, de Tristan. Il reste que rien dans les manuscrits ne prouve l'existence assurée d'un soutien instrumental à la déclamation. •

&

L'interprétation : texte pluriel et re-création

L'INTERPRÉTATION VOCALE
DES CHANTS DE TROUBADOURS ET DE
TROUVÈRES, EN PLUS D'UNE CONNAISSANCE EXACTE
DU LEGS HISTORIQUE, NÉCESSITE UNE PART
DE RE-CRÉATION MODERNE.

Afin de pallier les imprécisions de la documentation en matière de rythme et d'accompagnement instrumental, une foule de solutions a pu être proposée par les musicologues ainsi que par les interprètes. C'est dans cette perspective, d'ailleurs, que la théorie de la chanson en tant que processus vocal doit être comprise et versée au dossier, sujet à controverse, du rythme dans la monodie médiévale. Aucune des hypothèses élaborées à ce jour ne peut prétendre rendre compte totalement de la réalité historique. Toutes néanmoins déterminent sur le plan esthétique l'allure de la chanson. Finalement, rappelons que les deux questions relatives à l'interprétation – comment troubadours et trouvères chantaient-ils au Moyen Âge ? comment chanter leurs œuvres de nos jours ? – partent de points de vue différents. Si la première relève de la compétence de l'historien, la seconde demeure l'affaire du musicien, peut-être également du poète. Il peut alors y avoir de l'intérêt pour l'homme de notre temps à remanier la tradition lyrique en l'adaptant à sa sensibilité et à ses références modernes. La discographie abondante en musique médiévale témoigne vigoureusement de la pluralité des re-créations modernes de la chanson : citons les interprétations marquantes de Chanterelle del Vasto, celles du Studio der Frühen Musik dirigé par Tom Binkley, et encore celles de l'ensemble de René Clemencic. Sur cette façon « d'accommoder les restes », l'ironiste clignera d'un œil complice devant la tentative de réconciliation entre passé et présent. Ses railleries, non dénuées de cruauté, exprimeront la perte de l'innocence, la fragmentation des discours sur le passé. On souhaite vivement que la diversité des variations modernes de la chanson courtoise puisse continuer à s'alimenter à la source de notre vécu et à la connaissance exacte du legs historique. •

→ **Voir aussi :** La courtoisie, LITTER, p. 44-45.

bibliothèque Ambrosienne à Milan, et les manuscrits R, W et X de la Bibliothèque nationale à Paris. Pour les trouvères, ce sont plus de 4 000 mélodies (avec les variantes) qui ont été conservées. Le nombre de recueils musicaux (une quinzaine d'importants) est aussi plus élevé, treize d'entre eux étant aujourd'hui possessions de la Bibliothèque nationale.

L'écriture musicale employée pour noter ces chants vaut pour le répertoire des troubadours comme pour celui des trouvères. Écrits sur des portées de 4 ou 5 lignes avec pour clés les clés de *fa* et d'*ut,* les neumes sont de deux sortes : dans la plupart des manuscrits, il s'agit d'une notation qua-

drangulaire ou carrée, tandis que dans quelques recueils français les neumes sont de type lorrain.

À vrai dire l'exégèse de ces notations présente des difficultés pour le musicologue. Tout d'abord, elles sont le plus souvent dénuées d'indications précises en matière de mesure musicale. Quelques chansonniers néanmoins montrent çà et là des traces de mesure rudimentaire que l'on peut déceler grâce aux différents modes rythmiques. Citons, parmi les manuscrits mesurés les plus notables, le *Chansonnier du Roi* et le manuscrit *La Vallière.* En fait, la majeure partie de ces notations, hormis la ponctuation du texte et des barres verticales situées généralement en fin de vers

sur la portée, obligent, par manque de précision, à des conjectures en matière de rythme. Par ailleurs, les divergences mélodiques pour une même chanson notée dans plusieurs sources rendent très incertaine l'attribution de la musique au troubadour ou au trouvère dont le nom est écrit en rubrique. Souvent même, les chansons sont anonymes. Enfin, la dernière imprécision, qui rend caduque toute opinion trop affirmée en matière d'interprétation, réside dans l'absence d'indication d'un accompagnement instrumental qui constitue un paradoxe, compte tenu de l'abondance des citations d'instruments dans l'iconographie et dans les œuvres littéraires. •

La polyphonie profane

LES DOCUMENTS POLYPHO-niques les plus anciens appartiennent tous au domaine religieux. Entre le milieu du IXe siècle et la fin du XIIe siècle, tout ce qui nous est parvenu est strictement liturgique. Cette situation s'explique par le fait que ne sont consignées par écrit, vu le coût du matériau (le parchemin), que les réalisations les plus nouvelles, les plus estimées et les plus dignes d'illustrer les capacités créatrices de l'esprit, et que les scribes qui ont noté ces lointains témoignages sont tous des lettrés qui ont fréquenté les écoles épiscopales ou abbatiales et qui, sans être obligatoirement prêtres ou moines, sont ceux que l'on appelle des *clercs*. La polyphonie profane, pour ces raisons, accuse un retard certain sur la production religieuse et se présente le plus souvent, au début du moins, comme un développement annexe, voire parallèle, et emprunte sa matière à l'art religieux.

Le XIIIe siècle nous fait assister à un développement inouï du domaine profane aux dépens même de la musique sacrée : le motet en vient à constituer la majeure partie de l'activité créatrice de cette période que le XIVe siècle, pour s'affirmer, taxera d'*Ars antiqua*.

Rares sont les noms de compositeurs qui nous sont parvenus (souvent de façon indirecte), hormis Léonin et Pérotin dont nous connaissons à peine les périodes de production et dont la fonction d'*organista* est rapporté par un auteur de traité. Seul Adam de la Halle est mieux connu, parce qu'il a œuvré dans l'orbite de Robert d'Artois, neveu de Saint Louis et de Charles d'Anjou. Tout le reste de la production musicale du XIIIe siècle est, et restera, anonyme.

Le motet au XIIIe siècle

ISSU DU SANCTUAIRE,
LE MOTET DEVIENT AU XIIIe SIÈCLE LA FORME
LA PLUS REPRÉSENTATIVE DE LA
MUSIQUE SAVANTE PROFANE.

Le motet serait d'origine liturgique, né, croit-on, de *clausules* d'organum. Dans ces petites sections de grandes pièces polyphoniques à trois ou quatre voix, se présentant comme le commentaire musical des *mots* liturgiques qui constituent toujours la voix inférieure dite *teneur*, les voix supérieures (vocalisées dans l'organum) sont pourvues de paroles à raison à peu près d'une syllabe par note. On pense même que certains motets latins d'inspiration religieuse ont pu, dans les débuts du genre, être exécutés dans le cours de l'organum en même temps que le mot-teneur qu'ils paraphrasent. Très tôt, d'autres, encore de dévotion pourtant, s'éloignent du sanctuaire en utilisant la langue vernaculaire. Mais la plus grande partie des motets, tout en conservant l'habitude de prendre appui sur un bref emprunt au chant d'église, tourne résolument le dos à toute préoccupation religieuse : le genre devient de plus en plus profane, voire léger. Le motet en vient même à constituer la forme musicale polyphonique profane par excellence.

Toujours bref (de trente secondes à quelques minutes d'exécution), le motet peut être à deux, trois ou même – plus rarement – quatre voix : on le dit double, triple ou quadruple. Quelle que soit la longueur du motet, le mot littéraire et musical emprunté qui sert de teneur doit, pour être présent tout au long du motet, être répété ; et, comme il est soumis à un schéma rythmique constitué de petites cellules isochrones, donc passablement défiguré, il n'est pas surprenant que le lien sémantique, primitivement étroit, entre le mot-teneur et les voix supérieures se relâche au point de sembler inexistant.

Les textes des voix supérieures, différents pour chacune d'elles (ce qui fait du motet une composition fort étonnante pour notre sensibilité et destinée davantage à la pratique qu'à une écoute peu aisée), sont le plus souvent en français, mais aussi parfois en latin et français. Les sujets traités, très variés, vont du thème anodin de la quête amoureuse plus ou moins bien reçue (et bien sûr en mai) à la satire sociale ou politique fort engagée au fur et à mesure que l'on s'achemine vers la fin du siècle. On trouve ces œuvres principalement dans deux manuscrits : celui de Bamberg, qui en contient une centaine, tous à trois voix et dont une quarantaine, encore en latin, relève de la piété mariale, et celui de Montpellier (345 numéros en 8 fascicules), moins homogène et plus profane ; on y décèle deux époques de notation, les deux derniers fascicules utilisant les possibilités nouvelles de notation dues au théoricien Pierre de la Croix.

À côté de ces œuvres que l'on peut dire essentiellement polyphoniques, car elles ne peuvent exister sans la présence simultanée de plusieurs voix, existe aussi le conduit, primitivement chant de procession, devenu lui aussi profane et qui peut exister aussi à une, deux, trois et quatre voix ; mais la différence avec le motet est que le texte est le même aux différentes voix, et le flux polyphonique homorythmique. ●

Le répertoire du XIVe siècle

OUTRE LE MOTET, DEVENU FORME SAVANTE,
SE DÉVELOPPENT LES FORMES FIXES DE LA BALLADE,
DU RONDEAU ET DU VIRELAI.

Au XIVe siècle, la structure du motet se complexifie. La teneur, d'isochrone (c'est-à-dire organisée en petites cellules rythmiques élémentaires), devient isorythmique (rythme organisé à plus grande échelle). Ce schéma, appelé la *talea*, imposé au motif emprunté appelé le *color*, peut être répété plusieurs fois et, parfois, repris en valeurs diminuées pour clore le motet dont les proportions sont devenues beaucoup plus amples. Il arrive aussi qu'un programme rythmique soit imposé aux autres voix, ce qui fait du motet une œuvre très fortement structurée intellectuellement, peut-être plus satisfaisante pour l'esprit que pour le cœur. Philippe de Vitry († 1361) et Guillaume de Machaut (v. 1300-1377) sont les deux plus illustres représentants de ce type de composition, dont la vogue s'amenuisera à partir de la seconde moitié du XIVe siècle.

D'autres formes plus simples et plus immédiatement sensibles vont se substituer au motet et tenir la vedette : le rondeau, le virelai et la ballade. Pratiqué de longue date, le rondeau monodique n'était qu'une chanson à danser, dite « de carole », fondée sur la répétition fréquente d'éléments aisément mémorisables. C'est Adam de la Halle (v. 1240-1285) qui, le premier, semble avoir eu l'idée de faire bénéficier le rondeau d'un habillement polyphonique à la manière du conduit. Le nombre de vers (et d'incises musicales) pourra se multiplier. C'est ainsi que la longueur totale d'un rondeau peut varier de 8 à 13 vers (c'est le cas de ceux d'Adam et de Machaut), puis à 21 vers pour le rondeau cinquain du XVe siècle que pratiquera souvent Dufay.

Contrairement au rondeau, qui, étant une forme close, ne dépasse jamais le total indiqué ci-dessus, le virelai, lui aussi lié à la danse, est de structure plus mouvante et de caractère plus populaire. Il est plus rarement polyphonique. Sur les 33 que nous a laissés Machaut, seuls 8 sont à plus d'une voix, dont un seul à 3. Cette forme ouverte présente le plus souvent trois strophes, ce qui en fait une pièce beaucoup moins concise que le rondeau.

Mais c'est la ballade qui, déjà en germe, elle aussi, au XIIIe siècle, constituera le genre profane le plus en vue et le plus ambitieux. Écrite souvent en vers décasyllabiques, traitant d'un sujet qui ne néglige pas le raisonnement et permet le recours à la mythologie, la ballade mène successivement trois raisonnements jusqu'à un même vers refrain. La musique, plus décorative que celle du rondeau et a fortiori du virelai, est en général à trois voix dont seule la supérieure, pourvue de paroles, contient beaucoup de mélismes, quitte à couper les mots.

L'art du Trecento

L'ITALIE VÉCUT VERS 1330
L'ÉCLOSION SOUDAINE D'UNE EXPRESSION
MUSICALE PLUS SPONTANÉE ET MOINS RATIONNELLE
QU'EN FRANCE : L'ART DU TRECENTO,
DANS LE NORD PUIS À FLORENCE.

Souvent désigné sous le terme d'*Ars nova* italienne, par référence au XIVe siècle français qualifié d'*Ars nova* par son promoteur Philippe de Vitry dans le traité fameux qui porte ce nom (v. 1320), l'art italien de ce siècle ne répond que malaisément à cette appellation, car la polyphonie est quasi inexistante au XIIIe siècle. Elle surgit de manière apparemment spontanée durant la première moitié du XIVe siècle dans les cours princières de l'Italie du Nord, Milan, Bologne, Padoue, Vérone. Loin des complexités des compositions françaises qui lui sont contemporaines (par exemple l'Italie ignorera presque totalement la forme française très cérébrale du motet), cette polyphonie se limite en général à deux voix dans le cadre fixe du madrigal (qu'il ne faut pas confondre avec le madrigal du XVIe siècle, avec lequel il n'a rien de commun) forme dominante de la période 1330-1360. Sur des poèmes amoureux, parfois remplis d'allégories et de ce fait obscurs, des

1. Manuscrit de Guillaume de Machaut, XIVe siècle.

2. Recueil de motets du XIIIᵉ siècle ; chansonnier de Paris, manuscrit de Montpellier.

3. Codex Squarcialupi : recueil de madrigaux du XIVᵉ siècle.

La chanson bourguignonne

AU XVᵉ SIÈCLE, LA MUSIQUE RECOUVRE UNE ALLURE PLUS SOUPLE, NOTAMMENT À LA COUR DE BOURGOGNE, DANS DES CHANSONS D'UN LYRISME UN PEU CONVENTIONNEL MAIS D'UN TON CHARMEUR.

Après une période d'exaspération des tendances rationalisantes de l'*Ars nova*, caractérisée par l'excès dans l'usage de rythmes conflictuels et désignée sous le terme d'*Ars subtilior*, la musique subit une transformation esthétique qui tourne radicalement le dos à une manière que l'on a rapprochée du gothique flamboyant. Cette transformation est attribuée à l'influence exercée par les musiciens anglais installés sur le continent, et surtout à Dunstable, musicien du duc de Bedford, dont l'écriture, où abondent tierces et sixtes, est d'une suavité fort nouvelle. Mais on note une évolution parallèle dans les œuvres écrites en Italie par de nombreux compositeurs originaires de la région de Liège comme J. Ciconia (Cigogne, † 1411) et Arnold de Lantins. C'est parmi eux que compléta sa formation le Cambrésien Guillaume Dufay (v. 1400-1474), l'auteur le plus représentatif et par le nombre de ses chansons (86) et par leur qualité. De son contemporain et ami Gilles Binchois († 1460) ne nous sont parvenues que cinquante-deux chansons d'une belle veine mélodique. À côté d'eux, il faut citer Hayne de Ghizeghem dont les vingt chansons qui nous sont parvenues étaient si fameuses qu'elles se retrouvent dans vingt-cinq sources différentes *(De tous biens playne est ma maistresse).*

À cette époque, on retrouve les mêmes structures qu'au siècle précédent. Toutefois, la ballade ne sera guère pratiquée au-delà de 1430, même si elle s'enrichit des prouesses verbales des rhétoriqueurs (ballade équivoquée de Dufay : *Se la face ay pale*). Après cette date, elle laisse le champ libre au rondeau, dont chacun des éléments peut s'accroître. Quant au virelai, peu pratiqué en polyphonie peut-être à cause de son caractère populaire, il s'oriente vers un style plus lyrique. Réduit à la seule première strophe, il sera bientôt désigné sous le nom de bergerette.

Quelle que soit sa structure, la chanson se présente uniformément comme une forme à trois voix : la voix supérieure, pourvue du texte dans presque tous les chansonniers, et que l'on appelle *cantus*, et deux voix *sine littera*, de ce fait considérées comme instrumentales, ténor et contraténor, cette dernière cessant totalement alors d'être une voix *ad libitum*. Pourtant, dès l'époque de Dufay, on voit se constituer une connivence étroite entre les voix de cantus et de ténor (Dufay, *Bon jour, bon mois, bon an et bonne estraine*), renforcée par des imitations. Il peut même arriver que le tissu polyphonique s'unifie jusqu'à présenter trois voix pourvues du même texte *(Ce jour de l'an voudray joye mener).* •

---

tinés à plaire à un public de cour, sont élaborées des piécettes raffinées, d'une rare élégance, présentant, surtout pour la voix supérieure, des vocalises aussi légères que libres, et d'une souplesse qui pourrait faire estimer laborieuse plus d'une œuvre française.

Les deux compositeurs les plus représentatifs de cette période sont Giovanni da Cascia *(Nel meço a sey paghone)* et Jacopo da Bologna *(Non al suo amante*, sur un texte de Pétrarque, et *Fenice fu)*. Tous leurs madrigaux obéissent au même schéma structurel : deux (ou parfois trois) tercets de vers hendécasyllabiques sur le même texte musical, suivis d'un *ritornello* final contrastant surtout par le rythme. À chacun des vers correspond une incise musicale commençant et se terminant par un assez long mélisme.

Un autre genre jouit à la même époque des faveurs du public : la *caccia,* ou chasse, à trois voix, composée dans la forme d'un canon à l'unisson entre deux voix chantées et soutenues par un ténor instrumental en valeurs plus longues. Toutes de caractère réaliste, les *cacce* proposent un petit récit où prennent place des scènes de chasse (origine de la dénomination ?) à grand renfort de cris d'hommes ou de bêtes, d'onomatopées *(Con brachi assai e con mohi sparveri,* « Avec bon nombre de chiens et de faucons », de Giovanni da Cascia) ou encore des scènes de marché ou même des propos amoureux. Comme le madrigal, la caccia est constituée de deux strophes sur la même musique, suivies d'un *ritornello* contrastant.

Mais la période la plus brillante du Trecento se situe à Florence, après 1360 *(ars nova* florentine). L'ensemble des œuvres qui nous sont parvenues (154) du plus illustre compositeur, Francesco Landini († 1397), représente un tiers de toute la production du Trecento. On y remarque une certaine désaffection pour le madrigal (9) et la caccia (1) au profit de la *ballata,* dont ce sera l'apogée. L'écriture à deux voix prédomine encore : 90 ballate sont à deux voix, mais près de 50 sont à trois.

L'esthétique en est radicalement différente : les poèmes, souvent du musicien lui-même, traitent d'un amour déçu ou malheureux *(M'a non s'andra)* ou de la fuite du temps *(Nessun ponga).* La structure, plus complexe, n'apparente à celle du virelai français. À un premier élément A de plusieurs vers, appelé *ripresa,* succèdent deux *piedi,* plus courts, B, sur la même musique ; puis la *volta,* de même longueur et sur la même musique que la *ripresa,* enfin la *ripresa* reparaît en *da capo.*

Moins orientée vers le décoratif, la ballata comporte moins de mélismes gratuits que le madrigal et tend vers une expressivité plus figurative *(Gran piant'agli ochi,* « Grands pleurs aux yeux »). Son caractère plus sensible qu'intellectuel l'éloigne de la manière française et des raffinements rythmiques : on y décèle moins de science – le Trecento ignore le motet – que d'abandon à la musique.

Mais le retour à Rome de la cour pontificale provoquera, à la fin du siècle, un rapprochement avec la manière française. •

La Renaissance

La pré-Renaissance

L'USAGE DU PAPIER
À LA PLACE DU PARCHEMIN ET L'EMPLOI
D'UNE GRAPHIE MUSICALE EN NOTES ÉVIDÉES (V. 1450-1460)
PEUVENT ÊTRE CONSIDÉRÉS COMME LES SIGNES
PRÉCURSEURS DE LA PRÉ-RENAISSANCE.

LE CONCEPT DE RENAISsance appliqué à la musique définit plus le cadre d'une époque et un climat d'ensemble qu'une rupture avec un langage dépassé. La Renaissance en musique est plutôt un aboutissement qu'une révolution.

En effet, on ne peut admettre qu'il y eut dans ce domaine un nouveau départ comme celui qui se produira à l'orée du XVIIe siècle avec le développement de la fiction scénique, la *favola in musica* (Monteverdi). Des premiers déchanteurs, Léonin, Pérotin, à Palestrina ou Lassus, on ne peut déceler la moindre solution de continuité. La musique est un langage qui évolue selon des lois et une logique qui lui sont propres : les apports extérieurs, intellectuels et philosophiques, restent marginaux et l'influencent sans la transformer.

Si la filiation est flagrante dans le domaine de l'écriture, on ne peut nier un essor dû à l'imprimerie musicale, qui, à partir de 1501 (*Odhecaton*) et surtout de 1528, date à laquelle se généraliseront les caractères mobiles, permettra une diffusion sans précédent. Ce sera l'œuvre des Attaingnant, Moderne, du Chemin, Le Roy et Ballard (en France), Petrucci, Gardane (en Italie), Susato, Phalèse (aux Pays-Bas), Schöffer, Petreius (en pays germaniques).

Depuis quelques décennies, des tentatives d'écriture instrumentale commençaient à voir le jour. L'édition de tablatures pour luth développe un répertoire spécifique, tandis que ce goût nouveau conduit la facture à s'améliorer et à créer des familles d'instruments dont l'emploi répond à une esthétique nouvelle fondée sur la recherche d'homogénéité.

La France, déchirée par la guerre de Cent Ans, n'avait pas été très propice à l'épanouissement des arts. C'est en Bourgogne que se situait la principale activité artistique, autour de Dijon, et dans les Flandres, mais aussi dans le nord de la France, qui était resté à l'écart des troubles (évêché de Cambrai).

Le plus grand représentant de cette pré-Renaissance est Johannes Ockeghem († 1497), Flamand d'origine qui allait devenir « maître de chapelle du chant » de trois rois français.

Plus encore que Dufay, c'est lui qui fixe les canons de composition de la messe polyphonique à 4 voix, qu'elle soit désormais unitaire (c'est-à-dire recourant au même matériau emprunté pour la

3. Retable de *l'Agneau mystique* de Van Eyck. Détail.

Figures majeures

Giovanni da Palestrina et *Roland de Lassus,* tous deux disparus en 1594, sont deux figures majeures de l'époque : l'un à Rome, où il fait presque figure de musicien catholique officiel, l'autre en Bavière portèrent le mode d'expression polyphonique fondé sur l'imitation syntaxique à un rare point de perfection.

Tomás Luis de Victoria († 1611), après une longue carrière en Italie, rejoint son Espagne natale. Son expression simple et poignante n'est exempt ni de réalisme ni de mysticisme.

William Byrd († 1623) est très représentatif de l'école anglaise de la Renaissance, légèrement en retard par rapport à celles du continent. Sa maîtrise du contrepoint ne nuit pas à une très grande clarté et à une expressivité étroitement liée au texte.

Une messe à quatre voix

Au-dessous d'un chœur d'anges du retable de *l'Agneau mystique* de Van Eyck, on peut voir la double page (verso et recto) [1, 2] dans laquelle les 4 voix, qui ne sont pas présentées en partition, se font face : le superius sans appellation, le contra, le ténor et le bassus. On remarquera que le ténor énonce le texte du chant emprunté avant de dire *kyrieleison.*

1, 2. Manuscrit enluminé de la messe *Salva diva parens* (« Salut, divine mère ») de Jacob Obrecht (1450-1505).

voix de ténor), comme les messes *l'Homme armé, Ecce ancilla Domini, Au travail suis,* ou qu'elle soit déjà la démarque d'une chanson qui présente tant de ressemblance avec le modèle que l'on parlera de *missa parodia,* ou enfin qu'elle repose sur une manière de code d'écriture qui se retrouvera d'une section à l'autre : messes *Cujusvis toni* (de n'importe quel ton), *prolationum* (des prolations).

Nous possédons peu de motets d'Ockeghem, mais tous sont désormais religieux et en latin, même s'ils empruntent un langage qui n'est pas toujours puisé dans les textes bibliques (*Intemerata Dei mater).* C'en est fini du motet de cérémonie à la manière de Dufay. La dévotion prévaut, surtout la piété mariale, qui se développe plus cette fin de siècle (deux *Salve regina, Alma redemptoris mater).* Ses motets sont écrits en général à 4 voix, éventuellement sur *cantus firmus* emprunté, et présentent, vu l'uniformité des valeurs de notes entre les voix, des possibilités nouvelles d'imitation.

Dans le domaine de la chanson, Ockeghem partage la vedette avec Antoine Busnois († 1492). C'est à ce dernier que reviendrait la responsabilité de la renaissance de l'ancien virelai, réduit à une strophe et de caractère plus courtois, sous la forme de la bergerette. Comme celles de la génération précédente, ces chansons sont à 3 voix, parmi lesquelles prédomine le duo cantus-ténor, parfois souligné par des imitations entre ces deux parties. La conduite des voix tient moins de la miniature comme à la génération antérieure, et les phrases gagnent beaucoup en ampleur *(Ma maistresse, Presque trainsi).* •

COLONISÉE MUSICALEMENT PAR DES ÉTRANGERS ATTIRÉS PAR LA VIE DE COUR, L'ITALIE DU XVIᵉ SIÈCLE CONNAÎTRA UN DÉVELOPPEMENT PLUS TARDIF MAIS UNE INFLUENCE CONSIDÉRABLE PAR LE TRUCHEMENT DU MADRIGAL.

Il est habituel, en littérature et dans le domaine des arts plastiques, de rappeler que la Renaissance en Italie avait devancé largement d'un demi-siècle celle de la France. En musique, il ne peut en être de même puisque l'on constate, avec un étonnement justifié, que le Quattrocento se présente comme une sorte de désert. C'est pourtant en Italie, dans les cours princières et à la cour pontificale, que la vitalité de la production musicale – que l'on peut taxer de musique de la Renaissance – connaît la plus grande effervescence. Elle est le fait non d'Italiens, mais d'étrangers, qui occupent tous les postes en vue. On peut remarquer que, dans les premiers volumes publiés par Petrucci, les noms italiens sont absents. La centaine de chansons françaises à 3 voix contenue dans l'*Odhecaton* de 1501 est due à des « Francesi », « Fiamminghi » ou « Alemanni » : Busnois, Agricola, Compère, Hayne van Ghizeghem, Isaac et surtout Josquin Des Prés († 1521), dont l'immense production dépasse le cadre de la seule chanson – ses 18 messes *(Pange lingua)* et ses quelque 100 motets comptent parmi les plus grandes œuvres polyphoniques jamais écrites.

Est-ce à dire que l'Italie n'ait joué aucun rôle ? On ne peut nier que la production autochtone de *frottole* (11 livres entre 1504 et 1514), de *strambotti,* de *laude* soit

d'une qualité médiocre en regard des savantes constructions contrapuntiques des étrangers. Il n'en reste pas moins que cet art spontané, simple, accordant une primauté de fait à la voix supérieure, a contribué à l'évolution de l'expression musicale vers un langage moins cérébral et vers le concept nouveau de mélodie accompagnée.

Ce n'est que dans la seconde moitié du siècle qu'apparaît un genre promis à un brillant avenir, le madrigal. Créé par des étrangers (Verdelot, Adriaan Willaert), il voit ses caractères se préciser : abandon de la forme strophique et des répétitions, augmentation du nombre de voix (5) et recherche d'une étroite adaptation de la musique au mot, en recourant au chromatisme qui deviendra caractéristique du genre. S'y illustreront les grands Italiens Palestrina, Orazio Vecchi, Luca Marenzio, Carlo Gesualdo, sans compter tous les compositeurs qui, en France, en Allemagne, aux Pays-Bas, en Espagne, en Angleterre, s'en inspireront. •

DÈS 1525, LE CENTRE D'INTÉRÊT DE LA CRÉATION MUSICALE SE DÉPLACE DE LA MUSIQUE RELIGIEUSE VERS LA CHANSON, QUI PERD LE PLUS SOUVENT LE CARACTÈRE GRAVE QUI ÉTAIT LE SIEN.

C'est en Île-de-France que se développe avec le plus de vigueur cette chanson de type nouveau, caractérisée par une grande recherche de simplicité dans l'écriture (abandon des formations un peu lourdes à 5 ou 6 voix et des canons et artifices d'écriture si prisés chez les compositeurs antérieurs). Le quatuor vocal s'impose comme moyen idéal d'expression. On ne garde de l'imitation syntaxique que ce qui est le plus immédiatement sensible, à savoir les entrées en imitation, du reste fort rapprochées. On joue surtout sur les oppositions entre fragments écrits en imitation et passages homorythmiques, assortis de changements de rythme (binaire/ternaire). Aux courbes amples, à rebonds, succèdent des phrases plus courtes, plus fragmentées, presque sans mélismes, au débit rapide calqué sur la diction des paroles et d'allure volontiers populaire. Le rythme adopte fréquemment le schéma dactylique. Quant aux sujets traités, ils sont rarement profonds et sérieux, mais plus vo-

lontiers plaisants et légers, voire grivois et même obscènes.

Le maître incontesté de cette chanson appelée *parisienne* est le curé Clément Janequin († 1558), dont l'aisance d'écriture, le naturel parfait, ainsi que le goût très sûr dans l'emploi des procédés et, surtout, l'inspiration de la plus grande variété ont fait merveille dans ce genre. Parmi les 186 chansons parvenues jusqu'à nous, on retient le plus souvent ses chansons descriptives *(la Guerre, le Chant des oyseaux)* avec leur cortège d'onomatopées.

Ses émules sont presque innombrables tant à Paris, comme Claudin de Sermisy († 1562), compositeur prolixe et de grande qualité, Pierre Certon († 1572), au style plus fréquemment vertical, Passereau, Mathieu Gascongne, qu'en province (Lyon, Toulouse) et même à l'étranger, comme Nicolas Gombert († v. 1560), chantre de Charles Quint, Thomas Crécquillon († 1557), Clemens non Papa († v. 1555), Roland de Lassus († 1594), dont la carrière fut presque toute bavaroise. •

RÊVE DE LETTRÉS S'INSPIRANT DE L'ANTIQUITÉ ET SOUCI D'ÉVANGÉLISATION CONTRIBUENT À LA NAISSANCE D'UNE POLYPHONIE PLUS SIMPLE.

L'humanisme, qui était florissant sous les règnes de François Iᵉʳ et Henri II grâce à l'enseignement des Dorat, Estienne, Budé, et dont un des plus importants aboutissements a été la Pléiade, exerça sur la musique tout un faisceau d'influences diverses qui ne furent sans effet ni sur les esprits ni sur les sensibilités. La première en date fut la poursuite d'une union plus étroite des arts, qui se concrétisa, en 1552, par l'ajout d'un supplément musical aux *Amours* de Ronsard. Y figurent les noms de Janequin, Muret, Certon et Goudimel. Des timbres étaient proposés sur lesquels tels ou tels sonnets pouvaient être exécutés, ce qui, inévitablement, contribuait à désolidariser la musique de la poésie.

D'autre part, l'attrait d'une Italie qui, dans la seconde moitié du siècle, avait retrouvé une vitalité en sommeil jusque-là, va, par le biais du madrigal qui ne répugne pas à emprunter des éléments à l'Antiquité classique, faire naître en France des manières de récits dramatiques dont bien des caractères seront empruntés à l'art ultramontain.

Mais l'influence directe de l'humanisme sur la musique se manifeste plus encore dans les tentatives, poursuivies depuis plusieurs décennies, et surtout en Allemagne, de mise en musique de textes poétiques anciens (Horace, Ovide). Les essais de renouvellement du vers français s'en trouvèrent confortés : on imagina d'acclimater la rythmique gréco-latine à la langue française et d'écrire des vers « mesurés à l'antique » où se succéderaient, selon un schéma choisi, des syllabes prétendues longues ou brèves, à charge, pour le musicien, de s'exprimer dans le rythme qui lui est proposé. Cette esthétique de rêve pour un esprit de la Renaissance trouva sa concrétisation dans la création d'une Académie de poésie et de musique fondée en 1570 à l'initiative du poète Baïf et du luthiste Thibaut de Courville, et sanctionné par la faveur des trois derniers Valois. Ainsi prendront naissance des chansons et chansonnettes en vers mesurés sous la plume de l'un des plus grands compositeurs de l'époque, Claude Le Jeune († 1600), notamment dans son fameux recueil du *Printemps,* où il

n'hésite pas à juxtaposer l'ancien et le nouveau style ; on peut citer aussi Eustache Du Caurroy († 1609) et Jacques Mauduit († 1627).

Un autre aspect du renouveau musical est la naissance d'un répertoire destiné au tout nouveau culte réformé. Dès les années 1520 naissent en Allemagne, sous l'influence de Luther, des chants destinés à l'assemblée et appelés *chorals,* de caractère simple, bientôt revêtus d'une polyphonie, simple elle aussi, qui n'en altère pas le caractère et qui est due, entre bien d'autres, à Lucas Osiander, Johannes Eccard, Michael Praetorius, Hans Leo Hassler. La France ne fut pas en reste et dès que le psautier fut écrit par Marot et Th. de Bèze, puis pourvu de musique par Loys Bourgeois, il fut harmonisé à 3, 4, 5 ou 6 voix par les musiciens les plus réputés : Pierre Certon, Claude Le Jeune, Paschal de L'Estocart et surtout Claude Goudimel († 1572), le chant commun passant progressivement de la voix de ténor à la voix supérieure.

Musique mesurée à l'antique et musique huguenote furent deux éléments déterminants dans l'évolution de l'écriture : elles donnèrent le coup de grâce au contrepoint trop complexe et à la polyphonie stratifiée et accordèrent à la voix supérieure une primauté qui permettra le passage à la mélodie accompagnée. •

4. Chanson de C. Janequin, éditée par P. Attaingnant.

Fiez-vous-y si vous voulez
Si la prenez, cocu serez

La chanson française du milieu du siècle est en général à 4 voix sous la plume de Janequin et de ses émules, et traite le plus souvent

des sujets fort légers. Elle est publiée soit en recueils séparés, soit en un verso et un recto où figurent deux voix qui se font face.

Le même texte est distribué aux 4 voix et l'expression est volontiers homorythmique.

L'essor
de l'art instrumental

LES TÉMOIGNAGES MUSICAUX les plus anciens sont tous exclusivement d'ordre vocal et appartiennent le plus souvent au répertoire religieux. C'est le cas des premières notations musicales, aujourd'hui décryptées de façon sûre, les manuscrits non diastématiques, c'est-à-dire n'indiquant pas les hauteurs des sons, que nous ne connaissons que par des documents ultérieurs et que l'on situe aux IXe et Xe siècles, les manuscrits de Saint-Gall et de Laon par exemple. C'est le cas aussi de nombreux manuscrits sur portées qui nous ont transmis les œuvres des troubadours, trouvères ou minnesänger, parfois pourvus d'une iconographie exubérante, comme les *Cantigas de Santa María* d'Alphonse le Sage (XIIIe siècle).

Ce divorce apparent entre la quasi-absence de témoignages de musique pu-rement instrumentale et une documentation picturale qui fait état de l'existence d'un nombre considérable d'instruments, sans que l'on puisse préjuger l'usage qui en était fait, laisse supposer que le jeu d'instruments était bien une réalité, mais ne transitant pas en tant que tel par l'écrit. C'est pourquoi toute interprétation de musique préclassique laisse une large place à l'appréciation personnelle pour le choix, le jeu ou le groupement des instruments. D'où les abus fréquents et l'incertitude du mélomane devant une anarchie qui fragilise cette musique lointaine. Les certitudes, en effet, ne sont que d'ordre négatif. Vu la manière de concevoir la polyphonie, on doit exclure les exécutions par familles d'instruments. À chaque ligne doit être affecté un instrument : c'est ce que l'on appelle le *concert brisé*.

Les premiers témoignages XIe-XIIIe siècle

LA MUSIQUE ÉTANT ESSENTIELLEMENT DESTINÉE À LA VOIX, ON SUPPOSE INSTRUMENTAUX DES TEXTES QUI SONT PARVENUS SANS PAROLES. LES INSTRUMENTS DOUBLAIENT SANS DOUTE LES VOIX OU S'Y SUBSTITUAIENT.

Pour la période précédant le XIVe siècle, il ne s'agit que de suppositions : les fragments musicaux sans paroles (on dit *sine littera*) peuvent être considérés comme destinés aux instruments, sans qu'il soit possible de préciser lesquels. Mis à part le cas du clavier ou du luth, aucune destination spécifique n'est absolument formelle avant le XVIe siècle, où se développe la conscience du timbre et de l'orchestration.

Dans un manuscrit de chansons de trouvères, le F 840, on trouve les premières pièces reconnues comme étant instrumentales : une main malhabile a comblé les espaces laissés libres en consignant par écrit des pièces recourant, pour la première fois, aux commodités généralisées plus tard par l'écriture instrumentale : l'*ouvert* et le *clos*, deux désinences, l'une suspensive, l'autre conclusive pour une même incise musicale appelée *punctum*. Ces pièces, appelées *estampies* (étymologie controversée) et *danse réal*, constituent sans aucun doute les premiers exemples de danses populaires à jouer sur un instrument mélodique, instrument à cordes ou à anche, et à rythmer avec une percussion.

Dans le genre du motet, dont la vogue était considérable au XIIIe siècle, on peut constater que les scribes n'ont que très rarement indiqué les paroles de l'emprunt, liturgique ou non, choisi et aménagé rythmiquement pour servir de structure à l'œuvre créée à partir de là. Dans la presque totalité des cas, seul est indiqué, semble-t-il à unique fin de référence, le texte – toujours bref – du fragment emprunté. Par exemple : *in seculum, veritatem, Johanne,* etc. Les syllabes n'étant pas réparties et la qualité mélodique étant un peu masquée par le carcan isochronique qui lui est imposé, l'habitude a depuis longtemps prévalu de confier la voix dite de *teneur* à un ou plusieurs instruments. Quels instruments ? On parle parfois d'orgue portatif. Mais la longueur forcément limitée des tuyaux forcerait à admettre que ces notes, qui devraient être d'un registre plus grave que les voix supérieures, sonnent en réalité plus haut : ce qui serait un obstacle... à moins que la conscience des jeux d'octave n'ait pas eu la même incidence que pour nous. À quoi il faut ajouter des petits fragments vocalisés, sortes de ponts assurant la cohérence entre les incises, et dont on ne sait s'ils doivent ou non être confiés à des instruments.

Très peu de polyphonies sont parvenues sans paroles. Là où elles sont absentes, est-ce un oubli de scribe ou une négligence ? Rien n'est à exclure. Pourtant, l'un des manuscrits de motets du XIIIe siècle les plus fameux, le manuscrit de Bamberg, clôt d'étrange façon : cette centaine de motets triples est suivie d'une dizaine de pièces sur cantus firmus (mais *sine littera* pour les deux voix organales) et que l'on appelle aussi « motets » malgré cette absence de texte, car les procédés d'écriture ne s'éloignent pas de ceux des pièces avec texte ; assemblage qui semble d'autant moins fortuit que la plupart utilisent comme teneur la fameuse incise *in seculum,* extraite du verset du graduel de Pâques, *Haec dies,* par exemple le n° 105, *in seculum viellatoris* (l'*In seculum* du viéleur), ou le n° 107, *In seculum d'Amiens longum.* On voit apparaître dans ces pièces le procédé de *hocquet* dont le XIVe siècle sera friand. •

Les tablatures pour clavier et luth XIV-XVIe siècle

CLAVIER (ÉPINETTE OU ORGUE) ET LUTH SONT LES PREMIERS INSTRUMENTS QUI BÉNÉFICIENT D'UNE ÉCRITURE SPÉCIFIQUE ET QUI, PAR LÀ, SE DISTINGUENT DE LA VOIX.

Les premiers textes indiscutablement instrumentaux – on les appelle *tablatures* – sont de deux natures très différentes, en lien avec les instruments auxquels ils sont destinés : notes et lettres indiquent les hauteurs des sons pour le clavier, lettres de a à g indiquant des doigtés pour les instruments à cordes pincées.

Les plus anciens sont des manuscrits pour clavier et remontent au début du XIVe siècle. On les trouve, d'une part, dans un manuscrit anglais, le *Robertsbridge Codex,* où les deux voix, sur une seule portée, mélangent notation musicale et alphabétique, et, d'autre part, dans un manuscrit italien, le *codex de Faenza.* Tous deux semblent être moins des compositions originales que des arrangements pour clavier de chansons polyphoniques préexistantes. Dans le premier se trouvent trois motets figurant dans le *roman de Fauvel,* dans le second, des œuvres des principaux compositeurs du XIVe siècle français ou italien comme Jacopo da Bologna, Francesco Landini ou Guillaume de Machaut. Seule se reconnaît la voix de teneur ; l'autre voix, écrite en valeurs très brèves, contraste fort par sa vélocité avec le ténor et s'éloigne très fortement de l'original.

Plus élaborée et beaucoup plus vaste (plus de deux cent cinquante pièces, certaines assez développées) se révèle la tablature germanique à trois voix dite *Buxheimerorgelbuch* (v. 1460) : elle combine l'emploi de notes sur une portée de sept lignes pour la voix supérieure et deux séries de lettres avec repères rythmiques pour les deux voix inférieures. Ce sont en général des diminutions ou « colorations » de chansons ou motets par ailleurs connus. Ce n'est que dans les tablatures de 1531 « pour le jeu d'orgues, espinettes et manicordions », publiées par Attaingnant, que se fixe la notation sur deux portées qui se généralisera par la suite.

Il semble que ce soit dans la seconde moitié du XVe siècle qu'apparaisse la tablature pour luth. Mais c'est surtout à partir de l'imprimerie que se développe ce moyen original de noter la musique. La première tablature a été

1. Chansons et jeux parties, XIIIe siècle.

imprimée à Venise par O. Petrucci en 1507. Sur des lignes représentant le manche de l'instrument ou, mieux, les cordes et les frettes qui les barrent, sont indiquées non pas les notes elles-mêmes, mais les cases, délimitées par les frettes et désignées par des lettres, sur lesquelles appuient les doigts. Des indications rythmiques sommaires sont placées sous forme de hastes ( ) au-dessus des lignes. La graphie évoluera, bien sûr, mais le système inauguré par Petrucci se perpétuera très avant dans le XVIᵉ siècle. Un système identique est utilisé pour d'autres instruments à cordes pincées comme la guiterne (guitare) et le sistre.

Comme pour le clavier, nombre de ces tablatures (dont l'intérêt est grand car les altérations, omises en polyphonie vocale, y sont précisées) ne sont que des transcriptions de chansons ou de motets que l'on dit « réduits » au luth : terme pertinent, car la polyphonie linéaire, simplifiée à l'écoute, perd de sa complexité pour ne conserver que ce qui est le plus apparent, à savoir les entrées en imitation. Grâce à ces tablatures, la chanson polyphonique s'achemine vers l'air au luth, dont seul le superius est chanté. De nombreux recueils de danses voient le jour, destinés au luth devenu l'instrument le plus répandu et le plus accessible. •

Improvisation
et « embellissements »

LES TEXTES MONTRENT QUE LES CHANTEURS ET INSTRUMENTISTES AVAIENT L'HABITUDE D'ORNER LA MÉLODIE DONT N'ÉTAIT ÉCRIT QUE LE CONTOUR GÉNÉRAL.

Comme le prouve l'absence de documents très anciens, la pratique instrumentale était affaire de tradition, d'apprentissage artisanal. L'écrit ne fut qu'un support, une sorte de schéma à partir duquel l'instrumentiste se laissait aller à sa fantaisie, en fonction de son habileté. Des témoignages, tardifs eux aussi, nous restent de cette pratique, qui vont dans le même sens de l'ornementation que les voix supérieures des tablatures des chansons : ce sont des traités contenant à la fois la description de procédés ou de conseils d'exécution, et des exemples concrets à partir d'œuvres de compositeurs connus. C'est ainsi que, avant même de proposer une série impressionnante d'exercices techniques pour la flûte, Silvestro Ganassi, dans sa *Fontegara* publiée à Venise en 1535, expose des *exempli di diminuir* et que le même auteur, dans sa *Regola Rubertina* (1542) destinée à l'étude de la viole, clôt son exposé par cinq *ricercare* assortis de doigtés. Diego Ortiz n'agit pas autrement dans son *Trattado de glosas... en la musica de violones* de 1553 quand, après avoir au cours du *libro primero* exposé la manière de faire *(Modo de glosar sobre el libro)*, il fournit un *segundo libro* comportant un grand nombre de *ricercare* à 1, 2, 3 et 4 voix, dont certains sur des chansons fort connues à l'époque, comme les quatre versions sur le madrigal d'Arcadelt *O felici occhi miei* et les quatre sur la chanson de Lassus *Doulce mémoire*.

On trouve même dans un traité fameux publié à Nuremberg, en 1552, le *Compendium musices* d'un certain Adrian Petit Coclico, qui se dit disciple de Josquin Des Prés, un chapitre intitulé *De elegantia et ornatu, aut pronuntiatione un canendo* (« Au sujet de l'embellissement et de l'ornementation, ou de la déclamation dans le chant ») assorti d'exemples de diminutions – c'est le terme que l'on employait couramment à l'époque appliquées sur deux chansons connues. Ce chapitre s'ajoute aux éternels problèmes d'échelle des sons, de solmisation, de nuances, de schémas rythmiques et de règles de contrepoint. •

Danseries,
suites de danses

S'IL EST VRAI QUE LA CHANSON POLYPHONIQUE POUVAIT ÊTRE JOUÉE AUX INSTRUMENTS, C'EST DE LA SÉRIE DE *DANSERIES* QUE NAÎTRA L'IDÉE DE LA SUITE INSTRUMENTALE.

On s'accorde à reconnaître aujourd'hui que – même en l'absence de documents écrits – les instruments étaient partie prenante dans la musique vocale. L'idéal sonore, reflet d'une polyphonie stratifiée, juxtaposait des éléments disparates, à raison d'un instrument par voix, fondé qu'il était sur la différenciation des timbres : c'était le *concert brisé*. Y participaient vièles à arc, rebec, flûtes, chalemies, sacqueboutes, cromornes, luth (utilisé d'abord comme instrument mélodique), violes, harpes, etc. Cette situation, dûment ancrée dans les mœurs, se poursuivra longtemps encore durant le XVIᵉ siècle, pourtant concurrencée par une attitude nouvelle liée à la facture instrumentale, le « concert » d'instruments d'une même famille : flûtes, violes de tailles différentes pour correspondre à chacune des voix. Le besoin de rationalisation, si caractéristique de la Renaissance, conduit en effet la facture instrumentale, d'une part, à étendre les possibilités des instruments (l'étendue sonore passe de trois à cinq octaves), d'autre part, à développer des familles complètes. Ainsi, insensiblement, la musique cesse d'être « accommodée aussi bien à la voix comme à tous instruments musicaux ». Un idiome instrumental est en train de devenir autonome.

Bien sûr, rares sont les œuvres à destination précise : le plus souvent, les instruments sont interchangeables. Sauf l'absence de texte, rien ne distingue ce répertoire des polyphonies vocales. C'est le cas des *ricercari* et de nombreux recueils de *danseries*. On y voit à travers les séries de basses-danses (pavanes, allemandes, gaillardes, tourdions) se dessiner les prémices de ce qui constituera un jour la *suite de danses* aux caractères contrastés, les unes, de caractère solennel, digne, appelées « basses-danses », les autres, légères, avec sauts. Peu de nom de compositeurs sont parvenus en dehors de Claude Gervaise et Étienne Du Tertre. Ces danseries anonymes sont, bien souvent, la démarque d'une chanson connue, plus ou moins transformée pour la rendre compatible avec les pas des danseurs et ramenée à des phrases symétriques.

Ce n'est qu'aux approches du XVIᵉ siècle que la danse devient polyphonique et constitue l'un des aspects les plus importants de la composition instrumentale. Il faudra attendre 1588 et la publication de l'*Orchésographie* de Jehan Tabourot (sous le nom de Thoinot Arbeau) pour disposer d'un ensemble cohérent de documents relatifs à l'organisation, au rythme, au caractère et à la pratique des diverses *danseries*, véritables ancêtres de la suite instrumentale qui sera destinée non plus à être dansée, mais cette fois à être écoutée. •

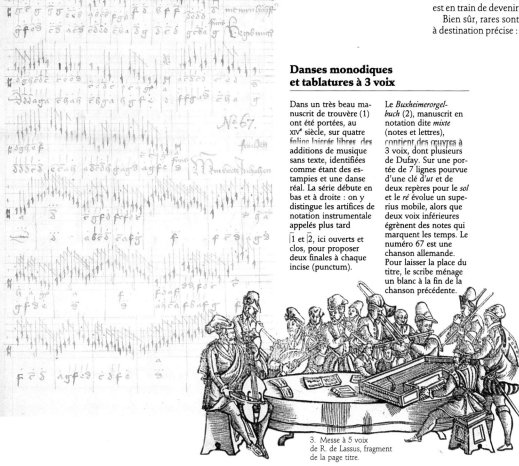

2. Page extraite du *Buxheimerorgelbuch* (v. 1460).

Danses monodiques et tablatures à 3 voix

Dans un très beau manuscrit de trouvère (1) ont été portées, au XIVᵉ siècle, sur quatre folios laissés libres des additions de musique sans texte, identifiées étant des estampies et une danse réal. La série débute en bas et à droite : on y distingue les artifices de notation instrumentale appelés plus tard |1 et |2, ici ouverts et clos, pour proposer deux finales à chaque incise (punctum).

Le *Buxheimerorgel-buch* (2), manuscrit en notation dite *mixte* (notes et lettres), contient des œuvres à 3 voix, dont plusieurs de Dufay. Sur une portée de 7 lignes pourvue d'une clé d'*ut* et de deux repères pour le *sol* et le *ré* évolue un superius mobile, alors que deux voix inférieures égrènent des notes qui marquent les temps. Le numéro 67 est une chanson allemande. Pour laisser la place du titre, le scribe ménage un blanc à la fin de la chanson précédente.

3. Messe à 5 voix de R. de Lassus, fragment de la page titre.

4. Page extraite du traité d'Adrian Petit Coclico.

Quelques conseils d'exécution

Coclico propose d'abord des types de démarche mélodique de quelques notes en juxtaposant celle qu'il appelle *simplex* et celle qui peut la remplacer, la mélodie *elegans*. Puis, avec un réalisme assez comique, d'un *communis cantus* un peu plus élaboré il passe à *elegans*, précisé par le commentaire suivant : *caro cum sale et sinapio condita* (« viande assaisonnée de sel et de moutarde »). Plus loin, le chant *simplex* est qualifié de *crudus* et le chant *elegans* est dit *condimentum*.

La musique baroque

LE TERME ET, PAR VOIE DE conséquence, le concept de musique baroque se sont imposés en France difficilement (vers 1960), alors qu'ils étaient couramment admis en Allemagne depuis près d'un demi-siècle et dans les pays anglophones depuis les années 1950. L'Italie (où le concept est accepté, mais avec une connotation péjorative) n'a guère été plus accueillante. Cependant, le sens neutre et général d'une période historique allant de 1600 à 1750 environ et d'une production rendue cohérente par des liens stylistiques dominants (ne serait-ce que la basse continue) semble avoir totalement triomphé du sens péjoratif qui accompagnait le terme baroque depuis Jean-Jacques Rousseau. Les multiples tentatives des historiens pour définir la musique baroque par analogie avec les arts plastiques n'ont pas toujours été couronnées de succès.

À l'inverse, la recherche de caractères baroques propres à la musique permet de compléter l'image de la sensibilité baroque. De l'Italie, son berceau, à la France, l'Allemagne et les pays du nord de l'Europe, le mouvement baroque s'est profondément modifié au cours des années. Le début du XVIIe siècle y apparaît comme « expérimental » : création, à Florence, du *dramma per musica* (premier nom de l'opéra) ; première floraison, en Italie, d'un répertoire instrumental d'une grande richesse, bouillon de culture des futures formes classiques. Les dernières décennies, en stabilisant les formes instrumentales et vocales, illustrent le « classicisme » du baroque. Beaucoup plus qu'à ses débuts, essentiellement italiens, la musique baroque apparaît, à la fin du XVIIe siècle, comme un phénomène international. Sur un substrat esthétique commun à tous les pays d'Europe, des musiciens exceptionnels donnent à leur ville ou à leur aire culturelle l'éclat particulier de leur génie. Considérable par l'abondance et la qualité, la production des Händel, Bach, Rameau ou Vivaldi est aussi indissociable de l'Angleterre, de l'Allemagne, de la France ou de l'Italie que profondément ancrée dans un mouvement baroque européen dont elle représente le patrimoine commun.

Le trait d'union entre toutes ces disparités est la basse continue.

La musique baroque
comme phénomène italien

BERCEAU DE LA MUSIQUE
BAROQUE, L'ITALIE A SERVI DE MODÈLE
À TOUTE L'EUROPE PAR SES INNOVATIONS,
TANT VOCALES QU'INSTRUMENTALES.

Pendant près de cent ans, l'Italie a fondé et développé les grandes formes de la musique instrumentale, créé l'opéra en 1600 et la cantate peu après, dominé longtemps l'Europe du talent de ses chanteurs. Durant les deux premiers tiers du XVIIe siècle, c'est en Italie que se réalisent les principaux changements et l'histoire de la musique baroque pourrait, jusque vers 1670, s'écrire par sa chronologie italienne.

On peut observer ce phénomène sous ses deux aspects majeurs : vocal et instrumental. Le mouvement d'idées qui secoue le monde musical dès le dernier quart du XVIe siècle aura rapidement un grand retentissement dans la musique vocale : le *dramma per musica* naît à Florence en 1597, de la volonté novatrice de ses *camerate* et du talent de ses librettistes (Rinuccini) et de ses compositeurs (Jacopo Peri, Caccini). Le *stile nuovo* envahit les motets à Saint-Marc de Venise (*Sacrae Symphoniae* de G. Gabrieli), où l'on ne chante plus *a capella* mais en *stile concertato*. La basse continue, au clavecin ou au chitarrone, s'impose dans le madrigal en 1605 avec le 5e livre de Monteverdi, peu à peu secondée par d'autres instruments. La cantate et l'oratorio empruntent au *stile nuovo* ce dialogue des voix et des instruments et cette expression vocale individuelle qui ont véritablement bouleversé l'art musical.

Parallèlement à ce changement spectaculaire dans tous les genres de la musique vocale, un art instrumental très brillant se développe. L'orgue, le clavecin, le violon... voient peu à peu s'élaborer leur langage propre qui s'exprime dans des formes tendant toujours plus vers une structure forte et un langage cohérent. À la fin du XVIIe siècle, l'Italie possède un répertoire instrumental considérable, tant par son ampleur que par sa variété. Toutes les grandes formes de la musique classique s'y trouvent en germe et les plus grands musiciens de l'Europe sauront puiser à la source italienne le ferment de leur propre création. •

1. Basilique San Marco de Venise, gravure, Rome, 1680.

Un art de la séduction

Arts de vivre et de plaire se mêlent intimement dans les représentations artistiques du baroque. Les Italiens aiment les grandes places comme la *Piazza San Marco*, à Venise, où tous les pas convergent vers la basilique, haut lieu de la vie artistique (1). À Rome triomphe la cantate pour voix et basse continue qui magnifie l'expression des sentiments (2). Le chant au luth conserve cependant sa séduction et son répertoire ne cesse de s'enrichir en France durant le règne de Louis XIII (3). À son tour, l'air de cour sera détrôné par un nouveau langage : le récitatif, créé par Lully pour la tragédie en musique (4).

2. Frontispice d'un recueil de cantates italiennes.

Esthétique
du baroque musical

LA MUSIQUE BAROQUE PARTICIPE, COMME
LES AUTRES ARTS, À LA THÉÂTRALISATION DE L'EXPRESSION,
EN PRIVILÉGIANT UNE ÉCRITURE FONDÉE SUR
LE DIALOGUE ET L'ORNEMENTATION.

La tentation est grande de procéder par analogie avec les arts visuels pour définir le baroque musical. La démarche n'est pas vaine, car beaucoup de caractères baroques définis par Burckhardt ou Wölfflin sont lisibles dans la musique écrite entre 1600 et 1750 environ : sens de la grandeur, amour de l'apparence, goût pour le contraste, l'instabilité, l'ornement, la courbe fuyante, le mirage, le miroir. Mais cette approche laisse dans l'ombre bon nombre de caractères spécifiquement musicaux.

Ces caractères communs à tous les arts s'épanouissent comme suit : le sens de la grandeur, l'amour de l'apparence et de l'éloquence s'illustrent dans les grandes machines de l'opéra romain et du ballet de cour, dans l'apparat de la tragédie en musique de Lully et Rameau, dans le culte des castrats dans toute l'Europe, dans les motets concertants de Saint-Marc de Venise ou de Versailles. En France comme en Italie, le chant est une école d'éloquence et l'art de l'ornement – mirage insaisissable et toujours renouvelé – constitue un élément fondamental de l'interprétation baroque.

Mais il existe une expression proprement musicale des caractères baroques. La recherche du sentiment vrai, préoccupation essentielle des musiciens du temps, a favorisé la création de la déclamation chantée (du *recitar cantando* des premiers Florentins au récitatif de l'opéra français), aussi bien que les progrès de l'harmonie et de l'écriture orchestrale. De Frescobaldi à J.-S. Bach, la musique instrumentale connaît un développement sans précédent. Elle marie la virtuosité *(toccate)*, la recherche contrapuntique *(ricercari, canzoni, fantasie)* et la recherche sonore et harmonique (sonates, symphonies d'opéras). La forme se précise, le discours s'organise (suite, fugue, sonate, concerto) et le début du XVIIIe siècle voit naître les œuvres les plus prestigieuses de Bach, Händel, Couperin, Rameau, Scarlatti et bien d'autres.

La basse continue constitue le phénomène musical essentiel de cette période : à la fois principe architectural, principe harmonique et principe ornemental, elle est présente dans tout le répertoire : accompagnant le récitatif, l'air ou les chœurs dans la cantate, l'opéra, l'oratorio et le motet aussi bien que la flûte ou le violon dans la sonate, soutenant l'orchestre dans le concerto grosso ou la symphonie d'opéra. •

Les formes de la musique baroque

AU RENOUVEAU DES IDÉES
ET DES TECHNIQUES RÉPOND LE CONCEPT
NOUVEAU DE FORME MUSICALE.

Les nouveaux genres vocaux sont l'opéra, l'oratorio, la cantate, mais c'est dans la musique instrumentale que s'est élaborée l'idée de forme musicale. Jusqu'à la fin du XVIᵉ siècle, le répertoire instrumental n'était que transcription du répertoire vocal dont il adoptait la forme, elle-même tributaire du texte. Quand naît une musique sans source ni support littéraire, une structure préalablement établie s'avère indispensable pour servir de guide au discours musical. Cela explique pourquoi le XVIIᵉ siècle est une période de gestation des formes instrumentales.

La profusion de musique s'accompagne, au début, d'une abondance de dénominations peu précises quant à la forme : *ricercare, canzona, fantasia, fuga, capriccio, concerto, sinfonia* pullulent entre 1580 et 1645. Autour de 1600, *concerto* désigne le mélange des voix et des instruments (*concerti ecclesiastici,* Viadana, 1602). *Sonate* désigne simplement une « pièce à sonner », c'est-à-dire instrumentale.

Vers le milieu du XVIIᵉ siècle se produit une mutation par la disparition de certains termes *(ricercare, canzona)* et l'apparition ou la généralisation d'autres vocables dont la signification formelle se précise. La suite offre une alternance de 5 ou 6 mouvements lents et vifs dont s'inspirera la sonate. Il existe des suites pour instruments so-

listes : luth, violon, clavecin (en France : « concerts ») et des suites pour orchestre comme dans les ballets de Lully. Très proche de la suite, la sonate naît en Italie (avec Legrenzi [1626-1690]), où elle se perfectionne grâce à Corelli et Torelli, puis se répand dans toute l'Europe. Tandis que la distinction ancienne entre *sonata da chiesa* et *sonata da camera* s'estompe, la sonate pour instrument soliste et basse continue tend à remplacer la sonate en trio (op. 5 de Corelli, 1700). En France, elle s'impose tardivement pour triompher avec les sonates de J.-M. Leclair (1697-1764). Le concerto baroque (concerto grosso) naît à Bologne avec Corelli et Torelli : il oppose un petit groupe de solistes *(concertino)* à l'ensemble des instruments *(ripieno) ;* la domination d'un soliste sur les autres aboutira au concerto de soliste, dès le début du XVIIIᵉ siècle (Vivaldi, Bach, Händel). La fugue (à l'origine un simple canon) est utilisée surtout à l'orgue et devient de plus en plus intellectuelle. •

3. *Manière de se promener le soir aux festes,* gravure du XVIIᵉ siècle.

Les seigneurs du baroque

SI LE BAROQUE FUT,
PENDANT PLUS D'UN SIÈCLE, DANS L'AIR DU TEMPS,
L'HISTOIRE A SU RENDRE À CERTAINS COMPOSITEURS
(DE MONTEVERDI À BACH ET HÄNDEL)
UNE PLACE DIGNE DE LEUR GÉNIE.

Parmi les oubliés de l'histoire, citons M. A. Charpentier (1634-1704) : bien que nommé de son vivant « le phœnix de France », on ne le redécouvre que depuis deux décennies. Par contre, à certains compositeurs de l'époque baroque, l'histoire a accordé une gloire posthume que l'originalité de leur production ne méritait peut-être pas (Vivaldi, Albinoni), alors qu'elle laisse dans une semi-obscurité des maîtres sans lesquels l'art baroque ne serait pas ce qu'il est (Carissimi, F. Couperin, Rameau).

En Italie, les compositeurs des premiers opéras romains ou vénitiens ne peuvent pas rivaliser avec la stature des trois grands fondateurs de l'opéra : Peri, Caccini et Monteverdi. Cependant, Cavalli, avec une quarantaine d'opéras composés entre 1639 et 1670, représente brillamment l'école vénitienne. En appliquant à ses opéras l'esthétique du style concertant, Alessandro Scarlatti (1660-1725) masque quelque peu la décadence de l'opéra napolitain, qui s'enferme dans des sté-

réotypes tels que l'*aria da capo* ou le *recitativo secco*. L'art sacré possède en G. Carissimi (1605-1674) un remarquable auteur d'oratorios et de messes au style dépouillé. Dès le début du siècle, la musique instrumentale se développe à Venise (avec G. Gabrieli [entre 1553 et 1557-1612]), à Ferrare ou à Rome (avec G. Frescobaldi [1583-1643]) et poursuit sa marche vers le classicisme. Dans la sonate de chambre et d'église, le concerto pour groupe et pour soliste s'illustrent les plus grands maîtres que l'Europe entière voudra imiter : Corelli (1653-1713) et Torelli (1658-1709) imposent la tonalité moderne et le style concertant, qui se manifestent dans leurs sonates et concertos. Leurs inventions seront amplifiées par Vivaldi tandis que Domenico Scarlatti (1685-1757) domine le monde du clavecin.

En France, le fondateur de la tragédie en musique et du récitatif français, Lully (1632-1687), illustre à lui seul l'éclat de la musique sous le règne de Louis XIV. Sa personnalité éclipsera d'autres musiciens, auteurs comme lui de ballets, opéras ou motets pour la cour. Ses 14 tragédies furent plusieurs fois rééditées au XVIIIᵉ siècle. La plupart de ses pastorales, comédies-ballets et ballets restèrent sous forme de manuscrits de son vivant. Totalement négligée jusqu'au milieu du XXᵉ siècle, l'œuvre de M. A. Charpentier

(1634-1704) accorde une place considérable à la musique sacrée, mais elle comporte aussi des tragédies, intermèdes, divertissements et cantates. Elle apparaît aujourd'hui comme un monument du patrimoine français. Plus polyvalent que Lully, J.-Ph. Rameau (1683-1764) fut à la fois théoricien de l'harmonie, compositeur pour le théâtre, l'église ou les ballets et auteur d'un important répertoire instrumental. Avec son prédécesseur F. Couperin, il est un des plus grands maîtres du clavecin français dont Chambonnières (v. 1601-1672) avait fondé l'école.

En Allemagne, l'ombre de Bach, qui s'étend sur toute l'Allemagne baroque, ne doit pas faire oublier ses prédécesseurs : H. Schütz (1585-1672), compositeur très ouvert à l'influence italienne *(stile concertato),* composa un opéra et des oratorios. Les organistes Scheidt et Froberger illustrent l'école allemande de l'orgue. Un siècle plus tard, l'œuvre immense de Telemann s'ouvre sur une esthétique nouvelle : le style galant.

En Angleterre, H. Purcell (1659-1695), issu de la riche tradition polyphonique de son pays, domine toute la fin du XVIIᵉ siècle anglais. Grand maître du clavier et de la musique religieuse, il a composé en outre de nombreuses pièces profanes de circonstance et six opéras (ou genres assimilés) dans les cinq dernières années de sa courte vie. Par la beauté de son écriture orchestrale et vocale, par sa réussite dans le domaine de l'expression, il personnifie le théâtre musical anglais. •

→ **Voir aussi :** Monteverdi, **MUS,** p. 348-349. Le style concertant, **MUS,** p. 352-353. J.-S. Bach, **MUS,** p. 354-355.

4. Lully, *Idylle sur la paix.*

Claudio Monteverdi

QUATRE SIÈCLES ET DEMI après sa mort, Claudio Monteverdi (1567-1643) apparaît comme le plus grand compositeur italien de son temps. Il vécut à un moment déterminant de l'histoire de la musique : celui où se jouent la disparition de la polyphonie vocale *a capella* et la naissance du drame en musique. Sa longévité exceptionnelle lui a permis de connaître l'épanouissement du madrigal, avec Marenzio et Gesualdo, ainsi que les premiers développements de l'opéra : à Florence, à Rome puis à Venise.

Il n'a nullement fondé le drame en musique, les réalisations florentines devançant de dix ans environ son *Orfeo*. Mais il est le plus illustre défenseur du *stile moderno* en un temps où les tenants du *stile antico* mènent campagne contre la nouveauté : récitatif, basse continue.

Sa formation de polyphoniste est à la base de ses quatre premiers livres de madrigaux et d'une partie de sa musique sacrée. Mais, très tôt converti à l'idéal humaniste, il s'oriente dès 1600 vers ce qu'il appellera la *seconda prattica* qui, en intégrant les créations les plus récentes de l'harmonie et de la basse continue, a pour ambition de servir la parole et de transcrire les passions.

Une personnalité aussi riche, aussi attachée à la tradition en même temps que si résolument novatrice méritait bien l'admiration que les historiens et le public du xxᵉ siècle lui manifestent. La remise en cause de sa participation au mouvement d'opéra vénitien ne diminue en rien l'originalité et la force créatrice de son œuvre dont, hélas, une part importante est perdue (notamment de la musique de théâtre).

Œuvres clefs

Il Quinto Libro de Madrigali... col basso continui..., 1605. Ce cinquième livre déclencha la colère des tenants du *stile antico* : ses 6 derniers madrigaux nécessitent la basse continue, facultative sous les autres.

L'Orfeo, favola in musica..., 1607. Après les *Euridice* florentines de Peri et Caccini, l'*Orfeo* apporte le modèle longtemps inégalé de l'opéra aristocratique. Monteverdi y unit la tradition madrigalesque et les plus récentes inventions du *stile rappresentativo*. La première manifestation de l'« orchestration expressive ».

Sanctissimae Virgini Missa senis vocibus ac Vesperae (les *Vêpres de la Vierge*), 1610 : l'apport du *stile concertato* ou stile moderno à la messe.

Il Settimo Libro de Madrigali a 1, 4 e 6 voci..., 1622. Monteverdi y réalise la synthèse de toutes ses inventions antérieures dans le domaine de l'expression musicale. Les deux pièces les plus célèbres sont les *Due lettere amorose* en style récitatif.

Madrigali guerrieri e amorosi con alcuni opusculi in genere rappresentativo..., 1638. « Une sorte de résumé de tout le développement du madrigal. » Madrigaux *a capella* et *concertati*, pièces pour la scène. Ce recueil comprend le *Combattimento di Tancredi e Clorinda*, destiné à la représentation, sorte de mini-opéra.

Selva morale e spirituale..., 1640. Recueil de 40 motets et madrigaux religieux accompagnés d'instruments divers et d'une basse continue (*concertati*).

L'Incoronazione di Poppea, 1642. Attribué à Monteverdi sur la foi d'une notation figurant sur un manuscrit vénitien. À défaut d'être réellement une œuvre clef du maître, cet opéra demeure un chef-d'œuvre de l'opéra vénitien, contemporain des dernières années de Monteverdi.

Le mouvement humaniste florentin

L'IDÉAL DE L'HUMANISME MUSICAL A UNE IMPORTANCE CONSIDÉRABLE DANS LE RENOUVELLEMENT DE L'ART ET DANS L'ÉVOLUTION DES MENTALITÉS ARTISTIQUES.

Depuis le xvᵉ siècle, Florence est le centre de la vie intellectuelle et humaniste. Aux alentours de 1580, une de ses académies, la *camerata* du comte Bardi, consacre ses travaux à la création du *dramma per musica* inspiré du théâtre grec. La *camerata* produit des écrits théoriques fondamentaux (traités, préfaces de recueils de musique, lettres d'un membre à un autre) exposant cet idéal de l'humanisme musical. Ces théories esthétiques s'organisent autour d'une idée centrale : la musique doit servir le texte et illustrer les passions qu'il énonce. Aussi le contrepoint traditionnel et le chant par un groupe vocal sont-ils totalement inadaptés à ce nouvel idéal qui vise à l'expression individuelle des héros en scène. La seule musique requise est soliste : mélodie accompagnée d'une basse continue, aussi proche que possible de la déclamation. Depuis le Moyen Âge, la musique est considérée comme supérieure au texte poétique ou littéraire sur lequel elle s'appuie. Ce primat se trouve fondamentalement remis en cause. C'est à ce renouvellement profond de la pensée musicale que l'opéra doit sa création.

Autour de Bardi, dans son palais florentin, la *camerata* regroupe artistes et intellectuels humanistes soucieux de réformer la musique à la lumière de leur idéal. Certains seront très fortement impliqués dans la fondation de l'opéra : G. Mei connaît le grec et révèle à ses collègues le théâtre antique. O. Rinuccini sera l'auteur des premiers livrets de l'histoire, mis en musique par J. Peri : la *Dafne* (1597) est perdue ; l'*Euridice* est donc le premier opéra connu. V. Galilei, dans son *Dialogo della musica antica e della moderna*, attaque violemment le contrepoint, l'accusant d'empêcher la compréhension du texte. G. Caccini, auteur lui aussi d'une *Euridice*, tente de codifier l'art vocal dans ses *Nuove Musiche*, recueil de madrigaux à 1 voix et 1 basse continue, dont la préface est un authentique traité de chant (1601). E. de' Cavalieri expose les principes du *stile rappresentativo* dans la préface de son oratorio : *La Rappresentazione di anima e di corpo* (1600).

L'*Euridice* (musique de Peri sur un livret de Rinuccini) fut créée à Florence le 6 octobre 1600 à l'occasion du mariage d'Henri IV avec Marie de Médicis. C'est J. Corsi, successeur de Bardi, qui coordonnait la représentation. Fondé sur la légende d'Orphée, le drame met en œuvre les deux nouveautés essentielles de l'humanisme musical : le *stile rappresentativo* et le *recitar cantando*. Celui-ci est l'ancêtre du récitatif : le compositeur tente de retrouver, dans une mélodie syllabique et dépouillée, les intonations et les rythmes de la déclamation. Le *stile rappresentativo* est l'ensemble des moyens mis en œuvre pour porter la musique au théâtre (récitation chantée, rôle et disposition des instruments, attitudes des chanteurs, etc.). Le texte est dit, pour l'essentiel, en *recitar cantando* ; les chœurs, entièrement harmoniques, commentent les événements. L'accompagnement instrumental se réduit à une basse chiffrée pour le clavecin (que tenait Corsi lors de la création). Il y avait sans doute d'autres parties instrumentales dont nous ignorons tout. La suprématie de la voix s'avère incontestable. Suivi de près par l'*Euridice* de Caccini sur le même livret, ce premier opéra sur l'histoire ait intégralement conservé sera le modèle du drame en musique et notamment celui de Monteverdi pour son *Orfeo* (Mantoue, 1607).

La tradition madrigalesque

FORMÉ À L'ÉCOLE DU CONTREPOINT FRANCO-FLAMAND, MONTEVERDI S'INTÈGRE DE FAÇON MAGISTRALE AU MOUVEMENT MADRIGALESQUE ALORS FLORISSANT.

En 1587 (date du *Premier Livre de madrigaux*), le plus grand maître du genre est alors Luca Marenzio. Dès ses débuts, Monteverdi se révèle un maître du contrepoint expressif, alliant sa science de l'écriture à ces figures musicales qui peignent pour l'oreille un objet, un mouvement, un sentiment. Parmi les poètes retenus figurent déjà les plus grands noms : le Tasse, Guarini. La tendance moderniste s'affirme dans le *Deuxième Livre* (1590), dont les multiples éclatements de l'effectif vocal disent déjà toute l'indépendance du compositeur à l'égard des modèles confirmés. L'année 1590 voit l'arrivée du musicien à la cour de Mantoue comme joueur de viole : aussi son *Troisième Livre*, publié en 1592, sera-t-il dédié au duc Vincent de Gonzague. L'évolution de l'écriture vers un style toujours plus harmonique éveille déjà la suspicion des contradicteurs : c'est pourtant par là que Monteverdi dépassera ses plus grands contemporains. Le *Quatrième Livre* ne paraîtra qu'en 1603 : mais les madrigaux circulent en manuscrit bien avant leur publication et le compositeur doit faire face, dès 1600, aux attaques de G. M. Artusi, défenseur du contrepoint, qui l'accuse de transgresser, avec ses dissonances, les règles établies du langage musical.

Monteverdi n'aura jamais le temps de rédiger le traité de la *seconda prattica* dans lequel il envisageait de répondre à ses accusateurs ; sa réponse sera musicale et non théorique : le *Cinquième Livre*, publié en 1605, introduit la basse continue comme complément logique d'une écriture résolument harmonique. Pourtant, même en l'abandonnant, Monteverdi ne reniera jamais la tradition contrapuntique : citant les grands maîtres du madrigal qui, selon lui, appartiennent déjà à ce courant moderne qu'il nomme *seconda prattica*, il désigne le grand madrigaliste flamand C. de Rore (v. 1516-1565), car ce musicien faisait de l'expression des sentiments un des buts majeurs de sa musique. Son *credo* tiendra désormais dans cette formule : « Que la parole soit la maîtresse de la musique et non sa servante. » Déclaration humaniste que n'auraient pas reniée les amis de G. Bardi. Désormais, le destin du madrigal a changé.

Le *Sixième Livre* (1614) s'ouvre à une poésie plus naturaliste et sensualiste qui entraîne le musicien loin dans le langage moderne, le *stile concertato*, où les instruments s'associent aux voix. La monodie y côtoie le chœur à 5 parties, le madrigal se théâtralise. À son tour, le *Septième Livre* (1619) intégrera ses madrigaux pour soliste : la *Lettera amorosa* et la *Partenza amorosa* sont de véritables modèles du *stile recitativo* et n'ont plus rien à voir avec l'esthétique des premiers livres. Le *Huitième Livre*, publié en 1638, sous le titre *Madrigali guerrieri e amorosi*, « résume l'art de Monteverdi en tant que présentation des passions humaines et en tant qu'humanisation de la musique » (L. Schrade). Le madrigal aura pris, dans les 50 années qui séparent le premier du huitième livre, les visages les plus divers, qui reflètent le total bouleversement de la perception de la musique dans cette période essentielle. En implantant l'esthétique moderne dans le madrigal, Monteverdi a si bien théâtralisé le genre que le huitième livre a pu accueillir *Il Combattimento di Tancredi e Clorinda*, chef-d'œuvre du *stile concitato* (expression des passions extrêmes, des combats physiques et moraux), destiné à la scène.

L'opéra de Mantoue

AFIN DE SE MAINTENIR
À LA POINTE DE L'ACTUALITÉ ARTISTIQUE,
LE DUC DE MANTOUE SUT COMMANDER À MONTEVERDI
L'OPÉRA QUI PORTA SON AUTEUR
AU FAÎTE DE LA GLOIRE.

Spectateur en 1600 à Florence de l'*Euridice* de Peri, le duc Vincent de Gonzague commande aussitôt à Monteverdi un drame en musique sur le même sujet : l'*Orfeo* sera représenté en 1607. Il apparaît comme un chef-d'œuvre longtemps inégalé et qui, pour avoir voulu imiter l'art des fondateurs du genre, va bien au-delà de leurs premières réalisations. Les exigences de Monteverdi pour la rédaction du livret, sa recherche toute nouvelle pour donner à l'orchestre un rôle expressif, la synthèse du moderne *stile rappresentativo* et de la tradition madrigalesque révèlent en son auteur un musicien audacieux et sensible, authentiquement humaniste.

Le livret de A. Striggio s'organise en 5 actes précédés d'un prologue chanté par *La Musica*. Il offre la plus grande variété de situations et de sentiments que le musicien aura à cœur d'exploiter : au cours du seul premier acte, la joie naïve d'Orfeo et de ses compagnons est interrompue par le récit de la messagère annonçant la mort d'Euridice. La conclusion du drame, Orfeo ayant à jamais perdu son épouse, voit Apollon enlever le héros pour l'emmener vers l'Olympe, où il partagera la vie des dieux. À côté des principaux protagonistes, les personnages secondaires apportent au drame un élément de profonde vérité : les bergers rassemblés autour d'Orfeo chantent sa joie amoureuse *(Vieni Imeneo ; Lasciate i monti)* avant de partager sa douleur brutale *(Ahi caso acerbo)*.

Dans ces passages choraux qui participent étroitement à la dynamique du drame tout en apportant une dimension décorative, Monteverdi utilise toutes les ressources de l'écriture madrigalesque si subtilement délaissée par les fondateurs florentins de l'opéra. Les mélodies solistes ne se cantonnent pas, comme à Florence, dans la déclamation chantée, mais adoptent aussi bien l'allure de couplets agrestes *(Vi ricordi o boschi ombrosi)* ou d'airs de virtuosité *(Possente spirto ; Saliam cantand'al ciel)*. Cependant, le *recitar cantando* atteint son point culminant dans le récit de la messagère *(Pastor, lasciate il canto)*.

L'orchestre, parent pauvre de l'opéra florentin, se compose pour l'*Orfeo* de 34 instruments auxquels Monteverdi assigne un rôle précis dans le domaine de l'expression : si les trompettes et trombones sonnent la brillante toccata d'introduction, les violes, chitarroni et clavecins doublent les chœurs et jouent les ritournelles. L'orgue de bois soutient

avec une certaine morbidité le récit de la messagère. Le premier en son temps et le seul pour de longues décennies, Monteverdi associe donc l'idée de timbre instrumental au concept d'expression des affects. Son *Orfeo* apporte à l'histoire de l'opéra une instrumentation riche et chatoyante, tout à fait unique au XVIIᵉ siècle. Il instaure, par le parfait agencement et l'interaction habile d'éléments musicaux variés, un authentique langage du drame musical. On comprend que cette œuvre, qui fut jouée pour la première fois à l'*Accademia degli Invaghiti* à Mantoue, puis plusieurs fois à la cour du duc, ait connu un succès fabuleux.

Monteverdi, porté au sommet de sa gloire, est désormais connu dans toute l'Italie ; mais il s'est déjà remis à l'œuvre et travaille à la composition d'un nouvel opéra, qui vient de lui être commandé par le duc Vincent en vue du mariage de son fils aîné François avec Marguerite de Savoie. Ce sera l'*Arianna*, sur un livret de Rinuccini. De cette œuvre, qui avait demandé plusieurs mois de composition et de répétitions intensives, il ne subsiste qu'une pièce soliste : le *lamento* d'Arianna ; on sait seulement que le public aristocratique avait été émerveillé par le spectacle et qu'à l'audition du *lamento* « il ne se trouva aucune femme qui ait gardé les yeux secs ». •

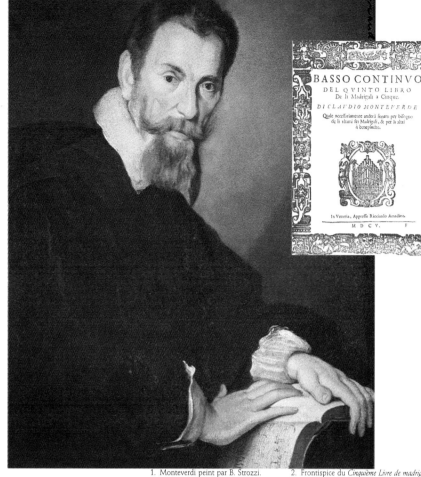

1. Monteverdi peint par B. Strozzi.   2. Frontispice du *Cinquième Livre de madrigaux*.

Un compositeur novateur

Le frontispice de l'édition 1615 du *Cinquième Livre de madrigaux* (1ʳᵉ éd., 1605) met en évidence la principale innovation de Monteverdi : l'accompagnement par une basse continue obligée *(necessariamente)* ou facultative *(a beneplacito)*.

3. Fac-similé d'un passage du premier acte de l'*Orfeo* : le Récit de la messagère.

Monteverdi et Venise

MONTEVERDI OBTINT L'UN DES POSTES
LES PLUS ÉLEVÉS DE L'ITALIE : MAÎTRE DE CHAPELLE
À LA BASILIQUE SAINT-MARC DE VENISE.

Le déclin de Mantoue, amorcé vers 1610, s'affirme avec la mort du duc Vincenzo de Gonzague, en 1612. Monteverdi, victime d'une certaine indifférence, sinon de l'hostilité du duc héritier François, demande son congé. Son nouvel emploi à Venise lui rapporte un salaire annuel de 300 ducats, ce qui révèle l'importance de sa fonction. Celle-ci, d'ailleurs, ne le confine pas dans le rôle de musicien d'église.

À Venise, églises et couvents participent à la vie culturelle et publique de la cité et les concerts et ballets sont aussi bien donnés sous leur égide que sous celle du doge ou des aristocrates : madrigaux, cantates, ballets, *mascherate,* demande de musique constitue « un défi permanent au compositeur », dont le statut social est différent de celui qu'il subissait à

la cour de Gonzague. Aussi, sollicité de toute part (y compris par des commandes de Mantoue), Monteverdi produira-t-il à Venise une part considérable de son œuvre : le septième et huitième livres de madrigaux, qui englobent des cantates dramatiques avec instruments *(Il Combattimento di Tancredi e Clorinda),* des ballets *(Tirsi e Clori)* et des pièces en style récitatif *(Due lettere amorose),* et le neuvième livre *(Scherzi musicali a tre voci).* En 1640, Magni publie la *Selva morale e spirituale,* qui constitue, avec le recueil posthume de 1650, la somme de la musique religieuse écrite par Monteverdi pour Venise. Enfin, parmi les drames en musique composés entre 1613 et 1643, deux œuvres lui sont attribuées : *Il Ritorno d'Ulisse in patria* et *L'Incoronazione di Poppea.*

En 1605, Monteverdi avait ouvert une voie nouvelle au madrigal ; chaque nouveau recueil va repousser toujours plus loin les limites stylistiques du genre. Aussi, sous le même vocable, peut-on entendre les *Due lettere amorose in genere rappresentativo* et les vastes ensembles du huitième livre (1638), et notamment *Il Combattimento di Tancredi e Clorinda.*

À Venise, sa fonction oblige Monteverdi à composer pour San Marco et pour d'autres églises, mais il donne souvent, dans ses lettres, l'impression d'œuvrer par devoir ; aussi n'innove-t-il pas dans le domaine de la musique religieuse, où, cependant, il réinvestit toutes les grandes techniques : écriture *a capella* ou avec

basse continue, *stile recitativo, stile concertato...*

En 1637 s'était ouvert à Venise le premier théâtre public d'opéra ; les sujets mythologiques allaient progressivement laisser la place à l'histoire romaine et les livrets s'ouvrir de plus en plus aux scènes de la vie domestique. L'esprit populaire vénitien et le bouffon se taillent une place de choix dans la plupart des opéras. L'histoire de la musique a, jusqu'ici, assimilé la participation de Monteverdi au premier développement de l'opéra vénitien à deux pièces perdues et deux conservées : *Il Ritorno...* et *L'Incoronazione...* Mais, outre les éléments stylistiques proprement dits, nombre de données extérieures à la musique convergent pour ébranler la certitude d'un Monteverdi auteur de ces deux opéras pour Venise. •

→ Voir aussi : Le style concertant, MUS, p. 352-353.

L'opéra français de Lully à Gluck

1. Maquette de décor pour *Dardanus* (tragédie en musique de J.-Ph. Rameau, 1739),

AU-DELÀ DE SES RÉFORMES, l'opéra français, de *Cadmus et Hermione* (Lully, 1673) à *Écho et Narcisse* (Gluck, 1779), aura vécu l'apogée et la mort de sa période baroque. Né plus tard que son homologue italien (*L'Orfeo*, Monteverdi, 1607), l'opéra français, création de Lully et Quinault, réunit les genres musicaux du XVIIᵉ siècle sur la base de la tragédie classique. À la mort de Lully (1687), parallèlement à la survivance de la tragédie en musique, naît l'opéra-ballet, genre de demi-caractère, sorte de résurgence du ballet de cour, dont les principales innovations résident, d'une part, dans le sujet de l'intrigue débarrassée de la mythologie et du merveilleux au profit de l'exotisme ou de l'actualité, et, d'autre part, dans la structure en trois ou quatre actes autonomes liés entre eux par un thème général. La référence au libertinage de la période de la Régence et la présence d'une veine comique dans certains livrets favorisent une démocratisation du genre lyrique qui devait se confirmer au sein de l'opéra-comique.

Lorsque Rameau, en 1733, ressuscite la tragédie en musique *(Hippolyte et Aricie)*, il provoque l'enthousiasme des esprits novateurs et la fureur des partisans de Lully, qui le taxent d'intellectualisme. En 1752, pendant la « querelle des bouffons », les italianistes brandissent comme la panacée à tous les maux du théâtre lyrique l'opéra bouffe italien, dont ils louent le naturel sentimentaliste des intrigues et la simplicité de la musique. En rejetant le langage savant de Rameau, c'est le professionnalisme du métier de compositeur qu'ils combattent en faveur du dilettantisme.

À la mort de Rameau (1764), la tragédie en musique s'épuise à nouveau, tandis que le préclassicisme germe au sein des opéras comiques. La tragédie lyrique revivra sous la plume de Gluck qui, fort d'une expérience de l'opéra-comique et de l'*opera seria* italien, parvient à intégrer les réformes dramatico-musicales de Rameau à des livrets ressourcés à la concision de la tragédie grecque antique et allégés d'une partie des danses. Peu à peu naît le concept d'un opéra européen. En 1779, après l'échec d'*Écho et Narcisse* favorisé par les piccinistes, l'opéra français du XVIIIᵉ siècle perd définitivement son esthétique nationaliste.

Orchestre et scénographie

En 1773, à la veille de l'arrivée de Gluck, la conception de l'orchestre reste encore attachée aux principes du grand chœur et du petit chœur, conformément à l'esthétique baroque (2). Ange ou démon, Bien ou Mal, lumière ou ténèbres, autant de thèmes baroques puisés dans la mythologie et le merveilleux qui s'opposent en un manichéisme participe une typologie des costumes, des accessoires et des couleurs de pastel ou de feu (1).

L'impérialisme de Lully

LULLY ET QUINAULT CRÉENT UN OPÉRA NATIONALISTE, À PARTIR DE LA SYNTHÈSE DU BALLET ET DE L'AIR DE COUR, DE LA PASTORALE, DES PIÈCES À MACHINE ET DE L'OPÉRA ITALIEN.

Après les essais marquants, en 1671, de *Psyché* de Lully et de *Pomone* de Cambert qui inaugure l'Académie royale de musique, Lully entreprend la création de l'opéra français. Avec le livret de *Cadmus et Hermione* (1673), Ph. Quinault lui apporte les qualités de la tragédie classique adaptées à ce qui désormais prend le nom de « tragédie en musique », dont le plan musical est définitivement tracé : ouverture à la française (lent/vif/lent), prologue (en hommage au roi) et 5 actes incluant chacun un divertissement. Aux côtés de la tragédie en musique (*Alceste,* 1674 ; *Atys,* 1676 ; *Persée,* 1682 ; *Armide et Renaud,* 1686), Lully développe la pastorale, dont les sujets champêtres témoignent d'un goût populaire naissant (*Acis et Galatée,* 1686).

La rupture.
À la fin du règne de Louis XIV, la France ose assumer son penchant pour le libertinage que la Régence encouragera. La tragédie en musique, malgré les créations de Charpentier, Marais, Destouches, Campra, etc., perd du terrain au profit de l'opéra-ballet, qui répond au besoin de distraction du public. Campra, principal acteur de cette transformation du goût, à la suite de Pic et Colasse (*les Saisons,* 1695), met en place la structure de l'opéra-ballet dans *l'Europe galante* (1697). La veine comique qui s'introduit dans certains livrets, tels le *Carnaval de Venise* (Campra, 1699) ou le *Carnaval et la Folie* (Destouches, 1703), perpétue la drôlerie des comédies-ballets de Lully et Molière et annonce *Platée* (1745) de Rameau. ●

La réforme de Rameau

RAMEAU DÉVELOPPE LES GENRES LYRIQUES PRÉCÉDENTS EN MODIFIANT LEUR STRUCTURE ET EN RENOUVELANT LE LANGAGE MUSICAL PAR UNE HARMONIE COMPLEXE ET UN ORCHESTRE AU SERVICE DE L'EXPRESSIVITÉ.

Dès l'année 1745, Rameau libère l'ouverture du carcan lullyste pour la mouler, dans *la Princesse de Navarre,* aux formes de la *sinfonia* italienne. Créateur de l'ouverture à programme *(Zaïs, Zoroastre),* inventeur de l'ouverture pot-pourri *(les Paladins)* ou créateur du prélude de préparation psychologique au drame *(Naïs, les Boréades),* Rameau établit avant Gluck, Mozart et Wagner toutes les formes d'ouverture cultivées par le classicisme et le romantisme. Parallèlement à cette réforme, Rameau élimine systématiquement le prologue afin d'améliorer la qualité dramatique en supprimant un hommage politique pourtant traditionnel. Dans cette même optique, il remet en cause, en 1744, la coutume concernant les entractes, qui consistait à reprendre une danse de l'acte précédent, et compose des pièces symphoniques spécialement adaptées à la situation dramatique (*Dardanus,* 2ᵉ version, « Bruit de guerre », entracte des 4ᵉ et 5ᵉ actes).

Rameau hérite des formes vocales des âges baroques précédents mais les développe et les enrichit. Il cultive une sorte de mélodie continue résultant d'une fusion des récitatifs et des airs. Les récitatifs accompagnés (*les Surprises de l'amour,* II, « Tendre amour ») et les monologues, qui sont de grands airs d'expression orchestrés (« Lieux funestes », *Dardanus,* IV, 1), atteignent des sommets de l'art lyrique. L'ariette, peu employée avant lui, devient un grand air de virtuosité mais préserve un lien avec l'action. Rameau innove dans le domaine des chœurs en élargissant leur pouvoir dramatique (« Que tout gémisse », *Castor et Pollux,* I, 1) et en multipliant leurs configurations ; les formes vocales (air, duo, trio, etc.) avec « chœur convergent » ou « chœur divergent », selon que les personnages s'expriment en sentiments convergents ou divergents, constituent ses plus belles réussites (« Le ravage avec nous », *les Boréades,* V, 1).

Réforme du langage.
Rameau intensifie l'expression grâce à une harmonie extrêmement riche et des modulations savamment dosées. Ses hardiesses font rejeter, par les interprètes, l'étourdissant « Trio des Parques » *(Hippolyte et Aricie),* qu'il finira par supprimer. Le rythme, toujours ingénieux (« Air grave des démons », IV, 6, *Zoroastre),* et le timbre sont également, pour lui, des préoccupations essentielles. Premier véritable orchestrateur dans l'histoire de la musique, Rameau excelle notamment dans l'utilisation des petites flûtes

2. Plan de l'orchestre de Fontainebleau par Metoyen. XVIIIᵉ siècle.

Histoire d'une méprise

PENDANT LA « QUERELLE
DES BOUFFONS » (1752), L'OPÉRA FRANÇAIS FUT
DÉPRÉCIÉ EN FAVEUR DE L'OPÉRA BOUFFE ITALIEN. C'ÉTAIT
OPPOSER DEUX GENRES ANTINOMIQUES AUX
OBJECTIFS CULTURELS CONTRAIRES.

En 1752, la reprise d'*Omphale* de Destouches et la représentation de *La Serva Padrona* de Pergolèse déclenchent la « querelle des bouffons » ou « guerre des coins », c'est-à-dire l'opposition des partisans de la musique française du « coin du roi » aux italianistes du « coin de la reine ». Rousseau, d'Alembert, Grimm et les Encyclopédistes en général, prenant comme modèle l'opéra bouffe italien, préconisent un langage musical simple et « parlant au cœur », à l'encontre de la science de l'écriture de Rameau, considérée comme aboutissement d'une spéculation intellectuelle. En portant aux nues le sujet de *La Serva Padrona*, ce sont les héros de la mythologie et la monarchie absolue qu'ils rejettent en même temps que la musique qui leur est associée. Avec l'outrancière *Lettre sur la musique française* de Rousseau (1753), qui conclut à l'inexistence de la musique française, la querelle se calme. Au-delà de ses abus, elle a donné à l'opéra français l'exigence d'une meilleure vraisemblance dramatique mais fut destructrice de la foi du public dans ses valeurs culturelles.

Le classicisme naissant.

L'opéra-comique, conséquence heureuse de la « querelle des bouffons », apparaît aujourd'hui comme l'un des véhicules essentiels du langage classique. Les livrets mettent en scène des personnages familiers du peuple et, par conséquent, sensibilisent un public plus large, moins cultivé que celui des nobles, exigeant une musique plus simple, directe et facile. Pour répondre à ces nouveaux besoins, la musique des opéras-comiques s'articule clairement, utilise des structures répétitives aux symétries rassurantes, des mélodies localisables (futur thème) aux carrures régulières et des accompagnements légers qui n'entravent pas la perception de la mélodie. La conception ternaire de l'orchestre baroque (basses, parties intermédiaires, dessus) se dissipe au profit d'une division par deux au sein des familles grossies par les cors avec tons de rechange et les clarinettes. La basse continue s'étiole et se perd. L'opéra-comique, fortement redevable à l'opéra bouffe italien, est sans conteste le terrain privilégié de ces transformations du langage musical qui se répercutent dans le répertoire de demi-caractère de Monsigny *(Aline, reine de Golconde)*, Grétry, Philidor et Dauvergne.

●

3. Costumes de Furies, dessins de Boquet. XVIIIᵉ s.

Gluck et la nouvelle réforme

GLUCK RÉALISE LA SYNTHÈSE DES ESTHÉTIQUES ITALIENNE
ET FRANÇAISE EN UN OPÉRA RESSOURCÉ À LA TRAGÉDIE ANTIQUE,
ÉPURÉ D'UNE PARTIE DE SES DANSES ET CHERCHANT À EXPRIMER
... ... LA PSYCHOLOGIE DES HÉROS.

Gluck, bohémien ayant vécu à Prague, Milan, Londres, Vienne et Paris, écrivant des opéras italiens puis français, fut le messie d'un opéra européen. Sa formation se forge à travers l'*opera seria* (*Ezio,* 1750, *Il Re Pastore,* 1756, livrets de Métastase) et l'opéra-comique auquel il s'initie sous l'influence de G. Durazzo (*l'Ivrogne corrigé,* 1760, *le Cadi dupé,* 1761), assouplissant ainsi sa plume aux lois de la prosodie française. Calzabigi, empreint de culture française pour avoir vécu dix ans à Paris, lui fournit le livret d'*Alceste* (1767). Dans la préface de l'œuvre, Gluck pose les fondements d'une réforme du genre « opéra » qu'il assimile à l'*opera seria*. Les améliorations qu'il préconise touchent essentiellement à la qualité dramatique : servir la poésie au moyen de l'expression, supprimer l'illogisme du retour de la première partie des *arie da capo* (ABA'), propices aux excentricités des chanteurs, ne pas trop dissocier l'air du récitatif, multiplier les chœurs et apporter à l'ouverture un rôle de préparation psychologique au drame. On croit lire les caractéristiques de l'opéra français à la Rameau ! En Italie, le succès d'*Orfeo et Euridice* (1762), qui appliquait déjà ces préceptes, est total.

La réforme dramatique.

Après *Alceste,* qui achève sa période italienne, Gluck entreprend d'appliquer « sa » réforme à l'opéra français. En fait, Gluck récupère la quintessence de l'esthétique : livret épuré de type Quinault, réformes dramatiques de Rameau, théories novatrices sur la danse de Cahusac et Noverre, et certaines idées des philosophes sur la vraisemblance dramatique. Curieusement, Gluck n'évoque ni dans la préface d'*Alceste* ni dans celle de ... ... l'air dont l'accompagnement exprime l'âme du personnage et non le texte qu'il chante (« Le calme renaît dans mon âme », Oreste, *Iphigénie en Tauride*). C'eût été pourtant le lieu de souligner, enfin, une nouveauté. Si l'opéra français (à la Gluck), d'*Iphigénie en Aulide* (1774) à *Iphigénie en Tauride* (1779), enchante soudain Rousseau et les Encyclopédistes, il agace les connaisseurs. Mais Gluck, dégoûté du mépris des piccinistes après l'échec d'*Écho et Narcisse* (1779), quitte Paris. Une fois encore, l'opéra français pâtissait d'une polémique italo-française vaine.

L'histoire de l'opéra français au XVIIIᵉ siècle fut une succession d'incohérences telles que la musicologie ne fut capable que fort tard de démêler l'imbroglio de ses débats passionnels.

(« Sommeil », *Anacréon*) et du basson (« Tristes Apprêts », *Castor et Pollux*). Dès 1749, il insère les clarinettes à l'orchestre *(Zoroastre, Acante et Céphise)* et confie aux percussions un rôle déterminant (ouvertures de *Zaïs, Naïs*). Le concept moderne de « timbre », dépassant l'individualité instrumentale, est désormais acquis.

Par ailleurs, Rameau tente avec Cahusac d'insérer les divertissements à l'action et parvient à une vraie dramaturgie par la cohérence de son langage musical. Il amorce ainsi le processus du discours à motif beethovénien (« Lieux désolés », *les Boréades*) et du leitmotiv, notamment dans *les Boréades,* où le procédé d'écriture attaché au dieu Borée rayonne puis se désarticule à la fin de l'opéra, à l'image de la puissance et de la perte de son pouvoir.

En dépit de ses réformes, manifestes surtout à partir de 1744 et donc antérieures à la « querelle des bouffons », les détracteurs de l'opéra français restèrent sourds à ses solutions, confondant Rameau et Lully dans l'esthétique révolue de l'Ancien Régime. Ils ignoraient le sens critique de Rameau, satirisant déjà dans *Platée,* puis dans *les Paladins* le bel canto et les outrances de l'opéra français, et la portée de sa conception lyrique qui devait relier Peri et Monteverdi à Debussy et à Wagner.

●

Le style concertant

LE STYLE CONCERTANT NE SE laisse pas aisément définir. Certains historiens utilisent l'expression dans son acception la plus large et en font un vocable de substitution au mot « baroque » : autour de 1960, en France, les musicologues répugnent, à quelques exceptions près, à intégrer la musique au courant général appelé baroque et parlent d'« ère du style concertant » (M. Pincherle). Il est vrai que, sous des aspects variés, le style concertant est présent durant toute l'ère baroque, mais il la dépasse aussi puisqu'on retrouve et le terme et l'esthétique dans la symphonie concertante classique.

Si l'on tente de ramener le style concertant à son principe fondateur, on retiendra comme essentielle son acception originale, le *stile concertato,* né aux alentours de 1600. Il représente alors, dans une Italie en pleine effervescence créatrice, la conception moderne d'exécution des motets : à l'opposé du chant *a capella,* on recherche le mélange des voix et des instruments, dont on cultive les contrastes. La basse continue joue le rôle d'unificateur des contraires.

C'est sans doute en retenant le sens de l'expression *stile concertato* que les historiens appelleront style concertant une représentation purement instrumentale et plus tardive du dialogue contrasté. Le style concertant opposera, dans la seconde moitié du XVIIᵉ siècle, le petit groupe au grand groupe dans le concerto grosso, la ligne fleurie du so-

liste à la basse continue dans la sonate, les timbres des cordes aux timbres des bois ou des cuivres dans les ensembles instrumentaux. Les sonates d'A. Corelli, les *concerti grossi* de G. Torelli illustrent cet art instrumental nouveau dont l'influence s'étendra dans toute l'Europe. On peut dire que toute la musique instrumentale baroque au-delà de 1680 est tributaire du style concertant : on notera alors une profusion de *concerti grossi* en Allemagne, Angleterre, Italie. Beaucoup plus tard, au temps de l'ère classique, le contraste des timbres solistes variés, opposés entre eux aussi bien qu'à l'ensemble instrumental, sera exploité dans la symphonie concertante.

Faut-il retenir, pour étymologie, l'italien *concertare* ou le latin *concertare* ? À ce dernier, qui signifie « lutter, se quereller », on peut préférer l'acception italienne, moins belliqueuse : « se concerter ». Pourtant, du *stile concertato* au style concertant, la « concertation » instrumentale ou instrumentale et vocale qui fonde le langage musical peut prendre l'aspect d'une rivalité de groupes, de timbres, de virtuosité, plus proche de l'esprit de conquête que de l'esprit de conciliation. Celui-ci est assumé, pourrait-on dire, par la basse continue, présente dans tout le répertoire baroque. Comme l'ensemble du mouvement baroque musical, le style concertant révèle l'Italie comme le pays le plus audacieux dans l'expérimentation des sonorités et des modes d'écriture.

Le *stile concertato*

C'EST EN INTÉGRANT LES INSTRUMENTS DE MUSIQUE AU CONCERT QUE LE *STILE CONCERTATO* PERMIT LE DÉVELOPPEMENT DE LA TECHNIQUE ET DU LANGAGE INSTRUMENTAUX.

La basilique Saint-Marc de Venise peut être considérée comme le berceau du *stile concertato.* Dès 1587, A. et G. Gabrieli publient des *Concerti... per voci et strumenti musicali* qui se singularisent par le mélange des voix et des instruments. Désormais, les motets ne seront plus chantés *a capella* et porteront des noms comme *concerti ecclesiastici* ou *sinfonie sacrae.* L'autre nouveauté sera la basse continue, ou *continuo,* généralisée à partir de 1602 (Viadana : *Cento Concerti ecclesiastici*) et trait d'union de toute la production musicale baroque. L'abandon de l'homogénéité de timbre qui caractérisait la polyphonie de la Renaissance au profit de la diversité et du contraste est un trait dominant du *stile nuovo.* Le *stile concertato* suppose, malgré le maintien d'une tradition conservatrice, le goût croissant pour les effets de surprise, les ruptures dans le discours musical, les juxtapositions de timbres (voix/instruments, cordes/cuivres...), les contrastes de registres (grave/aigu), les apparitions de masse (petit/grand ensemble), les différences de style (contrepoint imitatif/contrepoint homophone).

En intégrant les instruments au concert, le *stile concertato* permet le développement de ceux qui étaient, jusque-là, les parents pauvres de la musique. Il est à l'origine du foisonnement de la production musicale « *per ogni sorte di strumenti* » qui caractérise le XVIIᵉ siècle, surtout en Italie. La *canzone per sonar* est peut-être l'exemple le plus représentatif de cet ensemble de tendances : elle témoigne de l'apparition d'une musique instrumentale aux sources vocales affirmées ou cachées ; elle est une forme ouverte à toutes sortes d'instruments (dans la famille des cordes : les violes et les luths ; dans la famille des cuivres : les cornets et les trombones ; sans oublier l'orgue) ; elle participe à l'élaboration d'un style proprement instrumental qui mettra peu à peu en valeur la spécificité de chaque famille ; enfin, grâce à sa souplesse, la *canzone* est une forme qui permettra l'éclatement vers des formes nouvelles aux structures plus fortes, comme la sonate ou le concerto. •

Naissance du répertoire instrumental

LA CONQUÊTE, PAR LES INSTRUMENTS, D'UNE DIGNITÉ NOUVELLE A PROVOQUÉ L'ÉCLOSION D'UNE MUSIQUE FOISONNANTE ET DIVERSE.

Ce répertoire instrumental reste d'appréhension difficile en raison de l'imprécision du langage musical de l'époque ; le mot *canzone* y désigne une forme instrumentale, la fantaisie figure parmi les pièces les plus rigoureuses, la *sinfonia* ne regroupe souvent que 3 ou 4 instruments tandis que la sonate à 3 en sollicite 4. Ce premier état de la musique instrumentale, confus dans les formes comme dans la terminologie, apparaît dans toute sa richesse, actuelle et potentielle : il contient en germe l'essentiel de ce qui fera, après 1750, les grandes formes classiques.

Vers 1560, la fantaisie et le *ricercare* représentent les premiers essais de composition autonome pour l'orgue, dont C. Merulo et A. Gabrieli sont les maîtres incontestés. Les instruments s'imposent désormais partout, dans le divertissement privé comme à l'église, et la pratique instrumentale détrône peu à peu le madrigal. On publie des anthologies de *capricci, balli, ricercari, canzoni, toccate,* dont l'interprétation reste libre (violes, cornets, chitarroni,

etc.). Le niveau de la facture et de l'exécution ne cesse de progresser : les musiciens doivent faire la preuve de leur invention et de leur virtuosité en improvisant les « passages » et « diminutions », ce qui provoque la publication de nombreux traités d'ornementation. Vers le milieu du siècle, les formes tendent à se stabiliser : la sonate d'église *(da chiesa)* et la sonate de chambre *(da camera),* plus différentes dans l'esprit que dans la forme, font alterner 5 à 6 mouvements lents et vifs. À Bologne, A. Corelli compose des sonates pour deux violons et basse continue, et son opus 5, pour violon soliste, est marqué par le virtuosité. Le style concertant s'affirme aussi dans le concerto grosso, discours entre deux groupes instrumentaux de taille différente ; les compositeurs les plus féconds sont A. Corelli et A. Stradella. Le concerto de soliste est déjà en germe dans les *Concerti musicali* de G. Torelli (1698).

En développant ces formes à travers l'Europe, le dernier tiers de l'ère baroque portera le style concertant à son apogée. •

Dates clefs

1597	*Sacrae Symphoniae. Ioannis Gabrielis, tam vocibus quam instrumentis.* (Venise.)	1615	*Canzoni et Sonate di G. Gabrieli per sonare con ogni sorte di strumenti.* (Venise.)
1602	*Cento Concerti Ecclesiastici... con il basso continuo per sonare nell'organo.* (Viadana, Venise.)	1628	*Il primo libro delle canzoni ad 1, 2, 3 e 4 voci. Accomodate per sonare ogni sorte di stromenti.* (G. Frescobaldi, Rome.)
1608	*Canzoni per sonare con ogni sorte di strumenti.* (A. Raveri, Venise.)	1639	*Sonate, Sinfonie et Correnti... per sonare con diversi strumenti.* (M. Uccellini, Venise.)
		1655	*Sonate a 2 e a 3...* (G. Legrenzi, Venise.)
		1667	*Sonate a 2 violini col suo basso continuo per l'organo.* (G.-B. Vitali, Bologne.)
		1685	*Sonate da camera a 3 : 2 violini e violone o cembalo.* (A. Corelli, Bologne.)
		1698	*12 Concerti musicali a quattro.* (G. Torelli, Augsbourg.)
		1700	*12 Sonate per violino e basso, o cembalo.* (A. Corelli, Venise.)

1712-1717	*L'Estro armonico,* 12 concertos (A. Vivaldi, op. 3, Amsterdam.)
1714	*12 Concerti grossi con 2 violini e violoncello di concertino obbligati e 2 altri violini, viola e basso di concerto grosso ad arbitrario.* (A. Corelli, op. 6, Amsterdam.)
1721	Les *Brandenburgische Konzerte* (Concertos brandebourgeois) de J.-S. Bach, dédiés au margrave de Brandebourg.
1725	*Il cimento dell'armonia e dell'invenzione...* 12 concertos à 4 et à 5, dont les quatre premiers constituent les célèbres *Saisons* (A. Vivaldi, op. 8, Amsterdam.)
1740	G.F. Händel : 12 « *Grands Concerts* » *in Seven Parts,* op. 6. (Londres.)

De l'esthétique à la technique

LA RECHERCHE D'UN DIALOGUE PLUS INTIME ENTRE LES INSTRUMENTS A STABILISÉ LES DEUX FORMES ESSENTIELLES DU STYLE CONCERTANT : LA SONATE ET LE CONCERTO.

C'est dans la sonate et le concerto que va se manifester le style d'écriture bien typique appelé style concertant. C'est ainsi que *stile concertato* et style concertant ne sont pas deux notions rigoureusement superposables. On pourrait considérer le style concertant comme un rétrécissement du concept initial de *stile concertato* : par le passage des grands ensembles de G. Gabrieli à Saint-Marc de Venise aux 2 ou 3 instruments des sonates de Legrenzi (1626-1690). Il faut y voir aussi un glissement de sens : du mélange initial des voix et des instruments, on passe à un style purement instrumental. Il est enfin quintessence d'une idée : le style concertant est né du transfert, dans la musique instrumentale en formation restreinte, de l'idée fondatrice du *stile concertato* : le dialogue contrasté.

La sonate.

Qu'elle soit *da chiesa* ou *da camera*, la sonate s'organise, dès la seconde moitié du XVIIe siècle, en l'alternance de mouvements vifs et de mouvements lents (*allegro* ou allemande, *largo* ou sarabande). Qu'elle soit en trio (avec deux dessus) ou pour soliste et basse continue, elle se fonde toujours sur le même principe de dualité : mélodie ornée et virtuose des parties de dessus (souvent aussi écriture contrapuntique des deux solistes) et soutien harmonique fourni par la basse continue. L'accroissement de la virtuosité des parties solistes (Corelli et Torelli en Italie, J.-M. Leclair en France) induit un langage toujours plus harmonique de la basse et l'opposition s'accentue entre les « concertants ». Le violon est, du début à la fin, l'instrument privilégié mais il existe également des sonates pour flûte, viole de gambe, violoncelle, avec accompagnement de clavecin. Cet instrument voit son répertoire propre s'élargir, notamment en Italie avec D. Scarlatti (1685-1757) et en France avec F. Couperin (1668-1733).

Le concerto.

À ses origines, le mot « concerto » désignait le « concert » des voix et des instruments, notamment à l'église. Le sens du mot se précise peu à peu et, dans la seconde moitié du XVIIe siècle, le concerto est devenu une forme strictement instrumentale, fondée sur le dialogue des groupes : le concerto grosso oppose un petit groupe de solistes (*concertino*) à l'ensemble des instruments (*ripieno*). À ses débuts — et comme la sonate —, le concerto intéresse surtout le violon ; mais d'autres instruments (flûte, hautbois, mandoline, bas-

son) viennent colorer le *concertino* de leurs timbres. Parallèlement au concerto grosso et en liaison avec les progrès de la facture instrumentale (c'est l'époque de la grande lutherie de Crémone) se développe le concerto de soliste, construit sur les mêmes principes, mais majorant encore les effets de contraste et de virtuosité (G. Torelli, 1658-1709).

À la fin du XVIIe siècle, le style concertant s'est donc largement éloigné de ses origines ; son acception est purement instrumentale et il se répand dans toute l'Europe ; la musique instrumentale connaît alors une brillante floraison et les plus grands génies de la musique lui apportent leur tribut (Vivaldi, Bach, Händel). •

Le style concertant dans le baroque tardif

LE STYLE CONCERTANT EST, À SON APOGÉE, AU DÉBUT DU XVIIIe S., « UN IDÉAL STRICTEMENT INSTRUMENTAL DE MUSIQUE ABSTRAITE OU DE MUSIQUE PURE »
(M. Bukofzer).

Parmi les historiens de la musique, c'est M. Bukofzer qui a le mieux défini le style concertant tel qu'il se présente au début du XVIIIe siècle. Avec la désagrégation de l'écriture contrapuntique, la basse continue devient de plus en plus homophone, c'est-à-dire tissée de consonances, étrangère aux jeux décoratifs et aux éléments de dialogue, confiés aux parties solistes. Ce continuo homophone peut prendre différents aspects, tributaires du tempo : dans les mouvements lents ou très lents, il est constitué de longues notes tenues qui exaltent les fioritures du dessus (Händel, Vivaldi). Dans les mouvements ra-

pides, il se singularise par un rythme serré, des notes brèves répétées, ce que Bukofzer appelle « la pulsation mécanique et inexorable du rythme » (comme dans l'allegro des *Concertos brandebourgeois* de J.-S. Bach).

Avec Vivaldi, dont la musique instrumentale est très abondante, la forme concertante tend à se stabiliser en trois mouvements, et le concerto de soliste baroque connaît son apogée : la virtuosité instrumentale se développe, tandis que le *concertino* accueille, dans le concerto grosso, des instruments plus variés. Dans la tradition de la « stravaganza » italienne, Vivaldi recherche les effets

de surprise et de pittoresque *(la Chasse, la Tempête, les Quatre Saisons)*, et le style concertant prend chez lui un tour très personnel. D. Scarlatti intègre le style concertant à ses sonates pour clavecin (écriture harmonique conjuguée aux traits de virtuosité, allure implacable du rythme).

Chez J.-S. Bach, la synthèse s'opère entre les courants les plus modernes et ceux hérités du passé : on trouve dans sa musique instrumentale aussi bien le continuo homophone, dernière mutation du style concertant, que le « contrepoint luxuriant », qui puise ses modèles chez les musiciens franco-flamands du XVIe siècle. Six *Concertos brandebourgeois* proposent une magnifique variété d'orchestration, et le style concertant y est exalté par la multiplicité des timbres et des contrastes.

Händel écrit de nombreux *concerti grossi* et concertos de soliste ; ses concertos pour l'orgue laissent à l'interprète le champ libre pour une improvisation ornementale soutenue par l'écriture harmonique de l'orchestre.

Dans la dernière phase du baroque, on voit le style concertant devenir technique d'écriture au service de toutes les intentions du compositeur : c'est ainsi qu'il envahit de nouveau la musique vocale, comme s'il voulait retrouver les traces du passé. Les ouvertures des opéras napolitains d'A. Scarlatti relèvent ainsi de l'esthétique du concerto et l'on a pu dire que « l'art vocal se voit imposer jusqu'aux tournures spécifiquement instrumentales du style concertant ». •

1. A. Corelli, premier allegro de la *Sonata Decima* op. 1, Rome, 1681, dédiée à la reine Christine de Suède.

2. *Le Concert*, Venise, peinture du XVIIIe s.

Le concert instrumental

Dans l'Italie des XVIIe et XVIIIe siècles, la maison de l'artiste ou de l'écrivain est toujours un lieu de rencontres artistiques. Ici, la Casa Goldoni accueille de nombreux invités que l'on divertit par le concert instrumental. Le nombre des musiciens dit assez la magnificence du train de la maison (2). Y joue-t-on des sonates et *concerti grossi* de Corelli ? L'exemple ci-joint illustre clairement quelques aspects du style concertant : dialogue des 2 dessus (violons) entre eux et avec la basse continue (les 2 lignes inférieures en clé de « fa » : pour le violoncelle et le clavecin) ; le rythme implacable du style concertant est lisible dans le martèlement continu des croches à toutes les parties (1).

Jean-Sébastien Bach

QUEL PLUS BEAU SYMBOLE pour un musicien que de s'appeler Bach (en allemand, Bach signifie *ruisseau*) ? On peut ainsi souligner que sa famille a irrigué pendant plusieurs générations le terreau musical de Thuringe et de Saxe, qu'il a lui-même roulé dans ses eaux limpides des pépites françaises ou italiennes, qu'il a produit comme une rivière coule, qu'il a distribué généreusement des affluents filiaux ou scolaires et que, enfin, il a fertilisé d'un limon nourricier la conscience musicale occidentale.

Et notre époque, toutes tendances confondues, voit en Bach une source intarissable, un fleuve majestueux, mille fontaines aussi rafraîchissantes que protéiformes. Ses (rares) écrits sont auscultés, ses autographes scrutés et passés aux rayons X de la musicologie scientifique. Le bonhomme accepte même gaie-

ment que sa perruque ondule sous les syncopes jazzifiantes. Les croyants voient en lui, à travers sa musique sacrée, un cinquième évangéliste.

Paradoxalement, ce modeste (quoique sourcilleux !) cantor saxon, infiniment moins célèbre que ses contemporains Haendel, Couperin, D. Scarlatti ou Telemann, alimente aujourd'hui de bruyantes querelles internationales dont se délectent les disciples de W. Landowska, G. Leonhardt, G. Gould, K. Munchinger, H. Rilling, G. Ramin ou N. Harnoncourt ! Cet esprit intimidant à force de concentration déjoue l'analyse. Pour certains, il est un sphinx fascinant ou rebutant. Pour d'autres, « l'esprit de Bach est immergé dans l'essence divine, au point de n'en être plus que l'émanation. Comme la lampe dont la flamme exprime l'huile qui la baigne ». (P. VIDAL.)

Dates clefs

1685	21 mars. Naissance de Jean-Sébastien Bach.
1694-1695	Jean-Sébastien orphelin de mère, puis de père.
1700	Séjour à l'école St-Michel de Lüneburg.
1703	Violoniste à la cour de Weimar, puis organiste à Arnstadt.
1705-1706	Visite à Buxtehude à Lübeck.
1707	Organiste à Mühlhausen. Épouse Maria Barbara Bach.
1708	Organiste, puis Konzertmeister à la cour de Weimar.
1717	Tournoi musical avec L. Marchand à Dresde. Maître de chapelle à la cour de Cöthen.
1720	Mort de Maria Barbara.
1721	Épouse Anna Magdalena Wilcken.
1723	Cantor à St-Thomas de Leipzig.
1729	*Passion selon saint Matthieu*.
1736	Maître de chapelle de la cour de Saxe.
1742	*Variations Goldberg*.
1744	*Clavier bien tempéré n° 2.*
1747	Voyage à Potsdam à la cour de Frédéric II.
1749	*L'Art de la fugue*. Fin de la *Messe en « si »*.
1750	28 juill. Mort de Jean-Sébastien Bach.

L'héritage artistique

JEAN-SÉBASTIEN, LE RAMEAU LE PLUS VIVACE D'UN ARBRE GÉNÉALOGIQUE VIGOUREUX, A SU CAPTER LES MOINDRES VIBRATIONS DE SON TEMPS.

Depuis la Thuringe, la dynastie Bach étendit ses innombrables ramifications durant près de trois siècles. On peut voir en elle un véritable conservatoire privé, une société à succursales multiples et une mutuelle d'assurances familiales ! Ainsi, le jeune Jean-Sébastien, orphelin à 9 ans, trouva asile auprès de son frère aîné, Johann Christoph ; il apprit son métier auprès de lui et dans les œuvres de ses proches parents ; il obtint enfin son premier poste, à Arnstadt, grâce aux démarches familiales.

Devenu adulte, Jean-Sébastien ne sera pas un ingrat : il accueillera à son foyer de jeunes neveux ou cousins en difficulté. Il leur prodiguera généreusement un enseignement gratuit et usera de son prestige pour les recommander aux postes les plus recherchés de son temps.

Les influences reçues.
Bach a su faire son miel de toutes les fleurs musicales de son temps. Dès 1700, à Lüneburg et à Celle, il goûtait avec délice à la musique française, à ses rythmes de danses et à son ornementation raffinée. En 1705, il était fasciné par les grands instruments d'Allemagne

du Nord et le jeu flamboyant de Buxtehude. En 1708, à Weimar, il découvrait avec enthousiasme la musique italienne, son violon magique et son chaleureux lyrisme. Cette assimilation véritablement « européenne » passait souvent par la copie (le *Livre d'orgue* de N. de Grigny en 1713) ou la transcription (les concertos de Vivaldi émigrant du violon à l'orgue). Mais le terreau de son inspiration reste avant tout la musique réformée luthérienne et, singulièrement, le *choral*.

L'aigle solitaire.
Néanmoins, un conglomérat d'influences familiales, nationales ou artistiques ne suffit pas à construire une personnalité originale. Après avoir assimilé avec une étonnante sûreté de goût un idéal musical européen, après avoir maîtrisé trois instruments (l'orgue, le clavecin, le violon), après s'être rompu aux disciplines contrapuntiques et avoir embrassé d'un coup d'œil le champ des possibles sonores, Jean-Sébastien Bach a concentré un regard progressivement aveugle sur son être intérieur, seul moyen d'atteindre l'universalité du cœur et de l'esprit. ●

La musique

SI WEIMAR ET CÖTHEN VOIENT NAÎTRE PRESQUE TOUTE SON ŒUVRE INSTRUMENTALE, LEIPZIG SERA LE CREUSET DE SA MUSIQUE SACRÉE.

Bach est, même pour le profane, le maître de l'orgue. Virtuose prestigieux, expert redouté, pédagogue recherché, il compose 250 pièces, dont la plupart sont destinées au service religieux (*préludes, fantaisies, toccatas* – tous couronnés d'une fugue magistrale –, *sonates en trio, prélude de chorals, variations,* etc.).

Le clavier : consacrés au clavecin ou au clavicorde, plusieurs recueils, tels les *Inventions*, les *Sinfoniae*, les deux volumes du *Clavier bien tempéré* (1722 et 1744), ont aussi un but didactique. Mais une force d'invention fabuleuse irradie l'ensemble prestigieux des *Partitas, Suites françaises* ou *anglaises,* tout autant que le *Concerto italien* (1735) et surtout les *Variations Goldberg* (1742).

L'Art de la fugue (1749) : loin d'être une démonstration pédante, ce monument d'écriture contrapuntique sonne admirablement sous les doigts sensibles et inspirés, et touche la conscience universelle la plus noble.

Solos et musique de chambre : grâce à une connaissance peu commune des ressources instrumentales, Bach dote le violon solo de 3 *Sonates* et 3 *Partitas,* le violoncelle solo de 6 *Suites* et la flûte solo d'une *Partita.* Les sonates accompagnées (6 pour le violon, 6 pour la flûte, 3 pour la viole de gambe) sont autant de « dialogues de l'âme et du corps ».

Les concertos : le succès des célébrissimes *Six Concertos brandebourgeois* (1721) tient peut-être à cet art de mêler l'arabesque (féminine) la plus exquise au rythme (masculin) le plus robuste, dans une euphorie de timbres instrumentaux. Ceux pour 1 ou 2 vio-

lons, pour 1, 2, 3 ou 4 clavecins ne le cèdent en rien dans le bonheur instrumental.

L'Offrande musicale (1747) : inspirée par le beau thème expressif de Frédéric II, cette œuvre condense en quelques pages une pensée musicale qui plongerait ses racines dans le Moyen Âge (canons) pour fleurir au soleil d'un XVIIIᵉ siècle baroque gonflé d'effusions (*Sonate en trio*) ou de tragique (*Ricercare à 6 voix*).

Les cantates : les 200 *cantates sacrées* conservées célèbrent – avec une humble magnificence – fêtes solennelles et ordinaires. Et, pour l'édification du fidèle, cette nourriture spirituelle regorge de beautés candides, triomphantes, touchantes ou douloureuses. S'y ajoutent une cinquantaine de *cantates profanes,* écrites pour des mariages, des anniversaires, des cérémonies officielles.

Oratorios : trois grandes fêtes – Pâques, Ascension, Noël – sont illustrées par des oratorios. Mais c'est le temps de la Passion qui invite Bach à de bouleversantes méditations sur les souffrances et la mort du Christ. À la théâtrale intensité de *Saint Jean* (1723) succédera, en 1729, la dramatique houle sonore de *Saint Matthieu,* qui emporte tous les hommes de bonne volonté vers une espérance de la résurrection. Citons aussi 6 motets pour chœurs.

Magnificat, messes : sur paroles latines, Bach nous laisse un *Magnificat* (1723) d'une joie rayonnante et contagieuse, quatre *Messes brèves* et surtout l'imposante *Messe en « si » mineur,* dont la gestation occupera le compositeur durant 25 ans (1724-1749). ●

Courbes et contre-courbes

Ce splendide graphisme qui manifeste l'élégance baroque et exprime visiblement le contrepoint caché en superposant dans les accords non des sons, mais des *voix* individuelles, traduit la stricte économie et la précision d'un modeste artisan qui écrit sur deux portées ce qui en aurait nécessité normalement trois... L'impressionnant portrait peint par Elias Gottlieb Haussmann à l'occasion de l'admission de Bach dans la société Mitzler, en 1747, met en relief, outre une grande bonté teintée d'amertume, l'extraordinaire concentration d'un regard tourné vers l'intérieur, l'essentiel.

1. Portrait du compositeur peint par E.G. Haussmann.

Bach tel qu'en lui-même

EN POSSESSION D'UN « MÉTIER »
INCOMPARABLE, BACH ÉTAIT, DE PLUS, SOUTENU
PAR LA FOI INÉBRANLABLE DU VRAI CROYANT.

Sous le triple signe de l'instinct, de la volonté et de la foi, la personnalité de Bach se forge au travers d'épreuves qui rendent sa vie moins banale qu'on se plaît à le dire. Un instinct infaillible conduit l'adolescent Jean-Sébastien vers les sources les plus épanouissantes (les orgues d'Allemagne du Nord, les danses françaises, le violon italien, etc.) ; le même instinct le retiendra sur la pente facile du style « galant » alors en vogue. Sa musique est sous-tendue, comme un arc prêt à se rompre, par une volonté sans faille. Le terme « faiblesse » (rythmique, mélodique, architecturale, instrumentale, etc.) n'existe pas dans son vocabulaire. Seule trouve grâce à ses yeux la faiblesse du pécheur face au Créateur, et il a chanté comme personne l'abandon confiant qu'autorise la foi brûlante, sereine, granitique du croyant qu'il fut toute sa vie.

Le langage.
Sa science extraordinaire transparaît dans une maîtrise parfaite, inégalée du contrepoint. Mais cette pensée congénitalement polymélodique, dont la virtuosité ravit les « connaisseurs », touche profondément – et c'est là tout le mystère de J.-S. Bach – l'amateur par la fraîcheur des idées mélodiques, la jubilation rythmique et, surtout, le contrôle de la sensibilité harmonique en tout point du discours.

Ce discours induit au moins deux codes dont la méconnaissance interdit la simple compréhension. En premier lieu, Bach utilise tout un arsenal de figures rhétoriques qui traduisent quasi systématiquement les images musicales contenues dans un texte (chanté ou sous-entendu dans le cas de la musique instrumentale). Ainsi, les mots exprimant la marche, la fuite, l'eau, la paix, la mort, le péché, etc., trouvent des correspondances musicales appropriées, renforçant l'expression.

Par ailleurs, si l'on tient compte de l'emplacement des lettres de B.A.C.H. dans l'alphabet allemand (B étant la 2e lettre, A la 1re, etc.), on obtient des nombres aux correspondances troublantes :

14 = B.A.C.H. = 2 + 1 + 3 + 8
29 = J.-S. B. = 9 + 18 + 2
41 = J.-S. B.A.C.H. = 9 + 18 + 2 + 1 + 3 + 8
58 = Johann
86 = Sebastian
158 = Johann Sebastian BACH = 58 + 86 + 14.

Or, 41 est le renversement de 14 ! L'addition des chiffres de 86 donne 14, de même que l'addition des chiffres de 158, et 29 (= J.-S.B.) additionné à lui-même, donne 58 (Johann) ! De plus, 29 (J.-S.B.) est aussi la somme des lettres S.D.G. (Soli Deo Gloria) par lesquelles Bach parachevait ses œuvres. Naturellement, tous ces chiffres – et bien d'autres empruntés à une symbolique immémoriale – sous-tendent, par le nombre de leurs notes, mesures ou sections, l'architecture de nombreuses œuvres, comme une sorte de structure secrète « pour les connaisseurs », lumière cachée par la lumière.

L'artisanat furieux.
La fécondité de Bach est proprement confondante. Dans les années 1723-1725, n'écrit-il pas une cantate chaque semaine ? Cela supposait, au milieu d'écrasantes charges familiales et pédagogiques, une organisation rigoureuse du temps et du matériel, avec l'aide compétente, disciplinée et dévouée d'un véritable atelier musical constitué par Anna Magdalena, les enfants et les élèves.

L'après-Bach.
De nombreux élèves – au premier rang desquels ses propres enfants – accédèrent aux postes prestigieux de capitales musicales, tels Carl Philip Emmanuel à Berlin, Johann Christian à Londres ou Gottfried August Homilius à Dresde. Ensuite, l'art du « vieux Bach » traversera un purgatoire qui ne sera cependant jamais une éclipse totale. Diverses tentatives (comme en témoigne le fameux « retour à Bach » des années 1920) imposeront progressivement une attention sans cesse renouvelée à ce monument de la musique. Et, si l'œuvre de Bach supporte paisiblement de nombreuses « re-lectures » (de Wanda Landowska à Glenn Gould, de Wilhelm Mengelberg à Gustav Leonhardt), elle ne peut mourir, puisqu'elle nous parle de nous-mêmes. ■

2. Page autographe du *Prélude en « si » mineur* pour orgue de J.-S. Bach.

L'orgue

Facture

L'ORGUE EST UN INSTRUMENT À VENT.
TOUT L'ART DE L'ORGANISTE CONSISTE À MAÎTRISER
CE FLUX D'AIR QUI FAIT CHANTER LES TUYAUX
GRÂCE À DES MÉCANISMES COMPLEXES.

LE VISITEUR D'UNE ÉGLISE a souvent l'attention attirée par la silhouette d'une forêt de tuyaux argentés, enserrés dans un buffet de bois. Ce buffet, qui s'élance le plus fréquemment au fond de la nef, en partenaire privilégié du célébrant à l'autel, peut aussi être dissimulé au fond d'un transept, juché sur un jubé ou accroché tel un nid d'hirondelle au triforium de la nef, ou enfin trôner au-dessus du chœur.

Les paroisses ont eu souvent à cœur de produire un somptueux chef-d'œuvre d'ébénisterie. Et le patrimoine français est d'une richesse inouïe, épousant tous les grands styles successifs : « Renaissance » à Caudebec-en-Caux ou Saint-Bertrand-de-Comminges, « Louis XIV » au Petit-Andely, « Louis XV » à Saint-Séverin de Paris, « néogothique » à Sainte-Clotilde de Paris.

Mais l'orgue profane, qui faisait déjà danser les hôtes de Frederiksborg (le Versailles danois) en 1636, a maintenant droit de cité dans les salles de concert et les salons, où l'on apprécie son architecture décorative. L'organier (on dit aussi le « facteur »), qui pendant des siècles avait le seul conseil de fabrique des paroisses comme interlocuteur, doit maintenant répondre aux exigences multiples d'organismes d'État ou minicipaux ou même de simples particuliers.

C'est à un merveilleux voyage dans l'espace et dans le temps que nous convie l'exploration du patrimoine organistique européen. Les diverses architectures de buffet sont autant d'hommages aux régions qui les ont fait naître : quoi de commun en effet entre des buffets vénitiens, castillans, normands, flamands ou hollandais ?

Les fleurons de l'orgue baroque

Compositeurs

Jan Pieterszon Sweelinck (1562-1621), Pays-Bas.
Jehan Titelouze (1563-1633), France.
Francisco Correa de Arauxo (v. 1575-v. 1663), Espagne.
Girolamo Frescobaldi (1583-1643), Italie.
Samuel Scheidt (1587-1654), Allemagne.
Dietrich Buxtehude (1637-1707), Allemagne.
Nikolaus Bruhns (1665-1697), Allemagne.
François Couperin (1668-1733), France.
Nicolas de Grigny (1672-1703), France.
Jean-Sébastien Bach (1685-1750), Allemagne.

Instruments en France

Paris, Saint-Gervais (F.-H. Clicquot).
Paris, Saint-Nicolas-des-Champs (F.-H. Clicquot).
Dole, Notre-Dame (K. J. Riepp).
Ebersmünster (A. Silbermann).
Houdan (L. A. Clicquot).
Marmoutier, église abbatiale (A. Silbermann).
Pithiviers, Saint-Salomon (J.-B. Isnard).
Poitiers, cathédrale Saint-Pierre (F. H. Clicquot).
Saint-Maximin-la-Sainte-Baume (J.-E. Isnard).
Souvigny, église abbatiale (F.-H. Clicquot).

1. Orgue néerlandais (Breda).

Dans un instrument de type classique, la transmission du vent et du mouvement s'établit de la façon suivante : le vent est fourni par des *soufflets* cunéiformes et canalisé par des *porte-vent.* Cet air est comprimé dans des *sommiers* à glissières, où un *registre* percé, coulissant entre une *chape* et une *table,* permet la communication entre une *gravure* obturée par une *soupape* et le pied du tuyau.

La *console* – dite « en fenêtre » lorsqu'elle est encastrée dans le soubassement du grand corps – rassemble les éléments de commande : claviers (de un à cinq et, en général, d'une étendue de quatre octaves et demie), pédalier, registres (ou jeux) et divers accessoires, tels que *accouplements, tirasses, combinaisons, boîte expressive,* etc. Trois types de transmission sont utilisés. La *traction mécanique* permet l'ouverture de la soupape grâce à un jeu de *vergettes* reliées aux touches par le biais d'un *abrégé.* Une *machine Barker* introduit dans la traction mécanique le principe du levier pneumatique. La *traction électrique* use d'électroaimants.

Le tuyau est un corps sonore disposé verticalement (sauf en Espagne, où les tuyaux d'anches horizontaux s'appellent *chamades*). Il existe en bois et en métal. Une rangée de tuyaux de même timbre s'étendant sur toute l'étendue du clavier constitue un *jeu.* La position d'un jeu dans l'échelle sonore est définie par son tuyau le plus grave, do_1. Cette note est donnée par un tuyau ouvert de 2,40 m : le jeu sonne en 8 pieds (8'). Un 4' sonne à l'octave supérieure, etc. En bouchant le haut du tuyau, on abaisse le son d'une octave : le 8' sonnera donc en 16'.

On distingue les tuyaux *à bouche* (ouverts, bouchés, demi-bouchés), de diverses tailles, et les tuyaux *à anches.* Les tuyaux sont aussi classés en familles : les *fonds* (principal, flûte, bourdon, gambe), les *anches* (trompette, clairon, hautbois, cromorne), les *mixtures* (fourniture, cymbale, reproduisant les harmoniques du son grâce à plusieurs tuyaux par note), les *mutations* (un seul tuyau d'harmonique par note). Ces deux dernières familles constituent la profonde originalité de l'orgue. D'elles dépendent l'éclat et la luminosité du discours musical. Pour reprendre la célèbre comparaison de N. Dufourcq, c'est un rayon de soleil qui avive les couleurs et met en relief les nervures du vitrail.

Les différents types d'orgue.
Il n'existe pas deux orgues semblables. L'imagination fertile des facteurs tire le plus souvent un étonnant parti des contraintes : adaptation au lieu, restrictions financières, fluctuations du goût, etc. À travers une exceptionnelle longévité (douze siècles de musique occidentale), l'orgue manifeste néanmoins quelques visages caractérisés : orgue médiéval et Renaissance, orgue baroque et classique (signé par les facteurs Clicquot, Silbermann, Thierry...), orgue symphonique du XIXᵉ siècle (dont l'apogée sera signé Cavaillé-Coll notamment), orgue néoclassique et orgue néobaroque du XXᵉ siècle, qui bénéficie d'une tendance actuelle à proposer des restaurations et des reconstitutions fidèles. Certains pays cultivent une « spécialité » : anches en chamade en Espagne, pédalier perfectionné en Allemagne, *ripieno* (plenum à rangs séparés) en Italie. Et notre époque apprécie la diversité savoureuse et fruitée de ces sonorités, produites par des instruments construits en matériaux nobles, en sympathie avec un lieu précis. Ce dernier trait suffit à les distinguer des orgues électroniques, aussi sophistiqués soient-ils. ●

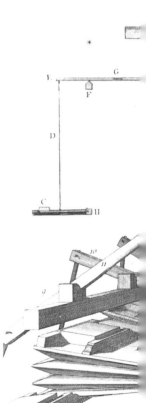

1. F. Liszt dirigeant la première exécution de son oratorio *la Légende de sainte Élisabeth* (Budapest).

La cantate

LA CANTATA (PIÈCE CHANTÉE) S'OPPOSE À LA SONATA
(PIÈCE SONNÉE SUR INSTRUMENTS À VENT OU À CORDES)
ET À LA TOCCATA (PIÈCE TOUCHÉE AU CLAVIER).

2. Scène extraite du film de J.-M. Straub, *Chronique d'Anna Magdalena Bach.*

L'oratorio, opéra religieux

La sévérité architecturale du temple, la présence écrasante de l'orgue, un public absent/présent, tout concourt à exalter le parfum austère d'une prière dirigée vers Dieu (2). En revanche, Liszt dirigeant spectaculairement son œuvre (1), devant un parterre recueilli, certes, mais mondain, en une église proche du théâtre, ne contribue guère à dissiper l'ambiguïté de l'oratorio conçu comme opéra religieux.

La cantate enchaîne en général une introduction instrumentale, des airs, des ensembles et des chœurs reliés par des récitatifs. De proportions réduites, souvent bâtie sur des textes conventionnels, elle s'essaie à traduire une grande diversité d'émotions, d'états d'âme, de sentiments en gardant de ses origines italiennes le goût du beau chant.

La cantate en Italie et en France.

La cantate est née en Italie. Après de brefs tâtonnements, elle explose littéralement au début du XVIIe siècle dans les villes qu'affecte une rivalité féconde : Venise (après C. Monteverdi, on y trouve F. Cavalli, G. Legrenzi, A. Caldara) ; Rome (avec L. Rossi, G. Carissimi), Bologne (avec G. Bassani, G. Bononcini, G. A. Perti) ; Naples (avec A. Scarlatti ou A. Stradella) ; Turin (avec S. d'India). Après B. Marcello, la cantate semble s'éteindre en Italie au profit de l'opéra.

La France s'approprie cette forme à la fin du XVIIe siècle grâce à M.-A. Charpentier. Elle se compose le plus souvent, selon l'*Encyclopédie*, « d'un récit exposant le sujet, d'un air en rondeau, d'un deuxième récit et d'un dernier air contenant le point moral de l'ouvrage ». Ce petit « théâtre à domicile », avec 1, 2 ou 3 personnages, constitue, dans les domaines profane et religieux, le pendant vocal de la sonate instrumentale. La cantate française s'appliquera à préserver le « naturel » français tout en s'ingéniant sou-

vent à réunir les goûts italien et français. La cantate *sacrée* trouve en Élisabeth Jacquet de La Guerre une éloquente avocate. Il est vrai aussi que de nombreux motets de Delalande, de Rameau, de E. A. Blanchard ou de F. Giroust, par exemple, s'apparentent à la cantate. Dans le domaine *profane,* sur des sujets allégoriques, pastoraux, galants ou même comiques, s'illustrent, après l'initiateur J.-B. Morin, la même Jacquet de La Guerre, Campra, B. de Boismortier, Montéclair, Clérambault et Rameau. Après 1750, la cantate dégénérera en *cantatille* ou bien trouvera un regain d'inspiration à l'époque révolutionnaire avec Gossec, Méhul ou Le Sueur.

La cantate en Allemagne. J.-S. Bach.

La cantate italienne a certes fleuri aussi au XVIIIe siècle dans les nombreuses cours princières allemandes grâce à J. D. Heinichen, à G. A. Ristori, à Hasse ou à Graun. Mais c'est dans le domaine religieux et dans le contexte spécifique du culte réformé que la cantate va atteindre des sommets inégalés. Cette musique fonctionnelle, sorte de prédication bis, se référant plus ou moins aux textes de l'Écriture, constituait un temps fort du culte luthérien, solidement amarré aux chorals, ces chants traditionnels de l'assemblée tout entière. Toute l'Allemagne du XVIIe siècle exhala sa foi dans cette forme privilégiée : au nord avec G. Böhm, V. Lübeck, N. Bruhns ou D. Buxtehude, au centre avec

F. W. Zachow, au sud avec J. Pachelbel. Il en résulta une impressionnante moisson difficile à classer : le *dialogue* (entretien spirituel de l'âme fidèle avec Jésus) côtoie les cantates chorales ou madrigalesques. Mais c'est Bach, le cantor de Leipzig, qui signera les plus hauts chefs-d'œuvre du genre. S'il n'a pu (ou voulu) écrire des opéras, il concentra sa création lyrique et dramatique sur la cantate, insufflant à ce qui aurait pu n'être qu'un pensum dominical la haute spiritualité d'une foi granitique, l'indépendance d'un esprit supérieurement libre, l'invention incandescente d'une technique suprêmement maîtrisée. La cantate sera l'objet de ses soins attentifs toute sa vie. En 1707-1708 (Arnstadt-Mühlhausen) paraissent cinq partitions juvéniles très contrastées comme la rutilante BWV 71 (pour l'élection du conseil) ou la poignante BWV 106 (*Actus Tragicus* pour des funérailles). De 1714 à 1716 (Weimar), 21 cantates constituent un champ d'expériences fécondes : le choral apparaît de plus en plus

comme la colonne vertébrale de l'ensemble. À Leipzig, durant deux années d'intense création (1723 à 1725), Bach écrit deux cycles complets de 59 cantates chacun. Un troisième cycle occupera les années 1725-1727. Cette transe créatrice exalte la puissance architecturale, le bonheur de virtuosités vocales ou instrumentales, la palette de sentiments chrétiens (joie, crainte, confiance, espérance) alimentée par les textes de l'Ancien et du Nouveau Testament. À ces quelque 200 cantates sacrées conservées, il faut ajouter une vingtaine de cantates profanes, qui demeurent le témoignage d'un humour plein de poésie et de réalisme dont Bach savait aussi faire preuve (cantates *du Café*/BWV 211, *des Paysans*/BWV 212, *du Mariage*/BWV 202).

Après Bach.

L'école Bach produira encore des rameaux vivaces (W. F. Bach, G. A. Homilius) mais, peu à peu, romantisme aidant, la cantate subira une mutation, y perdant parfois son titre, tout en conser-

vant ses caractères profonds. Au XIXe siècle, Mendelssohn, Donizetti, Liszt, Reger sont souvent aux confins de l'oratorio, en des pièces de circonstance. L'Europe centrale cultive avec bonheur un genre familier, la pastorella (ainsi Jakub Jan Ryba en Bohême).

Au XXe siècle, échappant au type sclérosé de la « cantate pour le prix de Rome », de grands musiciens ont su lui conserver toute sa fraîcheur et son lyrisme. La *Messe glagolitique* de L. Janáček est une fresque aux confins de l'oratorio. *La Damoiselle élue* du jeune Debussy affirmait dès 1888 sa profonde originalité. Maintes cantates affirment encore leur religiosité (le *Psaume XLVII* de F. Schmitt ; le *Miroir de Jésus,* de A. Caplet ; le *Psalmus Hungaricus,* de Z. Kodály ; la *Symphonie de psaumes,* de Stravinski). Mais d'autres revendiquent un caractère profane : *Cantata profana,* de B. Bartók ; les deux *Cantates* de A. Webern ; le *Chant des forêts,* de D. Chostakovitch ; *Il Canto sospeso,* de L. Nono, ; ou même *Visage nuptial,* de P. Boulez. •

Le style classique

La forme sonate

« UNE RÉSOLUTION SYMÉTRIQUE DE FORCES OPPOSÉES » : AINSI EST DÉFINIE PAR CH. ROSEN, EN 1971, LA FORME SONATE.

TRÈS EMPLOYÉ, EN PARTICUlier en musique, le terme « classique » recouvre, selon les périodes et les pays, des réalités fort diverses. La musique « classique » peut s'opposer à celle dite « populaire » ou « légère » et comprend alors toute la musique « savante » (ou « sérieuse ») européenne, de Pérotin (v. 1200) aux successeurs de Pierre Boulez (fin du XXe siècle). Dans ce contexte savant européen (par opposition aussi, donc, aux musiques extraeuropéennes), on peut distinguer musique « classique » et musique « contemporaine » et faire débuter cette dernière avec Debussy, par exemple, ou avec la génération Boulez-Stockhausen (1945). Mais on qualifie de « classique contemporain » une personnalité ou une œuvre d'aujourd'hui dont la situation et le rang ne sont plus contestés par les spécialistes ni, parfois, par le grand public. Dans le même ordre d'idées, on considère Schubert comme le représentant « classique » du lied allemand et Liszt comme celui du poème symphonique, car ils furent – bien que relevant de ce qu'on appelle traditionnellement le romantisme musical – les premiers à

donner, de ces genres respectifs, des spécimens convaincants, exemplaires et durables. Et, de fait, on oppose également musique classique à musique romantique, à musique baroque, à musique de la Renaissance, à musique médiévale. En ce sens cependant, le classicisme versaillais de Lully à Rameau et le classicisme viennois de Haydn, de Mozart et de Beethoven ne se confondent ni dans le temps, ni techniquement, ni esthétiquement, et le passage de l'un à l'autre fut même symbolisé par un événement culturel de première importance, la « Querelle des bouffons » (1752). Précisons tout de suite qu'il sera question ici du classicisme viennois et du contexte dans lequel il s'inscrivit (on préfère d'ailleurs, de nos jours, qualifier la musique versaillaise de « baroque ») et ajoutons qu'en musique, comme en littérature, le terme « classique » est d'usage assez récent (vers 1800) et plutôt postérieur à celui de « romantique ». Il reste que, à partir de Goethe, c'est-à-dire depuis le début du XIXe siècle, l'opposition classique-romantique en musique a beaucoup agité les esprits, notamment chez les écrivains.

Musicalement, le style qui historiquement va de pair avec l'émancipation des classes moyennes se traduit, au début, non seulement par la simplification de l'écriture et la primauté de la mélodie, mais aussi par une exploration systématique des sentiments subjectifs individuels, saisis moins dans leur isolement à travers un par morceau, comme dans le baroque, que dans leurs successions, leurs transformations, leurs contrastes. Pour Carl Philipp Emanuel Bach (1714-1788) et le courant qu'il personnifie, l'*Empfindsamkeit* (« sensibilité ») et, vers 1770, le *Sturm und Drang* (« Tempête et Élan », nom d'un courant littéraire de l'époque) s'attache à émouvoir, à étonner, à donner le frisson (voir, par exemple, les symphonies « subjectives » et en mineur écrites alors par Haydn). Haydn et Mozart, chacun à sa manière, réussissent finalement la

synthèse du mélodisme et du subjectivisme tributaire de l'instant, les transformant en « travail thématique » et en « dynamique globale », éléments inséparables l'un de l'autre et donnant au discours son unité dans la diversité et sa force vectorielle, cela sous le signe d'un équilibre extraordinaire entre l'humain individuel et l'humain universel. D'où une musique articulée à tous les niveaux, aux subdivisions multiples et hautement personnalisées, en rapports cohérents et générateurs d'une continuité de type nouveau, puissamment dramatique et tournant le dos au déroulement plutôt uniforme du baroque.

La forme sonate, principe structurel dont Haydn et Mozart furent les premiers maîtres, se caractérise par les forces mises en jeu que sont les thèmes et surtout les tonalités. Il importe, en rendant compte de ce que cette forme eut alors de vivant, de ne privilégier ni les thèmes (comme devait

Haydn et Eszterháza

Conservé à Londres, ce célèbre portrait peint à l'huile (1), d'après lequel une gravure fut réalisée par Hardy luimême (1792), représente le compositeur à cinquante-neuf ans, lors de son premier séjour dans la capitale britannique. Le château d'Eszterháza (2) à Fertöd (Hongrie) fut construit à partir du début des années 1760 par Nicolas le Magnifique, prince Esterházy : ce château fut sa résidence principale jusqu'à sa mort en 1790. Haydn et ses musiciens, tous au service du prince, s'y installèrent définitivement en 1769. Ce « petit Versailles de l'Hongrie », pour reprendre les termes d'une description d'époque, connut pendant un quart de siècle une vie de cour des plus brillantes : concerts, opéras, représentations théâtrales s'y succédaient sans relâche. La seconde salle d'opéra, inaugurée en 1781, comprenait 400 places.

Les hommes et les genres

HAYDN, MOZART
ET BEETHOVEN ONT DONNÉ À LA MUSIQUE
GERMANIQUE SES LETTRES DE NOBLESSE
ET ASSURÉ SA SUPRÉMATIE POUR
PLUS D'UN SIÈCLE ET DEMI.

Jean-Sébastien Bach, le plus grand représentant du dernier baroque en musique, meurt à Leipzig en 1750, au moment même où, à Vienne, le jeune Haydn écrit ses premières œuvres. Ces événements coupent en deux parties égales un siècle dont Bach a dominé la première moitié et dont Haydn, dans un contexte artistique et social tout nouveau, va avec Mozart personnifier la seconde, faisant de Vienne, sur le plan de la création tout au moins, la capitale musicale de l'Europe. Telle est en tout cas la vision de la postérité.

Bach, notamment, a mené à son terme et à son point culminant l'héritage polyphonique du Moyen Âge et de la Renaissance. Or, pour l'essentiel, les préoc-

cupations des musiciens de son temps vont déjà dans une autre direction : simplification de l'écriture, primauté donnée à la mélodie sur l'harmonie et sur la polyphonie. La période qui précède et suit immédiatement la mort de Bach a, par rapport à lui, un côté superficiel indéniable. La nouvelle conception de la mélodie est porteuse d'avenir mais elle s'accompagne, quant à la densité d'écriture, de pertes qui ne devaient être pleinement compensées que vers 1780 avec la maturité de Haydn et de Mozart, qui impose une nouvelle polyphonie, une nouvelle densité, une nouvelle façon de penser en musique. Ce n'est pas chez Bach qu'en leurs débuts Haydn et Mozart – qui de toute façon ne connaissent alors

de lui pas la moindre note – vont s'instruire. Les origines de leur style se manifestèrent, bien avant la mort de Bach, beaucoup moins chez ce dernier que chez certains de ses contemporains (Telemann, Domenico Scarlatti) ainsi que chez des compositeurs nés vers 1710 et parfois appelés « préclassiques ». Ces compositeurs œuvrent en Allemagne du Nord comme Carl Philipp Emanuel Bach (deuxième des quatre fils musiciens de Jean-Sébastien), à Mannheim comme Johann Stamitz (originaire de Bohême), à Vienne comme Mathias Georg Monn ou Georg Christoph Wagenseil ou encore à Milan comme Giovanni Battista Sammartini. Une place à part doit être réservée aux Italiens compositeurs d'opéras et aux non-Italiens auteurs d'opéras italiens comme Johann Adolf Hasse.

Jusqu'au milieu du XXe siècle au moins, les œuvres ultimes de Haydn (1732-1809) et de Mozart (1756-1791) et presque toutes celles de Beethoven (1770-1827) vont servir de référence, les

compositeurs et le public se définir d'une façon ou d'une autre, y compris négativement, par rapport à elles. C'est notamment en ce sens que ces trois compositeurs sont « classiques ». Historiquement, ils sont les premiers à n'avoir jamais eu besoin d'être redécouverts. Cela ne signifie pas que tous leurs prédécesseurs aient sombré dans un oubli total avant d'être « ressuscités » au XXe siècle, ni qu'au XIXe siècle Haydn et Mozart – qui pourtant ne connaîtront jamais d'éclipse comparable à celle de Bach – soient aussi connus, compris et joués qu'actuellement ; mais que, de leur époque jusqu'à nos jours, ils ont eu leur place assurée au répertoire et dans la conscience du public. En effet, ils ont écrit leurs plus grandes œuvres pour des types de concerts nés de leur vivant et formant encore, qu'on le veuille ou non, la base de notre vie musicale. Parallèlement, ils ont créé l'orchestre symphonique, donné (Haydn surtout) leurs lettres de noblesse aux genres nouveaux du quatuor à cordes et de la sympho-

nie, sans oublier la sonate pour piano, et transformé radicalement (Mozart surtout) le concerto et l'opéra. Ils ont opéré la distinction entre musique symphonique (ou d'orchestre) et musique de chambre, fait de la musique instrumentale l'égale de la musique vocale et assuré à la musique germanique, voire viennoise, une prépondérance de fait pour plus d'un siècle et demi. Enfin, ces musiciens ont fait accepter par les pouvoirs établis et par la société le principe de la liberté de l'artiste.

Parmi les symphonistes autrichiens contemporains de Haydn se détachent son frère Michael Haydn (1737-1806), Florian Gassmann (1729-1774), Leopold Hofmann (1738-1793), Carl Ditters von Dittersdorf (1739-1799) et Jan Křtitel Vaňhal (1739-1813). François Joseph Gossec (1734-1829) mène sa carrière à Paris et Johann Christian Bach (1735-1782), le dernier fils de Jean-Sébastien, la sienne à Milan puis à Londres, où il domine la vie musicale pendant vingt ans. ●

le faire le XIXᵉ siècle) ni les tonalités. Schématiquement, un ou plusieurs thèmes sont énoncés avec passage de la tonique à la dominante *(exposition)* puis, après *reprise* de l'exposition, se « combattent » dans diverses tonalités *(développement* correspondant à une tension maximale) pour réapparaître plus ou moins comme dans l'exposition mais seulement à la tonique *(réexposition),* une *coda* se chargeant éventuellement de mener la résolution de tension à son terme. •

Implications sociales

DE LA SITUATION HISTORICO-SOCIALE EN PLEINE ÉVOLUTION A PU ÊTRE RAPPROCHÉE UNE CERTAINE IDENTITÉ DE LA FORME SONATE.

La contradiction interne de cette « forme », dont on ne trouve pas chez Haydn, Mozart et Beethoven deux spécimens identiques, fut celle existant entre un dynamisme global se projetant en avant et tendant vers le « développement perpétuel » et le retour, à un moment donné (réexposition), du début, résultant d'une identité statique dans une structure en devenir. Haydn et Beethoven en ont eu conscience, qui si souvent ont pris soin d'introduire, dans l'entourage immédiat de leurs réexpositions, une modification, aussi minime soit-elle, par rapport au début, mettant ainsi une fois de plus identité et changement en relation dialectique. Dans le même ordre d'idées, Adorno a rapproché l'identité du statique et du dynamique que proclament les réexpositions de Beethoven, et notamment leurs débuts, de « la situation historique d'une classe (la bourgeoisie) en train de dissoudre l'ordre statique sans pour autant, de peur de se dissoudre elle-même, s'abandonner à sa dynamique propre ». Le parallèle est intéressant surtout si l'on songe aux avatars de la « forme sonate » au XIXᵉ siècle. Elle avait été un organisme vivant : elle tend à devenir un exercice d'école ; ou alors, ses contours s'estompent.

Le style classique connaît son apogée de 1780 à 1815, période au cours de laquelle l'Europe vit intensément les prémisses, le déroulement et les suites immédiates de la Révolution française. En se repenchant sur ses origines, on s'aperçoit que, vers 1750, Vienne n'est qu'un centre parmi d'autres. Mais, sans se livrer pour autant à la moindre spéculation théorique, le style viennois – au départ moins spectaculaire, moins porté vers le sensationnel que celui de Mannheim par exemple – s'identifie très vite (de façon décisive dès les symphonies de Haydn des années 1760) aux recherches formelles et tonales les plus poussées et les plus chargées d'expression. Et, pour les hommes de 1800, il finit par représenter à lui seul, ou presque, la musique orchestrale et de chambre de haut niveau, voire par se confondre avec elle. En cela, il s'oppose à l'Italie et à la France d'avant et d'après 1789 mais aussi à l'Allemagne du Nord, qui théorise et discute beaucoup mais qui n'a rien à offrir de comparable aux plus hautes réussites de Vienne et passe, en quelque sorte, directement de l'*Empfindsamkeit* au romantisme. En outre, le style viennois manifeste nettement que Vienne est un lieu de rencontre non plus seulement entre le Nord et le Sud (l'Italie) mais aussi entre l'Est et l'Ouest (Haydn est né aux confins du monde slave). Enfin, il fait s'exprimer non seulement divers peuples mais aussi diverses couches sociales (ce dont témoignent les attaques lancées vers 1770 par l'Allemagne du Nord au nom des bienséances contre les tournures plébéiennes de Haydn). Le style viennois mêle plus étroitement que tout autre le savant et le populaire, l'aristocratique et le vulgaire sans rien leur faire perdre, en les affirmant au contraire avec force, le résultat étant un monde artistique tendant à l'universel.

À ces traits humanitaires vient s'ajouter le fait que dans les années 1780, sous le règne de Joseph II, Vienne est un foyer de fermentation intellectuelle porté par l'esprit des Lumières. Haydn et Mozart, alors au faîte de leur maturité, savent s'en nourrir. En témoigne *la Flûte enchantée* de Mozart (1791), qui magnifie cet esprit et, par là, l'essence même de l'époque. La réaction ne tarde pas, mais Haydn poursuit cette tradition avec *la Création* (1798), puis Beethoven avec *Fidelio* (1805-1814) et même, en plein « système de Metternich », avec la *Neuvième Symphonie* (1824), ultime secousse en provenance d'un âge où non seulement on proclame, mais où l'on a la certitude que tous les hommes sont frères. •

1. Portrait de Haydn par Thomas Hardy (1791).

2. Détail du château d'Eszterháza (Fertöd, Hongrie).

3. Exécution de *la Création* à Vienne, le 27 mars 1808, en présence de J. Haydn.

La Création

Lors du concert du 27 mars 1808, *la Création* de Haydn fut dirigée par Salieri dans la grande salle de l'université de Vienne en présence du compositeur, dont ce fut la dernière apparition en public. Sur cette aquarelle de Balthasar Wigand (1808) [3], on distingue Haydn, assis au premier plan au centre, tourné vers la gauche, et, parmi les personnages qui l'entourent, Beethoven.

Mozart

MOZART EST SANS DOUTE, actuellement, le compositeur le plus généralement admiré et aimé. Ce ne fut pas toujours le cas, surtout en ce qui concerne sa musique instrumentale, alors que ses derniers opéras, en particulier *Don Giovanni,* ont acquis très vite et ont su conserver une place à part dans la conscience du public et des musiciens. Dans la première moitié du XXᵉ siècle encore, d'aucuns tendaient à le considérer – et Haydn avec lui – essentiellement comme un « précurseur » de Beethoven. Déconcertant miracle mozartien ! Il pille ses aînés et ses contemporains, mais transfigure tout ce qu'il touche. Il n'invente aucune forme nouvelle, demeurant de ce point de vue bien en retrait sur Haydn, mais communique aux cadres familiers « la frémissante tendresse de sa vision intérieure ». Il a hor-reur du fracas, du clinquant, des effets à l'emporte-pièce. Plus que tout autre, probablement, il réalise dans sa musique un équilibre entre l'intellect, le cœur et les sens. Il importe de ne pas se laisser hypnotiser par le mythe de l'enfant prodige : les premières années de Mozart voient naître de nombreux chefs-d'œuvre, mais sa personnalité ne s'affirme vraiment que lors du voyage à Mannheim et à Paris (1777-1778), et le « grand » Mozart est celui des années viennoises (à partir de 1781). De cette haute maturité, pas moins de trois cents partitions rendent témoignage. Génie lyrique et dramatique, Mozart trouve son plus haut accomplissement dans le concerto et l'opéra, alors que Haydn, génie épique, se réalise plus parfaitement dans la symphonie, le quatuor à cordes, l'oratorio.

L'enfant prodige et les voyages (1756-1773)

DE PARIS À LONDRES, DE SALZBOURG À MILAN ET À VIENNE, MOZART PROFITE DE L'ENSEIGNEMENT DE SES VOYAGES POUR SE FORGER UN STYLE INTERNATIONAL.

Wolfgang Amadeus Mozart naît le 27 janvier 1756 à Salzbourg, alors principauté indépendante. Son père, Leopold (1719-1787), musicien de profession, était arrivé dans la ville en 1743 pour entrer au service du prince-archevêque et devait être nommé vice-maître de chapelle en 1763. Leopold Mozart, auteur d'une méthode de violon comptant parmi les écrits théoriques fondamentaux de l'époque (1756), reconnaît très tôt le génie de son fils, le dernier de ses sept enfants (dont cinq sont morts en bas âge) et joue dans son éducation et dans sa formation un rôle central. À quatre ans, Mozart reçoit de son père ses premières leçons de clavecin et compose déjà. En 1762, il se produit à Munich, puis à Vienne. En juin 1763, ayant obtenu un congé du prince-archevêque, Leopold part avec sa femme, Anna Maria (1720-1778), son fils Wolfgang et sa fille Nannerl (1751-1829) pour une grande tournée européenne qui va durer plus de trois ans. La famille arrive le 18 novembre 1763 à Paris, où elle reste cinq mois (le jeune Wolf-gang est alors « exhibé » à Versailles). L'étape suivante est Londres, où le séjour dure plus d'un an (avril 1764-juillet 1765). Mozart y rencontre Johann Christian Bach (1735-1782), le dernier fils de Jean-Sébastien, qui exerce sur lui une influence décisive, et y compose ses premières symphonies. Leopold emmène ensuite sa famille en Hollande, puis de nouveau à Paris (mai-juillet 1766). Le retour à Salzbourg a lieu à la fin de novembre.

Un an plus tard débute le deuxième séjour à Vienne (janvier 1768-janvier 1769), au cours duquel Mozart compose notamment l'opéra bouffe *La Finta Semplice* (K. 51) et le singspiel *Bastien et Bastienne* (K. 50). L'année 1767 a été passée à Salzbourg : c'est le cas également de 1769. Puis, ayant obtenu un nouveau congé, Leopold part, seul avec son fils cette fois, pour un voyage en Italie qui sera le premier de trois et qui dure de décembre 1769 à mars 1771 (Milan, Bologne, Florence, Rome, Naples, Rome, Bologne, Milan, Padoue, Vicence, Vérone) : un des fruits en est l'opera seria *Mitridate* (K. 87 ; Milan, décembre 1770). Le deuxième voyage a lieu d'août à décembre 1771 et voit la création à Milan de la sérénade théâtrale *Ascanio in Alba* (K. 111). En 1772, Mozart compose à Salzbourg plusieurs symphonies plus ou moins influencées par celles de Joseph Haydn et est nommé violoniste au service du nouveau prince-archevêque Colloredo. Le troisième voyage en Italie a lieu d'octobre 1772 à mars 1773 : sont alors composés les six quatuors à cordes dits *Milanais* (K. 155-160) et l'opera seria *Lucio Silla* (K. 135 ; Milan, décembre 1772). De juillet à septembre 1773, Mozart effectue avec son père son troisième séjour à Vienne, au cours duquel sont écrits les six quatuors à cordes dits *Viennois* (K. 168-173), fortement influencés par les dix-huit ouvrages du genre que vient de produire Haydn (opus 9, opus 17 et opus 20, 1769-1772).

En respirant, de huit à dix-huit ans, l'air de toute l'Europe, Mozart s'est forgé un style international qui devait le marquer toute sa vie. Il a la chance de se former au contact de la culture aussi bien italienne que germanique et de connaître de près la française. Le mérite en revient à son père Leopold, qui a aussi celui de ne pas cantonner Wolfgang dans un rôle d'interprète virtuose au violon ou au clavecin mais de l'orienter aussi vers la composition. ●

La période salzbourgeoise et le voyage à Paris

BROUILLÉ AVEC SON « EMPLOYEUR », MOZART PEUT PROFITER D'UNE CERTAINE LIBERTÉ ET ATTEINDRE SA PLEINE MATURITÉ.

Après son séjour à Vienne, Mozart compose à Salzbourg quatre symphonies importantes : n° 25 en *sol* mineur (K. 183 ; octobre 1773), principale manifestation chez lui du « Sturm und Drang » musical ; n° 29 en *la* (K. 201 ; avril 1774) ; n° 30 en *ré* (K. 202 ; mai 1774) ; n° 28 en *ut* (K. 200 ; novembre 1774). Il abandonne ensuite le

1. Portrait de Mozart par son beau-frère, J. Lange (v. 1789).

genre pendant quatre ans. Exception faite d'un court séjour à Munich pour la création de l'opéra bouffe *La Finta Giardiniera* (K. 196 ; janvier 1775), Mozart n'allait plus quitter Salzbourg avant septembre 1777. Il passe ces quatre années au service du prince-archevêque Colloredo et ce service lui devient de plus en plus pénible. Il compose alors de nombreuses messes, ses concertos pour violon, ses premiers concertos pour piano, des sérénades et divertissements pour la noblesse et la haute bourgeoisie de la ville (dont, en 1776, l'imposante *Sérénade Haffner,* K. 250). En avril 1775 est représenté l'action théâtrale *Il Re Pastore* (K. 208), commande de Colloredo. En janvier 1777, Mozart franchit sur le plan esthétique une étape décisive avec le concerto pour piano n° 9 en *mi* bémol (K. 271), destiné à une pianiste française de passage à Salzbourg, Mᵐᵉ Jeunehomme.

En mars 1777, Leopold sollicite pour lui et son fils un congé, que Colloredo refuse. Wolfgang, exaspéré, démissionne le 1ᵉʳ août, ce à quoi Colloredo fait répondre que le père et le fils peuvent aller chercher fortune ailleurs. Leopold se soumet et reste, mais Wolfgang part le 23 septembre en compagnie de sa mère – il a pourtant vingt et un ans – pour un voyage qui va le mener à Munich, à Augsbourg, à Mannheim et à Paris. À Mannheim, où il séjourne d'octobre 1777 au début de mars 1778, Mozart apprécie l'orchestre jadis fondé par Johann Stamitz et tombe amoureux d'une cantatrice, Aloysia Weber, dont plus tard (1782) il épousera la sœur, Constance. À Paris, où il reste de la fin de mars à la fin de septembre 1778 et où sa mère meurt le 3 juillet, il compose notamment la symphonie n° 31 en *ré* (K. 297 ; *Paris*), la sonate pour piano en *la* mineur (K. 310) et le concerto pour flûte et harpe (K. 299), mais sans obtenir de position stable. Il doit reprendre le chemin de Salzbourg, où, après être repassé par Mannheim, il arrive dans les premiers jours de janvier 1779. Humilié, il reprend du service auprès de Colloredo. Matériellement, ce dernier voyage s'est soldé par un échec, mais le musicien en est revenu très enrichi sur le plan artistique et très mûri sur le plan humain.

L'année 1779 voit naître la symphonie concertante pour violon et alto (K. 364), la *Messe du Couronnement* (K. 317), la symphonie n° 33 en *si* bémol (K. 319) et la *Sérénade Posthorn* (K. 320) ; l'année 1780, la symphonie n° 34 en *ut* (K. 338). À la fin de l'été, Mozart reçoit du prince électeur de Bavière la commande d'un opéra. Il obtient de Colloredo le congé nécessaire et, le 29 janvier 1781, après s'être pour la première fois déplacé seul, dirige à Munich la création d'*Idoménée,* son premier grand opéra de maturité. ●

2. Réunion de la loge maçonnique à Vienne. Anonyme, 1790.

La période viennoise (1781-1791)

L'INDÉPENDANCE DU COMPOSITEUR
S'ASSOCIE À DES PROBLÈMES PÉCUNIAIRES QUI NE FREINENT PAS
UNE PRODUCTION RICHE ET FÉCONDE.

Le 30 novembre 1780 meurt l'impératrice Marie-Thérèse. Vers le 1er janvier, Colloredo se rend à Vienne pour assister à diverses cérémonies et ordonne à Mozart de le rejoindre. Mozart arrive à Vienne le 16 mars 1781. Plusieurs incidents enveniment les rapports déjà fort tendus entre l'employeur et l'employé. Mozart comprend que son intérêt d'artiste est de rester à Vienne et provoque lui-même la rupture, dont il relate les détails dans une lettre à son père datée du 9 mai et terminant par ces mots : « Je hais l'archevêque jusqu'à la frénésie. » Leopold, loin de se réjouir de la liberté conquise de haute lutte par son fils, s'inquiète des conséquences de son audace et de la précarité de sa nouvelle situation de musicien indépendant.

Au début, tout va plutôt bien. Mozart est reçu par plusieurs familles de la haute société, donne des leçons et se taille de francs succès comme pianiste. Grâce au baron Van Swieten, il découvre Bach et Händel. De l'empereur Joseph II, il reçoit la commande d'un opéra allemand, l'Enlèvement au sérail (K. 384), dont la création a lieu le 16 juillet 1782, trois semaines avant son mariage avec Constance Weber (4 août). Le 31 décembre 1782 est achevé le premier des six quatuors à cordes plus tard dédiés à Haydn et, au même moment, sont menés à bien les trois premiers (nos 11-13 ; K. 413-415) des dix-sept concertos pour piano des années viennoises. De 1782 est datée la symphonie no 35 en ré (K. 385 ; Haffner) et de 1782 ou 1783 la sérénade en ut mineur (K. 388) pour huit instruments à vent.

En juillet 1783, Mozart se rend avec sa femme à Salzbourg chez son père et sa sœur. Le 26 octobre est donnée à l'église Saint-Pierre la messe solennelle inachevée en ut mineur (K. 427). Mozart ne devait plus jamais revoir sa ville natale. Sur le chemin du retour, au début de novembre, il compose sa symphonie no 36 en ut (Linz) et sans doute aussi sa sonate pour piano en si bémol (K. 333). Ensuite débute une période d'environ deux ans et demi, la plus active, la plus heureuse et la plus couronnée de succès de sa carrière viennoise. Il continue à donner des concerts et des leçons et commence à tenir un catalogue de ses œuvres, la première inscrite étant le concerto pour piano no 14 en mi bémol (K. 449 ; 9 février 1784). Cinq autres concertos pour piano suivent, la même année. En décembre, Mozart adhère à la franc-maçonnerie et, en janvier 1785, il termine les deux derniers de ses six Quatuors à Haydn. Il reçoit alors la visite de son père Leopold, qui a la joie d'entendre Haydn faire un très vif éloge de Wolfgang. Trois nouveaux concertos pour piano, dont le no 20 en ré mineur (K. 466), voient le jour en 1785 et deux autres (no 23 en la, K. 488, et no 24 en ut mineur, K. 491) au début de 1786. Le 1er mai 1786 sont créées les Noces de Figaro (K. 492), pre-

mier des trois grands opéras italiens, sur un livret de Lorenzo Da Ponte. En décembre, Mozart termine son concerto pour piano no 25 en ut (K. 503) et sa symphonie no 38 en ré (K. 504 ; Prague).

En janvier 1787, il se rend pour la première fois à Prague, où il dirige Figaro, et en revient avec la commande d'un nouvel opéra, qui devait être Don Giovanni. En mai, son père meurt à Salzbourg alors que sont menés à bien les deux quintettes à cordes en ut (K. 515) et en sol mineur (K. 516). Le 29 octobre, Mozart dirige à Prague la première de Don Giovanni. Le poste de musicien de chambre de la cour de Vienne, qu'il obtient en novembre, n'améliore guère sa situation financière. En février 1788 il achève le concerto pour piano no 26 en ré (K. 537 ; du Couronnement) et, durant l'été, les trois dernières symphonies : no 39 en mi bémol (K. 543), no 40 en sol mineur (K. 550) et no 41 en ut (K. 551 ; Jupiter).

D'avril à juin 1789, Mozart effectue un voyage à Dresde, à Leipzig et à Berlin, où la cour de Prusse lui commande des quatuors à cordes et des sonates pour piano. Il n'allait venir à bout que d'une sonate (K. 576, en ré, juillet

1789) et de trois quatuors (K. 575, en ré, en juin 1789, puis K. 589, en si bémol, et K. 590, en fa, en mai et juin 1790). Le 26 janvier 1790 est créé l'opéra Cosi fan tutte (le troisième sur un livret de Da Ponte), dont les représentations sont interrompues par la mort de l'empereur Joseph II. L'année 1790 est presque stérile, avec de pressants soucis d'argent, mais, en décembre, au retour d'une ultime tournée en Allemagne (Francfort, Mannheim), est achevé le quintette à cordes en ré (K. 593).

La dernière année, 1791, est au contraire extrêmement féconde : quintette à cordes en mi bémol (K. 595), concerto pour clarinette (K. 622), Ave verum (K. 618), opéras la Clémence de Titus (K. 621 ; Prague, 6 septembre) et la Flûte enchantée (K. 620 ; Vienne, 30 septembre), Requiem inachevé (K. 626). Lorsque Mozart meurt à Vienne le 5 décembre 1791, c'est de maladie et non pas de faim, et il faut insister également sur le fait que, malgré les critiques et les dénigrements dont il a fait l'objet, sa réputation en Autriche et dans les pays germaniques est des plus enviables. En une dizaine d'années, elle va devenir européenne. ●

Décor pour la Flûte enchantée (acte II, scène 7), 1816.

Mozart et la franc-maçonnerie

C'est en décembre 1784 que Mozart adhère à la franc-maçonnerie. Cette peinture (2) anonyme date de 1790 – ou un peu plus tard : elle représente une réunion de la loge maçonnique viennoise « À l'Espérance couronnée », et l'on distingue, à l'extrême droite, Mozart en conversation avec son voisin. Le maître de cérémonies, debout à l'avant-centre, une épée à la main et face au personnage aux yeux bandés, est Nicolas le Magnifique, prince Esterházy et « em-ployeur » de J. Haydn.

Dans son dernier opéra, la Flûte enchantée (3), Mozart traite de la franc-maçonnerie : si, dans son apparence extérieure, cette œuvre recouvre celle d'un conte de fées, son propos est celui d'une cérémonie d'initiation maçonnique avec ses divers rites. Symboliquement, les forces des ténèbres (la Reine de la Nuit) s'opposent à l'univers du jour, entre autres personnages, à Tamino (ténor), Papageno (baryton) et Pamina (soprano). Enfin, ce portrait inachevé (1) fut peint en 1789-1790 par le beau-frère de Mozart (époux d'Aloysia Weber) : il était considéré par Constance comme le plus ressemblant.

La musique de chambre

AU SENS MODERNE, C'EST-À-dire depuis le XIXᵉ siècle, le terme « musique de chambre » s'applique à un répertoire pour un petit nombre d'instruments solistes (en principe de deux à dix), dont éventuellement un piano, cela par opposition à la musique pour piano seul et surtout à la musique pour orchestre. En réalité, ce répertoire existe déjà du temps de Bach, mais, comme souvent, la musique elle-même a précédé la terminologie.

Le terme « musique de chambre » est adopté au XIXᵉ siècle parce qu'il désigne une musique que l'on peut exécuter chez soi, ou dans une salle de concert de dimensions modestes, mais, en réalité, il est bien plus ancien. Jusque vers 1750, avant la généralisation des concerts publics payants, il désigne une musique destinée à être exécutée chez un particulier, quel que soit son rang, cela par opposition à la musique d'église et à la musique de théâtre (cf. la distinction, vers 1700, entre la *sonata da camera* et la *sonata da chiesa*).

La « musique de chambre » peut alors faire appel aux effectifs les plus divers, et les traiter ou non en solistes, et elle peut être instrumentale ou vocale ; mécènes et, parfois, interprètes amateurs jouent dans son processus de production, à côté des compositeurs, un rôle important. Quand Haydn entre chez les Esterházy, en 1761, ses musiciens sont officiellement divisés en deux groupes formés chacun de chanteurs et d'instrumentistes : la « Kammermusik » (pour l'orchestre, la musique instrumentale à effectifs réduits et la musique vocale profane) et la « Chormusik » (pour la musique religieuse).

La première floraison de la musique de chambre

LES ŒUVRES DE MUSIQUE DE CHAMBRE DE HAYDN, MOZART ET BEETHOVEN SONT PARMI LES PREMIÈRES GRANDES RÉUSSITES DU GENRE.

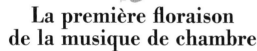

Au milieu du XVIIIᵉ siècle, la distinction entre musique de chambre, au sens moderne, et musique d'orchestre est parfois encore assez floue, comme le montrent notamment les diverses éditions de certaines œuvres de Johann Stamitz (1717-1757), qui prévoient *ad libitum* soit un, soit plusieurs instruments par partie. Mais, vers 1760, Joseph Haydn (1732-1809) et Luigi Boccherini (1743-1805) écrivent, indépendamment l'un de l'autre, les premiers grands spécimens du genre qui devait rapidement dominer la musique de chambre, puis en quelque sorte la symboliser : le quatuor à cordes, qui s'impose en principe comme un ouvrage sans basse continue, pour quatre instruments à cordes solistes de la même famille (deux violons, un alto et un violoncelle) traités avec une dignité égale, écrit dans un style de chambre et obéissant aux « lois » de ce que, plus tard, on appellera la « forme sonate ». Les traits caractéristiques précédents, dont aucun n'est secondaire en soi, n'apparaissent pas tous avec la même force au même moment ou dans les mêmes pays, ni toujours au même degré dans les mêmes œuvres, mais ils se conditionnent mutuellement, et c'est Haydn plus que Boccherini qui les maîtrisera tous, assurant là comme ailleurs la suprématie de Vienne. L'apparition d'une musique de chambre avec un seul instrument par partie et sans le soutien de la basse continue est un des phénomènes essentiels du début de la seconde moitié du XVIIIᵉ siècle. Beaucoup de faits illustrent la primauté de Paris, sinon pour la naissance, du moins pour la diffusion du quatuor à cordes, jusque vers 1780 en tout cas. Mais, après cette date, cette primauté devient de plus en plus l'apanage de Vienne.

C'est dans la capitale autrichienne, en effet, que vivent et travaillent non seulement Haydn, mais aussi Mozart (1756-1791) et Beethoven (1770-1827), les trois compositeurs qui dominent de loin leur époque, en particulier dans le domaine instrumental. Or, la musique de chambre occupe, dans leur production, une position centrale. Pour ne citer que l'essentiel, les 68 quatuors à cordes et les quelque 40 trios pour piano, violon et violoncelle de Haydn, les 23 quatuors à cordes, les 6 quintettes à cordes (avec deux altos), les 17 « grandes » sonates pour violon et piano et les œuvres diverses (dont deux avec clarinette) de Mozart, et les 17 quatuors à cordes, les 10 sonates pour violon et piano, les 5 sonates pour violoncelle et piano et les 7 trios pour piano, violon et violoncelle de Beethoven comptent parmi les plus hauts chefs-d'œuvre de toute la musique. Dès le premier Haydn, le style « de chambre » ou « de soliste » se définit, par rapport au style « d'orchestre », par davantage d'indépendance pour chaque partie, une dynamique plus différenciée, des rythmes plus variés, des dissonances plus audacieuses, un phrasé plus compliqué et une exploration plus systématique des registres très aigus et très graves. Il en résulte, entre autres, que les œuvres de chambre de Haydn, Mozart et Beethoven apparaissent fréquemment comme le véhicule de leurs pensées les plus personnelles et les plus avancées. Or, au début, de telles œuvres sont destinées, du moins en principe, avant tout aux amateurs. D'où une contradiction qui finit par se révéler un puissant facteur d'évolution sur le double plan de la musique elle-même et de son insertion sociale. ●

La musique de chambre au XIXᵉ siècle

QUITTANT LES LIEUX PRIVÉS, LA MUSIQUE DE CHAMBRE S'ÉTEND AUX SALLES DE CONCERT PUBLIQUES.

En 1785, Mozart dédicace une série de six grands quatuors à cordes à un autre compositeur (Haydn) ; en 1793, Haydn compose ses premiers grands quatuors (opus 71 et 74) expressément destinés à une vaste salle de concerts publics (Hanover Square Rooms à Londres) ; en même temps apparaissent les premiers quatuors formés d'interprètes professionnels (en témoigne le rôle joué, à Vienne, par le violoniste Ignaz Schuppanzigh ou, à Paris, par le violoniste Pierre Baillot). Tous ces faits marquent la revanche du compositeur-créateur sur l'interprète-amateur et de la salle de concert publique sur les intérieurs privés, ces derniers continuant néanmoins à jouer un rôle considérable. Et si la musique de chambre conserve le ton de confidence intime ou joyeusement affirmatif qui a été le sien dans les années 1760-1770, elle sait, à l'occasion, avec les ultimes quatuors à cordes de Mozart et de Haydn, puis avec ceux de Beethoven, devenir très violente et se charger de sonorités proches de (ce qui ne veut pas dire « assimilables à ») celles de l'orchestre.

Cette situation se perpétuera, en gros, tout au long du XIXᵉ siècle, avec les nombreux duos, trios, quatuors, quintettes, sextuors, septuors, octuors ou nonettes des continuateurs de la tradition germanique, tels Louis Spohr (1784-1859), Carl Maria von Weber (1786-1826), Franz Schubert (1797-1828), Felix Mendelssohn-Bartholdy (1809-1847), Robert Schumann (1810-1856) et Johannes Brahms (1833-1897), de compositeurs tchèques comme Bedřich Smetana (1824-1884) et surtout Antonín Dvořák (1841-1904), russes comme Petr Illitch Tchaïkovski (1840-1893), ou français comme Camille Saint-

2. Une soirée musicale chez B. von Arnim, J. C. Arnold (1855).

1. Schönberg (debout à droite) et Berg (au fond) à l'écoute du Quatuor Kolisch.

Saëns (1835-1921) ou Gabriel Fauré (1845-1924). En France, la fondation de la Société nationale de musique, en 1871, est pour beaucoup dans la renaissance d'un genre longtemps délaissé (comme d'ailleurs la musique instrumentale dans son ensemble) au profit de l'opéra. On notera toutefois que, pour diverses raisons, le quatuor à cordes perd alors plus ou moins, au profit de la musique de chambre avec piano, la position en flèche qui avait été la sienne chez Haydn, Mozart, Beethoven et même Schubert. C'est d'ailleurs moins une question de quantité ou de qualité, et encore moins de prestige, que de moindre concordance avec le climat du siècle romantique, dont l'instrument par excellence est le piano. De cela témoignent également les multiples transcriptions, alors réalisées pour piano à deux ou à quatre mains ou pour formations de chambre avec piano, des symphonies et pièces diverses avec orchestre du répertoire classique et romantique. Ces trans-

criptions témoignent à leur tour du fait qu'interprètes amateurs et musique de chambre à domicile ne sont pas morts, loin de là, tout en rappelant opportunément que beaucoup de mélomanes ne disposent pas d'autres moyens pour connaître la musique symphonique ou d'opéra. La musique de chambre ne s'en installe pas moins solidement dans les lieux publics, ce qui se traduit notamment par le phénomène de la « petite salle », par opposition aux « grandes salles » destinées aux orchestres symphoniques.

Les frontières entre musique de chambre et musique d'orchestre, en principe bien étanches, n'ont toujours été en fait plus ou moins perméables, ce qui ira en s'accentuant. L'orchestration « de chambre » de la symphonie n° 4 de Brahms et, au contraire, les sonorités « orchestrales » de ses sonates pour piano ou de certaines pages de chambre de Max Reger (1873-1916), tel son sextuor à cordes, témoignent de cette interpénétration. •

La musique de chambre au XXe siècle

MÊME SI ELLES EN CONSERVENT L'ESPRIT, DE NOMBREUSES PARTITIONS AU XXe SIÈCLE NE RELÈVENT PLUS DE LA MUSIQUE DE CHAMBRE.

Tout cela aboutit, vers 1900, à une sorte d'éclatement. Gustav Mahler (1860-1911) tend, dans ses symphonies, à traiter en soliste chaque membre d'un orchestre aux effectifs très nombreux et, en 1899, Arnold Schönberg (1874-1951) fait, avec la Nuit transfigurée, relever la musique de chambre – il s'agit d'un sextuor à cordes, ultérieurement transcrit pour orchestre à cordes, il est vrai – du genre poème symphonique. Ensuite, Schönberg provoque le scandale avec les deux premiers (1905 et 1908) de ses quatre quatuors à cordes et avec sa Symphonie de chambre n° 1 (1906), à la dénomination symphonique. Avec cette œuvre pour quinze instruments solistes, la musique de chambre lâche les amateurs, tout en rejoignant l'orchestre sur des terrains nouveaux qu'Alban Berg (1885-1935) explorera à son tour une vingtaine d'années plus tard avec son Concerto de chambre pour piano, violon et treize instruments à vent. Et, de fait, dans la mesure notamment où pour les exécuter un chef est nécessaire, la Symphonie de chambre de Schönberg et le Concerto de chambre de Berg ne relèvent plus à proprement parler de la musique de chambre, même s'ils en conservent largement l'esprit. La même constatation s'impose à propos de nombreuses autres partitions du XXe siècle, y compris de celles faisant appel à l'électronique.

Comme quatuors à cordes (ou pour quatuor à cordes), on peut noter, au XXe siècle (ou juste avant), outre les quatre de Schönberg, la Suite lyrique de Berg (qu'on a qualifiée d'opéra latent), plusieurs pages d'Anton von Webern (1883-1945), celui de Claude Debussy (1862-1918) et celui de Maurice Ravel (1875-1937), les six de Béla Bartók (1881-1945), les quinze de Dmitri Chostakovitch (1906-1975), les cinq d'Ernest Bloch (1880-1959), les deux de Leoš Janáček (1854-1928), les trois de Benjamin Britten (1913-1976), les quatre de Michael Tippett (né en 1905), les quatre d'Elliot Carter (né en 1908), les cinq de Giacinto Scelsi (1905-1988), celui de Witold Lutosławski (né en 1913) et celui (dit Ainsi la nuit) de Henri Dutilleux (né en 1916), le Livre pour quatuor de Pierre Boulez (né en 1925), les trois de Brian Ferneyhough (né en 1943). Cette liste, à laquelle il faudrait ajouter Sibelius, Roussel, Honegger, Milhaud, Prokofiev, Kodály, Xenakis, Boucourechliev, Halffter et bien d'autres, permet d'affirmer – et l'examen des œuvres elles-mêmes le confirme – que dans la mesure où le quatuor à cordes retrouve de nos jours une position en flèche, c'est autant sur le plan du prestige que de la production proprement dite. C'est sans conteste sur ces deux plans que le genre, depuis quelque temps, connaît un net regain de faveur. Le répertoire contemporain n'en compte pas moins des quatuors de premier plan pour des formations uniques, comme le Quatuor pour la fin du temps pour violon, clarinette, violoncelle et piano, d'Olivier Messiaen (né en 1908).

Hindemith (1895-1963), Poulenc (1899-1963) ou encore Martinů (1890-1959) sont de ceux qui ont largement cultivé les formes traditionnelles de la musique de chambre autres que le quatuor à cordes ; il reste que, durant ces dernières décennies, l'éventail de la musique de chambre s'est considérablement élargi : peuvent être considérées comme en relevant, même s'il leur faut un chef, des partitions pour voix et quelques instruments solistes comme le Pierrot lunaire, de Schönberg, ou le Marteau sans maître, de Boulez. Le critère essentiel du genre ne serait-il pas la capacité non seulement de jouer et de s'entendre soi-même, mais aussi de se mettre en retrait et d'écouter les autres ou, si l'on préfère, de favoriser le dialogue ? •

Un quatuor du XXe siècle

Rudolf Kolisch (1896-1978), élève de Schönberg (qui épousa sa sœur), fonda en 1922 un quatuor qui devait acquérir rapidement une grande réputation internationale, en particulier parce que ses membres jouaient de mémoire. Le Quatuor Kolisch se consacra largement au répertoire contemporain et donna, notamment, les premières auditions des 3e et 4e quatuors de Schönberg (1927 et 1937), du 5e de Bartók (1934), du trio à cordes (1927) et du quatuor à cordes (1938) de Webern et de la Suite lyrique de Berg (1927). Le Quatuor Kolisch dut se dissoudre en 1939. Une blessure à la main gauche obligea toute sa vie Rudolf Kolisch à tenir son violon de la main droite et l'archet de la gauche (cf. le dessin 1 qui représente une des ultimes répétitions de la Suite lyrique, de Berg, à la fin de 1926).

Un virtuose du violon

Ignaz Schuppanzigh compta très jeune parmi les virtuoses les plus demandés à Vienne. L'événement essentiel de son existence fut la formation d'un quatuor dont il fut le premier violon (Quatuor Schuppanzigh), qui interpréta de façon mémorable Haydn, Mozart, puis aussi Beethoven et qui, en 1808, passa sous le patronage du comte Razoumovski. Après 1815 et jusqu'en 1823, Schuppanzigh mena une vie itinérante, puis il revint à Vienne, où il créa les derniers quatuors de Beethoven vingt ans après avoir assuré la création de l'opus 59 ; il joua alors aussi du Schubert.

3. Ignaz Schuppanzigh (1776-1830), violoniste et chef d'orchestre.

La symphonie

LA SYMPHONIE AU SENS moderne, œuvre en principe pour orchestre, est apparue au milieu du XVIIIe siècle, en relations étroites avec la naissance, d'une part, de la salle de concert publique et payante (facteur social) et, d'autre part, du principe structurel appelé « forme sonate », lui-même intimement lié à une conception nouvelle de la tonalité (facteur technique). Le terme « symphonie » ne s'est généralisé qu'au début du XIXe siècle, et à Londres, à une époque aussi tardive que les années 1790, les dernières symphonies de Haydn étaient encore qualifiées d'ouvertures. Étymologiquement, le terme dérive du grec *symphônia* (« union des sons », « concert » au sens de « réaliser de concert »). On a là un des critères permettant d'affirmer que tel ou tel ouvrage possède ou non un caractère « authentiquement symphonique ». Une symphonie n'a pas nécessairement quatre mouvements, bien que, à partir de Haydn (le premier maître du genre) et jusqu'en plein XXe siècle, ce cas soit le plus fréquent, et, depuis Mahler, elle peut se terminer dans une tonalité autre que celle de son début. La symphonie

est d'essence organique et dynamique, elle doit fuir l'épisodique, rechercher l'unité dans la diversité, unir les éléments les plus variés et les plus contrastés en un tout puissamment concentré, cela en conservant le contrôle du mouvement et de la dynamique, sans perdre de vue le moindre élément de langage. Comme l'a écrit le compositeur britannique Robert Simpson, aucun de ces éléments « ne doit perdre sa raison d'être, tomber dans une inactivité telle qu'on ne puisse y remédier que par une résurrection artificielle... Les symphonies de Beethoven contiennent des passages où seul le rythme subsiste, mais les autres éléments restent toujours latents, et, en outre, ces passages sont inconcevables isolément ». Une symphonie réussie est une œuvre dans laquelle le compositeur a suivi et maîtrisé non pas une série de règles, mais un ensemble de principes. Pas plus que la structure en quatre mouvements, la symphonie ne nécessite la « forme sonate », mais ses principes sont ceux dont la forme sonate fut la première manifestation. Plus encore que la forme sonate, la symphonie tend à l'universel.

Les origines

ISSUE DE L'OUVERTURE D'OPÉRA, LA SYMPHONIE SAURA S'IMPOSER RAPIDEMENT COMME MORCEAU DE CONCERT INDÉPENDANT.

La période 1755-1760 est décisive pour l'implantation de la symphonie en Europe. Ses origines et ses premières manifestations sont quelque peu antérieures, mais c'est lorsque les éditeurs parisiens (Vernier, Chevardière) commencent à en publier en grand nombre qu'elle s'impose, et que se forme un véritable style orchestral. On dit souvent que la symphonie descendit directement de l'ouverture d'opéra à l'italienne, de structure tripartite vif-lent-vif. C'est vrai, mais la symphonie a aussi d'autres origines. Il reste que cette structure vif-lent-vif se retrouve dans de nombreuses symphonies vers 1760 et même bien après, et que, souvent, il est d'autant plus difficile de distinguer musicalement les deux genres que nombre de pages conçues comme ouvertures

d'opéra ont été ensuite diffusées et utilisées comme symphonies de concert (plusieurs exemples chez Wagenseil, le jeune Mozart, ou encore Johann Christian Bach, dont l'ouverture de *Lucio Silla* de 1774 paraît sept ans plus tard comme symphonie opus 18 n° 2). Un tel transfert contenait en soi un germe d'évolution, car il fait du dernier volet d'une structure vif-lent-vif non plus une introduction à quelque chose (la première scène de l'opéra), mais une fin à laquelle il faut dorénavant s'attacher à donner à la fois un poids accru (ce dernier volet pouvant, dans une ouverture d'opéra, être réduit à presque rien) et un caractère vraiment conclusif : synthèse difficile où Haydn en général excelle mais qui, au XIXe siècle, tiendra fréquemment en échec ses successeurs. ●

Les premiers sommets

LA SYMPHONIE ATTEINT SES PREMIERS SOMMETS DANS L'ŒUVRE DES « TROIS VIENNOIS », HAYDN, MOZART, BEETHOVEN, PARTICULIÈREMENT CHEZ HAYDN ET BEETHOVEN.

La symphonie naît aussi dans la musique « de chambre », ce qui donne des œuvres moins brillantes, plus intimes et linéaires que celles de l'ouverture d'opéra, ou dans les pages éclatantes annonçant un spectacle pas nécessairement d'opéra. La symphonie en ses débuts est pratiquée en Italie (Sammartini), à Vienne (Monn, Wagenseil), à Mannheim (Stamitz, Filtz, Richter), à Paris (Gossec), mais c'est incontestablement Joseph Haydn (1732-1809) qui, le premier, lui donne ses lettres de noblesse, la fait accéder au plus haut niveau.

Né à Rohrau-sur-la-Leitha, petit village aux confins de l'Autriche et de la Hongrie, Haydn a composé 106 symphonies, 2 œuvres de jeunesse appelées d'ordinaire « A » et « B » venant s'ajouter aux 104 de la numérotation traditionnelle (à peu près chronologique). Une vingtaine, explorant diverses possibilités, précèdent l'entrée de Haydn au service des princes Esterházy en 1761. Cette année-là, Haydn réalise un coup de maître avec les trois symphonies n° 6 *(le Matin)*, n° 7 *(le Midi)* et n° 8 *(le Soir)*. Dans les suivantes s'impose la structure en quatre mouvements (vif-lent-menuet-vif) qui va prédominer pendant un siècle et demi, à ceci près qu'au menuet se substituera un mouvement « dansant ». Entre 1766 et 1774 (période « Sturm und Drang »), Haydn écrit environ vingt-cinq symphonies absolument remarquables, parmi les-

quelles la n° 49 *(la Passion)*, la n° 44 *(Funèbre)*, et la célèbre n° 45 *(les Adieux)*, cette dernière de 1772. Beaucoup de celles de la décennie suivante, comme la n° 53 *(l'Impériale)* ou la n° 63 *(la Roxolane)*, sont influencées par l'opéra. Ayant acquis une très grande renommée dans toute l'Europe, Haydn reçoit de Paris la commande de six symphonies : ce sont les *Symphonies parisiennes* (n° 82 à n° 87), composées en 1785-1786, avec notamment *l'Ours* (n° 82), *la Poule* (n° 83) et *la Reine* (n° 85). Jusqu'en 1789 voient encore le jour cinq symphonies, dont les célèbres n° 88 et n° 92 *(Oxford)*. En 1790, le prince Nicolas Esterházy meurt, et Haydn, devenu libre, effectue deux séjours triomphaux à Londres (1791-1792 et 1794-1795) au

2. Gustav Mahler par Emil Orlik, 1902.

Gustav Mahler, compositeur et chef d'orchestre

Mahler (2) dirigea la *Neuvième Symphonie* de Beethoven à Strasbourg dans le cadre du premier festival d'Alsace-Lorraine, le 22 mai 1905 (1). Le concert de la veille l'avait vu diriger sa propre *Cinquième Symphonie*, et Richard Strauss sa *Sinfonia Domestica*. Romain Rolland, qui était présent, se montra très réservé envers Mahler, aussi bien comme compositeur que comme chef d'orchestre.

1. Mahler dirigeant la *Neuvième Symphonie* de Beethoven, en 1905.

La symphonie au XIXᵉ siècle

AU XIXᵉ SIÈCLE, LES COMPOSITEURS
SE TROUVENT CONFRONTÉS À LA QUESTION DE SAVOIR
COMMENT CONTINUER APRÈS BEETHOVEN.

cours desquels il présente ses douze dernières symphonies (n° 93 à n° 104), dites *Symphonies londoniennes,* parmi lesquelles *la Surprise* (n° 94), *le Miracle* (n° 96), la *Militaire* (n° 100), *l'Horloge* (n° 101), *le Roulement de timbales* (n° 103), la *Londres* (n° 104). Après son retour définitif à Vienne, Haydn ne compose plus de symphonies et se consacre à ses derniers quatuors à cordes et à deux grands oratorios en allemand, *la Création* (1798) et *les Saisons* (1801). Mais, comme chez Beethoven, la symphonie aura toujours occupé chez lui une position centrale.

C'est moins le cas de Mozart (1756-1791), sauf vers 1771-1774 : sur la cinquantaine de symphonies qu'il a écrites, dix seulement sont postérieures à 1778, et beaucoup de celles de sa jeunesse ont tout de l'ouverture d'opéra, ce qui ne se produit jamais chez Haydn. Beethoven (1770-1827) se limita à neuf symphonies, dont les huit premières de 1800 à 1812 et la dernière en 1824.　　●

Jusque vers 1815, aucun compositeur n'est, pour la symphonie, l'égal de Haydn, Mozart et Beethoven, malgré les partitions remarquables produites dans le genre par un Boccherini (1743-1805) ou, en France, par un Méhul (1763-1817). Au XIXᵉ siècle, la tradition germanique se poursuit, mais des symphonies de premier plan sont aussi écrites par des compositeurs d'autres pays. À tous se pose la question : que faire après Beethoven ? Les six premières symphonies de Schubert (1797-1828) se succèdent de 1813 à 1818. Ensuite, il n'en achève plus qu'une seule, la *Grande Symphonie en ut* (n° 9) de 1826. Dans l'intervalle, il y a d'abord plusieurs projets avortés, puis, en 1821, une symphonie entièrement composée mais non orchestrée (n° 7), et, en 1822, la célèbre *Inachevée* (n° 8), en deux mouvements seulement. Des esquisses assez poussées existent pour une n° 10 (1828). Mendelssohn (1809-1847) laisse officiellement cinq symphonies, dont se détachent (citées ici dans leur ordre de composition) la *Réformation* (n° 5, 1830) l'*Italienne* (n° 4, 1833), et l'*Écossaise* (n° 3, 1842). Celles de Schumann (1810-1856) sont au nombre de quatre, du *Printemps* (n° 1, 1841) à la seconde version de la n° 4 (1851) en passant par la n° 2 (1846) et par la *Rhénane* (n° 3, 1850). Brahms (1833-1897) aborde tard le genre, puis donne ensuite quatre symphonies assez rapprochées dans sa carrière, puisque entendues respectivement en 1876, 1877, 1883 et 1885. Allemand du Nord installé à Vienne, Brahms a comme antipode Bruckner (1824-1896), génie typiquement autrichien, parfois enrôlé à son corps défendant sous la bannière de Wagner, et dont les symphonies (neuf plus deux de jeunesse non numérotées), auxquelles il travaille de 1863 jusqu'à sa mort, consti-

tuent l'essentiel de la production.
Berlioz (1803-1869) écrit officiellement quatre symphonies, dont aucune n'est conforme au modèle traditionnel et qui inaugurent le genre de la « symphonie à programme » : au coup d'éclat de la *Fantastique* (1830) succèdent *Harold en Italie* (1834), *Roméo et Juliette* et la *Symphonie funèbre et triomphale* (1840). Liszt (1811-1886) suit ses traces dans la *Dante Symphonie* (1855-1856) et surtout dans la *Faust Symphonie* (1854-1857), dont la disposition générale et le caractère autobiographique annoncent Mahler, et Richard Strauss (1864-1949) suit celles de Liszt, moins dans ses deux symphonies de jeunesse que dans la *Sinfonia domestica* (1904) et la *Symphonie des Alpes* (1915).

De nombreuses symphonies à coloration « nationale » naissent, dans le dernier tiers du XIXᵉ siècle surtout. Ainsi, en Suède, les quatre de Franz Berwald (1796-1868) et, au Danemark, les huit de Niels Gade (1817-1890), sans oublier, en Norvège, la symphonie de jeunesse de Grieg (1843-1907) ; en Bohême, après la *Symphonie triomphale* de Smetana (1824-1884), les neuf de Dvořák (1841-1904), dont la dernière, dite du *Nouveau Monde* (1893), reste la plus célèbre ; en Russie, les trois de Borodine (1833-1887) ou les six de Tchaïkovski (1840-1893), la dernière étant la fameuse *Pathétique* (1893).

En France, on assiste à une soudaine éclosion de symphonies, avec notamment la *Symphonie avec orgue* (1886), cinquième et dernière de celles de Saint-Saëns, la *Symphonie cévenole* (1886), première des trois de d'Indy, celles de Lalo (1886), Franck (1889), Chausson (1890) et Dukas (1896), et les quatre de Magnard (1890, 1893, 1899 et 1913).

Directeur de l'Opéra de Vienne de 1897 à 1907, célèbre autant, sinon plus, comme chef d'orchestre que comme compositeur, Gustav Mahler (1860-1911) marque puissamment, avec ses dix symphonies (dont la dernière, inachevée), le passage du XIXᵉ siècle au XXᵉ. Ces œuvres naissent de 1888 à 1910. De l'une à l'autre, le nombre et la nature des mouvements varient beaucoup, et quatre d'entre elles, dont la n° 2 *(Résurrection)* et la n° 8 *(Symphonie des Mille),* font appel aux voix. Mahler mit un terme à la grande tradition symphonique germano-autrichienne inaugurée par Haydn. Il y a souvent contradiction, chez lui, entre le choix du matériau, qui évoque volontiers un passé « romantique » idyllique mais perdu à jamais, et le traitement de ce matériau, qui révèle une vision corrosive et critique de l'héritage. Par là, Mahler ouvre les portes du XXᵉ siècle, et s'impose comme une des figures majeures de la Vienne musicale de 1900.　　●

3. Breitkopf Thematic Catalogue, 1762-1787.

Une page du Catalogue Breitkopf

Johann Gottlob Immanuel Breitkopf (1719-1794), éditeur à Leipzig, fit paraître à peu près tous les ans, de 1762 à 1787, un catalogue thématique indiquant les ouvrages offerts par lui à la vente, en copies manuscrites ou édités. Six parties parurent de 1762 à 1765, et seize suppléments de 1766 à 1787. On a là un des principaux témoignages de la commercialisation de la musique à cette époque. La page ci-contre provient du premier supplément (1766) où Breitkopf annonce pour la première fois la parution des symphonies de Joseph Haydn (deux groupes de six) : n° 17, n° 18 (premier mouvement), n° 1, n° 19, n° 20 et ouverture d'*Acide,* n° 10, n° « B », n° 5, n° 14, n° 18 (deuxième mouvement) et n° 32.

La symphonie au XXᵉ siècle

LE GENRE CONTINUE D'ÊTRE ILLUSTRÉ PAR
DE NOMBREUX COMPOSITEURS DE TOUTES NATIONALITÉS,
ET PROUVE, DE NOS JOURS, SA MALLÉABILITÉ.

Aux antipodes de Mahler, on trouve Jean Sibelius (1865-1957), natif de Finlande et dont les sept symphonies – précédées de la symphonie-cantate *Kullervo* (1892) – s'échelonnent de 1899 à 1924 : œuvres plus courtes, plus concentrées, plus objectives que celles de Mahler (la dernière, à la structure *sui generis,* en un seul bloc, dure à peine vingt minutes). À peu près contemporaines de celles de Sibelius sont les six symphonies du compositeur danois Carl Nielsen (1865-1931), écrites de 1892 à 1925.

Dans la continuité des écoles nationales se situent, en Angleterre, les deux symphonies d'Elgar (1857-1934), les sept de Bax (1883-1953) et, surtout, les neuf de Vaughan Williams (1872-1958) ; en Russie, les trois de Scriabine (1872-1915), les sept de Prokofiev (1891-1953) et les quinze de Chostakovitch (1906-1975) ; aux États-Unis, les quatre de Charles Ives (1874-1954). Martinů (1890-1959), natif de Tchécoslovaquie, en écrit six, durant son exil aux États-Unis, pendant et juste après la Seconde Guerre mondiale. En France, il faut citer au moins les quatre de Roussel

(1869-1937) et les cinq d'Arthur Honegger (1892-1955), et, en Allemagne, les huit de Hartmann (1905-1963). Dans le même temps, Schönberg (1874-1951) et Webern (1883-1945) font porter sur le genre symphonique, en le transformant complètement, leur effort de concentration et de resserrement, l'un avec ses deux *Symphonies de chambre* (opus 9 de 1906 et opus 38 de 1939), l'autre avec sa *Symphonie opus 21* (1928), tandis qu'Igor Stravinski (1882-1971) donne sa *Symphonie de Psaumes* (1930), sa *Symphonie en ut* (1940) et sa *Symphonie en trois mouvements* (1945).

À cette énumération, il convient d'ajouter des œuvres postérieures à 1945 et témoignant des facultés d'adaptation du genre, comme la *Turangalîla-Symphonie* d'Olivier Messiaen, les trois d'André Jolivet, les deux de Henri Dutilleux, les quatre de Marcel Landowski, les quatre de Michael Tippett et les quatre de Peter Maxwell Davies, les trois de Witold Lutosławski, les sept de Hans Werner Henze, ou encore la *Sinfonia* de Luciano Berio.　　●

→ **Voir aussi :** Mozart, **MUS,** p. 362-363. Beethoven, **MUS,** p. 376-377.

Le violon

MERVEILLEUX INSTRUMENT, dont les formes parfaites satisfont à la fois l'ouïe et la vue, le violon exige du luthier un travail patient et méticuleux. La fabrication de la caisse de résonance peut ainsi nécessiter un mois de labeur, et ses 8 ou 9 couches de vernis réclamer plus d'un an de séchage. L'art du luthier, qui n'a presque pas changé depuis 400 ans, se transmet souvent de père en fils ; certains achètent et font sécher des bois qui seront sculptés par leurs enfants. Le violon possède une « âme », petit cylindre de sapin qui transmet les vibrations de la table au fond et détermine en partie la sonorité : un déplacement d'un dixième de millimètre peut entraîner une modification de timbre considérable. Chaque instrument a sa personnalité ; parmi les « stars » les plus cotées, le Stradivarius nommé « la Cathédrale » (1707) a atteint en 1984, chez Sotheby's, la somme de 4 500 000 F. Le violon a une longue épopée, jalonnée d'expériences passionnantes : depuis les bois nobles jusqu'aux instruments en composites, comme le Kevlar, actuellement expérimentés ; depuis les instruments de Stradivarius (dont on vient de découvrir que le vernis est en partie composé de poudre de pouzzolane, roche siliceuse de la région de Pouzzoles, près de Naples) jusqu'au violon électrique ; depuis les courbes délicates de la lutherie italienne jusqu'aux instruments trapézoïdaux. Ses ressources techniques et expressives, d'une extraordinaire diversité, lui ont assuré un rôle essentiel dans l'orchestre symphonique et lui ont acquis un brillant répertoire de soliste ainsi qu'une riche littérature de musique de chambre. Avec les autres membres de sa famille, il constitue cet ensemble idéalement équilibré du quatuor à cordes, l'un des genres les plus nobles et les plus élevés de la musique occidentale. Proche de l'homme, dont ses accents évoquent la voix, le violon est véritablement universel : il occupe une place privilégiée dans la musique dite « classique », mais est également présent dans de nombreuses musiques ethniques de par le monde. Loin d'être figée, son histoire déjà très longue se poursuit à notre époque : beaucoup de créateurs contemporains se passionnent pour le potentiel immense et multiforme du violon.

Organologie

LA PERFECTION ATTEINTE PAR LE VIOLON AU XVIIIe SIÈCLE NE DÉCOURAGE PAS LES LUTHIERS, QUI EXPÉRIMENTENT DE NOUVEAUX INSTRUMENTS.

Les origines lointaines du violon restent incertaines. Le tout premier instrument à archet a peut-être été le *ravanastron* (Inde, IIIe s. av. J.-C.) ou le *crouth*, répandu en Europe du Nord puis remis en usage par les Celtes. Le premier archet est un arc musical, formé d'un bâton courbé au moyen d'une corde (puis de soie tissée ou de crins de cheval) tendue entre ses deux extrémités. Le *rebab* de Perse est constitué d'une caisse de tambour fermée par une peau, sur laquelle est tendue une corde, tandis que le rebab d'Arabie, issu du précédent, a une caisse trapézoïdale. Après l'invasion de l'Espagne par les Sarrasins (VIIIe s.), le rebab donne naissance au *rebec* européen, qui coexiste avec la *vièle* médiévale. Cette dernière sera remplacée par la *viole* de la Renaissance, organisée en famille d'instruments. Le premier violon véritable voit le jour en Italie vers 1550.

Facture de l'instrument et luthiers.

Le violon est composé d'environ 70 pièces faites dans des bois appartenant à trois essences principales – érable, sapin et ébène – choisies pour des propriétés telles que la malléabilité, l'élasticité, la densité et la résistance à la déformation. Ces bois doivent avoir été coupés selon des règles précises et avoir séché pendant une durée minimale de dix ans. Les différentes parties sont fabriquées à partir de planchettes de 2 millimètres d'épaisseur – les modèles – qui en reproduisent les contours. L'instrument est ensuite recouvert d'un vernis, qui constitue à la fois une protection et une parure, et monté de 4 cordes en boyau ou en métal. Certains violons anciens comportent des décorations gravées ou marquetées, une tête sculptée, des armoiries ou des paysages peints. La plus illustre école italienne de lutherie est celle de Crémone aux XVIIe et XVIIIe siècles, avec les Amati, les Stradivari et les Guarneri ; sont également renommées celles de Brescia, Venise et Naples. En Allemagne et en Autriche, il faut citer les Klotz et J. Stainer ; en France, J.-B. Vuillaume et, à l'heure actuelle, P. Gaggini et R. Lanne, ainsi que l'expert E. Vatelot.

Archet et archetiers.

L'archet est composé d'une baguette octogonale ou ronde, un peu concave, en bois de Pernambouc – léger, résistant et flexible – et d'une mèche faite de crins de cheval. Après avoir taillé et façonné la baguette, on en courbe le bois en le chauffant ; la partie inférieure de la tête est recouverte d'une plaquette d'ivoire, tandis qu'à l'autre extrémité la hausse s'orne d'ébène, d'écaille, d'ivoire ou même de métaux précieux. Jusqu'au milieu du XVIIIe siècle, ce sont les luthiers qui fabriquent les archets ; il existera ensuite des archetiers spécialisés. C'est la France qui fournit les signatures les plus prestigieuses, notamment F.X. Tourte (surnommé « le Stradivarius de l'archet »).

Le violon et ses compositeurs

Heinrich Ignaz Franz Biber (1644-1704). Il traite le violon en instrument polyphonique et recherche en outre une grande variété de timbres en modifiant l'accord habituel.

Antonio Vivaldi (1678-1741). Ses concerti témoignent des qualités de l'homme de théâtre : dynamisme des allegros, lyrisme des mouvements lents, inventivité constante et sens de la couleur instrumentale.

Jean-Sébastien Bach (1685-1750). Son recueil des *6 Sonates et Partitas* pour violon seul est un des plus beaux fleurons de la littérature consacrée à cet instrument. Les trois sonates comprennent chacune une fugue imposante, et la 2e partita est couronnée par une monumentale chaconne.

Giuseppe Tartini (1692-1770). « Maestro delle Nazioni », il marque l'histoire du violon de sa quadruple empreinte d'exécutant, pédagogue, théoricien et compositeur. L'« estro tartiniano » réconcilie deux esthétiques : l'art du cantabile et la virtuosité instrumentale.

Pietro Antonio Locatelli (1695-1764). Sa technique du violon fait de lui un précurseur direct de Paganini. Son recueil *L'arte del violino* contient des concerti et caprices dont l'écriture est particulièrement audacieuse.

Jean-Marie Leclair « l'Aîné » (1697-1764). Ses sonates révèlent une aisance technique, une rigueur d'écriture et une noblesse de pensée qui font de lui le représentant majeur de l'école française de violon du XVIIIe siècle.

Ludwig van Beethoven (1770-1827). Son concerto, ses 10 sonates pour violon et piano et ses 17 quatuors à cordes s'imposent par leur style magistral et par leur grandeur, qui atteint parfois au tragique.

Niccolo Paganini (1782-1840). Incarnation de la virtuosité, il décuple les ressources techniques de l'instrument afin d'en multiplier les possibilités expressives. Ses *24 Caprices* pour violon seul sont toujours la pierre de touche des violonistes.

Béla Bartók (1881-1945). Il a écrit 2 concerti, 2 sonates pour violon et piano, 1 sonate pour violon seul et 6 quatuors à cordes de toute beauté, dans lesquels le retour aux valeurs du folklore – principalement hongrois – suggère une nouvelle esthétique.

George Enesco (1881-1955). Son importance, encore méconnue, est comparable à celle de Bartók. Il emprunte au folklore roumain des modes de jeu, une écriture en micro-intervalles et une expressivité qui fait de sa 3e sonate pour violon et piano un authentique chef-d'œuvre.

Technique et pédagogie

SI LA MAIN GAUCHE FABRIQUE LES NOTES, L'ARCHET EST, SELON FÉTIS, « CETTE BAGUETTE MAGIQUE À L'AIDE DE LAQUELLE LE GRAND ARTISTE NOUS ÉMEUT, CE TALISMAN QUI NOUS TRANSPORTE HORS DU MONDE RÉEL ».

Parmi les ouvrages de référence figurent, au XVIIIe siècle, l'*École d'Orphée* (1738) et l'*Art de se perfectionner dans le violon* (1782), de Corrette, ainsi que les *Principes du violon* (1761) de J.B. L'Abbé le fils, en France ; l'*Art de jouer du violon* (1751), de Geminiani, l'*Art de l'archet* (s.d), la *Lettre à son élève M. Lombardini Sirmen* (1760) et le *Traité des agréments* (1771), de Tartini, en Italie ; la *Méthode* de L. Mozart (1756), en Autriche et Allemagne. Au XIXe siècle, il faut retenir les ouvrages de Baillot – *Méthode* de 1803, écrite avec Rode et Kreutzer, et l'*Art du violon*, 1834 –, l'*Art de jouer du violon de Paganini*, de K. Guhr (1831), et la *Méthode* de Spohr (1832). Au XXe siècle, les écrits de O. Ševčík et de C. Flesch font date.

Technique de la main gauche.

La tenue du violon a beaucoup évolué : au XVIIIe siècle, on pouvait poser le menton indifféremment sur la partie droite ou gauche du cordier ; dans sa *Méthode*, Spohr place la mentonnière au-dessus même du cordier. La position se stabilise ensuite : le violon est maintenu entre la clavicule et le menton, situé à gauche du cordier. Les doigts se posent sur les cordes afin de les raccourcir et former ainsi les notes. Ce faisant, la main se trouve à différentes hauteurs de la touche et détermine les différentes « positions ». Le passage d'une position à une autre est nommé « démancher » ; il doit être en principe inaudible, sauf lorsque l'interprète choisit de faire délibérément un glissando entre deux notes dans un but expressif. Le choix des doigtés est un élément essentiel de l'interprétation. Par ailleurs, une légère oscillation de la main anime le son d'un vibrato qui le rapproche ainsi de la voix humaine.

Technique de l'archet.

Dans ses *Principes du violon*, L'Abbé le fils déclare : « On peut appeler l'archet l'âme de l'instrument qu'il touche, puisqu'il sert à donner l'expression aux sons, à les filer, à les enfler et à les diminuer. » Pour répondre à cette haute mission, le violoniste dispose d'un grand nombre de coups d'archet qu'il doit choisir avec discernement et utiliser avec subtilité. Le coup d'archet de base est le *détaché* (une seule note par coup d'archet), que l'on peut faire du talon à la pointe – c'est-à-dire en tirant – ou de la pointe au talon, c'est-à-dire en poussant. Le *legato* permet au contraire de lier plusieurs notes dans un même coup d'archet. Le *staccato*, qui sépare les sons par de brefs silences, produit un effet beaucoup plus sec que le détaché ; il peut être *rebondissant*.

Le répertoire

L'ÉCLAT DU SOLISTE NE DOIT PAS
FAIRE OUBLIER LE RÔLE ORCHESTRAL DES VIOLONS,
QUI SONT, DIT BERLIOZ, DES SERVITEURS FIDÈLES.

En Italie, l'art violonistique des XVIIᵉ et XVIIIᵉ siècles est illustré magnifiquement par les œuvres de A. Corelli, d'un style épuré, de P. A. Locatelli, dont les concerti et caprices sont d'une grande virtuosité, de A. Vivaldi, à l'inspiration fantasque, et de G. Tartini, qui puise parfois ses chants à des sources poétiques (Métastase, le Tasse). L'école française, représentée principalement par les Francœur, J.-M. Leclair, J.-J. de Mondonville et L'Abbé le fils, se caractérise par sa sobriété et son élégance. Les compositeurs austro-allemands – parmi lesquels J. H. Schmelzer, H. I. F. Biber, J. J. Walter, J. G. Pisende et G. P. Telemann – s'intéressent tout particulièrement aux possibilités polyphoniques du violon et aux formes fuguées, qui atteindront les sommets avec l'art de J.-S. Bach, tandis que Mozart recherche surtout la pureté de la ligne mélodique.

Le siècle de Paganini.

L'art italien du violon s'incarne au XIXᵉ siècle en la seule personne de Paganini, dont la technique transcendante n'a jamais été dépassée et qui fascine ses contemporains (Berlioz, Chopin, Schumann, Liszt...). En France, à côté des pages de virtuoses comme Baillot, il faut citer la *Symphonie espagnole* et les deux autres *Concerti* de Lalo, pages lyriques et colorées, les *Concerti*, l'*Introduction et Rondo capriccioso* et la *Havanaise* de Saint-Saëns, superbement écrits pour l'instrument. En Alle-

magne, la production est dominée par les œuvres concertantes et la musique de chambre de Beethoven, Mendelssohn, Schumann, Brahms, et Max Reger à la charnière du XIXᵉ et du XXᵉ siècle. Les pays de l'Est apportent leur contribution avec les compositions de Tchaïkovski, Dvořák, Wieniawski et Szymanowski, et les pays nordiques avec Sibelius.

Le XXᵉ siècle.

Mêlée au goût pour la nouveauté des timbres, une des constantes de la musique pour violon au XXᵉ siècle est la recherche d'une dimension lyrique, dont sont imprégnées notamment les œuvres de Berg (concerto *À la mémoire d'un ange,* 1935 ; *Kammerkonzert,* 1925, pour violon, piano et 13 instruments à vent, *Suite lyrique,* 1926, pour quatuor à cordes), Penderecki (*Concerto,* 1976, qui est un immense chant désespéré) et Dutilleux (*Concerto,* 1985, quatuor *Ainsi la nuit,* 1975). Certains compositeurs français cultivent

les sonorités rares (Debussy : *Sonate pour violon et piano,* 1916, et *Quatuor,* 1893 ; Ravel : « Blues » de la *Sonate pour violon et piano,* 1927, et *Quatuor,* 1902). En Russie et en Europe de l'Est, des créateurs comme Stravinski (*Duo concertant,* 1932), Bartók (*Sonates ; 6 Quatuors*) et G. Enesco (3 *Sonates ; 2 Quatuors,* 1921, 1952) cherchent une sève neuve et une expressivité nouvelle dans le folklore de leur pays, où ils puisent mélodies, rythmes, timbres et techniques instrumentales.

Musiques populaires et jazz.

La plupart des musiques ethniques font appel au violon ou à un instrument équivalent. Parmi les répertoires les plus intéressants figure celui du *Harding fiddle,* magnifique instrument norvégien richement décoré qui possède, en plus des 4 cordes habituelles, 4 cordes sympathiques situées en dessous des précédentes et résonant avec elles ; un chevalet plus plat que celui du violon normal favorise en outre le jeu en doubles, triples et quadruples cordes. Dans les musiques de jazz, le violon possède une technique très spéciale – analysée par Darius Milhaud – utilisant les vibratos larges et les glissandi lents. ●

Les interprètes

LA FONCTION DE L'INTERPRÈTE,
COMME LE SOULIGNE LISZT, EST D'ÊTRE NON UN SIMPLE
LECTEUR PASSIF, MAIS UN « VIRTUOSE POÈTE ».

À l'époque baroque et classique, la voix est considérée comme la référence absolue. F. Geminiani critique ainsi sévèrement ceux qui, « au lieu d'imiter l'organe parfait de la voix et son beautés naturelles qu'elle renferme, s'efforcent au contraire à s'en éloigner, par le choix de ce qui est le moins harmonieux, et même choquant, comme le coucou, le tambour, etc. ». À cette recherche des effets pittoresques et réalistes (que l'on trouve, par exemple, dans le *Capriccio stravagante* de C. Farina) s'oppose également le maxime tel « Per ben suonare bisogna ben cantare » (pour bien jouer il faut bien chanter). Toute l'école italienne se caractérise par cette quête de l'art du cantabile qui cherche à faire ressortir la mélodie et qui n'est pas incompatible avec la virtuosité. Les Français et les Allemands observent les mêmes principes, mais parfois avec une certaine austérité.

Le XIXᵉ siècle.

L'art du violon est alors représenté par Paganini et l'école franco-belge. Alors que Paganini, traitant le violon comme une *prima donna assoluta,* incarne en son bel canto instrumental toutes les outrances romantiques, les Français et les Belges, soucieux de modération, s'inscrivent délibérément dans la tradition classique. Autour de Baillot, qui incarne pendant près d'un demi-siècle les aspirations les plus nobles de l'école franco-belge, œuvrent ses amis ou disciples : C. A. de Bériot, F. A. Habeneck (également chef d'orchestre), P. Rode, R. Kreutzer, J. F. Mazas, J. D. Alard et C. Lafont. Par l'intermédiaire de Viotti, c'est chez les musiciens italiens du XVIIIᵉ siècle que ce grand courant d'interprétation prend sa source. La seconde moitié du XIXᵉ siècle sera dominée par la personnalité inspirée de Henri Vieuxtemps.

Le XXᵉ siècle.

Le tout début du siècle est marqué par la virtuosité de l'Espagnol Sarasate et par le grand style du Hongrois J. Joachim, tandis que J. Thibaud se fait l'ambassadeur du raffinement de l'école française. Kreisler est un interprète chaleureux et Ysaye perpétue le jeu passionné de son maître Vieuxtemps. Si Menuhin occupe une place privilégiée, il ne faut pas oublier les violonistes plus jeunes, parmi lesquels I. Perlman et S. Mintz. Aujourd'hui, L. Subramaniam donne à l'art violonistique de l'Inde du Sud un rayonnement exceptionnel. Le violon jazz est représenté par S. Grapelli, D. Lockwood et le violon rock par C. Lara et J.-L. Mahjun. ●

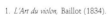

1. *L'Art du violon,* Baillot (1834).

Le *martelé* se fait en enfonçant l'archet plus ou moins lourdement sur chaque note.

Aspects liés à la technique de la main gauche et de l'archet.

Certains effets viennent enrichir les ressources de l'instrument. Les *doubles cordes* et le *jeu à plusieurs voix* dotent le violon d'une partie des ressources polyphoniques des instruments à clavier. La *scordatura* (en allemand *Verstimmung*), ou modification de l'accord habituel, permet de varier les sonorités, de même que le *jeu sur la touche* (*sul tasto* ou *sulla tastiera*), qui produit un son flûté, ou le *jeu à proximité du chevalet* (*sul ponticello*), dont résulte un timbre nasillard. Les *sons harmoniques* s'obtiennent en effleurant la corde au lieu d'appuyer les doigts de la main gauche de façon normale ; ils sont dits « naturels » lorsqu'ils prennent pour base la corde à vide, et « artificiels » lorsqu'un doigt appuyé joue le rôle de sillet mobile. Le *pizzicato* consiste à pincer les cordes, avec les doigts de la main droite ou gauche, au lieu d'y passer l'archet. ●

2. Les débuts de Paganini.

3. Manuscrit autographe de Paganini.

L'esthétique du violon dans la première moitié du XIXᵉ siècle

Cette époque est caractérisée par l'opposition entre la personnalité exaltée de Paganini et celle de Baillot, qui allie sensibilité et rigueur. Le contraste est déjà perceptible dans la tenue de l'instrument : naturelle et élégante chez Baillot, d'une originalité totale chez Paganini. On notera aussi l'extensibilité exceptionnelle de la main du virtuose italien, qui parsème ses œuvres de traits – parfois chromatiques – parcourant toute l'étendue du violon, de l'extrême grave au suraigu.

Le concerto

L̲E CONCERTO, L'UNE DES formes majeures de la musique occidentale, évoque l'idée d'opposition entre un ou plusieurs instruments et un ensemble instrumental. Le terme « concerto » se rattache à deux verbes latins, *conserere* (« réunir », mais aussi « former une conversation ») et *concertare* (« rivaliser »), qui résument parfaitement le concept de style concertant. On peut alors décrire le concerto comme une réunion d'instruments scindés en groupes rivaux qui dialoguent entre eux.

À son apparition, au XVIᵉ siècle, le mot « concerto » désigna des œuvres de nature différente, presque toujours des compositions vocales, principalement religieuses, accompagnées par des instruments ou par l'orgue. Cette forme s'est beaucoup développée à Venise – même si l'Italie n'a pas eu l'exclusivité de l'évolution du langage musical –, où la pratique des compositions à double chœur était courante. La basilique Saint-Marc, avec ses deux tribunes se faisant face et ses deux orgues, offrait un cadre remarquable pour l'exécution de ce genre d'œuvre. Le premier recueil qui porte le nom de « concerto », publié à Venise en 1587, est dû à Andrea et Giovanni Gabrieli : les *Concerti di Andrea et di Gio. Gabrieli continenti musica di chiesa... per voci et stromenti musicali* annoncent le futur style concertant, avec ce goût du contraste qui sera l'une des bases du concerto. Parallèlement se transformaient la sonate (sonate *da chiesa* et sonate *da camera*) et l'ouverture d'opéra (ouverture à la française et ouverture à l'italienne), qui auront une influence directe sur l'évolution du concerto grosso, puis du concerto de soliste.

Le concerto grosso

NÉ DE LA FUSION DE PLUSIEURS FORMES INSTRUMENTALES, LE CONCERTO GROSSO CONNUT UNE ÉVOLUTION CAPRICIEUSE AVANT D'ATTEINDRE SA PLEINE MATURITÉ DANS LES ANNÉES 1700.

L̲e principe du *concerto grosso,* véritable amplification sonore de la sonate à trois, met en œuvre deux groupes instrumentaux inégaux en nombre : le *concertino,* formé de quelques solistes, et le *tutti,* ou *ripieno,* constitué du gros de l'orchestre, qui tantôt s'unissent, tantôt s'opposent en dialogue. C'est le plus souvent aux solistes du *concertino* que sont confiés les passages les plus intéressants par leur intensité expressive ou par leur virtuosité et, s'il y a contraste entre le *concertino* et les *ripieni,* il peut aussi y avoir contraste entre les différents solistes du *concertino.*

Le *concerto grosso* peut être un concerto *da chiesa* (d'église) en cinq parties avec un mouvement fugué, caractéristique du style d'église, ou être un concerto *da camera* (de chambre), organisé en pièces d'origine chorégraphique stylisées.

S'il est d'usage de considérer Corelli et Torelli comme les inventeurs du genre, les principes de base du *concerto grosso* apparaissent déjà vers 1670 dans des *sinfonie* de Stradella et l'on connaît des exemples d'opposition entre deux groupes instrumentaux dans des œuvres bien antérieures. Mais c'est Corelli qui fixa et stabilisa la forme. Ses douze *Concerti grossi op. 6* (1714), exécutés pour certains dès 1680, sont des pages délicates et raffinées qui ne brillent pas d'un éclat extérieur mais reflètent un lyrisme intense. C'est à Torelli que revint d'amplifier ses moyens. Ses *Concerti grossi op. 8* (1709), qui prévoient un ou deux violons solistes, marquent une étape importante vers l'avènement du concerto de soliste, auquel Vivaldi a largement ouvert la voie – il a laissé notamment quelque trois cent cinquante concertos pour un instrument soliste – même si les concertos de l'*Estro armonico op. 3* (1711) restent encore, par bien des côtés, sous l'influence de Corelli.

Albinoni, Locatelli, Geminiani en Italie, Bach, Händel, Telemann en Allemagne ont suivi les traces de Corelli. Les *Concertos brandebourgeois* (1721) de Bach déterminent l'aboutissement du genre : à la fois *concerti grossi* et concertos de solistes, ces six œuvres s'organisent en un dialogue par groupes qui se substitue au contraste usuel entre *tutti* et *concertino.*

Le genre du *concerto grosso* s'effaça progressivement au XVIIIᵉ siècle devant le concerto de soliste, souvent mis au service de la virtuosité. Abandonné au XIXᵉ siècle, il réapparut au XXᵉ siècle avec des œuvres nouvelles inspirées du passé et dues à E. Bloch, B. Bartók, M. Reger, P. Hindemith, S. Barber, E. Krenek, H. Kaminski ou I. Stravinski, qui ont fait appel au principe du *concerto grosso* en respectant l'équilibre formel de leur modèle baroque. •

Concert au XVIIIᵉ siècle

Les principes simultanés de dialogue et d'opposition dans le genre du concerto supposent un parfait équilibre sonore dans la répartition des groupes instrumentaux. Ces groupes se précisent dans le cours du XVIIIᵉ siècle, notamment avec les perfectionnements apportés aux instruments et l'apparition de timbres nouveaux. L'équilibre est ici (2) respecté : deux groupes égaux d'instruments à cordes et d'instruments à vents accompagnent une chanteuse et un chanteur, tous soutenus par un clavecin, par une contrebasse et par un *violone,* ou contrebasse de viole.

Le concerto de soliste

LE CONCERTO DE SOLISTE EST LE GENRE QUI RÉUSSIT LE MIEUX À ALLIER LES PLUS BEAUX ÉLANS DE LA MUSIQUE ET L'IRRÉSISTIBLE FASCINATION DE LA VIRTUOSITÉ.

C̲'est devant le développement de la technique et la faveur croissante dont a joui la virtuosité que le concerto de soliste a trouvé progressivement sa place aux côtés du *concerto grosso*. L'apparition des concerts publics et l'épanouissement des orchestres privés au XVIIIᵉ siècle ne furent pas étrangers à l'avènement du genre. Toutes ces institutions ont nécessité, en effet, l'élaboration d'un répertoire nouveau. Même si elle n'eut pas le monopole de l'évolution du concerto, l'Italie a pris la tête du mouvement. On sait que Torelli fut un des premiers à mettre en évidence un soliste, mais, dès 1666, dans le *Ballet des Muses* de Lully, apparaissait déjà une ébauche de concerto pour violon et orchestre. De même, les *Concertos brandebourgeois* de Bach font valoir des « chœurs » instrumentaux et des solistes. Dans le *5ᵉ Concert,* le clavecin s'attribue le rôle principal et s'affirme comme soliste.

Le principe du concerto de soliste réside dans la mise en relief d'un ou de plusieurs instruments qui s'opposent à l'accompagnement d'un orchestre. Le concerto suit l'évolution de la sonate à deux thèmes en trois mouvements.

Vivaldi a été le pionnier de ce genre. Il a mis au point la structure du concerto en trois mouvements et il a été le premier à dédier ses concertos de soliste aux instruments les plus variés. Les douze concertos pour violon de *la Cetra*

1. Emil Guilels avec l'orchestre de Paris, 1970.

2. Concert en plein air au XVIIIᵉ s. en Italie.

STEINWAY

op. 9 (1727) ont porté le concerto vivaldien au plus haut degré de perfection. À partir de là, puis avec Locatelli, Somis, Tartini, Boccherini, le concerto de soliste s'est orienté vers la virtuosité.

Avec Bach, le genre s'est installé en Allemagne. Ses concertos pour un ou deux violons ont chacun leur personnalité propre. Ses concertos pour un ou plusieurs clavecins sont de magistrales transcriptions de concertos de compositeurs italiens ou de lui-même : dans ce domaine, Bach fut un pionnier. Händel, Telemann, les fils de Bach, les musiciens de Mannheim et Haydn ont aussi pratiqué ce genre.

Le concerto de soliste n'a pénétré en France que dans le deuxième quart du XVIIIᵉ siècle avec J. Aubert et J.-M. Leclair, mais il n'eut pas ici la même vogue qu'à l'étranger.

Les concertos de Mozart représentent la perfection du style classique. Les vingt-sept concertos qu'il dédia au piano révèlent une richesse d'écriture et une diversité

d'émotion uniques dans l'histoire de la musique. L'élévation spirituelle du *Concerto pour clarinette* (1791), l'une de ses ultimes pages, lui donne, peu de temps avant le *Requiem,* valeur de testament.

Des formes nouvelles, à l'intérieur desquelles les oppositions sont moins tranchées, apparurent à côté du concerto. Très en faveur en France au XVIIIᵉ siècle et pratiquée jusqu'au XXᵉ, la *symphonie concertante* met en relief alterné plusieurs solistes. Le concerto à plusieurs solistes *(double* ou *triple concerto)* connut son apogée au XIXᵉ siècle avec Beethoven, Mendelssohn et Brahms. Le *Konzert-stück* est une sorte de concerto en un mouvement précédé parfois d'une introduction. Il existe aussi des pièces libres avec un soliste *(Poème* pour violon de Chausson, *Harold en Italie* avec alto solo de Berlioz, *Symphonie espagnole* avec violon de Lalo) ou des poèmes symphoniques qui mettent en relief un instrument *(Don Quichotte* avec violoncelle principal de R. Strauss).
•

De Beethoven à l'époque contemporaine

« LE CONCERTO BEETHOVÉNIEN RÉSONNE PUR DE TOUTE CONVENTION FORMELLE »
(A. Boucourechliev).

Les trois derniers concertos pour piano de Beethoven (1802-1809) annoncent une grande évolution. Le *Concerto n° 5 « l'Empereur »* réalise pleinement le dépassement du genre amorcé dans ce chef-d'œuvre qu'est le *Concerto n° 4.*

Tandis que le sens de la couleur instrumentale se développe, les compositeurs vont s'orienter de plus en plus vers une conception symphonique des différents groupes sonores qui permet aux solistes de rivaliser d'égal à égal avec l'orchestre. En même temps, la virtuosité s'amplifie, principalement autour du piano, instrument qui domine le XIXᵉ siècle (Chopin, Liszt), mais aussi autour d'autres instruments comme les

cuivres ou le violon : certains concertos pour violon furent d'abord, par exemple, jugés injouables (Beethoven, Brahms, Tchaïkovski). Mais l'enrichissement de l'orchestre et l'avènement du piano sont deux événements musicaux qui restent étroitement liés.

Tout en respectant l'intérêt centré sur le soliste, le concerto va suivre les nuances de l'expression musicale. Éloquente, lyrique ou somptueuse (Paganini, Chopin, Liszt), celle-ci peut être tendre et passionnée, d'une inspiration tout intérieure, sans virtuosité superflue (Schumann, *Concerto n° 2 pour violon* de Mendelssohn).

De nouvelles voies musicales apparaissent à la fin du XIXᵉ siècle

et au début du XXᵉ siècle avec l'épanouissement d'écoles étrangères qui affirment une expression nationale : école russe (Tchaïkovski, Rachmaninov), école tchèque (Dvořák), école d'Europe du Nord (Grieg, Sibelius), école française (Saint-Saëns, Lalo, Franck). En Allemagne, Brahms, le plus illustre des postromantiques, resté toute sa vie réfractaire à l'opéra, exalte la musique pure dans ses quatre concertos (piano, violon, violon et violoncelle).

Durant l'époque impressionniste, les musiciens, qui travaillent surtout à une orchestration somptueuse, délaissent un peu le cadre strict du concerto au profit de « fantaisies », d'« élégies », de « poèmes », de « berceuses », de « ballades » pour soliste et orchestre (Fauré, Debussy).

Dans le courant du XXᵉ siècle, sillonné de mouvements contraires, le langage musical s'enrichit d'un vocabulaire toujours plus complexe et de timbres et de rythmes nouveaux : même le style jazz se glisse dans certaines œuvres (Gershwin, Ravel, Poulenc, Honegger). Le concerto suivra toutes ces évolutions (Bartók, Prokofiev, Stravinski). Les plus grands compositeurs de l'époque moderne ont écrit des concertos pour des formations variées (Ligeti, Tippett, Walton, Jolivet, Dutilleux, Landowski, Khatchatourian, Schönberg, etc).
•

3. Mstislav Rostropovitch avec l'orchestre de l'Opéra de Paris.

Le piano

L
ORSQU'EN 1799 BEETHOVEN
met un point final à sa sonate en *ut* mineur, dite « Pathétique », le piano est un instrument nouveau qui a depuis peu détrôné le clavecin, son concurrent. L'ère du piano commence en réalité dans le dernier quart du XVIIIe siècle. Cinquante ans plus tard, il a trouvé sa place au concert comme dans les salons.

Le XIXe siècle est, en effet, un siècle où compositeurs, interprètes et public recherchent la virtuosité, et plus particulièrement au piano. Les perfectionnements de la facture instrumentale, le développement des techniques de production industrielle et les nouveaux procédés de construction d'instruments tels que les cuivres et le piano permettent l'émancipation de la musique instrumentale, la transformation de la vie musicale et de l'exécution transcendante.

À de rares exceptions près, tous les compositeurs, de J. Haydn à nos jours, ont écrit, de façon plus ou moins abondante, pour le piano. Pour eux, il a représenté, et représente toujours, un instrument de travail idéal grâce à son étendue exceptionnelle, qui rend possible l'exécution simultanée d'un grand nombre de notes et peut donner, par conséquent, l'illusion d'un orchestre tout entier sur un seul clavier. « Le fortepiano est de tous les instruments le plus généralement cultivé », notait en 1804 le pianiste et compositeur Louis Adam. « Il a obtenu la préférence sur le clavecin parce qu'il exprime ses sons dans un tel degré de force ou de douceur et qu'il peut imiter toutes les nuances pratiquées par les autres instruments, ce que l'on chercherait en vain sur celui qu'il a remplacé. »

Les facteurs

LE PIANO A UNE LONGUE HISTOIRE : PLUS DE DEUX SIÈCLES DE RECHERCHES MÉTHODIQUES ET PATIENTES.

L
es progrès techniques du piano sont dus à des artisans de génie qui ont toujours été stimulés par les compositeurs et les virtuoses. Dès la fin du XVIIIe siècle naît une ardente compétition entre les différentes écoles de facture. En Allemagne, J. A. Stein construit pour Mozart des instruments à la sonorité aussi claire que brillante. En Angleterre, c'est un facteur allemand élève de Silbermann, J. C. Zumpe, spécialisé dans la construction de petits pianos carrés, qui crée la première école nationale. Schœne lui succède. Puis M. Clementi, pianiste et compositeur, fonde à Londres, avec F. W. Collard, sa propre fabrique. L'école anglaise est aussi représentée par la maison Longman & Broderip et par Broadwood, dont Beethoven joue les pianos, les sollicitant jusqu'à la limite de leurs possibilités. Chopin manifeste une prédilection pour les instruments de Broadwood. En France, c'est S. Érard, établi à Paris en 1768, qui fonde l'école française de facture de piano. Sous son impulsion, la facture française acquiert son originalité. On lui doit l'invention du méca-

nisme à double échappement, qui annonce le puissant piano romantique. Il trouve un concurrent en Pleyel, fondateur d'une fabrique qui devint l'une des meilleures firmes modernes.

La musique stimule les facteurs lorsque commence le grand siècle du piano : Babcock à Boston, J. H. Pape, J. Gaveau et Kriegelstein à Paris, I. Bösendorfer à Vienne. Suivant l'impulsion de l'époque, la production s'industrialise au milieu du XIXe siècle et, à la charnière du XXe siècle, l'industrie européenne s'incline devant l'industrie américaine. En 1853, un facteur allemand émigré aux États-Unis, H. Steinweg, crée à New York la firme Steinway, qui va devenir l'une des premières fabriques mondiales de pianos et va ouvrir des succursales en Europe. Après la Première Guerre mondiale, c'est le Japon, par son intérêt pour la musique européenne, qui prend la relève de l'Occident : Yamaha a été fondé en 1887 et Kawai l'est en 1925. Aujourd'hui, les facteurs ont tendance à disparaître au profit de fabricants, qui sont en général des sociétés. •

Les origines

SI LE PIANO A UNE ALLURE QUI LE RAPPROCHE DU CLAVECIN, LES MÉCANISMES DES DEUX INSTRUMENTS SONT ABSOLUMENT DIFFÉRENTS.

L
'histoire du piano remonte à l'aube du XVIIIe siècle, époque du plein épanouissement du clavecin. C'est le besoin de plus en plus impérieux de l'expression et de la nuance en musique qui, entre 1709 et 1717, amène B. Cristofori en Italie, J. Marius en France et J. Schröter en Allemagne à imaginer simultanément les principes de base de l'instrument : le remplacement de la plume par le cuir et l'idée première qui est celle d'un mécanisme à percussion, à savoir la substitution des marteaux aux sautereaux du clavecin.

Par sa facture, le clavecin est dépourvu de toute possibilité de nuances dynamiques : en effet, l'action immédiate du bec de plume du sautereau grattant la corde donne invariablement le même timbre. Le piano présente cet avantage sur le clavecin que son système de percussion permet la nuance expressive, dynamique et immédiate. La volonté et le tact de l'interprète opèrent alternativement tous les changements de nuances. « Le précieux avantage du marteau est d'être aux ordres de celui qui sait le maîtriser », écrit Momigny. Dans

cette optique, le facteur allemand G. Silbermann améliore le système mis au point par Cristofori vers 1709 et, au milieu du XVIIIe siècle, construit le premier pianoforte perfectionné. La tradition, dès lors, est de voir en Silbermann le père du pianoforte.

Le nouveau piano a certes de nombreux amateurs, en particulier J.-S. Bach, qui joue sur un tel instrument à la cour du roi de Prusse. Mais il a aussi beaucoup de détracteurs : l'un des plus virulents est notamment Voltaire, qui, en 1774, traite le piano d'« instrument de chaudronnier en comparaison du clavecin ». •

Le mécanisme du piano à queue

Le mécanisme du piano à queue moderne se compose d'une table d'harmonie montée sur une charpente, ou barrage, et placée sous les cordes. Celles-ci sont fixées à des sommiers (aujourd'hui remplacés par un cadre métallique) et tendues sur des chevalets courbes collés sur la table d'harmonie. C'est par l'intermédiaire de ces chevalets que les cordes transmettent leurs vibrations à la table d'harmonie. Simples, doubles ou triples (sauf dans les graves), les cordes sont

en acier, en laiton ou en acier filé pour les plus grosses. Le clavier compte quatre-vingt-huit touches. Chacune commande le mécanisme qui lance le marteau contre la corde et, simultanément, l'étouffoir qui empêche la corde de vibrer trop longuement. Un système complexe d'échappement permet la répétition des notes. À la lyre sont accrochées deux pédales : celle de gauche adoucit le son ; celle de droite augmente la durée de résonance des cordes.

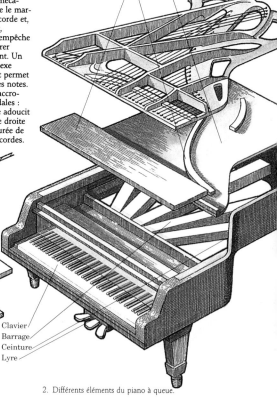

2. Différents éléments du piano à queue.

Cadre métallique
Table d'harmonie
Chevalet
Sommier

Clavier
Barrage
Ceinture
Lyre

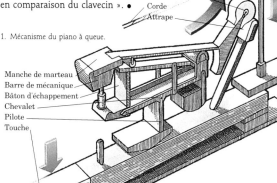

1. Mécanisme du piano à queue.

Étouffoir
Feutre
Tête de marteau
Corde
Attrape

Manche de marteau
Barre de mécanique
Bâton d'échappement
Chevalet
Pilote
Touche

Les compositeurs

LE PIANO EST « LE PLUS GRAND EXCITANT
DE L'IMAGINATION MUSICALE DEPUIS DEUX SIÈCLES »
Olivier Messiaen.

L'âge d'or du piano commence vraiment lorsque, dans les années 1770, il supplante le clavecin.

Particulièrement riche, l'école germanique classique et romantique domine incontestablement l'Europe. Est-il besoin de rappeler la valeur et la vitalité de l'œuvre de Mozart, de Haydn ou de Beethoven ? Haydn fait de la sonate une forme aux ressources infinies et variées, à la merveilleuse spontanéité. Dans ses concertos, Mozart révèle une richesse et une diversité uniques dans l'histoire de la musique. Avec Beethoven, qui ouvre la voie au piano romantique, l'écriture pianistique accomplit un pas de géant. Dans son œuvre, c'est déjà l'orchestre qui retentit sans virtuosité inutile. Mendelssohn, qui fait beaucoup pour la diffusion des pages de Beethoven, enrichit le répertoire avec ses *Romances sans paroles,* inventions toutes personnelles ; Weber compose une musique brillante, mais non dénuée d'expression. On doit à Schubert, qui excella dans des pièces lyriques brèves *(Impromptus, Moments musicaux),* un immense répertoire, florilège de l'expression romantique. En vrai poète du piano, Schumann s'exprime par les sonorités. Sa musique de piano est indissociable de la poésie, sa vocation première, et son écriture annonce celle de Brahms, dont le style se caractérise par des sonorités pleines et compactes.

Durant la période romantique, si l'on excepte Boëly et Alkan, l'école française de piano est quasi inexistante. Mais la France sait accueillir des artistes venus d'ailleurs : parmi eux, Liszt et Chopin.

Chopin prend le piano comme confident le plus intime. Polonaises, mazurkas, études, ballades, nocturnes, valses, préludes sont empreints de cette émouvante et profonde poésie caractéristique de son art. Son apport technique au langage pianistique est considérable. Personnalité puissante au lyrisme généreux et fougueux, Liszt crée la technique moderne du piano, mais chez lui le virtuose et le musicien sont indissociables.

Dans la seconde moitié du XIXᵉ siècle, alors que l'école allemande de piano commence à décliner, l'école française entame un renouveau. Bizet et Saint-Saëns lui ouvrent la voie, puis Franck écrit des chefs-d'œuvre d'une extraordinaire architecture. Chabrier fait montre d'un art fort original, dont l'influence s'exercera sur une longue génération de musiciens. Si Satie compose une musique dépouillée, Fauré, malgré un style très personnel, apparaît comme un authentique héritier de Chopin. L'art de Debussy ne se compare à aucun autre. Peintre, il s'exprime par des sonorités plutôt que par des notes. Il domine tout son époque. Pour la France, c'est la naissance d'une génération ardente : Roussel, Schmitt, Dukas, Ravel, Poulenc, Honegger, Milhaud, et plus près de nous, Messiaen. À l'opposé de Debussy, Ravel pratique un style à la fois clair et précis, souple et transparent.

Imprégnés de leur folklore (sauf Scriabine), les pianistes russes sont, pour la plupart, influencés par Liszt. On retiendra d'abord les noms de Balakirev et de Moussorgski. À leur suite,

Scriabine, Rachmaninov et Prokofiev rendent à la sonate ses lettres de noblesse. Rachmaninov imprime à sa musique un cachet bien reconnaissable. Le style de Prokofiev a une franchise presque classique. La jeune génération, Chostakovitch, Kabalevski, Khatchatourian, lui doit beaucoup.

Un nom domine l'école scandinave : Grieg, véritable maître de la petite forme. Après Liszt, l'école hongroise se continue avec Bartók, dont l'œuvre est imprégnée de l'influence du folklore. Trois noms dominent l'école espagnole : Granados, de Falla et Albéniz, qui confie au piano le meilleur de son œuvre.

L'époque contemporaine est représentée par Boulez, musicien à la vive intelligence artistique et auteur d'une musique extrêmement subtile, par Boucourechliev, Henze, Ligeti, Xenakis et Ohana qui se réclame de Debussy et de Falla. On peut regretter que l'œuvre pour piano de Schönberg soit encore mal connue et on retiendra les *Klavierstücke* de Stockhausen comme des moments essentiels de la production contemporaine. Aux États-Unis, Cage s'impose comme un adepte du « piano préparé » permettant une modification de la résonance de l'instrument par l'introduction entre ses cordes de corps étrangers. Copland fait sien un éclectisme intéressant, tandis que H. D. Cowell et C. Ives sont considérés comme les promoteurs du « cluster » (groupe de notes frappées par la main à plat ou en glissade) au piano. Zimmermann, enfin, paraît aujourd'hui comme l'un des créateurs les plus puissants de sa génération.

Le piano pénètre aussi le jazz. S'opposant aux vents, il devient percussif et est employé comme un instrument à la fois harmonique et rythmique. Il s'affirme dans le « ragtime », codifié en quelque sorte par Scott Joplin. ●

3. Les mains d'Yves Nat (1890-1956).

Les virtuoses

« SI J'ÉPROUVE CHAQUE JOUR
LE BESOIN DE SENTIR LE CLAVIER SOUS MES DOIGTS,
C'EST POUR DIRE BONJOUR À UN AMI »
Samson François.

Les pianistes sont aujourd'hui multitude. Les premiers virtuoses se révèlent dès la fin du XVIIIᵉ siècle : Mozart et Beethoven sont de ceux-ci. À leur suite, J. L. Dussek, Clementi ou J. Field font considérablement évoluer la technique. Pianiste illustre, Clementi reste l'un des créateurs du style pianistique moderne sur le plan technique et sonore. Précurseur de Chopin, virtuose au toucher aérien, Field est aussi l'un des premiers à utiliser la pédale comme partie intégrante du piano. Ami de Field, Hummel encourage S. Thalberg et Czerny. Également élève de Beethoven, Czerny est aussi le maître de Liszt, lui-même professeur de T. Leschetizky qui, au XXᵉ siècle, forme d'illustres élèves : Schnabel, Brailovski, Paderewski et d'autres. La filiation est ainsi mise en place. Pianiste aussi brillant que Liszt, Thalberg possède une technique éblouissante, mais Liszt demeure le « roi des pianistes ». Sa virtuosité est certainement unique dans l'histoire du piano, mais jamais il ne sépare technique et style. Son interprétation paraît un art en trois dimensions : virtuosité, sonorité, émotivité. Artiste éminemment fin et le plus spécifique des pianistes romantiques, Chopin joue avec une égalité parfaite,

résultat d'une excellente maîtrise du doigté. Il perfectionne aussi l'art du piano par l'emploi de la pédale : ici sa maîtrise est absolue. Chopin admire I. Moscheles, l'un des meilleurs pianistes de sa génération. Doté d'une personnalité fascinante, le virtuose russe Anton Rubinstein est considéré comme l'égal de Liszt. Enfant prodige du piano et douée d'une technique exceptionnelle, Clara Schumann compte parmi les plus grands interprètes de son siècle. Elle est la première à jouer de mémoire en public. Plus près de nous, des virtuoses incomparables comme Busoni et Saint-Saëns succèdent à Liszt et à Chopin. Esprit curieux de tout, Saint-Saëns fut un virtuose éblouissant. Il laissa la place à une série ininterrompue de pianistes célèbres : A. Cortot, Y. Nat, pianiste à la fois mystique, W. Kempff, spécialiste de Beethoven, C. Haskil, merveilleuse mozartienne irremplaçable dans bien des domaines, S. Richter, V. Horowitz, étonnant technicien du piano, E. Fischer, S. François, qui pousse très loin le phénomène de l'interprétation, A. Rubinstein, G. Gould, A. Brendel, R. Serkin, A. Schnabel, l'un des premiers à révéler au public les sonates de Schubert, et bien d'autres. ●

4. Count Basie, 1978.

Chopin pédagogue

Chopin conseillait volontiers à ses élèves : « Caressez la touche, ne la heurtez jamais... Il faut pour ainsi dire pétrir le clavier d'une main de velours et sentir la touche plutôt que de la frapper... Autant de différents sons que de doigts ; le tout, c'est de savoir bien doigter... »

Le romantisme

FILS SPIRITUEL DE LA RÉVOLU-tion, le mouvement romantique, qui avait déjà eu maints précurseurs en Europe dans le courant du XVIIIe siècle, fut une révolution totale qui bouleversa la sensibilité et transforma la pensée philosophique, littéraire, religieuse et artistique d'une époque. Révolutionnaire lui aussi, le romantisme musical entretint une haine farouche contre les générations qui l'avaient précédé, contre le classicisme ou pour ce qu'il regardait comme tel. Pour Berlioz, seuls comptaient les noms de Gluck et de Beethoven. Le passé importait encore moins aux yeux de Wagner.

Au siècle des Lumières, tout avait été examiné, tout avait été remis en question. L'artiste classique obéissait aux lois austères de la raison esthétique, avant de parler à l'âme. Le beau était ce qui charmait l'esprit et le sens (Voltaire). Au contraire, l'artiste romantique, toujours à la recherche de rêves extatiques et d'émotions neuves, combattit toute convention de l'art, tout « scepticisme de l'esprit et du cœur » par l'exaltation de l'être, de l'expression, de la passion, de la nature, de la couleur.

Le premier mode d'expression du romantisme fut la littérature, qui entraîna dans son sillage toutes les formes d'art. Réaction du sentiment contre la raison, le mouvement romantique littéraire se manifesta dès la fin du XVIIIe siècle en Angleterre et en Allemagne, puis au XIXe siècle en France, en Italie, en Espagne et dans les pays scandinaves. En France, comme en Allemagne, le romantisme que l'on vit éclore dans la musique avait suivi de près le mouvement littéraire. Langage même de l'émotion, « art divin et satanique à la fois » selon Liszt, la musique, reléguée par les rationalistes du XVIIIe siècle au simple rang d'art d'agrément, de jeu sonore, triomphe de la musique pure, organisé pour réjouir l'esprit par le truchement des sens, devint l'art suprême : affranchie des contraintes de la raison, elle put librement exprimer l'émotion et la sensibilité. « La musique est le plus poétique, le plus puissant, le plus vibrant de tous les arts », se plaisait à dire Berlioz. Le musicien classique vivait dans un univers qui était une fin en soi : l'univers des sons. Ardent et exalté, le musicien romantique allait chanter son univers.

2. Chopin, par E. Delacroix (détail).

Dates clefs

1. *Le Bal de la « Symphonie fantastique »,* par Fantin-Latour (détail).

Lyrisme et étalage du moi

EN TRANSFIGURANT SA PERSONNALITÉ, L'ARTISTE ROMANTIQUE CHERCHA À FAIRE DE LUI-MÊME LE CENTRE D'UN MONDE.

Se plaçant au centre de son œuvre, l'artiste romantique éprouva jusqu'à l'exacerbation le besoin longtemps contenu de grandir à ses yeux et aux yeux des autres ses plus intimes sensations.

Expression des sentiments personnels.

« Décrire ce que j'éprouve... aimer par-dessus tout la liberté », clamait déjà Beethoven. L'étalage du « moi », cette confidence quotidienne, devint l'un des traits principaux du mouvement romantique. Douleurs, espoirs, interrogations, illusions et désillusions, tristesse, ennui, euphorie et mélancolie, rêves d'amour, tels furent les sujets contradictoires des pages où les musiciens exaltèrent leur infortune et leur nostalgie, ce « mal du siècle ». En s'incar-

nant dans le jeune héros de la *Symphonie fantastique* ou dans *Harold en Italie,* Berlioz condensa dans ces œuvres tous ses espoirs et toutes ses souffrances, tous ses souvenirs et toutes ses impressions. Lorsqu'il revêtit les masques de ses doubles, Eusebius le tendre et Florestan le passionné, le rêve et la vie, Schumann cherchait à définir sa personnalité. Ces deux frères jumeaux et ennemis révélaient les luttes d'une imagination éperdue. Sur son piano, Chopin exhalait les tréfonds de son âme, levait le voile de tristesse tissé dans son cœur de patriote. Tous ces « journaux intimes » furent marqués par cette scission intérieure, par ces oscillations entre des états d'âme contraires, propres au « moi » romantique.

Lyrisme turbulent.
Par son art spontané, son lyrisme spectaculaire, son élan fougueux et son instinct infaillible de coloriste, Berlioz reste un cas unique dans l'histoire de la musique romantique. Il est hanté par le sonore et s'exprime par d'immenses masses vocales et orchestrales. L'orchestre lui est instrument d'expression. « Tour à tour banal et sublime, presque monstrueux », Berlioz est passionné par le drame musical et réussit l'amalgame entre ses sensations physiques et son élaboration mentale. Mais de ce lyrisme tapageur, digne d'un Victor Hugo, n'est pas exclue la plus douce rêverie. « Feux et tonnerres », « Rêveries et passions », tels semblent être les symboles de son intervention. La *Symphonie fantastique,* continuée par *Lélio ou le Retour à la vie,* dit assez le constant souci du musicien de s'évader « dans le rêve et y forger une musique qui aille plus loin que les mots ». Par cette œuvre fortement teintée d'autobiographie, Berlioz chercha un remède à sa passion amou-

reuse. Cette « confession en musique » représente l'effusion musicale des émotions, des aspirations et des rêves de l'artiste.
Lyrisme discret.
Au lyrisme turbulent d'un Berlioz, à la grandeur épique d'un Liszt s'oppose le lyrisme retenu de ceux qui ont recherché la confidence. Que de grâce sentimentale, que de mélancolie pénétrante Mendelssohn, Schubert, Chopin ou Schumann firent-ils passer dans un lied, une romance sans paroles ou un nocturne pour piano, autant d'œuvres de dimensions réduites. Avec sa propension au repli sur l'âme, le musicien romantique devait se sentir tout naturellement attiré vers l'intimité de ses émotions et, partant, vers l'intimité musicale : les pages pour piano de Chopin et de Schumann sont les parfaites illustrations de ce mouvement intimiste ; Chopin n'eut de meilleur confident que son piano. Le piano de Schumann fut son double sublimé. Dans *les Amours du poète,* il réalisa l'union étroite du moi et du double, l'union du chant et du

3. Berlioz, peint par P. Sieffert.

4. Schumann, lithographie
de J. Kriehuber (1839).

Rêveries et passions

INTERPRÈTE MERVEILLEUSE
DE L'INEXPRIMABLE, LA MUSIQUE EST LA LANGUE QUI PERMET
DE S'ENTRETENIR AVEC L'AU-DELÀ.

La musique est la volupté de
l'imagination, disait le peintre Eugène Delacroix.
Imagination et fantastique.
L'imagination des romantiques
fut abondante. Aussi peut-on
expliquer ce goût des légendes et
du fantastique qui sillonna leurs
œuvres. Le véritable héraut de
l'âme romantique fut E. T. A.
Hoffmann, romancier, compositeur et critique musical. Cet appétit de légendes a poussé les artistes
romantiques à se passionner pour
le Moyen Âge, cette période sombre
et si reculée dans le temps
qu'elle leur semblait à la fois fabuleuse et fantastique. Le lied et
l'opéra allemands furent d'ailleurs
imprégnés par le fantas-
tique. Schubert mit en musique la
célèbre ballade de Goethe, le Roi
des Aulnes, avec un accompagnement quasi obsessionnel qui renforce le climat dramatique et fantastique de l'ensemble. Wagner
choisit ses héros dans le mythe et
la légende, riches pour lui de symboles (Tristan et Yseult). L'opéra
italien fut également balayé de
scènes de folie noyées dans un délire vocal (Macbeth de Verdi).
Toute l'œuvre de Berlioz elle-
même est un immense chant de
louange à l'expression et à l'imagination. Le conte de fées envahit
l'opéra. À la suite d'Hoffmann,
dont l'opéra Ondine dépeint un
monde féerique, Weber fut dans
ce domaine un précurseur : dans
le Freischütz, l'élément fantastique
et le merveilleux se joignent au
réel ; dans Obéron, l'auditeur est
transporté dans un monde de
fées, dans un monde oriental,
mondes à la fois fantastiques et
grotesques, baignés d'atmosphère magique. Debussy y a vu
une « nuit de rêves que la durée
d'un rêve pouvait suffire à remplir ». Au fantastique peuvent être
associés d'autres thèmes : le
thème du rêve, le thème du diable,
par exemple. Le thème du
rêve inonda le lied allemand : le
Liederkreis op. 39 de Schumann,
d'après Eichendorff, se présente
comme une grande évocation du
rêve, sensible par le temps passé
évoqué en introduction et par le
temps présent évoqué en conclusion. La représentation du héros
satanique est aussi un des thèmes
caractéristiques du mouvement
romantique. Faust fut un symbole satanique avant d'être un
symbole germanique. Schu-
mann, Berlioz et Liszt s'attachè-
rent au héros de Goethe. Le personnage dominant du Freischütz
est le sombre Caspar, qui avait
voulu vendre son âme au diable.

**Mélancolie et exaltation
de la vie intérieure.**
Les romantiques ont toujours eu
conscience de l'effet magique de
la musique. Comme Alfred de
Musset, qui avait rencontré « un
étranger vêtu de noir et qui [lui]
ressemblait comme un frère »,
Schumann évoqua dans son œuvre les fantasmes et les visions qui
l'ont touché et ébranlé. Son piano
apparaît en quelque sorte comme
son journal intime étroitement lié
aux événements heureux ou dramatiques de sa vie personnelle :
constamment, le musicien déchiré entre le rêve et l'action, y
oscille entre deux états d'âme
contraires. Dans les crises de mélancolie, le thème obsessionnel
du double s'affirme d'une manière tragique. Œuvre de jeunesse des années de crise, les Papillons op. 2 évoquent déjà cette
idée fixe : jeu de doubles et jeu de
masques. Pleine de douleur et
d'espoir, la Fantaisie op. 17 est un
« long cri d'amour » lancé vers
Clara, l'inaccessible être aimé.
Pour Berlioz, l'alto, héros principal d'Harold en Italie, est « un personnage mélancolique dans le
genre de Childe Harold », héros
du poème de Byron.

**Énergie
et ardeur intérieure.**
Le romantisme a eu le goût de
l'énorme et du démesuré ; mais il
a aussi apprécié le genre de la miniature musicale et a souvent
réussi l'amalgame de ces deux
formes d'expression. Chez Schubert, à côté des Moments musicaux,
dont certains ne font que passer
dans un climat délicieusement
dansant ou dans une atmosphère
violemment passionnée, il existe
de grandes œuvres qui portent en
elles une manière d'architecture
digne du moment musical (scherzo
de la troisième sonate pour piano,
par exemple). L'artiste romantique, en suivant la loi de la
contradiction, a également voulu
modifier les formes reçues. Il a
systématiquement attaqué toutes
les règles préétablies de la
construction musicale. Le langage
a alors commencé à se libérer des
formes traditionnelles, pour aller
de l'avant dans un climat de nouveauté. Schumann, Liszt, Mendelssohn et Wagner ont cependant vénéré Mozart. Tous ont été
hantés par l'image de Bach. Encore une contradiction du monde
romantique. Bach était partout.
Mendelssohn, le premier, ressuscita la Passion selon saint Matthieu.
Grâce à sa pratique de la musique
du cantor de Leipzig, Schumann
acquit ce merveilleux sens du
contrepoint qui lui était presque
naturel. « Travaille bien les fugues
des bons maîtres et avant tout
celles de J. S. Bach », conseillait-il
volontiers. Chopin fit son pain
quotidien des préludes et fugues
du Clavier bien tempéré.
« Être jeune dans un monde
vieux » (Einstein), le romantisme
né dans un monde « vieux » prétendit cependant hâter la réalisation d'un art « jeune ».   •

Dualités romantiques

POUR EXPRIMER SES ÉMOTIONS,
LE POÈTE JEAN-PAUL RICHTER RECHERCHAIT NON POINT
DES MOTS MAIS DES SONS.

Pour s'exprimer au mieux, les
romantiques ont voulu effacer toutes les limites existant
entre les différents arts.
Musique-littérature.
Berlioz ne conçut la musique que
comme mêlée aux autres arts :
« La musique n'exprime rien par
elle-même, et la richesse de coloris dont vous la dotez si généreusement ne prend quelque apparence de réalité que grâce aux
paroles ou à la pantomime des
chanteurs. » Une grande partie de
l'œuvre de Liszt fut également
fonction d'un programme, de
cette alliance musique-littérature
qui est la définition propre du
poème symphonique. Si les musiciens romantiques recherchaient
la fusion de tous les arts, il existe
chez eux une dualité caractéristique entre musique et littérature.
Mendelssohn, homme cultivé s'il
en fut, s'affirma comme un excellent littérateur. Très tôt abreuvé
de littérature – en particulier de
Jean-Paul (Richter) – sous le
toit paternel, Schumann se fit
poète avant de devenir musicien.
Liszt fut essayiste et philosophe,
Berlioz écrivain et théoricien.
Wagner, enfin, fut le musicien-
poète-metteur en scène que l'on
sait, le créateur d'un drame total
où, comme dans la tragédie antique, tous les arts ne faisaient
qu'un.
Les musiciens romantiques
puisèrent à toutes les époques. Le
théâtre de Shakespeare fut pour
eux un excellent support. Berlioz,
qui l'admirait profondément, en
fit une de ses meilleures sources
d'inspiration, et sa musique répond parfaitement au baroque
shakespearien. « Le Roméo de
Shakespeare ! Dieu ! quel sujet !
comme tout y est dessiné pour la
musique ! », s'exclama-t-il en
composant Roméo et Juliette.
Ce lyrisme ne pouvait s'épancher sans l'appui de la matière sonore, et le musicien romantique
fut toujours séduit par le pouvoir
magique des sons (Liszt, Feux fol-
lets, 5ᵉ étude d'exécution transcendante ; Berlioz, la Fantaisie sur la
tempête de Lélio ou Dies irae du
Requiem).
Musique-poésie.
Liszt entendait « rénover la musique en l'unissant plus étroitement à la poésie ». Comme ses
contemporains, il puisa aux meilleures sources et chercha son inspiration dans l'art le plus proche
du sien : la poésie. Goethe, Schiller, Novalis, Byron, Hugo, Dante
furent les héros des musiciens romantiques comme le furent aussi
Théophile Gautier, Lamartine,
Heine, Rückert ou Eichendorff, le
poète de la nature, cette nature à
travers laquelle tous les artistes
romantiques aimèrent à s'exprimer.
À ceci près que, pour l'Allemand,
la nature était le personnage central du drame humain ; pour le
Français, elle représenta surtout
le décor de la pièce. Beethoven
chanta l'un des premiers la nature
(Symphonie pastorale). Schumann
composa une Symphonie rhénane
ou Épisode d'une vie au bord du
Rhin, évocation éminemment
poétique du fleuve mythique.
Berlioz écrivit une merveilleuse
Scène aux champs (Symphonie fantastique). Constamment présente
dans ses lieder, la nature fut enfin
la vraie religion de Schubert.
Musique-peinture.
Beethoven fut le premier grand
peintre musical, l'organisateur
des effets de coloris qui fascinè-
rent les musiciens romantiques.
À sa suite, Schubert apparaît
comme un remarquable paysagiste. Ses lieder, expression d'un
romantisme populaire, ont la valeur d'un tableau. Ils peuvent être
perçus comme « une forme musicale de la peinture » (M. Beaufils).
Le piano de ses lieder crée l'atmosphère et le décor.   •

→ **Voir aussi :** Le romantisme, LITTER,
p. 78-79. Néoclassicisme et ferments romantiques, ARTS p. 274-275. La peinture romantique,
ARTS, p. 276-277.

piano. Lorsqu'il composa ses Variations en mi bémol pour piano, sur
un thème qu'il croyait « dicté par
les anges », il livrait des fantasmes
qui se passaient à l'intérieur du
moi, car le « thème dicté par les
anges » n'avait d'autre auteur que
lui-même. Mais ce penchant vers
l'intimité n'exclut jamais la virtuosité. C'est là encore l'un des
contrastes du romantisme musical. Cette tendance à l'intimité ou
à la virtuosité était déjà sensible
chez Beethoven. On peut affirmer
que Weber, avec sa verve fantastique, que Liszt, avec son génie prémonitoire, la poussèrent à un
degré jamais atteint, mais Schumann et Chopin la mirent au service de l'expression poétique. •

Beethoven

Ce manuscrit autographe (1) est un extrait du troisième mouvement (allegro agitato) de la sonate pour piano en *ut* dièse mineur. Le titre *Clair de lune* donné à cette sonate n'est pas authentique. Ce manuscrit, en provenance de l'héritage de Beethoven et dont manquent le début et la fin, se trouve depuis 1898 à la Beethovenhaus de Bonn. Le portrait de Beethoven (2) fut effectué d'après une œuvre disparue de August von Kloeber. Le peintre, né en 1793, a laissé un récit (paru en 1864) des séances de pose de Beethoven à Mödling durant l'été de 1818.

Fidelio (3) reste l'unique opéra du compositeur. Le livret, plusieurs fois remanié, est une traduction de *Léonore*, livret français de Bouilly datant de 1798. Le thème de la mort du héros fait partie du vocabulaire musical beethovénien et se retrouve dans d'autres grandes œuvres.

DE UN AN PLUS JEUNE QUE Napoléon, Beethoven est de ceux qui ont vingt ans au début de la Révolution française, et qui en resteront marqués toute leur vie. De 1792 à sa mort, il résidera principalement à Vienne. Dans cette ville, il est le témoin des derniers feux de la culture musicale aristocratique mais aussi des premières manifestations de celle, d'essence plus « bourgeoise », qui va dominer le XIXᵉ siècle. Il est protégé par des princes mais ne cesse d'affirmer son indépendance d'artiste. Il est un homme public, du moins jusque vers 1815, et développe même un côté tribun inconcevable avant lui mais il exprime dans ses œuvres des sentiments intensément personnels. Il est le continuateur direct de Haydn, mais le passage de l'un à l'autre provoque aussi une impression de profonde rupture. Beethoven est-il classique ou romantique ? On en a débattu à l'infini, mais il reste que des générations de musiciens ont ressenti que Beethoven réunit en lui comme personne les traits les plus positifs de ces deux attitudes. Ce qui explique à la fois les prolongements artistiques et humains les plus variés, voire les plus contradictoires, donnés à son œuvre par la postérité et que son prestige soit demeuré intact de son vivant jusqu'à nos jours bien que d'aucuns l'aient accusé d'avoir perverti la musique. Il est non moins significatif qu'Adorno ait vu en lui « le prototype musical de la bourgeoisie révolutionnaire et d'une musique ayant échappé à la servitude » et, en même temps, « dans la gestique affirmative de ses plus grands mouvements de symphonies, un répressif et autoritaire *C'est ainsi* ».

1. Manuscrit autographe de la sonate n° 2 opus 27 *Quasi una fantasia*.

La jeunesse à Bonn

À LA SUITE DE SON GRAND-PÈRE
ET DE SON PÈRE, LE JEUNE BEETHOVEN DEVIENT MUSICIEN
DU PRINCE ÉLECTEUR DE COLOGNE.

Ludwig van Beethoven naît le 16 décembre 1770 à Bonn, petite ville située sur les bords du Rhin et alors capitale de la principauté de l'archevêque-électeur de Cologne. Comme son grand-père, également prénommé Ludwig et jusqu'à sa mort (en 1773) à la tête de la chapelle musicale de Bonn, son père, prénommé Johann, ténor de profession et mort alcoolique en 1792, Beethoven est destiné dès son plus jeune âge à devenir musicien de cour au service de l'Électeur de Cologne. Son éducation générale est négligée mais en 1779 arrive à Bonn un musicien qui sera son premier maître important : Christian Gottlob Neefe (1748-1798). En 1782, quand Neefe quitte Bonn pour une brève période, Beethoven – qui a étudié avec lui le *Clavier bien tempéré* de Bach – peut le remplacer comme organiste. La même année paraît sa première œuvre (*Variations sur une marche de Dressler*) et, en 1783, suivent trois *Sonates* dédiées au prince électeur Maximilien-Frédéric. L'année 1784 voit l'avènement d'un nouveau prince électeur : Maximilien-François, frère de l'empereur Joseph II et de la reine Marie-Antoinette. D'esprit libéral, il inaugure une politique de réformes. Beethoven obtient un salaire régulier comme organiste (il devient aussi altiste dans l'orchestre) et, en 1785, compose trois *Quatuors avec piano* (publiés seulement après sa mort). Au printemps de 1787, il effectue un bref séjour à Vienne, où il rencontre Mozart, et revient juste à temps pour voir mourir sa mère. En 1789, son père sombrant de plus en plus dans l'alcoolisme, il se proclame chef de famille (il a deux frères plus jeunes), obtenant que la moitié du salaire du père lui soit directement versée. Grâce à l'étudiant en médecine Franz Gerhard Wegeler (1765-1848), son ami intime depuis 1782, il a la chance d'être introduit chez la famille von Breuning, très cultivée, et accueilli comme un enfant de la maison. Il suit à l'université les cours de littérature d'Eulogius Schneider, qui célèbre du haut de sa chaire la prise de la Bastille. En 1790, il compose la *Cantate sur la mort de l'empereur Joseph II,* la première de ses très grandes œuvres. Mais c'est surtout dans certaines variations pour piano qu'apparaît le Beethoven de l'avenir. ●

1792-1803
Les premières
années viennoises

VENU À VIENNE EN 1792
POUR Y ÉTUDIER, BEETHOVEN Y RESTERA
JUSQU'À LA FIN DE SES JOURS.

En juillet 1792, revenant de son premier séjour à Londres, Haydn passe par Bonn et, grâce en particulier au comte von Waldstein (1762-1823), proche collaborateur du prince électeur et mécène très versé dans la musique, il est décidé que Beethoven le rejoindra à Vienne pour devenir son élève. En novembre 1792, Beethoven arrive donc dans la capitale autrichienne, en principe pour quelques mois seulement (il est censé retourner à Bonn et y reprendre du service), en réalité pour le reste de ses jours. Mozart est mort un an auparavant (décembre 1791). Les leçons avec Haydn durent un peu plus d'un an, jusqu'en janvier 1794 (second départ de Haydn pour Londres). Elles seront bien plus profitables qu'on ne l'a prétendu. Certes, Beethoven se tourne aussi vers Johann Georg Albrechtsberger (1736-1809), grand spécialiste du contrepoint, mais l'exemple des grandes œuvres instrumentales que Haydn a composées (et est toujours en train de composer) ainsi que ses conseils sur ce plan se révèlent inappréciables. La parution en août 1795 des trois *Trios* opus 1 puis celle en mars 1796 des trois *Sonates* opus 2 (dédiées à Haydn) marquent les débuts officiels de Beethoven comme compositeur à Vienne. Il n'est alors plus question d'un retour à Bonn, devenu le chef-lieu d'un département français. De février à juillet 1796, Beethoven effectue une tournée à Prague, à Dresde, à Leipzig et à Berlin.

Les premières années de Beethoven à Vienne sont brillantes et mondaines, grâce à la protection de plusieurs familles de l'aristocratie (les Lichnowsky, Lobkowitz, Schwarzenberg...), et marquées par les éclatants succès qu'il remporte comme pianiste, en public mais aussi et surtout dans les salons privés. Il compose alors beaucoup de musique pour piano. Plus de la moitié de ses trente-deux sonates existent déjà en 1802. Dès mars 1795, il donne la première version du *Concerto pour piano n° 2* (opus 19) et, dès décembre 1795, celle du *Concerto pour piano n° 1* (opus 15). Comme œuvres marquantes, il faut noter aussi les trois *Trios à cordes* opus 9 (1797-1798) et, parmi les sonates, la *Pathétique* opus 13 (terminée dans la première moitié de 1798) et les deux intitulées *Quasi una fantasia* (opus 27 n° 1 et n° 2, 1800-1801), la dénomination *Clair de lune* attribuée à la seconde n'étant pas authentique. Le quatuor à cordes et la symphonie, genres les plus associés au nom de Haydn, ne seront abordés que relativement tard. De 1798 à 1800, Beethoven compose les six premiers (opus 18) de ses seize (ou dix-sept) quatuors à cordes et, le 2 avril 1800, lors du premier concert qu'il donne à son propre bénéfice, il fait entendre sa *Symphonie n° 1* (opus 21). La *Symphonie n° 2* (opus 36) suit, dans le cadre d'un concert du même type, le 5 avril 1803, avec comme autres premières auditions le *Concerto pour piano n° 3* (opus 37) ainsi que l'oratorio *le Christ au mont des Oliviers* (opus 85).

Avant 1800, Beethoven a ressenti les premières atteintes d'une surdité qui avec le temps le coupera à peu près entièrement du monde. D'où une crise, qui manque de le mener au suicide, concrétisée par le fameux *Testament de Heiligenstadt,* daté des 6 et 10 octobre 1802 et qui sera découvert dans les papiers du compositeur après sa mort.

ðŒ

1813-1817 et 1818-1827
La dernière période

CONCURRENCE DE LA MUSIQUE ITALIENNE,
MANQUE D'ARGENT ET SURDITÉ PRESQUE TOTALE
FRAPPENT LE COMPOSITEUR.

L'été 1812 est pour Beethoven celui de la rencontre avec Goethe et surtout celui de la crise sentimentale et morale concrétisée par la fameuse *Lettre à l'immortelle bien-aimée,* découverte comme le *Testament de Heiligenstadt* après sa mort. On ignore toujours qui était la destinataire de cette lettre peut-être jamais envoyée : sans doute Josephine von Brunswick, la seule autre candidate sérieuse étant Antonie Brentano, épouse d'un négociant de Francfort. Après l'achèvement de la *Symphonie n° 8* (fin de 1812) s'ouvre une période de créativité réduite. En 1813 est composée la pièce de circonstance *la Bataille de Vittoria* (ou *la Victoire de Wellington*) opus 91. L'année 1814, celle de l'ouverture du congrès de Vienne et de la version définitive de *Fidelio* opus 72 (qui devait rester son unique opéra), voit la popularité de Beethoven à son apogée. Il est honoré par les grands de l'époque, réunis dans la capitale autrichienne, et produit d'autres pièces de circonstance. En 1815, son frère Kaspar Karl meurt, laissant une veuve et un fils de neuf ans, Karl. Jusqu'en 1820, Beethoven et sa belle-sœur se livreront, pour obtenir la tutelle de l'enfant, une lutte épuisante. Les deux *Sonates pour piano et violoncelle* opus 102 sont de 1815 ; le cycle de mélodies *À la bien-aimée lointaine* (opus 98) et la *Sonate pour piano n° 28* (opus 101), de 1816.

Après 1815, Beethoven souffre de la concurrence de la musique italienne, personnifiée par Rossini, et aussi du fait que ses protecteurs, membres de l'aristocratie, sont pour la plupart morts ou ruinés. Sa surdité devient à peu près totale et il doit faire usage des fameux « carnets de conversation », dont certains seront après sa mort détruits ou falsifiés par

son « confident et ami » Anton Schindler (1798-1864). En 1818, la sonate *Hammerklavier* (n° 29 opus 106) marque enfin un nouveau départ, s'opposant par sa grandeur abrupte au lyrisme intime des précédentes. Lui succèdent d'autres chefs-d'œuvre à proprement parler inouïs. En 1819 sont entreprises la *Missa solemnis* et une série de variations pour piano (destinées à atteindre un total de trente-trois) sur une valse du compositeur-éditeur Anton Diabelli (1781-1858). Les *Variations Diabelli* (opus 120) et la *Missa solemnis* (opus 123) ne seront terminées qu'en 1822-1823, mais, dans l'intervalle, les trois dernières *Sonates pour piano* (n° 30-32 opus 109-111) auront été menées à bien. L'année 1823 est consacrée à la *Symphonie n° 9* « avec chœur final sur l'*Ode à la joie* de Schiller » (opus 125), synthèse de plusieurs lignes de force dont certaines fort anciennes. Sa création le 7 mai 1824 sera le dernier triomphe public de Beethoven. Puis seront écrits les cinq derniers *Quatuors à cordes,* véritables actes d'introspection, et tout d'abord les trois commandés par le prince russe Galitzine : n° 12 opus 127, n° 15 opus 132 et n° 13 opus 130, achevés respectivement en février, juillet et décembre 1825. Le n° 14 opus 131 et le n° 16 opus 135 suivront en juin et octobre 1826. La *Grande Fugue* (ou « quatuor n° 17 »), parue comme opus 133, avait été conçue à l'origine comme dernier mouvement de l'opus 135, pour lequel Beethoven composa en novembre 1826 un nouveau finale, son ultime page achevée. Quatre mois plus tard (26 mars 1827), il meurt à Vienne. Aux funérailles assista notamment Franz Schubert, qui mourra lui-même à la fin de l'année suivante. •

ðŒ

1804-1812
La décennie héroïque

BEETHOVEN DOMINE
SANS PARTAGE, COMME CRÉATEUR, LA VIE
MUSICALE VIENNOISE.

À partir de 1804, alors que Haydn a cessé de composer, et jusque vers 1814-1815 (congrès de Vienne), Beethoven domine sans partage la vie musicale viennoise. Il écrit beaucoup de partitions puissantes, de dimensions inconnues auparavant, et qui comptent parmi ses œuvres les plus populaires et les plus jouées. La première et la plus éclatante manifestation de cette nouvelle étape est la *Symphonie n° 3* (opus 55, 1803-1804), intitulée d'abord *Bonaparte* puis, lors de sa publication en 1806, *Sinfonia Eroica* (Beethoven indiquant alors qu'elle est destinée à « célébrer la mémoire d'un grand homme »). Sans entrer dans le détail, disons qu'il ne faut pas confondre l'appellation et la dédicace, toutes deux envisagées et toutes deux rejetées, ni croire que ces rejets ont eu pour seule raison la décision de Bonaparte de devenir empereur (1804). Rien ne prouve en outre que le « grand homme » évoqué par Beethoven ait été Bonaparte : on a suggéré le prince Louis-Ferdinand de Prusse, bon pianiste et bon compositeur, dédi-

cataire du *Concerto pour piano n° 3* et tué dans une bataille contre les Français en octobre 1806. Il faut en revanche savoir, étant donné l'importance accordée à l'époque au mythe de Prométhée (personnage auquel d'aucuns assimilaient Bonaparte, voire tout grand créateur), que le finale de l'*Eroica* reprend un thème du ballet *les Créatures de Prométhée* (opus 43, 1801).

Dans la succession des sonates, la *Waldstein* (opus 53, 1803-1804) joue le même rôle que l'*Eroica* dans celle des symphonies et il en va de même, dans celle des quatuors à cordes, des trois de l'opus 59 (1806), dits *Quatuors Razumovski,* du nom du comte (plus tard prince) russe auquel ils furent dédiés. La sonate *Appassionata* (opus 57) date de 1805. De 1806 datent le *Concerto pour piano n° 4* (opus 58), le *Concerto pour violon* (opus 61) et la *Symphonie n° 4* (opus 60). À l'exception des deux premiers quatuors opus 59, jugés difficiles, ces ouvrages sont accueillis avec un franc succès. La première version de *Fidelio,* l'opéra qui chante l'amour conjugal et

la liberté, est entendue en novembre 1805 avec l'ouverture dite *Léonore II.* La deuxième version suit en mars 1806 avec l'ouverture dite *Léonore III.* C'est alors que Beethoven entretient une relation passionnée avec Josephine von Brunswick. Elle le repoussera finalement, notamment à cause de leur différence de statut social.

Le concert du 22 décembre 1808, où sont données pour la première fois la *Fantaisie pour piano, orchestre et chœurs* (opus 80), la *Symphonie n° 5* (opus 67, la célèbre « *ut mineur* ») et la *Symphonie n° 6* (opus 68, dite *Pastorale*), marque un des sommets de la carrière de Beethoven. Il s'agit dans son esprit d'un concert d'adieux, car il songe plus ou moins sérieusement à quitter Vienne, cette fois pour devenir maître de chapelle du roi Jérôme Bonaparte à Kassel. L'archiduc Rodolphe (son élève) et les princes Lobkowitz et Kinsky l'en détournent en lui signant une promesse de pension, bientôt dévaluée du fait de l'inflation due aux guerres. En 1809, année de la mort de Haydn et de la seconde occupation de Vienne par Napoléon, sont composés le *Concerto pour piano n° 5* (opus 73, dit *l'Empereur*) et le *Quatuor à cordes n° 10* (opus 74) ; en 1810, la musique de scène pour *Egmont* de Goethe (opus 84) et le *Quatuor à cordes n° 11* (opus 95) ; en 1811-1812, la *Symphonie n° 7* (opus 92) et la *Symphonie n° 8* (opus 93). •

Lied et mélodie

LIED ET MÉLODIE, DEUX FORMES typiquement romantiques puisqu'elles confondent en un même geste créateur la musique et le verbe, s'opposent quant à leur finalité propre. Autant le lied se veut proche du peuple et relevant de l'instinct, autant la mélodie sert le texte, inimitable lecture en musique où l'intelligibilité du mot n'est jamais transgressée.

Marqué par le mouvement « Sturm und Drang », le lied « état d'âme » s'épanouit dans la mystique et la sensibilité ; allusif et symbolique, il traite, à travers des fictions parfois simplistes, les grands problèmes que sont la nature, l'amour et la mort. Forme privilégiée de l'épanchement romantique, le lied disparaît avec les derniers grands musiciens lyriques dans les années 1914-1918. La mélodie, au contraire, atteint le cœur par le biais de la raison, toujours prompte à narrer une histoire édifiante (répertoire de la romance) ou à mettre en valeur une structure poétique complexe. Art élitiste par excellence, la mélodie française recherche son intégration dans les grandes formes de la musique à travers l'organisation en cycles et l'esthétisation du langage. Du salon aux « chapelles », elle suit un chemin qui, petit à petit, devait la conduire à une éclipse momentanée. Symbole de sérieux, jouant volontiers la carte de l'hermétisme, ce genre ne résistera pas aux provocations des années folles et devra attendre la seconde moitié du xxe siècle pour se ressourcer.

Mélodie et lied évoluent donc parallèlement mais selon des modalités très spécifiques : question de poétique ? question de langage ? de sensibilité ? Question historique surtout car la différence entre les deux genres tend à se réduire au cours des années pour s'annuler au xxe siècle. Lied et mélodie deviennent alors synonymes, dépassant les problèmes de sensibilité nationale. Langages établis, distinction des genres, tout cède devant une nouvelle conception du rapport musique/texte dans laquelle la signification, voire le mot lui-même s'abolissent dans un « autre chose » qui n'est plus ni langage ni musique. Comme toujours, les poètes sont les véritables initiateurs : Mallarmé, Joyce ou Artaud induisent ces lectures contemporaines en jouant sur les limites du langage.

La mélodie ou la sensibilité française

NÉE DES SALONS ET DE L'AMATEURISME BOURGEOIS, LA MÉLODIE FRANÇAISE SE NOURRIT DE LA RENCONTRE DES GRANDS POÈTES.

Les beaux jours de la romance, de l'époque révolutionnaire à 1840, suscitent une énorme production de ces œuvrettes charmantes, créées pour instruire (sujets actuels, moralisateurs) et charmer. De forme strophique régulière, d'une intelligibilité parfaite, la romance met en valeur le fait littéraire et ne demande à la musique qu'un soutien commode et flatteur. Le marché est considérable et, souvent anonymes et commercialisées par recueils, les œuvres inondent la société française. Toutefois, la production est loin d'être régulière ; à côté d'obscurs artisans de la musique, de grands compositeurs—Meyerbeer, Reber—se laissent séduire par un genre toujours aussi apprécié.

On pourrait imaginer que les premiers mélodistes n'ont fait que sublimer le genre mineur de la romance, l'élevant au rang de grande forme musicale. Si effectivement il y a des transferts et des influences entre mélodie et romance, on remarque cependant que les deux styles coexistent dans le temps et que l'idéal de la mélodie s'est forgé sur le goût du théâtre (Berlioz, *les Nuits d'été,* 1841) et surtout sur l'exemple du lied, connu à Paris dès 1830 (grâce à des concerts et publications d'œuvres de Schubert) et dont le rapport texte/musique semblait d'une grande nouveauté (Ch. Gounod, *le Vallon* et *l'Absent,* deux mélodies fortement influencées par le répertoire germanique).
Gabriel Fauré.
Fauré, le plus grand des mélodistes français, a écrit environ 100 mélodies dont 5 cycles entre 1860 et 1921. Porté vers une poésie musicale et sensible, il conçoit ses meilleures œuvres en compagnie des poètes symbolistes, Verlaine *(Clair de lune, 5 Mélodies de Venise, la Bonne Chanson)* et Charles Van Lerberghe *(la Chanson d'Ève, le Jardin clos).* Pour lui, « le rôle de la musique est bien celui-là : mettre en valeur le sentiment profond qui habite l'âme du poète et que ses phrases sont impuissantes à rendre avec exactitude ». Venant en complément du texte poétique, la musique amplifie, exalte le fait littéraire, mais surtout s'incline devant sa toute-puissance. Si cette attitude est encore très romantique, comme le sont également les formes et l'écriture pianistique, sa conception de l'harmonie en revanche fait preuve d'une grande originalité dans la mesure où elle prône l'ambiguïté comme principe directeur. Aucune entorse aux règles de la composition, mais un flou perpétuel, une fuite en avant dans laquelle les repères se perdent pour le plus grand plaisir de l'oreille et de l'esprit.

À travers la production fauréenne, la mélodie passe du stade de la forme mineure à l'état de grande forme, avec en particulier

Le lied

LE LIED, « CŒUR QUI CHANTE, POITRINE QUI SE SOULÈVE » (H. Heine), RÉALISE L'UNION PARFAITE DU TEXTE ET DE LA MUSIQUE.

Le lied naît à la fin du xviiie siècle, pur produit de la sensibilité « Sturm und Drang ». Son origine populaire trouve dans ce courant préromantique toute possibilité de s'exprimer : la forêt, la chasse, le fantastique ou la mort sont les thèmes familiers de ses poètes préférés (Klopstock, Claudius, Herder, Goethe ou Schiller). Schubert se souviendra des lieder de Reichardt *(Erlkönig)* et chantera encore les grandes ballades de Zumsteeg *(Marie Stuart, le Chevalier Toggenburg).*
Franz Schubert.
Avec 600 lieder (de *Gretchen am Spinnrad,* 1814, au *Winterreise,* 1827) répartis sur l'ensemble de sa vie, Schubert est le musicien qui a le plus donné à ce genre, au point que ce goût pour un genre réputé mineur ternit l'image du compositeur lorsqu'on le compare à Beethoven ou à Schumann. Parmi ses poètes favoris, Goethe est largement représenté (66 textes), mais aussi W. Müller *(Die schöne Müllerin),* Rellstab ou même Heine (cycle posthume du *Schwanengesang).*
Lieder séparés ou cycles, chaque œuvre naît d'une nécessité intérieure qui relègue au second plan le problème de la qualité littéraire et induit des formes musicales spécifiques : le strophisme *(Heidenröslein),* la forme évolutive par développement de séquences rythmiques *(Der Wanderer),* la variation obsessionnelle *(Der Doppelgänger).* Les cycles bénéficient de structures plus complexes visant à dramatiser le discours (les 3 motifs essentiels jalonnent le *Winterreise).* Dans l'univers du lied, chant et piano fusionnent : « Nous semblons ne faire qu'un seul et même interprète » dit Schubert accompagnant le chanteur Vogl. Pour la première fois, l'accompagnement du chant soliste perd son caractère fonctionnel de soutien et affirme son rôle dans la création de cet « autre chose » qui n'est ni le mot ni la musique mais le chant. Plus encore, le lied semble envahir l'espace de l'art instrumental pur puisqu'il mène Schubert à nombre d'œuvres inspirées du répertoire vocal, depuis la *Wanderer-Fantasie,* la *Fantaisie sur Sei mir gegrüsst* jusqu'au quatuor *la Jeune Fille et la Mort* et au quintette *la Truite.*
Le lied romantique allemand.
Schumann aborde le lied en 1840 (130 lieder en cette seule année, dont le cycle *Dichterliebe)* pour y revenir ensuite occasionnellement (250 lieder de 1840 à 1854). Plus porté vers l'expression pianistique, même si le piano lui semble parfois trop étroit pour développer pleinement ses pensées, Schumann apporte dans le lied ce souffle romantique qui inclut une réflexion sur l'homme, souvent traduite par l'ironie, « seule issue qui soit restée possible à l'honnêteté sous les pressions idéologiques de toutes sortes » (H. Heine). Ses poètes favoris – Goethe, Eichendorff, Heine – lui inspirent des œuvres contrastées et passionnées dont l'écriture pianistique retrouve parfois les raffinements du piano soliste. Préludes et postludes viennent confirmer le rôle indépendant de l'instrument par rapport à la voix.

Nombreux seront les compositeurs allemands qui aborderont ce genre : Mendelssohn, auteur d'environ 70 lieder, K. Loewe, R. Franz, F. Liszt mais aussi et tout particulièrement R. Wagner et J. Brahms. R. Wagner, après quelques essais mineurs, écrivit en 1857 les *Wesendonklieder,* 5 chants inspirés par des textes de Mathilde Wesendonk et dont la composition constitue une ébauche thématique et harmonique de *Tristan.* Beaucoup plus varié, le répertoire de Brahms (environ 200 lieder) hésite entre le *Volkslied (Quinze Romances de Maguelonne)* et le lied spirituel *(Vier ernste Gesänge,* 1896), sorte de réflexion sur la mort à travers des textes empruntés aux Écritures.
Le lied postromantique.
« L'Allemagne musicale est en train de se noyer sous l'inondation de la musique » : selon les termes mêmes de R. Rolland en 1905, l'Allemagne après 1880 est submergée par les compositeurs de musique. Jusqu'en 1914, elle consacre au lied ses auteurs les plus inspirés : H. Wolf, G. Mahler, M. Reger, R. Strauss, A. Schönberg. Œuvres maîtresses des plus grands, les lieder sont aussi le premier genre qui tente les compositeurs, leur premier don à la musique (comme c'est le cas chez A. Schönberg et A. Berg).

Sous l'inspiration wagnérienne, le lied peut prendre alors des formes symphoniques monumentales comme les *Gurrelieder* de A. Schönberg (1900-1911) ou les grandes partitions de Mahler : *Kindertotenlieder* (1904) et *Das Lied von der Erde* (1908). ●

Les formes contemporaines du chant soliste

SI LE LIED ET LA MÉLODIE PERDENT L'AUDIENCE QU'ILS AVAIENT AU SIÈCLE PASSÉ, C'EST POUR SE RÉINCARNER DANS DES GENRES ET DES POÈTES NOUVEAUX.

les cycles fortement structurés et proches des réussites de la musique de chambre.

Vers de nouveaux horizons.

Les contemporains de Fauré se démarquent de lui en adoptant des solutions et des techniques très différentes. « Géniales et imparfaites », selon M. Ravel, les 13 mélodies de H. Duparc se ressourcent au lied, et principalement à R. Wagner, par une harmonie très chromatique et un tissu symphonique sans rapport avec le piano fauréen. Ses choix poétiques eux aussi diffèrent et, avant Debussy, Duparc restera le grand musicien de Baudelaire avec *l'Invitation au voyage* et *la Vie antérieure.*

Très particulier également est l'art de E. Chausson, tenté par le cycle *(Poème de l'amour et de la mer)* et la grande forme *(Chanson perpétuelle).* Dans un style « fin de siècle », Chausson se présente comme un parfait représentant du mouvement « Art nouveau », avec un langage complexe, sacrifiant voluptueusement au plaisir de l'arabesque. •

Lied et mélodie, magie et réalité

Grand spécialiste du lied, mais aussi créateur d'œuvres contemporaines (H. W. Henze, *Élégie pour de jeunes amants*), D. Fischer-Dieskau (3) a abordé également le domaine du théâtre lyrique et exposé ses propres théories de l'interprétation dans *Auf den Spuren der Schubert-Lieder* (1971). En remontant le temps, Schubert, au piano, accompagne son ami le chanteur Vogl, assis à côté de lui. Les visages reflètent l'émotion de ce moment musical intense (5). Émotion et nature (1) se confondent dans l'image profondément symbolique du rêve allemand. À cette vision se joint le son du cor, brandi et comme offert par le jeune homme assoupi (4).

Le XXᵉ siècle ne connaît plus de mélodistes irréductibles comme on en rencontrait au siècle précédent. Rentrés dans le rang, assimilés aux autres formes, lied et mélodie perdent leur spécificité. L'Allemagne se tourne vers les grandes compositions vocales symphoniques (G. Mahler) alors que la France prépare à travers la mélodie nombre de révolutions poético-musicales : pour Debussy, les *Trois Chansons de Bilitis* (1897) préfigurent la prosodie de *Pelléas et Mélisande,* alors que Ravel, dans les *Histoires naturelles* (1906), révolutionne l'écriture vocale en refusant le « e » muet et en concevant de nouveaux schémas d'intonation fondés sur l'imitation de la voix parlée.

La liquidation du XIXᵉ siècle se fait très précisément en France en 1904 lorsque Debussy, écrivant le *Colloque sentimental* du deuxième recueil des *Fêtes galantes,* réalise de façon presque scénique, à travers l'opposition des deux personnages, l'opposition de deux langages : celui du passé et celui du présent. Le tournant prend en Allemagne la forme d'une cassure, déjà programmée par Schönberg dans ses 15 lieder d'après Stefan George (*le Livre des jardins suspendus,* 1908-1909), là où, selon lui, « toutes les barrières d'une esthétique du passé sont brisées ».

Le nœud des années 1912-1913.

Les années 1912-1913 voient la création de trois œuvres vocales importantes : *Pierrot lunaire* de Schönberg, *Trois Poésies de la lyrique japonaise* de Stravinski et *Trois Poèmes de Stéphane Mallarmé* de M. Ravel. La parenté des styles est suggérée par une instrumentation semblable mais là s'arrête toute ressemblance. Pour P. Boulez, l'impression la plus évidente à l'audition de ces trois recueils est « un même sentiment d'avortement sur trois trajectoires différentes ». Les voies ouvertes dans le domaine de la prosodie sont cependant considérables et placent le débat sur un plan beaucoup plus essentiel, où les paramètres nationaux disparaissent.

Si le nœud des années 1912-1913 est exalté par toute une littérature, comment ne pas évoquer d'autres recueils, grands oubliés, méritant à leur tour et à la même époque les honneurs de la polémique, comme les *Altenberglieder* de Berg (5 lieder avec orchestre, 1912) et les *Poèmes hindous* de Maurice Delage (1913). Après ce grand épisode de l'histoire du chant soliste, la mélodie et le lied rentrent dans le rang et poursuivent, à travers des auteurs comme F. Poulenc pour la France ou Marx, Krenek et Hindemith pour les pays germaniques, une trajectoire beaucoup plus conformiste.

Les grands mouvements contemporains.

La période contemporaine verra au contraire se développer une importante recherche créatrice dans le domaine vocal. Le rapport musique/texte tourne au profit de la première et le mot « support » éclate, disparaît (P. Boulez, *Pli selon pli,* 1962) devant la toute-puissance de l'acte vocal. Voix plus que paroles chantées, l'écriture soliste intègre bruits et sons divers, puisant dans les répertoires extrême-orientaux (K. Stockhausen, *Am Himmel wandre ich,* 1972) ou les sons artificiels de l'univers électronique (F. B. Mâche, *Danaé,* 1970). À la limite, le langage en vient à disparaître (L. Berio, *Visage,* 1961). Ces recherches, relançant l'aventure des relations musique / texte, semblent actuellement marquer le pas. •

1. Un paysage typiquement romantique.

4. *Dans la forêt,* Moritz von Schwind, vers 1848.

5. *Une soirée chez le baron Spaun.* Esquisse à l'huile de Moritz von Schwind (1804-1871) faite de mémoire 20 ans après la mort de Schubert.

2. *Le Roi des aulnes,* page de titre du lied de Schubert. Gravure du XIXᵉ s.

3. Dietrich Fischer-Dieskau à la salle Pleyel, à Paris, en 1979.

Le théâtre lyrique italien et français au XIXe siècle

De Bonaparte à la révolution de 1830

LES SUJETS ANTIQUES À FIN HEUREUSE LAISSENT PLACE AUX DRAMES HISTORIQUES À DÉNOUEMENT TRAGIQUE, LES STRUCTURES SE FONT PLUS COMPLEXES ET PLUS LIBRES : L'OPÉRA S'OUVRE AU ROMANTISME.

L E THÉÂTRE CHANTÉ, QUE, sous Bonaparte, tous ses caractères rattachent à l'Ancien Régime, va atteindre au XIXe siècle un nouveau public, qui appelle de nouveaux thèmes et un nouveau langage.

Au début du siècle, les mêmes idées, les mêmes sujets circulent librement des deux côtés des Alpes. L'opéra relève alors encore de l'idéal classique du sublime, du Beau virginal, selon lequel, la musique étant inapte à la représentation d'un objet ou d'un sentiment, le mot chanté n'agit ni par son sens ni par sa capacité d'évocation, mais par son pur pouvoir incantatoire. Personnage clef de l'histoire de l'opéra, Rossini concilie cette éthique avec les sentiments nouveaux et crée en vingt ans les structures et le vocabulaire qui seront, dans toute l'Europe, ceux de l'opéra romantique.

Après l'*Hernani* de Hugo, le drame chanté va devoir à son tour exalter l'héroïsme, le renoncement, à travers la représentation d'amours impossibles, conclues par des suicides et des sacrifices cathartiques. La musique est désormais asservie à l'idée. Une continuité dans la construction de chaque acte se substitue à la séparation en airs et autres formes closes. La partition se fait illustration de l'action, l'écriture vocale épouse le mot à mot du texte ; c'est la mort du *bel canto,* art de plaisir, et d'une certaine virtuosité dorénavant jugée gratuite ; un nouveau chant s'instaure, d'une énergie jusque-là inconnue, et qui

doit rivaliser avec un orchestre plus fourni et au rôle plus affirmé.

Les thèmes antiques cèdent la place aux thèmes historiques. Mais, si ceux-ci sont souvent considérés, en France, comme prétexte anecdotique à des déploiements de cortèges et ballets, l'Italie combattante, avide d'émotions fortes, en scrute toutes les résonances politiques.

Leopardi mort, Manzoni ayant cessé d'écrire, aucune grande figure littéraire ne s'impose dans la péninsule vers le milieu du siècle, non plus qu'aucun grand compositeur symphonique ou instrumental ; Verdi va seul incarner l'art italien, et l'opéra sera pour longtemps le langage artistique par excellence de la jeune nation.

Au contraire, dans la France d'après 1870, l'intelligentsia tient l'opéra en suspicion et juge équivoque la popularité de Massenet, seul « spécialiste » d'envergure pour toute une génération.

Le fossé entre tragédie noble et comédie légère est comblé par les tentatives du naturalisme français et du « vérisme » italien, qui ne triompheront pas de ce qui est peut-être une incompatibilité de nature entre les artifices de l'opéra et la représentation d'une « réalité ».

À la fin du siècle, rois du Moyen Âge, héros légendaires et prolétaires issus des romans de Zola s'expriment dans le même langage, d'ascendance wagnérienne plus ou moins avouée. Seul Puccini forge un idiome neuf, dont la couleur est celle du XXe siècle.

O ubliés les élans révolutionnaires, l'opéra-comique français rousseauiste somnole, cependant qu'en Italie le genre *buffa* s'éteint doucement. L'opéra sérieux, lui, vise au sublime, à une beauté détachée du contexte ; c'est la forme qui compte, et non le sujet. Des trames mythologiques maintenant caduques, des thèmes « romains » encore de mise sous l'Empire, le glissement est rapide vers l'opéra historique, et la scène lyrique découvre pêle-mêle la conquête du Mexique, la chute de Grenade ou encore le XVIe siècle élisabéthain.

Cherubini, Spontini, Méhul posent les fondements d'un art nouveau par le traitement plus libre des formes closes, l'orchestre plus substantiel, l'invention d'archétypes vocaux et dramatiques, l'exaltation des forces de la nature. En mêlant au lyrisme italien la science instrumentale allemande, J. S. Mayr ouvre la voie à Rossini (1792-1868). Celui-ci détourne l'*opera buffa* vers une comédie plus nuancée (*le Barbier de Séville,* 1816 ; *la Cenerentola,* 1817) et finalement abandonne, à vingt-cinq ans, le genre léger (qui représente à peine le quart de son œuvre), mais il emprunte au *buffa* une richesse et une liberté de structure qu'il insuffle au genre sérieux, et, en même temps qu'il glorifie le chant même le plus virtuose, développe les longues scènes articulées et les ensembles au détriment des arias solistes.

Les castrats disparaissent, et

avec eux l'esthétique hédoniste du *bel canto.* Quelques cantatrices exceptionnelles (Colbran, Pasta, Malibran) les remplacent dans le cœur du public et font de la *prima donna* un mythe.

Un romantisme musical certes encore paré de dentelles éclôt, et le terrain qu'il gagne se mesure à l'abandon progressif du *lieto fine* (le dénouement heureux, obligatoire au temps des Lumières). Son versant sylvestre à la Walter Scott (Rossini, *La Donna del lago,* 1819) est édulcoré dans les idylles villageoises de l'opéra-comique. Mais, sous Charles X, Rossini fait crier par Guillaume Tell : « Mort aux tyrans ! »

2. Jacques Offenbach (1819-1880).

Dates clefs

1813 *l'Italienne à Alger,* de Rossini : un feu d'artifice, pour les adieux du musicien à l'*opera buffa.*

1818-1827 *Moïse,* de Rossini : une ambition nouvelle, dont s'est nourri tout l'opéra du XIXe siècle, dans la construction des scènes d'ensemble.

1835 *les Puritains,* de Bellini : l'avènement du romantisme, par les situations pathétiques et un style de chant plus déployé vers l'aigu.

1836 *les Huguenots,* de Meyerbeer : prototype du « grand opéra » historique, par le caractère spectaculaire et l'écriture vocale savante.

1842 *Nabucco,* de Verdi : le thème de la patrie opprimée, et la révélation du puissant tempérament d'un jeune auteur.

1853 *la Traviata,* de Verdi : la peinture, en touches nuancées, d'un drame psychologique mais aussi d'un problème de société.

1859 *Faust,* de Gounod : une inspiration libérée des modèles italien et allemand.

1875 *Carmen,* de Bizet : pavé dans la mare d'un opéra-comique naïf, et tête de pont d'une jeune école française ne devant rien à Wagner.

1884 *Manon,* de Massenet : délicatesse et passion du « musicien de la femme ».

1892 *Paillasse,* de Leoncavallo : emblème du « vérisme », par son intrigue où réalité et fiction théâtrale se confondent.

1896 *la Bohème,* de Puccini : première des œuvres majeures du découvreur d'un nouveau lyrisme.

1. Le trio de *Guillaume Tell,* de Rossini.

L'opéra de la bourgeoisie

LE NOUVEAU PUBLIC QUI ACCÈDE
À L'OPÉRA Y VEUT VOIR REPRÉSENTÉS DES HÉROS
RÉVOLTÉS AUX SENTIMENTS EXACERBÉS, DANS LESQUELS
SE RECONNAISSENT, EN ITALIE, LES ADVERSAIRES
DE L'OPPRESSION AUTRICHIENNE.

Dès les années 1830, deux Italiens aussi admirés à Paris que dans leur patrie, Bellini, à l'inspiration mélodique sublime, et Donizetti, artisan de haute stature, témoignent des frémissements d'un pathétique nouveau. Un auditoire avide de démesure, nourri de Hugo et de Dumas, de Leopardi et de Manzoni, s'exalte à l'évocation des passions paroxystiques de héros présentés sous les atours « historiques » de protestants massacrés ou de partisans de Cromwell. Le révolté généreux, déchiré entre l'amour et le devoir, et promis à la mort, va se confondre avec un ténor nouvelle manière, dont la vaillance se traduit en notes aiguës lancées à pleins poumons.

Dans une Italie en lutte (où l'opera buffa n'a plus sa place), le nouveau public est celui-là même qui combat pour le Risorgimento. Verdi (1813-1901) lui apporte, à partir de 1842 (*Nabucco*), ses drames de chair et de sang sur arrière-plan politique, et sa musique aux tournures adroitement plébéiennes, aux chœurs amples, dont il nuancera bientôt le chant et l'orchestre véhéments pour mieux approfondir l'aspect humain (*Rigoletto*, 1851) ou l'étude de société (*la Traviata*, 1853), avant de démontrer l'étendue de sa palette expressive avec *Un bal masqué* (1859).

Le public français préfère rencontrer les conflits romantiques sous des apprêts plus fastueux et rassurants. Il ignore Berlioz, son étincelant *Benvenuto Cellini* (1838) et ses *Troyens* (1856-1858, créés en 1863), épopée alliant de fulgurantes originalités à une noblesse héritée de Gluck ; mais il se presse au « grand opéra », genre musical ou plutôt forme de spectacle (avec ballet développé, chœurs et défilés, décors et effets scéniques saisissants) et institution sociale, né avec *la Muette de Portici* d'Auber (1828) et illustré par *la Juive* de Halévy (1835), *les Huguenots* (1836) et *le Prophète* (1849) de Meyerbeer, œuvres loin d'être exemptes d'allusions politiques qui échauffent les esprits sous l'œil vigilant du pouvoir.

De ces grands émois, notre bourgeoisie peut s'éloigner grâce aux aimables opéras comiques d'Adam et de Massé, ou se divertir avec esprit grâce aux œuvres d'Offenbach, qui sont non seulement empreintes d'un véritable génie musical, mais aussi d'une troublante lucidité : le chœur des *Brigands* (1869) croit « entendre un bruit de bottes »... •

3. Maria Callas dans *Norma,* de Bellini. Mai 1964.

Un hymne à la liberté

Guillaume Tell (1829), de Rossini, fut une œuvre-culte au XIXᵉ siècle. Cette œuvre à la fois française et italienne, écrite par l'Italien Rossini en langue française et créée à Paris, fut longtemps présente dans l'inconscient collectif populaire tant par son langage musical que par son message politique. Fondatrice du genre du « grand opéra historique à la française », elle met aussi fortement en valeur le thème de la lutte contre les oppresseurs, qui, sans être propre à l'opéra historique, est un trait dominant de toute la période post-1830. Le trio (1), page très populaire à l'époque, présente tout spécialement le thème de la liberté et de la lutte contre le tyran. J. Offenbach (2) écrivit une célèbre parodie de ce trio dans sa *Belle Hélène* (1864).

L'opéra de la jeune Italie

UNE GÉNÉRATION PASSERA AVANT QUE NE S'AFFIRME
LE « VÉRISME », QUI SERA DÉPASSÉ PAR L'ŒUVRE À LA FOIS
INNOVANTE ET SÉDUCTRICE DE PUCCINI.

L'aile gauche de la jeunesse intellectuelle, qui avait marché aux côtés de Verdi pour l'unité italienne, le conteste désormais très violemment. Après *Un bal masqué,* le maître demeure pendant près de trente ans sans offrir à son pays la primeur de ses nouveaux opéras, qu'il met à l'épreuve à Saint-Pétersbourg, à Paris (*Don Carlos,* 1867) ou au Caire (*Aïda,* 1871). Or la relève est absente ; Ponchielli, Gomes n'ont pas de stature ; la partition du *Mefistofele* (1868) de l'écrivain, critique et compositeur Arrigo Boito ne répond pas au défi d'un livret ambitieux. Mais l'éditeur Ricordi voit en cet intellectuel un aiguillon pour l'inspiration verdienne. Boito est le librettiste d'*Otello* (1887), qui satisfait l'intelligentsia milanaise et européenne, mais coupe Verdi du public italien populaire, amateur de « beaux airs ».

Cette rupture laisse le champ libre à une nouvelle génération qui, tout en empruntant à Wagner orchestration, leitmotive, chromatisme, sait s'adresser à un vaste public grâce à un langage direct, charnel, un chant syllabique aisément intelligible. Cette « jeune école » de Mascagni, Leoncavallo, F. Cilea, U. Giordano inclut, parmi diverses tendances, le « vérisme » (officiellement inauguré par *Cavalleria rusticana* de Mascagni en 1890) où le conflit entre l'Homme et la Femme, ainsi qu'une violence attisée par les inégalités sociales se substitue à l'antagonisme romantique entre le Bien et le Mal.

Mais les choix musicaux de la « jeune école » demeurent assez conventionnels et les deux compositeurs qui s'ouvrent sur le siècle à venir ne relèvent pas d'elle : c'est un stupéfiant Verdi octogénaire qui, avec *Falstaff* (1893), affirme sa foi dans un « progrès » du langage musical et porte en terre romantisme, vocalité traditionnelle et innovation wagnérienne. Et c'est Puccini (1858-1924) qui, après avoir donné quelques gages au vérisme, s'en éloigne par ses sujets intimistes, son écriture vocale imaginative, son orchestration et son harmonie préraveliennes ; Puccini qui, grâce à son sens aigu du drame, va imposer pour longtemps sa souveraineté sur la scène lyrique italienne. •

À l'ombre de Wagner

EN FRANCE, LA PLUPART DES COURANTS MUSICAUX
SONT INFLUENCÉS PAR WAGNER, MAIS BIZET ET CHABRIER
MONTRENT COMMENT ÉCHAPPER À SON EMPRISE.

Le grand opéra historique paraît épuisé, mais quelques revanchards tentent de le maintenir pour présenter des sujets empruntés à l'épopée « nationale ». À l'ombre de Wagner, d'excellents compositeurs, en fait guère [...] — Chausson, d'Indy –, élaborent des « drames lyriques » d'essence symphonique, peu efficaces sur le plan dramatique et imprécis dans la caractérisation vocale ; avec *Samson et Dalila* (1877), Saint-Saëns avait pourtant montré la voie d'une assimilation d'éléments wagnériens, rejetant les traits trop germaniques.

Mais, dès avant la défaite de 1870, un « opéra lyrique », sorte d'opéra bourgeois de qualité, s'était affirmé grâce à Gounod (1818-1893), qui puise ses sujets chez Goethe (*Faust,* 1859), Mistral (*Mireille,* 1864) ou Shakespeare (*Roméo et Juliette,* 1867) et en fait tirer des livrets de bonne compagnie, auxquels s'accorde son don de mélodiste sensible et nuancé. C'est Massenet (1842-1912) qui perpétue la veine d'un opéra de demi-caractère ; son langage réconcilie la densité orchestrale avec la clarté du discours vocal et la séduction mélodique ; il triomphe dans la peinture des passions intimistes (*Manon,* 1884), romantiques (*Werther,* composé en 1887, créé en 1892) ou d'une volupté mêlée de religiosité sulpicienne (*Thaïs,* 1894).

Issue d'un rejet absolu de Wagner ouvrant la voie à une nouvelle concision, *Carmen* (1875), de Bizet, est un chef-œuvre unique par son audace dans la structure et l'harmonie, sa réussite dans la caractérisation des personnages et la progression dramatique, par sa force et sa couleur. Sur le versant léger, Chabrier (1841-1894), avec *l'Étoile* (1877), *Une éducation manquée* (1879), *le Roi malgré lui* (1887), donne de nouvelles lettres de noblesse au genre bouffe.

Un naturalisme musical auquel Zola apporte sa caution tente d'émerger, mais sa substance sonore demeure inadaptée, trop savante, même dans l'œuvre archétype du genre, *Louise,* de Gustave Charpentier (1900). Il faudra attendre le début du XXᵉ siècle pour que des compositeurs s'approchent vraiment de la « tranche de vie » en s'appuyant sur un folklore authentique ou reconstruit. •

Les grandes voix du répertoire

Opéra : la mise à l'écart du compositeur

Avec l'opéra, les compositeurs éprouvent parfois quelques difficultés à faire entendre leur propre voix. Au XVIIe siècle, à Rome, le machiniste tenait souvent la vedette, et Giacomo Torelli était plus apprécié que certains auteurs et leurs interprètes réunis, comme en témoigne la grandeur de son nom sur les affiches d'alors. Le librettiste à son tour fit valoir ses prérogatives, et dans le *Don Giovanni* de L. Da Ponte, Mozart ne signa somme toute que la musique. Puis vint le temps des interprètes (*Don Giovanni* de Siepi), des chefs d'orchestre (*Don Giovanni* de Giulini), du cinéma (*Don Giovanni* de Losey) et des relectures (*Don Giovanni* de Sellars).

LE LANGAGE MUSICAL, JUSque dans son écriture, est tributaire de la facture instrumentale et de son évolution. L'apparition de nouveaux instruments et d'ingénieux perfectionnements apportés à de plus anciens ont contribué à l'éclosion d'expressions originales. Avec la voix, apparemment rien de tel : notre larynx est le même depuis des millénaires. Cela n'a pas empêché l'homme de chercher, d'inventer et de découvrir sans cesse d'autres manières d'en jouer, parfois des plus imprévues, comme le révèle l'ethnomusicologie.

Les instruments de musique ont laissé des traces matérielles de leur histoire, mais que savons-nous du timbre des voix d'antan et de l'interprétation vocale avant l'invention de l'enregistrement ? Nous l'ignorerons toujours, bien que l'étude des textes apporte quelques lumières : d'abord les partitions d'opéra, mais également les traités de chant, qui définissent, par leur contenu didactique, la pratique d'une école ou d'une époque, et dont les conseils prodigués aux élèves d'alors sont aujourd'hui précieux pour les musicologues. L'évolution de la technique vocale est bien réelle et, ici comme ailleurs, l'Occident a fait des choix. La puissance et le volume ont été finalement préférés à la délicatesse et au maniérisme de l'ornementation prolifique de l'époque baroque, la variété des timbres et les couleurs des différents registres ont dû peu à peu céder la place à une émission pure et homogène ; quant à l'aigu, la fascination qu'il exerça fut telle qu'elle conduisit autrefois à châtrer des enfants « pour le plaisir des gens voluptueux et cruels », comme s'en indigna J.-J. Rousseau.

1. Rigoletto à l'Opéra de Paris, 1958.

La classification des voix

L'ÉVOLUTION DU THÉÂTRE LYRIQUE, EXIGEANT DES PERFORMANCES TECHNIQUES TOUJOURS PLUS POUSSÉES, A CONTRAINT LES CHANTEURS À UNE SPÉCIALISATION DANS LE CHOIX DE LEUR RÉPERTOIRE.

La nécessité de classer les voix n'apparaît que dans la seconde moitié du XVIIIe siècle. Au temps de la polyphonie, les chanteurs se répartissaient simplement en voix hautes et voix basses, et ces catégories ont peu évolué avec l'opéra baroque, du fait surtout de l'habitude des chanteurs de transposer les airs et de les adapter à leur tessiture. Ainsi en France, encore à l'époque classique, les voix masculines se répartissaient simplement en *haute-contre,* qui usait aussi bien du fausset que du registre de poitrine, *taille* (ténor grave), *basse-taille* (baryton) et basse. Les falsettistes ne chantaient en principe qu'en registre de fausset.

Mozart est l'un des premiers compositeurs à typer vocalement ses personnages par souci de vérité dramatique et psychologique, et à engager ainsi ses interprètes sur la voie d'une spécialisation inévitable, qui sera rendue d'autant plus nécessaire que les performances techniques exigées des chanteurs iront toujours croissant.

Au XIXe siècle et, surtout, au début du XXe siècle, les catégories vocales sont si nombreuses que certains critiques y voient la marque d'une décadence de l'art du chant. Ces catégories, en tout cas, varient selon les écoles, les pédagogues et les chanteurs eux-mêmes ; les compositeurs, pour leur part, ne s'en soucient guère, puisque, s'ils s'écartent trop des normes établies, ils « créent » simplement un nouveau type.

La classification des voix prend en considération différents paramètres techniques, principalement l'*étendue vocale,* limitée par les notes extrêmes exploitables musicalement, la *tessiture,* c'est-à-dire l'ensemble des notes sur lesquelles le chanteur est le plus à l'aise, le *timbre,* ou couleur de la voix, ainsi que la *puissance.* Toutes ces qualités se combinent de diverses façons, et des voix peuvent posséder la même étendue avec des tessitures différentes, ou la même tessiture dans des couleurs différentes. L'agilité et la virtuosité ne peuvent, en revanche, être retenues, car leur absence chez un chanteur serait une carence technique. Un classement correct permet la définition d'un emploi théâtral approprié.

La recherche de l'aigu

DE TOUTES LES QUALITÉS CULTIVÉES PAR LA TECHNIQUE VOCALE EN OCCIDENT, L'AIGU EST L'UNE DES PLUS SPECTACULAIRES ET A DONNÉ NAISSANCE À DES EXPRESSIONS FORT DIVERSES.

Que le chant occidental n'ait pas épuisé toutes les ressources de l'appareil vocal, c'est une évidence, mais il est parvenu en revanche à un haut niveau technique dans le développement de certaines qualités, principalement la puissance, l'homogénéité, la pureté de l'émission et l'aigu.

La recherche de l'aigu, puis du suraigu, apparaît constante et progressive depuis la naissance de l'opéra. Pendant les deux premiers tiers du XVIIe siècle, le sol_4 est rarement dépassé et convient tout à fait à une tessiture de falsettiste ; le $si\,b_4$ est atteint en 1668 dans *Il Pomo d'oro,* de Cesti, suivi par le si_4 dans *Eteocle e Polinice* de Legrenzi (1675). Le contre-ut (ut_5) aurait été chanté couramment par deux cantatrices du début du XVIIIe siècle, Faustina Bordoni et Francesca Cuzzoni. Le suraigu a été exploité surtout par Mozart, avec les célèbres *contre-fa₅* de la Reine de la Nuit dans *la Flûte enchantée,* et même *contre-sol₅* dans l'air *Popoli di Tessaglia* KV 316. Au XXe siècle, personne, peut-être, n'a chanté plus haut que Mado Robin, qui atteint le *ré₆,* soit une neu-

vième au-dessus du contre-ut...

Chez les hommes, le registre de fausset a été largement utilisé jusqu'au début du XIXe siècle par les falsettistes, hautes-contre, *countertenors,* et par les castrats, mais faute de définitions précises et admises par tous, il est encore difficile actuellement de reconstituer avec certitude leurs techniques d'émission. Il est néanmoins sûr que tous utilisaient le registre de poitrine pour les notes les plus graves, contrairement à l'usage qui prévaut actuellement dans l'interprétation de la musique baroque.

Les castrats ont dominé la musique religieuse et le chant d'opéra pendant plus de deux siècles dans toute l'Europe, sauf en France, où ils furent mal acceptés, surtout sous l'influence des philosophes, à l'époque des Lumières. L'émasculation qu'ils subissaient avant la mue, entre sept et huit ans, avait pour effet de freiner le développement du larynx sans entraver celui de la cage thoracique, d'où la pureté et l'aigu de la voix d'enfant jointe à la soufflerie puissante de l'adulte. La formation musicale

des castrats était par ailleurs tout à fait complète et les préparait à l'art de l'improvisation. Leur immense succès s'explique donc d'abord par leur talent, et les noms de Farinelli ou de Caffarelli sont restés célèbres ; mais la curiosité – voire le scandale – dont ils étaient entourés, et surtout la quasi-absence, à certaines époques, de concurrence féminine sérieuse (c'est-à-dire possédant une éducation musicale comparable) expliquent sans doute en partie cet engouement, qui en fit les premiers « monstres sacrés » de l'histoire du théâtre lyrique.

Les castrats disparurent de la scène à l'aube du XIXe siècle, à l'époque même d'un changement radical dans la technique d'émission, popularisé par Gilbert Duprez : la pratique du *passage* ou *couverture,* qui permet aux ténors de chanter l'aigu en voix de poitrine au-dessus du *la₃.* Le timbre riche et puissant qui en résulte caractérise la technique vocale moderne, mais ne fit pas d'emblée l'unanimité entre ceux qui, avec Stendhal, regrettèrent ouvertement l'art des castrats, et ceux, plus nombreux, dont l'oreille fut choquée par cette nouvelle manière. Les qualifications péjoratives qu'elle encourut à ses débuts – tel le *urlo francese* – laissent deviner, autant qu'une pratique encore insuffisamment maîtrisée, un réel bouleversement des habitudes d'écoute. ●

L'évolution de l'interprétation vocale

LA PARTITION ÉCRITE NE CONSTITUE
PAS UNE DONNÉE IMMUABLE, ET LA TRADITION ORALE
EST UNE COMPOSANTE À PART ENTIÈRE DE L'INTERPRÉTATION,
DONT LA RECHERCHE PERMET DE MIEUX COMPRENDRE
LES PRATIQUES ACTUELLES.

Une des plus importantes mutations dans l'art de l'interprétation vocale fut sans doute la disparition des castrats et le remplacement, par les ténors, de la voix de tête par l'aigu de poitrine. La volonté des compositeurs de s'affranchir de plus en plus des interprètes-improvisateurs et des licences qu'ils s'autorisaient avec les partitions, ainsi que le courant de réalisme qui traversa l'opéra dès la fin du XVIIIe siècle conduisirent à confier les rôles masculins non plus à des êtres asexués, mais à des hommes véritables. Le personnage du héros devient toutefois un ténor et, dans la plupart des opéras, l'image de la force, de la virilité ou de la séduction reste associée à la voie aiguë.

L'interprétation des grands rôles du répertoire féminin n'a pas échappé à l'emprise des modes et apparaît liée à l'existence de catégories vocales devenues, pour des raisons mal connues, plus rares à certaines époques. Les héroïnes du bel canto romantique furent créées principalement par Isabella Colbran, Giuditta Pasta et Giulia Grisi, à qui une très grande étendue vocale donnait accès aussi bien au registre de mezzo, voire de contralto, que de soprano. Ces possibilités furent pleinement exploitées par Rossini, Donizetti et Bellini. Cependant, à la fin du XIXe siècle, de telles qualités avaient pratiquement disparu, et ces rôles furent interprétés différemment par des sopranos à la voix mince et légère, très aiguë et d'une grande agilité, comme Amelita Galli-Curci, María Barrientos ou Luisa Tetrazzini. Des transpositions ont évidemment été nécessaires, transformant ainsi le personnage de Norma en soprano léger colorature et sa suivante Adalgisa en mezzo, soit l'inverse de la partition originale.

C'est Maria Callas, dont la voix renouait avec la grande tradition disparue, qui, dans les années 1950, amorça le mouvement de retour aux sources et sut redonner aux Lucia, Norma ou Elvira leur véritable dimension. Son immense succès fut à l'origine d'un regain d'intérêt du public pour l'opéra en général, qui attire depuis de prestigieux metteurs en scène de théâtre et de cinéma. •

3. Carlo Broschi, dit *Farinelli* (1705-1782), célèbre castrat.

2. Rigoletto à l'Opéra de Nice, 1985.

Classification des voix

	catégories	étendue	tessiture	timbre	puissance	rôles	interprètes
hommes	Haute-contre	dépend de la voix de poitrine d'origine	souvent courte	chaud, rond	généralement faible ; peu de volume	Orfeo (*Orfeo*) Obéron (*Songe d'une nuit d'été*)	A. Deller P. Esswood R. Jacobs
	Ténor aigu	do_2-$ré_4$	grave peu utilisé	très clair ; se prête aux effets bouffe	pas nécessaire	Platée Mime (*Siegfried*)	T. Schipa M. Sénéchal H. Zednick
	Ténor léger	do_2-do_4	contre-ut assez rare	doux ; qualités de charme	moyenne	Tamino (*Flûte enchantée*) Alwa (*Lulu*)	J. McCormack L. Alva K. Riegel
	Ténor lyrique	do_2-do_4	contre-ut aisé	plutôt clair	grande ; aigu éclatant	Alfredo (*Traviata*) Werther Mario (*Tosca*)	B. Gigli A. Kraus L. Pavarotti
	Ténor dramatique	do_2-do_4	légèrement plus basse que la précédente	plus sombre, moins de charme	grande ; grave sonore	Radamès (*Aida*) Lohengrin Enée (*Troyens*)	E. Caruso F. Corelli P. Domingo
	Ténor héroïque	do_2-do_4	large ; contre-ut plus rare	parfois sombre, mais aigu puissant	très grande ; rôles souvent longs	Siegfried Samson (*Samson et Dalila*)	L. Melchior J. Thomas R. Kollo
	Baryton-Martin	$si\,b_1$-$si\,b_3$	médiane ; peu d'emplois	léger ; élégant	moyenne	Danilo (*Veuve joyeuse*) Pelléas	J. Périer C. Mauranne J. Jansen
	Baryton-Verdi	$la\,b_1$-$la\,b_3$	plutôt aiguë	clair et éclatant	très grande	Renato (*Bal masqué*) Rigoletto	T. Ruffo E. Bastianini P. Cappuccilli
	Baryton-Basse	sol_1-sol_3	exploitation du grave	grave sonore ; parfois sombre	très grande	Don Giovanni Wotan (*Ring*) Scarpia (*Tosca*)	M. Battistini T. Adam D. Fischer-Dieskau
	Basse chantante Basse Buffo	fa_1-fa_3	grave, plus exploité que l'aigu	peut donner lieu à des effets (bouffe)	importante (surtout basse chantante)	Boris Godounov Ochs (*Chevalier à la rose*)	F. Chaliapine K. Böhme J. Van Dam
	Basse noble ou profonde	très longue : do_1-fa_3	large	pas toujours sombre ; peut être éclatant	grande	Sarastro (*Flûte enchantée*) Hunding (*Walkyrie*)	A. Kipnis G. Frick N. Ghiaurov
femmes	Soprano léger colorature	très longue : do_3-fa_5	élevée ; aigu très facile ; grave moins utilisé	peut être mince	pas indispensable	Reine de la Nuit Zerbinetta (*Ariane à Naxos*)	A. Galli-Curci R. Streich E. Gruberova
	Soprano léger demi-caractère	do_3-si_4	médium aigu grave peu utilisé	léger, mince	souvent peu importante	Despina (*Cosi fan tutte*) Annchen (*Freischütz*)	L. Schöne L. Otto R. Grist
	Soprano lyrique	longue : fa_2-$ré_5$	médium et aiguë	souvent clair ; expressif et homogène	importante ; volume nécessaire	Marguerite (*Faust*) Mimi (*la Bohème*) Aida	N. Melba E. Schwarzkopf Kiri Te Kanawa
	Soprano dramatique	longue : la_2-do_5	médium et graves sonores	peut être sombre	très grande	Brünnehilde Gioconda Salomé	F. Leider B. Nilsson J. Norman
	Soprano dramatique d'agilité	très longue : la_2-mi_5	large : grave sonore et aigu facile	doit permettre l'expression dramatique	importante	Norma Lucia di Lammermoor	G. Pasta M. Callas L. Gencer
	Mezzo-soprano	la_2-la_4	souvent médium	moins clair que celui de soprano	variable selon les emplois	Vénus (*Tannhäuser*) Carmen	E. Stignani G. Simionato S. Verrett
	Contralto dramatique	très longue : mi_2-la_2	grave exploité	rarement clair	nécessaire pour des effets dramatiques	Ulrica (*Bal masqué*) Dalila (*Samson et Dalila*)	M. Olszewska K. Ferrier M. Höffgen
	Contralto colorature	extrêmement longue : $ré_2$-si_4	grave exploité	rarement clair	nécessaire pour des effets dramatiques	rôles de castrats à l'origine : (Händel, Vivaldi) Isabella (*Italienne à Alger*)	M. Horne T. Berganza

Richard Wagner

Vers un nouveau drame musical

LA RÉFORME WAGNÉRIENNE RÉSULTE
D'UN MALENTENDU : OPÉRAS ITALIENS ET
FRANÇAIS, INCOMPRIS DANS LEUR SPÉCIFICITÉ, PARAISSENT
INCOMPATIBLES AVEC LA CULTURE ALLEMANDE ET
AVEC L'IDÉAL D'UNE MUSIQUE DE L'AVENIR.

LE NOM DE RICHARD Wagner fait jaillir des idées et des images multiples et souvent contradictoires. Les uns vénèrent en lui le titan du XIXᵉ siècle, le plus grand rénovateur de l'opéra, tout en raillant ses douteux talents littéraires ou ses attitudes de philosophe compilateur. Les autres trouvent sa musique grandiloquente et lourde mais s'émerveillent devant les vibrations musicales de son langage poétique. Le fonds philosophico-mystique paraît tantôt indispensable à l'appréciation, voire à la compréhension de ses œuvres, tantôt confus et déroutant avec son amalgame de pseudo-religion et d'aberrations politiques allant jusqu'aux manifestations antisémites. Tant l'œuvre étonne, tant l'homme déçoit.

Wagner (1813-1883) est davantage produit que formateur du XIXᵉ siècle. Le culte du génie est pour beaucoup dans la constitution de sa personnalité comme dans le respect ou l'admiration qu'on lui témoigne. Ses idées, qu'il ne puise pas toutes en lui-même mais qu'il sait imposer, en théorie et en pratique, avec le fanatisme du propagandiste, ont pour but suprême *l'œuvre d'art intégrale* à laquelle tous les arts contribuent à part égale mais qui se place néanmoins sous la suprématie de la musique dramatique. Cet art total quelque peu mégalomane apparaît comme l'aboutissement des courants esthétiques du siècle. C'est plutôt par son art, par ses conceptions proprement musicales, que Wagner influa sur son époque et sur la postérité, largement au-delà de l'Allemagne, son pays natal. Après lui, on ne pouvait composer de la musique qu'en l'imitant ou en se démarquant nettement de son style.

Ne connaissant l'opéra italien et français qu'à travers des représentations données en Allemagne, à Weimar, à Berlin et notamment à Dresde, fief de l'art italien, Wagner devait fatalement déprécier le théâtre musical des Latins. Le révolutionnaire qui rêvait d'un drame à la fois autochtone et supranational ne pouvait apprécier comme vertus les caractéristiques de l'opéra italien. La suprématie du chant n'est qu'une exhibition de virtuosité gratuite ; l'enchaînement de tableaux contrastants est perçu comme suite de poncifs sabordant toute idée d'unité ou de dramaturgie logique ; l'alternance récitatif et aria, avec ses formes précises, traduisant l'équilibre entre action et réflexion, est identifié comme principal ennemi de l'évolution dramatique ; le recours aux grands auteurs de théâtre (dont Shakespeare, Schiller, Pouchkine) est considéré comme un alibi cachant le caractère anodin et stéréotypé des livrets... Le tout aurait pour but le vain succès auprès du public.

Si Wagner reconnaît la noblesse de la musique ancienne (Palestrina) et le sens aigu de la forme chez les Italiens, il déconsidérera totalement le grand opéra français pourtant digne d'imitation dans *Rienzi*. Ce mépris est dû moins à des critères esthétiques qu'aux expériences frustrantes faites à Paris et dont Wagner attribue (à tort) la faute à Meyerbeer. La phobie de « l'industrie d'art » parisienne, fondée sur l'argent et sur le protectionnisme, lui voile le fait que l'impact musical dramatique, venant en renforcement des effets visuels et de la représentation scénique, faisait déjà du grand opéra un art intégral, quoique pompeux, avant la lettre. Or Wagner stigmatise la conception superficielle où les tableaux historiques évincent les sentiments humains, il critique la fonction purement illustrative de la musique et le remplacement de la motivation dramatique par le geste.

Les phases de l'œuvre

L'œuvre non théâtrale de Wagner étant d'importance mineure (exceptés *Siegfried-Idyll* ou les *Wesendonck-Lieder*), ses œuvres dramatiques peuvent se classer en trois groupes coïncidant avec les phases de sa vie et reflétant l'évolution esthétique et stylistique.

*Œuvres de jeunesse,
imitant l'opéra traditionnel :*
après *les Noces*, fragment (1832), *les Fées* (1833) suit le modèle allemand de C. M. von Weber ; *la Défense d'aimer* (1836) écrit dans l'esprit de l'opéra italien ; *Rienzi* (1840) présente la pompe du grand opéra français.

Apparition d'une identité artistique :
le Vaisseau fantôme (1841), *Tannhäuser* (1845) et *Lohengrin* (1848) sont des opéras romantiques montrant le recours aux légendes, l'émancipation du texte et la fin de l'antagonisme entre récitatif et aria.

*Application de nouvelles théories
dans le drame musical :*
l'Anneau du Nibelung (1853-1874), festival scénique en trois jours et un prologue (la *Tétralogie : l'Or du Rhin, la Walkyrie, Siegfried, le Crépuscule des dieux*), transpose une critique de la société dans l'univers des sagas nordiques. C'est l'aboutissement de l'œuvre d'art intégrale. Dans *Tristan et Isolde* (1859), vaste hymne à l'amour, le chromatisme fait atteindre les limites de l'harmonie traditionnelle ; tout repose sur l'idée de l'ambiguïté. *Parsifal* (1882) est un rituel peu dramatique. Dans *les Maîtres chanteurs de Nuremberg* (1868), Wagner semble contrecarrer ses propres principes : gaie et diatonique, c'est une caricature des querelles des théoriciens.

L'homme et le créateur

HÉROS VULNÉRABLES, HÉROÏNES FATALES,
LE RÉVOLUTIONNAIRE QUI TRANSPOSE DANS L'ART SES BUTS
POLITIQUES MANQUÉS EST-IL COUARD OU COURAGEUX ?

La fuite devant la réalité est un poncif du romantisme : Wagner en apparaît comme l'incarnation.

Une vie en fuite.
Après une jeunesse marquée par le théâtre (son beau-père est acteur, chanteur et poète, trois de ses sœurs seront actrices), le lycéen commence l'étude de la musique et très tôt s'intéresse aux activités politiques, au point de rejoindre les insurgés de Leipzig en 1830. Deux traits de caractère détermineront son avenir et tous les domaines de sa vie : hésitation entre conservatisme et idées révolutionnaires (il prônera l'instauration d'une monarchie populaire mais suivra Bakounine jusqu'à bannir l'argent et condamner Paris, « capitale du vice ») et manque flagrant de loyauté accompagné d'amour-propre maladif. Wagner fuit le bonheur matrimonial : sa première femme, Minna Planer, ne comprenant pas ses excentricités, mourra de chagrin. Ce n'est qu'avec Cosima von Bülow, la fille de Franz Liszt, qu'il trouvera une admiratrice inconditionnelle. Ses affaires d'amour sont toujours teintées d'égocentrisme douillet.

La fuite devient inévitable sur le plan politique : sa participation aux événements révolutionnaires à Dresde, en 1849, lui vaut un mandat d'arrêt et l'exil en Suisse. Lui qui aime se vêtir d'habits précieux, habiter des palais et vivre au-dessus de ses moyens choisit la fuite quand ses créanciers l'embarrassent, d'où ce dramatique voyage sur mer, de Riga, en Lettonie, à Londres, source d'inspiration du *Vaisseau fantôme*. Il fuit Paris, ce « marché de l'art », en refusant, lui, l'inconnu, de se plier aux absurdités de la hiérarchie musicale. Sa vie est marquée par l'agitation : ses engagements éphémères de chef d'orchestre le conduisent à travers l'Europe. Il voyagera : l'Italie, Paris, Londres, la Russie. Ce n'est qu'après 1864, année de sa première rencontre avec Louis II de Bavière, qu'il connaîtra la stabilité. Il approfondit son amitié avec Liszt et entame avec Nietzsche une relation qui, plus tard, dégénère en haine. Il verra enfin son rêve d'un théâtre de l'avenir réalisé à Bayreuth. ●

Wagner et l'opinion

Rares sont les personnalités ayant suscité tant de polémiques. Franz Liszt avait dès 1859 reconnu le non-conformisme de Wagner mais aussi son caractère profondément allemand. La révérence de Johannes Brahms est surprenante (car il appartient au courant opposé), celle de Thomas Mann exubérante. Le nombre d'épigones (dont Vincent d'Indy et le jeune Richard Strauss) parle de lui-même. La vénération s'est parfois érigée en culte et a fait de Bayreuth un lieu de pèlerinage. Le national-socialisme a choisi le compositeur comme alibi.

L'écart entre les qualités musicales et les errances de la pensée a engendré des commentaires plus nuancés. Romain Rolland, très réservé dans l'ensemble, admet que *Tristan* est le plus haut sommet de l'art depuis Beethoven. Que *Tristan* au moins soit un chef-d'œuvre inégalable fait l'unanimité. Même les fondateurs des écoles nationales le prennent pour point de départ. L'attitude la plus spectaculaire sera toujours celle de Nietzsche, qui porte d'abord aux nues l'art de Wagner et son symbole du surhomme qu'est Siegfried, pour ensuite, après des déceptions personnelles, le condamner violemment comme artificiel et mensonger.

1. Richard Wagner jeune.

Le seul terme d'« opéra » devenant synonyme de décadence, Wagner érige, dans son traité *Opéra et Drame* notamment, un vaste projet pour sauver le théâtre musical et qu'il réalise de façon plus ou moins conséquente dans les œuvres qui suivent. Il lui faut pour cela descendre aux origines de l'humanité et de l'art, mais cette recherche aura une logique dialectique où nationalisme et cosmopolitisme se confondent. Sur le plan de l'expression, du dessin d'atmosphères, il renoue avec l'opéra romantique allemand (Weber, Heinrich Marschner). Il puise ses sujets dans les sagas et épopées germaniques qu'il amalgame avec de vieilles légendes chrétiennes. Mais, pour parer aux débordements de l'esprit romantique observé chez les maîtres allemands, il prend le drame grec pour modèle : « drame » signifiant « action », il y trouve unité et logique dramatique, la rigueur de la forme et la pureté des lois éthiques éternelles. La musique étant, plus que la littérature, une langue universelle, le drame de l'avenir doit être essentiellement musical. Comme on l'imaginait pour le drame grec, tous les arts doivent contribuer à cette œuvre d'art intégrale, dotée d'unité parfaite, par des personnages idéalisés et exprimant des contenus (des vérités...) généralement humains. Seul Beethoven l'avait préfiguré dans *Fidelio*. •

Propriétés et nouveautés techniques

ŒUVRE D'ART DE L'AVENIR ET RETOUR À L'ANTIQUITÉ, LA VISION HYBRIDE SE VEUT PROLONGEMENT DU DRAME SHAKESPEARIEN ET DE LA SYMPHONIE BEETHOVÉNIENNE. L'ACTION SCÉNIQUE REND VISIBLE L'ÉDIFICE DRAMATICO-MUSICAL.

Les nouveaux principes, amorcés dès *le Vaisseau fantôme* et réalisés avec rigueur à partir de *l'Or du Rhin*, sont axés sur les notions de *mélodie infinie* et de *leitmotive*. Une fois la répartition en formes closes et morceaux détachables abandonnée, la mélodie infinie se conçoit au niveau du chant et au niveau de l'orchestre. C'est d'abord un chant fondé sur un texte en prose rythmée ou en vers libres et conçu comme ligne mélodique continue aux phrases irrégulières. Et c'est ensuite la contrepartie instrumentale du chant, voire le commentaire de l'orchestre, siège du développement dramatique fondé sur l'engrenage des leitmotive. Chant et orchestre étant étroitement liés, on ne saurait parler d'accompagnement. Les deux sont en fait déterminés par les leitmotive, motifs conducteurs mélodiques, harmoniques ou rythmiques, véhiculant un sens (signal d'apparition d'un personnage, d'un objet, évocation d'une idée, d'une image, etc.). Un tel motif, et avec lui le sens, peut être fixe ou variable jusqu'à la fusion avec d'autres motifs. De même que dans une symphonie de type beethovénien l'évolution des motifs est une sorte d'argumentation abstraite, le jeu des motifs conducteurs est le principal moteur de la progression dramatique. Le philologue et fervent wagnérien Hans von Wolzogen a distingué plus de cent leitmotive dans *l'Anneau du Nibelung*.

L'exploit musical est par toutes ses dimensions au service d'une fixation sémantique. Les tonalités viennent caractériser un personnage, un sentiment, un effet de lumière (voir *la* majeur dans le prélude de *Lohengrin*). L'harmonie est poussée aux limites de ses possibilités et dotée de fonctions dramatiques. Chromatisme et enharmonie permettent des ambiguités tonales qui servent, dans *Tristan* par exemple, à exprimer la fluctuation des sentiments, la langueur vaine d'un amour désespéré entre désir et douleur. Les timbres instrumentaux, multipliés grâce à l'augmentation de l'appareil orchestral, sont autant de teintes composant ce tissu nuancé de valeurs expressives où la *transition imperceptible* est l'effet le plus recherché. On a reproché au compositeur la prédominance des cuivres, les éclats, la structure massive. N'a-t-on pas écouté *Parsifal* ?

Selon le postulat de Wagner, c'est le texte qui doit féconder et motiver la musique. Wagner rédige lui-même tous ses livrets (terme qu'il rejette au profit de « poème »). Les œuvres jusqu'à *Lohengrin* et *les Maîtres chanteurs* présentent encore une versification classique (vers ïambiques à trois, quatre ou cinq pieds, rimés ou assonants, vers blancs, vers de Hans Sachs, l'artisan poète, au ton populaire). Dans *Tristan, Parsifal* et notamment la *Tétralogie,* Wagner réalise, en revanche, une adaptation libre de la versification germanique médiévale, à savoir un vers allitérant (parallélisme initial de consonnes ou voyelles) à deux ou trois accents d'intensité qui réunit divers atouts. Étant proche de la prose, il permet une mise en musique souple, aux phases libres. Le bercement des accents, cette alternance de tension et de détente, engendre une déclamation emphatique, substance du chant wagnérien. L'essentiel est toutefois le jeu des sons du langage, son côté hautement musical, qui révèle le musicien dans le poète et appelle la musique comme pendant nécessaire. En revanche, couvrir de patine le poème et évoquer les ténèbres des origines humaines à force de puiser dans du vocabulaire ancien, d'inventer des mots sonnant vieux ou d'archaïser leur sens, cela relève plutôt du goût douteux d'un XIXᵉ siècle imitateur. •

2. La généalogie de *l'Anneau du Nibelung.*

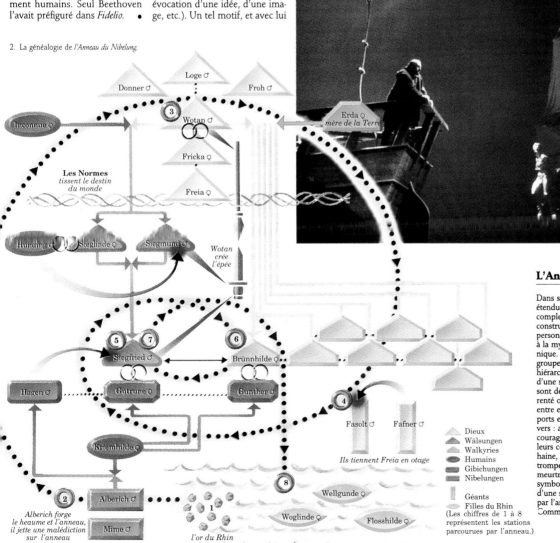

3. *Le Vaisseau fantôme.* Opéra de Paris, mai 1987.

L'Anneau du Nibelung

Dans son œuvre la plus étendue et la plus complexe, Wagner construit un univers de personnages empruntés à la mythologie germanique. Différents groupes forment une hiérarchie à l'image d'une société fictive. Ils sont définis par la parenté ou l'amitié et liés entre eux par des rapports et des actes divers : amour, fidélité, courage, pureté, et leurs contreparties, haine, inceste, adultère, tromperie, avidité, meurtre... La *Tétralogie* symbolise la perdition d'une société décadente par l'amour de l'argent. Comme dans *Tannhäuser,* Wagner amalgame différentes sources filtrées par son interprétation personnelle. Il aime axer ses drames sur des contrastes et reliefs simples. La forme AAB, d'origine médiévale, est à la base des *Maîtres chanteurs.* Les polarités candeur/savoir et pureté/vice sont essentielles dans *Parsifal.* La structure de *Tristan* repose sur l'antagonisme jour/nuit (= séparation/union). La *Tétralogie* est bâtie sur le cheminement de l'anneau d'or. Scènes et musiques pittoresques posent des jalons dans le long déroulement du drame.

· 385 ·

L'évolution de l'orchestre

Des origines
à Beethoven

ISSU DU CHANT ET DE LA DANSE,
L'ORCHESTRE S'ÉRIGE PEU À PEU EN UN ENSEMBLE
SYMPHONIQUE AUTONOME.

L'HISTOIRE DE L'ORCHES-tre est intimement liée à l'évolution du langage musical. Elle dépend des liens étroits qui associent toute société particulière à ses modes d'expression artistique. Les compositeurs sont autant le reflet de leur monde que des novateurs conscients de créer pour l'avenir. L'orchestre leur fournit à la fois une possibilité de synthèse des acquis (porteuse au besoin d'un langage particulier) et un moyen d'innover, de manier des éléments « inouïs ».

L'orchestre naquit, en quelque sorte, le jour où un berger et sa flûte rencontrèrent un joueur de luth et que leurs voix s'accordèrent, à l'instar de celles des chanteurs.

Aucune forme, aucune technique musicale n'échappe au phénomène de l'analogie : il en va de même pour l'orchestre, dont l'évolution est déterminée par une succession de créations conformes à des modèles préexistants. Ainsi Bach s'explique-t-il en fonction de la société qui est la sienne, parce qu'il reconnaît l'apport de Vivaldi et qu'il évolue dans la tradition héritée de Ockeghem, Josquin Des Prés ou Luther ; Lully n'a pas d'existence propre hors le siècle de Louis XIV ; Beethoven ne peut s'envisager sans Mozart ni Haydn, non plus que Berlioz si l'on refuse l'Empire, le mouvement romantique, les révolutions de 1830 et 1848. Enfin, les œuvres les plus récentes des compositeurs du XXᵉ siècle se trouvent justifiées par celles des pré-curseurs tels Wagner, Debussy, Mahler ou Schönberg ; l'existence de Boulez ou de Xenakis renvoie à l'école de Vienne, Dukas, Varèse et Messiaen.

Du seul point de vue de l'orchestre donc, l'évolution ne sera pas fortuite ni soudaine. Elle est réponse. L'orchestre ne préexiste pas, il est rendu nécessaire par l'écriture elle-même. L'ajout, le retrait de certains instruments, les améliorations dont ils font l'objet, tant pour l'étendue que pour le timbre, sont le résultat d'un développement antérieur (il faut bien que l'instrument soit déjà conçu pour être utilisable) et une ouverture vers d'autres découvertes. Ainsi l'orchestre de Berlioz est-il déjà latent dans celui de Monteverdi. Ce qui n'existe pas chez celui-ci, c'est la démarche touchant à la science de l'orchestration dont celui-là demeure le premier véritable codificateur.

Le conducteur, ou le chef d'orchestre (suivant la terminologie française), est, tel que nous le connaissons, une création récente, ce qui ne signifie pas qu'il y ait eu absence de direction avant son apparition. Aborder le phénomène de l'orchestre occidental consiste, finalement, à se pencher sur les procédés d'écriture des novateurs successifs. Or, contrairement à certains compositeurs qui se posent soit en « chefs d'école », soit en simples continuateurs, tous les conducteurs, pour grand que soit leur renom, ne sont pas novateurs, ce qui n'ôte rien à leur génie propre.

Comme l'humanité, l'orchestre possède sa préhistoire, son histoire antique, laquelle est mal connue.

Du monde antique au XVIIᵉ siècle.

Certains bas-reliefs de l'ancienne Égypte montrent, face à un exécutant, un personnage dont les mains semblent utiliser un langage symbolique (chironomie) auquel le partenaire répond sans doute de façon appropriée. Ce vocabulaire des mains, toujours employé dans les danses de l'Inde et, en quelque sorte, par les chefs d'orchestre actuels, pourrait trouver là sa source.

Du Moyen Âge au XVIIᵉ siècle, s'il n'y a pas, à proprement parler, de conducteur, cela n'induit pas absence de direction. L'iconographie nous apporte des preuves suffisantes avec un Monteverdi ou un Schütz entourés de chanteurs et/ou d'instrumentistes qu'ils semblent guider. « Aller ensemble » est la tâche primordiale ; le conducteur conserve la pulsation générale à l'aide de mouvements de la main ou du bras. La nomenclature n'est qu'exceptionnellement précisée et le compositeur dépend des ressources musicales dont dispose la cour du prince qu'il sert. La main sera bientôt allongée d'un ou deux rouleaux de papier, voire d'un bâton et le conducteur frappera la pulsation (tactus) sur un lutrin (pupitre) ou, à l'aide du pied ou du brigadier (long bâton), en martelant le sol selon la technique du coryphée (chef des chœurs) grec chaussé de semelles de métal.

De l'orchestre « préclassique » à celui de Beethoven.

En 1652, Lully (1632-1687) entre au service du roi. Il marquera pour plus d'un siècle la vie musicale et sera le codificateur à l'Académie royale de musique (1669) un orchestre que l'Europe prend pour modèle. Ici naît le premier orchestre permanent qui n'a plus comme seule vocation de soutenir le chant, mais de jouer pleinement un rôle symphonique. Cet orchestre autonome paraît pauvre comparé aux ensembles de la Renaissance aux sonorités si diverses. Pourtant, son organisation autour du quintette à cordes (les « 24 violons du roy »), plus 2 flûtes, 2 hautbois, 1 basson, clavecin, 2 à 4 trompettes intervenant avec les timbales dans les *tutti*, en fait un outil rationnel auquel s'ajoutent les choix rigoureux d'interprétation que Lully impose, violemment parfois. Il est peut-être l'initiateur d'une justesse d'exécution qui pourchasse les ornements individuels intempestifs et privilégie l'instrument collectif face à l'individualisme humain.

Encyclopédiste, Rousseau (1712-1778) s'intéresse à la musique. À défaut de lui donner un chef-d'œuvre, il écrit un *Dictionnaire de musique* (1767) qui, contesté par les musiciens (Rameau), fait apparaître pour la première fois le terme de chef d'orchestre.

L'orchestre classique.

L'orchestre de Lully, affiné par Rameau (1683-1764), amènera celui de la symphonie classique. L'Église, qui, très tôt, admet orgues, trombones et cornets, participe à cette évolution.

L'innovation tient, là, dans le développement des deux autres quatuors : celui des bois et celui des cuivres. Ils sont, après 1750, augmentés, sur le conseil de Stamitz (1717-1757), de 2 clarinettes et complétés par 2 cors et parfois des trombones déjà présents à l'opéra. Après Haydn (1732-1809) et Mozart (1756-1791), Beethoven (1770-1827) révolutionne l'écriture de l'orchestre, inventant la mélodie de timbre ou opposant les familles instrumentales par blocs. Ses 9 symphonies marquent un tournant tout en conservant un orchestre proche de ses devanciers. •

Quelques grands orchestres historiques et actuels

Concert spirituel. Fondé aux Tuileries le 18 mars 1725 par Philidor, spécialisé dans le répertoire sacré et instrumental, il fit connaître Händel, Haydn et Mozart. Il disparut en 1790.

Société des concerts du Conservatoire. Créée le 9 mars 1828 par Habeneck. Répertoire essentiellement symphonique, plus particulièrement Beethoven et Haydn. Devient Orchestre de Paris en 1967.

Orchestre philharmonique de Vienne. Fondé le 28 mars 1842 par Otto Nicolai. Brahms fut son compositeur fétiche.

Association des concerts Pasdeloup. Créée en 1851 par Jules Pasdeloup. Se produisait au cirque d'Hiver dans un répertoire romantique. Interpréta volontiers Wagner.

Association des concerts Édouard Colonne. Créée en 1873 par Édouard Colonne. Dans ses concerts du Châtelet se consacre à la musique française (dont Berlioz).

Association des concerts Lamoureux. Fondée en 1873 par Charles Lamoureux. Fait entendre au cirque des Champs-Élysées un répertoire sacré (Händel et Bach).

Orchestre du Concertgebouw d'Amsterdam. Créé en 1888 par Henri Viotta. Répertoire romantique.

Orchestre de la Suisse romande. Fondé en 1918 par Ernest Ansermet. Se produit à Genève et Lausanne, dans un répertoire qui fait une grande place à la musique française (Debussy).

Orchestre philharmonique de Berlin. Créé en 1882 par Ludwig von Brenner. Répertoire : Beethoven, Wagner, Brahms.

Orchestre national de France. Créé en 1934 par Désiré Inghelbrecht. Répertoire symphonique.

1. Batteur de mesure (ou chef d'orchestre à l'ancienne).

L'orchestre aux XIXᵉ et XXᵉ siècles

C'EST DANS LA SECONDE MOITIÉ
DU XIXᵉ SIÈCLE QUE L'ORCHESTRE SYMPHONIQUE
CONNAÎT SON ÂGE D'OR.

L'un des événements les plus considérables de l'histoire de l'orchestre fut la création, à Paris, le 9 mars 1828 (date du premier concert), de la *Société des concerts du Conservatoire.*

Vers un nouvel orchestre : Berlioz.

Cet orchestre marque un tournant auquel s'ajoutent les progrès de la facture instrumentale, les recherches relatives aux bois et cuivres et l'apport des musiques militaires dues aux besoins de la République. L'adjonction des bois et des cuivres, amenant l'accroissement du nombre des cordes, ouvre les portes du génie berliozien. L'apport de Berlioz (1803-1869) à l'orchestre est « indescriptible en quelques pages » (A. Louvier), impossible en quelques lignes. Il sait la tradition et les ressources des instruments, fussent-ils nouveaux, défend les inventeurs et cherche autant les timbres et leur équilibre que le rendu acoustique et spatial. Il innove en toute chose, si bien que notre grand orchestre symphonique peut pratiquement être considéré comme son fait. Par son écriture, il porte les effectifs à des dimensions jamais atteintes.

Liszt, Wagner et Brahms.

Après Berlioz, nombre de symphonistes reprennent ses audaces. Liszt (1811-1886) d'abord, qui crée le *poème symphonique* faisant de l'orchestre un récitant-poète, pendant du pianiste virtuose. Le *drame musical* wagnérien conserve, au début, un orchestre assez classique, ajoutant certes les tubas, harpes par 6 et, pour la *Tétralogie,* 18 enclumes... Il emploie jusqu'à 8 cors, mais la nouveauté réside dans l'enterrement de l'orchestre et sa disposition sous la scène du *Festspielhaus,* qui supprime l'espace entre le public et le plateau, provoquant la fusion des sonorités. Brahms (1833-1897) continue Beethoven, quand Berlioz en repousse les limites. Il transpose à chaque partie une mélodie qui renferme toute la palette d'un jeu pianistique coloré, sage autant que puissant, fin autant que savant.

L'aube du XXᵉ siècle : Strauss et Mahler.

Les chemins tracés par Berlioz et Wagner (1813-1883) trouvent, avec Strauss (1864-1949), Mahler (1860-1911) puis l'école de Vienne, leurs continuateurs. Richard Strauss écrit pour un ensemble virtuose et lui adjoint, au besoin, un grand orgue (*Ainsi parla Zarathoustra*). Dans *Elektra,* les chanteurs luttent, avec leur seule voix, face à 120 instrumentistes. L'orchestre de Mahler reflète sa carrière de chef. Il connaît les instruments, leur technique et précise « coups d'archet » et doigtés afin d'obtenir les effets voulus. On retrouve le monumental dans sa *Symphonie n° 8,* dite, par le nombre d'exécutants, « des mille », qui mit en lumière les problèmes de la vitesse de propagation des ondes et d'espace nécessaire à la réalisation de l'œuvre.

Si les œuvres de Schönberg (1874-1951), Berg (1885-1935), Webern (1883-1945) ne sont pas, au début, exemptes d'enflures ou de redondances, l'expressionnisme auquel ils adhèrent et l'emploi, rapidement systématisé, d'un langage à douze sons bientôt sérialisés dévoileront l'impasse inhérente au gonflement orchestral. La complexité d'une écriture pour solistes les oriente vers l'ensemble instrumental (le *Pierrot lunaire,* de Schönberg).

Les Russes, Debussy et Ravel.

Les écoles française et russe prennent chez Berlioz la clarté de la ligne mélodique et la richesse des coloris instrumentaux, faisant de Tchaïkovski (1840-1893) « le dernier grand orchestrateur romantique » (Louvier). Rimski-Korsakov (1844-1908) impose ses qualités d'orchestrateur et Stravinski (1882-1971), « virtuose de l'orchestre » (Pierné), allie effets étonnants et audaces jusqu'alors irréalisables. *Le Sacre du printemps* (« le bruit le plus cher du monde ») émancipe le rythme et exige un orchestre imposant.

Face aux grammairiens de l'école de Vienne, les compositeurs français sont des coloristes. Dukas (1865-1935) réussit une synthèse remarquable de Rameau à Rimski-Korsakov et Debussy tente d'organiser un nouvel univers montrant combien « l'impressionnisme musical » est un art de haute précision par le jeu des divisions et les choix de timbres. Ravel est, à juste titre, considéré comme l'un des plus grands orchestrateurs de tous les temps. Il utilise (*l'Heure espagnole*) le sarrusophone et des « accessoires divers » amenant les bruits dans l'orchestre ; Satie (1866-1925) s'en souviendra pour *Parade.* Avec le *Boléro,* Ravel donne une leçon d'orchestration jamais égalée, sinon par lui-même au service de Moussorgski (1839-1881) pour les *Tableaux d'une exposition.* Comme pour Berlioz, après Ravel, rien ne sera plus pareil. ●

Du batteur de mesure au chef d'orchestre

Si l'horreur qu'inspirèrent les batteurs de mesure fut telle que la réalité a peut-être dépassé la fiction (1), les chefs d'orchestre et leurs phalanges musicales n'ont pas toujours été ce que nous connaissons (2). Ainsi Charles Lamoureux (3) dirigea-t-il tant avec un archet de violon qu'avec un bâton, et Verdi, à l'Opéra de Paris, conduisit-il *Aïda* dans un fauteuil confortable (4).

3. Charles Lamoureux.

L'orchestre moderne

PARTI DU QUATUOR À CORDES
POUR ABOUTIR À UNE FORMATION DÉMESURÉE, L'ORCHESTRE
ALLAIT, APRÈS LA PREMIÈRE GUERRE MONDIALE,
REVENIR À DE MOINDRES PROPORTIONS.

Réaction au romantisme, réalisme financier et disparition des grands mécènes exigeaient des compositeurs d'autres voies de recherche et l'on en revint quelque peu à la situation de l'orchestre d'avant l'orchestre. Seul, peut-être, le langage a changé, porteur de nouveaux instruments. Il en va ainsi dans le domaine de la percussion, maîtresse du rythme qui, de plus en plus complexe, n'est pas sans rappeler l'*Ars nova.* L'individu s'érigeant en école, chacun, s'il a parfois sacrifié dans ses premiers travaux au grand orchestre (apprentissage ?) compose désormais selon son bon plaisir et pour une formation toujours changeante (dont on trouve quelques cas dans les siècles précédents avec des œuvres comme les *Concertos brandebourgeois,* de J.-S. Bach (1685-1750), faisant, au besoin, appel à des instruments oubliés (clavecin).

Ainsi, au côté de l'orchestre symphonique (à la tête duquel opère le nouveau héros « médiatisé » qu'est le chef d'orchestre), désormais « classique » et chargé d'entretenir le répertoire « ancien », des formations « à géométrie variable », de moindre effectif, ont vu le jour, plus spécifiquement orientées vers certaines musiques, dont celle du XXᵉ siècle, obligeant parfois les compositeurs à diriger eux-mêmes, comme le firent Berlioz et Wagner, leurs œuvres et celles des autres (Boulez). L'électricité, puis l'électronique furent à l'origine de changements fondamentaux des modes de vie ; la musique n'y a pas échappé, non plus que la facture instrumentale (ondes, guitares et orgues électriques). D'autres expériences mettent en jeu plusieurs ensembles (*Gruppen,* de Stockhausen, nécessite trois orchestres) ou l'informatique et la bande magnétique, qui, avec l'électroacoustique, ont également droit de cité. De même, les musiques populaires, en particulier le jazz, ne laissent pas d'intéresser les compositeurs, qui recourent aussi à certains « phénomènes aléatoires » où les instrumentistes apportent leur contribution à un acte de création permanente. On place des musiciens dans le public, individualisant plus encore l'écoute (*Terretektorh,* de Xenakis). Il y a recherche des interactions (vers un art total ?) sans qu'on soit parvenu à la fusion des genres. Jamais on n'a écouté autant de musiques différentes utilisant des supports aussi diversifiés.

Le public veille, ultime garant des choix. Sont-ce ceux-là les bons ? L'avenir seul détient, comme toujours, la réponse. ●

2. New York Philharmonic Orchestra à Carnegie Hall.

4. G. Verdi et l'orchestre de l'Opéra, 1880.

L'interprétation musicale

LA MUSIQUE OCCIDENTALE repose, dans son ensemble, sur une dichotomie du fait musical. Il existe d'un côté le support de l'œuvre musicale, trace écrite, fait de signes conventionnels et abrégés, invariable et éternel. De l'autre se trouve l'interprète, ou l'ensemble d'interprètes qui, pour un instant donné, restituent la réalité sonore de l'œuvre. Cette réalité ne vit qu'un instant. L'interprétation musicale est ce qui permet de passer du support – la mémoire de l'œuvre – à sa réalisation, son actuation. On peut donc la définir simplement comme l'ensemble des règles sous-entendues d'exécution qui ne sont pas notées sur la partition.

L'histoire de la musique occidentale comprend deux âges très différents à cet égard. Jusqu'à la fin du XVIIIᵉ siècle, l'interprète n'est pas séparé du compositeur. Ce dernier, souvent maître de chapelle, se porte garant de l'exécution de son œuvre : sa partition ne comporte que le minimum d'indications, qu'il complète oralement au cours des répétitions. Au début du XIXᵉ siècle, la personne du compositeur-interprète se scinde en deux personnes distinctes, et dès lors l'acte de composition se sépare de celui de l'exécution. Du point de vue de l'interprétation, ce bouleversement implique que désormais le compositeur se doit d'écrire son œuvre de façon exhaustive, et que l'interprète est censé l'exécuter telle qu'elle est écrite. Cela constitue un changement radical de point de vue par rapport à l'époque précédente. La pratique musicale moderne, telle que nous la connaissons aujourd'hui, est née.

Ce changement, d'origine sociologique, s'accompagne d'un second, d'ordre esthétique. Durant toute l'époque baroque, l'exécution d'une œuvre est soumise à la « théorie des passions ». Dans ce cadre, l'interprète imite certains affects – par exemple, la joie, la colère, le recueillement, etc. –, de façon standardisée, répertoriée, invariable, donc objective. À la fin du XVIIIᵉ siècle, cette théorie fait place peu à peu à la représentation d'états d'âme, et cela de façon subjective, entièrement laissée à la discrétion de l'interprète. Dès lors, l'interprétation se partage entre l'exécution, de nature objective, et l'expression, de nature éminemment subjective.

Le travail de répétition

L'interprète partage en deux temps son approche : tout d'abord, il doit apprendre à exécuter l'œuvre de la façon la plus fidèle possible aux données du compositeur ; ensuite vient le travail de l'interprétation proprement dite, qui ne peut s'opérer sans une parfaite connaissance préalable de l'œuvre. Un interprète soliste est entièrement libre de ses choix. Pour les formations de grande étendue, comme la formation d'orchestre, il appartient au chef de diriger les intentions de tous les musiciens et de les harmoniser. Pour les représentations scéniques (danse et opéra), l'interprète doit tenir compte aussi bien des exigences du chef d'orchestre que de celles du metteur en scène.

Cette phase du travail sur l'interprétation est essentielle. C'est elle qui différencie une exécution de qualité d'une interprétation quelconque. En aucun cas un déchiffrage, aussi parfait soit-il, ne peut suppléer cette part du travail.

1. Eugen Jochum, salle Pleyel, janvier 1986.

Le phrasé et la conduite rythmique

L'ÉLÉMENT FONDAMENTAL DE TOUTE MUSIQUE, EN PARTICULIER DE LA MUSIQUE OCCIDENTALE, EST SA STRUCTURE RYTHMIQUE, À LAQUELLE TOUT SE RATTACHE.

Le rythme de la musique occidentale a deux origines différentes : le rythme prosodique, né du chant et soumis aux exigences de la voix humaine et du texte, et le rythme de danse. Le rythme prosodique reprend celui du langage parlé : le discours est découpé en phrases, qui ont un début et une fin. La transposition de ces données dans la musique donne la dimension mélodique de la musique, caractérisée par le découpage en phrases (ou thèmes), qui se succèdent les unes aux autres. L'art de faire naître une phrase musicale, de la développer, la faire vivre et la mener jusqu'à son achèvement porte le nom de phrasé. Un phrasé correctement interprété se reconnaît à la mobilité, à la vitalité de la ligne musicale et s'oppose à l'exécution de la mélodie en une succession de notes de même importance. Le phrasé, de même que l'intonation d'un texte poétique, est bien entendu impossible à noter et demande des années entières de pratique.

Le rythme de danse se caractérise en revanche par la répétition d'une même cellule rythmique, servant de support aux pas de la danse. Cette scansion rythmique, inexorablement répétée, est parfois fondée sur un dessin rythmique qui, même s'il est très simple, est toutefois irréductible à la notation rythmique proportionnelle retenue pour notre musique occidentale. Ainsi, les trois temps de la valse ne sont pas égaux : le second est anticipé, et légèrement en levée. Il sert de rebondissement pour toute la cellule rythmique. La musique de jazz compte de nombreux rythmes, qui sont impossibles à noter, et qui s'apprennent par la seule pratique du répertoire.

Enfin, rythme prosodique et rythme chorégraphique peuvent entrer en compétition dans la même pièce. L'interprète doit alors créer un phrasé d'une part et le superposer d'autre part à la pulsation rythmique. L'équilibre de ces deux contingences s'établit dans la dynamique : tantôt la mélodie domine, tantôt c'est l'assise rythmique. Cela crée une variabilité infinie qui fait toute la richesse d'une œuvre. •

L'exécution

LES LIMITES DES POSSIBILITÉS INSTRUMENTALES, QUI CONDITIONNÈRENT L'ÉCRITURE MUSICALE, SONT SOUVENT À LA BASE D'IMPORTANTS PHÉNOMÈNES MUSICAUX.

L'acte d'exécution est en soi acte d'interprétation. L'ensemble des problèmes d'exécution est souvent désigné par le terme de praxis exécutive. Or l'exécution musicale a évolué avec le temps, parallèlement aux transformations des instruments. La musique occidentale est caractérisée par un souci constant d'élargissement de l'univers des possibilités sonores. Dès qu'un nouvel instrument était inventé, il était incorporé aux autres instruments en assimilant le langage de ces derniers. Peu à peu, les nouvelles possibilités qu'il apportait se dévoilaient et ne tardaient pas à engendrer une évolution dans le sens de leur exploitation. Ainsi, de la Renaissance à l'âge baroque, les compositions vocales polyphoniques toléraient l'intrusion des instruments, en substitution des parties vocales, jusqu'à ce que ce courant devienne dominant et que le goût pour la monodie, de nature instrumentale essentiellement, l'emporte.

Les contingences de certains instruments sont allées jusqu'à favoriser l'éclosion de pratiques qui se révélèrent fécondes. Le *prélude*, nécessaire pour vérifier l'accord des instruments à cordes pincées (harpe, clavecin, luth), est devenu un genre de composition. La *toccata*, caractérisée par une écriture en accords successifs, est parfaitement adaptée à la position de la main sur le clavecin. Le *concerto grosso* est né de la nécessité de faire jouer les instruments solistes les uns après les autres, pour éviter la confusion qui naîtrait de leur confrontation anarchique.

La réussite de tel ou tel instrument est née la plupart du temps de son adaptation aux systèmes esthétiques en vigueur. Il existe sur la *flûte à bec baroque* des bonnes notes, qui s'opposent aux notes obtenues par des doigtés de fourche, dont l'émission est plus faible, et la justesse plus difficile à contrôler. Ces notes correspondent souvent aux degrés chromatiques des tempéraments inégaux qui étaient utilisés alors, et, loin d'être un défaut, soulignent dans ce cadre particulier l'ethos particulier des tempéraments recherché par les compositeurs.

Au XIXᵉ siècle, l'ouverture de grandes salles de concert a transformé le but expressif de la musique. La recherche de volume sonore est devenue un impératif primordial. La facture instrumentale s'oriente dans le sens de la recherche du volume sonore : le vibrato du violon s'effectue sur la corde et non plus au moyen de l'archet. La voix change son mode d'émission, cherchant à développer un formant dans les fréquences aiguës grâce aux résonateurs pharyngés, et développe un vibrato important. •

2. Répétition de *Katia Kabanova* de Janáček, Suresnes, janvier 1988.

3. Wolfgang Sawallisch, Théâtre des Champs-Élysées, novembre 1983.

L'ornementation

L'ORNEMENTATION REGROUPE DEUX TYPES DE FIGURES
COMPLÈTEMENT DIFFÉRENTES : LES DIMINUTIONS
ET LES ABBELLIMENTI, OU ORNEMENTS PROPREMENT DITS.

La structure d'une œuvre musicale comprend plusieurs niveaux, qui vont de la charpente de base jusqu'aux finitions les plus détaillées. Si les niveaux profonds de la structure musicale sont fixés par le compositeur, l'interprète intervient dans le niveau de l'ornementation, qui consiste à enrichir une ligne musicale au moyen de figures décoratives.

Les diminutions.

Elles consistent à transformer une ligne mélodique constituée de notes de valeurs longues en une ligne plus fournie, écrite en valeurs brèves, ou « diminuées ». Le passage d'une valeur longue à plusieurs valeurs brèves équivalentes s'appelle aussi monnayage. La pratique des diminutions remonte à la polyphonie de la Renaissance. C'est une pratique très savante : elle repose sur la connaissance du contrepoint, qui est l'art d'agencer une multitude de phrases musicales différentes mais équivalentes, toutes capables de s'harmoniser avec une phrase donnée, le *cantus firmus*. Les diminutions sont donc caractéristiques du style musical savant, que l'on trouve, par exemple, dans la polyphonie franco-flamande (XVᵉ-XVIᵉ siècle) ou le contrepoint fugué de Bach et Händel (première moitié du XVIIIᵉ siècle). Lorsque, au contraire, le style musical tend vers la simplicité et le naturel, les diminutions disparaissent, comme lors de l'avènement de la monodie (début XVIIᵉ siècle), et à l'époque galante (seconde moitié du XVIIIᵉ siècle).

Les abbellimenti.

Ce terme italien signifie littéralement « embellissement ». Embellir une phrase musicale consiste à placer à certains endroits choisis de petites figures décoratives, tout

en respectant le dessin original de cette phrase, au lieu de lui substituer une phrase plus riche et différente. Cette technique est donc relativement plus simple et ne fait pas appel à des connaissances musicales savantes. Elle s'accorde souvent, dans le cadre de la musique vocale, avec un souci d'interprétation du texte chanté par des figures en relation étroite avec le sentiment exprimé, ce que l'on appelle la rhétorique musicale. Les abbellimenti firent leur apparition à l'époque baroque. Comme chaque auteur avait ses propres caractéristiques, on dressa des tables d'abbellimenti à l'usage des interprètes. Pour les instruments à son non entretenu, comme le clavecin, les abbellimenti servaient en outre à prolonger le son de certaines notes, et donc à les mettre en valeur.

Si l'usage de l'ornementation disparut progressivement à l'époque romantique et au XXᵉ siècle dans le cadre de la musique savante, on retrouve des formes d'ornementation dans les musiques populaires ou de variété, telles que le *cercar della nota,* qui consiste à faire précéder ce son de la note chantée d'une note voisine, à caractère ornemental. L'activité de l'ornementation correspond, en réalité, à une habitude typiquement humaine, qui est de remplir et développer ce qui est simple pour en faire quelque chose de plus complexe.

Mélodie originale
cf. var. 2

+ Diminutions
cf. var. 1

+ *Abbellimenti*
cf. thème

4.

L'improvisation

L'IMPROVISATION EST UNE FORME DE CRÉATION
MUSICALE OÙ L'INTERPRÈTE A LA PLUS GRANDE PART,
ET NON PLUS LE COMPOSITEUR.

L'œuvre musicale se crée en temps réel, au moment de son exécution, et se consume aussitôt : il n'en reste aucune trace. L'improvisation existe dans la musique occidentale sous deux formes différentes : l'improvisation ex novo et l'improvisation à partir d'un texte préexistant.

L'improvisation ex novo.

Elle consiste à improviser l'ensemble de la pièce : sa structure, son style, jusqu'aux moindres détails. L'improvisation *ex novo* était pratiquée par les grands virtuoses, car une telle pratique repose bien entendu sur une parfaite connaissance des contingences techniques de l'instrument. Aux XVIIᵉ et XVIIIᵉ siècles, les clavecinistes improvisaient pendant le prélude, où ils testaient l'accord de leur instrument. Mozart improvisait au piano-forte, Beethoven le faisait au piano, mais cette pratique tomba vite en désuétude au XIXᵉ siècle. À l'orgue, cette pratique s'est perpétuée jusqu'à nos jours. Pendant l'office catholique, en particulier au moment de la communion et de la sortie, l'organiste improvise, avec en général des réminiscences des thèmes utilisés dans les autres parties de la messe.

L'improvisation *ex novo* peut aussi intervenir au sein d'une pièce écrite dans les rares zones de liberté laissées par le compositeur : c'est ce qui se passe au moment de la cadence. La cadence se situe à la fin d'une forme musicale (mouvement de concerto, aria) et débouche sur

une conclusion confiée à l'orchestre entier. C'est le moment pour le soliste de s'exprimer sans accompagnement, jouissant d'une liberté qu'il n'avait pas jusqu'alors.

**L'improvisation
d'après un texte préexistant.**

Cette pratique se rapproche de l'ornementation. L'improvisation a connu ses lettres de noblesse dans l'opéra baroque italien, avec l'*aria da capo*. Dans ce type d'aria, de forme A-B-A, la reprise de la première partie A permettait à l'interprète de faire briller ses talents de virtuose aussi bien du point de vue du contrepoint (diminutions) que de celui de la technique vocale (abbellimenti). La reprise variée prit une telle importance que l'aria da capo adopta souvent la forme A1-A2-B-A1-A2, où l'interprète commençait à improviser dès la section A2 et développait son ornementation de façon croissante au cours du « da capo ».

Le jazz fait un usage fréquent de l'improvisation. Les instrumentistes (piano, section rythmique, cuivres...) improvisent les uns après les autres sur une cellule harmonique identique, appelée chorus. La succession des chorus s'apparente ainsi à la technique du thème et variations, et remonte aux origines du blues et du ragtime. Bien que l'on ne puisse pas parler de diminutions au sens classique du terme, les improvisations dans les chorus font appel à des traits de virtuosité tout à fait similaires.

●

Les sources

NEGRO SPIRITUALS, RAGTIME ET BLUES
FURENT LES PREMIÈRES ÉTAPES DE LA FUSION
DES TRADITIONS AFRO-AMÉRICAINES
ET EUROPÉENNES.

Le jazz

LE JAZZ EST LA MUSIQUE issue de la cohabitation, durant trois cents ans, en Amérique du Nord, des traditions musicales européenne et ouest-africaine. Ce phénomène musical, qui apparaît au début du XXᵉ siècle et n'a commencé à être reconnu comme un art authentique que dans la seconde moitié des années 1930, a connu une évolution si rapide et suscité tant d'adeptes dans le monde entier qu'il a pris des facettes multiples et se trouve, au seuil des années 1990, devant un problème d'identité. L'évolution d'un art est une chose, sa dispersion culturelle et géographique en est une autre, et l'on doit se demander si tout ce qui se joue aujourd'hui sous le nom de jazz est toujours du jazz. Pour tenter de répondre à cette question, il faut bien connaître les sources du jazz et l'histoire du jazz classique.

On s'accorde à reconnaître trois caractéristiques constitutionnelles du jazz : l'importance attachée au traitement de la matière sonore, à la pulsation rythmique et à l'improvisation.

La musique « classique » occidentale, a fait remarquer Pierre Boulez, se préoccupe surtout de la « trajectoire » au détriment de la contemplation du timbre. Or, en jazz, le souci du timbre, s'il n'élimine pas celui de la trajectoire (il faut aller d'un point à un autre et avoir dit plus et autre chose à la fin du morceau qu'au début), est fondamental. Ce souci ne vient pas de la tradition européenne, mais d'Afrique, où les timbres, travaillés,

brouillés même, sont ressentis comme plus expressifs que les sons « purs ».

Le jazz emprunte aussi à l'Afrique, par le relais de la culture afro-américaine, une conception métronomique du rythme : le tempo ne doit pas bouger. Mais l'expression continue du rythme doit être ressentie comme une pulsation souple devant donner simultanément l'impression inquiétante que le tempo va s'accélérer et le sentiment rassurant qu'il est rigoureusement respecté. Cette dialectique de la tension et de la détente s'appelle le *swing,* sans lequel il n'est pas de bon jazz.

L'improvisation, elle, n'est pas indispensable et l'on connaît de très belles œuvres de jazz qui n'y font que très peu appel – ou pas du tout. Cependant, les meilleurs jazzmen ont été et sont encore de très grands improvisateurs. En jazz classique, l'improvisation est une liberté créatrice régie par des lois sévères : il s'agit de créer instantanément un discours original par son profil mélodique, harmonique et rythmique tout en observant scrupuleusement le déroulement métrique et harmonique du thème original, qui sert de tremplin à l'improvisateur. Dans le jazz des vingt dernières années, les distances prises par rapport au système tonal et à la carrure métrique ont fait apparaître une conception différente de l'improvisation, laquelle peut devenir un élan créateur suscitant, au fur et à mesure qu'elle se déroule, ses propres systèmes de référence.

Les negro spirituals, chants à caractère religieux, ne sont pas, comme on l'écrit souvent, le produit de la déformation maladroite par les Noirs des chorals protestants, mais une authentique création anonyme et collective du peuple afro-américain en esclavage. On distingue deux genres principaux, le *jubilee,* qui procède par antiphonie responsoriale (exemple : *Go Down, Moses*) et la mélodie longue et soutenue (exemple : *Sometimes I Feel Like a Motherless Child*). À la fin du XIXᵉ siècle, certains spirituals ont été harmonisés à l'occidentale par des musiciens noirs légitimement désireux de les mettre au goût du public blanc et ils ont ainsi perdu beaucoup de leur caractère. C'est ce style qu'affectionnent les artistes noirs de formation classique, de Paul Robeson et Marian Anderson à Barbara Hendricks. L'authentique tradition afro-américaine se retrouve dès les années 1930 dans le *gospel* malgré l'utilisation d'harmonies baptistes et méthodistes d'origine européenne. Le gospel, qui détrône le spiritual dans sa fonction liturgique, est illustré par des artistes tels que Thomas A. Dorsey, Mahalia Jackson, Bessie Griffin et les Barrett Sisters. Influencé par le blues et le jazz, le gospel influence à son tour le jazz instrumental, et l'on peut dire qu'il se laïcise avec la *soul music* (Ray Charles).

Le ragtime, apparu à la fin du XIXᵉ siècle, témoigne de la première fusion réussie et fructueuse entre les traditions musicales de l'Afrique et celles de l'Europe. Création des Noirs américains, le ragtime montre le souci européen d'une forme hautement structurée organisant une succession d'airs, ou *strains,* de 16 mesures avec reprise et souvent un interlude modulant. Mais l'influence africaine éclate dans la cohabitation d'un rythme binaire à la main gauche (dans le rag classique, un 2/4 fortement marqué) et, à la main droite, d'une mélodie très

syncopée, basée sur une succession théorique de huit doubles croches par mesure accentuées selon un décalage ternaire. Les maîtres du *classic ragtime* furent Scott Joplin (1868-1917), James Scott (1886-1938) et le Blanc Joseph Lamb (1887-1960) ; son berceau est le Missouri. Mais, en Louisiane, Ferdinand « Jelly Roll » Morton (1885-1941) fut un des pionniers du ragtime orchestral tandis que, à New York, l'*Eastern ragtime,* illustré par de brillants pianistes tels que James P. Johnson (1894-1955) et Lucky Roberts (1887-1968), assouplit la rythmique du ragtime, créant le style *stride* de l'école de Harlem, dont l'influence se fait sentir chez Duke Ellington (1899-1974), « Fats » Waller (1904-1943) et jusque chez Thelonious Monk (1917-1982). Parallèlement, dès le début du XXᵉ siècle, une forme dégénérescente, le *novelty ragtime,* ou rag de variétés, connaîtra un vif succès populaire.

Mais c'est par le blues que l'influence afro-américaine se manifeste le plus fortement dans le jazz. Apparu sans doute à la fin du XIXᵉ siècle, il trouve sa forme définitive dans les années 1910. Le blues classique est une structure de 12 mesures basée sur une succession d'accords de tonique, de sous-dominante, de tonique, de dominante et de tonique. La gamme utilisée par les mélodies de blues baisse de façon indécise certains degrés, notamment le septième et le troisième, lequel, bémolisé, est l'indice de notre mode mineur. La superposition de ces notes aux accords majeurs de l'harmonie crée un conflit qui donne au blues sa coloration spécifique. Tous les grands créateurs du jazz instrumental ont été de grands joueurs de blues (Armstrong, Basie, Parker). Le blues strictement vocal, d'origine rurale, a évolué au cours des années. Les grandes vedettes du blues urbain (T-Bone Walker, B.B. King, etc.) ont influencé le rock and roll. •

1. Duke Ellington, New York, 1931.

Timbre et pulsation rythmique

Nul n'a poussé aussi loin qu'Ellington (1) le traitement du timbre, avec notamment le style dit « jungle », et avec des solistes passés maîtres dans l'utilisation de la sourdine « wah-wah », tels les trompettistes Bubber Miley et Cootie Williams et le tromboniste Joe « Tricky Sam » Nanton (2). De même que les timbres travaillés, brouillés même, sont ressentis en jazz, selon la tradition ouest-africaine, comme plus expressifs que les sons « purs » : la voix de Sarah Vaughan (3) en témoigne ; de même la pulsation rythmique et polyrythmique peut créer un paroxysme de tension émotionnelle (5). Musique essentiellement instrumentale, le jazz prend ses sources dans l'art vocal profane et religieux et exerce en retour une influence sur celui-ci (6).

2. Joe « Tricky Sam » Nanton, Denver, 1942. 3. Sarah Vaughan, 1946.

Le jazz classique et les grands créateurs

LE JAZZ N'A CESSÉ D'ÉVOLUER
DE FAÇON CRÉATRICE, MAIS SANS JAMAIS
S'AFFRANCHIR DE CERTAINES DE
SES RÈGLES ESSENTIELLES.

On peut aujourd'hui appeler « jazz classique », tous styles confondus, la musique faite sous le nom de jazz depuis 1917 (premier enregistrement officiellement reconnu comme du jazz, *Livery Stable Blues,* par l'Original Dixieland Jass [*sic*] Band) jusqu'au milieu des années 1960. En effet, tout au long de ces années, le jazz a évolué de façon créatrice mais sans pour ainsi dire jamais oublier les règles qui semblaient bien faire partie de son essence même : respect du cadre métrico-harmonique servant de support à l'improvisation, respect du système harmonique tonal, même sophistiqué, respect de la régularité du tempo et de la conti-nuité de l'expression de la pulsation rythmique. Cette période a donné d'innombrables œuvres de qualité et des chefs-d'œuvre universellement reconnus. Pour la commodité du jugement critique, on la découpe en différentes tranches historiques, chacune étant qualifiée par le style qui s'y épanouit. Il ne faut toutefois pas considérer ces styles comme absolument étanches les uns par rapport aux autres car ils présentent souvent entre eux des effets de tuilage : ce sont le style Nouvelle-Orléans, le style Chicago, la *swing era,* ou période des « big bands », le Dixieland revival, le be-bop, le cool, le West Coast, le hard bop, le funk, le *third stream*.

Depuis le free jazz et ses séquelles, le jazz est devenu de plus en plus universel, donc de moins en moins spécifiquement afro-américain, et même américain. Mais rien, avec le recul dont nous disposons aujourd'hui, ne permet de remettre en question l'écrasante supériorité des Noirs dans la création et le développement de cet art, non plus que la hiérarchie des grands créateurs. L'énumération qui suit est nécessairement sélective, donc injuste, mais les plus grands trompettistes historiques restent bien, outre le génial Louis Armstrong, Bubber Miley, Cootie Williams, Henry Allen, Roy Eldridge, Dizzy Gillespie, Miles Davis, Clifford Brown, Fats Navarro ; les plus grands trombonistes, Jimmy Harrison, Dickie Wells, J.J. Johnson ; les plus grands clarinettistes, Sidney Bechet, Johnny Dodds, Jimmy Noone, Barney Bigard ; les plus grands saxophonistes, Johnny Hodges, Benny Carter, Charlie Parker, Coleman Hawkins, Lester Young, Sonny Rollins, Stan Getz, John Coltrane ; les plus grands pianistes, James P. Johnson, Earl Hines, Fats Waller, Art Tatum, Teddy Wilson, Bud Powell, Thelonious Monk ; les plus grands guitaristes, Django Reinhardt, Charlie Christian ; les plus grands bassistes, Pops Foster, Wellman Braud, Walter Page, Jimmy Blanton, Ray Brown, Scott La Faro ; les plus grands batteurs, Baby Dodds, Zutty Singleton, Chick Webb, Jimmy Crawford, Jo Jones, Cozy Cole, Sidney Catlett, Kenny Clarke, Max Roach, Elvin Jones ; les plus grandes chanteuses, Bessie Smith, Billie Holiday, Ella Fitzgerald, Sarah Vaughan ; les plus grands chefs d'orchestre, Fletcher Henderson, Duke Ellington, Jimmie Lunceford, Count Basie. Fort heureusement, le disque était là, dès le début, bientôt relayé par la radio, pour constituer les archives irremplaçables d'une musique que certains ont considérée comme le plus important phénomène musical du XXᵉ siècle. •

Les tendances contemporaines

JAZZ-ROCK, AVANT-GARDE ET NÉO-BOP
SONT TROIS COURANTS RÉCENTS QUI TENTENT
DE RENOUVELER, EN L'ACTUALISANT,
LE LANGAGE DU JAZZ.

L'apparition du jazz modal (Miles Davis, *Milestones,* 1958 ; John Coltrane, *My Favorite Things,* 1960) et du free jazz (Ornette Coleman, *Free Jazz,* 1960) a posé au jazz des questions si brutales et si fondamentales qu'elles n'ont suscité jusqu'à présent que des réponses morcelées, en ce sens que le foisonnement créateur des vingt ou trente dernières années ne laisse pas deviner derrière ses différentes facettes l'existence d'une conception théorique et esthétique dominante. On peut toutefois distinguer trois courants principaux.

Le jazz-rock, parfois considéré comme synonyme du mouvement dit « fusion », prit naissance en Californie. Il se propose, pour des raisons qui ne sont pas toujours désintéressées, de « récupérer » l'univers sonore et rythmique du rock populaire grâce à une utilisation poussée des instruments électroniques et à l'adoption d'une rythmique binaire. Un des rares à apporter quelque chose d'intéressant dans ce style est sans doute Miles Davis, un grand musicien historique profondément imprégné de l'esprit du jazz (*Tutu,* 1986).

On pourrait coiffer du terme d'« avant-garde » tout un éventail de musiciens, de groupes et de grands orchestres qui pensent que le jazz peut aller chercher ses matériaux dans un très large spectre allant de la musique contemporaine de tendance IRCAM aux musiques populaires sud-américaines et même au flamenco espagnol et aux raga indiens. À côté de musiques dont on se demande trop souvent au nom de quoi elles s'annoncent comme du jazz, on trouve au centre de cet éventail bon nombre d'artistes sérieux et sincères qui se posent des questions stimulantes sur le langage et la forme du jazz comme Martial Solal, Michel Portal et, surtout, Carla Bley, très influencée par Kurt Weill.

Enfin, le courant néo-bop rassemble, depuis quelques années, de jeunes musiciens de grand talent, qui sentent que le jazz en, s'éparpillant, est en danger de perdre son identité et de se dissoudre dans une forme de variété savante : ils se retournent vers les acquis du mouvement révolutionnaire que fut le be-bop dans les années 1940 et 1950 ; ils y apportent tout leur savoir de jazzmen qui connaissent ce qui s'est passé depuis. Leur relecture des œuvres de Thelonious Monk ou de Charlie Parker (et même, récemment, de Duke Ellington) est féconde et stimulante (les frères Marsalis), mais elle n'apporte malheureusement pas de réponse à la question de savoir si le jazz peut aujourd'hui continuer à être créateur sans abandonner un peu plus son identité. •

4. 5ᵉ avenue de New York.

5. Elvin Jones, 1987.

6. Église baptiste aux États-Unis.

La musique néoclassique

1. *Le Directeur de la tour Eiffel* par Jean Hugo, 1921.

LES ANNÉES 1920 VOIENT SE développer une tendance esthétique nouvelle dont le foyer le plus actif se situe en France et rayonne sur les pays voisins. L'esprit nouveau de l'après-guerre entraîne les compositeurs à condamner la création musicale de la période immédiatement antérieure. Du romantisme tardif ils critiquent l'emphase, désavouent la complexité et la longueur des formes musicales et bannissent l'expressivité débridée. De l'impressionnisme ils réprouvent la subtile nuance, le nuageux, l'enveloppé et l'imprécis.

La réaction néoclassique est à la fois rupture avec le style des aînés et retour à un certain esprit des époques baroque et classique. C'est ainsi que les principaux caractères de la musique néoclassique peuvent se résumer en un retour aux formes équilibrées en usage aux XVIIe et XVIIIe siècles (fugue, menuet, sonate), à l'emploi d'une pulsation rythmique régulière, à un goût pour la musique pure dégagée de tout argument littéraire et à une thématique clairement perceptible.

Le terme néoclassicisme a été emprunté aux beaux-arts. On désigne ainsi en peinture, en architecture et en sculpture la création artistique de la fin du XVIIIe siècle et du début du XIXe siècle. À cette époque, la luxuriance et les excès du style rocaille et rococo sont condamnés, et ce désaveu se traduit par une conversion du goût : l'inspiration prend sa source dans les modèles antiques grecs et romains, dont les cités fraîchement découvertes offrent un exemple parfait de beauté, d'équilibre et de rigueur. Sobriété, ordre et mesure sont les nouveaux canons de toute création.

Au XXe siècle, le terme de néoclassicisme est adopté par translation d'une époque à l'autre et d'un moyen d'expression artistique à un autre. Mais cette expression générique souffre d'imprécision : le préfixe « néo » induit une inévitable distorsion des traits stylistiques originaux et comporte l'implication d'une parodie. D'ailleurs, la musique néoclassique est moins significative par l'actualisation de procédés et de techniques particuliers au vrai classicisme que par la virulence de son esprit subversif. Le néoclassicisme traduit, pendant l'entre-deux-guerres, la revendication esthétique de certains compositeurs.

2. Compagnie des Ballets suédois, 1921, avec J. Cocteau, F. Poulenc, D. Milhaud, G. Au...

Les rénovateurs

L'EUPHORIE DES ANNÉES FOLLES SE TEINTE, EN FRANCE, D'UN BESOIN D'ORDRE ET D'ÉQUILIBRE APRÈS LES DÉSORDRES TOUT RÉCENTS DE LA GUERRE.

L'initiateur du renouveau de la composition musicale est Erik Satie : bien qu'appartenant par l'âge au monde d'avant 1914, il devient, grâce à son ouverture d'esprit, son originalité, son style naïf et provocant, l'entraîneur et l'un des inspirateurs des jeunes compositeurs.

Erik Satie (1866-1925), décidé à réagir contre une musique qu'il juge floue, inutilement compliquée et pleine d'intentions littéraires, affiche un art délibérément dépouillé. Ennemi de la grandiloquence, il revendique un style précis, concis et aéré, sans développements thématiques. En pleine vogue wagnérienne, il compose pour le piano *Trois Gymnopédies* (1888) et *Trois Gnossiennes* (1889-1891), pièces courtes, naïves et nues, presque sans début ni fin. Afin d'anéantir tout élan lyrique et toute émotion trop facile, il préconise une distanciation critique vis-à-vis de l'œuvre. La création musicale ne doit plus être l'occasion d'épanchements de subjectivité, mais un acte objectif ; elle doit s'accompagner d'une réflexion préalable sans craindre de briser la spontanéité. Satie donne libre cours à son goût pour l'ironie et l'humour ; outre les titres d'œuvres et les nombreuses annotations que contiennent ses partitions, il cherche à rendre humoristique sa musique même. On peut citer par exemple ces deux œuvres pour piano : *Véritables Préludes flasques (pour un chien)* [1912] et *Embryons desséchés* (1913).

Mais l'originalité du compositeur ne trouve d'écho dans le public parisien qu'après le scandale triomphal provoqué par le ballet *Parade* (mai 1917), qui lui apporta la notoriété. Cette œuvre, composée à partir d'un argument du poète J. Cocteau, dans un décor cubiste de Picasso, emprunte son thème au spectacle du cirque et du music-hall. Dès lors, Satie exerce une influence indiscutable sur l'évolution de la musique. La dernière étape de son œuvre créatrice est la « musique d'ameublement ». Satie cherche à modifier le statut de la musique nouvelle : il s'essaie à une musique à tel point dépouillée qu'elle peut n'utiliser qu'une cellule répétée presque sans variation. Telle une rengaine, la musique devait entourer l'auditeur sans l'émouvoir – sinon occasionnellement. Cet art austère prend forme en *Socrate* (1918), drame symphonique d'après Platon. On peut noter que d'autres compositeurs s'étaient déjà engagés dans la voie d'un retour à une certaine sobriété classique : S. Prokofiev avec sa *Symphonie classique* (1917) et M. Ravel à travers sa *Sonatine* (1905) et son *Tombeau de Couperin* (1917).

La nouveauté qui se dégage de l'œuvre de Satie, cette rupture avec les goûts de l'époque, cet air naïf et provocant constituent pour plusieurs jeunes musiciens un vivant modèle. Ces « Nouveaux Jeunes » se voient proposer des concerts et, en 1920, un critique a l'idée de les désigner, à leur insu et en hommage au « groupe des Cinq » russe, sous le nom de « groupe des Six ». G. Auric, L. Durey, A. Honegger, G. Tailleferre, D. Milhaud et F. Poulenc se voient alors réunis par les événements – et par leur amitié. Bien que chacun possède une personnalité et des goûts musicaux très divers, un objectif commun les anime : échapper à l'emprise du romantisme et de l'impressionnisme. « L'esprit nouveau », comme le nomme E. Satie, se caractérise par sa retenue, sa rigueur technique, la simplification du style, le travail sur des sonorités incisives, le retour à la forme précise et concise. Le musicien doit s'inspirer du réel, chasser toute référence aux autres arts afin de ne pas s'embarrasser d'une vaine littérature et de retrouver la musique en soi, la simplicité et l'émotion vraie. J. Cocteau, devenu leur ami, s'improvise théoricien de leur art : il publie une brochure intitulée *le Coq et l'Arlequin,* qui peut être tenue pour le manifeste du groupe des Six. Par l'emploi de formules provocatrices, il proclame l'esthétique nouvelle que prescrit Satie. Le coq, symbole de l'esprit français, exhorte les jeunes musiciens à ne pas se laisser impressionner par l'étranger. L'arlequin, contraire même du coq, représente l'éclectisme tout englué d'influences étrangères. Cette révolution des Six répond à un besoin de mesure, à la recherche d'une tradition plus lointaine, mieux accordée au génie français, qui s'intègre dans le mouvement nationaliste de début de siècle.

Si Satie incarne en profondeur l'époque, dans sa recherche d'une pureté de la musique et d'une esthétique volontairement dépouillée, il reste aux compositeurs du groupe des Six – qui très vite ne sont plus que cinq – le privilège d'avoir accompli leur mission : ils ont « libéré » la musique.

3. *Les Mariés de la tour Eiffel* par les Ballets suédois, 1921 ; Théâtre des Champs-Élysées.

Le néoclassicisme en Europe

PRÉOCCUPATIONS COMMUNES À TOUTE UNE GÉNÉRATION, LES IDÉES-FORCES DU NÉOCLASSICISME SE RETROUVENT DANS L'ŒUVRE DE NOMBREUX COMPOSITEURS EN EUROPE.

De nombreux compositeurs, parmi lesquels des Français mais aussi des étrangers (de Grande-Bretagne, d'Europe centrale, d'Amérique), sont venus à Paris s'initier au langage de synthèse qu'utilise Stravinski. Cet enseignement, dispensé par Nadia Boulanger, inspire le goût pour un certain classicisme, mais n'impose aucune contrainte particulière, et chaque musicien évolue de façon personnelle. À la même époque, on retrouve des caractères néoclassiques dans l'œuvre de compositeurs s'exprimant dans des pays différents.

Paul Hindemith (1895-1963), en Allemagne, a très tôt réagi contre l'emprise du postromantisme. La vitalité de son tempérament s'exprime dans les premières œuvres agressives des années 1920 (*Sancta Susanna,* 1921 ; *Das Marienleben,* lieder, 1922 ; l'opéra *Nouvelles du jour,* 1929). Il se plonge alors dans l'étude de la musique baroque allemande et établit la jonction entre un besoin de création instinctive et une certaine rigueur, une sévérité propre à cette époque. Hindemith en retire un langage polyphonique dont les rythmes carrés et précis, d'une régularité presque obsédante, ont été à l'origine de la « Motorik ». Il reprend la tradition instrumentale allemande, qui s'étend de Bach à Brahms et Reger : il devient le défenseur d'une musique allemande savante dont le sérieux, l'absence de détente harmonique, la rythmique et la thématique s'inspirent des œuvres baroques (*Konzertmusik op. 50,* 1931).

Béla Bartók (1881-1945), en Hongrie, se forge un style de synthèse. L'influence du folklore de son pays, auquel il a consacré de longues années de recherche, lui permet de retrouver des données musicales universelles et très anciennes (*Suite de danses,* 1923). De son approche de la musique baroque et classique, traitée en profondeur, il puise une vénération pour Bach et une profonde admiration pour Beethoven. Il opère une synthèse entre ces différentes sources, parvient à une alliance du savant et du populaire et ajuste la musique du passé au monde moderne (*le Château de Barbe-Bleue,* 1918 ; *le Mandarin merveilleux,* 1919).

Ferruccio Busoni (1866-1924), pianiste italien vivant en Allemagne, pédagogue, enseigna à Berlin jusqu'à sa mort. Il favorisa dans son enseignement (*De l'unité de la musique,* 1922) et dans ses œuvres un retour à l'idéal du classicisme du XVIIIe siècle, « Junge Klassizität » (jeune classicisme), meilleur garant selon lui contre l'anarchie des tendances de la musique moderne (*Six Sonatines pour piano,* 1910-1920). Bach, dont il édita les œuvres pour clavier, et Mozart constituent les références absolues.

Arnold Schönberg (1874-1951), compositeur autrichien, est le père du dodécaphonisme. Or, néoclassicisme et musique sérielle sont généralement considérés comme deux développements antithétiques. L'opposition de leurs esthétiques n'a d'égale que l'allergie réciproque des deux compositeurs les plus représentatifs de celles-ci : pour Schönberg, l'éclectisme et le passéisme de Stravinski sont incompréhensibles. Schönberg pourtant tente de préserver la tradition : même s'il en radicalise les principes, dans des compositions où tout est à la fois nouveau et reconnaissable, il cherche à créer dans le prolongement de l'expérience musicale antérieure. Avec l'apparition du dodécaphonisme, ses tendances conservatrices s'expriment dans le choix de formes classiques simples et symétriques, dans l'utilisation des techniques de variation les plus traditionnelles (imitation, augmentation, diminution, etc.), dans l'instrumentation plus conventionnelle. Imprégné de tonalité, Schönberg cherche à faire revivre ses principes par le biais du dodécaphonisme.

•

Un ballet-manifeste

Au moment de la création du groupe des Six, Rolf de Maré, directeur de la troupe des Ballets suédois, commande à J. Cocteau une pièce-ballet rappelant les opéras-ballets du XVIIIe siècle. Le poète y voit l'occasion d'illustrer les idées qu'il développe dans *le Coq et l'Arlequin* : le délai étant court, Cocteau, après avoir écrit le texte des *Mariés de la tour Eiffel,* s'adresse à ses amis des « Six », qui acceptent, enthousiastes, d'en composer la musique. L'effervescence de la vie intellectuelle et artistique parisienne de l'époque, se concrétisant par de fréquentes collaborations des plus illustres écrivains, peintres et musiciens, explique que l'apparition de cette œuvre, sous sa forme burlesque et satirique, prit aussitôt l'allure d'un manifeste.

L'esthétique du modèle musical

AU DÉBUT DU XXe SIÈCLE, LA MUSIQUE DU PASSÉ SE VOIT INTÉGRÉE À L'ACTE DE COMPOSITION, EN PARTICULIER DANS L'ŒUVRE D'UN MUSICIEN PHARE : IGOR STRAVINSKI.

Des tentatives avaient été effectuées dès le XVIIIe siècle pour remettre en avant des œuvres musicales des siècles antérieurs. Déjà Mozart rendait hommage à Händel et surtout à Bach en utilisant, par exemple, l'écriture fuguée. On peut considérer qu'une première vague néoclassique est amorcée par F. Mendelssohn (1809-1847), qui tire de l'oubli, grâce à de nombreuses auditions publiques, des œuvres anciennes, et celles de Bach en particulier. Dès lors s'amorce une immense entreprise de restauration des œuvres du passé, des traités théoriques, des représentations iconographiques... Au début du XXe siècle, il est devenu impossible d'ignorer l'histoire.

Le terme néoclassique est communément appliqué à la musique de I. Stravinski (1882-1971) à partir de 1920. À cette époque, il quitte la Suisse, où la guerre l'a contraint à se réfugier, et renonce définitivement à la Russie pour l'Occident. Il s'installe près de Paris, ville d'intense activité artistique et culturelle et lieu d'effervescence créatrice. C'est de façon presque anecdotique que Stravinski commence à s'inspirer des œuvres du passé. L'impulsion lui est donnée par la commande de S. de Diaghilev, fondateur de la troupe des Ballets russes. Enthousiasmé par le succès d'un ballet qu'il donna à Rome d'après une œuvre d'A. Scarlatti dans un décor de Picasso, séduit par la gaieté

et la grâce de manuscrits juste redécouverts de Pergolèse, Diaghilev proposa à Stravinski de composer un ballet d'après ces fragments musicaux. Ainsi naît *Pulcinella.* Mais la première audition de l'œuvre, qui emprunte textuellement ces éléments à Pergolèse, n'est pas bien accueillie, et beaucoup des partisans de Stravinski l'accusent alors de régresser vers le pastiche. À partir de là, pourtant, le compositeur va enrichir ses expériences personnelles en utilisant à son propre compte les musiques du passé.

L'Octuor pour instruments à vent (1923) s'oriente vers la recherche d'une nouvelle polyphonie : cette tentative consiste à suggérer l'essence même du contrepoint propre à l'époque baroque, et amène Stravinski à donner une place privilégiée au piano dans ses œuvres. Suivent alors le *Concerto* pour piano (1924), qui s'inspire ouvertement de Bach, et la *Sonate* pour le même instrument (1924), dont l'écriture rappelle la technique des clavecinistes français du XVIIIe siècle. En

1927, avec *Œdipus Rex,* Stravinski réalise son projet d'une œuvre de synthèse entre opéra et oratorio. Il choisit le thème d'*Œdipe* de Sophocle, que J. Cocteau réduit à l'essentiel et qui est traduit en latin par J. Daniélou. Dans cette œuvre composite, plusieurs époques et plusieurs styles sont évoqués, du Moyen Âge à Verdi. Au sein d'une telle œuvre, la prise de conscience historique – sur laquelle se fonde tout le mouvement néoclassique – est particulièrement évidente tant les modèles choisis diffèrent. La *Symphonie de psaumes* (1930), d'inspiration religieuse également tendue sur un texte latin, fait nettement référence au chant grégorien et au ton de la psalmodie. Quant au *Concerto* pour orchestre de chambre (1938), il a la coupe et l'écriture du *Troisième Concerto brandebourgeois* de Bach. En 1940, Stravinski se fixe aux États-Unis ; il semble de plus en plus attiré par la musique du Moyen Âge et de la Renaissance. *Orphée* (1947) est inspiré de Monteverdi, et, dans la *Messe* (1944-1948), des sections de polyphonie archaïque, l'em-

ploi de certains modes ecclésiastiques rappellent G. de Machaut. L'opéra en anglais *The Rake's Progress* (1951) se coule dans le moule de l'opéra du XVIIIe siècle et fait revivre notamment l'esprit mozartien. Mais cette œuvre révèle une situation de crise, car elle tend à donner au modèle historique la priorité sur l'invention. La plupart des œuvres de la période néoclassique de Stravinski se servent d'une musique préexistante qu'il actualise et adapte à son langage. Toutes les tendances de la musique sont confrontées dans sa production afin de tendre vers une expression de caractère universel. Stravinski recherche une objectivité stylistique qui conférerait à sa musique un intérêt éternel et universel. Mais la situation d'impasse à laquelle aboutit cette démarche se traduit par l'absence de marque personnelle. Où est le vrai Stravinski ? La mutation stylistique va alors s'établir en faveur du sérialisme, technique à travers laquelle le compositeur trouvera une nouvelle force de créativité.

•

L'école russe

De Kiev à Saint-Pétersbourg

APRÈS LA COEXISTENCE DE L'ART RELIGIEUX ET DE
L'ART POPULAIRE, LES CONTACTS AVEC L'OCCIDENT,
CONDUIRONT À L'EUROPÉANISATION DE LA MUSIQUE.

DES ORIGINES AU XXe SIÈCLE, l'évolution de la musique russe se montre très différente de celle de la musique occidentale : extrêmement lente jusqu'au XVIIIe siècle, elle s'accélère ensuite de façon spectaculaire, à mesure que la Russie elle-même se modernise, pour atteindre, au cours du XIXe siècle, à la pleine possession de ses moyens.

Après la christianisation de la Russie kiévienne (988-989), les anciens chants païens, tout en restant dans la tradition, cèdent la place au chant religieux byzantin. En même temps, bardes et ménétriers cultivent un répertoire populaire. Deux siècles de stagnation, ensuite, correspondent à la domination tatare (XIIIe-XVe siècle). Au milieu du XVIe siècle apparaissent les premiers compositeurs connus et, bientôt, les premières polyphonies. Au XVIIe siècle, les styles de chant religieux se diversifient avec des formes parvenues de Pologne et d'Allemagne. Sous Pierre le Grand (1682-1725), la musique se laïcise. Au cours du XVIIIe siècle, surtout sous Catherine II (1762-1796), la Russie est envahie par la musique occidentale. La vie musicale s'organise socialement. Les Italiens règnent à Saint-Pétersbourg. Mais, en même temps, on publie des recueils de chants populaires, et les prémices de l'école russe apparaissent.

En quelques décennies, de Glinka (première moitié du XIXe siècle) à 1917, et parallèlement à l'essor de la littérature, l'école nationale prend corps : la Russie se place alors musicalement à l'égal des pays occidentaux. L'opéra et la musique symphonique fleurissent. Deux courants musicaux se définissent : l'un, d'origine nationaliste, s'oppose à l'autre, plutôt occidentaliste, mais ces deux tendances se rejoindront bientôt. Les conservatoires de Saint-Pétersbourg et de Moscou sont créés et le pays effectue de nombreux échanges musicaux avec l'Occident. Après la révolution de 1917, et après la décennie 1920-1930, très avant-gardiste, survient l'asservissement de la musique au totalitarisme idéologique que concrétise la création de l'Union des compositeurs en 1932. Parallèlement, quelques musiciens russes perdurent en émigration. En U.R.S.S., une nouvelle génération, moderne et affranchie des dogmes, commence à se manifester depuis les années 1960.

L'intense développement culturel de la Russie kiévienne après sa christianisation est dû à l'apport byzantin. La musique religieuse notée coexiste avec un art profane transmis par tradition ou improvisé. À l'église, le chant *znamennyi* (neumatique), osmose du chant byzantin et du chant populaire, formera l'ensemble du répertoire musical. Son essor correspond aux XVe-XVIe siècles, c'est-à-dire à celui de la Russie moscovite. Exclusivement vocal, il reste monodique (à une seule voix) jusqu'au milieu du XVIe siècle. La musique profane, pour sa part, est pratiquée par les *gousliary* (bardes, joueurs de *gousli,* sorte de tympanon), qui chantent des *bylines* (chansons de geste) héritées de sagas scandinaves ; les drames de l'invasion tatare alimenteront abondamment ce genre. Une musique plus spécifiquement plébéienne est celle des *skomorokhi* (ménétriers, baladins).

Sous Ivan le Terrible, les efforts de modernisation et d'instruction correspondent en musique à l'apparition des premiers compositeurs de mélodies sacrées (Fedor Khristianine, seconde moitié du XVIe siècle). En même temps surgissent les premières polyphonies, anonymes, rudimentaires et souvent fortement dissonantes. Des formes de musique chorale savante se développent à partir du milieu du XVIIe siècle. Issu des motets italiens transitant par la Pologne, le *chant partessien* est écrit pour des chœurs à 8, 12 voix, parfois davantage. Le pionnier en est Nikolaï P. Diletski (v. 1630 - v. 1690). En même temps, un genre plus simple apparaît avec les *kanty* (souvent à 3 voix) qui sont dérivés du choral allemand.

Avec les réformes et l'occidentalisation intense sous Pierre le Grand (1682-1725), la vie sociale et l'art se laïcisent rapidement. Les *kanty* deviennent les hymnes patriotiques martiaux, puis des chants profanes, qui donnent naissance au folklore citadin. Parmi les principaux compositeurs de cette période, il faut retenir Vassili P. Titov (1650-1710).

Saint-Pétersbourg, fondée au début du XVIIIe siècle, attire bientôt les artistes étrangers. Les Italiens Araja, Manfredini, Galuppi, Traetta encouragent l'opera seria. Puis l'opéra buffa devient populaire sous Catherine II avec Paisiello. Vers la fin du siècle, l'opéra-comique français supplante l'art italien. À la Chapelle impériale, le motet est cultivé par D.S. Bortnianski (1751-1825). L'esprit du siècle des Lumières incite les Russes à s'intéresser à eux-mêmes. Des recueils de chants populaires paraissent ; M.M. Sokolovski, V.A. Pachkevitch, M.A. Matinski et surtout E.I. Fomine (1761-1800) y puisent pour écrire des *Singspiele* russes sur des sujets populaires ou historico-légendaires. Ce sont les prémices de l'opéra national. Fomine écrit aussi le mélodrame *Orphée* (1792), influencé par Gluck et Mozart. ●

1. Manuscrit neumatique de la fin du XVIe siècle.

Moments clefs de la musique russe

Chez Khristianine (1), l'écriture neumatique est à son dernier stade de développement, les neumes étant accompagnés de lettres, appelées « signes écarlates », qui indiquent la hauteur réelle des notes. Danseur devenu déjà légendaire de son vivant, Vaslav Nijinski (3) sut donner au personnage du théâtre de marionnettes toute sa dimension tragiquement humaine. Le nom de Chaliapine (2), chanteur et acteur hors pair, est resté indissociablement lié au tsar de l'opéra de Moussorgski. C'est dans le second tableau de son opéra *Boris Godounov* (4) que se mêlent le drame et la grandeur hiératique. Quant à Rachmaninov (5), il fut une des personnalités majeures de la grande lignée des compositeurs-pianistes ; sa technique prodigieuse, la qualité expressive de son jeu restent aujourd'hui encore des modèles.

2. Fedor Chaliapine dans le rôle de Boris Godounov (1909).

3. Nijinski dans le rôle de Petrouchka (Stravinski).

4. Scène du couronnement de Boris Godounov.

L'école nationale russe

EN MOINS D'UN SIÈCLE, QUATRE
GÉNÉRATIONS PORTERONT LA MUSIQUE RUSSE À SON APOGÉE,
DÉTERMINANT SON STYLE ET SON ESTHÉTIQUE.

Mikhaïl Glinka (1804-1857) est le « père de la musique russe ». Ses deux opéras *la Vie pour le tsar (Ivan Soussanine)* et *Rouslan et Lioudmila* jettent les bases de la dramaturgie musicale russe. Son séjour en Espagne (1845-1847) lui inspire deux pièces orchestrales, *la Jota aragonaise* et *Souvenir d'une nuit d'été à Madrid* ; elles sont suivies de *Kamarinskaïa* (1851), sur des thèmes russes. Ses romances, sa musique de scène pour *le Prince Kholmski* (1840) sont également marquantes.

Aleksandr Sergueïevitch Dargomyjski (1813-1869) contribue à l'évolution de l'opéra avec *Roussalka* (1855) et *le Convive de pierre* (1869), où il abolit l'opposition récitatif-air au profit du seul récitatif mélodique. Vers la fin de sa vie, Dargomyjski se rapprochera du groupe des Cinq.

Anton Rubinstein (1829-1894), pianiste virtuose, compositeur fécond, fonde à Saint-Pétersbourg le premier Conservatoire russe (1862) ; son frère Nikolaï (1835-1881) fonde celui de Moscou (1866). Rubinstein représente la tendance occidentaliste. Ses six symphonies, ses cinq concertos pour piano sont les premiers écrits en Russie. De ses nombreux opéras, seul *le Démon* (1875) a survécu. Petr Ilitch Tchaïkovski (1840-1893) a été élève au Conservatoire de Saint-Pétersbourg puis professeur à Moscou. Rompu aux formes occidentales autant qu'attaché aux sources nationales, il est l'un des rares vrais romantiques russes. Il a pratiqué tous les genres : ballets avec *le Lac des cygnes* (1876), *la Belle au bois dormant* (1889), *Casse-Noisette* (1892) ; opéras, dont *Eugène Onéguine* (1878) et *la Dame de pique* (1890) ; six symphonies (dont la *Pathétique*, n° 6) ; poèmes symphoniques (*Roméo et Juliette*, 1869) ; concertos ; musique de chambre ; cycles religieux *(Liturgie, Vêpres)* ; mélodies. Sa musique reflète une psychologie tourmentée.

Le groupe des Cinq.

Entre 1857 et 1862, cinq musiciens autodidactes forment un cénacle pour travailler ensemble au développement de l'école russe. Autour du fondateur, M. Balakirev, se regroupent C. Cui, M. Moussorgski, N. Rimski-Korsakov et A. Borodine.

Mili Alekseïevitch Balakirev (1837-1910), pianiste, chef d'orchestre, animateur efficace, est surtout connu pour sa fantaisie pour piano *Islamey* (1869), le poème symphonique *Thamar* (1882), fortement teintés d'orientalisme, quelques miniatures orchestrales, deux symphonies et des romances.

César Cui (1835-1918) fut une personnalité secondaire, dont les opéras *(William Ratcliff, le Prisonnier du Caucase)* n'ont guère survécu. Il fut un critique musical réputé pour sa malveillance.

Modest Petrovitch Moussorgski (1839-1881), mort prématurément, fut le plus grand génie de la musique russe. Après avoir laissé inachevés les opéras *Salammbô* et *le Mariage*, il compose *Boris Godounov* d'après Pouchkine (deux versions, 1869 et 1872), qui reste l'œuvre majeure du répertoire russe. Toutefois, il ne sera longtemps connu que dans la version de Rimski-Korsakov, réalisée après la mort de l'auteur. De 1872 à la fin de sa vie, Moussorgski travaille à une autre fresque historique, *la Khovanchtchina*, et à l'opéra-comique *la Foire de Sorotchintsy*. En musique instrumentale, il laisse le poème symphonique *Une nuit sur le mont Chauve* (1867, plus connu dans la version de Rimski-Korsakov, 1886) et la suite pianistique des *Tableaux d'une exposition* (1874, diverses orchestrations, dont celle de Ravel en 1922). Il a écrit des mélodies, dont trois cycles : *les Enfantines* (1872), *Sans soleil* (1874) et *Chants et danses de la mort* (1875-1877). Psychologue et dramaturge, il s'exprime dans un langage riche, spontané, souvent non conformiste, d'où l'incompréhension dont il souffrit de son vivant.

Aleksandr Borodine (1833-1887), médecin et chimiste, fut fasciné par le Moyen Âge russe et par l'Orient. Son opéra épique *le Prince Igor* (inachevé, terminé par Rimski-Korsakov et Glazounov) contient les fameuses *Danses polovtsiennes*. Une esthétique semblable domine ses trois symphonies (surtout la deuxième, *Épique*,

1876). Son œuvre la plus connue reste le tableau symphonique *Dans les steppes de l'Asie centrale* (1880). On lui doit aussi deux quatuors, une *Petite Suite* pour piano et des mélodies.

Nikolaï Andreïevitch Rimski-Korsakov (1844-1908), officier de la marine, fut nommé professeur au Conservatoire en 1871. Son œuvre est centrée sur le symphonisme et l'opéra. Aimant l'exotisme (*Antar*, 1868 ; *Capriccio espagnol*, 1887 ; *Shéhérazade*, 1888), le conte populaire (opéras *Snegourotchka*, 1881, *Tsar Saltan*, 1900, *le Coq d'or*, 1907), la légende médiévale (opéras *Sadko*, 1896, *Kitège*, 1905), il paya aussi le tribut à l'histoire (opéras *la Pskovitaine*, 1872/1892, *la Fiancée du tsar*, 1898-1899). Remarquable orchestrateur, il a achevé des œuvres de Dargomyjski, Moussorgski, Borodine, mais en prenant des libertés excessives.

Le groupe Belaïev.

Rassemblé à partir de 1882 autour du mécène M.P. Belaïev, ce groupe, animé par Rimski-Korsakov, rassemble plusieurs de ses élèves. Leur intérêt va à la musique de chambre et d'orchestre plutôt qu'à l'opéra. Les plus talentueux sont Aleksandr K. Glazounov (1865-1936, émigré en 1928) et Anatoli K. Liadov (1855-1914).

À Moscou, trois personnalités dominent la vie musicale. Sergueï I. Taneïev (1856-1915), élève de Tchaïkovski, est un classique russe. Son opéra *l'Orestie* (1894), sa musique instrumentale et chorale ont plus de science que d'originalité. Il fut un pédagogue estimé. Sergueï V. Rachmaninov (1873-1943), élève de Taneïev, est un postromantique. Pianiste prodigieux, il a mis le meilleur de lui-même dans ses concertos, ses préludes et études-tableaux pour piano. C'est aussi un symphoniste (trois symphonies, poème *l'Île des morts*, 1909), un auteur de mélodies et d'œuvres religieuses (*Liturgie*, 1910 ; *Vêpres*, 1915). Il émigra en 1917 aux États-Unis. Aleksandr N. Scriabine (1872-1915) a écrit uniquement pour piano et pour orchestre. D'abord influencé par Chopin et par Liszt, puis par Wagner, il s'oriente ensuite vers un langage atonal et cherche à donner à sa musique une dimension extatique (3e symphonie, *le Divin Poème*, 1904 ; *le Poème de l'extase*, 1908 ; *Prométhée*, 1910). Ses dix sonates pour piano renouvellent le genre.

Les Ballets russes de Diaghilev.

À partir de 1909, Serge de Diaghilev (1872-1929) fait de Paris, le centre de l'art chorégraphique russe, réunissant les plus grands talents de la musique, de la danse et de la peinture. C'est là que se révèle notamment Igor Stravinski (1882-1971) avec *l'Oiseau de feu*, *Petrouchka* et *le Sacre du printemps* (1910-1913). ●

5. Rachmaninov au piano.

Après la Révolution

SERGE PROKOFIEV EST L'UNE DES FIGURES CLEFS DE CETTE PÉRIODE. MAIS, DÈS 1932, L'AVANT-GARDISME DES COMPOSITEURS SOVIÉTIQUES A ÉTÉ ASSERVI AU TOTALITARISME IDÉOLOGIQUE.

Sergueï Sergueïevitch Prokofiev (1891-1953) se forma au Conservatoire de Saint-Pétersbourg. Il s'affirme comme un radical, recherchant les effets violents et « barbares » (*Suite scythe*, 1915), mais aussi soucieux de rigueur (*Symphonie classique*, 1917). Il émigre, passe quinze ans en Occident (opéras *l'Amour des trois oranges*, 1921, *l'Ange de feu*, 1928 ; ballets *Chout*, 1921, *le Pas d'acier*, 1927) puis retourne en U.R.S.S., où il devient un compositeur officiel. Son style redevient plus limpide. Il sera néanmoins victime de la campagne « antiformaliste » en 1948 et devra s'amender. Il a collaboré avec Eisenstein pour les films *Alexandre Nevski* (1938) et *Ivan le Terrible* (1945). Ses ballets *Roméo et Juliette* (1936), *Cendrillon* (1944) régénèrent la tradition classique. Son œuvre pour piano (qui comprend 5 concertos, 9 sonates, des pièces diverses) tient une place importante.

La fin des années 1920, ouvertes à l'avant-garde, voit apparaître Dmitri Chostakovitch (1906-1975) [opéra *le Nez*, 1928]. Son second opéra, *Lady Macbeth de Mtsensk*, sera violemment critiqué en 1936. Dès lors, Chosta-

kovitch aura un double visage, celui du compositeur fidèle au régime et celui d'un être profondément torturé. C'est ainsi qu'il apparaît dans ses 15 symphonies (dont la septième, *Leningrad*, 1941) et ses 15 quatuors. Il a écrit de nombreuses musiques de scène et de films, des cantates (*le Chant des forêts*, 1949), des cycles vocaux, de la musique de piano. Il reste le symbole musical de l'U.R.S.S. Parmi ses contemporains, il faut citer Dmitri Kabalevski (1904-1987) [opéra *Colas Breugnon*, 1938 ; symphonies, concertos, musique pour enfants], et Aram Khatchatourian (1903-1978), arménien, auteur des ballets *Gayaneh* et *Spartacus*. La nouvelle génération, née dans les années 1930-1940, a produit des classiques-modernes comme Rodion Chtchedrine (né en 1932) et Boris Tichtchenko (né en 1939) ainsi qu'une pléiade d'avant-gardistes au fait des techniques sérielles occidentales : Edison Denissov (né en 1929), Sofia Goubaidoulina (née en 1931), Alfred Schnitke (né en 1934). Ce n'est que récemment qu'ils ont pu acquérir, de haute lutte, une certaine notoriété. ●

Claude Debussy

Pelléas et Mélisande

L'INSPIRATION POÉTIQUE ET LITTÉRAIRE
EST L'UNE DES CARACTÉRISTIQUES DE L'ŒUVRE DE DEBUSSY.
NOMBRE DE SES COMPOSITIONS EN TÉMOIGNENT.

I L N'Y A PAS D'ÉCOLE DEBUSSY. Je n'ai pas de disciples, je suis moi. » Claude Debussy, qui se définit ainsi lui-même en 1910, est responsable d'une évolution profonde de la pensée musicale. Son œuvre constitue l'un des germes de la musique du xxᵉ siècle. Dès l'époque de sa formation au Conservatoire, Debussy manifeste un anticonformisme notoire. Ses reparties spontanées à ses maîtres en témoignent, alors qu'il refuse déjà farouchement de se plier aux règles d'école. Il n'obtiendra le premier grand prix de Rome que « par ruse », en truffant sa copie du vocabulaire académique susceptible de plaire au jury.

Compositeur indépendant s'il en fut, Debussy se forge un langage personnel dont l'originalité consiste, outre à ignorer délibérément une partie des principes de base de l'harmonie classique, à s'enrichir notamment par l'emploi des échelles extra-européennes et par une nouvelle conception du temps et du timbre. Il se fait ainsi l'inventeur d'une nouvelle « chimie musicale ».

Debussy ne mérite pas pour autant le qualificatif de révolutionnaire, dans la mesure où il n'opère aucun changement radical. Il exprime clairement ses opinions dans sa correspondance et dans les articles critiques qu'il signe « Monsieur Croche ». L'originalité des titres des œuvres de Debussy révèle les centres d'intérêt d'un musicien cultivé et curieux des autres formes d'expression artistiques ou littéraires. Doublées d'une imagination débordante, ses sources d'inspiration sont variées : la poésie et la littérature, dont il se nourrit abondamment, les arts plastiques, dont il est un fin amateur, la nature, qu'il contemple avec attention. Cet éclectisme va de pair avec les amitiés qu'il noue avec peintres et poètes. Son œuvre est relativement abondante et variée : un opéra (Pelléas et Mélisande), des mélodies, des œuvres symphoniques (Prélude à l'après-midi d'un faune, Nocturnes, la Mer, Images), chorégraphiques et chorales (Jeux), de la musique de chambre (un Quatuor à cordes et des Sonates), des œuvres pour piano (Suite bergamasque, Images, Préludes, Études). Debussy, qui employait volontiers un vocabulaire plastique et qui affirmait avoir plus appris des peintres que des musiciens, se rattache au mouvement symboliste.

Il est significatif que les premières compositions de Debussy soient des mélodies. Elles révèlent à la fois l'amour profond du musicien pour la poésie et la sûreté de ses goûts. Au cours de son séjour à la Villa Médicis, Debussy dévore les volumes de poésie qu'il se fait envoyer spécialement par un libraire parisien. De Banville à Mallarmé en passant par Paul Bourget, Verlaine, Baudelaire, Pierre Louÿs, Maeterlinck, D'Annunzio ou Edgar Poe, la liste est longue des poètes et des écrivains auxquels le nom de Debussy reste associé. D'ailleurs, le compositeur fréquente les « mardis » de Mallarmé, et une solide amitié le lie à Pierre Louÿs. Ses nombreuses mélodies, les Ariettes oubliées ou les Cinq Poèmes de Baudelaire, constituent une sorte de laboratoire expérimental d'où pourra naître Pelléas et Mélisande.

Créé à l'Opéra-Comique le 30 avril 1902 sous la direction d'André Messager, Pelléas et Mélisande, drame lyrique d'après Maeterlinck, vaut à Debussy la consécration, non sans avoir suscité une polémique. Debussy avait assisté en 1893 à la première représentation de la pièce de Maeterlinck. Il y avait découvert enfin tous les éléments nécessaires selon lui pour inspirer une œuvre lyrique, « une langue évocatrice dont la sensibilité pouvait trouver son prolongement dans la musique et dans le décor orchestral ». Son unique opéra achevé est un chef-d'œuvre et marque l'histoire du genre. Debussy y affirme la nécessité de se dégager de l'emprise wagnérienne. « Les personnages de ce drame tâchent de chanter comme des personnes naturelles et non pas dans une langue arbitraire faite de traditions surannées » écrivait Debussy, qui ne prétendait pas « avoir tout découvert dans Pelléas », mais « essayé de frayer un chemin que d'autres pourront suivre, l'élargissant de trouvailles personnelles qui débarrasseront peut-être la musique de la lourde contrainte dans laquelle elle vit depuis si longtemps ». Debussy laisse aussi plusieurs œuvres lyriques inachevées : Rodrigue et Chimène, sur un livret de Catulle Mendès, la Chute de la maison Usher et le Diable dans le beffroi, d'après deux nouvelles d'Edgar Poe, dont l'univers le fascinait tant.

Outre la mise en musique d'un texte, la poésie fournit également à Debussy une source d'inspiration pour sa musique instrumentale. Composé entre 1892 et 1894, le Prélude à l'après-midi d'un faune constitue la première grande expérience de Debussy dans le domaine de l'orchestration. Sa création rend le compositeur célèbre du jour au lendemain. L'œuvre est conçue comme une « illustration très libre » du poème de Stéphane Mallarmé. Le poète fut comblé par la partition, dont il jugeait qu'elle allait « bien plus loin » que son poème. En 1913, Debussy mettra en musique Trois Poèmes de Mallarmé, à la mémoire du poète. Parmi les œuvres pour piano, plusieurs Préludes empruntent leur titre à un vers poétique. Quant à la Suite bergamasque, elle est issue de l'univers verlainien. ●

Dates clefs

1862	Naissance à Saint-Germain-en-Laye.
1871	Premières leçons de piano.
1872	Entrée au Conservatoire de Paris.
1879	Premières compositions.
1884	Premier grand prix de Rome (cantate l'Enfant prodigue).
1889	Découverte de la musique javanaise à l'Exposition universelle.
1890	Cinq Poèmes de Baudelaire, pour chant et piano.
1893	Quatuor à cordes.
1894	Prélude à l'après-midi d'un faune.
1899	Premier mariage, avec Rosalie Texier (Lily).
1900	Nocturnes pour orchestre.
1902	Pelléas et Mélisande (Opéra-Comique).
1903	Estampes pour piano.
1904	Quitte sa femme pour Emma Bardac, avec qui il se mariera en 1908.
1905	La Mer. Naissance de Claude-Emma (« Chouchou »).
1905-1908	Images pour piano.
1906-1908	Children's Corner.
1910-1913	Préludes pour piano.

1911	Le Martyre de saint Sébastien, (Ida Rubinstein, Théâtre du Châtelet).
1912	Images pour orchestre.
1913	Jeux (Ballets russes). Trois Poèmes de Mallarmé, pour chant et piano.
1915	Douze Études pour piano.
1917	Sonate pour violon et piano.
1918	Mort à Paris.

1. Claude Debussy, esquisse à l'huile par Paul Robert.

« Monsieur Croche »

La musique doit humblement chercher à faire plaisir.

La musique, je l'aime passionnément, moi, et c'est par amour pour elle que je m'efforce de la dégager de certaines traditions stériles qui l'engoncent. C'est un art libre, jaillissant, un art de plein air, un art à la mesure des éléments du vent, du ciel, de la mer ! Il ne faut pas en faire un art fermé, scolaire.

Il faut chercher la discipline dans la liberté et non dans les formules d'une philosophie devenue caduque et bonne pour les faibles. N'écoutez les conseils de personne, sinon du vent qui passe et nous raconte l'histoire du monde.

On n'écoute pas autour de soi les mille bruits de la nature, on ne guette pas assez cette musique si variée qu'elle nous offre avec tant d'abondance. Elle nous enveloppe, et nous avons vécu au milieu d'elle jusqu'à présent sans nous en apercevoir. Voilà selon moi la voie nouvelle.

Je me persuade, de plus en plus, que la musique n'est pas, par son essence, une chose qui puisse se couler dans une forme rigoureuse et traditionnelle.

Soutenons que la beauté d'une œuvre d'art restera toujours mystérieuse, c'est-à-dire qu'on ne pourra jamais exactement vérifier « comment cela est fait ». Conservons, à tout prix, cette magie particulière à la musique. Par son essence, elle est plus susceptible d'en contenir que tout autre art.

On me qualifie de révolutionnaire, mais je n'ai rien inventé. J'ai tout au plus présenté des choses anciennes d'une nouvelle manière.

Images

« J'AIME PRESQUE AUTANT LES IMAGES
QUE LA MUSIQUE. » DE NOMBREUX EXEMPLES CONFIRMENT
CETTE CONFIDENCE DE DEBUSSY À VARÈSE.

L'image est fréquemment associée à la musique de Debussy. Si le compositeur fréquente Paul Robert, Odilon Redon et Camille Claudel, il est aussi un fervent admirateur de Whistler, de Turner et de Gustave Moreau, un visiteur assidu de musées et d'expositions et un amateur d'objets japonais ou chinois, qu'il collectionne volontiers. On remarque chez lui notamment un exemplaire de *la Valse* de Camille Claudel, *la Vague,* une estampe de Hokusai, et des reproductions de Turner. Qu'il s'inspire directement d'une œuvre d'art, qu'il emploie un vocabulaire plastique pour intituler une œuvre ou pour parler de problèmes musicaux ou enfin qu'il choisisse une illustration pour orner la couverture d'une de ses partitions, Debussy prouve à maintes reprises son attachement aux arts visuels.

Deuxième envoi de Rome, *Printemps,* suite symphonique pour orchestre, piano et chœur, fut inspiré par *le Printemps* de Botticelli. Debussy écrivait à son propos : « Je me suis mis dans la tête de faire une œuvre dans une couleur spéciale et devant donner le plus de sensations possible. » Deux préludes, *Canope* d'une part et *La Puerta del Viño* d'autre part, doivent leur titre et leur inspiration à un objet d'art qui se trouvait sur sa table de travail pour le premier, à une carte postale de Grenade envoyée par Manuel de Falla pour le second. Quant à la troisième des *Images* (deuxième série) pour piano, *Poissons d'or,* elle fut inspirée à Debussy par un panneau de laque noire rehaussé de nacre et d'or qui ornait un mur de son bureau. Debussy est l'auteur de deux *Arabesques,* d'un ensemble d'*Estampes* pour le piano – ces dernières sont d'ailleurs dédiées à Jacques-Émile Blanche – ainsi que de plusieurs séries d'*Images* pour piano et pour orchestre. Tous ces titres sont éloquents. La couverture de la partition de *la Damoiselle élue* fut illustrée par Maurice Denis. Celle de *la Mer* est inspirée de *la Vague* de Hokusai. La partition de *la Boîte à joujoux* est illustrée de dessins d'André Hellé. La couverture de *Children's Corner,* enfin, fut dessinée par le compositeur lui-même. Ces deux dernières œuvres, tournées vers l'univers de l'enfance, auquel le rattache sa fille Chouchou, sont aussi pleines de références visuelles. L'environnement esthétique du compositeur a toujours été déterminant pour ses œuvres en gestation. Pour Debussy, le séjour à la Villa Médicis fut fructueux, ne serait-ce que par les échanges qu'il lui offrit avec les artistes plasticiens. •

La Mer

« LA MUSIQUE EST PRÉCISÉMENT L'ART
QUI EST LE PLUS PRÈS DE LA NATURE » ÉCRIVAIT DEBUSSY,
QUI S'EN EST SOUVENT INSPIRÉ.

Nombreuses sont les réflexions de Debussy qui prouvent à quel point il était convaincu que la musique pouvait tout particulièrement se laisser féconder par l'« écoute » et l'examen attentif de la nature. « Je voulais à la musique une liberté qu'elle contient peut-être plus que n'importe quel art, n'étant pas bornée à une reproduction plus ou moins exacte de la nature, mais aux correspondances mystérieuses entre la Nature et l'Imagination. » Dans ce domaine encore, les titres des œuvres de Debussy sont éloquents et conjuguent souvent l'inspiration poétique avec celle de la nature. On en relève de nombreux exemples aussi bien dans sa musique symphonique que dans ses pièces pour piano.

Le musicien ne cherche pas à reproduire ce qu'il voit mais plutôt à exprimer son émotion face à la nature. C'est ainsi qu'il fait allusion à « ce livre, pas assez fréquenté par les musiciens, je veux dire la nature ». Le fait qu'il ait entamé la composition de *la Mer* en Bourgogne illustre bien ce procédé dans lequel l'imagination et le souvenir de la sensation dominent. Deux *Nocturnes* portent des titres révélateurs : *Nuages* (« c'est l'aspect immuable du ciel avec la marche lente et mélancolique des nuages ») et *Sirènes* (« c'est la mer et son rythme innombrable, puis, parmi les vagues argentées de lune, s'entend, rit et passe le chant mystérieux des sirènes »). Parmi les œuvres pour piano, *Brouillards, Ce qu'a vu le vent d'ouest, le Vent dans la plaine, Cloches à travers les feuilles, Des pas sur la neige, Feuilles mortes, Jardins sous la pluie, Reflets dans l'eau* évoquent tour à tour le ciel ou l'eau, dont le thème inonde l'œuvre de Debussy.

« Qui connaîtra le secret de la composition musicale ? Le bruit de la mer, la courbe d'un horizon, le vent dans les feuilles, le cri d'un oiseau déposent en nous de multiples impressions. Et, tout à coup, sans qu'on y consente le moins du monde, l'un de ces souvenirs se répand hors de nous et s'exprime en langage musical. Il porte en lui-même son harmonie. » « Seuls les musiciens ont le privilège de capter toute la poésie de la nuit et du jour, de la terre et du ciel, d'en reconstituer l'atmosphère et d'en rythmer l'immense palpitation. » Ces propos de Debussy expliquent clairement une partie de sa musique. •

Les sources d'inspiration

« Rappelle-toi la musique javanaise qui contenait toutes les nuances, même celles qu'on ne peut plus nommer, où la tonique et la dominante n'étaient plus que vains fantômes à l'usage des petits enfants pas sages. » (Debussy à Pierre Louÿs, 22 janvier 1895.) C'est Camille Claudel, rencontrée à l'époque de l'Exposition universelle de 1889, qui initia Claude Debussy à l'art japonais. *La Vague* d'Hokusai (4) ornait l'un des murs du bureau du compositeur.

3. *Le Printemps* de Botticelli.

2. Danseuse balinaise.

4. *L'Arc de la vague au large du Kanagawa,* par Hokusai.

Arnold Schönberg

« CONSERVATEUR FORCÉ À DEVENIR RADICAL »,
SCHÖNBERG FUT LE FONDATEUR D'UN DES MOUVEMENTS
LES PLUS NOVATEURS DE CE XXᵉ SIÈCLE.

L'école de Vienne

REPRÉSENTÉE PAR ARNOLD Schönberg et deux de ses disciples, Alban Berg et Anton Webern, l'école de Vienne est responsable d'une des mutations essentielles de la pensée musicale au début du XXᵉ siècle. C'est à travers ce mouvement que les principes du système tonal, sur lequel reposait l'écriture musicale depuis environ trois siècles, se sont trouvés le plus profondément ébranlés. Il est vrai que les compositeurs romantiques avaient déjà fortement ressenti l'insuffisance expressive des fonctions tonales. Mais si la remise en question de la logique harmonique classique a été largement amorcée par Brahms, Wagner et Mahler notamment, avec Arnold Schönberg, le chromatisme est exploité de plus en plus délibérément, jusqu'à engendrer le système dodécaphonique en 1923.

Avant cette étape décisive pour l'histoire de la musique moderne, la musique de l'école de Vienne a souvent été qualifiée d'« atonale ». Toutefois, Schönberg refusait cette désignation, la jugeant par trop négative. En fait, si l'on a parlé pour la première fois de musique atonale en 1912 à propos de son *Pierrot lunaire,* atonalité n'implique pas abolition de la tonalité, mais remise en cause des hiérarchies et privilèges qui lui sont associés dans le traitement des intervalles et des accords. C'est sans aucun doute ce qui a fait dire à Schönberg dès 1911 qu'il projetait une « démocratisation de l'harmonie ». Stylistiquement, le début du XXᵉ siècle connaît les dernières flambées du romantisme, ainsi que l'émergence de l'expressionnisme, illustré notamment par les peintres Wassily Kandinsky et Franz Marc, auquel Schönberg, Berg et Webern apportèrent précisément leurs contributions.

Le système dodécaphonique n'intervient à proprement parler qu'à partir des *Pièces pour piano* op. 23 de Schönberg. Le terme désigne un système d'écriture musicale qui, dépassant l'échelle diatonique sur laquelle était fondée la tonalité, utilise les douze sons de la gamme chromatique, présentés sous la forme d'une série soumise à des opérations très précises de variations. À partir de la démarche de Webern, les principes du dodécaphonisme s'élargiront pour s'appliquer aux différentes composantes acoustiques et donner naissance au sérialisme.

Schönberg (1874-1951) poursuit une formation musicale en autodidacte. Une de ses premières œuvres significatives est *la Nuit transfigurée,* sextuor à cordes composé en 1899. Dès cette époque, sa musique fait scandale et, déclarera-t-il lui-même plus tard, « depuis, le scandale n'a jamais cessé ». Si, dans les *Gurrelieder* (1900-1911), le *Premier Quatuor* op. 7 et la *Symphonie de chambre* op. 9, la tonalité apparaît encore sous-jacente, bien que fortement perturbée, avec le *Deuxième Quatuor* op. 10, en particulier dans ses deux derniers mouvements, le langage musical bascule dans ce qui a été qualifié de « libre atonalité ».

Selon Schönberg, « les dissonances sont si nombreuses qu'elles ne sauraient être équilibrées par la simple apparition, de temps à autre, d'accords parfaits correspondant à telle ou telle tonalité ». De cette période très fertile, on citera notamment le *Livre des jardins suspendus* op. 15 (1908-1909), 15 mélodies sur des poèmes de Stefan George, *Erwartung* op. 17, les *Cinq Pièces pour orchestre* op. 16, où s'impose d'une manière décisive le souci du timbre dans ce que l'on appellera la « Klangfarbenmelodie » (la mélodie de timbres).

À cette époque, Schönberg consacre une grande part de son activité à la peinture et participe au mouvement du Blaue Reiter, créé par W. Kandinsky et F. Marc. En 1911, il termine son *Traité d'harmonie* et, en 1912, son *Pierrot lunaire* op. 21, sur des poèmes d'Albert Giraud, avance une dimension tout à fait originale du travail vocal, le Sprechgesang, mode d'émission intermédiaire entre le parlé et le chanté. En 1913, la *Main heureuse* op. 18, drame avec musique, articule de manière inséparable le son, la lumière et le verbe, ce que recherche pour sa part le peintre Kandinsky dans sa composition scénique *Sonorité jaune* (1909).

Plusieurs années s'écoulent avant que Schönberg parvienne à définir les bases de ce qui deviendra le dodécaphonisme ; il déclare alors à ce propos en 1921 : « J'ai fait une découverte qui assurera la prédominance de la musique allemande pour les cent années à venir. » Cette mission dont Schönberg se sent chargé vis-à-vis de l'histoire de la pensée musicale s'exprime tout d'abord dans les *Cinq Pièces pour piano* op. 23 (1920-1923) puis dans la *Suite pour piano* op. 25 (1921-1923), le *Quintette à vents* op. 26 (1923-1924), les *Variations pour orchestre* op. 31 (1926-1928). L'avènement du nazisme contraint Schönberg à quitter Berlin pour Paris, puis pour les États-Unis, où il s'installe définitivement en 1933. Dans l'*Ode à Napoléon* op. 41 (1942) et *Un survivant de Varsovie* op. 46 (1947), Schönberg réintroduit des éléments du langage tonal, dans un sens qui ne manquera pas de surprendre à la fois ses adeptes et ses détracteurs. •

Du chromatisme au dodécaphonisme

LA RÉVOLUTION DODÉCAPHONIQUE
EST EN RÉALITÉ, À TRAVERS L'ABOLITION
DE LA HIÉRARCHIE ENTRE LES DOUZE SONS DE LA GAMME,
UNE ULTIME TENTATIVE DE SAUVETAGE DU
MATÉRIAU SONORE TRADITIONNEL.

Le chromatisme consiste en une division de l'octave en douze intervalles d'un demi-ton rigoureusement égaux. Une musique chromatique est donc une musique construite sur les douze demi-tons de la gamme. Le système tonal a prélevé sur cet ensemble sept sons inégalement disposés (échelle diatonique), fixant entre leurs intervalles une structure hiérarchique et privilégiant certains degrés (la tonique, la dominante, la sous-dominante). En réalité, le chromatisme a fréquemment entretenu des relations de tension avec le diatonisme, comme en témoignent par exemple à la Renaissance les madrigaux de Gesualdo. Supplanté par le système diatonique, le chromatisme va pourtant resurgir à certains moments de l'histoire, à l'intérieur même de la tonalité, comme pour en ébranler la trop apparente rigidité. C'est notamment le cas avec Jean-Sébastien Bach, qui le traite de manière quasi systématique, notamment dans le *Clavier bien tempéré,* ce qui fera dire à Schönberg que Bach pourrait bien être considéré comme le « premier des compositeurs en musique avec douze sons ». Au XIXᵉ siècle, l'emploi du chromatisme comme moyen de compromettre l'équilibre tonal, de combattre la « tyrannie des degrés forts », devient de plus en plus fréquent ; cela est particulière-ment sensible chez Chopin, Liszt et Wagner. Mais ce n'est qu'au XXᵉ siècle, après une phase d'émancipation vis-à-vis des lois tonales, appelée l'« atonalité libre », que s'accomplira, à travers Schönberg et l'école de Vienne, une méthode permettant l'exploitation des douze sons de la gamme chromatique.

Dérivé du mot grec « dodéca » (douze), le dodécaphonisme est une méthode d'écriture qui vise à exploiter de manière systématique les douze sons de l'échelle tempérée, sur laquelle repose la musique occidentale depuis le XVIIIᵉ siècle. Selon les principes définis par Schönberg, les douze sons de l'échelle chromatique sont tout d'abord exposés chacun une fois, avant que la série ne soit soumise à des variations dont les modalités sont les suivantes. À partir d'une série originale, telle celle de la série de la *Symphonie* opus 21 de Webern, plusieurs opérations sont possibles : la rétrogradation, ou récurrence, qui consiste en une lecture de droite à gauche de la série originale ; le renversement en un changement de sens (ascendant ou descendant) des intervalles de la série originale ; la rétrogradation du renversement en une lecture de droite à gauche de la série renversée. La série peut en outre être transposée en partant de chaque degré de l'échelle chromatique et, par ailleurs, subir toutes sortes de fragmentations. À la différence du thème mélodique dans l'écriture classique, la série ne représente pas un motif clairement identifiable à l'audition, mais plutôt une cellule génératrice qui garantit la cohérence formelle de l'œuvre. •

1. Série originale de la *Symphonie* opus 21 de Webern.

Le Blaue Reiter

À propos de l'expression « der Blaue Reiter », Kandinsky déclare : « Ce nom, nous l'avons trouvé à une table de café de Sindeldorf. Franz Marc et moi, nous aimions tous les deux le bleu, Marc les chevaux, moi, les cavaliers. Le nom est venu de lui-même. » Ce mouvement, né à Munich, n'est pas une association d'artistes, mais un groupe d'amis dont les projets esthétiques étaient profondément liés. C'est ce qui ressort de la lecture de l'« almanach », c'est l'absence de toute division traditionnelle entre les différentes techniques artistiques : on y trouve à la fois une homogénéité de pensée, une commune croyance dans la vie intérieure de l'artiste, dans la forme comme extériorisation de l'intuition créatrice du peintre ou du musicien.

Alban Berg

À TRAVERS LE BRASSAGE DES ÉLÉMENTS STYLISTIQUES
QU'IL PRATIQUE DANS SON ŒUVRE, BERG APPARAÎT COMME
LE CONCILIATEUR DE L'ÉCOLE DE VIENNE.

Berg (1885-1935) étudie de 1904 à 1910 avec Schönberg. Ses premières œuvres (notamment la *Sonate* pour piano) témoignent tout à la fois de l'influence de l'enseignement de celui-ci et de l'empreinte de Schumann, Brahms et Mahler. Avec le *Quatuor* op. 3, Berg s'éloigne de la tonalité accordant de nouvelles fonctions aux intervalles harmoniques. Sa personnalité s'affirme plus particulièrement dans les *Altenberg Lieder* de 1912. En 1914, il compose les *Trois Pièces pour orchestre* op. 6 et entreprend l'élaboration de l'opéra *Wozzeck*. Berg affirme ainsi de manière décisive la spécificité de son tempérament musical, marqué par un exceptionnel sens dramatique. Même ses œuvres instrumentales, par exemple la *Suite lyrique* (1926), semblent portées par un élan qui peut être rattaché à ses recherches sur l'opéra, d'où l'expression d'« opéra latent » qu'utilise le philosophe Adorno à son propos.

Le langage de Berg est celui d'un conciliateur ; dodécaphonisme, libre atonalité et tonalité conjuguent leurs apports dans l'écriture d'un compositeur qui a su maîtriser l'usage de la citation (cf. l'emprunt de la mélodie d'un choral de Bach dans le *Concerto à la mémoire d'un ange*, de 1935, qui évoque la mort de Manon, fille de l'architecte Gropius et d'Alma Mahler) en préservant une parfaite organicité formelle. Selon René Leibowitz, Berg « rattache au passé chaque nouvelle étape du devenir de l'univers schönbergien » et parvient ainsi à confronter de manière dynamique des mondes musicaux jugés antagonistes. À partir du *Concerto de chambre* (1925), puis de la cantate *le Vin* (1929), il tend vers une synthèse entre tonalité et sérialisme dont l'apogée serait l'opéra *Lulu*, d'après Wedekind, si la mort, en 1935, ne l'avait empêché d'en orchestrer le troisième acte. ●

2. Couverture de la revue du *Cavalier bleu*. Gravure sur bois.

3. Autoportrait
d'Arnold Schönberg.
(Détail.)

Anton von Webern

WEBERN APPORTE À LA PENSÉE
MUSICALE UNE TOUTE NOUVELLE APPROCHE
DU TEMPS ET DU SILENCE.

Webern (1883-1945) étudie avec Schönberg de 1904 à 1910. Sa première œuvre publiée, la *Passacaille* op. 1 (1908), se rattache encore à la tonalité et à l'univers stylistique mahlérien. Les résurgences post-romantiques disparaissent assez rapidement de son œuvre ; il demeurera toutefois dans sa conception musicale une prédilection pour des formes classiques telles que le canon, la symphonie ou la forme sonate, même à l'heure du doute le plus radical vis-à-vis de tout vocabulaire préétabli. Jusqu'à l'opus 11, ses œuvres se caractérisent par une extrême concentration des moyens formels, réduits à l'essentiel. L'épuration du matériau sonore se radicalise notamment dans les *Six Pièces pour orchestre*, op. 6 et les *Quatre Pièces pour violon et piano* op. 7.

Dès cette période, Webern se détache de toute réminiscence traditionnelle : les structures contrapuntiques restent « souterraines », les hiérarchies entre mélodies principales et mélodies d'accompagnement disparaissent. Un des vers de Rilke, des *Deux Mélodies pour voix et huit instruments* op. 8 (1910), pourrait être pris comme phrase emblématique de cette période de l'œuvre webernienne : « Parce que je ne te retins jamais, je te tiens fermement. » Webern s'en tient à la plus pure concision, déployant un temps éclaté où règne une alternance entre présence et absence ; le phénomène du timbre, qui particularise chaque événement sonore, est exploité de plus en plus rigoureusement.

Avec les *Canons* op. 16, Webern sort en quelque sorte de ce qu'Henri Pousseur a pu qualifier de « crise de l'indétermination » et du silence comme vide absolu ; les trames polyphoniques se font plus complexes et denses, liées à une utilisation systématisée des registres instrumentaux et vocaux extrêmes. À partir des *Trois Mélodies populaires sacrées* op. 17 (1924), Webern a recours à des séries de 12 sons, la série assumant pour le musicien la fonction fondamentale de garantir l'homogénéité de l'œuvre, son unité cohérente.

À la lecture de la *Métamorphose des plantes* de Goethe, Webern avait été séduit par l'idée d'une plante originelle dont toutes les autres seraient déduites. Ainsi les séries qu'il met en jeu sont-elles fondatrices de l'œuvre tout entière, constituant son véritable noyau. Webern ressent alors la nécessité de donner plus d'ampleur à son système d'écriture et, reprenant à son compte des modèles du passé, affronte le problème de la « grande forme » dans des œuvres comme le *Trio à cordes* op. 20 ou la *Symphonie* op. 21. À partir des *Variations* pour piano op. 27, l'idéal d'un ordre sériel se manifeste de plus en plus clairement. Les *Variations pour orchestre* op. 30 (1940) et les trois œuvres composées avec chœur, *Das Augenlich* op. 26 (1935), les *Cantates* op. 29 (1939) et op. 31 (1943), toutes sur des poèmes de Hildegard Jone, réalisent un même équilibre entre la réactualisation des formes les plus savantes de l'art polyphonique occidental et une pensée sérielle qui annonce les tentatives de P. Boulez, K. Stockhausen, L. Berio, H. Pousseur, etc., dans les années 1950. ●

4. *Fugue* de W. Kandinsky, peint en 1914.

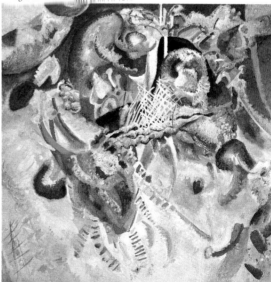

Wozzeck, d'Alban Berg

Les apports de *Wozzeck* à l'opéra moderne

S'ÉCARTANT DE FAÇON DÉCISIVE
DE LA TRADITION DE L'OPÉRA ET DU DRAME
WAGNÉRIEN, *WOZZECK* NE SUBORDONNE PAS LE TEXTE
À LA MUSIQUE MAIS CRÉE UNE VÉRITABLE
ENTITÉ MUSICO-THÉÂTRALE.

C'EST EN 1914 QU'ALBAN Berg découvre *Wozzeck,* pièce écrite par Georg Büchner en 1836. Berg y travaille jusqu'en 1921 (surtout entre 1919 et 1921), en ce qui concerne la composition musicale, réorganisant les 27 scènes originales en trois actes de cinq scènes chacun. L'œuvre est créée le 14 décembre 1925 au Staatsoper de Berlin.

Avec *Wozzeck,* Berg sort définitivement des mythologies chères à l'opéra, du « sentimentalisme bourgeois » que dénonçait le philosophe Adorno : le milieu humain qui sert de toile de fond à son œuvre se situe au plus bas de l'échelle sociale, dans un climat étouffant d'asservissement, tant social que moral. Mais, au-delà de la noirceur expressionniste du sujet, Berg parvient à révéler, dans un langage où fusionnent éléments dramatiques et musicaux, de véritables archétypes humains dominés par leurs angoisses, à la fois matérielles et métaphysiques.

Wozzeck est considéré comme une des œuvres lyriques majeures de la première moitié du XXᵉ siècle qui eurent sur le genre de l'opéra des répercussions insoupçonnées, aussi bien en ce qui concerne la forme que l'expression dramatique. Dans *Wozzeck,* la complexité sous-jacente des systèmes d'écriture n'est nullement la fin en soi. Berg est très clair à ce propos, « il ne peut y avoir personne dans le public qui distingue quoi que ce soit de ces diverses fugues et inventions, suites et sonates, et dont l'attention soit absorbée par autre chose que par l'idée de cet opéra, transcendante au destin individuel de Wozzeck. » Les innovations de Berg et son assimilation personnelle des principes techniques d'A. Schönberg sont mises au service du propos dramatique. Par-delà les transgressions de la tonalité se pressent chez Berg l'impérieuse nécessité de ne pas se couper de ses racines musicales. Loin de rejeter les formes préexistantes, sa démarche vise à interroger de manière dialectique et à vivifier des styles et modèles musicaux éloignés dans le temps. Alban Berg rend l'histoire de la musique véritablement polyphonique en plaçant son écriture à la croisée de plusieurs modes d'expression, tant populaires que savants, afin d'éclairer les divers registres de la dramaturgie avec laquelle il fait corps.

Les éléments constitutifs, signifiants ou d'origine strictement musicale, deviennent inséparables, sans que l'écriture de Berg perde jamais de sa spécificité. Une telle unité est atteinte par une diversification très rigoureusement maîtrisée des formes attribuées à chaque acte, voire à chaque scène, du vocabulaire sonore, des moyens instrumentaux et vocaux. *Wozzeck* représente notamment un immense travail de variations à partir de motifs thématiques (cellules mélodiques, intervalles harmoniques, figures rythmiques...). Ces motifs viennent non seulement caractériser l'essence de chaque personnage, mais incarner les transformations de celui-ci dans le temps, insinuant tout un réseau d'anticipations, de réminiscences, qui apparaît comme une actualisation musicale de l'inconscient. Les interludes orchestraux, qui lient les scènes entre elles, jouent ainsi un rôle déterminant dans cette inscription fondamentalement musicale des éléments du drame, allant jusqu'à les conduire à une sorte de ritualisation. Trois formations orchestrales principales se répartissent les couleurs de timbre tout au long de l'opéra : dans la fosse, un effectif instrumental très large, avec une importante percussion, et un orchestre de chambre issu de celui-ci ; sur scène, une formation destinée aux épisodes de l'auberge et de la taverne. Du chant au cri en passant par la déclamation rythmique, tous les moyens vocaux sont exploités et très précisément notés par Berg, afin de disposer des modalités d'expression les plus vastes et les plus finement graduées. Les *Indications pour l'étude pratique de Wozzeck,* rédigées par lui en 1930, montrent d'ailleurs à quel point s'est forgée dans son esprit une conception de l'opéra où les différentes composantes (la lumière, les décors, aussi bien que les mouvements du rideau de scène) doivent parvenir à équilibrer leurs pouvoirs et à se déterminer mutuellement. Mais l'exceptionnelle complexité mise en œuvre n'apparaît jamais comme le véritable tour de force formel que représente en réalité *Wozzeck.* Pour P. J. Jouve et M. Fano : « Toutes les lignes partent d'un point et aboutissent à un point : le sacrifice de l'amour. »

2. Portrait d'A. Berg
peint par A. Schönberg.

Alban Berg et *Wozzeck*

Wozzeck ouvre un accès tout à fait privilégié à la personnalité la plus intime de Berg, jusque dans ses plus profondes convictions ; il en convient volontiers lui-même : « Il y a part de moi-même dans ce caractère de Wozzeck, dans la mesure où j'ai passé ces années de guerre totalement dépendant de gens que je haïssais, captif, malade, résigné : en fait, humilié. » *Wozzeck* demeure une œuvre-manifeste, au sens où elle révèle les capacités de fusion de l'écriture musicale avec d'autres modes d'expression artistique, par-delà les catégories académiques.

1. *Wozzeck* à l'Opéra de Paris, février 1963. (Mise en scène de J.-L. Barrault. Décors d'A. Masson.)

Acte I

CET ACTE REPRÉSENTE L'EXPOSITION DU DRAME, INTRODUISANT LES RELATIONS ENTRE LES PERSONNAGES, ET AMORCE L'ACTION QUI PRÉCIPITERA WOZZECK ET MARIE DANS LA MORT.

L'acte I se compose de 5 pièces de caractère. Constituée de 5 parties s'enchaînant sous forme de suite (prélude, pavane, gigue, gavotte, air), la scène 1 met en scène le soldat Wozzeck (baryton) et son capitaine (ténor de style bouffe), dans la chambre de celui-ci ; l'action se passe à l'aube. Wozzeck rase son capitaine ; tous deux échangent des considérations sur la fuite du temps, sur l'éternité, sur la morale et le bon ordre des choses. Honnête homme, Wozzeck a toutefois eu un enfant « sans la bénédiction de l'Église ». Wozzeck argumente alors sur les rapports entre la vertu et l'argent : comment les pauvres gens peuvent-ils avoir de la morale ? Le capitaine le renvoie après cette conversation.

Scène 2 (rhapsodie sur 3 accords) : Wozzeck est confronté à son camarade Andres, qui coupe du bois dans la forêt ; le style vocal parlé/chanté de Wozzeck s'oppose en quelque sorte à celui d'Andres, composé à partir d'un thème populaire de chasse ; les deux personnages semblent évoluer chacun dans son monde. C'est le crépuscule. Wozzeck, pris d'angoisse, pense que le lieu, lourd de prémonitions et de menaces, est maudit. Il croit entendre que l'on marche avec eux sous la terre et qu'un feu monte de la terre jusqu'au ciel. La nature est vue à travers superstitions et hallucinations. Il devient manifeste que la santé psychique de Wozzeck est fortement ébranlée et encline à la paranoïa.

3. A. Masson, costumes des enfants.

Interlude : se dégagent peu à peu de l'atmosphère de frayeur qui précède les sonorités d'une « bande » militaire.

Scène 3 (marche militaire et berceuse) : Marie (soprano), dans sa chambre, témoigne tout d'abord de son admiration pour un défilé de soldats, ce qui provoque l'ironie à demi complice de Margret (alto), sa voisine. Après avoir fermé la fenêtre, elle revient à son enfant et lui chante une berceuse. Peu après arrive Wozzeck, tellement troublé par sa vision dans la forêt qu'il n'accorde pas un regard à son enfant. Après sa brève apparition, Marie se retrouve seule, en proie à l'anxiété, face au sort que lui réserve la vie.

La scène 4 (passacaille et 21 variations) met en scène Wozzeck et un Docteur (basse), qui l'utilise comme cobaye pour des expériences destinées à soumettre la volonté de l'individu à l'ordre scientifique et à découvrir la clef de l'immortalité. Il diagnostique une idée fixe, « une délicieuse aberratio mentalis partialis », dans l'esprit dérangé de Wozzeck. Deux obsessions s'entremêlent, celle de Wozzeck, où se perçoivent les marques de la psychose, celle du Docteur, qui est en proie à une sorte de délire mégalomaniaque.

La scène 5 (andante affettuoso quasi rondo) se passe dans la rue, au crépuscule. Attirée par le Tambour-Major, Marie accepte ses avances après lui avoir opposé par deux fois un refus, tombe dans ses bras et s'éclipse par la porte ouverte de la maison.

Le postlude fait entendre l'accélération progressive d'un motif musical qui semble évoquer l'ivresse des sens en même temps que l'abandon au plaisir. ●

Acte II, symphonie en cinq mouvements

ACTE PIVOT DE L'OPÉRA, PLUS LONG ET DÉVELOPPÉ QUE CEUX QUI L'ENTOURENT, L'ACTE II, « PÉRIPÉTIE », RÉVÈLE, EN UN RARE BRASSAGE MUSICAL, LE MÉCANISME DU DRAME.

Scène 1 (allegro de forme sonate) : au matin, Wozzeck vient remettre à Marie sa solde, ainsi que les sommes qui lui ont été versées par le Docteur et le Capitaine. Il découvre alors des boucles d'oreille en or, offertes par le Tambour-Major à la jeune femme, mais que celle-ci prétend avoir trouvées. Marie se révolte contre son sort et va jusqu'à envisager de se tuer.

La scène 2 (fantaisie et fugue sur trois thèmes) se passe dans une rue ; le Docteur et le Capitaine se rencontrent et leurs propos rivalisent de cruauté ; au cours de la seconde partie, Wozzeck les salue et tous deux se mettent alors à attiser sa jalousie, s'efforçant de le convaincre de l'infidélité de Marie. Le motif du Docteur s'entremêle avec celui du Capitaine pour susciter de multiples variations. La forme fuguée accuse les conséquences inévitables de la dénonciation.

Scène 3 (largo de forme lied) : devant la porte de sa maison, Wozzeck cherche à obtenir des aveux de Marie. Elle refuse que Wozzeck la touche (« plutôt un couteau dans le corps qu'une main sur moi ») ; face à son attitude de défi, celui-ci songe au meurtre. L'instrumentation se réduit à un orchestre de chambre (« citation » de la *Symphonie de chambre* opus 9 de Schönberg).

Interlude : ländler.

Scène 4 (scherzo et trio) : dans le jardin d'une auberge où dansent soldats et ouvriers, Wozzeck surprend Marie avec le Tambour-Major ; atmosphère de beuverie mêlée à un sentiment de désespoir. Le Fou intervient alors et sa prévision sanguinaire trouble profondément Wozzeck (« C'est gai, mais ça pue... ça sent le sang. »). C'est l'unique scène de foule de l'opéra, qui donne lieu à une exceptionnelle confrontation de musiques savantes et populaires (ländler, valse), avec l'introduction de l'accordéon, du bombardon (l'instrument à vent le plus grave), de la guitare.

Interlude : chœur des soldats endormis, chantant la bouche à demi-ouverte.

Scène 5 (« rondo marziale » avec introduction) : dans la chambrée de la caserne, Wozzeck tente de vaincre son désir meurtrier. Le Tambour-Major, ivre, fait son apparition ; vantant les charmes de Marie, il provoque Wozzeck ; au cours de la bagarre qui s'ensuit, celui-ci a le dessous, ce qui précipite sa détermination de tuer les deux amants. Pour Berg, cette lutte est, musicalement, de la même nature que celle qui oppose le Tambour-Major à Marie au cours de la dernière scène de l'acte I, traduisant une forme identique de violence. ●

Acte III six inventions

DERNIER PAN DU TRIPTYQUE, L'ACTE III, CATASTROPHE, CONSTITUE LA RÉSOLUTION SANGLANTE DU DRAME. ET CETTE FIN INSINUE UN PROCESSUS CIRCULAIRE QUI EST CELUI DE LA NAISSANCE ET DE LA MORT.

Scène 1 (invention sur un thème avec 7 variations et une fugue) : dans sa chambre, Marie lit dans la Bible la parabole des pharisiens et de la femme adultère, ce qui l'amène à une forme de repentir et transfigure spirituellement sa mort future.

Scène 2 (invention sur une note, un *si* naturel) : un chemin de la forêt au bord d'un étang ; la nuit tombe ; Wozzeck marche avec Marie, évoque avec elle la durée de leur liaison, puis lui demande de s'arrêter ; Marie a peur ; Wozzeck l'égorge. La note *si*, « onde hurlante » (selon Michel Fano et Pierre Jean Jouve), traverse toute la scène, dans divers registres instrumentaux.

Interlude : deux crescendos sur la note *si*, dont l'un annonce le motif rythmique central autour duquel s'articule la scène suivante ; un pianino (piano mécanique) intervient brutalement. Les sept coups fracassants de la grosse caisse paraissent précipiter le destin tragique de Wozzeck.

Scène 3 (invention sur un rythme) : une taverne, la nuit ; on y danse une polka ; Wozzeck, très excité, apostrophe les clients, qui deviennent de plus en plus méfiants, et attire à lui Margret ; celle-ci aperçoit des taches de sang sur le bras droit de Wozzeck, qui prend précipitamment la fuite.

Scène 4 (invention sur un accord de six sons) : le chemin où

a été perpétré le meurtre ; Wozzeck bute sur le cadavre de Marie ; il cherche à se débarrasser du couteau ; en voulant laver le sang qui y est incrusté, il imagine en être entièrement entouré et se noie. Des vagues chromatiques successives traduisent instrumentalement l'engloutissement de Wozzeck dans l'étang. Le bruit ainsi provoqué effraie le Capitaine et le Docteur, qui passaient par là.

Épilogue instrumental (invention sur la tonalité de *ré* mineur, et récapitulation des motifs thématiques).

Scène 5 (invention sur un rythme de croches, mouvement perpétuel) : la ruelle devant la maison de Marie ; des enfants, dont le sien, jouent et chantent une ronde. D'autres se joignent à eux et annoncent au fils de Marie la mort de sa mère. Sans comprendre, celui-ci va avec ses camarades voir le cadavre. Par son caractère répétitif, la ronde souligne la circularité de l'opéra : selon Berg, on pourrait relier les premières mesures de l'opéra à ces mesures finales. ●

Le sérialisme intégral

L'esthétique postwébernienne

IL S'AGIT DE FAIRE VIVRE LA MATIÈRE SONORE DANS UN ÉTAT DE DISPERSION, D'ÉPARPILLEMENT ; LES ŒUVRES PARAISSENT DÉFIER TOUTE POSSIBILITÉ DE MÉMORISATION, TOUT EFFET RHÉTORIQUE OU PSYCHOLOGIQUE.

L E SÉRIALISME CONSTITUE un développement radicalisé des principes du dodécaphonisme, mis au point par Arnold Schönberg, Alban Berg et Anton von Webern. La technique sérielle favorise en effet un élargissement considérable du contrôle sur le phénomène sonore, en étendant la notion de série aux caractéristiques du son autres que la hauteur, à savoir la durée, le timbre et l'intensité, voire l'espace.

Grâce à l'enseignement de René Leibowitz et d'Olivier Messiaen, toute une génération de compositeurs, tels Pierre Boulez, Jean Barraqué, Karlheinz Stockhausen, prend connaissance, peu après la fin de la Seconde Guerre mondiale, des principes du dodécaphonisme.

Il s'agira dans un premier temps pour eux d'amplifier les conséquences subversives de la démarche des Viennois vis-à-vis de l'héritage tonal, remettant même celle-ci en cause dans tout ce qui la rattache encore à la tradition postromantique, notamment en ce qui concerne l'articulation temporelle.

Appliqué aux différentes composantes du son, le travail sériel permet d'accorder de nouvelles fonctions à la notion de variation ; plus encore que dans le dodécaphonisme, la série est la condition absolue des rapports entre les sons, maîtrise tous ses aspects, mais, en tant que son noyau fondateur, ne se présente jamais au cours de l'œuvre d'une manière privilégiée ou manifeste, sous la forme d'une entité mélodique ou rythmique saisissable en tant que telle. Seul Stravinski relativisera la radicalité de tels principes dans les œuvres de sa période sérielle et confrontera plusieurs systèmes de pensée musicale (*Threni*, 1958).

C'est sous le signe d'un éclatement radical, d'une négativité momentanée par rapport aux points de repère fournis par l'écriture classique que va se placer la première étape du sérialisme intégral. Musicalement s'imposent des caractères de discontinuité, d'asymétrie, d'apériodicité qui désorientent la perception, produisant l'impression d'une imprévisibilité en fait savamment organisée. L'auditeur est ainsi convié à assister à une sorte de degré zéro de l'écriture, de remise en question des valeurs de notre héritage culturel. Et il n'est pas fortuit qu'une telle tendance de pensée coïncide historiquement avec l'avènement du nouveau roman ou du structuralisme.

Le renoncement à l'efficacité de la perception engendrée par les « formes claires » favorise un état apparemment chaotique qui rend possible une saisie polyvalente des événements sonores. Les principes qui règlent leur déduction réciproque, leur succession et leur relation deviennent trop complexes pour que se dégage une impression d'ordre intelligible. Une direction précise ne s'impose plus à celui qui écoute.

Dans ce labyrinthe de structures qui s'entrecroisent sans qu'une appréhension analytique ait réellement la chance de s'imposer et de dégager un ordre de manière unilatérale, l'auditeur a finalement la possibilité de suivre une multitude de voies, en dépit de l'extrême déterminisme de l'écriture auquel aboutit la démarche sérielle. En un sens, celle-ci semble échapper au devenir.

Mais c'est justement contre ce devenir, dont est imprégnée une grande partie de la musique du passé, que se sont élevés les musiciens sériels ; c'est cependant de manière paradoxale, voire contradictoire, qu'ils ont mené leurs recherches jusqu'à la radicalisation du système sériel : il est en effet contradictoire, comme l'a pressenti H. Pousseur, de prétendre s'affranchir de l'ordre classique avec des moyens qui lui appartiennent étroitement, à savoir la division tempérée de l'octave, la notation métrique et les techniques de variation ; des opérations comme la récurrence ou le renversement ne sont-elles pas en fait directement dérivées des techniques thématiques mises au point depuis G. de Machaut ? ●

1. Henri Pousseur.

3. Luciano Berio.

2. Bruno Maderna au Domaine musical.

4. Première page du *Cahier de Structures* de P. Boulez.

63

De la technique ponctuelle à celle des groupes

CHAQUE ÉLÉMENT SONORE EST INDIVIDUALISÉ ET « DISTANCIÉ » À L'EXTRÊME DE CE QUI L'ENTOURE : C'EST LA TECHNIQUE SÉRIELLE PONCTUELLE.

Le fondement de la tendance vers le *pointillisme* apparaît notamment dans cette remarque de K. Stockhausen à propos de *Punkte* (1952) pour orchestre : « Chaque point doit être le centre d'une galaxie de sons, utopie d'une musique sans mélodie reconnaissable, au-delà de l'harmonie, du mètre, du rythme et de la couleur instrumentale. » Il faut toutefois noter qu'une telle limite a rarement été atteinte, du moins dans la musique européenne, sauf peut-être par Luigi Nono dans *Polifonica-Monodica-Ritmica* (1951), pour orchestre de chambre. Serait, en effet, réellement ponctuelle ou pointilliste une musique où les sons seraient isolés les uns des autres par des zones de silence suffisamment longues, comme chez John Cage, pour que soit préservé l'aspect parcellaire de l'œuvre et que s'estompent ainsi les principes de relation qui ne peuvent manquer de s'instaurer entre les éléments sonores perçus. Il est, par exemple, tout à fait remarquable que Pierre Boulez ait initialement pensé à donner comme titre à ce qui deviendra le premier *Cahier de Structures* (1952) pour deux pianos, une des œuvres clefs de la technique sérielle intégrale, le titre d'un tableau de Paul Klee, *Monument à la limite du pays fertile* ; son projet est bien, comme a pu le faire pour sa part Klee dans le domaine visuel, de redéfinir les fondements du vocabulaire musical avec la volonté d'éliminer, « absolument, toute trace d'héritage, que ce soit dans les figures, les phrases, les développements, la forme ; reconquérir peu à peu, élément par élément, les divers stades de l'écriture, de manière à en faire une synthèse absolument nouvelle, qui ne soit pas viciée, au départ, par des corps allogènes, telle, en particulier, la réminiscence stylistique. » C'est pourquoi Henri Pousseur croit pouvoir déceler à l'écoute de telles œuvres des « constellations plutôt que des phrases, des balances plutôt que des pentes, des tensions assumées et subsistantes plutôt qu'orientées vers leur résolution, fût-elle lointaine ou virtuelle ».

Toutefois, la prise de conscience du fait qu'un principe de non-répétition généralisé à tous les détails de la composition risquait bien d'entraîner une similitude, une indifférenciation nuisibles à l'intérêt auditif a assez rapidement poussé les musiciens sériels à réintégrer dans leurs partitions certains degrés de prévisibilité, à réintroduire des catégories directrices. Avec la technique sérielle des groupes, qui se substitue à une technique strictement ponctuelle, les compositeurs tentent de juguler le nivellement de l'information entraîné par une musique à trop haute entropie. Ils affrontent de nouveau le problème des « grandes formes » susceptibles d'orienter la perception sans pour autant insuffler un principe de finalité unique ; profitant de la démarche wébernienne, ils tirent les conséquences des capacités d'ambivalence et de multipolarité de ses séries. Ainsi, *Kontrapunkte* (1953), de K. Stockhausen, comprend deux étapes compositionnelles distinctes, qui marquent un passage devenu nécessaire entre la technique ponctuelle et celle des groupes ; s'y retrouvent des critères de différenciation, de sélectivité qui engendrent des repères pour la perception, comme, par exemple, le decrescendo instrumental progressivement développé tout au long de l'œuvre. •

5. Pierre Boulez devant une caricature d'Igor Stravinski réalisée par Jean Cocteau.

Les personnalités marquantes du sérialisme

SI LE SÉRIALISME SE RÉPANDIT DE MANIÈRE DÉCISIVE AU DÉBUT DES ANNÉES 1950, ENCORE FAUT-IL SOULIGNER SA DIVERSITÉ.

Je considère le concept de musique sérielle comme quelque chose de linguistiquement non définissable, à l'inverse du langage tonal, déclare notamment Luciano Berio, nous n'avons pas affaire à une grammaire mais à de multiples idées et niveaux possibles de « grammaticalité » indépendants de toute idée de signification sémantique. – L'esprit sériel devrait, en fait, contribuer à faire appréhender l'écriture musicale comme multiple, inciter le compositeur à s'inventer une syntaxe. Pour Luigi Nono, Bruno Maderna ou encore Franco Donatoni, qui furent parmi les premiers à se rallier au sérialisme intégral, il s'agit surtout d'imaginer un système compositionnel dans lequel le procédé mnémonique ne constitue pas, comme dans la musique traditionnelle, une composante essentielle de la perception de l'œuvre. Une telle technique offre la possibilité de questionner les principes fondamentaux de l'écriture, en particulier la conception du temps.

Bruno Maderna, qui a su très tôt concilier les nouvelles méthodes de composition avec son enracinement dans l'héritage des polyphonistes franco-flamands, considère par exemple le système sériel comme « seul capable de réaliser une synthèse linguistique intégrale » et, en conséquence, seul capable de pouvoir prétendre se substituer au principe tonal. Selon lui, il doit féconder la pensée, la laisser s'incarner dans une imagination musicale individualisée, donc rester suffisamment abstrait pour ne pas entraver la personnalité du compositeur et pour écarter le danger d'une application trop littérale des acquis de l'école de Vienne.

Si la même préoccupation est à l'origine de la démarche de L. Nono dans une œuvre comme *Il Canto sospeso* (1956), il faut néanmoins souligner que, chez lui, la technique sérielle est orientée dans le sens d'une plus grande souplesse et mise au service d'une expressivité poétique ; L. Nono considère en effet la pratique musicale comme un moyen d'expression dramatique, peut-être plus proche en cela d'un Berg que d'un Webern. Pour lui, composer signifie mettre le matériau musical « à l'épreuve commune avec les forces sociales » afin de pouvoir « définir une culture comme un moment de prise de conscience, de lutte, de provocation, de discussion et de participation » ; une prise de position qui pourra être mise en relation avec les écrits du philosophe Adorno, ardent défenseur des esthétiques dodécaphonique et sérielle.

Jean Barraqué propose pour sa part une conception tout à fait originale du sérialisme, à travers ce qu'il nomme les « séries proliférantes », dans des œuvres comme *... au-delà du hasard* (1958-1959) ; selon lui, composer implique d'imaginer un processus formel qui favoriserait l'exploration illimitée du matériau. De la série initiale et de toutes ses permutations à travers un découpage sans fin, « les séquences ne s'enchaînant plus sur le plan thématique, mais sur celui de l'inconnaissable », peut naître une musique « qui procède rigoureusement par la transformation progressive de ses propres éléments dans une invention sans cesse en éveil, dont l'apparente spontanéité et la libre expansion permettent une sorte d'improvisation contrôlée ». La technique sérielle n'est donc pas un principe de clôture formelle : bien au contraire, elle est, par excellence, principe d'ouverture, puisque fondamentalement inépuisable. Barraqué accepte d'emblée l'ambiguïté de l'acte de création, qui se veut tout à la fois exploration illimitée et écriture, donc fixité, témoignant du « côté définitif de la création dans son indécision ». Composer serait précisément l'aboutissement ultime de cette hésitation primordiale.

Un des compositeurs qui a le plus manifestement réussi à entraîner le sérialisme par-delà les limites qui lui avaient été assignées au nom d'une certaine orthodoxie, réintroduisant notamment la question de la périodicité et de la citation stylistique, est Henri Pousseur. Si l'on peut encore parler de sérialisme à propos de la plupart de ses œuvres, par exemple l'opéra *Votre Faust* (1960-1967), conçu en collaboration avec Michel Butor, ou les *Éphémérides d'Icare,* il s'agit en fait d'une méthode dont le but n'est pas de maîtriser mécaniquement les éléments initialement choisis ni d'épuiser le phénomène visé à force d'opérations combinatoires et ordinatrices. H. Pousseur vise plutôt à transgresser la subjectivité omniprésente du créateur et à apporter des éclairages sans cesse renouvelés sur les relations entre des éléments qui ont été disposés au préalable.

Aujourd'hui, la pensée sérielle peut en effet présenter un double visage : instrument exploratoire utilisé sans souci d'exhaustivité, qui permet de découvrir des conséquences partiellement imprévisibles à partir de données préétablies, ou bien moyen d'emprise pseudorationaliste sur le monde, à ambition d'universalité. Ainsi, le sérialisme sera adopté tantôt comme chance de jeu, tantôt comme système centralisateur et totalitaire. C'est pourquoi l'écrivain Michel Butor, qui envisage la portée de la méthode sérielle bien au-delà du seul champ musical, s'autorise à déclarer : « Le sérialisme d'hier était un sérialisme fermé dans lequel on s'imaginait pouvoir explorer toutes les possibilités des éléments : aujourd'hui sont recherchées des structures qui soient toujours en expansion. » •

Les adeptes du sérialisme

Loin de rester un système destiné à se refermer sur lui-même et à instaurer une école de pensée rigide et dogmatique, le sérialisme constitue une méthode de pensée qui a favorisé l'éclosion de personnalités musicales extrêmement diversifiées, de Luciano Berio (3) à Pierre Boulez (4, 5), de Bruno Maderna (2) à Henri Pousseur (1). Certains compositeurs, tel Karlheinz Stockhausen, se sont rapidement écartés des principes fondateurs du sérialisme, mais leur conscience musicale n'en a pas moins conservé la rigueur d'analyse qui lui est essentielle. Un des enseignements du sérialisme wébernien a été le rejet de l'unilatéralité et du totalitarisme hiérarchisé d'un système quel qu'il soit, en faveur de formes multidimensionnelles d'ordre, capables d'engendrer des structures ramifiables à l'infini.

6. Luigi Nono.

Les musiques expérimentales

1. Luigi Russolo et Ugo Piatti, 1913.

LA FIN DE LA SECONDE Guerre mondiale coïncide avec l'apparition presque simultanée de deux domaines clefs des musiques expérimentales : les musiques concrète et électronique. Ces premières tentatives annoncent l'émergence des musiques synthétiques, dont l'influence n'a cessé de croître depuis. Mais, déjà, la volonté de briser les carcans de la lutherie traditionnelle, de libérer le monde sonore d'un alphabet par trop limitatif s'impose chez les futuristes italiens ainsi que chez Edgard Varèse, qui écrit, dès 1917 : « Je rêve d'instruments obéissant à la pensée et qui, avec l'apport d'une floraison de timbres insoupçonnés, se prêtent aux combinaisons qu'il me plaira de leur imposer et se plient à l'exigence de mon rythme intérieur. »

Si les débuts de la musique concrète remontent à 1948, au moment où Pierre Schaeffer fonde ce qui deviendra en 1951 le Groupe de recherche de musique concrète de la R.T.F., il faut néanmoins insister sur l'importance qu'a pu revêtir pour lui la multiplicité des inventions techniques réalisées, dès le début du siècle, par des musiciens et par des chercheurs de différents laboratoires. En 1907, le compositeur Ferruccio Busoni décrit un instrument créé par T. Cahill, le « dynamophone », capable de produire des sons de n'importe quelle fréquence et de n'importe quelle intensité, ainsi que leurs harmoniques. Citons également le « sphärophon » de Jörg Mager, inventé à Berlin en 1924, premier des instruments électroniques, ou encore les Ondes Martenot, élaborées par M. Martenot à Paris en 1928.

Un mouvement artistique comme le futurisme a joué, lui aussi, un rôle déterminant dans l'exploration du monde sonore – pris dans son acception la plus large –, dénonçant la discrimination entre les sons dits musicaux et les bruits. L'*Art des bruits,* manifeste écrit par Luigi Russolo, constitue un précieux témoignage de ce combat en faveur d'une musique capable d'intégrer tous les sons, et non plus seulement ceux des instruments traditionnels. Vers 1913, Russolo met au point divers instruments comme le « rumorharmonicus », l'« archet enharmonique », le « russolophone », qu'il fait entendre dans ses « concerts de bruits ». Quelques décennies plus tard, Pierre Henry rendra d'ailleurs un vibrant hommage au travail des futuristes italiens dans *Futuristie.*

La musique américaine du début du XXᵉ siècle est elle-même parsemée d'expériences qui apparaissent comme les prémices des préoccupations les plus actuelles ; c'est le cas des inventions sonores de Henry Cowell, de Lou Harrison, ou de George Antheil, dans son *Ballet mécanique* de 1925 composé pour huit pianos, cloches électriques, trompes d'auto, scies circulaires... À partir des années 1920, divers compositeurs ont essayé de tirer parti des appareils de reproduction sonore eux-mêmes.

Des bruits à l'électroacoustique

L. Russolo (1), qui donna naissance au « bruitisme », appartient à cette génération de « découvreurs » qui prend une attitude profondément expérimentale, au sens où le but recherché n'est en aucun cas un système de normes susceptible de se substituer à l'ancien, mais la quête de l'invention permanente dans un esprit d'« artisanat furieux » (3). Loin de n'être que des outils de laboratoire, les équipements électroacoustiques (2, 4) réclament une gestique nouvelle et des réflexes qui leur sont propres. Par ailleurs, transgressant les règles de la notation traditionnelle, les musiques expérimentales suscitent parfois des tentations de transcription a posteriori, comme dans le cas de plusieurs œuvres de K. Stockhausen (5).

La musique électronique

LES COMPOSITEURS ONT VITE VU DANS L'ÉQUIPEMENT ÉLECTRONIQUE UN MOYEN DE CONTRÔLER LE MATÉRIAU SONORE JUSQUE DANS LA MICROSTRUCTURE DU SON.

La musique électronique a tout d'abord été considérée comme un moyen de produire une gamme étendue de sons n'imitant ni les sons de la nature ni ceux des instruments traditionnels. Réalisés d'une manière artificielle, ils doivent être proprement « inouïs ». Luciano Berio déclare : « Le musicien de musique électronique veut créer ses propres sons : pas de microphone mais des générateurs de sons ou de bruits, des filtres, des modulateurs et des appareils de contrôle qui permettent d'examiner un signal acoustique dans sa structure physique. » La musique électronique, construite alors à partir de sons émis par des générateurs, se structure en quelque sorte comme une musique traditionnelle. Mais le générateur devient plus qu'un instrument de production sonore, c'est aussi un outil technique qui favorise l'analyse acoustique la plus affinée, le compositeur de musique électronique pouvant aller jusqu'à contrôler l'évolution interne du phénomène sonore. Il est d'ailleurs significatif de noter que, dès la fondation du studio de musique électronique à la radio de Cologne, en 1951, les premiers chercheurs sont H. Pousseur, K. Stockhausen, K. Goeyvaerts, issus de l'écriture sérielle, tout comme L. Berio et B. Maderna, qui fondent, en 1955, le studio de phonologie de Milan. Dans sa première *Étude* électronique (1953), K. Stockhausen limite le matériau sonore à des sons sinusoïdaux. Il dépasse cette étape initiale dans l'*Étude II* (1954), obtenant des sons complexes par l'utilisation d'une chambre d'écho et d'un système de filtrage, qui entraîne un plus grand dynamisme des sources sonores. Il se dégagera pourtant assez vite de l'électronique pure en intégrant des sources concrètes, comme dans le *Gesang der Jünglinge* (1956), où les transformations d'une voix d'enfant viennent interférer avec la trame électronique. ●

Les débuts de la musique concrète

LA MUSIQUE CONCRÈTE TROUVE SON MATÉRIAU NON PLUS DANS LES NOTES, MAIS DANS LES SONS ET LES BRUITS PRÉLEVÉS DIRECTEMENT SUR LA RÉALITÉ SONORE.

Comme la musique électronique, cette musique est originellement liée aux recherches menées dans les studios radiophoniques en collaboration avec des ingénieurs du son. Il s'agissait pour P. Schaeffer et pour les musiciens qui se rallièrent à sa démarche (P. Henry, puis François Bayle, Guy Reibel, Bernard Parmegiani, Luc Ferrari, François-Bernard Mâche...) de réfuter tout a priori musical, de défendre une appréhension « concrète », empirique du son, par opposition à la démarche jugée « abstraite » des compositeurs qui restent fidèles à l'intermédiaire de l'écriture, du solfège traditionnel. Pour les « musiciens concrets », l'« objet sonore » est posé comme préalable à toute structuration, la musique étant, avant tout, un contact direct avec le matériau choisi, un travail à même le son dont toutes les conséquences ne sont pas toujours prévisibles ; tourniquets, blocs de bois, casseroles, tiges calibrées... deviennent ainsi prétextes aux investigations musicales les plus diverses.

En 1949, P. Henry rejoint P. Schaeffer au Club d'Essai. Après une série d'études, dont le *Bidule en ut* (1950), ils réalisent ensemble la *Symphonie pour un homme seul* (1950), qui vise à un « retour à la source unique du bruit humain ». Les techniques de captation du son, l'utilisation du micro prennent désormais toute leur importance avec l'avènement du magnétophone au début des années 1950. L'originalité de cette démarche réside, pour P. Schaeffer, dans le fait que l'on peut non seulement produire, mais également capter, retenir, manipuler, modifier... les éléments sonores choisis. Les possibilités de manipulation qu'offre la bande magnétique nécessitent dès lors une amélioration constante des techniques d'enregistrement : utilisation de correcteurs, de filtres, production de réverbération artificielle, transposition par des changements de la vitesse de défilement de la bande magnétique... P. Schaeffer a développé sa conception de la « musique concrète » à travers plusieurs ouvrages théoriques, dont le *Traité des objets musicaux* (1966). ●

3. Pierre Schaeffer avec deux cloches chinoises.

4. K. Stockhausen, première de *Sirius*, Aix-en-Provence, 1977.

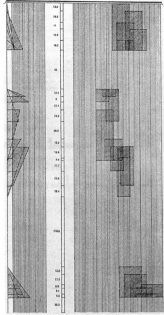

5. Fragment de *Elektronische Studie II*, K. Stockhausen.

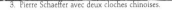

Les musiques électroacoustiques

MUSIQUE CONCRÈTE ET MUSIQUE
ÉLECTRONIQUE ASSOCIENT LEURS ACQUIS POUR
DONNER NAISSANCE À UNE NOTION PLUS LARGE,
L'ÉLECTROACOUSTIQUE.

La pénétration du domaine électroacoustique dans celui de la musique instrumentale s'est elle-même opérée de manière tout à fait graduelle. Une des premières expériences en ce sens, *Déserts* (1952), d'E. Varèse, propose une juxtaposition de séquences électroacoustiques et orchestrales. Quelques années plus tard, avec *Rimes*, d'H. Pousseur, ou *Kontakte*, de K. Stockhausen, œuvres « mixtes », les instruments se mettent à dialoguer avec le registre électronique, développant des relations d'opposition, d'alliance, de complémentarité.

La possibilité de modifier électroniquement les sons instrumentaux au moment même du jeu, « en temps réel », constitue une nouvelle étape déterminante : c'est la « live electronic music ». Par exemple, dans *Mikrophonie I* (1964), de K. Stockhausen, trois couches d'événements sonores relativement autonomes sont mises en contact : deux percussionnistes explorent la surface d'un grand tam-tam avec les matériaux les plus divers. Deux musiciens se servent de microphones qu'ils éloignent plus ou moins de l'instrument, ce qui a pour résultat de changer l'amplitude du son produit par les percussionnistes ; le microphone, utilisé ici pour la première fois comme un instrument, permet de détecter des vibrations à la limite de l'audible et acquiert ainsi une fonction similaire à celle d'un stéthoscope. Un troisième groupe de musiciens modifie les vibrations transmises par des filtres et des régulateurs.

L'intérêt pour ce type d'alliance entre sources sonores instrumentales et synthétiques ne cesse de s'affirmer avec des groupes de « musique électronique vivante » tels, aux États-Unis, le Sonic Art Group ou, en Italie, Musica Elettronica Viva. Est abolie la scission entre une musique figée sur bande magnétique, résultat du travail en studio, et une pratique qui intègre les impondérables du jeu en direct, voire de l'improvisation. Simultanément compositeurs et interprètes, les musiciens de ces groupes vont jusqu'à tirer parti des phénomènes de distorsion, « accidents » (effets Larsen, bruits parasites...), comme pour subvertir de l'intérieur les technologies auxquelles ils font appel. Sont fréquemment associés à de telles expériences des musiciens issus du domaine du jazz ou du rock. En effet, au-delà du monde relativement clos de l'avant-garde, les années 1960 voient se propager un esprit d'aventure qui se rencontre dans les solos du guitariste Jimi Hendrix ou dans certains disques des Beatles.

On retrouve dans les expériences électroacoustiques récentes le même éclectisme que dans la musique instrumentale des deux dernières décennies. D'une manière générale, les studios mettent à la disposition des compositeurs un complexe d'appareils électroniques plus ou moins extensible, favorisent des rencontres entre chercheurs d'horizons divers et assurent la responsabilité de différents ateliers de création. Si de nombreux studios représentent avant tout des lieux où peuvent se réaliser des travaux individuels, certains tentent pourtant de développer un esprit de groupe ou de s'ouvrir aux pratiques de la « musique électronique vivante », comme en témoignent les activités du G.R.M., des Groupes de recherche de Bourges, Lyon ou Marseille. François Bayle est, pour sa part, à l'origine d'un nouveau mode de diffusion des sources acoustiques dit « acousmatique » : il s'agit de « substituer au dispositif de "sonorisation" classique, qui spatialise le son du pourtour vers le centre d'une salle, un ensemble de projecteurs sonores qui étale une "orchestration" de l'image acoustique selon l'une des dimensions le plus favorable à la meilleure propagation dans la salle ».

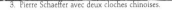

La synthèse par ordinateur

UN DES APPORTS MAJEURS À LA RECHERCHE
ÉLECTROACOUSTIQUE EST L'AVÈNEMENT DE L'ORDINATEUR,
QUI PERMET DE MIEUX MAÎTRISER L'UTILISATION ET LA
MISE EN RELATION DES INSTRUMENTS ÉLECTRONIQUES.

Les fonctions de l'ordinateur permettent de livrer des résultats ultérieurement décodés et transcrits selon les normes de la notation traditionnelle ; d'aboutir directement à la partition proprement dite ; de fournir la réalisation sonore elle-même en commandant les appareils producteurs de son.

En 1959, M. Mathews, J. R. Pierce et Guttman entreprennent ainsi, à la Bull Telephone Company, des expériences d'analyse et de synthèse de la parole, au moyen d'un convertisseur numérique analogique, qui permet de convertir les données des ordinateurs en tensions électriques variables. L'ordinateur ne peut en effet produire des sons qu'à partir d'une description numérique de leur structure physique : durée, intensité, fréquence, mais aussi toutes les autres caractéristiques telles que forme, dynamique, évolution spectrale... Les impulsions électriques fournies par le convertisseur sont « lissées » au moyen d'un filtre, puis envoyées aux bornes d'un haut-parleur. Encore faut-il noter qu'au moins 30 000 valeurs sont nécessaires pour produire une seconde de son à l'intérieur d'une bande passante de 15 000 Hz. M. Mathews, J. Chowning, J.-M. Risset sont à l'origine de catalogues qui sont le résultat de leurs explorations sonores.

L'ordinateur assure à la fois une finesse de contrôle et une complexification des sources sonores supérieures à tout ce qui était obtenu jusqu'alors dans les studios de musique électronique ; il peut également servir à établir des connexions entre les appareils électroniques, l'utilisateur devant alors préciser les modes d'articulation entre oscillateurs, filtres, modulateurs... L'ordinateur devient à cet égard un complément des synthétiseurs, qui rassemblent et condensent aujourd'hui en un minimum d'espace les lourds équipements des premiers studios de recherche. Il devient alors possible de l'associer au jeu en direct et de retrouver une part de spontanéité instrumentale. Mathews compare l'utilisateur d'un tel système à un chef d'orchestre qui ne produit pas lui-même les sons mais équilibre les différentes voix, joue sur les tempi, mémorise certaines interventions. Un des témoignages les plus représentatifs de cette conjonction entre approches instrumentale et électronique au moyen de l'ordinateur est *Répons* (1981-1983), œuvre conçue par P. Boulez à partir des possibilités d'un processeur numérique en temps réel (la « 4X ») inventé par G. Di Giugno pour l'I.R.C.A.M. Pour sa part, I. Xenakis a entrepris une recherche à partir des moyens de l'U.P.I.C. et inventé une machine qui permet d'associer graphisme et résultat acoustique par une tablette graphique électronique reliée à un micro-ordinateur et à ses périphériques.

La musique aléatoire

Du sérialisme
à la forme mobile

LA DISPERSION DU MATÉRIAU SONORE
DANS LE SÉRIALISME INTÉGRAL INCITE LES
COMPOSITEURS DE CETTE TENDANCE À ENVISAGER
UN ÉCLATEMENT DE LA FORME GLOBALE,
UNIDIRECTIONNELLE, DE L'ŒUVRE.

LA QUESTION DE L'OUVERture de la forme musicale, à partir de la fin des années 1950, recouvre des champs d'application très divers, voire contradictoires. Les notions d'ouverture, d'indétermination, d'aléatoire ne doivent en effet nullement être confondues et les œuvres qui répondent à ces principes témoignent généralement de préoccupations esthétiques autonomes.

Pour des compositeurs comme Pierre Boulez ou Karlheinz Stockhausen, la problématique de la forme mobile se situe dans le prolongement logique du sérialisme. La pluralité des manières de désigner et de varier une forme inclut alors, pour l'interprète, la possibilité de suivre plusieurs trajectoires. Toutefois, dans le cas de ces premières œuvres mobiles, la responsabilité du créateur n'est nullement remise en cause, déléguée à l'interprète. Toute version de telles œuvres, dont le nombre de variantes est indéfini, préserve un certain nombre de qualités formelles essentielles. La liberté de parcours ne concerne que des réseaux de possibilités en réalité fort minutieusement prédéterminés.

Il en va tout autrement dans le cas des partitions de John Cage, Earle Brown ou Morton Feldman. J. Cage avance le concept d'indétermination, qui implique que le compositeur ne cherche plus à se garantir un contrôle absolu sur ce que produit l'interprète. C'est pourquoi J. Cage et E. Brown recourent volontiers à des systèmes de notations qui s'éloignent de la fonctionnalité des signes traditionnels, se présentant sous forme de graphismes soumis au pouvoir d'invention des musiciens : la question du hasard est au centre d'un tel débat.

C'est en ce sens qu'Umberto Eco, estimant que la question de l'œuvre ouverte est déjà inscrite dans le projet sériel, a pu établir un lien entre les techniques sérielles post-weberniennes et la poétique de Joyce dans *Finnegans Wake*. L'apport d'écrivains comme Mallarmé, Char, Michaux... est indéniable, contribuant à orienter les compositeurs vers une plus grande souplesse quant à la structuration de l'œuvre. Après avoir été soumis à une écriture qui tentait de cerner d'aussi près que possible toutes les décisions compositionnelles, de manière plus déterministe encore que par le passé, l'interprète est invité à dépasser son rôle de « reproducteur » des ordres contenus dans la partition ; il se trouve aux prises avec une notation qui exige de lui une part d'initiative et tend désormais à devenir, selon l'expression de Mallarmé, un « opérateur ». Par exemple, dans la *Sequenza* (1958) pour flûte seule de Luciano Berio, la durée des sons, fixés, par ailleurs, quant à leur hauteur, intensité et ordre de succession, dépendra partiellement des décisions du soliste ; la flexibilité de la notation implique dès lors pour lui une concentration plus grande sur sa gestique d'instrumentiste.

La part de liberté laissée au musicien s'accroît plus manifestement encore à partir du moment où la partition préconise une possibilité de parcours ; sa variabilité ne dépend plus uniquement de détails microstructurels, mais de la forme générale. C'est là une étape décisive du développement de l'œuvre ouverte, qui sera franchie par K. Stockhausen dans le *Klavierstück XI* (1956) et par P. Boulez dans sa *Troisième Sonate* (1957) pour piano. La partition de K. Stockhausen présente notamment 19 séquences irrégulièrement disposées dans l'espace de la page, le pianiste pouvant passer à son gré d'une séquence à une autre selon des prescriptions de jeu préétablies.

Toutefois, même s'il est admis qu'il existe dans ces œuvres une amorce de liberté pour l'exécutant, l'auditeur parviendra-t-il à la ressentir vraiment, tout comme on peut, par exemple, l'éprouver dans le fonctionnement d'un mobile de Calder ou le jeu des *Cent Mille Milliards de poèmes* de Queneau ? Dans son introduction au *Klavierstück XI*, K. Stockhausen indique que la partition devrait être jouée deux ou trois fois dans un même programme, sans aucun doute pour qu'il devienne manifeste que l'œuvre est destinée à « bouger ». Une unique version de la partition ne serait-elle pas vraiment suffisante pour dévoiler la variabilité de sa nature ? •

Partitions

« Dans une structure d'*Archipel* » (1), écrit A. Boucourechliev, « j'essaie de rédiger la virtualité ; non pas tous les possibles, mais de prévoir ce que sera le « comportement » d'une structure livrée à un interprète libre et responsable. »
À propos de *Décembre 52*, une des toutes premières partitions graphiques (2), E. Brown parle d'« exécution composée » au lieu de « composition exécutée », les musiciens étant impliqués dans la génération même de l'œuvre. Les formes sont ainsi vues comme synergétiques ; synergie implique que l'effet total de ce qui est donné par la partition est supérieur à la somme des effets analysés indépendamment. Cet aspect dynamique rend le processus ouvert.

1. A. Boucourechliev : *Archipel III,* 1969 (5 percussions et 1 piano).

2. Earle Brown : *Décembre 1952.*

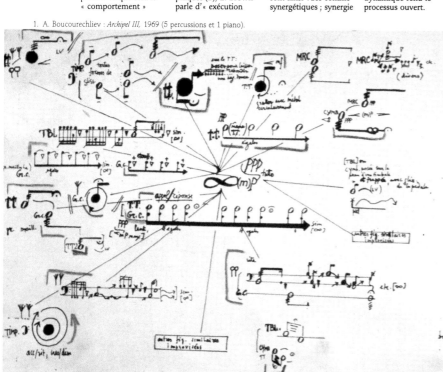

Variabilité et ouverture

APRÈS 1960, PLUSIEURS COMPOSITEURS
S'EFFORCENT DE DIVERSIFIER LES PRINCIPES DE VARIABILITÉ
CONTENUS DANS LES PARTITIONS MOBILES.

La disparité des approches provient en partie de la confusion qui a pu régner entre les notions d'ouverture, de mobilité et celle d'« aléatoire » au sens où la définit W. Meyer-Eppler : seraient aléatoires des processus dont « le cours est déterminé dans sa totalité, mais dont les détails individuels dépendent du hasard ». Pour que l'application des règles mobiles n'apparaisse pas comme un concept « plaqué » artificiellement et a posteriori, la sémantique de l'œuvre devrait donc déjà contenir les termes de sa propre variabilité. Il faudrait que tout ce qui est en jeu dans la partition recèle en lui-même la « chance » de l'interprète, la notation devant être pensée « suffisamment – mais subtilement – imprécise pour laisser passer entre ses grilles – diagramme d'hypothèse – le choix instantané et changeant, moiré, de l'interprète ».

On peut toutefois se demander si cette intention ainsi exprimée par P. Boulez ne restreint pas la signification donnée à la notion de « choix » car, pour lui, « refuser le méticuleux », c'est se dérober devant sa propre responsabilité de créateur. Loin d'imaginer des formes ouvertes qui perturbent l'acceptation traditionnelle du statut, relativement figé, de l'œuvre musicale, la ruse ultime du compositeur consisterait à apprivoiser le hasard, à « le forcer à rendre des comptes, à rendre compte », d'où son souci constant de concilier hasard et composi-

tion, afin de respecter le « fini » de l'œuvre occidentale, son cycle fermé, tout en ayant introduit la « chance de l'œuvre orientale, son déroulement ouvert ».

C'est plutôt vers la notion de processus que tend, pour sa part, Henri Pousseur dans des œuvres comme l'*Invitation à l'utopie* ou *Icare apprenti*. La technique de l'emprunt ou de l'allusion stylistique, associée à une préoccupation de la forme ouverte, se retrouve notamment dans *Miroir de votre Faust* pour piano ; un système de « fenêtres » pratiquées à l'intérieur des pages de la partition permet de percevoir les transformations que subissent les caractères musicaux selon leur « environnement ». H. Pousseur peut mettre ainsi en évidence une nouvelle fonction de la répétition, où la sérialité s'enrichit des perspectives de la mémoire dans la forme ouverte.

Autre témoignage représentatif de cette conception, la série des *Archipels I* à *V* (1967-1970) d'André Boucourechliev constitue un réseau de probabilités qui permet d'assumer la relativité dans la forme même de l'œuvre, la partition pouvant être comparée à une ville ou mieux encore à un « archipel, dont on découvre à chaque fois les îles suivant un autre cours de navigation » ; imprévisibilité, certes, mais non aléa : « chaque instant, entre passé et avenir, est vécu par l'interprète comme nécessaire, comme unique possible ». ●

Indétermination

LA POÉTIQUE DE L'OUVERTURE
DE L'ŒUVRE SE POSE, D'EMBLÉE, D'UNE MANIÈRE PLUS RADICALE
POUR J. CAGE, E. BROWN OU M. FELDMAN.

La démarche de ces musiciens s'apparente certainement davantage à la pensée de Charles Ives ou d'Erik Satie qu'aux idéaux de l'école de Vienne, davantage aux travaux de peintres comme Pollock, De Kooning ou Rauschenberg qu'à l'esthétique d'un Mallarmé. Pour les compositeurs américains, la mobilité ne porte en elle-même nulle garantie de liberté pour l'interprète, tant qu'il n'est question que de composer des objets temporels finis, de bâtir, à grand renfort de rouages et de règles de fonctionnement, des œuvres qui constituent, pour reprendre l'expression de J. Cage, des « monstres de Frankenstein », c'est-à-dire de gigantesques machineries où tous les éléments sont délibérément mis en rapport les uns avec les autres.

Pour lui, libérer la pensée musicale consiste non seulement à la faire sortir du ghetto de la forme fixe, mais implique surtout d'accepter le son comme organisme autonome ; composer ne réside alors pas tant dans le fait de le domestiquer que d'« imiter la nature dans sa façon d'opérer ». Si la démarche des musiciens issus du sérialisme n'aboutit pas réellement, pour J. Cage, à l'ouverture de l'œuvre, c'est que leur prétention à se dégager partiellement des contraintes de l'écriture traditionnelle ne s'accompagne d'aucune remise en cause du statut même de l'œuvre, de son appréhension somme toute métrique, mécanique, de la durée.

Dans la multiplicité des voies frayées par J. Cage, une constante demeure : le souci de considérer l'acte musical non comme une prise de pouvoir sur le son, sur l'interprète et sur le public, mais comme une manière de laisser une situation émerger et croître d'elle-même. Se tenir en deçà des principes de détermination permet ainsi de rendre manifeste le matériau sonore tout en sous-entendant l'aspect inépuisable de ses facultés.

Après avoir assumé le problème de l'indétermination au niveau du matériau, dans ses partitions pour piano préparé notamment, J. Cage l'applique à l'acte même de composition. Il fait appel au hasard, avec des méthodes comme le Yijing, recueil d'oracles de la Chine ancienne,

afin d'éliminer le plus possible tout critère de choix conscient et subjectif de la part du compositeur. L'étape suivante de sa démarche consiste à impliquer l'interprète lui-même dans le processus de composition de l'œuvre musicale et dans le choix des matériaux sonores. Face à des notations graphiques comme celles de *Décembre 52* de E. Brown ou des *Variations* de J. Cage, l'interprète se trouve confronté à des ensembles de signes où disparaît toute référence à la symbolique musicale connue. Plutôt que d'obéir à des ordres, l'interprète réagit à des incitations ambiguës dont les questions supposent un ensemble composite de réponses variables à l'infini.

Ultérieurement, pour assouplir encore le rapport entre le compositeur et l'interprète, plusieurs musiciens, tels Christian Wolff, Luc Ferrari, élaborent, vers la fin des années 1960, des partitions présentées sous la forme de textes qui s'ouvrent à la communication orale et à la création collective. ●

Hasard et détermination : musique et mathématiques

À PARTIR DES OUVRAGES PUBLIÉS
AUX ÉTATS-UNIS PAR J. SCHILLINGER SE MULTIPLIENT LES
TENTATIVES VISANT À DÉMONTER LES MÉCANISMES DE LA PENSÉE
MUSICALE ET À METTRE EN PLACE CERTAINES
ÉQUATIONS GÉNÉRATRICES.

Pierre Barbaud introduit dès 1950 la pensée mathématique dans la composition musicale, isole expérimentalement l'aspect objectif, formalisable, de la création. Il élabore et classe des processus de mécanisation possibles sur des êtres sonores, rendant la musique à sa nature spéculative. Il déduit d'un style musical donné des matrices, au sens mathématique du terme, ce qui lui permet d'explorer « un arbre exponentiel, ou du moins quelques-uns de ses rameaux, en une science-carrefour entre la musique et les mathématiques ». P. Barbaud conçoit à la Bull General Electric, en 1960, la première œuvre réalisée sur ordinateur, *71*. Pour lui, le recours aux lois aléatoires répond à une logique de la pensée musicale qui n'est nullement en rupture avec les systèmes du passé et leurs calculs sous-jacents. Par ses méthodes algorithmiques, P. Barbaud canalise le hasard, montrant dans quelle mesure le langage musical est formalisable à travers un certain nombre de structures de base.

Selon Iannis Xenakis, le déterminisme de la démarche sérielle apparaît comme un cas particulier d'une logique plus générale dont la limite serait le hasard pur. I. Xenakis pose, pour ainsi dire, un principe d'incertitude à l'égard de tout système de composition. Par les lois des grands nombres, il par-

vient à contrôler les transformations continues de vastes ensembles sonores, à les faire évoluer en jouant sur les rapports entre moyennes et écarts. Fondée sur une logique d'organisation probabiliste, l'écriture peut élever le discours musical à un plus haut degré de généralité, prétendre englober les systèmes préexistants et résoudre ainsi les problèmes de continuité et de discontinuité des êtres sonores composés.

Par les formules des probabilités et de la statistique, les formules élémentaires de Gauss, Poisson, du rayonnement des corps radioactifs, de corrélation et des seuils de signification développés par des biologistes anglo-saxons, I. Xenakis peut évaluer le degré d'ordre, la densité et la vitesse de changement d'êtres sonores à l'intérieur de phénomènes globaux tels des nuages de sons ponctuels ou des masses de sons glissés. Ses recherches formelles l'amènent à envisager les lois d'apparition et de succession d'événements sonores à travers les formules stochastiques ; le terme « stochastique » implique une abréviation de la théorie et du calcul des probabilités. À ce stade, I. Xenakis s'efforce de trouver « une région frontière de la structuration » telle que le nombre de règles de composition soit réduit de manière radicale et d'où soit écartée toute mémoire. ●

Formes ouvertes

Miroir de votre Faust accomplit d'une certaine manière le vœu ainsi exprimé par Michel Butor : « L'œuvre ouverte, le fragment dans sa maturité, implique d'une part une architecture interne en dépit [...] d'une grande rigueur, d'autre part son interruption, laquelle, pour avoir toute sa force, doit être elle aussi rigoureusement dessinée. » Les divers sens de lecture proposés au pianiste, et le fait que la situation des moments musicaux lus à l'intérieur d'une page ou à travers une fenêtre qui y est ménagée peut dévier son interprétation, créent – autant pour l'interprète lui-même que pour l'auditeur – une forte impression de variabilité. Michel Butor a lui-même utilisé cette « technique de fenêtres » pour *Matériel pour un Dom Juan*.

3. H. Pousseur : *Miroir de votre Faust*, 1977.

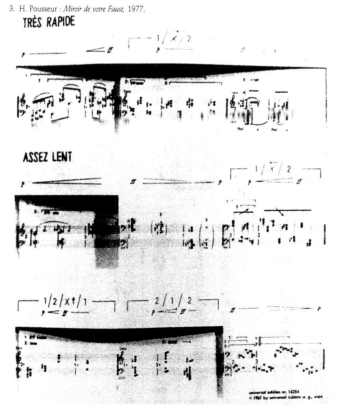

John Cage et au-delà

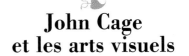

John Cage et les arts visuels

LES PRODUCTIONS DE J. CAGE
ONT STIMULÉ PEINTRES ET CHORÉGRAPHES
ET ONT ENGENDRÉ DES FORMES COMME
LE « HAPPENING » OU LA « PERFORMANCE ».

LA MUSIQUE ET LA PENSÉE DE John Cage (1912-1992) ont été et demeurent centrales pour plusieurs générations d'artistes américains et européens. Son œuvre marque un tournant dans la musique contemporaine de par les méthodes d'écriture inédites qu'il a élaborées et qui ont contribué à démystifier l'image du compositeur. J. Cage est un inventeur ; il expérimente à partir d'instruments existants, comme dans le cas du piano préparé, ou bien explore de nouveaux modes de notation et de communication qui sont susceptibles de faire exploser le caractère rigide de l'œuvre musicale. Au-delà de l'écoute privilégiée en concert, l'attitude de J. Cage vise à nous rendre plus réceptif et plus réactif vis-à-vis de notre environnement.

J. Cage a trop souvent été jugé, de manière simpliste, comme un provocateur par qui le scandale arrive (les 4'33" de silence, pour citer une de ses compositions les plus célèbres). Or dans son propos, philosophie (le bouddhisme zen occupe une part importante de sa réflexion) et musique sont inséparables, de même que, dans son activité, la vie et l'œuvre ne font qu'un.

Sa production touche des champs d'action très diversifiés ; outre les partitions proprement dites, il convient d'évoquer des ouvrages qui allient la pensée théorique et la poésie visuelle (*Silence, A Year from Monday, M.,* etc.) et des œuvres qui rejoignent les arts plastiques, comme les « plexigrammes ». L'interpénétration sons/modes d'expression et le principe de non-exclusion sont les traits majeurs de la démarche cagienne, qui peut apparaître comme mise en pratique de l'anarchie.

Hasard et indétermination

ENTRECROISANT TRÈS FRÉQUEMMENT LES DOMAINES
DU VISUEL ET DU SONORE, L'ACTIVITÉ DE J. CAGE
NE SE LIMITE NULLEMENT AUX CATÉGORIES MUSICALES.

Né en 1912 à Los Angeles, J. Cage étudie le piano à Paris avec Lazare Levy, puis la composition avec Schönberg en 1934. Occupant pendant plusieurs années le poste de compositeur-accompagnateur de la classe de danse de Bonnie Bird, il s'intéresse de plus en plus à de nouvelles sources sonores et travaille avec plusieurs compositeurs, dont Lou Harrison, à la création d'un répertoire de pièces pour percussions, jusqu'alors presque inexistant. À cet effet, il compose en 1939 *First Construction (in metal)* exclusivement pour percussions métalliques. Dès cette période, J. Cage est profondément attiré par l'œuvre de Marcel Duchamp : « Une manière d'écrire la musique : étudier Duchamp. » En 1938, la danseuse Sylvilla Fort lui commande une musique de ballet et c'est à cette occasion que, faute de disposer d'assez de place pour un orchestre de percussions, il invente le « piano préparé », déjà pressenti par Ch. Ives et H. Cowell, en posant différents objets et matières sur et entre les cordes.

La préparation du piano transforme, par la pénétration de « corps étrangers », les propriétés acoustiques de l'instrument, qui perd son caractère « bien tempéré », homogène, pour susciter une variété insoupçonnée de sons complexes et accroître l'imprévisibilité du résultat sonore. Ainsi les *Sonates et Interludes* (1948), bien que de structure fixe, varient-elles d'une exécution à une autre suivant la manière de modifier les sonorités originelles du piano.

Après avoir abordé la question de l'indétermination au niveau du matériau, J. Cage l'applique à l'acte même de composition. Il conçoit en effet une série de diagrammes à partir de jets de dés ou de pièces de monnaie, dont il déduit plusieurs partitions.

À partir de la *Music of Changes* (1951) pour piano, J. Cage recourt notamment à la méthode du Yijing, la structure, la forme, les matériaux, sons et silences, étant déterminés par des opérations de hasard. Selon J. Cage, le compositeur s'identifie dans ce cas avec l'éventualité, les choix intervenant comme malgré lui. Le silence demeure dès lors une de ses préoccupations fondamentales ; pour lui, le silence n'est pas « vide » mais « vacuité », accueil : « Là où aucun but n'est recherché, le silence devient quelque chose d'autre – non pas du tout silence – mais sons, les sons ambiants. » De ce fait, son et silence ne sont plus dans des rapports antagonistes ; mais cela implique la nécessité de reconnaître qu'un monde sonore échappant à toute tentative de contrôle rationnel est à l'origine de l'acte musical.

J. Cage concrétise jusque dans ses conséquences extrêmes cette intuition avec *4'33"* (1952), la pièce la plus indéterminée et « silencieuse » qui soit. En rendant leur prégnance aux sons ambiants, il s'agit bien de montrer que l'art n'est pas forcément coupé du quotidien. Aboutissement de la non-organisation, *4'33"* suppose une totale ouverture à l'influence du monde et n'est même pas, tout comme les « toiles blanches » de R. Rauschenberg, que cette ouverture.

J. Cage n'en continue pas moins à composer des partitions qui préservent entre sons et individus une part essentielle d'indépendance. C'est le cas du *Concerto de piano* (1957-1958), constitué de 13 parties instrumentales et d'un solo de piano, sans relation de coordination. Dans de nombreux processus, comme *Cartridge Music* (1960) ou *Atlas Eclipticalis* (1961), absence de hiérarchie entre les éléments et non-obstruction deviennent les principes moteurs d'un événement voué à rester unique.

Sa rencontre avec Merce Cunningham est décisive ; en 1942, J. Cage écrit pour lui une première partition, *Credo in Us*, inaugurant une durable collaboration ; en 1953, la Merce Cunningham Company est créée au Black Mountain College. À la troupe des danseurs se joignent, outre J. Cage, David Tudor, Gordon Mumma ; jusqu'en 1964, R. Rauschenberg s'occupe des décors et des costumes et, depuis lors, Jasper Johns. Un des points fondamentaux de l'échange Cage-Cunningham est leur conviction partagée d'une nécessaire indépendance entre danse et musique. Chaque discipline apporte au spectacle ses qualités propres, sans qu'il y ait domination ou subordination de l'une par rapport à l'autre ; la danse doit trouver son support dans le danseur lui-même et non dans la musique. Chaque participant, musicien ou danseur, agit avec les autres, de manière non compétitive mais complémentaire ; c'est l'élément temporel qui constitue le trait d'union, même si compositeur et chorégraphe travaillent au préalable de manière séparée.

À cet égard, la *Theatre Piece* (1960) de J. Cage est particulièrement représentative d'un mouvement artistique qui vise à considérer les expériences visuelles et auditives comme de plus en plus intriquées, la logique de leurs rapports naissant en quelque sorte d'elle-même. Interpénétration et complexité ouverte semblent être devenues les traits dominants des « actions » d'artistes qui, tels R. Rauschenberg, Claes Oldenburg ou Allan Kaprow, choisissent des modes d'activité polyvalents, qui amènent le peintre à investir le temps et le musicien à composer avec l'espace. L'espace et le temps deviennent moins picturaux et musicaux qu'actuels ; ce qui est propulsé, ce sont les substances mêmes de la vue, de l'ouïe, du mouvement, des individus. Une telle immédiateté devrait se manifester dans les « happenings », actions qui, pour J. Cage, « ne sont pas comme la vie, mais devraient pouvoir être consommées en relation avec nos vies ». Toutefois, il prend ses distances avec cette forme d'intervention qui implique le choc des actions les plus hétérogènes, lorsqu'il constate que se dissimulent de nouvelles intentions et que s'y glisse la volonté de forcer le public à la participation. ●

1. R. Rauschenberg : *Trophy I*, 1959.

Un espace transparent

Dans un esprit qui présente maintes affinités avec celui de Marcel Duchamp, R. Rauschenberg et J. Cage ont utilisé à plusieurs reprises des matériaux transparents pour laisser librement s'interpénétrer les éléments en présence. Par exemple, *Cartridge Music* (1960) de J. Cage comprend 20 feuilles sur lesquelles sont reproduites de 1 à 20 formes et 3 feuilles de plastique transparent, l'une parsemée de points, une autre de petits cercles, la troisième étant parcourue par une ligne pointillée ; une quatrième feuille transparente, représentant le cadran d'une horloge, posée sur les autres feuilles, suggère les durées des événements à produire. Les combinaisons, superpositions et intersections des différentes figures invitent un ou plusieurs musiciens à déterminer un programme d'actions. Le temps de l'exécution et la nature des matériaux sonores sont libres.

La musique américaine
à partir des années 1950

À L'ÉPOQUE OÙ J. CAGE ÉLABORE
SES MÉTHODES DE HASARD, E. BROWN POSE LE PROBLÈME DE
LA LIBERTÉ DE L'INTERPRÈTE FACE À UN MATÉRIAU
IMPOSÉ PAR LE COMPOSITEUR.

Dans les *Folio Pieces*, Earle Brown soulève la question de savoir si une œuvre dont la forme et le contenu sont différents à chaque exécution peut être appelée « forme ouverte ». *Décembre 1952,* une des toutes premières partitions graphiques, consiste par exemple en une feuille blanche sur laquelle sont inscrits des rectangles noirs de différentes longueurs et épaisseurs. Seule l'observation de ces figures conduit à un certain nombre de déductions concernant la production sonore. À son propos, E. Brown parle d'« exécution composée », et non de « composition exécutée ». La forme du processus n'existe pas en elle-même,

mais pour les musiciens, collectivement, résultat d'un activité menée ensemble, en fonction de ses rebondissements, les interprètes étant impliqués dans la génération même de l'œuvre. Les formes de communication musicale ainsi mises en jeu sont vues par E. Brown comme synergétiques, au sens où synergie signifie que l'effet total de ce qui est donné par la partition est supérieur à la somme des effets analysés indépendamment. C'est cet aspect dynamique qui rend le processus fondamentalement ouvert, le désigne comme « work in progress », pour reprendre une expression chère à Joyce.

Intersection III (1953) de Mor-

ton Feldman, envisagée également par J. Cage dans son article « Indeterminacy », constitue un autre exemple de partition dont les règles de base ne laissent rien supposer du résultat qualitatif de l'exécution ni de l'intention stylistique du compositeur. La partition consiste en effet en un assemblage de petites cases correspondant à des unités de temps. Des chiffres, à l'intérieur des cases, indiquent le nombre de sons que le pianiste doit produire. M. Feldman précise que l'interprète peut inscrire librement les sons à l'intérieur de la durée de la case et déclare nettement à ce propos : « Mon désir n'était pas de *composer,* mais de projeter des sons dans le temps, libres d'une rhétorique compositionnelle qui n'aurait pas de place ici. »

La génération qui a suivi celle de J. Cage, E. Brown et M. Feldman s'est peu à peu écartée de leurs pensées ; l'influence des musiques de tradition orale, aussi bien jazz que musiques traditionnelles orientales ou africaines, devient déterminante et, d'une certaine manière, provoque une distance de ce nouveau courant par rapport aux concepts d'indétermination, de forme ouverte, ainsi qu'aux recherches de nouveaux modes de notation. Des compositeurs comme Terry Riley, Steve Reich ou Philip Glass sont plus proches de la démarche

« minimale » d'un La Monte Young et trouveront chez lui ce qui deviendra particulièrement représentatif de cette tendance à la généralisation du principe de répétition.

Ce qui caractérise la musique répétitive est, d'une part, la limitation de l'univers sonore à une extrême économie des moyens exploités et, d'autre part, la soumission du matériau, presque essentiellement tonal, à des procédés de variation aussi finement gradués que possible. Par exemple, dans *In C* (1964) de Terry Riley, les instrumentistes doivent répéter les 53 formules mélodiques de la partition pendant un laps de temps de 45 à 90 minutes, les superpositions et tuilages successifs, insensibles, produisant peu à peu un état de fascination auditive. Pour Steve Reich, le principe de répétition est un moyen privilégié de réaliser ce qu'il appelle la « musique comme processus graduel » ; contrairement à J. Cage, qui semble mettre plus l'accent sur le processus de composition que sur le résultat proprement dit, il lui importe que le processus compositionnel et la musique qu'on entend soient une seule et même chose. Cette efficacité de l'effet musical paraît d'ailleurs un trait commun aux générations post-cagiennes, qui pourront rejoindre par là certaines préoccupations de la rock music. ●

2. J. Cage : *Cartridge Music, Variations 1,* 1960.

3. J. Cage.

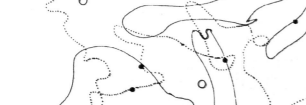

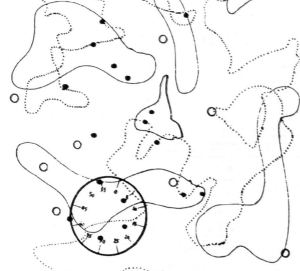

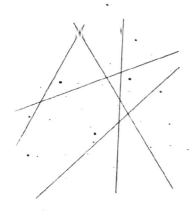

Fluxus, art
« entre catégories »

ALORS QUE J. CAGE FAVORISE
UNE MULTIPLICITÉ D'ÉLÉMENTS DANS SES COMPOSITIONS, LES
MEMBRES DU GROUPE FLUXUS RÉDUISENT À L'EXTRÊME
CE QUI EST PROPOSÉ À LA PERCEPTION.

La plupart des « events » (événements) de ce groupe, souvent concentrés en un acte unique, se placent d'eux-mêmes entre plusieurs modes de communication : entre la poésie, la représentation théâtrale et l'exécution musicale, entre l'art et la vie quoti͏dien͏ne. Le groupe Fluxus, fondé par George Maciunas en 1961 et qui s'est principalement produit aux États-Unis et en Allemagne, n'a jamais vraiment énoncé de manifeste. Selon George Brecht, originellement peintre, des individus se sont simplement réunis « avec quelque chose d'innommable en commun » qui les situe à la frontière de l'art. Leurs actions dérivent, selon G. Maciunas, « des qualités monostructurelles et non théâtrales d'un simple événement naturel, d'un jeu ou d'un gag. C'est la fusion de Spike Jones, du vaudeville, des jeux d'enfant et de Duchamp ». On utilise des objets ou des jouets des plus variés, montrant par là que n'importe quoi peut se substituer à l'art, dès l'instant que la vue et l'ouïe se trouvent captées.

Les instructions minimalistes de G. Brecht tiennent en quelques mots, comme des exercices pour condenser les choses en un seul trait, en un seul élément brut : « Ouvre la radio. Au premier son, éteins-la. » Parfois, on présente la même attitude, on insiste sur une situation sociale comme dans la *Composition 6* de La Monte Young, où les exécutants regardent le public de la même manière que celui-ci les regarde habituellement, la plupart de tels événements s'imposant comme phénomènes conjointement visuels et sonores. Par-delà la musique, les propositions du groupe Fluxus prennent le caractère d'une investigation philosophique, indépendamment de tout critère d'appréciation esthétique, et s'érigent en une sorte d'art de vie. Cette échappée hors des catégories artistiques connues se rencontre également dans les productions du groupe Zaj en Espagne, dans des livres-partitions comme les *7 Miniatures* de T. Phillips ou *Musik zum Lesen* de D. Schnebel. ●

Recherches sur l'espace musical

AU COURS DE LA PREMIÈRE moitié du xxᵉ siècle, des compositeurs comme Alois Hába et Ivan Vychnegradski ouvrent une perspective d'expérimentation originale du domaine harmonique à travers les recherches sur la microtonalité. Ils confirment l'importance des échelles non tempérées pour dépasser les limitations qu'impose l'univers tonal. Ils se sont efforcés de tirer parti de divisions de l'octave en intervalles inférieurs au demi-ton, le quart et le huitième de ton. Au Mexique, Julián Carrillo est allé jusqu'à faire construire des instruments à clavier fondés sur une microtonalité encore plus fine, accordant notamment un piano au seizième de ton. Cette démarche est poursuivie aujourd'hui, tant à partir d'une facture instrumentale conçue dans cette intention qu'au moyen d'équipements électroni-

ques, par Jean-Étienne Marie, Alain Bancquart, Jacques Calonne, Claude Ballif...

La reconsidération de l'écriture orchestrale est également à l'origine d'espaces musicaux qui échappent partiellement à l'échelle tempérée. C'est ainsi que dans les premières œuvres de Krzysztof Penderecki, dont *Thrènes* (1960) est un des exemples les plus significatifs, le vecteur harmonique semble être délibérément écarté pour laisser la place à un jeu d'agrégats sonores plus ou moins denses et intriqués, où il devient quasiment impossible de distinguer des hauteurs en particulier.

La fin des années 50 voit se développer chez plusieurs compositeurs des approches personnelles de ce type de matériau sonore et des modèles formels les mieux adaptés.

Les nouvelles ressources instrumentales dans l'école polonaise

À PARTIR DE LA FIN DES ANNÉES 1950, EN POLOGNE, L'ÉCRITURE ORCHESTRALE S'ORIENTE VERS L'EXPLOITATION DE TOUS LES EFFETS DE TIMBRE.

Witold Lutosławski, Tadeusz Baird, Kazimierz Serocki, Henryk Górecki comptent parmi les compositeurs les plus représentatifs de ce renouveau de la pensée orchestrale où la polarisation de l'écriture sur l'harmonie apparaît comme transgressée. Les aspects architecturaux d'*Anaklasis* (1960) ou des *Thrènes* (1960), pour 52 instruments à cordes, de K. Penderecki, se voient ainsi réduits à des axes très schématiques, que la perception reçoit avec clarté comme une succession d'états plus ou moins autonomes. Les événements sonores communiquent ainsi une impression d'espace. Chaque mo-

ment peut évoquer un jeu de formes visualisables : points, lignes, surfaces.

Le mode de notation choisi pour rendre compte de cet enchevêtrement de figures aux contours nettement délimités semble lui-même adhérer parfaitement au résultat obtenu : par exemple, des traits représentant à la fois, par leur position, la hauteur du son à produire et, par leur longueur, une durée ; l'épaisseur du trait traduit la densité des « clusters », son inclinaison impliquant des mouvements de glissando plus ou moins rapides et étendus. Le répertoire des graphismes musicaux dans les partitions de K. Pen-

3. I. Xenakis, *Polytope* de Montréal, 1967.

Les premières étapes de la microtonalité

DES COMPOSITEURS S'EFFORCENT DEPUIS LE DÉBUT DU XXᵉ SIÈCLE DE FONDER LEUR PENSÉE MUSICALE SUR UNE AUTRE LOGIQUE QUE CELLE DU LANGAGE TONAL.

La construction, à Moscou, du premier piano en quarts de ton semble dater de 1864. Au xxᵉ siècle, cette recherche prend véritablement son essor à partir des tentatives d'A. Hába, I. Vychnegradski et J. Carrillo.

Le compositeur tchèque A. Hába (1893-1973) s'intéresse d'abord à la chanson primitive, ce qui le conduit à définir en 1922 les *Bases harmoniques du système par quarts de ton,* puis à construire plusieurs instruments permettant d'obtenir des intervalles ultrachromatiques (jusqu'au sixième de ton) : outre trois types de piano à claviers décalés, des instruments s'apparentant à l'harmonium, la clarinette, la trompette et la guitare. C'est dans ses quatuors à cordes, ainsi que dans l'opéra *Matka* (« la Mère ») [1929], que les théories microtonales d'A. Hába trouvent leur application la plus appropriée.

Profondément marqué par la quête spirituelle de Scriabine, le compositeur russe I. Vychnegradski (1893-1979) est à la re-

cherche de nouveaux espaces harmoniques ; il publie son *Manuel d'harmonie à quarts de ton* en 1932. Vychnegradski donne une orientation mystique à sa pensée dans *la Journée de l'existence,* composée de 1916 à 1940, œuvre inspirée par la pensée hindoue et relatant l'émergence d'une « conscience cosmique ».

Composant ses premières partitions microtonales dès 1895, J. Carrillo (1875-1965) codifie son propre système dans les années 1920, explorant jusqu'aux trentièmes de ton. •

Sons et couleurs

Outre son apport aux recherches microtonales, on doit à I. Vychnegradski de précieuses considérations sur les rapports organiques entre les sons et les couleurs, qu'il a notamment

tenté de développer dans son projet architectural d'un « temple de la lumière » ; la disposition mosaïque des couleurs et l'organisation des sons devaient ainsi reposer sur des fondements communs.

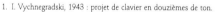

1. I. Vychnegradski, 1943 : projet de clavier en douzièmes de ton.

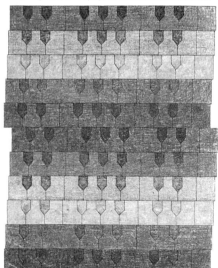

2. I. Vychnegradsky, 1970, jouant son piano en quarts de ton.

derecki ne dissimule en rien son ambition d'efficacité quant au résultat sonore ; à la différence des compositeurs anglo-saxons de la lignée de J. Cage, K. Penderecki et plusieurs compositeurs de sa génération ne développent pas la notation graphique pour insinuer des stimulants plus ou moins ambigus à l'imagination de l'interprète. Ils réduisent plus volontiers la notation à l'essentiel, pour désigner le plus clairement possible l'effet attendu, par-delà les contraintes du solfège et sa dépendance vis-à-vis de la dimension harmonique.

Les instruments à cordes, par leur flexibilité, se sont révélés les plus aptes à favoriser ce type de phénomène sonore. K. Penderecki a su tirer parti des registres extrêmes, du plus grave au plus aigu, sans rupture, ainsi que des passages graduels des sons les plus purs, les sons harmoniques, aux sons les plus complexes, percussifs et bruiteux, lorsque l'on exagère, par exemple, la pression du poignet sur l'archet. Un

des apports les plus importants des instruments à cordes est certainement, pour lui, l'insoumission possible à la division de l'octave en douze demi-tons ; une fragmentation plus fine transparaît notamment dans *Émanations* (1959), pour deux orchestres, dont l'un est accordé un quart de ton plus haut que l'autre. Les frottements, « battements » entre les notes tenues de hauteurs extrêmement proches, engendrent ainsi un effet de brillance de la matière sonore.

K. Penderecki s'est toutefois assez rapidement rendu compte des limites que pouvait atteindre une technique d'écriture presque exclusivement fondée sur des effets de timbre et de dynamique. Ses œuvres ultérieures, par exemple *la Passion selon saint Luc* (1966), traduisent le souci évident d'élargir son champ musical par le biais d'un attachement pour certaines formes liturgiques du passé, le chant grégorien, et l'art vocal du Moyen Âge et de la Renaissance.

•

La micropolyphonie de György Ligeti

C'EST DANS UN TOTAL ESPRIT D'INDÉPENDANCE VIS-À-VIS DES SYSTÈMES ÉTABLIS QUE SE SITUE LA DÉMARCHE DE G. LIGETI, SUR LES PLANS INSÉPARABLES DE L'HARMONIE ET DE LA FORME.

György Ligeti reproche notamment au sérialisme de prolonger l'ambiguïté inhérente au concept de forme musicale d'où découle, suivant la signification ou la fonction qui lui est assignée, un type de composition déterminé. Aussi insiste-t-il sur l'arbitraire de toute systématisation, dénonçant l'illusion d'un terrain ferme qui n'existe pas. Composer ne consiste pas à obéir à des normes harmoniques ou mélodiques transmises par l'histoire, mais à laisser la matière sonore décider de sa propre forme d'expression.

À partir de textures très serrées, G. Ligeti élabore une technique d'écriture qu'il qualifie de « micropolyphonique », l'amenant à travailler chaque ligne instrumentale de manière relativement autonome. À propos d'*Apparitions* (1960), il note que l'« ouvrage est caractérisé par l'absence de notion d'intonation et d'intervalle. Il n'y a donc ni mélodie ni harmonie, mais, en revanche, des sonorités complexes qui ne sont ni vraiment des sons, ni vraiment des bruits ». Face à cette « imprécision », la fonction de l'interprète est de « tisser » des combinaisons sonores, de faire en sorte que l'on ne puisse discerner à l'écoute aucune voix séparée, chaque voix disparaissant dans la complexité générale puisque « c'est précisément cette dissolution des voix qui engendre des valeurs sonores proprement inouïes ».

À partir des années 1960, G. Ligeti tend à poser la question harmonique au-delà de l'antagonisme historique tonal/atonal. « Les harmonies ne changent pas soudainement mais mûrissent les unes dans les autres... Une combinaison d'intervalles clairement audibles s'efface, ou n'a plus et, à partir de brouillage, une nou-

velle combinaison se cristallise. » G. Ligeti renforce sa conception harmonique par les transformations lentes et progressives de « clusters » et par le souci de faire régner une sorte d'équilibre entre les parties instrumentales. Dans *Atmosphères* (1961), chaque instrument est pourvu d'une identité propre au lieu de rester dans l'alternative soli/tutti. Le résultat sonore donne de ce fait une impression d'informel. Mais, contrairement à ce que fait K. Penderecki, G. Ligeti conserve la notation classique, fixant avec une minutie optimale chaque détail de l'instrumentation.

Lontano (1967), pour orchestre

de cordes et de vents, apparaît comme l'élaboration finale d'un cheminement vers une nouvelle construction « harmonique-polyphonique ». Comme *Atmosphères*, ou *Volumina* (1962) pour orgue, cette œuvre appartient au « type de la continuité », compositions en réseaux statiques pour lesquelles l'auditeur est amené à suivre de façon ininterrompue un ou plusieurs groupes et à se concentrer sur les finesses de la micropolyphonie. Dans le *Requiem* (1963-1965) et *Lux aeterna* (1966), G. Ligeti cherche à « se diriger vers les régions jusqu'alors inexplorées de l'harmonie ». Sans revenir à l'harmonie traditionnelle, il imagine une technique où ce ne sont pas tant les principes de relation ou d'évolution qui importent qu'une sorte de croissance, d'un étage harmonique à un autre. Avec *Ramifications* (1969), œuvre pour orchestre à cordes, il affronte le problème de la microtonalité, un groupe d'instruments étant accordé un quart de ton plus haut que l'autre.

•

Les continuums chez Iannis Xenakis

LA DIMENSION SPATIALE TIENT UNE PLACE FONDAMENTALE DANS L'ŒUVRE DE IANNIS XENAKIS, DEPUIS *METASTASIS*, ÉTROITEMENT ASSOCIÉE À SON MÉTIER D'ARCHITECTE, JUSQU'AUX *POLYTOPES*.

Dans *Metastasis* (1955), la structure musicale n'est plus traitée linéairement, mais de manière globale, dans des rapports de masses. À cet effet, I. Xenakis utilise les lois des grands nombres, pour calculer les probabilités des densités sonores, s'appuyant en particulier sur la théorie cinétique des gaz définie par Boltzmann et Maxwell. Pour lui, *Metastasis* représente la première vision de surfaces réglées dans l'espace sonore.

Répondant trois ans plus tard à une demande de Le Corbusier, I. Xenakis reprend cette structure et transpose les plans du Pavillon Philips pour l'Exposition uni-

verselle de Bruxelles (1958), construction en surfaces continues engendrées par des droites. Conçu par analogie entre les surfaces réglées de l'œuvre architecturale et les effets de masse des « glissandi » produits par les instruments à cordes, l'édifice constitue une expérience exceptionnelle de synthèse du son, de la lumière et de l'architecture, première étape de ce qu'il nomme lui-même un « geste électronique » et dont les futurs *Polytopes* et *Diatopes* présenteront des extensions décisives.

L'illumination spatiale apportée par une démultiplication des sources sonores tient déjà une place fondamentale dans *Terretektorh* (1966) ou *Persephassa* (1969). Mais c'est dans les *Polytopes* que I. Xenakis réussit à réaliser des phénomènes où s'entrecroisent lumières et formes dans le temps, dans un espace à trois dimensions ; deux discours parallèles se développent, celui de la composition lumineuse et celui de la composition musicale, avec un certain nombre de points de rencontre dans le temps et des effets d'accumulation. Sa programmation lumineuse à partir de rayons laser tient en effet étroitement compte de son expérience de l'organisation du son par le calcul des probabilités, les structures logiques, celles de groupes et la théorie des ensembles.

•

Musique, lumière et architecture

Pour le *Polytope* de Montréal, la continuité de la trame musicale, produite par 4 orchestres de formation identique placés suivant 4 rayons orthogonaux d'un cercle, manifeste une relative indépendance vis-à-vis du spectacle lumineux. La composition de I. Xenakis à partir des rayons laser repose largement sur son expérience de l'organisation du son à travers le calcul des probabilités, les structures logiques et la théorie des ensembles. L'approfondissement de catégories temporelles débordant le cadre restrictif du concert, le caractère artificiel du temps mesuré et la conception d'une architecture capable d'adhérer à un projet musical spécifique constituent, à travers les *Polytopes*, une amplification nécessaire de sa démarche.

Théorie et critique musicales

Des principes à la pédagogie

LA RAISON D'ÊTRE, LE CONTENU
ET LA DESTINATION DES TRAITÉS MUSICAUX
ONT VARIÉ AU COURS DES SIÈCLES, MAIS NOTRE ÉPOQUE
SEMBLE MARQUÉE PLUS QU'AUCUNE AUTRE
PAR LE BESOIN DE THÉORISATION.

S I LES DEUX ASPECTS LES PLUS manifestes de la réflexion sur l'art sonore (théorie et critique), opposé à la musique pratique (composition et interprétation), semblent solidement implantés dans notre civilisation, ils ne s'y sont certes pas développés simultanément. Le premier (regroupant les traités techniques, abrégés ou encyclopédies) nous vient de la Grèce antique et demeure bien présent encore aujourd'hui ; quant au second (plus tourné vers l'esthétique, plus subjectif aussi), lié à la diffusion de l'imprimerie et de la presse, il ne s'imposa qu'au XVIIIᵉ siècle pour culminer dans les années 1880-1920.

C'est alors précisément que l'extension des études historiques et la volonté croissante d'organisation du savoir permettent également la naissance de travaux plus scientifiques, de réflexions plus structurées sur des documents de première main : la musicologie, succédant à la « musicographie » ou à l'« archéologie musicale », est désormais appelée à un rapide développement au sein des sociétés savantes, puis des universités, des centres de recherche et des conservatoires supérieurs.

Parallèlement aux ouvrages systématiques, le plus souvent techniques et pédagogiques, destinés aux musiciens, s'est donc forgée toute une littérature d'information ou d'expression plus personnelle et moins sévère, accessible à un plus large public. Mais celle-ci a tendance aujourd'hui à s'effacer face à des études plus fiables, en un temps où musique et science amorcent une réconciliation : acoustique, informatique, psychologie... s'intègrent désormais volontiers à la formation du musicien.

Il paraît évident que la pratique musicale a souvent précédé la théorie, née pour systématiser, pour prolonger et pour perfectionner la réalisation de l'artiste ou pour faciliter l'apprentissage technique. Cependant, maints calculs ou raisonnements abstraits ont pu préluder à la conception sonore, notamment dans le domaine de l'acoustique ou de la musique contemporaine. Il n'est donc pas abusif de dire que théorie et pratique se fécondent mutuellement, et certains de nos compositeurs ont réussi à être simultanément de grands théoriciens (Jean-Philippe Rameau, Arnold Schönberg).

Tout comme les styles, et quelle que soit leur apparente variété, les théories se transmettent, s'affinent ou s'affrontent. Le plus bel exemple de transmission est fourni par le destin des conceptions grecques, présentes dans les traités arabes (al-Kindī) ou occidentaux (Boèce) : la mesure des intervalles et la définition des modes demeurent en effet à la base de ces premiers ouvrages.

Évolution.

Si les auteurs suivants se sont toujours préoccupés du système acoustique en usage (pythagoricien, zarlinien, tempéré inégal ou égal), les nouveautés apparues dans le langage sonore demeurent la principale raison de la multiplication des traités : tel fut en effet le cas lors du développement de la polyphonie (Xᵉ-XIIIᵉ siècle), de la naissance du chant mesuré (Francon de Cologne, *Ars cantus mensurabilis,* 1280), des innovations du XIVᵉ siècle (course à la division des valeurs, altérations), de l'extension des modes (Glaréan, XVIᵉ siècle) ou du passage à la tonalité, dont les fondements furent solidement précisés par Rameau. Les livres de contrepoint et d'harmonie constituent dès lors l'essentiel des écrits théoriques, parallèlement aux manuels relatifs à la réalisation de la basse continue ou aux ouvrages consacrés à l'interprétation vocale et instrumentale (François Couperin, Johann Joachim Quantz, Carl Philipp Emanuel Bach...).

Le XIXᵉ siècle connaît également de grandes figures de théoriciens (Anton Reicha, François Joseph Fétis), auxquels succèdent Vincent d'Indy ou Paul Hindemith, alors que les préoccupations se font toujours plus vastes (instrumentation, orchestration, acoustique, physiologie...). À notre époque, la diversification des langages oblige par ailleurs souvent les musiciens à présenter par écrit leurs découvertes ou leur propre technique (Arnold Schönberg, Olivier Messiaen, Pierre Schaeffer). Face à la multiplicité des notations ou des dispositifs électroacoustiques, préfaces, tables explicatives et schémas placés en tête des partitions ne suffisent plus à l'information du lecteur à l'âge où, qui plus est, le compositeur se veut fréquemment aussi un penseur (Claude Ballif, Pierre Boulez, Karlheinz Stockhausen...).

Après les sommes du Moyen Âge ou les efforts des Encyclopédistes, voire ceux des collaborateurs de l'*Encyclopédie de la musique* d'Albert Lavignac au début du XXᵉ siècle, concevoir une théorie complète de la musique, fondée sur les plus récents travaux scientifiques, incluant la psychophysiologie de la perception ou l'électronique, reviendrait donc à écrire une sorte de « bible », comme l'ont envisagé il y a quelque temps certains musiciens dans le cadre de l'I.R.C.A.M. ●

Dates clefs

v. 500 Boèce, *De Institutione musica.*
v. 1026 Gui d'Arezzo, *Micrologus.*
v. 1323 Philippe de Vitry, *Ars nova.*
1558 Zarlino, *Istituzioni harmoniche.*
1636-1637 Mersenne, *Harmonie universelle.*
1722 Rameau, *Traité de l'harmonie réduite à ses principes naturels.*
1844 Berlioz, *Grand Traité d'instrumentation et d'orchestration modernes.*
1854 Hanslick, *Vom Musikalisch-Schönen.*
1862 Reber, *Traité d'harmonie.*
1872 Danhauser, *Théorie de la musique.*
1900-1933 d'Indy, *Cours de composition musicale.*
1937 Hindemith, *Unterweisung im Tonsatz.*
1942 Stravinski, *Poétique musicale.*
1944 Messiaen, *Technique de mon langage musical.*
1949 Adorno, *Philosophie der neuen Musik.*
1955-1959 Koechlin, *Traité de l'orchestration.*
1964 Bitsch et Noël-Gallon, *Traité de contrepoint.*
1966 Schaeffer, *Traité des objets musicaux.*

Repères historiques et techniques

Depuis l'âge romantique, les critiques ont suivi au quotidien les principaux événements musicaux de notre histoire. Au début du XXᵉ siècle, H. Gauthier-Villars (1) – qui fut le premier mari de Colette – signa quelque onze volumes de critiques au style coloré et riche de calembours. Un bref tableau récapitulatif (2) montre les principales techniques d'écriture musicale, depuis la modalité (huit modes au Moyen Âge, qui devinrent douze à la Renaissance) jusqu'au sérialisme, où toute série peut être transposée sur chaque degré de la gamme par mouvement contraire, récurrent, ou récurrent et contraire à la fois.

1. Couverture de *la Colle aux quintes,* de Henry Gauthier-Villars, dit Willy, Paris, 1899.

2. Principales techniques d'écriture.

Modalité

Finale *ré*

Finale *mi*

Finale *fa*

Finale *sol*

Tonalité

Majeur

(mode d'*ut*, à la Renaissance)

Mineur

(mode de *la*, à la Renaissance)

Sérialisme
1 2 3 4 5 6 7 8 9 10 11 12

(Série de 12 sons, Schoenberg, *Pièces pour piano,* op. 23, valse)

De l'information à l'expression

ANONYMES PUIS PLUS PERSONNELLES ET BIENTÔT
PASSIONNÉES, LES CRITIQUES MUSICALES SE MULTIPLIENT
DU XVIIIᵉ SIÈCLE À LA SECONDE GUERRE MONDIALE.

Si les premières notations relatives à la musique figurent dans la grande presse dès le XVIIᵉ siècle *(Gazette de France)*, c'est dans les années 1700 que naît véritablement la critique musicale (Mattheson, Scheibe). Il a fallu pour cela que l'art sonore se détache quelque peu de son caractère fonctionnel (église, cour), que s'implante l'habitude des concerts publics et enfin que la pratique musicale se répande toujours davantage.

Faire connaître les partitions nouvelles et les interprètes de talent, annoncer les manifestations importantes et en rendre compte pour contribuer à la formation du goût deviennent vite alors une nécessité : ainsi est née la presse musicale. Mais chacun tient bientôt à y exprimer ses opinions personnelles, et les polémiques du XVIIIᵉ siècle (querelle des Anciens et des Modernes, guerre des Bouffons) favorisent déjà l'éclosion des prises de position les plus outrancières et des pamphlets les plus sévères (Jean-Jacques Rousseau, Melchior Grimm...). Puis l'âge des passions romantiques s'enfièvre volontiers pour le jeu d'un pianiste, à moins qu'il ne prenne position contre les changements survenus dans l'art du chant ou, plus violemment encore, contre la « musique de l'avenir » : les œuvres wagnériennes ont en effet suscité – en même temps que des envolées admiratives – un nombre impressionnant de réflexions caustiques ou d'injures de bas étage... Quant au XXᵉ siècle, il n'oubliera pas cette virulence ; que l'on songe en effet à l'opposition des « pelléastres » (partisans de Claude Debussy, dont *Pelléas et Mélisande* avait apporté en 1902 une véritable révolution stylistique) et des « scholistes » (souvent élèves de la Schola Cantorum et disciples de Vincent d'Indy) dans la première décennie du XXᵉ siècle.

Quelques grandes figures.
Alors que se multiplient les périodiques spécialisés (tels la *Revue musicale* ou le *Ménestrel*), la grande presse s'ouvre bientôt régulièrement aux rubriques musicales (habitude inaugurée en France par le feuilleton de Castil-Blaze dans le *Journal des débats* de 1820). Si déjà la présentation de la *Cinquième Symphonie* de Beethoven par E. T. A. Hoffmann fait autorité dans les pays germaniques en 1810, le genre connaît un tel succès que, à l'exemple de maints écrivains (Théophile Gautier ou George Bernard Shaw), les plus grands musiciens du XIXᵉ siècle (Hector Berlioz et Robert Schumann puis Gabriel Fauré, Claude Debussy, Paul Dukas et Florent Schmitt) ont eu une activité de critique. Le métier compte certes aussi quelques spécialistes de talent (d'Eduard Hanslick et Henry Gauthier-Villars, dit Willy, à Bernard Gavoty, le « Clarendon » du *Figaro*). Et, pour suivre l'évolution de la diffusion, les comptes rendus de disques viennent s'ajouter aujourd'hui aux présentations de concerts et de spectacles.

Simple littérature d'information ou d'humeur à ses débuts, la critique musicale adopte généralement un tour personnel, volontiers teinté d'impressionnisme. Mettant en évidence les réactions et les goûts, voire la culture, du critique, elle paraît devoir demeurer nécessairement subjective.

Mais, depuis la Seconde Guerre mondiale, le rôle croissant de la presse parlée tout comme l'apparition de nouvelles exigences de scientificité ont restreint son rôle. On peut dire sans exagération que cette forme de journalisme ne semble plus guère constituer désormais qu'une activité très accessoire pour les musiciens. ●

Vers une discipline scientifique

LE DÉVELOPPEMENT DE LA THÉORIE
ET L'ÉVOLUTION DE LA CRITIQUE FIRENT NAÎTRE UNE
NOUVELLE DISCIPLINE : LA MUSICOLOGIE.

Depuis le XVIIIᵉ siècle déjà s'affirmait dans les écrits relatifs à l'art sonore un réel souci de synthèse et de précision (histoires de la musique de Pierre Bourdelot ou Charles Burney, biographies d'Arcangelo Corelli par John Hawkins et de Jean-Sébastien Bach par Johann Nikolaus Forkel). La réédition de traités anciens (par Martin Gerbert ou Edmond de Coussemaker) et l'ampleur des dictionnaires conçus au XIXᵉ siècle (Fétis, 1835-1844 ; Grove, 1879-1889 ; puis Riemann, 1904-1913) s'accompagnèrent bientôt d'une volonté de rigueur plus scientifique encore : dans les années 1860, autour de Friedrich Chrysander, naquirent en effet pour la première fois une société et un périodique typiques de la nouvelle *Musikwissenschaft* (musicologie). L'exemple ne devait pas tarder à être suivi par d'autres pays dans cette discipline : la *Société française de musicologie* fut constituée à Paris en 1917.

Cette science allait connaître un réel développement au XXᵉ siècle, particulièrement dans ces quarante dernières années, puisqu'elle est présente désormais dans une vingtaine d'universités, en France (plus de 1500 étudiants pour la seule Sorbonne) comme en Allemagne (sans compter les instituts de recherche et certains conservatoires), ainsi que dans plus de cent établissements supérieurs américains. La recherche s'est organisée au niveau mondial sous l'égide de la Société internationale de musicologie *(Répertoire international de littérature musicale, Répertoire international des sources musicales...).* Les mémoires et thèses s'affirment toujours plus nombreux sur les sujets musicaux et, s'il faut reconnaître que leur diffusion reste limitée, les collections spécialisées s'implantent désormais chez les éditeurs les plus divers.

Fonction.
La musicologie regroupe des orientations diverses : acoustique, analyse, esthétique, histoire de la musique, organologie, paléographie, pédagogie, philologie ou sociologie musicales... sans oublier l'ethnomusicologie. Elle se propose pour mission de mettre à la disposition des musiciens des éditions fiables (monumentales, critiques), de faciliter la tâche des interprètes en abordant les questions les plus délicates (ornementation, styles d'époque...), d'établir des catalogues d'œuvres, d'inventorier les collections publiques ou privées et, d'une façon générale, de faire mieux connaître les artistes et leurs ouvrages (genres, formes, langages...). Plus « historique » à ses débuts (surtout en France, où la recherche d'archives apparut toujours privilégiée), elle s'est faite, au cours de son évolution, plus « systématique » (allant vers la psychologie, la philosophie...) et tend aujourd'hui à étendre ses investigations en direction des branches les plus variées du savoir et des activités humaines (iconographie, littérature, médecine, muséologie, physique, etc.).

Si la musicologie a fait de la théorie sa substance même, elle ne devrait nullement exclure le plaisir littéraire de la critique, qui, sous son influence, pourrait sentir croître ses exigences et ses possibilités. On peut donc souhaiter pour demain la pleine reconnaissance d'une science à visage plus humain, d'un discours sur la musique plus accessible mais non moins fiable, visant à réconcilier tous les publics autour du mystère musical. ●

Théorie et pédagogie

Les théoriciens ont savamment rendu compte des métamorphoses qui marquèrent l'évolution du langage musical. De très nombreux témoignages nous sont parvenus. Pour le XVIᵉ siècle, par exemple, cette gravure (3) nous montre une scène de la pédagogie musicale ancienne où le maître explique à son élève la mesure des intervalles de l'hexacorde. Au XVIIᵉ siècle, Michael Praetorius (5) fut un théoricien à l'immense autorité : dans ses écrits, qui représentent de véritables sommes encyclopédiques, il s'efforça de rendre compte des pratiques musicales et des connaissances de son temps. Enfin, au XVIIIᵉ siècle, Jean-Philippe Rameau (4) rédigea un traité que l'on peut considérer comme la première théorie cohérente de l'harmonie fondée sur la nature même du son : sa basse fondamentale, ouvrant de nouvelles voies à l'écriture musicale, a permis de rendre sensible l'art de la modulation.

3. Pierre de Canunt, *Incipiunt Regulae*, XVIᵉ siècle.

PER NON · ERRARE

4. Page de titre du *Traité* de Rameau, Paris, 1722.

TRAITÉ
DE
L'HARMONIE
Reduite à ses Principes naturels;
DIVISÉ EN QUATRE LIVRES.

LIVRE I. Du rapport des Raisons & Proportions Harmoniques.
LIVRE II. De la nature & de la propriété des Accords; Et de tout ce qui peut servir à rendre une Musique parfaite.
LIVRE III. Principes de Composition.
LIVRE IV. Principes d'Accompagnement.

Par Monsieur RAMEAU, Organiste de la Cathédrale de Clermont en Auvergne.

DE L'IMPRIMERIE
De JEAN-BAPTISTE-CHRISTOPHE BALLARD, Seul Imprimeur du Roy pour la Musique. A Paris, rue Saint Jean-de-Beauvais, au Mont-Parnasse.
M. DCC. XXII.
AVEC PRIVILEGE DU ROY.

5. M. Praetorius, Theatrum Instrumentorum, 1620.

La diffusion de la musique

La musique
et les médias

DE NOS JOURS, CE SONT LES MÉDIAS
QUI ASSURENT UNE DIFFUSION MASSIVE
DE LA MUSIQUE ET OFFRENT,
SURTOUT AUX JEUNES GÉNÉRATIONS,
UNE INFORMATION VARIÉE.

DANS LE DOMAINE MUSICAL, la diffusion de la musique a considérablement évolué au cours des années 1970-1980. Que l'on songe aux concerts accueillant 10 000 personnes, aux vidéoclips, aux concerts télévisés diffusés au même moment dans le monde entier, aux équipements individuels en synthétiseurs de sons, aux studios de musique électroacoustique répandus dans nombre de pays ; que l'on pense à des lieux comme le Zénith ou à l'Opéra de la Bastille – l'Opéra aujourd'hui le plus moderne du monde –, c'est bien à une véritable révolution de la diffusion musicale à laquelle on a assisté en vingt ans de bouleversements technologiques. Au piano de l'élite bourgeoise du XIXᵉ siècle s'est substitué un équipement qui, du plus simple des « baladeurs » au compact le plus sophistiqué, permet d'entendre partout de la musique.

En France, ces changements, que la crise n'a pas affectés si l'on en juge par les taux d'acquisition en appareils de diffusion destinés à la consommation familiale, reposent autant sur une évolution des pratiques culturelles collectives que sur les institutions.

Depuis 1958, l'État s'est doté progressivement de structures susceptibles d'assurer, sur tout le territoire, le rayonnement de sa politique en matière musicale. Depuis les années 1980, la musique est vraiment à la mode et conquiert un public de plus en plus large. Au sein du ministère de la Culture, une direction de la Musique et de la Danse gère les problèmes que pose l'ensemble des partenaires : l'enseignement, le patrimoine, l'aide à la création et à la diffusion, les subventions aux associations, aux festivals, aux orchestres et à tous les genres de manifestations musicales y compris le rock et les variétés. Dans chacune des 22 Régions, un directeur régional des Affaires culturelles (D.R.A.C.) est l'interlocuteur du ministère auprès des instances locales et régionales (conservatoires, écoles de musique, mairies, préfecture, conseil régional, universités,...) pour mener une politique culturelle décentralisée dans le cadre d'une concertation régionalisée. À Paris, les publications du CENAM éditent les nombreuses brochures indispensables pour la connaissance de la situation de la musique en France.

Si l'Éducation nationale et les établissements musicaux spécialisés dispensent une partie des connaissances musicales, c'est surtout par la radiodiffusion, la télévision et les moyens techniques (disques, compacts, cassettes, vidéo) que les jeunes générations sont plongées dans l'univers musical contemporain.

Il faut d'abord remarquer que, depuis les années 1960, une véritable presse musicale existe en France pour les adolescents qui trouvent en elle les prolongements écrits et photographiés de la vénération vouée aux idoles des hit-parades et autres Top 50. Qu'il s'agisse de *Podium* ou de *Rock and Folk,* les jeunes lecteurs trouvent là les informations, le courrier, les conseils, les nouvelles de leurs chanteurs et groupes préférés. Heureusement plus sérieux, des magazines comme *Guitare et Claviers, Best* ou *Paroles et Musique* consacrent leurs pages d'une part à l'information et à la formation professionnelle, d'autre part à la diffusion de la chanson française de qualité.

Les mélomanes disposent en fait de près de cent périodiques qui abordent tous les genres de musique et concernent tous les publics. Des savantes *Revue musicale* et *Revue de musicologie* aux mensuels de vulgarisation et de discophilie comme le *Monde de la musique* ou *Diapason,* les amateurs de jazz, de clarinette, d'orgue, les discophiles, les praticiens du chant choral, les enseignants, les spécialistes d'analyse musicale ou des médias, les adhérents de la Société des auteurs, compositeurs et éditeurs de musique (S.A.C.E.M.) disposent d'une presse musicale multiple, abondante et variée, qui, depuis les années 1970, couvre absolument tous les champs, y compris celui de l'avant-garde musicale. ●

1. Thé marocain en musique.

La musique enseignée

DE LA MATERNELLE
À L'ENSEIGNEMENT SUPÉRIEUR, LA MUSIQUE
EST DEVENUE UN OBJET DE FORMATION.

Dans les crèches, les puéricultrices font entendre Yves Duteil et Mozart ; dès son plus jeune âge, l'enfant, influencé par la musique des adultes diffusée par la radio et la télévision familiales, est mis en contact avec le mange-disques et l'appareil à cassettes qui lui est spécialement attribué. À l'école, il écoute ; à la maison, il découvre l'environnement sonore constitué par les bruits familiers, les publicités chantées, les chansons en promotion. Si l'école et le collège l'initient au chant choral, à la musique classique et de variétés, si on lui enseigne aussi le solfège et l'histoire de la musique, il est plus rare que, dans le cadre d'une pédagogie véritablement rénovée, on l'entraîne à faire de la musique et à pratiquer un instrument. Livré à ses propres goûts, c'est grâce à ses camarades et rarement par l'intermédiaire des pédagogues que l'adolescent découvre, puis enregistre et copie les chansons à la mode et les tubes dont il partagera affectivement l'intérêt musical éphémère avec ses camarades de classe.

La musique enseignée, plus ou moins intégrée selon les maîtres de musique aux pratiques sociales et culturelles des élèves, relèvera encore surtout de préoccupations « savantes ». Obligatoire jusqu'à la troisième, mais souvent non assuré faute de moyens ou d'enseignants, l'enseignement musical général lacunaire est en partie comblé par l'enseignement musical spécialisé.

L'apprentissage volontaire, ingrat mais formateur, du solfège et d'un instrument dépend surtout des motivations des parents, plus ou moins disponibles, dans les conditions de vie actuelles, pour entraîner leurs enfants à l'école de musique de leur ville, et les faire travailler. Après avoir fait ses preuves, le jeune musicien pourra entrer sur concours dans les conservatoires régionaux, voire plus tard dans les deux Conservatoires nationaux supérieurs de musique de Lyon et de Paris.

Pour les jeunes, passionnés de jazz et de rock, des établissements privés ou publics existent aussi, qui dispensent d'autres types de formation, tandis que le ministère de la Culture a créé des concours de recrutement pour le professorat de jazz, d'accordéon et de musiques traditionnelles.

Parallèlement à leurs études dans les établissements spécialisés, nombreux sont les étudiants qui choisissent de préparer le professorat de musique des lycées et collèges dans les 21 universités françaises qui délivrent la licence d'éducation musicale. La création du C.A.P.E.S. de musique en 1972 et de l'agrégation en 1975 a mis sur un même pied d'égalité tous les professeurs de l'enseignement secondaire et, pour la décennie 1980-1990, les postes offerts par le ministère de l'Éducation nationale sont toujours plus nombreux que les candidats.

Au contraire, les jeunes diplômés des conservatoires ne sont pas certains de trouver d'engagement dans les orchestres existants : les orchestres français manqueront toujours d'instrumentistes à cordes mais ont « fait le plein » pour les catégories des bois, vents, percussion, piano ou harpe... ●

Musique vivante

Groupes rock à la fête de la musique, Yehudi Menuhin le temps d'une sonate pour violon seul, le Modern Jazz Quartet et Percy Heath : musiques mê-

La musique diffusée et entendue

RADIOS, DISQUES COMPACTS,
VIDÉO-DISQUES : L'EXTRÊME MÉDIATION MUSICALE
PERMET D'ATTEINDRE UN PUBLIC
TOUJOURS PLUS LARGE.

À cette diversification du lectorat correspond une segmentation de l'auditoire, avec la tripartition radios nationales, radios périphériques et radios libres. Pour les radios nationales, en 1990, on distingue les deux radios à vocation culturelle, France-Musique pour les mélomanes et amateurs de toutes musiques, et France-Culture qui traite de l'ensemble de la culture, arts et littérature. France-Info émet 24 heures sur 24 mais informe de 6 à 1 heure du matin. France-Inter a la redoutable tâche d'être à la fois la radio nationale qui informe, cultive, distrait et amuse. Radio France Internationale devrait être entendue dans le monde entier. Radio bleue, le matin, s'adresse plutôt au troisième âge. Enfin sur la totalité du territoire français sont installés des relais régionaux de Radio France.

Du côté des radios périphériques, Radio-Télé-Luxembourg se place en tête des sondages d'écoute, devant ses concurrentes Europe 1 et France-Inter, Radio-Monte Carlo et Sud Radio. Reçues sur l'ensemble du territoire national et en différé dans les départements d'outre-mer, toutes ces radios sont de plus en plus concurrencées par les postes libres ou privés qui, sous la houlette de NRJ, Hit-FM et Europe 2 progressent régulièrement, tandis que les radios associatives ont du mal à conquérir et fidéliser leur public, huit ans après la libération des ondes radiophoniques. À l'exception de ces dernières non commerciales, le système fonctionne autour de grilles de programmes qui font la part belle aux chansons enregistrées, à la musique, aux entretiens avec des personnalités, aux informations et,

pour les deux dernières catégories, aux messages commerciaux. Comme à ses débuts (à partir de 1923), c'est en effet la publicité qui permet à la radio d'exister... Quant aux disques aujourd'hui « compacts » (en abrégé CD), malgré les premières réticences, ils ont finalement conquis le monde par la qualité de la diffusion sonore, par leur sécurité d'emploi et leur extrême maniabilité. Avec l'ordinateur et l'électronique mis au service de la musique, on assiste aujourd'hui, par technologie interposée, à la revanche des pick-up des années 1960 et des disques cassables des années 1930 sur l'incrédulité des syndicats de musiciens. Les années 1990 pourraient devenir celles du vidéo-disque, le premier support musique-image qui permet désormais de s'adonner au double plaisir de voir et d'entendre.

Car c'est bien dans le domaine télévisuel que l'évolution de la diffusion musicale montre les transformations les plus radicales et les modifications les plus irréversibles. La chanson, après avoir été sommairement imprimée avec ses grilles d'accords qui en permettent l'interprétation sans en reconstituer jamais l'instru-

mentation, après avoir été modestement filmée à l'époque des Scopitones, est maintenant devenue spectacle. Grâce à la multiplication des effets spéciaux, des trucages, des effets de montage/image, des multi-écrans, des incrustations, la chanson est devenue avec le clip le support d'une médiation cinématographique qui la transforme en art visuel. Trop de réalisations ne relèvent encore que du tournage simpliste caractéristique des émissions de variétés diffusées sur toutes les chaînes de télévision qui offrent aux téléspectateurs les derniers clips vidéo des chanteurs du monde entier.

Le symbole de cette médiation

musicale a été, en 1985, la diffusion mondialisée du plus grand concert de l'histoire de la musique, le concert qui fut organisé au profit de l'Éthiopie, mobilisant deux milliards de téléspectateurs potentiels. Cette manifestation autour de chanteurs et de musiciens héritiers du jazz et du blues a montré que la musique de variétés ne devait plus être considérée comme une sous-catégorie de la musique savante, mais qu'elle constituait bien, après trois siècles d'isolement, de mise à l'écart et d'illégitimité culturelle, le médium le plus apte à exprimer spontanément les problèmes politiques du monde contemporain. ●

Concerts et festivals

SI LE CONCERT DE ROCK MONDIALISÉ EST
UN PHÉNOMÈNE DES SOCIÉTÉS FORTEMENT INDUSTRIALISÉES,
LA FRANCE EST DEVENUE LE PAYS DES FESTIVALS.

Avec l'été s'ouvre en France une incroyable compétition de festivals essentiellement consacrés à la musique classique : le succès d'Aix-en-Provence et des Fêtes musicales de la Grange de Meslay, en Touraine, est concurrencé, en région parisienne, par le Festival estival de Paris, par ceux d'Île-de-France, de Saint-Denis, ou de Versailles. En province, au nord de la Loire, ceux de la côte d'Opale (dans le Nord-Pas-de-Calais), de Seine-Maritime, de Sully, de Saint-Amand, de Bourges ou de Nohant rivalisent avec ceux du Sud : Festival méditerranéen, de Montpellier, du Luberon, de Toulon, de musique sacrée à Nice.

En Rhône-Alpes, les villes de Divonne (musique de chambre), d'Évian, de Flaine, de Dijon, de Beaune, en Bourgogne, organisent, comme Strasbourg et Colmar en Alsace, des manifestations qui réunissent touristes et mélomanes auxquels sont proposés des stages d'interprétation qui

permettent de travailler avec les meilleurs interprètes.

Durant l'été, l'Europe entière résonne de l'effort des gouvernements pour mettre la musique à la portée du plus large public. Les festivals de Hollande et de Grenade en juin, de Glyndebourne et Bath en Angleterre de mai à août, de Bayreuth en Bavière consacré aux œuvres de Wagner, de Salzbourg, de Vienne et d'Istanbul, en juin-juillet attirent, comme à Vérone en Italie, les amoureux de la musique et de l'art lyrique.

Sur toute l'année, d'autres manifestations viennent se greffer : Printemps des musiques populaires à Bourges, festival d'Automne à Paris pour les musiques les plus contemporaines, Musica de Strasbourg et festival de Metz annoncent l'hiver qui héberge dans les stations de sports d'hiver des stages musicaux pendant les vacances.

Festivals, stages, ateliers musicaux, concerts et concours internationaux permettent au public de vivre la musique autrement que par les supports phonographiques industrialisés par les firmes multinationales. Malgré tous les perfectionnements technologiques, la musique reste un art de communication et de participation directe entre l'œuvre, ses interprètes et le mélomane. ●

2. Yehudi Menuhin.

3. Percy Heath, du Modern Jazz Quartet.

4. Fête de la musique,
21 juin 1985.

lées, multiples et variées, elles racontent le même plaisir, en plein air, au Maroc, place Saint-Michel, à Paris, ou dans les salles de concert.

La musique de film

Esthétique

MISE AU SERVICE DE L'IMAGE
ET DU TEXTE, LA MUSIQUE DE FILM RESTE,
PAR ESSENCE, FONCTIONNELLE.

COMÉDIE MUSICALE OU WES-tern, dessin animé ou film policier, l'image cinématographique a besoin de la musique. Trois raisons principales ont été à l'origine de l'association du son et de la musique au film.

Une raison technique : sans cabine qui l'isole des spectateurs, l'appareil de projection faisait beaucoup trop de bruit et devait être couvert par un accompagnement sonore.

Une raison psychologique : le cinéma est « muet » jusqu'en 1927 ; dans une période de transition de cinq années (1927-1931), les salles d'Europe et d'Amérique s'équipent en appareils de projection synchrone qui peuvent montrer l'image et diffuser paroles et musique, mais, de 1895, date officielle de la naissance du cinéma, aux années 1930, les témoins ont raconté l'angoisse de la salle plongée dans l'obscurité et éclairée par la lumière de l'écran magique. Seule la musique pouvait donner au spectateur un réconfort à la peur des ténèbres.

Une raison culturelle : le spectateur est préparé au fait que la musique apporte son soutien aux arts du spectacle et de la représentation. D'une part, les spectacles ambulants de lanterne magique avaient montré, depuis deux siècles, des images fixes sur plaques de verre associées à la musique. D'autre part, l'opéra, l'opéra-comique, le cirque ou le café-concert ont toujours lié la musique à l'action scénique.

Mais le musicien de film doit être capable de se plier aux multiples exigences de la production. À partir des années 1950, en France et aux États-Unis, certains réalisateurs font de la musique un élément capital de l'action filmique.

Situations et stéréotypes

Passé les premières expériences des pianistes improvisateurs qui couvrent le bruit barbare des appareils de projection, les chefs d'orchestre au service des grandes compagnies de production entreprennent une classification des situations et des séquences à illustrer d'un accompagnement sonore. On repère ainsi des « tempos » (action, nuit et atmosphère sinistre, péripéties, etc.) et des « ambiances » (grand pathétique, plein air, poursuite et chevauchée).

L'année 1908 marque une date importante dans l'illustration musicale des films : Camille Saint-Saëns conçoit une partition spécifique pour le film muet de Charles Le Bargy et André Calmettes : l'Assassinat du duc de Guise. Pendant une dizaine d'années, le cinéma muet est ainsi un lieu d'expérimentation musicale. Puis l'avènement du sonore et du parlant va permettre de rétablir un certain équilibre entre l'image et le son.

Cependant, quel que soit le genre du film, ce sont des moments comparables que le compositeur doit mettre en musique et en valeur. Ce sont d'abord les parcours, les évolutions d'un individu ou d'une foule. D'un lieu à l'autre du scénario, le héros se déplace à pied, à cheval, en automobile, en avion... Tous les moyens de locomotion ont été utilisés au cinéma. À l'époque de la guerre interplanétaire, ce sont des voyages intersidéraux que la musique accompagne de ses timbres électroniques. Solitaire ou en horde, gibier ou chasseur, le héros est tout entier dans l'action, et le compositeur doit suppléer à l'absence de commentaires ou de réflexions par tous les moyens musicaux dont il dispose.

Le second type de situations concerne l'état psychologique des personnages. L'expression des sentiments humains recouvre en musique tous les types de situation affective : l'amour, la tendresse, l'angoisse, la peur, la colère, la haine... Si la comédie musicale peut faire chanter ses personnages et leur permettre ainsi à tout moment de s'exprimer, le film présente des situations silencieuses, parfois fort complexes, qu'il incombe au musicien d'animer et de souligner.

Les accidents, prévus ou imprévus, ont toujours, eux aussi, stimulé la création musicale. Après avoir visionné en salle de montage le film – dont il est le premier spectateur –, le compositeur mettra le public en condition pour le préparer psychologiquement à tous les types d'événements qui infléchissent l'intrigue : assassinat, meurtre, retrouvailles, panique, etc. Son rôle est autant d'alerter la conscience perceptive sur le drame à venir que de réconforter et rassurer après le choc.

L'avant-dernière catégorie de situations se rapporte à l'illustration musicale des activités de loisir. À l'intérieur d'un lieu (maison, hôtel, caserne, etc.), on peut jouer aux cartes, bavarder, etc. ; à l'extérieur, on peut s'adonner à toutes sortes d'activités sportives, telles que jouer au ballon, ou encore jardiner.

Enfin, la dernière étape – qui représente un élément capital de la mise en musique du film est la conception du générique. C'est là que se fait jour l'intime sensibilité de l'auteur et qu'il résume son point de vue sur le film, puisque souvent le son n'est plus en concurrence avec l'image ou qu'il intervient sur une ou plusieurs séquences à forte charge symbolique. Conçu souvent dans l'esprit des ouvertures d'opéras classiques, le générique présente ainsi les thèmes principaux du film et instaure le climat général dans lequel l'intrigue va se développer ou condense une vision globale, donnant la « clé » de l'œuvre. •

Confié selon les moyens dont disposaient les directeurs et propriétaires de salle à un pianiste seul ou à un ensemble de musiciens d'orchestre dirigé par un chef, l'accompagnement musical du film reposait, à l'origine, sur des extraits du répertoire classique. En 1909, aux États-Unis, paraît le premier volume de partitions prêtes à être utilisées par des accompagnateurs peu doués pour l'improvisation. Dans les marges de chaque page du volume sont indiquées toutes les situations que l'on peut rencontrer dans un film. En 1924, Erno Rapee en dénombre 52 dans son ouvrage pour piano seul *Motion Picture Moods* (« Ambiances pour images animées ») : avions, marche militaire, bataille, oiseaux, bavardage, enfants, danses, poupées, fêtes, incendie, enterrement, situation grotesque, situation macabre ou dégoûtante, horreur, humour, chasse, impatience, joie ou bonheur, amour, berceuse, mystère, monotonie, boîte à musique, airs nationaux, situation neutre, orgies, Orient, réunions amicales, pastorale, passion, angoisse, quiétude et pureté, course, chemin de fer, religion, tristesse, mer et tempête, sinistre, western, mariage, etc. Encore fallait-il que le pianiste fût assez compétent et habile pour passer sans interruption d'un morceau à un autre.

La projection, en 1927, du premier film parlant, *le Chanteur de jazz* d'Alan Crosland, bouleverse les rapports de la musique et du cinéma. Deux écoles opposées apparaissent alors : celle de la musique justifiée par l'image ; celle du « 100 % musical ». Dans le premier cas, l'audition de musique doit être légitimée par l'apparition sur l'écran d'un instrument de diffusion sonore (poste de radio, tourne-disques, plus tard magnétophone ou télévision), d'un lieu (café, cabaret, fête populaire, bal costumé, soirée mondaine, dancing...), ou enfin par une action musicale filmée (pianiste de bar ou de concert, chanteur de rue, orchestre symphonique ou de jazz, opéra, studio d'enregistrement...).

Dans l'autre école, magistralement dominée par Max Steiner et son équipe d'orchestrateurs (à la RKO de 1930 à 1935, puis à la Warner Bros de 1937 à 1965), la musique est pratiquement présente tout au long du film, d'où son nom de « 100 % musical ». Sur les feuilles de repère qui décrivent le scénario avec le maximum de précision, une colonne est spécialement réservée à la musique qui aura la charge de relier les plans et les séquences entre eux. Dénoncée comme une paraphrase de l'image, cette fonction de la musique, utilitaire parce qu'explicative, répond cependant bien à l'attente du public, car elle engendre un spectacle où le sens auditif est exalté et l'émotion visuelle amplifiée par l'efficacité d'un discours sonore parallèle. Ainsi, grâce aux divers climats qu'elle sait créer, la musique contribue à faire prendre l'irréalité de certaines situations pour la vérité de l'action. Ce n'est pas le moindre rôle de la musique de film que de plonger le spectateur, yeux et oreilles liés, dans la chimère cinématographique.

Tous genres et époques confondus, les fonctions de la musique de film peuvent alors se résumer à six : décorative, quand elle crée la couleur locale de l'action avec banjos pour l'Amérique ou trompes romaines pour les péplums ; emblématique, quand à chaque héros ou situation est adjoint un thème musical spécifique ; conjonctive, quand elle contribue à assumer la continuité de la narration ; implicative, quand la musique fait participer le spectateur au drame à venir ; cinétique, quand elle renforce le mouvement de l'image par la présence ou les variations du tempo musical ; mélodramatique, si elle peint avec ses moyens harmoniques, rythmiques, mélodiques le sens des dialogues. •

1. Custer, l'homme de l'Ouest, 1967, de R. Siodmak.

2. Le Magicien d'Oz, 1939, de V. Fleming.

Économie et nouvelles techniques

LES PROBLÈMES D'ARGENT
N'EMPÊCHENT PAS L'APPARITION D'UNE EXCELLENTE
NOUVELLE VAGUE MUSICALE.

Si les compositeurs de Hollywood et les musiciens français qui y travaillent (Maurice Jarre, Georges Delerue, Michel Legrand) disposent, dès la signature de leur contrat, d'un équipement et d'un financement qui mettent à leur disposition tous les moyens nécessaires à leur création, la situation des compositeurs en France est bien différente. En effet, la production de la musique n'est pour ainsi dire jamais prise en charge par la production et doit être assurée par un éditeur qui bénéficiera ultérieurement d'une partie des droits de reproduction. Contraints de travailler à l'économie, les musiciens de la nouvelle vague en France, Georges Delerue, Pierre Jansen, Antoine Duhamel, Michel Magne, François de Roubaix, ont pourtant composé d'excellentes musiques après avoir remis en question les habitudes prises par leurs aînés immédiats, Joseph Kosma, Georges Auric, Georges Van Parys, Paul Misraki ou Jean Wiener. Simplifiée, moins présente, plus efficace dès lors qu'elle prend ses distances avec le goût américain, la nouvelle musique des années 1960 est aujourd'hui supplantée par les productions de Philippe Sarde, Wladimir Cosma, Gabriel Yared, Jean-Marie Sénia, Jean-Pierre Mas, Eric Serra, Michel Portal, Claude Bolling.

Sur le plan technique, la composition musicale pour l'image télévisuelle ou cinématographique est facilitée depuis que le transfert immédiat en vidéo permet au compositeur de travailler chez lui sur cassette, en attendant le montage définitif. Lors du mixage final en studio, la bande rythme, numérotée électroniquement et défilant sous l'image, facilite la greffe sur les images des résultats de l'équipe du son (preneurs de son, bruiteurs, compositeur, mixeur). Le son Dolby, qui tend aujourd'hui à se généraliser dans les salles urbaines, a donné un nouveau confort et une nouvelle efficacité de l'écoute, incomparables avec ceux de la télévision. •

3. Le silence est d'or, 1947, de R. Clair.

Et la musique...

Derrière ces photographies, les noms connus ou inconnus des musiciens Herbert Stothart (le Magicien d'Oz), Bernardo Segall (Custer, l'homme de l'Ouest), Max Steiner (Autant en emporte le vent), John Williams (Star war), Georges Van Parys (Le silence est d'or).

4. Autant en emporte le vent, 1939, de V. Fleming.

Compositeurs et genres

TOUS LES GRANDS COMPOSITEURS
ONT SU S'EXPRIMER DANS DES GENRES DIFFÉRENTS,
MAIS CERTAINS NOMS SONT INDISSOCIABLES
DE CHEFS-D'ŒUVRE SPÉCIFIQUES.

De tous les genres cinématographiques, le dessin animé est celui qui permet de comprendre le mieux le mode d'emploi et les résultats de l'apport de la musique à l'image. Les musiciens de Walt Disney, les prodiges sonores de Scott Bradley et de ses acolytes accompagnent chaque geste, chaque sentiment, chaque événement dans un synchronisme parfait, dont le résultat est précisément appelé le « Mickey mousing ».

La comédie musicale, héritière directe de l'opérette et de l'opéracomique, s'est développée à Hollywood en ajoutant au principe de la revue à numéros et au système du music-hall les ressources spécifiques des effets spéciaux du cinéma : ainsi dans les films de Busby Berkeley, comme *les Chercheuses d'or* (1933) ou *Footlight Parade*, ceux de Vincente Minnelli (*Ziegfeld Folies*, 1946 ; *le Pirate*, 1948 ; *Un Américain à Paris*, 1951 ; *Tous en scène*, 1953), ceux de Mark Sandrich, comme *Top Hat* (1935), où la musique d'Irving Berlin accompagne les éblouissantes prestations de Fred Astaire et Ginger Rogers, ou encore le fameux *Chantons sous la pluie* (1952), de Stanley Donen, dont Nacio Herb Brown écrivit la musique.

À l'école du 100 % parlant et chantant qu'il avait contribué à mettre en place avant d'en ressentir les limites, Max Steiner a signé à la fois les plus beaux westerns (*la Charge de la brigade légère*, de Michael Curtiz, 1936 ; *le Trésor de la Sierra Madre*, de John Huston, 1948), les modèles mythiques du cinéma d'aventures (*King Kong*, d'Ernest Schoedsack, 1933) ou du film romanesque (*Autant en emporte le vent*, de Victor Fleming, 1939). Son œuvre, qui comporte plus de 100 titres, concerne aussi des genres comme le film noir (*le Mouchard*, de John Ford, 1935), le péplum (*Hélène de Troie*, de Robert Wise, 1955), la comédie policière (*Arsenic et vieilles dentelles*, de Frank Capra, 1944), le film historique (*Richard Cœur de Lion*, de David Butler, 1954).

Dans le domaine du film policier, le travail de Bernard Herrmann pour Alfred Hitchcock (de *l'Homme qui en savait trop* en 1956 à *Pas de printemps pour Marnie* en 1964) est exemplaire de ces associations fécondes entre un réalisateur et son musicien attitré. Ainsi, en Italie, Nino Rota est associé à Fellini, même s'il a aussi composé pour Visconti (*Rocco et ses frères*, 1960 ; *le Guépard*, 1963) ou Franco Zeffirelli (*la Mégère apprivoisée*, 1967 ; *Roméo et Juliette*, 1968). En France, Maurice Jaubert fut le talentueux compère de Jean Vigo (*Zéro de conduite*, 1933 ;

l'Atalante, 1934) puis de Marcel Carné (*Drôle de drame*, 1937 ; *Hôtel du Nord*, 1938 ; *Le jour se lève*, 1939). Après *Subway*, Luc Besson a retrouvé Eric Serra pour l'immense succès du *Grand Bleu*, tandis qu'Alain Resnais et Jean-Luc Godard, François Truffaut et Michel Deville semblent au contraire rechercher la diversité dans le traitement musical de leurs films. Trois noms enfin semblent devoir être retenus à cause de leur notoriété internationale : celui de Maurice Jarre, qui, après avoir écrit des musiques de scène pour le T.N.P. et longuement collaboré avec Georges Franju, illustre les superproductions internationales (*le Jour le plus long*, *Lawrence d'Arabie*) ; celui de John Williams, qui, dans l'esprit du cinéma à grand spectacle réinventé par Steven Spielberg (*les Dents de la mer*, 1975 ; le triptyque des aventures d'Indiana Jones) et George Lucas (*la Guerre des étoiles*, 1977), a su mêler instruments acoustiques traditionnels et sons numériques ; celui d'Ennio Morricone, qui, plus que le collaborateur inspiré de Bertolucci (*Prima della Rivoluzione*) et de Bellocchio (*les Poings dans les poches*), reste le complice ironique de Sergio Leone. •

Les grands de la musique de film

Alfred Newman : *la Folle Parade* (1938), de H. King.

Bernard Herrmann : *Citizen Kane* (1941), d'O. Welles.

David Raksin : *Laura* (1944), d'O. Preminger.

Miklos Rozsa : *la Maison du Dr Edwardes* (1945), d'A. Hitchcock.

Max Steiner : *le Grand Sommeil* (1946), d'H. Hawks.

Franz Waxman : *Une place au soleil* (1951), de G. Stevens.

Dimitri Tiomkin : *Le train sifflera trois fois* (1952), de F. Zinnemann.

Bronislaw Kaper : *Lili* (1953), de Ch. Walters.

Hugo Friedhofer : *Le soleil se lève aussi* (1957), de M. King.

Maurice Jarre : *Docteur Jivago* (1965), de D. Lean.

Michel Legrand : *l'Affaire Thomas Crown* (1968), de N. Jewison.

John Williams : *les Dents de la mer* (1975), de S. Spielberg.

5. La Guerre des étoiles, 1977, de G. Lucas.

La culture rock

Le rock américano-anglais

UNIFIÉ PAR LA LANGUE ANGLAISE, DIVERSIFIÉ PAR LES INFLUENCES QU'IL REÇOIT, LE ROCK TÉMOIGNE D'UNE CONSTANTE ÉVOLUTION.

ON A PRIS L'HABITUDE EN France de désigner sous le nom de « culture rock » la plus grande partie de la production musicale qui ne relève ni du jazz ni de la chanson à texte. C'est dire que cette culture rock comprend bien des styles : le jerk, la pop, le funk, le disco, le new-wave, le rap, le hard-rock... On sait ce qu'elle n'est plus (le rock and roll des années 1950), mais on peut difficilement préciser ce qu'elle est quand reggae ou lambada s'intègrent inopinément à elle.

En fait le « rock » recouvre artificiellement l'ensemble des musiques héritées du rhythm and blues des années 1945-1950, généralement influencé par l'instrumentation anglo-américaine à base de guitare basse, guitare électrique, batterie, auxquelles s'ajoutent selon les individus et les groupes d'autres instruments (piano, saxophones, cuivres, synthétiseurs, percussions multiples, etc.).

On conçoit alors que la culture rock, si elle se définit mal musicalement parlant, se précise mieux dès lors qu'on envisage le phénomène en termes d'état d'esprit, de revendication, de politisation, de liberté d'expression. Le rock est alors tout à la fois *un pouvoir* : celui de refuser l'autorité des aînés et d'affirmer la volonté des générations successives ; *une énergie* : celle qui – depuis quarante ans – est l'image de la tempête, du plaisir, du surf, de la révolte, du soleil, de la drogue et de la liberté sexuelle ; *une conquête* : celle de l'argent de poche des générations d'après guerre qui leur permet d'acheter leurs disques 45 tours, leurs revues, leur radio, leur moto, leur guitare, leur « synthé », bref, tout leur « matos » et, en un mot, leur liberté

Le vrai rock, celui des origines, était un métissage du rhythm and blues et de la country music d'essence folklorique européenne : celui d'aujourd'hui exploite essentiellement les possibilités des échantillonneurs et synthétiseurs. Le vrai rock utilisait une forte charpente formelle avec refrain et couplets réguliers : celui d'aujourd'hui a singulièrement rompu ses amarres métriques, harmoniques et rythmiques pour engendrer les stars du disco (Donna Summer, Grace Jones), du reggae (Bob Marley), du funk (Marvin Gaye) ou bien encore la house music...

L'histoire internationale du rock a crédité Bill Haley de deux succès internationaux, *One, two, three o'clock rock* et *Rock around the clock*. Le chanteur a cependant reconnu ce qu'il devait à Hank Williams, le premier à avoir mêlé habilement les harmonies du blues noir et la rythmique joviale de la country music blanche pour obtenir le métissage musical le plus prolifique de la musique populaire. Bill Haley, certes... mais aussi Joe Turner, Roy Brown, Fats Domino, Buddy Holly, Jerry Lee Lewis, Eddie Cochran, Gene Vincent, autant de créateurs, auteurs et interprètes qui ont fait l'histoire du rock. Tous ensemble, Noirs ou Blancs, ces Américains d'origine sociale généralement déshéritée ont crié leur révolte, chanté leur joie ou leur mal de vivre, sans rime ni raison... En contestant radicalement le double héritage du *Minstrel Show* et de sa dérision, du gospel et de sa sublime plainte, l'esthétique du rock américain a trouvé dans cette expression naturaliste une rédemption aux difficultés de vivre. Elvis Presley, le « King », pouvait alors devenir le héraut légendaire, celui qui a pu libérer, d'une part, l'émission vocale du carcan de plusieurs siècles de conformisme et, d'autre part, le corps en représentation de ses entraves scéniques.

Dans une confusion qui dit la richesse de cet élan, le rock, le blues, le jazz ont alors mêlé leurs acquis pour produire cette musique de l'âme, *the soul music,* qu'illustrèrent Ray Charles, James Brown, Little Richard, Otis Redding, Jimi Hendrix, cinq chanteurs noirs qui ont vécu ou assumé l'émancipation de la guitare « électrifiée ».

Les Beatles arrivent alors pour occuper une position dominante par la qualité retrouvée de leurs textes et la variété de leurs inspirations. Ni les autres groupes tenants du rock « traditionnel » (les Rolling Stones) ni les chantres de la contestation (Joan Baez et Bob Dylan) n'ont pu les ébranler.

Insaisissable, inclassable, adulée ou vilipendée, la culture rock se remet sans cesse en question avec de périodiques retours aux sources sous le contrôle des maisons de disques. ●

1. Beat in Generation, 1987.

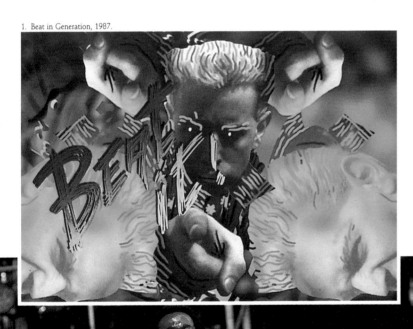

2. Aid Concert for Africa, Philadelphie, 1985.

3. Mick Jagger.

Rock et chanson française...

PEU DIFFUSÉE À L'ÉTRANGER,
LA CHANSON FRANÇAISE A BIEN RÉSISTÉ À LA DOMINATION
DES VARIÉTÉS ANGLO-AMÉRICAINES.

La chanson française a long-temps gardé son style du siè-cle passé : populaire, gouailleuse, réaliste. C'est elle qui a valu à Maurice Chevalier ou Édith Piaf une immense popularité aux États-Unis. Mais, dès les années 1930, les rythmes syncopés et le swing, popularisés par les orches-tres de Ray Ventura et de Fred Adison, renouvellent la chanson française en la faisant évoluer vers une forme plus fantaisiste et plus poétique, qui sera notamment celle de Charles Trenet.

C'est l'après-guerre qui voit le déferlement de la chanson améri-caine et, dès le début des années 1960, les « idoles », qui se récla-ment du rock et du twist (Eddy Mitchell, Sylvie Vartan, Sheila, Françoise Hardy, Claude Fran-çois), modèlent la première géné-ration de la « société de consom-mation » qui communie dans le culte de Johnny Hallyday et de la guitare électrique.

La vague « yé-yé », la passion pour les Beatles semblent un mo-ment balayer la chanson fran-çaise. Mais nombre d'auteurs-compositeurs savent préserver leur originalité en intégrant les rythmes anglo-saxons : c'est ainsi que Claude Nougaro, Bernard La-villiers ou Michel Jonasz peuvent être des héritiers du jazz, que Serge Gainsbourg n'hésite pas à être disco ou reggae, que Michel Berger par France Gall interposée adapte le son de l'Amérique des années 1970.

La chanson française a ainsi su garder son identité. En ces temps d'échantillonneurs et synthéti-seurs obligés, arrangeurs et or-chestrateurs restent vigilants sur l'importance du timbre instru-mental et savent maintenir, avec par exemple Étienne Daho ou Étienne Rhoda-Gil pour Julien Clerc ou Vanessa Paradis, la pré-dominance du texte, de ses asso-nances et de son organisation phonématique sur les arrange-ments sans cesse renouvelés des studios placés sous le signe du son numérique.

Influencée par le rock and roll, la production des paroliers de Johnny Hallyday (Pierre Billon, Claude Lemesle, Didier Barbeli-vien, Pierre Groscz, Philippe La-bro) est exemplaire de cet attache-ment à la langue française. On ci-tera aussi les textes de Jacques Re-vaux, Jean-Pierre Bourtayre, Jean-Loup Dabadie pour Michel Sar-dou, ceux de Jacques Higelin ou des Rita Mitsouko...

Il est bien révolu le temps du Golf Drouot, le « temple du rock français » où l'on se contentait d'adapter la mélodie et les innova-tions vestimentaires des gloires du rock américain, Bill Haley ou Elvis Presley. À cet égard, les compositions de Bobby Lapointe et Boris Vian, les textes de Pierre Delanoë pour Gilbert Bécaud et les répertoires de chansons de Georges Brassens et de Charles Aznavour ont su maintenir une tradition qui, du point de vue de la musicologie, prend ses racines au Moyen Âge.

De 1960 à 1980, sur la scène des maisons de la culture, dans des lieux comme Bobino ou l'Olym-pia ou, plus simplement, dans le cadre du cabaret, des interprètes tels que Juliette Gréco ou Barbara, Anne Vanderlove et Georges Moustaki, Léo Ferré ou Jean Fer-rat ont maintenu l'esprit et les ca-ractéristiques de la chanson à texte. Le mal d'amour, la difficulté de vivre, l'éternel quotidien, la soli-tude, le doute et le désespoir ont continué à être simplement chantés ; en face du disco et du cri, la romance a la vie dure. •

4. Soirée au Palace.

Des tubes, une culture

De la « palette graphi-que » électronique (1) réalisée – par un journal rock – avec l'assistance de l'infor-matique, aux représen-tations scéniques (2) les plus récentes offertes par les Négresses Vertes ou Mano Negra, tout bouge dans le show-business. Provo-cante, protéiforme, li-bérée, sans cesse re-nouvelée, la culture rock repose autant sur les « tubes » qui la font vivre que sur les prati-ques conviviales (telle cette soirée au Pa-lace [4]), vestimentaires ou comportementales (tels les débordements de Mick Jagger en scène [3]).

Le son du rock et les producteurs

LE ROCK MET EN JEU DES CIRCUITS
DE CRÉATION, PRODUCTION ET DISTRIBUTION
À L'ÉCHELLE INTERNATIONALE.

La réussite médiatique d'une chanson dépend du circuit qui, du créateur et de ses pre-mières maquettes au premier dis-que et à sa distribution, va passer par un premier circuit de produc-tion financière et artistique et par un second de publicité et de pro-motion. Une chanson n'existant que par rapport au public auquel elle est destinée, il faut que son auteur soit pris en charge par un professionnel du disque ou par une firme phonographique qui en assureront l'arrangement et l'en-registrement. Ces « directeurs ar-tistiques », dont Eddy Barclay fut le précurseur en France, ces mana-gers sont l'interlocuteur obligé du jeune artiste convaincu de l'inté-rêt de sa création.

Cet aperçu schématique dit toutes les difficultés rencontrées par les milliers de groupes rock qui visent à la célébrité et qui doi-vent trouver un son. Ce concept de l'originalité est lié à l'évolution de l'organologie instru-mentale – qui veut par exem-ple qu'aujourd'hui les claviers,

Hit-parade et Top 50

L'infinie diversité de l'alchimie texte/instrumentation/techni-que/voix a permis à certains indi-vidus et groupes de se singulari-ser : AC/DC, les Animals, les Bee Gees, les Beach Boys, David Bo-wie, Phil Collins, The Commo-dores, Devo, Earth Wind and Fire, Electric Light Orchestra, Genesis, Nina Hagen, Isaac Hayes, Iron Butterfly, Michael Jackson, Elton John, Quincy Jones, Janis Joplin, les Kinks, Kool and the Gang, Kraftwerk, Brenda Lee, John McLaughlin, Mahavishnu Or-chestra, Mothers of Invention (Frank Zappa), Police, Prince, Procol Harum, Queen, Linda Ronstadt, Diana Ross, Bruce Springsteen, The Shadows, Si-mon and Garfunkel, Soft Ma-chine, Cat Stevens, Supertramp, Tangerine Dream, Téléphone, Ike and Tina Turner, Weather Report, les Who. Tous ont un jour figuré dans les charts, hit-parades, Top 10, 30 ou 50. L'industrie du disque repose en effet sur des listes de succès (hit), établies selon un ordre de vente quantitatif par les stations de radio et les hebdo-madaires professionnels. Échos fi-nanciers de la consommation indi-viduelle et de leur diffusion dans les discothèques et sur les chaînes de télévision, ces listes sont souvent manipulées. Elles resteront cependant significatives de l'histoire du goût musical des jeunes générations.

comme la guitare, soient sus-pendus au cou –, sur le savoir-faire des ingénieurs dans leurs studios et sur les artifices et les prodiges de leurs prises de son.

Au service du blues rural, la gui-tare amplifiée électriquement par les firmes Dobro (guitare « ha-waïenne »), Gibson, Fender a connu ses modèles vedettes : L5 CES, Super 400 CES, Strato-caster, Telecaster, cette dernière dotée en 1972 de deux micros contrôlant volume et timbre. Vin-rent ensuite les modèles Flying V, ES 345, grâce auxquels Charlie Christian et Jimi Hendrix dépas-sèrent les limites techniques et so-nores traditionnelles de l'instru-ment, pour ouvrir la voie aux « guitares-synthétiseurs ».

Cette quête de possibilités so-nores inédites, tout à fait compa-rable à celle de la musique contemporaine, se retrouve dans le domaine de la batterie. Des groupes comme Tears for Fears, Simple Minds, Frankie goes to Hollywood, Duran-Duran, Depeche-Mode, Bronski Beat (avant que Jimmy Sommerville ne constitue les Communards) ont modifié, chacun selon son style, l'association grosse caisse, caisse claire, cymbales (suspen-dues et charleston) et toms. À la technologie qui permet d'isoler chaque instrument en studio sur pistes séparées s'est combinée l'utilisation indépendante ou conjointe de boîtes à rythme élec-troniques qui dépassent à leur tour les possibilités humaines des batteurs de rock. Conçues en fonction de leur impact dans les discothèques, ces réalisations re-posent enfin sur l'intégration de séquenceurs à double vocation harmonique et mélodique. En nappes de sons ou en séquences répétées, ces greffes contribuent à doter l'arrangement de chaque titre d'un capital d'originalité à condition de savoir explorer les possibilités offertes par les instru-ments des firmes Moog, Sequen-cial Circuits, Linn, Roland, Ya-maha DXI, DX7, DX9 et Atari. La technique numérique permettant aujourd'hui n'importe quelle so-norité, la limite de conception de-vient alors celle de la scène sur la-quelle les interprètes devront reproduire le mieux possible les timbres élaborés en studio. Pour les années 1990, le Synclavier sera celui qui aura réuni en un seul ins-trument totalement numérisé ma-gnétophone multipistes, table de mixage, échantillonneur, séquen-ceur, synthétiseur, réservoir d'effets (réverbération, chambre d'écho...). Le rêve du « tube » fa-briqué chez soi est de plus en plus d'actualité. •

Danse

Nature et rôle de la danse

SUITE DE MOUVEMENTS volontaires et rythmés du corps humain, la danse s'avère être un phénomène universel, la manifestation d'une expérience et d'une expression de l'humanité. En effet, à peu près partout, l'homme a presque toujours dansé, du grand primitif chasseur au guerrier grec de l'Antiquité, du gentilhomme de la Renaissance à la bayadère attachée à un temple hindou, du cultivateur péruvien au pasteur masaï, du chaman sibérien à la danseuse royale cambodgienne, du danseur de claquettes noir américain à la ballerine classique...

Pourtant, si les individus dansent depuis les temps les plus reculés, ils ne le font ni de façon identique, ni nécessairement dans le même but ou pour des motifs semblables. Car la danse est multiple. Rituelle, elle peut être associée à une cérémonie magique ou religieuse. Souvent langage des dieux eux-mêmes, elle possède un caractère sacré dans de nombreuses civilisations. Traduction spontanée de la joie, elle est aussi divertissement, collectif ou individuel, étroitement liée à l'idée de fête. Elle est enfin spectacle, art chorégraphique, parfois codifié, qui peut atteindre dans certaines cultures un haut degré de perfectionnement aussi bien technique qu'esthétique. La nature et la fonction de la danse varient donc selon les époques ainsi qu'avec le stade d'évolution des sociétés dans lesquelles elle apparaît. De nos jours, il existe peu de peuples qui ne pratiquent la danse, sous l'une ou l'autre de ses formes : parfois réprouvée ou tout juste tolérée, elle est le plus souvent une activité admise, voire consacrée par les institutions.

2. Les derviches tourneurs (troupe de Davras).

3. Les danseurs rouges de Koudougou (Burkina).

Les danses magico-religieuses

APPARUE DÈS LES PREMIERS ÂGES DE L'HUMANITÉ, LA DANSE S'EST DISCIPLINÉE ET ORGANISÉE POUR DEVENIR RITE ET MANIFESTATION RELIGIEUSE RÉPANDUE DANS LE MONDE ENTIER.

La danse est à l'origine une activité à caractère sacré. C'est en voulant soumettre à sa volonté des forces normalement incontrôlables, en cherchant à agir sur des phénomènes hors de sa portée que l'homme primitif exécute des gestes qui vont concrétiser ses souhaits. Assemblés, ces mouvements donnent naissance à la danse, acte magique qui a pour fonction de mettre l'univers humain en rapport avec ce qui le dépasse. Attestées dès la préhistoire, à l'époque du paléolithique supérieur, inscrites dans un contexte rituel, les danses magiques doivent opérer comme des charmes : on les exécute car elles sont censées produire directement l'effet souhaité (chasse fructueuse, victoire au combat, chute bénéfique de la pluie...).

La danse, en tant que mise en contact de l'être humain avec les puissances cosmiques, peut prendre aussi un aspect religieux. Elle est même l'une des expressions privilégiées de la relation que l'homme entretient avec la loi ou les divinités. Moyen de communication, voire de communion directe avec le surnaturel, il lui arrive d'être prière, louange à dieu, et elle est pratiquée depuis la plus haute antiquité pour atteindre l'extase. Dans de nombreuses religions, les dieux sont danseurs, tel en Inde Śiva Naṭarāja, qui crée et détruit l'Univers en dansant. Les légendes et les mythes, tout particulièrement en Asie, se rejoignent pour accorder à la danse une origine divine (en Inde mais aussi à Bali, au Japon, en Chine ou au Cambodge...). Elle se trouve donc souvent intégrée aux cérémonies cultuelles. Les officiants, tels les serviteurs d'Hathor dans l'Égypte pharaonique, les caryatides de la Grèce antique, les lamas tibétains, les rabbins, les clergés copte et orthodoxe grec, comme les prêtres dans l'Église catholique primitive durant toute une partie du Moyen Âge, sont amenés à exécuter certaines évolutions chorégraphiques. La danse peut enfin avoir également valeur d'offrande aux dieux ou aux ancêtres morts, ouvrant ainsi la voie aux spectacles dansés sacrés.

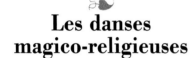

1. Danseuses égyptiennes au cours d'une fête (Saqqarah, tombeau de la Vᵉ dynastie).

Les danses
de divertissement

SOUVENT TRADUCTION DU SENTIMENT
D'ALLÉGRESSE, LA DANSE PEUT ÊTRE ACTIVITÉ LUDIQUE
PERMETTANT SIMPLEMENT DE SE LIVRER AUX
JOIES DU MOUVEMENT RYTHMIQUE.

S i l'homme a d'abord éprouvé le besoin de danser dans un but magique ou pour satisfaire les dieux, il a aussi songé à le faire sans pour autant participer au surnaturel et sans non plus viser à se donner en spectacle. Les danses de divertissement n'ont en effet pour fonction que le seul plaisir de celui qui les interprète. Appartiennent à cette catégorie les danses qualifiées de folkloriques ou populaires, celles de bal (à la cour comme dans les campagnes) ou de salon, c'est-à-dire toutes les danses dites de société. Nécessitant déjà pour apparaître un certain degré d'évolution, elles sont inconnues dans les civilisations les plus primitives.

Sentiment intense, exaltant et dynamique, la joie s'accorde aisément à la danse : aussi cette dernière est-elle souvent associée à la célébration d'un événement particulièrement heureux, aussi bien privé que communautaire. Dans l'Antiquité, les attestations de telles pratiques sont déjà nombreuses. En Égypte, les cérémonies liées au culte royal (intronisation, jubilé) comprennent des danses de réjouissances exécutées dans les milieux de la noblesse comme du peuple. Chez les Hébreux, toute réunion joyeuse peut être marquée par la danse. Choisie par le judaïsme comme l'image de ce que sera l'allégresse des justes dans le monde à venir, celle-ci s'oppose à la peine, aux larmes et au deuil. C'est ainsi que les femmes accueillent en chantant et en dansant au rythme des tambourins les hommes revenant victorieux d'un combat. De même la circoncision d'un enfant offre-t-elle l'occasion d'un banquet réunissant famille et amis qui dansent après avoir partagé le repas.

Les danses récréatives, très prisées dans la Grèce antique, notamment par les convives des festins, sont en Occident depuis le Moyen Âge l'un des agréments de tous les genres de fêtes : elles trouvent à s'exprimer et à se renouveler sans cesse dans le cadre, plus ou moins institutionnel selon les périodes, du bal. •

La danse, phénomène universel et multiple

Qu'elle soit improvisée ou disciplinée, religieuse ou profane, distractive ou spectaculaire, la danse correspond à un besoin essentiel de la nature humaine. En Égypte antique (1), des danseuses appartenaient au personnel des temples comme à celui de la cour. Un peu partout, sectes et confréries de toutes sortes pratiquent la danse : par leurs girations, les derviches musulmans (2) communiquent avec le divin, tandis que les mouvements et les sauts des danseurs rouges de Koudougou (3) rappellent leur ancienne condition de palefreniers. Bien que remis en cause au XXᵉ siècle par les promoteurs de la danse expressionniste, l'art du ballet classique occidental (4) continue de rayonner dans le monde.

4. Suzanne Farrel et Peter Martins dans *Agon* (chorégraphie de George Balanchine).

Les danses spectaculaires

MOYEN D'EXPRESSION DES ÉMOTIONS
ET DES SENTIMENTS, LA DANSE PEUT PARFOIS DEVENIR ART
DU SPECTACLE, IMITATIF OU SYMBOLIQUE,
À CARACTÈRE SACRÉ OU PROFANE.

D estinées à être regardées, les danses spectaculaires sont créées à l'intention d'un public. Dans certaines civilisations, il est difficile de séparer le spectaculaire du religieux. L'un et l'autre sont étroitement liés. Où commence le spectacle, où finit le rituel lorsque les mythes et légendes aboutissent à la réalisation de véritables représentations ? Le théâtre grec antique, où la danse tient une place importante, naît du culte d'un dieu, lui-même danseur, Dionysos. Dans les pays asiatiques, à l'origine, le drame dansé possède un aspect profondément sacré, tel le kathākali et le bhārat nātyam en Inde ou le ballet khmer au Cambodge. D'abord divertissement offert aux dieux, il tend à devenir progressivement profane, mais souvent les interprètes n'en continuent pas moins à consacrer, avant de commencer à danser, l'espace de leurs évolutions.

La danse spectaculaire apparaît aussi souvent comme attraction dans les repas d'apparat. Ainsi dans l'Antiquité, danseurs et danseuses agrémentent les festins du pharaon égyptien, tandis qu'en Grèce des artistes professionnels exécutent toutes sortes de prouesses acrobatiques et chorégraphiques sous le regard averti des convives. Au Moyen Âge, jongleries et intermèdes chorégraphiques accompagnent les entremets des banquets dans les cours d'Europe occidentale.

Que ce soit pour honorer ou pour distraire un dieu, un souverain, un hôte ou un individu quelconque, le spectacle de danse obéit dans ses formes élaborées à des règles strictes et à une technique savante. Les danses indiennes et plus généralement asiatiques sont le fruit d'une tradition codifiée plus que millénaire, le ballet classique occidental celui d'une histoire et d'une évolution de trois siècles.

Il arrive également que certaines danses de divertissement se transforment insensiblement en danses spectaculaires. Il en est ainsi des danses traditionnelles régionales ou nationales au répertoire des compagnies professionnelles, tels les Ballets Moïsseïev en Union soviétique, Mozowsze et Slask en Pologne, du Sénégal ou d'Indonésie. •

Danses magiques et danses religieuses

LES DANSES MAGIQUES ET religieuses tiennent une place importante dans de nombreuses civilisations. Ce sont non seulement les plus anciennes mais aussi les plus répandues sur l'ensemble de la surface du globe. En effet, la presque totalité des danses primitives mais aussi beaucoup de formes extrêmement élaborées (danses indiennes vishnouistes, japonaises shintoïstes, tibétaines bouddhiques...) ont un caractère sacré.

Dans les sociétés primitives, la danse est avant tout une activité rituelle. Appel à des forces diffuses, surnaturelles, elle est mise à contribution pour remédier à tous les problèmes majeurs qui se posent dans la vie quotidienne, à commencer par le plus crucial : se procurer de la nourriture. Tous les actes essentiels de l'existence peuvent être consacrés par des danses. Celles-ci varient donc en fonction des civilisations, traduisant leurs principales préoccupations. Elles interviennent également dans les cérémonies qui marquent les grandes étapes de la vie des individus : de sa naissance jusqu'à sa mort, la danse accompagne l'homme pour franchir dans les meilleures conditions chacun de ses changements d'état. La danse est alors une activité sérieuse : il ne s'agit pas de se divertir, mais de faire, à bon escient, des mouvements précis. Afin que le but visé par la danse soit atteint, il est impératif d'exécuter celle-ci sans déroger aux règles.

Les changements d'horizon religieux ne modifient pas toujours radicalement les habitudes rituelles, surtout celles qui se rapportent aux évolutions chorégraphiques, et nombreux sont les exemples de récupération et d'adaptation à un culte nouveau (gigaku et bugaku au Japon, danses préhispaniques des Indiens lors de processions au Pérou ou dans les églises au Nouveau-Mexique). Si la danse a été peu à peu totalement évacuée du culte catholique romain, elle n'en joue pas moins un rôle marquant dans de nombreux univers religieux, constituant parfois un élément fondamental dans certains systèmes de pensée. Elle est présente dans la plupart des religions asiatiques comme elle l'était dans celles de l'Antiquité (Égypte et Grèce) et s'avère une efficace technique préparatoire à l'extase.

1. Scène de kathakali, drame dansé du Malabār (Inde).

Les danses, manifestations des préoccupations essentielles

CHASSE, GUERRE, TRAVAUX DES CHAMPS OU PLUS GÉNÉRALEMENT TOUTE ENTREPRISE IMPORTANTE SONT AUTANT D'OCCASIONS DE DANSER DANS LES SOCIÉTÉS PRIMITIVES.

Afin d'anticiper sur les événements et obtenir la réalisation d'un but visé, l'homme procède le plus souvent par imitation. Propitiatoires, les danses magiques ont pour fonction d'assurer un gibier abondant aux chasseurs, une victoire contre les ennemis aux guerriers, un bon déroulement du cycle agraire et une récolte fructueuse aux cultivateurs... Le plus souvent collectives, car elles nécessitent la participation de tous les individus concernés, leur efficacité ne joue que dans les moments qui suivront son exécution. Aussi doivent-elles être effectuées chaque fois qu'elles sont nécessaires.

Les danses cynégétiques existent sur tous les continents et sont fort variées. D'une importance extrême, elles s'avèrent souvent d'une grande précision. Les chasseurs apprennent à observer les animaux qu'ils traquent. Revêtant leur peau ou leur plumage, portant une queue postiche et éventuellement des cornes, ils en imitent l'aspect et le comportement afin de les attirer. De même, en mimant leur mort, ils cherchent à s'assurer la réussite de la chasse (danses du kangourou des Aborigènes d'Australie, du dindon sauvage des Indiens d'Amérique centrale, du bison des Mandan d'Amérique du Nord...).

Les danses en armes, imitatives ou non, concernent aussi bien la chasse que la guerre et sont destinées, dans un cas comme dans l'autre, à rendre les armes efficaces. Avant la bataille, les ethnies belliqueuses pratiquent des danses de guerre, qui souvent entraînent une excitation au combat et donnent confiance aux participants. Au retour d'un combat victorieux, une danse peut venir témoigner de la bravoure des guerriers (ainsi la danse du scalp effectuée jadis par les Indiens Salk et Fox d'Amérique).

Chez les peuples cultivateurs, les danses en liaison avec l'agriculture se multiplient. Les semailles sont propices aux danses à caractère sexuel : assimilant les fécondités végétale et humaine, elles ont pour but de rendre la terre fertile. Lorsque les plantes sortent de terre, on danse autour des jeunes pousses en sautant pour que celles-ci grandissent. La récolte est l'occasion d'évolutions qui peuvent reprendre les diverses étapes du cycle (danses du riz en Asie du Sud-Est) ou des danses d'offrandes aux divinités agraires (danse du maïs vert des Indiens Hidatsa de l'Amérique du Nord). Avant que ne reprennent les travaux agricoles, peut se dérouler un rite de renouvellement de la végétation (danses des masques de feuilles des Bobo au Burkina). Les sécheresses entraînent l'exécution de danses de pluie, le plus souvent imitatives des effets et des conséquences bénéfiques que celle-ci entraînera (danseurs aux masques de grenouilles au Japon, danse avec les capes de paille protectrices en Indonésie). Les cultes solaires eux aussi ont suscité des danses (Indiens Navaho, les Égyptiens...). Celles-ci sont souvent associées au feu. Les évolutions autour du brasier peuvent aller jusqu'à la marche sur les tisons ardents. Il en existe de nombreuses survivances (Japon, Grèce, île Maurice).

2. Tundandii dansant

La danse associée aux rites de passage

MOMENTS CAPITAUX DANS LA VIE DES ÊTRES HUMAINS, L'INITIATION, LE MARIAGE ET LA MORT SONT MARQUÉS PAR DES CÉRÉMONIES INTÉGRANT FRÉQUEMMENT DES DANSES.

Les rites de passage consacrent l'accession d'un individu à un nouveau statut social ou à une nouvelle tranche d'âge. Parmi les étapes essentielles, donc les plus célébrées, l'initiation marque l'entrée de l'enfant dans le cercle des adultes, le mariage le passage de l'état de célibataire à celui de marié, la mort le départ de l'univers des vivants pour celui de l'au-delà. Tous ces rites ont en commun la double idée de la fin d'une existence dans un monde suivie de la renaissance dans un autre. Dans les sociétés primitives, ils jouent un rôle capital, car, s'ils sont mal exécutés, les conséquences peuvent être catastrophiques, pour l'individu concerné comme pour l'ensemble du groupe : les initiés ratés seront une charge pour la tribu, les mal-mariés n'auront pas de descendance, les morts malheureux seront à l'origine des calamités les plus graves.

L'initiation, qui généralement a lieu à la puberté, comporte des épreuves parfois douloureuses pour les néophytes. Ainsi, durant trois journées, le jeune guerrier Natchez devait rester sans dormir et participer aux danses pour prouver son endurance. Retirés dans un lieu sacré, les initiés reçoivent des marques rituelles souvent indélébiles avant de rejoindre leur foyer. Le laquage des dents des petites cambodgiennes était accompagné par des évolutions évoquant la récolte et la préparation du produit. En République centrafricaine, les jeunes filles Gbaya, après avoir subi l'excision, déploient dans différentes danses l'énergie qui témoigne aux yeux de tous qu'elles ont surmonté leur souffrance.

Générateur de vie, le mariage doit assurer fertilité et longévité. La danse participe aux préparatifs rituels des fiancés (Cambodge) comme aux cortèges (hyménée en Grèce antique) et à la cérémonie nuptiale (chez les Zoulous d'Afrique du Sud).

Les rites funèbres offrent souvent un large déploiement chorégraphique destiné à chasser l'âme du défunt pour qu'elle gagne le séjour des morts (Sénoufo de Côte-d'Ivoire) et à faciliter son voyage dans l'au-delà (Égypte antique). Offrandes au disparu (Bali), les danses peuvent être encore la manifestation du chagrin (par exemple pleureuses se frappant la poitrine, se lacérant les joues, s'arrachant les cheveux ou se couvrant la tête de poussière en Grèce antique). ●

Les danses extatiques

FORT ANCIENNES ET RÉPANDUES, LES DANSES D'EXTASE CONDUISENT LES EXÉCUTANTS À COMMUNIQUER AVEC LES ESPRITS SUPÉRIEURS. ELLES SONT PRATIQUÉES DANS UN BUT THÉRAPEUTIQUE OU BIEN MYSTIQUE.

La danse intervient surtout comme technique qui amène à l'extase, cette dernière se manifestant plutôt en contorsions désordonnées. Plus rares sont les danses en état de transe. Phénomène universel, la danse extatique présente différents aspects et surtout divers degrés, allant du simple et léger vertige jusqu'à la perte de conscience, à la perturbation de la personnalité et à la possession. Elle est souvent accompagnée ou suivie de délire prophétique. Il arrive parfois que celui-ci soit la finalité principale de l'agitation rythmique.

Par des mouvements appropriés, le croyant, qu'il soit chaman ou fidèle, se dépasse, abolit son moi personnel pour devenir l'enveloppe temporaire d'une puissance surnaturelle ou pour rejoindre l'univers de celle-ci. Le chamanisme, qui se rencontre dans diverses civilisations (Océanie, Amérique du Nord, Indonésie), et tout particulièrement en Asie centrale, consiste à rechercher l'extase dans un but pratique, afin d'obtenir un résultat concret, une guérison notamment. Médiateur entre les dieux et les hommes, le chaman parvient par ses évolutions chorégraphiques à entreprendre un voyage dans les méandres de l'au-delà, guidé par un animal. Aux Antilles, dans le culte animiste vaudou, les esprits investissent les corps des adeptes en transe, qui exécutent alors d'impressionnantes danses de possession. Dans l'Antiquité, l'ivresse de l'âme, l'exaltation orgiaque s'emparaient de ceux qui dansaient pour la déesse Hathor en Égypte comme pour Dionysos ou Bacchus en Grèce. Dans les cas extrêmes, les facultés sensorielles des danseurs se trouvent complètement transformées. Ainsi, la danse des *kris* (sorte de lance) à Bali pousse hommes et femmes à se frapper violemment la poitrine de leur long poignard. Les Sioux au cours du rituel en l'honneur du Grand Esprit en arrivaient à se transpercer la peau avec des broches ou à en prélever des morceaux de chair.

Dans les sociétés monothéistes, la danse extatique conduit plutôt à une élévation de l'âme vers le divin. Ainsi la secte américaine des shakers institua-t-elle des parcours complexes (files, spirales, cercles multiples...) et des mouvements de tête qui induisent la transe métaphysique. Dans le monde islamique, les confréries de derviches tourneurs vivent grâce à la danse d'intenses moments de spiritualité : ils effectuent leurs doubles girations (sur eux-mêmes et autour de la salle), les bras en croix, la paume de la main droite tournée vers le haut et celle de la main gauche vers le bas afin de répandre sur terre les bénédictions reçues du ciel. ●

Danses rituelles et sacrées

Différentes selon les âges et les sexes, certaines danses de rituelles sont apprises seulement lors de l'initiation. De retour au village, les jeunes Tundandii font montre de leurs nouvelles connaissances. Masculines et guerrières, les danses en armes tendent à perdre leur sens magique d'origine pour se transformer en simple entraînement militaire ou en danses de parade. Les mythes et légendes suscitent des spectacles dansés dont la technique chorégraphique est souvent ancestrale. Celle extrêmement élaborée du kathakali réclame un long apprentissage de la part des interprètes, tous des hommes.

(Angola, région de Luanda).

3. Danse en armes des Intore (Zaïre).

Le rôle social du bal

LES BALS PAYSANS, ARISTOCRATIQUES
OU BOURGEOIS DIFFÈRENT DANS LEURS FORMES ET JOUENT
UN RÔLE QUI N'EST PAS SEULEMENT D'AGRÉMENT.

Le bal

ASSEMBLÉE DE PERSONNES réunies pour danser, le bal trouve son origine dans la fête. En Occident, au Moyen Âge, et ce malgré les interdits lancés par l'Église catholique romaine, la pratique de la danse se généralise pour célébrer un événement heureux, qu'il soit d'ordre personnel (notamment le mariage) ou collectif (réjouissances à l'occasion des récoltes, de la fête du saint patron de la paroisse ou d'une corporation). Quelle qu'en soit la raison, la fête et la danse permettent d'échapper pour quelques instants à la monotonie de l'existence et à la rigueur du labeur quotidien. Dès le XIIIᵉ siècle, la coutume est prise de se retrouver après l'office, les dimanches comme les jours chômés, pour danser sur le parvis des églises ou sur la place des villages.

Le bal peut prendre de nombreux aspects, qu'il soit ou non en habit, éventuellement masqué et costumé, qu'il soit spontané ou tout au contraire obéissant à des règles strictes. De même, sa fonction sociale varie selon l'époque et le type de société dans lequel il se développe. Si, dans les campagnes, les bals populaires regroupent en plein air l'ensemble de la communauté villageoise, la vie de cour favorise l'épanouissement de bals privés, organisés au sein des demeures particulières et réservés à une certaine élite. Il faut attendre le XVIIIᵉ siècle pour voir apparaître les premiers établissements publics spécialisés.

Du Moyen Âge jusqu'à nos jours, le répertoire des danses ne cesse d'évoluer progressivement des formes collectives aux évolutions individuelles, de la manifestation de la cohésion du groupe à l'exhibition de la solitude.

Dès l'origine, si le bal a une fonction divertissante, il est aussi sans conteste le lieu privilégié de rencontres entre les sexes et l'opportunité de briller, voire de séduire. À la fin du XVIᵉ siècle, Thoinot Arbeau ne précise-t-il pas d'emblée dans son traité que, si vous « voulez vous marier, vous devez croire qu'une maîtresse se gagne par la disposition et grâce qui se voit en une danse » ? Dans un même ordre d'idée, deux siècles et demi plus tard, Balzac affirme : « Pour beaucoup d'hommes, la danse est une manière d'être ; ils pensent, en déployant les grâces de leur corps, agir plus puissamment que par l'esprit sur le cœur des femmes. »

Dans la société paysanne, si d'anciennes traditions païennes survivent jusque tard dans le Moyen Âge, elles tendent à perdre leur caractère magique : les danses autour des arbres de mai ou des bûchers le jour de la Saint-Jean finissent par devenir, au fil du temps, simplement récréatives. En milieu rural, parmi les activités de divertissement, le bal occupe une place de choix. En dehors du repos dominical et des jours de fêtes patronales qui ne peuvent se dérouler sans joyeuses évolutions, les grandes foires annuelles (tout particulièrement les kermesses en prospère pays flamand durant la Renaissance) sont l'occasion de ripailles, beuveries et bals animés. Les noces sont aussi propices aux assemblées bruyantes et, bien sûr, aux

danses. Celles-ci, frappées de vaine interdiction au haut Moyen Âge, car alors accompagnées de chansons aux paroles obscènes, n'en continuent pas moins dans les siècles suivants d'être associées de façon coutumière aux fêtes du mariage. Des caroles médiévales et des branles du XVIᵉ siècle aux formes traditionnelles, qui survivent dans certaines régions jusqu'à l'aube du XXᵉ siècle, le répertoire des bals fait la part belle aux danses en chaîne, fermée ou ouverte. Rondes et farandoles accueillent, en effet, tous les membres du groupe, quel qu'en soit le nombre. Elles sont collectives à double titre : par leur forme qui soude les participants, mais aussi par leurs mouvements, chacun exécutant ensemble les mêmes pas. Émanant d'un groupe unanime, elles connaissent de nombreuses variantes régionales. La place à l'expression des couples et des individus ne se manifeste pas avant la Renaissance et il faut attendre la fin du XVIIIᵉ siècle pour que la contredanse soit introduite en milieu paysan.

Au XVᵉ siècle, la noblesse de cour affirme sa différence de

Dates clefs

XIIᵉ s. *La carole,* danse en chaîne fermée, en milieu populaire et noble.

XVᵉ s. *La basse danse,* danse en cortège de couples, réservée à la société de cour.

XVIᵉ s. *La gaillarde,* danse vive, en couple, qui à la cour est dansée après la belle et grave *pavane.*
Le branle, danse en chaîne ouverte ou fermée, qui ouvre traditionnellement le bal.

XVIIᵉ s. *Le menuet,* danse de cour, en couple, alors très légère et rapide.

XVIIIᵉ s. *La contredanse,* danse en couple, les partenaires se trouvant vis-à-vis, avec figures variées.

XIXᵉ s. *Le quadrille,* forme de contredanse réunissant quatre couples.
La valse, danse tourbillonnante en couple fermé.
La mazurka, danse avec jeux des talons pour quatre ou huit couples.

XXᵉ s. *Le tango,* danse en couple, sensuel corps à corps avec voltes brutales.
Le mambo, danse en couple dont les mouvements chaloupés du corps épousent la musique afro-jazz.
Le rock'n roll, danse individuelle ou en couple, sautillante et tournoyante, incluant, lorsqu'elle se fait à deux, des passages acrobatiques.
Le jerk, danse individuelle, où le corps se contracte sur un rythme syncopé.
Le twist, danse individuelle, suite de déhanchements qui provoque l'ondulation du corps.

1. Danse autour d'un arbre de mai (vers 1480).

2. Le bal paré (1773).

classe en adoptant la basse danse, composition raffinée et posée. Dès la fin du Moyen Âge, les caroles aristocratiques se distinguent de celles paysannes : les premières, exécutées de façon contenue, contrastent avec les secondes, plus vives et débridées. Désormais indispensable à l'éducation de tout gentilhomme, la danse, savante, réclame un apprentissage sérieux. En France, sous le règne de Louis XIV, le bal à la cour prend valeur de cérémonie plus encore que de divertissement : il s'agit pour les danseurs, désignés par le souverain lui-même, moins de s'amuser que de paraître et faire bonne figure en obéissant aux strictes règles de l'étiquette. Danses collectives, puis suite de danses à deux ordonnées avec précision traduisent la solidarité en même temps que la hiérarchie des personnes.

Le XVIIIe siècle invente la danse de salon. Avec ses pas simples, ses figures sans cesse renouvelées et son jeu aimable entre partenaires et couples sans hiérarchie contraignante, la contredanse ne peut que séduire la société bourgeoise qui prend le pouvoir. Au XIXe siècle, les jeunes filles de bonne famille font leur entrée dans le monde à l'occasion d'un bal. Accompagnées de leur mère, munies de recommandations sur la conduite à tenir vis-à-vis de leurs cavaliers, elles entrent dans le

tourbillon de la vie mondaine. Sous surveillance, les jeunes gens font leur cour entre les quadrilles, valses et autres galops. Dans la coulisse, les pères trament les futures alliances et poursuivent près des buffets ou aux tables de jeux leurs tractations d'affaires. De nos jours, si la tradition du bal des débutantes et du bal de promotion semble quelque peu démodée, ceux-ci continuent de jouer dans certains milieux conservateurs un rôle important dans le rituel social qui mène au mariage. •

4. Le hully gully dans les années 1960.

Danse ouverte, danse fermée

La danse collective en chaîne est longtemps restée dominante et commune à tous les milieux. La notion de couple n'apparaît qu'au XVe siècle, dans le cadre du bal de cour. Au succès de la contredanse, où quelques individus choisis se jouent de figures permettant l'échange des partenaires, succède durant le XIXe siècle celui des danses où le couple se referme sur lui-même. Depuis les années 1960, l'individu peut danser seul dans la foule. Le bal ne manifeste plus une unanimité, mais désormais il juxtapose des solitudes.

3. Le bal Mabille sous le second Empire.

Les bals publics

L'AUTORISATION DES BALS PUBLICS FAVORISE À PARIS LA PROLIFÉRATION D'ÉTABLISSEMENTS CONSACRÉS AU PLAISIR DE LA DANSE.

Au XVIIIe siècle, la danse devient une activité commerciale. En France, c'est en 1715 que le Régent accorde par ordonnance la possibilité de tenir bal, trois fois par semaine, dans la salle de l'Opéra. Le succès immédiat de l'entreprise encourage aussitôt l'ouverture un peu partout dans la capitale d'établissements privés, inspirés des Vauxhall anglais, avec leur succession de pavillons et de kiosques disséminés dans des jardins éclairés de nuit, tels le Ranelagh et le bal d'Auteuil.

Sous le Directoire, la dansomanie est à son comble et l'on compte plus de 650 bals dans Paris, dont le fameux Tivoli. Tandis que dans les salons évolue une société triée sur le volet, dans les bals publics s'opère un brassage des couches sociales. Sous le second Empire, ces derniers ont tendance à s'encanailler. Hommes du monde côtoient grisettes, lorettes, étudiants, artistes et courtisanes. Seules les femmes honnêtes ne fréquentent pas ces endroits où se retrouvent les reines de la nuit. Plus populaires sont les bals animés de Ménilmontant et de Belleville, qui rendent célèbre la descente de la Courtille où s'illustre lord Seymour surnommé *Milord l'Arsouille*. Ceux de la Montagne Sainte-Geneviève sont non moins pittoresques et parfois quelque peu mal fréquentés, tels les bals du Vieux Chêne et des Écoles où se réunissent voyous, filles et sou-

teneurs. Aux Champs-Élysées, on se bouscule au bal Mabille : les Mignonette, Frisette, Céleste Mogador, Rose Pompon, la reine Pomaré et leurs partenaires Bridibi et Pritchard y font triompher en attraction le chahut ou cancan. Leur renom est éclipsé après 1870 par la célébrité des danseuses-acrobates du Moulin-Rouge, la Goulue, Nini-patte-en-l'air, Grille-d'Égout sans oublier Valentin le Désossé. Tandis que les guinguettes fleurissent sur les bords de la Marne, dans les quartiers populaires se multiplient les bals musettes.

Le début du XXe siècle est marqué par l'arrivée d'un répertoire nouveau, aux rythmes exotiques venus des Amériques. La vogue des « dancings » bat son plein. Mais si l'on continue à danser sous les boules scintillantes du Balajo, les bals publics commencent à disparaître. Au lendemain de la Seconde Guerre mondiale, la jeunesse se retrouve dans les caves enfumées de Saint-Germain-des-Prés, annonçant l'ère des « boîtes de nuit » et discothèques contemporaines : possédé par le rythme, chacun y danse pour lui-même, sans réel souci des autres. La tradition du bal public populaire en plein air se perpétue pourtant encore chaque année, à l'occasion du 14-Juillet, où la coutume autorise que l'on danse dans les rues au son de l'accordéon. •

Les bals masqués et costumés

PRATIQUÉ DÈS LE MOYEN ÂGE, LE BAL MASQUÉ ET COSTUMÉ EST SURTOUT TRADITIONNELLEMENT ASSOCIÉ AUX RÉJOUISSANCES DU CARNAVAL.

Depuis les temps reculés, le carnaval offre l'occasion d'organiser des bals où tous les déguisements sont permis, défoulement nécessaire avant les austérités du carême. La momerie, à l'origine divertissement populaire où des jeunes gens se rendent pour danser de maison en maison, gagne les couches sociales plus élevées. Au XIVe siècle, elle consiste en l'entrée impromptue de danseurs travestis au cours d'un bal. Ainsi, en 1393 à Paris, une bande de personnages (parmi lesquels le roi Charles VI) habillés en sauvages surviennent à l'hôtel Saint-Pôl, entamant une furieuse moresque. La momerie tourne hélas au drame lorsque les vêtements de lin des danseurs prennent feu, rendant ce *bal des Ardents* tristement célèbre. Le goût pour les amusements masqués persiste à travers les siècles, à la ville comme à la campagne. Au XVIIIe siècle, l'entrée du bal après minuit est traditionnellement librement accordée à toute personne en masque. Chacun a même le droit de danser avec la

dame de son choix, quel que soit son rang. Le travestissement permet toutes les audaces. La future marquise de Pompadour, habillée en bergère, est ainsi présentée à Louis XV, lui-même déguisé en if dans la galerie des Glaces à Versailles en 1745. Louis XV comme Marie-Antoinette aiment à se mêler, incognito, à la foule de leurs sujets, fréquentant assidûment le bal de l'Opéra. La vogue de celui-ci se prolonge au XIXe siècle. Sous le règne de Louis-Philippe, on s'y presse et s'y étouffe pour se trémousser frénétiquement au son de l'orchestre dirigé de façon excentrique par le célèbre Musard.

Hors période de carnaval, des fêtes costumées privées, organisées autour d'un thème, font le bonheur des cénacles mondains, du *Quadrille de Marie Stuart* (1829) de la duchesse de Berry à la *Mille et Deuxième Nuit* (1911) de Paul Poiret jusqu'aux extraordinaires soirées données par le comte de Beaumont comme les bals *des Jeux* (1922), *de la Mer* (1928), ou *des Tableaux célèbres* (1935). •

La danse de la Renaissance

BERCEAU DE LA RENAISsance humaniste, l'Italie du Quattrocento est aussi celui de la danse européenne occidentale. En effet, c'est au cœur de cette mosaïque de principautés cultivées et raffinées qu'elle connaît son premier véritable essor. Festins, triomphes, carrousels et momeries organisés dans un luxe de machines, chars et costumes, laissent une large place aux interventions dansées. Celles-ci deviennent l'un des éléments obligés de la fête dans la péninsule italienne comme dans le florissant duché de Bourgogne. Au service des princes mécènes, des maîtres à danser sont chargés de régler les évolutions chorégraphiques, qu'ils signent de leur nom : danses savantes, harmonieuses et délicates, réservées à une élite sociale – la cour –, elles se démarquent nettement des formes populaires par leur degré

d'élaboration. Les souverains, eux-mêmes amateurs éclairés, tel Laurent de Médicis à Florence, se plaisent à en inventer. Afin de conserver le souvenir de ces créations, les maîtres italiens vont prendre soin de les noter sur papier. Ce sont eux également qui sont amenés à écrire les premiers traités occidentaux relatifs à la chorégraphie. En France au XVIe siècle, la danse, comme les autres arts, subit l'influence italienne. Cette dernière est encore favorisée par le mariage d'Henri II avec la Florentine Catherine de Médicis. Jusqu'à l'aube du XVIIe siècle, la renommée des maîtres à danser transalpins déborde les frontières : ceux-ci vont connaître la gloire dans les grandes cours européennes, et sous l'impulsion de l'un d'eux, Baldassarino Belgioioso, c'est-à-dire Balthazar de Beaujoyeux, naîtra en France le ballet de cour.

Codes à danser et partitions chorégraphiques

En voulant garder la trace de leurs réalisations, les maîtres à danser inventent les premiers systèmes de notation. D'abord rudimentaires, ceux-ci tendent à se perfectionner. Aide-mémoire à la magnifique calligraphie, le *Livre des basses danses de la cour de Bourgogne* utilise le procédé des tablatures : les initiales des pas à effectuer (R = révérence, s = simple, d = double, b = branle, r = démarche) sont inscrites sous la portée musicale de la mélodie. Thoinot Arbeau procède de même pour décrire branles et autres danses, mais en juxtaposant le nom des pas en regard des notes de musique correspondantes. Grâce à ces partitions chorégraphiques, complétées par les précieux renseignements contenus dans les traités (descriptions techniques par le texte, mais aussi par l'image comme chez Cesare Negri), il est aujourd'hui possible aux spécialistes de reconstituer les danses de la Renaissance italienne et française.

La danse dans les fêtes

AUX XVe ET XVIe SIÈCLES LES COURS ITALIENNE, BOURGUIGNONNE ET FRANÇAISE SONT LE THÉÂTRE DE FÊTES SOMPTUEUSES MARIANT ÉTROITEMENT MUSIQUE, CHANT ET DANSE.

Entourés d'artistes prestigieux susceptibles de régler pour eux des divertissements sortant de l'ordinaire, les souverains saisissant toute grande occasion (mariage, ambassade notamment) pour organiser des festivités où la danse prend une part non négligeable. Construite autour d'un thème (se référant le plus souvent à l'Antiquité classique), la fête, qui s'échelonne sur plusieurs jours, peut comprendre défilés, tournois, batailles feintes, ballets équestres, banquets, mascarades et bals.

C'est dans les cours d'Italie au XVe siècle que naît et se développe le goût pour ce genre de réjouissance. Les Médicis à Florence, les Sforza à Milan, les Este à Ferrare et les Gonzague à Mantoue entretiennent les premiers chorégraphes (dans le sens moderne du terme), qui participent à ces réalisations. Le bal lui-même tend à prendre un aspect spectaculaire avec l'entrée de danseurs costumés qui exécutent des évolutions concertées, les « balli », dont l'enchaînement des figures a été

appris à l'avance sous la férule des maîtres à danser. Charles VIII voit ainsi à Sienne danser en son honneur 50 dames choisies parmi les mieux nées de la ville. Pour les noces du duc de Milan Jean-Galéas Sforza et d'Isabelle d'Aragon (1489), le couple reçoit les félicitations de cinq groupes de danseurs, des « balli » à l'espagnole, à la polonaise, à la hongroise, à la française et à la turque, avant que ne débute le divertissement du *Paradis,* pour lequel Léonard de Vinci a inventé costumes et machines. Le repas de cette fête splendide lui-même se transforme en spectacle : Jason et les Argonautes dressent le couvert, des Hébreux dansent autour du Veau d'or que Mercure vient ensuite servir aux convives, Thésée et Atalante chassent en une danse rapide le sanglier de Calydon... et, après les desserts, un dernier intermède chorégraphique glorifie la fidélité conjugale.

Les entremets, divertissements offerts aux participants d'un festin entre deux services, se développent considérablement au

XVe siècle. C'est à la cour de Bourgogne que sont offerts les plus fastueux. Le plus célèbre d'entre eux a lieu à Lille en 1454, à l'initiative de Philippe le Bon qui réunit les princes de la chrétienté afin de leur faire prêter serment de croisade pour délivrer Constantinople. Tandis qu'un char en forme d'éléphant est conduit dans la salle, Grâce-Dieu supplie en chantant l'assistance de venir au secour de la Sainte-Église. Une fois le vœu proclamé au-dessus d'un faisan, douze dames qui représentent les vertus dansent au son des luths et tambourins. Pour le mariage de Charles le Téméraire et de Marguerite d'York à Bruges (1468), ce sont des sirènes et des chevaliers de la mer qui sortent d'une gigantesque baleine.

Restée longtemps en retrait, la France, sous l'impulsion de Catherine de Médicis, va donner un rôle important à la danse dans la vie de cour : tout d'abord avec l'institution des bals qui ont lieu deux fois par semaine et auxquels tous les gentilshommes sont tenus d'assister. Plus encore, c'est en multipliant les fêtes qu'elle donne à ses maîtres à danser l'occasion de régler des divertissements remarquables et remarqués : ainsi, celui de la *Défense du Paradis* ou *Paradis d'amour,* pour le mariage d'Henri de Navarre et Marguerite de Valois (1572), et celui des *Polonais* (1573) préfigurent le ballet de cour. ●

Les premiers traités chorégraphiques

C'EST D'ABORD EN ITALIE QUE SONT ÉCRITS, AU XVe SIÈCLE, PUIS PUBLIÉS, AU XVIe SIÈCLE, LES PREMIERS TRAITÉS SUR L'ART DE LA DANSE.

Rédigés par de renommés maîtres à danser italiens, les premiers traités s'avèrent plus techniques qu'historiques et esthétiques. Trois manuscrits du XVe siècle nous sont parvenus : *De arte saltandi et choreas ducendi* de Domenico da Piacenza (vers 1445), *De pratica seu arte tripudii* de Guglielmo Ebreo (vers 1450) et *Il Libro dell'arte del danzare* (vers 1455) d'Antonio Cornazano. Ebreo et Cornazano ont été les disciples de Domenico. Leurs ouvrages se ressemblent : ils comprennent une partie où sont exposés quelques principes esthétiques et les éléments constitutifs de la technique, puis une seconde où sont rassemblés des exemples de basses danses et balli. Tous trois énumèrent les qualités nécessaires au bon danseur (légèreté, grâce, maintien noble, sens de la musique et du rythme, mémoire...). Ils décrivent de façon détaillée le mécanisme des pas à terre, tours et sauts. La composition de la basse danse et sa progression rythmique (de lent à très rapide : *bassa danza, quadernaria,*

saltarello et *pivia*) impliquant certains types de pas sont analysées avec minutie. Exécutée en cortège de couples ou par quelques participants (3 femmes, ou 1 homme et 2 femmes...), la basse danse permet de savantes combinaisons de figures. Les balli, plus complexes et variés, obéissent à un thème : dans *Mercanzia* la femme, inconstante, est amenée à danser avec 3 partenaires différents ; à l'opposé, *Sobria* célèbre la fidélité de la femme qui n'accorde ses faveurs qu'à un seul homme, repoussant les 4 autres. Ces traités nous prouvent que, loin d'être spontanée et laissée à la fantaisie de chacun, la danse italienne du XVe siècle nécessite au contraire un apprentissage qui suppose la présence de maîtres à la fois pédagogues et chorégraphes.

Il faut attendre plus d'un siècle pour que paraissent ensuite les traités imprimés : *Il Ballarino* (1581) et *Nobilità di dame* (1600 et 1605) de Fabrizio Caroso, puis *La Grazie d'amore* (1602) et *Nuove inventioni di balli* (1604) de Cesare Negri. Ces ouvrages permettent

2. Thoinot Arbeau :
Notation du Branle du Haut Barrois (Orchésographie, 1588).

ORCHESOGRAPHIE

Tabulature du branle du hault Barrois

Air d'un branle hault *Barrois.*   Mouuements pour dancer *le hault Barrois.*

Pied gaulche largy.
Petit fault.
Pied droit approché.
Petit fault.
Pied gaulche largy.
Petit fault.
Pieds ioincts.
Petit fault.

Ces quatre pas fôt vn double a gaulche.

Pied droit largy.
Petit fault.
Pied gaulche approché.
Petit fault.
Pied droit largy.
Petit fault.
Pieds ioincts.
Petit fault.

Ces deux pas font simple a droict.

Et ainsi vous continuerez au commencement.

1. Bal à la cour de Henri III pour le mariage du duc de Joyeuse (1581) : le branle.

Les maîtres à danser italiens

FORTS DE LEUR FLATTEUSE RÉPUTATION,
LES MAÎTRES À DANSER ITALIENS METTENT LEURS TALENTS
AU SERVICE DES ROIS ET PRINCES
DE TOUTE L'EUROPE.

d'évaluer combien la technique a évolué : le vocabulaire des pas est étendu et requiert déjà un haut niveau de la part de ses exécutants. Le répertoire des danses, dont le couple est pratiquement devenu la cellule de base obligatoire, s'est enrichi de *pavaniglia, tortiglione, canario* et *gagliarda.* Les termes de *balleto,* de *brando* et de *ballo* désignent une création originale.

• Premier des traités français, *l'Art et instruction de bien danser* de Michel Toulouze (vers 1490) se consacre à la basse danse de structure longue et rigoureuse et dont les pas sont proches, bien que le vocabulaire en soit plus pauvre, de ceux pratiqués en Italie. Au livre des basses danses de la cour de Bourgogne (xv⁰ siècle) et à celui d'Antonius de Arena rédigé en style macaronique (*Ad suos compagnones qui sunt de persona friantes, bassas dansas et branlos praticantes...,* 1528) s'ajoute *l'Orchésographie* (1588) de Thoinot Arbeau (Jehan Tabourot). À la fois manuel de savoir vivre au bal, catalogue des danses en usage (branles divers, basse danse, gaillarde, pavane et tourdion, volte, moresque, canarie, gavotte, allemande...) avec exemples et instructions sur les pas et la manière de les interpréter, cet ouvrage est aussi d'une grande utilité pour les nombreuses indications concernant l'accompagnement musical des danses (instruments et interprétation).

C'est à Ferrare et à Milan qu'au xv⁰ siècle travaillent les plus célèbres maîtres à danser, dont certains passent à la postérité grâce à leurs écrits théoriques. À commencer par Domenico da Piacenza qui, après avoir organisé à Milan les fêtes du mariage de Tristano Sforza, appartient à la cour d'Este (1456-1470). Giovanni Martino, maître d'Eleonora d'Aragon à Naples, suit celle-ci à Ferrare lorsqu'elle épouse le duc Hercule Iᵉʳ. Juif d'origine comme son nom l'indique, Guglielmo Ebreo, converti sous le nom de Giovanni Ambrosio, déploie ses activités dans de nombreuses villes : Naples, Urbino, Milan, Mantoue, Pesaro et Ferrare, où il a pour élève Isabelle d'Este. Lorenzo Lavagnolo après avoir enseigné la danse aux princesses de Gonzague à Mantoue poursuit son activité à Ferrare auprès d'Isabelle, de Béatrice et de Lucrèce d'Este. Cornazano est gentilhomme : professeur de danse des enfants du duc de Milan, il dédicace son traité à l'un des fils de François Iᵉʳ Sforza.

Au xvi⁰ siècle, la suprématie des maîtres italiens est incontestable. Caroso dédie ses chorégraphies à de grandes familles romaines, mais aussi aux Médicis, Farnèse, Gonzague... Negri règle des danses pour Andrea Doria à Gênes et donne des leçons à Don Juan d'Autriche. Nombreux sont leurs compatriotes, dont beaucoup de Milanais, à essaimer dans divers pays européens. En Espagne séjournent Francesco Legnano et Virgilio Bracesco. En France, Bracesco enseigne la danse à Henri II et François II, Pompeo Diobono à Henri II, Charles IX et Henri III, G. Francesco Giera reste vingt ans au service d'Henri III. Tandis que Gio Ambrosio Valchiera est le maître des ducs de Savoie, G. Ambrosio Landriano est celui du grand-duc de Pologne, Alessandro Barbetta celui de la duchesse de Bavière et G. Stefano Martinello celui de l'archiduchesse de Cologne. Quant à Belgioioso, arrivé en France vers 1557, il se fait une solide place à la cour auprès de Catherine de Médicis.

3, 4, 5. Trois pas de gaillarde, illustrations pour le traité de Negri (*Nuove inventioni di balli,* 1604).

6. La Denise et La Haute-Bourgogne notées dans le *Livre des basses danses de la cour de Bourgogne* (fin xv⁰ siècle).

Le ballet de cour

DESTINÉ À DISTRAIRE LE ROI et son entourage, le ballet naît en France, à la cour des Valois, à la fin du XVIᵉ siècle. Sous l'influence de la Pléiade et de l'académie de Baïf (qui cherchent à faire renaître la tragédie antique), les organisateurs des plaisirs royaux s'emploient à inventer une forme de spectacle total qui conjugue poésie, musique vocale et instrumentale, danse et scénographie. Les récits, à l'origine déclamés, par la suite chantés, servent de fil conducteur à une intrigue plus ou moins cohérente. Interprétée par les courtisans, l'action se déroule en une série d'entrées, dont la dernière rassemble généralement l'ensemble des danseurs qui se sont jusqu'alors succédé.

Le succès des premières réalisations (*Ballet des Polonais,* 1573 ; *Ballet comique de la reine,* 1581) encourage la propagation du genre, même si les circonstances politiques empêchent la répétition d'ouvrages grandioses, favorisant au contraire chez les riches particuliers comme à la cour le ballet-mascarade et la boutade, plus courts, moins coûteux et parfois improvisés en quelques heures. Le grand ballet de cour, monté avec luxe, réclame quant à lui la participation de nombreux interprètes et la collaboration de plusieurs maîtres d'œuvre qui règlent et font répéter l'ouvrage. Dansé en principe une seule fois, ce ballet attire un public mélangé, dans une bousculade indescriptible.

Rois danseurs, tout aussi passionnés par l'art chorégraphique que le furent les Valois, les Bourbons accordent leur faveur à ce spectacle, qui s'épanouit sous leur règne et connaît son apogée durant la seconde moitié du XVIIᵉ siècle. Les plus brillants artistes de l'époque sont sollicités par Louis XIV pour réaliser des ouvrages impressionnants par leur nombre d'entrées et leur durée (4 heures en moyenne). Les salles des résidences royales servent d'écrin aux représentations : à Paris, le Petit-Bourbon, le Louvre, les Tuileries ou le Palais-Royal ; en Île-de-France, les châteaux de Vincennes, Fontainebleau, et surtout Saint-Germain-en-Laye. Devenue plus structurée, l'action se concentre désormais entièrement sur la scène. Les masques, les accessoires et les costumes, stéréotypés, facilitent la stylisation des personnages. Des danseurs professionnels entourent maintenant les seigneurs. Longuement mises en place et répétées, les œuvres sont données en une série de représentations afin de satisfaire un public toujours plus nombreux. L'engouement est tel que chaque année a lieu au moins une création de grand ballet de cour, le plus souvent durant l'époque du carnaval. Plusieurs créations se succèdent parfois, comme en 1654, où sont montés en février le *Ballet des proverbes,* en avril *les Noces de Pélée et de Thétis* et en décembre le *Ballet du temps.* Lorsqu'en 1670 Louis XIV renonce à danser, il porte un coup fatal au genre.

1. Un fantôme.

Les interprètes

DURANT UN SIÈCLE, LA COUR DE FRANCE SE DONNE EN SPECTACLE : NOBLES ET BOURGEOIS RIVALISENT DE PRESTESSE, D'AGILITÉ ET DE GRÂCE, ENTOURÉS DE QUELQUES BALADINS PROFESSIONNELS.

Au XVIᵉ comme au XVIIᵉ siècle, les gentilshommes, danseurs accomplis, trouvent tout naturellement leur place dans les divertissements organisés à la cour. Ministres, princes et favoris se font remarquer par leurs prouesses chorégraphiques. Bon nombre de ces amateurs éclairés se révèlent d'excellents interprètes et sont appelés à se produire très régulièrement, tels MM. de Vendôme, de Luynes, de Liancourt, de Bassompierre, Gaston et Philippe d'Orléans, MM. de Saint-Aignan, de Villeroy, de Joyeuse et de Villequier. Le roi lui-même participe volontiers à ces ballets : ainsi Charles IX et Henri IV. Mais ce sont surtout Louis XIII puis son fils qui se plaisent à paraître dans des entrées sérieuses ou, plus encore, bouffonnes. La Fronde à peine achevée, le jeune Louis XIV fait ses débuts dans le *Ballet de Cassandre* (1651) en chevalier puis en tricotet poitevin. Dix-neuf ans plus tard, c'est symboliquement dans le rôle d'Apollon qu'il fait ses adieux à la scène (dernier intermède des *Amants magnifiques*).

La plupart des ballets de cour sont entièrement joués par des hommes. Les rôles féminins sont alors interprétés en travesti, mais sans aucune ambiguïté, les jupes dans ce cas ne descendant pas au-delà des genoux. Si les dames ont moins souvent l'occasion de danser que les hommes, elles ne sont pas pour autant totalement exclues des ballets. Louise de Lorraine, l'épouse d'Henri III, entourée de ses suivantes, brille dans le *Ballet comique de la reine,* qui lui est dédié. Au Grand Siècle se distinguent notamment Henriette d'Angleterre, la princesse de Conti, la fille de Mme de Sévigné et les jeunes maîtresses du roi, Mlles Mancini, de La Vallière et de Mortemart, future Mme de Montespan. (*Ballets des arts,* 1663).

Plus on avance dans le siècle, plus la présence de danseurs professionnels s'intensifie, certaines entrées difficiles leur étant réservées. Les baladins du roi ont nom Belleville, Marais, Beauchamp, Baptiste (Lully), Dolivet, Favre, Lestang, Favier. Plus rares sont les ballerines de métier, qui comme Mlle de La Fontaine triompheront dans les tragédies lyriques, mais Mlles Mollier, La Faveur et Vertpré savent faire apprécier leur talent.

Ballet des fêtes de Bacchus

(Palais-Royal, mai 1651)

Les effets du breuvage divin sont évoqués en 31 entrées pour la plupart cocasses et grotesques. Les auteurs des décors, des machines et des costumes pleins de goût et d'invention, raffinés jusque dans le détail, sont restés anonymes. Louis XIV y interprétait successivement un filou ivre, un devin, un homme de glace, une bacchante et une muse.

•

Les maîtres d'œuvre

SPECTACLE TOTAL, LE BALLET DE COUR DEMANDE,
POUR QU'IL SOIT RÉUSSI, LA CONJONCTION DES TALENTS
DE PLUSIEURS ARTISANS QUI EN IMAGINENT ET EN
RÉALISENT LES DIFFÉRENTS ÉLÉMENTS.

C'est à l'ordonnateur des plaisirs royaux que revient le rôle de choisir le thème du spectacle. Grand seigneur (duc de Luynes, cardinal de Richelieu, M. de Saint-Aignan), homme de cour (M. Hesselin) ou artiste professionnel (Beaujoyeux), il doit aussi répartir et superviser les diverses tâches. Le livret, simple trame du spectacle, reste souvent anonyme. Les poètes sont chargés d'écrire les récits qui seront chantés dans les entrées et les vers dédiés aux danseurs (seulement imprimés dans le livret). Nombreux sont ceux qui apportent leur contribution au ballet, tels E. Durand, de Porchères, Expilly, de l'Estoile, Tristan L'Hermite ou Corneille. Parmi les plus recherchés figure Bordier (*Ballets de Minerve*, 1615, *de la douairière de Billebahaut*, 1626, ou *de la Marine*, 1635), tandis que, sous le règne de Louis XIV, Benserade s'impose pratiquement à l'exclusion de tout autre.

Un artiste conçoit l'harmonie générale des costumes. Il lui faut respecter certaines conventions : chargés de symboles et d'attributs aussi clairs que possible, les costumes, même les plus pittoresques, doivent permettre aux spectateurs d'identifier instantanément les personnages représentés. Dans les ateliers de Rabel (*Ballet des fées des forêts de Saint-Germain*, 1625), Gissey (*Ballet royal de la nuit*, 1653), puis Bérain (*le Triomphe de l'amour*, 1681) sont conçus de somptueux habits, pleins de couleurs et de broderies, dont la richesse matérielle n'a d'égale que la fantaisie baroque.

Les scénographes doivent faire preuve d'ingéniosité, leurs trouvailles étant souvent gage de succès : décors et machines sont en effet des éléments essentiels dans ces spectacles où l'aspect visuel prédomine. L'introduction en France de la scène à l'italienne, très nettement séparée de la salle par un proscenium, donne une dimension nouvelle à la représentation, facilitant les jeux de machinerie tels que les changements de décors à vue, les apparitions et disparitions de personnages dans les cintres ou sous le plateau, les effets de perspective feinte... Les maîtres dans ce domaine sont d'origine italienne : Francini (*Ballet de la délivrance de Renaud*, 1617), Giacomo Torelli (*les Noces de Pélée et de Thétis*) et Vigarani (*Ballet des saisons*, 1661).

Jusqu'à l'avènement de Lully, plusieurs compositeurs se partagent la création de la musique : les uns celle des airs chantés, les autres celle des danses. Cette dernière, soumise aux exigences chorégraphiques, est le plus souvent l'œuvre des maîtres à danser. Guédron, Boësset, Henry, Cambefort et Lambert se distinguent avant d'être éclipsés par le baladin florentin devenu surintendant de la Musique du Roi. Celui-ci sait briller tout autant dans les symphonies de danse que dans les récits et les chœurs (*Ballets des bienvenus*, 1655, *des saisons*, 1661, *de Flore*, 1669).

La chorégraphie est aussi souvent œuvre collective, plusieurs maîtres à danser se partageant les entrées. Danseurs professionnels, ils règlent les évolutions d'ensemble et les soli où alternent danses dénuées de sens narratif et passages plus expressifs. Beaujoyeux (*Ballet comique de la reine*), Belleville (*Ballet de Tancrède*, 1619), Mollier et Vertpré (*Ballet de la nuit*), Dolivet (*Ballet de l'impatience*, 1661) et plus encore Beauchamp (*Ballets de Psyché*, 1656, *d'Alcidiane*, 1658, ou *de la naissance de Vénus*, 1665) ont ainsi acquis une grande réputation. •

3. Le fleuve d'oubli (marquis de Genlis).

4. Un homme de glace.

5. Le devin.

Les thèmes

TOUR À TOUR FANTASQUES OU SÉRIEUSES,
COHÉRENTES OU DÉBRIDÉES, LES INTRIGUES CHERCHENT À
ÉBLOUIR, SURPRENDRE OU SÉDUIRE, SANS NÉGLIGER
LES ALLUSIONS AUX ÉVÉNEMENTS QUOTIDIENS.

Les sources d'inspiration sont soumises aux désirs de l'ordonnateur du spectacle, qui infléchit l'ouvrage vers telle ou telle tendance. Ainsi, le duc de Luynes encourage-t-il le ballet mélodramatique où se développe une intrigue unique, claire et logique (*la Délivrance de Renaud, l'Aventure de Tancrède*, 1619). Mais à ces ouvrages succèdent bientôt des ballets où, sous un vague prétexte, s'enchaînent des entrées de styles très variés dans un constant mélange des genres.

La mythologie antique occupe une place de choix. Depuis le *Ballet comique de la reine*, on ne compte plus les interventions de divinités grecques ou latines qui surgissent à propos avant de rejoindre les cieux en grande pompe. De Cérès à Jupiter, de Minerve à Apollon, elles sont nombreuses à évoluer sur un mode d'abord plutôt fantasque, puis progressivement noble et sérieux (*Ballets des fêtes de Bacchus*, 1651, *de la naissance de Vénus, de Flore*). Le jeu des allégories fournit quantité de personnages (les Saisons, les Heures, les Éléments, la Discorde, l'Agriculture, le Temps...), qui entourent et font cortège aux dieux de l'Olympe. Issus des romans, des épopées et des légendes à la mode (Le Tasse, l'Arioste, Gomberville), les héros galants et chevaleresques comme les redoutables ou charmeuses magiciennes ont les faveurs des librettistes (*Ballets du duc de Vendôme ou d'Alcine*, 1610, *d'Alcidiane*). L'exotisme sollicite très diversement les auteurs, qui multiplient les entrées d'Italiens, d'Espagnols, de Turcs ou de gitans ; celles des représentants des quatre parties du monde permettent d'introduire habilement sauvages africains ou américains, Maures ou Chinois (*Ballets des étrangers*, 1598, *des nations*, 1638, *de la douairière de Billebahaut, des bienvenus*).

La verve burlesque trouve à se satisfaire dans les boutades comme dans les grands ballets royaux, où le cocasse et le grotesque sont loin d'être absents. Souvent inspirés de l'actualité, les épisodes bouffons laissent libre cours aux inventions les plus folles (des costumiers notamment). On raille, on parodie, toutes les fantaisies sont permises aux estropiés, filous, ivrognes, fous, animaux divers ou fantômes (*Ballets des fées des forêts de Saint-Germain, du château de Bicêtre*, 1631, *de l'Amour malade*, 1657).

Si les indigestes ouvrages de propagande prônés par Richelieu échouent (*Ballets des quatre monarchies chrétiennes*, 1635, *de la félicité de l'heureuse naissance de Mgr le Dauphin*, 1639, *de la prospérité des armes de la France*, 1641), il n'empêche que le ballet de cour au XVIIᵉ siècle consacre le triomphe du sous-entendu politique plus ou moins évident et participe à la diffusion de l'image symbolique du Roi-Soleil. •

→ **Voir aussi :** L'opéra français, MUS, p. 350-351.

La danse
au théâtre et à l'opéra

AU CRÉPUSCULE DU XVIIᵉ SIÈcle, tandis que l'Italie réserve ses faveurs à l'élément lyrique, la France continue de porter son attention vers l'art chorégraphique, ayant conquis dans ce domaine une primauté qu'elle va longtemps conserver. Alors que le ballet de cour s'éteint, le goût prononcé des Français pour la danse trouve à se satisfaire au théâtre comme à l'opéra, où celle-ci s'impose sous forme d'intermèdes. Certes, elle n'y est qu'un élément secondaire, mais tout de même indispensable. Née à la cour de Louis XIV, la comédie-ballet vivra encore de beaux soirs durant le XVIIIᵉ siècle.

La danse occupe, d'autre part, une place importante dans l'opéra français : c'est là, d'ailleurs, l'une de ses constantes caractéristiques spécifiques. Qu'elle soit tragique ou tragi-comique,

toute œuvre montée à l'Académie royale de musique doit impérativement comporter plusieurs divertissements. Au temps des Lumières, les intermèdes chorégraphiques connaissent un développement considérable, assurant le triomphe de l'opéra-ballet. Solidement ancrée, la tradition persiste au XIXᵉ siècle, obligeant même les compositeurs étrangers à ajouter spécialement des ballets dans leurs ouvrages lorsqu'ils sont donnés à Paris.

Si la danse a joué un tel rôle dans l'art lyrique en France, c'est en grande partie en raison de la création par Louis XIV de la première troupe professionnelle de danseurs attachés à un théâtre : celle de l'Opéra de Paris. Le corps de ballet et l'école de danse de cette institution ont, en effet, servi de modèle et de référence, marquant et influençant profondément l'histoire du ballet occidental.

La danse
comme intermède

EN FRANCE, À LA FIN DU XVIIᵉ SIÈCLE, LA DANSE SE TROUVE ASSOCIÉE AUX FORMES THÉÂTRALES NOUVELLES COMME UN SIMPLE INTERMÈDE AVANT D'EN DEVENIR DURABLEMENT LE PLUS ORIGINAL ET LE PLUS APPRÉCIÉ DES ORNEMENTS.

Encouragés par Louis XIV, les auteurs et compositeurs français vont s'attacher à réaliser des spectacles où la danse puisse intervenir en s'intégrant du mieux possible à l'action. Dans ces ouvrages, le texte (joué ou chanté) prime sur tout autre élément. Mais, si le dramaturge ou le librettiste réussit son entreprise, les divertissements ne peuvent être soustraits de l'œuvre sans que cette opération n'en perturbe l'ordre, voire la compréhension.

La naissance de la comédie-ballet, si l'on en croit Molière (préface des *Fâcheux*, 1661), serait due au hasard. Lors de la fête organisée à Vaux-le-Vicomte par Fouquet en l'honneur de Louis XIV, faute de temps pour que les danseurs puissent changer de costume entre deux entrées de ballet, Molière et le maître à danser Beauchamp ont l'idée de glisser celles-ci entre les actes de la comédie. Afin de ne pas trop perturber le public, ils choisissent de tisser un lien entre l'intrigue de la pièce et les évolutions des danseurs.

Constatant le succès de ces *Fâcheux*, les deux compères, bientôt rejoints par Lully, vont s'employer à développer la formule et à la rendre plus cohérente. Très friand de ce genre, le roi leur passe des commandes qui sont créées sur la cour avant d'être reprises à la ville (*le Mariage forcé*, 1664 ; *l'Amour médecin*, 1665 ; *George Dandin*, 1668 ; *Monsieur de Pourceaugnac*, 1669). *Le Bourgeois gentilhomme* (1670) consacre l'osmose parfaite entre la chorégraphie et l'intrigue dramatique. Hélas, au XVIIIᵉ siècle, la Comédie-Française perd l'habitude de donner ses ouvrages avec leurs ballets, entravée par l'exorbitant privilège de l'Académie royale de musique qui lui interdit toute représentation avec musiciens et danseurs. Mais, de son côté, la Comédie-Italienne ne craint pas de truffer certains de ses spectacles d'intermèdes dansés à succès (*la Joie imprévue*, de Marivaux, 1738 ; *le Prince de Salerne*, 1746 ; *les Fées rivales*, 1748 ; *le Prix de la beauté*, 1755).

C'est plus encore dans le domaine lyrique que la danse trouve en France un terrain de prédilection. Après que Mazarin a vainement tenté d'imposer à la cour l'opéra italien – auquel il a pourtant pris garde pour la circonstance de faire ajouter des divertissements dansés, comme dans *Xerxès*, de F. Cavalli, représenté en 1660–, Lully propose la « tragédie en musique ornée d'entrées de ballet » dans laquelle, au prologue comme dans chacun des 5 actes, s'insère au moins un intermède dansé. Durant le XVIIIᵉ siècle, ce genre noble et sérieux (*Atys*, 1676, *Phaéton*, 1683, de Lully ; *Hippolyte et Aricie*, 1733, *Castor et Pollux*, 1737, de Rameau) rivalise avec la plus légère et souriante tragi-comédie-ballet dont le prologue et les 3 actes réclament tout autant la danse (*Issé*, 1697, *Platée*, 1745, de A.C. Destouches ; *la Caravane du Caire*, 1783, de Grétry). Au XIXᵉ siècle, l'opéra français continue de se singulariser : si les intermèdes chorégraphiques interviennent de façon moins systématique, ils n'en sont pas moins inévitablement présents afin de satisfaire le public des abonnés. Plus ou moins bien amenés, réglés par les grands chorégraphes de l'époque (Taglioni, Coralli, Saint-Léon), ils sont interprétés par les plus célèbres ballerines. Certains de ces ballets occupent une place considérable (*le Dieu et la Bayadère*, 1830, de D. Auber) ou sont

L'opéra-ballet

HÉRITIER DU BALLET DE COUR ET GENRE PARTICULIÈREMENT PRISÉ EN FRANCE AU XVIIIᵉ SIÈCLE, L'OPÉRA-BALLET RÉSERVE UNE PLACE PRIVILÉGIÉE AUX ÉVOLUTIONS CHORÉGRAPHIQUES.

De tous les genres lyriques français, c'est l'opéra-ballet, comme sa dénomination le laisse d'ailleurs entendre, qui donne la part la plus belle à la danse. Des *Saisons* (1695), de Lully et Collasse sur un livret de l'abbé Pic, à *l'Union de l'amour et des arts* (1773), ce type d'ouvrage va connaître un immense succès. Spectacle éminemment visuel, il se situe dans la lignée du ballet de cour dont il hérite la structure en entrées autonomes. Celles-ci, de 3 à 5, brodent sur un thème commun qui est exposé au cours d'un prologue indépendant. Loin de l'unité dramatique de l'opéra lullyste, l'opéra-ballet multiplie au contraire l'alternance des tableaux galants (*les Stratagèmes de l'Amour*, 1726 ; *l'Empire de l'Amour*, 1733 ; *les Voyages de l'Amour*, 1736), champêtres (*les Plaisirs de la campagne*, 1719), allégoriques (*les Âges*, 1718 ; *les Éléments*, 1721 ;

les Sens, 1732 ; *les Romans*, 1736), exotiques (*l'Europe galante*, 1697 ; *les Fêtes vénitiennes*, 1710 ; *les Indes galantes*, 1735) et mythologiques (*les Muses*, 1703 ; *les Fêtes grecques et romaines*, 1723 ; *les Grâces*, 1735 ; *Les Fêtes d'Hébé*, 1739 ; *les Fêtes de l'Hymen et de l'Amour ou les Dieux d'Égypte*, 1747).

Dans l'opéra-ballet, l'action dramatique chantée n'est qu'un prétexte à gracieux divertissements : tout y est fait pour amener la danse, omniprésente au prologue comme dans chacune des entrées. Ainsi, dans *les Indes galantes*, archétype du genre, Fuzelier et Rameau imaginent-ils les charmantes interventions des représentants de la jeunesse française, italienne, polonaise et turque célébrant Hébé puis Bellone (prologue), une brillante fête provençale où s'enchaînent rigaudons et tambourins (le Turc généreux), une grandiose et pathétique célé-

Le corps de ballet de l'Opéra de Paris

En 1713, Louis XIV fixe à 22 (12 hommes et 10 femmes) le nombre des danseurs. Mixte et équilibré, le corps de ballet (dont les appointements restent inférieurs à ceux des chanteurs) va s'étoffer. À la fin des années 1780, alors que l'école française est à son apogée, la troupe regroupe environ 80 interprètes répartis en 5 grades (figurants, doubles, premiers doubles, remplacements et premiers sujets) et 3 genres (sérieux, comique et demi-caractère). Dans la seconde moitié du XIXᵉ siècle, la danse féminine prend nettement le pas sur la danse masculine. Le culte de la ballerine est à son comble, comme en témoignent les œuvres de Degas (2), alors que le danseur a été progressivement écarté de la scène. Aujourd'hui le Ballet de l'Opéra est la plus importante des grandes troupes mondiales (3). En 1989, il comptait 150 interprètes (82 danseuses, 68 danseurs) répartis en 5 grades (51 quadrilles, 40 coryphées, 36 sujets, 9 premiers danseurs et 14 étoiles).

1. Entrée de danse
à l'Académie royale de musique au début du XVIIIᵉ siècle (N. Bonnart, *l'Opéra*, 1710).

particulièrement remarqués (le ballet des nonnes de *Robert le Diable*, 1831, de Meyerbeer ; le bal masqué de *Gustave III*, 1833, de D. Auber ; la nuit de Walpurgis dans *Faust*, 1859, de Gounod). Si les compositeurs français se plient à cette tradition, les étrangers se voient contraints de se

mettre au diapason, non sans réticence parfois – ainsi Verdi avec le bal masqué des *Vêpres siciliennes* (1855) ou Wagner avec la bacchanale de *Tannhäuser* (1861) –, et l'on n'a aucun scrupule à rajouter un intermède au *Don Giovanni* de Mozart en 1834 ou au *Freischütz* de Weber en 1841. •

La danse à l'Opéra de Paris

BERCEAU DU BALLET CLASSIQUE,
L'OPÉRA DE PARIS, INSTITUTION PLUS DE TROIS FOIS
CENTENAIRE, EST À LA FOIS DÉPOSITAIRE DE LA TRADITION
ACADÉMIQUE ET UN LIEU DE RECHERCHE
ET DE CRÉATION PERMANENTES.

bration du soleil où alternent invocations chantées et dansées (les Incas du Pérou), un ravissant ballet de fleurs qui ont à souffrir d'un violent orage (les Fleurs, entrée ajoutée à la troisième représentation et remaniée par la suite), enfin une enjouée cérémonie du calumet de la paix (les Sauvages, entrée ajoutée en 1736).

C'est dans l'opéra-ballet que vont avoir lieu les premières tentatives de « danse en action » à l'Académie royale de musique de Paris. Le souci narratif perce déjà dans les réalisations de Marie Sallé qui tente de faire de certains divertissements de véritables petits ballets (les Fleurs des *Indes galantes ;* Terpsichore, entrée d'Églé des *Fêtes d'Hébé,* 1739 ; Entrée turque de *l'Europe galante,* reprise de 1736). Puis Cahusac se fait partisan d'intermèdes chorégraphiques représentant une situation et intervenant comme élément du développement de l'intrigue (*les Fêtes de Polymnie,* 1745 ; *les Dieux d'Égypte*), préparant ainsi l'arrivée du ballet-pantomime. •

La tradition du Ballet de l'Opéra de Paris remonte à la fin du XVIIe siècle. Lorsque Pierre Perrin obtient, en 1669, l'exclusivité de faire représenter des spectacles en musique chantés en français, il s'adjoint les services de l'illustre Beauchamp pour régler les intermèdes de sa première réalisation : *Pomone* (1671). Lully, en rachetant le privilège et en dirigeant l'entreprise baptisée Académie royale de musique, devait aussitôt (1672) donner à la danse théâtrale le statut d'une profession à part entière. Il confie la troupe aux soins de Beauchamp. Composée exclusivement de danseurs, elle rassemble les baladins qui se produisaient jusque-là aux côtés du roi dans les entrées des ballets de cour. Quant aux danseuses, elles doivent attendre 1681 pour faire leur entrée à l'Opéra. En 1713, Louis XIV fonde officiellement l'École de danse, créant les conditions indispensables au maintien d'une troupe de ballet de haut niveau. Si les ballerines (Subligny, Prévost), commencent à rivaliser sérieusement avec leurs collègues masculins (Pécourt, Ballon, Blondy), les hommes n'en demeurent pas moins les vedettes. C'est au milieu du XVIIIe siècle que les demoiselles Camargo, Sallé, puis Guimard éclaboussent quelque peu le prestige des « dieux de la danse » (Dupré, G. et A. Vestris). En situation de monopole, l'Opéra tente d'empêcher le déve-

loppement de l'art chorégraphique hors de ses murs, mais il doit faire face à la concurrence débridée de l'Opéra-Comique et de la Comédie-Italienne qui osent dans ce domaine des expériences intéressantes. Peu perméable à la nouveauté, se satisfaisant des divertissements dans les ouvrages lyriques, l'Opéra attendra les années 1770 pour introduire dans son répertoire les premiers ballets-pantomimes. Plus que Noverre, ce sont les frères Gardel qui imposeront ce nouveau genre.

Au XIXe siècle, la troupe de danse se produit désormais simultanément dans les ballets-pantomimes et les intermèdes des opéras. Le ballet romantique naît à l'Opéra avec *la Sylphide* (1832) et y trouve son chef-d'œuvre avec *Giselle* (1841). Les plus grandes étoiles (Taglioni, Elssler, Grisi, Cerrito) reçoivent leur consécration à Paris, tandis que la danse masculine brille de ses derniers feux (Perrot, L. Petipa). En effet, une période de déclin débute en 1870 : les créations s'amenuisent,

les danseurs disparaissent (et les rôles masculins sont interprétés par des femmes en travesti), les ballerines étrangères, italiennes surtout (C. Rosati, R. Sangalli, C. Zambelli), déferlent. L'ouverture du foyer de la danse (1831) aux abonnés exerce pendant un siècle un attrait irrésistible sur le public masculin de la haute bourgeoisie, et encourage la coutume d'entretenir une danseuse.

Dans les années 1920, le Ballet de l'Opéra sort enfin de la décadence. Sous la direction d'A. Aveline et de S. Lifar, il retrouve une place mondiale prépondérante. Dépositaire de la grande tradition académique, c'est aussi un lieu de création où sont invités les plus prestigieux chorégraphes, classiques (Balanchine, Béjart, Petit, Kylian, Neumeier) ou non (Taylor, Nikolais, Cunningham, Dunn). En 1973 a été créé un Groupe de recherche chorégraphique (confié à sa création à Carolyn Carlson puis par la suite à Jacques Garnier) spécialisé dans la « modern dance ». •

2. *Répétition d'un ballet sur la scène* (1874), par Degas (détail).

3. Le défilé du corps de ballet, salle Garnier.

2. Lioudmila Semeniaka et Mikhaïl Lavrovski.

Le ballet pantomime

Le BALLET PANTOMIME, tel qu'il est encore conçu de nos jours, raconte une histoire sans l'apport de la parole chantée.

Les premières tentatives de ballet narratif ont lieu à Londres au début du XVIIIe siècle. En réalisant dans les années 1710 des spectacles qui mêlent adroitement mime et danse, John Weaver fait œuvre de précurseur. Il sera bientôt suivi par Marie Sallé, puis, vers 1750, par les Français Dehesse et Noverre, l'Autrichien F. Hilverding et l'Italien G. Angiolini. La danse n'est plus le simple ornement, souvent gratuit, d'une pièce lyrique. Devenue autonome, c'est désormais un « art imitateur » sur lequel repose la progression dramatique. En France, le « ballet d'action » s'épanouit d'abord en marge de l'Opéra de Paris (à la Foire et à la Comédie-Italienne). Il trouve en Noverre un ardent partisan et défenseur. Le genre finit par s'imposer dans les années 1770 pour devenir dominant durant tout le XIXe siècle.

L'évolution de la mode conjuguée à une progression de la technique favorise, dans les années 1830, l'éclosion du ballet romantique. Paris demeure la capitale mondiale de l'art chorégraphique. Mais, à partir de 1870, figé dans des sujets non renouvelés et des chorégraphies peu inventives, le ballet en Europe occidentale sombre dans la décadence. Dans le même temps, sous l'impulsion de Petipa, la Russie favorise le développement du grand ballet académique. Au XXe siècle, alors que le ballet sans thème fait un retour en force, le ballet à thèse, qui cherche à faire réfléchir plus qu'à raconter, tend progressivement à supplanter le ballet à thème.

Noverre théoricien du ballet d'action

À LA FIN DU XVIIIe SIÈCLE, LE CHORÉGRAPHE JEAN GEORGES NOVERRE S'INTERROGE SUR LES FONDEMENTS DE L'ART DU BALLET ET SUR LES FACULTÉS D'EXPRESSION DE LA DANSE.

Plus qu'à ses réalisations chorégraphiques, c'est à la publication de ses *Lettres sur la danse* (1760) que Noverre doit sa gloire et sa postérité. Dans cet ouvrage qu'il ne cessa de remanier et d'augmenter, il s'attache, notamment, à définir les principes fondamentaux du ballet d'action.

Fort de l'esprit des Lumières, dans le sillage du librettiste et théoricien Louis de Cahusac, Noverre condamne la danse décorative et le ballet sans thème qui règnent alors dans la plupart des divertissements d'opéras. À ses yeux, « les danses figurées qui ne disent rien, qui ne présentent aucun sujet, qui ne portent aucun caractère, qui ne tracent pas une intrigue suivie et raisonnée » n'offrent guère d'intérêt. En opposition à cette danse qu'il qualifie de « mécanique ou d'exécution », il préconise une « danse pantomime ou en action » qui « captive le cœur et l'entraîne aux plus vives émotions ». Se référant à Plutarque, Noverre définit le ballet comme « une conversation muette, une peinture parlante et animée qui s'exprime par les mouvements, les figures et les gestes ». Au nom de l'imitation de la nature, le ballet doit se présenter, par la danse, comme « la peinture vivante des passions, des mœurs, des usages, des cérémonies et du costume de tous les peuples de la Terre ». La partie chantée supprimée, il convient pour le librettiste-chorégraphe de bien construire et de bien exposer l'intrigue dramatique. Puisés aux sources de la vie, les sujets peuvent être variés : champêtres, galants, anacréontiques ou exotiques. Mais Noverre avoue une prédilection pour le genre héroïque et tragique, plus apte selon lui à fournir « de beaux caractères, des situations à dessiner, des groupes à imaginer, des incidents à saisir, des coups de théâtre à peindre ; [...] les passions étant plus fortes et plus décidées [...], l'imitation en devient plus facile et l'action de pantomime plus chaude, plus vraie, plus intelligible ». En grand théoricien, il a su mettre en forme les idées qui étaient dans l'air du temps. ●

Giselle, pas de deux du 2e acte

Giselle est morte, c'est son fantôme que le prince voit apparaître et qu'il tente de retenir. Les versions successives ont traduit ici, et uniquement par la danse, l'aspect immatériel, éthéré de la wili. Ce n'est plus un être de chair et de sang, mais un esprit : elle ne marche pas, elle glisse sur le sol, l'effleurant à peine du bout de ses chaussons de satin ; elle ne bondit pas, elle vole, tourbillonnant autour d'Albert dans une suite de sauts aériens. De même dans les grands portés, celui-ci cherche à l'atteindre, mais en vain : elle se joue de la pesanteur et lui échappe sans cesse. Duo d'amour impossible, ce pas de deux nécessite une grande intériorité ainsi qu'une technique transcendée et sublimée afin de susciter l'émotion.

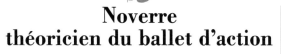

1. Élisabeth Platel et Charles Jude.

Le ballet romantique

AU XIXᵉ SIÈCLE, LE COURANT ROMANTIQUE GAGNE LE BALLET, QUI CONNAÎT UNE RÉVOLUTION SEMBLABLE À CELLE QUI TOUCHE LES AUTRES ARTS ET SE FAIT L'EXPRESSION DES GOÛTS DU MOMENT.

Avec *la Sylphide*, Filippo Taglioni (1832) consacre l'avènement d'une ère nouvelle. L'apparition des pointes est venue bouleverser les habitudes et les schémas anciens pour se mettre au service d'une autre conception du ballet. En même temps, les thèmes se renouvellent : spiritualisme, attrait pour le fantastique et l'ailleurs plus ou moins lointain, nostalgie du passé moyenâgeux font désormais oublier les dieux de l'Antiquité et la mythologie gréco-latine.

Dans son aspect le plus novateur, le ballet romantique exalte l'amour impossible pour un être inaccessible. Le héros, simple mortel, est voué à aimer quelque créature surnaturelle, wili, ondine ou ombre... L'action transporte le spectateur dans deux univers : l'un terrestre, situé avec précision dans le temps et dans l'espace ; l'autre irréel, peuplé de fées, d'esprits ou de fantômes. Si le premier permet un grand déploiement de couleur locale (tant au niveau des costumes et des décors que des danses de demi-caractère plus ou moins inspirées du folklore), le second est propice aux atmosphères irrationnelles, mystérieuses et poétiques.

Les épisodes fantastiques se condensent en un acte, comme dans *Giselle* (1841) – 2ᵉ acte, dit « acte blanc » : la forêt peuplée de wilis – ou dans *Napoli* (1842) – 2ᵉ acte : la grotte bleue et les néréides –, ou bien truffent çà et là l'intrigue comme dans *la Peri* (1843) avec la scène du songe et la montée au Paradis d'Allāh, ou dans l'*Ombre* (1839), qui met en scène apparitions et disparitions de l'ombre de la fiancée défunte. Dans une ambiance bleutée rendue possible grâce aux nouvelles ressources de l'éclairage au gaz, les ballerines traversent délicatement la scène levées sur leurs pointes. Vêtues du long et léger juponnage de mousseline blanche (devenu, depuis *la Sylphide*, « l'uniforme » de la danseuse), elles semblent échapper aux contraintes terrestres. Tapis roulants, fils invisibles reliés aux cintres servent à créer l'illusion de l'envol et de l'immatérialité de ces êtres éthérés.

Le ballet romantique se plaît à exalter le thème de l'amour mystique, plus fort que la mort : ainsi Achmet rejoint finalement la Peri, Loredano l'Ombre et Rudolph la Fille du Danube... tandis que le fantôme de Giselle sauve Albert du sort tragique que lui réservent les wilis.

Le penchant pour les phénomènes surnaturels se concrétise également dans les diableries, qui connaissent une vogue certaine. Dans *le Diable boiteux* (1836), *Satanella* (1842), *la Fille de marbre* (1847) ou *le Violon du diable* (1849), des créatures infernales sont chargées de séduire quelques âmes afin de les entraîner dans les profondeurs de la Terre.

Si le goût marqué pour le pittoresque transparaît dans le genre fantastique, il s'épanouit plus encore dans le genre exotique. La soif de l'inconnu offre aux librettistes, parmi lesquels Th. Gautier, de larges perspectives. Le thème du voyage permet de faire évoluer les héros dans des contrées diverses : ainsi *la Gitana* (1838) invite les spectateurs à la suivre de Madrid en Russie en passant par les Pyrénées françaises. Si l'Allemagne, l'Écosse et les pays nordiques suscitent l'imagination, c'est plus en raison de leurs légendes poétiques. La quête de l'ailleurs trouve à se satisfaire plutôt dans les pays ensoleillés : Italie, Espagne et Moyen-Orient. Gracieuses bayadères, odalisques lascives, aguichantes Espagnoles, brigands italiens, fascinants gitans font applaudir *Sakountala* (1858), *le Corsaire* (1856), *Paquita* (1846), *Marco Spada* (1857) ou *la Gypsy* (1839).

Enfin, le ballet romantique consacre le triomphe de la ballerine qui va régner jusqu'à nos jours, et c'est à l'intention des étoiles de l'époque qu'est réglé le *Pas de Quatre* (1845). •

Le ballet académique russe

À LA FIN DU XIXᵉ SIÈCLE, C'EST EN RUSSIE, SOUS LA FÉRULE D'UN MAÎTRE DE BALLET FRANÇAIS, QUE SE RÉFUGIE LA CRÉATION CHORÉGRAPHIQUE ET QUE SE STRUCTURE LE BALLET CLASSIQUE.

Alors que la tradition est rompue en Europe occidentale, le Ballet impérial de Saint-Pétersbourg offre à Marius Petipa l'occasion non seulement de reprendre, en les adaptant, les grands chefs-d'œuvre du ballet romantique (*Giselle*, notamment), mais aussi de composer, assisté par L.I. Ivanov, des ouvrages grandioses qui constituent encore la base du répertoire de toutes les grandes compagnies classiques.

Monté avec luxe, le ballet académique russe dispose de sommes importantes pour la réalisation de décors et de costumes somptueux, d'effets de mise en scène spectaculaires. De plus, contrairement à ce qui se passe dans les autres pays, des soirées entières sont consacrées à la danse, permettant la création d'ouvrages imposants en quatre actes. Petipa et son assistant peuvent ainsi satisfaire leur goût pour la féerie, dans des ballets-contes (*Coppélia*, 1870 ; *la Belle au bois dormant*, 1890 ; *Casse-Noisette*, 1892), et pour l'exotisme, dans des productions hautes en couleur (*la Fille du Pharaon*, 1862 ; *le Corsaire*, 1868 ; *Don Quichotte*, 1869 ; *la Bayadère*, 1877 ; *Raymonda*, 1898). Ayant eu la curiosité, durant sa jeunesse itinérante, d'observer les danses populaires des pays qu'il traversait, Petipa aime à régler des « pas de caractère », affectionnant tout particulièrement les espagnolades. Alors que les deux « actes blancs » (2ᵉ et 4ᵉ) du *Lac des cygnes* (1895) sont dus au talent d'Ivanov, le romantisme poétique inspire Petipa dans le dernier acte de *la Bayadère* (royaume des ombres).

S'ils sont parfois dépourvus d'intérêt dramatique, car sans cesse interrompus par des morceaux de bravoure, les ballets de Petipa obéissent à une construction parfaitement architecturée. Les séquences s'enchaînent, utilisant judicieusement ensembles et soli : chacun des membres du corps de ballet, extrêmement hiérarchisé, du plus petit sujet jusqu'à l'étoile, trouve un rôle à sa mesure. Aux passages de pure pantomime (certains rôles sont entièrement mimés, et non dansés, comme ceux de Don Quichotte dans le ballet du même titre, Abderam dans *Raymonda* ou Rothbart dans *le Lac des cygnes*) répondent de grandes plages de danse où l'inventif chorégraphe exploite toutes les ressources de la technique, conjuguant brio et sensibilité. Cortèges, variations, trios et inévitables pas de deux mettent en valeur les aptitudes des interprètes rompus au style académique parfaitement maîtrisé. Amenés de façon plus ou moins cohérente, les grands divertissements féminins (celui du jardin animé dans *le Corsaire*, du songe dans *Don Quichotte*, des ombres dans *la Bayadère* ou des flocons dans *Casse-Noisette*) sont surtout destinés à satisfaire le public des « balletomanes » influents. Ils n'empêchent pas la danse masculine d'occuper une place non négligeable, le danseur, tout aussi éblouissant virtuose que la ballerine, ayant l'occasion de faire montre de ses qualités (variations de l'Oiseau bleu dans *la Belle au bois dormant*, de l'esclave dans *le Corsaire*, ou de Basile dans *Don Quichotte*).

Héritier du ballet romantique, le ballet académique en développe et en prolonge les apports. Très solidement implantée en Russie, cette tradition se perpétue encore fortement dans les créations soviétiques (Zakharov : *la Fontaine de Bakhtchissaraï*, 1934 ; Lavrovski : *Roméo et Juliette*, 1940 ; Grigorovitch : *Fleur de pierre*, 1959 ; *Ivan le Terrible*, 1975 ; *Angara*, 1976) •

3. Iekaterina Maksimova.   4. Natalia Bessmertnova.

La technique académique

La belle danse

À L'ORIGINE DE LA DANSE
PROFESSIONNELLE CLASSIQUE, LA « BELLE DANSE » FRANÇAISE
NAÎT À LA COUR SOUS LA FÉRULE DE MAÎTRES QUI
EN ÉDICTENT LES PRINCIPES ESSENTIELS.

AU XVIIᵉ SIÈCLE, PRENANT LE relais des Italiens qui ont joué, durant la Renaissance, un rôle déterminant dans la création d'une technique déjà élaborée, les maîtres à danser français permettent l'éclosion de la danse académique. En effet, sous l'impulsion de Louis XIV, est instituée en 1661 l'Académie royale de danse. Indépendante de l'Académie royale de musique, elle a pour but de recenser et conserver le patrimoine chorégraphique existant, diriger et censurer en délibérant sur les bonnes ou mauvaises façons de danser, mais aussi proposer des nouveautés et enseigner son savoir. Le travail de réflexion et de codification ainsi encouragé aboutit à l'invention d'un système d'écriture de la danse, publié en 1700 à Paris par R.A. Feuillet. Grâce à celui-ci, les principes de la « belle danse », qui règne au bal comme à la scène, peuvent être facilement diffusés dans le royaume ainsi que dans les cours étrangères. Très recherchés, les maîtres à danser français exercent leurs talents dans toute l'Europe, colportant cette technique et son vocabulaire. Devenue l'affaire des seuls interprètes professionnels attachés à un théâtre, la danse évolue dès lors vers toujours plus de virtuosité.

Dans les années 1820, un important bouleversement se produit avec l'apparition des pointes, qui offrent de nouvelles possibilités pour la danseuse. Leur utilisation systématique finit par transformer la fonction de l'interprète masculin, particulièrement dans le pas de deux. Dans la première moitié du XIXᵉ siècle, le prestige de la danse française est intact : nombreux sont ceux venant faire ou parfaire leur apprentissage à Paris. Les professeurs dont la réputation dépasse les frontières hexagonales contribuent à la fondation d'écoles à l'étranger (entre autres en Russie). Cependant, à partir de 1840, l'hégémonie française va faire place à celle de l'Italie. Les danseuses milanaises envahissent les scènes européennes, avant que la Russie ne forme à son tour d'excellents interprètes. Chacune de ces écoles se singularise par des qualités et un style particuliers.

Portée à un haut degré de perfectionnement en Russie à la fin du XIXᵉ siècle, la technique académique trouvera encore à se dépasser au XXᵉ siècle.

À l'aube du XVIIIᵉ siècle, la codification entreprise à la fin du siècle précédent a abouti à la définition des termes et du contenu des pas, à l'analyse des mouvements et de leurs rapports avec la musique ainsi qu'à l'établissement de règles de composition et d'ornementation. La technique repose sur l'élévation et « l'en-dehors ». D'abord timide, la rotation de la jambe et du pied vers l'extérieur à partir de la hanche (qui donne au danseur une aisance dans les pliés et les sauts, et lui permet de se déplacer latéralement tout en restant face au public) ne cessera de se développer. Le vocabulaire est déjà fort étendu : organisé autour de 13 familles, il regroupe environ 500 pas, à terre et sautés. 5 positions de pieds fondamentales ainsi qu'un nombre d'actions qui persisteront au fil de l'évolution, telles celles de plier, relever, dégager ou assembler... Beaucoup de termes hérités de cette époque sont utilisés de nos jours en danse classique, mais, si le contenu moteur de certains est resté identique (entrechat, jeté), la plupart ne recouvrent plus les mêmes mouve-

3. Marie Taglioni
dans *la Sylphide*.

Les métamorphoses du costume de la danseuse professionnelle

Depuis le XVIIIᵉ siècle, le costume de danse a subi des transformations qui ont beaucoup influé sur l'évolution de la technique. Jusque dans les années 1830, il n'existe pas de tenue spécifique pour la ballerine, qui se présente dans un vêtement proche de l'habit de ville quotidien. L'invention du tutu remonte à la création de *la Sylphide* (1832) pour laquelle Eugène Lamy imagine l'aérien juponnage. Aussitôt adopté, il ne cesse de raccourcir et de s'alléger pour devenir plat au XXᵉ siècle, tandis que le chausson de pointes se renforce.

2. Madame Gardel dans *Psyché* (fin du XVIIIᵉ-début du XIXᵉ siècle).

1. Marie Sallé, soliste à l'Opéra de Paris dans les années 1730.

ments (sissonne, coupé...). Pas et sauts sont de petite amplitude. Danseurs et danseuses, portant perruques et chaussures à talon ornées de boucles ou rubans, doivent jouer avec de subtiles et délicates accentuations (élevé – appui sur demi-pointe –, tombé, glissé, demi-jeté), contrôler chaque geste, mettre en valeur la précision des positions, exécuter avec netteté dans l'espace de savants parcours géométriques. La belle danse demande aussi une parfaite coordination des mouvements de pieds et de bras. L'art de « conduire » ceux-ci (ronds et demi-ronds du coude, effacements et épaulements...), ornement de la chorégraphie dont la richesse s'estompe au cours du XVIIIᵉ siècle, est soumis à des lois complexes.

Au tournant des XVIIᵉ et XVIIIᵉ siècles, danse de bal et danse de spectacle obéissent aux mêmes fondements, ce qui explique que courtisans, danseurs amateurs et baladins professionnels se côtoient dans les entrées des ballets de cour. Cependant, au théâtre, l'enrichissement des pas requiert une grande habileté de la part des meilleurs solistes. Synonyme de grâce et soucieuse d'harmonie, la belle danse française disparaît au XVIIIᵉ siècle du bal de cour pour passer au théâtre, permettant l'élaboration de la danse classique.

Les pointes

APPARAISSANT SEULEMENT AU XIXᵉ SIÈCLE, LES POINTES FONT DE RÉELS ET RAPIDES PROGRÈS POUR S'IMPOSER IRRÉSISTIBLEMENT JUSQU'À DEVENIR L'EMBLÈME DE LA DANSE CLASSIQUE.

Dans la recherche constante de l'élévation, il était logique qu'ait lieu la conquête suprême : danser sur le bout des orteils. Fruit d'une lente préparation, la technique des pointes n'a pu naître que grâce à l'usage des sandales plates imitées de l'Antique qui se répand en France sous le Directoire. En effet, les escarpins légers, portés par l'homme comme par la femme, se substituent aux chaussures à talon de l'Ancien Régime et, si le danseur continue de travailler sur demi-pointes, la ballerine n'a bientôt de cesse que d'aller au-delà. Elles sont plusieurs à faire des tentatives dans ce sens, sporadiquement et simultanément dans différents pays vers 1820. Ce sont les Françaises Geneviève Gosselin (dès 1817), Angélique Mées-Saint-Romain et Fanny Bias qui restent dressées quelques instants sur l'extrémité de leurs pieds. L'Italienne Amalia Brugnoli à Vienne en 1823 tente, non sans effort avec les bras, de se relever sur pointes. Les évolutions d'Avdotia Istomina en Russie enchantent Pouchkine. Ce qui n'est

qu'une prouesse acrobatique (le chausson étant encore trop souple pour obtenir une station prolongée sur les orteils) va prendre une dimension tout autre avec Marie Taglioni (1804-1884). Première à maîtriser la technique, elle dépasse la seule virtuosité pour faire des pointes un élément expressif que son père a le génie d'utiliser au service de l'inspiration romantique dans *la Sylphide* (créée à l'Opéra de Paris en 1832), le premier des « ballets blancs ». Peu à peu, suivant l'exemple des solistes, l'ensemble des interprètes féminines en acquiert à son tour la pratique : il semble que le corps de ballet se produise aussi sur pointes dans les années 1860. En repiquant et brodant le bout du chausson de satin, en le rembourrant de coton, la danseuse se donne les moyens d'évoluer de façon plus aisée et de perfectionner le procédé. D'abord obliques, les pointes se redressent progressivement jusqu'à devenir verticales. Désormais renforcé, le chausson permet à la ballerine non seulement de piquer, mais aussi de relever sur pointes. •

Le pas de deux

DU XVIIIᵉ AU XIXᵉ SIÈCLE, LA DANSE EN COUPLE SUBIT DES MUTATIONS PROFONDES QUI FINISSENT PAR DONNER À LA DANSEUSE UN RÔLE PRÉPONDÉRANT.

Si, au XVIIᵉ siècle, la danse de spectacle fait surtout la part belle aux interprètes masculins, dans les premières années du XVIIIᵉ, la technique féminine qui a grignoté son retard rivalise avec celle des hommes. Les évolutions en couple mettent danseuse et danseur sur un total plan d'égalité. Les chorégraphies des « entrées à deux » (incluses dans les ouvrages lyriques) notées par Feuillet – qui garda ainsi la mémoire de nombreuses danses créées par Pécourt pour l'Opéra – nous montrent que chacun exécute systématiquement les mêmes pas, effectuant en miroir des figures géométriques identiques, se croisant, se détournant ou se cherchant du regard, s'effleurant parfois de la main (bourrée d'*Achille*, 1700 ; passacaille pour M. Ballon et Mlle de Subligny dans *Persée* ou entrée dansée par M. Dumirail et Mlle Victoire dans *Hésione*, 1704).

Jusqu'au milieu du XIXᵉ siècle, le travail en couple demeure le fait de deux individus, sans prédominance de l'un ou de l'autre, comme il est possible d'en juger

dans les ballets de A. Bournonville : les interprètes y enchaînent alternativement une succession de variations tout aussi brillantes. Ainsi, au 2ᵉ acte de *la Sylphide*, James et l'aérienne créature virevoltent et bondissent tour à tour, s'entraînant mutuellement, sans jamais se toucher sinon dans la pose finale qui les réunit. Pourtant, c'est bien l'apparition des pointes qui va modifier cette relation. En aidant la ballerine qui ne peut réaliser seule certaines prouesses, le danseur est petit à petit relégué au second plan pour devenir son soutien (dans les équilibres et les tours) et son porteur. D'abord timides et maladroits, les portés se développent tandis qu'une technique spécifique s'élabore. Finalement, c'est à la fin du XIXᵉ siècle en Russie que Petipa établit la structure du grand pas de deux classique : adage (le danseur n'y est qu'un faire-valoir de sa partenaire), suivi des variations (masculine puis féminine) où chacun fait montre de ses qualités et, pour finir, brillante coda durant laquelle tous deux se rejoignent. •

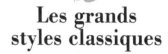

4. Élisabeth Maurin en 1988 dans *le Lac des cygnes.*

Les grands styles classiques

AU XIXᵉ SIÈCLE, DIFFÉRENTS STYLES S'AFFIRMENT DANS CHACUNE DES GRANDES ÉCOLES FRANÇAISE, ITALIENNE, DANOISE ET RUSSE.

Dans les premières années du XIXᵉ siècle, l'école de l'Opéra de Paris perpétue les qualités qui ont fait sa renommée et son succès depuis sa création (1713). Toujours noble, aérien et harmonieux, le style français réclame des interprètes la dissimulation de l'effort des mouvements accomplis dans les règles de l'art et parfaitement finis, une technique maîtrisée qui sera mise au service de l'expression des sentiments. Succédant aux Vestris et Gardel, J.-F. Coulon forme une dernière génération d'étoiles. Mais la suprématie de l'école française est battue en brèche dès les années 1820. Blasis, lui-même formé en France, et ses successeurs donnent un éclatant retentissement à l'école de la Scala de Milan. Essentiellement féminin, le style italien encourage les performances spectaculaires, accordant moins de prix à la distinction qu'à la virtuosité et à la vivacité. Négligeant la netteté et le moelleux de l'exécution au bénéfice du brio, de la rapidité et de l'effet, il favorise le développement des

tours multiples, des équilibres audacieux, de la petite batterie et de l'enchaînement des difficultés dans les manèges. À la fin du XIXᵉ siècle, Pierina Legnani sera ainsi la première à réaliser d'affilée les fameux 32 fouettés en tournant.

Alors qu'elle se perd dans son pays d'origine, la tradition française trouve refuge au Danemark et en Russie. Sous la direction de Bournonville, qui a étudié à Paris, l'école danoise s'oriente vers un style conjuguant agilité, ballon, rigueur et grâce quelque peu affectée. L'école de Saint-Pétersbourg, avec le Marseillais M. Petipa et le Suédois C. Johansson (élève de Bournonville), met à profit l'héritage français qu'elle enrichit des apports italiens auxquels viennent s'adjoindre le lyrisme slave. Le style russe – où l'accumulation de prouesses n'est pas exclue à condition d'être réalisée impeccablement – se propagera dans le sillage de la compagnie de Diaghilev en suscitant de nouveaux talents (France, Grande-Bretagne et États-Unis). •

Les Ballets russes de Diaghilev

L E 18 MAI 1909, AU THÉÂTRE du Châtelet, le public parisien découvre avec enthousiasme les Ballets russes de Diaghilev.

Critique d'art, Serge de Diaghilev se fait connaître en promouvant avec succès l'art russe à Paris, révélant peintres (1906) et compositeurs (1907) de son pays, jusqu'alors inconnus en Europe occidentale. Dans le même esprit, il présente l'opéra *Boris Godounov* avant de faire venir un groupe de danseurs choisis parmi les plus brillants de la troupe du théâtre Marie de Saint-Pétersbourg. Le triomphe qui s'ensuit encourage Diaghilev à se consacrer désormais à la danse : devenu impresario, il anime avec passion cette compagnie itinérante, qui coupe ses liens avec le ballet impérial de Saint-Pétersbourg en 1911. Applaudis à Paris, à Londres, à Rome, à Madrid, à Monte-Carlo puis en Amérique, les Ballets russes ne se produiront jamais dans leur pays d'origine.

Diaghilev ne se contente pas d'être un simple directeur de troupe, il est l'âme de la compagnie, qui d'ailleurs ne lui survivra pas (1929). Plein d'idées, il est à l'origine de tous les projets, choisit et réunit les artistes qui vont collaborer à la création des ouvrages. En effet, il s'attache à monter des spectacles dont tous les éléments doivent être de qualité : chorégraphie, musique et scénographie sont ainsi confiées aux plus grands artistes de l'époque, car Diaghilev possède le génie de détecter les talents. Dans le seul domaine de la danse, il révèle tous les jeunes chorégraphes qui vont amener la réforme néoclassique. Diaghilev préfère aux grands ballets en plusieurs actes des œuvres courtes qui permettent de composer des programmes variés et de pratiquer l'alternance. Le répertoire, fait essentiellement de créations, réserve une place importante à la danse masculine. Le brio et l'aura des danseurs – Nijinski, Massine, Dolin et Lifar, vedettes de la compagnie – font souvent injustement oublier leurs remarquables partenaires (Karsavina, Markova, Danilova, Spessivtseva).

En réhabilitant les spectacles chorégraphiques, Diaghilev met fin à la décadence du ballet occidental, et les extraordinaires réalisations des Ballets russes ouvrent la voie au ballet classique contemporain.

La collaboration avec les musiciens et les peintres

DANS SA SOIF D'ÉBLOUIR ET DE SURPRENDRE LE SPECTATEUR, DIAGHILEV N'HÉSITE PAS À FAIRE APPEL À TOUS LES ARTS AFIN D'OFFRIR À LA CHORÉGRAPHIE UN ÉCRIN ÉCLATANT.

T ant dans le domaine de la scénographie que dans celui de la musique, Diaghilev cherche à réagir contre les usages du XIXe siècle : il refuse la routine, les décors fades brossés par de médiocres talents, les partitions insipides qui soulignent grossièrement les prouesses des interprètes vedettes. Pour changer tout cela, il s'entoure d'artistes exceptionnels. On demeure stupéfait aujourd'hui lorsque l'on consulte l'impressionnante liste des musiciens et peintres, débutants ou reconnus, conviés par Diaghilev à travailler pour sa compagnie : s'y trouvent en effet les principaux artistes contemporains.

En ce qui concerne la musique, Diaghilev s'adresse aussi bien aux grands compositeurs du temps qu'à ceux, plus remuants, de l'avant-garde. Il passe ainsi commande à Ravel (*Daphnis et Chloé,* 1912), à Debussy (*Jeux,* 1913) et à Richard Strauss (*la Légende de Joseph,* 1914) comme à Satie (*Parade,* 1917 ; *Jack in the box,* 1926), à Poulenc (*les Biches,* 1924), à Auric (*les Fâcheux,* 1924), à Milhaud (*le Train bleu,* 1924), à Sauguet (*la Chatte,* 1927) et à Rieti (*le Bal,* 1929). Diaghilev, lui-même musicien, met à profit ses voyages pour rechercher dans les bibliothèques des partitions oubliées qu'il fait orchestrer ou arranger par de jeunes compositeurs (Scarlatti par Tommasini, *les Femmes de bonne humeur,* 1917 ; Rossini par Respighi, *la Boutique fantasque,* 1919 ; ou Montéclair par H. Casadesus, *l'Amour vainqueur,* 1924). Mais la plus belle de ses découvertes reste Stravinski, qui écrit à l'intention des Ballets russes quelques-unes de ses pièces maîtresses (*l'Oiseau de feu,* 1910 ; *Petrouchka,* 1911 ; *le Sacre du printemps,* 1913 ; *Pulcinella,* 1920 ; *Renard,* 1922 ; *les Noces,* 1923 ; *Apollon Musagète,* 1928). Outre Stravinski, les Russes – Tcherepnine, Borodine, Glazounov, Nabokov comme Rimski-Korsakov (*Schéhérazade,* 1910) et Prokofiev (*le Fils prodigue,* 1929) – occupent une place de choix dans les productions de Diaghilev.

En matière de scénographie, Diaghilev privilégie aussi ses compatriotes : ce sont d'abord A. Benois (*Giselle, Petrouchka*) et L. Bakst (*Schéhérazade, l'Après-midi d'un faune*), dont les cha-

1 et 2. Picasso, *Parade* : études pour le « Manager américain » et la « Tête de cheval ».

3. Picasso, *Parade* : esquisse pour le rideau de scène.

2.

Picasso et les

Parmi la pléiade d'artistes qui collaborèrent aux Ballets russes, le nom de Picasso reste attaché à quelques-unes des productions notoires de la compagnie. Lié à la troupe par son premier mariage avec l'une des ballerines, Olga Koklova, le peintre espagnol fut amené à travailler plusieurs fois avec Diaghilev. Il peignit pour *Parade, le Tricorne* et *le Train bleu* les plus célèbres rideaux d'avant-scène que Diaghilev aimait pré-

toyantes réalisations influencent les arts décoratifs et la mode, puis les Soviétiques d'avant-garde Gontcharova *(Noces),* Larionov *(Chout,* 1921 ; *Renard,* 1922), Gabo et Pevsner *(la Chatte).* Toujours à la recherche du sensationnel, Diaghilev engage la jeune génération des plasticiens à inventer non seulement décors et costumes, mais également rideaux de scène, machines et dispositifs scéniques, où toutes les dernières ressources de la technique sont mises à contribution. Picasso bien sûr, mais aussi Braque *(les Fâcheux),* Gris *(l'Amour vainqueur),* De Chirico *(le Bal),* Derain *(la Boutique fantasque,* 1925), Utrillo *(Barabau,* 1925), Rouault *(le Fils prodigue),* Laurencin *(les Biches),* Ernst et Miró *(Roméo et Juliette,* 1926) et même Matisse *(le Chant du rossignol,* 1925) collaborent ainsi avec les Ballets russes.

En réunissant autour de la danse l'essentiel de la création artistique de son temps, Diaghilev a profondément marqué l'art chorégraphique du XXᵉ siècle. ●

Le répertoire

EN VINGT ANS D'EXISTENCE,
LES BALLETS RUSSES DE DIAGHILEV CRÉENT UNE SOIXANTAINE
D'ŒUVRES, OÙ LA TRADITION CÔTOIE LES PLUS
AUDACIEUSES INNOVATIONS.

Tandis que les premiers ouvrages (destinés à montrer ce que le ballet russe avait alors d'incomparable) affirment l'héritage de la fin du XIXᵉ siècle vivifié par les apports de jeunes et nouveaux talents, après 1915, le répertoire s'oriente vers des spectacles ancrés de façon délibérée dans l'avant-garde.

Il ne faut pas oublier en effet que, par l'intermédiaire de la troupe de Diaghilev, les œuvres de Marius Petipa sont présentées, puis diffusées, pour la première fois hors de Russie et que *Giselle* (1910, avec Karsavina et Nijinski) fait sa réapparition sur les scènes de l'Europe occidentale. De Petipa, quelques-uns des grands pas de deux (dont celui de *l'Oiseau bleu*) sont inscrits au programme du *Festin* (1909), *le Lac des cygnes* est exécuté dans deux versions quelque peu remaniées (1911 et 1924), l'intégrale de *la Belle au bois dormant* est donnée en 1921 à Londres et le dernier acte *(le Mariage d'Aurore)* en 1922 à l'Opéra de Paris. D'autre part, avec *les Sylphides* (1909), Fokine rend un vibrant hommage au ballet romantique. Chaînon indispensable dans la transmission du patrimoine chorégraphique classique, les Ballets russes font surtout œuvre de création, tout d'abord en exploitant la veine folklorique, russe essentiellement. Les légendes et costumes des provinces de l'empire du tsar offrent de nombreux thèmes inédits dont s'emparent Diaghilev et ses collaborateurs. Ce sont les bondissantes « Danses polovtsiennes » du *Prince Igor* (1909), les rites de la vieille Russie *(le Sacre du printemps, les Noces),* la liesse de la foire de Saint-Pétersbourg *(Petrouchka)* comme les emprunts aux récits traditionnels *(l'Oiseau de feu ; Soleil de nuit,* 1915 ; *les Contes russes,* 1917 ; *Chout).* D'autre part, l'exotisme chatoyant, coloré et sensuel inspire *Schéhérazade, les Orientales* (1910) et *le Dieu bleu* (1912). Le goût de Diaghilev pour les danses populaires espagnoles transparaît dans *le Tricorne* (1919) ou *Cuadro flamenco* (1921). La commedia dell'arte suggère *Carnaval* (1910) et *Pulcinella,* les protagonistes d'une comédie de Goldoni égayent *les Femmes de bonne humeur,* et ceux d'une chanson populaire enfantine italienne donnent vie à *Barabau.*

Les sujets bibliques ou puisés dans l'Antiquité constituent une autre source d'inspiration particulièrement prisée *(Cléopâtre,* 1909 ; *la Tragédie de Salomé,* 1913). Le fantastique poétique s'exprime dans l'enivrante apparition du *Spectre de la rose* (1911) comme dans les évolutions des poupées et pantins animés de *Petrouchka,* de la *Boutique fantasque* et de *Jack in the box.*

Mais plus originaux sont les ballets qui trouvent leur source dans les gestes de la vie quotidienne : les mœurs et les distractions de la jeunesse dorée font ainsi naître *Jeux, les Biches* et *le Train bleu.* Diaghilev encourage les créations les plus osées et les plus surprenantes, notamment dans leur conception scénographique : *Parade* (1917), bien sûr, mais aussi *le Pas d'acier* (1927), hymne au travail en usine, ballet constructiviste, ou *Ode* (1928) avec éclairage au néon, costumes phosphorescents et projections cinématographiques.

Si les réalisations plus expérimentales des dernières années n'ont pas connu la pérennité, par contre, sur l'ensemble des créations des Ballets russes, une quinzaine figurent encore de nos jours dans leur version d'origine au répertoire des grandes compagnies de ballet. ●

4. *Parade* (1917) :
Leon Wójcikowski dans le rôle du Manager américain.

5. Picasso, *le Tricorne* : projet de costume pour le torero.

Ballets russes

senter en ouverture de certaines œuvres. Il réalisa les décors et costumes de ces trois ballets ainsi que ceux de *Pulcinella* et de *Cuadro flamenco.* Enfin, il illustra d'admirables dessins de danseuses le programme de la saison de 1923. Mais ce sont les costumes des « managers » de *Parade* qui frappèrent le plus et qui valurent à ce spectacle imaginé avec Jean Cocteau, Erik Satie et Léonide Massine sa qualification de « ballet cubiste ».

Les chorégraphes

DÉNICHÉS PAR DIAGHILEV,
CINQ CHORÉGRAPHES VONT SE SUCCÉDER AUX BALLETS
RUSSES : TOUS Y FONT, TRÈS JEUNES,
DES DÉBUTS FRACASSANTS.

Esprit curieux, Diaghilev se révèle particulièrement apte à déceler les talents en germe. Grâce à lui éclôt toute une génération de chorégraphes, russes d'origine, qui vont bouleverser les schémas du XIXᵉ siècle en faisant évoluer la technique académique comme la conception même du spectacle de danse.

C'est en premier lieu Michel Fokine, qui cherche et parvient à faire fusionner harmonieusement le vocabulaire de la danse classique avec la pantomime expressive. Il refuse la virtuosité pour elle-même : la danse, au service de l'argument, doit traduire les sentiments des acteurs, et les mouvements être adaptés aux situations. Construits autour de la personnalité flamboyante de Vaslav Nijinski, ses ouvrages utilisent les extraordinaires qualités techniques mais aussi très judicieusement les remarquables dons d'expression de son interprète vedette, qu'il transforme en troublant esclave d'or *(Schéhérazade),* pathétique pantin *(Petrouchka),* superbe divinité hindoue *(le Dieu bleu)* ou sensuel et aérien spectre de la rose. Le corps de ballet n'est plus relégué à un rôle ornemental mais participe activement à l'action. Passionné par les danses populaires de son pays, Fokine n'hésite pas à introduire dans ses chorégraphies des éléments directement empruntés au folklore (« Danses polovtsiennes » du *Prince Igor, Petrouchka, Thamar,* 1912).

Poussé par Diaghilev, Nijinski se lance dans des réalisations qui tranchent par leur originalité et se heurtent à la réticence du public. Refusant le brio technique (qui a fait sa gloire d'interprète) et l'esthétique linéaire de la danse classique, il s'inspire des gestes sportifs *(Jeux),* présente les artistes de profil, avec des mouvements anguleux *(l'Après-midi d'un faune),* ou fait travailler ses danseurs les pieds en dedans, poings serrés, épaules voûtées *(le Sacre du printemps).* Trop en avance, Nijinski chorégraphe est incompris ; ses œuvres, novatrices et dérangeantes, font scandale.

Moins révolutionnaire, Léonide Massine poursuit dans la voie tracée par Fokine. Associé à quelques-uns des spectacles les plus étonnants *(Parade, le Pas d'acier, Ode),* il sait unir à un classicisme souvent ironique *(Pulcinella)* des styles divers puisés dans le folklore *(Soleil de nuit, les Contes russes, le Tricorne, la Boutique fantasque),* le théâtre de la foire et la commedia dell'arte *(les Femmes de bonne humeur).*

Bronislava Nijinska et George Balanchine, quant à eux, posent les jalons du néoclassicisme. Nijinska s'impose dans un mode parodique et acrobatique *(Renard, les Biches, le Train bleu)* ou sobre et géométrique *(les Noces).* Balanchine élargit lui aussi le langage académique dans des œuvres accomplies et déjà profondément musicales *(la Chatte, Apollon Musagète, le Fils prodigue).*

La danse expressionniste

LA DANSE EXPRESSIONNISTE naît au début du XXᵉ siècle, alors que les milieux artistiques européens connaissent une période intense de remise en question. La danse ne reste pas insensible à cette effervescence qui permet l'éclosion de l'abstraction en peinture et de l'atonalité en musique. En réagissant contre la décadence que connaît à l'époque le ballet classique, en coupant délibérément tout lien avec la tradition académique, quelques fortes personnalités s'engagent dans le sillage d'Isadora Duncan. Deux courants surgissent indépendamment et simultanément de chaque côté de l'Atlantique. Se référant aux théories de François Delsarte, d'Émile Jaques-Dalcroze et de Rudolf von Laban, les danseurs-chorégraphes de la première génération se lancent dans des analyses du mouvement. La danse a pour eux l'ambition d'être vécue et de se faire l'expression d'une expérience intérieure : ils forgent leur propre technique.

Le nazisme entrave l'essor de l'expressionnisme en Allemagne : Laban se réfugie en Grande-Bretagne, les écoles de Mary Wigman à Dresde et de Kurt Jooss à Essen sont fermées, leurs compagnies sont dissoutes. Mais l'enseignement se poursuit en Angleterre (où Jooss s'est associé avec Sigurd Leeder) et aux États-Unis grâce à Hanya Holm, disciple de Wigman, qui jette ainsi le premier pont entre les mouvements européen et américain. Wigman et Jooss, reprenant leurs activités après la guerre, respectivement à Berlin-Ouest et à Essen, permettent à l'école allemande de connaître un renouveau depuis les années 1970.

Aux États-Unis, le Denishawn (institut créé par Ruth Saint Denis et Ted Shawn) se révèle être le principal creuset de la « modern dance ». Mais Martha Graham, Doris Humphrey et Charles Weidman, Lester Horton ainsi que Hanya Holm établissent les fondements de quatre grandes tendances, dont les ramifications sont toujours vivantes. Prouvant qu'il pouvait exister une voie autre que celle de la danse classique, certains perpétuent ou approfondissent l'enseignement de leur maître (José Limón, Bella Lewitsky et Joyce Trisler, Alwin Nikolais, Murray Louis), tandis que d'autres s'en écartent (Paul Taylor, Erick Hawkins), rompant, tel Merce Cunningham, radicalement avec leurs aînés.

Les nouveaux rapports aux éléments traditionnels

LES CHORÉGRAPHES S'APPLIQUENT À METTRE ACCOMPAGNEMENT SONORE ET ÉLÉMENTS SCÉNOGRAPHIQUES AU SERVICE DE LA DANSE.

Nombreux sont les chorégraphes expressionnistes venus à la danse après avoir fait des études poussées soit dans le domaine musical (Wigman, Jooss, Holm, Nikolais), soit dans celui des arts plastiques (Weidman, Limón, Taylor). Après avoir remis en cause la technique académique, tous s'interrogent aussi sur la fonction de la danse de scène et les liens que celle-ci doit entretenir avec la musique, le costume et le décor, trouvant chacun des réponses personnelles.

Les problèmes fondamentaux des rapports entre chorégraphie et musique font l'objet d'approches diverses. Les uns considèrent que la danse naît de l'écoute musicale. Ainsi, Isadora Duncan traduit les émotions que lui suggèrent de grandes œuvres, la plupart symphoniques. Elle est la première à évoluer systématiquement sur des partitions non écrites pour la danse (Wagner, Beethoven, Schubert...). Les « music visualizations » exécutées en ouverture des spectacles du Denishawn appliquent les principes de la rythmique dalcrozienne : chaque interprète suit fidèlement les notes d'un instrument de l'orchestre. D'une profonde musicalité, les œuvres de Taylor semblent jaillir des partitions classiques ou contemporaines qu'il affectionne. Dans une tout autre optique, certains s'attachent à dégager la danse de l'emprise musicale, se souciant de ne pas calquer les mouvements sur une musique préexistante. Wigman rejette tout accompagnement ou recourt aux seules percussions. L'habitude se prend d'utiliser un support mélodique écrit sur la base rythmique de la danse et souvent créé en étroite relation avec le chorégraphe. Les collaborations de Fritz A. Cohen avec Kurt Jooss, de Louis Horst avec Martha Graham et de Lucia Dlugoszewski avec Erick Hawkins sont à ce titre parfaitement exemplaires. Alwin Nikolais préfère, quant à lui, un environnement sonore électroacoustique, qu'il compose lui-même.

Isadora Duncan est aussi la première a rejeter le costume de

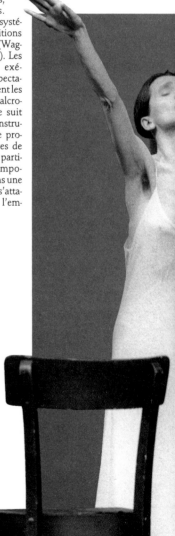

Les techniques

LES SÉRIEUSES ÉTUDES DU MOUVEMENT RÉALISÉES PAR LES THÉORICIENS COMME PAR LES CHORÉGRAPHES ABOUTISSENT À LA CRÉATION DE TECHNIQUES NOUVELLES.

Les théories émises par trois grands analystes du mouvement servent de point de départ au travail de recherche et aux observations qu'entreprennent les danseurs-chorégraphes expressionnistes.

En partant de l'idée que le geste est l'agent direct du cœur, qu'il est le révélateur de la pensée, qu'à une intention émotionnelle correspond une gestuelle, le philosophe Delsarte influence les pionniers de la modern dance américaine. En Europe, l'enseignement du compositeur Jaques-Dalcroze (inventeur de la rythmique, méthode d'éducation musicale par le mouvement) et, plus encore, celui de Laban sont déterminants dans l'établissement d'un langage neuf, débarrassé des contraintes académiques et où le geste doit être en adéquation avec l'émotion exprimée. Laban apporte à la danse la connaissance de ses paramètres spécifiques – espace, temps, énergie – ainsi que de toutes leurs composantes et combinaisons. Parmi les principaux mouvements, il distingue ceux de repli, de concentration, d'accumulation des influx et ceux qui partent du centre du corps vers l'extérieur en extension contrôlée ou impulsive, mouvements qui sont repris et érigés en fondements par la danse nouvelle.

L'idée première, qui guide autant les Européens que les Américains, est le refus de canons esthétiques préétablis. La danse est, en effet, tenue pour l'expression spontanée d'une pulsion ou d'un sentiment intérieur. Elle répond à une nécessité profonde, à des implications physiques, psychologiques, voire spirituelles. Cette conception, qui considère la danse comme une façon de se révéler à soi-même et de s'épanouir, admet toute sorte de geste pourvu qu'il soit vrai, sincère. Il ne peut donc y avoir une technique unitaire et codifiée : il appartient, en fait, à chaque danseur d'élaborer un vocabulaire chorégraphique qui lui soit personnel, d'où la profusion des techniques. Parties à la recherche de leur individualité, Wigman, Graham et Humphrey en ont construit chacune une, qui repose sur la maîtrise de la respiration et sur les notions respectives de flux-reflux, de contraction-détente, de chute-rétablissement. Les grands maîtres (Jooss, Holm, Nikolais...) ont ainsi affiné leur langage et leur enseignement. Si certaines techniques se sont imposées (tout particulièrement celles de Graham et de Humphrey-Limón, aux États-Unis et en Europe), les courants actuels vont plutôt vers un brassage et une refonte d'expériences diverses. ●

La génération expressionniste des années 1970-1980

Le foisonnement des tendances témoigne de l'extrême vitalité de la danse expressionniste. Louis Falco (4) met son sens de la composition au service d'œuvres étincelantes et explosives. Alvin Ailey (3) évoque avec chaleur la condition et les aspirations du peuple noir. Les spectacles de Pina Bausch (1) sont hantés par la difficulté d'être et la dérive des couples : intenses et provocants, ils déchaînent les plus vives passions. Carolyn Carlson (2) crée un univers poétique et onirique particulier : cette Américaine fixée en Europe a formé de nombreux danseurs français aujourd'hui reconnus.

1. Pina Bausch, *Café Muller* (1978).

2. Carolyn Carlson, *That* (1977).

danse traditionnel et les chaussons. Elle adopte les tuniques qui n'entravent pas le mouvement et, surtout, elle danse pieds nus. Robes longues et draperies pour les femmes, pantalon et torse souvent nu pour les hommes se généralisent. Prônant l'essentiel en ce qui concerne la scénographie, Wigman et Jooss réduisent celle-ci au minimum, éliminant tout superflu pour donner la priorité à la danse, substance vitale du spectacle. Wigman se présente dans la lumière crue des projecteurs sur une scène vide. Elle ne dédaigne pas d'utiliser le masque : visage impersonnel, il peut apporter une signification universelle ou bien, par son apparence, accentuer le caractère tragique de sa danse. Chez Graham, les décors doivent être hautement symboliques, porteurs de signification. Ceux que réalise pour elle Isamu Noguchi participent et offrent un écho à sa chorégraphie. La démarche de Nikolais le pousse à transformer les danseurs en étonnantes formes colorées.

Le répertoire

MARQUANT UNE PRÉFÉRENCE POUR LES BALLETS À THÈSE, LES CHORÉGRAPHES ABORDENT DANS LEURS RÉALISATIONS SCÉNIQUES DES SUJETS QUI VARIENT SELON LES SENSIBILITÉS ET LES CULTURES.

Témoins de leur temps, certains chorégraphes créent de violents réquisitoires sociaux et politiques. Wigman se voue à une danse d'un expressionnisme sombre, torturé, fortement marqué par la mort (*Hexentanz I et II*, 1914 et 1926 ; *Das Totenmahl*, 1930 ; *Das Opfer*, 1931). Jooss fustige l'inconséquence des diplomates et les méfaits des conflits armés (*la Table verte*, 1932). Graham s'insurge contre l'impérialisme (*Chronicle*, 1936) et la guerre d'Espagne (*Immediate Tragedy* et *Deep Song*, 1936).

L'incommunicabilité et le mal de vivre (collectif ou individuel) dans le monde moderne reviennent sans cesse. Jooss s'inquiète de la solitude des individus (*la Grande Ville*, 1935). Taylor observe la violence de la vie new-yorkaise (*Last Look*, 1985). Weidman consacre sa trilogie (*American Saga, Atavisms* et *Quest*, 1936) aux problèmes d'adaptation à la civilisation contemporaine. Humphrey se moque de la société de compétition (*Theatre Piece*, 1936) ou dépeint misère et injustice sociale (*Inquest*, 1944). Holm affirme sa foi dans l'homme, qui trouve sa rédemption dans les forces vitales enfouies en lui (*Trend*, 1937). Graham dénonce le puritanisme, source d'hypocrisie et de refoulement (*American Provincial*, 1934 ; *Panorama*, 1935). Les ouvrages dramatiques aux dimensions psychologiques et à teneur psychanalytique se multiplient. Limón signe un saisissant raccourci du drame d'Othello (*The Moor's Pavane*, 1949). Graham présente les tragédies antiques sous un éclairage freudien (*Cave of the Heart*, 1946 ; *Night Journey* et *Errand into the Maze*, 1947 ; *Phaedra*, 1962). Condition et destins de femmes sont au cœur d'œuvres poignantes (Graham : *Lamentation*, 1930, *Letters to the World*, 1940 ; Ailey : *Cry*, 1971 ; Carlson : *Blue Lady*, 1985). Les rapports dans le couple inspirent à Pina Bausch de percutantes réalisations (*Barbe bleue*, 1977).

Aux pacotilles exotiques de Saint Denis et Shawn (*Radha*, 1906 ; *The Garden of Kama*, 1915 ; *Xochitl*, 1921) se substituent des ouvrages d'inspiration ethnologique traités sous un aspect sociopolitique (Horton : *Tierra y libertad*, 1939 ; Limón : *The Unsung*, 1970) et folklorique (Ailey : *Revelations*, 1960). Les Américains dédient à leur pays d'exaltants hymnes dansés (Humphrey : *Song of West*, 1940, Graham : *Frontier*, 1935, *Appalachian Spring*, 1944). Ils se préoccupent aussi de spiritualité et de mysticisme (Saint Denis : *The Lamp*, 1928 ; Graham : *Primitive Mysteries*, 1931, *El Penitente*, 1940).

Loin d'être exclu, l'humour irradie certaines pièces de Weidman (*On my Mother's Side*, 1940), de Louis (*Hoopla*, 1970) et des pastiches de Taylor (*Book of Beasts*, 1971, *Diggity*, 1978).

Les ballets sans thème sont plus rares. Taylor (*Aureole*, 1962), J. Muller (*Speeds*, 1974), Falco (*Champagne*, 1976) s'attachent au geste qui provoque l'émotion par lui-même au lieu d'en être l'illustration. Dans cet esprit, Nikolais occupe une place particulière ; jouant avec les couleurs, les lumières et le corps des danseurs, il crée un monde de formes abstraites en mouvement (*Kaleidoscope*, 1956, *Grotto*, 1976).

3. Compagnie Alvin Ailey, *Revelations* (1988).

4. Louis Falco et sa compagnie, *Caviar* (1970).

Le ballet classique contemporain

EN 1929, LORS DE LA DISPERsion des Ballets russes de Diaghilev, les danseurs, chorégraphes et professeurs de la compagnie jouent un rôle prépondérant en essaimant à travers le monde et en permettant le réveil ou l'éclosion d'écoles nationales de ballet. Infatigables voyageurs, Fokine (qui vient de sortir le ballet scandinave de sa léthargie), Massine et Nijinska convertissent à la danse classique l'Amérique latine et New York. À Londres, où nombreux sont les anciens des Ballets russes, l'école britannique prend son essor. Lifar préside au destin de la danse à l'Opéra de Paris, qui sort d'une longue période de décadence. Balanchine, quant à lui, se fixe à New York, où il devient le grand maître du ballet américain. Par ailleurs, la danse classique est également diffusée et implantée dans de nombreux pays par l'intermédiaire de pédagogues soviétiques (Europe de l'Est, Chine, Japon, Moyen-Orient).

Tandis que la danse expressionniste se développe, la technique académique poursuit son évolution. Les années 1930-1940 sont marquées par l'épanouissement du style néoclassique. Depuis 1950, les innovations se multiplient et le vocabulaire classique sans cesse retravaillé se nourrit d'apports divers. La danse masculine retrouve une place de premier plan, ce qui, entre autres, a pour effet de transformer le pas de deux.

Grâce notamment aux prestations des troupes inspirées par celle de Diaghilev (Ballets de Monte-Carlo, du marquis de Cuevas), le public se montre exigeant et assoiffé de nouveauté. Le répertoire subit des mutations, se veut moins divertissant qu'en prise directe avec les aspirations du temps. Les grandes compagnies institutionnelles (Bolchoï de Moscou, Kirov de Leningrad, Royal Ballet de Londres, Opéra de Paris) ou privées (American Ballet Theatre) perpétuent la tradition tout en s'ouvrant aux créations. Elles doivent rivaliser avec des troupes d'envergure internationale constituées autour d'un chorégraphe : George Balanchine, John Cranko, Maurice Béjart, Roland Petit, John Neumeier, Jiri Kylian, William Forsythe. Ce sont les chorégraphes, devenus vedettes, et non plus les interprètes qui, désormais, attirent les foules et déchaînent les passions.

Le pas de deux

LE XXᵉ SIÈCLE CONSACRE LA MÉTAMORPHOSE PARTICULIÈREMENT SPECTACULAIRE DU PAS DE DEUX, AUSSI BIEN DU POINT DE VUE DE SA CONCEPTION QUE DE SA TECHNIQUE ET DE SA FONCTION.

En refusant les carcans de l'académisme, les chorégraphes néoclassiques s'attaquent notamment à la structure obligée du grand pas de deux telle que l'a fixée Marius Petipa. Fokine déjà, dans *le Spectre de la rose* (1911), conçoit le travail en couple comme l'évolution de deux individus sur un plan d'égalité. Dans ce sens, l'adage néoclassique devient un jeu de combinaisons harmonieuses des lignes des deux interprètes. Le danseur, s'il est toujours indispensable comme soutien et porteur, n'est plus réduit au seul rôle de partenaire destiné à mettre en valeur la ballerine. Ses mouvements prolongent et complètent ceux de la danseuse (Lifar : *Suite en blanc*, 1943 ; Balanchine : *Apollon Musagète*, 1928 ; *Thème et variations*, 1947). Souvent chant d'amour dans les ballets à thème et à thèse, l'adage gagne en émotion, devient plus expressif et surtout plus sensuel (Balanchine : *le Fils prodigue*, 1929 ; *Sonatine*, 1975 ; Lifar : *les Mirages*, 1947).

Dans les réalisations contemporaines, les pas de deux interviennent en fonction des nécessités internes, sans souci d'un canevas préétabli. Éléments parmi d'autres, ils se fondent dans l'ensemble et leur structure n'obéit à aucun schéma conventionnel. L'équilibre règne au sein du couple : chacun danse de concert ou de son côté, en harmonie ou en désaccord, se rencontrant ou s'ignorant. Cependant, le pas de deux tend à devenir un exercice périlleux, particulièrement acrobatique, pouvant atteindre les limites de la performance (Balanchine : *Agon*, 1957 ; Neumeier : *le Songe d'une nuit d'été*, 1977 ; Petit : *la Symphonie fantastique*, 1975 ; Béjart : *Mouvement, rythme, étude*, 1985 ; Forsythe : *In the Middle, Somewhat Elevated*, 1987). Exécuté par un homme et une femme, il prend un caractère sexuel très évident (MacMillan : *Mayerling*, 1978 ; Béjart : *le Sacre du printemps*, 1959 ; *Léda*, 1978 ; Petit : *Ma Pavlova*, 1986). Mais, désormais, il peut être aussi l'affaire de deux hommes, voire, plus rarement, de deux femmes (Béjart : *le Chant du compagnon errant*, 1971 ; Petit, *les Intermittences du cœur*, 1974). ●

1. *Thalassa : mare nostrum* (Béjart, 1982) : la danse des derviches.

La technique

LA DANSE ACADÉMIQUE SUBIT DES TRANSFORMATIONS PROFONDES QUI SE TRADUISENT PAR UN ÉLARGISSEMENT DU VOCABULAIRE ET UN ACCROISSEMENT DES EMPRUNTS À D'AUTRES TECHNIQUES.

La réforme néoclassique, dans les années 1930, ne rejette en rien les fondements de la danse d'école, mais choisit d'enrichir le vocabulaire préexistant. Le chorégraphe n'est plus tenu à des enchaînements de pas stéréotypés : il a toute liberté d'utiliser à sa guise le langage académique et peut introduire des mouvements de son invention. Parmi les éléments nouveaux apportés alors figure la réintroduction des positions de pieds parallèles. Serge Lifar va même jusqu'à en codifier deux (la 6ᵉ et la 7ᵉ), qui viennent s'ajouter aux cinq académiques (pieds « en dehors »). Si l'esthétique générale reste linéaire (articulations évitant les angles, lignes arrondies, pointe du pied tendu), la verticalité n'est plus systématique. Les pliés se développent, tandis que les arabesques, les dégagés, les attitudes, les développés, jugés trop statiques, peuvent désormais être décalés : en déplaçant l'axe vertical du corps, en le faisant se pencher en avant ou en arrière avec souplesse, le mouvement peut être ainsi suggéré jusque dans des poses ou postures immobiles. Très caractéristiques, les pointes néoclassiques sont outrepassées (dans les pliés et les décalés), la danseuse reposant sur les ongles et non plus sur le bout de ses orteils.

Depuis 40 ans, la technique classique n'a cessé de chercher à aller toujours plus loin. Fortement stimulés par la concurrence de la « modern dance », les chorégraphes sont amenés à innover et contraints de proposer un langage qui séduise par son originalité et ses audaces. De nos jours, les positions « en dedans » ne sont plus choquantes, de même l'esthétique angulaire peut-elle se juxtaposer à celle linéaire. Le corps tout entier est sollicité, les jambes et le torse ne sont plus privilégiés : mouvements des bras, des mains, de la tête, du visage (yeux, bouche) sont pris en compte. L'apport le plus visible est sans conteste le travail au sol. L'interprète ne se contente plus de sauter ou de tourner, mais il réalise une gamme infinie de mouvements assis ou couchés (où se ressent l'influence des techniques gymniques). Enfin, la ballerine n'est plus obligatoirement sur les pointes. En effet, les évolutions sur demi-pointes sont de nouveau fréquentes, et il arrive même que danseurs et danseuses se produisent pieds nus. Si la technique classique demeure l'élément de base de leurs créations, les chorégraphes n'hésitent plus à puiser ouvertement dans les disciplines expressionnistes aussi bien qu'en dehors de l'Europe pour élaborer leur propre langage gestuel. ●

Maurice Béjart, chorégraphe du XXᵉ siècle

En sortant la danse des salles traditionnelles, Béjart a fait du ballet un art populaire. Sa troupe, où les éléments masculins prédominent, regroupe d'excellents interprètes, de toutes races et nationalités, rompus à un style réclamant un large éventail technique. Ses œuvres, dont certaines sont devenues des classiques, sont autant de jalons d'un journal intime où s'expriment ses goûts pour la philosophie et le mysticisme, ses interrogations sur le devenir de l'Homme, comme sa foi dans le métissage des cultures.

2. *Messe pour le temps futur* (Béjart, 1984) : le couple (Shonach Mirk et Ronald Perry).

3. *Le Sacre du printemps* (Béjart, 1959).

Le répertoire

UNE MULTITUDE DE CRÉATIONS RENOUVELLENT SANS CESSE LE RÉPERTOIRE QUI TEND À FAIRE LA PART BELLE AUX OUVRAGES ANCRÉS DANS LES PRÉOCCUPATIONS DE L'ÉPOQUE.

Tandis que les œuvres des siècles passés continuent de susciter des versions adaptées aux nouvelles exigences techniques, le répertoire des Ballets russes inspire d'intéressantes relectures (*le Sacre du printemps* : Béjart, 1959 et Neumeier, 1972 ; *Afternoon of a Faun* : J. Robbins, 1953 ; *les Noces* : J. Kylian, 1982).

Des rapports nouveaux entre danse et musique s'établissent. Les créations de partitions de ballet se raréfient, tandis que les chorégraphies réalisées sur des compositions non écrites pour elles se banalisent. Le danseur, totalement réhabilité aussi bien dans le corps de ballet que comme soliste, trouve des rôles à sa mesure et occupe largement le devant de la scène.

Hormis en U.R.S.S. et dans les pays anglo-saxons, qui restent très attachés au ballet narratif, celui-ci se voit supplanté par le ballet à thèse. Apparu dans les années 1940, il expose des idées, éliminant tout caractère anecdotique et s'allie volontiers à une scénographie dépouillée (plateau nu, maillots académiques).

Qu'il soit à thème ou à thèse, le ballet contemporain est ouvert à tout sujet. Les chefs-d'œuvre de la littérature fournissent nombre d'arguments (*Mademoiselle Julie*, 1950, B. Cullberg ; *Notre-Dame de Paris*, 1965, R. Petit ; *la Mégère apprivoisée*, 1969, J. Cranko ; *la Mouette*, 1979, Plissetskaïa ; *le Songe d'une nuit d'été*, Neumeier). De même, les personnages et événements historiques suggèrent des œuvres puissantes (*Flammes de Paris,* 1932, V. Vaïnonen ; *Billy le Kid,* 1938, E. Loring ; *Anastasia,* 1971, MacMillan ; *Ivan le Terrible,* 1975, Grigorovitch) qui revendiquent parfois un aspect idéologique (*le Détachement féminin rouge,* 1964, du répertoire chinois ; *l'Oiseau de feu,* 1970, Béjart).

Les résonances psychologiques, voire psychanalytiques, sont désormais courantes pour traiter du mal de vivre dans la société moderne (*le Jeune Homme et la mort,* 1946, Petit ; *les Algues,* 1953, Charrat ; *Symphonie pour un homme seul,* 1955, Béjart ; *Monument pour un garçon mort,* 1965, R. Van Dantzig), évoquer l'Homme face à son destin (*les Présages,* 1933, Massine ; *les Mirages,* 1947, Lifar ; *les Liens,* 1957, Charrat ; *Turangalila,* 1968, Petit), ou encore aborder les relations amoureuses (*le Jardin aux lilas,* 1936, A. Tudor ; *le Chant de la terre,* 1965, MacMillan ; *la Nuit transfigurée,* 1975, Kylian).

L'humour sait également trouver sa place dans de réjouissantes parodies (*la Croqueuse de diamants,* 1950, Petit ; *The Concert,* 1956, Robbins ; *Symphonie en ré,* 1976, Kylian ; *le Concours,* 1985, Béjart).

Le ballet sans thème, où le mouvement n'a d'autre finalité que lui-même et le plaisir du spectateur, regagne la faveur des créateurs et du public (*Choreartium,* 1933, Massine ; *Neuvième Symphonie* de Beethoven, 1964, Béjart ; *Dances at a Gathering,* 1969, Robbins ; *Voluntaries,* 1973, G. Tetley ; *Sinfonietta,* 1978, Kylian ; *In the Middle, Somewhat Elevated,* Forsythe) et trouve un maître incomparable en Balanchine (*Sérénade,* 1935 ; *le Palais de cristal,* 1947 ; *Agon* ; *Who cares,* 1970 ; *Concerto pour violon,* 1971). Démonstrations de haute école, rigoureuses parades techniques, certaines œuvres sans argument se révèlent pourtant comme d'éblouissants hymnes à la danse académique et néoclassique (*Suite en blanc,* 1943, Lifar ; *Symphonic Variations,* 1946, Ashton ; *Études,* 1948, H. Lander). ●

La danse postmoderne

Les rapports musique-danse

MERCE CUNNINGHAM ET JOHN CAGE
MARQUENT UN NOUVEAU JALON EN INSTAURANT
CLAIREMENT UN RAPPORT D'INDÉPENDANCE
ENTRE DANSE ET MUSIQUE.

LE COURANT POSTMODER-niste apparaît et se développe aux États-Unis dans les années 1960. La dénomination de « post modern dance » n'a pas valeur du seul point de vue chronologique : elle a aussi un sens contestataire, en réaction contre la conception du spectacle telle que l'envisage la « modern dance » américaine, alors parvenue au terme de sa genèse. Yvonne Rainer proclame ce qui peut être considéré comme le credo du mouvement : « Non au spectacle, non à la virtuosité, non aux transformations et à la magie de l'illusion, non à l'éclat et à la transcendance de l'image de star, non à l'héroïque et à l'antihéroïque, non à l'imagerie dérisoire, non à la participation acteur/spectateur, non au style, non au côté pop, non à la séduction du spectateur par les ruses de l'acteur, non à l'excentricité, non à l'émotion provoquée ou subie. » Véritable précurseur, Merce Cunningham est le premier à s'opposer de façon radicale à l'expressionnisme ambiant dont Martha Graham (avec qui il a travaillé de 1939 à 1945) est alors l'une des figures de proue. Refusant d'accorder la moindre signification au mouvement, il

écarte la danse de toute traduction d'une sensation, de toute narration et, plus encore, de toute musique. Ses premières réalisations déroutent et dérangent, mais amènent la grande réforme du XXe siècle. La collaboration de Cunningham avec John Cage, Robert Rauschenberg et Jasper Johns préfigure celle des danseurs avec les musiciens et peintres venus s'installer dans un quartier abandonné de Manhattan pour partager leurs expériences. L'éclosion du mouvement est en effet à mettre en relation avec le bouillonnement qui touche le monde des arts plastiques new-yorkais. C'est ainsi que la Judson Church devient un centre où chacun peut présenter ses réalisations. Passant de l'idée de spectacle à celle de « performance », des lieux inhabituels pour la danse sont bientôt investis. Deux tendances se dégagent : l'une conceptuelle avec Yvonne Rainer, Lucinda Childs et Trisha Brown ; l'autre, représentée par Simone Forti et Steve Paxton, et tournée vers l'improvisation. De 1970 à 1976, à l'initiative d'Yvonne Rainer, a lieu un nouveau regroupement – The Grand Union – où apparaissent Douglas Dunn et Andy de Groat.

Cage et Cunningham remettent en question la conception traditionnelle des rapports mutuels unissant la danse à la musique. Partant du postulat que le support de la danse ne se trouve pas dans la musique mais dans le danseur lui-même, ils fondent leur travail sur la totale autonomie de ces deux arts. Constatant que le seul lien qui puisse les unir est le facteur temps, ils composent chacun de leur côté des séquences d'un même nombre de minutes qui sont rassemblées le jour de la première représentation. Le son et le mouvement sont simultanés, mais indépendants. Pour le chorégraphe comme pour l'interprète, la musique n'apporte aucun point de repère, sinon sa durée. Cunningham charge John Cage (*Suite for Five in Space and Time,* 1956 ; *Music Walk with Dancers,* 1960 ; *Travelogue,* 1977), comme d'autres compositeurs (Morton Feldman : *Summerspace,* 1958 ; Christian Wolff : *Suite by Chance,* 1953, *Rune,* 1959 ; David Tudor : *Exchange,* 1978, *Channels inserts,* 1981), d'inventer des vibrations sonores qui tissent autour des danseurs des climats et des réseaux qui se superposent à ceux de la chorégraphie.

Les postmodernes affectionnent pour la plupart le silence, y introduisant parfois la parole : Trisha Brown commente un solo tout en l'exécutant (*Accumulation with Talking,* 1973), Douglas Dunn dit un texte dans *Nevada*

(1973) et Andy de Groat utilise des pages de Knowles sur lesquelles évoluent les danseurs (*Get wreck,* 1978). Mais, forte de l'expérience cunninghamienne, en 1981 avec *Son gone fishin',* Trisha Brown entame un nouveau cycle, faisant désormais coexister ses chorégraphies avec de la musique. Pour *Lateral Pass,* elle demande à Peter Zummo des sons simples et changeants dont l'évolution n'est pas liée à la danse. Lucinda Childs choisit, quant à elle, une démarche différente. Depuis 1978, elle alimente ses créations grâce à sa collaboration avec Phil Glass. Chaque séquence de *Dance* (1979) est ainsi construite sur un schéma géométrique où les phrases changent selon les propositions du musicien. •

La démarche créatrice de Cunningham trouve son aboutissement dans l'« Event » (1 et 2). Depuis 1964, il en a ordonné plus de 200 dans des lieux divers, traditionnels ou non. Pièce unique, composée en fonction du cadre et de la représentation d'un soir, l'« Event » souligne selon Cunningham « ce qu'il y a de fragile dans la beauté. Il ne s'agit pas de vouloir fixer, mais de garder la fragilité de la vie ». Au début de sa carrière à la fin des années 1960, Trisha Brown choisit d'étonnants cadres pour ses expériences et

Le refus de la narration

Dans les années 1950, Cunningham ouvre un immense champ d'investigations. Libéré de tout support dramatique ou psychologique, le geste possède une valeur intrinsèque, c'est lui qui constitue la totalité de la danse. Dès lors, dans ses réalisations, chaque danseur occupe un espace déterminé dont il devient le centre, y développant son propre mouvement selon son propre rythme. Aucune hiérarchie n'intervient, tous les gestes, tous les interprètes, tous les points de la scène sont importants. Les activités et les déplacements de chacun, agissant les uns sur les autres, provoquant des regroupements, des arrêts ou des explosions, composent un ensemble difficile à saisir dans sa totalité pour le

spectateur. Cunningham introduit aussi la notion de hasard dans le travail de composition. Il s'agit pour lui de repousser les frontières de son imagination et d'admettre tout ce qui est possible. Dès 1951 dans *Sixteen Dances for Soloist and Company of Three,* il a recours à l'aléatoire afin de définir une gamme de mouvements pour chaque danseur et en établir non seulement l'ordre, mais aussi la durée comme la direction.

À sa suite, les jeunes chorégraphes prônent le retour au geste brut, utilitaire et dénué de toute notion d'esthétisme. Ils recherchent les pas et actions que n'importe qui pourrait exécuter : marcher, courir, tourner sur soi-même, se pencher, sauter. Cet épurement simplificateur rejoint

les aspirations minimalistes (rigueur jusqu'à l'extrême, ponctuation de l'espace, sérialité à partir de structures élémentaires) qui émergent alors chez les plasticiens comme Bob Morris ou encore Sol LeWitt.

Rainer choisit de composer des modules objectifs fonctionnels. *Trio A* (1966) est une suite de trois solos faisant chacun appel à une des trois parties du corps. Le style uni et le rythme sans accent concentrent l'attention du public sur l'essentiel : les alternatives du mouvement présentées en combinaisons inattendues. Dans une démarche proche, Brown expérimente méthodiquement les mécanismes du corps. Ainsi, dans *Trillium* (1962), explore-t-elle un mouvement passant par les positions assise, debout, couchée. Puis elle retient le principe de l'accumulation qui prend pour point de départ un mouvement, répété plusieurs fois, auquel elle ajoute un second, lui aussi répété, puis un troisième, etc. Elle développe cette structure, cherchant à conserver la clarté et l'indépen-

dance de chaque mouvement alors que la répétition tend à les estomper (*Primary Accumulation,* 1972). Childs construit ses chorégraphies à partir de séquences répétitives obéissant à des nombres. Chaussés de tennis, les danseurs arpentent la scène de façon décidée. L'acte naturel de marcher devient danse par la tension qui se dégage de l'incessant mouvement des pieds pesant sur le sol des schémas géométriques précisément déterminés (*Radial Curses,* 1976 ; *Dance,* 1979).

À l'autre pôle, Paxton s'attache à dénoncer la distance entre l'art et la vie, travaille sur les gestes du quotidien. Il effectue des essais avec des participants de tous genres (y compris non-danseurs) et de tous physiques (*Satisfying Lovers,* 1967). Il met au point la « Contact/Improvisation », fondée sur la réceptivité à l'autre : les corps doivent toujours être en contact mais, dans une tension à la fois permanente et précaire, sans l'aide des mains, et produire des mouvements jouant sur le poids et l'équilibre. •

Les « performances »

LES CHORÉGRAPHES OPTENT POUR DES ŒUVRES DE CARACTÈRE EXPÉRIMENTAL INTRODUISANT LES NOTIONS D'ATELIER ET DE « PERFORMANCE ».

4. *Spiral* (1974) de Trisha Brown.

Les postmodernes remettent en cause l'idée de spectacle, lui préférant celle de « performance » : le public n'est plus convié à assister à la présentation d'une mise en scène achevée mais à un processus d'élaboration. Le passage du « show art » au « performing art » doit beaucoup au travail d'atelier dirigé par Robert Dunn vers 1960 au studio Cunningham à New York et auquel participent plusieurs des initiateurs du mouvement. Ce disciple de Cage, attaché à l'esprit ludique et aléatoire, passionné par le Yijing (manuel de pratique divinatoire de la Chine ancienne) et le happening, amène chacun à réfléchir sur les éléments et les structures de base de la danse, à développer sa capacité d'invention for-

événements

se fait connaître par d'insolites actions dansées (4). Les vibrations qu'elle révèle ne doivent rien à l'accompagnement sonore, mais surgissent de l'expérimentation méthodique des mécanismes du corps, à travers la répétition obsessionnelle d'un même mouvement, qui se reproduit sans cesse sans jamais se brouiller ni s'affadir. Le danseur est ainsi plus signe, voire sémaphore que symbole. Elle s'est par la suite orientée vers des réalisations plus traditionnelles avec éléments scénographiques et musique (3).

1 et 2. *Event* (1964) de Merce Cunningham.

melle. Dans le climat convivial et plus ou moins communautaire des années 1960-1970, les artistes se rencontrent, discutent, écoutent de la musique, prennent part à une expérience théâtrale, regardent des peintures. Il n'y a pas de spectacles, pas d'expositions, mais des réalisations informelles : des projets sont présentés, analysés, controversés, repensés. La danse, dans ce contexte, devient l'art de jeter des hypothèses, d'élaborer des connexions. C'est à la Judson Church (où l'espace scénique non frontal introduit une utilisation nouvelle de celui-ci) que sont présentées les premières « performances ». Sans statut officiel, la post modern dance mène une existence marginale. Les danseurs se transportent dans des lieux eux aussi non théâtraux, aménagés, tels la Kitchen, dans une ancienne cuisine de restaurant, ou le Dance Umbrella, dans de vieux studios de cinéma. D'autres encore plus inattendus sont mis à contribution pour d'uniques et éphémères spectacles-événements.

Déjà Cunningham a donné

son premier *Event* dans un musée à Vienne (1964). Il reprend et exploite ensuite la formule née de contraintes rencontrées au cours d'une tournée. Présentés sans entracte, dans toutes sortes d'endroits, les « Events » sont composés à partir de fragments de divers ouvrages au répertoire de la compagnie auxquels viennent s'ajouter des séquences inédites réglées pour la circonstance en fonction du cadre de la représentation. Plusieurs actions distinctes peuvent se produire simultanément, permettant moins une soirée de danses qu'une expérience de la danse.

Trisha Brown imagine de stupéfiantes actions dansées qui repoussent les limites du spectacle. Elle fait bouger des danseurs suspendus, grâce à un équipement spécial, à l'horizontal de la façade d'un building, d'un tronc d'arbre ou d'une colonne (*Walking down the Wall*, 1971 ; *Spiral*, 1974). *Group*

Primary Accumulation est exécuté sur des radeaux flottants à la surface d'un lac et dans les allées d'un parc new-yorkais (mai 1975). Mais la plus extraordinaire de ses réalisations reste *Roof Piece* : le 1er juillet 1973, quinze danseurs répartis sur les toits de neuf immeubles situés entre les 420 West Broadway et 35 White Street se transmettent, par imitation, des mouvements sémaphoriques simples.

Dans un autre domaine, en intégrant à la représentation des données aléatoires, Yvonne Rainer (*Terrain*, 1963) et Douglas Dunn (*Lady Madge*, 1976) mettent au point des projets d'art continu, des œuvres qui sont sans cesse modifiées.

Aujourd'hui, l'effervescence contestataire de la post modern dance s'est éteinte. Les chorégraphes de ce mouvement éminemment intellectuel sont désormais reconnus. Certains reçoivent même des commandes de l'Opéra de Paris (Cunningham : *Un jour ou deux*, 1973 ; de Groat : *Nouvelle Lune*, 1983). •

3. *Newark* (1987) de et par la compagnie Trisha Brown.

2.

Cinéma

L'invention du cinéma

De l'image fixe à l'image saccadée

TELS DES MAGICIENS, DES AUDACIEUX ONT PU MONTRER SUR UN MUR ÉCLAIRÉ, SOUS LES REGARDS DES SPECTATEURS ÉMERVEILLÉS, LES IMAGES COLORIÉES DE DESSINS SUR VERRE PUIS SUR PAPIER.

DEPUIS LA NAISSANCE DE l'art, l'homme tente de capter par la peinture et la sculpture l'image du monde que ses yeux perçoivent. Au Moyen Âge puis à la Renaissance, le procédé de la chambre noire, comme la « camera obscura » de Léonard de Vinci (1452-1519), permet d'obtenir sur un mur des images virtuelles des objets. Les lanternes magiques ont toujours fait rêver. Ce spectacle donne à voir des scènes dont la qualité à la projection augmente avec la multiplicité des inventions : en 1798, le Fantascope du Belge Robertson propose le petit théâtre de ses « Fantasmagories ». Le génie des inventeurs permet de passer de l'image fixe à l'image mobile, avec les travaux du Français Émile Reynaud (1844-1918). La première photographie de Nicéphore Niepce (1765-1833) fixe l'image, alors

que, dès la fin du xixᵉ siècle, les chercheurs veulent retransmettre le mouvement. Ainsi naît le cinématographe d'une triple paternité, française, américaine, allemande, par l'esprit inventif de quelques hommes travaillant à la mise au point d'appareils de prise de vues et de projection et à la fabrication de la pellicule des films.

Le cinématographe, issu d'un perfectionnement des techniques, est devenu 7ᵉ art au xxᵉ siècle grâce à l'originalité des mises en situation des personnages et des événements. Le mariage de la technique et de l'art a lancé une nouvelle forme de spectacle, qui est passée du divertissement de foire présenté par quelques montreurs d'images, cousins des prestidigitateurs, aux créations complexes gérées par une industrie colossale à l'échelle mondiale.

La lanterne magique renvoie à des souvenirs d'enfance. Pourtant, les spectateurs assistant aux premières projections sont des adultes qui viennent, en famille, frémir ou rêver face aux images fortement éclairées qui jaillissent au fond d'une salle obscure. C'est une sorte de théâtre dont les acteurs s'évanouissent une fois la lanterne éteinte. Les images fixes se succèdent, étonnent ou amusent. L'imagination du spectateur fait le lien entre deux projections. L'évolution de ce divertissement est la conséquence de la découverte en 1828, par le physicien belge Joseph Plateau, de la persistance des impressions visuelles : une sensation lumineuse dure encore environ un dixième de seconde sur la rétine après la suppression de cette lumière. À partir de ce constat vont se fabriquer toutes sortes d'appareils permettant de projeter une succession d'images saccadées, racontant une scène qui se déroule dans l'espace et qui, si elles sont perçues suffisamment vite,

donneront à l'œil l'illusion d'un mouvement quelque peu haché mais plus « animé » que des clichés fixes successifs. C'est le Phénakistiscope de Plateau qui permet, en particulier à Émile Reynaud, de faire breveter en 1877 son Praxinoscope, avec lequel un mouvement est reconstitué par la succession circulaire d'images différentes sur une bande de papier passant devant un cercle de miroirs fortement éclairés. L'illusion ne dure que le temps d'une révolution du cylindre... et elle recommence... Afin d'allonger le spectacle, Reynaud invente une bande plus longue, enroulée sur un dévidoir et qui avance au moyen d'un engrenage sur lequel s'enclenchent des perforations successives : ainsi naît l'ancêtre du film. De 1892 à 1900, Reynaud donnera plus de 10 000 représentations de ses petites saynètes animées. L'un des derniers films de ce génial précurseur, *Autour d'une cabine* (1894), compte 636 images dessinées et coloriées à la main. •

Dates clefs

1869 Invention du Celluloïd par l'Américain John W. Hyatt.

1887 Mise au point d'une pellicule dite « film » par l'Américain Hannibal Goodwin.

1892 Première représentation publique d'un « dessin animé » sur bande de papier par É. Reynaud au musée Grévin.

1893 Invention d'un projecteur pour les films du Kinetoscope américain par A. Le Roy et E. Lauste.

1894 Première pellicule à perforations latérales (Eastman).

1895 *28 déc.* Première projection publique par les frères Lumière à Paris au « Grand Café ».

1897 Premier travelling (E. Promio, Venise).

1898 Premières actualités reconstituées d'un conflit armé (Billy Bitzer, La Havane). Premiers films publicitaires (Mesguich, Lumière et Méliès).

1899 Première reconstitution historique : l'Affaire Dreyfus par Méliès.

1900 Premier écran géant (L. Lumière) à l'Exposition universelle (21 m × 18 m).

1927 Premier film parlant et chantant (*le Chanteur de jazz*, de Crosland).

1. *L'Arrivée du train en gare de La Ciotat,* film Lumière (1895).

2. *Les Femmes papillons,* de Méliès (1907).

Et les « Lumière » furent !

Plongés dans une salle obscure et découvrant sur l'écran un train qui entrait en gare, les tout premiers spectateurs, dit-on, ne purent retenir un mouvement de peur : cette locomotive qui s'avançait vers eux n'allait-elle point tout bousculer sur son passage et les écraser ? L'image animée, en re-constituant le mouvement naturel de la vie, transportait l'homme du xixᵉ siècle dans le temps et l'espace sans qu'il bougeât de son fauteuil et sans qu'il lui fût possible de discerner la réalité de l'invraisemblable ou de la fiction. Quelques pionniers pressentirent toutes les possibilités que leur ouvrait le cinématographe : ils en firent un art, tel l'illusionniste Georges Méliès inventant la mise en scène, ouvrant des studios, multipliant les trucages à l'infini et allant jusqu'à peindre une à une et au pinceau, en quatre couleurs, chaque image de certains de ses films.

L'image mobile, un travail d'experts

PLUS QU'UN JEU, D'ENFANT OU D'ADULTE, OBTENIR UNE IMAGE MOBILE PROCHE DE CE QUE L'ŒIL PERÇOIT DONNA LIEU À UNE RECHERCHE PASSIONNÉE ET SIMULTANÉE DANS DIFFÉRENTS PAYS.

La créativité des inventeurs se développe en France, aux États-Unis, en Grande-Bretagne et en Allemagne après que le photographe américain E. Muybridge (1830-1904) et le physiologiste français E. J. Marey (1830-1904) ont pu décomposer par une suite d'instantanés photographiques le mouvement d'un corps humain ou animal. En impressionnant ces images sur une bande, Marey retrouve le film, ici non perforé et encore saccadé, et reconstitue le mouvement naturel initial. Comment capter et mieux enregistrer les images ? Quel support employer afin de mieux laisser passer la lumière ? Comment les projeter dans les meilleures conditions afin de redonner l'illusion de la vie ? Les inventeurs travaillent sur la construction de la caméra et du projecteur en même temps qu'il faut mettre au point le support, le film capable de résister à la chaleur et à la répétition des séances de projection.

Les brevets sont déposés en Europe et aux États-Unis. En 1889, G. Eastman invente un film souple et transparent à base de nitrate de cellulose. Mis au point, le film de 35 mm est fabriqué dans les usines Eastman et, en 1891, Edison, « le sorcier de West Orange », monte le Kinetoscope, qui permet de visionner individuellement un film en boucle,

dans les foires et expositions. Après le paléophone de Charles Cros (1877) et sa propre invention du phonographe (1878), Edison conçoit, dès 1892, l'idée d'associer image et son, alors que Léon Bouly invente le mot « cinématographe ». En Allemagne, Max Skladanowsky, inventeur du Bioskop, donne une première représentation le 1er novembre 1895 : chaque film de 48 images dure environ 10 secondes. En France, Louis Lumière (1864-1948) met au point et industrialise une plaque sensible au gélatino-bromure d'argent avant de réaliser son appareil projetant à la cadence de 16 images par seconde, dont il prend le brevet, avec son frère Auguste, le 13 février 1895. Le 22 mars de la même année, une première projection a lieu devant les membres de la « Société d'encouragement pour l'industrie nationale », et le 28 décembre à Paris la première séance publique de « cinéma » au Grand Café remplit de stupéfaction l'illusionniste Georges Méliès. •

3. Affiche pour le cinématographe des frères Lumière (1895).

Le cinéma, un spectacle qui se cherche

PROJETÉS LES UNS À LA SUITE DES AUTRES, LES PETITS BOUTS DE FILMS DES PREMIERS INVENTEURS FORMENT UN SPECTACLE COURT QUI CAPTIVE PAR SA NOUVEAUTÉ TECHNIQUE.

Le premier cinématographe est d'emblée un spectacle populaire qui n'a d'original que le procédé et non pas les thèmes des représentations. Lorsque le cinéma quitte le domaine de la pure réalisation technique, il cherche à raconter des histoires, mais il copie alors soit le théâtre, soit les spectacles de variétés. La projection privée du 13 février 1895, qui montre la « sortie des usines Lumière », l'étonnante mise en marche, la même année, d'un cheval traînant une voiture sur la place Bellecour à Lyon et avançant vers les spectateurs, comme la surprenante entrée en gare du train à La Ciotat, apportent la preuve des immenses possibilités de l'invention nouvelle. C'est à l'industrie de prendre le relais et de produire des films.

Georges Méliès (1861-1938) transposera son goût pour la prestidigitation et les trucages dans les premiers films qu'il réalise sur des pellicules qu'il perfore à la main. Entre 1896 et 1913, après l'Escamotage d'une dame chez Robert-

Houdin, Méliès réalise dans son studio de la Starfilm, à Montreuil-sous-Bois, plus de 150 films, pleins de farces et de tours de passe-passe qui vont ainsi de la scène à l'écran. Les premiers effets spéciaux d'apparitions diverses sont obtenus par des procédés photographiques. Les artistes du music-hall deviennent acteurs dans le Raid Paris-Monte-Carlo en deux heures, commandé à Méliès par les Folies-Bergère en 1905. En 1902, le Voyage dans la Lune, d'après Jules Verne, qui dure 13 minutes, mélange l'insolite et le loufoque. Le fantastique du Royaume des fées (1903) permet tous les effets magiques : ce film de 300 mètres dure un quart d'heure et comprend une scène tournée en extérieur ; les images coloriées sont fortes et caricaturales. Le public se fatigue vite des féeries et réclame des aventures inédites, réalistes ou comiques. Mais, avec ses 503 films répertoriés, Méliès est vraiment le précurseur du nouveau spectacle moderne. •

La spécificité du cinéma

AVEC LE PERFECTIONNEMENT DES APPAREILS, ET EN PARTICULIER LA PLUS GRANDE MOBILITÉ DES CAMÉRAS, LE CINÉMA JETTE SUR LE MONDE UN ŒIL NOUVEAU.

Les travaux des techniciens et des chercheurs ont permis l'évolution vertigineuse du cinéma. Ce dernier, en retour, est utilisé par les scientifiques afin de démontrer, d'expliquer, d'instruire par l'image. C'est le souci du docteur Eugène Louis Doyen (1859-1916) quand il demande à Clément Maurice (qui vient de chez L. Lumière) de filmer quelques opérations chirurgicales destinées à l'enseignement des écoles de médecine. La Faculté n'apprécie pas. Les films les plus scabreux, tel celui sur la séparation de deux sœurs siamoises, seront détournés de leur but éducatif pour rejoindre les excentricités des fêtes foraines. Le film scientifique sera pris au sérieux lorsqu'il révélera les beautés et les mystères du monde caché des insectes ou de l'infiniment petit. Le cinéma vulgarisera pour un large public une connaissance réservée jusque-là aux seuls spécialistes.

Mais c'est d'abord l'écume des jours que retiendra le cinéma. Si la vie quotidienne, dans sa banalité, a pu offrir quelques séquences narratives souvent drôles comme les films de Louis Lumière : Barque sortant du port,

Partie de boules, la Leçon de bicyclette, le Repas de bébé, l'Arroseur arrosé, c'est dans ce qui deviendra le reportage que se lancent très tôt les premiers réalisateurs. Méliès avait reconstitué en studio l'explosion du cuirassé « Maine » (1898) et, avant l'événement, le Sacre d'Édouard VII (le film fut donné le soir même de la cérémonie, le 9 août 1902). Les opérateurs vont parcourir le monde pour rapporter dans leur pays d'origine les « actualités » internationales : en 1899, Gabriel Veyre tourne des scènes de la rue en Chine après avoir recueilli des images en Amérique latine et au Japon ; Félix Mesguich filme, en 1896, les jeux Olympiques d'Athènes, juste rénovés, opère au Maroc (bombardement de Casablanca en 1907), accompagne en vol, en 1908, le pionnier de l'aviation Wilbur Wright. Quant aux fictions, elles deviennent moins théâtrales avec une caméra plus mobile : travelling et prises de vues panoramiques augmentent le champ de l'action et animent le jeu des acteurs. •

→ **Voir aussi :** Le cinéma, TECHN, p. 460-461.

Le cinéma muet

Le son du cinéma muet

SI, DANS LE CINÉMA PARLANT,
LA VOIX, LES BRUITS, LA MUSIQUE
SONT INTÉGRÉS À LA PELLICULE, À L'ÉPOQUE DU MUET,
LES SONS ACCOMPAGNANT LA PROJECTIONS
SONT EXTÉRIEURS AU FILM.

DÈS LE DÉBUT DU XXᵉ SIÈCLE, on pourrait croire le public acquis à cette nouveauté qu'est le cinéma : ainsi, aux États-Unis, en 1905, à Pittsburgh, une salle doit rester ouverte de huit heures du matin à minuit au rythme d'une représentation chaque demi-heure pendant plusieurs jours ; dans le même temps s'ouvre la première salle de cinéma permanent à Los Angeles, dont un des quartiers n'est pas encore célèbre... Hollywood. Les « Nickel-Odeon » s'installent, salles populaires au prix unique de 5 cents.

Bien que le cinématographe se répande dans toutes les capitales d'Europe et d'Amérique, ce cinéma muet ne connaît plus le succès des tentatives des pionniers et suscite la désaffection des spectateurs par le manque d'intérêt des sujets qu'il traite. Les effets « magiques » n'ont plus l'attrait du sensationnel. D'autre part, après l'incendie meurtrier du Bazar de la Charité à Paris en 1897, le cinéma est souvent considéré comme une distraction risquée. La bourgeoisie déserte les salles. Le cinéma quitte les villes et devient ambulant. Les représentations sont données dans des conditions précaires de confort, mais, lentement, un public fidèle se constitue.

Le cinéma est cependant en pleine effervescence sur les plans technique et artistique. En France, aux côtés des frères Lumière, une nouvelle génération de réalisateurs s'impose. Le nouvel essor du film de fiction permet à des acteurs d'atteindre la renommée dans cet « art muet ». Mais les inventions se succèdent. Des projets se réalisent. Le cinéma parlant est en gestation. Son avènement inéluctable causera la perte de quelques vedettes (John Gilbert) et confirmera la gloire de plusieurs autres. Une nouvelle ère artistique commence.

Pour l'heure, le son n'a pas encore trouvé sa place sur les bandes films mais, comme il n'est plus concevable à cette époque qu'une salle reste devant des images silencieuses pendant la projection, on a recours à des techniciens spécialisés pour animer la séance.

L'industrie cinématographique s'organise. Alors que les petits producteurs anglais se multiplient à la suite de l'« école de Brighton », en France les empires de Pathé, Éclair et Gaumont se livrent une concurrence acharnée.

Bien que le bruitage ne soit pas systématique dans toutes les salles de projection, il prend diverses formes selon la catégorie des établissements. Le premier objectif est de faire venir le public, rôle dévolu à l'orchestre qui se tient à l'extérieur de la salle tels des bonisseurs, afin de rameuter la foule. Le second, une fois le spectateur installé à sa place, est de l'aider à la compréhension de l'action tout en camouflant le bruit mécanique de l'appareil de projection. Alors interviennent, pendant la séance, l'accompagnateur et le bruiteur. Le premier, avec un piano ou, mieux encore, un orgue, façonne à partir d'airs connus ou improvisés une musique d'ambiance pour meubler les silences ou soutenir l'intensité dramatique ou comique des scènes. Le second, à partir de techniques venant directement du théâtre, se cache derrière l'écran avec sa « table à bruits » : il suit fidèlement la projection et matérialise les sons suggérés à l'écran avec tout son arsenal de tôles, d'objets en verre ou métalliques.

Héritier des séances de lanternes magiques et avant l'apparition des « cartons » insérés sur la pellicule, un « conférencier » intervient encore pour commenter le déroulement du film. Ces techniques à la fois archaïques et acrobatiques sont mises en œuvre à chaque représentation.

Depuis 1878, l'idée de lier le son et l'image est dans l'esprit des chercheurs. En 1896, Auguste Baron met au point un système qui enregistre, au moment du tournage, le son sur la cire d'un cylindre et l'image à la caméra : à la projection, les deux enregistrements sont synchronisés avec plus ou moins de bonheur. Le mariage du phonographe et de la caméra a donné lieu à diverses expériences comme celles du Français Félix Mesguich et de l'Allemand Oskar Messter. Léon Gaumont en 1902 inaugure le « play-back », grand pas vers le parlant malgré les imperfections inévitables, avant les premiers travaux du Français Eugène Lauste, qui, aux États-Unis, en 1904, accole une bande-son à la bande-image. ●

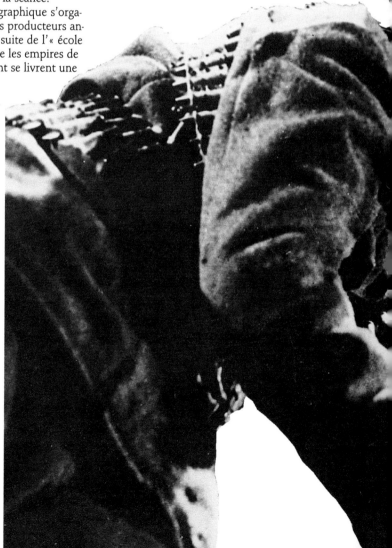

Dates clefs

1902 *Le Voyage dans la Lune,* Georges Méliès.
1902 *La Passion* (I), F. Zecca et L. Nonguet.
1903 *L'Attaque du grand rapide,* Edwin S. Porter.
1904 *La Passion* (II), Lucien Nonguet.
1905 *La Prise de Rome,* Filoteo Alberini.
1908 *L'Assassinat du duc de Guise,* A. Calmettes et C. Le Bargy.
1908 *Les Derniers Jours de Pompéi,* Luigi Maggi.
1912 *Quo Vadis ?,* Enrico Guazzoni.
1915 *Naissance d'une nation,* David W. Griffith.
1916 *Intolérance,* David W. Griffith.
1919 *Le Trésor d'Arne,* Mauritz Stiller.
1920 *Le Golem* (II), Paul Wegener.
1921 *Le Kid,* Charlie Chaplin.
1921 *Eldorado,* Marcel L'Herbier.
1922 *Nosferatu le Vampire,* Friedrich Wilhelm Murnau.
1923 *La Roue,* Abel Gance.
1924 *Les Dix Commandements,* Cecil B. De Mille.
1925 *La Grève,* Sergueï Eisenstein.
1927 *Metropolis,* Fritz Lang.
1928 *Un chapeau de paille d'Italie,* René Clair.

Il ne lui manquait que la parole...

Hormis les problèmes techniques de synchronisation, le cinéma de cette époque n'était probablement pas encore assez mûr pour s'affranchir de la diction théâtrale et inventer de vrais dialogues : il suffit de revoir et d'écouter les premières réalisations du « parlant » pour s'en convaincre, lesquelles n'étaient pas autre chose que du théâtre filmé, bavard à l'envi. Quoi qu'il en soit, le muet n'était pas silencieux. Loin de là. Les accompagnateurs, les bruiteurs et jusqu'à de véritables orgues faisaient participer l'oreille des spectateurs en créant une ambiance et en appuyant l'intensité dramatique de certaines scènes. Par ailleurs, il n'est pas absurde d'affirmer que l'absence de la parole exerça une heureuse influence sur le cinéma, en ce sens qu'il fallut la compenser par une recherche esthétique et formelle, une expressivité des comédiens et une densité des images qui n'avaient eu cours dans aucune autre forme de spectacle. C'est à ce compte que les films muets ont gardé tant de charme, que le cinéma a pu gagner ses lettres de noblesse et devenir un art à part entière. Le cinéma muet avait un autre atout : c'est qu'il était découvert et pratiqué par des créateurs, venus d'horizons différents, qui, au lieu de s'abandonner aux modes d'expression traditionnels, littéraires ou plastiques, choisissaient d'explorer les possibilités de l'image en mouvement. C'est pourquoi le cinéma muet a pu dire tant de choses.

De quelques réalisateurs et producteurs

LA PROGRESSION ININTERROMPUE
DES TECHNIQUES DE PRISE DE VUES ET DE
PROJECTION PERMET À DE PUISSANTES IMAGINATIONS
DE TRANSFORMER UN SPECTACLE
FORAIN EN SEPTIÈME ART.

Afin de faire revenir les spectateurs dans les salles, et notamment le public aisé, des hommes de génie vont réfléchir aux possibilités spécifiques du cinéma et en faire non plus seulement un divertissement pittoresque, mais un mode d'expression. *L'Assassinat du duc de Guise,* réalisé par Charles Le Bargy et André Calmettes et produit par la société Le Film d'Art en 1908, est le point de départ d'un travail de mise en scène propre au cinéma. Chacun y apporte son originalité. Aux États-Unis, David Wark Griffith (1875-1948) exprime les sentiments des personnages par l'invention du gros plan. Le cinéma ne se contente plus de juxtaposer des images ou de faire des effets, il veut raconter des histoires, exprimer des émotions, traduire les idées personnelles des créateurs, d'où l'importance nouvelle du scénario. Le scénariste et le metteur en scène forment un couple indissoluble, comme dans le cinéma expressionniste allemand, tel le tandem Carl Mayer (1894-1944)-F. W. Murnau (1888-1931) : ensemble, ils réaliseront un chef-d'œuvre de l'art du silence, tourné dans les studios de Hollywood en 1927, *l'Aurore.*

La Première Guerre mondiale porte un coup sévère à la production française. L'importation massive de films d'outre-Atlantique éveille l'intérêt du public pour ce cinéma, en même temps qu'elle motive les énergies de nouveaux réalisateurs, face à cette invasion. Le critique Louis Delluc (1890-1924), tardivement converti au cinéma, se fait le défenseur acharné mais rigoureux de l'art nouveau, où, à côté des gloires américaines (Ince, Griffith, Chaplin), ne trouvent guère grâce à ses yeux que Germaine Dulac, Abel Gance, Marcel L'Herbier. Abel Gance (1889-1981) donne libre cours à son lyrisme dans *la Roue* (1923), film sur le chemin de fer, où il utilise le procédé de montage accéléré hérité de Griffith, et laisse aller son imagination débordante pour glorifier son héros *Napoléon* (1927), dont l'épopée fulgurante se déroule simultanément sur trois écrans. Marcel L'Herbier (1888-1979), imprégné de culture fin de siècle et proche des symbolistes, adapte des œuvres littéraires et pratique des trucages comme le flou, le miroir déformant, les ombres, qui lui font comprendre qu'avant d'être un art le cinéma est un nouveau langage qui s'adresse à la sensibilité des foules. Louis Feuillade (1873-1925) continue d'exploiter la veine populaire en montant des romans à succès *(les Vampires, Judex)* qu'il découpe en films à épisodes, les « serials » : c'est chez lui que René Clair fera ses premières armes. Dans cette marche au progrès, l'U.R.S.S. n'est pas en reste avec la théorie du « montage des attractions » (1924) de S. M. Eisenstein (1898-1948), qui fait se succéder dans ses films des séries d'images métaphoriques frappantes.

Cependant, sans les deux grands industriels français que sont Charles Pathé (1863-1957) et Léon Gaumont (1863-1946), le cinéma des pionniers n'aurait pas connu sa fabuleuse audience. La firme Pathé produit, distribue et exploite ses films. Le directeur de ses studios de Vincennes, Ferdinand Zecca, invente un genre nouveau : le burlesque français, avec Max Linder. Chez Gaumont, son rival, qui allie l'instinct du joueur à la tyrannie patronale, Alice Guy fait s'épanouir des talents dans les studios des Buttes-Chaumont. Et c'est chez Pathé, en 1909, que naît le magazine filmé : « Pathé-Journal ».

●

Les acteurs

AVEC LE DÉVELOPPEMENT
INÉLUCTABLE DU PARLANT, LES
VEDETTES DU MUET VIVENT UNE SECONDE AVENTURE.
IL FAUT S'ADAPTER OU DISPARAÎTRE DEVANT
LA CONCURRENCE DES NOUVEAUX ÉLUS.

L'acteur du muet fut l'inconnu filmé à son insu dans la rue, puis le comédien faisant de la caméra, enfin la vedette, celle qu'on attend de film en film et qui peut, grâce à la ferveur du public, prétendre à des cachets impressionnants. Le parlant fit craindre la fin de ces privilèges et apporta un vent de panique parmi les acteurs pourtant en pleine gloire. Ces derniers craignaient que leur voix, inconnue jusque-là, ne les desservît. John Gilbert affirmera « ne pas pouvoir parler ». Il faut dire que la maigreur et la pauvreté des premiers dialogues avaient de quoi inquiéter les artistes. Le « trac » de la scène passa devant la caméra. Au royaume de Hollywood, certains comédiens, prévoyants, prirent des cours de diction, firent de la radio ou du théâtre. Leur voix devint un instrument aussi riche d'expression que le visage ou le corps. D'aucuns, prudents, attendront le perfectionnement des techniques d'enregistrement et d'amplification du son pour accepter de véritables dialogues, comme Mary Pickford et Douglas Fairbanks Sr. Exemplaire est le cas de Charlie Chaplin, qui s'opposa jusqu'en 1936 au parlant, prétextant que « parler serait fatal à Charlot ». Il craignait son accent anglais : il se contenta d'effets sonores et musicaux jusqu'en 1936 et son premier film parlant fut *le Dictateur* en 1940. Chez les fantaisistes, les gesticulations et la frénésie se prêtaient mal à l'immobilité du micro.

La vedette des plus grands films de Griffith, Lilian Gish, qui touchait jusqu'à 10 000 dollars par semaine, retrouve, avec sa voix romantique, le théâtre, pour ne réapparaître au cinéma qu'en 1947. Le cow-boy Tom Mix, ruiné, revient au spectacle de cirque. Il faut souligner que la réalisation d'un film parlant demande des investissements considérables. Buster Keaton, l'homme qui ne sourit jamais, réalisateur de ses films, ne peut plus en assurer la charge financière : ses gags deviennent trop longs à fignoler et donc trop coûteux. En revanche, Laurel et Hardy découvrent dans le parlant une nouvelle forme de comique. Les Marx Brothers jouent la bonne carte en ajoutant à l'absurde des gags l'absurde du langage.

La nouvelle technique instaure au cinéma un réalisme qui fait appel à des qualités d'acteurs de théâtre, ce qui permet à certains de reprendre du service ou à d'autres de commencer une carrière même s'ils sont encore inconnus ; ils sont choisis par les producteurs, qui veulent mettre la chance de leur côté d'autant que, au début, les conditions d'enregistrement sont difficiles : l'acteur est en face du micro dissimulé derrière un pot de fleurs ou une tenture. S'ajoutent à ces contraintes les bruits parasites de la caméra et de l'environnement. « Silence ! On tourne ! » est le diktat du cinéma parlant. Un nouveau style de comédien naît : « le beau parleur » à l'excellente diction (George Arliss) et dont l'accent peut parfois ajouter un certain charme à sa séduction (G. Garbo, E. von Stroheim). ●

1. *Naissance d'une nation* (1915), de D. W. Griffith.

2. *Napoléon* (1925), d'Abel Gance.

4. *Faust* (1926), de F. W. Murnau.

3. *Octobre* (1927), de S. M. Eisenstein.

Le comique
et le burlesque

DEPUIS L'INVENTION DE l'écriture, chaque époque et chaque civilisation nous a transmis ses comédies et ses farces. Le genre comique avec plus ou moins de finesse veut faire rire en dévoilant les travers de la nature humaine. Il y a les gestes, les mots, l'action qui déterminent des codes et des styles différents. Le mime et la pantomime se passent de discours. Le cabaret et le café-théâtre jouent sur le choc des mots, l'exagération des gestes, le nombre des accessoires. La comédie aime l'agitation, les quiproquos. La farce s'offre toutes les énormités de situation, de langage et de costume.

L'avènement du cinéma muet a engendré un style comique extravagant avec ses décors de pacotille et ses images saccadées. L'absence de paroles et de bruits force à l'excès des mimiques, à l'exagération des attitudes pour que le spectateur comprenne l'action. Ce premier cinéma burlesque muet est hérité de la pantomime. Des événements farfelus se condensent dans un temps très court. Le burlesque est révélé par les trucages, qui viennent du music-hall, et l'artifice des décors de théâtre, et il accentue le comique par la démesure, la brusquerie des réactions, l'exacerbation des sentiments jusqu'à une sensiblerie qui frise le poétique et le rêve. Par le jeu matérialisé sur la pellicule, l'invraisemblance devient réalité. Le cinéma comique invente le gag et s'en nourrit pour mieux disséquer la réalité sociale.

Ce qui fait rire est rarement synonyme de plaisant. La comédie cinématographique est cruelle, ironique, destructrice, et elle déclenche le rire comme une sorte d'exorcisme face à une réalité hypertrophiée qui pourrait chavirer dans le drame sans les pirouettes et les tartes à la crème salvatrices.

Depuis la naissance du 7e art, chaque décennie a eu ses acteurs comiques, héros de la pellicule, immortalisés avec les conventions esthétiques et socioculturelles de leur temps. Le comique et le burlesque datent, et cet archaïsme est lui-même source de rire. Le point commun de tout comique est l'étalage complaisant des défauts, des faiblesses de l'homme dans son corps et son esprit. Le spectateur reconnaît toujours un de ses semblables dans les facéties et les déboires de l'acteur qui, lui, a la chance de renaître de ses péripéties à chaque film suivant, et de toute éternité, tant que les cinémathèques ne brûleront pas.

L'époque contemporaine n'échappe pas à la satire des scénaristes et des acteurs. Le rire franc, la farce lourde, la dérision loufoque séduisent un grand public qui oublie pendant quelques quarts d'heure les tracas quotidiens, mais peut se lasser de la répétition des clichés. Les styles varient, l'homme est toujours le clown de sa propre existence mais supporte que l'acteur, le « comédien », son frère en bonheur et malheur, lui donne sur le miroir de l'écran le spectacle de la comédie humaine.

Le décor et l'objet

LE COMIQUE VIENT D'UNE SITUATION
SURRÉALISTE : DE L'INVRAISEMBLANCE NAÎT
UNE NOUVELLE RÉALITÉ EUPHORIQUE,
À LAQUELLE L'OBJET PARTICIPE.

Dans de nombreux cas, l'acteur comique vient de la scène, il est habitué à forcer le rire avec une économie d'objets et de décor. L'écran offre une autre échelle. Des espaces naturels, les rues, les buildings de la ville, les logements de tout un chacun servent de champs de bataille à la folie triomphante du burlesque cinématographique. Mack Sennett, fondateur en 1912 de la Keystone, l'« usine du rire américain », va jusqu'à mêler ses troupes endiablées d'acteurs-policiers et de pompiers aux parades et aux incendies réels. Harold Lloyd (*Monte là-dessus,* 1923) joue l'acrobate au sommet des immeubles. Charlot traverse, imperturbable, un véritable alpage enneigé dans *la Ruée vers l'or* (1925). L'ampleur du décor ramène l'homme à sa dimension.

De la scène à l'écran, l'acteur est inséparable de son chapeau, symbole de sa virilité, de son honorabilité. Souvent encombrant, malmené, celui-ci est toujours récupéré. Il sert de protection contre l'exaltation des objets quotidiens qui pleuvent sur la tête du héros. Chaplin a son melon, Billy Armstrong son canotier, Max Linder son haut-de-forme. Dans les pires situations, Laurel et Hardy conservent leurs couvre-chefs. Le « naïf », le « paumé », l'« innocent » garde ainsi sa dignité et le méchant son autorité, même s'il est ridiculisé. Les objets ont participé à l'hécatombe. L'homme, sain et sauf, reprend sa place dans le monde inchangé. •

Le rire, c'est l'Amérique !

Il s'en fallut somme toute d'assez peu que le genre comique et burlesque ne fût un monopole absolu : celui de ce « nouveau » monde qu'étaient à eux seuls les États-Unis. Certes, ce cinéma s'inspira de quelques précurseurs européens. Et, bien sûr, il y eut des tentatives d'imitation pure et simple. Mais nulle part ailleurs on ne sut mieux faire rire qu'en Amérique, et ce rire fut d'autant plus universel qu'il ne procéda longtemps d'aucun dialogue.

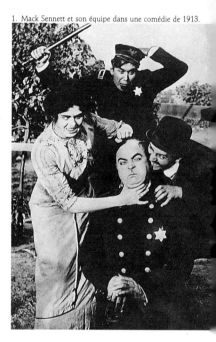

1. Mack Sennett et son équipe dans une comédie de 1913.

L'acteur comique, héros et victime de son rôle

DE FILM EN FILM, L'ACTEUR COMIQUE,
QUELLE QUE SOIT LA QUALITÉ D'UN SCÉNARIO
SOUVENT MINCE, CRÉE SON STYLE PERSONNEL,
QU'IL PARFAIT À CHAQUE PRESTATION.

Un acteur comique, si le réalisateur laisse la liberté nécessaire à son jeu, accumule les improvisations qui cassent la logique des événements et font rebondir l'action. Cette succession des gags fait la densité du film, mais, d'un tournage à l'autre, les inventions deviennent conventions, autant par la facilité de la répétition que par la nécessité de satisfaire l'attente du spectateur. Pour ne pas décevoir, l'acteur crée un style dans lequel il risque de s'enfermer. En France, au début du muet, il y a deux écoles, celle des illusionnistes à la Méliès et celle des réalistes de Louis Lumière. Dans les deux cas, les gags sont énormes et d'un goût parfois douteux, tendance que l'on retrouve dans le gros comi-

que des « séries » contemporaines, qui épuisent un thème. Le physique de l'acteur s'associe au comique : le faciès ahuri de Charles Prince-Rigadin (1872-1933), celui de Fernandel (1903-1971) à ses débuts, les tics d'un Louis de Funès (1914-1983) dominant ses adversaires de sa petite taille. Le comique américain trouve son salut dans la relance de l'image finale : « Charlot » reprend la route à la fin des péripéties ; après la dernière pirouette, l'acteur comique retombe sur ses pieds, tout rentre momentanément dans l'ordre.

Le comédien marque l'écran de son corps. Solitaire, il n'est pas exactement comme les autres dans un monde dont il dénonce

la folie ou l'absurdité. Dans un duo, l'un est le faire-valoir de l'autre : le petit, mince, rêveur et naïf, est l'éternel enfant aux prises avec le méchant ou le dominateur (Laurel et Hardy). L'équipe accumule les excentricités jusqu'au délire (W.C. Fields et Mae West, Voshovec et Werich, les bagarres surréalistes de Larry Semon, les Marx Brothers).

L'acteur comique vieillissant devient sérieux, quitte l'écran pour la caméra ou se révèle dans des compositions dramatiques (Chaplin, Bourvil). D'autres excellent dans les « seconds rôles », comme Julien Carette (1897-1966), Yves Deniaud (1901-1959) ou Jean Carmet, qui vient des Branquignols. •

2. Chaplin dans *le Dictateur* (1940).

3. Charlot dans *Une vie de chien* (1918).

Le comique n'est pas gratuit

QUEL QUE SOIT LE DEGRÉ DU COMIQUE,
DU PLUS LOURD AU PLUS SUBTIL, RIEN N'EST SIMPLE DIVERTISSEMENT.
LE COMIQUE, SUR LA PELLICULE-LABORATOIRE DE LA VIE,
MET EN JEU SON ÊTRE TOUT ENTIER.

Même si le faible et naïf triomphe de la coalition des méchants, le cinéma comique n'est pas moralisateur. Le « bon » n'hésite pas à voler, piller, assommer, briser pour assurer son destin. Le comique est amoral. C'est le public qui choisit le camp de l'opprimé, lequel tente de conquérir sa liberté dans le monde qui l'étouffe. Les héros du comique osent tout ce que l'éducation et l'hypocrisie de la vie communautaire condamnent : l'audace de Groucho Marx, l'agression de Louis de Funès, la verve grossière de Coluche, l'étourderie de Pierre Richard, la satire féroce de Gérard Jugnot, le comique grinçant de Jean Yanne, la loufoquerie clownesque de Jerry Lewis. Qui voudrait recevoir la « tarte à la crème » en pleine figure ? Désopilant et éternel supplice, qui n'en finit pas de s'écraser sur le visage d'Oliver Hardy, victime de Laurel. Là, le public rit

pour chasser une sensation de malaise, une sorte de pitié éphémère qui risqueraient de casser le rythme de la comédie si tout s'arrêtait d'un coup à ce moment.

Dans un registre moins ouvertement comique, Billy Wilder a su jouer du gag pour faire supporter aux Américains la virulence de sa caricature de leur société. Plus ambitieux ou plus sceptique, Woody Allen lutte contre le monde entier : Dieu, les hommes, les objets (*Guerre et Amour,* 1975 ; *Comédie érotique d'une nuit d'été,* 1982). En France, Jacques Tati (1907-1982) conserve le mécanisme du burlesque mais en rejette l'irrationalité : pour lui, le gag, c'est la réalité, les rencontres du quotidien, qu'il saisit dans une tonalité de plus en plus amère, de *Jour de fête* (1949) à *Playtime* (1967) et *Trafic* (1971). L'humour subtil de Pierre Étaix (*le Soupirant,* 1963 ; *Yoyo,* 1965) rejoint, lui, la tendresse du clown blanc.

●

4. Laurel et Hardy en 1934.

L'action délirante subjugue le spectateur

LES TECHNIQUES DE PRISE DE VUES
ET DE SONORISATION PERMETTENT TOUTES
LES EXCENTRICITÉS DE MISE EN SCÈNE ET MATÉRIALISENT
À L'ÉCRAN TOUS LES DÉLIRES DU TANDEM
RÉALISATEUR-COMÉDIEN.

Quelle que soit l'invraisemblance du scénario, le spectateur « marche », au sens propre comme au sens figuré, car il participe lui-même à l'action, entraîné dans la folie des gags qui dévorent l'espace et par l'accélération du temps. Dans son absurdité même, le gag réussit à convaincre. L'histoire est secondaire. Le spectateur est attiré par la précipitation des événements. Les personnages sont attendus, on les reconnaît et pourtant ils étonnent, séduisent par leurs gesticulations. Tout est à la fois faux et vrai, mais c'est le monde « normal » qui sonne faux puisqu'il est figé, banal, mort en quelque sorte. Les outrances suc-

cessives, concrètes sur la pellicule, sont la vie même. Sans savoir où l'on va, l'agitation est universelle, elle fait circuler les gens et les choses. Si l'action se bloque, si le personnage s'immobilise, si le visage se fige, si les objets s'entassent, pour peu que le silence se fasse, c'est pour mieux permettre le rebondissement de l'action délirante. Cette frénésie est d'autant plus joyeuse que la satire est plus féroce. Dans le noir de la salle, le spectateur, conquis d'avance, est là pour rire. Subjugué, il n'a pas le temps de savoir s'il y a erreur sur le réel. Les bruits et la musique sont acteurs, et encore plus à l'avènement du sonore qu'à l'époque contemporaine, où

ici joueront les « cascades », les comiques de situation et de langage dans les rapports insolites entre les individus, en particulier dans un comique plus intellectualisé. Cependant, les grandes figures du comique, au milieu de leur agitation, gardent un style et comme une ligne de conduite à l'égard du monde : Harry Langdon choisit toujours la fuite, comme Buster Keaton l'affrontement têtu avec une réalité qui les dépasse tous deux. Harold Lloyd contient une frénésie à la Mack Sennett derrière ses célèbres lunettes d'écaille. Chaplin, lui, par sa sensibilité, touche perpétuellement au mélodrame. W.C. Fields, par son génie de l'absurde, fait éclater toutes les situations. Les Marx Brothers sont des déconstructeurs et des destructeurs avertis aussi bien des gestes que du langage. Le comique évoluera très vite vers sa propre parodie : le gag – qui, avec Jerry Lewis, repose encore sur le jeu spontané de l'acteur – devient avec Mel Brooks et Woody Allen une véritable réflexion sur le genre.

●

5. Les Marx Brothers dans *Une nuit à l'Opéra* (1935).

Hollywood et le star-system

HOLLYWOOD ! BIEN QU'AUjourd'hui ce lieu ait perdu sa puissance dominatrice et son aura de splendeur, il suffit de prononcer son nom pour éveiller encore dans les esprits un imaginaire fabuleux. Les noms des stars jaillies de ce lieu mythique, de Greta Garbo à Marilyn Monroe, évoquent les féeries cinématographiques d'une époque riche d'audaces et d'espérances.

La renommée universelle de ces « monstres sacrés » ne vient pas seulement de leur talent. « La star, a dit Greta Garbo, c'est un comédien ou une comédienne qui ne sait pas forcément jouer la comédie, mais qui possède quelque chose en plus. »

Les premières vedettes furent des personnages de fiction (Nick Carter) et principalement des héros comiques (incarnés par Max Linder ou Fatty). Mais très vite le « star-system », par ses méthodes élaborées, fait entrer l'acteur lui-même dans la conscience collective, et tout particulièrement les actrices, qui incarnent toutes les facettes de la féminité, de la vierge ingénue (Lilian Gish) à la femme fatale (Marlene Dietrich).

Hollywood joue à la fois du narcissisme et de l'exhibitionnisme de comédiens venus de tous les horizons : parmi eux, le public choisit les élus qui de leur vivant seront changés en étoiles.

Les crises et les conflits mondiaux ont tué le « rêve américain ». Les mentalités ont changé, la télévision a bouleversé les manières de voir et de vivre. Au cinéma, les stars de rêve ont été remplacées par des acteurs et des actrices proches du réel, antithèses des vedettes. Comme pour d'autres cultes, on a tiré le rideau sur les dieux morts.

Quelques stars

1909	Mary Pickford (1893-1979), *The Little Darling*, de D. W. Griffith.
1919	Lilian Gish (1896-1993), *le Lys brisé*, de D. W. Griffith.
1926	Rudolph Valentino (1895-1926), *le Fils du cheik*, de G. Fitzmaurice.
1927	Greta Garbo (1905-1990), *la Femme divine*, de V. Sjöström.
1930	Marlene Dietrich (1901-1992), *l'Ange bleu*, de J. von Sternberg.
1934	Clark Gable (1901-1960), *New York-Miami*, de F. Capra.
1935	Gary Cooper (1901-1961), *les Trois Lanciers du Bengale*, de H. Hathaway.
1939	Katharine Hepburn (née en 1907), *l'Impossible Monsieur Bébé*, de H. Hawks.
1941	Humphrey Bogart (1899-1957), *le Faucon maltais*, de J. Huston.
1946	Rita Hayworth (1918-1987), *Gilda*, de Ch. Vidor.
1950	Jane Russell (née en 1921), *le Banni*, de H. Hughes.
1951	Elizabeth Taylor (née en 1932), *Une place au soleil*, de G. Stevens.
1955	Marilyn Monroe (1926-1962), *Sept Ans de réflexion*, de B. Wilder. James Dean (1931-1955), *la Fureur de vivre*, de N. Ray.
1957	Jayne Mansfield (1932-1967), *la Blonde explosive*, de F. Tashlin.
1959	John Wayne (1907-1979), *Rio Bravo*, de H. Hawks.
1972	Marlon Brando (né en 1924), *le Parrain*, de F. F. Coppola.

Lancement d'une star

LANCER UNE STAR, C'EST DÉCOUVRIR UNE PERSONNALITÉ D'EXCEPTION, MAIS C'EST SOUVENT CHANGER UNE CITROUILLE EN CARROSSE.

Selon Goldwyn, père du star-system, « pour rendre extraordinaire une personne ordinaire, il suffit de rendre extraordinaires les trois composantes de sa personnalité, son physique, son caractère, son style... pour en faire un symbole ». Cette trilogie est en effet indissociable.

Une star est d'abord un physique, qu'il ou qu'elle livre au public avant même le début du spectacle, sur les affiches ou les photos. Mais une star n'est pas « une étoile d'un jour ». Elle doit durer. C'est par son caractère qu'elle s'attachera les spectateurs, qui la retrouvent de film en film toujours la même et à chaque fois renouvelée. Enfin reste le style, qui, pour la star, est sa manière de paraître, d'agir. C'est par lui que le mythe devient réalité.

Être reconnu(e) star est l'aboutissement d'une stratégie, rencontre du commerce et de l'art. Il faut donc, après avoir défini un type, se mettre en quête de le trouver. C'est le rôle dévolu aux « talent-scouts », dénicheurs de physiques, qui, à travers le monde, repèrent les exceptions, ce qui ne veut pas dire les perfections, car l'étrange ou l'insolite peuvent faire sortir de l'anonymat, à condition d'avoir le courage de l'assumer. Le regard froid, les yeux globuleux et le manque de sex-appeal de Bette Davis ont servi ses rôles de mauvaise femme dans *l'Intruse* (1935) et *la Vie privée d'Élisabeth d'Angleterre* (1939). Humphrey Bogart, malgré et aussi à cause d'une cicatrice récoltée à la guerre, est devenu un mythe du cinéma mondial.

Dès que la future star a été choisie, elle entre dans sa phase de « fabrication ». Tout le monde participe à ce « miracle », le metteur en scène, les maquilleuses, les couturiers, les cameramen, les éclairagistes, etc. La star devient le centre de gravité du film. Peu importe la qualité du scénario, du moment que la star est présente pour apporter au public sa dose de rêve et satisfaire son besoin d'identification. Elle est alors un « produit industriel » dont Hollywood est le gestionnaire.

Le système a fonctionné à la perfection pendant trente ans et a même été affiné en 1929 par l'invention des Oscars pour indiquer plus nettement au spectateur ceux et celles à qui il doit vouer un culte. •

La star américaine

LA STAR AMÉRICAINE N'A QU'UNE VIE : CELLE QUI UNIT DANS UNE MÊME EXTRAVAGANCE ET UNE MÊME PUBLICITÉ BONHEURS DE CINÉMA ET TOURMENTS RÉELS.

Dans son processus d'élaboration, l'étoile doit résoudre les équations qui répondent à ce que le public attend d'elle, car c'est lui qui assure sa pérennité. Dans les années 20 à 50, la star, par l'irréalité de ses comportements, satisfaisait le besoin d'évasion de ses fidèles fascinés. C'est ce qu'avaient compris les Major Companies, qui mettaient au point des produits onéreux mais rentables, les « bankable stars ».

La star ne joue pas un rôle, mais elle se construit un personnage hors du commun, qui à l'écran ne peut être atteint par le péché, car ce serait la faire redescendre parmi les mortels. L'originalité de sa vie professionnelle doit se prolonger par l'excentricité de sa vie privée, soumise à l'indiscrétion des journalistes et du public qui épient ses caprices, ses divorces, ses voitures, ses piscines, ses villas qui semblent faites pour accueillir une superproduction en technicolor. À ce prix, quelquefois fort élevé, la star devient un objet de vénération et de fétichisme durant sa vie et au-delà.

Être star à Hollywood implique une perte complète d'identité, y compris de son nom. La petite chanteuse prodige Frances Gumm, brune et fluette, devint l'éblouissante Judy Garland aux cinq mariages et dont la santé morale ne put résister à cette dépersonnalisation, ce qui la conduisit à l'alcoolisme, à la détérioration de sa voix et, enfin, au suicide. Mais l'exemple le plus célèbre est celui de la petite et brune Norma Jean Mortenson, qui devint la blonde et sensuelle Marilyn Monroe, défrayant la chronique par ses amours tumultueuses et dont le « system » gomma les qualités de comédienne pour ne retenir que le mirage de « sex-symbol » qui la conduisit, elle aussi, au suicide en 1962. Elle avait 36 ans. Vies fulgurantes d'étoiles qui n'ont pu supporter l'image artificielle d'elles-mêmes que leur avaient imposée les hommes d'affaires du cinéma.

Aussi, dès 1919, pour échapper à cette emprise à la fois séduisante et dangereuse des grandes compagnies, certains artistes parmi les plus grands, comme Chaplin, Fairbanks, Mary Pickford, s'associèrent avec D. W. Griffith pour créer United Artists et devenir leurs propres producteurs afin de pouvoir choisir leurs scénarios, le metteur en scène, leurs rôles.

Si, pour devenir star, il suffit de se livrer corps et âme à son employeur, une fois les sommets conquis, il s'agit de s'y maintenir. Cela ne se fait pas sans qualités

Du héros à la star

À toutes les époques et sous toutes les latitudes, les hommes ont toujours eu besoin de croire en l'existence de héros, auxquels ils s'identifient d'autant plus qu'ils sont plus inaccessibles. Jusqu'au XIXe siècle, la tradition orale – y compris la chanson –, certaines formes de littérature populaire (contes, légendes, mélodrames), la peinture et la sculpture se chargèrent de relater leurs exploits.

Vint le cinéma, qui puisa dans ce vivier de thèmes épiques et le renouvela, car le comédien à l'écran donne l'illusion de la vie et se confond aisément avec le héros qu'il incarne. En même temps, le personnage de l'acteur est l'objet d'un culte, dernière religion du monde moderne, qui, dans sa boulimie et sa versatilité, ne cesse de brûler les dieux auxquels il rend hommage.

Un demi-siècle de Hollywood

CRISES ÉCONOMIQUES ET CONFLITS
MONDIAUX ONT PEUT-ÊTRE PLUS MIS À MAL LE « RÊVE »
QUE LA RÉALITÉ AMÉRICAINS. HOLLYWOOD VIT
À L'HEURE DE LA NOSTALGIE.

personnelles, au premier rang desquelles se trouvent la patience et la ténacité, pour atteindre cette perfection fragile toujours remise en cause par la mode. Rester fidèle à son personnage et se confondre avec son symbole sont la meilleure garantie pour conserver l'adulation du public et une vie dorée. Ainsi, Steve McQueen incarne le solitaire, John Wayne la virilité, Marilyn la féminité désemparée, comme Greta Garbo le charme froid venu du Nord, ou Marlene Dietrich la femme fatale.

Sur la terre comme au ciel, les étoiles même les plus brillantes meurent. Pour être éternelles dans le souvenir du public, les stars se doivent d'être uniques jusque dans leur mort. James Dean, idole des jeunes, mort accidentellement en voiture, a rejoint à 24 ans la mythologie des « monstres sacrés ». Trente ans après sa disparition, il conserve encore ses fans, comme depuis plus d'un demi-siècle Rudolph Valentino, dont la tombe est toujours fleurie par des mains anonymes. •

J usque dans les années 1930, le « star-system » a pu, sans trop de peine, imposer ses produits. Theda Bara (1890-1955) fut, en 1915, la première femme fatale au type de la vamp nordique : son producteur, William Fox, prêtait à cette brave fille de Cincinnati une mère arabe et des pouvoirs occultes. Dans une tonalité inverse, Mary Pickford (1893-1979) devint, en son ingénuité, « la petite fiancée de l'Amérique ». Les sœurs Gish, Dorothy (1898-1968) et Lilian (1896-1993), incarnèrent des vierges innocentes et mutines. Du côté masculin, les fils des héros des premiers westerns devinrent des champions de l'amour, dont l'archétype fut Rudolph Valentino (1895-1926), l'interprète du *Cheik* (1922) et de *l'Aigle noir* (1925) qui magnétise les foules : à sa mort, des femmes se suicidèrent et ses obsèques furent troublées par des crises d'hystérie.

À l'avènement du cinéma parlant, les scénarios se compliquent pour un public plus exigeant. La star est toujours déifiée, mais il n'est plus de règle que les héros soient jeunes, beaux et bons. De crises en conflits, le concept de la star change. Les difficultés de la vie ont aussi changé les rêves. Le public veut voir sur les écrans la réalité d'un monde qui se souvient d'Auschwitz et d'Hiroshima. Le star-system tente de créer de nouveaux symboles, alors que les mœurs se transforment, que les tabous disparaissent, que les mouvements féministes battent leur plein et que la télévision s'installe. Les canons de la beauté, eux aussi, évoluent. Le maquillage sert souvent à mettre en valeur les défauts du visage plus qu'à les estomper. Pour répondre à cette nouvelle situation, les stars doivent descendre de leur piédestal pour devenir des vedettes plus familières. De demi-dieux factices, elles se changent en mortels, d'autant qu'elles peuvent vivre chaque soir au milieu des familles. Le cinéma s'oriente vers des rôles plus humains ou d'une fantaisie plus légère. À la sensuelle Jane Russell et à la distante Lana Turner succèdent la brune et provocante Ava Gardner (*Pandora*, 1951) puis la blonde Marilyn Monroe, débordante d'amour et de candeur (*Comment épouser un millionnaire*, 1953) : elle sera la dernière star, à l'exception d'Elizabeth Taylor, éternellement star grâce à une vie privée mouvementée largement commentée par les médias.

Reste le souvenir nostalgique de ces êtres mythiques que perpétuent les rétrospectives des ciné-clubs et du petit écran. Où poursuivre maintenant le rêve ? Dans la science-fiction, dont les vaisseaux conduisent le spectateur vers de nouvelles étoiles. •

2. Louise Brooks à l'époque de *Lulu*, de G. W. Pabst (1929).

1. Marilyn Monroe sur le tournage du *Prince et la danseuse,* en 1957.

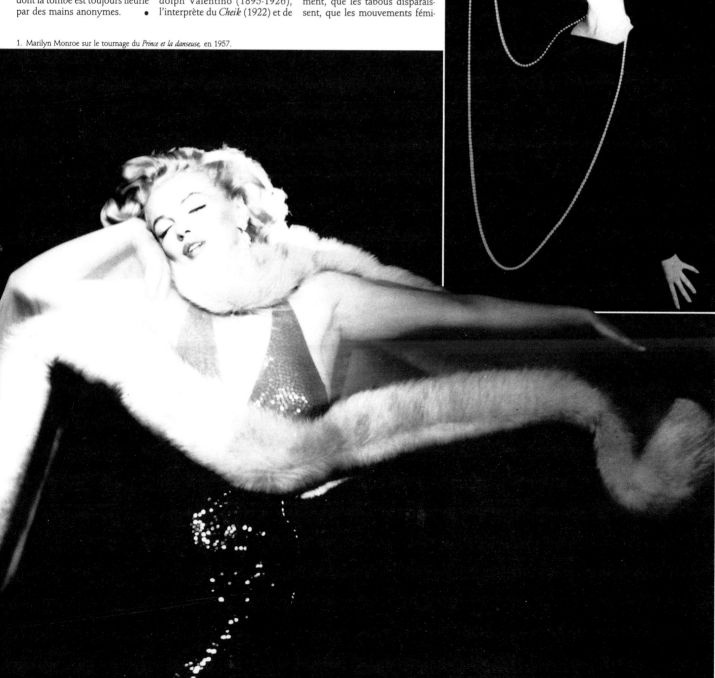

Le comédien de cinéma

Le métier de comédien

L'INDUSTRIE CINÉMATOGRAPHIQUE
FAIT DU COMÉDIEN MOINS LE SERVITEUR D'UN ART
QUE LE PRATICIEN MINUTIEUX D'UN MÉTIER.

LE COMÉDIEN DE CINÉMA exacerbe tous les paradoxes que la réflexion critique a, depuis Diderot, décelés dans les arts du spectacle.

Le comédien de théâtre évolue dans un espace qui s'affirme doublement comme le cadre d'une représentation : d'abord par la délimitation de la scène, ensuite parce que la raison d'être du comédien passe par la vie qu'il donne à un texte écrit.

L'existence du comédien de cinéma se fonde tout entière sur l'effet de réalité que produit le septième art. Le cinéma, dès l'origine, est apparu comme un piège où se prend le monde réel et son évolution a toujours tendu à faire oublier qu'il appartient à l'univers de la fiction. On a pu croire, en effet, que le cinéma était en prise directe sur la vie, qu'il pouvait se dispenser d'intermédiaire, d'interprète, et c'est une tentation permanente de tous les « cinémas-vérité » que de se passer des comédiens.

Mais, au cinéma, le comédien est plutôt un acteur. Pris entre les exigences contradictoires d'une esthétique et d'une industrie, le comédien tend moins à se couler dans la peau et la défroque des personnages qu'il incarne qu'à donner à tous ses tics et sa démarche. Il convie moins à voir le monde dans sa diversité et ses nuances qu'il ne cherche à se faire reconnaître dans ses attitudes stéréotypées et familières.

Ainsi, le comédien de cinéma, s'il est parfois un instrument dans les mains du metteur en scène, est le plus souvent un modèle qui s'offre non à l'incarnation de la vision d'un créateur, mais à la consommation symbolique et émotionnelle d'un public de masse.

Au théâtre, et depuis plus d'un demi-siècle, le métier de comédien a évolué dans deux directions diamétralement opposées : une abnégation totale dans le service d'un texte, d'un auteur – c'est le « jansénisme » d'un Copeau, d'un Dullin ; une dissolution absolue dans un « happening » qui confond vie et représentation, acteur et spectateur.

Le comédien de cinéma participe des deux tendances : son travail consiste à déchiffrer, au-delà des apparences, une vérité interne que son jeu reconstruit, mais, en même temps, l'identification permanente réalisée par le spectateur entre acteur et personnage le conduit à confondre relation et réalité de l'événement qu'il reproduit.

Le métier de comédien de cinéma est donc tributaire des mêmes conceptions et des mêmes débats qui ont agité le théâtre

1. Marcello Mastroianni dans *Une journée particulière,* d'Ettore Scola (1977).

Qu'est-ce qu'un comédien ?

Le comédien au sens propre « donne la comédie », c'est-à-dire que, laissant au second plan son être profond, il est capable d'être, le temps d'un scénario, un autre que lui-même, voire plusieurs : ainsi Alec Guinness tient-il dans *Noblesse oblige* (1949) huit rôles, y compris celui d'un personnage féminin. Le talent du comédien donne à croire. Ainsi l'expression de la vérité humaine ou sociale se fonde-t-elle sur une technique du mensonge.

Mais le comédien est aussi un médium. Son visage démesurément agrandi sur l'écran suggère et suscite des émotions qui seraient sans lui inconnues ou inaccessibles au public. Le comédien détient un pouvoir de médiation entre un univers imaginaire où toutes les passions sont possibles et l'existence rétrécie des individus qui composent la foule solitaire du monde moderne.

Multiples sont les voies qui peuvent amener le comédien à être le dernier personnage « sacré » de la société contemporaine : en cela il est bien un « monstre », car il suit le chemin inverse de la démythification généralisée des conduites et des valeurs. Certains sont venus du théâtre, voire de la figuration ; ils se sont parfois affinés dans des écoles d'art dramatique, comme l'Actors Studio de New York, d'où sont sortis aussi bien James Dean que Marlon Brando, Paul Newman que Dustin Hoffman. D'autres sont des enfants de la balle, comme Chaplin, les Marx Brothers ou Jean Gabin. D'autres encore doivent au hasard l'affirmation d'une personnalité exceptionnelle : ainsi, le jeune Michael Morrison, accessoiriste à la Fox, devra à sa stature et à l'absence inopinée d'un comédien le départ d'une carrière qui fera de lui John Wayne.

Devenu « vedette », le comédien inverse le sens de cette dénomination : il est moins « observatoire » sur le monde qu'un point de mire en butte à tous les regards. Il doit remplir une attente toujours renouvelée.

De là vient que le comédien peut difficilement vieillir. Il tente parfois l'apprentissage de la vieillesse en jouant, jeune, des rôles de personnages âgés : dans *la Ballade de Narayama,* d'Imamura (1983), Sumiko Sakamoto incarne la vieillarde abandonnée rituellement dans les neiges. Rares sont ceux qui, comme Charles Vanel, jouaient encore à 95 ans (*Si le soleil ne revenait pas,* de Claude Goretta). Aussi le film de Lindsay Anderson, *les Baleines du mois d'août* (1987), interprété par Lilian Gish (à 91 ans) et Bette Davis (à 80), apparaît-il comme un merveilleux et insoutenable défi.

•

La comédie de la vie ?

Qui est-il ? Celui dont il a endossé le costume, le caractère et les mimiques avec tant d'art et de naturel que le « métier » ne transparaît même pas dans son jeu, ou celui qui se cache derrière un masque ? Où est le vrai visage ? Nul ne le sait vraiment ; sauf peut-être le comédien lui-même, lequel se plaît d'ailleurs à entretenir un mystère si plein d'attraits... Quelle vie merveilleuse doit être la sienne ! Il change de vie comme de chemise, meurt et renaît sans cesse sous de nouveaux visages et de nouvelles identités, affranchi de toute contingence, et nous transporte dans son monde comme dans un rêve éveillé...

Mais cette existence, il ne la vit que par procuration, sans la communion directe avec une salle et un public comme au théâtre, mais à travers les images décentrées et réfléchies que donnent de lui-même les commentaires médiatiques, qui entretiennent une confusion perpétuelle entre sa vie et ses rôles.

2. Marlon Brando et Vivien Leigh dans *Un tramway nommé Désir,* d'Elia Kazan (1951).

contemporain, notamment sur la « distanciation » plus ou moins grande que l'acteur doit prendre à l'égard du personnage qu'il incarne. En ce sens, on peut dire que l'engagement physique sans restriction d'un acteur dans son rôle, au point d'accepter les risques d'un cascadeur, témoigne d'une volonté d'identification à l'être qu'il évoque : le comédien se prend à son propre jeu.

Mais les nécessités du tournage font éclater en facettes multiples et difficilement recomposables l'unité du personnage : le découpage fragmente la réalité en moments parfois fort éloignés dans une évolution temporelle et psychologique. Le comédien de cinéma au travail se situe moins dans l'ensemble et la continuité d'une œuvre que dans l'instant et dans l'espace réduit d'un plan.

Cette servitude structurelle s'accompagne d'une étroite dépendance économique. Le comédien ne programme pas sa carrière : celle-ci se fait ou ne se fait pas, selon les lois du marché. Quelles que soient ses qualités d'artiste, le comédien est un produit qui doit se vendre : pour cela, il peut utiliser les services d'un agent ou impresario. Et, si certains se permettent de refuser des rôles, d'autres acceptent de se produire dans les « sitcoms » du petit écran, voire dans les spots publicitaires.   ●

Le comédien et l'équipe

EN HAUT DE L'AFFICHE BRILLENT
LES NOMS DES COMÉDIENS ET DU RÉALISATEUR. MAIS
UN FILM EST L'ŒUVRE D'UNE ÉQUIPE.

Le comédien et le réalisateur forment un couple provisoire, le temps du tournage. Il s'agit donc de bien choisir son partenaire. Cette relation comédien/réalisateur n'est viable qu'à partir d'une confiance réciproque, fondée à la fois sur les compétences et le tempérament de l'un et de l'autre. Aussi la « direction d'acteurs » commence-t-elle avant le tournage d'un film. Ou bien le comédien désigné est un acteur confirmé, et le rôle du metteur en scène sera d'autant plus effacé que l'artiste aura assimilé le personnage soit pour en exprimer toutes les nuances, soit pour lui imposer sa marque (la liberté d'action peut aller, pour les stars, jusqu'à demander la modification du scénario afin d'obtenir de meilleures scènes ou de préserver leur image conventionnelle). Ou bien le comédien est moins expérimenté, et le réalisateur sera alors plus directif.

La technique du tournage adoptée influe également sur la direction d'acteurs : si le film est tourné par une succession de plans courts, le comédien passant de l'un à l'autre peut n'être pas toujours pénétré au même degré de son personnage, d'où la nécessité de l'intervention permanente du metteur en scène ; en revanche, la technique des plans-séquences laisse plus de liberté au jeu du comédien. Chaque réalisateur marque ses œuvres de son style, mais le succès d'un film repose souvent sur la notoriété du comédien, avant la séduction du personnage : on va voir un film « avec » Clark Gable ou Catherine Deneuve. Enfin, il y a le cas hybride, ou parfait, de l'acteur-réalisateur : la même personne connaît les exigences des deux métiers. John Houseman va jusqu'à dire qu'une loi devrait obliger les réalisateurs à être d'abord acteurs.

Les génériques montrent l'importance des équipes nécessaires à la réalisation d'un film, équipes au sein desquelles le comédien, bien qu'élément central, doit s'intégrer. Un film est une création collective. Le comédien évolue au milieu de techniciens et de spécialistes (cameramen, éclairagistes, preneurs de son, maquilleuses, décorateurs, etc.), foule anonyme aux talents divers dont le réalisateur est le catalyseur.

Une fois le montage achevé, c'est l'heure de vérité. Mais le rôle du comédien n'est pas terminé. Il doit encore participer à la promotion du film : réunions de presse, premières, interviews, festivals – Michèle Morgan appelle cela « se transformer en commis voyageur en jolies robes et bijoux ».   ●

3. Ingrid Bergman dans *Hantise*, de George Cukor (1944).

4. Michel Simon dans *l'Atalante*, de Jean Vigo (1934).

La comédie musicale

LE PREMIER FILM PARLANT, *le Chanteur de jazz* d'Alan Crosland, avec la voix d'Al Jolson, fut un triomphe le 6 octobre 1927 : les spectateurs reprirent en chœur les thèmes chantés pendant la projection. Un nouveau genre filmique était né, qui sera pauvrement exploité en Europe. Ses monuments et ses moments de gloire sont américains.

L'Amérique a le génie de la revue à grand spectacle : le rythme et le brio font oublier la niaiserie de l'action dans la fascination des paillettes et la débauche des lumières et des musiques. La jeunesse et l'amour triomphent. Une euphorie superficielle tente de faire oublier le krach financier de 1929.

L'Amérique veut du rêve et elle va vendre aux Américains, puis au monde entier, l'image d'un bonheur où tout se dit et se fait en chansons. Les corps volent comme suspendus au-dessous des sunlights. Tout est brillance et tourbillon. Le cinéma permet d'élargir le champ de la scène libéré des contraintes du théâtre. On adapte des spectacles du music-hall avant de créer des œuvres originales. Opérette et vaudeville, ballet et farce se rejoignent dans un genre nouveau qui, bien rodé à Broadway, passera ensuite à Hollywood.

Le film musical pourra s'appuyer sur une forte tradition non seulement en Grande-Bretagne et en Allemagne, mais en Égypte et en Inde. Mais c'est aux États-Unis que la comédie musicale connaîtra son développement le plus riche, des mélodrames familiaux des années 30 aux parades et aux « folies » des grandes firmes qui reprennent chaque année, dans une mise en scène plus coûteuse, des situations et des thèmes rebattus. Le genre évoluera aussi des plateaux encombrés et des foules trépidantes du music-hall au couple de vedettes, du type Fred Astaire et Ginger Rogers, dont la perfection de l'évolution chorégraphique s'accompagne toujours d'un humour discret.

La comédie musicale connaît un nouvel âge d'or dans les années 1945-1960, toutes à la reconstruction des optimismes. La généralisation de la couleur accentuera l'aspect « carte postale du bonheur » qui ne fait pas rêver que les midinettes. C'est l'époque de Vincente Minnelli, de Gene Kelly et de Robert Wise. Mais l'évolution des médias (la toute-puissance de la télévision) et des mœurs (qui impose à Hollywood de nouveaux thèmes) porte bientôt un coup décisif au genre.

Le « toujours plus » augmente de façon invraisemblable les coûts des superproductions. Les crooners et les starlettes vieillissants préfèrent se tourner vers les films non musicaux et de fiction. Les shows télévisés captent les jeunes vedettes et rendent le public de plus en plus exigeant : sans quitter ses pantoufles, le spectateur dispose chaque semaine d'un nombre important de spectacles dans des décors psychédéliques qui envahissent le petit écran.

Mélodies et musiques

MÉLODIES ET MUSIQUES SONT LES VEDETTES À PART ENTIÈRE DU FILM MUSICAL. ON LES FREDONNE ENCORE, QUAND ON A OUBLIÉ CINÉASTES ET CHANTEURS QUI, DE BROADWAY À HOLLYWOOD, LEUR ONT DONNÉ VIE.

Les musiciens ont composé les musiques des revues de Broadway dont les thèmes sont repris à l'écran. Ils ont créé aussi des airs originaux pour le film musical, qui devient spectacle total. La première comédie musicale « cent pour cent parlant, avec du chant et de la danse », *Mélodie de Broadway,* fut mise en scène sur la musique de Nacio Herb Brown et Arthur Freed en 1929.

Ce sont les duos d'amour qui trouvèrent une nouvelle prospérité dans la comédie musicale portée à l'écran. Jeannette MacDonald (1901-1965) et Nelson Eddy (1901-1967) chantent ainsi leur éternel amour dans des films successifs mais toujours semblables (*la Fugue de Mariette,* 1935 ; *Ma femme est un ange,* 1942). Il faut d'excellents interprètes pour faire passer à l'écran une émotion comparable à celle que le public éprouve dans la salle : *The Music Man* (1962) a un succès énorme grâce à la vigueur de Robert Preston ; *My Fair Lady* (1964), mis en scène par Serge Cukor sur une musique de Frederick Loewe, est remarquablement servie par Rex Harrison et Audrey Hepburn.

Les « stories » de Cole Porter et Gershwin sont célèbres. La vie de Cole Porter (1892-1964) est elle-même le thème de la comédie musicale *Night and Day* (1946), interprétée par Cary Grant : Cole Porter est l'auteur de quelques-unes des chansons les plus célèbres du théâtre et du cinéma américain, de *la Joyeuse Divorcée* (1934) à *Can-Can* (1960). Quant aux musiques de Gershwin, elles rythment les évolutions d'innombrables girls qui dessinent de curieuses figures géométriques dans des décors de miroirs et de jets d'eau. Si les carrières des chanteurs ou des chanteuses sont mises en scène en musique, les vies de compositeurs classiques (Johann Strauss, Chopin) mettent en valeur leurs musiques, et *Romance inachevée* (1954) éternise les mélodies de Glenn Miller. •

1. Judy Garland dans *le Magicien d'Oz.*

Les vedettes sont accessoirement des acteurs

QUI DIT FILM DIT ACTEURS, MAIS, DANS LA COMÉDIE MUSICALE, LES VEDETTES SONT AVANT TOUT DES CORPS JEUNES QUI FONT DES BONDS, CHANTENT ET DOIVENT TOUJOURS SOURIRE.

Dans la comédie musicale, le couple homme-femme symbolise l'accord parfait. Les duos d'amour sirupeux, largement diffusés grâce à l'essor du disque, démontrent que les amoureux peuvent être seuls au monde, au milieu des majorettes ou des pirates en action. Les hommes sont minces et ont les cheveux sages. Les femmes sont blondes et resplendissantes.

Le chanteur de charme, ou « crooner », est incarné dans les années 1930 par Bing Crosby (1901-1977), venu du music-hall et de la radio. Ses danseuses charmantes sont anonymes. On retient plutôt ses partenaires Danny Kaye, Bob Hope dans la série *Road to... (En route pour Singapour,* 1940). Ses chansons restent inoubliables, tout comme les succès de Frank Sinatra (né en 1915), avec lequel il est associé dans *la Mélodie du bonheur* en 1946 ou *Haute Société* en 1956.

Le maître incontesté de la danse dans les comédies musicales est Fred Astaire (1899-1987). Éblouissant de souplesse et de légèreté, il entraîne dans ses tourbillons ses partenaires féminines, Ginger Rogers, Rita Hayworth, Jane Powell, Cyd Charisse ou Judy Garland (1922-1969) : sur une idée de pantomime, Astaire développe une série de variations rythmiques et narratives, prenant toujours ses distances avec les conventions sentimentales (*Broadway qui danse,* 1940 ; *la Vallée du bonheur,* 1968). Seule Gene Kelly (né en 1912), qui est parfois son partenaire, est à sa mesure, dans un style plus athlétique et plus canaille (*Un jour à New York,* 1949 ; *Un Américain à Paris,* 1951 ; *Chantons sous la pluie,* 1952 ; *Beau fixe sur New York,* 1955).

Bien des comédiennes ont commencé leur carrière comme danseuses (Leslie Caron, Audrey Hepburn, Shirley MacLaine). Judy Garland a chanté dès l'âge de cinq ans et obtenu un triomphe dans *le Magicien d'Oz* en 1939. Partenaire de Mickey Rooney, enfant prodige lui aussi, dans les trépidantes comédies de Busby Berkeley (*Place au rythme,* 1939 ; *En avant la musique,* 1940), elle finit par faire du film musical l'expression douloureuse de sa difficulté d'être (*Une étoile est née,* 1954 ; *l'Ombre du passé,* 1963). •

2. Ginger Rogers et Fred Astaire dans *Entrons dans la danse*.

Des scénarios, puisqu'il en faut

LE SCÉNARIO EST LE POINT AVEUGLE
DE LA COMÉDIE MUSICALE. IL A BIEN DU MAL
À SE DÉMARQUER DU MUSIC-HALL.

Les films heureux ont une histoire, que les producteurs tendent à répéter : Jeannette Mac-Donald s'impose en 1934 dans *la Veuve joyeuse* de Lubitsch ; le succès est tel que la Metro-Goldwyn-Mayer va exploiter immédiatement cette veine pendant des années (*Rose-Marie*, 1936 ; *le Chant du printemps,* 1937). Tout est tendre, parfois larmoyant, le « happy end » est de rigueur et réunit les amoureux que tout semblait séparer au début du film ; uniformes et tenues de soirée font rêver. Le grandiose de la mise en scène fait oublier la ténuité de l'intrigue et le conventionnel des situations : à ce prix le public supporte les roucoulades du couple vedette au milieu du décor vivant des girls de moins en moins vêtues, dont l'érotisme pallie la mièvrerie des amours stéréotypées. Un exotisme pseudo-tropical permet à Dorothy Lamour d'arborer des tenues dont le pittoresque est censé séduire les deux globe-trotters Bing Crosby et Bop Hope à Rio, Bali et jusqu'au pays d'Utopie.

Sur les vastes miroirs de pistes de danse réelles ou posées dans des décors factices, les numéros de Fred Astaire ou de Gene Kelly, admirablement réglés, ne laissent que des souvenirs de valses, de bonds et de martèlements de claquettes. *West Side Story* (1961) ou *la Reine du Colorado* (1964) réussissent leur passage à l'écran grâce à l'imagination des chorégraphes, Jerome Robbins pour le premier, Peter Gennaro pour le second.

Les films de cabaret (après *l'Ange bleu* où triomphe Marlene Dietrich en 1930) ont peut-être plus d'unité, comme *Can-Can* avec Shirley MacLaine en 1960 ou *Cabaret* avec Liza Minnelli en 1972. Mais toute l'âme de la comédie musicale passe par l'oreille et le corps, et l'intrigue n'est tout au plus qu'un fil conducteur, un canevas qui laisse toute liberté aux prouesses des acteurs et à l'imagination du metteur en scène. ●

Les repères français

IL EST ÉTABLI QUE LA COMÉDIE MUSICALE
N'EST PAS FRANÇAISE. NÉANMOINS DES TALENTS
VENANT DE L'HEXAGONE ONT SU SÉDUIRE
LE PUBLIC AMÉRICAIN.

Maurice Chevalier (1888-1972), titi parisien, idole des music-halls de la capitale, tourne son premier film en 1908. Il conquiert l'Amérique avec son canotier, son large sourire et son accent, et tourne à Hollywood à partir de 1928, en particulier sous la direction d'Ernst Lubitsch : *Parade d'amour* (1929), *Paramount on Parade* (1930), *le Lieutenant souriant* (1931), *la Veuve joyeuse* (1934). Il joue dans *Aimez-moi ce soir* de Rouben Mamoulian, sur la musique des compositeurs de Broadway, Rodgers et Hart (1932). Après 1945, sa seconde carrière américaine lui permet d'interpréter *Gigi* (1958) de Vincente Minnelli, avec ses compatriotes Leslie Caron et le fameux « French lover » Louis Jourdan.

Leslie Caron (née en 1931) est une danseuse de formation classique. Remarquée par Gene Kelly, elle est sa partenaire dans le succès mondial *Un Américain à Paris* (1951), sur la musique de George Gershwin. Elle est encore la « petite Française » brune et souple, partenaire de Fred Astaire dans *Papa longues jambes* (1955), sur une chorégraphie en partie de Roland Petit et une musique de A. Newman. Dans *Lili* (1953), elle a pour partenaire Mel Ferrer : cette subtile éducation sentimentale d'une orpheline séduite par un marionnettiste marque un court renouveau du film musical dans une tonalité nostalgique.

Quant au compositeur Michel Legrand (né en 1932), il est un des musiciens de la « nouvelle vague » française. Il tente avec Jacques Demy (1931-1990), avec lequel il a déjà collaboré à *Lola* (1961) et à *la Baie des Anges* (1963), de créer une comédie musicale à la française : *les Parapluies de Cherbourg* (1964) jouent savamment des couleurs et des timbres pour traiter la chronique tranquillement désespérée d'un amour qui se défait dans le cauchemar de l'histoire. En 1967, Demy trouve une inspiration plus spectaculaire, plus proche de la veine américaine, avec *les Demoiselles de Rochefort,* qui reprennent son thème favori de l'amour dont la réalisation n'est possible que dans le jeu du hasard. En 1982, *Une chambre en ville* est une véritable tragédie musicale sur fond de conflits sociaux. ●

Du music-hall au musical

Du music-hall, la comédie musicale a gardé le goût du strass et des paillettes, le « savoir-sourire » en toutes circonstances et le sens du « numéro ». Mais, en se libérant des contraintes de la scène, la comédie musicale a touché à la perfection du genre : des foules de figurants et des chorégraphies pourtant réglées au quart de millimètre, des « planches » qui ne grincent pas et des maquillages qui ne coulent pas dans l'effort ou sous la chaleur des sunlights, des décors aussi splendides que variés en tournemain, des orchestres qui ne sauraient commettre la moindre fausse note ni des danseurs le moindre faux pas... Cinéma oblige, rien n'est laissé au hasard ou à l'improvisation, tout est achevé, idéal, comme sur du papier glacé. Les limites du genre ? Elles ne tiennent qu'au talent des acteurs, à l'inspiration des maîtres de ballet et au renouvellement des thèmes...

3. *West Side Story* de Robert Wise.

Le western

L'histoire d'une fiction

LES PREMIERS WESTERNS SONT CONTEMPORAINS DES ÉVÉNEMENTS QU'ILS RACONTENT. DU CINÉMA MUET JUSQU'À NOS JOURS, LE COW-BOY SILLONNE NOS ÉCRANS, ACTEUR IMMORTEL D'UN PASSÉ RÉVOLU.

QUI N'A PAS LE SOUVENIR d'un film de cow-boys ? Jeunes et moins jeunes de tous pays ont pris fait et cause pour le gaillard au regard d'acier sous un grand chapeau, le cavalier émérite qui traverse plaines, déserts et canyons, au péril de sa vie, afin de faire triompher la bonne cause. Depuis le début du siècle, le cinéma muet puis le cinéma parlant ont accueilli cet héroïsme historique, ce proche passé des États-Unis d'Amérique bâtis d'est en ouest jusqu'à lier l'Atlantique au Pacifique sous la même bannière. Les pionniers du Nouveau Monde ont rejoint les héros des légendes, là où le Bien finit toujours par terrasser le Mal. Cette époque, spécifique d'un peuple en formation, appartient au patrimoine universel. Le film éternise ses symboles de génération en génération.

À l'avènement du cinéma muet, l'opérateur a pour mission de rapporter à sa compagnie des documentaires. Puis les premiers westerns recréent sur la pellicule des événements relativement récents qui ont donné l'Amérique aux Américains. Du scénario le plus simpliste au plus élaboré, le western apporte au spectacle une part d'exotisme né sur un vaste territoire, matériau d'exportation qui fait rêver tous les publics des salles obscures avant de conquérir, bon gré mal gré, le petit écran pour y prospérer. Tous les procédés techniques ont été mis au service de la pérennité du western. Des scénaristes se sont spécialisés dans ce genre. Les plus grands s'y sont essayés avec plus ou moins de bonheur et ils y ont fait souvent passer un souffle épique. L'industrie du cinéma a su exploiter les thèmes qui font vibrer les salles alors que les galops des chevaux ne résonnent plus dans les canyons.

Les premiers films reconstituaient l'odyssée transcontinentale des valeureux pionniers face aux mauvais Indiens que l'on avait bien eu raison d'exterminer. Il arriva que le cow-boy devînt un peu moins bon. Il y eut même le « badman » qui malgré ses violences restait sympathique, puisqu'il évoluait dans un décor immuable et séduisant. Dans le western contemporain, on est allé jusqu'à réhabiliter le « Peau-Rouge », le héros indien, enfin digne d'être considéré comme un être humain... Ainsi, avec le temps, le message a changé de sens. Le regard que les États-Unis portent sur leur histoire se modifie avec l'évolution des mentalités. La reconstitution du passé varie avec l'éclairage sociologique contemporain.

S'amorce cependant dans les bandes dessinées et les « séries » une nouvelle mythologie universelle : les « Rangers » n'ont plus à pacifier les espaces du Nouveau Continent, juchés sur leur fringants coursiers. Suiveurs de leurs cousins astronautes, ces pionniers d'un nouveau genre sillonnent l'espace cosmique pour maintenir l'ordre et la justice dans des civilisations en risque de perdition.

En 1903 sort le premier véritable « western » : *The Great Train Robbery (l'Attaque du Grand Rapide)*, réalisé par Edwin S. Porter, alors que les hold-up dans les trains transcontinentaux des États-Unis – c'est le thème du scénario – sont encore fréquents.

Depuis la fin de la guerre de Sécession (1865), le Far West est à conquérir, toujours plus loin vers l'ouest. S'installe peu à peu une population de gaillards, rudes et résistants, le cow-boy et son patron, l'éleveur de bovins. Sur les terres conquises s'établissent les fermiers dans leur ranch, le long de la voie de chemin de fer qui relie l'est à l'ouest le 10 mai 1869. L'étoile du shérif représente l'ordre civil. Le pasteur sermonne les âmes et demande aux hommes de laisser leurs pistolets dans leur gaine pendant le culte. Les épouses, qui ont accepté de participer à cette longue procession à bord de chariots cahotants et chaotiques, sont simples, vertueuses et courageuses. Le cowboy, honnête et travailleur, garde la nuit les vaches de son « cattleman » en chantonnant pour rassurer les bêtes. C'est que maintenant les fermiers se disputent les terres qui ont été ravies aux Indiens : des barrières entravent la circulation des troupeaux ; on réplique en coupant les clôtures et en égorgeant les moutons. Le chasseur de bisons extermine l'espèce pour affamer les Peaux-Rouges, eux-mêmes traqués par les troupes régulières des Rangers. Privé de liberté et de terres, l'Indien, menacé dans sa culture et dans son existence, massacre l'oppresseur par des représailles sanglantes avant de se cantonner dans les réserves. Dans les villes en planches, pour se remettre de leurs émotions, les hommes trouvent alcool, maisons de jeux et filles des saloons avant de regagner, sans un sou, mais la vie sauve, le rude labeur quotidien. Ainsi naissent les villes américaines du Far West. Les chercheurs d'or ont perdu leurs illusions, mais la réalité devient légende qui se transmet dans les romans à succès, « dime novels » et « western stories », qui serviront de base aux premiers scénarios d'Hollywood. •

La légende de l'épopée

La conquête du Far West, c'est avant tout l'histoire d'une Amérique sûre de son bon droit. Une histoire revue et corrigée, certes, mais aussi simple qu'universelle parce que racontant l'éternelle lutte pour la survie des « bons » contre les « méchants » et transformant, à coups de lasso et de pistolet, un cow-boy de tous les jours en héros solitaire et tragique.

1. *La Conquête de l'Ouest* (1962) de Henry Hathaway.

2. Tom Mix et son cheval Tony.

3. Charlton Heston et Jack Palance dans *le Sorcier du Rio Grande* (1953) de C. M. Warren.

Le western de A à Z

GALOPADE SANS INTRIGUE OU PARABOLE SYMBOLIQUE, ÉPOPÉE NATIONALE OU PLAIDOYER POUR LES CULTURES DISPARUES : LE WESTERN EST UN RODÉO OÙ LE HÉROS DOIT SE DOMPTER LUI-MÊME.

Les pionniers et les Indiens reprennent du service sur les écrans. Les premières fictions sont essentiellement des films d'action. Les studios sont établis dans la banlieue de New York. On tourne rapidement, avec les moyens de l'époque, des films relativement courts. Puis le cinéma s'industrialise, les grandes firmes peuvent se permettre de traiter de vastes sujets avec des matériels importants et des acteurs connus au service de l'esprit inventif des réalisateurs. Il faut de grands espaces naturels, mais aussi des studios qui se bâtissent dans l'Ouest conquis et s'étalent près de Los Angeles à Hollywood. Mais, pour plaire au public populaire, le héros doit se retrouver identique à lui-même de film en film. Le « star-system » s'installe et fait la gloire et la fortune de demi-dieux dans les aventures desquels les Américains découvrent l'Amérique : Max Anderson (1883-1971) devient « Broncho Billy » et tourne 500 films de 1908 à 1915. Tom Mix (1880-1940), cow-boy authentique, s'envole sur son cheval blanc Tony pour faire triompher la morale. William S. Hart (1862-1946) devient « Rio Jim » dans des films réalistes jusqu'à l'avènement du parlant. Après la Première Guerre mondiale, des films de divertissement de « série Z » cohabiteront avec de grands westerns comme *le Dernier des Mohicans* de M. Tourneur ou les films de John Ford, de *Black Billy* (1917) à *Trois Sublimes Canailles* (1926) et à *la Chevauchée fantastique* (1939). *La Piste des Géants* de Raoul Walsh (1930), parlant et sur écran large, émerveille les spectateurs sur 4 000 mètres de pellicule. Avec le parlant et le musical puis la couleur, la série Z gardera la facilité des clichés oubliés dans le dynamisme de l'action, alors que la « série B » s'attachera à la qualité du scénario. Ici le dialoguiste apporte de la profondeur à l'intrigue. Quelques « sur-westerns » de grands réalisateurs ont su aller au-delà des conventions du genre : *Duel au soleil* de King Vidor (1947), *la Poursuite infernale* (1946) et *le Massacre de Fort Apache* de John Ford (1948), *la Rivière rouge* (1948) et *la Captive aux yeux clairs* (1952) de Howard Hawks. •

Le western contemporain

LE CINÉMA DES GRANDES SALLES EST EN CRISE DEPUIS LES ANNÉES 1950. LE WESTERN RISQUE DE SE PORTER D'AUTANT PLUS MAL AVEC LA TÉLÉVISION QUI ACCUEILLE LA SÉRIE Z.

Hollywood vend ses stocks de « horse operas » à la télévision. Peu à peu, la série B évolue avec une nouvelle définition du héros de l'Ouest. Plus mesuré dans ses actes et plus nuancé dans ses pensées, ce dernier a moins souvent le revolver au poing. Sensible, il peut douter de sa mission et même avoir peur. Les vétérans comme Budd Boetticher, A. Dwan ou W. A. Wellman sont encore les défenseurs du western « classique ». Dans *Le train sifflera trois fois* (1952), Fred Zinnemann analyse les effets de la peur collective. Richard Brooks, dans *la Dernière Chasse* (1956), dénonce les méfaits de la haine raciale des chasseurs de bisons, héros sans gloire ; Sam Peckinpah (*Coup de feu sur la sierra,* 1962), dans le décor immuable des aventures d'antan, décrit le triomphe d'une loi inhumaine.

Le western évolue surtout à travers une double attention à la psychologie des héros, voire à la psychanalyse (*la Vallée de la peur,* de R. Walsh, 1947), et à la culture indienne : l'Indien retrouve ses qualités de « bon sauvage », et même d'être plus authentique que le Blanc dans *la Flèche brisée* (D. Daves, 1950), *Broncho Apache* (R. Aldrich, 1954), *Little Big Man* (A. Penn, 1970). John Ford n'en finit pas de chanter l'héroïsme de l'Ouest, mais en renversant l'opposition des tenants de la sauvagerie et de la civilisation (*les Cheyennes,* 1964). Le pionnier, le guide qui ouvre la route apparaît de plus en plus solitaire, coupé à la fois du monde qu'il découvre et qu'il agresse et de sa communauté dont il juge les espérances et les illusions (*la Prisonnière du désert,* 1956).

Mais le western existe aussi sans l'Ouest, par l'exotisme de ses versions australiennes ou avec la violence de ses interprétations brésiliennes. Surtout l'Italien Sergio Leone (1929-1989) s'impose, même aux États-Unis, avec des fresques grandiloquentes, sur lesquelles s'accordent les musiques lancinantes d'Ennio Morricone (*Pour une poignée de dollars,* 1964 ; *le Bon, la Brute et le Truand,* 1966 ; *Il était une fois dans l'Ouest,* 1968), et qui, transformant l'affrontement ou le duel en un pur jeu formel, démythifie l'histoire traditionnelle de l'Ouest. •

Le film policier
et le film noir

L A BIBLE (AVEC LE MEURTRE d'Abel par Caïn), Freud (avec le meurtre du père), les anthropologues modernes (avec le meurtre collectif d'une victime émissaire) placent le crime aux sources de l'histoire de l'humanité et de l'organisation sociale. Le crime apparaît dès les débuts du cinéma, mais saisi dans l'optique rassurante du détective, avec les exploits de *Nick Carter,* que Victorin Jasset adapte, entre 1908 et 1910, pour la compagnie l'Éclair.

Le film policier, avec ses poursuites, ses guet-apens, semble aux yeux de la critique de la Belle Époque réaliser l'essence même du cinéma : c'est le mouvement de l'image, qui surpasse de beaucoup les récits populaires qui l'inspirent, et qui suscite très vite sa propre parodie avec les séries de Louis Feuillade, qui, de Fantômas à Judex, fera école dans le monde entier.

Le film policier connaîtra cependant une évolution parallèle au roman qu'il adapte. Il débute, comme un jeu de piste, avec un criminel à la psychologie monolithique qu'il s'agit de débusquer à travers l'ambiguïté multipliée des indices : le policier ne vaut alors, comme Sherlock Holmes ou Hercule Poirot, que par la vivacité de ses « petites cellules grises ». Le policier et son film ont pour vocation de « faire la lumière » sur un événement aléatoire qui ne met pas en péril l'équilibre d'une société.

Mais, à partir des années 1930, sous la double influence des bouleversements économiques et sociaux (la Grande Dépression) et des techniques cinématographiques (la systématisation du *suspense*), l'intrigue policière se complique de péripéties violentes (c'est le *thriller*) et se charge d'une sorte de réalisme noir, qui englobe l'univers du criminel, mais aussi celui du policier et le milieu qui sert de toile de fond à l'aventure : les détectives privés usent de la même violence que les bandits qu'ils traquent ; dans un monde condamné aux ténèbres, ils n'ont comme justification que leur insigne et d'avoir choisi le bon côté de la barrière. Malfrats, haute pègre et shérifs sans illusions communient désormais dans une même corruption : c'est ce que dit le regard plus cynique (Robert Montgomery) ou plus désabusé (Humphrey Bogart) de Philip Marlowe.

Si l'humour trouve à s'immiscer dans une atmosphère étouffante (ainsi dans l'œuvre de Hitchcock), le film policier se noircira davantage en portant le duel entre le Bien et le Mal à l'intérieur même de l'âme des héros – l'enquête sur les faits cédant le pas à l'analyse, voire à la psychanalyse, des mobiles – ou en élargissant le domaine du crime aux dimensions d'une société manipulée par des syndicats et des mafias occultes. Fini les trajectoires météoriques de héros à qui le monde appartenait le temps d'une fusillade : les « parrains » passent des « contrats », prenant leurs modèles et leurs expressions non plus dans les bas-fonds mais dans la haute finance.

Le film noir, produit d'une époque ou de la société

PASSÉ L'ÈRE DES DÉTECTIVES VIREVOLTANTS ET DES CHEVALIERS DU CRIME, LE FILM POLICIER S'ENGLUE DANS UNE ANGOISSE DIFFUSE ET DANS LA NOIRCEUR DE LA RÉALITÉ QUOTIDIENNE.

F ilm policier « classique » et film noir ont en commun l'accumulation de cadavres et l'accélération progressive d'une action au bout de laquelle le coupable est découvert, arrêté, châtié, mais, dans le film noir, cette précipitation haletante n'est plus celle d'un jeu bien conduit : le spectateur est pris dans un désarroi qui, de séquence en séquence, se transforme lentement en malaise qu'il est impossible d'attribuer aux seuls forfaits du criminel.

Le film noir colle au roman de même couleur que consacre, en 1930, *le Faucon maltais* de Dashiell Hammett, que John Huston portera à l'écran en 1941. Il rompt avec l'évocation de héros solitaires défiant la société (*Scarface*, 1932, de H. Hawks), comme avec l'ingénieuse reconstitution des puzzles de M. Leblanc ou G. Leroux (*le Parfum de la dame en noir*, 1931, de M. L'Herbier).

Dans le film noir règne une ambiguïté qui condamne le spectateur à se mêler en voyeur à une affaire sordide, s'il veut en suivre les méandres. Le décor de l'action fait alterner la technique du huis clos (les scènes oppressantes dans des intérieurs aux volumes accentués par des éclairages heurtés, des décors anguleux et froids inspirés de l'expressionnisme alle-mand) et les extérieurs nocturnes et nébuleux dans des ruelles qui sont des souricières. Plus l'environnement est vaste, plus il est inattendu et sert de cadre à la virtuosité démentielle de l'action. Les héros de la pègre ont, au fond, des intérêts incohérents. Ils sont à la fois hypersensibles et cyniques ; ils se complaisent par nature dans la violence féroce. Les victimes s'écroulent, agonisent longuement. Le seul vrai plaisir est celui de la cruauté. L'érotisme, latent, est sans cesse suggéré par les plans, les éclairages, les symboles. Dans cette sexualité floue, les femmes ne sont pas seulement des victimes, elles sont aussi des « tueuses ». Mais l'histoire s'achève invariablement par la prison, la folie, la mort.

Si les films d'Hitchcock, malgré leur tonalité trouble, restent encore des exercices de style (*l'Inconnu du Nord-Express*, 1951), le film noir a pris ainsi des allures de documentaire et de réquisitoire sur une société économiquement et moralement déboussolée, avec B. Wilder (*le Poison*, 1945), H. Hathaway (*l'Impasse tragique*, 1946), H. Hawks (*le Grand Sommeil*, 1946), E. Dmytryk (*Feux croisés*, 1947), J. Dassin (*la Cité sans voiles*, 1948), J. Huston (*Quand la ville dort*, 1950). •

2.

1. et 2. *Scarface*, de H. Hawks (1932), avec George Raft et Paul Muni.

C'est encore l'Amérique

LE FILM NOIR, NÉ DE LA CRISE
AMÉRICAINE ET DU ROMAN AMÉRICAIN, S'EST ENCORE
INCARNÉ DANS D'INOUBLIABLES FIGURES
D'ACTEURS DE HOLLYWOOD.

Le film policier avait commencé par peindre des gangsters sortant de l'ordinaire, auxquels quelques acteurs prêtaient leur talent et le poids de leur personnalité : James Cagney (dans *l'Ennemi public,* 1931, de Wellman), Edward G. Robinson (dans *le Petit César,* 1931, de M. LeRoy), Paul Muni (dans *Scarface,* 1932, de H. Hawks).

Curieusement, le film noir polarise l'attention sur le policier qui, s'il a la ténacité des bâtisseurs d'empires souterrains, n'en a pas gardé l'optimisme. Ce policier est d'ailleurs le plus souvent un privé, qui navigue à mi-chemin entre l'ordre et le crime et risque d'être aspiré par les bas-fonds.

Un acteur résume, dans sa carrière, toute cette ambiguïté : Humphrey Bogart (1899-1957). Il débute par une série de rôles de gangsters de second plan, dans l'ombre de James Cagney et George Raft. En incarnant, en 1941, Sam Spade, le privé du *Faucon maltais,* il donna le modèle définitif du justicier cynique, sans illusion sur les lois de la société comme sur celles de la pègre. Il raffinera son personnage, qui joue avec la mort et l'amour sans y croire, dans son interprétation de Philip Marlowe, dans *le Grand Sommeil,* mis en scène par Hawks en 1946. Stoïque, goguenard et dur, capable d'abattre brusquement son jeu dans une partie dont il fixe lui-même les règles, « Bogey » a réussi le tour de force d'introduire la sobriété et l'élégance dans la fureur du film noir. •

3. *La Soif du mal,* de et avec Orson Welles (1958).

4. Humphrey Bogart dans *la Femme à abattre* (1951), de R. Walsh.

Est-il bon ?
Est-il méchant ?

Tout dépend du point de vue. Le héros, qu'il soit victime ou justicier, lutte contre le mal mais n'en triomphe pas nécessairement. Il peut être aussi un voleur ou un criminel malgré lui, il force la sympathie en cherchant à échapper aux foudres d'une justice aussi aveugle que faite pour des bien-pensants étriqués. Bref, par grand écran interposé, le spectateur prend parti, mais sans risques, en se plaçant d'un côté ou de l'autre de la barrière du droit.

5. V. Clouzot et S. Signoret dans *les Diaboliques,* de H. G. Clouzot (1955).

Confusion des genres

L'INDUSTRIALISATION HOLLYWOODIENNE
DU GENRE « NOIR » A CONDUIT À UNE DIVERSIFICATION
DES STYLES, INSPIRÉE PAR UN EXPRESSIONNISME
PUIS UN RÉALISME VENUS D'EUROPE.

À partir de 1933, les cinéastes allemands réfugiés aux États-Unis apportèrent plus de mystère et une analyse plus psychologique dans la peinture de la criminalité. C'est ainsi que le Viennois Otto Preminger, en 1944, tourne *Laura,* où il mêle le film noir à l'intrigue intimiste... ou que Billy Wilder, la même année, dans *Assurance sur la mort,* fait de Barbara Stanwyck une « tueuse » victime de sa propre névrose. Fritz Lang évoque dans *la Femme au portrait* (1944) l'implacable destin d'un homme condamné à devenir criminel et que rien ni personne ne peut sauver : le film emploie les techniques expressionnistes de clairs-obscurs et le tournage des scènes de nuit. La psychanalyse s'empare du film noir dans *Péché mortel* de John Stahl (1945), également premier film en Technicolor, qui utilise les effets angoissants de paysages estompés à l'aube ou au crépuscule, les inquiétants reflets de l'eau d'un lac ou la nudité des espaces du Nouveau-Mexique.

Cependant, le film noir croise le film d'époque : *Hantise,* de George Cukor (1944), ou *Jack l'Éventreur* (1944), de John Brahm, exploitent le charme désuet de la série noire dans l'atmosphère brumeuse d'un Londres 1900. On revient à une psychologie tourmentée dans *Gilda* (1946), de Charles Vidor, qui fait de la femme-objet, incarnée par Rita Hayworth, le centre d'un univers clos où le plaisir ne va jamais sans tragédie. C'est encore Rita Hayworth qui prête à *la Dame de Shanghai* (1948), d'Orson Welles, son charme ambigu, promesse non d'amour mais de destruction.

Le réalisme venu d'Europe et en particulier d'Italie tendra plutôt à infléchir le film noir vers le documentaire. Et, si le film de gangster devient de plus en plus dur – de *L'enfer est à lui,* de R. Walsh en 1949, et du *Baiser du tueur,* de S. Kubrick, en 1953, à *À bout portant,* de D. Siegel, en 1964 –, c'est que le monde réel est de plus en plus violent. Seul, dans *Tous en scène* (1953), Vincente Minnelli a su transposer le rythme du « noir » dans un ballet étourdissant que mènent Fred Astaire et Cyd Charisse. •

Un certain renouveau

LA TÉLÉVISION ET LA MULTIPLICATION
DES SÉRIES POLICIÈRES CONDAMNENT PRODUCTEURS
ET METTEURS EN SCÈNE À L'IMAGINATION.

Alors que les tabous sexuels s'écroulent, que les minorités marginales revendiquent leur droit à la différence, que la délinquance frappe tous les milieux sociaux, que les « vraies » valeurs sont contestées, la fiction de série noire rejoint peu à peu l'angoisse réelle de la société américaine. La corruption envahit la police de New York et les références du Bien et du Mal sont de moins en moins faciles à définir. On tourne dans les années 1960-1970 des films « noirs » qui s'accommodent de la couleur, de la pleine lumière et des décors réels. On ose évoquer la Mafia, les homosexuels. Truands et policiers de race noire louvoient dans la même pourriture que leurs collègues blancs. *The Detective,* de Gordon Douglas (1968), sonne le glas du « bon flic » qui obtient une promotion au moment même où il s'aperçoit qu'il a fait condamner un innocent. Même l'homme le plus ordinaire, le plus paisible peut, dans ce monde boueux et déréglé, être conduit au pire : Charles Bronson (né en 1920) est le symbole de ce citoyen-vengeur dans *Un justicier dans la ville,* de Michael Winner (1974).

Dans la même décennie, le film « sombre » à la française est une parodie qui ne recherche aucune authenticité, ou qui s'efforce de retenir la tonalité du « milieu » d'avant-guerre : après J. Becker (*Touchez pas au grisbi,* 1954) et J. Dassin (*Du rififi chez les hommes,* 1955), les films de H. Verneuil (*Mélodie en sous-sol,* 1963 ; *le Clan des Siciliens,* 1969) sont surtout le prétexte à des numéros d'acteurs. Seul J.-P. Melville tente de prolonger le mythe du héros solitaire de la grande époque américaine (*le Doulos,* 1963 ; *le Samouraï,* 1967).

Mais c'est le petit écran qui distrait, en France, avec les adaptations des *Maigret* de Simenon ou la pédagogie des *Cinq Dernières Minutes.* Alors que l'on retrouve en 1988 le charme désuet des énigmes d'Agatha Christie dans *Rendez-vous avec la mort,* de M. Winner, l'Amérique a depuis longtemps dit adieu au film noir. Après *le Parrain* (1972), de F. F. Coppola, et *Chinatown* (1974), de R. Polanski, c'est la télévision qui, à travers des séries interminables, s'épuise à suivre exécutions réelles, attentats, ravages de la drogue et du sida, que le monde vit désormais en direct. •

Les superproductions

LES INVESTISSEMENTS DANS LES FILMS
À GRAND SPECTACLE ONT DES RETOMBÉES IMMÉDIATES
DANS LA RÉALITÉ DE TOUS LES JOURS.

Film historique et péplum

L'HISTOIRE A SERVI DE matériau à tous les moyens d'expression artistique, des arts plastiques à la littérature et au théâtre. Le cinéma, dès ses débuts, s'est emparé des grands événements du passé, soit à travers des adaptations d'œuvres littéraires, soit grâce à des scénarios originaux exploités par des réalisateurs ambitieux.

Les civilisations anciennes ont inspiré toutes les productions cinématographiques et spécialement en Europe, avec l'Italie, et aux États-Unis : la Grèce antique, la Rome païenne et chrétienne, l'Égypte des pharaons, la Palestine des temps bibliques, Babylone. Ce patrimoine universel, mêlé le plus souvent à une bonne dose d'anachronisme, revit sur les écrans grâce à des mises en scène grandioses – *Quo Vadis ?* de l'Italien E. Guazzoni, en 1912, est le premier film dont le budget dépasse un million de francs-or – et fascine toujours un public en quête d'identification avec quelque héros réel ou mythique, comme César ou encore Ben Hur.

Mais le cinéma s'attache aussi à un passé moins lointain et, dès avant 1914, les foules avaient vibré à l'évocation de l'*Assassinat du duc de Guise,* de la *Bataille de Gettysburg* ou de la figure de la *reine Élisabeth,* incarnée par Sarah Bernhardt. L'acte de naissance du cinéma américain peut être daté du film de Griffith, *Naissance d'une nation* (1915), qui peint le difficile accouchement des États-Unis modernes à travers la guerre de Sécession, comme la célébration de la Russie soviétique trouve ses références dans les œuvres d'Eisenstein : *Alexandre Nevski* (1938) et *Ivan le Terrible* (1942-1946).

Cependant il est une manière à la fois plus distanciée et plus familière de considérer l'histoire : c'est celle faite de mélodrame populaire, de dynamisme sportif et d'humour affiché que pratique le péplum. L'Italie triomphe dans ces films monumentaux, aux décors extravagants et aux vastes mouvements de foule. Les lois de l'histoire et celles du spectacle finissent toutefois par coïncider : les héros se fatiguent, l'imagination s'essouffle et les fantasmes gratuits contaminent un passé qui ne relève plus d'un destin mais d'une combinatoire commerciale : Annibal, les Vikings, Cléopâtre, Zorro et Maciste se croisent et s'agitent dans une vaste et simpliste mythologie visuelle.

E ntre les deux guerres, l'évocation du passé concourt à la domination du présent. Ainsi l'avènement du fascisme en Italie suscite des films grandiloquents qui justifient les principes et les actions du régime. *Scipion l'Africain* (1937) de Carmine Gallone, avec des dizaines d'éléphants, des milliers de chevaux et une soixantaine d'acteurs, met le faste de la Rome antique au service du prestige mussolinien.

Aux États-Unis, la deuxième version de *Ben Hur* (1926), de Fred Niblo, coûte une fortune à la MGM alors que les droits d'auteur à reverser aux héritiers de Lew Wallace, auteur du roman qui a inspiré le scénario, sont, par contrat, de la moitié des recettes. Cecil B. De Mille (1881-1959), qui a commencé son œuvre cinématographique en 1914 avec un western où les Apaches font bonne figure, illustre son goût de la reconstitution historique avec *Jeanne d'Arc* (1917), puis se spécialise dans les grandes machines spectaculaires inspirées des thèmes bibliques : *les Dix Commandements* connaissent en 1923 un énorme succès, et il les reprendra en 1956 après trois ans de préparation. Mais la première version avait déjà nécessité l'emploi de 25 000 figurants et de 3 000 animaux ; pour le passage de la mer Rouge, il a eu l'idée de fixer trois plans successifs sur la même pellicule : la foule des Hébreux marche entre deux murs d'eau, formés en réalité de deux réservoirs d'acier recouverts de gélatine. Après la mort de C.B. De Mille, le film historique continuera sa brillante carrière à Hollywood ou à Rome, avec le *Ben Hur* de William Wyler (1959) : dans huit hectares de décors évoluent 100 000 figurants et 496 acteurs ; la scène de la course de chars a demandé quatre mois de répétitions et trois mois de tournage. Moins soucieux de virtuosité technique, Stanley Kubrick, dans *Spartacus* (1960), conçu avec Kirk Douglas, dresse un réquisitoire contre l'esclavage et des oppressions pas seulement romaines.

Dates clefs

1908 l'*Assassinat du duc de Guise,* de Calmettes et Le Bargy
les *Derniers Jours de Pompéi,* de Luigi Maggi

1912 *Quo Vadis ?,* d'Enrico Guazzoni

1914 *Cabiria,* de Giovanni Pastrone

1915 *Naissance d'une nation,* de David W. Griffith

1916 *Intolérance,* de David. W. Griffith

1923 les *Dix Commandements,* de Cecil B. De Mille

1926 *Ben Hur,* de Fred Niblo

1927 *Napoléon,* d'Abel Gance

1937 *Scipion l'Africain,* de Carmine Gallone

1941 *la Couronne de fer,* d'Alessandro Blasetti

1954 *Ulysse,* de Mario Camerini

1960 *Spartacus,* de Stanley Kubrick

1961 les *Géants de Thessalie,* de Riccardo Freda
le Cid, de Anthony Mann

1963 *Cléopâtre,* de Joseph L. Mankiewicz

1969 *Satyricon,* de Federico Fellini

L'époque héroïque

EN MÊME TEMPS QU'IL SE VEUT MIROIR
DE LA RÉALITÉ QUOTIDIENNE, LE CINÉMA MUET TROUVE
DANS L'HISTOIRE, PLUS OU MOINS ROMANCÉE,
UNE PERSPECTIVE GRANDIOSE.

M algré l'archaïsme des techniques et la médiocrité des décors – toiles de fond, cartonpâte, staff – dès 1903, le Français Ferdinand Zecca (1864-1947) met en scène, pour la firme Pathé, les premiers tableaux d'une *Passion* du Christ, en tous points conforme à l'imagerie saint-sulpicienne, alors qu'en Grande-Bretagne William Paul s'est emparé d'un thème promis à un bel avenir, les *Derniers Jours de Pompéi* (1898), d'après le roman de E.G. Bulwer Lytton. Plus ambitieux encore, Méliès entreprend de brosser le panorama de la *Civilisation à travers les âges* (1908), du crime de Caïn au triomphe du Congrès de la Paix.

Mais c'est en Italie que les thèmes historiques sont largement exploités. Luigi Maggi inaugure en 1908, avec sa version des *Derniers Jours de Pompéi* qui mobilise 150 figurants et, pour la première fois, des décors en dur, une belle série de reconstructions des grands moments du monde antique (*Néron,* 1909 ; *la Chute de Babylone,* 1910). Très vite, les mises en scène deviennent de plus en plus imposantes : Mario Caserini retourne à Pompéi avec 1 000 figurants, 30 lions et 50 chevaux, adaptant (1913) le roman du Polonais H. Sienkiewicz, *Quo Vadis ?* (1896). Enfin, inventant le travelling pour le déplacement de la caméra, Giovanni Pastrone porte à l'écran dans *Cabiria* (1914), film de trois heures et qui a exigé la direction de 10 000 figurants, les exploits du « bon géant » Maciste, qui se réincarnera régulièrement dans les salles obscures

d'Italie pendant plus d'un demi-siècle.

Si la Première Guerre mondiale vient ralentir les productions européennes, les États-Unis prennent le relais. D.W. Griffith, après de courts métrages comme *la Genèse de l'homme* (1909), se lance dans une grande fresque, imitée de l'Italie, *Naissance d'une nation* (1915) tournée dans les environs de Hollywood et qui, dans le cadre de l'évocation de la guerre de Sécession, unit subtilement les scènes intimistes et le grand spectacle des charges de cavalerie. Les critiques que provoque la peinture qu'il brosse des Noirs et de la vie dans les États du Sud poussent alors Griffith à se justifier dans une œuvre ambitieuse, *Intolérance* (1916) : l'histoire mêle quatre aventures différentes, la chute de Babylone, la vie du Christ, la Saint-Barthélemy et une intrigue réaliste contemporaine. Cette tentative de remodelage plastique de l'histoire fut à la fois un des plus grands échecs commerciaux du cinéma et le modèle de toutes les aventures épiques du 7e art. ●

À partir de 1950, et pour faire face à la concurrence américaine, l'Italie va donner un second souffle à des péplums qui offrent des rôles de composition à de grands acteurs : Blasetti ne retrouve pas, dans *Fabiola* (1949), l'inspiration de *la Couronne de fer* (1941), mais Carlo Ludovico Bragaglia donne une image savoureuse d'*Annibal* (1959), ou d'*Hercule dans les Amours d'Hercule* (1960), tandis que Vittorio Cottafavi évoque avec un humour contenu *les Légions de Cléopâtre* (1960).

Le personnage de la reine d'Égypte, dont le nez a changé le cours de l'histoire, est d'ailleurs un thème récurrent du cinéma et son rôle a été tour à tour interprété par les actrices les plus prestigieuses : Theda Bara, Katharine Cornell, Claudette Colbert, Vivien Leigh. La version de Mankie-wicz (1963) fut tournée par le couple de monstres sacrés Elizabeth Taylor et Richard Burton.

Le film historique entreprend de faire rêver par la reconstitution du moindre détail de la réalité : du moins s'efforce-t-il de le faire croire, en s'abritant derrière des conseillers, des historiens, des spécialistes de l'art et des manières d'une époque. Mais ces entreprises gigantesques, dont la dernière, la plus riche en implications et sous-entendus reste *la Bible* (1966) de John Huston, valent surtout par leur appel au mythe confus et personnel de chaque spectateur : dans un monde privé de l'imagination par la télévision quotidienne, le lion dévorant le chrétien sur l'écran en Cinéma-Scope ou l'enfant abattu par un tireur aveugle dans une rue du Proche-Orient ont à peu près la même résonance.
●

Le cinéma contemporain

DIEUX ET DEMI-DIEUX RESTENT
LES MEILLEURS HÉROS DES PARABOLES VISUELLES
D'UN MONDE QUI N'A PAS ENCORE CONQUIS L'ESPACE
ET QUI A PERDU SA MÉMOIRE.

Le cinéma contemporain révèle les angoisses d'une génération qui découvre avec stupeur que l'homme est capable de parier sur sa propre destruction. Aussi le film historique fouille-t-il le passé à la recherche de repères. Le cinéma considère l'Histoire soit comme le modèle d'une expérience à suivre, soit comme le prétexte à une délectation morose.

C'est dans cette dernière perspective, celle d'une décadence qui préfigure la nôtre, que Fellini a adapté le *Satyricon* de Pétrone en 1969. Son œuvre ultérieure (*Fellini-Roma,* 1972) compose d'ailleurs une longue réflexion morbide sur la fin des civilisations. Jusqu'à la figure du Christ que les réalisateurs entreprennent de démythifier – P. P. Pasolini avec sa sensualité mystique (l'*Évangile selon saint Matthieu,* 1964), M. Scorsese (*la Dernière Tentation du Christ,* 1987), avec la hantise d'une vocation avortée.

En réalité, ce ne sont plus les grandes figures ou les grands moments d'une histoire nationale qui inspirent le cinéma. On est loin du souffle épique d'un Abel Gance (*Napoléon,* 1927), des mises en scène vibrantes d'un Lubitsch (*Madame du Barry,* 1919 ; *Anne Boleyn,* 1920 ; *le Patriote,* 1928), de la truculence d'un Alexander Korda avec sa *Vie privée d'Henri VIII* (1933). La demande actuelle se situe ailleurs.

Ce qui intéresse le cinéma contemporain, c'est plus souvent l'histoire quotidienne, dans le tissu sans éclat de ses travaux et de ses jours. Par là, le film historique d'une part touche au documentaire et d'autre part se confond souvent avec le film militant.

En revanche, c'est avec un œil nouveau que les historiens regardent les films et les bandes d'actualités de la première moitié du siècle : à la suite de Marc Ferro étudiant les documents filmiques de la révolution russe, ils découvrent dans le cinéma un nouveau mode d'écriture de l'histoire de notre temps.
●

1. *Le Cid,* d'Anthony Mann (1961).

2. Theda Bara dans *Cléopâtre* (1917).

3. *Ben Hur,* de W. Wyler (1959).

L'Histoire, alibi du présent

Lorsque Georges Méliès lui projeta la reconstitution cinématographique qu'il avait faite du sacre de la reine Victoria, la Cour de Sa très Gracieuse Majesté se demanda où il avait bien pu cacher, en 1837 et dans l'auguste cathédrale de Westminster, sa caméra... Un nouveau genre était né, et qui allait s'avérer l'un des plus féconds de tout le septième art. Il y avait si longtemps que l'homme rêvait de pouvoir voyager dans le temps ! C'était désormais possible et, sans faire un grand effort d'imagination, tout simplement dans une salle obscure et les yeux braqués sur un écran... Peu importait d'ailleurs, du moins pour le commun des mortels, le souci de la vérité historique ; toute frontière spatiale et temporelle étant magiquement abolie, rien ne pouvait plus le surprendre, ni les audacieux raccourcis de certains scénaristes télescopant allègrement les dates et les faits pour les besoins de leur cause, ni même l'anachronique montre-bracelet oubliée, dit-on, à l'avant-bras d'un pharaon de péplum.

Serials et séries

La série sur grand écran

UN MÊME HÉROS BONDIT DE FILM EN FILM.
MAIS, CHAQUE FOIS, LORSQUE SUR L'ÉCRAN APPARAÎT
LE MOT « FIN », IL A ACCOMPLI SON DESTIN.

LE TÉLÉSPECTATEUR EST aujourd'hui conditionné à suivre des héros immuables, gonflés de muscles et bardés de gadgets, justiciers plus ou moins chevaleresques qui s'acharnent à déjouer les pièges du Malin pour faire triompher le Bien dans une société tourmentée et inquiétante. Ce qui envahit tout naturellement le petit écran, quotidiennement et plusieurs fois en 24 heures, est en réalité une conquête qui date du début du xxe siècle et qui permit de canaliser vers les salles obscures un public fasciné par des histoires extraordinaires. Les incessants rebondissements d'une aventure assuraient, de film en film, la fidélité d'un public populaire peu exigeant sur la vraisemblance des scénarios. Les spectateurs y retrouvaient les frissons des romans à bon marché et des feuilletons de la presse à grand tirage qui faisaient habituellement leurs délices.

Au début du muet, on prit l'habitude de projeter dans les salles populaires de longs métrages par tranches d'une à deux bobines, bien qu'à la réalisation ils aient été prévus pour une seule représentation. Ce système fut à l'origine du film à épisodes, né en France puis adapté au public américain.

Le film à épisodes devint le « serial » quand le suspense, toujours dramatique, de la fin d'un épisode fut levé, souvent comme par miracle, au début du suivant. L'action menait l'aventure et subjuguait les spectateurs, parfois tellement angoissés qu'ils exigeaient, pour se rassurer sur l'avenir de leur héros favori, de se faire projeter le début de la future péripétie avant de quitter la salle.

La belle période du serial coïncide avec celle du cinéma muet et de la presse populaire, qui publie d'ailleurs le feuilleton des aventures du héros du film à épisodes conjointement avec son apparition sur l'écran. Les deux magnats de la presse américaine, R. McCormick et R. Hearst, organisent, eux, à partir de 1913, la réalisation industrielle des films correspondant aux romans-feuilletons publiés par leurs journaux.

Le serial, au sens strict, disparut avec l'avènement du parlant : seule l'Amérique tenta d'adapter à cette formule essoufflée son répertoire de bandes dessinées, de Flash Gordon à Batman et de Tarzan à Zorro.

Le serial laissa la place à la « série » lorsque chaque épisode constitua une histoire complète et autonome tout en conservant les mêmes héros : ainsi des aventures du docteur Mabuse ou des exploits de James Bond.

Le serial connut, dans les années 1960-1970, un nouveau mais court souffle à la télévision : *les Compagnons de Baal,* de J. Champreux, et *l'Homme sans visage,* de G. Franju, retrouvèrent ainsi le sens du mystère cher à Louis Feuillade. Mais le cinéma anglo-saxon et surtout la télévision américaine optèrent définitivement pour la série avec *les Mystères de l'Ouest* ou *les Incorruptibles.*

La série et le serial ont une même origine : les six épisodes de *Nick Carter, le roi des détectives,* tourné en 1908-1909 par Victorin Jasset. La série est projetée en seconde partie d'une séance après le grand film. Des personnages prennent vie dans des milieux spécifiques, créant ainsi un univers familier que le public retrouve avec satisfaction à chaque aventure. Ces bobines remplacent peu à peu les courts métrages du burlesque muet.

Le bon « ouvrier du mélodrame », comme il se définissait lui-même, Louis Feuillade, se distingue d'emblée avec ses séries de *Bout de Zan* (1913-1915) et de *Fantômas* (1913-1914). L'Amérique, elle, met à contribution son épopée toute fraîche du Far West. Les « horse operas » de Broncho Billy (1908-1915) font la gloire et la fortune de G. M. Anderson, qui jouera 375 fois le rôle de ce hors-la-loi au cœur d'or qui fait triompher le bien alors même qu'il accumule les naïvetés et les maladresses. L'élégant William Boyd, qui joue sous la direction de Cecil B. De Mille ou de D. W. Griffith, devient, pour la légende et l'histoire du cinéma, Hopalong Cassidy dans la série adaptée du livre de C. E. Mulford de 1907 : de 1935 à 1948, le grand justicier blond, habillé de noir, caracole sur son cheval blanc, Topper, au long de 66 films.

Si les séries galopantes ont, depuis l'avènement de la télévision aux États-Unis, rejoint le petit écran (rapidement tournées, au moindre coût, dans un décor facilement transformable), elles perpétuent ainsi le mythe du cowboy), tous les genres se sont adaptés à la série : aventures exotiques, drames familiaux, intrigues policières, science-fiction.

En 1937, *A Family Affair* évoque, en 14 films, la vie d'une famille américaine type. Le mélo médical du *Docteur Christian* durera de 1939 à 1941. Le cas de Tar-

2. *Tarzan,* de W. S. Van Dyke, avec J. Weissmuller (1932).

1. *Le Signe de Zorro,* de Fred Niblo, avec Douglas Fairbanks (1920).

L'âge d'or du serial

LE SERIAL APPORTE SA PART DE RÊVE À UN PUBLIC QUI PERD SES REPÈRES MAIS IL LE FAIT SUR LE RYTHME ENDIABLÉ DU MONDE NOUVEAU.

zan est exemplaire : le premier de la série date du muet en 1918, le dernier de 1981. Johnny Weissmuller, premier Tarzan parlant, incarna l'homme-singe de 1932 à 1948. Après 1960, les Tarzans modernes quittent la forêt et voyagent sous les traits de Jock Mahoney aux Indes (1962) et en Thaïlande (1963) puis, avec Mike Henry, au Mexique et au Brésil (1967).

Les héros des dessins animés, comme Mickey, Donald ou Popeye, appartiennent de droit au genre de la série : ils apparaissent toujours égaux à eux-mêmes dans des aventures toujours renouvelées. Mais les séries les plus prolifiques restent les séries policières, aussi bien celles dont le héros doit faire appel à sa matière grise (Sherlock Holmes) que celles où il ne peut guère compter que sur son audace et ses muscles (Simon Templar, dit le Saint).

Superman (1948) ou Batman (1943), Zorro (dès 1920 avec Douglas Fairbanks) ou Red Ryder, ces héros cavalcadeurs et justiciers, toujours jeunes et invincibles, sont ainsi passés tout naturellement du grand au petit écran, où règne dorénavant la « série télévisée ». •

Depuis le début du cinéma muet et jusque dans les années 1950, le serial est un cheval de bataille pour les grandes compagnies d'Hollywood. Il permet d'attirer l'énorme marché du public populaire. Et cette lutte féroce est doublée par celle que se livrent le *Chicago Tribune* et le *Chicago Herald,* qui publient le feuilleton du film à l'affiche dans les cinémas de quartier. Le 29 décembre 1913, 100 salles de Chicago projettent le premier épisode des *Aventures de Kathlyn,* « la fille sans peur » interprétée, pendant 13 épisodes, par Kathlyn Williams, produit par la Compagnie Selig. Chez Pathé, en 1914, Pearl White (1889-1938) commence sa carrière dans des serials muets où elle incarne « Pauline » puis « Elaine », héroïnes intrépides ; elle triomphe d'épisode en épisode (près de 70) du méchant surnommé « La main qui étreint ». Ces serials sont adaptés en France dans la version condensée des *Mystères de New York* et par Pierre Decourcelle dans *le Matin,* où ils font la joie des surréalistes, de même que les grands cycles de Louis Feuillade, *Judex* (« en un prologue et douze épisodes », 1917) et *la Nouvelle Mission de Judex* (1918).

Pearl White a cependant quelques rivales, dont Helen Gibson, qui tourne, entre 1914 et 1917, les 119 épisodes des aventures de *Helen,* et Ruth Roland, « reine des serials du frisson » de 1915 à 1923. C'est que les premiers rôles sont féminins : les héroïnes, jetées dans une aventure extravagante, sont sauvées in extremis et on ne sait trop comment par quelque robuste et valeureux chevalier des temps modernes. Trains et voies ferrées font souvent partie du décor de cette action dramatique qui assure la fidélité attendrie du spectateur, lequel se demande toujours comment héros et héroïnes vont s'en sortir !

Le premier serial parlant date de 1930 : *The Indians are coming,* avec Tim McCoy. Le serial a en effet traité tous les sujets : westerns, policiers, science-fiction, aventures sur terre et dans les airs, etc. De nouveaux héros, venus de la bande dessinée, sont encore portés par les feuilletons de la presse ou par les émissions radiophoniques. Malgré ce renouvellement, le genre reste identique : l'action est reine ; au bout de la poursuite, le méchant est terrassé.

En France, dans les années 1920, la Société des Cinéromans, avec Jean Sapène et Louis Naplas, associe aux publications populaires les épisodes d'un cinéma de même inspiration jusqu'à l'avènement du parlant. Le serial allemand *Homunculus* (1916) et le serial italien *les Souris grises* (1917) sont à ajouter aux 270 serials muets d'Hollywood.

Le serial qui survit au début des années 1950 est patriotique : les méchants sont nazis, japonais ou communistes ; mais la violence est censurée. Dans les années 1980, on note un renouveau, mais peut-on réellement parler de « serial » quand il faut attendre plusieurs mois entre deux épisodes ? Le feuilleton télévisé a définitivement pris le relais du serial. •

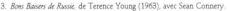

3. *Bons Baisers de Russie,* de Terence Young (1963), avec Sean Connery.

Comment fidéliser un public

Il y avait autrefois les sagas. Puis ce furent les interminables feuilletons littéraires que publièrent les périodiques du XIXᵉ siècle. Les ingrédients en étaient fort simples : il suffisait de multiplier les rebondissements à l'infini, sans même se soucier d'une quelconque vraisemblance et quitte à faire renaître un héros, pour tenir son public en haleine des années durant. La saga et le feuilleton devinrent tout naturellement le « serial » du cinéma. La façon la plus simple de prolonger un premier succès n'est-elle pas de reprendre les mêmes personnages (et les mêmes acteurs si possible) et d'imaginer la suite de leurs rocambolesques aventures ? Et tant que durera le succès durera la série, la « success story » se confondant dès lors, au petit écran, avec l'incroyable fortune de ses protagonistes. Bandits inquiétants ou justiciers intrépides se croisent avec les familles agressives et stéréotypées dans la constitution d'un rêve quotidien, calque monstrueux d'une réalité à la fois banale et insoutenable.

Les séries télévisées

La série « classique » américaine programme un épisode quotidien de 25 à 40 minutes pendant des années : deux thèmes privilégiés – la famille, le couple de policiers – dans le cadre de la vie quotidienne. Si les conflits sont nombreux, ils évitent politique et religion et n'ont pour but que de renforcer, au bout du compte, la cohésion sociale. La télévision française propose 20 à 32 séries par jour, dont les deux tiers sont américaines. Raymond Burr, *l'Homme de fer,* a tourné 186 épisodes en sept ans. *Santa Barbara* est au plus haut niveau de l'audimètre. Il a fallu, dans la meilleure tradition du mélodrame feuilletonesque et des serials du début du siècle, ressusciter Boby dans *Dallas* à la demande des téléspectateurs ! Les « soap operas » (parrainés dans les années 1930 par les grandes marques de lessive) n'en finissent plus, aujourd'hui encore, de s'étirer.

La mini-série, qui s'appuie sur un best-seller ou un fait marquant réel, comprend de 12 à 14 épisodes : c'est le style de David Wolper (né en 1928) avec *Nord-Sud,* qui rassemble Elizabeth Taylor, Gene Kelly et Robert Mitchum. Mais le *sitcom,* comédie de situations qui piétine dans le même univers familial, limite le lieu de l'action à un appartement. C'est là le triomphe des séries françaises : *Maguy* ou *Marc et Sophie.* Les acteurs tournent huit mois par an. Le « sitcom interactif » (géré par Minitel) avec les téléspectateurs est la dernière trouvaille française pour fidéliser le public (*Salut les homards,* 40 épisodes en 1988-1989).

4. *Fantômas,* de Louis Feuillade.

Le film documentaire

LE DOCUMENTAIRE EST-IL DU cinéma ? Dans la mesure où le cinéma prétend rendre compte de la vérité de la vie, il est peut-être le cinéma par excellence, et les premières prises de vues des frères Lumière – notamment le train entrant en gare de La Ciotat – relevaient d'un cinéma documentaire.

Depuis l'avènement du cinéma, le monde occidental est allé chercher l'information, l'insolite, l'étrange pour les restituer sur le grand écran ; inversement, le développement universel de la télévision réfléchit cette vision du monde jusque dans les villages africains ou indiens : le cinéma est toujours, par quelque côté, un document.

Le documentaire, au sens strict du terme, est une œuvre didactique qui s'attache à montrer la réalité en dehors de toute fiction. L'objectivité est sa loi première et laisse une grande place aux images qui participent d'une « orchestration visuelle » sans références littéraires. Mais, si le film est en prise directe sur la vie, cela n'exclut pas de la part des opérateurs un sens du cadrage, de la composition ou du montage, qui prend une place prépondérante dans les films de propagande politique ou les documentaires-fiction narratifs.

Derrière la caméra, il y a des hommes, qui, tout en étant attachés à montrer le réel, peuvent le faire cependant en laissant transparaître leur sensibilité, notamment dans la présentation de problèmes sociaux et humains.

Quelles que soient les méthodes employées par les cinéastes, on a pu dire que d'assister à la lutte menée contre la nature, la fatigue ou la peur offre un spectacle d'une intensité dramatique aussi violente que l'expression d'une passion amoureuse : le film documentaire peut, en effet, être du grand cinéma, et c'est en 1941 qu'il fut reconnu comme un cinéma à part entière par l'Académie de Hollywood.

D'abord présenté sous forme de courts métrages, le documentaire prend l'ampleur des grands films quand il traite, notamment, du comportement animal, ou qu'il évoque la nature. Surtout, le documentaire se plie à toutes les approches de la réalité : l'œil de la caméra peut se faire ethnographe, sociologue, journaliste, critique d'art, militant. C'est ainsi que le film documentaire a contribué à l'éclosion du « cinéma-vérité », du « free cinema » anglais, du « cinéma direct » en France, au Canada et aux États-Unis, qui ont marqué les réalisateurs les plus novateurs du film de fiction, de Jean-Luc Godard à Robert Kramer. Inversement, la révolte des Noirs et la guerre du Viêt-nam, le mouvement féministe en Amérique et en Europe ont, depuis la fin des années 1960, modifié profondément la conception et la finalité du documentaire.

La recherche de l'authenticité rejoint ainsi, en la réinterprétant, l'exigence première d'objectivité et le souci de témoigner de la vérité la plus dépouillée.

Le documentaire dans le monde

À SES DÉBUTS, LE DOCUMENTAIRE CUMULAIT TOUS LES INCONVÉNIENTS DU CINÉMA ET DE L'ÉRUDITION. UN SIÈCLE PLUS TARD, IL EST TOUJOURS VIVANT.

Depuis les premières actualités fixées sur la pellicule (par F. Mesguich) ou reconstituées (par Méliès ou F. Doublier), les cinéastes ont traité le film documentaire selon deux grandes conceptions : le document à l'état brut, le témoignage-fiction. Mais dès son premier film, *Nanouk* (1922), Robert Flaherty avait concilié ces deux tendances : en participant pendant deux années à la vie difficile de Nanouk l'Esquimau, il unissait le regard poétique à l'observation ethnologique.

En France, après l'exotisme de *la Croisière noire* (1926), de Léon Poirier, et l'album d'images du *Voyage au Congo* (1927), de Marc Allégret, l'attention se fait plus vive à l'environnement immédiat : Georges Lacombe s'intéresse aux chiffonniers de Paris (*Zone*, 1928), Jean Vigo fait d'un reportage sur la Côte d'Azur un pamphlet social (*À propos de Nice*, 1929), Jean Grémillon reconstitue la vie des *Gardiens de phare* (1929). Dans les années 1950, Jean Rouch, reprenant les essais ethnographiques de Marcel Griaule, élabore un cinéma dont la vérité est tout autant celle du réalisateur que celle de l'objet filmé, qu'il s'attache à l'Afrique (*Jaguar*, 1957 ; *Moi un Noir*, 1959) ou aux plages françaises (*Chronique d'un été*, 1961, avec E. Morin).

Le documentaire évoluera ensuite entre les recherches d'un cinéma de montage qui prend ses thèmes dans l'histoire nationale (*Nuit et Brouillard*, 1956, de A. Resnais ; *le Chagrin et la Pitié*, 1969, de M. Ophuls) ou l'actualité immédiate (*Plogoff, des pierres contre des fusils*, 1980, de N. Le Garec), avant de fixer d'un œil critique, avec Raymond Depardon, les points chauds de la vie sociale (*Reporters*, 1981 ; *Faits divers*, 1983).

En Grande-Bretagne, Robert William Paul a commencé par traiter l'information brute à la façon des opérateurs Lumière (*le Derby d'Epsom*, 1895). Mais il a partie liée avec le groupe des techniciens de Brighton qui, dans les années 1900, font évoluer le documentaire pur vers le documentaire-fiction (*Attaque d'une mission en Chine*, 1900, de J. Williamson). Entre les deux guerres, l'Écossais John Grierson – qui lance le mot « documentaire » à propos de *Moana* (1926) de Flaherty – fonde l'école britannique de documentaire (*Drifters*, 1929, sur la pêche aux harengs), plus soucieuse des cadrages et des montages que du sujet (*Coal Face*, 1935, de A. Cavalcanti, sur les mines de charbon). Cette école sera le point de convergence de toutes les tendances avant-gardistes européennes : montage symphonique de l'Allemand Walter Ruttmann (*Mélodie du monde*, 1929), « Ciné-Œil » du Soviétique Dziga Vertov (*l'Homme à la caméra*, 1929), surréalisme du Néerlandais Joris Ivens (*Zuiderzee*, 1930).

En 1958, l'équipe du « Candid Eye » (du nom d'une série tournée pour la télévision), qui associe des réalisateurs francophones à des cinéastes anglais, a l'ambition de revenir à un simple rôle de témoin de la réalité (*la Veille de Noël*, de T. Macartney-Filgate).

Aux États-Unis, le documentaire est né à la fois de préoccupations sociales et du rejet de l'esthétique hollywoodienne, avec la Worker's Film and Photo League (créée en 1930) puis le Nykino (fondé en 1934). Le documentaire en gardera toujours une dominante sociologique, de *Hunger* (1932), sur la marche de la faim sur Washington, à *On the Bowery* (1956), de L. Rogosin, sur les clochards de New York, en passant par la série *la Marche du temps* (inaugurée en 1935 par le groupe de presse Time Inc.).

L'Union soviétique a usé du documentaire à la fois pour inciter à l'édification du socialisme, pour en célébrer les résultats, pour conjurer les menaces de la contre-révolution ou de l'attaque nazie : ainsi *Turksib* (1929), de V. Tourine, sur la construction de la ligne de chemin de fer reliant le Turkestan à la Sibérie, ou *Lutte pour notre Ukraine soviétique* (1943), de Dovjenko. Mais le théoricien et le réalisateur le plus fécond reste Denis Arkadevitch Kaufman, dit Dziga Vertov (1895-1954), opérateur d'actualités pendant la guerre civile, fondateur du groupe futuriste de Kinoks (1922) et père du « cinéma-vérité » (*la Symphonie du Donbass*, 1930).

Le documentaire enseigne

LE RÉALISATEUR DE DOCUMENTAIRE EST SOUMIS AU MÊME IMPÉRATIF QUE L'ÉCRIVAIN DU SIÈCLE CLASSIQUE : S'IL VEUT EXPRIMER UNE IDÉE, FAIRE PASSER UN MESSAGE, IL DOIT, AVANT TOUT, PLAIRE.

Le cinéaste documentariste est un homme de terrain, mais il est aussi un pédagogue efficace qui fait appel aux mémoires visuelle et auditive de ses « élèves » de tous âges, de toutes cultures, de toutes conditions sociales. Ce travail, dans la diversité des genres, a un dénominateur commun, capter l'attention afin de provoquer la réflexion : la qualité des prises de vues, la précision du montage, la concision du commentaire, qui doit éviter le bavardage du donneur de leçon, tout doit concourir à la saisie lucide de la réalité.

Aucun domaine de cette réalité n'est étranger au réalisateur de documentaire : de l'infiniment grand (*Himalaya*, 1950, de Marcel Ichac) à l'infiniment petit (*la Daphnie*, 1928, de Jean Painlevé), de l'exploration lointaine (*L'Afrique vous parle*, 1930, de P. Höfer et W. Futter ; *Continent perdu*, 1955, de L. Bonzi, M. Craveri et E. Gras) à la redécouverte de la vie quotidienne (*les Enfants du jeudi*, 1954, de Lindsay Anderson et Guy Brenton ; *Fad'Jal*, 1979, de Safi Faye), de la nature brute (*le Volcan interdit*, 1966, de H. Tazieff) aux manifestations de l'art (*le Mystère Picasso*, 1956, de Clouzot ; *Magritte ou la Leçon de choses*, 1960, de Luc de Heusch).

Il est vrai que, s'il enseigne, le documentaire a servi bien souvent à inculquer, voire à intoxiquer, par exemple les *Trois Chants sur Lénine* (1934), de Dziga Vertov, ou le *Triomphe de la volonté* (1935), hymne au parti nazi, de Leni Riefenstahl. Aujourd'hui, le documentaire s'attaquerait plutôt au confort intellectuel, qu'il peigne les problèmes sociaux (*Juvenile Liaison*, 1975, de N. Broomfield et J. Churchill) et politiques (*Lettre de Beyrouth*, 1981, de J. Saab) ou les difficultés de l'individu (*le Moindre Geste*, 1963-1968, de F. Deligny, sur le drame des enfants autistes).

Enfin, dans le monde contemporain, le documentaire est l'allié pédagogique des pays en voie de développement : grâce à la vidéo, langage moderne des analphabètes, il enseigne les rudiments de l'hygiène, de la nutrition, de la contraception, de l'agronomie. Il est ainsi, une fois de plus, en prise directe sur la vie, qu'il contribue à transformer.

1. *L'Homme d'Aran* (1932-1934), de Robert J. Flaherty.

4. Prise de vues pour le film *les Étoiles de midi,* de Marcel Ichac (1960).

2. *Continent perdu,* par Bonzi, Craveri, Gras, Lavagnino et Moser (1955).

3. *Le Peuple singe,* de Gérard Vienne (1989).

Les progrès techniques

LES PERFORMANCES CROISSANTES
DES APPAREILS DE PRISES DE VUES ET DE SON
PERMETTENT VÉRITABLEMENT DE JETER UN ŒIL
NOUVEAU SUR LE MONDE, EN PARTICULIER
DANS LE DOMAINE SCIENTIFIQUE.

En 1930, le Français Jean Painlevé (dont le film sur *l'Hippocampe* en 1934 enchantera les surréalistes) fonde le premier Institut du cinéma scientifique, dont les buts sont d'aider la recherche avec des documents bruts pour spécialistes et de participer à l'information du grand public. Afin de découvrir la matière, vivante ou inerte, macroscopique ou microscopique, les matériels ont dû atteindre un haut degré de perfection jusqu'à l'arrivée de l'électronique. Les caméras miniaturisées explorent le corps humain, les caméras étanches filment dans les rivières souterraines ou dans les fosses abyssales. L'homme peut même s'effacer derrière la caméra téléguidée. Les matériaux résistant aux hautes comme aux basses températures permettent de filmer au cœur des volcans et dans les banlieues des planètes. Les micros électroniques et les sonars captent sons et ultrasons. Stabilité et élimination des vibrations participent à la qualité des prises de vues. Grâce au ralenti et à l'accéléré, le temps se dilate ou se contracte à volonté.

Par ces procédés, le cinéaste propose aux spectateurs les mystères de la croissance d'une plante ou d'une cellule animale. Il restitue la beauté d'un galop de cheval, l'intensité d'une course automobile, la majesté d'un vol d'aigle royal. De nuit comme de jour, la caméra scrute le monde.

Si les restitutions du mouvement et du son ont été les premières conquêtes du cinéma, il faut attendre 1936 avec *le Sentier du pin solitaire,* de H. Hathaway, pour voir sur l'écran le naturel des couleurs saisies par l'œil humain. Des pellicules couleur sont mises au point. L'augmentation de la largeur du film de 35 à 70 mm, puis les grands écrans du cinéma panoramique, le CinémaScope avec l'Hypergonar de l'ingénieur français Henri Chrétien, le Cinérama et enfin le Todd American Optical autorisent l'agrandissement du cadre de l'image jusqu'à 180° de vision, accompagné d'un son stéréophonique. Ainsi, le spectateur est enveloppé de sons et d'images, il est au cœur du film comme il l'est de l'espace aléatoire de la vie, dans les projections de la Géode de la Villette à Paris ou du Futuroscope de Poitiers. ●

Le dessin animé

EN PASSANT DE LA PHOTO-graphie au cinématographe, les images fixes s'animent. Le dessinateur, et en particulier celui des bandes dessinées de la presse, peut conquérir le mouvement quand les lois de l'optique physique et les découvertes de l'optique physiologique conjuguées expliquent comment le spectateur pourrait percevoir le mouvement : une suite d'images à peine différentes l'une après l'autre, impressionnant la rétine de l'œil, à condition de se succéder rapidement (24 images/seconde), recrée le naturel d'un geste, d'une démarche, d'un galop.

« Image par image », l'action est inventée à partir d'un point zéro. Entre deux expositions face à la caméra, le dessin, la disposition d'un décor, d'un objet sont modifiés minutieusement par l'animateur. Les mouvements et les événements traduits ont lieu pour la première fois lors de la projection. Cette création, au plein sens du terme, séduit dessinateurs, caricaturistes, peintres, graveurs, décorateurs, à la fois inventifs... et patients. Un film de 12 minutes nécessite 16 000 images, donc 16 000 manipulations ou dessins différents.

Le dessin animé est un cinéma qui rend visible l'imaginaire des contes, mais le cinéma d'animation n'est pas qu'un spectacle pour la jeunesse.

À partir d'éléments statiques, figuratifs ou abstraits, plats ou à trois dimensions, la succession de prises de vues donne vie à ces éléments, inventant une histoire sur l'espace virtuel de l'écran, histoire abstraite quand elle anime formes et couleurs par le jeu des accords de surfaces avec, depuis l'invention du « sonore », le rythme des sons.

Le dessin animé est dominé par une figure, Mickey, et par un style : celui de Walt Disney, qui, à partir de thèmes et de décors empruntés aux romantismes allemand et anglais et d'un bestiaire aussi moralisateur que celui des fables enfantines, va régner sur les rêves de la jeunesse américaine puis sur ceux des enfants du monde entier. Ce qui n'empêchera pas, dans les années 1940-1960, le développement de multiples écoles d'animation, aux États-Unis mêmes avec Tex Avery, au Canada avec Norman McLaren et en Europe, notamment en Tchécoslovaquie, avec l'école issue de Jiří Trnka et Karel Zeman.

Le dessin animé reçoit ses Oscars : le chat Tom et la souris Jerry ont ainsi obtenu six récompenses en un quart de siècle. Il a aussi ses fanatiques, qui se rassemblent à l'occasion de festivals spécialisés comme ceux d'Annecy, de Zagreb ou de Mamaia.

Mais le dessin animé est surtout un laboratoire de recherche permanent du septième art : il permet à des créateurs solitaires dotés de moyens techniques de plus en plus perfectionnés, comme la palette graphique, d'explorer des voies nouvelles dans la mise en scène des images et leur déploiement dans l'espace – ce qui est l'essence même du cinéma.

2. *Qui veut la peau de Roger Rabbit ?,* de R. Zemeckis (1988).

3. Mickey.

Les pionniers

À L'ORIGINE, LES CRÉATEURS SONT DES SOLITAIRES QUI, DANS LE SECRET DE LEUR ATELIER ET DE LEUR STUDIO, CHERCHENT À RESTITUER LE MOUVEMENT.

Le papier est le premier support de tout l'art cinématographique, et les premières images animées sont des dessins. En France, Émile Reynaud (1844-1918) consacre sa vie à l'amélioration de son « théâtre optique », 700 images peintes à la main sur un ruban et associées au décor fixe d'une lanterne magique. C'est un travail artisanal long et coûteux.

Émile Cohl (1857-1938) utilise la récente découverte (1906) de l'Américain J. S. Blackton – la prise de vues image par image – pour réaliser, en 1908, la première bande française animée, *Fantasmagorie,* qui dure quatre minutes. Il crée ensuite des centaines de courts métrages pour Gaumont, Pathé puis pour Éclair aux États-Unis, où il travaille avec l'humoriste George McManus. De retour en France, il collabore avec Benjamin Rabier avant d'animer les aventures des « Pieds nickelés » (1918).

Le cinéma d'animation d'avant-garde s'intègre dans les recherches artistiques en général. L'Italien Arnaldo Ginna (1890-1982), peintre et théoricien du « futurisme », invente le film abstrait, accordant sons et couleurs peintes sur pellicule. Aux États-Unis, Winsor McCay (1871-1934), dessinateur de bandes dessinées et animateur de théâtre de variétés, passe au film d'animation avec un graphisme fin et des mouvements lents : il est le père de *Gertie le dinosaure* (1909), dont il commente lui-même les évolutions sur l'écran. Dessinant sur papier puis sur Celluloïd, il réalisera le premier long métrage de l'histoire du dessin animé, *le Naufrage du « Lusitania »* (1918).

Raoul Barré (1874-1932) utilise le « slash system », qui permet de garder le même décor pour plusieurs images. John Randolph Bray (1879-1978), qui a inventé, avec Earl Hurd, la technique des « cells », superposition de transparents en Celluloïd, réalise dans ses studios le premier film d'animation sur pellicule couleur.

Alors qu'on dessine aussi sur verre ou Plexiglas, les premiers héros apparaissent (Félix le chat [1917], de Pat Sullivan, Koko le clown [1920], de Max et Dave Fleischer), de même que les premières séries : *Colonel Heeza Liar* (1914), de J. R. Bray et S. Culhane, *Mutt and Jeff* (1915), de Bud Fisher. •

Les personnages célèbres

1914 Gertie le dinosaure, de Winsor McCay	**1942** Mighty la souris, de Paul Terry.	**1968** Les Shadoks (pour l'O.R.T.F.), de J. Rouxel, R. Borg et J. Dejoux.
Le colonel Heeza Liar, de John R. Bray.	**1948** Beep Beep le coucou, de Chuck Jones.	**1972** Fritz the Cat, de Ralph Bakshi.
1917 Félix le chat, de Pat Sullivan.		
1920 Koko le clown, de Max et Dave Fleischer.		
1926 Flip la grenouille, de Ub Iwerks.		
1928 Mickey la souris, de Walt Disney.		
1931 Betty Boop, de Max et Dave Fleischer.		
1933 Popeye le marin, de Max et Dave Fleischer.		
1940 Tom le chat et Jerry la souris, de W. Hanna et J. Barbera. Woody Woodpecker, de Walter Lantz.		

1. *Les Aventures époustouflantes de Tom et Jerry.*

Il s'agit peut-être là de l'un des paradoxes les plus intéressants du cinéma : en filmant des acteurs « en chair et en os », la caméra capte et restitue la vie, même « mise en scène », dans une succession de vingt-quatre images à la seconde, alors que le dessin animé produit un mouvement en prise directe sur l'imaginaire. Qui plus est, les créa- tures dessinées ne prennent jamais la moindre ride : Donald, Mickey, Félix le chat, Betty Boop, constam- ment réadaptés aux goûts et aux techniques d'animation de chaque époque, sont en me- sure d'émerveiller cha- que nouvelle généra- tion d'enfants et de poursuivre une éter- nelle carrière. Leurs prouesses nourrissent aussi l'imagination des réalisateurs des super- productions (épopées mélodramatiques, science-fiction) du ci- néma contemporain.

4. Le loup de Tex Avery.

Disneyland

DE MICKEY À OLIVER,
LES PERSONNAGES DE L'UNIVERS
DE WALT DISNEY ONT FAIT LE TOUR DU MONDE,
CÉLÈBRES À L'ÉGAL DES STARS
DU GRAND CINÉMA.

Walter Elias Disney (1901-1966), après avoir vendu des cacahouètes et été ambulan- cier sur le front français en 1917, commence sa carrière avec des dessins pour annonces publici- taires. Vingt ans plus tard, son em- pire de Burbank, dans la banlieue de Los Angeles, comporte une école d'art et emploie 1 600 per- sonnes. Il débute dans l'anima- tion avec Ub Iwerks, avec qui il crée *Oswald le lapin* (1926) puis la souris Mortimer, qui va devenir une star internationale sous le nom de *Mickey* (1928). Pour Dis- ney, l'animal est prétexte à cam- per un personnage au comporte- ment humain : les équipes de des- sinateurs doivent rendre par la succession des traits le physique et la psychologie de l'« acteur ». L'entreprise Disney produit alors des courts métrages en série où l'on retrouve Mickey, Pluto, Do- nald, Goofy, héros qui passent du dessin animé à la bande dessinée, aux tee-shirts et aux casquettes. Disney, très attentif à toutes les innovations techniques, utilise la couleur (*Flowers and Trees*, 1932) puis la caméra « multiplan » (le

Vieux Moulin, 1937). La musique joue toujours un rôle capital dans ses films, notamment dans l'extra- ordinaire *Fantasia* (1940), qui est cependant un échec commercial. Mais la puissance d'un style et d'un label est définitivement fondée avec le succès du premier long métrage, *Blanche-Neige et les sept nains* (1938), que suivent *Pi- nocchio* (1940), *Dumbo* (1941) et *Bambi* (1942).

Disney prend alors une stature d'homme d'affaires et d'anima- teur plus que de réalisateur, lan- çant des séries documentaires (*C'est la vie*, 1948), produisant des films d'aventures (*l'Île au trésor*, 1950), une comédie musicale (*Mary Poppins*, 1964) et créant un vaste parc d'attractions (*Dis- neyland*, Californie) en 1955.

Mais il ne renonce pas au long métrage d'animation (*Cendrillon*, 1950 ; *Peter Pan*, 1953 ; *la Belle et le Clochard*, 1955) et son empire lui survit avec de nouveaux films (du *Livre de la jungle* [1967-1968] à *Aladdin* [1993]) et de nouveaux parcs d'attractions (*Disneyworld*, Floride [1971] ; *Euro Disneyland*, Île-de-France [1992]). ●

L'expérimentation

LE CINÉMA D'ANIMATION EST
UN LABORATOIRE PERMANENT QUI A FAIT PROGRESSER
LE GENRE AU GRÉ DES INNOVATIONS TECHNIQUES
ET DES TROUVAILLES DE QUELQUES
DESSINATEURS DE GÉNIE.

L'avant-garde allemande du dessin d'animation, dès les années 1920, coïncide avec l'évo- lution radicale des arts plastiques, influencée par l'esprit « Dada » et celui de la « table rase » des abstraits. Les animateurs de cette époque sont, à l'origine, des pein- tres. Ils réalisent des films brefs, rythmés : jeux géométriques ou d'objets animés, films abstraits dans lesquels le son est acteur. Malgré la censure hitlérienne, des créations s'animent, telles que la *Danse des couleurs* (1938), de Hans Fischinger, et *le Ballet de la ligne et du point,* de Herbert Seggelke.

Le Néo-Zélandais Len Lye (1901-1980), obsédé par le mou- vement, peint des formes abs- traites sur la pellicule, donne vie

5. *La Planète sauvage,* de R. Laloux (1973).

à des sculptures grâce au courant électrique (*Color Box*, 1935 ; *Color Cry*, 1955).

Tex Avery (1907-1980), qui fut longtemps un mystère et un mythe dans le cinéma d'anima- tion, crée une ménagerie inverse de celle du monde idyllique de Disney : le lapin Bugs Bunny, le chien somnambule Droopy, le pingouin frileux Chilly-Willy.

Des « solitaires américains » produisent des films abstraits à l'imitation des expérimentations européennes, accordées à des mu- siques connues synchronisées. Douglas Crockwell (1904-1968) travaille ses formes peintes sur verre et ses blocs de cires colorées (*Fantasmagoria*, 1938-1940). Har- ry Smith s'aide des collages sur-

réalistes, de la kabbale et de la dro- gue et affirme que ses « films sont faits par Dieu » (*N° 1*, 1939 ; *N° 12*, 1960). Les frères Whitney adaptent des images géométri- ques découpées à un son synthéti- que de leur composition (*Five Abs- tract Film Exercises*, 1943-1944).

Le cinéaste Alexandre Alexeïeff (1901-1982) joue avec les ombres portées par les milliers d'épingles verticales pour obtenir des dé- gradés de gris et crée, avec la Fran- çaise Claire Parker, un film de gravures animées sur la musique de Moussorgski, *Une nuit sur le mont Chauve* (1934). L'école canadienne et britannique, ani- mée à l'origine par Norman McLaren, explore des voies multi- ples : dessin direct et sur pellicule, film en relief stéréoscopique, animation image par image de chiffres ou d'objets (*Histoire d'une chaise,* 1957).

Le Français Paul Grimault (1905-1994), dans *Table tournante* (1988), présente une compilation de son œuvre (*l'Éventail*, 1943 ; *la Bergère et le Ramoneur*, 1953, repris dans *le Roi et l'Oiseau*, 1980 ; *le Chien mélomane*, 1973). Un dessin vigoureux anime un univers plein de poésie.

Chez les Japonais, des cher- cheurs créent un cinéma d'anima- tion en 8 mm très inventif : pa- piers découpés, sables animés, grattage sur pellicule, animation de marionnettes, associées ou non au dessin. ●

Le cinéma nordique

DANS L'HISTOIRE DU CINÉMA mondial, où peut se situer le cinéma des grands pays du Nord ? Cinéma universel ou expression régionaliste ? Les pays scandinaves sont de vastes territoires à faible population et donc avec un petit public. Ils n'ont pas participé à l'avènement des techniques cinématographiques, mais les premiers cinémas français et américain ont été à l'origine des vocations de réalisateur dans ces pays du nord de l'Europe et tout particulièrement chez les gens de théâtre.

Un certain cinéma nordique a franchi les frontières des pays d'origine. Les cinémas suédois et danois, servis par l'originalité de leurs thèmes et des atmosphères troubles et troublantes – l'enfer qui nous vient du nord, avec son goût pour l'érotisme et la sorcellerie –, ont fait scandale un temps dans les salles européennes. Des metteurs en scène danois et suédois ont été tentés par le cinéma américain, happés par le phare hollywoodien, avant de retrouver leurs studios nationaux. De grandes actrices sont devenues des vedettes internationales, expatriées en Amérique ou en Europe. C'est le cas de la « divine » Greta Garbo et d'Ingrid Bergman. Des « sex-symbols », blondes ou brunes, comme les actrices suédoises Eva Dahlbeck, Harriet et Bibi Andersson, ont mis leur généreuse beauté et leur pétulance au service d'un cinéma typiquement nordique.

Les réalisateurs venant du théâtre ont adapté la littérature traditionnelle de leur pays : ils se sont souvent inspirés des légendes anciennes, mais aussi des romans et des nouvelles d'écrivains contemporains, notamment ceux de la Suédoise Selma Lagerlöf (1858-1940).

Mais ce cinéma n'est pas seulement tourné vers l'histoire. Il expose les drames sociaux et humains, les problèmes d'incommunicabilité entre les êtres dans des huis clos envoûtants ou des paysages naturels qui sont des états d'âme. Aussi le cinéma du Nord unit-il un sens exceptionnel du décor à une mise en scène lyrique appuyée sur une photographie qui sait jouer de l'ombre et de la lumière.

Les pays scandinaves se sont trouvés souvent placés aux marges de l'histoire contemporaine. Si la Suède a profité de sa neutralité pendant les deux guerres mondiales pour développer son répertoire cinématographique le plus original, le Danemark, qui subit l'occupation allemande de 1940 à 1945, a vu la Résistance inspirer ses scénaristes. La Finlande et la Norvège, enfin, ont créé des cinémas plus discrets, où dominent l'évocation de la vie rurale et des traditions rustiques.

L'art cinématographique des pays scandinaves est dominé par quelques personnalités exceptionnelles, de Victor Sjöström à Carl Dreyer et Ingmar Bergman, qui ont su créer un langage original qui n'a pas été sans influence sur le cinéma mondial de leur temps.

1. *Le Trésor d'Arne* (1919), de Maurice Stiller. « L'Enterrement d'Elsabeth. »

2. *Elle n'a dansé qu'un seul été* (1951), de Arne Mattsson.

La Suède et ses réalisateurs

LE CINÉMA SUÉDOIS A TROUVÉ
SON ORIGINALITÉ GRÂCE AUX ACTEURS VENUS
DU THÉÂTRE DE STOCKHOLM.

Petit pays aux grands acteurs, la Suède, contrairement à la plupart des pays européens, parvient à développer son cinéma au cours de la Première Guerre mondiale, avant qu'il ne soit absorbé par les studios américains. La première firme de production est créée en 1909. En 1912 débutent comme réalisateurs deux acteurs connus, Victor Sjöström (1879-1960) et Mauritz Stiller (1883-1928).

Victor Sjöström tourne pendant la guerre des films à sujets sociaux souvent adaptés de la grande littérature nationale (H. Ibsen, S. Lagerlöf). Il réalise ainsi 56 films, dont *les Proscrits* en 1917, d'où se dégage une harmonie entre les scènes d'intérieur et les décors extérieurs islandais. Son expressionnisme, souligné par ses qualités théâtrales, se traduit par l'usage systématique de la surimpression dans *la Charrette fantôme* de 1920. Il émigre aux États-Unis en 1923 et réalise son dernier film, *Sous la robe rouge,* en Angleterre en 1936, avant de reprendre son métier d'acteur, en particulier dans *Ordet,* de G. Molander (1943), et *les Fraises sauvages,* d'Ingmar Bergman (1957).

Mauritz Stiller réalise 45 films avant de se rendre aux États-Unis, en 1925, emmenant avec lui Greta Garbo. La carrière scandinave de Stiller se caractérise par un style raffiné tant dans les images que dans la mise en scène. *Le Trésor d'Arne* (1919), d'après Selma Lagerlöf, met en scène un navire pris dans les glaces, et la nature sauvage et cruelle domine le film. *La Légende de Gösta Berling* (1924), toujours adaptée de Selma Lagerlöf et qui révéla précisément Garbo aux côtés de Lars Hanson, connut un grand succès en Allemagne. De toutes ses œuvres se dégagent une poésie, une hypersensibilité à vrai dire peu faites pour le goût du public américain de l'époque ; Stiller échouera aux États-Unis et son dernier film, *la Rue du péché,* en 1928, sera terminé par J. von Sternberg.

Le cinéma suédois se fait véritablement connaître sur les écrans européens pendant et après la Seconde Guerre mondiale par les réalisations de cinéastes venus du théâtre. Ils forment une nouvelle génération dont les films à scandale, tels *Mademoiselle Julie* (1950), d'Alf Sjöberg, et *Elle n'a dansé qu'un seul été* (1951), d'Arne Mattsson, assurent la notoriété. De ce nouveau cinéma, Ingmar Bergman (né en 1918) reste le créateur le plus représentatif.

Une enfance difficile dans une famille austère et violente a poussé Bergman à créer des héros en conflit avec eux-mêmes, condamnés à une irrémédiable solitude. Dans cet univers inquiétant où se mêlent les exigences de Dieu, du sexe et de l'art, on retiendra *la Fontaine d'Aréthuse* (1949), scène de ménage ininterrompue d'un enfer à deux, *les Fraises sauvages* (1957), où s'imbriquent le passé et le présent, le rêve et la vie d'un vieillard parti à la recherche du temps perdu, *Cris et Chuchotements* (1972), où la foi en Dieu vient au secours de l'égoïsme lors du passage de la vie à la mort dans un huis clos féminin. ●

Le cinéma danois

LE CINÉMA DANOIS MET EN IMAGES,
SELON LES ALÉAS DE SON HISTOIRE NATIONALE,
UNE VISION PESSIMISTE DU MONDE.

L'image de la « vamp », femme fatale, est née au Danemark au début du siècle et le premier « vrai baiser » qu'on osa filmer fit scandale en Europe dans *Rêve d'opium* (1914), de F. Holger-Madsen. Ces deux nouveautés feront la fortune des studios du star system américain.

Le cinéma danois avait inondé l'Europe, par les scènes de la Nordisk Films Kompagni, de documentaires romancés et de drames sociaux dus à Viggo Larsen (1880-1957), Holger Rasmussen ou Alfred Lind. Mais le public se lassa bientôt des atmosphères misérables et des problèmes psychologiques. L'industrie cinématographique danoise dut s'orienter vers des formes nouvelles. August Blom se distinguera ainsi en abandonnant ses mélodrames moralisateurs sur les suffragettes et les filles mères (*la Traite des blanches,* 1910) pour re-constituer le naufrage du « Titanic » dans le premier film catastrophe, *Atlantis* (1913). Une autre voie fut cherchée avec succès dans le comique par Lau Lauritzen, qui mit en scène le tandem « Double-patte et Patachon », lesquels gardèrent la vedette jusqu'à l'avènement du parlant et l'arrivée de Laurel et Hardy.

Lors de la Première Guerre mondiale, la neutralité du Danemark permit le développement de son cinéma, qui devint le principal fournisseur de l'Allemagne. Parmi les thèmes traités, on note une tendance au fantastique qui sera reprise plus tard par l'expressionnisme allemand. Entre les deux guerres, de nombreux metteurs en scène danois se partagèrent entre Berlin et Stockholm, comme Urban Gad, le vrai découvreur d'Asta Nielsen.

Benjamin Christensen (1879-1959), après divers métiers et notamment celui de chanteur d'opéra, devint réalisateur au Danemark en 1913. Attiré par les manifestations irrationnelles et les terreurs de l'esprit, il réalisa en Suède en 1921 *la Sorcellerie à travers les âges,* film inspiré des peintres de la Renaissance et des documents judiciaires des XVIᵉ et XVIIᵉ siècles et qui souligne les obsessions sexuelles et la violence sadique de ces époques qui, par ailleurs, mettaient l'accent sur la raison. Christensen revint au Danemark en 1939 après une carrière en Allemagne et aux États-Unis, où il s'était spécialisé dans le thriller « gothique ».

Carl Dreyer (1889-1968), après une enfance tragique et une jeunesse besogneuse (comptable, journaliste, pilote d'avion, critique théâtral), aborde la mise en scène en 1919. Il réalisera ses longs métrages en Suède, en Allemagne et en France, et ses courts métrages au Danemark. Tous ses chefs-d'œuvre procèdent de son « réalisme métaphysique », du *Maître du logis* (1925) à *la Passion de Jeanne d'Arc* (1928) et à *Gertrude* (1964). L'esthétique rigoureuse de Dreyer, sa maîtrise des gros plans et ses cadrages minutieux dominent les productions postérieures aux années 1960, malgré les efforts de jeunes créateurs tels que Hans Kristensen avec ses films policiers psychologiques comme *la Fuite* (1973) ou Bille August avec ses portraits dans *Lune de miel* (1978). ●

Finlande et Norvège

LES CINÉMAS FINLANDAIS ET NORVÉGIEN
ONT DES THÈMES ET DES PUBLICS RIGOUREUSEMENT NATIONAUX,
HORMIS LA CÉLÈBRE *BATAILLE DE L'EAU LOURDE.*

Après la guerre, seuls les amateurs de ciné-clubs ont dû voir la célèbre légende laponne *le Renne blanc,* réalisée en 1952 par le Finlandais Erik Blomberg. Le cinéma finlandais est pourtant né en 1907 mais, hormis le fameux *Chant de la fleur rouge* (1938) de Teuvo Tulio, seuls les films réalisés après 1945 ont atteint une renommée internationale, comme *la Statue de la fiancée* de Toivo Särkkä en 1945. En 1969, l'Institut finlandais du cinéma s'organise afin de produire des films concurrentiels au petit écran tels que *l'Année du lièvre,* de Risto Jarva, en 1977.

Le cinéma norvégien, issu en 1912 des documentaires sur la vie des Lapons, dut attendre les années 1970 pour connaître un certain renouvellement, mis à part les films sur la Résistance au cours de la Seconde Guerre mondiale, réalisés dans les années 1950, notamment par Arne Skouen (*Atterrissage forcé,* 1951 ; *le Rescapé,* 1957), qui n'a pas connu le succès de T. Vite-Muller et J. Dréville (*la Bataille de l'eau lourde,* 1948). On peut alors parler d'une nouvelle vague qui traite avec ironie les travers et les carences de la société norvégienne. Dans ce style, on trouve le portrait d'un agent secret dans *Douglas,* de Pal Bangm-Hansen (1970), la critique sévère du système d'aide sociale dans *le Paradis rouge et bleu,* d'Oddvar Bull Tuhus (1971). La même année, Anja Breien dévoilera avec férocité l'indigence du système pénitentiaire *(le Viol)* avant de porter un œil féminin et féministe sur une société bloquée (*Wives,* 1975 ; *Wives II,* 1985). ●

3. *La Passion de Jeanne d'Arc* (1928), de Carl Dreyer. « Falconetti. »

4. *Cris et Chuchotements* (1972), d'Ingmar Bergman.

Le cinéma du cas de conscience

Des passions rentrées qui se dévoilent d'un seul regard et ne se trahissent que dans un chuchotement, mais tout le contraire de l'indifférence. Des moments de bonheur aussi éphémères que la parenthèse ouverte par l'été dans de trop longs hivers. Des cris de désespoir ou de terreur silencieux et un érotisme brûlant qui souvent ne se débride qu'après mûre réflexion. C'est dans une atmosphère feutrée et en s'efforçant de respecter certaines convenances que le scandale arrive. Et, malgré l'angoisse métaphysique chevillée au corps, les personnages du cinéma nordique affichent, comme un air d'éternelle innocence, la pureté même de leurs paysages.

L'expressionnisme allemand

UN MOUVEMENT INTELLEC-tuel et artistique, fondé à Munich vers 1910, est né d'un état d'esprit contestataire qui transcrit dans des formes, des gestes, des sons une vision agressive de la nature humaine. Après la défaite de « 18 », cet art de l'étrange, appelé expressionnisme, envahit tout Berlin. À cette époque, le cinéma allemand est pauvre. Sous l'impulsion de l'état-major a été créé en 1917 l'UFA, le puissant cartel de l'Universum Film Aktiengesellschaft. Cette société attire réalisateurs et auteurs d'Europe centrale et révèle des talents allemands, venus du théâtre.

Après la guerre, les traumatismes physiques et psychologiques, la débâcle inflationniste de l'économie, l'effondrement des valeurs spirituelles, l'exacerbation des passions s'incarnent dans des œuvres à la fois fortes et désespérées : c'est l'époque du grand cinéma muet allemand qui donne toute sa puissance à une poétique envoûtante. Tout y est démoniaque, le vivant et l'inerte. La seule issue est la mort. Le noir triomphe de la lumière.

À quelques exceptions près, l'avènement du parlant accélère la décadence du style et le IIIe Reich étouffe complètement l'originalité de ce cinéma, pour montrer la « réalité » des hommes et renoncer au rêve et au fantastique contraires à l'idéologie nazie.

Une centaine de films serviront l'imagination de ce mouvement expressionniste rendu par le jeu des acteurs dans un espace insolite, soutenu par un art consommé de l'éclairage. L'atmosphère (la *Stimmung*) oppressante est accentuée par la multiplicité des trucages savants, aussi bien lors du tournage qu'en laboratoire. L'horreur, l'hallucination, le crime sont les thèmes partout présents, de manière à atteindre « à la signification éternelle des faits et des objets ».

L'acteur doit extérioriser le pathétique par des gestes brusques et excessifs dans des décors sans rapport avec la réalité, dans lesquels les ombres vivent et animent les objets. La prise de vues doit à la fois rendre les aspects esthétique et psychique du drame.

Metteurs en scène et cameramen travaillent en étroite collaboration et avec une grande rigueur afin d'obtenir l'effet plastique souhaité. C'est le triomphe du clair-obscur, inspiré du cinéma nordique. Les éclairages et la stylisation des attitudes des foules viennent du travail scénique de Max Reinhardt.

Ce cinéma allemand n'a pu être que « noir et blanc » et muet. La parole a trahi le mystère des gestes, des lumières et des ténèbres de cet univers glacé et inquiétant. La nouvelle technique du son s'est mise, elle, au service des séduisantes « Operetten » et autres « Musik-filme » dans l'esprit des revues à grand spectacle où l'image n'est plus l'élément unique d'un jeu qui pose une énigme tout en proposant les moyens symboliques de sa résolution.

Un film type : *le Cabinet du docteur Caligari* (1919)

LE CABINET DU DOCTEUR CALIGARI DE ROBERT WIENE, D'APRÈS LE SCÉNARIO DE CARL MEYER ET HANS JANOWITZ, EST LE FILM-MANIFESTE DE L'EXPRESSIONNISME ALLEMAND.

Dans ce film « fou », un savant devenu tyran est l'incarnation du Mal. Il pousse un homme sain, sous l'emprise de son pouvoir hypnotique, à tuer son semblable. L'innocent commet crime sur crime. Seule alternative à l'individu dépossédé de sa personnalité : la folie ou la mort ; les deux héros, Caligari et Cesare, sont des monstres parfaitement représentatifs du courant expressionniste : au milieu d'un décor stylisé, dans lequel les obliques inattendues viennent casser la perspective qui bute sur des toiles peintes, sont irrémédiablement liés le maître démoniaque et la victime somnambule, deux vies entraînées par la fatalité du destin chaotique de l'homme. Êtres et choses grimacent.

Le paroxysme d'un cas extravagant veut refléter une situation socio-économique délabrée après les blessures de la défaite, en même temps qu'il illustre l'outrance ambiante de la rue du Berlin de l'époque. Après de longues discussions conflictuelles avec les auteurs sur le sens socio-politique à donner à la folie despotique du docteur Caligari, ce film fut finalement réalisé avec de modestes moyens, en particulier dans les décors, ce qui, par contrecoup, servit les nouvelles tendances à l'exagération des effets hallucinatoires. L'interprétation d'une situation délirante donne au concret, insolite et inquiétant, une dimension métaphysique, parfaitement restituée par les acteurs Werner Krauss et Conrad Veidt dans une économie de gestes compensée par l'intensité dramatique de leur jeu accentué par l'étrangeté des éclairages. •

3. *Le Cabinet du docteur Caligari* (1919) de R. Wiene.

1. Affiche de A. Cuny pour *la Rue sans joie* (1925) de G. W. Pabst.

2. Marlene Dietrich dans *l'Ange bleu* (1930) de J. von Sternberg.

Une séduction de l'horreur

LE GOÛT DE L'HORREUR DU CINÉMA
EXPRESSIONNISTE REJOINT LE FANTASTIQUE DES CONTES
ET LÉGENDES POPULAIRES.

Préparé par les histoires de fantômes, de sorciers et autres monstres des contes de l'enfance puis par une littérature fantastique comme celle d'E. T. A. Hoffmann (1776-1822), et fervent spectateur d'un théâtre en noir et blanc comme celui de G. Kaiser ou du jeune Brecht, le public allemand des salles obscures a adhéré immédiatement à l'atmosphère trouble de ce nouveau cinéma. Parmi les réalisateurs de cette époque, trois personnalités illustrent le goût de l'horreur et de la terreur : Friedrich W. Murnau (1888-1931), Fritz Lang (1890-1976) et Ernst Lubitsch (1892-1947), Murnau et Lubitsch venant tout droit du théâtre de Max Reinhardt. Fuyant le nazisme, ces trois grands termineront leur carrière à Hollywood.

Murnau, homme sensible, influencé par les paysages de son enfance en Westphalie, utilise dans son premier grand film *Nosferatu le Vampire* (1922) des plans d'extérieur. À ce décor réel se superpose l'image hideuse du vampire accentuée par l'artifice du maquillage (crâne tondu, pâleur du visage, yeux exorbités). De plus, par son angle de vue, la caméra, qui filme en contre-plongée des personnages ou des objets se déplaçant vers elle dans des mouvements lents ou saccadés, multiplie l'effet d'inquiétante étrangeté. En revanche, dans *Faust* (1926), dernier film tourné en Allemagne, ou dans *l'Aurore,* tourné en 1927 à Hollywood, les décors seront recréés en studio avec des artifices d'éclairage, des jeux de reflets, l'apparition de brumes. Cependant, dans *le Dernier des hommes* (1924), Murnau avait déjà transposé l'atmosphère intimiste du théâtre de chambre scandinave : le *Kammerspielfilm* joue ici de l'indiscrétion inquiétante d'une caméra mobile pour suivre pas à pas un portier d'hôtel dans sa déchéance.

Le Viennois Fritz Lang a rejeté l'offre des nazis, impressionnés par l'esprit germanique de ses *Nibelungen* (1924), de diriger le cinéma allemand. Et malgré *les Trois Lumières* (1921), où il se sert abondamment du clair-obscur, des surimpressions et des fondus qui soulignent l'inutile tentative de l'homme d'échapper à la mort, Lang a toujours refusé de se définir comme expressionniste. Dans *Metropolis* (1927), c'est à sa formation d'architecte que l'on doit la stylisation du décor. L'éclairage sculpte les personnages et l'espace qui les entoure. Dans cette cité de fiction échoue la révolte des automates humains fomentée par le robot Eve. Dans *le Docteur Mabuse* de 1922 (personnage qu'il reprendra jusqu'en 1960), Lang apporte cependant à l'expressionnisme ses qualités de créateur d'intrigues policières, où un cruel comique du quotidien s'associe au fantastique.

Au fond, cette thématique de l'angoisse, fortement influencée par l'avant-garde théâtrale et les recherches dans les arts plastiques, se sera déployée en moins d'une vingtaine d'années, entre *l'Étudiant de Prague* (1913) du Danois Stellan Rye et *le Testament du D' Mabuse* (1933) de Lang. ●

Un personnage tragique : la rue

DANS UN CINÉMA OÙ L'OBJET INERTE
A AUTANT D'IMPORTANCE QUE LE VIVANT,
ET OÙ LE DÉCOR NATUREL EST RARE, LA RUE, RECONSTITUÉE
EN STUDIO, DANS UNE ATMOSPHÈRE FORTEMENT
CONTRASTÉE, A UN RÔLE PRIVILÉGIÉ.

Les cinéastes allemands ont recours à des décorateurs qui créent des décors préfabriqués, découpés, concentrés, révélés par la violence des éclairages. Dans des boyaux glauques et sinistres s'insinuent les paumés de la société, à la recherche d'une illusoire évasion. Des films, d'ailleurs, portent dans leur titre le mot « rue », qui affiche ainsi sa valeur de « personnage ».

La Rue (1923) de Carl Grune (1890-1962) est ainsi le lieu de toutes les tentations : elle attire par ses lumières vacillantes le bourgeois qui espère en vain échapper à la monotonie du quotidien. Dans *la Rue sans joie* (1925), G. W. Pabst (1895-1967) accentue le pathétique par l'outrance des contrastes d'ombre et de lumière, qui sculptent ruelles et escaliers étroits dans lesquels s'insinue la misère humaine d'un quartier louche. La rue, comme dans les poèmes de Gottfried Benn, ne semble conduire que de l'usine au café borgne et de l'hôpital à la morgue. Dans cet univers évoluent la jeune Suédoise Greta Garbo et la Danoise Asta Nielsen à son apogée. Le réalisateur Bruno Rahn (1898-1929) tourne en 1927 *la Tragédie de la rue,* où lumière furtive et effets de clair-obscur révèlent la déchéance des corps et des âmes anonymes. En 1929, Joe May (1880-1954) met en scène *Asphalte,* qui réunit tous les artifices de la vision expressionniste : éclairages violents, plans coupés des prises de vues, déformations, brumes, surimpressions. Dans la rue indifférente erre la faune des bas-quartiers, où s'affrontent symbolique-ment le blanc et le noir. ●

4. Peter Lorre dans *M. le Maudit* (1931) de Fritz Lang.

Le réalisme soviétique

LES PREMIERS FILMS RUSSES ont été des documentaires tournés par des amateurs, puis l'imagination des cinéastes a mis en scène des drames mondains. On a adapté des œuvres littéraires du XIXe siècle. Après la révolution d'Octobre 1917 se maintient une production traditionnelle jusqu'à ce que, le 27 août 1919, Lénine proclame la priorité du cinéma sur tous les autres arts pour soutenir efficacement la jeune révolution.

Le réalisme socialiste s'oppose à « l'Art pour l'Art ». Tout moyen de culture devient, avec les théories marxistes, une forme de « conscience sociale », au service de l'éducation prolétarienne par son contenu, et universelle par son expression. Le cinéma, art récent, est un moyen d'expression démocratique et populaire qui doit atteindre toutes les classes de la société. Il va développer la sensibilité des hommes et la prise de conscience des groupes sociaux. L'art muet remplit sa mission jusqu'en 1931. Le film sonore, puis parlant, s'impose plus lentement jusqu'à ce que la pellicule de fabrication soviétique soit au point. Il fallait se faire comprendre de dizaines de millions d'individus de culture, de langues et d'éducation différentes, grâce à l'installation progressive de salles de cinéma fixe ou ambulant sur le territoire d'U.R.S.S., jusque dans les villages et leurs écoles, après avoir investi les villes et leurs casernes.

Le film soviétique cherche le rendement éducatif et culturel. Il doit plonger dans la réalité mouvante du contemporain. Si des romans et des récits sont adaptés à l'écran, le livre n'est que prétexte, l'essentiel étant de l'utiliser afin d'étayer la construction évolutive du socialisme et ce en vue de l'initiation politique et non dans l'intérêt d'une esthétique. Les luttes socio-économiques priment sur la psychologie individuelle, même dans les films de fiction artistique. Des films éducatifs variés qui doivent donner au spectateur un sens positif de la vie sont construits selon les milieux et les âges, pour atteindre un public composite.

Le cinéma soviétique, antidote du cinéma bourgeois défunt, met en scène, avec une économie imposée de moyens et de techniques et grâce à la rigueur des prises de vues et du montage, la vie des ouvriers et des paysans, les réalités révolutionnaires, sujets nécessaires à une éducation par la puissance de l'image. Les « séries » et les films à épisodes sont bannis, parce que jugés trop commerciaux. Tout film historique doit servir l'idéologie marxiste. Des écrivains « spécialisés » constituent un bureau de contrôle de tout scénario.

Si l'âge d'or du cinéma muet soviétique met en scène le triomphe de la démocratie sur le tsarisme, le début du parlant présente la prise de conscience du rôle social de l'individu ordinaire qui peut se transformer, selon les circonstances, en héros.

1. *Le Retour de Maxime* (1937), de Kozintsev.

Le film métaphorique et Eisenstein

SANS RENONCER AU RÉALISME, UNE AUTRE DÉMARCHE PEUT CONDUIRE LE CINÉMA À RETROUVER LE SOUFFLE DE L'ÉPOPÉE.

S. M. Eisenstein (1898-1948), décorateur et metteur en scène de théâtre, devient cinéaste en 1923 avec la version russe du *Docteur Mabuse* de F. Lang. Il met au point la théorie du « montage des attractions », qui consiste à rassembler des éléments analogiques pris dans des époques et des lieux différents, ce rapprochement leur donnant un sens très fort : c'est le film métaphorique. Dans *la Grève* (1925) se mêlent des images de massacres d'ouvriers à l'époque tsariste et des vues prises aux abattoirs. Eisenstein ira au bout de cette théorie en 1927 avec *Octobre,* film à la gloire de la révolution de 1917.

Le fait divers devient une épopée emportée par la force de l'inspiration, que le rythme des images concrétise : *le Cuirassé Potemkine* (1925), tourné hors studio à Odessa, sans acteurs professionnels, reconstitue une actualité dans laquelle la masse anonyme de la foule a force de héros, le cuirassé et la ville étant aussi des acteurs. Le gouvernement soviétique, devant l'immense succès de ce film, accorde tout crédit à Eisenstein pour mettre en œuvre *l'Ancien et le Nouveau.* Ce monument est connu en Occident par la version plus courte, *la Ligne générale* (1929), dans laquelle le réalisateur veut dégager le sens sociophilosophique d'événements quotidiens et tragiques.

En 1928, Eisenstein travaille en France, à Hollywood et au Mexique. Il revient à Moscou en 1932, mais il faut attendre 1938 pour voir son *Alexandre Nevski,* sur une musique de Sergueï Prokofiev. Le spectacle est somptueux grâce aux cadrages recherchés de l'opérateur Édouard Tissé (1897-1961), fidèle collaborateur d'Eisenstein. La fresque prestigieuse d'*Ivan le Terrible,* « ciné-opéra » en étroite correspondance avec la musique de Prokofiev, fut réalisée en deux parties étant donné les difficultés de tournage dues à la Seconde Guerre mondiale. On connaîtra cette œuvre dans son intégralité en 1958, après la mort de Staline.

Le « ciné-œil » et Dziga Vertov

LE CINÉMA RÉVOLUTIONNAIRE A DÉVELOPPÉ LE POUVOIR DU DOCUMENTAIRE, ŒIL FIXÉ SUR LA RÉALITÉ.

Parmi les pionniers du cinéma soviétique, Dziga Vertov (1895-1954) est l'inventeur d'une forme originale de documentaire, caractérisée par une caméra qui saisit la vie à l'improviste : la « caméra-œil » filme les personnages à leur insu. Cette méthode interdit le travail de recherche artistique, ce qui ne veut pas dire que les montages ne soient pas rigoureux. Bien au contraire, Vertov ordonne ses plans selon une méthode quasi scientifique. La spontanéité des images obtenues reste tributaire de la maniabilité de la caméra. Le matériel est encore lourd et sensible aux conditions d'éclairage. Mais cette théorie du documentaire trouvera de nombreuses applications avec l'amélioration du matériel.

Dziga Vertov réalise en 1922 son premier long métrage, *l'Histoire de la guerre civile*. Par la suite, en février 1924, il montre les images des obsèques de Lénine mort un mois plus tôt. 1926 voit le succès sur tout le territoire soviétique du documentaire *Soviet en Marche ! La Sixième Partie du monde*. Avec *la Symphonie du Donbass* (1930), il produit son premier film sonore, avant de réaliser en 1934 *Trois Chants sur Lénine,* véritable poème bâti à la mémoire de son héros.

Selon la méthode de Vertov, la monteuse Esther Choub (1894-1959) réalise de vastes documentaires historiques à partir des archives provenant des époques tsariste (*la Chute des Romanov,* 1927) et révolutionnaire (*le Pays des soviets,* 1937).

D'autres œuvres importantes sont tournées entre 1925 et 1935 par les documentaristes soviétiques, révélant, par exemple, le travail des enfants dans les manufactures (*Shanghai*, de Bliokh et Stapanov, en 1929) ou encore la conquête des terres desséchées (*La terre a soif,* de Raïzman, en 1931). Ces réalisations ouvrent la voie aux documentaires internationaux contemporains de l'histoire prise sur le vif. Le célèbre opérateur d'actualités Roman Karmen immortalise par ses reportages la guerre d'Espagne en 1937 et celle de Chine en 1938. Avant 1940, le réalisateur de *Quand passent les cigognes* (1957), Mikhaïl Kalatozov, tourne une *Fête de la jeunesse.*

2. *Andreï Roublev* (1966), de Tarkovski.

3. *Quand passent les cigognes* (1957), de Kalatozov.

La caméra est une arme

La caméra est une arme

Puisque tant de gens ne savent pas lire, quel autre et quel meilleur moyen de communiquer avec eux, de les sensibiliser et de les éduquer que le cinéma ? La révolution d'Octobre, l'édification du socialisme et une inébranlable foi dans les lendemains qui chantent fourniront donc un inépuisable répertoire de thèmes épiques à l'inspiration du réalisme soviétique. Cependant, un tel cinéma n'est pas qu'à ranger au rayon d'une propagande manichéenne : particulièrement en son âge d'or, celui du muet, il a accouché d'authentiques chefs-d'œuvre dont les images se sont à jamais gravées dans notre mémoire, et même dans l'inconscient collectif, telles celles du *Cuirassé Potemkine*. Pour autant ce réalisme a-t-il respecté sa définition, qui lui interdisait d'idéaliser le réel et d'en donner une image épurée ?

Les « excentriques », scandales et Palmes d'or

LES EXCENTRIQUES GROUPENT TOUS LES CINÉASTES SOVIÉTIQUES QUI, PLUS OU MOINS À L'ÉCART DU POUVOIR CENTRAL, ONT PU AVOIR UNE DÉMARCHE DIFFÉRENTE DE LA TENDANCE D'ÉTAT.

La science de l'art et Poudovkine

EN MÊME TEMPS QUE LE CINÉMA « PRIS SUR LE VIF » DE VERTOV ET D'EISENSTEIN, UN CINÉMA PSYCHOLOGIQUE VOIT LE JOUR, OÙ L'ACTEUR PROFESSIONNEL DEVIENT INDISPENSABLE.

Avec plus de science et d'effort intellectuel, ce cinéma se fie davantage à la méthode qu'à l'inspiration. Vsevolod Poudovkine (1893-1953), ingénieur de formation, après un cinéma expérimental avec Koulechov, réalise coup sur coup trois longs métrages : *la Mère* (1926), *la Fin de Saint-Pétersbourg* (1927) et *Tempête sur l'Asie* (1929). Le thème commun à ces chefs-d'œuvre psychologiques est la prise de conscience par l'individu des devoirs que lui impose la classe sociale à laquelle il appartient.

Par une narration savamment construite, où les objets eux-mêmes « jouent » par leur présence et leur symbolique, Poudovkine fait jaillir l'émotion.

L'ordre des images conditionne leur force. Les acteurs, menés avec précision, sont au service du film. Ils représentent la nature humaine dans ce qu'elle a d'universel et d'éternel. Des personnages types sont les porte-parole d'un discours social.

Poudovkine s'adapte mal au début du parlant. De retour en U.R.S.S. après un travail d'acteur en Allemagne, il applique sans succès auprès du public la technique du « contrepoint sonore », qui consiste à produire des sons sans coïncidence immédiate avec l'image traduisant par avance les émotions et les angoisses des personnages présents à l'écran. Cet échec le conduit à se consacrer pour un temps à l'enseignement. Professeur à l'Institut de cinématographie d'État, il participe à la formation des futurs réalisateurs. En 1938, il commence une seconde carrière de onze films, dont *l'Amiral Nakhimov* (1947). *La Moisson* (1953), tirée du roman de Galina Nikolaïeva, fut sa dernière réalisation.

Kozintsev et Trauberg réalisent la trilogie de *Maxime* (1935-1939), vie d'un ouvrier bolchevik à travers trois périodes historiques : l'avant-guerre, juillet 1914, l'année 1918. Ces deux réalisateurs viennent de la FEKS, « fabrique de l'acteur excentrique » créée en 1922, où triomphent les images acrobatiques grâce à de savants trucages.

En 1930, l'Ukrainien Dovjenko (1894-1956) tourne *la Terre*, film muet qui traite, avec une violente sensualité, de la collectivisation des terres et qui est destiné à initier les masses populaires par le spectacle de la vie réelle. C'est le réalisme socialiste.

L'avènement de Khrouchtchev (destitué en 1964) apporte un relatif libéralisme dont profite Mikhaïl Kalatozov, qui obtient une Palme d'or à Cannes en 1958 avec *Quand passent les cigognes*, film d'amour, de guerre et de mort.

Le Géorgien Sergueï Paradjanov (1924-1990) traite du fantastique et du primitivisme religieux dans le poème lyrique *les Chevaux de feu* (1965).

Il était une fois un merle chanteur (1971), du Géorgien Otar Iosseliani (né en 1934), est une agréable chronique du quotidien. En 1988, la Palme d'or du festival de Cannes pour le court métrage revient à *Fioritures,* de G. Bardine.

Andreï Tarkovski (1932-1986) traite, par le biais de la biographie du peintre d'icônes du XVe siècle, *Andreï Roublev* (1966), de la liberté artistique. Ses films (*l'Enfance d'Ivan,* 1962 ; *Solaris,* 1972 ; *Stalker,* 1979) firent scandale en U.R.S.S. Réfugié politique à la suite de la présentation de *Nostalgie* à Cannes en 1983, il a consigné sa conception du cinéma et du rôle de l'artiste dans *le Temps scellé,* paru en 1989.

4. *Le Cuirassé Potemkine* (1925), d'Eisenstein.

Le néoréalisme italien

POUR LES HISTORIENS DU cinéma comme pour les cinéphiles, le néoréalisme évoque aussitôt le climat de l'après-guerre. Or le mot est dû à Mario Serandrei, monteur de Visconti qui visionnait les rushes d'*Ossessione* en 1943, et il apparaît pour la première fois sous la plume d'un critique, Umberto Barbaro, en juin de la même année, quelque six mois avant le débarquement anglo-américain d'Anzio.

Le cinéma italien a anticipé la consommation de la défaite et il a senti tout le poids de la nouvelle réalité. La fin de la guerre, c'est la fin des rêves nationalistes et impérialistes sur lesquels se fondait le régime mussolinien. C'est aussi la généralisation de la misère, la lutte inexpiable ou désabusée pour la survie dans les banlieues ouvrières ou les villages ravagés par les combats.

Le cinéma italien qui participe du délabrement économique général va faire de son dénuement une force : n'ayant plus les moyens de tourner dans les somptueux studios de Cinecittà, inaugurés en 1937 et qui servaient de décor aux films historiques de Blasetti, il va traquer la réalité dans la rue, sans dé-

bauche d'éclairage et sans vedettes aux cachets dispendieux – les misérables vont tenir à l'écran le rôle qui est le leur dans la vie de tous les jours.

Si le néoréalisme traduit une histoire immédiate, il a également des racines plus lointaines : du vérisme littéraire et esthétique de la fin du XIXe siècle aux recherches filmiques du Centro sperimentale à partir de 1935. Il est ainsi intéressant de remarquer que le film qui parut, après coup, le manifeste du mouvement, *Ossessione,* de Visconti, n'est nullement un reportage sur la réalité italienne mais l'adaptation très libre d'un roman noir américain, *Le facteur sonne toujours deux fois,* de James Cain.

Le néoréalisme italien s'incarne, de 1945 à 1952, dans le courant fort mais éphémère de « l'école de la Libération », dominée par les cinéastes Roberto Rossellini, Vittorio De Sica, Luchino Visconti et Giuseppe De Santis.

Si le mouvement révèle vite son hétérogénéité, l'intérêt pour le monde réel, à travers des formes variées, ne cessera plus de s'inscrire dans les préoccupations non seulement du cinéma italien, mais du cinéma mondial.

Le néoréalisme, de 1945 à 1951

DANS LES DÉCOMBRES DU FASCISME ET D'UNE ÉCONOMIE EN MIETTES, LE CINÉMA ITALIEN ENTREPREND UNE RECHERCHE DE L'AUTHENTICITÉ HUMAINE ET SOCIALE.

En quelques années, le cinéma italien va dresser un bilan amer du pays au sortir de la guerre. Débarrassé des boursouflures et des rodomontades mussoliniennes, privé de la médiocrité petite-bourgeoise qui faisait jusqu'en 1940 le fonds des mélodrames sentimentaux, que lui reste-t-il ? Le chômage, la délinquance dans les villes, la dureté de la vie rurale, la détresse des personnes âgées, le désespoir précoce des jeunes... Le néoréalisme entreprend de tout montrer.

Toutefois, malgré les thèmes communs de l'écroulement du fascisme, de l'expérience de la Résistance et des drames sociaux et humains de l'après-guerre, les réalisateurs vont imprimer à la saisie de la réalité leurs visions politi-

ques et esthétiques personnelles. Certains, comme Rossellini, s'attachent avec la sécheresse d'un style proche du reportage aux désastres matériels et moraux qui accompagnent la chute du fascisme (*Rome, ville ouverte,* 1945 ; *Paisa,* 1946) et du nazisme (*Allemagne, année zéro,* 1947). D'autres décèlent, au-delà des responsabilités de la dictature, les blocages profonds de la société : ainsi De Santis, qui analyse l'aliénation paysanne (*Riz amer,* 1949 ; *Pâques sanglantes,* 1950), ou Visconti, qui, dans *La terre tremble* (1948), renoue avec le vérisme de Verga pour peindre la difficile prise de conscience de leur condition par les pêcheurs misérables d'un petit port sicilien.

Mais c'est Vittorio De Sica

qui brosse le panorama le plus complet de l'Italie de l'après-guerre. Acteur adulé des comédies légères des années 1930, il avait débuté en 1944 avec une critique inattendue des mœurs matrimoniales, *Les enfants nous regardent.* Il se fait brutalement le grand dénonciateur de l'injustice sociale, du drame des enfants abandonnés (*Sciuscia,* 1946) à la détresse du chômeur (*le Voleur de bicyclette,* 1948) et à la solitude du retraité famélique *Umberto D* (1952). Seul *Miracle à Milan* (1951) laisse apparaître la lueur d'une possible solidarité.

D'autres cinéastes ont illustré cette révolte contre l'univers des « téléphones blancs » : Aldo Vergano (*Le soleil se lèvera encore,* 1946), Pietro Germi, avec un souci plus didactique (*le Chemin de l'espérance,* 1950), Luigi Zampa, en usant d'un regard qui n'exclut pas l'humour (*l'Honorable Angelina,* 1947 ; *les Années difficiles,* 1948), Luciano Emmer, qui traite la chronique documentaire sur le rythme de la comédie (*Dimanche d'août,* 1950).

1. *Le Voleur de bicyclette* (1948), de V. De Sica.

2. Silvana Mangano, dans *Riz amer* (1949), de G. De Santis.

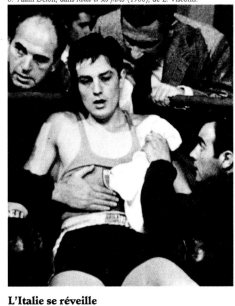

L'Italie se réveille

L'Italie se réveille très vite du fascisme qui l'a engourdie. Dès la libération de la Ville éternelle en 1944, et bien que dans des conditions matérielles très difficiles, Roberto Rossellini entreprend le tournage de *Rome, ville ouverte* sur les lieux mêmes de l'histoire immédiate. Mais ce que retient le néoréalisme, c'est moins l'espoir de jours meilleurs que le spectacle des misères quotidiennes, humbles comme celles que prolongent à l'écran les acteurs anonymes pris dans la rue, ou agressives comme celles des nouvelles stars, libérées de tout complexe et de la censure.

Le réalisme des années 1960

DANS UN PAYS EN PLEIN RENOUVEAU ÉCONOMIQUE, MAIS QUI PEINE À TROUVER SON ÉQUILIBRE POLITIQUE ET HUMAIN, LE CINÉMA RELÈVE SANS COMPLAISANCE TOUTES LES CONTRADICTIONS DE LA SOCIÉTÉ.

Le nouveau réalisme des années 1950

LE NÉORÉALISME A SU FAIRE RENOUER CINÉASTES ET SPECTATEURS AVEC LA VIE CONCRÈTE. S'IL DISPARAÎT EN TANT QUE MOUVEMENT, IL SURVIT COMME ÉTAT D'ESPRIT.

Le néoréalisme a redonné le goût de la réalité, mais chaque réalisateur avait sa propre vision du monde. À chacun son réel : plus humaniste pour Vittorio De Sica, plus engagé pour De Santis, plus formel pour Visconti. D'autre part, le public marqua vite sa désaffection à l'égard d'un cinéma qui lui renvoyait l'image de sa misère : il lui fallait du rêve, il voulait sourire. La peinture sociale céda de nouveau la place au mélodrame et à la comédie de mœurs. C'est ainsi qu'Alberto Lattuada, qui avait donné au néoréalisme quelques-uns de ses films les plus durs (*le Bandit*, 1946 ; *Sans pitié*, 1948), se lança dans l'adaptation raffinée de romans et de contes (*le Manteau*, 1952 ; *la Louve de Calabre*, 1953).

Luigi Comencini, qui avait fait pleurer sur les enfants de Naples contraints à voler pour survivre (*De nouveaux hommes sont nés*, 1949), résume le nouveau programme d'une société sans trop d'illusions avec *Pain, amour et fantaisie* (1953).

Mais cette période, marquée par une vitalité industrielle retrouvée (100 à 150 films produits chaque année), révèle surtout deux metteurs en scène qui vont donner de la réalité l'interprétation la plus originale : Michelangelo Antonioni, qui avait été assistant de Carné pour *les Visiteurs du soir* et qui n'avait pu, en 1943, achever un documentaire sur *les Gens du Pô*, fait d'une évocation sociale héritée du néoréalisme la toile de fond d'un jeu de rôles où la communication est sans cesse rompue (*Chronique d'un amour*, 1950 ; *la Dame sans camélias*, 1953 ; *le Cri*, 1957). Ce qu'Antonioni tire du néoréalisme, c'est paradoxalement le sentiment de l'effacement de la réalité dans les rapports humains et dans la conscience des êtres. Quant à Fellini, il trouvera dans son goût de la caricature, qui transforme toute notation concrète ou psychologique en sketch, le meilleur biais pour atteindre le cœur des choses au-delà de l'écorce énigmatique d'un univers où le burlesque se mêle sans cesse au tragique : il brosse ainsi dans la désespérante chronique des *Vitelloni* (1953) la fresque en grisaille d'une génération sans passion et sans but, avant de donner à ses personnages humiliés et floués l'allure incongrue des saltimbanques (*la Strada*, 1954 ; *les Nuits de Cabiria*, 1957). Plus loin que la misère matérielle et sociale, la caméra ironique et tendre de Fellini plonge au sein de la détresse humaine qui étreint aussi bien les coupables que les victimes. •

Qu'il joue du tragique ou du burlesque, de la gravité ou de l'humour, le cinéma des années 1960 n'a pas rompu avec l'engagement social. Mais s'il n'a plus la tonalité sombre et amère du néoréalisme, c'est que la société a changé : si elle prospère, c'est qu'elle a bradé ses valeurs pour investir dans des objets qui meublent son vide à l'âme. Ce constat de faillite, chaque réalisateur le fait selon son tempérament. Antonioni sous la forme d'un intimisme glacé (*L'avventura*, 1960 ; *la Nuit*, 1961 ; *l'Éclipse*, 1962 ; *Blow Up*, 1966), Fellini dans la luxuriante mise en scène de ses fantasmes (*La dolce vita*, 1960 ; *Huit et demi*, 1963). Visconti prouve une nouvelle fois son amour du détail et du décor, révélateurs des drames intérieurs (*Rocco et ses frères*, 1960 ; *le Guépard*, 1963). Double héritier de Visconti (pour le sens de l'histoire et de la composition plastique) et de Rossellini (pour la saisie des instants fugitifs qui révèlent les profondeurs cachées de l'être),

Francesco Rosi fait de son Mezzogiorno natal le microcosme des violences et des illusions de toute l'Italie (*Salvatore Giuliano*, 1961 ; *Main basse sur la ville*, 1963 ; *l'Affaire Mattei*, 1972).

Pier Paolo Pasolini, poète consacré, débute avec une fable néoréaliste, *Accatone*, suivie de *Mamma Roma* (1962), qui inaugure la série de ses paraboles mythologiques ou historiques (*l'Évangile selon saint Matthieu*, 1964 ; *Des oiseaux, petits et gros*, 1966 ; *Théorème*, 1968) : c'est par ce pouvoir métaphorique que le cinéma éclaire la réalité contemporaine.

Et tandis que Bernardo Bertolucci fait appel à une rhétorique baroque pour camper l'intellectuel italien déchiré entre sa culture et son désir de changer le monde (*Prima della rivoluzione*, 1964), Marco Bellochio témoigne d'une rage froide dans son massacre des idées et des institutions établies, de la famille (*les Poings dans les poches*, 1966) à l'Église (*Au nom du Père*, 1971).

L'hispanité cinématographique

Après la première projec-tion historique à Madrid, le 15 mai 1896, de quelques bandes des frères Lumière et un premier film emblématique réalisé la même année par Eduardo Jimeno Correas, *Sortie de la messe de midi à l'église du Pilar de Saragosse,* le cinéma espagnol se lance dans toutes les explorations sous les influences diverses du trucage à la Méliès, des serials français et du film historique italien. Mais il sera, pour l'essentiel, un instrument d'exportation vers les pays de langue espagnole de films inspirés par les thèmes religieux et les traditions romanesques et folkloriques – du *Don Quichotte* (1908) de Narciso Cuyas à *la Sœur Saint-Sulpice* (1927), de Florián Rey, qui révèle la fameuse Imperio Argentina.

Le cinéma espagnol évolue ensuite au gré de la conjoncture économique et politique : concurrence de la production hollywoodienne – le premier film sonore (*le Mystère de la Puerta del Sol,* 1930, de Francisco Elías) ne sera projeté qu'à Burgos –, chute de la monarchie, qui voit s'exacerber la concurrence entre Madrid et Barcelone et les documentaires sociaux, comme le célèbre *Terre sans pain* (1932) de Luis Buñuel, se joindre aux comédies légères.

La guerre civile (1936-1939) fait d'abord du cinéma un instrument de la propagande des deux camps : celui des républicains, autour des studios de Barcelone, celui des franquistes, lié à l'industrie allemande et italienne. Aux côtés de curieux films anarcho-syndicalistes, des réalisations étrangères apportent un témoignage sans complaisance sur une lutte inexpiable : ainsi Malraux avec *l'Espoir* (1939).

Après la victoire de Franco, qui fournit lui-même au cousin du fondateur de la Phalange, Sáenz de Heredia, le scénario de *Raza* (1942), triomphent le « film de croisade », puis après la Seconde Guerre mondiale le film religieux et le film historique, évoquant les grandeurs et les servitudes de la « gloire castillane ».

L'Espagne commencera à sortir de son isolement, moins avec les succès de mélos plus ou moins morbides, comme le *Marcelin, pain et vin* (1955) de L. Vajda, qu'avec le regard acide de Luis García Berlanga et Juan Antonio Bardem (*Mort d'un cycliste,* 1955). Mais, malgré les tentatives d'une nouvelle vague animée, dans les années 1960, par Carlos Saura ou illustrée par l'« école de Barcelone » avec Vincente Aranda, l'Espagne reste surtout la terre des grandes coproductions internationales : elle sert de décor aux réalisateurs étrangers.

Depuis la mort de Franco (1975), le cinéma espagnol est tributaire une fois de plus de l'évolution générale du pays : membre à part entière de l'Europe, théâtre d'une formidable expansion économique, l'Espagne veut faire de sa production cinématographique un élément d'une vitalité culturelle retrouvée et qui a les dimensions de l'hispanité moderne.

La liberté d'expression

1976 *Le Caudillo,* B. M. Patino (thème : Franco).

1978 *Un homme appelé Fleur d'automne,* Pedro Olea (thème : l'homosexualité).

1979 *La Vieille Mémoire,* Jaime Camino (thème : le franquisme).
Sept Jours en janvier, Juan Antonio Bardem (thème : l'assassinat politique).

1980 *Dedicatoria,* Jaime Chávarri (thème : l'inceste).

1984 *Les Saints Innocents,* Mario Camus (thème : la misère).

1987 *El Dorado,* Carlos Saura (thème : heurs et malheurs de l'Empire espagnol).

1988 *L'Autre Moitié du ciel,* M. Gutiérrez Aragón (thème : la libération sociale de la femme).

1. *L'Ange exterminateur,* de Luis Buñuel (1962).

Luis Buñuel, un militant du dehors

LUIS BUÑUEL, LE NOM LE PLUS CONNU DU CINÉMA ESPAGNOL, N'A PU TOURNER OFFICIELLEMENT QUE TROIS FILMS DANS SON PAYS. SON ŒUVRE EST LE FRUIT DE L'EXIL.

Le jeune Luis Buñuel (1900-1983), après diverses études chez les jésuites de Saragosse puis à la faculté des lettres à Madrid, découvre le cinéma avec le film de Fritz Lang *les Trois Lumières* (1921). Attiré par l'effervescence du Montparnasse des années folles, il arrive à Paris en 1924, devient l'assistant de Jean Epstein et s'engage dans la critique cinématographique à Paris puis, dans *la Gaceta Literaria,* à Madrid, où il crée (1927) le premier ciné-club. Après une rencontre avec Salvador Dalí, au cours de laquelle les deux hommes se racontent leur dernier rêve, naît le scénario surréaliste d'*Un chien andalou* (1928), tourné dans les studios de Billancourt. Dans un univers onirique, l'image concrétise avec violence les fantasmes inconscients d'êtres bien réels. Le titre provient d'un recueil de poèmes de Buñuel et n'a, dans la logique même du surréalisme, aucun rapport avec le film. Tandis que des écrivains espagnols composent des poèmes à la gloire du 7ᵉ art (Federico García Lorca écrit ainsi sur Buster Keaton) et que commence à se manifester un cinéma d'avant-garde, Buñuel et Dalí renouent leur collaboration dans *l'Âge d'or* (1930), film qui sera finalement interdit.

D'une autre portée cependant se révèle le long métrage documentaire *Las Hurdes* (*Terre sans pain,* 1932), que Buñuel réalise sur les conditions de vie misérables des paysans d'une région isolée d'Estrémadure, cinéma-vérité qui dévoile une misère impensable accablant des êtres résignés : Buñuel présente à Madrid le film, qu'il commente lui-même. Le scandale produit provoque l'interdiction du film jusqu'en 1937, alors que Buñuel est à Paris et que la guerre civile déchire l'Espagne depuis un an : sonorisé en français et en anglais, le film fera le tour du monde et deviendra le drapeau de l'antifascisme.

Lors de la victoire de Franco, Buñuel est à New York, où il travaille au Musée d'art moderne. Il rejoint alors le Mexique, où il réalisera jusqu'en 1956 quatorze films. Dans *Los Olvidados* (1950) se mêlent les deux tendances, surréaliste et sociologique, qui ont marqué le début de sa carrière : la réalité cruelle de destins misérables est accentuée par la beauté des images. Après une série de coproductions françaises (*Cela s'appelle l'aurore,* 1956 ; *La fièvre monte à El Pao,* 1960) ou américaines (*la Jeune Fille,* 1960), Buñuel renoue avec son pays en tournant *Viri-diana* (1961) : censuré, interdit puis désigné pour représenter l'Espagne au festival de Cannes, où il obtient la Palme d'or, le film, de nouveau interdit en Espagne, devient « mexicain » (c'est au Mexique également qu'est tourné *l'Ange exterminateur,* 1962) pour redevenir espagnol en 1983 !

Lorsque Buñuel tourne *Tristana* en 1970, d'après le roman de l'anticlérical Benito Pérez Galdós (une jeune orpheline, Catherine Deneuve, sera la dernière conquête et la victime d'un vieux don Juan), l'Espagne est toujours franquiste. Mais Buñuel poursuit sa critique féroce de la société, critique non dépourvue d'humour et qui jaillit non d'une thèse laborieusement illustrée, mais d'une association d'idées et d'images, héritage direct du surréalisme. Virtuose du « hasard objectif », Buñuel est aussi une sorte de Goya par la façon dont il pressent l'horreur dans les situations les plus familières. Les titres de ses deux derniers films, *le Fantôme de la liberté* (1974) et *Cet obscur objet du désir* (1977), résument bien ce qu'il n'a cessé de poursuivre dans sa vie et dans son œuvre : rendre l'absurde plus absurde qu'il ne l'est. ●

Une si longue quarantaine

Près de quarante années durant, l'Espagne a vécu dans un monde à part où l'Église et le franquisme s'arc-boutaient contre toute forme de lucidité et de modernité, contraignant les uns au silence et les autres à l'exil. Mais le cinéma ibérique a su trouver dans un univers de symboles ténus, issus de l'univers quotidien, le moyen d'évoquer le drame et l'espérance de tout un monde, en même temps que la présence insistante des vieux démons.

2. Catherine Deneuve dans *Tristana,* de Luis Buñuel (1970).

Carlos Saura, un militant sur le terrain

SAURA DÉCOUVRE DANS
LES ARCANES DE LA FAMILLE LE MYSTÈRE
DE TOUTE UNE SOCIÉTÉ.

Passionné de musique, initié par son frère aîné Antonio, peintre célèbre, à Jérôme Bosch et à Goya, photographe précoce influencé par le néoréalisme italien, Saura débute au cinéma par le documentaire. En 1959, il rencontre Buñuel à Cannes où il est venu présenter *Los golfos,* qui met en scène un groupe de jeunes espérant sortir de la misère par la tauromachie. Le film est censuré et mal accueilli. Saura choisit alors le biais du film historique pour aborder les problèmes de l'Espagne franquiste : *Ballade pour un bandit* (1963), évocation d'un brigand andalou pendant l'invasion napoléonienne, est tronqué par la censure et Saura ne peut en contrôler le montage. Il se rabat sur l'allégorie dans *la Chasse* (1965), qui ressemble à s'y méprendre à une guerre : le personnage principal de ce film en noir et blanc avec une musique d'un compositeur qui l'accompagnera tout au long de sa carrière, Luis de Pablo, est en réalité la mémoire, le poids du passé. Les films suivants, sélectionnés aux festivals de Berlin, Venise ou Cannes, vont composer une critique acerbe de la bourgeoisie espagnole dans laquelle la femme, prisonnière de la tradition, de la société masculine, du puritanisme, de la religion, tente de sortir de son rôle de femme-objet. Geraldine Chaplin, la compagne du cinéaste, est souvent l'héroïne malheureuse de ces sortes de huis clos entre ombre et lumière, entre réel et surréel (*Anna et les loups,* 1972 ; *Cría cuervos,* 1975).

Avec l'après-franquisme, Saura réalise des films plus intimistes, traitant de la vie de tous les jours ou quelques comédies grinçantes (*les Yeux bandés,* 1978). La cellule familiale n'est plus son meilleur laboratoire (*Doux Moments du passé,* 1981) et il cherche d'autres voies dans l'adaptation (*Noces de sang,* 1981 ; *Carmen,* 1983 ; *l'Amour sorcier,* 1986). Cependant, *El Dorado* (1988), qui relate la vie et la mort du conquistador Aguirre, est une nouvelle méditation sur le délire du pouvoir sous prétexte de la quête d'un paradis évanoui.

●

Le cinéma de la démocratie

APRÈS QUARANTE ANS
DE DICTATURE, LE CINÉMA ESPAGNOL, LIBÉRÉ
DES CONTRAINTES DE LA CENSURE, PEUT TRAITER TOUS
LES SUJETS SANS DISSIMULER SES ENGAGEMENTS
DERRIÈRE LA MÉTAPHORE.

À la mort de Franco, le cinéma participe à la grande libération des esprits et des mœurs. Après le premier congrès démocratique du cinéma espagnol en 1978, toute censure disparaît en 1980 et, à l'initiative de Pilar Miró, directrice générale de la cinématographie, est instauré le système de l'avance sur recettes aux producteurs. Les nouvelles réglementations incitent à la création et à la diffusion d'un cinéma de qualité. Après l'oppression, les cinéastes ont un œil critique sur leur proche passé : ils composent un cinéma-vérité à l'aide de documents et de témoignages, ou par la reconstitution d'événements occultés, manipulés par la propagande fasciste. Le Caudillo et la Garde civile n'ont plus le beau rôle. Les traumatismes s'estompent, mais les images maintiennent le souvenir et provoquent la réflexion avec la vision personnelle de chaque réalisateur enfin responsable de ses films.

Dans les régions de l'Espagne reconnues autonomes, dès l'instauration de la démocratie et plus particulièrement en Catalogne, en Galice et au Pays basque, se développent les cinémas des nationalités, avec leurs sociétés de production aidées par des subventions locales. Ces films traitent d'événements historiques ou de problèmes propres aux régions. Lorsque le film peut avoir un impact sur tout le territoire espagnol, il est diffusé soit sous-titré, soit doublé dans la langue officielle, le castillan : ces scénarios d'études de mœurs ou de satire sociale sont mêlés d'éléments humoristiques qui en assurent le succès commercial. Chaque cinéma régional défend ses traditions, son indépendance politique et sa vision de l'histoire récente. Le cinéma catalan est le plus diversifié et le plus ouvert ; le cinéma basque reste le plus virulent et le plus nationaliste.

L'après-franquisme a libéré tous les tabous : la pornographie est tolérée, mais les salles qui projettent les films « X » sont fortement taxées. Les grandes salles acceptent la projection de films qui remettent en question l'ordre moral imposé par le tandem fascisme-Église. La libération des mœurs sexuelles permet de traiter de l'homosexualité, de l'inceste et des amours extraconjugales. La mort et la solitude rôdent comme dans les œuvres de Carlos Saura, mais les thèmes nouveaux sont aussi mis en scène avec ironie par José Luis Garci ou Francisco Bellmunt. À côté du cinéma des vétérans et des nouveaux cinéastes, des femmes se servent de la caméra pour apporter leur témoignage, documents-fiction ou autobiographies, telle Pilar Miró, qui dénonce la torture en vigueur encore après la chute de Franco dans les rangs de la Garde civile (*le Crime de Cuenca,* 1979). Josefa Molina offre un cinéma féministe plus intimiste. Manuel Gutiérrez Aragón, après des films sur le franquisme (*le Cœur du maquis,* 1978), se fait le défenseur des opprimés de la bourgeoisie. Il est ainsi le peintre des femmes qui assument seules leur nouveau destin, telle Rosa, petite paysanne, partie à la conquête de Madrid dans *l'Autre Moitié du ciel* (1987). Quant à Pedro Almodóvar, il devient l'ambassadeur de la *Movida* avec des mélodrames convulsifs où se mêlent provocation et humour noir (*Talons aiguilles,* 1991).

●

3. Geraldine Chaplin dans *Anna et les loups,* de Carlos Saura (1972).

4. *Terre sans pain,* de Luis Buñuel (1932).

Le cinéma indien

LE CINÉMA INDIEN A UNE histoire, même si l'Occident, qui le connaît si mal, peut le croire récent et le dater des premières révélations, aux festivals de Cannes et de Venise en 1956 et 1957, des films de Satyājit Ray.

Après les films Lumière et les bandes réalisées pour l'élite anglaise et indienne, D. G. Phalke (1870-1944), pionnier du cinéma indien, s'est dit lui-même « fondateur de l'industrie indienne du cinéma en 1912 ». Réalisateur prolifique, il fut très populaire. Il s'inspira des mythes traditionnels du *Rāmāyana* et du *Mahābhārata,* et cela dès son premier long métrage muet, *le Roi Harishchandra,* tourné en 1913.

Le cinéma est une source de revenus pour l'État, avec la mise en place d'une véritable industrie par les grandes compagnies dès les années 1930. Le premier film parlant, en langue hindi, *la Lumière du monde* (1931), d'Ardeshir Irani, fantaisie aujourd'hui perdue (13 seulement des 1 280 films muets produits ont pu être conservés), avait ses dialogues écrits en hindi et en urdu et comptait une douzaine de chansons. Le parlant eut aussitôt pour conséquence la division du marché en zones linguistiques différentes et le retour aux traditions toujours vivantes du drame mythologique et populaire, chanté et dansé.

Aujourd'hui, dans cette ex-colonie anglaise aux quinze langues littéraires et aux deux mille dialectes, l'industrie du cinéma est dominée par le cinéma commercial hindi, produit à Bombay. Calcutta réalise des films en bengali, en oriya et en assamais, ainsi que des films en hindi et en anglais. Madras est le centre de production tamoule. Depuis l'avènement du parlant, la musique pallie la complexité linguistique. Le cinéma bengali est le plus culturel ; le cinéma hindi, le plus populaire.

Le cinéma est un besoin social : il faut aller au cinéma ne serait-ce que pour oublier la misère du moment. Un film se voit et se revoit jusqu'à en connaître par cœur dialogues et chansons.

Le cinéma indien est lié au pouvoir politique... et à celui des vedettes, qui forment une véritable caste. Ces étoiles d'un « star system » de style hollywoodien sont attendues par le public dans des rôles types immuables, sentimentaux ou comiques, auxquels les spectateurs vont jusqu'à s'identifier. Ces grands acteurs ont d'ailleurs été souvent leurs propres producteurs dans les années 1950.

En 1961 se créa à Poona le Film Institute of India, d'où sortirent les talents d'une nouvelle vague indienne, Mani Kaul ou Kūmar Śahani, qui tournèrent le dos au cinéma commercial et aux conventions. Au début des années 1980, le « cinéma parallèle » s'efforça de briser le carcan des superproductions de style hollywoodien.

Avec ses 6 000 salles et ses 900 films produits chaque année, le cinéma indien reste le cinéma le plus vivant du monde.

Le succès commercial du film hindi

DÈS 1896, LE CINÉMA, NOUVEL ART POPULAIRE, TROUVA EN INDE UN SUCCÈS QUI NE S'EST JAMAIS DÉMENTI.

Depuis trois quarts de siècle, le film distrait un public fidèle grâce à des histoires, parfois inspirées des cinémas occidentaux, mais le plus souvent empruntées aux légendes et aux traditions locales. Le bien doit toujours l'emporter, le héros ou l'héroïne doit triompher du méchant. Une mère, un enfant apportent un charme qui plaît aux jeunes spectateurs. Un comique tempère le drame. Des personnages de religions différentes satisfont les croyances des uns et des autres. De plus, tout film doit être en couleurs et comprendre chansons et danses. Ce cinéma prend parti pour les opprimés. Le rire et les larmes sont bien dosés. Les histoires d'amour (sans baiser !) font rêver un public populaire, subjugué pendant les deux heures et demie que dure une projection entrecoupée d'un entracte.

Le mélodrame familial permet de réaffirmer les valeurs traditionnelles face au monde moderne qui bouleverse les mentalités ancestrales. Le spectacle épique et mythologique n'a rien d'archaïque pour une population baignant dans une culture millénaire, rendue toujours présente par des spectacles mimés et dansés qui n'ont jamais perdu la faveur des foules. Le drame social à thèse rappelle au public citadin ses appartenances à un monde rural dans lequel les relations de famille, de caste, de religion, de métier sont à la fois très complexes et très définies ; l'exotisme vient des États-Unis et du Japon par le biais des thrillers dans lesquels les hors-la-loi finissent toujours par réintégrer les structures sociales et accepter les valeurs admises.

Les conventions concernent également la mise en scène, les costumes, le maquillage, les dé-

cors. La censure interdit l'érotisme, qui se transpose dans la gestuelle de la danse, la sensualité des chansons et l'expressionnisme de la mélodie. Les chansons sont doublées par un petit nombre de professionnels du play-back dont les voix vedettes sont attendues par les spectateurs, qui les reconnaissent d'un film à l'autre. Les mélodies s'inspi-

2. *Le Monde d'Apu* (1959), de Satyājit Ray.

rent des musiques anciennes et modernes.

Parmi les réalisateurs de films hindi, Rāj Kapoor (né en 1924), membre d'une famille d'acteurs très célèbres, est le type du comédien devenu producteur et réalisateur de ses propres films. L'influence de Chaplin transparaît dans le pathétique et l'humour qui marque sa vision des enfants et du peuple misérable des grandes villes, notamment dans *le Vagabond* (1951) et *Je m'appelle Joker* (1970), qui a pour héros le clown d'un cirque. Parmi la génération suivante, Shyam Benegal, tout en cherchant à conserver le vaste public acquis au cinéma hindi, s'engage dans l'évocation des problèmes sociaux et économiques contemporains (*la Graine,* 1974 ; *Kalyug,* 1981). •

Dates clefs

1. *La Déesse* (1960), de Satyājit Ray.

Un géant du cinéma

Une éternelle enfance de l'art cinématographique et une industrie prodigieusement féconde, telle pourrait être la définition du film populaire indien. Les recettes en sont fort simples : prenez un public de plusieurs centaines de millions de spectateurs et donnez-lui de quoi rêver – même si l'intrigue est passablement compliquée – pourvu que la fin soit morale et qu'il puisse se distraire de sa condition quotidienne. À ce compte, peu importe que le film indien s'exporte mal !

Le cinéma
« culturel » bengali

LA SOCIÉTÉ DE « GENTLEMEN » DE CALCUTTA,
ISSUE DU COLONIALISME, A DONNÉ NAISSANCE À
UN CINÉMA PLUS OUVERT SUR LE MONDE.

Satyājit Ray (1921-1992), issu d'une famille bourgeoise, influencé par sa culture classique, rencontra Jean Renoir en 1951 et se lança dans l'adaptation de la « Trilogie d'Apu », dont le premier épisode, *la Complainte du sentier (Pâther Pancâli),* reçut en 1956, à Cannes, le prix du meilleur document humain. Cette fresque – complétée par *l'Invaincu (Aparājito,* 1956) et *le Monde d'Apu* (1959) – retrace une initiation : d'échec en échec, le héros atteint la sagesse, ou du moins la résignation. Tout au long des trois films court le leitmotiv du train, héritage de la colonisation, qui accompagne l'homme de l'enfance à l'état adulte. Ray reprend ici, à sa manière, les leçons du néoréalisme italien en structurant un scénario qui décrit avec authenticité et émotion la réalité indienne rurale. Ray ne s'enferme cependant pas dans la réécriture d'œuvres littéraires bengali. Il est attentif à tous les genres, quitte à surprendre ses spectateurs. Soucieux de ne rien enfermer dans des limites, profondément hostile aux barrières de caste et de religion, Ray entreprend de montrer comment on peut survivre dans le monde réel, malhonnête et corrompu. Les personnages masculins résistent mal à l'enlisement. Les femmes incarnent l'intégrité espérée (*la Grande Cité,* 1963 ; *la Maison et le monde,* 1984). L'art permet de tenter de redonner une certaine pureté à la société.

Mrinal Sen, né en 1923 à Faridpur (Bangladesh), s'exila à Calcutta au moment de la Partition. Cinéaste depuis 1955, militant de gauche et avant-gardiste, après un début de carrière difficile, il réalise des films qui dérangent autant le pouvoir que le public : le chômage, les grèves, la misère à la campagne comme à la ville, la lâcheté des classes moyennes, l'exploitation du prolétariat urbain inspirent *les Nuages dans le ciel* (1965), *Monsieur Shome* (1969), la « trilogie de Calcutta » marquée par l'influence de Brecht et de Godard : *Interview* (1971), *Calcutta 1971* (1972) et *le Fantassin* (1973). *À la recherche de la famine* (1980) est tourné dans un village comme une sorte de reportage sur les souvenirs laissés par la famine de 1943. Depuis, Sen s'interroge sur la valeur des philosophies et sur sa propre vision du monde (*Franchement dit,* 1985).

Ritwik Ghatak, né à Dacca (1925-1976), fut très marqué par la Partition de l'Inde. Malgré ses huit films, qui mettent en évidence les problèmes des réfugiés (*l'Étoile voilée de nuages,* 1960), du militantisme de gauche (*Mi bémol,* 1961), Ghatak reste encore le plus méconnu des cinéastes indiens.

Basu Chatterjī, dessinateur humoristique et auteur de *Sara Akash* (1969), reste le metteur en scène le plus prolifique des studios de Bombay. •

3. *Le Joueur d'échecs* (1977), de Satyājit Ray.

4. *Le Salon de musique* (1958), de Satyājit Ray.

Le cinéma vérité

LOIN DES PRODUCTIONS
POPULAIRES ET MOINS BIEN REÇU PAR LA
HAUTE SOCIÉTÉ INDIENNE EXISTE UN CINÉMA VÉRITÉ,
QUI TÉMOIGNE DE LA DOULEUR ET DE
L'IMAGINATION D'UN PETIT PEUPLE.

Parallèlement aux films commerciaux, le film social a traité, dès les années 1930 (en langue hindi), les problèmes de l'Inde moderne, repris dans les années 1950 par le cinéma progressiste et anticonventionnel de K. A. Abbas et de Guru Dutt. Plus récemment, une sorte de révolution dénonce la soumission de la femme et sa mise à l'écart de la société. Ainsi, la vision filmée de la condition féminine évolue. On peut voir également des femmes derrière la caméra. C'est le cas de Mira Nair (née en 1947), diplômée de Harvard. Elle est d'abord documentariste et n'a pas peur de traiter de *l'Enfant désiré* ou du scandale des veuves « accidentellement » brûlées vives par les belles-familles. Avec *Salaam Bombay,* long métrage qui a obtenu la Caméra d'or de la quinzaine des réalisateurs à Cannes en 1988, elle décrit le système « D » de la petite délinquance sur les trottoirs de Bombay, où survivent un million d'enfants : le film a été tourné hors studio, avec les gosses de la rue, que Mira Nair tente de récupérer ainsi pour les faire échapper à la prison ou à la maison de redressement, autres lieux de ce cinéma vérité. La réalisation, appuyée sur un scénario structuré, laisse cependant la place à l'improvisation. Ces enfants-acteurs sont pris parmi ceux qui, désœuvrés, cherchant chaleur et distraction à bon marché, voient jusqu'à deux films de fiction par jour. Ce petit peuple, dans la vie comme sur les écrans, affiche un éternel sourire de résignation ou d'espoir. •

5. *Salaam Bombay* (1988), de Mira Nair.

Le cinéma japonais

L E CINÉMA JAPONAIS MUET du début du XXᵉ siècle suit deux tendances, celle du divertissement, dans le studio de Tōkyō, et celle du film historique produit par le studio de Kyōto. Ce premier cinéma s'inspire directement du théâtre féodal traditionnel, le kabuki. Cette tradition marque toute l'histoire du cinéma japonais.

À la reconstruction des studios détruits par le tremblement de terre de 1923 correspond le véritable essor du cinéma japonais, jusque-là très influencé par les productions américaines. Le cinéma parlant réalise des « films-sabres » et des films de propagande qui vont soutenir l'effort de guerre nippon. Après la défaite, une industrie cinématographique vite remise sur pied révèle une nouvelle génération de créateurs que l'Occident découvre avec *Rashomon*

de Kurosawa, qui obtient le Lion d'or au festival de Venise en 1951. Cette même année, Kinoshita tourne le premier film japonais en couleurs, *le Retour de Carmen.*

La fin des années 50 marque une expansion de la production tournée vers l'exportation. C'est un cinéma du temps présent, violent et d'un réalisme cruel, disposé à toutes les audaces afin de maintenir une industrie colossale mais menacée par la désaffection d'un public absorbé par la productivité durant le temps de travail et par la télévision pendant le temps de loisir.

Pour l'essentiel, le cinéma japonais appartient à l'histoire et les cinéphiles gardent la nostalgie de la sobriété de l'arrière-garde des années 50 et de la folie de la « nouvelle vague » des années 60, vite étouffée par les contraintes économiques.

Mizoguchi, Ozu, Kurosawa

DANS LA PREMIÈRE MOITIÉ DU XXᵉ SIÈCLE, TROIS GRANDS CLASSIQUES ONT IMPOSÉ LEUR ESTHÉTIQUE, NOURRIE PAR LA TRADITION FACE À UN MONDE EN PLEINE MUTATION.

M izoguchi Kenji (1898-1956), le plus ancien des « classiques », a une enfance difficile, marquée par la vente de sa sœur comme geisha et la mort de sa mère. Autodidacte, étudiant en peinture et dessin, il devient assistant de Oguchi Chu, puis débute dans la réalisation en adaptant des romans japonais ou étrangers, dont *Une aventure d'Arsène Lupin* (1923). Son lyrisme poétique personnel dénonce avec mesure l'exploitation sociale de la femme, qui tente en vain de se révolter, mais *l'Élégie de Naniwa* et *les Sœurs*

de Gion sont condamnés en 1936 par le régime militaire. Mizoguchi se tourne alors vers le film historique (*Contes des chrysanthèmes tardifs,* 1939). Dans le Japon de l'après-guerre, en marche vers la démocratie, Mizoguchi réalise des films plus engagés socialement et politiquement. Mais sa vision de la société passe toujours par la condition de la femme, qu'elle soit prostituée (*Femmes de la nuit,* 1948 ; *la Rue de la honte,* 1956) ou militant socialiste (*Flamme de mon amour,* 1949), qu'elle triomphe (*la Victoire des*

1. *Le Petit Garçon,* d'Oshima (1969).

Un cinéma amoral

DANS L'EXTRAORDINAIRE MUTATION D'UNE SOCIÉTÉ TRADITIONNELLE, LE CINÉMA TRADUIT LA PERTE D'UNE HISTOIRE ET D'UNE ÉTHIQUE.

D epuis le début des années 1970, le cinéma japonais, aux mains de puissantes compagnies, propose à son vaste public une prolifération de films commerciaux : films de genre, érotiques, voire pornographiques, et thrillers. Les risques de perte de recettes sont compensés par les bénéfices des autres branches des multinationales qui gèrent l'industrie cinématographique.

Les spectateurs sont fidélisés par le système de la série dont on retrouve les héros d'épisode en épisode : le marginal rêveur Tora-San, le samouraï justicier de série Z, tel l'aveugle Zatoichi, maître du maniement du sabre, héros

cruels, sadiques, issus des innombrables bandes dessinées. Le mythe du Dragon hante les fictions fantastiques. La violence est partout, jusqu'à l'horreur du grand-guignol où les morceaux du corps d'un ennemi découpé éclatent au son des onomatopées dont le cinéma japonais est friand. Ces cris, denses et brefs, scandent comme des pulsions sonores la puissance tragique des images.

Les films érotiques, les « éroductions », sont très prisés par les spectateurs masculins, mais ce cinéma a ses codes, et l'Occidental peut être plus surpris par sa cruauté que par son audace.

Quant au cinéma « rose » qui envahit le petit écran, il pratique l'art de la suggestion : les femmes, gardiennes du foyer, restent devant la télévision...

Un cinéma d'auteur, plus ou moins indépendant des compagnies, trouve cependant une résonance à l'étranger et reçoit des récompenses dans les festivals européens. Mais la « nouvelle vague » japonaise a aussi pour dénominateur commun la violence. Oshima Nagisa, marqué par Sartre et Jean Genet, ne craint pas de dénoncer la réalité d'une jeune délinquance aux portes des cités hyperindustrialisées (*Contes cruels de la jeunesse,* 1960), ou la monstruosité des débordements sexuels d'une société soumise à l'instant et par l'instinct (*l'Empire des sens,* 1976). Pour Masumura Yasuzo, seuls triomphent les instincts, et en particulier ceux de la femme, animal calculateur (*l'Ange rouge,* 1966). Shinoda Masahiro tourne, souvent sur des scénarios du poète Terayama Shuji (*Buraikan,* 1970), des films où les obsessions d'une génération sont stylisées par une véritable calligraphie cinématographique (*la Fleur séchée,* 1964).

À partir des années 1970, l'Occident découvre les « films de jeunes », tournés dix ou quinze ans auparavant, qui adaptent des best-sellers scandaleux ou qui renchérissent sur les furies de l'amour et de la mort. •

Quelques statistiques d'après Unijapan Film

années	nombre de compagnies	nombre d'indépendants	entrées en milliers	nombre de salles	prix du billet en francs
1958	513	3	1 127 452	7 067	1
1960	552	3	1 014 368	7 457	1,5
1970	222	203	254 799	3 246	6,5
1980	119	201	164 422	2 364	35,00

Le cinéma japonais a vu s'effondrer le nombre de ses salles de projection et de ses spectateurs, en même temps que se concentraient les compagnies de production. Ce n'est pas l'augmentation du prix du billet qui peut équilibrer la concurrence de la télévision, mais le choix d'une politique de réalisation aux moindres frais.

femmes, 1946) ou qu'elle soit finalement brisée (*le Destin de Mme Yuki,* 1950). L'art rigoureux de Mizoguchi n'a cependant donné toute sa mesure que dans les adaptations de romans ou de contes classiques (*Contes de la lune vague après la pluie,* 1953, d'après Akinari ; *les Amants crucifiés,* 1954, d'après Chikamatsu Monzaemon) ou modernes (*l'Intendant Sansho,* 1954, d'après Mori Ōgai), son chef-d'œuvre restant, d'après Saikaku, *la Vie d'Oharu femme galante,* couronné à Venise en 1952.

Ozu Yasujiro (1903-1963) est issu d'une famille de marchands d'engrais du quartier populaire de Fukagawa à Tōkyō. Assistant opérateur aux studios Shōchiku de Tōkyō (1922), il devient réalisateur avec un film historique, *le Sabre de pénitence* (1927). Il tourne ensuite des comédies populaires, mais il s'oriente, dans une tonalité intimiste et sobre, vers la peinture satirique de la petite bourgeoisie (*le Chœur de Tōkyō,* 1931). Il répugne toutefois à utiliser le cinéma parlant jusqu'en 1936 (*Un fils unique*). L'œuvre d'Ozu, de *Gosses de Tōkyō* (1932) à *Herbes flottantes* (1959), est très marquée par la figure du père et par les relations père-fils dans une société en pleine évolution. Ozu interrompit son activité en 1937 pour porter l'uniforme en Chine. Prisonnier des Anglais, après la Seconde Guerre mondiale, il reprit sa carrière cinématographique et il renouvela sa manière tout en nuances, avec une certaine nostalgie. Il révèle ainsi les bouleversements lents mais inévitables de la structure familiale (*Printemps tardifs,* 1949 ; *Voyage à Tōkyō,* 1953). Trop « Japonais », Ozu n'a jamais été proposé aux jurys des festivals européens.

Un autre monde

Sans le cinéma, que saurions-nous des mœurs, des usages, de la symbolique et des traditions de l'Empire du Soleil levant ? Sans les œuvres de quelques grands réalisateurs qui ont réussi à s'exporter et, pour certains d'entre eux, à être consacrés dans les festivals internationaux, nous serions ignorants de la sensibilité et de la cruauté conjuguées de l'âme nippone. Car l'histoire de l'art et de la culture du Japon est forte d'une violence dominée et stylisée.

Kurosawa Akira est né en 1910 à Tōkyō dans une authentique famille de samouraïs. Étudiant aux beaux-arts, il devient, en 1936, scénariste pour la Tōhō et tourne son premier film en pleine guerre, *la Légende du grand Judo* (1943), auquel il donnera une suite en 1945. Son cinéma puissant témoigne cependant d'influences occidentales. Dans *Chien enragé* (1949) un policier cherche son pistolet volé dans le Tōkyō d'après-guerre : le rythme et le décor de la quête font penser au néoréalisme italien du *Voleur de bicyclette.* L'Europe découvre Kurosawa en 1951 à l'occasion de la Mostra de Venise et accueille favorablement ses films historiques, dont le plus célèbre reste *les Sept Samouraïs* (1954), évocation de héros solitaires. Kurosawa aura moins de succès dans sa peinture du monde contemporain. Ses différents échecs à Hollywood, sa tentative de suicide (1971) semblent l'éloigner du cinéma. Mais la notoriété internationale de *Dersou Ouzala* (1975) le ramène au film historique (et *Kagemusha* obtient en 1980 la Palme d'or à Cannes) et aux adaptations des grands classiques : *Ran* (1985), d'après *le Roi Lear* de Shakespeare. ●

Documentaire
et dessin animé

L'ANIMATION ET LE REGARD
DOCUMENTAIRE FORMENT AU JAPON
UN ÉTONNANT BANC D'ESSAI ESTHÉTIQUE
ET UNE FORMIDABLE AFFAIRE
COMMERCIALE.

À côté des séries de fiction, la production massive de films d'animation en « serials » violents et cruels alimente les chaînes de télévision nationales, avant que les monstres et robots de l'Empire du Soleil levant n'envahissent l'Occident. Même les dessins animés sur la vie quotidienne des petits Japonais n'échappent pas à la violence.

Les compagnies ont leur département animation et produisent des longs métrages. Ces films assez conformistes, très inspirés du style de Walt Disney, font encore le succès des grandes salles. Mais l'originalité du cinéma d'animation se trouve chez les solitaires, dont le plus célèbre est Kuri Yoji (né en 1928), qui, dans un graphisme épuré, témoigne d'un humour absurde (*la Chaise,* 1964 ; *la Salle de bains,* 1971 ; *Parodie de Breughel,* 1975 ; *Manga,* 1976).

Tous les grands cinéastes, en rupture de contrat avec les grands trusts cinématographiques, ont réalisé des documentaires de commande, mais ce sont les incidents plus ou moins graves provoqués par l'industrialisation sauvage qui sont les thèmes des documentaristes les plus engagés : Ogawa Shinsuke (1935-1992) dénonce, dans des films collectifs, les oppressions nouvelles comme l'expropriation massive des paysans dont les terrains sont convoités pour l'agrandissement d'un aéroport (*Un été à Narita,* 1968) ; Tsuchimoto Noriaki (né en 1928) révèle les conséquences désastreuses de la pollution marine au mercure par l'usine Chisso de Minamata, tandis que Higashi Yoichi dénonce le colonialisme américain à Okinawa. ●

2. *Les Contes de la lune vague après la pluie,* de Mizoguchi (1953).

3. *Les Sept Samouraïs,* de Kurosawa (1954).

4. *La Porte de l'enfer,* de Kinugasa (1953).

Les cinéastes
indépendants

SÛRS DE LEUR TALENT,
DES CINÉASTES TENTENT L'AVENTURE
SOLITAIRE, MAIS L'INDÉPENDANCE ESTHÉTIQUE
ET IDÉOLOGIQUE LES CONDAMNE
À L'AUTARCIE FINANCIÈRE.

Avec *Nuit et brouillard au Japon* (1960), Oshima Nagisa, chef de file de la « nouvelle vague », consomme sa rupture avec la Shōchiku. Il produit douze films dans sa propre compagnie tout en ayant du mal à s'imposer au Japon, mais il obtient de grands succès en coproduction avec la France ou l'Angleterre. Il condamne la politisation de l'art et prône la nécessité de la recherche et de la liberté esthétiques.

Yoshida Kiju (né en 1933) brosse, lui, le tableau de la jeunesse de l'après-guerre (*Bon à rien,* 1960). Influencé par le néoréalisme italien et la nouvelle vague française, il évoluera vers un cinéma de plus en plus expérimental (*Eros + Massacre,* 1969). Avec l'âge, il se penche avec un réalisme contenu sur le sort des vieillards dans *Promesses* (1987). En 1988, adoptant le style lent du théâtre nō, il tourne sa propre version des *Hauts de Hurlevent.*

Imamura Shōhei (né en 1926) travaille à la Shōchiku puis à la Nikkatsu, avant de fonder sa compagnie en 1965. Il milite en faveur de la libération de la femme et révise l'histoire contemporaine du Japon (*Cochons et cuirassés,* 1961 ; *la Femme insecte,* 1963), passant d'un baroque exubérant à un style dépouillé. Il n'est connu en Europe que depuis sa Palme d'or à Cannes en 1983 pour *la Ballade de Narayama.* Près de quarante-cinq ans après Hiroshima, il adapte le roman de Ibuse Masuji, *Pluie noire* (1989) : dans un village oublié, des paysans, sans doute irradiés, dans le calme du quotidien, attendent la mort.

Teshigahara Hiroshi (né en 1927), après diverses expérimentations dans la mouvance surréaliste, adaptera les romans d'Ake Kōbō (*la Femme des sables,* 1964 ; *le Plan déchiqueté,* 1968), avant de se consacrer à la sculpture, à la poterie et à l'art floral.

Terayama Shuji (1935-1983) a tout essayé pour exprimer son imaginaire : écriture, théâtre, photographie, cinéma. Il a surtout tourné des courts métrages expérimentaux agrémentés d'interventions lors de la projection (*Chattologie,* 1960 ; *l'Empereur Tomato-Ketchup,* 1970 ; *Jugement,* 1975 ; *Une gomme à crayon,* 1977).

Kanai Katsu (né en 1936), venu de la compagnie Daiei, tourne trois films étranges dont le surréalisme onirique sert la perversité des personnages.

Les « indépendants vrais » tournent très peu de films mais laissent libre cours à l'insolite, au grotesque, au non-sens. L'écrivain Mishima Yukio (1925-1970) – qui s'intéressa au cinéma à la fois comme acteur et scénariste (*le Gars des vents froids,* 1960, de Masumura ; *le Lézard noir,* 1968, de Fukasaku) – a ainsi traité le mythe de la mort honorable par le « hara-kiri » (*Rites d'amour et de mort,* 1965), suicide que l'auteur choisira pour sa propre fin.

La Nouvelle Vague française

L A NOUVELLE VAGUE EST, plus qu'un mouvement, un moment paradoxal du cinéma français. Elle est née d'une réaction critique, menée par une revue, *les Cahiers du cinéma,* à la production académique de l'après-guerre qui, à travers les films de René Clément ou de Duvivier, prolongeait la tradition d'un cinéma conventionnel et littéraire.

Elle se fonde sur une admiration passionnée pour le cinéma américain, en qui elle voit un mode d'expression en prise directe sur la vie quotidienne et les problèmes politiques et sociaux contemporains. Elle met en jeu un certain nombre de techniques nouvelles comme l'emploi d'une pellicule plus rapide et de caméras plus légères, le tournage systématique en extérieurs, l'abandon des éclairages léchés – toutes innovations qui vont dans le sens d'une saisie plus fidèle et plus rapide de la vie.

Les cinéastes de la Nouvelle Vague traversent leur époque au rythme décontracté de comédiens qui inventent, eux aussi, un nouveau comportement devant la caméra, celui de la démarche imprévisible de héros gouailleurs qui hantent les rues, des chambres et des surprises-parties qui n'ont plus rien à voir avec le décor et les manières compassées des tragi-comédies bourgeoises d'un cinéma dit « de qualité ».

À ces nouveaux parcours tracés dans l'espace des jours répondent de nouveaux circuits industriels et commerciaux : le film Nouvelle Vague est un film bon marché, sans budget dispendieux ni logistique lourde. Du coup, banquiers, distributeurs et exploitants vont suivre l'engouement du public pour cette mise en images d'une société, que l'on sent confusément échapper aux clichés traditionnels et aux représentations connues. Images décentrées pour un monde aux repères flous. La Nouvelle Vague au cinéma est contemporaine d'un roman que l'on dit aussi « nouveau », parce qu'il ne croit plus possible de jeter sur le réel un regard omniscient, non plus que de pénétrer la conscience de personnages qui n'ont plus l'étoffe de héros. Aussi le cinéma Nouvelle Vague n'est-il plus un cinéma préfabriqué, qui traduit dans un studio-usine le texte précis et nuancé de scénaristes et de dialoguistes, qui met en valeur les tics de vedettes populaires. La Nouvelle Vague fait la part belle au hasard, à l'imprévu du tournage, aux réactions spontanées d'acteurs inconnus.

Les cinéastes de la Nouvelle Vague ne forment pas une école, mais ils se rassemblent parce qu'ils se ressemblent par un rythme narratif qui se fonde sur une nouvelle sensibilité, une nouvelle ouverture au monde, qui répond à des réactions quasi physiologiques.

La Nouvelle Vague n'a donc pas eu à proprement parler de théorie, ni de mots d'ordre : elle a eu des goûts et des passions, des attirances et des refus. Art éphémère d'une époque éphémère, elle a saisi l'air du temps.

Un cinéma moral dans un milieu mondain

DANS UNE SOCIÉTÉ BOURGEOISE, QUI MET EN AVANT LE SENS DU DEVOIR, IL ARRIVE QUE LA JEUNESSE FASSE LES QUATRE CENTS COUPS.

L es cinéastes de la Nouvelle Vague sont des jeunes : la Nouvelle Vague est donc d'abord un phénomène de génération. Or la jeunesse jette volontiers sur le monde un regard sans complaisance : la Nouvelle Vague est aussi un phénomène de société. Sans avoir l'ambition d'ériger un cinéma social, la Nouvelle Vague montre, avec tantôt plus d'ironie et tantôt plus de tendresse, les efforts qu'une jeunesse plus ou moins dorée et des femmes plus ou moins enfants font pour conquérir leur liberté. La Nouvelle Vague est ainsi encore une « nouvelle moralité ».

Claude Chabrol (né en 1930), après avoir produit en 1956 un court métrage réalisé par Jacques Rivette, *le Coup du berger,* réalise son premier long métrage, *le Beau Serge,* qui obtient en 1959 le prix de la mise en scène au festival de Locarno et le prix Jean-Vigo : le film, avec Jean-Claude Brialy, Gérard Blain et Bernadette Lafont, dans les paysages de la Creuse, oppose deux milieux sociaux types, l'étudiant et le rural. Chabrol fait triompher la morale, le jeune ivrogne est racheté par le sacrifice de l'étudiant revenu de la ville. Après *les Cousins* et *À double tour,* tous deux tournés la même année que *le Beau Serge,* Chabrol, avec un humour cruel, évoque dans *les Bonnes Femmes* (1960) l'histoire « de quelques âmes simples », quatre vendeuses à la vie morne et au sentimentalisme romantique.

Alexandre Astruc (né en 1923) fut le partisan de la « caméra stylo » : dans *la Proie pour l'ombre* (1961), la femme-objet, déchirée entre ami et amant, revient au confort bourgeois après une aventure illusoire.

Roger Vadim (né en 1928) mêle tendresse et cruauté dans un libertinage séduisant : il lance Brigitte Bardot, qu'il vient juste d'épouser, dans *Et Dieu créa la femme* en 1956.

François Truffaut (1932-1984), qui avait dès 1954, dans les *Cahiers du cinéma,* fait le procès sans appel du cinéma bourgeois, donne avec *les Quatre Cents Coups,* primé à Cannes en 1959, une sorte de manifeste du nouveau cinéma : il y traite le thème, autobiographique et emblématique, du difficile passage de l'enfance à l'adolescence et de l'impossible initiation à l'âge adulte dans un monde fait pour ceux qui ont perdu leurs illusions.

Quant à Éric Rohmer (né en 1920), il cherche avec ses « Contes moraux », qui peignent de banales aventures d'amour qui ne sont justement pas des aventures (*la Boulangère de Monceau,* 1962 ; *Ma nuit chez Maud,* 1969), à retrouver la densité toute classique du conte voltairien ou du roman épistolaire de la fin du siècle des Lumières. ●

1. J.-P. Belmondo et Jean Seberg dans *À bout de souffle* de J.-L. Godard.

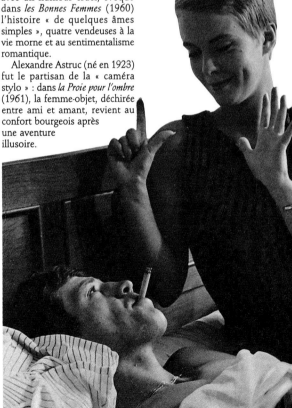

Dates clefs

Une certaine impertinence

LA NOUVELLE VAGUE A ÉTÉ MOINS
RÉVOLUTIONNAIRE QUE RÉVOLTÉE. ELLE A MOINS PORTÉ
SON REGARD SUR LES BASES DE LA SOCIÉTÉ
QUE SUR L'ÉCUME DES JOURS.

La Nouvelle Vague s'est attaquée à bien des tabous, elle a défié les censures morales et politiques, elle s'est affrontée aux pouvoirs et aux routines de la finance et des syndicats, elle s'est libérée du culte des vedettes et de la qualité technique. La Nouvelle Vague a fait de la désinvolture un des beaux-arts. Mais chaque réalisateur a fait passer, dans cette nouvelle pratique des êtres et des objets, son tempérament spécifique, les uns plus caustiques, les autres plus frivoles.

Jean-Luc Godard (né en 1930) a condensé dans son film *À bout de souffle* (1959) toute une époque, dans sa quotidienneté et la vision qu'elle a eue d'elle-même : cette histoire d'un jeune homme sans but et sans repères, qui vole une voiture, tue par hasard, connaît un bref amour et meurt bêtement se présente à la fois comme un hommage au thriller américain, comme un documentaire sur Paris et aussi comme le portrait fasciné d'une nouvelle jeunesse sans complexes à laquelle Jean-Paul Belmondo prêtait sa dégaine inimitable.

Godard ne se contentera pas de regarder vivre un monde de déracinés et de désoccupés. Il affirmera ses options politiques et sociales et se tournera vers un cinéma militant, qui passe de l'évocation de la dérive (*Pierrot le Fou*, 1965) à celle de l'aliénation individuelle et collective (*la Chinoise*, *Week-End*, 1967) et jusqu'à la pratique révolutionnaire (*le Gai Savoir*, 1968) à l'intérieur du groupe Dziga Vertov (*Vent d'est*, 1969). Le pessimisme triomphera cependant de ces espoirs un peu forcés (*Sauve qui peut/la vie*, 1979) et Godard reviendra à une méditation sur la communication humaine et technique qui compose, après coup, une sorte de poétique de la Nouvelle Vague (*Passion*, 1982).

Agnès Varda (née en 1928), qui fut l'une des photographes du T.N.P. de Jean Vilar, incarne, cette attention inquiète au monde et cette liberté souveraine dans la narration (*Cléo de 5 à 7*, 1962) qui se manifeste en particulier dans des films courts, véritables nouvelles, voire billets filmiques (*la Pointe courte*, 1955).

Dans une tonalité proche, mais en maniant une poésie du quotidien héritée du surréalisme, Georges Franju, dans ses documentaires plus encore que dans ses films longs métrages, combat les hypocrisies sociales et esthétiques et unit un anarchisme à la Prévert au regard insolite de la caméra (*le Sang des bêtes*, 1949 ; *les Yeux sans visage*, 1960). ●

Une certaine différence

LA NOUVELLE VAGUE S'EST AFFIRMÉE
COMME UN « CINÉMA-VÉRITÉ » : ELLE A DONC NATURELLEMENT
JETÉ SUR LE MONDE UN ŒIL DOCUMENTAIRE ET ANNEXÉ
LE REGARD ETHNOGRAPHIQUE.

Ce cinéma, que ses adversaires accusent d'être un cinéma d'amateurs, s'est formé, en réalité, à la dure école du court métrage et du documentaire.

Alain Resnais (né en 1922) fut le monteur de *la Pointe courte* d'Agnès Varda. Il avait déjà exploré l'univers intérieur des artistes : *Van Gogh* (1948), *Gauguin* (1950), *Guernica* (1950). Son premier long métrage, *Hiroshima mon amour* (1959), construit sur un dialogue de Marguerite Duras, fut l'un des films phares de la Nouvelle Vague : Resnais réussit à y superposer une histoire d'amour (une Française se lie avec un Japonais et se rappelle son ancienne liaison avec un Allemand à Nevers pendant la guerre) à l'apocalypse nucléaire. *L'Année dernière à* Marienbad (1961), d'après un scénario d'Alain Robbe-Grillet, mêle également l'imaginaire au réel, fait se chevaucher et se confondre le passé et l'avenir, dans un palais baroque et l'espace énigmatique d'un parc aux monumentales allées géométriques.

Jean Rouch (né en 1917) est, lui, ethnographe jusque dans la prise de vues. Techniquement, sa caméra ultralégère a fait évoluer considérablement le langage cinématographique. Mais son œil de cinéaste a également bouleversé la démarche de l'ethnologue : *Moi, un Noir* (1958) met ainsi en scène des personnages qui jouent leur propre vie dans un bidonville d'Abidjan ; *Petit à petit* (1970) soumet les Parisiens au regard décapant de Nigériens immigrés. ●

2. Emmanuèle Riva dans *Hiroshima mon amour* d'Alain Resnais.

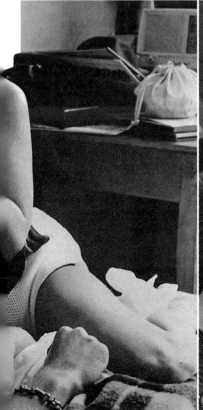

Bonjour, jeunesse

Plus aucun tabou, voilà le mot d'ordre de cette génération de cinéastes et d'acteurs qui invente une nouvelle façon de filmer et de donner à voir, de construire et de raconter des histoires de tous les jours. Et, comme la censure n'a pas désarmé (loin de là), on joue souvent au chat et à la souris, on se contente parfois d'un pied de nez à Anastasie. Néanmoins, on bouscule bien des préjugés sur son passage. Bref, on sait plaire en ayant conscience de faire œuvre utile...

4. *La Chinoise* de Jean-Luc Godard.

3. J.-P. Léaud dans *les Quatre Cents Coups* de Truffaut.

L'émergence des autres cinémas

LES PREMIÈRES IMAGES cinématographiques furent des documentaires rapportés des pays lointains, reportages dont l'exotisme ne pouvait que frapper les spectateurs privilégiés d'un art naissant.

Le quasi-monopole du cinéma américain, à la fois puissant et séduisant, a occulté ou freiné les productions locales en Amérique centrale et latine ainsi qu'en Orient. En Afrique et dans le Sud-Est asiatique, colonisation et guerres de libération n'ont pu que retarder la mise en place de cinémas nationaux autonomes vis-à-vis de l'emprise technique et financière de l'Europe.

Là où l'indépendance a été négociée, ou acquise après les conflits armés, les jeunes nations ont découvert dans le cinéma un moyen neuf pour faire passer les messages de leur révolution et leur vision de la construction d'une nouvelle société. Ainsi a lieu la lente décolonisation cinématographique.

Dans les États du tiers-monde, l'analphabétisme et la très faible croissance économique ne favorisent pas le développement de l'industrie cinématographique et sa distribution locale. Les gouvernements, fragiles, restent sur leur garde et ne peuvent admettre la moindre contestation qui risquerait de nuire à l'idéologie dirigeante. La censure veille. Les films traitant des problèmes sociaux et économiques des populations en majorité rurales sont dénoncés comme des ferments de « contre-révolution ». On tolère le film historique qui relate le temps de l'oppression coloniale. Le cinéma éducatif est au service du pouvoir. Reste le film de divertissement, souvent inspiré d'œuvres littéraires locales et, surtout, des contes et légendes du terroir.

La terre entière, médiatisée, satellisée, est un vaste réseau télévisuel. Les pays pauvres sont encore à la recherche de leur cinéma spécifique, tiraillé entre les problèmes de structures, de finances et les exigences socioculturelles croissantes de leur population à la démographie galopante. En attendant, la télévision, sorcière de l'image, est reine ; les films commerciaux font encore le plein des salles, mais le cinéma d'auteur, plus ou moins indépendant selon les régimes, est le seul qui puisse s'exporter et prétendre aux récompenses internationales.

L'Occident découvre ce cinéma-vérité qui traduit les angoisses, les traumatismes des pays renaissants, avec leurs interrogations, douloureuses et impatientes, sur un monde difficile où les inégalités subsistent. Des styles originaux mêlent l'ironie de la satire à l'authenticité des témoignages qui servent de canevas au cinéma de fiction.

Les coûts élevés de réalisation des longs métrages justifient cependant les coproductions avec les anciens colonisateurs. Mais, à côté des consécrations européennes et américaines, se développent aujourd'hui les premiers festivals des pays neufs, attentifs à la promotion de leurs cinémas nationaux.

Les cinémas africains

GRÂCE AU CINÉMA, LE CONTINENT AFRICAIN POSE UN REGARD NEUF SUR SON PROCHE PASSÉ ET SUR SON PRÉSENT.

Après la nationalisation des salles, chaque gouvernement indépendant crée des structures locales et soutient un cinéma d'auteur.

Au Sénégal, la plupart des cinéastes ont fait leurs études cinématographiques en France. Leur cinéma se penche sur la vie du peuple soumis à la nouvelle classe dirigeante, comme chez Blaise Senghor en collaboration avec Yves Ciampi. Le romancier Ousmane Sembene traite avec un humour acerbe des conditions de vie des pauvres quittant leur village pour les illusions de la ville : dans le long métrage la Noire de... (1966), une jeune fille, employée de maison en France, se suicide.

Le problème du cinéma noir est qu'il doit être inventif avec la plus grande économie de moyens et qu'il doit, comme la littérature, choisir entre la pluralité des langues locales. La satire est souvent féroce quand elle se souvient du colonialisme, comme chez les cinéastes de Côte-d'Ivoire (Concerto pour un exil [1968] de Désiré Écaré) ou de Madagascar (Rajaonanivelo). Elle est plus tendre chez Ngangura Mweze, du Zaïre, ou dans Yoaba d'Idrissa Ouedraogo, du Burkina (primé à Cannes en 1989).

En Tunisie, aux côtés de films touristiques, les cinéastes rappellent les étapes de la libération nationale puis, dans les années 1970, évoquent dans une perspective très documentaire la condition féminine et la vie quotidienne (l'Ombre de la terre, 1982, de Tayeb Louhichi). Mais les Sabots en or de Nouri Bouzid, présenté à Cannes en 1989, peint l'inquiétude et le désarroi d'une population analphabète face à la montée de l'intégrisme.

En Algérie, au cinéma de résistance (Chronique des années de braise, 1975, de Lakhdar Hamina) répond la peinture de la vie quotidienne et de ses problèmes : bouleversement des campagnes (le Peuplier, 1972, de Moussa Haddad), délinquance juvénile (Jalti, 1980, de Mohamed Ifticène), condition de la femme (la Nouba des femmes du mont Chenoua, 1977, de la romancière Assia Djebar).

Depuis l'indépendance, le Maroc produit, parallèlement à des films musicaux, un cinéma d'auteurs nés dans les années 1940 et qui peignent la réalité quotidienne, ainsi Alyam ! Alyam ! (1978) d'Ahmed al-Maanouni, sur le milieu paysan, ou Poupées de roseau (1982) de Djilalli Farhati, qui montre la femme gardienne des traditions.

En Égypte, l'industrie cinématographique organisée à l'occidentale existe depuis l'avènement du sonore avec une majorité de « mélodrames bédouins » et de films musicaux (depuis la Rose blanche de Karim, en 1932, au film d'Ḥusayn Kamāl Le monde est une fête, en 1975). Le véritable cinéma égyptien se développe à la fin des années 1960 avec deux tendances : le cinéma de divertissement, qui connaît un grand succès commercial dans l'ensemble des pays arabes, et le cinéma d'auteur comme celui de Yūsuf Chāhīn (le Vendeur de bagues, 1965 ; le Moineau, 1973 ; le Sixième Jour, 1986) ou de Kamāl al-Chaykh (Miramar, 1969 ; le Paon, 1982) : sa marque essentielle est de savoir mêler l'humour à un réalisme hérité du roman contemporain. ●

Premiers films

1897	Mexique, actualités réalisées par Salvador Toscano Barragan.	**1924**	Tunisie, long métrage réalisé par Samamana Chikly.
1903	Brésil, actualités réalisées par Antonio Leal.	**1926**	Égypte, long métrage réalisé par Ahmed Galal.
1906	Brésil, long métrage réalisé par Issac Sandenberg. Mexique, long métrage réalisé par Aguila et Norrega.	**1930**	Indonésie, long métrage parlant réalisé par Bachtiar Effendi.
1908	Argentine, long métrage réalisé par Maria Gallo.	**1931**	Maroc, long métrage réalisé par trois metteurs en scène, dont Ahmed Waly.
1909	Hongkong, long métrage réalisé par Liang Shao Po.	**1961**	Somalie, long métrage réalisé par Hossein Mabrook.
1910	Chili, actualités réalisées par Julio Cheveney.	**1965**	Sénégal, long métrage en ouolof réalisé par Sembene Ousmane.
1910-1932	Turquie, films muets réalisés par Ertugrul Moushin.	**1974**	Mali, long métrage en bambara réalisé par Souleymane Cissé.
1913	Chine, long métrage réalisé par Shi-Chuen et Tsun Tchen-Choun.	**1975**	Cameroun, long métrage en noir et blanc réalisé par Dikongue-Pipa.
		1989	Botswana, long métrage réalisé par Jamie Uys.

1. *Yol,* de Yilmaz Güney (1982) [Turquie].

La Chine
et le Sud-Est asiatique

L'EXTRÊME-ORIENT COMPTE
PLUSIEURS MILLIARDS DE SPECTATEURS
PAR AN : CHAQUE PAYS CHERCHE À PRENDRE SA PART
DE CE FABULEUX MARCHÉ, APRÈS L'ÉCLIPSE
DU CINÉMA HOLLYWOODIEN.

La Chine populaire transpose dans des fresques « révolutionnaires » le style de l'opéra de Pékin ou adapte des œuvres littéraires. Dans les années 1980, elle a produit 130 films par an ; cependant, seul un cinéma d'auteur peut toucher l'étranger, mais difficilement car la censure veille. Chen Kaige, fils de cinéaste, après huit ans de rééducation, a ainsi tourné *le Roi des enfants,* qui évoque un jeune instituteur pendant la Révolution culturelle. Le thème du camp de rééducation est celui de *Chine ma douleur* de Dai Sijie (prix Vigo en 1989).

Les cinémas du Viêt-nam et des deux Corées sont prolifiques malgré les aléas de la guerre et la surveillance de la censure, tandis que Taiwan et Hongkong collaborent pour les grandes mises en scène. Après les mélodrames traditionnels, à la mode de Shanghai, triomphent les films à la gloire des arts martiaux, dont Bruce Lee (1940-1973) est la figure de proue (*la Fureur de vaincre,* 1972 ; *Opération Dragon,* 1973). Le « kung du film » connaît alors un développement extraordinaire, avec ses variantes tantôt plus proches du ballet et de la comédie musicale (*le Fils prodigue,* 1981, de Samo Hong), tantôt versant dans le film d'horreur (*le Secret,* 1979, d'Ann Hui). •

Le cinéma, langage universel

Le cinéma procédant d'une industrie aussi exigeante sur le plan technique que dévoreuse de capitaux, la plupart des pays non occidentaux ont longtemps dû se contenter d'être spectateurs ou de faire de la figuration dans l'histoire du septième art. Et ce d'autant que leurs réalisateurs les plus talentueux furent souvent contraints à l'exil pour trouver les moyens de s'exprimer librement.

Ainsi, plutôt qu'il n'a conçu un nouvel espéranto, le cinéma a trouvé une impossible unité dans la cohabitation d'une fiction à caractère planétaire et d'un témoignage spécifique sur les façons de voir, de penser des cultures qui cherchent à survivre ou à revivre. Ce qui explique que le cinéma du tiers-monde hésite entre le pittoresque de la couleur locale et des traditions et le film militant.

Le cinéma
latino-américain

DICTATURES FRAGILES
ET DOMINATIONS ÉTRANGÈRES NE FAVORISENT
PAS LE DÉVELOPPEMENT D'UN CINÉMA QUI S'ADRESSE
À UNE POPULATION COMPTANT
DE 70 À 90 % D'ILLETTRÉS.

Les films commerciaux sont importés en majorité des États-Unis. Cuba, après la révolution, met en scène dans les premiers longs métrages des sujets sociaux et révolutionnaires, puis exploite à nouveau dans les années 1970 les thèmes de la culture populaire. Les cinéastes cubains travaillent en collaboration avec les Soviétiques. Des cinéastes s'expatrient et continuent leur carrière en exil.

Au Venezuela, les problèmes politiques bloquent la production. Le premier film d'audience internationale date de 1958 : *Araya* de Margot Benacerraf, qui révèle le dur travail des hommes dans les marais salants. *L'entreprise pardonne un moment de folie* de Mauricio Wallerstein, l'histoire d'une grève, est présenté au festival de Cannes en 1979.

Au Pérou, il y a peu de salles et elles sont contrôlées par des sociétés internationales. Les difficultés économiques imposent la production de courts métrages qui ont peu de débouchés. Le cinéma péruvien met en scène le monde paysan, comme dans *Los Perros hambrientos* (1977) de L. Figueroa. L'art populaire inca étant resté vivace, un cinéma authentiquement indien est né, qui parle la langue ancestrale des civilisations précolombiennes dans des

films documentaires mêlés ou non de fiction.

Au Brésil, la distribution a d'abord été monopolisée par les films venant d'Amérique du Nord. Le carnaval de Rio est prétexte à quelques films musicaux dans les années 1930. Une école de documentaristes forme des cinéastes, mais c'est avec Alberto Cavalcanti (1897-1982), qui regagne son pays natal en 1949 après avoir travaillé à Paris et à Londres, que le cinéma brésilien se lance à São Paulo dans les superproductions. *O Cangaceiro* (1953) de Lima Barreto signale le cinéma brésilien au monde entier, mais l'invasion des films américains étouffe les productions nationales. Il faut attendre le « Cinema novo » pour que de jeunes cinéastes mettent en scène une critique de la société, en particulier les conditions difficiles de vie des petits paysans, et parviennent à imposer un style nouveau (*le Dieu noir et le Diable blond,* de Glauber Rocha, 1964). La fable drolatique *Macunaima* (1969) de Joaquim Pedro de Andrade (1932-1988) brosse les aventures d'un héros indien qui, né noir, devient blanc en allant à Rio et qui revient au pays chargé de gadgets avant d'être dévoré par une sirène. Paolo César Saraceni (né en 1933) passe de l'évocation des troubles politiques de son pays (*O Desafio,* 1965) à des adaptations littéraires (*Capitu,* 1968, d'après Machado de Assis ; *A Casa assassinada,* 1971, d'après Cardoso), avant de brosser le panorama désabusé du monde intellectuel (*Ao Sul do meu corpo,* 1983). •

3. *Yelen,* de Souleymane Cissé (1987) [Mali].

4. *Le Dieu noir et le Diable blond,* de Glauber Rocha (1964) [Brésil].

2. *Le Vent des Aurès,* de Lakhdar Hamina (1966) [Algérie].

Le cinéma fantastique

L'outre-tombe britannique

LA GRANDE-BRETAGNE EST LA TERRE D'ÉLECTION D'UN FANTASTIQUE QUI FAIT PARTIE INTÉGRANTE DE LA REPRÉSENTATION DU MONDE.

DEPUIS L'ANTIQUITÉ, l'homme voyage dans ses rêves et ses cauchemars qu'il met en scène au théâtre et dans des contes et des romans plus ou moins noirs ou féeriques. La naissance du cinéma, à la fin du XIXᵉ siècle, est venue soutenir une imagination toujours prête à se débrider de toute la puissance de ses techniques nouvelles. L'art des trucages et des effets spéciaux, en constante progression, vient au service d'un imaginaire qui plonge ses racines dans les traditions orales et les légendes païennes ou encore dans l'enfer et le paradis judéo-chrétiens.

Le cinéaste, apprenti sorcier, donne à l'impossible, à la magie, à l'épouvante des visions, une réalité sans danger qui captive une masse de spectateurs amateurs de frissons et de cris étouffés. L'art du cinéma fantastique anime les illusions d'un public friand d'un genre qui fut considéré longtemps comme mineur. Il a maintenant ses festivals (le Grand Rex à Paris, Avoriaz) qui peuvent offrir des lauriers officiels aux monstres, aux diables et autres vampires qui exhibent en toute liberté les fantasmes sadomasochistes de l'homme ; entre ses instincts et sa culture, celui-ci s'interroge toujours sur la seule injustice irrémédiable qui le hante depuis la nuit des temps : la mort. La psychanalyse est venue pour démythifier les puissances surnaturelles auxquelles les Terriens donnent forme : restent, au fond du labyrinthe, l'angoisse et l'horreur.

Selon les époques et les régions, le cinéma fantastique a ses styles. Les écoles et les genres sont difficiles à classer. Là, les fées ont tout pouvoir, ailleurs, ce sont les sorcières. Pour un cinéaste, une atmosphère, soutenue par une musique adéquate, suffit à créer l'ambiance d'un envoûtement, un autre aura besoin de crocs et de griffes, du sang qui coule et de hurlements pour donner corps à ses monstres. Les fantômes se déplacent avec autant d'aisance que les vampires. Les cadavres ont leur poids, les brouillards leur densité.

Certains grands réalisateurs et grands acteurs n'ont pas résisté aux charmes et à la fascination du fantastique. Plus « roses » *(Alice au pays des merveilles)* ou plus noirs *(l'Exorciste)*, les grands thèmes du cinéma fantastique n'en sont pas à leur dernière version.

Malgré *Frankenstein* et Mary Shelley, malgré la tradition du roman noir anglais, le premier fantastique cinématographique est plutôt féerique avec les films auxquels collabore Michael Powell *(le Voleur de Bagdad,* 1940), qui évoluera vers un onirisme audacieux *(Une question de vie ou de mort,* 1946) et qui donnera avec *le Voyeur* (1960) un classique du film d'épouvante.

Mais, en 1957, Terence Fisher inaugure une nouvelle génération de monstres grâce à Peter Cushing et à Christopher Lee, qui succède à Boris Karloff dans *Frankenstein s'est échappé.* Alors que Cushing prête à Frankenstein ses manières et sa diction aristocratiques *(l'Empreinte de Frankenstein,* 1964, de F. Francis ; *le Retour de Frankenstein,* 1969, de Fisher), Lee va consacrer sa stature et son élégance sombre à l'incarnation d'êtres horribles et inquiétants dont le prototype idéal est Dracula *(le Cauchemar de Dracula,* 1958, de Fisher ; *Dracula père et fils,* 1976, de Molinaro). Lee sera encore la Momie de *la Malédiction des Pharaons* (1959), de Fisher. Dans de nombreux films britanniques, le rêve et la réalité sont mêlés, et les actions rocambolesques permettent au réalisateur de révéler son monde intérieur ébranlé *(Brazil,* 1985, de Terry Gilliam).

Les fantômes sont momentanément contraints de vivre sur terre dans une enveloppe humaine dans *Fantômes à vendre* (1935), un des films anglais de René Clair, où l'esprit français et l'humour britannique font bon ménage. Quand les revenants sont invisibles, ils sont encore plus dangereux, comme dans *la Maison du diable* (1963) de Robert Wise, où l'atmosphère envoûtante est suggérée en alliance avec la musique de Humphrey Searle. Jacques Tourneur (1904-1977) se servira de la fiction cinématographique pour exposer ses convictions sur les phénomènes de parapsychologie dans de nombreux films qui ont pour cadre une Angleterre insolite, notamment dans *Rendez-vous avec la peur* (1957).

De 1957 à 1970, le véritable bastion du film fantastique britannique a été la Hammer Films, fondée (1934) par William Hammer et Enrique Carreras et qui s'emploie à traduire aussi bien les contes populaires (loups-garous, exorcismes, etc.) que les grands classiques de la littérature « noire » et « gothique », du *Monstre* (1955) de V. Guest à la très originale *Fille de Jack l'Éventreur* (1972) de P. Sasdy.

Le film fantastique suscite des recherches de rythme et d'espace qui intéressent le film tout court : ainsi *Highlander* de Russell Mulcahy (1986) se passe avec les mêmes personnages en 1536 et au XXᵉ siècle – le réalisateur adopte un rythme de plus en plus rapide et des couleurs de plus en plus vives quand le drame devient contemporain. •

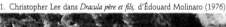

1. Christopher Lee dans *Dracula père et fils,* d'Édouard Molinaro (1976).

Le fantastique, c'est l'Amérique !

DEPUIS L'AVÈNEMENT DU CINÉMA AMÉRICAIN, CHAQUE DÉCENNIE A SES RÉALISATEURS ET SES INTERPRÈTES CÉLÈBRES DU FANTASTIQUE.

En 1906, l'animateur James Stuart Blackton, à New York, met en scène les mouvements insolites d'objets dans un petit film, *l'Hôtel hanté.* Le roman de la romancière anglaise Mary Shelley *Frankenstein* et celui de Bram Stocker *Dracula* ont inspiré maints films d'horreur : le premier *Frankenstein* date de 1910 ; la version de James Whale (1931) révèle le « monstre » dans l'interprétation de Boris Karloff, et les prouesses de maquillage de Jack Pierce. Ce dernier composera, pour le même acteur, le masque de la *Momie* (1932), avec des tranches de bœuf, de la boue et du collodion. Le grand Griffith a tourné l'adaptation de nouvelles d'Edgar Poe entre 1909 et 1914. Ces mêmes textes inspirent à nouveau Roger Corman *(la Chute de la maison Usher,* 1960 ; *le Corbeau,* 1963 ; *la Tombe de Ligeia,* 1964).

Le diable est un héros omniprésent qui, bien qu'invisible, a sa « maison », son « masque », son « bal » dans l'imagination des humains qu'il visite. En 1933, Merian C. Cooper et E.B. Schoedsack font naître un autre monstre : après un an de tournage, King Kong, l'énorme singe, est « incarné » par des maquettes articulées. Une main monstrueuse, isolée, est nécessaire pour les scènes de gros plan. Le nouveau King Kong, repris par John Guillermin en 1976 et 1986, est composé d'une machinerie électrique de 12 m de haut pesant 6 tonnes et demie. Dans la première version, le singe est abattu du haut de l'Empire State Building par une escadrille de petits avions de chasse. Un demi-siècle plus tard, la bête se blesse mortellement en tombant du World Trade Center, gratte-ciel encore plus haut que le précédent, harcelée par un vol d'hélicoptères. Les mythes s'adaptent à l'évolution des mentalités et des techniques. Ainsi, les « merveilles » du monde d'Alice, inspirées des œuvres de Lewis Carroll, ont connu, de 1931 à 1972, cinq versions différentes.

En 1981, John Irvin réunit sur le même plateau Fred Astaire, Melvyn Douglas, D. Fairbanks Jr., J. Houseman, stars victimes du *Fantôme de Milburn.*

Dans *les Sorcières d'Eastwick* de G. Miller (1987), les maquillages sont dus à Rob Bottin. Le fantastique repose en grande partie sur les effets spéciaux. Rick Baker métamorphose les hommes en singes ; Tom Savini anime les spectres. Ces techniciens ont rang d'artistes dans l'équipe importante que nécessite la matérialisation de la vaste palette des fantasmes universels. •

Bizarre, bizarre...

Dans aucun autre genre d'inspiration le cinéma n'a probablement tissé des liens aussi évidents avec la littérature. Des liens de dépendance tellement étroits que le roman et la nouvelle fantastiques en sont pratiquement morts étouffés, comme vampirisés...

2. Christopher Lee dans *Dracula, prince des ténèbres,* de Terence Fisher (1965).

3. *Nosferatu le Vampire,* de Murnau (1922).

La poésie
et le surréalisme français

LE FANTASTIQUE FRANÇAIS, QUI NE MANQUE NI DE PERVERSITÉ NI D'AMBIGUÏTÉ, TRAITE TOUT EN NUANCES LES FANTASMES SECRETS DE L'ÊTRE HUMAIN.

Si les Anglo-Saxons exploitent le monstrueux et le surnaturel des cauchemars rêvés ou éveillés, les réalisateurs français utilisent volontiers le merveilleux et l'irrationnel, assumant ainsi l'héritage des pionniers du cinéma de magiciens.

Dans *la Nuit fantastique* (1942), Marcel L'Herbier retrouve la tradition de Méliès, avec des dialogues d'Henri Jeanson. Pendant les années d'occupation, le film fantastique permettra d'ailleurs d'échapper à la censure : ainsi *les Visiteurs du soir* (1942) de Marcel Carné.

Au sortir de ces années héroïques, Jean Cocteau sait donner à ses œuvres une féerie poétique originale : dans *la Belle et la Bête* (1946), la Bête mourante se change en Prince charmant sous le regard amoureux de Belle, la fille du marchand, mais Jean Marais, avec son masque de chat confectionné par le perruquier Pontet, subit trois heures de maquillage pour le visage et deux heures pour les pattes. Jean Cocteau écrira encore les dialogues de *Juliette ou la Clé des songes* (1951) de Marcel Carné, d'après la pièce de Georges Neveux, film dans lequel Gérard Philipe trouve à son réveil, à la fin du scénario, le paysage qu'il avait vu au début de son rêve : tout va-t-il donc recommencer ? Les *Histoires extraordinaires* d'Edgar Poe sont réinterprétées encore une fois par R. Vadim, L. Malle et F. Fellini dans une coproduction franco-italienne avec Jane Fonda, Brigitte Bardot, Alain Delon (1968). *Peau d'Âne* de Jacques Demy (1970) s'efforce de mêler le merveilleux cher à Perrault, le charme nostalgique des livres de contes enfantins et le rythme du pop art américain. Mais Demy saura donner plus de mélancolie à son *Joueur de flûte* (1972), qui transpose la vieille légende du charmeur de rats et d'enfants de Hameln.

Qu'il s'agisse du film de Jean Delannoy *Les jeux sont faits* (1947) ou de *Je t'aime, je t'aime* (1968) d'Alain Resnais, l'homme ne peut rien changer à son destin, qu'il voyage dans ses rêves ou dans l'au-delà, et le destin le conduit vers la mort que la science ne peut abolir. En 1982, le film de Jean-Pierre Mocky *Litan,* primé au festival d'Avoriaz, propose un thème emblématique : dans la Cité des spectres verts, les cadavres prennent possession des vivants. Dans les rêves du cinéma comme de la littérature, le mort, toujours, saisit le vif. •

4. *La Belle et la Bête,* de Jean Cocteau (1946), avec Jean Marais et Josette Day.

La science-fiction

L E CINÉMA ET LA SCIENCE-fiction étaient faits pour se rencontrer. Les possibilités de l'image en mouvement et des effets spéciaux ne pouvaient en effet que donner une dimension nouvelle aux hypothèses les plus fantastiques sur l'avenir de l'homme et de la science déjà développées par les romanciers.

Dès Georges Méliès et son *Voyage dans la Lune* (1902), le cinéma reprend donc à son compte les rêves exploratoires de la littérature d'anticipation dans une perspective optimiste que l'on veut héritée de Jules Verne : alors qu'on en est encore à conquérir les pôles, les limites de la planète sont allègrement franchies et le Danois Holger-Madsen lance dans l'espace le premier *Vaisseau du ciel* (1917).

Mais, très vite, l'inquiétude s'installe, car l'homme moderne est moins émerveillé par le champ d'action infini qui s'ouvre à l'imagination scientifique qu'il ne s'effraie devant les risques que font courir à l'humanité les caprices et les curiosités de savants ou de politiciens fous. La science-fiction au cinéma rejoint donc ainsi la vision fantastique d'un univers où les créatures se retournent contre leur créateur, du cadavre réanimé par l'électricité (*Frankenstein,* 1931, de James Whale) à l'ordinateur qui affirme son autonomie et ses frustrations face à son programmeur (*2001, l'Odyssée de l'espace,* 1968, de Stanley Kubrick).

Le film de science-fiction rassemble ainsi des thèmes multiples – voyage dans l'espace et dans le temps, vie extra-terrestre, révolutions biologiques et politiques – dans des tonalités bien différentes, qui vont de la féerie technologique au film-catastrophe. La science-fiction au cinéma compose donc moins un hymne au progrès qu'elle ne dresse, depuis Auschwitz et Hiroshima, le catalogue des peurs d'une population grégaire, qui sent vaguement que le bon sens est de plus en plus difficile à partager entre les myriades de représentants de la fourmilière humaine. Du vieux débat entre l'homme et la machine, que Fritz Lang évoquait encore avec une vigueur expressionniste (*Metropolis,* 1927), le conflit s'est à la fois intériorisé et hypertrophié et la haine que l'homme porte en lui contre lui-même a atteint les proportions d'une *Guerre des étoiles* (1977, de G. Lucas).

Aujourd'hui, l'imagination des scénaristes, comme celle des romanciers, est prise de vitesse par l'accélération du progrès scientifique, de la micro-informatique aux manipulations génétiques. Le savant tourné vers le futur apparaît comme un être décidément amoral. Le cinéaste de science-fiction transcrit l'inquiétude présente, physique et métaphysique de ses semblables en la transposant dans des temps et des espaces encore inconnus, que les scientifiques prétendent décrypter, jusqu'à espérer, ou craindre, que science et fiction coïncident... le jour où la Terre s'arrêtera.

Le film de science-fiction, un divertissement

TOUT EN CONCRÉTISANT LES RÊVES QUI SONT L'ÉTOFFE DU DESTIN HUMAIN, LA SCIENCE-FICTION COMPOSE UNE INTRODUCTION MERVEILLEUSE À LA SCIENCE.

N ous allons sur la Lune en imagination depuis le roman de Jules Verne (1865) et les fantaisies de Georges Méliès ou de Fritz Lang (*la Femme sur la Lune,* 1929), alors que l'homme a réalisé l'impossible en marchant sur notre satellite le 21 juillet 1969. Walt Disney, en 1954, met en images *20 000 Lieues sous les mers* alors que le *Nautilus,* sous-marin atomique américain, franchit le pôle Nord sous la calotte glacière et qu'une soucoupe marine poursuit des expériences de routine à 6 000 m sous les océans. Le record de la fiction est sans cesse battu...

Depuis la révolution cybernétique, l'humanité est à la fois séduite et alarmée par les systèmes d'automatisation de plus en plus sophistiqués. L'homme ne va-t-il pas se transformer en robot ? Ou, question plus grave encore, le robot ne va-t-il pas prendre la place de l'homme ? Dans *Metropolis,* de Fritz Lang, le robot savant prend l'apparence d'une femme afin de permettre au tyran de la Cité futuriste de mater la révolte de ses sujets.

Aussi l'évocation d'un futur plus ou moins lointain, s'il se place résolument dans la perspective du « happy end » avec les films inspirés par les bandes dessinées populaires comme *Dick Tracy* (1936) de R. Taylor et A. James, ou *Flash Gordon* (1938) de F. Stephani, a souvent des couleurs plus indécises. Périodiquement, scientifiques et économistes remettent en question leurs programmes prospectifs, mais, d'après H.G. Wells et George Pal (*la Machine à explorer le temps,* 1960), en l'an 8202701, les Morlocks vivront dans les cavernes et les Éloïs dans une sorte de paradis terrestre à la surface d'une planète qui ne comptera plus que deux races, incarnations du Mal et du Bien éternels. *La Vie future* du même Wells, portée à l'écran par W.C. Menzies en 1936, se révèle étonnamment prophétique : une guerre mondiale y est prévue pour 1940, la cité d'un despote détruite en 1966, alors que se développent l'anarchie et les crimes gratuits, le règne de la technologie en l'an 2036... Au milieu du XXe siècle, *l'Homme qui rétrécit* (1957), irradié, n'a comme avenir que celui de devenir microbe : les trucages de Jack Arnold sont particulièrement réussis, mais le sort de Scott Carey ne nous émeut plus après l'explosion de la centrale nucléaire de Tchernobyl du 26 avril 1986. *Le Choc des mondes* est prévu par Rudolph Maté en 1951 : la comète de Halley a frôlé la Terre en avril 1986 ; on attend son prochain passage en 2062. On a encore le temps de sourire d'une des rares comédies de science-fiction, *Chérie, je me sens rajeunir,* de Howard Hawks (1952), où, de gag en gag, le héros, victime d'un sérum de jouvence, redevient singe. ●

2. E.T., de Steven Spielberg (1982).

1. La Guerre des étoiles, de G. Lucas (1977).

Les films de science-fiction, un avertissement

LA SCIENCE-FICTION, VENUE DE LA LITTÉRATURE ET DES BANDES DESSINÉES, A REMPLACÉ LES CONTES PHILOSOPHIQUES DE RABELAIS, DE VOLTAIRE ET DE SWIFT.

Selon certains cinéastes bien informés, les Terriens ont tout à craindre d'éventuels envahisseurs, méchants venant du Cosmos, visibles ou invisibles, quelquefois réincarnés dans des humains et ainsi d'autant plus nuisibles. Les Martiens sont a priori des êtres dangereux, barbares dans *24 Heures chez les Martiens* (1950) de Kurt Neumann. Ces extraterrestres *(E.T.),* visqueux et répugnants, se répandent sur la Terre à l'occasion d'une *Guerre des mondes* (1953, de B. Haskin), ou bien un de leurs spécimens tombe sur notre planète et en prépare la colonisation (*l'Homme de la planète X*, 1951, de E.G. Ulmer). Dans *les Survivants de l'infini* (1955), de Joseph Newman, les extraterrestres reproduisent la division favorite de l'humanité en deux camps. Certains de ces êtres venus d'ailleurs se montrent tout spécialement friands des Terriennes, comme dans le film japonais d'Honda Inoshiro (*Godzilla,* 1954). Peu à peu cependant, les Martiens « s'humanisent ». Leur mentalité évolue avec l'état de la situation internationale sublunaire. Déjà dans *le Jour .où la Terre s'arrêta* (1951) de Robert Wise, ils donnaient une leçon de morale aux humains. Le *E.T.* de Steven Spielberg (1982) fera verser quelques larmes aux spectateurs du globe terrestre sur lequel il vient le nouveau Messie. La fin du IIIᵉ millénaire voit toutefois la résurgence de bien mauvais desseins, comme c'est le cas avec ce huitième passager terrorisant l'équipage de sept spationautes dans *Alien* (1979) de Ridley Scott.

Mais l'homme a surtout à se défier de lui-même : que lui réserve *la Guerre des étoiles* (1977), alors que le canon laser « Miracl » est prêt moins de dix ans après le film de George Lucas ? La « fiction » de la guerre atomique du *Dʳ Folamour* (1963) de Stanley Kubrick, malgré son humour, ne déclenche guère le rire. Déjà, dans un film de politique-fiction, qui usait des méthodes du cinéma-vérité, *la Bombe* (1966), Peter Watkins décrivait la Troisième Guerre mondiale avec un tel accent d'authenticité et d'une façon si terrifiante que la télévision anglaise en interdit la projection.

Au cœur de la science-fiction retentit ainsi une lancinante question : l'homme peut-il échapper à sa nature ? Dans *le Globe d'argent* (1988) du Polonais Andrzej Żuławski, quelques Terriens quittent ce monde à bord d'un vaisseau spatial pour bâtir une société neuve sur une autre planète plus fréquentable et plus hospitalière. Ils ont, hélas, emporté avec eux le Mal qui les habite depuis la nuit des temps.

Où trouver alors une note d'espoir dans les apocalypses que nous révèlent les créateurs ? Quelles que soient la force du Mal et l'intransigeance du destin, il reste un pouvoir bénéfique, celui de la Connaissance réfléchie et dominée, tel que le démontre François Truffaut dans *Fahrenheit 451* (1966), d'après le roman de Ray Bradbury : dans un monde où tous les livres sont interdits et brûlés, ceux qui ont appris un livre par cœur pourront sauvegarder et transmettre une parcelle du savoir. Seule vraie leçon de la science-fiction : l'avenir de l'homme n'est pas dans les étoiles, mais dans sa tête. •

La « rétrocipation »

CERTAINS FILMS, AU LIEU DE NOUS PROJETER DANS UN FUTUR APOCALYPTIQUE, REMONTENT LE TEMPS POUR MIEUX NOUS FAIRE SENTIR LES ILLUSIONS DE NOTRE ÉVOLUTION FRAGILE.

Les space-operas de Stanley Kubrick sont désormais banalisés par l'accélération de la conquête spatiale, dans ses victoires et dans ses drames. Mais, si dans *la Planète des singes* (1967) de Franklin J. Schaffner, singes blancs et singes noirs qui asservissent les derniers humains, sous les grimages de John Chambers, sont encore du domaine de la fiction, nous sommes périodiquement visités par quelques dinosaures qui ont quitté leur passé antédiluvien pour hanter les temps modernes, comme les monstres de l'île de Feu dans *Dinosaure* (1960) d'Irwin S. Yearworth Jr. Il faut se méfier des fossiles qui ressuscitent et sèment la terreur, comme *Godzilla,* le dragon du Japonais Honda Inoshiro, monstre sorti du Pacifique : il s'agit moins là, il est vrai, de matérialiser quelque mythe oriental, que de rappeler l'explosion de la première bombe atomique sur Hiroshima. En 1953, le décorateur français Eugène Lourié réalise aux États-Unis le *Monstre des temps perdus*, puis en 1961 *Gorgo,* où se mêlent l'humour poétique et la virtuosité des maquettes à commande hydraulique. Quant à *l'Étrange Créature du lac noir* de Jack Arnold (1954), elle n'est guère plus sympathique que les insectes géants de certains films (araignées, fourmis, cafards, etc.), qui font passer le film de science-fiction au film d'horreur.

Mais les plus animaux ne sont pas toujours ceux que l'on croit et, dans *la Guerre du feu* (1981), Jean-Jacques Annaud présente une impressionnante saga des temps préhistoriques, dans laquelle la violence de nos ancêtres nous interroge sur le possible réveil de nos instincts primaires sous le vernis de la civilisation. Reste l'espoir, bien mince, de découvrir quelque part un paradis, telle cette *Île sur le toit du monde* dans laquelle, au cœur des glaces les plus inhospitalières, vivent heureux des Vikings qui ont échappé au progrès ; sinon, il n'y a plus qu'à se réfugier dans la fable et dans l'allégorie avec Marco Ferreri (*Rêve de singe,* 1978). •

→ **Voir aussi :** Les paralittératures, LITTER, p. 120-121.

3. *Mad Max 2,* de George Miller (1982).

4. *Blade Runner,* de R. Scott (1982).

L'industrie du cinéma

La production : jeu de hasard ?

LA PRODUCTION D'UN FILM COMBINE À LA FOIS UNE CRÉATION ESTHÉTIQUE, UNE AVENTURE TECHNIQUE ET UNE OPÉRATION COMMERCIALE QUI ONT BIEN DU MAL À S'UNIR DANS LA CONSTITUTION D'UN SUCCÈS.

À LA FIN DU SIÈCLE DERNIER, en France et aux États-Unis, des hommes audacieux et comprenant que le cinéma n'était pas un divertissement passager entreprirent de contrôler la production et l'exploitation des films et édifièrent une véritable industrie. Hommes d'affaires et banquiers ne s'y trompèrent pas, en finançant la construction d'énormes studios pour des producteurs qui s'organisèrent bientôt en compagnies. En France, Pathé, Méliès et Gaumont étaient alors des noms mondialement connus.

Un film est un produit complexe, qui s'élabore tout au long d'une chaîne mettant en jeu des compétences financières, artistiques, techniques et commerciales. Au départ, il y a l'idée, le thème de l'œuvre, du film. Ce thème est traduit et explicité par le scénariste, qui doit convaincre le producteur, responsable financier de l'entreprise. Commence alors la réalisation, travail d'une équipe au premier rang de laquelle se trouvent les comédiens et le metteur en scène mais aussi ceux sans qui rien ne se ferait, mais dont les noms et les fonctions remplissent les génériques.

La chaîne ne s'arrête pas là. Un film, comme tout produit industriel, a besoin, pour exister, d'une campagne de promotion : il doit être proposé aux exploitants des salles de projection, et ce rôle important est dévolu aux distributeurs. Reste l'épreuve de vérité, c'est-à-dire le jugement du public et celui de la critique. Enfin, la consécration suprême viendra, pour quelques-uns, avec l'attribution d'un prix, à l'occasion de festivals, dont la multiplicité actuelle augmente les chances d'une distinction.

Une fois la décision prise de soutenir la réalisation d'une œuvre, le producteur se met en quête de financements. Outre ses fonds propres, le producteur fait appel le plus souvent à des banques, voire au mécénat privé. L'État est également en mesure d'intervenir par le biais du C.N.C. (Centre national de la cinématographie) en accordant des avances sur les recettes futures. On peut aussi espérer un financement de la part des maisons de distribution, qui apportent ainsi une garantie capable de rassurer les banquiers. Aujourd'hui, les chaînes de télévision interviennent de plus en plus comme coproductrices de grands films. Les vedettes et l'équipe technique ont aussi la possibilité d'être actionnaires de leur film, actions qui leur seront payées sur les recettes. Enfin, le film achevé, l'État peut octroyer des « primes à la qualité ». Cette aide favorise souvent la production des courts métrages. En France, si le producteur d'un long métrage accepte que son film soit associé pendant toute l'exploitation de ce dernier avec un court métrage, il touche un pourcentage sur les recettes.

La stratégie de la production cinématographique dépend souvent de la politique économique globale, voire de la politique tout court. Ainsi, en 1946, dans le cadre de l'aide à la France, les États-Unis firent inclure dans les clauses des accords financiers et économiques l'importation sans limite des films américains. En 1948, pour sauver la production nationale face à l'hégémonie américaine, fut instituée une taxe additionnelle sur les prix des places, qui est reversée aux producteurs : par ce biais, mais bien involontairement, le cinéma américain a contribué à la renaissance de la production française.

De nos jours, il apparaît nécessaire de raisonner à l'échelle de l'Europe et non plus à l'échelon national. Pour limiter la double invasion des cinémas américain et asiatique, la production européenne doit s'organiser. Vingt-quatre pays ont accepté de conjuguer leurs efforts, afin de mettre en œuvre les coproductions à grand budget et de les diffuser dans leurs salles respectives. Mais bien des barrières sont à vaincre : plus sérieuses que les contraintes techniques sont celles de la langue et de l'environnement culturel traditionnel. La constitution d'un cinéma européen n'est qu'une partie de l'enjeu de l'identité problématique du continent.

En ce qui concerne le choix des sujets, deux tendances s'opposent. La première préconise des œuvres originales tournées dans une langue adaptée au sujet : le cinéma anglais semble lui donner raison, puisque, avec des œuvres issues de la culture anglaise, il a retrouvé une audience internationale. La seconde tendance voudrait s'attacher aux thèmes universels propres à intéresser tous les pays, ce qui toutefois ne plaide pas forcément pour une interprétation cosmopolite.

Cependant, le taux de fréquentation des salles de cinéma a notablement diminué en Europe et dans nombre de pays industrialisés. Au-delà des actions économiques et culturelles concertées, l'avenir du cinéma pose le double problème de la communication et des loisirs dans un monde occidental où les pratiques individuelles tendent à l'emporter sur les grands engouements collectifs qui ont fait le succès du septième art à ses débuts. •

Les grands producteurs

Léon Gaumont (1863-1946). Producteur du chronophotographe de Demeny, initiateur de recherches sur le cinéma parlant et le cinéma en couleurs (procédé trichrome, en 1911), il créa les studios des Buttes-Chaumont.

Les frères **Pathé** : **Charles** (1863-1957) et **Émile** (1860-1937). Ils débutèrent en faisant entendre dans les foires le phonographe d'Edison. En 1896, la Société Pathé inaugure un empire qui, des usines de pellicule aux studios et des machines d'enregistrement aux circuits de distribution, étendra ses activités dans le monde entier.

William Fox (1879-1952). Hongrois émigré très jeune aux États-Unis, il commence par louer des films, fonde une compagnie en 1906, rachète des brevets allemands pour le cinéma sonore *(Movietone)*. Sa société, reprise par Joseph Schenck et Darryl Zanuck, deviendra la Twentieth Century Fox.

Samuel Goldwyn (1882-1974). Secrétaire de la Paramount, il fonda, après plusieurs associations, la Goldwyn Pictures, qui, revendue à Marcus Loew (1870-1927), deviendra en 1924 l'élément central de la MGM.

Les frères **Warner** : **Harry** (1881-1958), **Albert** (1884-1967), **Samuel** (1888-1927) et **Jack** (1892-1978). Émigrants polonais, ils fondèrent la Warner Bros en 1923.

Adolph Zukor (1873-1976). Immigré hongrois, organisateur de spectacles ambulants, il débuta dans la production en 1912 en tournant *la Reine Élisabeth* avec Sarah Bernhardt. Il fonda la Paramount en 1917.

Arthur Rank (1888-1972). Ancien minotier, il créa la Bristish National Film Company (1934), puis la Rank Organization (1946), popularisée à travers le monde par l'image d'un athlète frappant sur un gong. Il fut le producteur de Laurence Olivier.

1. L'entrée de l'hôtel Carlton pendant le Festival de Cannes en 1981.

2. Gregory Peck recevant un Oscar en 1963.

L'aventure est au coin du studio

« Moteur ! » Silence, on tourne. On tourne et on retourne jusqu'à la bonne prise, lorsque le spectateur peut enfin fondre son imaginaire dans celui du scénariste, du réalisateur et de l'acteur. Une équipe où chacun joue son rôle, sous les feux des projecteurs comme derrière les caméras. Un monde à part, avec ses propres règles, dans lequel les gloires se font et se défont à l'immuable rythme de 24 images à la seconde. Un monde éblouissant où de naïfs papillons viennent se brûler les ailes, des étoiles filantes vont mourir dans les salles obscures et d'autres gagner une part d'éternité en entrant dans la légende.

4. Charlie Chaplin sur le plateau de *la Ruée vers l'or* en 1925.

5. Visconti dirigeant *le Guépard* en 1962.

Prix et festivals

OSCAR, LION D'OR, PALME D'OR,
QUE DE RÊVES... ET D'OPÉRATIONS COMMERCIALES
SE CACHENT DERRIÈRE CES MOTS MAGIQUES.

Si une distinction obtenue dans le palmarès d'un festival est le signe que la valeur esthétique d'un film a été reconnue, elle annonce en même temps pour celui-ci l'ouverture du marché international : un festival est une foire aux films, où se vendent et s'achètent des produits artistiques.

Le premier d'entre eux est la *Mostra* de Venise, biennale à l'origine, en 1932, devenue annuelle depuis 1935. Le festival de Bruxelles débuta en 1935 avec l'Exposition universelle. La France entreprit de créer le sien le 1er septembre 1939, sous la présidence de Louis Lumière, mais la guerre en décida autrement. C'est le 20 septembre 1946 que le Festival international de Cannes vit effectivement le jour : le prix spécial du jury revint alors à *la Bataille du rail* de René Clément. Par la suite, d'autres pays européens voulurent honorer leur cinéma et créèrent des festivals appelés à un brillant avenir, comme ceux de Moscou, Locarno, Saint-Sébastien, Karlovy Vary, Berlin.

Depuis, la production cinématographique s'étant multipliée et diversifiée sur tous les continents, les festivals ont fait de même, et aujourd'hui il y a autant de récompenses que de spécialités cinématographiques : long métrage, court métrage, film policier, film fantastique, film d'animation, film publicitaire, etc. D'autre part, les multiples productions d'un pays ont tendance à se concentrer dans certaines manifestations d'ensemble comme le festival du film arabe, du film ibérique, etc. Chacun de ces festivals fait appel à un jury de professionnels, pour distinguer une œuvre, un réalisateur, un interprète, etc.

Nulle récompense cinématographique n'est plus prestigieuse que les « Oscars » décernés, chaque année depuis 1929, à Hollywood, par l'Academy of Motion Picture Arts and Sciences. La célèbre statuette en bronze plaqué d'or, surnommée « Oscar » en 1931 en raison d'une ressemblance avec l'oncle de la bibliothécaire de l'Academy, récompense, entre autres, le meilleur film de l'année, la meilleure interprétation féminine et masculine, la meilleure mise en scène, le meilleur scénario et le meilleur film étranger.

En France – outre le Grand Prix du cinéma français Louis-Lumière (fondé en 1934), le prix Louis-Delluc (créé en 1937), les prix Méliès (1946), Jean-Vigo (1951) et Georges-Sadoul (1968) – sont décernés chaque année, depuis 1976, par l'ensemble des professionnels du septième art réunis en une Académie des arts et des techniques du cinéma, les Césars, qui distinguent les meilleures réalisations de l'année écoulée. ●

La diffusion ou « le distributeur »

MAILLON INDISPENSABLE DE LA « CHAÎNE DE VIE » D'UN FILM,
LE DISTRIBUTEUR EST L'INTERMÉDIAIRE ENTRE LE PRODUCTEUR
ET LES EXPLOITANTS DES SALLES DE PROJECTION.

La diffusion est une étape décisive, car de son efficacité dépend la rentabilité de l'entreprise. Il s'agit là moins d'art que d'actions commerciales, qui doivent utiliser tous les circuits économiques modernes. En Europe, dès 1960, au cinéma américain toujours omniprésent s'ajouta l'effet de la télévision : les recettes des salles de cinéma chutèrent aussitôt et la profession de distributeur dut s'organiser.

Depuis 1983, à côté des trusts américains, la diffusion en France est concentrée entre les mains de quatre grands groupes : Gaumont et associés, Pathé-Edeline-Indépendants, Groupement n° 1, U.G.C. Diffusion réalisent 75 % des recettes des films français. À leurs côtés, quelques indépendants comme Prodis, Planfilm et Marin Karmitz se partagent le reste de la diffusion.

Dans la pratique, le distributeur, outre son engagement financier vis-à-vis de la production, joue un rôle d'intermédiaire par la location du film aux exploitants : il perçoit tantôt un pourcentage sur les recettes, tantôt une redevance forfaitaire. En outre, il se charge de la publicité : il loue ou vend photos et affiches. Il assure les frais de tirage des copies qu'il fournit aux salles. Il exerce également une activité comptable, puisqu'il reçoit les bordereaux de recettes dont il envoie un exemplaire au C.N.C, qui contrôle toutes les étapes d'un film. Enfin, il reverse au producteur la part de recettes qui lui revient.

Les films sont vus par de plus en plus de spectateurs, mais de moins en moins dans les salles, puisque les films sont diffusés de plus en plus rapidement sur les chaînes de télévision, devenues elles-mêmes productrices. Aussi les producteurs misent-ils sur la vidéo, dans laquelle ils investissent. Ainsi se prolonge la vie économique d'un film.

L'avenir du cinéma est d'ailleurs probablement plus du côté de vidéothèques personnelles que de celui des salles populaires où un public disparate communiait dans l'admiration fervente de stars, objets de rêve et modèles de comportements. ●

Médias

Les médias

QU'EST-CE QUE LA COMMU-
nication aujourd'hui ? Autrefois
limitée à un secteur particulier,
l'information, la communication pénètre
désormais tous les mondes : l'entreprise,
la culture et même la famille... Il s'agit
d'un réseau complexe aux multiples rameaux. On distingue traditionnellement
les formes de communication en fonction du nombre d'acteurs qu'elles mettent en présence : la communication
« point à point » dont l'archétype est le
téléphone et la communication « point à
masse » dont relève par exemple la radio. Mais ces modèles sont désormais
insuffisants ; le téléphone peut, ainsi,
mettre en relation plusieurs individus, la
radio et la télévision ont organisé des
systèmes de réponse plus ou moins individualisés... L'ubiquité (être présent partout en même temps) n'est même plus

une caractéristique commune à
l'ensemble des systèmes de communication, puisqu'il est désormais possible
d'introduire du différé dans le système
(avec le magnétoscope par exemple). Au
sein de ce conglomérat, un sous-groupe
se distingue par une homogénéité plus
grande et des fonctions semblables : les
mass media. Ce néologisme a été formé
par des sociologues américains qui ont
accolé le terme latin de *media* (moyens)
au mot anglais *mass,* pour indiquer qu'il
s'agit d'instruments de communication
qui s'adressent à des groupes, importants en nombre et non différenciés. Les
mass media englobent donc essentiellement la presse, la radio, la télévision, le
cinéma, ainsi que certaines nouvelles
technologies de la communication (magnétoscope, câble, Minitel, micro-informatique, vidéo...).

Un instrument de pouvoir

DANS LA CRAINTE DE LA PUISSANCE
DES MÉDIAS, LES POUVOIRS POLITIQUES ONT
CHERCHÉ À LES CONTRÔLER ÉTROITEMENT. POURTANT, LEUR
INFLUENCE SUR LE COMPORTEMENT POLITIQUE
DES ÉLECTEURS SEMBLE ASSEZ LIMITÉE.

Les machines à communiquer
ont toujours été appréhen-
dées comme machines à influencer et, dès leurs débuts, la puissance publique s'est souciée d'en
contrôler le contenu. Déjà, au
XVIIe siècle, le premier hebdomadaire français, *la Gazette* de Théophraste Renaudot, fut publié sous
la haute autorité de Richelieu, et
Louis XIII lui-même ne dédaignait
pas de lui faire parvenir des mémoires. À partir de la Révolution
française, toute l'histoire de la
presse est une longue bataille
pour faire accepter sa liberté d'action. Le XIXe siècle met la question de la liberté de la presse au
cœur de la vie politique : il apparaît que sans liberté de la presse,
le droit à l'information des citoyens n'est pas assuré, que leurs
choix politiques sont infirmes,
leurs suffrages conditionnés, et
que la démocratie ne peut fonc-
tionner normalement. Un épisode fit beaucoup pour accréditer
la puissance de la presse : en 1830,
Charles X dut se démettre et laisser la place à Louis-Philippe parce
que son gouvernement avait tenté
de mettre les journaux au pas ;
ceux-ci appelèrent à la révolte et
provoquèrent la révolution. De
poursuites judiciaires en « lois scé-
lérates » ou en répressions sanglantes, comme ce fut le cas sous
la Commune, la presse finit par
obtenir la reconnaissance de son
indépendance. En France, la loi
du 29 juillet 1881 lui assura un des
régimes les plus libéraux du
monde en autorisant très librement la création de nouveaux
titres.

La presse audiovisuelle devait,
elle aussi, avoir quelque mal à
faire reconnaître son indépendance. Tolérées avant la Seconde
Guerre mondiale, les radios privées furent interdites dès la Libération. La communication radiophonique et télévisée était donc
sous le monopole de l'État, qui
exerçait le plus souvent un
contrôle très étroit. À la fin
des années 1970, les premières
contestations de ce monopole prirent pour cadre les radios locales
qui, bien qu'interdites, commencèrent à proliférer dans tout le
pays. En 1982, le premier gouvernement investi par F. Mitterrand
mit fin à la guérilla qui opposait
les partisans des radios libres et
l'État. Le monopole fut aboli.

Si la presse et la radio-télévision
ont eu tant de mal à défaire, surtout en France, les liens étroits
qu'elles entretenaient avec les
pouvoirs publics, c'est que ces
derniers ont toujours pensé que
l'influence des médias sur les opinions politiques, et en particulier
sur les votes, devait être fort importante. Quelques épisodes ont
montré que rien n'était moins sûr.
Le ballottage du général de Gaulle
lors des élections présidentielles
de 1965 témoigna par exemple
que « la télévision ne faisait
pas l'élection ». Aujourd'hui encore, les effets des médias sur les
comportements électoraux sont
loin d'être avérés ; les chercheurs
ont montré que les médias modi-
fiaient assez peu les intentions de
vote des électeurs et qu'ils les
confortaient plutôt dans leurs
opinions. ●

Une part croissante des loisirs

MIS À PART LES ACTIVITÉS DITES PHYSIOLOGIQUES,
COMME LE SOMMEIL, LES MASS MEDIA TENDENT À OCCUPER
LA PREMIÈRE PLACE EN TEMPS PARMI LES
OCCUPATIONS DES OCCIDENTAUX.

Le temps libre des Occidentaux n'a cessé de croître depuis un siècle non seulement à
cause de la diminution du temps
de travail et de l'augmentation de
la durée des congés payés, mais
aussi en raison de l'allongement
de l'espérance de vie et de la réduction de la durée de vie active.
Une grande partie de ce temps libéré par le travail est désormais
consacrée aux loisirs.

Les activités de loisirs sont
nombreuses et hétérogènes : de la

partie de poker à la fréquentation
des musées, de la pratique du violon à l'écoute de la radio, du
match de tennis à la cueillette des
champignons..., tout est loisir.
La plupart de ces activités ont
conquis leur public – plus ou
moins étendu – en dehors du cercle
étroit de leurs premiers amateurs. Mais, désormais, dans les
pays occidentaux, c'est l'une des
dernières-nées de ces activités qui
gagne, et de loin, la première
place : les médias et en particulier

la télévision. Celle-ci constitue le
loisir favori de la majorité de nos
contemporains si l'on en juge par
le temps qu'ils lui consacrent. On
estime ordinairement que les
Français qui sont nés après 1970
et qui exerceront une activité professionnelle passeront plus de
temps devant leur poste de télévision qu'à leur travail (63 000
heures devant la télévision contre
55 000 heures de travail). Aujourd'hui, déjà, les Européens
passent en moyenne plus de
6 heures par jour à écouter la radio
et à regarder la télévision. Mais
ces activités, à la différence d'autres loisirs, ne sont pas toujours
exclusives, et la télévision tend
parfois à devenir, comme c'est
déjà le cas de la radio, une seconde
activité, un fond d'images et de
sons auquel on ne consacre qu'un
intérêt épisodique. ●

**Durée de pratique quotidienne des grands médias
en pourcentage du temps total consacré aux médias** *(en 1991).*

	Télévision	*Radio*	*Quotidien*	*Magazine*
France	61	31	4	4
Royaume-Uni	64	27	6	2
Allemagne	46	38	11	5
Espagne	71	22	5	2
Italie	76	16	5	3

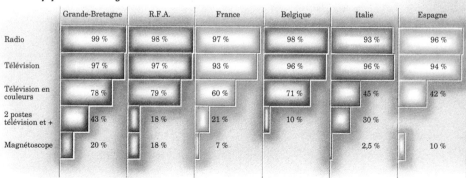

1. **L'équipement des ménages.**

	Grande-Bretagne	R.F.A.	France	Belgique	Italie	Espagne
Radio	99 %	98 %	97 %	98 %	93 %	96 %
Télévision	97 %	97 %	93 %	96 %	96 %	94 %
Télévision en couleurs	78 %	79 %	60 %	71 %	45 %	42 %
2 postes télévision et +	43 %	18 %	21 %	10 %	30 %	
Magnétoscope	20 %	18 %	7 %		2,5 %	10 %

2. **Durée d'écoute quotidienne moyenne T.V. et radio** *(en minutes).*

Télévision

	Grande-Bretagne	France	Italie	R.F.A.
	222	175	129	137

Radio

	Grande-Bretagne	France	Italie	R.F.A.
	177	183	163	159

4. Téléviseur avec incrustation d'images.

Un secteur de l'économie

LES MÉDIAS ONT UN MODE DE FINANCEMENT SPÉCIFIQUE : LA PRESSE EST PAYÉE DEUX FOIS, PAR L'ACHETEUR ET PAR LA PUBLICITÉ, TANDIS QUE LA RADIO ET LA TÉLÉVISION N'ONT PAS DE LIEN FINANCIER DIRECT AVEC LEUR CONSOMMATEUR.

La communication est une activité économique importante : dans la plupart des pays développés, la presse, la télévision, le cinéma, l'audiovisuel et leurs industries annexes comptent parmi les dix premières branches industrielles tant en nombre de salariés qu'en chiffre d'affaires. En 1990, ces secteurs occupaient plus de 550 000 personnes en France et réalisaient un chiffre d'affaires brut de plus de 100 milliards de francs.

Les activités médiatiques disposent de trois types de financement. Le prix de vente au consommateur permet au producteur de connaître exactement le nombre de personnes qu'il intéresse. La presse tire en moyenne 60 % de ses recettes de la vente à ses lecteurs, le cinéma la quasi-totalité. Cette source de financement n'était pas pratiquable pour la télévision et la radio hertziennes ; deux systèmes techniques ont rendu récemment possible son développement : le brouillage, qui a permis à Canal + de développer une nouvelle chaîne de télévision par les ondes, et le câble, qui fait ses premiers pas en France. La publicité assure une part plus ou moins importante des revenus des médias : nulle pour quelques rares journaux (comme *le Canard enchaîné*), elle assure 30 % des revenus de la radio-télévision publique mais 60 % des revenus des magazines féminins et la quasi-totalité de ceux des radios ou des télévisions privées. La troisième source de financement a été mise en place dans les pays qui voulaient maintenir un secteur public dépourvu de publicité : c'est la redevance, un impôt spécifique que connaissent ou ont connu la plupart des pays européens. Instituée en France en 1933, elle a résisté depuis, même à l'introduction de la publicité sur les chaînes de télévision en 1968.

Aujourd'hui, la survie de nombreux médias est largement dépendante du volume de publicité qu'ils recueillent. Pour gérer au mieux ces ressources et augmenter leur rentabilité, d'importants mouvements de concentration se sont produits depuis une vingtaine d'années. Ces mouvements sont allés de pair avec une internationalisation des médias. •

Les juges des médias

La liberté de la communication audiovisuelle n'a été affirmée par le législateur que par la loi du 28 juillet 1982. Elle repose pourtant sur la Déclaration des droits de l'homme qui prévoit que la « libre communication des pensées est un des droits les plus précieux ». Sur ce principe, la presse obtient son indépendance dès la fin du XIXe siècle ; chacun pouvant créer son journal, l'expression de toutes les opinions est aisément assurée. En matière de radio et de télévision, il n'en est pas de même : le nombre de fréquences est limité et il est donc nécessaire que la puissance publique intervienne pour partager les fréquences et garantir que ces médias ne sont pas monopolisés par une seule opinion.

Même dans un pays libéral comme les États-Unis, une agence, la *Federal Communication Commission* (F.C.C.), énonce les règles techniques et les fait respecter par les utilisateurs des ondes.

En France, cette instance trouve difficilement sa légitimité. Créée pour être indépendante du pouvoir politique, elle s'est transformée à chaque changement de gouvernement et a connu trois avatars : Haute Autorité entre 1982 et 1986, elle est ensuite devenue Commission nationale de la communication et des libertés puis, depuis 1989, Conseil supérieur de l'audiovisuel (C.S.A.).

Le groupe Berlusconi

Né dans les années 1960 dans l'immobilier et la finance, le groupe Fininvest, plus connu sous le nom de son entrepreneur, Silvio Berlusconi, devient en quelques années la troisième puis la deuxième entreprise européenne de communication, derrière Bertelsmann.

L'Italie connaissait le régime du monopole en matière de télévision, comme la plupart des pays européens, jusqu'à ce que, en 1976, un arrêt de la Cour constitutionnelle le fragilise en autorisant la création de télévisions locales. En quelques années, plusieurs centaines de télévisions voient le jour. Silvio Berlusconi en profite pour créer une première station de télévision à Milan : Canale 5. Fininvest s'impose comme groupe d'abord national puis international en menant une stratégie à double détente : d'une part, il écrème le marché de la publicité et, d'autre part, il achète en masse des programmes sur le marché international. C'est en s'appuyant sur la télévision, cœur du groupe, que Silvio Berlusconi décide de se lancer dans la politique et remporte les élections législatives en mars 1994.

Les nouvelles technologies de la communication

À LA FIN DES ANNÉES 1970, LE MONDE DE LA COMMUNICATION SEMBLE TOUT D'UN COUP EXPLOSER ET DONNE NAISSANCE À UNE SÉRIE DE TECHNOLOGIES, LES NOUVEAUX MÉDIAS.

Dans le bric-à-brac de la dénomination « nouvelles technologies de la communication », on découvre des instruments très différents, qui ne sont pas tous nés de la veille : Minitel, satellite, câble, micro-informatique, vidéo en ce qui concerne les mass media, mais aussi micro-électronique, informatique individuelle, banques ou bases de données, intelligence artificielle... Ces moyens ont un même objet : traiter de l'information, de loisirs ou de services, d'une manière accélérée, à l'échelle du monde et avec une capacité accrue. Codée, traitée, stockée sous une forme aisément accessible grâce aux techniques numériques, l'information devient en effet une marchandise immédiatement disponible, exploitable et rentable.

Ces nouveaux médias se développent aux confluents de diverses évolutions techniques, économiques et sociales. La gestion de l'audiovisuel s'est industrialisée ; par des mouvements de concentration, les entreprises croissent en taille et cherchent à diversifier leurs secteurs d'activité tout en utilisant les savoir-faire acquis dans les médias traditionnels. En même temps, le marché de l'audiovisuel s'internationalise, les produits peuvent de plus en plus rarement être rentabilisés à l'échelle d'un seul pays, leur contenu doit donc pouvoir être reçu par des peuples aux cultures diverses. •

Des moyens de communication de masse

Formé par les Américains à partir de *mass* (masse, en anglais) et de *media* (moyens, en latin), le mot mass media désigne l'ensemble des moyens de communication et d'information destinés à un large public. Si la presse, la radio, la télévision, le cinéma, l'affiche, la publicité... ont perdu leur « masse » pour ne plus être que des « médias », ce n'est pas seulement par une simplification de la langue mais c'est également parce qu'ils s'individualisent de plus en plus. Ainsi, à côté de la télévision, de la presse et de la radio généralistes, se développent des organes dits thématiques qui ne s'adressent plus à l'ensemble du public mais à une catégorie particulière.

Ainsi « l'effet de kiosque » a déjà rejoint la radio où les auditeurs peuvent choisir entre une multitude de programmes différents. Il touche également la télévision dans les foyers qui sont équipés du câble.

La presse quotidienne d'information

LA PRESSE QUOTIDIENNE SE distingue de ses consœurs à la périodicité plus lâche par des structures économiques et techniques différentes, par des modalités de rédaction dictées par l'urgence, par la lecture éphémère et rapide qui en est faite. Pourtant, la presse quotidienne n'est pas une réalité unifiée puisqu'elle comprend des journaux du matin et des journaux du soir, des quotidiens nationaux et des quotidiens régionaux, des organes dits « de qualité » et d'autres populaires. En outre, la différence de contenu entre presse quotidienne et presse hebdomadaire tend à diminuer car elles sont toutes deux concurrencées en ce qui concerne l'actualité par les moyens audiovisuels.

Le domaine de prédilection de la plus grande majorité des quotidiens est l'information générale. Or la définition même de l'information est très large et varie dans le temps et même dans l'espace. Traditionnellement, on apprenait aux apprentis journalistes que n'était information que ce qui était exceptionnel, et on connaît le vieil adage : « Un chien qui mord un évêque n'est pas une nouvelle mais un évêque qui mord un chien, ça, c'est une nouvelle. » Pourtant, d'autres territoires se sont ouverts et les quotidiens s'intéressent aussi à la vie quotidienne, au long terme, à l'ordinaire. En fait n'est information que ce qui est repris dans les médias. En effet, les informations n'existent pas en tant que telles jusqu'au moment où les moyens de communication leur donnent vie. Jusque-là, elles peuvent être des événements pour des populations plus ou moins importantes mais elles n'apparaissent pas comme des informations.

La conquête de l'actualité

DEVENUE POPULAIRE AU MILIEU DU XIXᵉ SIÈCLE, LA PRESSE QUOTIDIENNE A DÛ, DEPUIS QUARANTE ANS, RÉPONDRE À LA CONCURRENCE DE L'AUDIOVISUEL QUI L'A PRIVÉE D'UNE DE SES PRINCIPALES FONCTIONS, L'ACTUALITÉ.

Selon la définition qu'on lui donne, on peut dater de manière très différente la naissance de la presse. Si l'on s'en tient au critère de l'information, c'est une quarantaine d'années après la mise au point de l'imprimerie (v. 1440) que les premières feuilles volantes d'actualité commencent à être diffusées en Europe. Si c'est au critère de la quotidienneté ou du moins de la régularité que l'on s'arrête, le début du XVIIᵉ siècle voit fleurir dans nombre de pays occidentaux des gazettes, souvent hebdomadaires, dont une des plus fameuses est celle de Théophraste Renaudot (lancée en 1631). Si, enfin, on retient le caractère de masse de ce média, il faut attendre le XIXᵉ siècle pour voir le journal sortir des cercles étroits de ses premiers amateurs.

Deux innovations modifient alors le public et le contenu des quotidiens : le développement de la publicité (qui existe depuis les origines de la presse mais dont le rôle est amplifié) et l'industrialisation des méthodes de fabrication (en particulier par l'augmentation de la capacité des presses d'impression). Le prix de vente du journal est abaissé, le télégraphe permet de transmettre en quelques heures les nouvelles du monde entier, le chemin de fer transporte les journaux dans toutes les provinces avec une rapidité qui ne cesse de croître au XIXᵉ siècle. L'indépendance politique durement acquise et réservée aux pays démocratiques accroît encore la diffusion de la presse.

Après une phase d'extension entre 1850 et 1945, la presse quotidienne connaît dans la plupart des pays développés une évolution semblable : le nombre de titres disponibles sur le marché s'est fortement réduit, les quotidiens engagés (qui défendent un parti ou une idéologie) n'ont cessé de perdre du terrain au profit de la presse quotidienne généraliste ou régionale. Cette dépolitisation, dont les premiers signes remontent au début du siècle, contraint la presse à un continuel effort d'adaptation pour intégrer des rubriques nouvelles qui s'adaptent aux modifications des modes de vie de ses lecteurs. ●

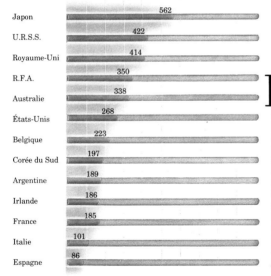

1. **Nombre d'exemplaires de quotidiens pour 1000 habitants.**

Japon	562
U.R.S.S.	422
Royaume-Uni	414
R.F.A.	350
Australie	338
États-Unis	268
Belgique	223
Corée du Sud	197
Argentine	189
Irlande	186
France	185
Italie	101
Espagne	86

Diffusion des quotidiens français
(en milliers d'exemplaires)

	1976	1992
La Croix	135	100
Le Dauphiné libéré	378	292
L'Équipe	297	320
Le Figaro	470	402
France-Soir	845	219
Libération	43	174
Le Monde	538	368
Ouest-France	708	788
Le Parisien	467	400
Le Progrès	456	465
Sud-Ouest	415	366
La Voix du Nord	405	369

D'où viennent les informations ?

CHAQUE JOUR, UN QUOTIDIEN DE TAILLE MOYENNE FOURNIT À SES LECTEURS L'ÉQUIVALENT D'UN LIVRE DE POCHE DE LECTURE.

Lorsqu'on dit « information », on pense immédiatement à des événements inattendus, surprenants. Pourtant, la majorité des nouvelles données par les quotidiens sont prévisibles soit qu'elles se déroulent à date fixe (les journalistes les appellent alors des « marronniers » car elles tombent toujours au même moment, c'est le cas par exemple du conseil des ministres, ou encore de tel événement sportif...), soit que la rédaction les ait programmées (comme cela est fait pour les grands reportages et les enquêtes). Il n'en reste pas moins que les quotidiens doivent aussi intégrer des informations qui n'étaient pas prévisibles, et une bonne part du travail de la rédaction en chef consiste à organiser la répartition entre l'attendu et l'inattendu, en particulier à l'occasion des conférences de rédaction.

Les informations diffusées par les quotidiens proviennent de deux sources principales : la rédaction et les agences de presse. La rédaction a plusieurs moyens de se fournir en nouvelles : ses correspondants locaux mais aussi nombre de professionnels, attachés de presse ou chargés de communication, lui retransmettent des informations ; les journalistes ont des informateurs qui leur procurent des renseignements dans leur domaine de compétence ; ils recueillent également le point de vue de différents acteurs par des enquêtes sur le terrain. Les autres quotidiens fournissent enfin à la rédaction nombre d'informations (les « scoops » sont justement ces nouvelles sorties par un journal et reprises par ses confrères).

Il est pourtant une source dont l'importance domine, ce sont les agences d'information. Dès le milieu du XIXᵉ siècle, le développement de la presse suscite la création d'organismes spécialisés dans la collecte et la transmission de données. La première de ces agences fut celle de Charles Havas, créée à Paris en 1832, qui devint après la Seconde Guerre mondiale l'Agence France-Presse (A.F.-P.). Outre cette dernière, qui garde une part importante sur le marché de l'information, trois grandes agences dominent désormais sur le plan international : une américaine, l'*Associated Press,* qui est la plus importante en volume d'informations retransmises comme en nombre de clients ; l'agence *Reuters,* dont le siège est à Londres et qui s'est spécialisée dans l'information financière et économique ; enfin, *Itar-Tass* qui, depuis 1992, s'est substituée en Russie à l'agence officielle soviétique *Tass.* Il existe nombre d'autres agences, chaque pays disposant d'une agence nationale, mais aucune n'a réussi à s'imposer sur le marché international.

Les agences de presse disposent dans le monde entier d'un réseau de correspondants qui collectent les nouvelles et les transmettent à leur siège en utilisant les techniques de transmission les plus rapides (télécopie, télégraphie, ondes hertziennes...). Elles font ensuite parvenir à leurs clients les informations par des téléscripteurs qui sont installés dans toutes les rédactions. Le volume de nouvelles diffusées ne cesse de croître ; ainsi, l'A.F.-P. diffuse chaque jour un million de mots, soit une quinzaine de livres de poche. Aucun journaliste ne peut se permettre de lire une telle masse d'informations. Aussi les agences proposent-elles désormais des services diversifiés (spécialisés par zone géographique, centre d'intérêt, type d'informations...). ●

2. Première page du *Herald Tribune* du 17 janvier 1991.

The Global Newspaper
Edited and Published
in Paris

Herald INTERNATIONAL Tribune

Published With The New York Times and The Washington Post

N° 33,557   3/91   PARIS, THURSDAY, JANUARY 17, 1991   ESTABLISHED 1887

Gorbachev Fails To Muzzle Press

By David Remnick
Washington Post Service

MOSCOW — President Mikhail Gorbachev proposed Wednesday that the country's new liberal press law be suspended in the wake of a media criticism of his handling of the crisis in the Baltic republics.

U.S. Sees Start of War 'at Any Time'

An Exodus From Baghdad

Compiled by Our Staff From Dispatches

BAGHDAD — Four of imminent American bombing raids on Wednesday drove thousands of Iraqi civilians out of Baghdad, where shuttered shops, closed restaurants, empty streets and silent schools created an atmosphere of near crisis.

Plans for Combat Continue

Compiled by Our Staff From Dispatches

WASHINGTON — The White House said Wednesday that President Saddam Hussein of Iraq had "moved beyond the possibilities" of averting war and hinted that military action to drive him from Kuwait could be imminent.

See IRAQ, Page 2 · *See GULF, Page 2*

Cairo Expects New Alliance With Saudis in Post-War Gulf

By Youssef M. Ibrahim
New York Times Service

CAIRO — Egypt expects to increase its political and military cooperation with Saudi Arabia greatly to create a new regional alliance in the aftermath of what a senior Egyptian official described as "the imminent" war in the Gulf.

4, 5, 6. Première page de *Libération* des 16, 17, 18 janvier 1991.

Libération
LA PAIX À L'AGONIE

L'ultimatum de l'ONU a expiré ce matin à 6 heures. L'Irak n'a pas évacué le Koweït. Rien ne semble plus devoir empêcher le déclenchement de la guerre. Lire de la page 2 à la page 29.

Libération
LA GUERRE

La force internationale a lancé cette nuit contre l'Irak l'opération « tempête du désert » (« Desert Storm ») pour la libération du Koweït, dix neuf heures après l'expiration de l'ultimatum de l'ONU. Lire page 2

Edition spéciale Golfe

LE FIGARO
premier quotidien national français

JEUDI 17 JANVIER 1991

L'offensive contre l'Irak a été déclenchée peu après minuit

La guerre a commencé

Echec à la paranoïa

3. Première page du *Figaro* du 17 janvier 1991.

Libéra'
RAIDS SANS PAUSE
LE CIEL TOMBE SUR L'IRAK

Depuis jeudi 1 heure, bombes et missiles de l'aviation américaine et alliée ont eux encore conduit Saddam Hussein à céder. Lire pages 2 à 28.

Les contraintes de la concurrence

La page du journal s'est peu à peu transformée, se différenciant de plus en plus de la page du livre, à laquelle elle ressemblait il y a trois siècles. Elle a joué sur l'image (le dessin, la gravure puis la photographie) mais aussi sur la taille et la disposition des titres et sous-titres. Aujourd'hui, la « une » des quotidiens cherche à accrocher un public particulier. Ici, le *Herald Tribune* ou *le Figaro* ont mis l'accent sur le message (fortement engagé dans un cas, strictement neutre dans l'autre) pour annoncer la guerre du Golfe, tandis que *Libération* jouait la redondance entre un message très bref et une image très parlante.

La presse régionale

À CÔTÉ DES GRANDS QUOTIDIENS D'INFORMATIONS GÉNÉRALES, IL EXISTE UNE PRESSE QUI TENTE DE RESTER AU PLUS PROCHE DE LA VIE DE SES LECTEURS, EN MAILLANT LE TERRITOIRE QU'ELLE COUVRE PAR UN RÉSEAU DENSE DE CORRESPONDANTS LOCAUX.

La presse quotidienne régionale (P.Q.R.) se différencie de sa consœur nationale par sa zone de diffusion (limitée à quelques départements), par son contenu (consacré surtout à la vie quotidienne des principales communes), par son prix (inférieur à celui des quotidiens nationaux) et par une santé moins fragile. En France, ses tirages, qui n'avaient cessé d'augmenter depuis la fin du XIXe siècle, ont connu un certain tassement depuis une dizaine d'années ; la P.Q.R. reste pourtant prospère dans nombre de cas. Comme pour la presse nationale, ses entreprises ont connu de forts mouvements de concentration et le nombre de titres a fortement décru depuis 1945. Aussi les quotidiens locaux sont-ils dans beaucoup de régions en situation de monopole. Pour pallier les difficultés liées à la taille limitée de leur public, ils ont été contraints de s'entendre par des couplages publicitaires ou par des échanges d'articles.

Chaque quotidien régional publie de nombreuses éditions qui, à l'exception d'une dizaine de pages communes consacrées aux informations nationales et internationales, traitent des nouvelles locales. Pour suivre au plus près les micro-événements des communes, ces journaux ont des réseaux très denses de correspondants locaux qui non seulement rendent compte des plus petites nouvelles (départ à la retraite, colonie de vacances, foires et marchés...), mais aussi prennent le pouls de leurs lecteurs et de ce qui les intéresse.

La P.Q.R. n'est pas une spécificité française. Elle assure plus des deux tiers des tirages quotidiens en Allemagne. En Italie et en Grande-Bretagne, ses chiffres de diffusion sont importants, quoique inférieurs à ceux des quotidiens nationaux. Aux États-Unis, la quasi-totalité de la presse quotidienne est décentralisée. En revanche, les sources d'informations sont centralisées : les articles des principaux quotidiens sont revendus à leurs confrères de province ; comme en matière de télévision, la « syndication » assure une part non négligeable du contenu des journaux. •

Le journalisme, une profession très diversifiée

LA PROFESSION DE JOURNALISTE RECOUVRE UN ENSEMBLE DE MÉTIERS ASSEZ DIFFÉRENTS QUE LE PUBLIC UNIFIE DERRIÈRE LA VISION MYTHIQUE DU GRAND REPORTER.

Dans le monde entier, la rédaction des quotidiens est organisée à peu près de la même manière. Un (ou plusieurs) rédacteur(s) en chef dirige le journal (parfois sous l'autorité d'un directeur général) ; les différents journalistes sont répartis en une série de services spécialisés : politique intérieure, politique extérieure, économique, informations générales (faits divers mais aussi enquêtes sur les modes de vie), culture, sports. Des services communs sont utilisés par l'ensemble des secteurs : la fabrication, la documentation, le service photographique, mais surtout le secrétariat de rédaction, dont la tâche revêt plusieurs aspects : il a en charge la mise en page des textes, leur harmonisation, la « titraille » (titre, sous-titre, chapeau et légende des photos ou des illustrations) et il assure l'interface et la coordination avec l'imprimerie.

Le terme de « journaliste » recouvre divers profils professionnels différents : cette diversité tient autant à la tâche assumée par les journalistes qu'au style et à la périodicité de la publication dans laquelle ils écrivent. Certains ne travaillent qu'à la demande, ce sont les pigistes, payés en fonction de la taille de l'article et de leur notoriété ; les autres ne quittent jamais leur bureau (par exemple ceux qui rédigent les dépêches des agences) ; certains couvrent tous les sujets à la demande, en particulier dans les petits journaux, tandis que d'autres se spécialisent sur un secteur précis de l'actualité.

L'image mythique du grand reporter, traversant les guerres, risquant sa vie pour informer, parcourant le monde entier, rencontrant les vedettes de la politique, du cinéma, de la littérature..., a connu il y a quelques années un nouvel avatar, avec le journaliste d'investigation, véritable détective de la réalité quotidienne. Dans la lignée d'Albert Londres (1884-1932), un maître du reportage subjectif qui s'intéressa au bagne, à la prostitution ou à l'administration coloniale, Günther Wallraff a remis le genre au goût du jour. Ce journaliste allemand n'hésita pas à se faire teindre la peau et à se faire passer pendant quelques semaines pour un travailleur turc émigré en R.F.A. ou encore à infiltrer les groupes néo-nazis en feignant d'adhérer à leurs idées pour écrire ensuite des reportages qui visaient autant à modifier la réalité sociale qu'à tenir les lecteurs informés. •

La presse magazine

L E DÉVELOPPEMENT DE l'audiovisuel avait fait prédire à beaucoup le déclin de la presse. Alors que les quotidiens ont connu des difficultés incontestables, la presse périodique a montré plus de facultés d'adaptation. En effet, les magazines se sont souvent spécialisés et sont donc capables de répondre aux changements sociaux avec beaucoup de souplesse. Ils attirent les publicitaires : chaque exemplaire est feuilleté plusieurs fois, et il a plusieurs lecteurs. De ce point de vue, la « diffusion » (le nombre d'exemplaires commercialisés) est moins intéressante que la « circulation » (le nombre de lecteurs effectif). Si le secteur dans son ensemble est florissant, on observe un fort taux de renouvellement. L'investissement dans la presse magazine est une activité spéculative, à la rentabilité aléatoire mais parfois fort élevée. La description du secteur est difficile. Au-delà de quelques grands magazines phares, la plupart des titres sont peu connus. La périodicité, les sujets, la clientèle varient considérablement. On touche parfois aux frontières de la presse. D'une part, certains titres à parution très lente se présentent comme des livres. D'autre part, des formes proches de la correspondance connaissent un succès croissant, en premier lieu les lettres professionnelles, à destination d'un secteur industriel ou commercial ou bien d'une entreprise. Les progrès de la microédition ont facilité la mise en page et l'impression. Les titres disponibles ne cessent ainsi de se diversifier et de se renouveler ; gratuite ou payante, de masse ou de proximité, sectorielle ou générale, la presse périodique a de multiples visages.

Les fondateurs : des magazines d'opinion aux magazines d'actualités

LA PRESSE PÉRIODIQUE EST NÉE AVANT GUERRE DE DEUX SOUCHES, UNE PRESSE D'OPINION TRÈS ENGAGÉE, AUJOURD'HUI DÉCLINANTE, ET LES GRANDS MAGAZINES D'ACTUALITÉS QUI ONT SURVÉCU À LA CONCURRENCE DE L'AUDIOVISUEL.

A vant la Seconde Guerre mondiale, une presse hebdomadaire d'opinion, liée aux partis politiques, était prestigieuse sinon prospère. À la Libération, de nombreux hebdomadaires d'opinion se fondent. Mais ils déclinent très vite ou doivent se transformer. Ainsi l'Express, fondé en 1953 par Jean-Jacques Servan-Schreiber et Françoise Giroud, ou France-Observateur, lancé en 1950 par Claude Bourdet, qui se font connaître dans l'opposition à la guerre d'Algérie et adopteront dans les années 1960 la formule du newsmagazine. Pourtant, les partis politiques ont continué d'éditer des titres qui ne trouvent qu'une audience confidentielle, même si les analyses politiques y restent attentifs. Seul fait aujourd'hui exception au déclin de cette presse politique un hebdomadaire satirique tout à fait à part, qui n'épargne aucune cible : le Canard enchaîné, prospère (tirage supérieur à 350 000 exemplaires) quoique sans publicité, dont la fondation par M. et J. Maréchal remonte à 1916.

C'est avant la guerre également qu'est apparue une nouvelle forme de presse : les grands magazines d'information. Avant l'âge de la télévision, la photographie est parée de tous les attraits. Le modèle est américain : lancé en 1936, fleuron d'un groupe de presse considérable, Life tire au bout de cinq ans à 1 500 000 exemplaires. La succession de photographies et les légendes transforment l'actualité en récit quasi cinématographique. En même temps, quelques grandes signatures confortent le prestige du magazine. En France, Paris-Match de Jean Prouvost est fondé en 1949 sur le modèle de Life et atteint le même tirage en 1960. Dans les années 1960, ce secteur réussit à répondre au défi de la télévision, soit qu'il la copie, soit qu'il s'en démarque. Paris-Match, sans retrouver ses succès d'origine, est aujourd'hui un magazine prospère axé sur la vie des vedettes. VSD (Vendredi Samedi Dimanche) a été lancé en 1977 par Maurice Siégel, l'ancien directeur d'Europe 1. Très dépolitisé, il s'inspire de l'actualité populaire telle que la traitent la radio et la télévision. Enfin, Actuel, fondé en 1979, privilégie une actualité systématiquement « décalée » par rapport aux médias dominants. •

Les newsmagazines

AVEC UN PUBLIC PLUS ÉLITISTE QUE LES GRANDS MAGAZINES D'INFORMATION, LES NEWSMAGAZINES SONT NÉS DANS LES ANNÉES 1960 ET CONNAISSENT TOUJOURS LE SUCCÈS.

L es magazines d'information sont également nés très tôt, mais n'ont pas connu de telles transformations. Né en 1923 aux États-Unis, Time reste un titre prospère, avec un tirage de 4 696 000 exemplaires. Après guerre, ce modèle américain a été abondamment imité en Europe. En Allemagne fédérale, Der Spiegel est lancé dès 1946. En France, le premier du genre est, en 1953, l'Express ; en 1964, sa transformation en newsmagazine à l'américaine lui vaut le succès : le format se rétrécit, la photo se fait plus discrète, on a l'ambition de couvrir plus exhaustivement, pour le lecteur plus pressé, l'ensemble de l'actualité ; on songe aux revenus de la publicité visant les cadres, groupe social en pleine croissance. Les concurrents de l'Express sont aujourd'hui nombreux. Le Point, lié au groupe Hachette, a été lancé en 1972 par des dissidents de l'Express dont il est très proche sur le plan éditorial. Le Nouvel Observateur, héritier de France-Observateur fondé en 1950, était à l'origine plus proche du magazine d'opinion et très marqué à gauche. Tous ces magazines sont désormais proches : leur vocation première – être des « news » par opposition à la presse d'opinion – a précédé l'évolution des sociétés européennes où les grandes querelles politiques ne sont plus de mise. Ils traitent tous, à intervalles réguliers, des mêmes phénomènes de mode ou de société. Ils ont tous inclus, quelle que soit leur couleur politique, l'argent et l'entreprise dans leurs préoccupations. Le plus à gauche à l'origine, le Nouvel Observateur ressemble aujourd'hui beaucoup à ses concurrents. Valeurs actuelles, de Raymond Bourgine, à droite politiquement, met en valeur l'information économique et financière. Ce dernier créneau est celui de l'Expansion, plus spécialisé, qui bénéficie du climat de libéralisme économique. Seul l'Événement du jeudi, lancé en 1984 par Jean-François Kahn, retrouve quelquefois la flamme des magazines d'opinion des années 1950, sur le thème de la défense des droits de l'homme et sur la critique de la « politique politicienne ». Le nouveau défi des magazines d'information n'est pas idéologique mais économique : c'est la concurrence des suppléments dominicaux des quotidiens, dont le leader est le Figaro Magazine (créé en 1978), qui figure désormais aux côtés des magazines, en tête de liste des meilleurs supports publicitaires de la presse. •

1. Premier numéro de l'Express en 1953.

2. Couverture de l'Express en 1968.

La presse de loisirs

SECTEUR MULTIFORME,
LA PRESSE DE LOISIRS PROFITE DE LA MULTIPLICITÉ
DES PASSIONS ET PASSE-TEMPS : ELLE EST
DOMINÉE PAR LA PRESSE FÉMININE.

Le « newsmagazine » n'est plus le secteur essentiel de la presse magazine. En effet, le développement de loisirs extrêmement diversifiés, la réduction du temps de travail, le culte du corps et du plaisir ont favorisé dans l'ensemble des sociétés développées l'essor de magazines de loisirs et de détente. L'importance de leur lectorat et le nombre de leurs éditions dépendent à la fois de la cible et du secteur visé.

Premier cas, la presse féminine arrive juste derrière la presse T.V. par son public. Depuis le lancement de *Elle,* cette presse a connu un développement ininterrompu dans les années 1970 : l'évolution des mœurs, la transformation de la famille, l'émancipation des « jeunes » ont segmenté le public de la presse féminine. On peut distinguer cinq catégories. La première est constituée par les magazines généraux représentés (après la disparition de *Jours de France* et de *Marie-France*) par les grands ancêtres : *Elle* (groupe Hachette) et *Marie-Claire,* qui ont même réussi l'exploit d'internationaliser leur formule rédactionnelle ; la seconde, par les hebdomadaires pour les adolescentes et les jeunes filles *(OK, Âge tendre* et *Jacinte* ou *20 Ans) ;* la troisième, par la presse de la femme au foyer *(Femme pratique),* dont on prédisait le déclin, mais qui reste un secteur porteur, comme le prouve le lancement de *Prima* par le groupe allemand Grüner et Jahr en 1982. Les deux dernières catégories sont, la presse de conseils *(Modes et Travaux, Maisons et Jardins, Santé Magazine),* secteur où la concurrence est considérable, et la presse du cœur *(Confidences, Intimité).*

Pour le reste de la presse magazine, on ne peut que citer certains secteurs. Pour les enfants et les adolescents, deux groupes de presse catholique, Bayard-Presse et Fleurus-Presse, éditent de nombreux titres. Bandes dessinées et musique alimentent une presse abondante. La bande dessinée est devenue un secteur éditorial prospère, et aux hebdomadaires rois des années 1960 *(Tintin, Spirou)* sont venus s'ajouter de nouveaux titres mensuels *(À suivre).* Du côté du sport, on vise les pratiquants ou les spectateurs – que la télévision a rendus de plus en plus nombreux. Le groupe du quotidien *l'Équipe* édite notamment *France-Football.* Tous les sports – et il s'en crée régulièrement de nouveaux – ont leurs magazines. L'automobile a ses passionnés qui lisent des mensuels et des bimensuels. Enfin, on mentionnera la presse consacrée à la chasse et à la pêche, à l'histoire, à la science, à la géographie. Ces secteurs, traditionnels ou nouveaux, connaissent des réussites parfois inattendues : axé sur les voyages, le tourisme, la découverte, le magazine *Géo* a une diffusion mensuelle supérieure à 500 000 exemplaires. ●

4. Couverture de *l'Express* en 1991.

3. Couverture de *l'Express* en 1990.

L'achat provoqué

La couverture d'un magazine a pour rôle d'attirer les lecteurs qui n'achètent le journal qu'épisodiquement. *L'Express* a longtemps mis l'accent sur son célèbre cadre orange qui rappelait à tous ses engagements et son style. Aujourd'hui, lorsque l'actualité n'impose pas un thème particulier, les magazines ont des réserves de dossiers dont ils savent qu'ils font mouche à tout coup : le salaire des cadres, les impôts ou... les régimes amaigrissants du printemps.

La presse féminine en 1992
(en milliers de lecteurs).

Femmes actuelles	7 925
Prima	4 565
Maxi	4 375
Modes et Travaux	3 871
Marie-Claire	3 589
Marie-France	2 336
Figaro Madame	2 236
Elle	2 128
Femme pratique	1 950
Nous Deux	1 864

La presse de télévision

LA PRESSE DE TÉLÉVISION EST LE SECTEUR
LEADER DE TOUTE LA PRESSE AVEC DES TIRAGES
MILLIONNAIRES ET UNE CERTAINE VARIÉTÉ
DE FORMULES RÉDACTIONNELLES.

Le fleuron de la presse magazine est aujourd'hui consacré à son grand rival : la télévision. La presse de programmes de télévision connaît les plus gros tirages de toute la presse française. *Télé 7 jours* est le titre-roi, avec plus de 3 millions d'exemplaires vendus chaque semaine. Il est suivi de près par *Télé-Star* (2 millions d'exemplaires) et *Télé Z* (1,7 million). À côté de ces magazines familiaux qui comportent, outre les grilles de programmes, des reportages sur les vedettes, des rubriques pratiques, des jeux, d'autres journaux sont de simples reproductions de programmes à peine agrémentés. Peu coûteuse, cette formule est aussi celle qui résiste le moins bien. *Télérama,* qui se veut culturel, doit être mis à part.

Au total, avec plus de 12 millions d'exemplaires vendus par semaine, la presse de télévision représente 25 % des tirages de la presse magazine.

Depuis peu, cette presse de télévision a connu la concurrence des suppléments dominicaux des quotidiens. Le groupe Hersant diffuse *Télé-Magazine* depuis 1986 dans la plupart des quotidiens régionaux du groupe. Le groupe Hommel, auquel s'est associé Hachette en 1988, riposte en créant *TV Hebdo.* Enfin, depuis le début des années 1990, sont apparus des magazines consacrés aux programmes du câble et des satellites. Leur tirage ne dépasse encore pas les 500 000 exemplaires, mais il devrait croître rapidement avec la diffusion de ces deux nouveaux supports. *TV Câble Hebdo,* par exemple, a vu ses ventes progresser de 42 % entre 1991 et 1992. ●

5. **Évolution des lectorats des magazines d'information.**

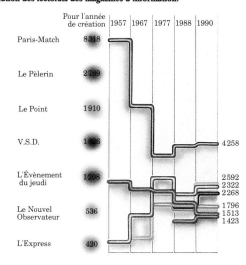

Pour l'année de création	1957	1967	1977	1988	1990	
Paris-Match	8318					
Le Pèlerin	2789					
Le Point	1910					
V.S.D.	1826					4258
L'Évènement du jeudi	1208					2592 / 2322 / 2268
Le Nouvel Observateur	536					1796 / 1513 / 1423
L'Express	420					

6. **La croissance du lectorat de *Télé 7 jours*** *(en milliers).*

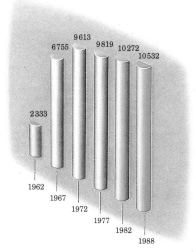

2333	6755	9613	9819	10272	10532
1962	1967	1972	1977	1982	1988

La radio

La perte de l'hégémonie ou la fin du monopole

MÉDIA HÉGÉMONIQUE EN 1950, LA RADIO
A DÛ TRANSFORMER SES PROGRAMMES ET SES PROFESSIONNELS
SOUS L'EFFET DE LA CONCURRENCE DE LA TÉLÉVISION
ET DU DÉVELOPPEMENT DU TRANSISTOR.

LA RADIO EST LE PLUS ANcien des médias audiovisuels, puisque les premières stations sont nées au lendemain de la Première Guerre mondiale. Alors que la presse avait mis plusieurs générations à se diffuser hors de cercles très étroits, la radio a fait très rapidement la conquête de la majorité des foyers ; aux États-Unis, elle devient un média de masse en dix ans ; en Europe, elle met un peu plus longtemps à s'imposer, mais, en France par exemple, il faut moins d'une génération pour qu'elle devienne un loisir de masse et, aux lendemains de la guerre, on estime que la moitié de la population environ l'écoute régulièrement.

La radio est aujourd'hui le média le plus répandu dans le monde avec des taux de diffusion toujours supérieurs à ceux de la télévision. Moins coûteuse que la presse ou que la télévision, elle est également le moyen de communication des populations analphabètes. Pendant les trente premières années de sa vie, elle a régné sans partage dans les foyers occidentaux, y amenant l'information mais surtout la distraction. L'avènement de la télévision sembla sonner le glas de l'existence de la radio mais, assez vite, celle-ci devait trouver les ripostes, adaptant ses programmes à un autre type d'écoute et à d'autres horaires.

La radio est le média le moins contraignant pour ses amateurs, elle ne les oblige pas à sortir de chez eux, elle ne les force pas à rester immobiles comme le fait la télévision, elle ne leur demande qu'une attention distraite et épisodique. Et c'est la grande réussite de la radio que d'être parvenue à construire dans ses programmes cette complicité.

Les années 1950 furent la période de gloire de la radio. Devenue un média de masse dans tous les pays occidentaux, elle était le moyen d'information et de divertissement privilégié de la population. Dans les colonies, la pénétration était encore faible, mais les mouvements d'indépendance en accélérèrent le développement. Avec son faible coût, ses techniques facilement maîtrisables, ses frustes appareils de réception, la radio garde un rôle privilégié dans les pays en voie de développement pour lesquels la télévision demeure souvent un luxe difficilement accessible.

En France, la radio avait été placée, en 1944, sous le strict régime du monopole. En fait, ce régime rigide ne fut jamais réellement appliqué ; des stations privées, Radio-Luxembourg, Radio-Monte-Carlo, Radio-Andorre, et, plus tard, Europe n° 1 émettaient depuis les frontières. Bafoué en apparence, le monopole n'en était pas moins préservé de fait par les jeux des participations de l'État dans les sociétés qui contrôlaient ces stations. Il faudra attendre la fin des années 1970 et les radios libres pour entendre des voix hors monopole.

L'audience radio se transforme radicalement au début des années 1960 sous l'effet de deux innovations : le transistor et la télévision. Le premier permet la mobilité et l'écoute individuelle, il diminue le coût des postes et leur encombrement. La seconde pousse encore à l'individualisation des pratiques de radio en concurrençant de plus en plus férocement la fameuse soirée radiophonique. Le soir est désormais réservé à la télévision, c'est elle désormais qui rassemble la famille autour de ses programmes. Le temps fort de la radio devient la matinée et, peu à peu, la fin de journée est abandonnée à un public limité, très ciblé. La radio ne déplace plus ses pratiquants, elle ne les rassemble plus ; elle les suit en voiture comme dans la maison. En 1960, les deux tiers des postes vendus sont des transistors. Sous l'effet

Brève histoire de la radio

LES TRENTE PREMIÈRES ANNÉES
DE LA VIE DE LA RADIO LA VOIENT PASSER D'UN STATUT DE
PASSION D'AMATEURS À CELUI D'ARME POLITIQUE
AU SERVICE DE LA PROPAGANDE.

Dans les grands pays occidentaux, la radio est née et s'est développée dans des conditions très comparables. Depuis la fin du XIXe siècle, des savants travaillaient dans le monde entier sur les possibilités de transmettre des signaux et en particulier des sons à distance. Leurs efforts finirent par aboutir peu avant la Première Guerre mondiale et leurs découvertes commencèrent à se répandre. Le premier conflit mondial introduisit la radio comme dispositif indispensable de la guerre moderne. À cette occasion, un nombre très important de soldats furent formés aux techniques radioélectriques ; ils devinrent, aux lendemains de l'armistice, des amateurs capables de bricoler des « postes à galène » avec un tube de carton, du fil de fer et un peu d'habileté.

Les premières stations radioélectriques furent créées à partir de 1921 par ces amateurs ; nombre de producteurs de matériels radioélectriques qui voulaient vulgariser leurs expériences se lancèrent également dans la construction d'une station émettrice. Ces premiers producteurs s'inté-

ressaient davantage à la prouesse technique qu'au contenu du programme. À ce moment-là, l'antenne était nourrie avec le piano de la cousine du créateur de la station, les conférences d'un ami professeur ou les déclamations d'un technicien connaissant la poésie.

Pendant ces premières années se mit en place une organisation juridique, différente selon les pays. Certains choisirent un régime libéral ; ainsi, les États-Unis laissaient les stations se créer librement, mettant simplement en place un organe qui répartissait les fréquences hertziennes (la *Federal Radio Commission*). La Grande-Bretagne optait en revanche pour le monopole, qui fut accordé à une corporation publique, la BBC *(British Broadcasting Corporation)*. La France devait demeurer jusqu'à la Libération sous un régime mixte : une quinzaine de stations publiques émettaient en effet aux côtés d'une douzaine de postes privés, libres de tout contrôle de l'État mais bénéficiant d'une autorisation provisoire d'émettre.

Les pays totalitaires s'intéressè-

rent très vite à la radio. Elle servit de porte-parole à Mussolini dès sa prise de pouvoir ; Goebbels, ministre de la Propagande de l'Allemagne nazie, la mit au service de l'idéologie national-socialiste. En U.R.S.S., le gouvernement de Staline, auquel l'*Agitprop* (un organisme du parti communiste) garantissait le contrôle des programmes radiophoniques, s'efforça de limiter l'écoute des postes étrangers en créant des récepteurs à fil (ils ne permettaient l'écoute que de quelques stations présélectionnées).

Les années 1930 avaient vu le développement de la radio dans l'ensemble des pays occidentaux, la décennie suivante fut marquée par la guerre. La guerre des ondes commença avant même le début des hostilités avec les « radios noires » ; elle fut prolongée après la fin des conflits par les radios de la guerre froide qui tentaient dans les deux sens de percer le rideau de fer.

•

Les « radios noires » ou la propagande inavouée

À partir de 1937-1938, la radio apparut comme une arme psychologique de la guerre, non seulement par ses émissions d'information mais aussi par l'intoxication des adversaires. Tous les pays d'Europe créèrent des stations qui avaient pour but de modifier l'opinion publique et de semer le trouble dans le camp opposé. Ainsi, un journaliste français, le fameux « traître de Stuttgart », appointé par les Allemands, leur expliquait, non sans écho, que « les Anglais se battront jusqu'au dernier Français ». Les belligérants créèrent également des radios qui déguisaient leur origine pour agir sur l'opinion des autres pays. Un Anglais, Shefton Delmer, lança Radio-Secret, qui

faisait mine d'émettre de manière clandestine depuis l'Allemagne même. Radio-Humanité, lancée par les nazis en France, utilisait des arguments pacifistes chers à la gauche européenne pour rendre les communistes hostiles à l'entrée en guerre. Les gouvernements cherchaient à contrer cette propagande en brouillant les émissions, en faisant la chasse aux émetteurs, ou, plus durement dans les pays non démocratiques, en confisquant les postes récepteurs et en sanctionnant sévèrement les contrevenants, mais tout cet arsenal répressif n'empêchait pas les auditeurs de parcourir la gamme des ondes radio pour recueillir le plus de nouvelles possible et les confronter.

Dates clefs

1919 Création des premières stations émettrices de radiophonie.

1920 La station américaine KDKA assure un reportage sur l'élection présidentielle du républicain Warren Harding.

1921 Première station publique en France : la tour Eiffel.

1925 Fondation de l'Union internationale de radiodiffusion, chargée de répartir les fréquences entre les différents pays.

1933 Création de la redevance radiophonique en France.

1939 Mise au point du magnétophone en Allemagne.

1944 Le monopole de la radiodiffusion est instauré en France.

1948 Mise au point des postes transistors.

1955 Création de Europe n° 1.

1965 Début de la diffusion des auto-radios.

1966 Radios pirates en Grande-Bretagne : Radio-Caroline et Radio-London.

1968 Rôle central de la radio dans les manifestations parisiennes du mois de mai.

1971 Après 44 ans d'existence, la BBC (britannique) perd le monopole de la radiodiffusion.

1976 Premiers satellites expérimentaux de télédiffusion directe.

1977 Première émission de Radio Verte, une radio pirate, à Paris.

1982 La loi sur l'audiovisuel autorise les radios privées, c'est la fin du monopole en France.

La radio et ses auditeurs

LA RADIO N'A PAS DE LIENS DIRECTS AVEC SON PUBLIC ; ELLE N'A QUE DES CONTACTS DIFFÉRÉS À TRAVERS LESQUELS ELLE DOIT FABRIQUER DES PROGRAMMES QUI TROUVENT UN AUDITOIRE.

de cette concurrence et des transformations techniques, la radio modifie son style, accélère ses rythmes, raccourcit ses séquences, diversifie ses auditoires selon l'heure de la journée.

Un autre élément devait venir modifier les programmes radiophoniques de toute l'Europe de l'Ouest. Au milieu des années 1960, des radios pirates installées sur des navires couvrirent la Grande-Bretagne et une partie de l'Europe du Nord de leurs programmes ; leur style était très différent de celui des radios traditionnelles ; le speaker y était remplacé par un « disc-jockey », plus familier, plus naturel et surtout plus au fait des préférences musicales des jeunes. La BBC, suivie par ses consœurs européennes, comprit la leçon de leur succès ; les radios pirates furent interdites et poursuivies, mais leurs principales innovations et quelques-unes de leurs meilleurs professionnels furent repris par la vieille maison, bientôt imitée par ses consœurs européennes. ●

Comment la radio connaît-elle son public ? Quand la presse mesure ses ventes, le cinéma ses entrées, le théâtre ses applaudissements, la radio n'a en face d'elle qu'un micro sans retour. La question est d'autant plus complexe lorsqu'elle s'adresse à une radio généraliste. Les producteurs de France-Musique connaissent au moins la passion forte de leur public, la musique, ceux des « Radios Beurs » ont leur terre d'origine en commun, ceux de Radio Notre-Dame, leur foi... Les professionnels de France-Inter ou de R.T.L. ont devant eux une grande masse d'individus indifférenciés qu'ils doivent fédérer.

Comment un homme peut-il parler à des milliers ou des millions d'autres hommes, à une date et une heure fixes, quand le seul lien apparent qui les unit est le fil ténu d'une voix ? Aujourd'hui, on a tendance à penser que les sondages fournissent la clef de tous les publics. En fait, ils ne sont qu'une note (une sanction ou une justification) qui juge après coup le travail fourni par les professionnels et jamais une indication sur ce qu'il faudra faire dans le futur. La réponse se trouve plutôt dans les programmes de la station puisque c'est presque par eux seuls qu'une station se construit son public. À défaut de pouvoir rassembler devant elle tous ses auditeurs, la radio doit travailler à fractionner provisoirement ce public en de multiples petites cellules qui, à chaque fois, répondront à une des questions qu'elle se pose. Aucune d'entre elles ne sera le public à elle toute seule, ni même un

élément représentatif ; elle sera simplement l'extrait le plus compétent dans un domaine, celui qui veut bien s'appliquer à répondre à la radio. Toute la programmation des radios est ainsi constituée de manière à intégrer le plus possible les auditeurs à l'antenne et au travail des producteurs. Dans le cas des stations généralistes, publics présents en direct des studios, téléphone, courrier, fan-club, caravanes estivales... constituent autant de petits tests en direct sur la qualité des émissions, leur adaptation à un public, le bagou d'un animateur ou la cote d'un comédien. Ainsi, pour faire leur programmation musicale, les stations ont besoin de connaître les goûts de leurs auditeurs, qui évoluent aussi vite que le marché. Les fameux « top 50 », ces classements de la vente des disques, ne peuvent répondre à eux seuls puisqu'ils n'intègrent les nouveautés qu'une fois leur succès garanti. Pour compléter leurs informations, les stations organisent par exemple

très régulièrement des concours sur la popularité des jeunes chanteurs, concours qui mesurent en même temps la popularité du chanteur et l'évolution des goûts des auditeurs. En joignant les résultats de ces concours à de nombreux autres indicateurs du même ordre, les radios peuvent ensuite dresser leurs « play-lists » qui leur indiqueront que Madonna doit passer neuf fois cette semaine-là et Johnny Hallyday un peu moins que la semaine précédente. La présence des publics se fait également hors antenne par de multiples réseaux mis en place par la station : les clubs des radios, les produits dérivés de leurs activités ou les événements auxquels la radio s'associe, les artistes qu'elle soutient... ●

Audience cumulée des principales stations

Audience cumulée	pourcentages [1]
R.T.L.	18,2
Europe 1	10,9
France-Inter	10,8
NRJ	10
France Info	9,4
Fun Radio	6,3
Skyrock	4,9
Nostalgie	4,6
Europe 2	4,6
R.M.C.	3,8

[1] *Un jour moyen, nov.-déc. 1993*
Source : Médiamétrie, 1994

1. Jeunes femmes écoutant la radio au sanatorium de Priesnia près de Moscou dans les années 1930.

Quel auditoire ?

L'écoute collective a longtemps été la pratique dominante des auditeurs réunis en famille le plus souvent, au café parfois, à l'usine ou dans des réunions politiques plus rarement. Avec le transistor, le public s'est individualisé et la relation entre l'animateur et l'auditeur est devenue plus directe, plus intime.

3. Marc Scalia et Patrick Bruel, animateurs de NRJ.

2. Jeu des « Mille francs ».

4. **Le parc radiophonique en France.**

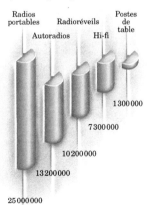

Radios portables

Radioréveils

Postes de table

Autoradios

Hi-fi

1 300 000

7 300 000

10 200 000

13 200 000

25 000 000

La télévision

Le statut : du monopole à la déréglementation

LA TÉLÉVISION CHERCHE DEPUIS TOUJOURS
UN ÉQUILIBRE ENTRE SERVICE PUBLIC ET LOIS DU MARCHÉ,
VOIX DE L'ÉTAT ET LIBERTÉ D'EXPRESSION.

DANS LES ANNÉES 1960, LA télévision s'est définitivement imposée comme le média des pays développés. La fréquentation du cinéma, la lecture de la presse et, depuis peu, la lecture des livres ont diminué. La radio est devenue un média d'accompagnement, individuel et mobile. Mais la télévision est seule à toucher chaque jour, au retour du travail et parfois à midi, dans presque tous les foyers, un public considérable. La durée d'écoute par individu est en général supérieure à 2 h 30.

En France, la télévision recueille plus du quart des dépenses de publicité, et sa part relative ne cesse de croître. En matière d'informations, de mode, elle commande les choix et les orientations d'autres médias. Elle joue désormais un rôle clef dans le financement du cinéma. Elle est un point de passage obligé pour toutes les activités publiques. Les artistes de variétés, les acteurs, les écrivains, les hommes politiques, et même les intellectuels, longtemps méfiants : il en est peu dont la carrière, aujourd'hui, ne passe pas par la télévision – quand ils ne sont pas complètement dépendants d'elle. Parmi les grandes institutions, il en est peu qui ne jalousent la télévision et ne la considèrent comme une rivale : ainsi le Parlement ou l'Éducation nationale. Le petit écran fait peur. Et les sociologues s'inquiètent de l'inversion des valeurs culturelles et de l'altération des facultés logiques et rationnelles dont il serait responsable. Mais c'est surtout que la télévision est une immense machine à rêve : elle est d'abord un instrument de loisir quotidien, mais qui place sans doute les spectateurs moins en état de dépendance qu'on ne se plaît à le dire.

Deux grands modèles d'organisation de la télévision s'opposent. À un extrême, les États-Unis : depuis les origines, la télévision y est contrôlée par des sociétés privées, financée complètement par la publicité. Le service public n'occupe qu'une place résiduelle ; il est financé directement par l'État ou par le parrainage. À l'autre extrême, la France des années 60 : la télévision y est un établissement public contrôlé par l'État, financé par la redevance. La notion de service public domine chez les professionnels. L'information est généralement mise en cause pour son caractère gouvernemental.

Dans la plupart des pays, cependant, aucun modèle n'est respecté strictement : service public et objectifs commerciaux cohabitent avec plus ou moins de bonheur. À cet égard, la télévision britannique a longtemps fait figure d'exemple. Elle admet, la première en Europe, la télévision privée. Aux côtés de la BBC, le réseau de compagnies régionales ITV (Independent Television),

entièrement financé par la publicité, est lancé en 1954. La télévision commerciale est strictement contrôlée par une instance de régulation, l'ITA (plusieurs fois rebaptisée depuis).

La France sera une des dernières à céder, après s'être contentée d'introduire des éléments commerciaux au sein du service public. Créée en 1964, l'O.R.T.F. accueille la publicité en 1968. En 1974, l'éclatement de l'O.R.T.F. en sept sociétés publiques, dont trois chaînes séparées : Télévision française 1 (TF1), Antenne 2 (A2) et France-Régions 3 (FR3), entraînait un développement de la concurrence pour l'audience et les ressources commerciales. La loi de 1982 crée une Haute Autorité (plusieurs fois rebaptisée depuis), écran entre le gouvernement et les chaînes. Canal Plus, chaîne privée cryptée disponible sur abonnement, est lancée en 1984, suivie par deux chaînes généralistes : la 5ᵉ et la 6ᵉ chaîne, en 1986. En 1987, la France décide de privatiser sa première chaîne du service public. •

Les grands programmes de l'histoire de la télévision en France

1953 *Lectures pour tous,* interviews d'auteurs, émission créée par Pierre Dumayet, Pierre Desgraupes et Max-Pol Fouchet.

1954 *La Joie de vivre,* variétés animées par Jean Nohain et Henri Spade.

1957 *La Tête et les Jambes,* jeu animé et produit par Pierre Bellemare. *La caméra explore le temps,* dramatique historique en direct puis en différé, produite par Alain Decaux, André Castelot et Stellio Lorenzi.

1959 *Cinq Colonnes à la Une,* premier magazine de grand reportage.

1962 *Intervilles,* jeu à grand spectacle animé par Guy Lux.

1964 *Les Femmes... aussi,* magazine de société produit par Éliane Victor.

1970 *Un fils unique,* de Michel Polac, *l'Usine un jour,* de Jacques Krier, dramatiques inspirées de la réalité contemporaine (« télévision-vérité »). *À armes égales,* débat en direct entre deux hommes politiques.

1975 *Apostrophes,* magazine littéraire animé et produit par Bernard Pivot.

1981 *Droit de réponse,* magazine de débat en direct animé et produit par Michel Polac.

1987 *La Marche du Siècle,* magazine de débat animé par Jean-Marie Cavada.

Les meilleurs taux d'écoute de l'année 1993

(source Médiamétrie)

1. *Football : Marseille/Milan* (TF1, 26 mai, 34,5 %)
2. *Football : France/Bulgarie* (TF1, 17 novembre, 30,3 %)
3. *Liaison fatale* (film, TF1, 7 novembre 29,7 %)
4. *Le Solitaire* (film, TF1, 26 janvier, 27,6 %)
5. *Que le meilleur gagne* (jeu, F2, spécial Restos du cœur, 2 février, 26,2 %)
6. *Une époque formidable* (film, TF1, 23 novembre, 26,2 %)
7. *Tequila Sunrise* (film, TF1, 17 janvier, 25,7 %)
8. *Le justicier braque les dealers* (film, TF1, 26 sept., 25,5 %)
9. *Colombo* (série, TF1, 28 janvier, 25,4 %)
10. *Le Mur de l'Adriatique* (film, TF1, 28 novembre, 25 %)
11. *L'inspecteur Harry est la dernière cible* (film, TF1, 10 janv., 25 %)
12. *Football : France/Suède* (TF1, 28 mars, 24,8 %)
13. *Nikita* (film, TF1, 16 mai, 24,6 %)
14. *Football : Bruges/Marseille* (TF1, 21 mars, 24,4 %)
15. *Les Maîtres du pain* (série, F2, 12 décembre, 24,2 %)
16. *La vie est un long fleuve tranquille* (film, TF1, 7 sept., 24,2 %)
17. *Deux justiciers dans la ville* (film, TF1, 14 octobre, 24,1 %)
18. *Promotion Canapé* (film, TF1, 22 février, 24,1 %)
19. *Les grosses têtes* (divertissement, TF1, 11 déc., 23,8 %)
20. *L'Instit* (film, F2, 27 octobre, 23,7 %)

1. Peggy et Kermit, les deux vedettes du « Muppet Show

2. Les concurrents du « Juste Prix ».

3. Une scène de « Dallas ».

Les professionnels
et les programmes

DES CONTRAINTES TECHNOLOGIQUES À LA DICTATURE
DE L'AUDIENCE, LA GRILLE DES PROGRAMMES N'A CESSÉ
D'ÉVOLUER DE L'INFORMATION À LA SÉDUCTION.

Les changements de statuts s'accompagnent de changements professionnels. La première télévision est partout celle des ingénieurs qui montent le réseau et sont les artisans de grandes innovations techniques comme la couleur (1953 aux États-Unis, 1967 en Grande-Bretagne et en France), la construction des grands studios (les Buttes-Chaumont à Paris).

C'est dans ces grands studios que sont réalisées, en direct, puis en différé, les grandes émissions dramatiques qui font « l'âge d'or » de la télévision ; aux États-Unis, le « Marty » de Paddy Chayefsky (1953), en France, le « Dom Juan » mis en scène par Marcel Bluwal (1965), ou les épisodes de la série historique « La caméra explore le temps » (1957-1965), d'Alain Decaux, André Castelot et Stellio Lorenzi. D'autres genres pointent dès les années 60. Les contraintes de l'audience et des sondages commencent à peser. En même temps, la technique simplifie la production avec le développement du film 16 mm professionnel et l'invention du magnétoscope (1955 aux États-Unis, importation en Grande-Bretagne et en France en 1958-1959). Les États-Unis sont très tôt les premiers producteurs et exportateurs des feuilletons et séries dramatiques, comme « Wanted, Dead or Alive » (« Chasseur de primes », avec Steve McQueen,

diffusé en 1958-1960 aux États-Unis et en 1963 en France). Dans les pays anglo-saxons, le producteur de fiction responsable d'une série et l'auteur sont plus importants que le metteur en scène qui, au contraire, joue le rôle déterminant dans la télévision française et italienne de l'époque.

Les jeux et variétés, où les producteurs-animateurs dominent, se développent ensuite, avec « The 64 000 Dollar Question » aux États-Unis (1955) et « la Tête et les Jambes » en France (1957). La concurrence met en valeur le travail des programmateurs qui s'essaient à séduire les spectateurs en choisissant avec soin l'horaire et le contenu des émissions, dans une « grille des programmes » qui devient plus rigide. Aux côtés du divertissement, le sport et le film de cinéma sont utilisés de façon croissante pour drainer le public. En France, l'éclatement de 1974 provoque une première accentuation de la concurrence. Mais c'est surtout l'apparition de chaînes privées dans les années 80 qui bouleverse les programmes. Le divertissement et la publicité triomphent désormais. Les pratiques se différencient aussi selon les secteurs public ou privé. Dans les chaînes publiques, on a généralement recours à un financement mixte (argent public et publicité). Dans le secteur privé, totalement financé par la publicité, c'est le règne des objectifs d'audience. •

Un média universel

Les émissions universelles viennent d'abord des États-Unis. La plupart des pays du monde ont programmé les aventures interminables des héros riches et triomphants de Dallas (3), ainsi que le

Muppet Show (1), où des marionnettes accueillent des célébrités (réalisé par Jim Henson, 1976). La formule du « Juste Prix » (2), créée aux États-Unis en 1950, a été vendue dans les années 80 à

toutes les télévisions européennes. Le dispositif d'« Intervilles » (4), grand jeu à spectacle entre participants de villes différentes, se retrouve ailleurs sous d'autres titres.

La télévision,
enjeu politique

LA TÉLÉVISION JOUE UN RÔLE DÉCISIF DANS LA
TRANSFORMATION DES MŒURS POLITIQUES, QUI RELÈVENT
DÉSORMAIS MOINS DU CIVISME QUE DU SPECTACLE.

Aux côtés de la publicité, la politique prend une place croissante. Tout commence aux États-Unis dans les années 50. En 1952, Nixon sauve sa candidature à la vice-présidence avec un discours émouvant à la télévision (« The Chequers Speech »). En 1954, un magistral documentaire du journaliste Edward Murrow sur le sénateur McCarthy contribue à la disparition de la chasse aux sorcières. En 1956, la campagne d'Eisenhower pour la présidence voit apparaître les premières publicités politiques. Enfin, en 1960, les grands débats télévisés entre John Kennedy et Richard Nixon contribuent, estime-t-on, à la défaite de Nixon à l'élection présidentielle.

En France, la télévision devient un enjeu politique avec la guerre d'Algérie que le magazine « Cinq Colonnes à la Une » révèle aux Français. À partir de 1958, le général de Gaulle monopolise la télévision jusqu'à l'élection présidentielle de 1965, qui voit les candidats de l'opposition, dont Jean Lecanuet et François Mitterrand, faire irruption sur l'écran. L'éclatement de l'O.R.T.F. et la concurrence, plus encore les alternances politiques entre gauche et droite à partir de 1981, vont contribuer à un pluralisme que la plupart des autres pays développés connaissent déjà. Les journalistes de télévision deviennent de vrais professionnels, plus attentifs à la spécificité de l'écran.

Les grandes émissions politiques donnent le ton au débat. Les duels ou face-à-face, après les grands débats Mitterrand-Giscard de 1974-1981, sont en déclin, en France comme ailleurs. Les hommes politiques leur préfèrent les émissions de débat avec des journalistes. « L'Heure de vérité » (mensuelle, sur Antenne 2), lancée en 1982, est devenue l'émission vedette : y passer devient une consécration indispensable aux leaders. La politique entretient avec les médias audiovisuels des relations de plus en plus étroites. Les exigences de la mise en scène, qui fait de toute intervention un « show », ont pris désormais le pas sur les velléités d'autoritarisme des premiers temps. Cependant le pluralisme est toujours fragile. Dans les groupes privés, il est menacé par le poids des grands intérêts économiques. Dans le secteur public, les journalistes sont toujours à la merci d'un incident, et les tensions réapparaissent toujours en période préélectorale. •

Le public :
comportement et mesure

LA TÉLÉVISION EST AUJOURD'HUI L'ACTIVITÉ CULTURELLE
MAJEURE D'UN PUBLIC DE MASSE DONT LES COMPORTEMENTS
TÉMOIGNENT D'UNE GRANDE STABILITÉ.

Dans les pays développés, le taux d'équipement des ménages en téléviseurs est partout supérieur à 95 %. En outre, le taux de ceux possédant plus d'un récepteur atteint 35 % en France et monte jusqu'à 49 % en Grande-Bretagne. Les comportements du public dépendent d'abord de l'offre de programmes disponibles. Celle-ci n'a cessé de croître en même temps que le nombre des canaux : de 5 980 heures en 1969 (deux chaînes), on passe à 10 005 heures en 1979 (trois chaînes) et à plus de 40 000 heures en 1992 (pour les chaînes hertziennes), dont un

pourcentage croissant d'importations et de rediffusions.

Cette croissance de l'offre, notamment aux heures de grande écoute, concerne d'abord le divertissement : les films, les variétés et les séries. Elle correspond à une augmentation continue de la durée d'audience quotidienne par individu. Celle-ci se situe autour de trois heures dans les pays où l'offre de programmes est la plus abondante. On regarde la télévision un peu plus tard, on commence aussi à la regarder le matin, on change plus facilement de chaîne (zapping) grâce à la télécommande dont la majorité des

téléviseurs sont équipés. Les variations régionales et hebdomadaires demeurent fortes : l'écoute augmente partout les week-ends et l'hiver.

Sur le long terme, le comportement des téléspectateurs apparaît très stable. Le rituel du spectacle familial du soir représente toujours la majorité du temps passé devant le téléviseur. Quelle que soit l'offre, les téléspectateurs consacrent, dans les différents pays, des proportions très voisines de leur temps aux différents genres télévisuels. Selon une comparaison internationale menée par l'Unesco en 1979, la fiction représentait 41 % des programmes diffusés au Canada, 22 % en France ; pourtant, dans les deux pays, les téléspectateurs consacraient à peu près 50 % de leur temps à la fiction. Les films de cinéma, les grandes émissions de variétés, certains événements sportifs, la fiction télévisée nationale, les grands journaux télévisés nationaux continuent d'arriver en tête de l'audience dans la plupart des pays. La concurrence accrue a contribué à pousser en avant le divertissement et à réduire quelque peu la part, déjà faible, des émissions culturelles et des magazines d'informations. En France, en 1991, d'après Médiamétrie, les programmes de fiction et de divertissement représentaient 49 % du temps d'antenne et 56 % du temps d'écoute, contre respectivement 28 et 25 % pour les magazines culturels et d'information. L'influence de l'offre sur les comportements des téléspectateurs est donc réelle, mais plus faible qu'on ne l'imagine. •

→ **Voir aussi** : La communication, MÉDIAS, p. 498-499. Les nouvelles technologies de la communication, MÉDIAS, p. 518-519. La société de communication, SOCIO, p. 470-471.

4. Les exploits d'« Intervilles ».

Le journal télévisé

ÉMOTION DU DIRECT, RAPIDITÉ DE CIRCULATION DES
NOUVELLES, PERSONNALISATION DE L'INFORMATION FONT DU J.T.
UNE FENÊTRE ESSENTIELLE OUVERTE SUR LE MONDE.

PARTOUT OÙ LA TÉLÉVISION s'est développée, le journal télévisé est devenu, chaque soir, le rendez-vous majeur, la « grand-messe », pour des millions de téléspectateurs, et figure en tête des palmarès d'audience. Le journal télévisé (J.T.) montre ainsi le rôle essentiel que tient la télévision comme source d'information et de cohésion sociale. Dans le secteur de l'information, il accentue la suprématie de la télévision sur les autres médias. C'est de plus en plus la télévision qui leur donne le ton. Jadis la presse écrite disait de quoi il fallait parler. C'est désormais de plus en plus souvent la télévision qui remplit cette fonction d'agenda.

Le poids du J.T. conduit souvent à mettre en cause le rôle des journalistes de télévision, qui paraissent disposer d'un effrayant pouvoir, et sur qui pèsent, en tout état de cause, de lourdes responsabilités. L'étude des techniques et des mécanismes professionnels montre pourtant que ces médiateurs privilégiés n'ont pas le sentiment d'avoir une grande marge de manœuvre. Les sujets, les formats, la mise en scène s'imposent de plus en plus souvent à eux dans un contexte de concurrence accrue où la recherche du succès et des ressources publicitaires dicte le mouvement de la télévision tout entière, où, de surcroît, sur le long terme, le nombre des sources internationales d'information a considérablement diminué.

La pluralité des chaînes n'entraîne pas automatiquement le pluralisme, c'est-à-dire la variété des points de vue nécessaires à une information démocratique. Tel est aujourd'hui le défi majeur du journalisme de télévision.

À sa naissance dans les années 1930, la télévision n'est pas d'abord perçue comme un moyen d'information susceptible de donner des nouvelles quotidiennes. Les caméras de direct, très lourdes, sont limitées au studio ou sortent difficilement. En France, le premier journal est lancé par Pierre Sabbagh en 1949 sous la tutelle des politiques. On utilise le film 16 mm, développé en hâte et commenté en cabine, en voix *off*. Dans les premiers temps, il n'y a pas de présentateur à l'antenne. Les premiers journalistes de télévision s'inspirent d'abord des nouvelles radiophoniques et des actualités cinématographiques, qu'ils vont amener à disparaître dans les années 1960. Mais, très vite, ils doivent inventer un ton d'un genre nouveau, plus rapide, moins ampoulé, plus intime. Le présentateur apparaît à l'antenne en 1954.

C'est dans les années 1960 que le journal télévisé connaît son véritable essor. Il trouve sa place dans la programmation. Le présentateur unique, relais obligé entre le spectateur et le monde, s'impose peu à peu sur le modèle américain. En France, le premier est Joseph Pasteur, en 1969. Désormais, le personnage qui occupe l'écran lors du « 13 heures » ou du « 20 heures » impose un style à la fois aux événements qu'il relate et à la chaîne à laquelle il appartient. Mais c'est surtout le progrès des techniques qui est décisif. Inauguré en 1962 avec Telstar, entre l'Europe et les États-Unis, l'usage du satellite pour relayer des images et des sons devient courant dans les années 1970. C'est pendant cette période que la vidéo remplace le film. En France, les années 1980 franchissent une étape supplémentaire dans la conquête de la suprématie journalistique par la télévision : la déréglementation et la multiplication des chaînes, renforçant la concurrence, rendent les journalistes plus indépendants du pouvoir politique. Les chaînes privées, à côté du divertissement, mettent progressivement toutes en valeur l'information comme genre majeur. ●

L'audience de quelques grands journaux télévisés du soir en Europe
(Octobre 1989)

Pays	chaînes	horaires	audience en %
Espagne	TV3 (Catalogue)	20 h 30	25,0
	TVE1	20 h 30	20,5
France	TF1	20 h	19,6
	Antenne 2	20 h	9,3
	FR3	19 h (60 m.)	7,5
	La 5	20 h	3,6
	M6	(6 m.)	3,5
Grande-Bretagne	BBC1	18 h	
	BBC1	21 h	14,8
RFA	ARD	20 h	
	ZDF	19 h	14,7

Si les journaux de mi-journée et de fin de soirée ont des audiences modestes, les taux de la « grand-messe » du soir oscillent généralement entre 15 et 30 %, selon la situation concurrentielle. Il s'agit là de moyennes. Pour les grands événements, l'audience peut être beaucoup plus élevée. En fait, dans les pays développés, la majorité de la population adulte a recours au J.T., qui est devenu le moyen d'information majeur, avant la presse et la radio.

Toutes sortes d'images

Le journal télévisé nous parle du monde et il contribue parfois à le modifier.

À l'automne 1989, la télévision a été un enjeu très important lors de la chute des régimes communistes en Europe de l'Est. Le 25 décembre 1989, les télévisions européennes relayaient la diffusion du procès du dictateur roumain déchu Nicolae Ceausescu. Presse et téléspectateurs s'interrogeaient sur le rôle de la télévision dans cette parodie de procès et plus tard cette exécution indigne.

Les grands événements télévisuels n'ont pas toujours ces aspects tragiques. Le couronnement d'Élisabeth II en fut le premier prototype.

Il a réussi à construire pendant quelques heures ce village mondial où de nombreux hommes ont, un court laps de temps, la même horloge et la même activité.

À ce jour, la seule chaîne pouvant être reçue dans l'ensemble du monde est l'américaine CNN (Cable News Network), son impact concerne surtout les professionnels mais la guerre du Golfe a montré le rôle – et les limites – d'une chaîne diffusant en continu des informations.

1. Prompteur utilisé par le présentateur du journal télévisé.

2. Le couronnement d'Élisabeth II, 2 juin 1953.

3. Guerre du Viêt-nam, novembre 1967.

4. Reportage-sauvetage des baleines en décembre 1988.

Les techniques
de l'information télévisée

LE JOURNAL FAIT APPEL À DES TECHNIQUES DE PLUS
EN PLUS SOPHISTIQUÉES, MAIS LES SOURCES INTERNATIONALES
D'IMAGES TENDENT À SE RARÉFIER.

Sur le plan technique, le journal télévisé est aujourd'hui entièrement réalisé en vidéo. Il combine plusieurs types d'images. D'abord, le plateau en direct avec le présentateur et ses invités, qui demeure la base du journal. Ensuite, les sujets de reportages, qui proviennent d'achats ou d'échanges auprès d'agences internationales. Les rédactions européennes sont aujourd'hui en liaison permanente par satellites pour échanger leurs images. C'est le système des EVN (EuroVision News), également alimenté par des images venues de pays non européens, qui contribue à l'uniformisation des journaux que peuvent voir les spectateurs sur les différentes chaînes. En 1988, 55 % des images échangées dans le monde proviennent des trois agences anglo-américaines (Visnews, WTN, CBS News), et 20 % viennent des chaînes publiques anglaises et allemandes. Que les images soient achetées ou échangées, les rédactions effectuent généralement un travail de montage. Sur ces images, le commentaire en voix *off* n'est ordinairement pas enregistré, mais réalisé en direct à l'antenne. Lorsque l'on ne dispose pas des images nécessaires, on utilise des documents d'archives, des « stock-shots », et le commentaire oral fournit l'essentiel de l'information.

Enfin, il y a les reportages réalisés par la rédaction elle-même. Ces reportages peuvent être enregistrés au préalable, grâce aux équipements de vidéo légère baptisés d'une abréviation anglo-saxonne ENG (Electronic News Gathering). Les caméras n'ont cessé de s'alléger, les équipements de se miniaturiser. Aujourd'hui, la caméra intègre le magnétoscope : c'est ce qu'on appelle le Caméscope, dont la Bétacam (marque Sony) est le modèle le plus connu. Mais les reportages du journal ne sont pas toujours enregistrés. Ils sont parfois diffusés en direct au cours du journal, grâce à de petits émetteurs à haute fréquence (que les journalistes appellent la H.F.). La concurrence entre les différentes chaînes les incite, à l'inverse de cette tendance, à la multiplication des « plateaux », des entretiens, des votes par Minitel : des événements internes au journal et moins coûteux. ●

« La France a peur »,
histoire
d'une petite phrase

Après l'arrestation à Troyes de Patrick Henry, l'assassin d'un enfant, le présentateur vedette Roger Gicquel prononça plusieurs fois lors du journal de TF1 du 18 février 1976 la phrase « la France a peur ». Dans le même journal, des hommes politiques se déclarèrent favorables à la condamnation de l'assassin. Cette phrase fut souvent reprochée au journaliste, jugé coupable d'avoir participé à l'émotion dont il aurait dû simplement rendre compte. ●

5. Procès Ceausescu, 25 décembre 1989.

Les journalistes
de télévision

MOINS SOUMIS AUX HOMMES POLITIQUES QUE JADIS,
LES JOURNALISTES DE TÉLÉVISION CONSERVENT UNE PLACE
À PART DANS LES MÉTIERS DE L'INFORMATION.

Les métiers du journalisme audiovisuel sont très divers et très hiérarchisés au sein de la rédaction. Les plus connus du public sont les présentateurs, qui soit sont soumis à l'autorité d'un rédacteur en chef, soit cumulent les fonctions de rédacteur en chef et de présentateur, comme Dan Rather (CBS) aux États-Unis. En outre, un clivage essentiel sépare les rédacteurs des cameramen. Les premiers maîtrisent la conduite du reportage et dominent les seconds qui leur reprochent parfois leur peu d'intérêt pour l'image.

Dans certaines rédactions, l'arrivée du Caméscope a permis de fusionner les deux fonctions, manuelle et intellectuelle, de rédacteur et de cameraman, et a donné naissance au journaliste reporteur d'images (J.R.I.), théoriquement capable d'assurer l'ensemble d'un reportage. Désormais, les journalistes de télévision pèsent d'un poids très lourd dans un métier encore dominé par le modèle de la presse écrite. En France, en janvier 1991, on comptait quelque 4 400 journalistes de l'audiovisuel, dont 1 200 environ travaillaient dans les grandes chaînes de télévision.

Traités en France de « journalistes pas comme les autres » par le président Georges Pompidou en 1973, les journalistes de radiotélévision ont longtemps eu un statut spécial, en raison de l'extrême sensibilité d'un pouvoir politique qui exerçait sur eux, en France mais aussi ailleurs en Europe, de très fortes pressions. Depuis 1983, le statut de journaliste de l'audiovisuel est désormais un avenant à la convention collective qui concerne l'ensemble des journalistes.

Néanmoins, les journalistes de télévision sont toujours perçus par le public et par leurs collègues comme des journalistes à part. Leur popularité reste forte bien que le capital de confiance dont jouissait la télévision se soit érodé, notamment après la couverture des événements de Roumanie. Selon la Sofres, en 1988, 65 % des Français considéraient que les choses s'étaient passées « vraiment » ou « à peu près » comme la télévision les présente. À la fin de 1993, ils n'étaient plus que 49 % de cet avis, et la télévision cessait d'être jugée comme plus crédible que les autres médias. Il est vrai que cette évolution s'inscrit dans un contexte global de dégradation de l'image des médias. ●

Audience et programmation
des journaux télévisés

LE JOURNAL TÉLÉVISÉ PRÉCÈDE PARTOUT
LE GRAND PROGRAMME DE SOIRÉE, « LOCOMOTIVE » DE
L'AUDIENCE. IL CONTRIBUE AUSSI À DONNER
UNE IDENTITÉ À LA CHAÎNE.

Sur toutes les télévisions généralistes, c'est-à-dire celles qui ne visent pas un segment déterminé du public, les journaux télévisés sont des moments clefs de la journée. Les grandes chaînes ont généralement trois journaux, un à la mi-journée, un à la fin de soirée, et, surtout, un journal de début de soirée. Ces notions correspondent à des horaires différents selon les habitudes du pays. La mi-journée, c'est 13 heures en France et dans la plupart des pays, mais 15 heures en Espagne. La fin de soirée est très variable. Le journal de début de soirée, qui précède un grand programme (fiction, sports, variétés), est généralement placé à 19 h ou 19 h 30 (R.F.A., États-Unis), rarement plus tard, sauf par exemple en France (où les journaux se font tous concurrence à 20 h) et en Espagne (20 h 30 est l'heure des grands journaux).

Pourquoi le journal télévisé est-il à ce point un phare de la programmation ? Au-delà de l'audience, les chaînes savent qu'il joue un rôle clef dans deux domaines : d'abord, il sert à identifier la chaîne, à partir des génériques et des visages de journalistes qu'on retrouve souvent ailleurs, dans d'autres émissions (au premier chef dans les magazines d'information hebdomadaires, généraux, sportifs, économiques, qui dépendent généralement de la rédaction de la chaîne). En deuxième lieu, il entretient les relations de la chaîne avec les institions politiques, commerciales, sociales, dont les représentants apparaissent constamment à l'antenne.

Le succès des journaux et des magazines a conduit de grands groupes à s'interroger sur le lancement d'une chaîne entièrement consacrée aux informations. La seule du genre, diffusée par satellite sur les foyers câblés ou équipés d'antennes paraboliques dans 120 pays du monde, est CNN, Cable News Network. Lancée aux États-Unis par Ted Turner en 1980, elle y touche aujourd'hui 100 millions de foyers (25 millions en Europe). ●

La journée d'un présentateur du journal du soir

9 h 30 Lecture des dépêches « tombées » pendant la nuit.

10 h Conférence de rédaction. Proposition des sujets pour le « vingt heures ». Débats prolongés entre journalistes sur la sélection des sujets, toujours difficile, car le journal paraît court. Choix des « angles », des points de vue qui rendront clairs les reportages en privilégiant un aspect.

10 h 30 Les équipes partent en reportage. Rédacteur en chef, rédacteur en chef adjoint et chef d'édition font le point sur les sources. La lecture des dépêches se poursuit.

15 h 30 Deuxième conférence de rédaction. Choix (presque) définitif des sujets, notamment de l'« ouverture », le premier sujet du journal.

16 h Nouveaux départs en reportage. Le présentateur poursuit la lecture des dépêches et suit l'évolution du contenu du journal. La tension monte.

18 h 30 Le présentateur commence à préparer ses commentaires. Jusqu'à la dernière minute, selon la disponibilité des images, le choix des sujets, notamment de l'« ouverture », peut être modifié.

20 h Le journal commence. Pendant que le présentateur n'est pas à l'antenne, il utilise le téléphone pour communiquer avec la régie et s'assurer que les différentes sources qui composent le journal sont prêtes.

20 h 45 Réunion critique du journal. La réalisation, la qualité des reportages et des interviews sont passées en revue. Des leçons sont tirées pour le journal du lendemain.

(Source : reportage sur Christine Ockrent à Antenne 2, dans Télérama, *2.11.83)*

Public et sondages

LES MÉDIAS ET LEUR PUBLIC entretiennent des relations complexes. Une de leurs particularités consiste en effet dans le fait qu'ils démultiplient le nombre de personnes susceptibles de recevoir une information alors qu'ils n'ont, par ailleurs, que des moyens indirects de connaître combien de lecteurs, d'auditeurs, de téléspectateurs ils ont touchés. En outre, leur consommation est, le plus souvent, au moins quotidienne et, chaque jour, chaque heure, les professionnels doivent chercher à fidéliser leur audience. Ils doivent donc renouveler l'intérêt d'individus dont ils ne peuvent percevoir les réactions en temps réel.

Les médias ont en effet la rare particularité d'être des biens qui ne connaissent pas leur public de manière directe. Si un organe de presse connaît au moins le nombre de personnes qui l'achètent, il n'a qu'une idée imprécise du nombre de ses lecteurs, et une idée plus vague encore de ce qu'ils ont lu, compris, apprécié ou rejeté. Afin de mesurer leur public, radio et télévision ont dû recourir aux techniques de sondage.

Les professionnels des médias n'acceptent la validité de ces mesures que si elles correspondent bien à un besoin exprimé par certains d'entre eux et négocié entre toutes les parties. Depuis plusieurs années, les techniques de mesure du public de l'audiovisuel ne cessent d'être modifiées dans l'impossible espoir de trouver une mesure totale qui, à tout instant, décrirait complètement cet insaisissable consommateur. Par-delà la recherche de cette mesure totale, qui ne peut être qu'un fantasme, ce sont différentes définitions du public qui s'affrontent.

Sondages et programmes

LES SONDAGES OU LEUR UTILISATION SYSTÉMATIQUE SONT ACCUSÉS D'ÊTRE LA CAUSE DE LA MAUVAISE QUALITÉ DES ÉMISSIONS. ILS SONT DE FAIT UTILISÉS ESSENTIELLEMENT POUR LA MISE AU POINT DES PROGRAMMES.

La très grande majorité des enquêtes réalisées aujourd'hui portent, on le voit, sur le comportement du public. D'autres types d'enquêtes, moins nombreuses et moins courantes, s'intéressent à ses goûts. Ainsi, pendant plus de quinze ans, entre 1950 et la fin des années 1960, la télévision française fit-elle porter ses enquêtes sur les préférences des téléspectateurs et décerna-t-elle des notes de satisfaction aux différentes émissions et aux animateurs. Aujourd'hui ces enquêtes n'ont plus de continuité dans le temps. Elles répondent le plus souvent à une question précise et limitée des producteurs. Ce qui compte est moins l'opinion du public sur un contenu que sa préférence d'une radio, d'une chaîne de télévision

1. *Le Soulier de satin* de Paul Claudel, mis en scène par Antoine Vitez.

Effet de masse

Tant que la télévision ou la radio jouent la carte « généraliste » et refusent de limiter leurs programmes à un thème particulier, elles recherchent avant tout l'effet de masse. Et elles l'obtiennent dans des proportions variables. La fiction, qui demeure le genre favori des téléspectateurs, peut rassembler plus des deux tiers d'entre eux durant un même film. Le Téléthon met tout un pays – même à son corps défendant – à l'heure de la charité. L'homme politique voit son agora démultipliée, la pièce de théâtre se déroule devant plus de spectateurs qu'aucune salle n'en aurait reçu en un siècle de représentations... Et les enquêtes d'audience tentent de quantifier pour les programmateurs et les publicitaires ces comportements du public.

Les différentes techniques de sondage

LES TECHNIQUES PERMETTANT DE MESURER LE PUBLIC DES MÉDIAS N'ONT CESSÉ DE SE MODIFIER POUR AFFINER ET DÉTAILLER TOUJOURS PLUS LEURS RÉSULTATS.

Pour les journaux, le nombre d'exemplaires vendus a très vite servi d'indicateur sur le nombre de lecteurs. Pour qu'il soit reconnu par l'ensemble de la profession, encore fallait-il que les données soient fiables. Aussi, dès le début du xxᵉ siècle, des organismes tripartites comprenant des organes de presse, des publicitaires et des annonceurs furent-ils fondés pour contrôler de manière précise les tirages et la diffusion des journaux et périodiques. En France, l'O.J.D. (Office de justification de la diffusion, héritier de l'Office de justification des tirages), créé en 1922, publie des données sur le tirage d'un nombre très élevé de publications.

Cette méthode ne pouvait à l'évidence être appliquée à la radiodiffusion lorsqu'elle commença à se développer au début des années 1920. Le premier indice utilisé pour connaître le nombre d'auditeurs fut la quantité de postes récepteurs vendus au public (et plus tard le nombre de foyers s'acquittant de la redevance). Mais nombre d'entre eux étaient fabriqués par des amateurs et la mesure restait très imprécise. D'autres indices, comme les variations quotidiennes de la consommation d'électricité ou le nombre de lettres reçues par la station, permirent aussi d'obtenir des données sur le public.

Ce sont les Américains qui mirent au point les premières techniques quantitatives donnant une évaluation du nombre d'auditeurs ayant écouté une émission précise. Au début des années 1930 commencèrent à se développer les sondages d'audience qui fournissaient, à partir de l'interrogation d'un échantillon limité de population, une image extrapolée du comportement de l'ensemble de la population. George Gallup créa, en 1934, le premier institut d'opinion publique. La France fut beaucoup plus longue à adopter ces méthodes ; ce n'est qu'en 1949 qu'une radio privée commanda la première enquête d'audience sur son public. Mais, depuis lors, celles-ci n'ont cessé de se développer.

Différentes techniques permettent de mesurer l'audience des médias. Les enquêtes a posteriori ont longtemps été considérées comme les méthodes les plus fiables. Elles s'adressent à la mémoire de l'interviewé à qui on demande ce dont il se souvient des programmes qu'il a vus la veille. Elles se font par des questionnaires distribués à l'avance à une population choisie (ce sont alors des carnets d'écoute), par interviews à domicile ou par téléphone.

De telles enquêtes sont coûteuses, longues à mettre en place et à dépouiller. Dans la plupart des cas, elles se déroulent pendant quelques jours tous les trimestres. Les résultats obtenus pour ces seules journées sont ensuite considérés comme représentatifs du comportement du public pendant une durée beaucoup plus longue. En matière de télévision, ces extrapolations ont fait l'objet de controverses, les producteurs faisant valoir que les spectateurs choisissent moins une chaîne qu'un programme particulier (ce qui n'est pas le cas en radio où les habitudes d'écoute sont fortement enracinées). Pour répondre à ces objections, le système de l'audimètre fut mis sur pied. Appareil branché directement sur le poste de télévision, l'audimètre signale en temps réel à l'ordinateur central de l'organisme de mesure auquel il est relié si les téléviseurs de l'échantillon de référence sont allumés ou éteints. Jusqu'à une période récente, l'audimètre mesurait l'audience du foyer dans son ensemble. Cela posait de nombreux problèmes aux publicitaires qui ne pouvaient plus affirmer, par exemple, que tel horaire était favorable pour toucher les cadres supérieurs de plus de trente ans et tel autre pour les ménagères dans leur ensemble. Aussi un audimètre dit « bouton-poussoir » a-t-il été mis au point qui permet d'individualiser l'audience. La méthode, encore très controversée (les individus se plient-ils réellement à la discipline qui les oblige à signaler le moindre de leurs comportements ?), voit des techniques concurrentes se développer. Le « motivac », en particulier, fondé sur la reconnaissance électronique des individus, tente de s'imposer. ●

2. Le Téléthon 1989.

ou d'un journal vis-à-vis des autres. Qu'importe s'il aime pourvu qu'il consomme !

La domination massive des enquêtes dites « comportementales » n'a pas peu contribué à alimenter le procès fait à la tyrannie des sondages : en s'appuyant sur les données ainsi recueillies, les responsables de programmes encourageraient les émissions les plus médiocres et s'interdiraient toute innovation.

Il est certain que rares sont les médias qui se privent aujourd'hui des apports des données d'audience. Ces dernières sont une pièce centrale dans la guerre que se livrent journaux, radios et télévisions. Les professionnels des médias s'en servent avant tout comme d'une mesure de la concurrence : c'est essentiellement par comparaison avec les résultats de leurs concurrents directs qu'ils évaluent leurs propres performances. Ces données ont un effet direct sur les recettes des supports qui admettent de la publicité, elles font et défont la carrière des professionnels, elles agissent sur le déroulement et la construction du contenu. Pourtant les sondages ne sont pas d'un maniement simple en tant qu'instrument de la politique des programmes. En effet, ils ne peuvent pas se substituer à un public absent. Ce que les professionnels demandent à ces données, c'est de leur permettre plus une évaluation après coup de leurs émissions qu'une description des goûts de leurs publics.

Les professionnels des médias ne disposent ni avec les sondages ni autrement d'un ensemble de règles et de prescriptions garantissant les résultats. Les données d'audience donnent des indications sur ce qui a marché dans le passé ou dans les pays voisins, mais elles ne fournissent nullement les clefs du succès pour l'avenir. Le goût des consommateurs se modifie, certaines émissions qui déplaisent au premier abord peuvent ensuite s'imposer, d'autres qui plaisaient peuvent lasser au bout d'un certain temps de diffusion. Ainsi les modifications de grille en radio et télévision ou de maquette pour un journal entraînent-elles souvent dans un premier temps une certaine diminution du public ; diminution qui peut être ensuite plus que largement rattrapée.

Les professionnels des médias utilisent donc cette évaluation comme un outil de gestion de leur personnel qui leur permet de justifier une décision ou une sanction et de maintenir leurs exigences à un niveau constant. Dans l'ensemble des instruments de programmation, le sondage constitue un levier supplémentaire qui permet à la direction de se débarrasser d'un programme qu'elle trouve usé quand, avec les mêmes résultats d'audience, un autre pourra être conservé avec quelques transformations. Les sondages ne mesurent pas pour les médias un public hypothétique qui serait là attendant d'être capté ou évalué ; ils mesurent à son résultat le travail qui a assuré un certain public.

•

Sondages et publicité

LA PUBLICITÉ TRANSFORME CHAQUE PAIRE D'OREILLES ET CHAQUE PAIRE D'YEUX EN UNE MARCHANDISE POURVUE D'UN PRIX SUR LE MARCHÉ.

Les mesures du public des médias sont devenues des objets de transaction. Quand radio et télévision vendent leur temps d'antenne, les auditeurs et les téléspectateurs ne sont plus leur public mais leur produit. Au contraire des journaux, ces deux médias ne se vendent en effet qu'une seule fois aux annonceurs. La publicité fait en même temps du sujet à séduire – le public – le sujet séduit – des paires d'yeux et d'oreilles à vendre.

Pourtant, sondages et publicité ne sont pas inéluctablement liés : certains médias qui en sont dépourvus se livrent pourtant à des enquêtes sur leurs usagers et se mesurent donc sans se vendre. D'autres médias en revanche se vendent sans se mesurer. Le sondage place en effet la transaction du côté du média, il mesure ce que celui-ci vend, à savoir des publics. D'autres systèmes se placent du côté de la consommation, du produit à vendre. C'était le cas lorsqu'il n'existait pas de sondages d'opinion. C'est ce qu'ont fait – de manière ponctuelle – les chaînes italiennes du groupe Fininvest (qui appartient à S. Berlusconi) : elles ont fait payer après coup l'espace publicitaire en fonction des résultats de vente obtenus par le produit après sa campagne télévisée.

Si les professionnels de la programmation traitent les chiffres d'audience avec circonspection, il n'en est pas de même des professionnels de la publicité. Pour eux, ces données sont l'instrument de base de leur travail. Les régies des médias les utilisent pour fabriquer leur argument principal : en mettant face à face le tarif des messages et l'audience cumulée, elles obtiennent le coût pour mille (c'est-à-dire la somme nécessaire lors d'un créneau horaire précis pour joindre mille auditeurs, téléspectateurs ou lecteurs). Chaque créneau horaire met en vente à un prix donné – le prix fixé en fonction du client – un nombre donné d'emplacements publicitaires. La demande n'est pas la même pour chaque créneau : il y a des pleins et des creux, des invendus et des biens qu'une forte demande rend rares. Le coût moyen est conçu pour réguler les demandes des publicitaires en les orientant vers les créneaux les moins demandés. Pourtant, en radio comme en télévision, les horaires d'audience maximale (de 7 à 9 heures pour la radio et de 19 h 30 à 21 h 30 pour la télévision) demeurent les plus convoités, en dépit du prix élevé du contact avec un individu.

Les sondages d'audience sont le plus souvent cofinancés par les trois types de partenaires concernés : les annonceurs, les agences et les régies (ou les médias). Les annonceurs demandent au sondage de leur dire comment toucher les consommateurs de leur produit, les agences veulent qu'il les aide à vendre des campagnes et les régies s'en servent pour vendre l'espace des médias.

•

3. Feuilleton télévisé « Maguy » avec Rosy Varte et Jean-Marc Thibault.

4. « L'heure de vérité » de Jacques Chirac avec François-Henri de Virieu, février 1991.

5. Un audimètre à bouton-poussoir.

Durée quotidienne moyenne d'écoute par téléspectateur,
en minutes (mai 1991)

Télévision en général	219
TF1	104
Antenne 2	61
FR3	35
Canal +	22
La 5	43
M6	40

Les parts d'audience
en pourcentages (mai 1992)

TF1	41
FR2	24
FR3	13,6
Canal +	5
Arte	0,7
M6	10,2
Divers	6,5

Les parts d'audience des grandes chaînes de la C.E.
en pourcentage de l'audience nationale (en 1991)

RTP 1 (Portugal)	71
TVE 1 (Espagne)	53,6
TV 2 (Danemark)	47
DR (Danemark)	45
RTE 1 (Irlande)	45
VTM (Belgique)	43,7

La publicité

Le travail publicitaire

LE TRAVAIL PUBLICITAIRE EST ORGANISÉ
EN TROIS PÔLES : LA CRÉATION, LE COMMERCIAL
ET LE MÉDIAPLANNING. PAR UN PROCESSUS LARGEMENT
COLLECTIF, ILS CONSTRUISENT UN MESSAGE,
UN PRODUIT ET UN CONSOMMATEUR.

LE DISCOURS SUR LA PUBLI-cité oscille entre deux extrêmes : d'un côté, on pense que la publicité peut faire acheter n'importe quoi à n'importe qui et l'on insiste sur son pouvoir de manipulation ; de l'autre, on soutient qu'elle ne sert à rien si le produit est mauvais et que le consommateur sait bien faire la différence. Le public comme les publicitaires ont tendance à prendre le second point à leur compte et à penser que seuls les autres (les naïfs) tombent dans le premier panneau. En fait, cette opposition repose sur une même représentation manichéenne qui oppose le réel, c'est-à-dire le produit, à l'image, la publicité ; elle suppose une coupure totale entre les deux. Aujourd'hui, l'étude du processus publicitaire prouve que produit et image ne peuvent plus être opposés, mais qu'ils sont conçus en

étroite collaboration. Toute l'histoire de la publicité nous montre en fait qu'on est passé d'un modèle, où il y avait d'un côté le produit et de l'autre sa propagande, à un autre, où il n'est plus possible de faire le partage entre les caractéristiques techniques du produit et ses propriétés signifiantes : tout, du marketing au conditionnement en passant par les tests, la mesure de la concurrence et la mobilisation de l'entreprise, mêle en permanence l'objet et son image, le produit et son public. Le produit est constitué en même temps de données techniques et sociales. Chaque phase de la mise au point du produit est concernée par les autres phases.

Le travail publicitaire consiste, lui, à transformer la décision de faire de la publicité en un message qui va inciter les consommateurs à acheter un produit.

Une fois qu'une entreprise a décidé de lancer une opération de publicité et qu'elle en a fixé le budget, elle choisit une agence. Pour les opérations importantes, un concours est lancé : quelques agences présélectionnées travaillent pendant un temps limité sur un projet puis l'entreprise choisit une des propositions et le travail publicitaire proprement dit peut commencer.

Le travail publicitaire est organisé autour de trois pôles : le commercial, le médiaplanning et la création. Chacun des trois, chargé d'une tâche bien déterminée, a la haute main sur un réseau et sur un produit.

Le commercial gère les relations avec le client. Sa tâche la plus importante consiste à définir le « brief ». En discutant avec la direction de l'entreprise, ses services de production, de vente et de publicité, les « commerciaux » de l'agence définissent le produit à vanter et son environnement : à qui est destiné le produit ? s'agit-il d'un produit haut de gamme ? sur quelles caractéristi-

ques doit-on mettre l'accent ? quels sont les concurrents et sur quoi porte leur propre campagne de promotion ? comment se présentent-ils ?... Il ne s'agit pas d'un simple questionnaire mais des résultats de nombreuses discussions qui vont permettre à l'entreprise et à l'agence de définir collectivement le produit. Au terme de ce brief, il n'est pas rare que l'objet lui-même soit profondément modifié, et les publicitaires citent avec quelque plaisir des exemples où ils ont changé le nom, le goût, la présentation ou l'aspect d'un produit.

Une fois le brief conçu, entrent en scène les créatifs qui ont pour tâche de le traduire en images et en mots. C'est en effet à partir de ce texte que les créatifs trouvent l'idée de la campagne et qu'ils déclinent ses différentes composantes : les slogans pour la radio, les images et leurs légendes pour la presse et l'affiche, les histoires pour la télévision et le cinéma... Un des créatifs s'occupe des images, c'est le directeur artistique (ou le directeur de création), l'au-

Mots clefs

Annonceur : entreprise qui décide de faire une campagne de publicité.

Book : grand album dans lequel les publicitaires exposent leurs réalisations et les prix qu'ils ont obtenus.

Casting : choix des mannequins et des acteurs.

Centrale d'achats : entreprise qui achète des espaces publicitaires (pages de magazines, minutes de télévision et de radio, panneaux d'affichage...) en gros et qui les revend en détail aux agences.

Cible : le public défini par quelques caractéristiques précises que l'agence et l'annonceur cherchent à toucher. La cible peut être plus ou moins précise.

Corporate : se dit d'une publicité qui n'est pas destinée à vanter des produits mais à améliorer l'image d'une entreprise.

Marketing : ensemble des réflexions et des techniques qui visent à commercialiser un produit.

Mécénat : appui financier apporté par une entreprise à un événement sportif ou culturel. En droit français, le soutien doit être discret alors que les opérations de sponsoring peuvent rechercher directement des retombées publicitaires.

Merchandising : tout ce qui concerne le marketing sur le lieu de vente (les présentoirs, les promotions, les emballages...).

Rough : dessin d'une très grande précision qui illustre ce qui sera réalisé en film ou en photo.

Teasing : campagne de publicité qui vise à intriguer par un élément de suspense.

Zapping : action consistant à changer fréquemment de chaîne grâce à la télécommande.

La publicité et l'économie

LA PUBLICITÉ EST DEVENUE UN SECTEUR NON
NÉGLIGEABLE DE L'ÉCONOMIE DES PAYS DÉVELOPPÉS ET POURTANT
LES MÉCANISMES DE SON ACTION DEMEURENT MAL CONNUS.

La question des effets de la publicité sur l'économie d'une entreprise demeure aujourd'hui largement controversée. Nul ne sait en effet mesurer avec précision le revenu additionnel que procure l'investissement publicitaire. Comme le disait un entrepreneur dont la boutade est restée célèbre : « Lorsque je dépense un dollar en publicité, je sais bien que la moitié ne sert à rien, malheureusement je ne sais pas laquelle ! » Pourtant presque toutes les entreprises disposent désormais d'un budget consacré à ces dépenses. Si l'on ne sait pas quantifier avec une grande précision les effets d'une campagne publicitaire sur les ventes, on a en revanche compris l'importance de la marque dans l'esprit du consommateur. Cette importance s'avère d'autant plus grande que les produits concurrents sont semblables. Lorsqu'il n'y a pas de différence visible entre deux objets (comme entre deux eaux minérales ou deux lessives), c'est l'atmosphère que la publicité a su créer autour de la marque et l'image qu'elle a donnée de sa consommation qui peuvent inciter l'acheteur à choisir.

L'effet de la publicité sur le consommateur est toujours quelque peu aléatoire ; elle n'est en effet qu'un des éléments qui, de la conception du produit aux linéaires des points de vente en passant par les conditions de mise sur le marché, agissent sur l'acte d'achat. Les répercussions de la publicité sur l'organisation d'ensemble de l'économie semblent plus nettes. Les économistes ont montré que les investissements publicitaires introduisent des « barrières d'entrées » sur le marché pour les nouveaux concurrents : pour détenir une part de marché qui soit significative ou rentable, la nouvelle entreprise ne doit pas seulement disposer d'un produit valable, elle doit également

ment se livrer à de lourds investissements en matière de communication. En conséquence, la publicité consolide la puissance des firmes existantes et, en encourageant les situations de monopole, leur procure des profits plus importants.

Pour méconnus que soient encore aujourd'hui les mécanismes de l'action publicitaire, celle-ci n'en est pas moins devenue depuis une trentaine d'années une contrainte obligée, au moins pour les produits de grande consommation. Cette évolution fait de la publicité un secteur non négligeable des économies des pays occidentaux (elle représente par exemple plus de 1,6 % du produit intérieur brut des États-Unis). La montée en puissance de la publicité a été plus tardive en France mais elle rattrape aujourd'hui son retard. Pendant les six premières années de la décennie 1980, les dépenses publicitaires françaises ont en effet plus que doublé en

francs courants (et crû deux fois et demie plus vite que le produit intérieur brut). C'est dire que la vieille réticence – propre aux pays latins – à l'égard de la publicité est très largement battue en brèche, et cela depuis le début des années 1970.

En 1982, l'éclatement du monopole de la radio-télévision a accéléré encore cette croissance, la multiplication du nombre des chaînes a ouvert de très nombreux espaces aux campagnes télévisées. On est passé en quelques années d'une situation de pénurie (le nombre de spots vendus aux annonceurs était dans les années 1970 très largement inférieur à leur demande) à une situation d'excédent. Or le déblocage d'un des médias a des effets sur l'ensemble du marché puisque, en poussant certaines entreprises à augmenter leurs investissements publicitaires, il contraint leurs concurrentes à s'aligner sur ces dépenses. ●

Répartition en pourcentages des campagnes entre les principaux supports pour 8 pays *(1992)*

	Presse	Télévision	Radio	Affichage
Allemagne	71,8	19,2	4,3	3,7
Belgique	47,6	30,3	7,2	13,6
Espagne	48,4	37,8	8,7	4,4
États-Unis	52	35,6	10,9	1,4
France	50,8	30	6,8	11,7
Grande-Bretagne	61,2	31,8	2,1	4,2
Italie	38,4	51,7	3,3	6,3
Japon	39,6	39,8	5,3	15,3

Dépenses publicitaires dans quelques pays *exprimées en écus par habitant et par an (1991)*

Allemagne	25,1
Belgique	25,1
Espagne	48,5
France	32,3
Grande-Bretagne	48,6
Irlande	19,1
Italie	39,9
Pays-Bas	12,7

tre des mots, c'est le rédacteur. La réalisation en revanche est dans la plupart des cas déléguée à l'extérieur de l'agence : réalisateurs, photographes, roughmen... sont embauchés pour un travail précis et limité. La délégation des tâches va de pair avec une spécialisation très poussée des métiers : photographes de voitures et photographes de vêtements à plat, imprimerie quadrichromie et imprimerie six couleurs, casting d'enfants et casting de « gueules », etc.

En même temps que se construit la forme de la campagne, un autre service de l'agence met en place la manière de toucher le public : le médiaplanneur s'intéresse aux supports (c'est-à-dire aux médias qui acceptent de la publicité) et il bâtit le « plan-média », en sélectionnant les médias sur lesquels il va faire passer sa campagne. Il dispose pour cela d'un ensemble de techniques communes à l'ensemble de la profession : sondages d'audience, analyse des consommateurs, coût des espaces médiatiques... Le client donne un budget, le commercial définit une cible, le médiaplanneur transforme cette cible et ce budget en coût à la pièce ; il trouve, par exemple, sur quel magazine on peut joindre au meilleur prix le « jeune salarié célibataire qui possède une automobile ».

L'achat des espaces publicitaires se fait de moins en moins de manière directe. Dans la plupart des cas, l'agence s'adresse en effet à une centrale d'achats qui achète en gros et à l'année – et donc avec des réductions importantes – des pages de journaux, des minutes de radio et de télévision, des semaines d'affichage... La centrale d'achats ne s'adresse pas elle-même directement aux médias ; une régie (interne ou externe à l'entreprise de communication) a la charge de commercialiser les lecteurs du journal, les auditeurs de la radio... afin de négocier au mieux ses espaces mais aussi de maintenir une certaine distance entre les contenus du support et ceux de ses campagnes publicitaires. Les agences de publicité sont le plus souvent rémunérées en pourcentage de l'investissement total réalisé pour une opération par l'annonceur.

Ainsi, la publicité est un processus collectif qui permet à des professionnels différents de travailler ensemble sur un même produit en le recomposant chacun à sa manière : le médiaplanneur décide à l'occasion de quel événement faire une campagne pour tel produit, le rédacteur trouve le slogan-choc d'une idée, le directeur artistique y met une image dont la presse professionnelle parlera, le commercial fait accepter au client un nom différent pour son produit. ●

Et le public ?

EN DÉPIT DE L'ACCROISSEMENT CONSIDÉRABLE DU NOMBRE DE CAMPAGNES PUBLICITAIRES AUXQUELLES IL EST SOUMIS, LE CONSOMMATEUR N'Y EST PAS DEVENU ALLERGIQUE, PAS PLUS QU'IL NE LES CONFOND OU NE LES OUBLIE TOUTES.

Une fois la campagne lancée, son impact peut être mesuré de différentes manières, toutes indirectes. Les effets sur les ventes sont interprétés avec beaucoup de prudence par les professionnels. Les publicitaires mettent parfois en place des « post-tests » qui tentent de mesurer le souvenir qu'une campagne particulière a laissé dans les mémoires des consommateurs. Mais, surtout, les agences font faire et utilisent en permanence des enquêtes sur le comportement général du public à l'égard de la publicité.

Les sondages sur les comportements des téléspectateurs par rapport à la publicité ont ainsi montré que tous les individus ne réagissaient pas de la même manière : les plus jeunes sont les plus publiphiles alors que le taux d'allergie croît à mesure que l'âge augmente. Les cadres supérieurs sont la catégorie sociale la plus allergique à la publicité. Finalement, l'attitude la mieux partagée est l'indifférence ; peu nombreux sont ceux qui se déclarent réfractaires (15 %), allergiques au point de couper le son (8 %) ou l'image (19 %). Plus de la moitié (57 %) attendent et le tiers (28 %) aiment carrément. Les publicitaires ont de beaux jours devant eux.

Si les publiphobes ne gagnent pas de terrain, en revanche les publicitaires craignent que la multiplication des campagnes ne nuise à leur efficacité. Submergé de tous côtés par des publicités, que retient le consommateur ? Pour l'heure, les études semblent montrer que, en dépit du nombre croissant de campagnes, la capacité des consommateurs à se souvenir des publicités a peu varié depuis une vingtaine d'années. Cependant, certaines conditions sont plus favorables. Les téléspectateurs « mémorisent » mieux les campagnes lorsqu'elles sont placées dans un « écran » court : le taux de mémorisation est de 35 % plus élevé dans un écran de cinq spots ou moins que dans un écran de 6 à 9 spots. Si le spot court (quinze secondes) s'impose de plus en plus à la télévision, c'est qu'il est mieux retenu. Enfin, comme le savent bien les télévisions qui majorent leur tarif pour cet emplacement, le premier message d'un écran est mieux remarqué par les téléspectateurs.

Toutes ces données, étudiées de manière extrêmement fine, sont combinées par le médiaplanneur pour lui permettre d'optimiser au maximum ses investissements. ●

1. Affiche créée par Bill Bernbach.

Un style particulier

L'agence de publicité disparaît assez souvent derrière un homme qui a su imposer son style. Ainsi Séguéla, Lemonnier, Ogilvy, Bernbach, etc. La plupart s'accordent pour reconnaître que le publicitaire ou plus exactement sa notoriété ne doit cependant pas prendre le pas sur l'intérêt du client. Pour Ogilvy, une bonne annonce est celle qui vend le produit sans attirer l'attention sur elle-même. Le publicitaire doit en outre garder à l'esprit que chaque catégorie de produit, de supports a son code et que, si l'idée est individuelle, la démarche créative est, elle, collective. Un bon publicitaire doit donc avant tout savoir écouter.

La publicité dans l'économie française.
Évolution des recettes publicitaires entre 1980 et 1990

Presse	multipliées par 3,5
Télévision	multipliées par 6,6
Affichage	multipliées par 3,1
Radio	multipliées par 2,4
Cinéma	multipliées par 2,2

Source : A.A.C.C., 1993

2. Annonce de David Ogilvy.

3. Annonce de Pierre Lemonnier.

4. Film publicitaire de Jacques Séguéla.

L'édition

LE SECTEUR DE L'ÉDITION occupe une faible place dans l'économie (moins de 1 % du produit intérieur brut) et un rôle déterminant dans le champ de la culture (pour plus de la moitié des Français, la lecture est considérée comme le meilleur instrument de culture générale). En même temps, malgré une récession légère mais continue son chiffre d'affaires à l'exportation, le livre demeure l'industrie culturelle française qui réalise les meilleures performances à l'étranger, six à sept fois plus que le cinéma, trente fois plus que les produits télévisuels.

Le secteur de l'édition, qui était resté très artisanal, connaît dans presque tous les pays d'Europe une industrialisation accélérée qui touche tant les moyens d'impression que les modes de distribution. Pourtant, l'édition, comme toutes les industries culturelles, repose sur une grande incertitude : le goût du public. Aucun éditeur et aucun auteur ne peut être sûr à l'heure actuelle de fabriquer un « best-seller ». Les clefs du succès sont toujours des explications pour le passé, mais ne peuvent servir de modèle pour le futur. En effet, les goûts des lecteurs se modifient ; les critiques ne réagissent pas toujours comme l'éditeur s'y attend ; un auteur à succès peut « rater » son passage à la télévision quand un inconnu, invité pour boucher un trou, peut enthousiasmer les téléspectateurs ; les libraires peuvent décider de soutenir telle petite maison d'édition dont les produits originaux les séduisent... Peu de livres sont donc des coups sûrs et, en même temps, l'éditeur qui ne publierait que des valeurs certifiées par le passé (des auteurs classiques par exemple) ne tirerait pas non plus son épingle du jeu ; d'abord, parce qu'il a de multiples concurrents qui peuvent puiser dans le même fonds et publier à coût encore inférieur les mêmes ouvrages, ensuite, parce qu'il ne se constituerait pas un catalogue personnel, seule garantie de pérennité dans ce secteur.

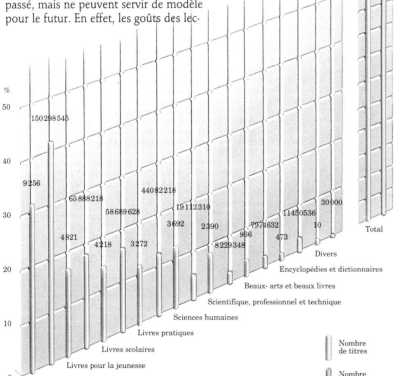

1. La production de livres en nombre et par genre (1989).

- 375 756 000
- 29 068
- Total
- 150 298 545
- 9 256
- 65 888 218
- 4 821
- 58 689 623
- 4 218
- 44 082 218
- 3 272
- 3 692
- 19 112 310
- 2 390
- 8 229 348
- 936
- 7 974 632
- 473
- 11 450 536
- 10
- 30 000
- Divers
- Encyclopédies et dictionnaires
- Beaux-arts et beaux livres
- Scientifique, professionnel et technique
- Sciences humaines
- Livres pratiques
- Livres scolaires
- Livres pour la jeunesse
- Littérature
- Nombre de titres
- Nombre d'exemplaires

🐚

Les auteurs

LE NOMBRE MÊME DES ÉCRIVAINS EST UNE DONNÉE INCONNUE CAR L'ÉCRITURE N'EST QUE DANS DE RARES CAS UN EXERCICE PROFESSIONNEL, AUX PRATIQUES BIEN CERNÉES.

Écrire n'est pas aujourd'hui le seul fait des écrivains ; à côté des littérateurs, hommes politiques, scientifiques, acteurs ou médecins se livrent qui à son essai, qui à son roman ou à ses Mémoires. Aussi est-il impossible de préciser le nombre des auteurs ; en France, on parle de 30 000 à 100 000 personnes en activité et cette fourchette dit bien l'imprécision des mesures. Ces données recouvrent des situations très diverses. Aujourd'hui, plus de 3 000 auteurs perçoivent au moins 1 200 fois le S.M.I.C. horaire en droits d'auteur annuels, mais moins du tiers tirent de ces droits la moitié de leurs revenus. L'Association pour la gestion de la sécurité sociale des auteurs (A.G.E.S.S.A.) estime que 8 à 10 % de ses ayants-droit peuvent vivre de leurs droits d'auteur. Pour la grande majorité des auteurs, l'écriture est donc un passe-temps ou un second métier, à côté de celui qui les nourrit.

En France, les auteurs dits « professionnels », ceux qui vivent de leur plume, sont en très grande majorité des hommes. Ils habitent presque tous en région parisienne ou sur la Côte d'Azur. Ils sont plus âgés que la moyenne de la population active, à la fois parce qu'ils ne prennent pas nécessairement leur retraite mais aussi parce qu'ils entrent tardivement dans le métier des lettres, au moins de manière professionnelle. Enfin, ils ont un niveau d'études élevé, même si ce ne sont pas les plus diplômés qui ont nécessairement les meilleurs tirages.

Si le métier d'auteur est beaucoup plus ancien que l'imprimerie, le droit d'auteur n'a été reconnu que depuis deux siècles, en France, au moment de la Révolution. Auparavant, les écrivains vivaient, plutôt mal que bien, des accords passés avec leurs imprimeurs, des gratifications d'un mécène ou du clientélisme.

La loi du 11 mars 1957, reprise en 1992 dans le code de la propriété intellectuelle, a renforcé la protection des auteurs. Selon le texte du contrat d'édition, l'auteur cède à l'éditeur les droits de reproduction d'un ouvrage donné pour une durée et une zone géographique ; en échange, l'éditeur, qui doit rémunérer l'auteur soit de manière forfaitaire, soit au pourcentage, s'engage à assurer la diffusion de l'ouvrage. La rémunération proportionnelle est adoptée dans la majorité des contrats d'édition et peut aller, en fonction de la notoriété de l'auteur et du type d'ouvrage, de 8 à 15 % du prix de vente. •

La production de livres en France

Plus de 350 millions de livres sont imprimés chaque année pour près de 40 000 titres ; ce qui représente un tirage moyen de 12 500 exemplaires par titre. Mais ces chiffres cachent des situations très différentes : alors que les livres scientifiques et techniques sont imprimés en moyenne à 3 000 exemplaires, les romans ont des tirages moyens plus de cinq fois supérieurs. La littérature vient en tête, tant par le nombre de titres édités que par le nombre d'exemplaires tirés, suivie par les livres pour la jeunesse. En revanche, dans le secteur des sciences humaines, il existe un décalage entre le nombre de titres édités et le nombre d'exemplaires tirés, décalage qui s'explique par les faibles tirages dans ce domaine.

2. Foire du livre à Francfort.

Le petit monde de l'édition

L'ÉDITION A CONNU EN QUARANTE ANS PLUSIEURS ÉVOLUTIONS : CRÉATION DE COLLECTIONS À GRANDE DIFFUSION, CONCENTRATION ÉCONOMIQUE. POUR LES NOUVEAUTÉS, LE ROMAN RESTE LE PLUS LU, SUIVI PAR LES ESSAIS ; LES RÉÉDITIONS CONSTITUENT PLUS DE LA MOITIÉ DE LA PRODUCTION.

Depuis la fin de la Seconde Guerre mondiale, le secteur de l'édition a connu de nombreuses modifications qui ont transformé la structure et le fonctionnement de ses entreprises. Dans les années 1950, la grande innovation fut, en France, la création de collections à grande diffusion. En 1953 fut lancé le « Livre de Poche », qui regroupait une grande partie des éditeurs littéraires : Calmann-Lévy, Denoël, Fayard, Gallimard, Grasset, Laffont, Albin Michel... Dans les années qui suivirent, de nombreux concurrents sortirent leur propre collection (10/18, J'ai lu, Folio...).

Au début des années 1950 a commencé dans l'édition un mouvement de concentration. Les maisons qui sont absorbées conservent le plus souvent une certaine autonomie de leur politique éditoriale tout en bénéficiant des services communs du groupe (en particulier des structures de diffusion et de distribution). Deux tiers de l'édition sont désormais assurés par deux groupes : Hachette et le Groupe de la Cité.

Aujourd'hui, il existe plus de 5 000 éditeurs possédant au moins un titre en catalogue, mais à peine moins de 10 % peuvent être considérés comme des professionnels. Les éditeurs moyens tentent de survivre grâce à une politique éditoriale imaginative. Les plus gros misent sur l'industrialisation des produits et sur l'internationnalisation des marchés. L'activité éditoriale est surtout parisienne : parmi les 383 éditeurs qui réalisent un chiffre d'affaires de plus de 200 000 francs par an, 311 sont situés à Paris, dont 140 dans le Quartier latin et le 7e arrondissement.

Les ouvrages publiés ne rendent totalement compte ni de ce qui est écrit (et dont une grosse part ne trouve pas d'éditeur) ni des goûts du public. Le roman arrive nettement en tête du hit-parade des ventes des éditeurs, ayant toujours la faveur des lecteurs et soutenu de surcroît par des prix littéraires qui jouent comme des points de repère dans une floraison sans cesse plus riche. Le roman historique a, lui aussi, les faveurs du public, d'autant plus que les livres d'historiens professionnels, qui avaient fait dans les années 1970 des tirages importants, bien au-delà de leur audience spécialisée traditionnelle, sont quelque peu en perte de vitesse. Les essais connaissent un nouveau souffle.

Cependant, les valeurs sûres de l'édition ne sont pas les nouveautés, mais le fameux « fonds » : plus de la moitié des ouvrages qui sont publiés chaque année sont des livres qui ont déjà été édités, qu'il s'agisse des rééditions d'auteurs contemporains, ou, plus souvent encore, des écrivains classiques. ●

3. Gaston Gallimard et Albert Camus.

Le livre : un marché national

Entravé par les problèmes de traduction et plus encore par les goûts culturels spécifiques de chaque pays, le commerce du livre manifeste une difficulté à s'internationaliser. Les grandes foires comme celle de Francfort établissent pourtant avec succès des espaces d'échanges mondiaux de l'édition. Si la librairie est un marché, elle est aussi un commerce, commerce et échanges intenses entre un éditeur et un auteur, commerce et échanges entre un lecteur et un libraire...

La distribution, la diffusion et les vendeurs

ON ASSISTE À LA FOIS À UNE RESTRUCTURATION ÉCONOMIQUE DES CIRCUITS DE DISTRIBUTION ET À L'OUVERTURE DU LIVRE À DES PUBLICS QUE NÉGLIGEAIT LA LIBRAIRIE TRADITIONNELLE.

Une fois que l'auteur a fini d'écrire son livre, qu'il a eu la chance de trouver une maison d'édition qui accepte de s'en occuper, parfois non sans lui faire subir de multiples modifications, et que son ouvrage est enfin imprimé, il reste encore au livre de nombreuses étapes à franchir avant d'arriver entre les mains tant espérées d'un lecteur. La diffusion va avoir pour but de faire connaître la disponibilité de l'ouvrage ; ces promotions s'adressent au grand public par l'intermédiaire de la publicité, mais surtout aux professionnels de la distribution auxquels les éditeurs font parvenir des affiches, des présentoirs, les extraits de presse... La distribution concerne l'ensemble des opérations matérielles qui permettent d'acheminer le livre sorti des presses jusqu'aux mains de l'acheteur et englobe tous les lieux de vente des livres, les grossistes, les libraires.

Aujourd'hui, le secteur de la librairie est attaqué sur deux fronts : par les grandes surfaces, dont les rayons livres ont connu un important développement depuis quelques années, et par les clubs. L'avant-guerre avait déjà connu des clubs de livres, mais c'est surtout dans les années 1950 qu'ils se sont développés. Leur originalité réside principalement dans les nouveaux modes de distribution qu'ils proposent, un mélange de vente par correspondance et d'abonnement. Aujourd'hui, France Loisirs, créé en 1970 par les Presses de la Cité en association avec l'éditeur allemand Bertelsmann, occupe de très loin la première place dans le cercle très fermé des clubs. Sa recette est désormais éprouvée : le club reprend, neuf mois après leur parution, les ouvrages qui ont connu un certain succès ; réimprimé et muni d'une nouvelle jaquette, l'ouvrage est ensuite proposé aux adhérents du club.

Ces menaces contre la librairie ont trouvé une riposte dans la loi du 10 août 1981 ou loi Lang, qui interdit de vendre les livres au public avec une remise de plus de 5 % sur le prix fixé par l'éditeur. Il s'agit de défendre les libraires contre les fortes remises consenties par les grandes surfaces et les chaînes de librairies (comme la Fnac). La loi protège également les éditeurs, et surtout les petits éditeurs, parce que les livres au faible tirage ne peuvent être diffusés que par les libraires et sont refusés par les autres distributeurs. Mais la loi n'a pas été unanimement acceptée, certains estimant que, alors qu'elle devait protéger les libraires de quartier et les petits éditeurs, elle a surtout permis aux grandes surfaces d'augmenter dans une proportion notable leur chiffre d'affaires en matière de livres. ●

Les lecteurs

EN DÉPIT DES CRIS D'ALARME PÉRIODIQUEMENT LANCÉS, LA LECTURE A PLUTÔT TENDANCE À SE DIFFUSER, QUOIQUE LENTEMENT, DANS LA POPULATION.

Lire n'a jamais été une activité généralisée comme l'est, par exemple aujourd'hui, l'écoute de la télévision. Mais, après plus d'un siècle d'école laïque et obligatoire, la presse, les hommes politiques, voire les éditeurs, s'offusquent périodiquement des rares lectures de nos concitoyens. Certes, une part non négligeable de la population (dont le dénombrement est ardu : entre 4 et 10 %) ne lit jamais puisqu'elle est analphabète, c'est-à-dire incapable de lire ou d'écrire une phrase simple et en comprenant le sens.

Parmi les personnes qui peuvent lire et qui constituent dans les pays développés l'immense majorité de la population, les situations sont très contrastées. À la fin des années 1980, 25 % des Français ne lisent pas un seul livre dans l'année, 32 % en lisent de un à neuf, 25 % lisent un ou deux livres par mois et le reste (18 %) lit davantage. Les trois quarts des Français lisent donc plus ou moins régulièrement des livres (dix ans plus tôt, 74 % des Français avaient lu un livre dans l'année, soit une progression de 1 %). Mais les livres, et c'est sans doute là la modification majeure concernant la lecture en pays développés au xxe siècle, ne sont plus les supports uniques ni même privilégiés de la lecture. Lire aujourd'hui, c'est aussi lire le journal, lire des magazines familiaux ou spécialisés, des revues d'actualité. Et cette lecture de la presse varie en proportion presque inverse de la lecture de livres :

ainsi, les quotidiens régionaux sont davantage lus par des agriculteurs ou des commerçants, dans des petites communes ou à la campagne, par des personnes âgées. Et ce sont là des caractéristiques inverses de celles des lecteurs de livre.

Les enquêtes sur la lecture montrent que son intensité, comme celle du nombre de pratiques culturelles, suit l'échelle socioculturelle : les cadres supérieurs et moyens lisent davantage que les employés, les ouvriers et les agriculteurs, les diplômés plus que les non-diplômés... Mais il ne faut pas oublier que les statistiques cachent aussi des situations particulières : ainsi, à côté d'un livre d'ouvriers spécialisés qui ne lit jamais, un quart d'O.S. (17 %) sont de gros lecteurs et absorbent plus d'un livre tous les quinze jours.

En 1988, les lecteurs sont plus nombreux qu'en 1973 (+ 4 %), mais le nombre des grands lecteurs (25 livres et plus par an) a diminué (il est passé de 22 à 17 %) alors que le groupe des faibles lecteurs s'est accru (de 24 à 32 %). Le lectorat s'est féminisé (en 1973, 72 % des hommes avaient lu au moins un livre dans l'année contre 68 % des femmes ; en 1988, la proportion s'est inversée) et a vieilli (il y a 86 % de lecteurs de 15-19 ans en 1988 contre 89 % en 1973 ; 81 % de lecteurs de 20-24 ans en 1988, contre 86 % en 1973) ; les grands lecteurs de 15-19 ans ont diminué (39 % en 1973, 23 % en 1988). ●

Les industries culturelles

LES INDUSTRIES CULTU-relles incluent des biens de natures très différentes. Leur source de financement en particulier peut être de types très divers. Les marchandises culturelles peuvent être vendues classiquement sur un marché, mais elles peuvent également être gratuites ; ce sont alors des biens dits publics à la disposition de tous et qui sont financés par la publicité (et il y a alors paiement indirect par le marché à travers d'autres industries), par la puissance publique ou par mécénat.

Les marchandises culturelles ont des caractéristiques communes. Elles se ressemblent par la nécessité de renouveler en permanence leur contenu, par la difficulté qu'elles ont à anticiper la demande, par la rémunération des producteurs qui passe rarement par le salariat et plus fréquemment par d'autres

formes comme les droits d'auteur, ou royalties, et enfin par le caractère collectif du travail de production. Cependant, ces caractéristiques sont peut-être moins spécifiques des marchandises culturelles qu'anticipatrices de nouveaux modes de consommation.

Nous distinguerons deux types d'industries culturelles : celles qui produisent des marchandises vendues sur un marché (comme les livres, les disques, le cinéma, les beaux-arts...) et celles qui produisent des flux (comme la télévision, la presse, la radio).

Dans un pays comme la France, le secteur de la culture représente plus de cinq cent mille emplois et un chiffre d'affaires de cent milliards de francs dont 60 % sont assurés par les ménages, 30 % par l'État et les collectivités locales, et le reste par les entreprises.

Les marchés de produits

LES MARCHANDISES CULTURELLES ONT LA SPÉCIFICITÉ D'ÊTRE DES PIÈCES UNIQUES DONT NUL NE PEUT GARANTIR À L'AVANCE LE SUCCÈS OU L'ÉCHEC.

La production des marchandises culturelles que sont le film, le livre, le disque... a un caractère largement aléatoire qui rejaillit sur leur valorisation. Ainsi, si l'on prend l'exemple du disque, nul ne connaît les clefs du succès qui permettent de faire un tube à coup sûr et, pour compenser cette incertitude, les éditeurs phonographiques doivent – comme leurs homologues de l'écrit – lancer sur le marché un nombre élevé de titres. Aux États-Unis, on estime par exemple que plus des deux tiers des disques sont déficitaires. Les pertes réalisées sur une majorité de produits sont compensées par les profits importants réalisés sur les succès, par la vente du catalogue (les disques anciens fournissent une rente sans coûter autre chose que le très faible prix du support), par le rachat de succès étrangers et leur adaptation au pays.

S'ils sont aléatoires, les marchés culturels sont également fortement interdépendants. Aujourd'hui, le marché du film, par exemple, est de plus en plus dépendant de celle qui fut longtemps et continue d'être considérée comme son ennemie la plus dangereuse : la télévision. Celle-ci devient en effet une source prépondérante de financement. Désormais, les recettes des films sont en effet réparties, à peu près à égalité, entre les entrées en salle, les cassettes vidéo et les financements fournis par la télévision (sous forme de participation à la production et de droits de diffusion). Si le cinéma a besoin de la télévision, la télévision a tout autant besoin du cinéma : les films sont en effet les programmes qui obtiennent de très loin les meilleurs scores d'audience.

Le marché de l'art trouve, lui, difficilement ces partages. Deux types d'acheteurs s'y affrontent désormais avec des moyens très différents : d'une part, les musées ou les fondations (notamment américaines), d'autre part, les particuliers (individus ou entreprises). Tous agissent sur les prix du marché mais, tandis que les premiers, en France du moins, achètent pour garder, les seconds,

Les tableaux les plus chers

Picasso, *Yo Picasso*, 309 207 000 F.
Picasso, *les Noces de Pierrette*, 315 000 000 F.
Van Gogh, *les Iris*, 323 400 000 F.
Renoir, *le Moulin de la Galette*, 434 236 000 F.
Van Gogh, *Portrait du Docteur Gachet*, 456 778 000 F.

Les prix de quelques œuvres d'artistes contemporains
(prix de la F.I.A.C. 1989).
César, *Quatre Portraits d'Eiffel*, 350 000 F l'un.
Buren, *Peinture acrylique sur tissu rayé*, 500 000 F.
Hartung, *36-H 27*, 500 000 F.
Christo, *les Champs-Élysées* (dessin), 600 000 F.
Nam June Paik, *Family of Robots*, 800 000 F.
Mathieu, *la Complainte silencieuse des enfants*, 1 800 000 F.
Henry Moore, *Reclining Figure*, bronze, 2 500 000 F.
Soulages, *17 mai 1961*, 3 600 000 F.
Andy Warhol, *Campell's Soup* (sérigraphie, multiple), 4 225 000 F.
Jean Dubuffet, *Escalier VII*, 5 000 000 F.
Picasso, *Nature morte*, 40 000 000 F.

L'économie des biens culturels

UN NOMBRE IMPORTANT D'INDUSTRIES CULTURELLES CONNAISSENT DES DÉFICITS FINANCIERS CROISSANTS ET STRUCTURELS. CE PHÉNOMÈNE A JUSTIFIÉ L'INTERVENTION DE L'ÉTAT DANS LES AFFAIRES DE LA CULTURE.

Parler d'industries culturelles, c'est aborder la question de la culture en laissant de côté l'esthétique pour se focaliser sur la seule dimension économique des phénomènes culturels. Les rapports entre l'art et l'argent sont aussi vieux que le monde ; et, même si André Malraux avait déjà dit que le cinéma est aussi une industrie, c'est plus récemment que l'on a commencé à considérer la culture comme un secteur économique, et même industriel.

Dans la lignée des travaux de l'Américain William Baumol, les économistes ont justifié l'intervention croissante de l'État dans le domaine artistique. En effet, l'analyse de celui-ci a montré, en prenant l'exemple du secteur théâtral, qu'il était impossible d'y réaliser des gains de productivité. Toute augmentation de salaire se répercute intégralement sur les coûts puisqu'on ne peut réduire ceux-ci en diminuant la masse salariale. Or l'augmentation du niveau de vie général de la popula-

tion a touché tous les secteurs d'activité et provoqué l'augmentation des coûts de production. Il faut toujours autant d'acteurs pour jouer *Britannicus* mais, dans un monde où la majorité des secteurs réalisent des gains de productivité, cela revient de plus en plus cher. Comme l'offre de produits culturels concurrentiels s'est en même temps diversifiée, les producteurs ne peuvent répercuter intégralement ces augmentations sur les prix. Ainsi le spectacle est-il en situation de crise structurelle durable, avec des déficits qui ne cessent d'augmenter. Cela justifie, selon les économistes, l'intervention de l'État, seul défenseur possible du patrimoine culturel.

Pourtant, à côté de l'intervention de l'État, reconnue nécessaire par tous, d'autres modèles de rentabilisation de la marchandise culturelle émergent. Si le produit culturel unique est destiné à une clientèle extrêmement limitée en raison de son coût croissant, en revanche ses usages se-

1. Retour des Beatles à Londres après une tournée en Europe en 1965.

2. Foire internationale de l'art contemporain.

condaires (c'est-à-dire la manière dont il peut être réutilisé) sont démultipliés par les médias, la publicité, le cinéma...

Ainsi a-t-on, d'une part, des objets ou des produits rares comme la place d'opéra, l'œuvre plastique et, peut-être un jour, le film en salle, réservés à quelques privilégiés dont le faible nombre ne suffit pas, en dépit du prix proportionnellement élevé, à les rentabiliser, et, d'autre part, des reproductions, sous forme de disques, d'affiches ou de spectacle télévisé, diffusées à faible prix, dont l'offre à des masses immenses permet de rentabiliser les premiers. ▪

ou en tout cas certains d'entre eux, se livrent à des investissements spéculatifs. La spéculation vaut en effet, dans ce domaine, le meilleur des placements : un tableau de Renoir payé 6 millions de francs en 1979 a trouvé dix ans plus tard un acquéreur pour 100 millions. Les très grands succès des importantes expositions itinérantes, la multiplication des reproductions, l'utilisation des œuvres d'art pour la publicité, l'appel à la générosité du public pour empêcher qu'une œuvre appartenant au patrimoine national ne soit rachetée par des étrangers... ouvrent de nouvelles voies dans le financement de la culture.

●

Les marchés de réseaux

LES MARCHÉS DE RÉSEAUX QUE SONT LA RADIO, LA TÉLÉVISION, LA PRESSE DOIVENT S'ACCOMMODER D'UN RENOUVELLEMENT PERMANENT DE LEUR CONTENU.

Les marchés de réseaux se caractérisent par l'obsolescence rapide de leurs produits. Un quotidien ne vaut plus rien le lendemain de sa parution, une émission de variétés est usée lorsqu'elle vient d'être diffusée à la télévision, un jeu radiophonique ne vaut qu'au moment où il est produit en direct à l'antenne. Pourtant, il faut doublement nuancer cette constatation. D'une part, même si les industries de l'audiovisuel doivent renouveler avec une grande fréquence leur contenu, elles travaillent pourtant autour de la déclinaison d'une même formule. Ainsi, l'émission de variétés, si elle change les artistes, les chansons et les dialogues, reprend le même scénario, le même animateur, le même décor, les mêmes équipes techniques, le même matériel... Le journal a une maquette, des rubriques, des auteurs permanents. Les médias ont une grille, dont les modifications sont le plus souvent très limitées d'une année sur l'autre. C'est cette continuité, en dépit de la modification permanente des contenus, qui leur permet de se repérer une identité et de se différencier de leurs concurrents. D'autre part, on note désormais le goût croissant du public pour certaines rediffusions, en particulier les fictions : leur audience ne baisse plus systématiquement lorsqu'elles passent à nouveau à l'antenne. Certaines chaînes, comme Canal +, font même de la « multi-diffusion » une des clefs de leur succès : le diffuseur propose un catalogue de titres et c'est le spectateur qui fait

Médiatisation de la culture

D'un tableau de Van Gogh vendu chez Christie's plus de deux cents millions de francs devant les télévisions du monde entier, les industries culturelles feront peut-être une exposition prestigieuse qui déplacera des foules, des cartes postales qui se vendront à des millions d'exemplaires, des couvercles de boîtes de chocolat, une opération de communication pour l'entreprise mécène qui a aidé un musée à l'acquérir... Ces déclinaisons multiples d'une œuvre contribuent à son financement mais sont également des moyens de la diffuser auprès d'un public en expansion.

5. Proportion des Français âgés de quinze ans et plus qui ont pratiqué les sorties suivantes au moins une fois au cours des douze mois précédents.

Restaurant (pour le plaisir)	72 %
Cinéma	49 %
Danser dans un bal public	28 %
Discothèque	26 %
Spectacle sportif payant	25 %
Théâtre	14 %
Concert de rock	10 %
Concert de musique classique	9 %

6. Proportion des Français âgés de quinze ans et plus qui possèdent des livres chez eux.

Disent n'avoir aucun livre chez eux	13 %
De 1 à 19	7 %
De 20 à 49	17 %
De 50 à 99	16 %
De 100 à 199	20 %
Plus de 200	22 %
Qui ont lu au moins un livre depuis 1 an	75 %
De 2 à 9	32 %
De 10 à 24	25 %
Plus de 25	17 %

son programme. En offrant à leur public non plus un menu mais une carte, les produits audiovisuels ressemblent de plus en plus aux marchandises culturelles.

Si des motivations de type économique ont joué de manière croissante pour expliquer l'intervention de l'État dans le domaine des produits culturels, en revanche ce sont plutôt des explications de type politique qui ont été avancées pour justifier à l'origine l'intervention de la puissance publique dans le domaine de l'audiovisuel. De la répartition des fréquences au choix des normes de diffusion, les États sont ensuite passés à la définition d'un service public de radio-télévision qui avait la triple obligation de distraire, d'informer et d'éduquer. Après la phase de déréglementation qu'a connue dans les années 1980 presque toute l'Europe de la radio-télévision, la position du service public est fortement discutée. Doit-il être financé par la publicité et qu'est-ce qui permet alors de le distinguer du secteur privé ? Si, par contre, c'est l'État (et donc les contribuables) qui le subventionne, qu'est-ce qui permet de garantir qu'il ne s'adressera pas à des publics de plus en plus restreints, avec des émissions de plus en plus élitistes ? On en viendrait alors à une situation où une majorité paie pour des minorités.

●

Les pratiques culturelles

LES PRATIQUES CULTURELLES SONT DE PLUS EN PLUS PRÉSENTES DANS LES FOYERS DES PAYS DÉVELOPPÉS. CEPENDANT, C'EST DE MANIÈRE TRÈS INÉGALE QUE SE RÉPANDENT LE LIVRE, LE DISQUE, LES SPECTACLES DITS VIVANTS, LA TÉLÉVISION...

La place des biens culturels dans les budgets des ménages des pays développés ne cesse de s'accroître : depuis vingt ans, c'est le poste qui augmente le plus vite après la santé. De ce fait, le nombre d'individus qui demeurent totalement étrangers aux pratiques culturelles diminue d'année en année. On estime que, d'ici à la fin du XXe siècle, les Français devraient dépenser plus de 10 % de leur budget pour leurs loisirs. Le pourcentage d'individus qui possèdent et lisent des livres, qui écoutent de la musique ou en jouent, qui fréquentent les musées augmente globalement.

L'évolution de la consommation culturelle varie selon les secteurs. Le marché du livre progresse très lentement après avoir connu une phase de croissance régulière jusqu'à la fin des années 1960 ; le disque, en crise depuis une vingtaine d'années, a été provisoirement sauvé par les nouvelles techniques de numérisation (le compact). Parallèlement, d'autres secteurs culturels stagnent. La demande de spectacle vivant (théâtre, concert, chorégraphies) a connu une longue période de baisse tendancielle depuis le début du XXe siècle. Le théâtre puis le concert et le music-hall ont été lourdement touchés par la concurrence du spectacle mécanique (le cinéma puis le disque, la radio et la télévision). Cette fuite du public semble pourtant s'être stabilisée depuis quelques années, mais ces activités demeurent celles de groupes très minoritaires. L'industrie cinématographique ne cesse de se plaindre, elle, de la diminution drastique de ses spectateurs. Au milieu des années 1950, la production cinématographique avait quatre cents millions de spectateurs en France ; vingt-cinq ans plus tard, il y en a près de cinq milliards. Mais il est vrai que le lieu de consommation a changé et que c'est à 95 % devant la télévision que ces films sont vus.

La pratique culturelle dont la diffusion est de très loin la plus avancée est en effet la télévision et, dans une moindre mesure, la radio. Selon les pays, l'audience des médias augmente plus ou moins ; dans tous, elle devance de très loin toutes les activités culturelles. C'est que c'est aussi l'activité la moins coûteuse.

●

→ **Voir aussi :** Les loisirs, SOCIO, p. 458-459.

Les nouvelles technologies de la communication

DEPUIS LES ANNÉES 1960, on prédit, à intervalles réguliers, la disparition ou la transformation des médias de masse (radio, télévision) et l'arrivée de nouveaux médias ou de nouvelles technologies de la communication, qui permettraient de mieux satisfaire les goûts de chacun. Ces nouveaux médias ont suscité pour l'heure plus de discours que de réalisations. Comme l'observait McLuhan, ils consomment d'abord des programmes anciens. Mais ils servent surtout à réaliser des profits. Les nouveaux médias nourrissent les espoirs de changements sociaux comme la télévision l'avait fait dans les années 1950. On les imagine capables de diffuser une véritable éducation populaire, de réduire les inégalités culturelles et sociales. Mais les changements sont rarement ceux que l'on annonce et que l'on souhaite. Et,

pour l'instant, ils ne sont pas venus là où on les annonçait : le câble et le satellite occupent, en Europe occidentale du moins, une place encore modeste. Ils apparaissent comme des moyens de gérer des services de télévision qui ressemblent fort aux chaînes hertziennes classiques. Ils permettent surtout aux téléspectateurs de mieux gérer leur consommation et aux diffuseurs de proposer de nouveaux modes de commercialisation (péage, abonnement, cryptage). Aux côtés du câble et du satellite, le « nouveau média » le plus important des années 1980 est, à ce point de vue, le magnétoscope, qui permet lui aussi un accès plus libre aux images. La véritable révolution pourrait venir de la télévision à haute définition, qui suppose une transformation tant du récepteur que du mode de consommation des images.

1. Couverture mondiale de CNN.

2. Dan Rather, de CBS.

Câbles, satellites, magnétoscopes

CÂBLES ET SATELLITES, DONT ON ATTENDAIT UNE VÉRITABLE RÉVOLUTION, PERMETTENT SURTOUT, COMME LE MAGNÉTOSCOPE, D'ACCROÎTRE LA CONSOMMATION TÉLÉVISUELLE CLASSIQUE.

Le premier nouveau média annoncé, dans les débuts des années 1960, est le satellite, qu'on imagine arrosant d'images multiples des pays sans défense. Mais les premiers satellites lancés sont des satellites de télécommunication, qui ne servent qu'exceptionnellement à la télévision. Ainsi Telstar est utilisé en 1962 pour transmettre images et sons entre les États-Unis et l'Europe pendant quelques minutes. L'histoire des satellites de diffusion directe est lourde d'échecs et d'ajournements. Aujourd'hui, plusieurs satellites européens de diffusion directe se disputent le marché : Astra (luxembourgeois), BSB (britannique), TV-SAT (allemand). Les satellites français TDF 1 (proposant la chaîne culturelle franco-allemande Arte, héritière, en 1992, de la Sept) et TDF 2 ont connu des pannes en série et ne fonctionnent qu'au ralenti. En 1992, sur l'ensemble de l'Europe, 5 millions de foyers étaient équipés des antennes paraboliques nécessaires à la réception directe par satellite, l'essentiel se trouvant en Allemagne et en Grande-Bretagne. En matière de télévision, la plupart des programmes par satellites sont aujourd'hui retransmis sur des satellites de faible ou moyenne puissance dont les signaux parviennent aux téléspectateurs grâce aux réseaux câblés qui les retransmettent. Ces derniers sont ap-

parus dans les années 1950 aux États-Unis pour acheminer le signal des émetteurs jusqu'à des zones mal desservies ; puis, dans les années 1970, le câble a pris son essor et proposé de nouveaux programmes. En Europe, les gouvernements français, britannique, ouest-allemand lancent des plans-câbles ambitieux dans les années 1980. La France choisit la fibre optique, technologie sophistiquée mais coûteuse. L'Allemagne réussit mieux avec le câble coaxial, technique éprouvée utilisée aux États-Unis. Retransmises par les réseaux câblés, les quelque 40 chaînes par satellite qui émettent vers l'Europe sont surtout des relais ou des associations de chaînes existantes : ainsi TV5, la chaîne publique francophone, fruit d'une association entre Français, Belges et Suisses francophones. La seule chaîne mondiale par satellite et câble est peut-être CNN, Cable News Network, de l'Américain Ted Turner, reçue sur presque l'ensemble de la planète. Annonce de l'avenir ou expérience éphémère ? Pour la plupart des foyers, la diversification des programmes est venue du magnétoscope. Plus discret que le câble et le satellite, il a effectué une percée récente mais très rapide (un ménage sur deux en France, deux sur trois en Grande-Bretagne, trois sur quatre aux États-Unis) et devrait toucher, à terme, tous les foyers. •

Télématique : vidéotex, le retour de l'écrit

LA TÉLÉMATIQUE A CONNU UNE APPLICATION FULGURANTE AVEC LE MINITEL, SUCCÈS FRANÇAIS QUI OUVRE LA VOIE À UN RETOUR DE LA COMMUNICATION ÉCRITE.

La télématique, c'est le mot forgé en 1978 pour désigner le mariage du téléphone et de l'informatique. Dans les années 1970 apparaît la possibilité, pour intensifier l'usage du réseau téléphonique, d'afficher sur écran des textes ou des graphiques transmis, sous forme numérique, par l'intermédiaire de réseaux de télécommunications. C'est ce qu'on appelle le vidéotex, l'application la plus connue de la télématique. Il permet non seulement d'effectuer des consultations, mais aussi de réaliser des fonctions de communication et de transaction. Véritablement interactif, il doit être distingué du télétexte, simple système d'affichage d'informations sur un téléviseur grâce à un décodeur. La France a été pionnière en

matière de vidéotex, grâce à un pari audacieux. À partir de 1979, les foyers français ont été peu à peu équipés d'un terminal spécifique, simple, peu coûteux, le Minitel, initialement destiné à remplacer l'annuaire. Au début, le système semble voué à l'échec : il suscite hostilité politique, scepticisme économique et craintes de la presse. Mais, en 1993, six millions de Minitels équipent les foyers et les entreprises françaises. Relié à des centres serveurs, le Minitel donne un accès rapide à toutes sortes de services : téléachat, opérations bancaires... Il permet aussi de jouer, de communiquer avec d'autres abonnés par le biais de la messagerie électronique. Initialement inquiets de ce nouveau concurrent,

Primauté des chaînes d'information

Avec l'exclusivité des images de l'assassinat d'Anouar el-Sadate en 1981, de l'explosion de *Challenger* en 1986 et grâce à une couverture en continu des grands événements mondiaux (le Printemps de Pékin, la chute du mur de Berlin, la libération de Nelson Mandela et surtout la guerre du Golfe), la chaîne améri-

caine CNN s'impose chaque jour davantage comme la banque d'images des télévisions du monde. Diffusée par sept satellites et reçue par 120 pays, elle émet 24 heures sur 24 exclusivement des programmes d'informations. Elle est financée par les abonnements des câblo-distributeurs et par la publicité.

La télévision du futur

LA TÉLÉVISION DE DEMAIN EST UN ENJEU INDUSTRIEL ET ÉCONOMIQUE MAJEUR, OBJET D'UNE BATAILLE ENTRE AMÉRICAINS, EUROPÉENS ET JAPONAIS.

Les téléviseurs couleurs actuels existent en trois systèmes, le PAL allemand, le SECAM français, le NTSC américain. Ils proposent une image souvent relativement instable, avec une définition en 625 ou 525 lignes, très inférieure, par exemple, à celle d'une image cinéma en 35 mm. La télévision haute définition (T.V.H.D.) propose une définition de plus de 1 000 lignes, un stockage et des trucages plus faciles. Elle pourrait même supplanter le film.

Les enjeux économiques sont considérables : à terme, ce sont les huit cents millions de téléviseurs présents dans le monde qui devront être remplacés. La T.V.H.D. sera grosse consommatrice d'électronique. Outre la télévision de divertissement classique, la T.V.H.D. pourra être utilisée par l'armée, par la médecine et la télésurveillance. Aussi la bataille industrielle est-elle considérable.

Dans un premier temps, ce sont des systèmes de T.V.H.D. analogiques (l'information est transmise par variation de l'intensité d'un signal électronique ou d'une fréquence) qui ont été explorés. Les Japonais ont pris une certaine avance avec le système MUSE, opérationnel depuis 1989, mais incompatible avec les téléviseurs existants. Les Européens ont, eux aussi, mis au point la norme D2 Mac, pouvant être reçue avec un décodeur par les postes actuels. Mais le D2 Mac, n'apportant qu'une faible amélioration de l'image, a été abandonné en 1993. Le seul acquis est l'accord sur un nouveau format de postes (ratio 16/9).

La télévision du futur sera en fait numérique. L'information sera codée sous la forme de 0 et de 1 (bit) et les téléviseurs deviendront de véritables ordinateurs. Cela exige, bien sûr, la transmission d'énormes quantités d'informations (144 milliards de bits/seconde), mais les techniques de compression des images permettront de résoudre cette difficulté. Il sera alors possible de diffuser soit un plus grand nombre de chaînes, soit des images de plus grande qualité. •

3. Transmission des images D2 et HD Mac.

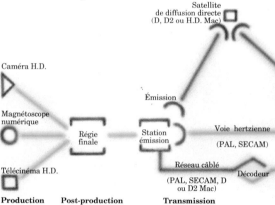

Caméra H.D.

Magnétoscope numérique

Télécinéma H.D.

Régie finale

Station émission

Émission

Satellite de diffusion directe (D, D2 ou H.D. Mac)

Voie hertzienne (PAL, SECAM)

Réseau câblé (PAL, SECAM, D ou D2 Mac)

Décodeur

Réception

Décodeur

16/9

4/3

Téléviseur

Téléviseur H.D.

Production   Post-production   Transmission   Réception

Tête de réseau

les médias imprimés se sont intéressés au Minitel : beaucoup de journaux offrent déjà leurs informations sur écran. Des services réservés à des professionnels se sont également mis en place (météo pour les agriculteurs, commerce et distribution, etc.). Il en naît chaque jour de nouveaux. Pour les informations pratiques, dont on veut disposer rapidement et qui réclament une mise à jour régulière, le vidéotex est l'instrument idéal.

Dans d'autres pays, le vidéotex s'est développé à un rythme plus lent, en raison de la non-gratuité du terminal et de l'absence d'un réseau universel et intégré. Au début des années 1980, la Grande-Bretagne et l'Allemagne fédérale ont développé leurs propres systèmes de vidéotex interactif, Prestel et Bildschirmtext, qui n'ont aujourd'hui que quelques centaines de milliers d'utilisateurs, recourant à des terminaux spécifiques, à leurs téléviseurs ou à l'ordinateur personnel. En dehors de la France, on paraît s'orienter désormais vers des sous-systèmes d'information particuliers, qui seront peut-être interconnectés progressivement. En tout état de cause, la civilisation de l'image dont on annonçait l'avènement dans les années 1960 deviendra, de plus en plus, une société de l'écrit et de l'écran. •

4. Terminal de visioconférence.

Les pratiques de consommation

LES NOUVELLES TECHNOLOGIES DE LA COMMUNICATION N'ONT PAS ENCORE BOULEVERSÉ LES PRATIQUES DU GRAND PUBLIC. PLUS DISCRÈTEMENT, C'EST LA VIE ÉCONOMIQUE QUI SE TRANSFORME.

Les innovations technologiques ont très tôt suscité des utopies de la communication. Dès la fin du XIXe siècle, un auteur français, Robida, célébrait les mérites du téléphone à images. Le satellite et la télévision ont fait croire au « village global » et à l'unité culturelle du monde. Avec le câble et la télématique, on a cru que toute la culture et tout le savoir seraient disponibles, à la demande. Aujourd'hui, on imagine que la télévision transeuropéenne pourrait créer l'unité culturelle dont l'Europe a besoin. Toutes ces utopies ont un défaut : le déterminisme technologique. Les distances et les différences sociales ne sont pas comblées par les outils, mais simplement transformées. Les études disponibles montrent, pour l'instant, une diversification et un aménagement de la consommation habituelle de télévision, de radio, de téléphone. En matière de télévision, les abonnés américains se sont rapidement lassés des soixante ou soixante-dix chaînes qu'ils pouvaient recevoir et se sont concentrés sur six ou huit chaînes. Parmi les chaînes thématiques, celles du sport, des informations, du cinéma réussissent à survivre. C'est surtout le mode de facturation qui fait l'originalité : l'abonné paye directement pour un programme sans publicité. De plus en plus souvent, il recherche l'accès payant à des événements télévisuels déterminés, grâce à une carte magnétique ou à un compteur sur le téléviseur. La télévision à péage rencontre ainsi un succès grandissant : 10 % des foyers américains en sont équipés.

Les Français n'ont pas encore connu de véritable révolution des habitudes. Pourtant, à terme, les réseaux câblés comme un Minitel plus perfectionné permettront de consulter à distance des banques de données, d'effectuer télépeaiement grâce à une carte magnétique. Ces services pratiques grand public paraissent devoir non se substituer mais s'ajouter à la consommation de divertissement. À l'heure actuelle, les premiers utilisateurs des nouvelles technologies fondées sur la télécommunication interactive sont en fait les entreprises et les collectivités publiques, non les simples usagers. L'utilisation conjointe des satellites, des câbles, des lignes téléphoniques, des liaisons hertziennes, des ordinateurs a donné naissance à de très complexes réseaux de communication qui accélèrent le traitement et l'échange d'informations, avec des effets parfois imprévisibles, par exemple en matière financière. De plus, ces réseaux constituent des enjeux politiques. L'accès aux renseignements informatisés et organisés (banque de données) est réservé à un petit nombre, et des opérations commerciales majeures se font de plus en plus opaques. En outre, toute l'économie internationale devient de plus en plus dépendante de la technique, qu'il s'agisse de production ou de communication. •

→ **Voir aussi :** L'Europe et la communication, MEDIAS, p. 520-521. Les télécommunications, TECHN, p. 466-467. La télévision, TECHN, p. 472-473.

5. Téléviseur Space System Thomson.

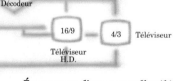

Émergence d'une nouvelle télévision

Depuis trente ans, le poste de télévision avait peu évolué techniquement. Certes, les constructeurs avaient mis au point quelques innovations comme l'incrustation d'une image d'une chaîne sur l'image visualisée à l'écran mais cela restait limité. Avec la T.V.H.D. (pour laquelle on a d'abord envisagé les normes D2 et HD Mac), c'est l'ensemble de la chaîne audiovisuelle qui sera peut-être modifié.

Depuis plus de quarante ans déjà, la technologie du câble est connue. Mais ce support n'est apparu en Europe qu'au début des années 1980. Son taux de pénétration reste inégal selon les pays. Élevé en Belgique, aux Pays-Bas et en Suisse, il est plus faible en Allemagne, en France et en Grande-Bretagne, où le câblage est en cours. Les pays du Sud, comme l'Espagne, manquent de ressources pour financer les infrastructures nécessaires.

Taux de pénétration du câble en Europe
début 1992 (Source : T. Vedel, compilations nationales)

Pays	foyers raccordés/ foyers avec TV	foyers abonnés/ foyers raccordés
Belgique	95	89
Pays-Bas	83	94
Suisse	70	88
Allemagne	53	59
Suède	40	77
Norvège	40	84
France	20	23
Espagne	10	–
Royaume-Uni	6	23

1. Un triomphe international : *Miami vice (Deux Flics à Miami).*

L'Europe de la communication

LA CONSTRUCTION D'UNE communauté européenne, née des traités de Rome de 1957, a d'abord été justifiée par des objectifs économiques. Mais les soucis politiques et culturels n'ont jamais été absents de l'esprit des fondateurs. L'élection du Parlement européen au suffrage universel (1979), l'élargissement de la Communauté, la perspective du grand marché unique de 1993 ont rendu nécessaire une communication des idées et des informations à l'échelle européenne. C'est vers la télévision, premier instrument de loisir des Européens, que tous les regards se sont tournés. On rêve de l'image comme langage commun à cet ensemble de nations séparées par les langues et l'histoire. Pourtant, l'union est difficile à réaliser. Les obstacles sont multiples : différences de législation, préférences des téléspecta-

teurs pour les programmes nationaux, domination des Américains sur le marché international, faible succès des chaînes paneuropéennes diffusées par satellites. L'image fait oublier le langage, mais les différences linguistiques demeurent un obstacle majeur à l'unité culturelle de l'Europe. Pour l'instant, le Vieux Continent paraît surtout le terrain de chasse de grands groupes de communication.

Pour une future Europe de la communication, trois questions se posent : quelles seront la place et les missions des télévisions de service public ? Quelle sera la part des programmes d'origine européenne sur les écrans ? Enfin, y aura-t-il une autorité européenne susceptible de contrôler les mouvements de capitaux et les politiques des groupes privés de communication ?

La déréglementation de l'audiovisuel européen

LE FAIT MARQUANT DES ANNÉES 1980 A ÉTÉ LA « DÉRÉGLEMENTATION » DE L'AUDIOVISUEL, C'EST-À-DIRE LE RECUL DU RÔLE DE L'ÉTAT ET DES CHAÎNES PUBLIQUES.

Au moment où l'Europe politique se renforce, les nations européennes procèdent à une déréglementation spectaculaire de leurs télévisions. Dans les années 1970 domine partout le monopole d'État, sur deux ou trois chaînes publiques financées d'abord par la redevance. L'Italie ouvre la voie en 1976 par un arrêt de la Cour constitutionnelle qui atteint le monopole de la RAI : les chaînes privées se multiplient, bientôt dominées par la Fininvest de Silvio Berlusconi. En Allemagne, les chaînes de service public (ARD et ZDF) ont fait face, à partir de 1985, à plusieurs chaînes privées (R.T.L. Plus, SAT 1, Pro 7...), qui obtiennent aujourd'hui 30 % de la part d'audience. Quant à la Grande-Bretagne, elle a pu paraître un modèle de régulation, car elle a très tôt (dès 1954) organisé la concurrence public-privé (ITV), tout en contenant le développement de ce dernier secteur. Mais le Broadcasting Bill de 1989, voté en 1990, a réaménagé le système et mis fin à la position dominante de la BBC. Quant à la

France, elle n'a mis que trois ans, de 1984 à 1987, pour passer de trois chaînes publiques à sept chaînes : deux chaînes publiques généralistes, Antenne 2 et FR3 (rebaptisées France 2 et France 3 en 1992, dotées d'une présidence commune dès 1989), une chaîne publique culturelle par satellite, La Sept (qui s'effacera en 1992 devant la chaîne franco-allemande Arte), trois privées généralistes, TF1, La Cinq (qui cessera d'émettre en 1992) et M6, et une chaîne privée cryptée, Canal +. Désormais, partout en Europe, les téléspectateurs connaissent les programmes des chaînes privées, coupés par la publicité, dominés par la fiction américaine. Dans certains pays, l'État délègue à une institution administrative spécialisée le pouvoir de contrôler le secteur privé de la télévision : le Conseil supérieur de l'audiovisuel en France, l'IBA en Grande-Bretagne (rebaptisée en 1990 Independent Television Commission). La question des relations entre l'État et la télévision se trouve de nouveau posée. ●

L'essor des groupes multimédias

LE RECUL DE L'ÉTAT SE DOUBLE DU RENFORCEMENT DES GROUPES PRIVÉS DE COMMUNICATION, QUI INTERVIENNENT EN MÊME TEMPS DANS PLUSIEURS PAYS.

C'est dans ce contexte de déréglementation que des initiatives spectaculaires sont prises par de grands groupes multimédias européens. Ils interviennent de plusieurs manières : ils prennent des participations dans le capital des nouvelles chaînes privées hertziennes, ils constituent d'importants catalogues de droits de diffusion et ils investissent dans la production. Ainsi la Fininvest italienne a eu (de 1990 à 1992) des participations importantes dans La Cinq française et reste présent dans Tele 5 (allemande) et dans Telecinco (espagnole). Le Français Havas exporte le modèle de télévision sur abonnement Canal + dans plusieurs autres pays européens (la Belgique, l'Espagne, l'Allemagne). News Corporation International, de l'Australo-Américain Rupert Murdoch, est présent aux États-Unis où il essaie de créer un quatrième réseau. Mais Rupert Murdoch a surtout beaucoup misé sur le satellite, avec le lancement de Sky Channel (relayé par les réseaux câblés au Benelux et dans les pays nordiques), puis avec Astra, satel-

lite de diffusion directe qui propose un ensemble de quatre chaînes : Sky One (généraliste), Sky News, Sky Movies (films) et Eurosports. En 1990, son groupe (Sky Television) a fusionné avec British Broadcasting Television (BSB) pour former BSkyB, qu'il contrôle. Ces groupes multimédias ont perçu la difficulté de réaliser un programme européen unique. Les téléspectateurs divergent encore par les goûts et les habitudes. Le contexte concurrentiel détermine toujours largement leurs comportements. Un programme européen unique n'est donc pas la stratégie la meilleure, et les investisseurs européens cherchent d'abord à s'adapter aux marchés en réutilisant au mieux leurs savoir-faire et leurs stocks d'émissions. Mais c'est d'abord de la télévision classique que viendront les profits, comme le montre l'essor de la chaîne privée française TF1, qui se risque désormais hors de l'Hexagone. Première pour l'audience en Belgique francophone, elle cherche à commercialiser des espaces publicitaires sur la Belgique.

Une multinationale de l'audiovisuel

Bertelsmann est aujourd'hui un des tout premiers groupes mondiaux de communication, et sans doute le plus diversifié. Qu'il s'agisse des magazines ou de l'édition d'encyclopédies, Bertelsmann a une vision mondiale du marché et cherche à concevoir des produits très faciles à adapter aux différents pays. Basé en Allemagne, le groupe fonde d'abord son succès sur les clubs de livres (France-Loisirs en France) et de disques. C'est aujourd'hui la presse magazine qui est en tête pour le chiffre d'affaires (avec une vingtaine de titres en Allemagne et autant à l'étranger). Suivent les secteurs de l'édition, de la musique et de la vidéo. C'est récemment que Bertelsmann a investi dans l'audiovisuel. Il s'est associé avec Canal + pour une chaîne cryptée en R.F.A. Il est coactionnaire, avec la Compagnie luxembourgeoise de télévision (C.L.T.), de R.T.L. Plus la première chaîne privée allemande, qui émet depuis 1985 et réalisait, fin 1992, 20 % de part d'audience. Outre l'Europe, le groupe est présent aux États-Unis (B.M.G.), a des liens avec le Japon (JVC) et annonçait en 1991 un chiffre d'affaires de 54 milliards de francs. ●

2. Une série britannique : *la Dynastie des Forsythe*.

Succès à l'exportation

La production de programmes reste le talon d'Achille de l'Europe de l'audiovisuel. Les émissions étrangères qui s'exportent le mieux sont les fictions britanniques, de très haute qualité, ainsi *la Dynastie des Forsythe*, un « 26 fois 50 minutes », adapté du cycle romanesque de J. Galsworthy, sur une dynastie bourgeoise à la fin du XIXᵉ siècle et diffusé par la BBC en 1967. Pour les séries de très longue durée, les Américains sont imbattables, qu'il s'agisse des « soap operas » (les interminables histoires de famille, diffusées dans la journée et financées, à l'origine, par les grandes marques de lessive, d'où leur nom), comme *Santa Barbara*, ou bien des séries policières où les mêmes héros sont confrontés dans chaque épisode à de nouvelles aventures, comme *Miami Vice* (tous deux diffusés pour la première fois aux États-Unis en 1984).

L'Europe des programmes et des publics

LES DIFFÉRENCES EUROPÉENNES NE SONT NULLE PART PLUS FORTES QU'EN MATIÈRE DE PROGRAMMES ET D'AUDIENCES : TOUT SÉPARE ICI LES EUROPÉENS.

La comparaison des programmes des chaînes et des goûts des publics montre à la fois la diversité et l'unité. L'unité se trouve du côté des genres favoris des téléspectateurs. Aux heures de grande écoute (que les professionnels ont baptisées, à la suite des Américains, le « prime time »), le sport, le cinéma et la fiction télévisée, les grandes variétés, les jeux, le journal télévisé sont les ingrédients obligés du menu.

La diversité est d'abord celle des durées d'écoute. Le « prime time » n'est pas partout le même. En France, la tranche 19 h-22 h se détache. En Grande-Bretagne, la consommation est mieux répartie entre 18 h et 22 h 30. En Italie, en Espagne surtout, la courbe d'audience s'élève plus tard dans la journée. Si les genres préférés sont les mêmes, ils doivent être adaptés aux marchés nationaux. Lors des grands matchs de football, les téléspectateurs donnent la préférence aux équipes nationales. Certes, les formules de jeu à succès sont partout les mêmes : ainsi, « la Roue de la fortune » ou « le Juste Prix », importés des États-Unis et présents dans la plupart des pays européens. Mais les candidats, les animateurs, les questions, la publicité dont ces jeux sont truffés, sont adaptés à la culture nationale. Seules émissions véritablement communes aux Européens, les grands films et les grandes séries américaines (dont le fameux *Dallas*, exporté dans 65 pays) réalisent partout des audiences convenables (l'anthropologue Marc Augé voit dans les stars « téléculturelles » la version moderne du héros épique), mais rarement aussi élevées que les films et les fictions nationales, sauf peut-être en Espagne. Enfin, les langues parlées en Europe varient largement d'un pays à l'autre. Selon un sondage Gallup de 1989, l'anglais, langue la plus parlée en Europe, est bien connu aux Pays-Bas (68 %), dans les pays scandinaves, mais peu en France (25 %), en Italie ou en Espagne (13 %). Outre l'Autriche, la langue allemande est connue au Danemark (48 %), en Suisse (81 %), mais pas dans les pays latins.

Bref, il faut constater que la télévision n'est pas encore le langage commun des Européens. •

L'audience, en pourcentage, des chaînes publiques et des chaînes privées dans quelques pays européens

	1985		1990	
	TV publique	TV privées	TV publique	TV privées
Allemagne	100		71	29
Autriche	100		82	18
Belgique	85	15	56	44
Danemark	100		100	
Espagne	100		85	15
Finlande	60	40	52	48
France	100		33	67
Grèce	100		32	68
Irlande	100		75	25
Italie	91	9	50	50
Norvège	100		70	30
Portugal	100		100	
Pays-Bas	100		75	25
Royaume-Uni	52	48	47	53
Suède	100		100	
Suisse	55	45	38	62

Prépondérance américaine en matière de fiction sur les chaînes européennes
(moyennes européennes, en pourcentage)

origine de la production	séries télévisées	feuilletons	téléfilms	films de cinéma
allemande	6,5	*	12,5	3,5
australienne	1,5	7,5	*	*
brésilienne	*	12	*	*
britannique	9,5	6	9,5	8,5
française	9	7,5	12,5	13,5
italienne	*	*	2,5	9
divers	8	32,5	24,4	13,5
américaine	65,5	44,5	48,5	52

(*) compris dans la catégorie « divers »
Source : enquête BLM Study – la Documentation française 1992

L'émergence de l'Europe juridique et politique

LA CONSTITUTION D'UNE RÉGLEMENTATION EUROPÉENNE EST DIFFICILE : LES DÉSACCORDS ENTRE PAYS SONT ENCORE TRÈS NOMBREUX.

Les autorités publiques ont réagi peu à peu aux transformations de l'audiovisuel européen. C'est en 1982 que le Parlement européen invite la Commission de Bruxelles à élaborer « un règlement-cadre européen » en matière de radiotélévision. En 1984, la Commission publie un texte de référence : le Livre vert sur l'« établissement du marché commun de la radiodiffusion, notamment par satellite et par câble ». Finalement, la directive communautaire sur la « télévision sans frontières », qui concerne les douze pays de la Communauté, est adoptée le 3 octobre 1989. La directive est un compromis entre deux positions extrêmes. D'un côté, la Grande-Bretagne, les groupes privés et les petits pays étaient favorables à une liberté presque totale et à l'absence de quotas. En effet, les petits pays européens (Danemark, Benelux, mais aussi, en dehors de la C.E., la Suisse) sont depuis longtemps habitués à la pénétration de chaînes étrangères voisines. Ils maîtrisent mieux que leurs grands voisins les langues étrangères, to-

lèrent mieux le sous-titrage. Une réglementation stricte est pour eux difficile à respecter. Au contraire, les grands pays comme la France souhaitaient protéger l'industrie par un système de quotas. Finalement, le texte invite les chaînes européennes à réserver, dans la mesure du possible, une place majoritaire à des œuvres d'origine européenne. Chaque pays peut, s'il le désire, instituer un système de quotas. Mais les quotas ne seront efficaces que si l'on encourage la production. En 1989, les premières Assises européennes de l'audiovisuel ont permis l'adoption d'un plan européen de soutien à la production d'images, l'« Eurêka audiovisuel » et, en 1990, la C.E. a lancé un programme « MEDIA ». Doté de 250 milliards d'écus pour la période 1991-1995, ce programme vise à aider la distribution et la production d'œuvres audiovisuelles européennes ainsi que la formation de professionnels. Les initiatives publiques paraissent cependant insuffisantes aux professionnels, qui réclament un soutien plus actif. •

L'INDEX DE CE VOLUME PERMET DE retrouver une information à partir d'un mot ou d'un nom (désignant une chose, une idée, un événement, un personnage, etc.). Supposons que nous cherchions des renseignements sur le néoclassicisme. À son entrée classée alphabétiquement dans l'index, nous trouvons les mentions suivantes :

néoclassicisme
Futurisme 100
Néoclassicisme et romantisme 274
Architecture (XIXᵉ s.) 280
Peinture (XIXᵉ s.) 282
Sculpture (XIXᵉ s.) 294
Musique néo-classique 392

Chacun des renvois de cette séquence comporte deux éléments :
– Premièrement, une forme, généralement abrégée, du titre de la double page dans laquelle figurent des renseignements sur le néoclassicisme.
– Deuxièmement, le ou les folio(s) de la page ou des deux pages où se trouvent les renseignements en question. Les renvois sont classés dans l'ordre croissant des pages.
Cette présentation apporte à l'utilisateur de l'index, avant même toute consultation du contenu, une information sur la nature des renseignements qu'il trouvera, ce qui facilitera sa recherche.

INDEX

Allégret (Marc)
Film documentaire 468

Allegri (Antonio)
Italie. Classicisme, maniérisme 240

Allemagne
Romantisme. Littérature 76, 78
Littérature populaire 91
Naturalisme 93
Gothique. Architecture 222
Bach 354
Beethoven 376
Wagner 384
Expressionnisme. Cinéma 474
Communication. Europe 520, 521

Allen (Henry)
Jazz 391

Allen (Woody)
Comique, burlesque 453

Almodóvar (Pedro)
Cinéma hispanique 480

alphabet
Épopée de Gilgamesh 12

Alsace
Grünewald 238

Altamira
Préhistoire. Art 132

Altamirano (Ignacio Manuel)
Romantisme. Littérature 78

Altdorfer (Albrecht)
Flandre XVe s., Dürer 235

alto
Instruments de musique 331

Amalienburg
Europe centrale. Baroque 271

Ama no Hashidate
Japon. Arts 192, 193

Amarapura
Asie du Sud-Est. Arts 179

Amarāvatī (école d')
Inde. Arts 173

Amati (les)
Violon 368

amauta
Indiens d'Amérique 34

ambre
Âge du bronze 136

Ambroise (saint)
Littératures chrétiennes 20

Ambryn
Océanie. Arts 196

Ambulants
Réalisme. Arts 285

Aménophis IV ou **Akhenaton**
Épopée de Gilgamesh 12

Amérique
Littérature 10
Indiens d'Amérique 34
États-Unis. Littérature 114

Amérique centrale
Indiens d'Amérique 35
Méso-Amérique. Arts 200

Amérique du Nord
Indiens d'Amérique 34

Amérique du Sud
Indiens d'Amérique 35
Andes. Arts préhispaniques 202

Amérique latine
Romantisme. Littérature 78
Naturalisme 93
Amérique latine. Littérature 116
Amérique latine. Baroque 268
Cinéma. Tiers-monde 488

Amérique précolombienne
→ **précolombienne** (civilisation)

Amérique préhispanique
→ **précolombienne** (civilisation)

Amiens
Gothique. La cathédrale 219
Gothique. Sculpture 228

amour courtois
→ **courtois**

amphithéâtre
Rome. Arts 159, 161

Amyot (Jacques)
Humanisme 53

Ānanda
Asie du Sud-Est. Arts 179

Ananta
Inde. Art classique 175

Anatolie
Islam. Architecture religieuse 167
Islam. Architecture civile 169

anche [orgue]
Orgue 356

anche libre
Instruments de musique 330

anches doubles
Instruments de musique 330

anche simple
Instruments de musique 330

Ancien Empire
Égypte ancienne. Arts 145

Anciens et des Modernes (querelle des)
Classicisme 66

Andersen (Hans Christian)
Romantisme. Littérature 79
Littérature pour les jeunes 124

Anderson (Lindsay)
Film documentaire 468

Anderson (Marian)
Jazz 390

Anderson (Max Aronson, dit G.M.)
Western 461

Anderson (Poul)
Paralittératures 121

Anderson (Sherwood)
États-Unis. Littérature 115

Andersson (Bibi)
Scandinavie. Cinéma 472

Andersson (Harriet)
Scandinavie. Cinéma 472

Andes centrales
Andes. Arts préhispaniques 202

Andrade (Joaquim Pedro de)
Cinéma. Tiers-monde 489

André (Carl)
Avant-gardes 320

Andrea del Castagno
Florence. Arts 231

Andrea del Sarto
Italie. Classicisme, maniérisme 240

Angelico (Fra)
Florence. Arts 231

Angilbert
Carolingiens. Arts 206

Angiolini (Gasparo)
Ballet pantomime 434

Angkor
Asie du Sud-Est. Arts 178

Angkor Thom
Asie du Sud-Est. Arts 178

Angkor Vat
Asie du Sud-Est. Arts 178, 179

Angles-sur-l'Anglin
Préhistoire. Art 132

Angleterre
Théâtre élisabéthain 58
Romantisme. Littérature 76
Gothique. Architecture 222

angoisse
Peinture (XIXe s.) 283

Anicet-Bourgeois (Auguste)
Littérature populaire 91

Anige
Chine. Arts 187
Haute Asie. Arts 189

An Lushan
Chine. Théâtre 28

Annales [Assyrie]
Épopée de Gilgamesh 12

Annaud (Jean-Jacques)
Science-fiction. Cinéma 493

Annonciation
Grünewald 238

Anouilh (Jean)
Littérature et engagement 109

Anquistil (abbé)
Roman. Architecture, sculpture 213

antéglise
Carolingiens. Arts 207
Roman. Architecture, sculpture 212

Antenne 2
→ **A 2**

Antheil (George)
Musiques expérimentales 404

Anthemios de Tralles
Byzance. Arts 164

Antioche
Rome. Arts 159

Antiquité
Europe et littérature 37
Florence. Arts 230

antiroman
Europe et littérature 36
Littérature et culture nouvelle 128

Antoine (saint)
Grünewald 238, 239

Antonioni (Michelangelo)
Néoréalisme italien 479

Antonius de Arena
Renaissance. Danse 429

Anyang
Chine. Arts 180

apadāna
Proche-Orient ancien. Arts 142

Apamée
Rome. Arts 159

Apocalypse
Roman. Peinture 217

Apollinaire (Guillaume)
Livre. L'avènement 55
Futurisme 101
Théâtre de l'absurde 111
Avant-gardes 298, 299
Art abstrait 302

Apollodore de Damas
Rome. Arts 159

apologétique
Littératures chrétiennes 20

Apostrophes
Littérature et culture nouvelle 129

Apulée
Littérature latine 18

aquarelle
Cézanne 293

arabe (littérature)
Poésie arabo-persane 22
Littérature. Nouveaux domaines 112

arabo-persane (littérature)
Littérature 11
Poésie arabo-persane 22

Aragon (Louis)
Surréalisme 106, 107
Littérature et engagement 108, 109
Picasso 314

Aranda (Vicente)
Cinéma hispanique 480

Āraṇyaka
Épopées sanskrites 25

arawicus
Indiens d'Amérique 34

Arbeau (Thoinot) ou **Tabourot** (Jehan)
Art instrumental 345
Bal 426
Renaissance. Danse 429

arbre de mai
Bal 427

arc
Instruments de musique 330

Arcadelt (Jacob ou Jacques)
Art instrumental 345

arc-boutant
Gothique. La cathédrale 218
Chartres 220

arc de triomphe
Rome. Arts 159

arc en bouche
Musiques traditionnelles 335

archaïsme
Grèce ancienne. Arts 152, 153
Hellénisme. Arts 155

archéologie
Musique primitive 328

archet
Violon 368

archiluth
Instruments de musique 331

Archipenko (Alexander)
Sculpture (XXe s.) 310

architecture
Proche-Orient ancien. Arts 142
Islam. Architecture religieuse 166
Saint-Marc de Venise 210
Roman. Architecture, sculpture 212
Saint-Sernin de Toulouse 214
Gothique. La cathédrale 218
Gothique. Architecture 222
Brunelleschi 232
Michel-Ange 242
Europe centrale. Baroque 270
Architecture (XIXe s.) 280
Architecture (XXe s.) 306
Le Corbusier 308
Postmodernisme 322

Arcis (Marc)
Saint-Sernin de Toulouse 215

Arcy-sur-Cure
Préhistoire. Art 132, 133

Arden de Feversham
Théâtre élisabéthain 58

Ardents (bal des)
Bal 427

Ardmore
Irlande. Arts 204

Arequipa
Amérique latine. Baroque 269

Arezzo
Étrusques. Arts 157

Argentina (Imperio)
Cinéma hispanique 480

Argentine
Cinéma. Tiers-monde 489

Argolide
Grèce ancienne. Arts 151

Argos
Grèce ancienne. Arts 153

Arguedas (Alcides)
Amérique latine. Littérature 117

Arguedas (José María)
Amérique latine. Littérature 117

aria da capo
Interprétation musicale 389

Aristée
Littérature latine 19

Aristophane
Grèce antique. Théâtre 17
Théâtre de l'absurde 111

Aristote
Europe et littérature 36

Bedos de Celles (Dom)
Orgue 357

Bédouins
Poésie arabo-persane 22

Bedsā
Inde. Arts 173

Beethoven (Ludwig van)
Style classique 360, 361
Musique de chambre 364
Symphonie 366
Violon 368
Concerto 371
Piano 372
Romantisme. Musique 374, 375
Beethoven 376
Lied et mélodie 378
Wagner 384

Bego (mont)
Âge du bronze 137

Behzād
Islam. Objets d'art 171

Béjart (Maurice)
Ballet classique (XXᵉ s.) 442, 443

Belaïev (Mitrofan Petrovitch)
Russie. Musique 395

bel canto
Théâtre lyrique (XIXᵉ s.) 380

Belgioioso (Baldassarino)
→ Beaujoyeux

Bellay (Joachim du)
Cosmopolitisme 98

Bellini (Gentile)
Saint-Marc de Venise 210

Bellini (Giovanni)
Venise. Arts du XVIᵉ s. 246

Bellini (Vincenzo)
Théâtre lyrique (XIXᵉ s.) 381
Grandes voix du répertoire 383

Bellmunt (Francisco)
Cinéma hispanique 481

Bellocchio (Marco)
Néoréalisme italien 479

Bellow (Saul)
États-Unis. Littérature 115

Belūr
Inde. Arts hindou et musulman 177

Ben (Ben Vautier, dit)
Avant-gardes 321

Benacerraf (Margot)
Cinéma. Tiers-monde 489

Benda (Julien)
Littérature et engagement 108, 109

Benegal (Shyam)
Inde. Cinéma 482

Benelux
Communication. Europe 521

bengali (cinéma)
Inde. Cinéma 483

Bénin [empire]
Afrique. Arts 194, 195

Benn (Gottfried)
Expressionnisme. Littérature 102, 103

Benois (Alexandre) ou **Benoua** (Aleksandr)
Ballets russes 438

Benoît d'Aniane (saint)
Carolingiens. Arts 206, 207

Benoît de Nursie (saint)
Littératures chrétiennes 21
Dante 49

Bense (Max)
Futurisme 101

Benserade (Isaac de)
Ballet de cour 431

Bérain (Jean)
Ballet de cour 431

Berg (Alban)
Musique de chambre 364
Violon 369
Lied et mélodie 379
Orchestre 387
École de Vienne. Musique 398
Berg 400
Sérialisme intégral 402

Berger (Michel)
Culture rock 419

bergerette
Polyphonie profane 341

Bergman (Ingmar)
Scandinavie. Cinéma 472

Bergman (Ingrid)
Cinéma. Comédien 457
Scandinavie. Cinéma 472

Bergson (Henri)
Littérature et engagement 109

Berio (Luciano)
Symphonie 367
Lied et mélodie 379
École de Vienne. Musique 399
Sérialisme intégral 403
Musiques expérimentales 404
Musique aléatoire 406

Bériot (Charles Auguste de)
Violon 369

Berkeley (Busby)
Musique de film 417
Comédie musicale 458

Berlanga (Luis García)
Cinéma hispanique 480

Berlioz (Hector)
Oratorio et cantate 358, 359
Symphonie 367
Concerto 371
Romantisme. Musique 374, 375
Théâtre lyrique (XIXᵉ s.) 381
Orchestre 387
Musique. Théorie et critique 413

Berlusconi (Silvio)
Médias 499
Audience. Public et sondages 511

Bernanos (Georges)
Littérature et engagement 108

Bernard (Claude)
Naturalisme 92

Bernard (Émile)
Van Gogh 291
Cézanne 292, 293

Bernard (saint)
Dante 49
Gothique. Sculpture 228

Bernard de Fontaine
Roman. Architecture, sculpture 213

Bernard de Ventadour
Troubadours et trouvères 338

Bernardin de Saint-Pierre (Henri)
Cervantès 65
Lumières. Littérature 72
Littérature populaire 90

Bernin (le)
Baroque. Littérature 56
Rome baroque 248, 249
Baroque et classicisme. Arts 252, 253
Europe centrale. Baroque 270, 271

Bernward de Hildesheim (saint)
Art préroman 208

Béroul
Romans de chevalerie 43

Berquin (Arnaud)
Littérature pour les jeunes 124

Berruguete (Alonso)
Espagne. Peinture 254

Berry (Jean de France, duc de)
Gothique. Peinture 225

Bertelsmann [groupe]
Communication. Europe 521

Bertolucci (Bernardo)
Néoréalisme italien 479

Bertram von Minden (Maître)
Gothique. Peinture 224

Berwald (Franz)
Symphonie 367

Berzé-la-Ville
Roman. Peinture 216, 217

best-seller
Livre. L'avènement 54

Bethléem
Premier art chrétien 162

Beti (Mongo)
Afrique noire. Littérature 119

Beuckelaer (Joachim)
Hollande et Flandre. Arts du XVIIᵉ 263

Beuys (Joseph)
Avant-gardes 321

Bèze (Théodore de)
Renaissance 343

Bhagavad-Gītā
Épopées sanskrites 24

Bhājā
Inde. Arts 173

bhakti
Littérature 10
Épopées sanskrites 24, 25

bhārat nātyam
Danse. Nature et rôle 423

Bhārhut
Inde. Arts 173

Bhêly-Quénum (Olympe)
Afrique noire. Littérature 119

Bhubaneswar
Inde. Art classique 175
Inde. Arts hindou et musulman 177

Bias (Fanny)
Danse académique 437

Biber (Heinrich Ignaz Franz)
Violon 368

Bible
Littérature 11
Épopée de Gilgamesh 12, 13
Littératures chrétiennes 20, 21

bibliothèque
Épopée de Gilgamesh 12
Livre. L'avènement 55

Bibliothèque bleue
Cervantès 65
Littérature populaire 90

bienséances
Classicisme 67

Bigard (Barney)
Jazz 391

Billon (Pierre)
Culture rock 419

Binchois (Gilles)
Polyphonie profane 341

Bioy Casares (Adolfo)
Paralittératures 121

Birmanie
Asie du Sud-Est. Arts 179

bit hilani
Proche-Orient ancien. Arts 142

Bizet (Georges)
Piano 373
Théâtre lyrique (XIXᵉ s.) 381

Bjørnson (Bjørnstjerne Martinius)
Scandinavie. Littérature 94

Blackton (James Stuart)
Fantastique. Cinéma 490

Blake (William)
Romantisme. Littérature 76, 77
Peinture romantique 276

Blanton (Jimmy)
Jazz 391

Blasetti (Alessandro)
Film historique, péplum 464, 465
Néoréalisme italien 478

Blasis (Carlo)
Danse académique 437

Blaue Reiter (Der)
Avant-gardes 298, 299
Art abstrait 302

Blest Gana (Alberto)
Réalisme 85

Bley (Carla)
Jazz 391

Blish (James)
Paralittératures 121

Bloch (Ernest)
Musique de chambre 364

Blom (August)
Scandinavie. Cinéma 473

Blomberg (Erik)
Scandinavie. Cinéma 473

Blondel (François)
Baroque et classicisme. Arts 252

blues
Interprétation musicale 389
Jazz 390

BMPT (groupe) [Buren, Mosset, Parmentier, Toroni]
Avant-gardes 321

Boccace
Humanisme 52

Boccherini (Luigi)
Musique de chambre 364
Symphonie 367

Boccioni (Umberto)
Avant-gardes 299
Sculpture (XXᵉ s.) 310

Böcklin (Arnold)
Peinture (XIXᵉ s.) 283

bodegone
Espagne. Peinture 255

Bodel (Jean)
→ Jean Bodel

Bodhidharma
Chine. Arts 183

bodhisattva
Inde. Art classique 175

Boèce
Dante 49
Moyen Âge. Musique religieuse 336

Bofill (Ricardo)
Postmodernisme 322

Bogart (Humphrey)
Hollywood, star system 454, 455
Film policier, film noir 463

Bogdanov (Aleksandr Aleksandrovitch)
Littérature populaire 91

Bohême
Âge du bronze 137
Gothique. Peinture 224

Böhm (Georg)
Oratorio et cantate 359

Boileau (Nicolas)
Europe et littérature 36
Classicisme 67
Molière 68

Boismortier (Joseph Bodin de)
Oratorio et cantate 359

Boito (Arrigo)
Théâtre lyrique (XIXᵉ s.) 381

Bo Juyi
Chine. Poésie classique 27

Bolivie
Andes. Arts préhispaniques 202

Böll (Heinrich)
Littérature et engagement 109

Bolling (Claude)
Musique de film 417

Bologne (Jean)
→ Giambologna

Boltanski (Christian)
Avant-gardes 321

bombarde
Instruments de musique 331

Bombois (Camille)
Art naïf, art brut 296

Bonaventure (saint)
Littératures chrétiennes 21
Dante 49

Bonetti (Mattia)
Postmodernisme 322

bonheur
Lumières. Littérature 72
Robinson et Gulliver 74

Boni (Nazi)
Afrique noire. Littérature 119

Bonington (Richard Parkes)
Peinture romantique 277

Bonnard (Pierre)
Figuration (XXe s.) 312, 313

Bonnart (Nicolas)
Danse. Théâtre et opéra 433

Bononcini (G.)
Oratorio et cantate 359

Bonsels (Waldemar)
Littérature pour les jeunes 125

Bontemps (Arna)
États-Unis. Littérature 114

Bonzi (Leonardo)
Film documentaire 468

Bordier (Jacques)
Ballet de cour 431

Borduas (Paul Émile)
Art abstrait 317

Borges (Jorge Luis)
Livre. L'avènement 54
Cosmopolitisme 98
Amérique latine. Littérature 117
Paralittératures 121

Borodine (Aleksandr Porfirievitch)
Symphonie 367
Russie. Musique 395

Borromini (Francesco)
Baroque. Littérature 56
Rome baroque 248, 249

Bortnianski (Dmitri Stepanovitch)
Russie. Musique 394

Boscoreale
Rome. Arts 160, 161

Bosschaert (Ambrosius)
Hollande et Flandre. Arts du XVIIe 262

Bossi (Antonio)
Würzburg 272

Bossuet (Jacques Bénigne)
Littératures chrétiennes 20
Classicisme 66
Littérature pour les jeunes 125

Botticelli (Sandro)
Florence. Arts 231
Debussy 397

Boucher (François)
France. Arts du XVIIIe s. 266, 267

Boucher de Crèvecœur de Perthes (Jacques)
Préhistoire. Art 132

Boucourechliev (André)
Piano 373
Musique aléatoire 407

Bouddha
Inde. Arts 173
Inde. Art classique 174, 175
Inde. Arts hindou et musulman 176
Asie du Sud-Est. Arts 178, 179
Japon. Arts 190

bouddhisme
Épopées sanskrites 25
Inde. Arts 173
Inde. Art classique 174
Asie du Sud-Est. Arts 179
Chine. Arts 182, 183, 184, 187
Haute Asie. Arts 189
Japon. Arts 190, 191, 192
Cage 408

bouffons (Querelle des)
Opéra français (XVIIIe s.) 350
Style classique 360

Bougainville (Louis Antoine de)
Littérature. Nouveaux domaines 113

Boukhara
Islam. Architecture religieuse 166
Islam. Architecture civile 169

bouleutêrion
Hellénisme. Arts 154

Boulez (Pierre)
Oratorio et cantate 359
Style classique 360
Musique de chambre 364
Piano 373
Lied et mélodie 379
Jazz 390
École de Vienne. Musique 399
Sérialisme intégral 402
Musique aléatoire 406

Boullée (Étienne Louis)
Néoclassicisme et romantisme 274
Architecture (XIXe s.) 280
Postmodernisme 322

Boulogne (Jean)
→ Giambologna

Bourbons (les)
Ballet de cour 430

Bourdeilles
Préhistoire. Art 132

Bourdelle (Antoine)
Sculpture (XXe s.) 310

Bourgeois (Loys)
Renaissance 343

bourgeoisie
Molière 69
Roman (XIXe s.) 86

Bourges
Gothique. La cathédrale 219

Bourget (Paul)
Debussy 396

Bourgogne (duché de)
Renaissance. Danse 428

Bournonville (August)
Danse académique 437

Bourtayre (Jean-Pierre)
Culture rock 419

Boury-en-Vexin
Néolithique et chalcolithique 135

Bouzid (Nouri)
Cinéma. Tiers-monde 488

Boyd (William)
Serials, séries 466

Bracesco (Virgilio)
Renaissance. Danse 429

Bradbury (Ray)
Paralittératures 121
Science-fiction. Cinéma 493

Bradley (Scott)
Musique de film 417

Bragaglia (Carlo Ludovico)
Film historique, péplum 465

Brahmā
Inde. Arts hindou et musulman 177

Brāhmaṇa
Épopées sanskrites 25

brahmanisme
Inde. Arts 173

Brahms (Johannes)
Orgue 357
Oratorio et cantate 358, 359
Musique de chambre 364
Symphonie 367
Concerto 371
Piano 373
Lied et mélodie 378
Wagner 385
Orchestre 387
École de Vienne. Musique 399

Bramante (Donato)
Italie. Classicisme, maniérisme 240

Brancusi (Constantin)
Sculpture (XXe s.) 310

Brandes (Georg)
Scandinavie. Littérature 94

Brando (Marlon)
Hollywood, star system 455
Cinéma. Comédien 456

branle
Bal 426, 427
Renaissance. Danse 429

Branner (Martin)
Bande dessinée 123

Braque (Georges)
Avant-gardes 298, 299
Art abstrait 302
Picasso 314
Ballets russes 439

Brasillach (Robert)
Littérature et engagement 108

Brassens (Georges)
Culture rock 419

Braud (Wellman)
Jazz 391

Bray (John Randolph)
Dessin animé 470

Brecht (Bertolt)
Chine. Théâtre 29
Expressionnisme. Littérature 102
Théâtre de l'absurde 110, 111

Breien (Anja)
Scandinavie. Cinéma 473

Breitkopf (Johann Gottlob Immanuel)
Symphonie 367

Bremer (Claus)
Futurisme 101

Brentano (Antonie)
Beethoven 377

Brentano (Clemens)
Romantisme. Littérature 78

Brenton (Guy)
Film documentaire 468

Brésil
Amérique latine. Baroque 269
Cinéma. Tiers-monde 489

Bretagne
Âge du bronze 136

Bretécher (Claire)
Bande dessinée 123

Breton (André)
Surréalisme 106, 107
Afrique noire. Littérature 118
Dadaïsme et surréalisme 304, 305

Breton (Arthur)
Surréalisme 106

Breuil (abbé Henri)
Préhistoire. Art 132

Brighton (école de)
Cinéma muet 450

Bril (Paul)
Hollande et Flandre. Arts du XVIIe 262

British Broadcasting Corporation
→ BBC

Britten (Benjamin)
Musique de chambre 364

Broadway
Comédie musicale 458

Brod (Max)
Kafka 104

Bronski Beat
Culture rock 419

Bronson (Charles)
Film policier, film noir 463

Brontë (Emily)
Littérature féminine 126

bronze [beaux-arts]
Islam. Objets d'art 170

bronze (âge du)
Âge du bronze 136
Grèce ancienne. Arts 150, 151

Brooks (Louise)
Hollywood, star system 455

Brooks (Mel)
Comique, burlesque 453

Brooks (Richard)
Western 461

Brouwer (Adriaen)
Hollande et Flandre. Arts du XVIIe 263

Brown (Clifford)
Jazz 391

Brown (Earle)
Musique aléatoire 406
Cage 409

Brown (Ford Madox)
Réalisme. Arts 285

Brown (Fredric)
Paralittératures 121

Brown (James)
Culture rock 418

Brown (Ray)
Jazz 391

Brown (Trisha)
Danse postmoderne 444, 445

Brown (William Wells)
États-Unis. Littérature 114

Bruchsal
Europe centrale. Baroque 270

Brücke (Die)
Van Gogh 291
Avant-gardes 298, 299

Bruckner (Anton)
Symphonie 367

Bruegel (Jan I), dit Bruegel de Velours
Hollande et Flandre. Arts du XVIIe 263

Bruegel (Pieter)
Hollande et Flandre. Arts du XVIIe 263

Brugnoli (Amalia)
Danse académique 437

Brühl
Würzburg 272

Bruhns (Nikolaus)
Orgue 357
Oratorio et cantate 359

bruitage
Cinéma muet 450

Brunelleschi (Filippo)
Florence. Arts 230
Brunelleschi 232

Brunhild
Chansons de geste 39
Sagas 40

Bruno (Giordano)
Caravage 251

Bruno (G.) [pseudonyme de Mme Alfred Fouillée]
Littérature pour les jeunes 125

Brunswick (Josephine von)
Beethoven 377

brut (art)
Art naïf, art brut 296

Bruxelles
Peinture (XIXe s.) 283

Bryen (Camille)
Art abstrait 317

bucchero
Étrusques. Arts 156

Büchner (Georg)
Berg 400

budget des ménages
Industries culturelles 517

buffet [facteur de flûte]
Instruments de musique 331

Buffet (Bernard)
Figuration (XXe s.) 313

Chilam-Balam
Indiens d'Amérique 35

Childs (Lucinda)
Danse postmoderne 444

Chili
Cinéma. Tiers-monde 489

Chimú
Andes. Arts préhispaniques 203

Chine
Littérature 10
Chine. Poésie classique 26
Chine. Théâtre 28
Japon. Littérature 30
Littérature populaire 91
Chine. Arts 180, 182, 184, 186
Cinéma. Tiers-monde 489

Chirāz
Islam. Objets d'art 171

chitarrone
Instruments de musique 331

Chiusi
Étrusques. Arts 157

Chocano (José)
Amérique latine. Littérature 117

chœur
Grèce antique. Théâtre 17

chōka
Japon. Littérature 30

Cholula
Méso-Amérique. Arts 201

Chopin (Frédéric)
Concerto 371
Piano 372
Romantisme. Musique 374

choral
Renaissance 343
Bach 354

chorège
Grèce antique. Théâtre 16, 17

chorégraphe
Renaissance. Danse 428

Chostakovitch (Dmitri)
Oratorio et cantate 359
Musique de chambre 364
Symphonie 367
Russie. Musique 395

Choub (Esther)
Réalisme soviétique 476

Chrétien de Troyes
Romans de chevalerie 42, 43

Christ en majesté
Roman. Peinture 217

Christensen (Benjamin)
Scandinavie. Cinéma 473

Christian (Charlie)
Jazz 391

christianisme
Littératures chrétiennes 20
Paralittératures 121
Premier art chrétien 162
Byzance. Arts 164
Film policier, film noir 463

Christine de Pisan
Littérature féminine 126

Christophe (Georges Colomb, dit)
Bande dessinée 122

chromatisme
École de Vienne. Musique 398

Chtchedrine (Rodion)
Russie. Musique 395

Chtchoukine (Sergueï)
Matisse 300, 301

chuanqi
Chine. Théâtre 29

Churriguera (les)
Baroque et classicisme. Arts 253

Chypre
Grèce ancienne. Arts 151

Cicéron
Littérature latine 18
Littératures chrétiennes 20
Classicisme 67

Ciconia (Johannes Cigogne, en italien)
Polyphonie profane 341

Cielo d'Alcamo
Dante 48

Cimabue (Cenni di Pepo, dit)
Giotto 226

Cinecittà
Néoréalisme italien 478

cinéma
Musique de film 416
Cinéma. Invention 448
Télévision 506
Industries culturelles 516

cinéma (industrie du)
Cinéma. Industrie 494

cinéma muet
Cinéma muet 450

cinématographe
Cinéma. Invention 448

Cinq (groupe des)
Musique néo-classique 392
Russie. Musique 395

Cinq (la)
Communication. Europe 520

Circé
Homère 14, 15

circoncision
Danse. Nature et rôle 423

cisterciens
Carolingiens. Arts 207
Roman. Architecture, sculpture 212
Gothique. La cathédrale 218
Gothique. Architecture 222

cistre
Instruments de musique 331

cité
Dante 48
Humanisme 52

Cité interdite
Chine. Arts 187

cité lacustre
Néolithique et chalcolithique 134

Cité radieuse
Architecture (XXᵉ s.) 307

cithare
Instruments de musique 330
Musiques traditionnelles 335

Ci-Wara tyiwara
Afrique. Arts 195

Cixous (Hélène)
Littérature féminine 127

Claesz. (Pieter)
Hollande et Flandre. Arts du XVIIᵉ 262, 263

Clair (René)
Littérature populaire 91
Fantastique. Cinéma 490

clair-obscur
Caravage 251

Clairvaux
Néolithique et chalcolithique 134

clarinette
Instruments de musique 330, 331

clarinettiste
Jazz 391

Clarke (Arthur C.)
Paralittératures 121

Clarke (Kenny)
Jazz 391

Clarté
Surréalisme 106

classicisme
Baroque. Littérature 56
Classicisme 66
Romantisme. Littérature 76, 77, 78
Grèce ancienne. Arts 152, 153
Hellénisme. Arts 155
Florence. Arts 230
Italie. Classicisme, maniérisme 240
Venise. Arts du XVIᵉ s. 246
Baroque et classicisme. Arts 252
France. Arts du XVIIᵉ s. 259
Style classique 360

classic ragtime
Jazz 390

classique (style)
Style classique 360

Claudel (Camille)
Debussy 397

Claudel (Paul)
Livre. L'avènement 55
Symbolisme 97

Claudien
Littérature latine 18

Claudin de Sermisy
Renaissance 343

clavecin
Instruments de musique 331
Bach 354
Piano 372

clavicorde
Instruments de musique 331
Bach 354

Clemencic (René)
Troubadours et trouvères 339

Clemens non Papa
Renaissance 343

Clementi (Muzio)
Piano 372

Clérambault (Louis Nicolas)
Orgue 357
Oratorio et cantate 359

Clerc (Julien)
Culture rock 419

Clicquot *[famille]*
Orgue 356, 357

Cligès
Romans de chevalerie 43

clip
Musique. Diffusion 415

cliquettes
Musique primitive 329

cloche
Instruments de musique 330

clocher-porche
Roman. Architecture, sculpture 212

cloicteach
Irlande. Arts 204

Clonard
Irlande. Arts 204

Clonfert
Irlande. Arts 204

Clonmacnoise
Irlande. Arts 204

clos
Art instrumental 344

Close (Chuck)
Réalisme, pop, néo-figuratif 319

Clouzot (Henri-Georges)
Film documentaire 468

Clouzot (Vera)
Film policier, film noir 463

C.L.T.
→ Compagnie luxembourgeoise de télévision

club
Littérature (XVIIIᵉ s.) 70
Écrivain 83

Cluny
Art préroman 208
Roman. Architecture, sculpture 212, 213
Roman. Peinture 217
Moyen Âge. Musique religieuse 336

cluster
Espace musical 411

CNN (Cable News Network)
Journal télévisé 509

Cnossos
Grèce ancienne. Arts 151

Coatlicue
Méso-Amérique. Arts 200, 201

Cocagne (pays de)
Moyen Âge. Littérature 50

Cochran (Eddie)
Culture rock 418

Cocteau (Jean)
Musique néo-classique 392
Ballets russes 439
Fantastique. Cinéma 491

codex
Indiens d'Amérique 35

Coello (Claudio)
Espagne. Peinture 255

Cohl (Émile)
Dessin animé 470

Cointrel (Matthieu)
Caravage 250

Cola ou **Chola** (les)
Inde. Arts hindou et musulman 177

Colbert (Jean-Baptiste)
Écrivain 82
Baroque et classicisme. Arts 252

Colbran (Isabella)
Grandes voix du répertoire 383

Cole (Cozy)
Jazz 391

Colet (John)
Humanisme 52

Colette (Sidonie Gabrielle, dite)
Littérature féminine 126

collage
Littérature et culture nouvelle 129

Collasse (Pascal)
Danse. Théâtre et opéra 432

Collodi (Carlo)
Littérature pour les jeunes 125

Colmar
Grünewald 238

Cologne
Art préroman 208

Colomban (saint)
Irlande. Arts 204

Colombe (Michel)
Gothique. Sculpture 229

colonne *[architecture]*
Rome. Arts 159

colportage (littérature de)
Chansons de geste 38
Littérature populaire 90

Coltrane (John)
Jazz 391

Combarelles
Préhistoire. Art 132

comédie
Grèce antique. Théâtre 16, 17
Molière 69
Comique, burlesque 452
Cinéma. Comédien 456

comédie-ballet
Molière 69
Danse. Théâtre et opéra 432

Comédie-Française
Molière 68

comédie latine
Moyen Âge. Littérature 50

comédie musicale
Comédie musicale 458

comédien
Cinéma. Comédien 456

Comencini (Luigi)
Néoréalisme italien 479

comique
Comique, burlesque 452

commedia dell'arte
Grèce antique. Théâtre 17

hanamichi
Japon. Théâtre 33

Händel (Georg Friedrich)
Baroque. Musique 346
Style concertant 353
Bach 354
Oratorio et cantate 358, 359
Mozart 363
Musique néo-classique 393

Hangzhou
Chine. Arts 186

haniwa
Japon. Arts 190

hanka
Japon. Littérature 30

Hanson (Duane)
Réalisme, pop, néo-figuratif 319

Han Wudi
Chine. Arts 182

happening
États-Unis. Littérature 114
Avant-gardes 321
Cage 408
Danse postmoderne 445

Harappā
Inde. Arts 172

Harāt
Islam. Architecture civile 169
Islam. Objets d'art 171

hard bop
Jazz 391

hard-rock
Culture rock 418

Hardy (Françoise)
Culture rock 419

Hardy (Thomas)
Littérature. Nouveaux domaines 113
Style classique 361

Ḥarīrī
Islam. Objets d'art 171

Harlem Renaissance
États-Unis. Littérature 114

harmonique (son)
Acoustique musicale 326
Violon 368

harpe
Musique primitive 329
Instruments de musique 330, 331

Harris (Joel Chandler)
États-Unis. Littérature 114

Harrison (Jimmy)
Jazz 391

Harrison (Lou)
Musiques expérimentales 404

Harrison (Rex)
Comédie musicale 458

Hartmann (Arthur Honegger)
Symphonie 367

Hartung (Hans)
Art abstrait 317

Harunobu
Japon. Arts 193

hasard [musique]
Musique aléatoire 406
Cage 408

hasard objectif
Surréalisme 107

Haskin (Byron)
Science-fiction. Cinéma 493

Hasse (Johann-Adolf)
Oratorio et cantate 359
Style classique 360

Hassler (Hans Leo)
Renaissance 343

Hassouna
Proche-Orient ancien. Arts 140

Hathaway (Henry)
Film policier, film noir 462
Film documentaire 469

Hathor
Danses magiques, religieuses 425

Hauptmann (Carl)
Expressionnisme. Littérature 102

Hauptmann (Gerhart)
Naturalisme 93

Haussmann (Elias Gottlieb)
Bach 354

Haussmann (Georges, baron)
Architecture (XIXᵉ s.) 280

hautbois
Instruments de musique 330, 331

haute-contre
Grandes voix du répertoire 382

haute culture
Musiques traditionnelles 334

Havas (Charles)
Presse quotidienne 500

Hawaii
Océanie. Arts 197

Hawkins (Coleman)
Jazz 391

Hawks (Howard)
Western 461
Film policier, film noir 462
Science-fiction. Cinéma 492

Hawthorne (Nathaniel)
États-Unis. Littérature 115

Haydn (Joseph)
Oratorio et cantate 358
Style classique 360, 361
Mozart 362
Musique de chambre 364
Symphonie 366
Piano 372
Beethoven 376, 377
Orchestre 386

Haydn (Michael)
Style classique 360

Haykal (Muḥammad Ḥusayn)
Littérature. Nouveaux domaines 112

Hayne van Ghizeghem
Polyphonie profane 341
Renaissance 343

Hayworth (Rita)
Hollywood, star system 455
Comédie musicale 458
Film policier, film noir 463

Hearst (William Randolf)
Bande dessinée 122

Heath (Percy)
Musique. Diffusion 414

Hébreux
Épopée de Gilgamesh 12
Musique primitive 329
Danse. Nature et rôle 423

Hector
Homère 14

Heda (Willem Claesz)
Hollande et Flandre. Arts du XVIIᵉ 262

Hedjaz
Poésie arabo-persane 22

Hegel (Georg Wilhelm Friedrich)
Goethe 80

Heian (époque)
Japon. Littérature 30
Japon. Théâtre 32

Heian-kyō
Japon. Arts 190

Heiberg (Johan Ludvig)
Romantisme. Littérature 79

Heidelberg
Romantisme. Littérature 78

Heijō-kyō
Japon. Arts 190

Heimskringla
Sagas 41

Heine (Heinrich)
Romantisme. Musique 375
Lied et mélodie 378

Heinichen (J.D.)
Oratorio et cantate 359

Heinrich von Meissen
Courtoisie 45

Heissenbütell (Helmut)
Futurisme 101

heiti
Sagas 40

Hélène
Homère 14

Hélion (Jean)
Réalisme, pop, néo-figuratif 318, 319

hellénistique (période)
Hellénisme. Arts 154

Hemacandra
Épopées sanskrites 25

Hemingway (Ernest)
Cosmopolitisme 98
États-Unis. Littérature 114

Hénault (Charles Jean François)
Littérature (XVIIIᵉ s.) 70

Henderson (Fletcher)
Jazz 391

Hendricks (Barbara)
Jazz 390

Hendrix (Jimi)
Musiques expérimentales 405
Culture rock 418

Hennique (Léon)
Naturalisme 92

Henri IV [France]
Monteverdi 348

Henri d'Andely
Moyen Âge. Littérature 50

Henry (Pierre)
Musiques expérimentales 404

Henze (Hans Werner)
Symphonie 367

Hepburn (Audrey)
Comédie musicale 458

Hepburn (Katharine)
Hollywood, star system 455

Herbert (Frank)
Paralittératures 121

Herculanum
Hellénisme. Arts 154
Rome. Arts 160

Hercule
Épopée de Gilgamesh 12

Herder (Johann Gottfried von)
Romantisme. Littérature 78

hérédité
Naturalisme 92

Hergé (Georges Rémi, dit)
Bande dessinée 122

Hermogène
Hellénisme. Arts 154

Hérodote
Littérature. Nouveaux domaines 113
Étrusques. Arts 156

héros [littérature]
Espagne. Siècle d'or 63
Cervantès 64
Roman (XIXᵉ s.) 87

héros [mythologie]
Épopée de Gilgamesh 12
Homère 14

Herrera (Juan de)
Renaissance. Europe 245

Herrera le Jeune (Francisco)
Espagne. Peinture 255

Herrera le Vieux (Francisco)
Espagne. Peinture 255

Herrmann (Bernard)
Musique de film 417

Hésiode
Épopée de Gilgamesh 12
Homère 15

Hesse (Hermann)
Goethe 80

hétérophonie
Musiques traditionnelles 334

Heuneburg
Âge du fer 138

Heusch (Luc de)
Film documentaire 468

Heym (Georg)
Expressionnisme. Littérature 102

Hicks (Edward)
Art naïf, art brut 296

hiden
Japon. Théâtre 32

hiéroglyphe
Épopée de Gilgamesh 12

Hiéron de Syracuse
Étrusques. Arts 156

Higashi Yoichi
Japon. Cinéma 485

Higelin (Jacques)
Culture rock 419

Highsmith (Patricia)
Paralittératures 121

Hildebrand (Adolf von)
Sculpture (XIXᵉ s.) 295

Hildebrandt (Lukas von)
Europe centrale. Baroque 271
Würzburg 272

Hildesheim
Art préroman 208

Hilverding (F.)
Ballet pantomime 434

Himeji
Japon. Arts 192

Himes (Chester)
Paralittératures 121

Hindemith (Paul)
Musique de chambre 364
Lied et mélodie 379
Musique. Théorie et critique 412

hindi
Inde. Cinéma 482

hindouisme
Inde. Arts 173
Inde. Art classique 174
Inde. Arts hindou et musulman 176
Asie du Sud-Est. Arts 179

Hines (Earl)
Jazz 391

hippodrome
Rome. Arts 159, 161

Hiroshige
Japon. Arts 193

Hirschlanden
Âge du fer 138, 139

Hishikawa Moronobu
Japon. Arts 193

hispano-américain
Amérique latine. Littérature 116
Amérique latine. Baroque 268, 269

histoire
Robinson et Gulliver 75
Roman (XIXᵉ s.) 87
Peinture d'histoire 256
Néoclassicisme et romantisme 274

Hitchcock (Alfred)
Musique de film 417
Film policier, film noir 462

hit-parade
Culture rock 419

Hittites
Âge du fer 138

Hittorff (Jacques)
Architecture (XIXᵉ s.) 280

Kota
Afrique. Arts 195

koto
Japon. Littérature 30
Japon. Théâtre 33
Musiques traditionnelles 335

Kotosh
Andes. Arts préhispaniques 202

Kouba ou **Bakouba**
Afrique. Arts 194, 195

Koudougou
Danse. Nature et rôle 422

koudourrou
Proche-Orient ancien. Arts 143

Koumarbi
Épopée de Gilgamesh 13

Koumassi
Afrique. Arts 194

kourganes
Haute Asie. Arts 188

kouros
Grèce ancienne. Arts 152, 153

Kourouma (Ahmadou)
Afrique noire. Littérature 119

Kozintsev (Grigori Mikhaïlovitch)
Réalisme soviétique 477

Kramskoï (Ivan)
Réalisme. Arts 285

Krauss (Werner)
Expressionnisme. Cinéma 474

Kreisler (Fritz)
Violon 369

Kreutzer (Rudolphe)
Violon 369

Kriemhild
Chansons de geste 39

Kṛiṣṇa
Inde. Arts hindou et musulman 177

Kristensen (Hans)
Scandinavie. Cinéma 473

Kūbīlāy Khān
Chine. Arts 186, 187
Haute Asie. Arts 189

Kubrick (Stanley)
Film policier, film noir 463
Film historique, péplum 464
Science-fiction. Cinéma 492, 493

Kundera (Milan)
Cosmopolitisme 98

kunqu
Chine. Théâtre 29

Kupka (František)
Art abstrait 302

Kuri Yoji
Japon. Cinéma 485

Kurosawa Akira
Japon. Cinéma 484, 485

Kuṣāṇa
Inde. Arts 173
Chine. Arts 183

Kyd (Thomas)
Théâtre élisabéthain 58

Kylian (John)
Ballet classique (XXᵉ s.) 443

kyōgen
Japon. Théâtre 32

Kyōto
Japon. Littérature 30
Japon. Arts 190, 192, 193

kyū
Japon. Théâtre 32

L

Laban (Rudolf von)
Expressionnisme. Danse 440

Labé (Louise)
Littérature féminine 126

La Boétie (Étienne de)
Humanisme 53

Labro (Philippe)
Culture rock 419

Labyrinthe
Grèce ancienne. Arts 151

Lāchkari Bāzār
Islam. Architecture civile 168

Laclos (Pierre Choderlos de)
Littérature (XVIIIᵉ s.) 71

Lacombe (Georges)
Film documentaire 468

lacustre (cité)
Néolithique et chalcolithique 134

La Faro (Scott)
Jazz 391

La Fayette (Mme de)
Europe et littérature 36
Cervantès 65
Littérature féminine 126

Lafferty (Raphaël Aloysius)
Paralittératures 120

Lafont (Charles Philippe)
Violon 369

Laforgue (Jules)
Symbolisme 96, 97

La Fosse (Charles de)
France. Arts du XVIIIᵉ s. 266

Lagash
Proche-Orient ancien. Arts 141

Lagerlöf (Selma)
Littérature pour les jeunes 125
Scandinavie. Cinéma 472

Lagozza
Néolithique et chalcolithique 134

La Harpe (Jean-François de)
Lumières. Littérature 72

laisse
Chansons de geste 38

laiton
Islam. Objets d'art 170

Lakish
Proche-Orient ancien. Arts 142

Lalo (Édouard)
Symphonie 367

Violon 369
Concerto 371
Théâtre lyrique (XIXᵉ s.) 381

Laloux (Victor)
Architecture (XIXᵉ s.) 280

Lam (Wifredo)
Dadaïsme et surréalisme 305

Lamartine (Alphonse de)
Romantisme. Littérature 76
Romantisme. Musique 375

Lamb (Joseph)
Jazz 390

Lambert (marquise de)
Littérature (XVIIIᵉ s.) 70
Écrivain 83

Lambertini (Niccolo)
Saint-Marc de Venise 210

lamento
Monteverdi 349

Laming-Emperaire (Arlette)
Préhistoire. Art 132

Lamy (Eugène)
Danse académique 437

Lancelot
Romans de chevalerie 42, 43

Landini (Francesco)
Polyphonie profane 341
Art instrumental 344

Landowska (Wanda)
Bach 355

Landowski (Marcel)
Symphonie 367
Concerto 371

Landriano (Gio Ambrosio)
Renaissance. Danse 429

Landshut
Gothique. Architecture 222

Lang (Fritz)
Film policier, film noir 463
Expressionnisme. Cinéma 475
Science-fiction. Cinéma 492

Langdon (Harry)
Comique, burlesque 453

Langlais (Jean)
Orgue 357

Lan Na
Asie du Sud-Est. Arts 179

Laon
Gothique. La cathédrale 218
Gothique. Sculpture 228

Laos
Asie du Sud-Est. Arts 179

Lapicque (Charles)
Art abstrait 317
Réalisme, pop, néo-figuratif 318

Lapointe (Bobby)
Culture rock 419

laque
Chine. Arts 181

Lara (Catherine)
Violon 369

Larbaud (Valery)
Cosmopolitisme 98

Largillière (Nicolas de)
France. Arts du XVIIIᵉ s. 266, 267

Larionov (Mikhaïl)
France. Arts du XVIIIᵉ s. 266, 267
Avant-gardes 299
Art abstrait 303
Ballets russes 439

Larsa
Proche-Orient ancien. Arts 142

Larsen (Viggo)
Scandinavie. Cinéma 473

Lascaux
Préhistoire. Art 132

Lasgraisses
Âge du fer 138

Lassois (mont)
Âge du fer 138

Lassus (Roland de)
Renaissance 343
Art instrumental 345

latine (littérature)
Littérature latine 18
Chansons de geste 38

La Tour (Georges de)
France. Arts du XVIIᵉ s. 258, 259

Lattuada (Alberto)
Néoréalisme italien 479

laude
Renaissance 343

Laugerie-Basse
Préhistoire. Art 133

Laugerie-Haute
Préhistoire. Art 132

Laurana (Francesco)
Renaissance. Europe 244

Laurana (Luciano)
Humanisme 53

Laurel et Hardy
Cinéma muet 451
Comique, burlesque 452, 453

Laurencin (Marie)
Ballets russes 439

Laurens (Henri)
Sculpture (XXᵉ s.) 310, 311

Laussel
Préhistoire. Art 132

Lauste (Eugène)
Cinéma muet 450

Lautréamont
Surréalisme 106
Littérature et culture nouvelle 128
Dadaïsme et surréalisme 305

Lavagnolo (Lorenzo)
Renaissance. Danse 429

Laval
Art naïf, art brut 296

La Villegié (Jacques de)
Réalisme, pop, néo-figuratif 318

Lavilliers (Bernard)
Culture rock 419

lavis
Chine. Arts 184

Lawson (Clèm-Clèm)
Afrique. Arts 195

Laxness (Halldór Kiljan)
Sagas 40

Laye (Camara)
Afrique noire. Littérature 119

Le Bargy (Charles)
Musique de film 416
Cinéma muet 451
Film historique, péplum 464

Le Brun (Charles)
Peinture d'histoire 257
France. Arts du XVIIᵉ s. 259

Leclair (Jean-Marie)
Baroque. Musique 347
Style concertant 353
Violon 368, 369
Concerto 371

Leclerc (Annie)
Littérature féminine 127

Le Corbusier
Architecture (XXᵉ s.) 306
Le Corbusier 308
Espace musical 411

lecture
Littératures chrétiennes 21
Livre. L'avènement 54

Ledoux (Claude Nicolas)
Néoclassicisme et romantisme 274
Architecture (XIXᵉ s.) 280

Lee (Bruce)
Cinéma. Tiers-monde 489

Lee (Christopher)
Fantastique. Cinéma 490

Leeder (Sigurd)
Expressionnisme. Danse 440

LEF (Front gauche de l'art)
Futurisme 101

Legarda (Bernardo)
Amérique latine. Baroque 269

legato
Violon 368

Léger (Fernand)
Avant-gardes 299

Legnani (Pierina)
Danse académique 437

Legnano (Francesco)
Renaissance. Danse 429

Legrand (Michel)
Musique de film 417
Comédie musicale 459

Legrenzi (Giovanni)
Style concertant 352
Oratorio et cantate 359
Grandes voix du répertoire 382

Lehmbruck (Wilhelm)
Sculpture (XXᵉ s.) 310

Leibl (Wilhelm)
Réalisme. Arts 285

Leibowitz (René)
Sérialisme intégral 402

Leigh (Vivien)
Cinéma. Comédien 456

Leiris (Michel)
Littérature. Nouveaux domaines 113

leitmotiv
Wagner 385

Le Jeune (Claude)
Renaissance 343

M

Orchestre 387
Russie. Musique 395

Moustaki (Georges)
Culture rock 419

Mouthe (La)
Préhistoire. Art 133

Mouwatalli
Égypte ancienne. Arts 149

Moyen Âge
Europe et littérature 37
Chansons de geste 38
Sagas 40
Romans de chevalerie 42
Courtoisie 44
Moyen Âge. Théâtre religieux 46
Moyen Âge. Littérature 50
Moyen Âge. Musique religieuse 336
Troubadours et trouvères 339
Polyphonie profane 340

Moyen Empire
Égypte ancienne. Arts 145

Mozart (Leopold)
Mozart 362

Mozart (Wolfgang Amadeus)
Orgue 357
Style classique 360, 361
Mozart 362
Musique de chambre 364
Symphonie 366
Violon 369
Concerto 371
Piano 372
Romantisme. Musique 375
Beethoven 376
Grandes voix du répertoire 382
Orchestre 386
Musique néo-classique 393

Mozia
Grèce ancienne. Arts 153

mu'allaqāt
Poésie arabo-persane 22

muezzin
Islam. Architecture religieuse 166

Mughira (al-)
Islam. Objets d'art 170

Mulcahy (Russell)
Fantastique. Cinéma 490

Muller (Jennifer)
Expressionnisme. Danse 441

multimédia (groupe)
Communication. Europe 520

Munch (Edvard)
Peinture (XIXe s.) 283
Avant-gardes 298
Figuration (XXe s.) 312

Muni (Paul)
Film policier, film noir 462, 463

Mu Qi
Chine. Arts 186

Murad II
Islam. Architecture religieuse 167

muralisme
Figuration (XXe s.) 313

Murasaki Shikibu
Japon. Littérature 30
Littérature féminine 126

Murata Jūko
Japon. Arts 192

Muret (Marc-Antoine)
Renaissance 343

Mureybat
Néolithique et chalcolithique 134, 135
Proche-Orient ancien. Arts 140

Murillo (Bartolomé Esteban)
Espagne. Peinture 255

Murnau (Friedrich Wilhelm)
Cinéma muet 451
Expressionnisme. Cinéma 475

Muromachi (époque)
Japon. Arts 192, 193

mur-rideau
Architecture (XXe s.) 306

music-hall
Industries culturelles 517

musicologie
Musique. Théorie et critique 412

musique
Acoustique musicale 326
Musique. Diffusion 414

musique (drame en ou tragédie en)
Monteverdi 348

musique (école de)
Musique. Diffusion 414

musique d'ameublement
Musique néo-classique 392

musique de chambre
Musique de chambre 364

musique de film
Musique de film 416

musique électronique
Musiques expérimentales 404

musique expérimentale
Musiques expérimentales 404

musique extra-occidentale
Musiques traditionnelles 334

musique liturgique
Moyen Âge. Musique religieuse 336

musique primitive
Musique primitive 328

musique répétitive
Cage 409

Musset (Alfred de)
Romantisme. Musique 375

Müstair
Roman. Peinture 216

Mutanabbī (al-)
Poésie arabo-persane 23

mutation (musique]
Orgue 356

Muṭrān (Khalīl)
Littérature. Nouveaux domaines 112

muwachchaḥ
Poésie arabo-persane 23

Muybridge (Eadweard J.)
Cinéma. Invention 449

Muziano (Girolamo)
Caravage 250

Mweze (Ngangura)
Cinéma. Tiers-monde 488

Mycènes
Grèce ancienne. Arts 150, 151

Mykerinus
Égypte ancienne. Arts 146

mystère
Littératures chrétiennes 20
Moyen Âge. Théâtre religieux 46, 47

mythe
Littérature 10
Grèce antique. Théâtre 17
Indiens d'Amérique 34

mythologie
Grèce antique. Théâtre 17

N

Nabis
Japon. Arts 193
Figuration (XXe s.) 312

Nabuchodonosor Ier
Épopée de Gilgamesh 12

Nabuchodonosor II
Proche-Orient ancien. Arts 142

Naguchi (Isamu)
Expressionnisme. Danse 441

Nahḍa
Poésie arabo-persane 22
Littérature. Nouveaux domaines 112

nahuatl
Indiens d'Amérique 35

naïf (art)
Art naïf, art brut 296

Nair (Mira)
Inde. Cinéma 483

Nakht
Égypte ancienne. Arts 145

Nalan Xingde
Chine. Poésie classique 26

Namban
Japon. Arts 192

Namkha Sengé
Chine. Arts 187

Nandi
Inde. Art classique 175

Nanton (Joe, dit Tricky Sam)
Jazz 390

nanxi
Chine. Théâtre 28

naos
Égypte ancienne. Arts 149

Napoléon Ier
Sculpture (XIXe s.) 294
Beethoven 376

Nara
Japon. Théâtre 32
Japon. Arts 190, 191

Narām-Sīn
Épopée de Gilgamesh 13
Proche-Orient ancien. Arts 142, 143

Narasimhavarman, dit Mamalla
Inde. Art classique 174

Narmer
Égypte ancienne. Arts 144

narthex
Art préroman 208

Nasca
Andes. Arts préhispaniques 203

Nāsser-e Khosrow
Poésie arabo-persane 23

nationalité
Romantisme. Littérature 78

Nativité (église de la) [Bethléem]
Premier art chrétien 162

natoufien (village)
Néolithique et chalcolithique 134

Nattier (Jean-Marc)
France. Arts du XVIIIe s. 266

naturalisme
Naturalisme 92
Scandinavie. Littérature 95
Symbolisme 96
Caravage 251

nature
Homère 15
Lumières. Littérature 72

naturel
Classicisme 66

nature morte
Hollande et Flandre. Arts du XVIIe 262, 263

Nausicaa
Homère 14

Navaho
Indiens d'Amérique 34

Navarro (Fats)
Jazz 391

Naxos
Grèce ancienne. Arts 152

nāy
Musiques traditionnelles 334

nazaréen
Peinture romantique 277
Peinture (XIXe s.) 282

Neandertal (homme de)
Préhistoire. Art 132

Neefe (Gottlob)
Beethoven 376

Neefs (Pieter)
Hollande et Flandre. Arts du XVIIe 262

Néfertiti
Égypte ancienne. Arts 145

Negri (Cesare)
Renaissance. Danse 428, 429

négritude
Afrique noire. Littérature 118

negro spiritual
Jazz 390

Neidhart von Reuental
Courtoisie 45

Némésis
Grèce antique. Théâtre 17

néo-bop
Jazz 391

néoclassicisme
Futurisme 100
Néoclassicisme et romantisme 274
Architecture (XIXe s.) 280
Peinture (XIXe s.) 282
Sculpture (XIXe s.) 294
Musique néo-classique 392

néo-impressionnisme
Impressionnisme 289
Van Gogh 290
Matisse 300

néolithique
Néolithique et chalcolithique 134
Âge du bronze 136
Grèce ancienne. Arts 150

néoplasticisme
Art abstrait 303

néoréalisme
Réalisme, pop, néo-figuratif 318
Néoréalisme italien 478

néphrite
Chine. Arts 181

Nerval (Gérard de)
Surréalisme 106

Neto (Agostinho)
Afrique noire. Littérature 119

Neue Künstlervereinigung
Avant-gardes 298

Neue Sachlichkeit (Nouvelle Objectivité)
Figuration (XXe s.) 312, 313

Neumann (Balthasar)
Würzburg 272

Neumann (Kurt)
Science-fiction. Cinéma 493

neumatique (notation)
Notation musicale 332

neume
Notation musicale 332

Neumeier (Jiří)
Ballet classique (XXe s.) 443

Newbery (John)
Littérature pour les jeunes 124

Newman (Alfred)
Musique de film 417

Newman (Barnett)
Sculpture (XXe s.) 311
Art abstrait 316

Newman (Joseph)
Science-fiction. Cinéma 493

Newman (Paul)
Cinéma. Comédien 456

newsmagazine
Presse magazine 502

new-wave
Culture rock 418

Nezāmi ou Nizāmi
Poésie arabo-persane 22, 23

nganga
Afrique. Arts 195

Ngongo
Afrique. Arts 194

Nguessan Kra
Afrique. Arts 195

Niblo (Fred)
Film historique, péplum 464

Nicarao
Méso-Amérique. Arts 198

Nichāpur
Islam. Architecture religieuse 167

Nicholson (Ben)
Art abstrait 316

Nicias
Grèce ancienne. Arts 153

Nicolas de Leyde
Gothique. Sculpture 229

Nicolas de Verdun
Gothique. Peinture 224, 225

Nielsen (Asta)
Scandinavie. Cinéma 473
Expressionnisme. Cinéma 475

Nielsen (Carl)
Symphonie 367

Niepce (Nicéphore)
Cinéma. Invention 448

Nietzsche (Friedrich Wilhelm)
Scandinavie. Littérature 94
Wagner 385

Nigeria
Afrique. Arts 195

Nihongi
Japon. Littérature 30

Nijinska (Bronislava)
Ballets russes 439
Ballet classique (XXᵉ s.) 442

Nijinski (Vaslav)
Russie. Musique 395
Ballets russes 438, 439

nikki
Japon. Littérature 30

Nikolaïs (Alwin)
Expressionnisme. Danse 440, 441

Nilakanthesvara
Inde. Arts hindou et musulman 177

Nin (Anaïs)
Littérature féminine 126

ningyō-jōruri
Japon. Théâtre 32, 33

Ninive
Épopée de Gilgamesh 12
Proche-Orient ancien. Arts 142

Nintoku
Japon. Littérature 30

nirvāṇa
Inde. Art classique 175

Nivard de Gand
Moyen Âge. Littérature 51

Niẓām al-Mulk
Islam. Architecture religieuse 167

Ni Zan
Chine. Arts 186

Nizan (Paul)
Littérature et engagement 108, 109

nō
Japon. Théâtre 32

Nodier (Jean Charles Emmanuel)
Romantisme. Littérature 77

noir (film)
→ film noir

Nok
Afrique. Arts 194

nombre d'or
Chartres 221

Nono (Luigi)
Oratorio et cantate 359
Sérialisme intégral 403

Noone (Jimmy)
Jazz 391

Northumbrie
Irlande. Arts 205

Norvège
Romantisme. Littérature 79
Naturalisme 93
Scandinavie. Cinéma 473

notation graphique
Musique aléatoire 407
Espace musical 411

notation musicale
Notation musicale 332, 333
Musiques traditionnelles 335

Notker
Moyen Âge. Musique religieuse 336

Notre-Dame (école de)
Moyen Âge. Musique religieuse 337

Notre-Dame-la-Grande de Poitiers
Roman. Architecture, sculpture 213

Nougaro (Claude)
Culture rock 419

nouveau roman
Europe et littérature 36
Littérature et culture nouvelle 128

Nouveaux Jeunes
Musique néo-classique 392

Nouvel Empire
Égypte ancienne. Arts 145

Nouvelle-Bretagne
Océanie. Arts 196

Nouvelle-Calédonie
Océanie. Arts 196, 197

Nouvelle Figuration
Réalisme, pop, néo-figuratif 319

Nouvelle Frontière
États-Unis. Littérature 114

Nouvelle-Guinée
Océanie. Arts 196, 197

Nouvelle-Irlande
Océanie. Arts 196, 197

Nouvelle Objectivité
→ Neue Sachlichkeit

Nouvelle-Orléans (style)
Jazz 391

Nouvelle Vague
Nouvelle Vague 486

Nouvelle-Zélande
Océanie. Arts 197

Nouzi
Proche-Orient ancien. Arts 142

Novalis
Romantisme. Littérature 76
Goethe 80
Romantisme. Musique 375

novelty ragtime
Jazz 390

Noverre (Jean-Georges)
Danse. Théâtre et opéra 433
Ballet pantomime 434

Novgorod
Byzance. Arts 165

Noyen-sur-Seine
Néolithique et chalcolithique 135

nu
Rubens 261
Manet 286

O

Oaxaca
Méso-Amérique. Arts 198, 199, 200, 201

Obalufon
Afrique. Arts 194

Obéid (période d'El-)
Proche-Orient ancien. Arts 141

Oberammergau
Moyen Âge. Théâtre religieux 46

Oberzell-Reichenau
Art préroman 208
Roman. Peinture 217

objecteur
Réalisme, pop, néo-figuratif 319

Obrecht (Jacob)
Renaissance 343

oc (langue d')
Littérature. Nouveaux domaines 113

Ocantos (Carlos María)
Réalisme 85

Océanie
Océanie. Arts 196

Ockeghem (Johannes)
Renaissance 342

odalisque
Manet 286

Oda Nobunaga
Japon. Arts 192

Odin
Sagas 40

Odyssée (l')
Homère 14

Œdipe
Europe et littérature 36, 37

Oehlenschläger (Adam)
Romantisme. Littérature 79

Offenbach (Jacques)
Théâtre lyrique (XIXᵉ s.) 381

Office de justification de la diffusion
Audience. Public et sondages 510

Ogata Kōrin
Japon. Arts 193

Ogawa Shinsuke
Japon. Cinéma 485

ogive
Gothique. La cathédrale 218
Gothique. Architecture 222

Oguchi Chu
Japon. Cinéma 484

Ohana (Maurice)
Piano 373

O.J.D.
→ Office de justification de la diffusion

Ojibwa
Indiens d'Amérique 34

Ō-kagami
Japon. Littérature 30

Okuni
Japon. Théâtre 33

Oldenburg (Claes)
Réalisme, pop, néo-figuratif 319

Olmèques
Méso-Amérique. Arts 198, 199, 200

Olodumare
Afrique. Arts 194

Olson (Charles)
États-Unis. Littérature 114

Olympie
Grèce ancienne. Arts 153

Omeyyades
Islam. Architecture religieuse 166
Islam. Architecture civile 168, 169

Onetti (Juan Carlos)
Amérique latine. Littérature 117

Oni
Afrique. Arts 194, 195

opéra
Baroque. Musique 346
Monteverdi 348
Opéra français (XVIIIᵉ s.) 350
Théâtre lyrique (XIXᵉ s.) 380
Danse. Théâtre et opéra 432

Opéra (bal de l')
Bal 427

opéra-ballet
Opéra français (XVIIIᵉ s.) 350
Danse. Théâtre et opéra 432

opera buffa
Théâtre lyrique (XIXᵉ s.) 381

opéra-comique
Opéra français (XVIIIᵉ s.) 350
Théâtre lyrique (XIXᵉ s.) 380

Opéra de Paris
Danse. Théâtre et opéra 432, 433

opera seria
Opéra français (XVIIIᵉ s.) 350

Ophuls (Max)
Film documentaire 468

Oplontis
Rome. Arts 160

oppida
Âge du fer 138

orale (littérature)
Littérature 10
Chansons de geste 38

oralité
Livre. L'avènement 54

orateur
Littérature latine 18
Littératures chrétiennes 21

oratorio
Baroque. Musique 346
Bach 354
Oratorio et cantate 358, 359

Orcagna (Andrea)
Gothique. Sculpture 228

orchestre
Orchestre 386, 387

Orcival
Roman. Architecture, sculpture 212, 213

Ordos
Haute Asie. Arts 188

ordre
Romans de chevalerie 42

ordre [style]
Florence. Arts 230

ordre prêcheur
Gothique. Architecture 223

Oreste
Musique primitive 329

organetto
Troubadours et trouvères 339

organologie ethnique
Musiques traditionnelles 334

organum
Moyen Âge. Musique religieuse 336

orgue
Bach 354
Orgue 356
Interprétation musicale 389

Origène
Littératures chrétiennes 21

ornementation
Interprétation musicale 389

Orphée
Littérature latine 19

Ortelius (Abraham)
Hollande et Flandre. Arts du XVIIᵉ 262

O.R.T.F.
Télévision 506

orthostate
Proche-Orient ancien. Arts 142

Orvieto
Étrusques. Arts 157

Orwell (George)
Paralittératures 121

Oscar
Cinéma. Industrie 495

Oseï Toutou
Afrique. Arts 194

Oshima Nagisa
Japon. Cinéma 484, 485

Osiander (Lucas)
Renaissance 343

Osiris
Égypte ancienne. Arts 146, 147

Osmanlis
→ **Ottomans**

Ostie
Rome. Arts 160, 161

Oswald von Wolkenstein
Courtoisie 45

Ōtomo no Yakamochi
Japon. Littérature 30

Ottomans, ottoman (Empire)
Islam. Objets d'art 170

Ottoniens
Art préroman 208

Ouedraogo (Idrissa)
Cinéma. Tiers-monde 488

Ougarit
Épopée de Gilgamesh 12

Oulipo
Épopée de Gilgamesh 13
Littérature et culture nouvelle 129

Our
Proche-Orient ancien. Arts 140, 141, 142, 143

Ouranos
Épopée de Gilgamesh 13

Our-Namma
Proche-Orient ancien. Arts 142

Our Nanshé
Proche-Orient ancien. Arts 141

Ouro Preto
Amérique latine. Baroque 269

Ourouk
Épopée de Gilgamesh 12
Proche-Orient ancien. Arts 141, 142

Ousmane (Sembene)
→ **Sembene** (Ousmane)

Ousmane Sow
Afrique. Arts 195

Outanapishtim
Épopée de Gilgamesh 12

ouvert [musique]
Art instrumental 344

ouverture
Musique aléatoire 406

Ovide
Littérature latine 18
Littératures chrétiennes 21
Europe et littérature 36
Cosmopolitisme 98

Oyono (Ferdinand)
Afrique noire. Littérature 119

Ozu Yasujiro
Japon. Cinéma 485

P

Pabst (Georg Wilhelm)
Expressionnisme. Cinéma 475

Pacheco (Francisco)
Espagne. Peinture 254

Pachelbel (Johann)
Oratorio et cantate 359

Pacher (Michael)
Gothique. Sculpture 229

Pachkevitch (Vassili Alekseïevitch)
Russie. Musique 394

Pacifique (océan)
Océanie. Arts 196

Padoue
Giotto 226

Pagan
Asie du Sud-Est. Arts 179

Paganini (Niccolo)
Violon 368, 369

paganisme
Littératures chrétiennes 20

Page (Thomas Nelson)
États-Unis. Littérature 114

Page (Walter)
Jazz 391

Pagnol (Marcel)
Littérature populaire 91

pagode
Asie du Sud-Est. Arts 179

païenne (littérature)
→ **littérature païenne**

pailū
Chine. Poésie classique 27

Painlevé (Jean)
Film documentaire 468, 469

Pal (George)
Science-fiction. Cinéma 492

Pāla
Inde. Arts hindou et musulman 176

Palau (îles)
Océanie. Arts 196

Palenque
Méso-Amérique. Arts 200

paléochrétien (art)
Premier art chrétien 162

paléolithique
Préhistoire. Art 132

Paléologues (les)
Byzance. Arts 165

Pales (Léon)
Préhistoire. Art 132

Palestine
Néolithique et chalcolithique 134
Musique primitive 328

Palestrina (Giovanni Pierluigi da)
Renaissance 343
Wagner 384

pali
Épopées sanskrites 25

Palissy (Bernard)
Humanisme 52

Palladio (Andrea)
Venise. Arts du XVIᵉ s. 246, 247
Néoclassicisme et romantisme 274
Architecture (XIXᵉ s.) 280

Pallava (dynastie des)
Inde. Art classique 174

Palma (Ricardo)
Romantisme. Littérature 78

Paludan-Müller (Frederik)
Romantisme. Littérature 79

Pañcatantra
Épopées sanskrites 25

Pane (Gina)
Avant-gardes 321

Pāṇini
Épopées sanskrites 25

Pantocrator
Littératures chrétiennes 21

pantomime
Comique, burlesque 452

papauté
Littératures chrétiennes 20

papyrus
Livre. L'avènement 55

Pâques (île de)
Océanie. Arts 197

Paracas
Andes. Arts préhispaniques 203

parade
Moyen Âge. Littérature 50

Paradis
Dante 49

Paradis (Vanessa)
Culture rock 419

Paradjanov (Sergueï)
Réalisme soviétique 477

paralittérature
Paralittératures 120

Paramount
Cinéma. Industrie 494

Paray-le-Monial
Roman. Architecture, sculpture 213

parchemin
Livre. L'avènement 55

Pardo Bazán (Emilia)
Naturalisme 93

Paré (Ambroise)
Humanisme 52

Paris
Littérature (XVIIIᵉ s.) 70
Gothique. La cathédrale 219

Parisii
Âge du fer 138

Parker (Charlie)
Jazz 390, 391

Parlement de Londres
Architecture (XIXᵉ s.) 281

Parmegiani (Bernard)
Musiques expérimentales 404

Parmesan (le)
Italie. Classicisme, maniérisme 240

Parnasse
Symbolisme 96

Paros
Grèce ancienne. Arts 152

Parrhasios
Grèce ancienne. Arts 153

Partecipazio (Giovanni et Giustiniano)
Saint-Marc de Venise 210

partessien (chant)
Russie. Musique 394

Parthénon
Grèce ancienne. Arts 153

partiel
Acoustique musicale 326

partition
Notation musicale 332, 333

partition mobile
Musique aléatoire 407

Parturier (Françoise)
Littérature féminine 127

Pasargades
Proche-Orient ancien. Arts 142

Pascal (Blaise)
Littératures chrétiennes 20
Humanisme 53
Baroque. Littérature 56

pas de deux
Danse académique 437

Pasiega (La)
Préhistoire. Art 132

Pasmore (Victor)
Art abstrait 316

Pasolini (Pier Paolo)
Néoréalisme italien 479

passage [chant]
Grandes voix du répertoire 383

Passereau [compositeur]
Renaissance 343

passion [musique]
Bach 354

Passy-sur-Yonne
Néolithique et chalcolithique 135

Pasta (Giuditta)
Grandes voix du répertoire 383

pastourelle
Courtoisie 45

Pastrone (Giovanni)
Film historique, péplum 464

Pāṭaliputra
Inde. Arts 173

Pathé (Charles et Émile)
Cinéma. Industrie 494

Paṭnā
Inde. Arts 173

Patrick (saint)
Irlande. Arts 204

patristique
Littératures chrétiennes 21

Patrocle
Homère 14

Paul III [pape]
Rome baroque 249

Paul (Robert William)
Film historique, péplum 464
Film documentaire 468

Paul ermite (saint)
Grünewald 239

pauvre (art)
Avant-gardes 321

pavane
Bal 427

Paxton (Joseph)
Architecture (XIXᵉ s.) 280

Paxton (Steve)
Danse postmoderne 444

paysage
Gothique. Peinture 225
Grünewald 239
France. Arts du XVIIᵉ s. 259
Hollande et Flandre. Arts du XVIIᵉ 262
Réalisme. Arts 284

paysannerie
Réalisme. Arts 284

Pays-Bas
Rubens 260
Van Gogh 290

Paz (Octavio)
Cosmopolitisme 98
Amérique latine. Littérature 117

péché
Littératures chrétiennes 20

Pech-Merle
Préhistoire. Art 133

Peckinpah (Sam)
Western 461

Pedro de Campaña
Espagne. Peinture 254

Peellaert (Guy)
Bande dessinée 122

Péguy (Charles)
Littérature 11

Peilaifeng
Chine. Arts 187

peinture
Gothique. Peinture 224
Giotto 226
Flandre XVᵉ s., Dürer 234
Van Eyck 236
Grünewald 238
Italie. Classicisme, maniérisme 240
Caravage 250
Espagne. Peinture 254
Peinture d'histoire 256
France. Arts du XVIIᵉ s. 258
Rubens 260
Hollande et Flandre. Arts du XVIIᵉ 262
Rembrandt 264
France. Arts du XVIIIᵉ s. 266
Peinture romantique 276
Goya 278
Peinture (XIXᵉ s.) 282
Réalisme. Arts 284
Manet 286
Impressionnisme 288
Van Gogh 290
Cézanne 292
Art naïf, art brut 296
Avant-gardes 298
Matisse 300
Picasso 314

peinture d'histoire
Peinture d'histoire 256
France. Arts du XVIIᵉ s. 258

Peire Vidal de Toulouse
Troubadours et trouvères 338

politique
Télévision 507

Pollaiolo (Antonio del)
Florence. Arts 231

Pollock (Jackson)
Art abstrait 316

Polo (Marco)
Littérature. Nouveaux domaines
113

Pologne
Espace musical 410

polonaise (école)
Espace musical 410

Polybe
Âge du fer 138

Polyclète
Grèce ancienne. Arts 153
Étrusques. Arts 157

Polynésie
Océanie. Arts 197

Polynésie orientale
Océanie. Arts 196, 197

polyphonie
Notation musicale 332
Moyen Âge. Musique religieuse
336
Polyphonie profane 340
Art instrumental 344
Musique. Théorie et critique 412

polyptyque
Grünewald 238

Pommersfelden
Europe centrale. Baroque 271
Würzburg 272

Pompadour (marquise de)
France. Arts du XVIIIe s. 266

Pompée
Rome. Arts 160, 161

Pompéi
Hellénisme. Arts 154, 155
Rome. Arts 160

Poniatowski (Stanislas
Auguste, comte)
Littérature (XVIIIe s.) 70

Ponson du Terrail (Pierre
Alexis)
Littérature populaire 90

Pont-Aven (école de)
Peinture (XIXe s.) 282

Ponti (Gio)
Architecture (XXe s.) 307

Pontormo (Iacopo Carruci,
dit le)
Italie. Classicisme, maniérisme
240

pop
Culture rock 418

pop art
Réalisme, pop, néo-figuratif 318

Popol-Vuh
Indiens d'Amérique 35

Pöppelmann (Matthäus
Daniel)
Europe centrale. Baroque 270

populisme
Littérature populaire 90, 91

Populonia
Étrusques. Arts 156

porcelaine
Islam. Objets d'art 170

portail
Chartres 221

Portal (Michel)
Jazz 391
Musique de film 417

Portel
Préhistoire. Art 132

Porter (Cole)
Comédie musicale 458

Porter (Edwin S.)
Western 460

Portinari (Béatrice)
Dante 48

Portoghesi (Paolo)
Postmodernisme 322

portrait
Hellénisme. Arts 155
Van Eyck 236
Rubens 261

Portugal
Néolithique et chalcolithique 134

positivisme
Réalisme 85

postmodernisme
Postmodernisme 322
Danse postmoderne 444

Potala
Haute Asie. Arts 189

Pottier (Eugène)
Littérature populaire 91

Pouchkine (Aleksandr
Sergueïevitch)
Europe et littérature 37
Romantisme. Littérature 78, 79
Dostoïevski 88, 89
Wagner 384

Poudovkine (Vsevolod)
Réalisme soviétique 477

Poulenc (Francis)
Musique de chambre 364
Concerto 371
Lied et mélodie 379
Musique néo-classique 392
Ballets russes 438

Pound (Ezra Loomis)
Symbolisme 96
Cosmopolitisme 98

Pousseur (Henri)
École de Vienne. Musique 399
Sérialisme intégral 402, 403
Musiques expérimentales 404
Musique aléatoire 407

Poussin (Nicolas)
Rome baroque 249
Peinture d'histoire 256
France. Arts du XVIIe s. 259

Powell (Bud)
Jazz 391

Powell (Jane)
Comédie musicale 458

Powell (Michael)
Fantastique. Cinéma 490

Pozzo (P. Andrea)
Rome baroque 249
Europe centrale. Baroque 271

Pradier (James)
Sculpture (XIXe s.) 294

Praetorius (Michael)
Renaissance 343

Prague
Gothique. Architecture 222
Renaissance. Europe 245
Europe centrale. Baroque 270

Prajña-pāramitā
Asie du Sud-Est. Arts 179

prang
Asie du Sud-Est. Arts 179

Praxitèle
Grèce ancienne. Arts 153
Hellénisme. Arts 155
Étrusques. Arts 157

précieuse
Littérature féminine 126

précolombienne
(civilisation)
Indiens d'Amérique 34
Méso-Amérique. Arts 198, 200
Andes. Arts préhispaniques 202

prédation (économie de)
Néolithique et chalcolithique 134

prédication
Littératures chrétiennes 21

préhistoire
Préhistoire. Art 132
Musique primitive 328

préimpressionnisme
Impressionnisme 288

prélude
Interprétation musicale 388

Preminger (Otto)
Film policier, film noir 463

Préneste
Hellénisme. Arts 155
Étrusques. Arts 156
Rome. Arts 159

préraphaélite
Peinture (XIXe s.) 282, 283
Réalisme. Arts 285

Présence africaine
Afrique noire. Littérature 118

Presley (Elvis)
Culture rock 418

presse
Médias 498
Presse quotidienne 500
Presse magazine 502
Audience. Public et sondages 510
Industries culturelles 516

Presse (la)
Littérature populaire 90

presse musicale
Musique. Diffusion 414

Prévost d'Exiles (abbé
Antoine François)
Littérature (XVIIIe s.) 70

Priam
Homère 14

Price-Mars (Jean)
Afrique noire. Littérature 118

Priène
Hellénisme. Arts 154

prima donna
Théâtre lyrique (XIXe s.) 380

prime time
Communication. Europe 521

Prince (Charles)
Comique, burlesque 452

**Printemps et les
Automnes** (les)
Chine. Arts 180

Proche-Orient
Proche-Orient ancien. Arts 140,
142

production (économie de)
Néolithique et chalcolithique 134

productivité
Industries culturelles 516

programme
Radio 505

Prokofiev (Sergueï
Sergueïevitch)
Symphonie 367
Concerto 371
Piano 373
Musique néo-classique 392
Russie. Musique 395
Ballets russes 438
Réalisme soviétique 476

Proletkoult
Littérature populaire 91

Prométhée
Homère 15
Grèce antique. Théâtre 17
Europe et littérature 36, 37

pronuntiatio
Europe et littérature 37

proportion
Brunelleschi 232, 233

propriété littéraire
Écrivain 82

prose
Littérature 11
Livre. L'avènement 55

prose du village
Littérature. Nouveaux domaines
113

prose poétique
Littérature 11

Proudhon (Pierre)
Réalisme. Arts 285

Proust (Antonin)
Manet 287

Proust (Marcel)
Roman (XIXe s.) 87
Littérature pour les jeunes 124

Provence
Van Gogh 290

Prudhon (Pierre Paul)
Peinture romantique 277

Prunay
Âge du fer 138

psaume
Épopée de Gilgamesh 12, 13

Psautier
Carolingiens. Arts 207

psychanalyse
Europe et littérature 37

psychoacoustique
Acoustique musicale 327

ptolémaïque (époque)
Égypte ancienne. Arts 145

public
Radio 505
Audience. Public et sondages 510
Industries culturelles 516

publicité
Littérature populaire 90
Presse quotidienne 500
Télévision 506
Audience. Public et sondages 511
Publicité 512
Industries culturelles 516

Puccini (Giacomo)
Théâtre lyrique (XIXe s.) 380

Pucelle (Jean)
Livre. L'avènement 54
Gothique. Peinture 224

Pugin (Augustus Welby)
Architecture (XIXe s.) 281

puissance [voix]
Grandes voix du répertoire 382

Pulitzer (Joseph)
Bande dessinée 122

pulsation [musique]
Notation musicale 332

punctum
Art instrumental 344

Purāṇa
Épopées sanskrites 24, 25

Purcell (Henry)
Baroque. Musique 347

Purgatoire
Dante 49

purisme
Avant-gardes 299

Purrmann (Hans)
Matisse 301

Puteaux (groupe de)
Avant-gardes 299

Puuc
Méso-Amérique. Arts 200

Puvis de Chavannes
(Pierre)
Peinture (XIXe s.) 282

pylône [architecture]
Égypte ancienne. Arts 148

Pyrgi
Étrusques. Arts 157

pythagoricien
Musique primitive 329

Q

Qadesh
Épopée de Gilgamesh 12
Égypte ancienne. Arts 149

Qā'it Bāy
Islam. Architecture religieuse 166

qal'a
Islam. Architecture civile 169

Stroheim (Erich von)
Cinéma muet 451

structuralisme
Sérialisme intégral 402

stuc
Europe centrale. Baroque 271

stūpa
Inde. Arts 173
Asie du Sud-Est. Arts 178, 179

Sturm (Der)
Avant-gardes 299

Sturm und Drang
Goethe 80
Style classique 360
Symphonie 366
Lied et mélodie 378

style
Littérature latine 18
Littératures chrétiennes 20

Style International
→ International (Style)

Styron (William)
États-Unis. Littérature 115

Subleyras (Pierre)
France. Arts du XVIIIe s. 267

sublime
Romantisme. Littérature 76

Subramaniam (L.)
Violon 369

Sue (Eugène)
Roman (XIXe s.) 87
Littérature populaire 90

Suède
Naturalisme 93
Scandinavie. Cinéma 472

Suger
Gothique. La cathédrale 219

Sui
Chine. Arts 184

Suiboku
Japon. Arts 192

Suisse
Communication. Europe 521

suite [musique]
Baroque. Musique 346

Sukhothai
Asie du Sud-Est. Arts 179

Sullivan (Louis)
Architecture (XXe s.) 306

Sullivan (Pat)
Dessin animé 470

Sumer
Épopée de Gilgamesh 12
Livre. L'avènement 55
Proche-Orient ancien. Arts 141
Musique primitive 328

Śunga
Inde. Arts 173

suprématisme
Art abstrait 303

surréalisme
Scandinavie. Littérature 95
Surréalisme 106
Amérique latine. Littérature 116
Dadaïsme et surréalisme 304
Figuration (XXe s.) 313

Suse
Proche-Orient ancien. Arts 142

Su Shi
Chine. Poésie classique 26

suspense
Paralittératures 121
Film policier, film noir 462

Sutherland (Graham)
Figuration (XXe s.) 313

Swedenborg (Emanuel)
Scandinavie. Littérature 95

Sweelinck (Jan Pieterszon)
Orgue 357

Swift (Jonathan)
Robinson et Gulliver 74
Paralittératures 120
Littérature pour les jeunes 124

swing
Jazz 390, 391

symbole
Symbolisme 96

symbolisme
Symbolisme 96
Futurisme 100
Peinture (XIXe s.) 282
Figuration (XXe s.) 312
Debussy 396

symphonia
Troubadours et trouvères 339

symphonie
Symphonie 366

symphonie concertante
Concerto 371

synagogue
Premier art chrétien 162

synchromisme
Avant-gardes 298, 299

syncrétisme
Littérature latine 18

synthétisme
Peinture (XIXe s.) 282
Impressionnisme 289

Syrie
Islam. Architecture religieuse 167
Islam. Objets d'art 170, 171

Syros
Grèce ancienne. Arts 150

Szeeman (Harald)
Avant-gardes 321

T

tablā
Musiques traditionnelles 335

tablature
Art instrumental 344

table d'harmonie
Musique primitive 328

tablette
Livre. L'avènement 55

Tabourot (Jehan)
→ Arbeau (Thoinot)

Tabriz
Islam. Architecture religieuse 166
Islam. Objets d'art 171

Tacite
Littérature latine 18, 19

Tādj Mahall
Islam. Architecture religieuse 167

Taeuber-Arp (Sophie)
Art abstrait 303

Taglioni (Filippo)
Ballet pantomime 435

Taglioni (Marie)
Danse académique 437

Taha Husayn
Littérature. Nouveaux domaines 112

Tahiti
Océanie. Arts 197

Tahull
Roman. Peinture 217

taille [musique]
Grandes voix du répertoire 382

Tailleferre (Germaine)
Musique néo-classique 392

Taine (Hippolyte)
Naturalisme 92
Scandinavie. Littérature 94

Taira
Japon. Littérature 30

Tajūr (el)
Méso-Amérique. Arts 200

Takeda Izumo
Japon. Théâtre 33

Takemoto Gidayū
Japon. Théâtre 33

takkiyya
Islam. Architecture religieuse 166

tambour de basque
Instruments de musique 330, 331

Taneïev (Sergueï Ivanovitch)
Russie. Musique 395

Tang
Chine. Arts 184, 186
Japon. Arts 190

Tangaroa
Océanie. Arts 197

tango
Bal 427

Tang Taizong
Chine. Arts 184

Tanguy (le père)
Van Gogh 291
Cézanne 293

Tang Xianzu
Chine. Théâtre 29

tanka
Japon. Littérature 30
Haute Asie. Arts 189

tantrisme
Haute Asie. Arts 189

tao
Chine. Arts 182, 184

taoïsme
Chine. Poésie classique 26
Chine. Arts 183, 184

taoshu
Chine. Théâtre 28

taotie
Chine. Arts 180

Tao Yuanming
Chine. Poésie classique 27

tapa
Océanie. Arts 197

Tàpies (Antoni)
Art abstrait 317

tapis
Islam. Objets d'art 170, 171

tapisserie
Gothique. Peinture 225

Tara (fibule de)
Irlande. Arts 204

Taranis
Âge du fer 139

Tarente
Étrusques. Arts 157

Tarkovski (Andreï)
Réalisme soviétique 477

Tarquinia
Étrusques. Arts 156, 157

Tartini (Giuseppe)
Violon 368, 369

Tasse (le)
Baroque. Littérature 56
Monteverdi 348

Tate (Allen)
Littérature. Nouveaux domaines 113

Tati (Jacques)
Comique, burlesque 453

tatouage
Océanie. Arts 196

Tatum (Art)
Jazz 391

Tavant
Roman. Peinture 217

Taylor (Elizabeth)
Hollywood, star system 455
Serials, séries 467

Taylor (Paul)
Expressionnisme. Danse 440, 441

Taymūr (les)
Littérature. Nouveaux domaines 112

Tazieff (Haroun)
Film documentaire 468

Tchaïkovski (Petr Ilitch)
Musique de chambre 364
Symphonie 367
Concerto 371
Orchestre 387
Russie. Musique 395

Tchekhov (Anton Pavlovitch)
Réalisme 85
Dostoïevski 89

Tchicaya U Tam'si (Gerald)
Afrique noire. Littérature 118

Tchokwé
Afrique. Arts 195

Tears for Fears
Culture rock 419

Tegnér (Esaias)
Romantisme. Littérature 79

télégraphe
Presse quotidienne 500

Telemann (Georg Phillip)
Baroque. Musique 347
Bach 354
Oratorio et cantate 358
Style classique 360
Violon 369

Télémaque
Homère 14

télématique
Communication. Techniques 518

Télétexte
Communication. Techniques 518

télévision
Littérature et culture nouvelle 129
Médias 498
Télévision 506
Journal télévisé 508
Audience. Public et sondages 510
Industries culturelles 516
Communication. Europe 520

Télévision française 1
→ TF 1

télévision haute définition
Communication. Techniques 519

Tell es-Sawwan
→ Sawwan

Tell Halaf
→ Halaf

tempérament [musique]
Acoustique musicale 327

tempérament égal
Musiques traditionnelles 335

temple antique
Égypte ancienne. Arts 148, 149

temple grec
Grèce ancienne. Arts 153
Hellénisme. Arts 154

Tempyō (ère)
Japon. Arts 190

Tencin (Claudine Alexandrine Guérin de)
Littérature (XVIIIe s.) 70
Écrivain 83

Tène (La)
Âge du fer 138

ténébrisme
Espagne. Peinture 254

Teniers le Jeune (David)
Hollande et Flandre. Arts du XVIIe 263

Tenochtitlán
Méso-Amérique. Arts 200, 201

ténor [organologie]
Instruments de musique 331

ténor grave
Grandes voix du répertoire 382

tenson
Courtoisie 45

Tentation de saint Antoine
Grünewald 239

Teotihuacán
Méso-Amérique. Arts 198, 200, 201

Terayama Shuji
Japon. Cinéma 485

Terborch (Gerard)
Hollande et Flandre. Arts du XVIIe 263

Terbrugghen (Hendrik)
Rembrandt 264

Térence
Littérature latine 18
Littératures chrétiennes 21

termon
Irlande. Arts 204

Terragni (Giuseppe)
Architecture (XXe s.) 306

Teshigahara Hiroshi
Japon. Cinéma 485

Teshoub
Épopée de Gilgamesh 13

Tessin (Carl Gustav, comte)
France. Arts du XVIIIe s. 266, 267

tessiture
Grandes voix du répertoire 382

Testament (Ancien)
Musique primitive 329

Tetrazzini (Luisa)
Grandes voix du répertoire 383

Teutatès
Âge du fer 139

TF1 (Télévision française 1)
Télévision 506
Communication. Europe 520

Thackeray (William Makepeace)
Réalisme 84, 85

Thaïlande
Asie du Sud-Est. Arts 179

Thalberg (Sigismund)
Piano 373

Thanjāvūr
Inde. Arts hindou et musulman 177

thé (cérémonie du)
Japon. Arts 193

théâtre
Grèce antique. Théâtre 16
Chine. Théâtre 28
Japon. Théâtre 32
Moyen Âge. Théâtre religieux 46
Baroque. Littérature 56
Théâtre élisabéthain 58
Shakespeare 60
Molière 68
Symbolisme 96, 97
Littérature et engagement 108
Théâtre de l'absurde 110
Hellénisme. Arts 154
Rome. Arts 159
Danse. Théâtre et opéra 432
Cinéma. Comédien 456

théâtre (nouveau)
Théâtre de l'absurde 110

théâtre de l'absurde
Théâtre de l'absurde 110

Théâtre de l'Œuvre
Symbolisme 97

théâtre de poupées
Japon. Théâtre 33

Théâtre des Arts
Symbolisme 97

théâtre épique
Théâtre de l'absurde 110

théâtre lyrique
Théâtre lyrique (XIXe s.) 380

Thèbes [Égypte]
Égypte ancienne. Arts 145, 148, 149

Théocrite
Livre. L'avènement 55

Théodora [impératrice byzantine]
Byzance. Arts 164

Theodoric (Maître)
Gothique. Peinture 224

Théogonie
Homère 15

théologie
Littératures chrétiennes 20

Théophane le Grec
Byzance. Arts 165

théorbe
Instruments de musique 331

Théra
Grèce ancienne. Arts 151

theravāda
Asie du Sud-Est. Arts 179

Thérèse d'Ávila (sainte)
Espagne. Siècle d'or 63
Cervantès 65
Rome baroque 249

Thérive (André)
Littérature populaire 91

thermes
Rome. Arts 159

Thessalie
Grèce ancienne. Arts 150

Thibaud IV le Chansonnier
Troubadours et trouvères 338, 339

Thibaud (Jacques)
Violon 369

Thierry [famille]
Orgue 356

third stream
Jazz 391

tholos
Grèce ancienne. Arts 151

Thomas d'Angleterre
Romans de chevalerie 43

Thomas d'Aquin (saint)
Littératures chrétiennes 21
Dante 49

Thomas More (saint)
Humanisme 52
Paralittératures 120

Thonburi
Asie du Sud-Est. Arts 179

Thor
Sagas 40

Thoreau (Henry David)
États-Unis. Littérature 114

Thoronet (Le)
Roman. Architecture, sculpture 213

Thorvaldsen (Bertel)
Sculpture (XIXe s.) 294, 295

thriller
Paralittératures 121
Film policier, film noir 462

Tiahuanaco
Andes. Arts préhispaniques 203

Tianlongshan
Chine. Arts 184

Tibère
Rome. Arts 159

Tibet
Chine. Arts 187
Haute Asie. Arts 189

Tibur
Rome. Arts 160

Tichtchenko (Boris)
Russie. Musique 395

Tieck (Ludwig)
Romantisme. Littérature 76

Tiepolo (Giambattista)
Baroque. Littérature 56
Würzburg 272, 273

tierceron
Gothique. Architecture 222

Tikal
Méso-Amérique. Arts 200, 201

tiki
Océanie. Arts 197

timbales
Instruments de musique 330, 331

timbre
Grandes voix du répertoire 382

Timgad
Rome. Arts 159

Timurides
Islam. Objets d'art 171

Tinguely (Jean)
Réalisme, pop, néo-figuratif 318

Tino di Camaino
Gothique. Sculpture 228

Tintoret (le)
Venise. Arts du XVIe s. 246

Tiomkin (Dimitri)
Musique de film 417

Tippett (Michael)
Musique de chambre 364
Symphonie 367
Concerto 371

Tirso de Molina
Europe et littérature 37

Tirynthe
Grèce ancienne. Arts 151

Tite-Live
Littérature latine 18

Titelouze (Jehan)
Orgue 357

Titicaca
Andes. Arts préhispaniques 202

Titien (le)
Venise. Arts du XVIe s. 246, 247
Rubens 261
Manet 286

Titov (Vassili Polikarlovitch)
Russie. Musique 394

Titus-Carmel (Gérard)
Réalisme, pop, néo-figuratif 319

Tivoli (le) [bal]
Bal 427

tlacuilo
Indiens d'Amérique 35

Tlaloc
Méso-Amérique. Arts 201

Tlatilco
Méso-Amérique. Arts 200

Tobey (Mark)
Art abstrait 316

toccata
Oratorio et cantate 359
Interprétation musicale 388

Tōdai-ji
Chine. Arts 184
Japon. Arts 190, 191

Todi
Étrusques. Arts 157

Toepffer (Rodolphe)
Bande dessinée 122

Tokat
Islam. Architecture religieuse 167

tokonoma
Japon. Arts 193

Tokugawa
Japon. Littérature 30
Japon. Arts 193

Tōkyō
Japon. Arts 193

Tolède
Espagne. Peinture 254

Toller (Ernst)
Expressionnisme. Littérature 102

Tolstoï (Léon)
Cervantès 65
Réalisme 84, 85
Roman (XIXe s.) 87
Dostoïevski 89

Toltèques
Méso-Amérique. Arts 198, 201

tonal (système)
Musiques traditionnelles 335
École de Vienne. Musique 398

tonalité
Musique. Théorie et critique 412

Tonga (îles)
Océanie. Arts 197

top 50
Culture rock 419
Radio 505

toraṇa
Inde. Arts 173

Torcello
Byzance. Arts 165
Roman. Peinture 216

Torelli (Giacomo)
Grandes voix du répertoire 383
Ballet de cour 431

Torelli (Giuseppe)
Baroque. Musique 347
Style concertant 352, 353
Concerto 370

torii
Japon. Arts 191

Torres García (Joaquín)
Art abstrait 317

Tosa (école)
Japon. Arts 193

toscan
Dante 48

totem
Indiens d'Amérique 34

Totonaques
Méso-Amérique. Arts 198

Toukoultī-Ninourta Ier
Épopée de Gilgamesh 12

Toulouse
Gothique. Architecture 223

Toulouze (Michel)
Renaissance. Danse 429

tour
Architecture (XXe s.) 307

tourbière
Âge du bronze 137

Tourette (couvent de la)
Le Corbusier 308

Tourgueniev (Ivan Sergueïevitch)
Réalisme 84, 85
Dostoïevski 89

Tourine (Viktor)
Film documentaire 468

Tournemire (Charles)
Orgue 357

Tourneur (Cyril)
Théâtre élisabéthain 58

Tourneur (Jacques)
Fantastique. Cinéma 490

Tourneur (Maurice Thomas)
Western 461

Tournus
Roman. Architecture, sculpture 213

tour-porche
Roman. Architecture, sculpture 212

Tourte (F.X.)
Violon 368

Toyotomi Hideyoshi
Japon. Arts 192

tragédie
Grèce antique. Théâtre 16, 17

Trajan
Dante 49
Rome. Arts 158, 159

Y

Yajurveda
Épopées sanskrites 25

Yamaha
Culture rock 419

Yamato
Japon. Arts 190

yamato-e
Japon. Arts 190, 191, 192, 193

yangbanai
Chine. Théâtre 29

yangbanxi
Chine. Théâtre 29

Yang Guifei
Chine. Théâtre 28, 29

Yangshao
Chine. Arts 180

Yan Hui
Chine. Arts 185

Yan Liben
Chine. Arts 184

Yared (Gabriel)
Musique de film 417

Yaxchilán
Méso-Amérique. Arts 200

Yayoi
Japon. Arts 190

Ygdrasil
Sagas 40

Yongle
Chine. Arts 187

Yoshida Kiju
Japon. Cinéma 485

Young (Chic)
Bande dessinée 123

Young (Lester)
Jazz 391

Ysaye (Eugène)
Violon 369

Yuan
Chine. Théâtre 28
Chine. Arts 186
Japon. Arts 192

Yuan Zhen
Chine. Poésie classique 27

Yucatán
Méso-Amérique. Arts 198, 200

yuefu
Chine. Poésie classique 26

Yungang
Chine. Arts 183, 186

Yunus Emre
Poésie arabo-persane 22

Yvain
Romans de chevalerie 42

Z

Zachow (Friedrich Wilhelm)
Oratorio et cantate 359

zadjal
Poésie arabo-persane 23

Zaïre
Afrique. Arts 195
Cinéma. Tiers-monde 488

zaju
Chine. Théâtre 28

Zákros
Grèce ancienne. Arts 151

Zamiatine (Ievgueni)
Paralittératures 121

Zanuck (Darryl)
Cinéma. Industrie 494

Zapotèques
Méso-Amérique. Arts 198, 200

zapping
Télévision 507

zarb
Musiques traditionnelles 335

Závist
Âge du fer 138

Zavvarè
Islam. Architecture religieuse 166

Zeami
Japon. Théâtre 32

Zecca (Ferdinand)
Film historique, péplum 464

Zeffirelli (Franco)
Musique de film 417

Zeman (Karel)
Dessin animé 470

zen
Japon. Arts 191, 192

Zeus
Épopée de Gilgamesh 13

Zeuxis
Grèce ancienne. Arts 153

Zhang Kejiu
Chine. Poésie classique 27

Zhang Sengyou
Chine. Arts 183

Zhao Mengfu
Chine. Arts 186

Zhengzhou
Chine. Arts 180

Zhongshan
Chine. Arts 181

Zhou
Chine. Arts 180

Zhugong diao
Chine. Théâtre 28

ziggourat
Proche-Orient ancien. Arts 142
Islam. Architecture religieuse 166

Zimmermann (August)
Goethe 81

Zimmermann (Bernd Aloïs)
Concerto 371

Zimmermann (Dominikus)
Europe centrale. Baroque 270, 271

Zinnemann (Fred)
Western 461

Ziye ge
Chine. Poésie classique 27

znamennyi (chant)
Russie. Musique 394

Zohapilco
Méso-Amérique. Arts 200

Zola (Émile)
Écrivain 83
Roman (XIXᵉ s.) 87
Littérature populaire 91
Naturalisme 92, 93
Littérature et engagement 108
Littérature et culture nouvelle 129
Manet 287
Théâtre lyrique (XIXᵉ s.) 381

Zuhayr ibn Abī Sulmā
Poésie arabo-persane 22

zuihitsu
Japon. Littérature 30

Zukor (Adolph)
Cinéma. Industrie 494

Żuławski (Andrzej)
Science-fiction. Cinéma 493

Zumpe (Johann Christoph)
Piano 372

Zurbarán (Francisco de)
Espagne. Peinture 254

Zurbarán (Juan de)
Amérique latine. Baroque 268

Zwinger (le)
Europe centrale. Baroque 270

CRÉDITS PHOTOGRAPHIQUES

Toute photographie publiée dans cet ouvrage est accompagnée, dans la page
où elle est reproduite, d'un chiffre qui précède l'identification lui correspondant.
Dans la table récapitulative ci-dessous, pour un numéro de page donné,
ce chiffre d'identification est repris et suivi du nom du photographe et/ou
de l'organisme (agence photographique, musée, entreprise, etc.) ayant fourni le document,
et éventuellement d'un nom de lieu de conservation des œuvres reproduites.

page 8 : 1, coll. Viollet. 10, Services américain d'information – Larousse - Coll. 11, coll. Viollet. 2, British Council – Larousse - Coll. 3, Doct Alpenland - Vienne – Larousse - Coll. 4, Manuel H. – Larousse - Coll. 5, Lipnitzki – Coll. Viollet. 6, Larousse - Coll. 7, Monier L. – A.P.P.M. 8, Ambassade d'Espagne – Larousse - Coll. 9, Imapress.

10 : 1, B.N.- Paris. 2, Larousse - Coll, B.N.- Paris. 3, Lauros-Giraudon, Hôtel de Lunaret - Montpellier. 4, Huet M. – Hoa-Qui. 5, Clery – Rapho.

12 : 1, R.M.N.- Paris, Musée du Louvre - Paris. 2, Parrot ML., Musée de l'Irak - Bagdad. 3, R.M.N.- Paris, Musée du Louvre - Paris. 4, University museum -Philadelphie, University of Pennsylvania - Philadelphie. 5, R.M.N.- Paris, Musée du Louvre - Paris.

14 : 1, Roland R. – Artephot, Musée national d'archéologie - Athènes. 2, Held A. – Artephot, Musée de Chiusi - Italie. 3, Nimatalloh – Artephot, Villa Giulia - Rome. 4, Dagli Orti G., Musée du Louvre - Paris.

16 : 1, O.R.T.F. 2, Bernand. 3, Pratt-Priess – Diaf.

18 : 1, 2, Dagli Orti G., Musée d'histoire, Bucarest - Roumanie.

20 : 1, Giraudon. 2, Schneiders T. – Artephot, Landesmuseum - Bonn. 3, Held A. – Artephot. 4, Loirat – Explorer. 5, Sappa – C.E.D.R.I.

22 : 1, Bodleian Library -Oxford. 2, Ricciarini Tomsich, B.N.- Naples. 3, B.N.- Paris.

24 : 1, Giraudon, Musée archéologique – Khajouraho. 2, Efeo. 3, Ionesco L. – Efeo. 4, Duflos MC.

26 : 1, Larousse - Coll. 2, Guegen et Miaille, Mission Louise Weiss - Chine. 3, Larousse - Coll. 4, Artephot, Musée du palais national Taipei - Taiwan.

28 : 1, Pimpaneau, Musée Know-On. 2, Lénars Ch. 3, Magnum.

30 : 1, Shogakukan, Musée Yamato - Bunkakan - Nara. 2, Museum of Fine Arts - Boston. 3, Dagli Orti G.

32 : 1, Coquex Ph. 2, Treatt N. 3, Lénars Ch.

34 : 1, Lénars Ch., Bibliothèque apostolique – Vatican. 2, Molenaar – Image Bank. 3, Algar, Musée de l'amérique - Madrid.

36 : 1, Lauros-Giraudon, Musée d'Orsay - Paris. 2, Giraudon, Musée du Louvre - Paris. 3, Lauros-Giraudon, Musée Gustave Moreau - Paris. 4, Dagli Orti G., Musée civique A Ponzone, Crémone -Italie.

38 : 1, Giraudon, Musée de Condé - Chantilly. 2, Dagli Orti G., Académie des sciences - Lisbonne. 3, Giraudon, Musée de Picardie - Amiens. 4, Göhner Klaus, Stiftung Preussischer Kulturbesitz, dépôt de la staatsbibliotek - [ZW] Tübingen - Allemagne RFA.

40 : 1, British museum - Londres. 2, Dagli Orti G.

42 : 1, Dagli Orti G., Musée de Condé - Chantilly. 2, B.N.- Paris. 3, Lauros-Giraudon, Musée de Condé - Chantilly. 4, B.N.- Paris. 5, Lauros-Giraudon, Musée de Condé - Chantilly.

44 : 1, Ohana Sousse, Bibliothèque de l'Arsenal - Paris. 2, Bibliothèque de l'université - Valence - Espagne. 3, Giraudon, Bibliothèque sainte Geneviève - Paris.

46 : 1, 2, Scala, Galerie Sabauda - Turin.

48 : 1, Scala, Borgello - Florence. 2, 3, 4, Dagli Orti G., Bibliothèque Marciana - Venise.

page 50 : 1, Oppenheim G.L.W, Toneelmuseum - Amsterdam. 2, B.N.- Paris.

52 : 1, Giraudon, Palais Ducal, Urbino - Italie. 2, Terlay B., Musée Granet - Aix-en-Provence. 3, Lauros-Giraudon, Musée national du château - Versailles. 4, Dagli Orti G., Bibliothèque universitaire - Genève. 5, Larousse - Coll, Coll part.

54 : 1, 2, B.N.- Paris. 3, Charmet J.-L.

56 : 1, Nationalmuseum - Stockholm.

58 : 1, 2, 3, Bernand. 4, Coquex Ph.

60 : 1, National Portrait Gallery - Londres. 2, D.R. 3, 4, Dominic Z.

62 : 1, Scala, Musée du Prado - Madrid. 2, Giraudon, Musée du Prado - Madrid. 3, Dagli Orti G., Carmel de Beaune.

64 : 1, Ramos D., Académie espagnole - Madrid. 2, Blanel J. – Artothek, Nouvelle Pinacothèque - Munich. 3, Scala, Palais des Doges - Venise.

66 : 1, Giraudon, Musée du Louvre - Paris.

68 : 1, Giraudon, Musée Condé - Chantilly. 2, Studio Harcourt. 3, 4, Bernand.

70 : 1, Lauros-Giraudon, Musée des beaux arts - Rouen. 2, Anders G., Charlottenburg - Berlin. 3, Lauros-Giraudon, Musée Carnavalet.

72 : 1, Lauros-Giraudon. 2, Dagli Orti G., Chateau de Versailles.

74 : 1, Charmet J.-L., B.N.- Paris. 2, Lauros-Giraudon. 3, 4, Charmet J.-L.

76 : 1, National gallery of art - Washington. 2, Bridgeman – Artothek, Charlottenburg - Berlin. 3, Giraudon, Musée Fabre - Montpellier.

78 : 1, Giraudon, Musée des beaux-arts - Nantes. 2, Charmet J.-L. 3, Moll G., AG.

80 : 1, Blauel J. – Artothek, Schackgalerie - Munich. 2, Larousse Coll. 3, Larousse - Coll, B.N.- Paris. 4, Blauel J., Städelsches Kunstinstitut - Francfort.

82 : 1, Dagli Orti G., Musée d'Orsay - Paris. 2, Gasmann – Antenne 2. 3, Francolon – Gamma.

84 : 1, 2, Dagli Orti G., Musée du Louvre - Paris. 3, Musée de la ville de Paris.

86 : 1, Coll. Viollet. 2, Coll. Sirot Angel. 3, Lauros-Giraudon, Musée du Louvre - Paris.

88 : 1, B.S.I. 2, Coll. Viollet. 3, B.N.- Paris. 4, Dagli Orti G., Bibliothèque des arts décoratifs - Paris. 5, Coll. Viollet.

90 : 1, B.N.- Paris. 2, Charmet J.-L., B.N.- Paris. 3, Charmet J.-L. 4, Larousse Coll.

92 : 1, Giraudon. 2, 3, Coll. Viollet.

94 : 1, Musée A. Strindberg - Stockholm. 2, Larousse Coll. 3, Bernand.

96 : 1, Dagli Orti G., Coll Part. 2, Enguerand. 3, Dagli Orti G., Fondation Gulbenkian - Lisbonne.

98 : 1, Tape H. – Camerapress Parimage. 2, Coll. Viollet. 3, 4, Freund G.

page 100 : 1, D.R. 2, B.N.-Paris, AG. 3, Fabbri.

102 : 1, Thetermuseum der Universät zu Köln. 2, Galerie Welz - Salzburg.

104 : 1, 2, 3, Archives Klaus Wagenbach. 4, X - Edimages, Coll. Palix.

106 : 1, D.R. 2, Diathèque C.N.A.C. - G. Pompidou - Paris, Coll. part - Bruxelles. 3, Larousse Coll., Galerie A. Iolas. 4, Lauros-Giraudon, Coll. Nellens. 5, D.R.

108 : 1, Segnaire J. 2, Barbey B. – Magnum. 3, Smith J. – Magnum. 4, D.P.A. - A.F.P.

110 : 1, 2, 3, 4, Enguerand.

112 : 1, Baret M. – Rapho. 2, Leroy C. – Sipa Press. 3, Turnley P. – Rapho.

114 : 1, DITE - I.P.S. 2, Arcis J. – Rapho. 3, Launois J. Black Star – Rapho. 4, Berrety – Rapho.

116 : 1, Hétier M. 2, Muller – C.E.D.R.I. 3, Gerretsen Chas – Gamma.

118 : 1, 2, Renaudeau M. – Hoa-Qui. 3, Laine D. – Hoa-Qui.

120 : 1, 2, 3, Coll. Christophe L.

122 : 1, Coll. Larousse. 2, Kharbine - Tapabor. 3, Editions Dargaud, AG. 4, 5, 6, Kharbine – Tapabor.

124 : 1, Charmet J.-L. 2, D.R. 3, Coll. Christophe L. 4, 5, Larousse Coll., B.N.- Paris.

126 : 1, Giraudon, Musée de Chantilly. 2, Imapress.

128 : 1, Massar I. - Black Star – Rapho. 2, Tremolada E. – Cosmos. 3, Dagli Orti G., Musée d'Orsay - Paris.

130 : 1, Dagli Orti G. 2, Scala, Musée national - Naples. 3, Adelmann.

132 : 2, 3, Vertut J. 4, Oster – Musée de l'Homme - Paris.

134 : 1, Lessing E. – Magnum. 2, 3, 4, Musée de Préhistoire de l'Ile de France - Nemours.

136 : 3, Aarons. 4, Musée national de Copenhague.

138 : 1, Lessing – Magnum, British Museum - Londres. 2, Lessing – Magnum, Würtenbergisches Landesmuseum - Stuttgart. 3, Lessing – Magnum, Natur historisches Museum - Vienne. 4, Würtembergisches Landesmuseum - Stuttgart.

140 : 1, Mellaart J. 2, Lénars Ch., British museum - Londres. 3, Giraudon, Musée du Louvre - Paris. 4, Archives photographiques, Musée du Louvre - Paris. 5, Giraudon, Musée du Louvre - Paris.

142 : 1, British museum - Londres. 2, Lauros-Giraudon, Musée du Louvre - Paris. 3, Giraudon, Musée irakien - Bagdad. 4, Wheeler – Rapho.

144 : 1, Babey – Artephot. 2, Brake B. – Rapho, British museum - Londres. 3, Dagli Orti G., Musée du Louvre - Paris.

146 : 1, Held S. 2, Sioen G. – C.E.D.R.I. 3, British museum - Londres.

148 : 2, Dagli Orti G. 3, Marthelot Ph. - A.A.A. Photo. 4, Giraudon.

page 150 : 1, Dagli Orti G., Musée national archéologique - Athènes. 2, Lénars Ch., Musée d'Heraklion - Crètes. 3, Deneux M., Musée national archéologique - Athènes. 4, Dagli Orti G.

152 : 1, Hassia, Musée archéologique - Châtillon sur Seine. 2, Dagli Orti G., Musée Whitaker - Mozia. 3, Fleming, British museum - Londres. 4, R.M.N.- Paris, Musée du Louvre - Paris.

154 : 1, Staatliche museum -Berlin, Staalische museum - Pergamon museum - Berlin. 2, Scala, Musée national - Naples. 3, Staatlische museun - Berlin, Staatlische museen - Pergamon museen - Berlin.

156 : 1, Dagli Orti G. 2, Scala, Musée étrusque - Vatican. 3, Scala, Musée archeologique - Florence. 4, Scala, Musée étrusque Guarnacci - Volterra.

158 : 1, Sierpinski – Scope. 2, Percheron – Artephot. 3, Scala. 4, Lauros-Giraudon, Musée du Louvre - Paris.

160 : 1, Ross J. – Rapho. 2, Dechuzeville – Rapho. 3, Snark international – Edimedia, Nycarlsberg Glyptothek - Copenhague. 4, Icona, Musée Capitolini - Rome.

162 : 1, Scala. 2, Held – Artephot. 3, Scala.

164 : 1, R.M.N.- Paris, Musée du Louvre - Paris. 2, Michaud R. et S. – Rapho. 3, Levassort M. et Bonnefoy-Desjardin – Top, Galerie Tretiakov - Moscou.

166 : 1, Michaud R. et S. – Rapho. 2, Maichaud R. et S. – Rapho. 3, Sioen – C.E.D.R.I.

168 : 1, Michaud R et S. – Rapho. 2, Trela – Artephot. 3, Taylor Bernus.

170 : 1, 2, 3, 4, R.M.N.- Paris, Musée du Louvre - Paris.

172 : 2, Held S. 3, Nou J.L. Museum Gouvernement - Madras. Dessin Quivron, G.

174 : 2, Nou J.L. 3, Held S. 4, Nou J.L.

176 : 2, 3, Kohler F. 4, Nou J.L. 5, Held S.

178 : 1, Valentin – Explorer. 2, Invermizzi – Artephot. 3, Musée national - Bangkok. 3, 4, Lénars Ch. 5, Duflos MC., Musée de Jakarta.

180 : 1, Li Jilu – Chine nouvelle. 2, Lauros-Giraudon, Musée Guimet - Paris. 3, Dagli Orti G., Musée Cernuschi - Paris.

182 : 1, British museum - Londres. 2, Larousse - Coll, Musée Guimet - Paris. 3, Lénars Ch. 4, Held S., Museum of QuinFigures - Lintong.

184 : 1, Musée of fine arts -Boston. 2, Shogakukan – Artephot, Chion-In - Kyoto. 3, National palace museum - Taipei - Taiwan – Artephot.

186 : 1, Shogakukan. 2, Chine Nouvelle. 3, Held S.

188 : 1, R.M.N.- Paris, Musée Guimet - Paris. 2, British Museum - Londres. 3, Eve-Arnold – Magnum.

190 : 1, Lauros-Giraudon, Musée Guimet - Paris. 2, Ogawa – Artephot. 3, Shogakukan. 4, Gerster – Rapho.

192 : 1, R.M.N.- Paris, Musée Guimet - Paris. 2, Dagli Orti G., Coll part. 3, D.R. 4, The Metropolitan museum of art - New-York.

194 : 1, Held A. – Artephot, Musée des antiquités - Nigéria. 3, Larousse Coll., Musée des arts africains et océaniens - Paris. 4, Labat JM., Musée des arts africains et océaniens - Paris. 5, Larousse Coll., Musée des arts africains et océaniens - Paris.

196 : 1, Ponsard D. – Musée de l'Homme - Paris. 2, Field museum of natural history - Chicago. 3, Fleming, British museum - Londres. 4, Hinz H., Museum fur Völkerkunch.

198 : 3, 4, Dagli Orti G., Parc de la Venta - Villahermosa. 5, Larousse Coll.

page 200 : 2, Held S. 3, Dagli Orti G. 4, Dagli Orti G., Musée national d'anthropologie - Mexico.

202 : 1, Bouchard JF. 3, 4, Lenars Ch., Musée national d'anthropologie - Lima.

204 : 1, Tetrel P. 2, Office du Tourisme Irlandais - Paris. 3, Edimedia, B.N.- Dublin, 4, B.N.- Paris.

206 : 1, Abbaye de St Gall - Suisse, AG. 2, Lauros-Giraudon, B.N.- Paris. 3, B.N.- Paris. 4, Cauboue – Artephot, B.N.- Paris.

208 : 1, Hessische Landes und Hochschul – Bibliothek Darmstadt - allemagne. 2, 3, Dagli Orti G. 4, Lauros-Giraudon.

210 : 1, Dagli Orti G., Basilique Saint Marc - Venise. 2, Giraudon. 3, Dagli Orti G., Basilique St Marc - Venise.

212 : 1, Sudres JD – Scope. 2, Chirol S. 3, Sierpinski – Scope.

214 : 1, Sierpinski – Scope. 2, 3, Dieuzaide Y.

216 : 1, Giraudon. 2, Fabbri – Artephot. 3, Barde JL. – Scope.

218 : 1, Genet D. 2, C.E.D.R.I. 3, Labat JM. 4, Hinous P. – Top. 5, Boulat P. – Cosmos.

220 : 1, 2, Genet D. 3, Arthus B. – Explorer. 4, Labat JM.

222 : 1, Kersting AF. – Artephot. 2, Schneider T. – Artephot. 3, Tiziou M. – Diaf.

224 : 1, Deremble C. 2, Schneider T. – Artephot. 3, Kunsthalle – Artothek.

226 : 1, 2, 3, 4, Dagli Orti G.

228 : 1, 2, Giraudon. 3, 4, Lauros-Giraudon.

230 : 1, Scala. 2, Scala, Chapelle Brancacci - Florence - Italie. 3, Scala, Opéra del Duomo - Florence - Italie. 4, Scala.

232 : 1, 3, 4, Scala.

234 : 1, Metropolitan museum of art - New-York. 2, Giraudon, Musée des offices - Florence. 3, Giraudon, Pinacothek de Munich.

236 : 1, 2, 3, Giraudon, The national gallery - Londres.

238 : 1, 2A, 2B, 2C, 3, Giraudon, Musée Unterlinden - Colmar.

240 : 1, Scala, Loggia della signonia - Florence. 2, Scala, Musée du Vatican - Rome. 3, Lessing – Magnum, Musée de Dresde - Allemagne. 4, Fabbri, Eglise Santa Felicita - Florence.

242 : 5, Scala. 6, Lauros-Giraudon, Musée du Louvre - Paris. 7, Lessing E. – Magnum, Eglise San Pietro in Vincoli - Rome.

244 : 1, Nimatallah – Artephot, Kunsthistorisches museum - Vienne. 2, Giraudon, Musée du Louvre - Paris. 3, Scala, Alte Pinakothek - Munich. 5, Oronoz – Artephot.

246 : 1, Scala, Academia - Venise. 2, Chirol S. 3, Giraudon. 4, Hinous – Top.

248 : 1, Scala. 2, Chirol S. 3, Lauros-Giraudon.

page 250 : 1, Bildarchiv Kulturbesitz. 2, 3, 4, Scala.

252 : 1, Giraudon, Château de Versailles. 2, Giraudon. 3, Lauros-Giraudon.

254 : 1, The Bowes museum Barnard Castle, co. Durham U.K. 2, Museum of art - Sant Diego. 3, 4, R.M.N.- Paris, Musée du Louvre - Paris. 5, The national gallery - Londres.

256 : 1, R.M.N.- Paris, Musée du Louvre - Paris. 2, Lauros-Giraudon, Château de Versailles. 3, Scala. 4, Lauros-Giraudon.

258 : 1, Josse H., Musée du Louvre - Paris. 2, Giraudon, Musée des beaux arts - Nantes. 3, Giraudon, Muséedu Louvre - Paris. 4, R.M.N.- Paris, Musée du Louvre - Paris.

260 : 1, Blauel J. – Artothek, Alte Pinakothek - Munich. 2, Artothek, Kunsthistorisches museum -Vienne. 3, Lauros-Giraudon, Musée du Louvre - Paris. 4, Blauel J - Gnamm - – Artothek, Alte Pinakothek - Munich.

262 : 1, Scala, Musée du Prado - Madrid. 2, Rijksmuseum Stichting - Amsterdam. 3, Scala, Musée du Prado - Madrid. 4, Giraudon, Musée des beaux arts - Valenciennes.

264 : 1, R.M.N.- Paris, Musée du Louvre - Paris - coll Edmond de Rothschild. 2, 3, Bulloz, Musée du Petit Palais - Paris - coll Dutuit.

266 : 1, Lauros-Giraudon, Musée du Louvre - Paris. 2, The Wallace collection - Londres. 3, R.M.N.- Paris, Musée du Louvre - Paris. 4, Lauros-Giraudon, Musée du Louvre - Paris.

268 : 1, Held S. 2, Muséo Guillermo Pérez Churiboga del banco central del Ecuador - Quito. 3, Held S.

270 : 1, Vaisse P. 2, Guillard J. – Scope. 3, Berger P. – Rapho. 4, Lauros-Giraudon. 5, Bavaria Bildagentur GMBH le Brun.

272 : 1, Guillard J. – Scope. 2, Bilderteam I. – Diaf. 3, Lessing E. – Magnum.

274 : 1, Merrett B. MBAM - Montréal, Musée des beaux-arts - Montréal. 2, R.M.N.- Paris, Musée national du château de Malmaison -. 3, Josse H., Musée du Louvre - Paris.

276 : 1, Archives Snark – Edimedia, National gallery - Londres. 2, Lessing – Magnum, Staatliche Kunstsammlungen Gemäldegalerie - Dresde - Allemagne. 3, Giraudon, Musée du Prado - Madrid. 4, Giraudon, Musée du Louvre - Paris.

278 : 1, Coll. Viollet. 2, Giraudon, Musée du Prado - Madrid. 3, 4, Faillet – Artephot, Musée du Prado - Madrid.

280 : 1, D.R. 2, E.R.L. – Sipa Press, Victoria and Albert museum - Londres. 3, Charmet J.-L., Bibliothèque des arts décoratifs - Paris. 4, Roland R. – Artephot.

282 : 1, Lauros-Giraudon, Musée Gustave Moreau - Paris. 2, The Bridgeman art Library, City art gallery - Manchester. 3, Kommunes Kunstsalinger - Oslo - Munch Museet, Munch Museet - Oslo. 4, Scala, Musée de l'Ermitage - Leningrad.

284 : 1, A.C.L. - Bruxelles, Musées royaux des beaux-arts - Bruxelles. 2, 3, R.M.N.- Paris, Musée du Louvre - Paris.

286 : 1, Scala, Musée des offices - Florence. 2, Lauros-Giraudon, Musée d'Orsay - Paris. 3, Museum of art - New-York. 4, Lauros-Giraudon, Musée d'Orsay - Paris.

288 : 1, Tate Gallery - Londres. 2, Lauros-Giraudon, Musée Marmottan - Paris (disparu). 3, 4, The art institute of Chicago.

290 : 1, 2, Institut Galleries Courtauld - Londres. 3, Museum of modern art - New-York.

292 : 1, E. Bernard – Larousse - Coll. 2, Dagli Orti G., Musée d'art - Sao-Paulo. 3, Babey – Artephot, Coll Part.

294 : 1, Bulloz, Musée du Louvre - Paris. 2, Giraudon, Musée Roybet - Fould - Courbevoie. 3, Museum der Bilderden Künste - Leipzig. 4, R.M.N.- Paris, Musée d'Orsay - Paris. 5, Musée Thorvaldsen - Copenhague.

296 : 1, Lauros-Giraudon, Musée d'Orsay - Paris. 2, Musée national d'art moderne, centre G. Pompidou - Paris. 3, D.R., Coll Part.

298 : 1, Lauros-Giraudon, Musée d'art moderne - Troyes. 2, Kleinhempel, Musée Kunsthalle - Hambourg. 3, Giraudon, Musée Picasso - Paris. 4, Scala, Coll Mattioli - Milan.

page 300 : 1, R.M.N.- Paris, Musée d'Orsay - Paris. 2, Musée national Vincent Van Gogh, - Amsterdam. 3, Scala, Musée Pouchkine - Moscou. 4, Lauros-Giraudon, Coll Part.

302 : 1, 2, Musée national d'art moderne, centre G. Pompidou - Paris, Musée national d'art moderne - Paris. 3, Lauros-Giraudon, Musée national d'art moderne - Paris. 4, 5, Gemeentemuseum - La Haye.

304 : 1, The museum of modern art - New-York. 2, Lauros-Giraudon, B.N.- Paris - coll part. 3, Museum of art - Philadelphia. 4, Hatala B. – Centre Georges Pompidou - Paris, Coll part.

306 : 1, Larousse - Coll, Architectural photo co FL Wright - Chicago. 2, Cesa Diaarchiv GMBH – D.R. 3, Marburg Bildarchiv – D.R. 4, Burri R. – Magnum.

308 : 1, 2, Schings E. – Explorer. 3, Burri R. – Magnum.

310 : 1, Stedelijk museum - Amsterdam. 2, Galerie Leiris, Musée Picasso - Paris. 3, Musée national d'art moderne, centre G. Pompidou - Paris. 4, Musée de Philadelphie. 5, Robertson Hickey – The Menil collection - Houston.

312 : 1, Lauros-Giraudon, Guggenheim museum - New-York. 2, The art institute of Chicago. 3, Bulloz, Musée national d'art moderne, centre G. Pompidou - Paris. 4, D.R.

314 : 1, Charmet J.-L. 2, Musée national d'art moderne, centre G. Pompidou - Paris. 3, 4, Oronoz – Artephot, Musée du Prado - Madrid.

316 : 1, Hinz H., Musée d'art - Bâle. 2, National gallery of Canada - Ottawa. 3, Adelmann. 4, George A Hearn Fund – The Metropolitan museum of art - New-York. 5, Musée national d'art moderne, centre G. Pompidou - Paris.

318 : 1, Musée national d'art moderne, centre G. Pompidou - Paris. 2, Purcell J. – Centre Georges Pompidou - Paris. 3, Musée d'art moderne, la Terrasse - Saint-Etienne. 4, Larousse Coll., Coll privée - New-York. 5, Musée national d'art moderne, centre G. Pompidou - Paris.

320 : 1, Diathèque C.N.A.C. - G. Pompidou - Paris. 2, Galerie Durand - Dessert, Coll part. - Zurich. 3, Galerie Stadler - Paris. 4, Morris R. – Courtesy Leo Castelli Gallery - New-York City.

322 : 1, Sautereau S. 2, Samek T. SQB - Greven - allemagne. 3, D.R. 4, D.R., Galerie Neotu - Paris. 5, Langeland JP. – Diaf.

324 : 1, Enguerand.

326 : 3, Rheinhard F. 6, Bernand.

328 : 1, Coll. du musée de l'Homme. 2, Lénars Ch. 3, Lawson K. – Rapho. 4, D.R.

332 : 1, 2, 3, B.N.- Paris. 4, Larousse - Coll.

334 : 2, Michaud R. et S. – Rapho. 3, D.R. 4, Leothaud G. 5, Sotheby's - coll part. Vever A.

336 : 1, Musée Ochier - Cluny. 2, B.N.- Paris. 3, Bernard J.

338 : 1, 1A, 2, 3, 4, B.N.- Paris.

340 : 1, B.N.- Paris. 2, Brou, Faculté de médecine - Montpellier. 3, Bernard J., Musée Grobet Labadée - Marseille.

342 : 1, Österreichische nationalbibliothek - Vienne. 1A, Österreichische Nationalbibliothek - Vienne. 2, Giraudon, Cathédrale saint Bavon, Gand - Belgique. 3, Giraudon, Bibliothèque Mazarine - Paris.

344 : 1, B.N.- Paris. 2, Bayerische staatsbibliothek - München. 3, 4, Larousse - Coll.

346 : 1, 2, 3, 4, B.N.- Paris. **348 :** 1, Lessing – Magnum, Ferdinandeum museum - Innsbruck. 2, 3, Civico museo bibliografico musicale - Bologne.

page 350 : 1, Caisse nationale des momuments historiques. 2, Bibliothèque de Versailles. 3, B.N.- Paris, Bibliothèque de l'Opéra - Paris.

352 : 1, B.N.- Paris. 2, Dagli Orti G.

354 : 1, Museum für Geschichte der stad - Leipzig. 2, Heyer Museum - Cologne.

356 : 1, Valloton P. 2, B.N.- Paris. 3, Coll. Thibault G., Musée instrumental du conservatoire - Paris. 4, Valloton P.

358 : 1, Larousse - Coll. 2, Coll. A. Marinie.

360 : 1, 2, Lessing E. – Magnum. 3, Stepanek R., Historisches museum - Vienne.

362 : 1, Lessing E. – Magnum, Musée Mozart - Salzbourg. 2, Dagli Orti G., Musée de la ville - Vienne. 3, A.K.G. – Artephot.

364 : 1, Coll. A Meyer. 2, Edelmann U., Freies deutsches hochstift, Frankfurter Goethe - museum. 3, Dagli Orti G., Musée historique de la ville - Vienne.

366 : 1, Mahler G. – Bibliothèque musicale. 2, Lessing E. – Magnum. 3, B.N.- Paris.

368 : 1, B.N.- Paris. 2, Victoria and Albert Picture Library. 3, D.R.

370 : 1, Giraudon. 2, 3, Coqueux Ph.

372 : 3, Doisneau R. 4, Fishman Ch. – Cosmos.

374 : 1, B.N.- Paris. 2, R.M.N.- Paris, Musée du Louvre - Paris. 3, Coll. Boschot. 4, B.N.- Paris, Musée de Zwickau - Allemagne.

376 : 1, Dagli Orti G., Musée Beethoven - Bonn - Allemagne. 2, Musée Beethoven - Bonn - Allemagne. 3, Enguerand.

378 : 1, Dagli Orti G., Musée Schubert - Vienne. 2, Larousse - Coll, Bibliothèque du conservatoire de musique - Paris. 3, Leloir JP. 4, Blauel Gnamm – Artothek, Schack galerie - Munich - Allemagne. 5, Lessing E. – Magnum, Historisches museum - Vienne.

380 : 1, B.N.- Paris. 2, Nadar. 3, Coll. Viollet.

382 : 1, Erlanger M. – Bibliothèque de l'opéra - Paris. 2, Ville de Nice - section photo. 3, Bibliothèque de l'opéra - Paris.

384 : 1, B.N.- Paris, Bibliothèque de l'opéra - Paris. 3, Masson C. – Kipa.

386 : 1, B.N.- Paris. 2, U.S.I.S. 3, 4, B.N.- Paris.

388 : 1, 2, 3, Masson C. – Kipa.

390 : 1, 2, 3, Driggs F. – Magnum. 4, Burri R. – Magnum. 5, Le Querrec G. – Magnum. 6, Mayer F. – Magnum.

392 : 1, 2, 3, Archives de la fondation Erik Satie.

394 : 1, D.R. 2, Charmet J.-L., Bibliothèque des arts décoratifs - Paris. 3, B.N.- Paris, Bibliothèque de l'Opéra - Paris. 4, Bernand. 5, Coll. Viollet.

396 : 1, Lauros-Giraudon, Conservatoire national de musique - Paris. 2, Held S. 3, Scala, Les offices - Florence. 4, Dagli Orti G., Musée national - Tokyo.

398 : 2, D.R. 3, Stepanek R. – Historischen museums der stadt - Vienne. 4, Heald D. – The Solomon R Guggenheim museum -New-York.

page 400 : 1, Bernand. 2, Lessing E. – Magnum, Historisches museum - Vienne, 3, B.N.- Paris, Bibliothèque de l'Opéra - Paris.

402 : 1, Boermans. 2, Gras Ph. 3, D.R. 4, Universal Edition - Londres. 5, Charbonnier – Top. 6, Bernand.

404 : 1, Charmet J.-L., Studio di Russolo - Milan. 2, Beziat. 3, Ruszka. 4, Bernand. 5, Larousse - Coll, Editions Universal - Vienne.

406 : 1, Claude Martin. 2, 3, Editions Minerve.

408 : 1, Lauros-Giraudon, Coll. part. 2, D.R. 3, Bernand.

410 : 1, Association Wyschnagradsky. 2, Block R. - Berlin. 3, D.R.

412 : 1, 3, 4, B.N.- Paris. 5, Giraudon, B.N.- Paris.

ILLUSTRATEURS

Photocomposition : Maury – Malesherbes
Photogravure : Arrigo-Bordeaux
Imprimerie Maury
Dépôt légal : octobre 1991 – N° Série éditeur : 18 180
Imprimé en France (Printed in France) 152 274 août 1994